新版
日本食品大事典
第二版
Encyclopedia of Foods

編　集
平　　宏和
田島　　眞
安井　明美
安井　　健

医歯薬出版株式会社

This book is originally published in Japanese
under the title of :
SHINPAN NIHON SHOKUHIN DAIJITEN
(ISHIYAKU SHUPPAN's Encyclopedia of Foods)
Editors : TAIRA, Hirokazu ／ TAJIMA, Makoto ／ YASUI, Akemi ／ YASUI, Takeshi

© 2017 1st ed.
© 2022 2nd ed.

ISHIYAKU PUBLISHERS,INC.

7-10, Honkomagome 1 chome, Bunkyo-ku,

Tokyo 113-8612, Japan

序　文

　『新版 日本食品大事典』を大幅に改訂した第2版を発行することになった．前版から5年が経過したが，この数年間にわれわれの日常生活や世界の様相は一変してしまったと言ってよいだろう．食生活においては，2019年12月に発生した新型コロナウイルス感染症（COVID-19）によって食品の生産，流通，消費に対する影響が深刻となり，さらに，本年2月24日に生じたヨーロッパでの紛争によって，ウクライナにおける小麦の減産，輸出量の減少による世界の飢餓人口の増大が懸念されている．

　2015年9月の国連サミットで採択された「持続可能な開発目標（SDGs）」には「①貧困をなくそう」「②飢餓をゼロに」が含まれている．本書の読者の中には，食や食品の観点から，世界のあるいはわが国の飢餓の問題に取り組んでいる方々もいらっしゃると思われる．一方，わが国では，食料自給率（37％，カロリー・ベース，2020年）の向上と，国民一人当たり年44 kgにもなる食品ロス（522万トン，2020年）の低減を図ることが積年の課題となっている．

　本書と関係のある大きな事項としては，2020年12月に改訂された，文部科学省の「日本食品標準成分表2020年版（八訂）」の公表がある．この改訂では，エネルギーの算出方法が変更になり，国際的に推奨されている計算方法を基にしたエネルギー値が収載されることとなった．すなわち，従来のたんぱく質に替わって，アミノ酸組成によるたんぱく質，従来の脂質に替わって，脂肪酸のトリアシルグリセロール当量，従来の（差引き法による）炭水化物に替わって，利用可能炭水化物，有機酸等が優先されて収載され，実際に摂取するエネルギーに近い値の提供ができるようになっている．

　本書は，①当該食品成分表に収載しているほぼ全ての食品について食品番号と食品名を網羅している，②新しい収載値に基づく記述をしている，③当該成分表には記述されていない試料や収載値に関する情報を記載している，などの特徴をもつ．本書の構成の多くは前版のものを踏襲しているが，分類学の新しい知見の導入，参考となる写真の入れ替え，統計情報に基づく記述の見直しなど，最新の情報に基づいた内容のものとなるよう努めている．

　本書は『日本食品事典』（1968年，第2版1975年）を起源とし，『新編 日本食品事典』（1982年），『日本食品大事典』（2003年，第2版2008年，第3版2013年），『新版 日本食品大事典』（2017年）と書名を変えながら，半世紀以上にわたって版を重ねてきた．今回の改訂を行い，改めて多くの読者の支持に支えられてきたことに感謝している．今後も本書が多くの読者にとって，何かの参考になることができれば，そして，本書が食や食品に携わる専門家・学生・医療従事者・教育者の方々をはじめ，食に関心をもつ幅広い読者の方々に役立てていただければ，これに勝る喜びはない．

なお，本書の出版は多くの方々の多大なご尽力によるものである．今回，引用と参考にした旧版を執筆された先生方，ご多忙の中，新たな執筆をお引き受けくださった大学や研究機関などの先生方，また長期間の編集作業に携わった伊藤祐次氏をはじめとする医歯薬出版株式会社編集部の方々に対し厚く御礼を申し上げる．

　2022年8月

平　宏和
田島　眞
安井明美
安井　健

編　集

平（たいら）　宏和（ひろかず）	元 資源協会 食品成分調査研究所
田島（たじま）　眞（まこと）	元 実践女子大学
安井（やすい）　明美（あけみ）	国立研究開発法人農業・食品産業技術総合研究機構 食品研究部門
安井（やすい）　健（たけし）	元 文部科学省 科学技術・学術審議会 資源調査分科会 食品成分委員会

執　筆

平（たいら）　宏和（ひろかず）　元 資源協会 食品成分調査研究所
　＊穀類，いも及びでん粉類，豆類，野菜類，菓子類，用語解説

安井（やすい）　健（たけし）　元 文部科学省 科学技術・学術審議会 資源調査分科会 食品成分委員会
　＊穀類，いも及びでん粉類，砂糖及び甘味類，豆類，種実類，菓子類，調味料及び香辛料類，用語解説

安井（やすい）　明美（あけみ）　国立研究開発法人農業・食品産業技術総合研究機構 食品研究部門
　＊種実類，用語解説

上田（うえだ）　浩史（ひろし）　国立研究開発法人農業・食品産業技術総合研究機構 野菜花き研究部門
　＊野菜類，し好飲料類

阿部（あべ）　和幸（かずゆき）　国立研究開発法人農業・食品産業技術総合研究機構 果樹茶業研究部門
　＊果実類

立木（たつき）　美保（みほ）　国立研究開発法人農業・食品産業技術総合研究機構 果樹茶業研究部門
　＊果実類

田島（たじま）　眞（まこと）　元 実践女子大学
　＊きのこ類，加工食品・その他の食品類

岩瀬（いわせ）　剛二（こうじ）　元 帝京科学大学 生命環境学部
　＊きのこ類

石原（いしはら）　賢司（けんじ）　国立研究開発法人水産研究・教育機構 水産技術研究所 水産物応用開発部
　＊藻類，魚介類（加工品）

奥谷（おくたに）　喬司（たかし）　元 東京水産大学
　＊魚介類（甲殻類・軟体動物）

本村（もとむら）　浩之（ひろゆき）　鹿児島大学 総合研究博物館
　＊魚介類（魚類）

佐々木（ささき）　啓介（けいすけ）　国立研究開発法人農業・食品産業技術総合研究機構 畜産研究部門
　＊肉類，卵類

小林（こばやし）　美穂（みほ）　国立研究開発法人農業・食品産業技術総合研究機構 食品研究部門
　＊乳類

都（と）　甲洙（かぷすー）　日本大学 生物資源科学部
　＊乳類

小竹（こたけ）　英一（えいいち）　国立研究開発法人農業・食品産業技術総合研究機構 食品研究部門
　＊油脂類

小塚（こづか）　彦明（よしあき）　食品評価技術研究所
　＊加工食品・その他の食品類

横山（よこやま）　理雄（みちお）　元 石川県立大学 生物資源環境学部
　＊加工食品・その他の食品類，用語解説

阿久澤（あくざわ）さゆり　東京農業大学 応用生物科学部
　＊調理

＊は主な執筆分担　■表紙，カバー，イラスト：小林　達也（Miltata）

写真提供者・協力者一覧

(五十音順・敬称略，社名・団体名は写真提供当時のもの)

写真提供者

芦澤　正和	(有)小町園	北海道大学 総合博物館
飯野　久栄	静岡県水産・海洋技術研究所伊豆分場	みそ健康づくり委員会
岩瀬　剛二*	静岡県水産・海洋技術研究所	UCC上島珈琲(株)
王　　暁明	庄内たがわ農業協同組合・月山ワイン山ぶどう研究所	らくのうマザーズ阿蘇ミルク牧場
下野　義人	(株)新宿 高野	**撮影用食品提供者**
平　　宏和*	精糖工業会	田島　眞*
玉井　　裕	(一社)名古屋コーチン協会	かまくら こ寿々
林　　裕輔	日清オイリオグループ(株)	キユーピー(株)
本村　浩之*	しょうゆ情報センター	(株)霧下そば本家
矢野　涼子	(公財)日本健康・栄養食品協会	(一社)日本植物蛋白食品協会
山中　髙史	(一社)日本畜産副産物協会	日本緑茶センター(株)
吉田　雅夫	福井きのこアドバイザー会	(株)三芳商店
Samuel P. Iglesias	(株)フルッタフルッタ	*印は本書執筆者

『日本食品事典』執筆者

1968年 発行

監修　井上　吉之　京都大学名誉教授，鳥取大学学長
編集　小野　誠志，杉田　浩一，森　雅央

小野　誠志	農林省農業技術研究所研究室長		林　　淳三	関東学院女子短期大学学長
佐藤　治雄	協同組合短期大学教授		福沢　　陸	協同組合経営研究所研究員
西郷　光彦	東京農業大学助教授		松浦　宏之	女子栄養大学教授
沢野　　勉	東京文化学園短期大学助教授		松尾　幹之	駒沢大学経済学部教授
杉田　浩一	昭和女子大学助教授		森　　雅央	相模女子大学助教授

『日本食品事典 第2版』執筆者

1975年 発行

監修　井上　吉之　元 京都大学名誉教授, 元 東京農工大学学長
編集　小野　誠志，杉田　浩一，森　雅央

小野　誠志	農林省中国農業試験場経営部長		林　　淳三	関東学院女子短期大学学長
佐藤　治雄	協同組合短期大学教授		福沢　　陸	協同組合経営研究所研究員
西郷　光彦	東京農業大学教授		松浦　宏之	女子栄養大学教授
沢野　　勉	東京文化学園短期大学助教授		松尾　幹之	名古屋大学農学部教授
杉田　浩一	昭和女子大学助教授		森　　雅央	食糧学院・東京栄養食糧学校教授

『新編　日本食品事典』執筆者・執筆分担一覧

1982 年　発行

編集　杉田　浩一，堤　忠一，森　雅央

平　宏和	農林水産省食品総合研究所 分析栄養部栄養化学研究室 室長：穀類
杉田　浩一	昭和女子大学 教授：各類　調理
比護　和子	昭和女子大学短期大学部 助教授：各類　調理
川端　晶子	東京農業大学 教授：各類　調理
田中　康夫	農林水産省食品総合研究所 微生物利用第二研究室 室長：穀類
根本　芳郎	農林水産省食品総合研究所 企画連絡室連絡科 科長：いもおよびでん粉類
沢野　勉	東京文化短期大学 教授：砂糖および甘味料，調味料・香辛料類
宮内　昭	株式会社 中村屋 専務取締役：菓子類
石井　幹郎	株式会社 中村屋 取締役 研究開発室 室長：菓子類
山崎　恵	農林水産省食品総合研究所 食品理化学部脂質研究室 室長：油脂類
安井　明美	農林水産省食品総合研究所 分析栄養部分析研究室：種実類
太田　輝夫	農林水産省食品総合研究所 微生物生産研究室 室長：豆類，調味料・香辛料類
西郷　光彦	東京農業大学 教授：豆類
中村　かほる	東京農業大学 助教授：豆類
衣巻　豊輔	農林水産省東海区水産研究所 利用部油脂利用研究室 室長：魚介類，獣鳥鯨肉類
福澤　陸	株式会社 エイワ通商：魚介類
矢野　幸男	日本食肉加工協会 調査役：獣鳥鯨肉類
松尾　幹之	名古屋大学 教授：獣鳥鯨肉類，卵類，乳類
森　雅央	東京栄養食糧専門学校 教授：卵類，乳類
小泉　典子	相模女子大学短期大学部 助教授：卵類，乳類
林　淳三	関東学院女子短期大学 学長：野菜類
芦澤　正和	農林水産省野菜試験場 育種部育種第 4 研究室 室長：野菜類
垣内　典夫	農林水産省果樹試験場 育種部加工適性研究室 室長：野菜類，果実類
堤　忠一	農林水産省食品総合研究所 分析栄養部分析研究室 室長：野菜類
飯野　久栄	農林水産省食品総合研究所 冷凍研究室 室長：野菜類
佐藤　治雄	茨城大学 講師：果実類
土居　祥兌	国立科学博物館 植物第 2 研究室 主任研究官：きのこ類
菊地　嶺	農林水産省東海区水産研究所 生物科学部：藻類
原　昌道	国税庁醸造試験所 第 3 研究室 室長：嗜好飲料類
横山　理雄	呉羽化学工業株式会社 食品研究所 所長：加工食品類

『日本食品大事典[*1]』『新版 日本食品大事典[*2]』執筆者・執筆分担一覧

[*1] 2003 年（第 1 版），2008 年（第 2 版），2013 年（第 3 版）発行，[*2] 2017 年（第 1 版）発行
所属は『日本食品大事典』（2003 年）発行時のもの

編　集

杉田　浩一　元 昭和女子大学　生活科学部
平　　宏和　社団法人資源協会　食品成分調査研究所
田島　　眞　実践女子大学　生活科学部
安井　明美　独立行政法人食品総合研究所　分析科学部

執筆者

平　　宏和	（穀類，いもおよびでん粉類，野菜類，菓子類，用語解説）	小泉　典子	（卵類，乳類）
		中里　溥志	（乳類）
田中　康夫	（穀類）	山崎　　惠	（油脂類）
澤野　　勉	（砂糖および甘味類，調味料および香辛料類）	荒井　康雄	（菓子類）
		高橋　明弘	（菓子類）
中村カホル	（豆類）	阿部　民男	（菓子類）
鈴野　弘子	（豆類）	米屋　薫子	（菓子類）
安井　明美	（種実類，用語解説）	原　　昌道	（嗜好飲料類）
芦澤　正和	（野菜類）	山本（前田）万里	（嗜好飲料類）
飯野　久栄	（野菜類）	横山　理雄	（加工食品・その他の食品類，用語解説）
垣内　典夫	（果実類）		
田島　　眞	（きのこ類，加工食品・その他の食品類）	杉田　浩一	（調理）
		川端　晶子	（調理）
岩瀬　剛二	（きのこ類）	比護　和子	（調理）
浅川　明彦	（藻類）	田代　典子	（調理）
衣巻　豊輔	（魚介類，肉類，用語解説）	王　　暁明	（中国語協力）
奥谷　喬司	（魚介類）	平石　秀夫	（仏語協力）
矢野　幸男	（肉類）		

凡　例

編集方針
① 本書は『新版 日本食品大事典』の改訂第 2 版である．
② 本書は，事典部，用語解説，付表，付図，食品群別索引から構成される．
③ 収載項目は，『日本食品標準成分表 2020 年版（八訂）』（文部科学省科学技術・学術審議会資源調査分科会報告）収載の食品に加え，現在，日本の市場で一般にみられる食品について，できる限り網羅し，親項目・子項目を合わせた約 4,000 項目である．また，付録部の用語解説には 490 項目を収載した．
④ 「日本食品標準成分表 2020 年版（八訂）」は，本文中では『食品成分表』の表記で統一した．
⑤ 動植物など生物に由来する食品の親項目・子項目に表記する名称は，原則として，標準和名を用いた．ただし，標準和名以外の名称が，一般的に広く利用されていると判断できるものについては，『食品成分表』等も参考に表記する名称を決定した．標準和名以外の名称を用いた場合には，標準和名を 標 で示した．
⑥ 各項目の親項目と関連の強い項目は子項目として掲載している．子項目で事典を引いた場合は親項目を参照するよう項目を設けた．
⑦ 本書の項目は，五十音配列とした．
　ⅰ　清音五十音配列を基本とし，清音・濁音・半濁音の順とした．
　ⅱ　拗音・促音はそれぞれ固有音として扱った．
　ⅲ　長音符は直前文字の母音に置き換えて配列した．
⑧ 漢字表記については，近年の国語政策に準じた用字とし，2010 年改定の常用漢字表と印刷標準字体に沿った表記とした．

見出し部
（1）親項目
① 親項目には，見出し，漢字表記・読み，食品番号（『食品成分表』による），分類科・属名，学名，外国語（英・仏・独・中など），標準和名，別名，解説の順で掲載している．見出しの前には『食品成分表』の食品群に準じたイラストを用いて，食品群を示した．
② 親項目の見出しの表記は，ひらがなを主とし，外来語はカタカナで表記した．加工食品などは読みやすさを考慮し，一部に漢字を用いている．
③ 見出し表記の右に漢字での表記を示している．漢字表記が複数ある場合は，セミコロン（；）で区切り列記した．
④ 魚介類，野菜類などについては，食品としての旬の時期をできる限り掲載した．
⑤ 日本語の同義語を別名として列記した．必要に応じ地方名，和名，標準和名，市販名・市場名，古名などを区別して掲載している．地方名が複数ある場合，セミコロン（；）で区切り列記し，（　）内に当該地方を示した．
⑥ 食品項目の表記は，以下のとおりとした．
　ⅰ　肉　類：牛肉，豚肉とせず，うし，ぶたとし，動物名のみで示した．
　ⅱ　魚介類：あじ，いわしなどとし，あじ類，いわし類などの類は原則省略した．

（2）子項目
① 親項目と関連の強い項目であり，親項目と同じ箇所に掲載することが望ましいと判断したものである．
② 原則ひらがなを用い，見出しの下に漢字表記を掲載した．なお，加工品については主として漢字を用い，難読語については（　）内に読みを入れた．
③ 分類科・属名，学名，外国語，別名，旬などは主項目に準じた．

(3) 参照項目
①親項目の表記以外の子項目や別名の中から，その名称から事典が引かれることが多いと判断したものについては，参照項目として記載してある．
例）アールグレイ ⇨ 紅茶　　海ぶどう ⇨ くびれずた

(4) 種の学名
①原則として，属名＋種名の二命名法により，命名者名は省略した．
②種実類などで，見出しと学名が一致しない場合（ぎんなん，いちょうなど），学名の後に（　）で標準和名等を表記し補足した．
③植物の学名および標準和名を選ぶ際には「植物和名－学名インデックス YList」（米倉浩司・梶田忠（2003-）「BG Plants 和名－学名インデックス」（YList），http://ylist.info）や各種学会の表記等を参考とした．

(5) 外国語
①英語は，原則米語の綴りとした．米語と英語を区別したものは，（　）内に英米の区別を記し併記した．
②英語の単数複数については『食品成分表』にある語については，原則その表記に従った．その他については単数とした．
③外国語は原則として英語を主とし，その他の外国語をその後に示した．外国語表記が複数ある場合は，セミコロン（；）で区切り列記した．和菓子など，日本特有のものは便宜上英語欄に音をローマ字表記した．あわせてセミコロンの後に英語による説明を（　）内にできる限り示した．ローマ字表記した日本語は，先頭文字を大文字とした．
④外国語のうち，ドイツ語表記は，先頭文字を大文字で表記した．
　ドイツ語以外の外国語は先頭文字を小文字で表記した．

解説部
①人　名：日本人，中国人を除き，カタカナ表記とし，必要に応じ欧文も記載した．
②年　号：原則として西暦表記とした．ただし，わが国の出来事については元号を示し，あわせて必要に応じ（　）に西暦を入れた．
③欧　文：当該語の欧文は（　）に入れ，その語の後に続けた．本文中の欧文は原則小文字としている．
④動植物，生物名：原則として食品名として扱い，ひらがなを用いた．ただし，生物名として扱った場合には，カタカナを用いた．なお，読みやすさを考慮し一部に例外として漢字を用いた（米，小麦，大麦，大豆，大根，桃，梅，柿，生姜，昆布，唐辛子など）．
⑤生産量，輸入量，生産地，生産国等についての記載は，財務省の貿易統計，国際連合食糧農業機関（Food and Agriculture Organization of the United Nations；FAO）の統計データ（FAOSTAT）に基づいている．
⑥項目の内容と関わりの強い用語には，アスタリスク（＊）で参照先を示した．
⑦用語解説の項目には，アスタリスク（＊）で示している（頻出する用語は除く）．

成分値の表記
①成分値は原則「日本食品標準成分表2020年版（八訂）」に基づいた．その他，必要に応じ，「日本食品標準成分表2015年版（七訂）」「日本食品標準成分表2010」「五訂 日本食品標準成分表」「四訂 日本食品標準成分表」，各国の食品成分表の成分値を用いた．
　米国食品成分表：Composition of Foods：Raw, Processed, Prepared. USDA National Nutrient Database for Standard Reference, Legacy (2018).
　英国食品成分表：McCance and Widdowson's The Composition of Foods Seventh Summary Edition (2015); McCance and Widdowson's The Composition of Foods Integrat-

ed Dataset 2021 (2021).
　　フランス食品成分表：The ANSES-CIQUAL French Food Composition Table (2020).
　　中国食品成分表：中国食物成分表 第 2 版 (2009).
　　インド食品成分表：Indian Food Composition Tables (2017).

②表中に示したエネルギー産生成分の成分値のうち，成分項目群「たんぱく質」および「脂質」では，「日本食品標準成分表 2020 年版（八訂）」に準拠し，エネルギー計算における評価コードの決定およびエネルギー計算に優先的に利用した，「アミノ酸組成によるたんぱく質」および「脂肪酸のトリアシルグリセロール当量で表した脂質」の成分値を載せた．成分項目群「利用可能炭水化物」でエネルギー計算に利用した成分項目は，利用可能炭水化物の「利用可能炭水化物（単糖当量）」あるいは「差引き法による利用可能炭水化物」のいずれかであるが，栄養計算に利用する成分項目を勘案して，「利用可能炭水化物（質量計）」もしくは「差引き法による利用可能炭水化物」の成分値を載せた（ただし，「利用可能炭水化物（質量計）」の成分値を載せた場合でも，エネルギー計算には，「利用可能炭水化物（単糖当量）」の成分値を用いている）．上記以外の場合，すなわち「アミノ酸組成によるたんぱく質」の成分値がない場合には，基準窒素量に窒素－たんぱく質換算係数を乗じて計算した「たんぱく質」の成分値を載せ，「脂肪酸のトリアシルグリセロール当量で表した脂質」の成分値がない場合には，食品ごとに定めた溶媒抽出－重量法で測定した「脂質」の成分値を載せた．解説中に示したエネルギー産生成分の成分値についても，概ね上記の表記法に従ったが，諸外国の食品成分表などで，「利用可能炭水化物」の成分値がない場合には，差引き法による「炭水化物」の成分値を載せた．なお，解説中および表中では以下の略称表記を用いている．
　　　　アミノ酸組成によるたんぱく質　→　たんぱく質（アミノ酸組成）
　　　　脂肪酸のトリアシルグリセロール当量で表した脂質　→　脂質（TAG 当量）
　　　　差引き法による利用可能炭水化物　→　利用可能炭水化物（差引き法）

③（　）付きの数値は，推計値を示す．推計値とは，文献値，類推値，借用値，計算値および推定値の総称である．

④ Tr，(Tr) は「微量」であることを示す．微量とは，原則として，各成分値の最小記載量の 1/10 以上含まれているが，5/10 未満であることを示す．

⑤オレイン酸は，『食品成分表』脂肪酸成分表編では，オレイン酸とシス（cis）-バクセン酸の合計の値で収載されているものが多い．表では，注）としてその旨を表記したが，本文中は，便宜的にオレイン酸として表記した（用語解説「オレイン酸」参照）．

本書に使用した記号・単位

(1) 見出し部の記号・略号

成	『日本食品標準成分表 2020 年版（八訂）』での食品番号						
分	分科名・属名	学	学名	旬	食品の旬の時期		
英	英・米語	仏	フランス語	独	ドイツ語	中	中国語
伊	イタリア語	西	スペイン語	露	ロシア語	印	ヒンディー語
丁	デンマーク語	瑞	スウェーデン語	諾	ノルウェー語		
別	別名（ 地 地方名　市 市販名・市場名　標 標準和名　和 和名　古 古名）						

(2) ギリシア文字の表音

α	アルファ	β	ベータ	γ	ガンマ	δ	デルタ	ε	イプシロン
ζ	ゼータ	η	イータ	θ	シータ	ι	イオタ	κ	カッパ
λ	ラムダ	μ	ミュー	ν	ニュー	ξ	グサイ	o	オミクロン
π	パイ	ρ	ロー	σ	シグマ	τ	タウ	υ	ウプシロン
φ	ファイ	χ	カイ	ψ	プシー	ω	オメガ		

（3）使用単位等の略符号について

kcal	キロカロリー	kJ	キロジュール	μm	マイクロメートル（＝10^{-6}m）
％	パーセント	℃	摂氏温度	μg	マイクログラム（＝10^{-6}g）
kL	キロリットル	L	リットル	mL	ミリリットル
cm^2	平方センチメートル	Pa	パスカル（圧力，応力）	pH	水素イオンのイオン指数
kGy	キログレイ	Bx	ブリックス	P	ポアズ
Gy	グレイ	M	メガ（＝10^6）	t	トン
hr	時	min	分	sec	秒
IU	国際単位	Bé	ボーメ度	vol	容量
J	ジュール	ppm	100万分の1	♂	オス
JAS	日本農林規格	d	デシ（＝1/10）	♀	メス

（4）日本食品標準成分表2020年版（八訂）での食品群

 1 穀　類

 2 いも及びでん粉類

 3 砂糖及び甘味類

 4 豆　類

 5 種実類

 6 野菜類

 7 果実類

 8 きのこ類

 9 藻　類

 10 魚介類

 11 肉　類

 12 卵　類

 13 乳　類

 14 油脂類

 15 菓子類

 16 し好飲料類

 17 調味料及び香辛料類

 18 加工食品・その他の食品類＊

＊18のみ本書独自の分類

付録部　目次

付　図 …………………………………………………………………………… ❶〜❾

用語解説 ………………………………………………………………………… 891

付　表 …………………………………………………………………………… 934

食品群別索引 …………………………………………………………………… 945

食用植物の部位名称

食用果実の形態による分類

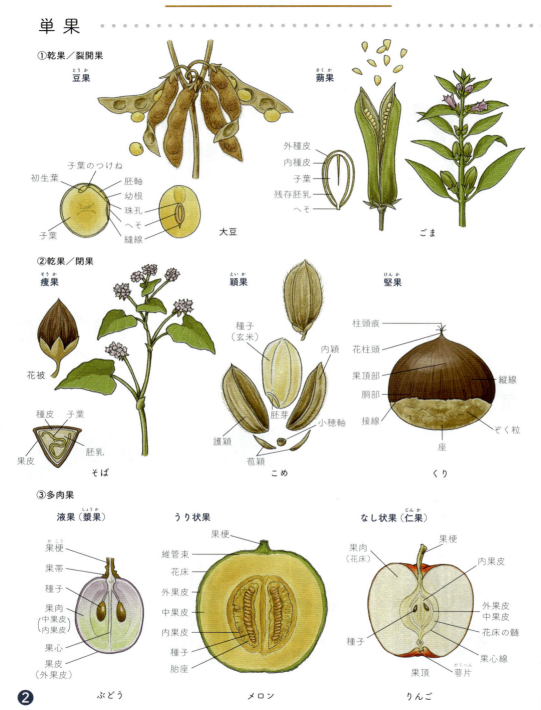

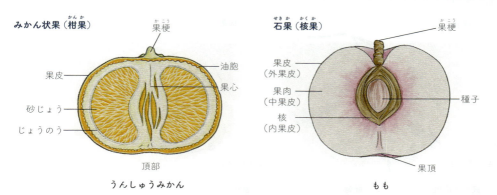

集合果

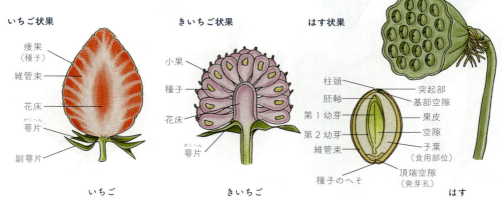

複合果

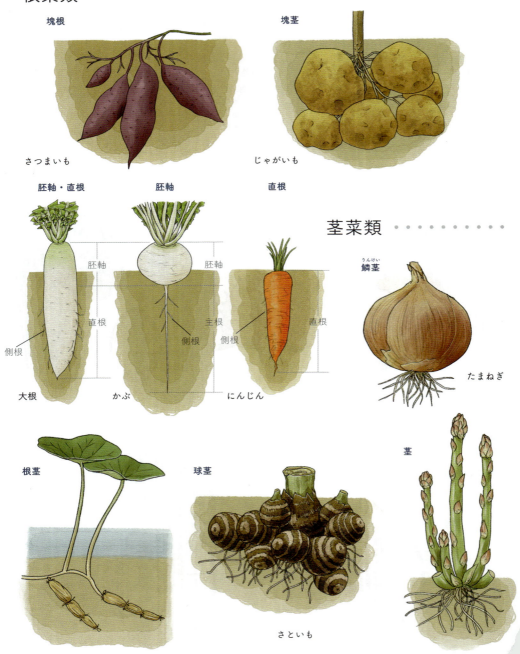

葉菜類

葉 — キャベツ
葉柄 — セロリ
ほうれんそう

花菜類

花序 — ブロッコリー
花弁 — 食用菊
花茎 — 茎にんにく（にんにくの芽）
花蕾(からい) — アーティチョーク

果菜類

未熟果
さやえんどう
さやいんげん
じゅうろくささげ
きゅうり
なす

熟果
トマト
ミニトマト

食品の断面図

根菜類

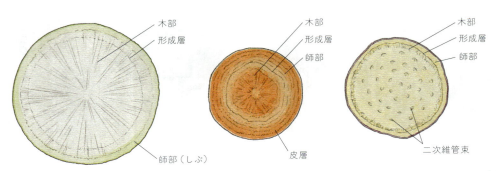

茎菜類 / きのこ類

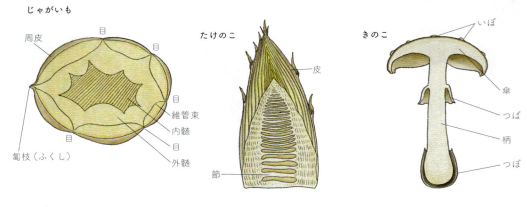

果菜類 / 種子

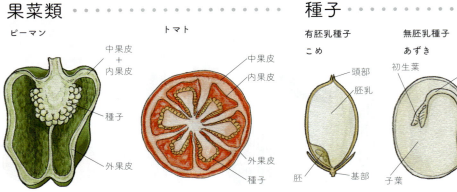

肉類，鶏卵の部位名称

牛肉

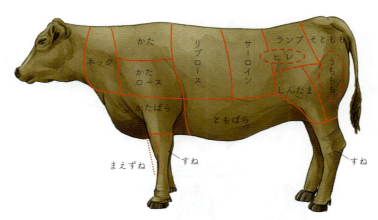

豚肉

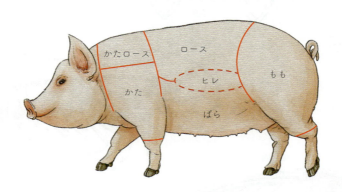

鶏肉

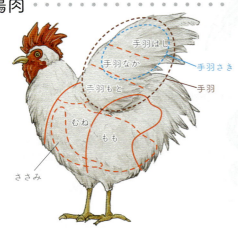

鶏卵

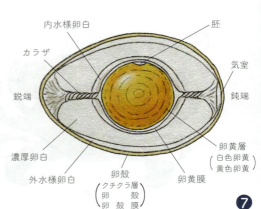

魚介類の部位名称

魚

まさば

a–g 全長
a–f 尾叉長
a–e 標準体長
a–c 頭部
a–b 吻
c–d 軀幹部
d–e 尾部

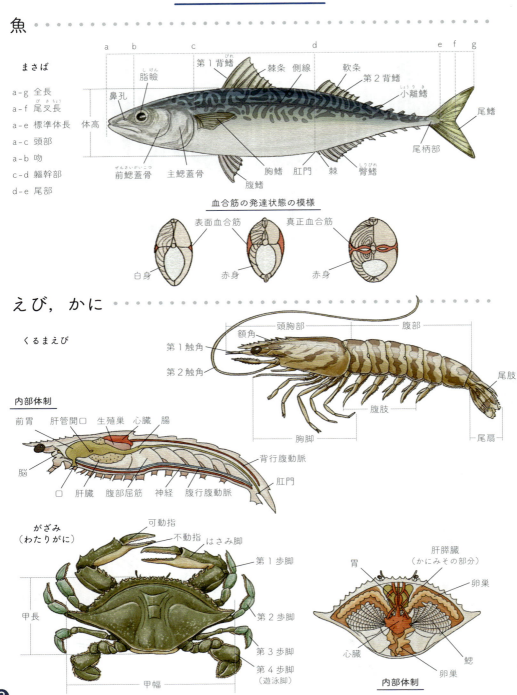

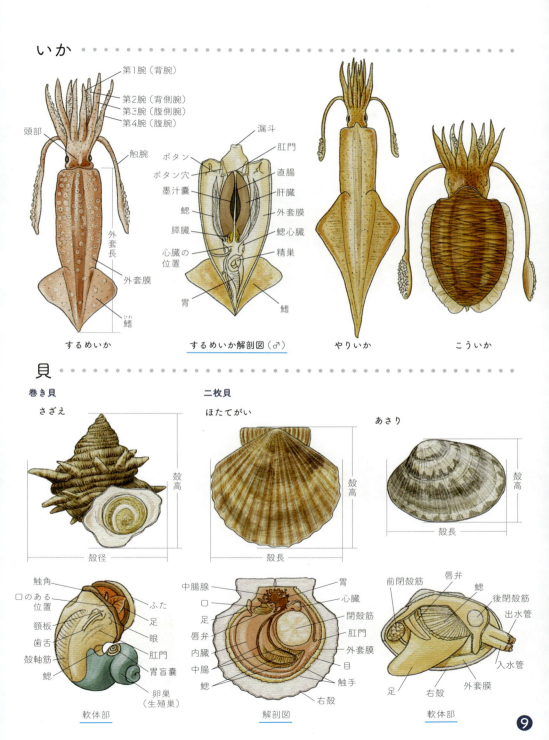

アーティチョーク

成 06001（生），06002（ゆで） 分 キク科チョウセンアザミ属（多年生草本） 学 *Cynara scolymus* 英 artichoke 別 朝鮮あざみ

明治初期にわが国に導入された西洋野菜の一種，蕾を食用とする花菜類*に属する．地中海地域が原産地で，現在もフランス料理やイタリア料理では主野菜として利用されている．高さ1.5〜2mに達し，初夏に蕾をつけるので，それを摘みとって利用する．

◇**調理** ヨーロッパでは古くから食べる習慣があったが，わが国ではあまり普及しておらず，高級野菜として扱われている．食用にされるのは蕾の部分で，鮮緑色で堅くしまっていて肉厚のものを選ぶ．品種によっては若い蕾を生で食べる場合もあるが，多くはアクが強いので，塩とレモン汁または酢を加えた湯で20分ほど茹で，和え物，煮物にして肉や魚料理の付け合わせに用いる．また，サラダ，前菜，揚げ物にも適する．

◇**加工** オイル漬：水に酢，食塩を入れ，アーティチョークを茹で，香辛料とともに植物油に漬けたもの．サラダ，前菜などに用いる．

アーモンド

成 05001（乾），05002（フライ 味付け），05040（いり 無塩） 分 バラ科サクラ属（落葉高木） 学 *Prunus amygdalus*（ヘントウ） 英 almonds 別 はたんきょう（巴旦杏），へんとう（扁桃），アメンドウ

地中海沿岸地方の原産と考えられており，紀元前から栽培されていたといわれ，『旧約聖書』にも記述がある．殻付きのものの現在の産地は米国，スペイン，オーストラリアなどであり，米国における生産が最も多い．

◇**品種** 落葉性の高木（7〜8m）で，桃と同属であるが，果肉（中果皮*）が多肉多汁でなく，成熟して果皮が裂開しても果肉は利用しないで，核内の仁*を利用する．風味により甘仁種（sweet almond）と苦仁種（bitter almond）に分かれ，前者は仁が食用とされ，後者は仁に配糖体*（アミグダリン）が含まれ，これを酵素（アミグダラーゼ）で加水分解*して得られるビターアーモンドオイル（苦扁桃油；くへんとうゆ）が天然香料・薬用として用いられる．甘仁種は核の硬軟によって硬核種（hard shell type）と軟核種（soft shell type）に分けられるが，食用とするものは軟核種であり，特に殻の薄いものを薄核種（paper shelled almond）と呼ぶ．日本のアーモンドは輸入に依存しており，そのほとんどが米国産である．

◇**成分特性** 乾燥品の仁の主成分は脂質で，たんぱく質も多く，アミノ酸組成ではリシン*が第一

アーティチョーク　下：オイル漬（平　宏和）

アーモンド　上：殻つき・いり，下：フライ・味付け（平　宏和）

製菓用アーモンド　上左：ホール，上右：スライス，下左：ダイス，下右：パウダー（平　宏和）

アーモンドミルク（平　宏和）

制限アミノ酸*である．エネルギー値も高い．無機質も種実類の中では多い方でカリウム，カルシウムなども豊富に含まれている．鉄*も多い方である．ビタミンB_2とEも比較的多い．脂質の脂肪酸組成はオレイン酸*67.5％，リノール酸*23.0％が主である．

◇貯蔵　外果皮*が割れたら打ち落として採取し，すぐ果皮を剥いで数日間日干し漂白，さらに陰干しして出荷する．貯蔵にはよく乾燥させる．

◇加工　直接食用とするには，そのまま焙煎したり，味付けしたものを使うが，製菓材料には味付けをせずに，スライスしたり，刻んだり，あるいは粉末にして使われる．丸のままでは飾り用にすることが多い．また，マジパン（アーモンドを砂糖とともにすりつぶしたペースト）として，洋菓子細工用に使われる．

◇調理　空炒りしたり，油で炒ったり，フライにした後，塩・バターで調味し，ビールや洋酒のつまみとして用いられる．※洋菓子や中国菓子の材料：スライスしたり，刻んだり，粉末にして広く利用される．たとえば，チョコレートやクッキーに加えたり，アイスクリームのトッピングやゼリーに入れたり，デコレーションケーキの飾りにも用いられる．粉末アーモンドは，アーモンドプードルと呼ばれ，フォンダンを練り合わせたアーモンドペーストや，アーモンド入りプララン（仏 pralin；アーモンドにカラメルソースをからめ，冷やし固め，細かくつぶしたもの）も製菓材料として用いられる．さらに，ケーキやクッキーに加え，風味とコク，サクッとした歯触りを添える菓子材料として広く用いられている．また，アーモンドエッセンスはコクのある風味が賞味される．※生を油でパリッと揚げて鶏肉や野菜とともに炒めたり，またスライスしたり刻んだりして肉料理や魚介料理の上飾りにし，こんがりと焼き上げるなど，料理に香味と独特の歯触りを加える．

●アーモンドミルク

英 almond milk

水に浸したアーモンドの甘仁種の仁*をミキサーなどで砕き，水を加え濾したもの．欧米では古くから親しまれてきた．乳糖*を含まないので，乳糖不耐症の人でも飲め，一般にも低エネルギー・ノンコレステロールのヘルシー飲料として，特に近年米国で人気が高まり，日本でも飲用だけでなく製菓や料理の素材として，代替乳の域を超えた新食品として注目されている．

アールグレイ　⇨紅茶

あいがも　合鴨

成 11205　分 ガンカモ科マガモ属　学 *Anas platyrhynchos*　英 Aigamo；crossbred duck（domesticated × wild）

野生のまがもとあひるの人工交配種．しかし，あひるはもともとまがもを家禽化したものであるから，あいがもは，あひるの一種といえる．最近は幼鳥を水田に出穂期まで放し飼いして雑草の除去に役立て，その後成鳥としたものを食用とするあいがも農法が見られる．なお，飼育鴨であるチェリバレー種が輸入され「あいがも」として市販さ

あいがものパストラミ（ロース肉の燻製）（平　宏和）

れている場合がある．
◇調理　和・洋・中華，どの料理にも用いることができ，煮込み，焼き物，蒸し物，汁物などに使われる．

あいご　藍子

分 硬骨魚類，アイゴ科アイゴ属　学 *Siganus fuscescens*　英 mottled spinefoot　別 地 あい（和歌山，三重）；あえ（高知）；すく（沖縄幼魚）；しゃく（静岡）　旬 夏

国内では北海道を除く各地に分布する．餌の海藻の多い岩礁域に生息している．全長は30cm程度．体色は黄褐色の地に白い斑点があるが，老いると斑点が消える．背びれ，腹びれ，臀びれに毒腺をもった棘があり，刺されるとしびれる．

◇調理　沖縄では，幼魚をすくと呼び，その塩漬をすくがらすといって賞味する．ひれには鋭い棘があり，この棘には毒があるので調理時には注意すること．味は淡白でおいしいと思われるが，磯臭さが強く，クセがある．関東地方以南で釣りなどによって漁獲される．新鮮なものは生食でき，焼き魚，唐揚げ，煮付けにしてもよい．

あいごの幼魚の塩辛（すくがらす，沖縄産）（平　宏和）

アイスクリーム

成 13042（高脂肪），13043（低脂肪）　英 ice cream　伊 gelato

乳または乳製品を原料とし，これに卵，砂糖，香料，その他の原料を必要に応じて加え，混合，泡立てながら凍結した食品群をいう．

◇歴史　アイスクリーム製造の歴史は古く，イタリアにおいて，すでに16世紀から一種の氷菓としてつくられていた．氷と雪に，寒剤として硝石を混ぜて低温状態をつくり，この中に容器に入れた果汁やワインをつめ，回転させながら凍らせた．1533年，イタリアの富豪メディチ家のカトリーヌ姫が，フランス国王アンリ2世に嫁いだとき，

アイスクリーム　上：アイスクリーム（左：普通脂肪，右：高脂肪），中：アイスミルク（左：抹茶，右：チョコモナカ），下：ラクトアイス（左：普通脂肪，右：低脂肪）（平　宏和）

イタリアからつれていった料理人の中に氷菓職人もおり，婚礼の宴にさまざまな氷菓が供されたという．さらにカトリーヌ妃の孫娘ヘンリエッタ・マリアが英国王チャールズ1世の妃となったとき（1630年）にアイスクリームの原形ともいえるこの氷菓はドーバー海峡を渡り英国でもつくられるようになった．氷菓からより洗練された本格的なアイスクリームになったのはルイ14世の頃である．17世紀半ばにはパリで上流階級の人々を対象にアイスクリームなどの氷菓のサロンが開かれた．パリ市民がアイスクリームを口にするようになったのは18世紀の後半である．

日本におけるアイスクリーム：日本での製造は明治2（1869）年横浜の氷水店の町田房蔵の手になるという．明治19（1886）年には京橋の凮月堂で，明治21（1888）年には両国の凮月堂で発売されている．企業として，本格的には銀座資生堂が明治32（1899）年に製造した．

◇種類・分類　規格：わが国の乳等省令*でアイスクリーム類は，乳固形分と乳脂肪分の含量によってアイスクリーム，アイスミルク，ラクトアイスの3種類に分類されている．これらの成分規格は表1の通りに定められている．アイスミ

表1　アイスクリーム類の成分規格

種　類	乳固形分	うち乳脂肪分	細菌数（1g当たり）	大腸菌群
アイスクリーム	15.0％以上	8.0％以上	100,000以下	陰　性
アイスミルク	10.0％以上	3.0％以上	50,000以下	陰　性
ラクトアイス	3.0％以上	－	50,000以下	陰　性

（乳等省令）

表2　アイスクリーム類の原料

種　類	原料名
牛　乳	全乳，全脂粉乳，全脂練乳
無脂乳固形分	脱脂粉乳，脱脂練乳，脱脂乳
乳脂肪	生クリーム，無塩バター
卵　類	全卵，全卵粉，卵黄，卵黄粉
植物性油脂*	やし油，パーム油，なたね油など
甘味料	砂糖，ぶどう糖，異性化糖，水あめ，はちみつ
乳化剤	リン脂質，グリセリン脂肪酸エステル，しょ糖脂肪酸エステルなど
安定剤	ゼラチン，寒天，天然ガム，カラギーナン，コーンスターチ，アルギン酸ナトリウム，カルボキシメチルセルロース（CMC），カゼインなど
起泡剤	カゼインナトリウム
香　料	天然香料，合成香料
着色料	天然色素（アナトー，カロテンなど），合成色素
その他	コーヒー，ココア，チョコレート，抹茶，ナッツ，果実，果汁など

＊アイスミルク，ラクトアイスに使用できる．　　　　（神谷　誠：畜産食品の科学．大日本図書より一部改変）

ルク，ラクトアイスは，外観上はアイスクリームと異ならないために一般にアイスクリーム類として商品化され，その規格を付記している．

　分類：脂肪含量によって高脂肪（乳脂肪分12％以上）のものと普通脂肪（乳脂肪分8％以上）のものに分けられる．高脂肪の中でも高級品に入るものに，カスタードアイスクリームがある．さらに副材料の有無により，プレーンアイスクリーム，フルーツアイスクリーム，ナッツアイスクリームなどに分けられる．アイスクリーム類の主な原料を表2に示した．このほか和風では，あずきやさつまいも（紅いも）アイスクリームなどがあり，さらに，ごま，にんじん，かぼちゃなど，バラエティ豊かな製品が出されている．

◇製法　アイスクリームは，原料をアイスクリームミックスの状態にして1～2日熟成させたものをフリーザーで凍結させる．この凍結時に激しい撹拌が行われ，泡立つことにより，アイスクリームの生地の中に空気の泡ができ，膨張されてアイスクリームとなる．この膨張された量をオーバーラン＊（overrun）という．膨張は原料中の乳化剤＊が脂肪球の乳化分散を促進し，安定剤の水和作用で，激しい撹拌によって生じた網目構造が支えられることにより生じる．このために空気が断熱層になり，氷より溶けにくく，食べたときに舌への冷凍刺激を和らげる効果がある．オーバーランは空気の混入割合で，アイスクリームミックスの容量：空気の容量＝1：1のものをオーバーラン100％という．一般的なアイスクリームのオーバーランは60～100％である．

◇構造　アイスクリームの構造は乳固形分，氷結晶，気泡で構成され，乳固形分が氷結晶と気泡を囲むような網膜構造を形成し，一部の気泡は氷結晶の中に閉じ込められている．気泡の面積に相当する円直径は最大が約230μm，最小が約1μm，60μm以下が最も多く，氷結晶の面積に相当する円直径は最大が約64μm，最小が約1μm，40μm以下が最も多い．乳固形分，氷結晶，気泡の大きさ・分散・混合はアイスクリームのテクスチャに影響を与える．一度解けたアイスクリーム

を再凍結すると，気泡の抜けと気泡間の結合，氷の再結晶化と凍結熱の流れによる板状の氷結晶形成などで，元のアイスクリームの構造とは異なる．

◇**成分特性**　アイスクリームには多くの種類があるが，100g 当たりの各成分はバニラアイスクリームを例にあげれば，高脂肪タイプのもので，水分 61.3g，たんぱく質（アミノ酸組成）*3.1g，脂質（TAG 当量）*10.8g，カルシウム 130mg，ビタミン A はレチノール活性当量*100μg，普通脂肪タイプのもので，水分 63.9g，たんぱく質（アミノ酸組成）3.5g，脂質（TAG 当量）7.7g，カルシウム 140mg，ビタミン A はレチノール活性当量で 58μg である．また，アイスミルクでは，水分 65.6g，たんぱく質（アミノ酸組成）(3.0)g，脂質（TAG 当量）6.5g，カルシウム 110mg，ビタミン A はレチノール活性当量で 22μg である．

◇**保存**　包装後冷凍室で貯蔵するが，これは単なる貯蔵ではなく，アイスクリームの生地の中にオーバーランによる空気が練り込まれて凍結されるので，なめらかな食感が得られるようになる．商品となったものはアイスストッカーに保管する．−18℃以下で貯蔵すれば，長期間保存に耐える．食品表示法*による賞味期限*の表示は免除されている．

◇**調理**　アイスクリームは間食として菓子と同様に用いているが，もともとデザート専用のものであった．ウエハースを添えてそのまま食べるのが普通であるが，そのほかパイ，カステラ，プディングなどに合わせたり，コーヒーやソーダ水などのような飲み物にも入れる．みつ豆に入れた和洋折衷型もある．ウエハースは冷えた舌の感覚をとり戻すため，アイスクリームの合い間に食べる．

●**アイスミルク**

成13044　英ice milk

乳等省令*で規定された，乳固形分 10.0％以上，うち乳脂肪分 3.0％以上のアイスクリーム類をいう．各メーカーがさまざまな製品を出している．

●**カスタードアイスクリーム**

英custard ice cream

乳脂肪分 12％以上の高脂肪アイスクリームの中でも高級品に入るので，全卵または卵黄を加えたアイスクリームの総称になっている．元来は，牛乳，全卵およびでん粉などからつくられるカスタードをベースとして，これにクリーム，砂糖，香料などを加えたもので，濃厚な味が特徴である．フレンチアイスクリームの中のパルフェー（parfait）もこの中に入る．したがって，パルフェーにはナッツや果実を加えて，より高級品のイメージを出している．

ソフトクリーム（平　宏和）

●**ソフトクリーム**

成13047　英soft type ice cream；soft type lactic ice；frozen custard

一般には，アイスクリームミックス（パウダー）を用いてつくられる．フリーザーで凍結を行っただけで，硬化工程を省いた軟らかいアイスクリームである．現在市販されているものは，ラクトアイスに属する規格で商品化している．品温は，普通のカップものや硬化したものに比べると高く，−3〜−5℃となっている．このため氷の結晶量が少なく，口当たりは非常になめらかである．オーバーランは通常 30〜35％である．

フリーザーから直接コーンカップに注入して供するため，アイスクリームミックスは，普通のハードタイプのものに比べ，無脂乳固形分すなわち乳固形分を多くし，保型性を高めている．また食用時の品温が高いので甘さが低いものが多い．ハードタイプと同程度の糖分では，味覚として甘ったるくなるためである．乳等省令の規格は定められていない．

　衛生管理：喫茶店，レストランなどの小型フリーザーでつくることが多いので，衛生管理が大切である．特にフリーザーの汚染により，陰性であるべき製品の大腸菌群が陽性にならないようにする．

●**ナッツアイスクリーム**

英ice cream mixed with nuts

アーモンド，くるみ，ピーナッツ，マカダミアナッツなど，種々のナッツ類 2〜6％ほどを加えたもの．ナッツはローストしてからバターで炒め，アイスクリームと混ぜてもカリッとした食感と香ばしい風味が保てるようにする．

●**フルーツアイスクリーム**

英fruits flavored ice cream

副材料として 5％以上の果汁・果肉を加えたもので，果汁・果肉には生のもの，冷凍品，プレザー

ブ, ピューレー, 乾燥品, ジャムなどさまざまある. 果実は, いちご, 桃, メロン, レモンなどが代表的なものである.

● プレーンアイスクリーム
英 plain ice cream
アイスクリームに着色料, 香料などを5%未満添加したものをいう. その代表的なものにバニラアイスクリームがある. そのほか抹茶, チョコレートなどのフレーバーのものがある.

● ラクトアイス
成 13045（普通脂肪）, 13046（低脂肪） 英 lactic ice
アイスクリーム類のうち, 乳等省令*で乳固形分3.0%以上とされたものをいう. アイスミルクと同様, 手軽なおやつやデザート用に, 多様化された製品がある.

● リップルアイスクリーム
英 rippled ice cream 別 マーブルアイスクリーム
砂糖, 水, ペクチン*などをベースに, 果実のピューレーやチョコレートシロップなどを加えてつくるリップルソースを15〜20%混合するアイスクリームである. 混合の際, リップルソースを特殊なノズルで充塡するためにできる縞模様を大理石にみたてて, マーブルアイスクリームとも呼ばれる.

 ## アイスクリームミックスパウダー

英 mixed powder for lactic ice
アイスクリームミックスを家庭や家内工業的な小規模の手作り用に粉末化しつくり上げたもの.
◇製法　ミックスパウダーには, 全粉乳に砂糖, カルボキシメチルセルロース*（CMC）, ゼラチン, アルギン酸ナトリウム, ガム質, 鶏卵などを組み合わせた安定剤を混合して製造する方法と, 牛乳または脱脂乳に, クリームあるいは異種（植物）脂肪を添加して, 均質化, 濃縮, 乾燥後, 所定量の添加物を混合する製造法とがある. 安定剤および砂糖は濃縮の前に一部添加し, 粉末化した後に, 残りの糖, 安定剤, それに香料などを加えて製品とする. 糖分には砂糖, デキストロース, 水あめなどが用いられているが, 全糖分の75%は砂糖の方が品質の安定化がはかれる.
◇用途　アイスクリームミックスパウダーはその製品の約2倍量の温湯を加えてよく溶解させてから, フリーザーにかける. 主としてソフトアイスクリームを製造するのに使う. 家庭や家内工業的に手作りアイスクリームをつくるには, 冷蔵冷凍庫のフリーザー内で型に入れて凍結させれば, ハードタイプのアイスクリームができる.

アイスコーヒー　⇒コーヒー

アイスプラント

分 ハマミズナ科メセンブリアンテマ属（1年生草本）　学 *Mesembryanthemum crystallinum*　英 common iceplant；crystalline iceplant
南アフリカ原産で, 海岸の砂地や塩性湿地に生育する耐塩性が高い多肉植物. 本来は多年生草本*だが, 日本では気温が低いので越冬できず, 1年生草本.
◇成分特性　葉・茎の表面はブラッダー細胞と呼ばれる透明できらきら見える乳頭状突起（粒）で覆われている. ブラッダー細胞は植物にとって余分な塩分を蓄積する作用があり, 細胞の中に塩化ナトリウムをはじめとするミネラルが含まれている. アイスプラントの名もこの突起のために葉の表面が凍ったように見えることからつけられた.
◇調理　見た目, シャキシャキ感を味わう野菜で生食用としてサラダ, 軽く茹でてお浸しなどにする.

アイスプラント　右下：ブラッダー細胞（平　宏和）

アイスミルク　⇒アイスクリーム
アイソトニック飲料　⇒スポーツ飲料

 ## あいなめ　鮎魚女；相嘗；鮎並

成 10001　分 硬骨魚類, アイナメ科アイナメ属　学 *Hexagrammos otakii*　英 fat greenling　別 地 あぶらめ（関西, 東北）；あぶらこ（北海道）　旬 3〜6月
全長40〜60cmの海産魚. 北海道から南, 朝鮮半島から黄海にまで分布. 主に沿岸の岩礁域に生息する. 体色は黄色から赤〜褐色で, 体の側面に5本の側線があるのが特徴. 旬は3月から6

あいなめ（本村　浩之）

月であるが，冬の産卵期のものも美味である．
◇**成分特性**　英名に fat とあるが，脂質（TAG 当量）*は 100g 当たり 2.9g と少なく，エネルギーも 105 kcal と少ない．ビタミンは比較的多く，B_1，B_2，D などが含まれる．
◇**調理**　鮮度のよいものほどぬめりが強く，鮮度が比較的早く落ちやすい．光沢があり，あらいや刺身などの生食に適している．皮が硬いので，三枚におろすときは皮を引いて薄くそぎ切りにする．焼き魚，煮魚，唐揚などにする場合，小骨が多いので骨切りをしてから使う．身は軟らかく，淡白な味なので，応用範囲は広く，西洋・中国料理の素材としても利用される．

●**うさぎあいなめ**

兎相嘗　分 アイナメ属　学 *Hexagrammos lagocephalus*　英 rock greenling　別 地 あぶらこ（北海道，浦河）

すじあいなめによく似ている．全長 60cm で，体色は変化に富む．あいなめやすじあいなめより深いところに生息し，刺網，箱で漁獲され，味はあいなめより劣る．北海道，日本海北部，オホーツク海，ベーリング海に分布する．

●**くじめ**

久慈目；口女　分 アイナメ属　学 *Hexagrammos agrammus*　英 spottybelly greenling　別 地 あぶらめ（北陸）　旬 夏

あいなめ，くじめ，うさぎあいなめの地方名は入り混ざっているので注意を要する．全長 20～30cm．体色は個体により変化するが，あいなめによく似て色がやや黒く，細かい斑紋が多少はっきりしてあり，体側面の側線が 1 本だけである点で，あいなめと区別できる．本州中部以南に多い．あいなめより不味で，磯臭いが，小さいときはあいなめよりかえって味がよい．

●**すじあいなめ**

筋相嘗　分 アイナメ属　学 *Hexagrammos octogrammus*　英 masked greenling
別 はごとこ（葉吾床），地 あぶらこ（北海道北部）

あいなめに似ているが，鱗が大きく，尾びれの後縁が丸いこと，第 4 の側線が短いことがあいなめと異なる．体色は著しく変化に富むが，背面に暗色横帯がある．全長 30cm くらいで，岩礁域に生息し，釣り，刺網で漁獲される．味はあいなめより劣る．

アイリッシュコーヒー　⇨コーヒー
あおい豆　⇨らいまめ

あおさ　石蓴

成 09001　分 緑藻類アオサ科アオサ属　学 *Ulva* spp.　英 sea lettuce

アオサ属（*Ulva*）の総称．アナアオサ（*U. pertusa*），ボタンアオサ（*U. conglobata*），ナガアオサ（*U. arasakii*），リボンアオサ（*U. fasciata*）がある．2 層細胞で濃緑色の葉状体である．全体にやや硬く，ひだが多い．潮間帯下部の岩石や他の海藻上に着生し，冬から夏に生育する．日本各地の沿岸に分布し，大きさは長さ 15～30cm，幅 5～10cm である．積極的に増殖手段がとられることはなく，天然に着生したものを利用してきたが，最近は瀬戸内海沿岸など，各地で増えすぎる傾向がみられ，他漁業に害を及ぼす場合もある．
◇**成分特性**　素干しは，たんぱく質（アミノ酸組成）* が 16.9g，カルシウムが 490mg と比較的多い．鮮やかな緑色で香りはよいが，特有の苦味をもっている．
◇**加工**　採取した藻体を水洗いして天日で乾燥す

上：あなあおさ，下：あおさ（乾燥粉末）（平　宏和）

る．乾のり状に抄（す）き上げることもあるが，高次な加工品はない．
◇**調理** 生のものは汁の実や酢の物に用いられる．この場合，十分に水洗いし，ごみや汚れをとり，さっと熱湯を通してから用いる．また，薄板状に乾燥したものもあるが，葉質が硬いため，遠火であぶって細かくもみ，青のりの代用にしたり，ごまや魚粉などと混ぜてふりかけなどにしてもよい．

あおざめ　⇨さめ
青じそ　⇨しそ

 ## 青汁　あおじる

成 16056（ケールの粉末製品）　英 green vegetable juice
緑葉野菜を搾った汁．ケール*，大麦若葉，あしたば*，モロヘイヤ*などを原料とした，緑色の液状のいわゆる健康食品の俗称．製品は粉末状のものが多く，水に溶かして飲料として用いるほか，牛乳，スープ，ヨーグルトなどに混ぜるなどの利用法がある．
◇**成分特性** 栄養成分が多い緑葉野菜を搾っているので，栄養成分に富む．『食品成分表』にはケールの青汁（粉末製品）が収載されている．特にナトリウム* 230 mg，カリウム 2,300 mg，カルシウム 1,200 mg，マグネシウム* 210 mg，リン 270 mg，鉄* 2.9 mg，亜鉛 1.8 mg，銅* 0.17 mg，マンガン* 2.75 mg，β-カロテン 10,000 μg，ビタミン K 1,500 μg，葉酸* 820 μg，ビオチン* 20.0 μg，ビタミン C 1,100 mg，食物繊維総量 28.0 g（いずれも 100 g 当たり）が多い．

 ## あおだい　青鯛

分 硬骨魚類，フエダイ科アオダイ属　学 *Paracaesio caerulea*　英 Japanese snapper　別 地 あおぜ（八丈島）；めだい（四国）；しちゅーまち（沖縄）
全長 50 cm．全身暗青色であるが，背びれと尾びれは黄色味を帯びている．腹の方は色が淡くなるが，同属のしまあおだいのような横縞やうめいろのような縦色帯はない．上あごに鱗がないことも特徴の一つ．南日本の水深 100 m 以深の岩礁域に生息し，底はえ縄や一本釣で獲られる．
◇**調理** 身は淡紅色を帯びた白身で美味．刺身，煮付け，焼き物いずれにも向く．

あおだい（本村　浩之）

青とう　⇨ししとうがらし，ピーマン
青とさか　⇨とさかのり
青なす　⇨なす
青ねぎ　⇨ねぎ（葉ねぎ）

 ## あおのり　青海苔

成 09002　分 緑藻類アオサ科アオノリ属　学 *Enteromorpha* spp.　英 green laver
アオノリ属（*Enteromorpha*）の総称．日本では 15 種が知られている．食用にはスジアオノリ（*E. prolifera*）が主に用いられ，ウスバアオノリ（*E. linza*）も混用される．藻体は緑色の細かい糸状かひも状，あるいは幅の狭い葉状で，構造は中空の管状，壁は 1 層の細胞からなっている．日本各地の沿岸に分布し，潮間帯の岩上や他の海藻上に着生する．冬から春にかけて，長さ 10～30 cm，ときには 1 m ほどに生育する．あまのりの養殖場に着生することもあり，害藻として忌避

上：すじあおのり，下：青のり（すじあおのり，乾燥粉末）
（平　宏和）

される場合もあるが，あおのりの香りと苦味が評価され，"青混ぜ海苔" として珍重される場合もある．

　産地：宮城から九州にかけて各地で生産されるが，特に三重，瀬戸内海沿岸などでは天然採苗による養殖が行われている．

◇**成分特性**　たんぱく質が比較的多い．無機質はカルシウム，リンともに多く，特に鉄*が多い．ビタミンではカロテンが藻類中では多く，B_1，B_2，ナイアシン*，C も藻類中では多い部類に属する．鮮やかな緑色と特有の香りをもっているが，うま味はあまのりより劣る．

◇**加工**　採取した原藻は水洗いして塩分を除いた後，天日で乾燥する．製品には一定の大きさに抄き上げた抄き青のりと，縄などに掛けて乾かした掛け青のり，およびそれらをあぶって粉末状にしたもみ青のりなどがある．

◇**調理**　明るい緑色と特有の香りとを目的に，主にふりかけや薬味に用いられ，これ自体の味を目的とすることは比較的少ない．納豆，とろろ汁，みそ汁，お好み焼き，焼きそばなどに用いられる．

あおのり　⇒あおさ，ひとえぐさ
あおめえそ　⇒えそ
あおやぎ　⇒ばかがい
あおりいか　⇒いか
あかいか　⇒いか
あかえい　⇒えい
あかえそ　⇒えそ
あかえび　⇒えび
あか貝　⇒さるぼう

あかがい　赤貝

成 10279　**分** 軟体動物，二枚貝類（綱），フネガイ科サルボウ属　**学** *Scapharca broughtonii*　**英** bloody clam；ark shell；Broughton's ribbed ark
別 ほんあか；ほんだま　**旬** 冬～春

箱型の二枚貝．殻長 12 cm．このなかまのうちでは最も大きい．灰白色で，黒い殻皮に被われている．殻の表面に 42 本内外の放射肋がある．あかがいの名の示すように，身は赤色を帯びて，血液もヘモグロビンを含み赤い．同科に属するさるぼう*，はいがいにも同様の特徴があるが，他の多くの貝類の血液は，ほんのり緑色を帯びた無色である．味はよい．産卵期は晩春で，夏は痩せて味が落ちる．北海道南部から九州，朝鮮の内海の潮間帯下より水深 20 cm くらいの泥底に棲む．

あかがい（平　宏和）

◇**成分特性**　二枚貝の中ではたんぱく質含量が高く，脂質の含量が低い方で，ビタミン類は最も豊富に含有されている．生食に適した貝である．足の筋肉以外では，"ひも" といわれる外套膜*（がいとうまく）も食用になる．あかがいのコレステロールの含量は 100 g 当たり 46 mg 程度で，総ステロールの 40% に相当する．あかがいは脂質に 1～5% のプロビタミン D* を含むが，これは二枚貝中中程度の含量である．

◇**保存・加工**　生食が主の高級品で，普通，加工に回されることはない．あかがいの缶詰といわれるものは，さるぼうを使用しているものが多い．

◇**調理**　弾力ある歯応えをもち，味にクセがなく，しかもきれいな赤色をしているので，日本料理には刺身，酢の物，すし種として用いられる．生きた貝をむき身にして，足の筋肉を背側から蝶の形に開いて用いる．※あまり長時間酢につけると身が硬くしまり，この貝の特徴である弾力を失う．酢の物では，食べる直前に和える．西洋料理や中国料理ではカレー，シチュー，炒め物などに用いることがある．

赤かぶ　⇒かぶ
赤キャベツ　⇒キャベツ（レッドキャベツ）
赤こんにゃく　⇒こんにゃく

あかざ　藜

分 ヒユ科アカザ属（1年生草本）　**学** *Chenopodium album* var. *centrorubrum*　**英** figweed　**旬** 春

中国原産．アカザ属で食用となるものに，アカザのほか，世界で一般的なシロザ（*Chenopodium album*，アカザの原種），ヨーロッパ，シベリア産のコアカザ（*C. ficifolium*）などがある．一般にはアカザとシロザをアカザの名で呼んでいる．どこにでも生える雑草で，東京都内の空地などにまで生えている．アカザは茎は直立し，多数の枝を

あかざ（飯野　久栄）

出し，1～2mに達する．葉は互生し，長い葉柄*があり，葉形は丸みを帯びる．頂部の新葉は美しい赤色を呈している．シロザは三角形で葉先がギザギザになっている．シロザの頂部の新葉は白色をしていて白い粉をかぶっている．花は小さく，黄緑色をしたものがびっしりつく．果実は胞果*で1個ある．ホウキギ（ホウキ草）も同じアカザ科で食用になる．

◇採取　春の伸びた若草を採取するのが一番よいが，少し大きくなったものでも生長中の芽の部分ならば食べられる．花や実も食用になる．
◇調理　特有の香りがあり，それがなんともいえないよさがある．茹でてお浸し，和え物などでもよいが，茹でたアカザを切って，みそで和える"みその切り和え"が特に花や実を食べるときにあう．天ぷらなどにもできる．葉が軟らかいので，さっと揚げるのがコツである．秋田特産のトンブリ*は，同じアカザ科のホウキギの実であるが，アカザの実も同じようにして食べられる．

あかざかずら

分 ツルムラサキ科アカザカズラ属（つる性多年生草本）　学 *Anredera cordifolia*　別 おかわかめ；までいらかずら

一般には「おかわかめ」と呼ばれる．南アフリカ原産，つるが10mにも達する植物で，観賞用としても栽培される．葉腋*にできるむかごと地下で肥大した塊茎*も食用になる．野菜に使われる葉は光沢のある肉厚のハート形で，細かく刻むと粘りが出る．茹でるとわかめに似た食感になり，お浸し，みそ汁の具などに利用される．

赤酒　あかざけ

熊本地方の特産品で，加藤清正が熊本城築城のころには庶民の酒として親しまれていたといわれ，江戸時代には肥後細川藩ではお国酒として保護し，赤酒以外の酒の製造を禁止している．清酒もろみ*を搾る前に保存性を高めるため木灰を添加して搾り，味は甘く濃厚でみりんと清酒の間のような酒である．木灰はアルカリ性で清酒に含まれる酸を中和する．このため糖類とアミノ酸がカルボニル反応を起こしやすくなり，酒にとろみが付与される．酒税法では雑酒（みりん類似）に分類され，税率はみりんと同じであるが，アルコール分15度未満，エキス分16度以上のもので原料となる木灰の重量が当該酒類1kL当たり1kg以上であることになっている．現在，お神酒，正月のお屠蘇，料理酒として使用される．

赤酒（平　宏和）

あかざかずら（平　宏和）

赤しそ　⇒しそ
赤たまねぎ　⇒たまねぎ
赤とさか　⇒とさかのり
あかなす　⇒トマト
赤肉（あかにく）　⇒くじら

あかにし　赤螺

分 軟体動物，腹足類（綱），アッキガイ科アカニシ属　学 *Rapana venosa*　英 veined rapa whelk；

あかにし

Thomas' rapa

内湾の水深5～20mの砂地や泥地に棲息する．日本各地，韓国，華北のほか黒海にも分布する．殻は厚くて重く，にぎりこぶしのような形をしている．殻口*の内面が赤いのでこの名がある．肉食で，他の貝を食べるので養殖貝の害敵である．さざえの類とは分類学的には縁の遠い貝であるが，韓国，中国から大量に輸入されて，さざえの代用加工原料あるいは加工品とされている．豉油海螺（チーヨウハイルオ）の名で輸入されている味付け缶詰は，主にこの貝を使っている．殻は貝細工やいいだこを採る蛸壺にも使う．また卵囊（らんのう）は「なぎなたほおずき」と呼ばれ，かつては子供が口に入れて吹き鳴らす玩具とされていた．

赤ふさすぐり　⇨カランツ（レッドカランツ）
赤ぶどう酒　⇨ぶどう酒

あかむつ　赤鯥

分 硬骨魚類，ホタルジャコ科アカムツ属　学 *Doederleinia berycoides*　英 blackthroat seaperch　別 地 のどぐろ（山陰，北陸）

のどぐろとも呼ばれる通り，口の中ののどが黒い．英名もその通りである．むつというが，ムツ科のむつとは別種である．水深100～200mのやや深海に生息している．東京湾でも獲れるが少ない．全長20～40cm．体の色は背部が赤色で，腹部が銀白色である．
◇**調理**　身は軟らかくて脂肪があるので，焼き物，煮物，蒸し物などに向く．

あかめ　⇨すずき

あかもく　赤藻屑

分 褐藻類ホンダワラ科ホンダワラ属　学 *Sargassum horneri*　英 Akamoku　別 ギバサ；ぎんばそう；ながも；ほんだわら

淡褐色で，樹状型．体高が5m以上になることもある．北海道（東部を除く），本州，四国，九州の外洋，内湾の1～5m深の礫上に生育する．
◇**成分特性**　ホンダワラの仲間は，近年までは一般的な食品として捉えられていなかったので，食品成分表に記載されていない．一般成分については，あらめやひじきなどの褐藻類と類似している．成分中のフコイダンやフコキサンチン，ポリフェノール類，アルギン酸*については，抗腫瘍，抗酸化，アレロパシー物質などとの関連から多くの文献記載がある．
◇**加工**　秋田県においてはギバサと呼ばれ，古くから好んで食されてきた．85℃以上の熱水に20～60秒ほど浸漬し（褐色から緑色に変わる），すぐに冷やして，細かく刻み粘らせたものをしょうゆなどで味付けして食べる．粘るものほどおいしいとされるので，生殖器床が形成される繁殖期の少し前（秋田では5月頃）の，粘性のアルギン酸やフコイダン等の酸性多糖類の含有量が多い時期のものが，原料として用いられる．製品は冷蔵・冷凍状態で，岩手県や宮城県でも三陸あかもくと称して製造・販売されている．

あかむつ（のどぐろ）（本村　浩之）

あかもく（平　宏和）

あきあじ　⇨さけ・ます（さけ）
あきあみ　⇨えび

アクアビット

英 Aquavit　独 Aquavit　丁, 瑞 Akvavit　諾 Akevitt

ジャガイモを主原料とし，さまざまな薬草で風味付けされた蒸留酒*である．デンマーク，スウェーデン，ノルウェー，ドイツで製造される．アルコール度数は40度以上であり，クセの強い風味が特徴であり，苦手な人が多い．アクアビットの語源は，「命の水」を意味するラテン語の aqua vitae（アクア・ヴィーテ）である．

◇製法　ジャガイモを酵素や麦芽*で糖化した後に発酵させ，蒸留する．これにキャラウェイ，フェンネル，アニスなどの香草で風味を付け，さらに蒸留する．多くの銘柄は樽熟成せずに製品化されるため，無色透明のいわゆるホワイトスピリッツに仕上がる．ただし，ノルウェーのリニエは樽で熟成させる．

◇種類　以下に各国の主な銘柄をあげる．
・デンマーク：オールボー
・スウェーデン：O.P. アンダーソン，スコーネ，ヘル・ゴーズ，ハランズ・フレーデル
・ノルウェー：ギルド，リニエ
・ドイツ：ザンクト・ペトルス，ボンマールンダー，マルテーザー・クロイツ，キーラー・スプロッテ

◇飲み方　ショットグラスに注いでストレートで少しずつ飲まれることが多い．ノルウェーでは常温にして，食事と合わせる飲み方が一般的とされる．しかし，スウェーデンでは冷やして飲むことが多い．また，冷凍庫で冷やし（アルコール度が高いため氷結しない），ビールをチェイサーに飲む．なお，チェイサーとはメインのお酒よりアルコール度数が低いお酒を指す．アルコール度数が高く，独特の香りがあるので，カクテルにも使用される．

アクアビット（平　宏和）

あくまき

成 01119　英 Akumaki；(lye-soaked and cooked rice in bamboo leaf wrapping)

鹿児島地方に伝わるちまきの一種で，薩摩藩が戦陣食として用いたといわれている．もち米を灰汁（あく）に一晩漬け，竹の皮で包んで，鍋に入れ，灰汁を少し入れた水がかぶるくらいにして，とろ火で長時間炊き上げたものである．輪切りにして，きな粉，黒砂糖などをまぶして食べる．灰汁がアルカリ性のため，加工中にビタミンB_1, B_2などが損失する．

あくまき（平　宏和）

あけがい　朱貝

分 軟体動物，二枚貝類（綱），マルスダレガイ科スダレガイ属　学 *Paphia vernicosa*　英 varnished clam　別 あわすだれ

中型の二枚貝．幅5cm，高さ4cm程度．殻の表面はニスを塗ったようで，不明瞭な放射状色帯がある．体はその名の通り，赤色をしている．北海道から九州まで分布し，遠浅の砂浜に生息している．漁獲量は少ない．

◇調理　はまぐりと同じように利用する．殻付きのものは，しっかり殻を閉ざして生きているものを選び，3％の食塩水に浸して砂を吐かせたあと，汁の実や酒蒸しにする．むき身はグラタンやクリーム煮などにする．その他，和え物，炊き込みご飯に用いる．

●さつまあかがい

薩摩赤貝　分 スダレガイ属　学 *Paphia amabilis*　英 lovely venus

「あかがい」の名があるが，身が赤いからで，本物のあかがいとは縁遠く，あけがいに近い．輪状肋は四角く太く材木を並べたよう．房総半島以西，中国大陸まで分布し，南九州で食用とされている．

🍬 揚げせんべい

成 15057　英 Age-senbei；(fried rice cracker)

揚げあられ同様，塩せんべいの生地を植物油で揚げたものである．植物油が古くなっていたり，揚げてから長時間を経過したものは油の酸敗による品質劣化があり注意を要する．最近はガス充塡や脱酸素剤により酸化防止を図っているものもある．

揚げせんべい（平　宏和）

🍎 あけび　木通；通草

成 07001（果肉 生），07002（果皮 生）　分 アケビ科アケビ属（つる性木本）　学 *Akebia* spp.　英 akebia　旬 秋（果実）

本州，四国，九州の雑木林や山地に自生し，ほかの木にからみついて高くのぼる．朝鮮半島，中国大陸の一部にも分布する．日本にはミツバアケビ（*Akebia trifoliata*），アケビ（*A. quinata*）とゴヨウアケビ（*A. ×pentaphylla*）がある．一般に市販されるのはミツバアケビで，果実が大きく濃紫色の，野生種から選抜された株が栽培されている．いずれも春の若芽と秋の果実を食用とする．葉は手のひらのようになり，ミツバアケビは3葉，アケビとゴヨウアケビは5葉になっている．葉は枝に互生するが，古枝には叢生する．花は雌雄同株で，雌雄同一花穂中にあり，雄花は花序の先につく．紫色で可憐である．果実は5〜15cmの俵形で，秋に熟すると淡い紫色になり，縦に裂けて開く．その中の黒い小さな種子を包んだゼラチン質の白い果肉を食する．果皮も食用になる．

◇採取　春の若芽は少し苦味が強いが，のび盛りの蔓（つる）の部分は苦味が弱い．蔓は籠（かご）などに編んであけび細工にも利用される．果実は，秋に熟して軟らかくなっているか，割れているものを採取する．種子のまわりのゼラチン質の部分は非常に甘い．

◇成分特性　全果実（ミツバアケビ）の部位別質量割合は，果皮部70％，種子7％，へた3％，果肉部20％で，果実の可食部率は低い．果肉部の糖類は多く20％に及ぶこともある．果肉部のビタミンCも多いのが特徴である．木質化した蔓は木通（もくつう）と呼ばれ，漢方薬で利尿剤として用いる．

◇調理　新芽は茹でて，和え物かお浸しがよい．苦味が強いときは一夜水に浸しておいてアクを抜くと，苦味が薄れる．果実は，中身をそのまま食べる．皮は茹でてアクを抜いてから，和え物，煮物にするか，そのまま油みそ炒めなどで食べる．塩漬けによって保存する方法もある．果実として生食されることが多い．

🐟 あげまき　揚巻；蟶

成 10280　分 軟体動物，二枚貝類（綱），ナタマメガイ科アゲマキ属　学 *Sinonovacula constricta*　英 jackknife clam；razor-shell　別 あげまき貝；きぬ貝；へいたい貝；ちんだい貝　旬 6〜8月

この科の二枚貝は日本に1種しかいない．殻はうすく長方形をしている．殻高2〜3cm，長さ10cm程度．わが国ではかつては瀬戸内海児島湾にもいたが，今では有明海から獲れるだけである．まてがいとあまり区別せず，生食のほか，缶詰，煮干し（蟶干；チョンガン）をつくり，その煮

アケビ（平　宏和）

あげまき

汁で調味料（鰹油；チェォンヨウ）をつくる．また殻は焼いて貝灰（漆喰原料や肥料とする）をつくる．養殖もされる．

◇**成分特性** 身は黄みがかった白色．「まてがい」として，市場に出回ることもあるが，マテガイ科のまてがいとは別種である．100g当たり，たんぱく質（アミノ酸組成）*（5.9）g，脂質（TAG当量）*0.3g，利用可能炭水化物*（差引き法）4.5gが含まれている．

◇**調理** 身は白く，軟らかく，味もよい．あけがい同様砂を吐かせ，殻についている汚れを取る．小型のものは和え物，中型は吸物や天ぷら，大型のものは開いてすし種に使う．また殻のまま茹でて身を取り出し，生姜（しょうが）を加えて煮つけたり，佃煮などにする．また，洋風に仕上げる場合，香草やワインを加えるとよい．

 揚げ豆

成 04014（グリンピース） 英 oil-roasted and salted peas

水に浸漬した青えんどうを油で揚げてから食塩で味付けしたもの．グリンピースとも呼ばれ，つまみやスナックに供される．成分値は，青えんどう（乾）（成 04012）に比べ，水分が少なく，エネルギーと脂質が多い．

えんどう揚げ豆（平　宏和）

 あげまんじゅう　揚げ饅頭

英 Age-manju

饅頭を揚げたもの．小麦粉，砂糖，水あめ，膨張剤を混合した生地であんを包み，蒸したのち，溶いた全卵にくぐらせ，細かいパン粉をまぶし，植物油で揚げる．衣（ころも）を付けずに，揚げたものもある．

あご　⇒とびうお

揚げまんじゅう（平　宏和）

 あこうだい　赤穂鯛；阿候鯛

成 10002　分 硬骨魚類，メバル科メバル属　学 *Sebastes matsubarae*　英 Matsubara's red rockfish　別 あこう　地 あこうだい（東京）；あごお（秋田）；あかうお（富山）　旬 秋〜冬

めぬけ類の代表的な魚で，北海道から九州にかけての深さ200m以深に生息する深海魚である．全長60cm．体は側扁し，体色は美しい赤橙色で，祝儀用の魚としても使われる．目が大きく，その下縁に2個の棘をもつ．めぬけ類の魚は深海はえなわで漁獲される．

◇**成分特性** あこうだいをはじめとするめぬけ類は代表的な白身魚であるが，水分が比較的多く，たんぱく質（アミノ酸組成）は100g当たり14.6gである．たらなどと異なり，白身の魚としては貯蔵脂肪が比較的高く，脂質（TAG当量）*含量は1.8gである．肉の無機質，ビタミン類はどちらかといえば少ない．

◇**調理** 2〜4月が産卵期で，冬が最も味がよく，この時期の新鮮なものは刺身に向く．生きたものはあらいにもよく，脂肪が多いので湯洗いにする．刺身の場合も，たいと同様，皮霜づくり（皮に熱湯をかける）にすることが多い．味もクセがなくたいに似ている．粕漬として，たいの代用品にさ

あこうだい（平　宏和）

れる．※脂肪が多く筋肉が軟らかいので，長く加熱すると脂肪が抜けてたらに似た味となり，身がそげて崩れやすくなる．皮が強く，熱収縮により身崩れがはなはだしいので，加熱の際は皮目に庖丁を入れるとよい．あぶら気を抑えるため，味を濃いめにつける．生食の場合もポン酢，梅肉酢などを添えることが多い．すまし汁に入れるときはさっと熱湯を通し，脂肪を抜く．

🍎 アサイー

成 07181（冷凍 無糖） 分 ヤシ科エウテルペ属（常緑性高木） 学 *Euterpe oleracea*（ニポンモドキ） 英 assai palm 別 和 わかばきゃべつやし；アサイやし

ブラジル原産のやしの一種．幹は単一で細長く（高さ20～30m），花弁は紫赤色，1本に3～4房つき，1房に3～6kgの果実をつける．熟した果実は黒紫色の球～楕円形，径1.5cm前後．食用とする果肉部は非常に少なく（約5％），通常ピューレ状にして食用にされている．

◇**成分特性** 果肉にはポリフェノール*が100g当たり0.4gと多く含まれる．食物繊維4.7g，鉄*0.5mg，カルシウム45mgと多く，抗酸化作用の高い食品として注目されている．

◇**加工** 果実は，ピューレにされて利用される．甘味，酸味，芳香にほとんどなく，果汁飲料，アイスクリーム，ゼリー，酒などに利用される．日本では冷凍ピューレ，パウダーが販売されている．

アサイー　上：実と断面（フルッタ フルッタ），下：冷凍ピューレ（解凍したもの）（平　宏和）

浅草のり　⇨あまのり

あさつき　浅葱；糸葱

成 06003（葉 生），06004（葉 ゆで） 分 ヒガンバナ科ネギ属（多年生草本） 学 *Allium schoenoprasum* var. *foliosum* 英 Asatsuki 別 えぞねぎ；糸ねぎ；せんぼんわけぎ 旬 冬～早春（栽培種），春（野生種）

中国，日本の山野に自生する．古くから栽培もされ，18世紀には栽培法の記録もある．

◇**野生種**　野生のものは栽培ものに比較すると少し小型で，風味もわずかに異なる．形も風味もねぎによく似ており，高さ15～30cm，葉，茎ともに円筒状になっている．春に芽を出し，叢生する．数株に1本くらい花茎*を出し，先端に赤紫色の花を多数つけ半球形に開く．地下茎*にらっきょうに似た球根をつけ，夏期には葉が枯れ，球根は休眠する．秋にはまた芽を出し，冬に再び枯れる．東北地方の日本海側に多く分布し，これらの地方では早春の残雪をわきにみながら採取し，夕餉の菜として春の実感を味わう．

採取：春，地表より5～10cmほど伸びた黄～緑色をした若芽を地中の鱗茎*ごと掘り取る．また夏期になって，鱗茎を掘り取って食べる．

◇**栽培種**　野生のものを栽培に利用していたため，確固たる品種はみられないが，近年，産地では分系して産地ごとの銘柄が成立している．通常早・晩2系統を区分し，早生系を鬼あさつき，晩生系を八ツ房あさつきと称することもある．早生系は鱗茎が赤みを帯び，葉が細長で，草勢旺盛である．耐寒性も強いが，品質が劣る．晩生系は鱗茎が灰色で赤みがなく，大きい．葉も早生系より太く，濃緑色，品質がよい．

栽培：作型といえるほどのものはないが，普通栽培のほか，簡単な霜除けをした早出し，トンネル栽培による促成も行われつつある．

主産地：山形，福島，北海道．

あさつき（平　宏和）

◇**成分特性** 葉ねぎ，わけぎなどに似ているが，たんぱく質は多い方である．ねぎ特有の強い臭気は硫化物といわれている．

◇**調理** ねぎに似た味と香りをもち，しかもねぎの端境期である2～4月が旬なので，早春の季節感を生かして緑色や香りを失わないように調理する．加熱調理の場合も，軽く茹でて和え物にするのがよい．※色と香りを生かすためには，薬味として用いるのがよい．だいだい酢の味とよく合い，ちり鍋の薬味にも用いられる．汁物の青みにもよい．※味の性質は，ねぎやにんにくと同じであるが，ねぎよりも辛味が穏やかである．このため，生のままみそや塩をつけたり，一夜みそ漬として食べられる．※野生種：若芽は茹でて酢みそ和え，お浸し，みそをつけてそのまま食べる．鱗茎は生でみそをつけて食べる．非常に辛い．

あさの実　麻の実

成 05003（乾）　分 クワ科アサ属（1年生草本）
学 *Cannabis sativa*（アサ）　英 hempseeds　別 お（苧）の実

アサは大麻とも呼ばれ，中央アジア原産．雌雄異株*で，高さ1～3mになる．主として茎の靱皮（じんぴ）繊維を採取する目的で栽培され，日本では栃木，長野，広島，熊本などが産地である．麻の雌株の花序*や葉から採れる樹脂は麻酔性をもつため，国内で大麻取締法によって栽培その他が規制されている．麻の実は発芽防止処理がされてあり発芽しない．種子は灰白色または黒色の小さくて堅い痩果*（そうか）で，両側に稜がある．殻が多くて，仁*は少なく，消化は悪いが，そのままあるいは摩砕して七味唐辛子に配合するほか，がんもどきなどにも用いられる．鳥類の飼料，製油原料にもする．ロシア，チリなどの生産量が多い．

◇**成分特性** 殻があるため，炭水化物が約30％と多いが，そのうちの約7割が食物繊維である．無機質も多い方で，特にリンが豊富であり，鉄*も多い．麻実油（あさみゆ）は，食用または工業用として使われる．

あさば　⇒かれい
あさひがに　⇒かに

あさひだい　旭鯛；朝日鯛

分 硬骨魚類，タイ科ヨーロッパダイ属　学 *Pagellus bellotii*　英 red pandora　別 市 さくらだい

体は長楕円形で強く側扁する．全長は頭長の3倍程度で，40cmくらい．体色は桃赤色で腹方は淡い．アフリカ北西岸沖合の100m以浅の海底付近に生息し，トロールで漁獲される．市販名として水産各社でさくらだいが用いられている．すなわち漁業者が，本来のさくらだいとは別種のこのアフリカのたいにさくらだいと命名して，これが広く用いられている．本来のさくらだいはハナダイ科の魚である．また，春季のまだいの意味にも使うので注意する．

◇**成分特性** まだいに準ずる．

◇**調理** 皮がきれいな魚で，皮のついた姿のままで，まだいに準じ焼き物，揚げ物，蒸し物として利用できる．味は淡白で，クセがない．和風では塩焼き，ちり蒸し，汁物，鍋物，中国風では五目あんかけ，洋風では，ムニエルやフライに利用できる．

あさひだい（Samuel P. Iglesias）

あさの実　右：乾（拡大）（平　宏和）

あざみ　薊

分 キク科アザミ属（多年生草本）　学 *Cirsium* spp.
英 thistle　旬 春

種類が多く，わが国だけでも30種ほどある．山菜としてはいずれも区別せず食べられ，収量の多いものである．平地から高山までどこにでも分布している．根茎*は太く，地中にまっすぐ伸びる．成草は50～100cmになり，上部で枝分かれする．葉は羽状で深く切れ込みがあり，葉先に棘がある．

茎の先端に赤紫色の筒状花をつける．種は総苞*である．モリアザミ（*Cirsium dipsacolepis*）は栽培もされており，肥大した根をみそ漬等にしたものはやまごぼう*として売られている．フジアザミ（*C. purpuratum*）も若い根を食用とし，漬物にもする．また，ハマアザミ（*C. maritimum*）も根を利用する代表種である．
◇**採取**　春の若草とその根茎を採る．少し大きくなっても，若い茎は皮をむいて食べられる．根茎は葉が大きくなるとすが入り食べられない．
◇**調理**　形からするとアクが強いようにみえるが，クセの少ない山菜である．若草は茹でて和え物，お浸し，天ぷらなどがよい．茎は汁の実，天ぷら，茹でて和え物，酢の物，汁の実にできる．若い根はみそ漬がよい．

あさり　浅蜊；蛤仔

成 10281（生），10282（つくだ煮），10283（缶詰 水煮），10284（缶詰 味付け）， 分 軟体動物，二枚貝類（綱），マルスダレガイ科アサリ属　学 *Ruditapes philippinarum*　英 Japanese short-necked clams；Japanese clam；baby clam；Manila clam　別 いそも；こ貝　旬 秋～春

殻長5cmぐらい．殻表の色模様が変化に富んでいる．左右両殻で模様が異なる場合がある．日本各地の内湾の潮間帯から水深10mぐらいの砂泥底に棲む，最もポピュラーな貝の一つ．味はおいしく，養殖（種苗生産）も行われている．殻色は，煮たり長く放置すると，すべて褐色に変わる．サハリン，北海道から日本全国，韓国，中国大陸に分布している．ヨーロッパ産の *Tapes decussata* は，あさりとよく似ている．その種はヨーロッパでもムニエルとして喜ばれ，地中海料理にも欠かせない．
◇**成分特性**　殻付きの全質量の約55％が殻の質量で，残りは可食部と殻に含まれている海水である．産卵期は春と秋の2回であるが，ところによっ

あさり　左：水煮缶詰，右：佃煮（平　宏和）

ては年1回である．産卵後は味が落ちる．『食品成分表』では，100g当たり，水分90.3g，たんぱく質（アミノ酸組成）*4.6g，脂質（TAG当量）*0.1g，灰分3.0gとなっており，二枚貝のうちでは水分の含量が高く，たんぱく質の含量の低い方である．脂質はあかがいなどと同程度で少なく，ビタミンA，カロテンはさらに少ない．水溶性のビタミンB_1の含量が低いうえ，B_1分解酵素（チアミナーゼ）が存在することが知られている．しかし，あさりは生食しないので，ほかの食品中のB_1の分解を心配することはない．B_{12}の含量は高いが，産卵後は減少する．ステロール類は100g当たり100mg程度含まれているが，コレステロール類は40mgでその約4割となっている．ビタミンDは極めて少ないが，プロビタミンD*の含量は高い方である．コハク酸の含量も高く，これは貝特有の味にも関係があるほか，栄養的にも評価されている．
◇**加工**　加工としては佃煮があり，串あさりなどの干物も名産的に少量生産されている．また缶詰製品には水煮，味付けのほか，燻製の油漬などがある．
◇**調理**　殻付きのものは生きていることが条件で，塩水にしばらくつけても殻を開かないものは取り除く．生きた貝を殻から取り出したむき身は，鮮度の落ちないうちに調理することが大切である．※獲りたての貝は，約3％の食塩水に数時間

あさり（平　宏和）

あさり　串あさり（平　宏和）

つけて砂を吐かせ，よく水洗して用いる．※コハク酸の強いうま味をもち，汁物には特有の風味がある．小型なので一般に貝そのものを味わうほか，各種の食品と組み合わせてうま味を利用することが多い．汁物のほか，和え物（ぬた），かき揚げ，中国風の煮物などが主な料理である．また，深川飯や洋風のパエリヤにも用いられる．汁物は殻付きのまま用いる．はまぐりと同様，チャウダーにもよい．※生食することはない．長時間の加熱により身がしまって硬くなるので，なるべく加熱は短時間にする．汁物の場合も，熱湯に入れさっと煮立てる．ただし保存を目的とする佃煮の場合は例外である．

●いよすだれ

伊豫簾 分 スダレガイ属 学 *Paphia undulata*
英 undulated venus

殻長 4.5cm．前後に長く殻表にはつやがある．褐色の網目模様があり，斜めに走る細い線がある．房総半島以南〜東南アジアに分布し，タイ湾などで大量に漁獲され，輸入「あさり」水煮の原料とされている．

●ひめあさり

姫浅蜊 分 アサリ属 学 *Ruditapes variegata*
英 short-neck clam

あさりとよく似ているが，やや小型でふくらみが少ない．内面は紅色である．房総以西で，あさりより水のきれいな外洋に面する潮間帯の砂礫底に棲む．漁村のおかず程度．

あじ 鯵

成 10003 ほか 分 硬骨魚類，アジ科

あじは日本の魚の代表であり，まあじ，むろあじ，まるあじ，めあじ，しまあじ*などがある．あじ類の特徴は体の左右中央にゼンゴまたはゼイゴという特別な鱗，稜鱗*（りょうりん）（scutes）の1列があることである．上記以外では，おあかむろ，くさやもろ，いとひきあじのほか，輸入あじとして，にしまあじ，地中海まあじなどがみられる．

◇成分特性 あじ類はかつお，まぐろはもちろん，さんま，さばなどと比べても煮熟肉が身崩れしやすい欠点がある．これは水分が多いこと，煮熟肉の筋繊維間に熱凝固たんぱく質が少ないためと考えられている．また，さば，いわし，さんまなどに比べると少ないが，かなりの脂質を含有し，季節によってその含量が変動する．ビタミン類では脂溶性ビタミン*のA，D，Eの含量は比較的少なく，水溶性ビタミン*についても特に多いものはない．

◇保存・加工 くさや，開き干しなどがある．

◇調理 生食（刺身，たたき），焼き物，炒め物，煮物，揚げ物など広範囲の調理に適し，和，洋，中，いずれの料理にも利用できる．まあじは調理一般に，むろあじは干物に，しまあじは刺身やすし種に向く．※小あじは近海産の鮮度のよいものが多い．たたきなどに用いるほか，骨ごと食べる唐揚げに向く．大きいあじは，塩焼き，煮付けにそのまま用いるほか，バター焼き（ムニエル）などに三枚におろして用いる．※脂肪が多く，肉質が軟らかいので，生食の場合も酢を加えてたんぱく質を凝固させ，身をひきしめる．和風では酢の物，洋風ではマリネなどがその例である．酢は骨を軟らかくする作用もあり，唐揚げをさらに酢漬にした南蛮漬は代表的なマリネである．※調理の際，体の両側のゼイゴまたはゼンゴを尾の方から頭に向かってそぎとる．ただし酢の物のように酢で洗い皮をむく場合はその必要はない．※あじは臭気が出やすいので，新鮮なうちに干物にすることが多い．干物は焼きすぎると脂肪が流出して風味を失い，乾燥しすぎるとパサパサした感じになるので，焼きすぎないようにする．特に"くさや"は独特の香りを保持するため，軽くあぶる程度にする．

●いとひきあじ

糸引鰺 分 イトヒキアジ属 学 *Alectis ciliaris* 英 African Pompano 別 地 いとひきだい（新潟，鎌倉）；うまひき（串本）；かがみうお（和歌山，高知）

全長 90cm ぐらいになる．体は菱形に近く，著しく側扁する．第2背びれと尾びれの前部の数軟条が糸のように長くのびている．ゼンゴは側線直走部の全体にわたって小さいものがある．日本各地を含む全世界の温帯〜熱帯に分布している．

●おあかむろ

尾赤鰘 分 ムロアジ属 学 *Decapterus tabl* 英 roughear scad 別 おあかあじ 地 あかあじ（鹿児島）；あかむろ（和歌山）

全長 40cm．体は円筒形で，わずかに側扁する．

おあかむろ（本村 浩之）

ゼンゴは側線直走部のほとんどにある．日本各地，世界の温・熱帯域に分布している．美味．

●くさやもろ

臭屋鯵　分 ムロアジ属　学 *Decapterus macarellus*　英 mackerel scad　別 くさやむろ；あおむろ　地 おおくろ（伊豆大島）；おおさぎ（和歌山串本）；あおむろ（伊豆大島）

全長40cm．ゼンゴは側線直走部の後半だけで，数が少ない．北海道を除く日本各地と全世界の温帯から熱帯に分布している．高級のくさや*の原料として有名．

●ちちゅうかいまあじ

地中海真鯵　分 マアジ属　学 *Trachurus mediterraneus*　英 Mediterranean horse mackerel

輸入冷凍あじ．全長30cm．地中海，黒海および東大西洋の一部に分布．体色は青白色，腹部は銀白色．にしまあじとの区別は前者にくらべゼンゴが小さい点にある．一般にはあじとして流通している．主として缶詰原料やミールとして利用される．このほか主な輸入あじには，みなみまあじ（*Trachurus declivis*），チリまあじ（*T. murphyi*），ケープまあじ（*T. capensis*）などがあり，主に加工原料に使われる．

●にしまあじ

西真鯵　成 10008（生），10009（水煮），10010（焼き）　分 マアジ属　学 *Trachurus trachurus*　英 Atlantic horse mackerel　別 大西洋あじ；ドーバーまあじ；まるあじ；おきあじ

冷凍あじとして輸入される．西大西洋の中北部沿岸および地中海に分布．全長35cm．体色は背面が緑色を帯びた青灰色，腹面は白い．英国周辺では6～8月に産卵．鮮魚，缶詰，燻製とされ，輸入してあじの干物ともする．

●開き干し

成 10006（生），10007（焼き）　英 Hirakiboshi；(salted, semidried and split fish)

まあじ，まるあじ，むろあじなどが使われる．最近のものは大部分が薄塩による水分の多い生干しで，堅干しといわれる乾燥度の強い製品はほとんど製造されていない．また原料あじは国産のもののほか，中国，ニュージーランドや欧州産の輸入の冷凍物が多量に使われている．

製法：魚体の内臓を除去し，腹開きにし，清水で洗って血抜きをしてから，食塩水に浸漬する．塩水の濃度は12～24％の範囲で，鮮度，脂質の含量，外気温，天候などにより調節し，浸漬時間も魚体の大小にもよるが，3，4時間程度である．乾燥は熱風式の人工乾燥が普通で，30～40℃で

あじ開き干し（平　宏和）

数時間とし，乾燥終了後は直ちに冷凍庫に移して保管する．歩留りは生原料に対し，まあじで72～73％である．貯蔵性は夏では1～2日，冬でも2～3日，家庭用冷蔵庫に入れても1週間程度しかもたない．

鑑別：あじの開き干しは古くなると肉面の照りがなくなり，脂質の酸化による油焼け*で，銀灰色の腹部が黄味を帯びてくる．背面にネトがでて眼のうらにあせをかいたものはよくない．また肉の表面から骨が浮き上っているものは，原料に鮮度が悪いものを使ったため肉が軟化して骨が離れてしまったものである．

●まあじ

真鯵　成 10003（皮つき 生），10004（皮つき 水煮），10005（皮つき 焼き），10389（皮なし 生），10390（皮つき フライ），10391（小型 骨付き 生），10392（小型 骨付き から揚げ）　分 マアジ属　学 *Trachurus japonicus*　英 Japanese jack mackerel　別 あじ；ほんあじ；きあじ（沿岸性）；くろあじ（沖合性）　地 ひらあじ（関西，広島）；おおあじ（松江）；あづ（富山，秋田）

全長40cm．体は長めの紡錘形でやや側扁する．日本近海のまあじには，2型がある．沖合回遊性で，くろあじと呼ばれるものは，つやのある淡い灰褐色で，背部は青緑色を帯びる．幼魚は内湾にも棲むが，成魚群は春から夏に北へ，秋から冬は南に回遊する．北西太平洋に分布し，北海道でも漁獲される．一方，沿岸性で定着性が強く，きあじと呼ばれるものは，体色も黄色味を帯びている．漁獲量はくろあじよりも少ないが，味はよく，市

まあじ（本村　浩之）

場価格は高い．巻き網，流し網で漁獲される．
◇**成分特性** 成分含量は季節により変動が大きいが，『食品成分表』では，平均値として100g当たり，水分は75.1g，たんぱく質（アミノ酸組成）* 16.8g，脂質（TAG当量）*も3.5gとかなり高くなっている．

●**まるあじ**
丸鯵 成 10393（生），10394（焼き） 分 ムロアジ属 学 *Decapterus maruadsi* 英 Japanese scad 別 あおあじ 地 がつん；ながいゆー（沖縄）
全長40cm．体高は高く，わずかに側扁する．ゼンゴが側線上全体に発達している．日本各地を含む東アジアに分布する．

まるあじ（本村　浩之）

●**むろあじ**
室鯵；鰘鯵 成 10011（生），10012（焼き），10013（開き干し），10014（くさや） 分 ムロアジ属 学 *Decapterus muroadsi* 英 Amberstripe scad 別 地 あかぜ（東京）；もろ（東京）；むろ（和歌山，高知，九州）；あじさば（富山）；おおあじ；まるあじ（広島）；まむろ（和歌山）；うるめ（鹿児島）；きんむろ（和歌山）；みずむろ（高知）
全長40cmになる．体は延長し，円筒形で，わずかに側扁する．全体が小さな鱗に覆われている．日本各地に分布し，特に伊豆七島から小笠原諸島で多量に漁獲される．
◇**成分特性** まあじに比べ水分が少なく，たんぱく質，脂質はかなり多い．

むろあじ（本村　浩之）

●**めあじ**
目鯵 分 メアジ属 学 *Selar crumenophthalmus* 英 bigeye scad 別 地 かめあじ（和歌山）；とっぱく（高知，宇和島）；あかあじ（鹿児島）
全長30cm．体はまあじに似ているが，やや体高が高く，目が大きい．青森以南の世界の暖海に分布している．

🌿 **あしたば** 明日葉；鹹草
成 06005（茎葉　生），06006（茎葉　ゆで） 分 セリ科シシウド属（多年生草本） 学 *Angelica keiskei* 英 Ashitaba 別 はちじょうそう（八丈草）；あしたぐさ；あしたぼ 旬 春～初秋
わが国中南部の海岸付近に自生する．生長が早く一度葉を摘んでも翌日にまた収穫できるといわれ，"明日葉"と名付けられたともいわれている．同属の野草に数種ある．北海道から東北の海岸，山地に生えているエゾニウ，山岳地帯に生えているシシウドなどである．いずれもウドに似ているが，葉，茎ともにザラザラしているウドに対し，これに類するものは茎はなめらかで，葉もざらつかない．セリ科独特の香りがある．3年目の春にとう立ちする．茎は太く，高さ1mに達する．葉は2回羽状複葉で，小葉は鋸歯のようにギザギザがある．茎の上部に数本の枝を出し，先端に小さな白い花を一面につける．果実は長さ1cmぐらいの楕円形で，縦縞模様がある．果実（種子）が充実すると枯れる．分布は南関東の海岸，大島，八丈島，小笠原諸島などであり，特に島部では重要な野菜となっており，栽培もされている．
◇**採取** 若い葉を採取する．切り口から黄色の汁がでて，あしたばとすぐ見分けがつく．
◇**成分特性** 茎葉（栽培品）は100g当たり，カルシウム65mg，β-カロテンは5,300μgと多い緑黄色野菜である．
◇**加工** あしたば茶や，あしたばそばなど，加工品も出回っている．
◇**調理** 茹でてお浸し，和え物など．天ぷらやみそ汁もよい．

あしたば（平　宏和）

味付けのり　⇒あまのり

あずき　小豆

成 04001（全粒 乾），04002（全粒 ゆで）　分 マメ科ササゲ属（1年生草本）　学 *Vigna angularis*　英 adzuki beans；adzuki　別 しょうず（小豆）

原産地は中国北部説が有力である．日本へは3〜8世紀の頃に中国から伝わったといわれる．

◇**品種**　普通あずきと呼ばれる小・中粒の品種群と大粒で煮たときに皮が破れにくい大納言と呼ばれる品種群がある．主な品種として，普通あずきでは，きたろまん，エリモショウズ，きたのおとめなど，大納言では，とよみ大納言，アカネダイナゴン，ほまれ大納言などがある．これらの種皮は一般に赤褐色（あずき色）で，あん，和菓子の原材料，料理などに使用される．そのほか，生産量は少ないが，種皮が黄白色の白あずきがあり，高級白あんの原材料に使用される．

形態：種子は通常は円筒形であるが，球形，回転楕円形，えぼし形をしているものもある．種皮の色はあずき色が普通であるが，灰白，淡黄，茶，黒，斑点などもある．粒が大きく，種皮が薄く，色つやの鮮やかなものが良質とされている．

産地：主産地は北海道．なかでも十勝産のあずきでつくるあんは最高とされる．東北，関東を中心とする東日本でも生産されるが，気象条件により生産量の変動が大きく，不足分を輸入している．

あずき（左）・ささげ（右）のへそ（目）（平　宏和）

◇**成分特性**　主成分は炭水化物，次いでたんぱく質で，炭水化物の主体はでん粉で60％を占め，でん粉粒子は大きく18〜60μmである．そのほかにペントサン3％，ガラクタン2％，デキストリン*1％，しょ糖1％を含み，還元糖*はほとんど含まない．たんぱく質の80％前後はグロブリン*である．たんぱく質のアミノ酸組成は，シスチン，メチオニン，トリプトファンが乏しいため，良質たんぱく質とはいえない．遊離アミノ酸*はグルタミン酸が一番多く，次いでアスパラギン酸である．

脂質は少ないが，このうちの24％内外はリン脂質*で，スチグマステロールも多い．純脂質の約75％は液体で，残りは固体である．無機質はリンとカリウムが多く，カルシウム，ナトリウム*などは少ない．ビタミンも少ない．

特殊成分：数種のサポニン*が合計約0.3％存在する．サポニンは，腸刺激作用を有するため，食物繊維と相まって便通効果を呈する．また，抗脚気効果を有するといわれる．

◇**保存**　虫がつかないように乾燥した冷所に置く．昔から一升びんに口まで入れて密栓しておくと虫がわかないといわれる．

◇**加工**　全消費量の約8割があん*，菓子，甘納豆*，茹であずき缶詰などの材料となる．あずきを6〜7時間水に浸漬し，煮熟した後，つぶして水にさらし，皮を除いたものが生あんで，その後の加工によって，こしあん，さらしあん，練りあん，乾燥あんがある．また，なるべく豆の皮を破らないように軟らかく煮上げた煮くずしあんがある．

◇**調理**　胴切れがあるため，一般に家庭ではあずきは水に浸すことなく，そのまま加熱を始めるのがよい．※胴切れ：あずきなどは表皮が硬く，水に浸しても表皮からはほとんど吸水しない．一方，側面の珠孔から少しずつ吸水し，内部の子葉*が先に膨潤する．そして5〜6時間後に子葉の膨潤

あずき　上：普通あずき，中：大納言，下：白あずき（平　宏和）

圧で表皮が切れて一度に急激な吸水を始める．これを胴切れという．胴切れ後はたんぱく質，その他の成分の溶出により濁りがひどくなり，夏には腐敗することもある．赤飯のようにあずきを粒のまま用いるときは，なおさらこの注意が必要である．胴切れしたあずきは見た目が劣るだけでなく，切腹に通じるとして，祝儀用の赤飯では特に嫌われた．そのため，一般に胴切れの少ないささげを用いる．※ビックリ水：あずきを加熱すると急激に吸水が進み，15分で約2倍の体積になる．あまり急激に表層部だけ加熱されると中心部との温度差が大きく，胴切れやしわの原因になりやすい．加熱ムラをなくすために沸騰直後に豆の約1/2量の冷水を加え，50℃以下に水温を下げるとよい．これをビックリ水という．中心部まで徐々に温水を浸透させ，全体を一様に軟化させる効果がある．※渋切り：冷水を加えて，次に再び沸騰したとき，いったん火からおろし，ザルにあげて水を注ぐ．これを渋切りといい，皮や子葉に含まれるタンニン*その他，アクや渋味の成分を除去する目的で行う．汁粉のように濃く甘い味を付けるものは，アクが残ると味がくどくなるので，最初の煮汁は必ず茹でこぼす．※汁粉にはでん粉を：あずきが煮えたとき，細胞内のでん粉は汁に直接溶けだしてくることは少なく，汁はさらりとして豆は下に沈みがちである．水溶きしたでん粉を少し加えると粘度が上がり，全体がなめらかなコロイド液を形成する．餅や白玉だんごを入れるのも同様な役割を果たす．

●赤飯用あずき水煮缶詰
英 boild adzuki beans canned for Sekihan
赤飯用として，あずきに少量の食塩などを加えて水煮した缶詰．調理は，水洗いした精白米と缶詰を煮汁ごと釜に入れ，足りない水を加えて炊飯する．「あずきがゆ」などにも利用できる．

●茹であずき缶詰
成 04003 英 boiled adzuki beans canned in syrup
茹でたあずきに砂糖を加えて缶詰にしたもので，あんや汁粉，菓子の材料として用いられ，直接食べる場合もある．原料あずきは，北海道産の大納言がよい．
◇製法 あずきを水洗い浸漬後，水切りし，金網かごに入れ，原料豆の3倍の水を加え二重釜で煮熟する．沸騰させ，5分ほどで湯を抜き水を入れ替えて，アク抜きを1～2回する．この後，金網かごから二重釜に移し，豆が軟らかくなるまで30～40分煮る．さらに，砂糖と食塩を3回に分けて加えながら煮熟する．砂糖がよく溶けて豆に浸透し，丸くふくらんでくる．これを缶に詰めて，蓋材を真空巻締めし，レトルトで110℃，60分くらい加圧加熱殺菌，冷却する．甘味を強化するため少量の食塩と，色を安定化するために少量のクエン酸が添加されることが多い．糖含量は約50％．

アスパラガス　石刁柏

分 キジカクシ科クサスギカズラ属（多年生草本）
学 *Asparagus officinalis* 英 asparagus 別 まつばうど

野生種はヨーロッパ南部からロシア南部に広く分布しているが，食用とされたのは紀元前後，ローマにおいてとされている．わが国では食用アスパラガスは明治初年北海道に導入された．通常種子で増殖する．定植2年後（播種後3年目）から，10年（暖地）～20年（寒地）ぐらいは収穫できる．
◇品種 グリーンアスパラガス，ホワイトアスパラガス，紫アスパラガスがあり多くの系統が幾世代にもわたって採種・増殖されているので，品種といわれるものの相互の区分は明確でない．わが国ではパルメット，コノバーズ・コロッサル，瑞洋，メリーワシントン，カリフォルニア500などが栽培されていた．雌雄の株があり，普通は雄株の方が収穫量も多く，茎も太くなりすぎないの

あずき缶詰　左：赤飯用あずき水煮缶詰（左から水煮あずき，煮汁），右：茹であずき缶詰（平　宏和）

上：グリーンアスパラガス，下：ホワイトアスパラガス（平　宏和）

で，近年，雄株率の高い品種が育成され普及している．

産地：北海道，東北，中部高冷地，九州で栽培が多い．メキシコ，米国，オーストラリアなどから生，冷凍アスパラガスの輸入も行われている．

◇**成分特性** たんぱく質，非たんぱく態窒素，灰分の多い野菜である．またマンニトールが含まれている．無機質はカルシウム，カリウム，リンが多い．ビタミンCはグリーンアスパラガスで多い．β-カロテンは100g当たり370μgであるが，厚生労働省では栄養指導上，緑黄色野菜としている．遊離アミノ酸含量も非常に多い．アミノ酸組成はアスパラギンが多いのが特徴で，全体の5割近くを占めている．そのほかアスパラギン酸，バリン，アルギニン，アラニン，ロイシン，グルタミン酸などを含む．グリーンアスパラガスには苦味は生じないが，ホワイトアスパラガスには苦味があり，特に基部に多いので，缶詰にしたときでも支障を生じることがある．この苦味成分はサポニン*である．

◇**保存** 収穫後の品質変化が特に著しいので，直ちに利用・加工に仕向けられる．低温貯蔵の最適温・湿度は0〜2℃，95〜100％で，15〜20日間貯蔵が可能である．短期の保存法としては0〜5℃の冷水に漬けて保存する方法や，湿った砂の中に保存することがあるが，48時間が限界である．これ以上になると繊維組織が硬化して品質が劣る．凍結すると長期の貯蔵に耐えられる．凍結保存のためには，収穫後，直ちに加熱処理を行い，ポリ袋に詰め，-18℃以下で保つ．真空包装を行って凍結保存すると品質変化は非常に少なくなる．

◇**調理** グリーンアスパラガスは鮮度が低下しやすく，保存により硬くなるうえ苦味が増すので，新鮮なうちに調理加工を行うこと．加熱すると組織，特に穂先が軟らかく崩れやすくなるから，茹で時間は数分間にとどめる．そのあと水につけておけば，しばらくは保存できる．※特色ある香りを生かす調理法がとられる．日本料理では天ぷらや，茹でて，わさびじょうゆ，ごまみそ，うに酢などで，西洋料理ではサラダやフライの材料に，中国料理では生のものを切って旨煮にする．グリーンアスパラガスは，鮮やかな緑と食感を生かして使うため，茹で方に気を付ける．

●**グリーンアスパラガス**

成 06007（若茎 生），06008（若茎 ゆで），06327（若茎 油いため） 英 green asparagus
栽培の際，土寄せをせず伸長した若茎を収穫する．栄養価が高く，青果用として消費が増大している．

●**ホワイトアスパラガス**

成 06009（水煮 缶詰） 英 white asparagus
栽培時に十分に土寄せして，若茎が地上部に出る前に収穫する．頂部に陽光が当たると着色して，等外品とされる．初夏には少量だが生鮮品も出荷される．缶詰加工用の原料としては，パルメット，メリーワシントン，瑞洋などの品種が適し，鮮度が重要であるので，採取後その日のうちに加工する．9cm程度に切断し，90℃の熱湯中に基部から順次加熱し（5分），冷水中で水さらしを短時間行った後，缶に詰め2％の食塩水を注入，脱気，殺菌して製品となる．缶詰の穂先を崩さずに取り出すには，底部を開けてそっと引き出すようにするとよい．サラダやオードブルに用いられる．

ホワイトアスパラガス（缶詰）（平　宏和）

アスパルテーム

英 aspartame

アスパラギン酸とフェニルアラニンのメチルエステルが1分子ずつ結合したジペプチド（アスパルチルフェニルアラニンメチルエステル）である．食品添加物*として1983年に指定された．甘味はしょ糖の約200倍で，エネルギー値はジペプチドなので1g当たり4kcalであるが，甘味が強く使用量が少ないので低エネルギーの甘味料（指定添加物）として，食卓用，清涼飲料用として用いられている．熱で甘味度が低下するので加熱調理には向かない．体内で分解されフェニルアラニンとアスパラギン酸となるため，フェニルケトン尿症*の患者には有害なので，注意を要する．食品表示法*により「L-フェニルアラニン化合物を含む」旨の表示義務がある．

アセスルファムカリウム

英 acesulfame potassium

高甘味度甘味料の一種で，アセスルファムKとも書かれる．ドイツで開発され，1983年に英国

で認可されて以来，EU諸国，米国などで使用され，日本では2000年に食品添加物*として指定された．指定添加物である．
◇**成分特性** しょ糖の約200倍の甘味がある．他の高甘味度甘味料との併用によって甘味が増強される相乗効果が大きい．飲料，ガム，漬物などに使用されている．

アセロラ

成 07003（酸味種 生），07159（甘味種 生），07004（10％果汁飲料） 分 キントラノオ科ヒイラギトラノオ属（常緑性低木） 学 *Malpighia* spp. 英 acerolas 別 西インドチェリー 和 バルバドスさくら

西インド諸島が原産で，昭和40年代になりビタミンCを多く含むことが注目され，急速に加工原料としての栽培が進んだ．アセロラ（*Malpighia emarginata*），*M. puniciflolia*（和名不詳）などが，北米の熱帯地方，ハワイで栽培されている．わが国でも，鹿児島や沖縄で少量栽培されている．和名の通り，さくらんぼに似た果実をつける．
◇**成分特性** ビタミンC含量が非常に高いのが特徴である．糖度が10％前後になる甘味種と，糖度が8％以下の酸味種がある．後者はよりビタミンC含量が高い．100g中，ビタミンCは酸味種で，未熟果2,100mg，完熟果1,700mg，過熟果1,200mg含まれるが，甘味種の完熟果では800mgである．
◇**保存・加工** 生果を保存するには5℃前後で冷蔵する．果汁を絞って，果実飲料とするほか，ジャム，フルーツ菓子に加工する．
◇**調理** 健康飲料などに使用されたことによって知名度が上がったが，生食するには酸味が強すぎるので，ジュースやジャム，ゼリー，キャンデーに用いられる．

厚焼き

英 Atsuyaki；(baked kamaboko of surimi and egg yolk)

焼き抜きかまぼこの一種で，すり身に卵黄，砂糖を加えて焼き上げる．主に関西で食される．伊達巻きよりもすり身の割合が高い．

アテモヤ

成 07005（生） 分 バンレイシ科バンレイシ属（小高木） 学 *Annona* × *atemoya* 英 atemoya

熱帯性のバンレイシ〔別名：釈迦頭（しゃかとう）〕を母親にして，亜熱帯性のチェリモヤを交配して育成したのがアテモヤである．アテモヤの「アテ」はブラジルで使われていた言葉でバンレイシを指し，「モヤ」はチェリモヤのモヤに因んで命名された．母親の性質を受け継いで寒さに弱いので，オーストラリア，フロリダなどの温暖な地域で栽培されている．わが国ではハウス栽培*され，秋に収穫できる．果実の外観は凹凸があり，果皮は鮮緑色で，果肉は白色で甘く，バンレイシに似た香味がある．
◇**成分特性** 果実類としてはたんぱく質（アミノ酸組成）*が多く，100g当たり(1.1)g含まれる．ナイアシン*，カルシウムも多く，カリウムは340mg含まれる．ビタミンCのほか，葉酸*などを含む．
◇**保存** 食べ頃になるまで，追熟*する間は冷蔵してはいけない．未熟果を一度低温にさらすと追熟が停止し，果肉が軟化しなくなる．硬めの果実を求め，適度に追熟させた後，冷蔵庫で冷やして食す．
◇**調理** 一般には生食されるが，ジュース，アイスクリームも作られる．白ワインと砂糖を加えて煮た後，冷やしてデザートにするのもよい．

アセロラ（平　宏和）

アテモヤ（沖縄県産）（平　宏和）

厚揚げ　⇨生揚げ
アップルパイ　⇨パイ
アップルビネガー　⇨食酢（りんご酢）

アトランティックサーモン　⇨さけ・ます（たいせいようさけ）

あなご 穴子；鰻鱺

分 硬骨魚類，アナゴ科

アナゴ科の魚の総称．体形も，レプトケファルス*（leptocephalus）という幼生期があることもうなぎに似ているが，白色列状の側線がある．まあなごのほか，ごてんあなごなど各種ある．

◇成分特性　白味の魚であるが，100g当たり脂質（TAG当量）*含量は8.0gと高い．ビタミン類ではAが特に高く，レチノール活性当量*で500μg含まれ，Aの給源に役立つが，Dの含量は少ない．水溶性ビタミン類ではCが2mgと，豚肉程度含まれている．

◇加工　名産品としては兵庫県赤穂の八幡巻き，広島県宮島の穴子飯，同じく広島のがせつ（ほうれんそうとあなごの土佐酢和え）などがある．

◇調理　関西で古くから好まれ，天ぷら，すし種，蒲焼き，煮物などのほか，吸い物の椀種にも用いられる．※脂肪が非常に多く，生臭みもあるので，これらを除くため，まず直火焼きにして調味をするのが普通である．皮が強靱で熱収縮が大きいので，開いたのち串を打って焼く．脂が逃げるように皮目の方から遠火でゆっくりと加熱する．※皮の表面に粘質物が多いので，天ぷらのように下焼きせずに用いる場合も，熱湯をそそいで手早く冷水で冷やし，庖丁でぬめりをとってから用いるようにする．※脂肪の多い魚の特徴として，一般に味付けを濃いめにする．すし種のあなごのように，焼いたものにはみりんを使ったたれをつけることが多い．あなごの代表的な料理としては焼いたあと甘辛く煮たもの（ほうろく焼き）や，油，白ワイン，塩，こしょうでゆっくり煮込んだもの（ワイン煮）など，味付けに工夫をこらしたものが多い．

●ごてんあなご

御殿穴子　分　ゴテンアナゴ属　学 *Ariosoma meeki*　英 conger eel；sea conger；silvery conger　別 ぎんあなご　地 ぎんあなご（東京）；めばち（高知）

全長60cm．体色はやや銀色で尾の先が白い．目の後縁近くに上下2個の濃褐色の斑紋がある．インド・西太平洋に分布する．東京ではあまり注目されていないが，広島ではまあなごより賞味する．

●まあなご

真穴子　成 10015（生），10016（蒸し）　分 クロアナゴ科　学 *Conger myriaster*　英 whitespotted conger　別 地 はかりめ（東京，三崎）；はも（北海道，東北，山陰）；はむ（富山）；めじろ（名古屋）

旬 初夏

単にあなごというと本種を指す．全長1m．体は細長く円筒状で，尾は側扁する．体色は，背部は褐色で腹はやや銀色．淡水と海水の混交している内湾の海藻のある砂泥底に生息．うなぎと同様にレプトケファルスと呼ばれる柳の葉のような形の透明の幼生期がある．昼間は砂中にもぐり，夜間活動する．寒くなると水深100mくらいの沖に移動する．関西では珍重される．羽田沖の東京湾で獲れる"江戸前のあなご"は味がよいとされる．北海道から日本各地，朝鮮，東シナ海，台湾に分布する．北日本での地方名には，はも，はむなどがあるので，ハモ科のはもと混同しないようにする．周年漁獲され，周年美味であるが，初夏が旬とされている．

まあなご（本村　浩之）

あひる 家鴨

成 11206（肉 皮つき 生），11247（肉 皮なし 生），11284（皮 生）　分 ガンカモ科マガモ属　学 *Anas platyrhyncha* var. *domestica*　英 domesticated duck

野生のまがもを飼い馴らした家禽．家禽としての歴史は古く，中国では紀元前400年頃から，ヨーロッパでは紀元前後に家禽化された．あひるは早肥，早熟で，孵化後は2～3カ月で肉用になる．あひる肉は雌雄の区別なく，成長度によって肉の呼び方が以下の3つに区分される．

①ブロイラーまたはフライヤー：8週齢未満の若鳥．
②ロースター：16週齢未満の若鳥．口ばしがややへこんでいる．
③成鳥：6カ月齢以上の親鳥．

◇品種　青首あひる，大阪白あひる，新大阪あひる，ルーアン，アイレスベリー，ペキンなどがあり，世界各国で種々の品種がつくり出されている．

◇**成分特性** あひる肉（皮つき）は，若鶏肉（もも・皮つき）に比べ水分が少なく脂肪が約2倍と多い．無機質では鉄*が多く，ビタミンではAは1.5倍，B_1 は3倍前後である．あひるの肉は特有のにおいがあり，その評価はまちまちであるが，夏，脂ののったときがおいしい．死後15〜16時間経ったときが，硬直が解け食べ頃となる．

◇**調理** 下ごしらえ，調理とも，鶏肉にほぼ準じている．煮込みの場合には時間をかけると軟らかく美味である．丸ごとローストにしたり，手羽，むね肉など部位でおろし，それぞれ，焼き物，蒸し物，フライなどに利用する．※フランスではあひる料理が好んでメニューに加えられ，肝臓はフォアグラ*として珍重されている．あひるの蒸し焼きオレンジ添え，あひるの蒸し煮などがある．中国料理では，丸のまま蒸し焼きにした北京ダック（北京烤鴨）が有名である．

油揚げ（平　宏和）

あひる卵　家鴨卵

英 duck's eggs

主に台湾，中国南西部で食用にされ，日本では普及していない．加工品であるピータン（皮蛋）は中国料理に利用されている．あひる卵は60〜90g大で，鶏卵より大きい．

◇**成分特性** 鶏卵とほとんど変わらないが，卵白は45〜58％，卵黄は28〜35％，卵殻は11〜13％である．したがって，卵黄の占める比率が鶏卵より多い．『食品成分表』では，あひる卵の収載はなく，ピータンのみ載っている．

◇**保存・加工** 飼料と，水禽であることにより，卵にやや臭味があり，食べにくさがあるとされる．また殻が鶏卵に比べやや組織が粗い．栄養価は高いが，生食はあまりしない．調理加工の素材となることが多い．加工品としてピータン*がある．

油揚げ　あぶらあげ

成 04040（生），04084（油抜き 生），04085（油抜き 焼き），04086（油抜き ゆで），04095（甘煮）
英 Abura-age；(deep-fried sliced-tofu)　別 うすあげ

薄く切った豆腐を十分に水切りしたのち，油で揚げたもので，原料の豆腐に比べて面積で3倍以上に膨化する．油揚げの工程は2段階に分けて行い，最初110〜120℃の油の中で大きくのばし，次に180〜200℃の油の中で表面を乾燥し組織を固定化させる．揚げ油には菜種や大豆の精製油が用いられる．

◇**保存** 脂質含量が高いため，油が酸敗しやすいので注意が必要である．

◇**調理** 油脂の使用の少ない日本料理に，油の風味を加えることのできる材料として，調理への応用範囲が広い．※しょうゆでつけ焼きにして，大根おろしで食べたり，生姜じょうゆや，辛みそのつけ焼きにするのもよい．また，甘辛煮やいなりずしも，油揚げの味を生かした料理である．※油揚げをそのまま煮ると，調味料ののりが悪く，仕上がりが油臭いので，熱湯を通すかかけるかして，油抜きをして用いる．油揚げの形を利用して，野菜，餅，肉類を詰めて煮込んだ巾着（きんちゃく）煮や福袋煮，信田（しのだ）煮などもある．※みそ汁の実，きつねうどんやそばの具，信田巻き，五目飯，乾物，野菜との煮物などにも用いられる．

油麩（あぶらふ）　⇒ふ

あべかわもち　安倍川餅

英 Abekawa-mochi

つきたての餅を丸めて，きな粉をまぶしたものである．近年はおみやげ用に日持ちをよくするため，餅の代わりにぎゅうひなどを使った製品が多くなっている．

◇**由来** 静岡の安倍川のほとりの茶店で売っていたのが有名になり，全国的に普及した．安倍川餅の起源は，慶長年間（1596〜1615）であるといわれる．徳川家康が領内の安倍川郡井川の金山を検分した折，ある男が餅に砂金になぞらえたきな粉をまぶして献上した．その餅が非常においしかったので，家康から褒美をもらったうえに，安倍川餅の名まで頂いたという由来が伝えられている．

◇**原材料・製法** もち米を蒸して臼でつき，適当な大きさにちぎって丸め，砂糖蜜の中にサッと漬

安倍川餅（静岡）（平　宏和）

けてからきな粉をまぶして仕上げる．きな粉に加える砂糖はきな粉と同量を加合してふるいに通しておく．餅を砂糖蜜につけるのは，餅にきな粉がつくようにするためで，蜜を温めておくと餅にもどりがきて食べやすくなる．

アボカド

成 07006（生）　分 クスノキ科ワニナシ属（常緑性高木）　学 *Persea americana*　英 avocados　別 わになし；アバカテ

熱帯アメリカ原産で，10〜20 m に生長する．起源は極めて古く，6〜万年前から存在し，カリフォルニアなどでは化石が発見されている．アステカ語の ahuacatl（こう丸）が語源といわれている．現在では品種改良が進み，多くの栽培品種がある．

◇**品種**　形態的には，果実が小さく独特の香りをもつメキシコ型，冬から秋にかけて熟するグアテマラ型，夏から秋にかけて収穫する西インド型の3群に分かれ，周年的に生産される．果実は品種により 75〜600 g の差異があるが，グアテマラ型の果実が最も大きい．代表的な品種はフェルテ（Fuerte），ハス（Hass）である．果皮の色は黄緑色，緑，赤紫色，褐色，黒紫色まで多様である．形も瓜に似た細長いもの，なす形，西洋梨形，卵形，球形のものまである．果肉はいずれも黄緑色で，甘味も酸味もなくバター状である．中央に大きな種子がある．

産地：世界ではメキシコ，ドミニカ共和国，南米，ケニアなどで栽培されている．

◇**成分特性**　品種や産地により含量はまちまちであるが，森のバターといわれるように脂質の多いのが特徴である．100 g 中，脂質（TAG 当量）* 15.5 g を含み，脂肪酸組成は，パルミトレイン酸，オレイン酸*，リノール酸*，リノレン酸などの不飽和脂肪酸* が 80％を占め，栄養的に優れた果実である．ビタミンでは，C，B_1，B_2 も比較的多い．

追熟：果実が成熟期に入ったところで採取し，3〜5日間追熟*を行う．追熟は 15〜25℃で進むが，外観や品質を良好に保ちながら追熟する適温は，15.5℃である．25℃以上では追熟は進まない．追熟すると果皮は黒変するものが多いが，フェルテ種のように緑色のまま追熟・軟化するものもある．

◇**保存**　貯蔵は 5〜25℃の範囲で可能であるが，5℃以下では低温障害を生じる．貯蔵適温は 5〜10℃とされている．

◇**調理**　追熟してから食べる．縦に半分に切り，種子を除き，果肉に砂糖，レモン汁をかけて食べる．

あまえび　⇨ えび

あまがし

沖縄風ぜんざい．いんげん豆（赤紫色の金時類）と押麦を粥（かゆ）状に煮込み，砂糖や黒砂糖で仕上げる．元来，豆にはあずきや緑豆を用い，子供の健康を祈る旧暦5月4日・5日の行事食であったが，現在では缶詰・レトルトパック製品が市販されている．

アボカド（平　宏和）

あまがし（缶詰品）（平　宏和）

甘辛せんべい

成 15058　英 Amakara-senbei；(rice cracker seasoned with sweetened soy sauce)

塩せんべいの一種．しょうゆの辛味だけでなく，双目（ざらめ）糖を表面にまぶしたり，砂糖じょうゆの配合によって甘辛く仕上げたものである．

甘辛せんべい（平　宏和）

甘ぐり

成 05013（中国ぐり）　英 roasted Chinese chestnuts

栗を熱した砂礫の中に埋めて焼く．小粒で渋皮のむきやすい中国栗を用い，砂糖や水あめなどを砂礫の中に加えて炒り焼きにするので，栗の表面につやが出る．原料栗は中国から輸入され，焼き栗として市販される．天津甘栗が有名．

◇**成分特性**　焼いてあるため，水分が44.4gと少なく，日本栗（生 ゆで 05011）に比べ各種成分の含量が多い．

甘ぐり　右はむき実（平　宏和）

あまご　天魚；甘子

成 10017（養殖 生）　分 硬骨魚類，サケ科サケ属
学 *Oncorhynchus masou ishikawae*　英 red-spot masu trout　別　地 あめご（近畿，四国）；ひらめ（山陽）；えのは（九州）；しらめ（近畿，山陽）；かわます（長良川）；あめ（諏訪湖）

あまご（本村　浩之）

さつきますの陸封型で，全長30cm．体色は背面青緑色，体側は淡紅色を帯びた銀白色．体側中央にパーマーク*があり，黒斑点のほかに，鮮やかな朱点があることでやまめと区別される．神奈川県以西の太平洋側および瀬戸内海周辺，四国全体の河川に分布する．美味な高級魚で，特に塩焼きがよい．

◇**成分特性**　養殖ものの三枚おろしにしたもので，100g当たり水分76.8g，たんぱく質（アミノ酸組成）*(15.0)g，脂質（TAG当量）*2.8gである．

あまざけ　甘酒

成 16050　英 Ama-zake；(sweet beverage made from rice koji)

◇**製法**　通常，米麹，米飯，水を混和して，50〜60℃で12〜24時間保温，糖化してつくられる．ただし，酵母によるアルコール発酵はなく，アルコールはほとんど含まれない（1％未満）．したがって酒税法でいう，いわゆる酒ではない．日本で昔からつくられている飲み物で，温めて飲む．酒粕を利用して簡便につくるものも甘酒と呼ばれる．

◇**歴史**　甘酒は相当古くからつくられていたようで，『日本書紀』には応神天皇のころ，吉野の国樔（くす）国人が来朝し，醴（こさけ）をつくり天皇

あまざけ（平　宏和）

に献じたとある．醴は甘酒のことで，一夜酒（ひとよざけ）とも呼ばれた．甘酒という名は慶長年間（1596〜1615）の書物に初めてみられる．甘味料の少ない時代の庶民の飲み物であり，「甘酒売り」は江戸の風物であった．

◇**成分特性** 成分的にはぶどう糖を主にした炭水化物が多く（20〜30％），ビタミンB_1，B_2，ナイアシン*も少量含まれる．

あましょく 甘食

英 Amashoku

明治28（1895）年，東京市芝区田村町（現・東京都港区）のパン屋（清新堂）が考案したといわれている．中生パン（生パンと乾パンの中間のパン）の一種で，和菓子に分類される場合もある．薄力小麦粉，砂糖，卵，マーガリン，膨張剤などを配合した生地を丸型の口金で円形に絞りだし，マーガリンをつけた薄いヘラで真ん中に十文字の切れ目を入れ，高温（220〜280℃）で焼き上げる．

あましょく（平　宏和）

あまだい 甘鯛

分 硬骨魚類，アマダイ科アマダイ属　別 地 ぐずな（関西，福岡）；ぐじ（京都，舞鶴）；こびる（鳥取，松江）；すなご（松山）；びた（高知）；おきつだい（静岡）　旬 冬

アマダイ科アマダイ属の魚の総称．あかあまだい，きあまだい，しろあまだいの3種がよく知られている．味がよく，高級食用魚である．あまだいの類は夏はほとんど姿をみせず，冬が旬である．

◇**成分特性** あまだいは白身の魚で，100g当たり水分（あかあまだい）が76.5gと多く身が軟らかいが，味のよい特徴がある．脂質（TAG当量）*の含量は2.5gとたらなどよりは高いが，どちらかといえば少ない方である．しろあまだい，あかあまだい，きあまだいの順に脂質が少なくなり，味も劣ってくる．

◇**加工** 水分が多いので，塩蔵，塩乾にするとよい．粕漬，みそ漬などにもする．おきつ（興津）だいは静岡のあまだいの異名で，慶長年間（1596〜1615）に広瀬又右衛門によって創案されたという腹開きの塩乾品の商品名ともなっているが，現在この名産品は原料不足のためつくられていない．京都ではあまだいをぐじといい，ぐじのみそ漬，背開き塩乾品の若狭だいは名産とされている．

◇**調理** 西日本近海で鮮度の高いものが獲れるが，肉質が軟らかく，死後硬直も軟化も早いうえ，臭気が出やすいので，刺身にはあまり向かない．生食の場合でもひと塩して酢洗いし，昆布じめにして用いる．新鮮なものを蒸し物，焼き物にすると，まだいとは違った風味がある．❋脂肪が少ないので，油を使うと風味が引き立つ．炒め煮，丸揚などのほか，フランス料理にもバターを塗って網焼きにしたり（ニース風），小麦粉をまぶして紙に包んで焼くパピヨットなどがある．❋味が淡白なので，塩焼きより照焼きの方がよい．生臭みを消し，肉質をひきしめ，風味を引き立てる調理法として，酒蒸しや粕漬などもある．❋鮮度が低下しやすいので干物にもされる．

●**あかあまだい**

赤甘鯛 成 10018（生），10019（水煮），10020（焼き）学 *Branchiostegus japonicus* 英 horsehead tilefish 別 あかぐじだい 地 あまだい（各地）；ぐじ（京都）；あかぐじだい（日本海沿岸）

全長60cmになる．体は顔面骨の幅が著しく広く，胴はやや長く側扁する．口は小さく口さきは尖っていない．体色は赤色．尾びれの下半に黄色の斑点がない．北海道を除く日本各地から台湾の水深30〜150mの砂泥底に穴をほって棲む．京都では若狭ものを高級魚として，懐石料理によく用いられる．

あかあまだい（本村　浩之）

●**きあまだい**

黄甘鯛 学 *Branchiostegus auratus* 英 yellow horsehead tilefish 別 地 くつな（鹿児島）；きあま，きんくずな（高知）

あかあまだいより深いところに生息する．尾びれの下半に多くの黄色の円点がある．千葉県以南の

東アジアに分布する．

●しろあまだい

白甘鯛　学 *Branchiostegus albus*　英 white horsehead tilefish　別 しらかわ　地 しらかわ（東京，神奈川）；しろくずな（長崎，鹿児島）

あかあまだいより浅い泥底に生息する．目の周辺に白色斑や白色線がなく，体は白っぽい．全長30cm．東京から朝鮮，台湾に分布する．

しろあまだい（本村　浩之）

あまなっとう　上左から下に，あずき（大納言），いんげん豆（大福），くり，黒大豆（丹波黒）．上右から下に，いんげん豆（虎豆），青えんどう，蓮の実，落花生（平　宏和）

甘とうがらし　⇒ピーマン
甘夏かん　　⇒なつみかん

あまなっとう　甘納豆

成 15001（あずき），15002（いんげんまめ），15003（えんどう）　英 Amanatto；(glazed beans)

豆類，栗，いもなどを水煮した後，順次高濃度の糖液につけ，原料の形状を保ったまま糖を浸潤させる，砂糖漬菓子の一種である．

◇由来　江戸時代末期，安政年間の頃に細田安兵衛によって江戸でつくり始められた．最初の甘納豆は皮が硬く形が崩れにくいささげを使ったものであった．名称は遠州名物の"浜なっとう"になぞらえたものである．その後，製法の研究と改良が重ねられ，ささげのほかに，あずきをはじめべにばないんげん，青えんどう，いんげん豆などの豆類が使用され，そのほかに栗やさつまいもなどでも甘納豆が製造されるようになった．

◇原材料・製法　甘納豆の製造方法は，使用する原料の種類および質の違いによりやや異なる．ここでは豆類を使用した基本的な製造方法について述べる．まず原料となる豆を水に漬け，十分に水を含ませる．水漬けが終了してからステンレス製の網籠に移し，籠ごと煮釜に入れ，約1％の重曹（炭酸水素ナトリウム*）を加え水煮する．約30分間煮たら籠ごと豆を取り出し，風に当てないように直ちに水をかけて，豆に付着しているアクなどを洗い流す．再び釜に水を入れ，水煮を繰り返し，豆を親指と小指で軽くはさんで潰れる状態になるまで煮る．次に糖度20％程度の砂糖液（1番蜜）を沸騰させ，火を止めて，水を切った煮豆をつけ，そのまま一夜放置する．翌日豆を取り出し，糖液にさらに糖度40％程度となるように砂糖を加え沸騰させ（2番蜜），再び煮豆をつけ，そのまま一夜放置する．翌日再び糖液に砂糖を加え沸騰させ，煮豆を入れたまま糖度72〜73％程度まで煮つめ（仕上げ蜜），火を止めてしばらく放置した後，蜜切りを行い，砂糖をまぶして製品とする．なお，ぬれ甘納豆と称して砂糖をまぶさないものもある．原料の形をよく残し，皮も身も軟らかく全体が均一な糖濃度のものがよい．

◇保存　高濃度に含まれる砂糖のため，甘納豆は水分活性*が低く，微生物に利用されにくい状態となっている．さらに全体の浸透圧も高いことから微生物の発育が阻止され，保存性がよい．

●いもなっとう（芋納豆）

英 Imo-natto

さつまいもの甘納豆．煮崩れしないように水煮した輪切りの皮つきさつまいも（厚さ：約6mm）を豆類の甘納豆と同様の製造工程により製品にしたものである．

●ぬれ甘納豆

英 Nure-amanatto

甘納豆の製造工程で，蜜切り後，最後の砂糖まぶしをしないで，表面がぬれたようにしっとりと艶やかに仕上げたもの．原料のあずきには主に大納言が用いられるが，普通品に比べ保存性は劣る．脱酸素剤封入による包装技術の開発により，流通が可能になった菓子の一つで，戦後，新宿の花園万頭により創製された．

上：ぬれ甘納豆，下：いもなっとう（平　宏和）

あまに　亜麻仁

成 05041（いり）　**分** アマ科アマ属（1年生草本）
学 *Linum usitatissimum*（アマ）　**英** flaxseeds

あまは油料作物・繊維作物として栽培され，繊維用品種と種子用品種とがある．あまの栽培の歴史は古く，約4000年前にエジプト人やバビロニア人が茎中の繊維を採取する目的で始めた．その後，油脂を生産するための油糧用あまも栽培されるようになった．油料原料の種子はあまに（亜麻仁）と呼ばれ，主に亜麻仁油の原料になる．繊維用品種の茎から得られる繊維はリネン（リンネル）などの布原料に利用される．茎は細長く50〜120cm，先は分枝して，白または青色の5花弁の花をつける．果実は，球形の蒴果*（さくか）で，直径6〜7mm，子房*は5室，各室に2個の胚珠*を有するが，種子は1果10個に達しない．成熟種子は扁平，黄褐〜赤褐色で光沢があり，長さ：4〜5mm，幅：約2〜2.5mm，厚：約1mmの匙形である．

あまに（乾）（平　宏和）

◇**成分特性**　種子（いり）100g当たり，たんぱく質（アミノ酸組成）*20.3g，脂質（TAG当量）*41.1gと高く，カルシウム，リン，鉄*も多い．食物繊維も23.8gと多い．なお，表面の薄い層（0.1〜0.2mm）には，水に可溶の粘質物（主要成分：炭水化物）が含まれる．脂質の脂肪酸組成はパルミチン酸5〜7％，ステアリン酸3〜4％，オレイン酸*16〜18％，リノール酸*14〜17％，リノレン酸57〜60％などを含む．

◇**用途**　種子を原料としたあまに油は，そのほとんどが塗料，印刷インキ，リノリウムの材料，油絵具などに使われている．採油粕は家畜の飼料となる．一方，古くから種子を食用とする地域もみられるが，最近，健康志向（脂肪酸組成，特にリノレン酸を多く含むことなど）の面から，食材として利用されるようになってきた．利用法としては，全粒をサラダ，スープ，ヨーグルト，シリアルなどに振りかけたり，全粒または粉をパン，マフィン，パンケーキなどの生地に加えて使われる．パンでは全粒を加えたドイツのライ麦パン（ラインザーメンブロート）がある．

あまに油　亜麻仁油

成 14023　**英** linseed oil

あまの種子（亜麻仁）から採油される乾性油*である．

◇**製法**　亜麻仁には28〜44％の油脂が含まれ，搾油は予備圧搾後にヘキサンによる抽出を行う圧抽法が一般的に採用されている．

◇**成分特性**　『食品成分表』によれば，脂肪酸組成は，オレイン酸*15.9％，リノール酸*15.2％，α-リノレン酸*59.5％を示す（**付表6**）．あまに油によく似た脂肪酸組成を持ち，α-リノレン酸を多く含む油脂に「えごま油」があるが，100g当たりの成分値は，ビタミンE 40.1mg（γ-トコフェロールが多い）とβ-カロテン10μgは，えごま油より少ない．一方，ビタミンK 11μgは，

あまに油（平　宏和）

えごま油よりも多い（**付表7**）．

◇**理化学特性**　日本油化学会油脂および油脂製品試験法部会によるものでは，比重（25℃）0.925～0.929，屈折率（25℃）1.478～1.481，ヨウ素価＊175以上，けん化価189～195．

◇**用途**　あまに油は乾性油に属し，$α$-リノレン酸酸含有比が非常に高く酸化されやすい．そのため食用としての歴史はないに等しかった．ほとんどは高度の乾燥性を利用して塗料，印刷インキ，油紙等の工業用油脂として使用されてきた．食用としての利用は寒冷地であるロシアなどごく限られた地域で散見される．しかし，最近酸化防止技術の向上により，$α$-リノレン酸を多く含む健康食品として評価され，食用油としても利用されるようになった．また，薬用植物として，中国では古くからつぶした種子をぬけ毛防止やかゆみ止め，煎じて解毒鎮痛薬に利用してきた．

◇**調理**　熱が加えられないので，サラダのドレッシングや各種料理にかけて利用する．開封後は，早く消費し，冷蔵保存する．

あまのり　甘海苔

成 09003（ほしのり）　分 紅藻類ウシケノリ科アマノリ属　学 *Neopyropia* spp.　英 purple laver；Nori　別 のり

アマノリ属（*Neopyropia*）の総称．アサクサノリ（*N. tenera*），スサビノリ（*N. yezoensis*），マルバアマノリ（*N. suborbiculata*），ツクシアマノリ（*N. crispata*），オニアマノリ（*N. dentata*），イチマツノリ（*N. seriata*），コスジノリ（*N. angusta*），ウップルイノリ（*Pyropia pseudolinearis*），クロノリ（*N. okamurai*）など20種ほどが，日本各地沿岸の河川水が流れ込む内湾から外洋に面する塩分濃度の高いところまで広く分布する．一般に"のり"として市販されているものは，この乾燥品である．藻体は1層または2層の細胞からなる薄い膜質の美しい葉状体で，やや紅色を帯びた緑褐色を呈し，基部からくさび状に広がって笹の葉状になるもの，帯状に長く伸びるもの，円形に広がるものがあり，さらにその縁辺がひだ状に縮むものとそうでないものなど，形は多様である．幅1～15cm，長さ5～25cm，ときに1m以上になるものもある．ほとんどが潮間帯の木や竹，岩盤上などに着生し，温帯部では秋から春までの寒冷な時期に生育する．雌雄同株の種と異株の種があり，養殖されるアサクサノリやスサビノリは同株で，コスジノリやウップルイノリは異株である．

すさびのり（あまのり）

養殖に用いられる種はスサビノリ，アサクサノリが代表的であるが，最近は品種改良が進められ生産効率のよいいろいろな変種が採用されている．のりの乾製品である"浅草のり"の名は，その昔，東京湾が浅草のあたりまで入り込んでいて，そこでのりをとり，手漉き和紙（浅草紙）の製法に準じて，すのこの上の枠に流し込んで天日に乾し，紙状に乾燥させたところからきているといわれる．

養殖：冬に生長したあまのりの葉体は，春にその先端部から果胞子を放出して枯れてしまうが，放出された果胞子は海底のカキ殻などの石灰質に穴をあけて入り込み，灰黒色カビ状の糸状体＊（コンコセリス）となって夏を越す．秋の初めに生長した糸状体は殻胞子（かくほうし）をつくり，これを海水中に放出する．殻胞子は直ちに海水中に張られてある網糸などに付着して発芽し生長する．このような養殖方法の中で，さまざまな技術開発が行われ，最近では，たとえば秋に殻胞子を付着・発芽させたたね網を冷凍貯蔵することによって，冬の漁期中随時に網を張り出し，収穫できるようになった．また，糸状体をカキ殻などに付着させることなく直径数mmの団塊状（フリー糸状体）にすることによって貯蔵や移送が容易になった．養殖漁場に張り出されたたね網からは，普通15日ごとに原藻が摘採される．

産地：有明海，瀬戸内海，伊勢湾，東京湾，松島湾などの各沿岸地域である．

◇**成分特性**　乾のりの主成分は，炭水化物とたんぱく質であり，100g当たり炭水化物は38.7g（うち，食物繊維31.2g）で，主なものはガラクタンである．たんぱく質（アミノ酸組成）＊30.7gに達し，穀類や野菜類に比べて非常に高く，大豆に匹敵する．アミノ酸組成における第一制限アミノ酸＊はリシン＊であるが，アミノ酸スコア＊は90程度で，大豆，米などより高く，植物性たんぱく質としては優れている．ただし大豆，米などに比

べれば食べる量がごく微量なので，たんぱく質源としては期待できない．脂質（TAG当量）*は2.2gと低い．たんぱく質とならんで特徴的な成分として無機質とビタミンがあげられる．無機質はカルシウム，リン，鉄*をはじめマグネシウム*，ヨウ素*，亜鉛，マンガン*，コバルト，ニッケル，銅*など，主要な微量成分のほとんどを含んでいる．β-カロテンをはじめ，ビタミンB_1，B_2，ナイアシン*，Cなどが多く，特にβ-カロテンは緑黄色野菜と比べても非常に高い．また，陸上植物にはほとんど存在しないB_{12}が100g当たり78.0μg含まれている．遊離アミノ酸*のタウリンを，乾物100g当たり最大2g程度含むとの報告がある．『食品成分表』における利用可能炭水化物*（差引き法）17.7gの一部はタウリンによるものと考えられる．

色素：光合成色素としてクロロフィル*，カロテノイド*，フィコビリンをもっている．フィコビリンには紅色のフィコエリスリンと青色のフィコシアニン*とがある．あまのりはフィコエリスリンを多量に含むため，これが特有の色調を現す一因となっている．

◇**加工** 養殖によって得られたあまのりは，直ちに乾のりに加工される．乾のりの製造は，原料藻の洗浄－細断－抄き－脱水－乾燥のすべての工程が機械化され，最近では全工程を自動化したもの（生産能力4,000枚/時）も用いられている．製品は1枚当たり，質量2.8～3.0g，水分8～10％，大きさ19.5×21.5cmほどである．乾のりはさらに焼きのりと味付けのりに加工される．乾のりに対して，これらの加工のりの需要は増大している．概して焼きのりは東日本，味付けのりは西日本に需要が高い．

◇**保存** 乾のりは製造後1カ月ほどの間に"火入れ"と称する二次乾燥を行い，水分5％前後としたものを密閉貯蔵する．貯蔵中の吸湿を防ぐ目的から製品中の食塩量は1％前後がよいとされている．

品質変化：貯蔵中，湿度，温度，光，酸素などさまざまな要因による変化がみられるが，ごく一般的には，吸湿により，香りが失われ，色も赤変して加熱後も緑色にならないので，保存には特に湿気を避けるようにする．これは，湿気によってクロロフィルの変性・分解が起こり，一方，比較的安定なフィコビリンの紅色が残るため全体として赤紫色にみえることによる．また，これに付随して風味を形成する諸成分の変化が起こる．

鑑別：乾のりの見分け方は，次のような点が基準となる．
① 青みがかった黒色で光沢がある
② 口に入れたとき，軟らかく甘味に富んだ風味をもつ
③ 形が整っていて，穴がなく厚さが平均している
④ 焼いたときにきれいな"焼き色"が出る

◇**調理** 特徴のある香りと色調がのりの生命である．香りはもちろん色の方も短時間の乾式加熱によりその特徴が保たれる．近年は焼いてから袋詰めされた焼きのりが主流になった．家庭で焼く場合は，焼きすぎるとこげて香りも舌触りもよくないので十分に注意する．※のりを焼くとき，両面をあぶると，水分の蒸発が激しいうえに，組織の収縮のしかたが片面から熱を受けたときと，その反対側から受けたときと異なるため，もろくなって崩れやすい．2枚合わせて片面ずつあぶるようにすると香りの発散も徐々に起こり，うまく焼ける．1枚のときは二つ折りにするとよい．※焼いてしょうゆをつけて食べたり，のり巻き，にぎり飯，焼き餅など，携帯食の表面を包む利用法がある．加熱不十分な場合，のりの色素が酸により赤変するため，酢飯を包むのり巻きの場合は，特に十分火を通すことが必要である．生ののりは薄いしょうゆ味で煮ると風味がよい．※もみのりや細かく切ったのりをちらし寿司にふりかけたり，麺類や鍋物の薬味にする．のり茶漬や熱いそばにのりをたっぷりのせた"花巻きそば"は，のりの香気を味わうのに最もよい．

●**味付けのり**

成 09005　英 seasoned and toasted purple laver

焼きのりと同様に焼いた乾のりの両面に，しょうゆを主体とした調味液を塗りつけたもの．1枚を8～14枚切りとしてポリ袋や缶などに入れて販売される．原料乾のりは焼きのりの場合より低品質のものを用いることが多い．

韓国のり（焼のり）　韓国で親しまれている．塩とごま油で味付けされた味付けのり．わが国でも人気が高い（平　宏和）

上：焼きのり，下：味付けのり（平　宏和）

上：アマランサス畑，下：アマランサス（平　宏和）

●焼きのり

成 09004　英 toasted purple laver

乾のりを焼いたもの．製造には，金網コンベアで一方から乾のりを1枚ずつ送り込み，電熱などによって，150～170℃，30秒～1分間加熱する．加熱条件は，原料乾のりの品質によって大きく変わる．乾のりを加熱すると，まず熱に弱いフィコビリンが変性して紅紫色が消失する．一方，クロロフィル*も変性はするが青緑色が残り，熱には比較的安定なカロテノイド*の黄色が残る．この結果として，明るい緑色の焼き色に変わる．製品は1枚をそのまま，あるいはすし用としてラミネート袋に10枚入りなどのパックにしたり，1枚を8～9枚に裁断して缶などに入れて販売される．

アマランサス

成 01001（玄穀）　分 ヒユ科ヒユ属（1年生草本）
学 *Amaranthus* spp.　英 amaranth

主にメキシコ原産のシロミセンニンコク（*Amaranthus hypochondriacus*），グアテマラ・メキシコ原産のスギモリゲイトウ（*A. cruentus*），アンデス原産のヒモゲイトウ（*A. caudatus*）の3種が栽培されている．そのうちヒモゲイトウは，江戸時代からセンニンコク（仙人穀）とも呼ばれて観賞用に栽培されてきた．最近，わが国でシロミセンニンコクの栽培がみられるようになった．なお，若い葉は野菜として利用される．

◇**形態**　シロミセンニンコクの種子は，直径1～1.5mmの扁平レンズ形，中央にでん粉の多い外胚乳組織があり，その周りをリング状の胚組織がとりまいている．千粒重は0.5～1.5g．もち種とうるち種があるが，日本で栽培されるほとんどはもち種である．

◇**成分特性**　『食品成分表』には，シロミセンニンコクの成分値が収載されている．玄穀として利用され，穀類の中では，たんぱく質，脂質，カルシウムの含量が高いが，ビタミンB_1は最も低い．アミノ酸組成ではリシン*が多い．食物繊維も比較的多く，不溶性食物繊維の値が高い．

◇**調理**　玄穀粒は米と一緒に炊飯したり，かゆにする．また，かゆ状に煮て，オートミールのように牛乳をかけて食べるのもよい．けしの実の代わりにパンに振りかけたり，粉にして菓子やパン，麺などに利用する．

あみ　醬蝦

分 節足動物，甲殻類（綱），アミ目　学 Mysidacea（アミ目）　英 mysids; opossum shrimps
別 あめ；あみざこ；こませ；いさざ

あみ類，別項記載のおきあみ類およびあきあみ*などの小型えび型の甲殻類は，分類学上はそれぞれ別の目に属しているが，わが国では昔からいずれもあみ，あめ，あみざこ，いさざ，こませなどと呼び，同じような用途に供している．あみは世界では500種以上知られており，沿岸，河口，汽水湖に棲む．

あみ 佃煮（平　宏和）

◇**成分特性**　一般成分値は時季的変動を考えると，あみ類，おきあみ類およびさくらえびのような小型えび類では大差ない．いずれも水分含量が高く，たんぱく質含量は15％程度で，脂質は時季により数％の範囲内で変動する．灰分は3％程度で，無機質やビタミンの含量も似ているし，海水に由来する塩分を含んでいる．『食品成分表』では，加工品の佃煮と塩辛が収載されている．

◇**保存・加工**　昔からあみ類の保存は乾燥か塩蔵で，こうして保存したものがそれぞれ，干しあみと塩辛になる．干しあみの食塩含量が高いのは食塩水中で煮熟してから乾燥するためである．塩辛はあみ類のものもあるが，岡山名産のものはえび類に属するあきあみを原料としている．また加工品としては佃煮があり，霞ヶ浦などのものが有名である．

◇**調理**　新鮮なものはしょうゆで煮る場合もある．鮮度の高い生ものを手に入れることは難しく，ほとんど乾燥品，佃煮，塩辛にされる．乾燥品は大根おろしなどで和えたり，お好み焼きなどに入れるのもよい．韓国ではキムチの製造にも用いられる．

●**にほんいさざあみ**

日本鯎醬蝦　成 10363（つくだ煮），10364（塩辛）
分 アミ科イサザアミ属　学 *Neomysis japonica*
英 Japanese opossum shrimp；opossum shrimp

体長1〜2cm．小えびのような形をしている．背甲は胸部後方3節を覆っていない．眼には柄があって，よく動く．大発生し，魚類の餌となる．漁獲・乾燥されて，肥料，家畜の飼料にもなる．食用としては塩辛や佃煮原料となる．近似の種類にいさざあみ（*Neomysis intermedia*），くろいさざあみ（*N. awatschensis*），こませあみ（*Anisomysis ijimai*）などがあり，用途上は区別されていない．

あみがさたけ　網傘茸

分 子嚢菌類アミガサタケ科アミガサタケ属（きのこ）　学 *Morchella esculenta*　英 morel

あみがさたけとは，アミガサタケ科アミガサタケ属のきのこの総称であるが，特定の一種，*Morchella esculenta*の標準和名でもある．多くのきのこは担子菌類に属しているが，トリュフとともにパン酵母などの属する子嚢菌類のきのこである．春に林内地上や道端などに発生する．頭部は卵形で蜂の巣状にくぼむ．表面は黄褐色から黒褐色で，柄は白色から灰色がかったクリーム色で中空．全体の高さは15cm程度．日本ではあまり食べられないが，欧米では好まれる．近縁種にとがりあみがさたけ（*Morchella conica* またはその近縁種）があり，頭部はより黒く，これも食用になる．その他に頭部が赤褐色で脳みそ状のしゃぐまあみがさたけ（*Gyromitra esculenta*）があるが，こちらは猛毒．ただし，毒成分は水溶性なので，ゆでこぼしてから食用にする．近年，とがりあみがさたけの近縁種が米国や中国で栽培に成功し，日本でも栽培化が報告されている．多くの近縁種があり，また，日本産のものが欧米のものと同種であるかどうかについては不明な点も多く，学名については今後変更される可能性が高い．

◇**調理**　生ではこわれやすいが，熱を加えると肉質になる．欧米では乾燥品も出回っており，水で

左：あみがさたけ，中・右：とがりあみがさたけ　（岩瀬　剛二）

あめ　左：にっき粉付，中：てまり玉，右：千歳飴（さらし飴）（平　宏和）

よく戻る．香りもクセもないが，バター炒めやクリームシチューに利用する．

あめ　飴

成 15041（あめ玉）　英 Ame；hard candy

砂糖や水あめを主原料として煮つめてつくった干菓子（ひがし）の一種である．各地で多くの種類が生産されているが，代表的なものにはあるへい糖*，ぎゅうひ飴*，さらし飴*などがある．

◇由来　飴の原形である水あめ*は，すでに紀元前からつくられていたことが『日本書紀』にも記載されており，甘味食品としては最も古い歴史をもっている．江戸時代の初期には，水あめが麦芽*を使って大量に生産できるようになり，その水あめを加工して固形のあめ菓子が製造されるようになった．江戸時代の中期になると，庶民にも手に入るようになり，歌や口上を呼びかけながら売り歩く"あめ売り"が登場し，時代の風物として評判を呼ぶものが多かった．また，この頃から飴の製造研究が進み，風味のよいあめ菓子がつくられた．その製法は各地に伝えられて，地方色豊かな名物飴が誕生し，現在でも市販されているものが多い．

◇原材料　主原料は，砂糖と水あめであるが，その配合割合は製品によって相当異なり，それによって風味が特徴づけられる．砂糖は上白糖，グラニュー糖，黒糖，中双糖などが使われる．水あめは麦芽水あめ，酸糖化水あめ，酵素糖化水あめがある．副材料として，酸味料，着色料，香料がそれぞれ製品によって使い分けられている．

◇製法　釜に砂糖と水を入れ，加熱攪拌しながら溶解する．さらに湯煎して軟らかくした水あめを加えて溶解する．これを加熱して煮つめるが，煮つめ温度は，飴の性質によって異なり，軟らかいさらし飴で105℃，千歳飴や組飴で130℃，あるへい糖で140℃，最も硬いべっこう飴では150℃まで煮つめる．これを十分塗油した冷却板に移しあける．冷却板は下部に冷水が循環するようになっており，気温に応じて冷却板の温度を調整する．飴を折り返しながら冷まして，着色料，香料，酸味料などの副材料を練り込む．引き飴にする場合は，80℃ぐらいの手で持てる程度まで冷ましたものを引き飴機にかけるなどして，気泡を練り込んで白くする．さらに，飴の温度を調節しながら，細長く引き伸ばし，はさみや球断機で切断する．さらに形を整えて室温まで冷まして完成する．飴玉では，種類によって，原料に黒砂糖や赤双糖などの砂糖を使用し，副材料に，きな粉，抹茶，桂皮末（シナモン）などを加えてつくる．種類が多い．

あめます　雨鱒

分 硬骨魚類，サケ科イワナ属　学 *Salvelinus leucomaenis*　英 white spotted char　別 えぞいわな（陸封型）；いわな（北海道，混称）

いわなの一種で，陸封型より降海型の方が主体で，海に下るものは全長70cmくらいとなり，銀白色で白斑点が大きい．陸封型はえぞいわなといい，赤色斑がなく白色斑をもつ．全長30cmくらいでいわな同様に扱われる．近年，養殖が行われ，全長50cmぐらいの大きいものが獲れるようになった．東北地方，北海道，サハリン，カムチャッカ，シベリア，朝鮮に分布する．

あめます（えぞいわな）（本村　浩之）

アメリカほどいも

成 02068（塊根 生），02069（塊根 ゆで）　分 マメ科ホドイモ属（多年生草本）　学 *Apios americana*（アメリカホド）　英 American groundnut　別 アピオス

北米原産のつる性植物で，いもの形が西洋なしに似ていることから，属名の *Apios* はその古代ギリシャ語に由来する．秋に細長い莢（さや）（長さ5〜10cm）がみのり，根茎*が地下に這って，ところどころが肥大し，長さ3〜6cmのいもになる．わが国へは明治初期，リンゴの苗木を導入した際，根鉢に混入したものが根付いたともいわれている．なお，わが国には近縁種のホドイモ（*A. fortunei*）が野生し，この根茎（いも）も食用になる．
調理は基本的には皮付きで行われ，塩ゆで，焼き物，揚げ物，煮物などに使われる．

アメリカほどいも（平　宏和）

アメリカみなみいせえび　⇨えび
アメリカンコーヒー　⇨コーヒー
アメリカンチェリー　⇨さくらんぼ
アメリカンロブスター　⇨えび

あゆ　鮎；香魚；年魚

成 10021（天然 生），10022（天然 焼き），10023（天然 内臓 生），10024（天然 内臓 焼き），10025（養殖 生），10026（養殖 焼き），10027（養殖 内臓 生），10028（養殖 内臓 焼き）　分 硬骨魚類，アユ科アユ属　学 *Plecoglossus altivelis altivelis*　英 ayu　別 こうぎょ（香魚）；ねんぎょ（年魚）　地 あい（各地）；ああ（岡山）；しろいお（熊本）；ひうお（湖産稚魚）；しらす（海産稚魚）　旬 初夏〜夏

あゆはさけ，ますに近い淡水魚である．全長30cm．体は細長く側扁する．成魚には上顎の前端に突起があり，下顎の前端に1対のいぼ状の

あゆ（本村　浩之）

突起がある．胸びれの上方側線上に黄色の斑紋がある．一年魚といわれ，秋に孵化した幼魚は海に下り，動物プランクトンを食べて冬を過ごし，体長6〜8cmくらいで川を上りはじめると，食性が急変し，もっぱら水苔の藍藻や珪藻を食べて大きくなる．琵琶湖などに生息するこあゆは，海には下らず，淡水で一生を終わる．初夏から夏いっぱいが旬で，独特の香気が尊ばれる．9月ごろ川を下りはじめ10月ごろ川底に産卵する．産卵後は"落ち鮎"となり静かに死んでいく．あゆの肉が独特の香気をもっているのは珪藻を食するためといわれ，香魚の名もある．縄張り性が強く，友釣り，簗（やな）などで漁獲される．日本のほかに韓国からベトナム北部にも若干生息している．

◇**成分特性**　最近では養魚池で人工飼料で養殖されたものも出回っている．養殖あゆは肉質が軟らかく，甘味が乏しく，加熱時の香気が著しく劣っているほか，成分的にもかなりの差が認められる．養殖あゆは産地，季節による差異がないうえ，概して脂質の含量が多く，特に背びれの下に特有の脂肪組織を有している．天然あゆでは脂質含量が夏から秋にかけて増加し，10月中旬頃の"落ち鮎"になると急激に減少する．また天然あゆは概して遊離アミノ酸*に富み，低級ペプチドのアンセリン*の含量も高いなどの特徴がある．養殖あゆはグリコーゲン*の量が著しく多いのが注目される．

『食品成分表』では100g当たり天然魚と養殖魚は，それぞれ，水分 77.7g・72.0g，たんぱく質（アミノ酸組成）* 15.0g・14.6g，脂質（TAG当量）* 1.9g・6.6g，利用可能炭水化物*（差引き法） 3.9g・5.1gとしている．脂肪酸組成では天然魚と養殖魚は，パルミチン酸など主要脂肪酸に大きな違いはみられないが，オレイン酸*，リノール酸*，リノレン酸にはそれぞれ差違がみられ，特にリノレン酸に餌（水苔と人工飼料）の影響がみられる．

内臓類：あゆは古くから内臓を含む食味が重要

視される．成分的には脂質（TAG 当量）*を天然魚で 100g 当たり 14.2g と大量に含有し，特に養殖魚の脂質（TAG 当量）含量は 46.8g と非常に高い．このほか，天然あゆの内臓は養殖あゆと比べ灰分量が高いが，天然あゆが岩石に付着した珪藻を食べるときに昆虫や砂粒などを混食することがその一因とされている．また特にビタミン A に富み，レチノール活性当量*で 100g 当たり 1,700μg 含まれる．さらに養殖魚では 4,400μg と非常に高くなっている．

◇加工　わが国では古来保存食として干しあゆが利用されてきた．この場合，まれに素干し，塩干しもあるが，多くは焼干しとする．このほか，名産品としては姿ずしが各地でつくられているほか，岩手県花巻の粕漬，福島県飯坂温泉のあゆみそ，琵琶湖のこあゆのあめ煮などや内臓の塩辛であるうるか*などがある．

◇調理　川魚の王と呼ばれ，優美な姿と特有の香りをもつ．夏を代表する川魚で，直火焼きのように自然の味を生かした食べ方が喜ばれる．※6月頃の若あゆは，丸ごとフライや天ぷらにできる．兵庫県滝野には稚魚を生きたまま酢みそにつけ，丸ごと食べる"おどり"もある．※香りが強いので，酢の味と合う．塩焼きにもたで酢を添える．そのほかに姿ずしも有名である．※あゆは皮も肉も軟らかく死後硬直も早い．焼くときには泳いでいる姿を模して魚体を曲げて踊り串を打つ．ひれには十分塩をつけて，焼け落ちるのを防ぐ．焼くときには強火で遠くから加熱する．姿焼きは若あゆより真夏の成熟あゆがよい．※秋になると産卵期が近く，いわゆる子持ちあゆになる．香気は失われ脂肪も増え，皮はやや硬くなるので，みそを塗ってゆっくりと加熱する魚田（ぎょでん；魚の田楽のこと）のような料理に向く．

●こあゆ
小鮎　英 landlocked ayu

小あゆ甘露煮（平　宏和）

海に下らず，淡水で一生を終わるもので，あゆと同種だが，陸封され，環境のため大型になることができないもの．他の河川に移せば普通に成長する．全長 10cm．琵琶湖や鹿児島の池田湖に棲む．本栖湖（富士五湖）にも移殖され成長している．海に下るあゆよりも産卵期が早い．塩焼き，干物，甘露煮，天ぷらなどに使われる．

あゆもどき　⇒どじょう

 あゆやき　鮎焼き

英 Ayuyaki
焼皮を鮎に形どり，中に求肥を包んだ，調布（焼き皮で求肥を巻いた生菓子）に似た菓子．
◇製法
小麦粉，砂糖，鶏卵などを混合した生地を平鍋で楕円形に焼き，細長い求肥を置いて二つに折り曲げ，ひだ折りをして鮎形にし，焼きごてで口，胸びれ，尾びれを焼き入れて製品にする．

あゆやき（平　宏和）

あら　⇒すずき，はた（くえ，まはた）
あらげきくらげ　⇒きくらげ
アラスカめぬけ　⇒めぬけ
粗挽きマスタード　⇒からし（粒入りマスタード）

 あらまき　新巻；荒巻

成 10137（しろさけ 新巻き 生），10138（しろさけ 新巻き 焼き）　英 Aramaki　別 新巻鮭
さけ・ます類の塩蔵品の一種で，新巻さけともいう．語源には「藁巻の転訛」，「塩莚で巻いたので荒巻と呼んだ」，「薄塩にしたさけを新巻と呼んだ」など諸説がある．現在の新巻の多くは，秋ざけのしろさけを原料としている．製品は，原料さけから，鰓，内臓，腎臓（めふん）を除去し，鰓のあった部分と腹の内部にふり塩（用塩量：5～6%）をしながら箱詰めをし，冷凍保管したものである（さけ・ます*）．

新巻さけ（平　宏和）

あらめ　荒布；滑海藻

成 09006（蒸し干し）　分 褐藻類コンブ科アラメ属　学 *Eisenia bicyclis*　英 Arame；eisenia；sea oak　別 しわあらめ；ちりめんあらめ；しわめ；ながらめ；またかじめ

暗褐色で，葉の長さは30～60cm，幅は3～10cmの海藻で，1年目の藻体は1枚の笹の葉状であるが，2年目以後は樹枝状の根と円柱状の茎をもち，その上に表面にしわのある葉が分かれてつく．低潮線から漸深帯の岩上に生育し，大きな群落をつくる．岩手以南の太平洋沿岸，瀬戸内海，九州，日本海沿岸に分布し，夏から秋にかけて生長する．

◇成分特性　主成分はラミナラン*，マンニトール，アルギン酸*などの糖類で，これらは季節による変動が大きい．近年は，ほんだわら，かじめとともにアルギン酸製造の原料とされてきた．またでん粉から工業的にマンニトールを製造できるようになるまでは，マンニトールの製造原料となっていた．

◇加工　古代では代表的な食用海藻であったが，ほんだわら，かじめ，みるとともにあまり食用とされなくなった．現在では一部の地域で，春に食用として採取される．乾燥藻体を湯通ししたものを木枠に挟み押してから刻んで再び乾燥したものが製品として市販されている．

あらめ
上：茎の先が二叉に分かれる（静岡県水産・海洋技術研究所伊豆分場），下：全藻（静岡県水産・海洋技術研究所）

あられ　霰

成 15059（米菓）　英 Arare；(glutinous rice cracker)　別 おかき；かきもち

古くから家庭で保存食として利用されてきた米菓の一種で，もち米を原料とした塩味のある菓子である．"あられもち"の略称で，関東ではあられ，関西ではおかき，かきもちと称している．製法は蒸したもち米を餅つき機でつき，この餅を3～5℃でゆっくり固め，種々の形に切断し，天日または陰干しで乾燥させ煎り機で焼き上げる．煎ると丸くふくれ，その形が霰（あられ）に似ているところから名付けられた．餅の中に，のり，大豆，唐辛子などを練り込んだ種々の製品がある．主なあられ類に品川巻き，柿の種，おにあられ，揚げおかきなどがある．

あられ　上左：品川巻き，上右：おにあられ，下左：柿の種，下右：揚げおかき（平　宏和）

あられ・せんべい類　⇨べいか
アルコール酵母　⇨こうぼ

アルファ化米

成 01110（一般用）　英 quick-cooking rice

炊飯した米飯を品温を下げずに常圧または減圧下

アルファ化米（平　宏和）

で急速に乾燥し，水分を 5% 程度にして，でん粉を糊化した状態で保存できるようにしたものである．製品の重さに対して 1.5 倍，容量に対しては同量の水または湯を加えるだけで，飯の状態になる．このため，非常食や携帯食として利用される．

アルファルファもやし　⇒もやし

あるへいとう　有平糖

英 Aruhei-to

飴菓子の一種．あるへい糖の名はポルトガル語の alfeloa（砂糖）からきたもので，17 世紀にオランダからカステラなどとともに輸入された南蛮菓子の一種である．長崎を起点として京や金沢に伝わるうちに，透明で硬く光沢のある特質を生かして極めて精巧な飴細工がつくられるようになった．飴を煮つめる温度や細工時の温度管理は秘伝とされ，工芸的な飴細工職人は名人とされた．3 月の雛まつりの野菜かごや花かごなどの飾り菓子，祭壇に供える供物菓子，引出物に使われる祝菓子などはすべてこの飴が使われている．また，梅干し飴として親しまれている正四面体状の飴も，この飴の一種である．飴の煮つめ温度を最も高くしたべっこう飴は，流し細工として懐かしい飴である．そのほか，いろいろな飴玉がある．

あるへいとう　千代結（塩芳軒）（平　宏和）

アロエ

成 06328（葉　生）　分 ススキノ科アロエ属（多年生草本）　学 Aloe spp.　英 aloe

多肉植物で，アフリカ南部・東部に広く分布．多くの植物分類上の種（species）を含み，古くから観賞用・薬用とされていた．苦味成分を含むが，アロエベラ，キダチアロエは葉内部のゼリー質は苦味がなく食用となる．アロエベラは長さ 70～80cm，幅 10cm，厚さ 5cm ほどで，野菜として栽培されている．ゼリー質を刺身，シロップ煮，ヨーグルトに入れるなどして利用する．一方，アロエは薬用としても利用されるので，過剰摂取の危険性が示唆されている．

アロエベラ（平　宏和）

あわ　粟

成 01002（精白粒）　分 イネ科エノコログサ属（1 年生草本）　学 Setaria italica　英 foxtail millet；Italian millet

原産地はアフガニスタン説が有力である．これがアジア各地，ヨーロッパ，アフリカに有史以前に伝わり，中国では B.C.2700 年頃に栽培が行われていたといわれる．わが国でもその栽培はひえとともに古く，縄文時代にはすでに栽培されており，イネの渡来以前に導入されたと考えられている．

◇分類　あわの原種は，エノコログサ（Setaria viridis）といわれている．おおあわとこあわに分けられ，おおあわはこあわに比較して穂が太く，種子が大きい．わが国のあわは，おおあわに属し，その穂型により円筒型（基部より先端まで同じ太さ），棍棒型（先端ほど太くなる），円錐型（先が細くなり尖る），紡錘型（中央部が太く，先が細くなる），猿手型（中央部の一次枝梗が長く発達し，掌状をなす），猫足型（円筒型で先端が数本に分岐する）などに分けられる．稃（ふ；内穎と外穎，米でいえば籾殻の部分）は光沢があり，黄・黄白色で，まれに橙黄・青色のものがある．あわ

あわ畑（平　宏和）

の品種は生態型により，春に播種をする春あわと，7月下旬頃までに播種をする夏あわに分けられる．また，利用上からは，うるち（粳）種ともち（糯）種に分けられる．わが国では，もち種が主に栽培されている．

◇**形態**　脱稃した種子は，乳白・淡黄色・黄色である．中には灰青・暗青色のものもあるが，これは胚乳*の外側にある糊粉層*に含まれる青色色素によるものである．形は卵円形か球形で，粒の長さ1.8〜2.5 mm，幅1.3〜1.5 mm程度で，千粒重は1.5〜2.5 g前後である．

◇**成分特性**　精白粒は100 g当たり，たんぱく質（アミノ酸組成）*が10.2 g含まれているが，全たんぱく質中，プロラミン*とグルテリン*が各40％前後を占めており，プロラミンのため，必須アミノ酸*ではリシン*が少なくロイシンが多い．

あわ　上左：うるち種，上右：もち種，下：あわ餅
（平　宏和）

炭水化物については，その大部分がでん粉で，8〜15 μmの多角形を示し，米でん粉と似ている．

◇**用途**　脱稃・精白（歩留り：70〜80％）し，利用される．もち種は，あわ餅，あわ飯，あわ麩，菓子（あわ羊羹，あわ饅頭），あめの原料として用いられる．これらのうち，あわ餅としての利用が多い．なお，現在の大阪のあわおこしは米製品である．一方，うるち種は，あわ飯，あわかゆ，こはだのあわ漬（酢漬の一種）の原料，家禽の飼料とされている．

●**あわ餅**

成 01003　英 glutinous foxtail millet cake

もち種のあわのみを用いたものが本来のあわ餅であるが，現在，食味の点からもち種のあわを同量のもち米とともに蒸したのち，つきあげたものが多い．

あわおこし　⇒おこし

あわび　鮑；蚫；鰒；石決明

成 10286（干し），10287（塩辛），10288（水煮缶詰）　分 軟体動物，腹足類（綱），ミミガイ科　学 Haliotidae（ミミガイ科）　英 abalones；ormers；ear shells　旬 晩春〜初夏

世界中には90種類ほどいる．わが国にはえぞあわび，くろあわび，めがいあわび，まだかあわびの4種がすみ，総称して「あわび」という．あわびが卵から孵化した幼生は，巻いた殻をもち，蓋もついているが，成長するに従って殻が平たくなり，蓋も失われる．殻表には4〜5個の孔が列をつくって並び，低い煙突のように立ち上がっている．北海道南部から九州までの潮間帯から水深20 mぐらいまでの岩礁に棲む．くろあわび，めがいあわび，まだかあわびのように暖海種は冬が産卵期であるのでそこを禁漁とし，晩春から初夏の頃が漁期である．ところによっては4月1日を解禁日と定め，資源保護につとめている．しかし寒冷地に棲むえぞあわびは夏に産卵するので冬から春に獲る．あわび類は昆布やわかめなどの海藻類を主食とするので，海藻のないところには棲まない．秦の始皇帝以来，不老長寿伝説があり，古来めでたい貝として祝儀物として用いられる．また，料理屋では高級品として，いつの時代も貝の王座を占めている．中国料理用の素材となる加工品もあるが，わが国では水揚げ直後の生食が美味とされている．なお，石決明の漢字は，漢方薬のあわびの殻に用いられることが多い．また，量

販のあわびの代用に，アッキガイ科のあわびもどきが用いられる．

◇**成分特性** 貝殻，筋肉部の乾量組成は貝の種類，大小，季節により多少違うが，全質量に対し，めがいあわびは貝殻38％，筋肉部43％で，くろあわび，えぞあわびは貝殻30％，筋肉部51％である．値段もくろあわびが2割くらい高い．しかし，殻の付着物や生殖巣を除くと，廃棄率は6割ほどとなる．うろ，つのわた，とちりなどと呼ばれるあわびの内臓の中腸腺にはクロロフィル誘導体（プロフェオフォルバルド a）が含まれ，食べてから日光に当たると毒性が出ることがあるので注意を要する．毒性は4～5月頃に強くなる．地方によって内臓を塩辛などにするが，内臓の生食は避けた方がよい．成分的には種類や大小，季節により違うが，巻き貝の中では水分含量が多く，たんぱく質，脂質の含量が低い．脂溶性ビタミン＊はほとんど期待できない．ステロール＊はそのほとんどがコレステロールで，100g当たり100～110mgと比較的多い．肉質は生では硬いが，冷凍すると軟らかくなる．まだかあわび，めがいあわびは軟らかで，くろあわび・えぞあわびは硬い．

◇**保存・加工** 干しあわびやのしあわびが主な加工品で，そのほかの加工品としてはうろ漬とか，としろといわれる内臓を主とした塩辛や粕漬などもあり，水煮や味付けなどの缶詰とする．名産としては甲府の煮貝が古来有名である．

◇**調理** 生鮮のものを生食するのが最も特徴を生かした食べ方である．コリコリした歯応えがある．あら塩でこすって洗うと，粘液がとれ，身が引きしまってくる．二杯酢またはわさびじょうゆで食べる．※脂肪は少なく，味は淡白だが，上品なので和・洋・中国とも高級料理に用いる．日本料理では塩蒸しのような持ち味を生かす料理がよい．西洋料理ではうま味を補うため，さっと茹でたあと，スープストックと白ワインでブーケガルニ（香草束）を入れて弱火で煮て，バター焼き，コキール，サラダなどの材料に用いる．※あわびの"わた"は酢の物（わた酢）にする．季節によっては毒性があるので注意する．多量に食べることは避ける．また殻に接着している"ほし（星）"と呼ばれる筋肉は，そぎ切りにしてあらいや酢の物にするほか，大きめの角切りを塩水に浮かべた水貝にもする．

●**あわびもどき**

擬鮑 分 アッキガイ科アワビモドキ属 学 *Concholepas concholepas* 英 barnacle rock-shell 別 ロコ貝 旬 冬～春

ペルーからチリーに産す．殻は一見あわび類に似るが，あかにしなどに近く蓋を持つ．量販のあわびの代用品として用いられているが，現地名ロコから「ロコ貝」と商品表示されている．

●**えぞあわび**

蝦夷鮑 分 ミミガイ科アワビ属 学 *Haliotis discus hannai* 英 Ezo abalone 旬 冬～春

北日本の寒海に棲むくろあわびの亜種とされる．近似種の *Nordotis kamtschatkana* は，カナダ，アラスカの沿岸に分布し，まれに輸入されている．

●**くろあわび**

黒鮑 成 10427 分 ミミガイ科アワビ属 学 *Haliotis discus* 英 disk abalone；Japanese abalone；Japanese ear-shell 別 お貝；おん；くろ 旬 夏

殻長20cm，高さ8cmくらいになる．殻表には弱い放射肋があり，ときには大きく波うっていることもある．殻色は暗赤褐色に黒っぽい灰緑色のまだらがある．内側は銅紅色で真珠光沢．足の裏が黒っぽい．肉はコリコリして硬く，刺身には本種が特にうまい．干しあわびの灰鮑（かいほう）の原料となる．

くろあわび

●**にがい**

煮貝 英 Nigai；(boiled abalone with seasonings) あわびの身を生じょうゆで煮しめたもの．これが甲府（山梨）の名物になったのは，交通不便だった江戸時代に，静岡県の沼津などの近辺でつくったものをしょうゆ樽に入れ，馬にのせて御殿場－須走－籠坂峠を越えて甲府へ運ぶ間に自然に熟れるのが美味だったことが始まりで，つくられるようになった．

●**のしあわび**

熨斗鮑 英 Noshi-awabi；(pressed and dried abalone)

あわびの身を薄く切って乾燥させたもの．のして干すのは保存のためで，たたいて延ばしたものを

にがい　左：裏 足部（匍匐面），右：表 背側（大きい殻軸筋が見える）（平　宏和）

"打ちあわび"といい食用とした．もともとあわびは古代には長寿につながる重要な食物とされ，のしは延寿に通じるとして，神事の際に神饌として供えられた．中世には武家の出陣や帰陣の祝儀として三方にのせて応対した．当時はまだ食料であったが，後世に慶祝の贈物に趣を添える品となった．このように縁起物として添えられてきたのしあわびが，次第に簡略化されて，現在のさまざまな熨斗のかたちに変化していったとされている．
◇製法　のしあわびの製法は，あわびの筋肉部分を果実の皮をむくように小刀で外から中へ剝いで長い条（すじ）にし，水洗いして干し，なま乾のときにたたいて引き伸ばして，また干し，これを繰り返してつくる．"大のし"は長さ1m，幅30cmくらいまで，伸ばすという．

●干しあわび
干し鮑　成 10286　英 Hoshiawabi；(steamed and dried abalone)
古くから保存食品とし，3，4年貯えても形状，色彩が変わらないとされる．現在，干しあわびの製法は中国料理などに使われる明鮑（めいほう）と灰鮑（かいほう）が主となっている．前者は塩漬した大型のあわびを蒸し煮して，焙乾*した後乾燥したもので，あめ色をしたものが良品とされる．後者はすべて小形のあわびを用塩量をやや多くし，煮熟，焙乾を簡略化してからカビ付けを行い，表面がカビにより灰白色を呈したものである．
◇調理　干しあわびは生とは違う独特のうま味をもっており，中国料理の材料としては，この乾燥品の方がよく用いられる．水洗いしてたっぷり水を加え，沸騰させたものを一晩おいてもどす．その後，再び洗って酒としょうゆ少々で数時間煮る．前菜，スープ，炒め煮，蒸し物などにする．もどすのに時間のかからない缶詰や冷凍品もあるが，味はやや劣る．

●まだかあわび
真高鮑　成 10428　分 ミミガイ科アワビ属　学 Haliotis madaka　英 giant abalone　別 まだげえ
殻長25cm，高さ5cm．あわび4種の中で最も深い所に棲む．殻がよくふくらんでおり，孔列も高く盛り上がっている．殻の色は灰赤褐色で，内側は真珠光沢に輝き，鮮やかな虹色をしている．肉量が多く，あわびの中で一番うまいとされている．明鮑（めいほう）の原料とする．近年は少産．

●めがいあわび
女貝鮑　成 10429　分 ミミガイ科アワビ属　学 Haliotis gigantea　英 Siebold's abalone　別 めん；め貝
まだかあわびよりやや小型で殻の高さも低く，殻表は赤褐色で凸凹が少ない．足の裏は赤褐色で軟らかく，うまい．干しあわびの明鮑（めいほう）の原料となる．

あわびたけ

分 担子菌類ヒラタケ科ヒラタケ属（きのこ）　学 Pleurotus eryngii var. tuoliensis　別 標 バイリング；はくれいたけ；ゆきれいたけ
ヒラタケ属のきのこで，近年中国から持ち込まれたものが長野県，群馬県等で栽培化され，市場に出回るようになってきている．当初，バイリングと呼ばれていたが，近年ではあわびたけ，はくれいたけ，ゆきれいたけの方が一般化しつつある．原産地は中国新疆ウイグル自治区（天山山脈など）．バイリングは，かつてイタリアのシチリア島原産のセリ科植物の根元に生育する，現地では絶滅危惧種に指定されるほどに減少した Pleurotus nebrodensis と同種とされていたが，近年，栽培品のバイリングとイタリア産のきのこを栽培試験や交配試験で比較したところ，両者は別種であることが報告され，分類や種名が変更された．※形，味，食感ともにエリンギに似ている．全体に

あわびたけ（平　宏和）

淡雪羹（平　宏和）

色が白く，さまざまな料理に合う．あわびたけの名は，コリコリした食感があわびを思わせることから，はくれいたけ（白霊茸），ゆきれいたけ（雪嶺茸）は色が白いところから名付けられたもの．

あわ餅　　　　　　⇒あわ
泡盛（あわもり）　⇒焼酎

あわゆきかん　淡雪羹

英 Awayuki-kan；(gelatin dessert made of agar-agar and beaten egg white)
流し物*の一種であり，錦玉液に泡立てた卵白を加えたものである．
◇由来　淡雪羹は，見かけが白く，口の中で溶ける様が，春の淡雪が解けるような感じから，その名が付けられている．
◇原材料・製法　寒天に冷水を加え火にかけ，沸騰して寒天が溶けたら白双糖を加え錦玉液をつくる．この錦玉液をさらに煮つめ，最後に水あめを加えて火を止める．別に卵白を泡立て，その中へ錦玉液を徐々に加えながらよく混ぜ合わせる．最後に粉糖とコーンスターチを徐々に加えて混ぜ合わせ，型に流し込んで冷却する．卵白と錦玉液とが分離する場合があるが，錦玉液を煮つめている間に卵白を泡立てて，これに練り上がった錦玉液を注ぎながらよく混ぜ，次にコーンスターチを塊にならないように少しずつ加えて手早く混ぜ，粗熱を抜いてから型に流せば分離することはない．なお，本品は流し物としてのみでなく，他の和菓子の白い部分としても利用される．またこのほかに挽き茶，あずき，卵黄などを加えて味に変化をつけた製品もみられる．

あん　餡

成【あずき】04004（こし生あん），04005（さらしあん 乾燥あん），04006（つぶし練りあん），04101（こし練りあん 並あん），04102（こし練りあん 中割りあん），04103（こし練りあん もなかあん），【いんげんまめ】04010（こし生あん）
英 An；(bean paste)　別 あんこ
豆類を煮て，つぶしたりさらしたりしたもの．主として和菓子に，いろいろな形で使われる材料である．原料豆の種類や加工程度，製餡方法によっていろいろな名称がある．
◇分類　原料豆による分類：あずきあん；原料はあずきで最も一般的なあん．赤あん；原料は赤い種皮のいんげん豆などの雑豆．白あん；原料は白い種皮のいんげん豆などの雑豆．

加工度による分類：生あん；水分60～65％のあん．主に業務用の練りあんに使用．乾燥あん（さらしあん）；生あんを水分4～5％に乾燥したあん．家庭用，懐中しる粉用などに使用．練りあん；生あんまたは乾燥あんに砂糖，その他の糖類を加えて加熱しながら練り上げたあん．

製造法による分類：生こしあん；原料豆を水洗い，浸漬，水切り，煮沸して渋切り（アク抜き）後，煮た豆をふるいでこし，種皮などを除いたあん汁を水さらしし，脱水して水分60～65％にしたもの．つぶしあん；生こしあんと同工程で軟らかく煮た豆を水さらしし，圧搾脱水したもの．あずきの皮とあん粒子が付着したままで，あんのうま味を残すのが特徴である．煮くずしあん；豆の皮をできるだけ破らないようにし，皮とともに軟らか

左：こしあん，中：つぶしあん，右：さらしあん（平　宏和）

く煮上げたあん．

　砂糖使用量による練りあんの分類：並あん；生あん 100，上白糖 60～75，水あめ 0～5 で，主に一般和菓子用．中割りあん；生あん 100，上白糖 80～90，水あめ 5～10 で，主に和焼きもの菓子用．上割りあん；生あん 100，上白糖 90～100，水あめ 10～20 で主に上生菓子，半生菓子用．

◇**あんの構造**　あんは，豆のでん粉粒子が細胞内で膨潤し，これを囲むたんぱく質が凝固してこのでん粉粒を固定し，さらにその外側が丈夫な細胞膜で覆われたものである．つぶすかまたは裏ごしにかけると，細胞の一つひとつが離れるが，細胞自体は壊れない．また豆の 1.0～1.5 倍加えた砂糖は水と結び付いてその働きを奪い，でん粉の老化を防ぐ．

あんこう　鮟鱇

成 10031（生），10032（きも 生）　分 硬骨魚類，アンコウ科アンコウ属　学 *Lophiomus setigerus*　英 blackmouth angler　別 くつあんこう　地 あんご（和歌山県和歌浦）；あんこもち（同・串本）；あんこ（和歌山，富山，新潟）；えどあんこう（高知）；はたあんご（鹿児島）；くつあんこう（神奈川）　旬 冬

あんこうは，全長 1 m 以上になる．頭は大きく，しゃもじのように上下に扁平している．頭長は軀幹と尾部を合わせた長さとほぼ同じ．体は全体軟らかで，鱗がない．歯は鋭く内側に向いている．体色は灰褐色で腹膜は白く，黒褐色の点が散在する．舌の前方は黒く黄色斑がある．頭上にあるアンテナ状の棘条（きょくじょう）を動かして小魚やいか，えび類などを誘い集めて捕食する．北海道から南日本，インド・西太平洋に分布し，海底に生息する深海魚である．このほか，ヒメアンコ

あんこう　きも水煮缶詰（平　宏和）

ウ属，キアンコウ属のアンコウ類がある．

◇**成分特性**　あんこうときあんこうとがあるが，神奈川の三崎や茨城の水戸では，きあんこうの方が美味として区別している．成分的には似たものと考えられる．肉の成分値は深海性の白身魚の特性を示しており，水分含量が高く脂質含量が低い．『食品成分表』では 100 g 当たり，水分 85.4 g，脂質（TAG 当量）* は 0.1 g である．反面，肝臓は 30～40％程度の脂質を含み美味である．肝臓が黄赤色を呈するのはカロテノイド色素を含有するためである．肝臓の脂質は不けん化物* の含量が低く，また高度不飽和脂肪酸* の含量も比較的低いので食用に適している．ビタミン A（レチノール）の含量は 8,300 μg と高い．

◇**調理**　冬が最盛期で，俗に肉，肝，水袋（胃），ぬの（卵巣），えら，ひれ，皮をあんこうの七つ道具というように，廃棄部もほとんどなく，温かい鍋物に最適である．※つるし切り：ぬめりが多く，身がぶよぶよしているので，まな板の上ではさばけない．そのためにつるし切りという独特なさばき方がある．もともと茨城や北陸の漁師の料理であったあんこう鍋が，いまでは日本中に知られている．※内臓，卵巣，皮などが特に味がよく，鍋にはこれらもともに入れる．このため味が濃厚になるので，焼き豆腐，ねぎ，しいたけなどを入れて，さっぱりした風味をもたせる．臭いを消すために，ちり鍋の形式でなく，割り下を用いて煮る．※肝臓（あんきも）は 1～2 時間塩をして水にさらし，巻きすなどで巻きしめて 1～2 時間蒸す．わさびじょうゆで食べるか，ポン酢やみそで和え物にする．鍋物，煮物にも用いる．※ひれは茹でてコラーゲン* をゼラチン化し，みそ吸いと呼ばれるみそ煮やみそ汁にする．持ち味がやや薄いので，みそはやや濃いめにする．汁に酒粕を加えると効果的である．みそはひればかりでなく，他の部分にも使うことができる．あんこう鍋を赤みそ仕立てにして，だいこん，はくさい，うどな

あんこう（本村　浩之）

どを取り合わせるのもよい．

●**きあんこう**
黄鮟鱇　分 キアンコウ属　学 *Lophius litulon*
英 yellow goosefish　別 あんこう；ほんあんこう
地 あんこう（高知）

全長1.5m．軀幹と尾部を合わせた長さは頭長より長い．体色は淡褐色で暗褐色斑や輪紋があり，あんこうのように黒ずんでいない．腹膜は白い．あんこうと違い，口腔の壁も白っぽく，まったく網状斑紋がない．肉は冬美味．

アンジェリカ　⇒ふき

あんず　杏；杏子

成 07007（生），07008（乾），07009（缶詰）　分 バラ科サクラ属（落葉性小高木）　学 *Prunus armeniaca*　英 apricots　別 からもも（唐桃）　旬 6月上旬～7月下旬

原産地は中国東部といわれ，植物学上アンズ類はアンズ（*Prunus armeniaca*），マンシュウアンズ（*P. mandshurica*）およびモウコアンズ（*P. sibirica*）の3種に大別できる．現在，世界各地で広く栽培されているものはアンズである．中国では2,000年以前から利用されてきた．わが国のあんずは中国から渡来し，文献的記載に現れたのは11世紀である．薬用としての杏仁（きょうにん）は，最初モウコアンズの種子を蒙古人が鎮咳剤や鎮静剤に利用したのが始まりとされる．現在でも漢方薬として広く用いられている．

◇**品種**　あんずは東亜系と欧州系に大別できる．東亜系は，わが国と中国で改良が進められ，それぞれの国に適応する多くの品種が作られた．欧州系は中央アジア，西アジアで改良が加えられヨーロッパに伝わり，英国にはイタリアから16世紀初め，米国には18世紀にスペインから導入された．欧州系は乾燥には強いが雨や病気に弱く，日本では栽培できない．わが国では栽培されている品種として，平和，八助，ハーコット，信州大実，信陽，おひさまコット，ニコニコットなどがある．

　産地：東海以北での生産が多く，青森，長野が主産地である．

◇**成分特性**　100g中，糖類は7～8gで，しょ糖が（3.4）g，ぶどう糖が（1）g，その他果糖，ソルビトールを含む．酸含量には品種により大差がみられるが，一般には2%程度で酸味は強い．あんずは他のバラ科果実と異なり，熟しても渋味と酸味が残る．しかし，欧州種は糖が多く酸は少な

あんず　上：ハーコット，下：干しあんず（平　宏和）

いので甘味が強い．酸はリンゴ酸*が全酸の25～90%を占めるが，品種によってはクエン酸の方が多い品種もある．渋味はタンニン*で，茶の渋味成分と同じカテキン類が多い．果肉の鮮明な黄色はカロテノイド色素によるもので，β-カロテンは100g中1,400μg含み，メロン（赤肉種）に次いで多いが，ビタミンCはあまり多くない．

◇**保存**　低温貯蔵の最適温湿度は0～1℃，90%であり，3週間品質が保たれる．

◇**加工**　米国ではほとんどが乾燥品に加工され，わが国でも酸味が強いために，生食としてより加工品としての利用の方がはるかに多い．加工品としては缶詰，ジャム，乾燥あんず，果汁入り飲料がある．果実は，生食用としては輸送中の劣化を考えてやや未熟なうちに採取されるが，加工用はいずれも完熟果を採取しないと製品の品質が劣る．あんずシロップ漬缶詰は，果実を縫合線に沿って2つ割りとし，果皮と種子を除いてシロップ漬としたものである．果皮を4～5%のカセイソーダ（水酸化ナトリウム）の沸騰液に1分ほど処理して溶解除去し，水洗してシロップとともに密封，殺菌する．ジャムは脱皮果肉を用いて，原料と等量の砂糖を加えて煮つめたものである．低糖度～高糖度のものがあり，低糖度と高糖度の一般成分はそれぞれ100g中，水分48.8g・34.5g，たんぱく質（アミノ酸組成）*（0.3）g・（0.2）g，利用可能炭水化物は，49.4g（差引き法）・（63.4）g（質量計）を示す．世界的な乾燥果実の産地は，雨量が少ないので，天日により乾果*が安価につくられる．わが国でも，天日の代わりに人工乾燥を行えば優れた製品ができる．乾燥方法

として，完熟果実を用いて2つ割り，除核後，褐変を防止するため硫黄燻蒸を行い，70℃以下で乾燥する．製品の水分含量は20％を目標にする．
◇**調理** 干しあんずはあめ色で美しく，ほどよい酸味が菓子の材料として適している．あんず飴，あんずゼリー，クッキーやケーキ類の材料として用いられる．

あんずたけ　杏茸

分 担子菌類アンズタケ科アンズタケ属（きのこ）
学 *Cantharellus cibarius* **英** chanterelle

あんずたけとは，アンズタケ科アンズタケ属きのこの総称であるが，ヨーロッパに産する特定の一種，*Cantarellus cibcrius* の和名でもある．日本には，同種以外によく似た近縁のものが数種あるとされる．夏から秋に，各種林内地上に発生する．傘は直径3〜5cm，高さ4〜8cm程度だがさらに大きなものもある．全体が黄白色からオレンジ色で，傘の裏はひだやしわが脈状に連結する．ほのかにアンズの香りがすることから名前がつけられた．欧米で好まれるきのこの一つ．
◇**成分特性** ビタミンDが100g当たり14μgと高いことがわかり，注目されている．
◇**調理** ソテー，煮込み，天ぷら等に広く利用される．

あんずたけ（岩瀬　剛二）

アンチョビ

成 10397　**英** fillets of anchovies in olive oil

開いたかたくちいわしの発酵塩蔵品のオリーブ油漬．下漬してから頭と内臓を除いて開き，さらに塩で本漬し，6〜10カ月間熟成し発酵させる．その後これをそのまま（フィレアンチョビ fillets of anchovies）または渦巻き状（ロールアンチョビ

アンチョビ（イタリア・シチリア産）　左：びん詰，右：缶詰（平　宏和）

rolled fillets of anchovies）にして，オリーブ油漬する．普通缶詰またはびん詰として保存される．オードブルに使うほか，ソースやドレッシングのベースにも利用する．これをペースト状にしたものがアンチョビペーストで，バターに練り込んでアンチョビバター，塩蔵時の浸出液，香辛料を混ぜ合わせ加熱してアンチョビソースなどにする．
◇**成分特性** 缶詰は食塩を13％程度含む．亜鉛の含有量が3.7mgと比較的高い．

あんドーナッツ　⇨ドーナッツ

杏仁豆腐

あんにんどうふ；きょうにんどうふ

摩砕した杏仁（あんずの種子：核の中にある仁*）の乳液に寒天を加えて固めたもので，中国発祥のデザート．杏仁は苦杏仁と甜杏仁があるが，杏仁豆腐には後者が使われる．日本のスーパーマーケットなどで，一般に売られている製品は，杏仁霜（甜杏仁粉），寒天，ゲル化剤，香料などを原材料として固め，菱形に切り，シロップにフルーツと浮かべたものである．家庭製菓用材料の杏仁霜は，甜杏仁粉，砂糖，コーンスターチ，全粉乳，香料などを材料とした調合粉末である．なお，杏

杏仁豆腐（平　宏和）

仁豆腐は北京語では，シンレンドウフーと発音する．

あんパン

成 15069（こしあん入り），15168（つぶしあん入り），【薄皮タイプ】15126（こしあん入り），15169（つぶしあん入り）　英 An-pan；(bun stuffed with sweet bean jam)

木村屋（東京・銀座）の始祖・木村安兵衛が創作した．酒饅頭の生地にさらに砂糖，鶏卵を加えたパン生地であん（餡）を包んで焼いたものである．表面の中心をくぼませており，当時は"へそパン"と呼ばれたのが，その後そのくぼみに桜花漬（桜の花の塩漬）をつけ，形態のアクセントのみならず，味のアクセントとして，食味も一新した．つぶしあんを包んだものには，けしの実をつけ，香ばしい香りを付け加えた．明治8（1875）年には明治天皇に献上し，それ以来，あんパンは全国に広く認められるようになった．あんパンに使用するあんは，こしあん，つぶしあん，白あん，うぐいすあん，栗あんなど，種類が多い．あんの糖度は，生地の糖度との兼ね合いもあるが，饅頭などに使われるあんよりもやや低いものを一般的に使用する．薄皮タイプのものは，皮（パン）に対して，あんの割合が多い．

上：あんパン，下：つぶしあんパン（薄皮タイプ）
（平　宏和）

い

胃　　　⇒ぶたの副生物
イースト　⇒こうぼ
いいだこ　⇒たこ

いか　烏賊；柔魚；墨魚

成 10342　分 軟体動物，頭足類（綱），ツツイカ目・コウイカ目　英 squids；cuttlefishes

軟体動物の中で，たこ類とともによく発達した脳と極めて精巧な大きな眼をもっており，高度に分化した軟体動物である．一般に胴と称している部分が外套膜*に包まれた内臓塊で，甲*（いかの甲）のある側が背面，漏斗*（ろうと）のある側が腹面である．頭から足が直接はえているので頭足類という．足は4対の腕と一対の触腕となって口のまわりを取り巻き，腕の口側面に吸盤がある．口には上・下顎板をもち歯舌がある．眼は両側に1対，胴の内部に広い外套腔をもつ．循環系がよく発達しており，ほぼ完全に近い閉鎖血管系をもっている．世界には30科450前後のいか類が知られており，寒海から熱帯にかけて，世界中の海に分布している．こういか，あおりいか，するめいか，やりいか，じんどういか，けんさきいか，ほたるいかなどのほか，最近では，するめいかややりいかに代わる新しい種類としてあかいかの他，海外産の各種のいか類も利用されるようになっている．また，もんごういかという大型のこういかの冷凍品が輸入され，すし屋などでなじみになっている．

◇**成分特性**　一般に魚類の可食部は50～60%程度であるが，いか類はこの割合が大きい．するめいかで70%くらい，この場合，廃棄部25～30%の主体は内臓で，このほか，こういかの類では甲（貝殻）があるので35%くらいとなる．したがって，こういかの可食部の割合は65%程度となる．また可食部を構成する胴肉（外套膜）と頭足肉（腕および頭）の割合はいかの種類にかかわらず約6：4となっているが，あおりいかなどでは胴肉の割合が65%程度．

　肉組織：組織を魚肉と比較してみると，いかの胴肉では，筋肉組織を束ねている結合組織がなく，細くて長い筋繊維が横に長く並列している．したがって，縦には非常に裂けにくいが，横には容易に細かく裂ける構造となり，さらに肉の表面には

4層からなる皮がある．この皮の最も肉に近い第4層は，コラーゲン繊維が体軸の方向に縦に走っており，これが加熱により熱収縮するので，いかを加熱すると縦に丸まる現象がみられる．また，第1層と第2層の間には黒褐色の色素胞があり，これが縮んだり，広がったりして表皮の色が変わる．したがって生きているときはもちろん，鮮度によって変色するので，いかの鮮度を見分けるのに利用されている．足肉の組織はまた，胴肉とやや異なり筋繊維が複雑にからみ合っているので，いっそう噛み切りにくくなっている．

成分組成：いか肉は水分含量が高く，たんぱく質含量は魚類よりやや低く，貝類よりやや高い程度である．脂質，炭水化物，灰分などの含量は低い．ただし内臓の脂質含量は高いので，ほたるいかのように，内臓も食べるものは，その分だけ脂質の含量が高くなっている．無機質やビタミン類も貝類なみで，魚類と比べるとかなり少ない．いか類は100g当たり210〜380mg程度のステロール*を含み，そのほとんどがコレステロールなので，いかは最もコレステロール含量の高い魚介類の一つとなっている．しかしタウリン比が高いので，それほど高コレステロールを気にする必要はない．またたんぱく質の性質は，ミオシンが少なく，しかも水にかなり溶けやすいなど，魚肉と性質を異にしており，練り製品には適さない．一方，脂質が少なく，しかも抗酸化性を有するトリメチルアミンオキサイドの含量が高く，エキス分もタウリンなど赤身の魚と同程度含まれうま味があるので，乾製品には極めて適している．

◇**保存・加工**　いか類は乾燥に向いているので古来するめとして保存利用されてきたが，現在ではむしろ冷凍保存が三体で，加工原料の保存はもちろん，小売段階でも中・大型こういかの胴肉または胴肉と足肉の冷凍品がもんごういかという名などで，一部では市販されている．そのほか，さきいか，燻製，のしいかなどが主な加工品である．

名産品：いか徳利，塩いか，茹でいか，いか粕漬などがある．また佃煮類では，切りいかあめ煮，いかあられのように，するめを細切りまたは薄片状としたものを，調味液とともに煮詰めたものが普通にみられる．また塩辛は，最も一般的なのが赤作りで，皮付きいかの細切りに内臓と食塩を加えて熟成する．白作りは皮を剥いだ胴肉のみを使用し，黒作りはこれにいか墨を加え熟成したものである．また兵庫県沖〜富山湾産の小型いかであるほたるいかからは桜煮および煮干し，みりん干し，儀助煮（ぎすけに）および佃煮，燻製など

いかの塩辛（原料：するめいか）（平　宏和）

がつくられている．このほか松前漬というのは，細切りしたするめを主体とし，これに昆布やかずのこを加えて調味液に漬け込んだものである．

缶詰：水煮と味付けが主なものである．

◇**調理**　鮮やかな白色に加え，特有のうま味とシコシコとした歯応えが特色である．脂肪は少なくうま味は強いが，持ち味は淡白である．新鮮なものは刺身，すし種として用いられる．また，天ぷら，つけ焼きのように，乾式加熱の材料に適している．✻成分特性でふれたように，コラーゲン繊維が体軸の方向（頭から足を結ぶ方向）に走っている層を含む皮があるため，切り身を加熱すると体軸方向にも収縮変形する．これを防ぐため加熱調理では皮をむいたり，斜めや縦，横の方向に切り目を入れておくことが多い．皮を十分にむくには，1〜2分熱湯にくぐらせるとよい．✻加熱が長いと変形が進むばかりでなく，身がしまって硬くなり，味付けもしにくい．切り目を入れることは味の浸透にも役立つ．布目，松笠などの切り方がある．いかを長く加熱すると，コラーゲン繊維のゼラチン化によって体軸方向の強さはむしろ小さくなり，これと直角の方向には硬くなるので，するめと同様に直角方向に裂けやすくなる．✻長く煮ても調味料の浸透は遅いため，煮汁に5〜6％のでん粉を加えて，調味料の味を表面にからませるとよい．くず粉を使った日本料理の吉野煮などがその例である．

●**あおりいか**

障泥烏賊　分 ヤリイカ科アオリイカ属
学 *Sepioteuthis lessoniana*　英 big fin squid；oval squid　別 みずいか；もいか；ばしょういか；しろいか；くついか

胴長20〜40cm．腕の長さは不等．ひれが全側縁をめぐって広く，胴全体と合わせると楕円形に近い．背に斑紋がある．雌には淡色の斑点が不規則に並ぶが，雄は横に長くのびた条斑*となって

けんさきいか　　　　　やりいか　　　　　するめいか

いる．身は厚く，甘味が強いので刺身用として喜ばれ，市場価格も高い．日本中部から西太平洋，東シナ海，インド洋の沿岸に分布する．するめの高級品とされるみずするめの原料となる．

●あかいか
赤烏賊　成 10342（生）　分 アカイカ科アカイカ属　学 *Ommastrephes bartrami*　英 Neon flying squid
別 むらさきいか；ばかいか；ごうどういか
大型のいかで，胴長 50cm くらいにもなる．太平洋から亜熱帯外洋に分布．身肉はやや硬いが，冷凍フライなどの原料にもなる．もっぱらさきいかとして加工される．東京市場などではあかいかはけんさきいかを指す．

●けんさきいか
剣先烏賊　成 10343（生）　分 ヤリイカ科ケンサキイカ属　学 *Uroteuthis edulis*　英 swordtip squid；large loliginid；long finned squid　別 ごうどういか；めひかりいか；しろいか；あかいか
胴長 24cm．腕は胴長の 1/3 を越えて不等．ひれはやや細長い菱形．生食して美味であるが，身が薄い．房総以南の南日本に分布する．白ずるめ，一番ずるめは本種．

●こういか
甲烏賊　成 10344（生）　分 コウイカ科コウイカ属　学 *Sepia esculenta*　英 golden cuttlefish　別 すみいか；はりいか；まいか
胴長は 18cm．8本の腕は短くほぼ同じ長さで，胴の半分ぐらいである．2本の触腕は長くて，胴長ぐらいである．胴は楕円形で，両側全縁にそって幅の狭いひれがある．甲*は石灰質の舟形で，後端には尖った棘がある．胴の背側には黒い横条紋がある．美味で，生食にされる．南西日本に多く分布する．

●じんどういか
陣胴烏賊　分 ヤリイカ科ジンドウイカ属　学 *Loliolus japonica*　英 small loliginid；Japanese squid；dwarf squid　別 こいか；ひいか
胴長 9cm．腕は短く長さは不等．胴端はやや尖り，胴長の半分くらいの菱形のひれがある．北海道から九州に分布するが，北日本沿岸で多く漁獲される．

●するめいか
錫烏賊　成 10345（生），10346（水煮），10347（焼き），10417（胴 皮つき 生），10418（胴 皮なし 生），10419（胴 皮なし 天ぷら），10420（耳・足 生）
分 アカイカ科スルメイカ属　学 *Todarodes pacificus*　英 Japanese common squid；Japanese flying squid　別 まいか；まついか；むぎいか；とんきゅう　旬 秋〜冬
日本周辺のみに分布し，漁獲量が最も多い，日本の代表的いかである．胴長 30cm．腕はほぼ等長で，胴長の約半分．胴は細長く後端に菱形のひれがある．背中に黒色の幅広い縦帯が後端まで走っている．昼間は水深 300〜600m くらいに棲むが，夜間は表層近くに移動し活動する．するめいかは，早春，九州南部で孵化した稚いかが，黒潮

こういか

ほたるいか　左：浜茹で（桜煮），中：干し 味付け，右：燻製（平　宏和）

と対馬海流に乗って太平洋・日本海沿岸にそって北上をはじめ，9〜10月に北海道南西部に達する．この時期が漁獲の最盛期である．さらに南下をはじめ産卵海域にいたる．味がよく，生食．本種のするめは松前するめ，二番するめと呼ばれる．

●ほたるいか

蛍烏賊　成 10348（生），10349（ゆで），10350（くん製），10351（つくだ煮）　分 ホタルイカモドキ科ホタルイカ属　学 *Watasenia scintillans*　英 firefly squid；luminescent dwarf squid；sparkling enope squid　別 こいか　地 まついか（富山）

胴長 6cm．腕長不等．胴は紡錘形で，後半両側にひし型のひれがある．名前の通り，体の腹面全体と眼の周辺に小発光器をもち，第4腕の大発光器は特別強い光を発する．昼間は深海に棲むが，夕方浅海に集まる．早春の頃，産卵時に岸近くにきたものを定置網で獲る時発光するので，観光客にも喜ばれている．日本特産で，かつては富山湾特産であったが最近は兵庫県沖で底曳き網で多く獲られる．一般には茹でたものが食される．生食は寄生虫（旋尾線虫）による幼虫移行症をもたらす危険性がある．厚生労働省による「生食用ホタルイカの取扱い」では，生食を行う場合には，1．①−30℃で4日間以上，もしくはそれと同等の殺虫能力を有する条件で凍結すること．②内臓を除去すること．2．生食以外の場合には，加熱処理（沸騰水に投入後30秒以上保持，もしくは中心温度で60℃の加熱）を行うこととしている．加工品には，干し，燻製（成 10350），つくだ煮，しょうゆ漬などがある．

●もんごういか

紋甲烏賊　分 コウイカ科コウイカ属　学 *Sepia* spp.　英 cuttlefish

もんごういかの名は，コウイカ科の日本南西域で漁獲されるかみなりいか（*Sepia lycidas*）の古くからの地方名であったが，遠洋トロールによって主としてアフリカ西岸の漁場からヨーロッパこういか（*S. officinalis*）を主体とする大型こういか類が日本の市場に現れて以来，それらにもんごういかの名が流用されるようになった．現在もんごういかの名で市販されているいかには，とらふこういか（*S. pharaonis*）やこぶしめ（*S. latimanus*）（地方名：くぶしみ）など，各種ある．すなわち，現在ではもんごういかの名は種類・産地・サイズを問わず，主として海外からのこういか類一般を指す市場名となっている．

●やりいか

槍烏賊　成 10352（生）　分 ヤリイカ科ヤリイカ属　学 *Heterololigo bleekeri*　英 spear squid；Japanese common loliginid　別 ささいか；さやなが；てっぽう；しゃくはち

胴の長さは40cm（雄）になる．腕は短い．形が槍に似ているので，この名がある．北海道から九州まで広く分布する日本特産種．身はやや薄いが，甘味があり美味．刺身として生食される．するめは，ささずるめと呼ばれる．

いかあられ

成 10357　英 Ika-arare

佃煮の一種．するめの胴肉を加熱して薄く延ばしたものを幅1〜1.3cm，長さ5〜6cmほどに切り，砂糖，水あめ，しょうゆ，食塩，寒天などの調味液で煮込んだもの．

いかあられ（平　宏和）

いがい　貽貝

成 10289（いがい 生）　分 軟体動物，二枚貝類（綱），イガイ科イガイ属　学 *Mytilus coruscus*　英 hard-shelled mussel；Korean mussel　別 からす貝；にたり貝；よしわら貝；ひめ貝；せと貝；しゅうり

殻長 15cm．殻頂は前端にある．漆黒色で楔（くさび）形をしている．内側は真珠光沢で美しい．北海道南部以南の日本各地，韓国，中国大陸の潮間帯から水深 20cm ほどの岩礁に足糸を無数に出して付着している．いがい科の貝は，日本だけで 70 種類以上知られる．

◇成分特性　肉の味には特有のしつこさがあるので，人によっては好まない．二枚貝の中ではたんぱく質，脂質の含量が高い方である．各種のステロール類を含んでおり，コレステロールがその 1/3 を占め，またプロビタミン D* の含量も高い．

◇調理　「ムール貝」という名称で呼ばれている貝もイガイ科の二枚貝である．下処理として足糸と，そのもとである分泌物を蓄積している小さな足を除いてから用いる．美味であり，貝の形のおもしろさを利用して，姿のまま殻焼きにしたり，汁物，酢の物，煮付け，フライとしても用いる．中国では淡菜（ダンツァイ）といって乾燥したいがいを珍重している．洋風では，レモン焼き，スープやブイヤベース，シチュー，クリーム煮，ピラフ，リゾット，パスタなど，幅広く使われている．

● えぞいがい

蝦夷貽貝　分 エゾイガイ属　学 *Crenomytilus grayanus*　英 Ezo-mussel

殻頂が尖り，殻表はオリーブ色．東北，北海道で獲れる．美味である．

● ダンツァイ

英 boiled and dried mussel　中 淡菜（ダンツァイ）

ひらさきいがいの煮乾品で，中国料理の材料とし

むらさきいがい（ムール貝）　燻製油漬缶詰（平　宏和）

て珍重される．この茹で汁を煮つめたものが貽貝油（イベイヨウ）で，調味料として用いられる．

● みどりいがい

緑貽貝　分 ミドリイガイ属　学 *Perna viridis*　英 green mussel

外見はむらさきいがい（ムール貝）とよく似ているが，殻は鮮緑色．東南アジアの主要なシーフードの一つ．日本各地にも移入しているが，国内産のものはいまだ利用には至っていない．

● むらさきいがい

紫貽貝　分 イガイ属　学 *Mytilus galloprovincialis*　英 blue mussel　別 ムール貝；フランスあさり

殻長 13cm．ヨーロッパが原産地．殻は薄く，黒青色で光沢がある．日本にも移入し分布している．味はいがいと大差ない．一般にムール貝と呼ばれ，ヨーロッパではかきとともに最もポピュラーな貝で，大量に養殖されている．近年，日本でも三重などで養殖が行われている．地中海料理やフランス料理には欠かせない食材である．

● もえぎいがい

萌黄貽貝　分 ミドリイガイ属　学 *Perna canaliculus*　英 channel mussel　別 パーナ貝

ニュージーランドからの輸入品．みどりいがいに似ているが，殻表に黄色の放射帯がある．パーティーや弁当の食材に多く用いられている．

いかなご　玉筋魚；鮊子

成 10033（生），10034（煮干し），10035（つくだ煮），10036（あめ煮）　分 硬骨魚類，イカナゴ科イカナゴ属　学 *Ammodytes japonicus*　英 Japanese sand lance　別 こうなご　地 こうなごかます（東京，千葉）；かなぎ（福岡）

全長 25cm．体は細長く，強く側扁する．鱗は微細な円鱗*，体色は暗灰色，腹部は銀白色．腹びれがなく，背びれ，尻びれが比較的長い．近海魚で，幼魚は砂に潜る．小型のものはこうなご（小女子）という．夏眠をする．日本各地，北太平洋

むらさきいがい（ムール貝）

いかなご（本村　浩之）

沿岸，シベリアに分布している．

◇**成分特性**　20cmにも成長するが，俗におうなごといわれる大型のものは脂質の含量が非常に高くなり，鮮度低下に伴い，味やにおいが悪変する．『食品成分表』の成分値は体重数g以下の小型の幼魚の全魚体の数値である．100g当たり，水分74.2g，たんぱく質（アミノ酸組成）* 14.1g，脂質（TAG当量）* 3.9g，灰分3.0g，レチノール* 200μgである．いわしなどに比べると脂質含量やビタミン類の含量が低く，カルシウムやリンの含量が高い．

◇**加工**　大型魚は鮮度のよいものが燻製などにも加工されるが，冷凍品はもっぱら養魚用の生き餌に利用されている．小型魚（幼魚）は煮干しいわしとほぼ同様な方法で煮干しに加工され，だし汁・惣菜用や佃煮原料とする．佃煮やあめ煮は，普通は乾燥したものを使い，しょうゆを主体とし，これに砂糖や水あめおよび調味料を加えた液で炒りつけ，または浮かし煮にして製造する．また発酵させていかなごしょうゆという，香川県名産の魚醤油の原料にもなる．

上：いかなごしらす（無着色），下：いかなご（こうなご）佃煮（平　宏和）

◇**調理**　型が小さいうえ，鮮度が落ちやすいために生食はしない．多くは干して佃煮などにするが，獲りたてを食べる場合は，塩茹でにして，酢みそなどの和え物にする．新鮮なものは天ぷらにするのもよい．

 イクラ

成 10140　英 red caviar；salted roe of salmon

イクラとは，ロシア語で魚卵のことで，さけ以外の魚卵製品もイクラという．わが国でいうイクラはさけの粒状イクラに相当し，網目を通してバラバラにした卵を塩漬してから植物油をまぶして密封貯蔵してつくる．塩が薄いのですじこに比べると貯蔵性が劣る．美しい彩りがすし種，オードブルに欠かせない．『食品成分表』では100g当たりビタミンA（レチノール*）330μgを含むほか，赤いカロテノイド色素（アスタキサンチン*）を多量に含む特徴がある．魚卵の特性で，コレステロールが480mg/100gと高い．

イクラ　しょうゆ漬（平　宏和）

 いさき

伊左幾；伊佐木；伊佐岐魚；鶏魚

成 10037（いさき 生）　分 硬骨魚類，イサキ科イサキ属　学 *Parapristipoma trilineatum*　英 chichen grunt　別 いさぎ　地 おくせいご（東北）；いっさき（九州）；はんさこ（宮崎）；いせぎ（高知）　旬 初夏

全長50cm．体は側扁する．鱗は中ぐらいの大きさで全身を覆っている．褐色の縦縞がある（成育すると薄くなる）．沿岸魚で，深さ50～60mまでの海藻の多い岩礁底に生息する．やや磯くさいが，上等の食用魚．東京，福井以南，朝鮮，台湾，南シナ海に分布する．この他,イサキ科コショウダイ属のこしょうだい，ころだい，シマイサキ科シマイサキ属のしまいさきやコトヒキ属のこと

いさき　左：成魚，右：幼魚（本村　浩之）

ひきは，体形や用途がいさきに似ていて，同じく釣りの対象魚となるなど，漁法も同じであるところからここにのせる．

◇**成分特性**　肉色はやや黒味を帯びているが，成分的には，たい，めぬけなどの白身魚と似たものである．アシが強いため上等なかまぼこの原料となるが，鮮魚としての利用が多いため，主として小型のものがつぶし物として練り製品に用いられる．

◇**調理**　漁獲量が少なく，主に都市に出回ることから高級魚として珍重され，新鮮なものを刺身，あらい，塩焼きなどにして，その淡白な持ち味を味わう．西洋料理ではフライ，ムニエル，中国料理では唐揚げの材料として好適である．※味が淡白なわりに脂肪が多く，鮮度が低下しやすい．新鮮な獲りたてのもの以外は，二杯酢にするか塩焼き，照焼き，揚げ物などにするのがよい．煮物は持ち味を損なうので，あまり行われないが，中国風の寄せ鍋の材料には用いられる．

●**こしょうだい**
胡椒鯛　分　イサキ科コショウダイ属　学　*Plectorhynchus cinctus*　英　crescent sweetlips；spotted grunt　別　地　えごだい（浜名湖）；こたい（神戸，高知，下関）；ころだい（大阪，明石，和歌山，宇和島）

全長60cm．体高は高く，側扁する．成魚では体色は淡灰褐色で体側に紫色を帯びたななめ縞と背後に黒褐色の斑点がある．近海の岩礁付近に生息する．青森からインド洋まで分布する．焼いたり，煮たりすると歩留りが悪くなる．夏はあらいにする．

●**ことひき**
琴引　分　シマイサキ科コトヒキ属　学　*Therapon jarbua*　英　jarbua therapon　別　やがたいさぎ　地　くわながー（沖縄）；じんなら（静岡）；たるこ（和歌山）

全長30cmくらい．体色は褐色を帯びた淡青色で，下方は白く，体側に彎曲した3条の縦縞がある．日本各地を含むインド・西太平洋に分布する．味はしまいさきと同様である．

●**ころだい**
胡盧鯛　分　イサキ科コショウダイ属　学　*Diagramma pictum pictum*　英　painted sweetlips　別　地　こたい（瀬戸内海，高知）；しまいさぎ（長崎）；えごだい（浜名湖）

全長50cm．体は側扁して体高が高い．鰓蓋（さいがい）骨に，2個の鋭い扁平な棘がある．体は，灰青色の地色に黄褐色の斑点が散在する．近海の岩礁付近に棲み，味は大型の成魚になるとうまい．茨城と新潟以南の日本と東インド洋・西太平洋に分布する．

●**しまいさき**
縞伊佐幾　分　シマイサキ科シマイサキ属　学　*Rhyncopelates oxyrhynchus*　英　sharpbeak therapon　別　しまいさぎ　地　しまいさぎ（東京，神奈川）；いそいさき（三重）；くーれー（沖縄）；すみやき（関西）；すみひき，とおとお（高知）；うとうたい；うとた（舞鶴）

いさきという名が付いているが，シマイサキ科の魚で，全長30cmくらいになる．体は側扁し，顔がやや尖っている．数本の細長い黒色の縦縞がある．15cmくらいの幼魚は内湾に生息し，よく川に上る．成長につれて外海に出る．うきぶくろ

こしょうだい（本村　浩之）

（鰾）によってトオトオと警戒音を出す魚である．北海道南部から西太平洋に分布する．ややクセがあるが，塩焼き，つけ焼き，煮付けなどにする．

いしがきだい　石垣鯛

分 硬骨魚類，イシダイ科イシダイ属　学 *Oplegnathus punctatus*　英 spotted knifejaw　別 くちじろ　地 はなじろ（大分）；ささらだい（三崎）；もんばす（和歌山）；もんこおろお（高知）；きっこおひしや（鹿児島）　旬 6〜8月

日本各地を含む東アジアとミッドウェー環礁に分布する．岩礁域に生息し，貝類などを嚙み砕いて食べる．全長は 40〜60cm．体の色は灰色で，石垣のような黒い模様があるので，名の由来となっている．成長すると，口のまわりが白くなる．くちじろと呼ばれ，磯釣りの好対象である．

◇調理　鮮度のよいのは生食がよいが，磯臭さがあるので，昆布じめにするとうま味が引き立つ．そのほか，塩焼き，煮魚，あら煮に適している．またみそ漬や粕漬にする．

いしがきだい（本村　浩之）

いしごろも　石衣

英 Ishigoromo　別 地 松露（しょうろ）（関西）
硬めのあん（餡）を乾燥して，すり蜜を衣がけした半生菓子である．関西では松露と呼ばれている．

◇原材料・製法　あんは小豆あん，白あんおよび抹茶あんなどが一般に用いられる．あんの製法は普通の練りあんより多めに水あめを加えて，硬めに練り上げる．あんが冷めてから，適当な大きさのあん玉にして，碁石形，まゆ形，俵形などに整える．整形した後，あんの表面を乾燥させる．すり蜜の製法は，砂糖に水を加えて加熱し，113℃まで煮つめる．煮つまったところで，約 45℃に冷やしてから，麺棒でかきまわしてすり始める．

上：いしごろも，下：松露（しょうろ）（平　宏和）

すっているうちに次第に白くなって硬くなってくる．でき上がったすり蜜は純白となる．衣がけする方法は，すり蜜を温めて軟らかくしてからあんをすり蜜にくぐらせる．それを金網の上に並べ，蜜切りしてから乾燥する．すり蜜の状態が悪いと，製品にしたときに，表面に白い斑点が生じたり，すり蜜があんからはがれたりすることがある．石衣は表面に光沢があるものがよいとされる．

いしだい　石鯛

成 10038（生）　分 硬骨魚類，イシダイ科イシダイ属　学 *Oplegnathus fasciatus*　英 striped knifejaw　別 くちぐろ；しまだい　地 いしだい（東京）；しまだい（北陸，東北，北海道）；くろぐち（広島，山口）；しちのじ（静岡幼魚）；なべ；なべだい（関西）；うみばす；ばす（和歌山）　旬 6〜8月

いしだい（本村　浩之）

日本各地を含む東アジアとミッドウェー環礁に分布する．水深50mまでの岩礁域に生息する．全長は30〜50cm．体の色は灰色で，黒く太い横縞が7本ある．成長するとこの縞模様は薄くなり，口のまわりが黒くなる．いしだいといしがきだいは近縁な魚で，人工交配により両者の雑種がつくられ，いしだいよりも成長が速く，いしがきだいより飼育しやすいという．磯釣りの好対象である．
◇成分特性　まだい，ちだい，くろだい等のたい類に似る．
◇調理　味は淡白で身もしっかりしまっているので，活けじめにしてあらいにするとよい．磯臭さがあるので，刺身よりあらいの方が適している．塩焼き，煮魚などもよく，旬は夏である．洋風の蒸し魚，ムニエルにしてもよい．

いしなぎ　⇒おおくちいしなぎ
いしもち　⇒ぐち

いしる（いしり）
（平　宏和）

石焼きいも

成 02008（さつまいも 塊根 皮なし 焼き）英 baked sweet potatoes
小石を焼いて，その中にさつまいもを埋めて焼いたもの．そのため，穏やかな加熱によるゆるやかな温度上昇中にβ-アミラーゼが働き，でん粉から麦芽糖*が生成するので甘味を増す．さつまいもビタミンCはいものまま加熱すると空気に触れないため意外に安定で，焼きいもでは約80％保持されるという．

石焼きいも（平　宏和）

いしる

成 17134　英 Ishiru；(fish sauce made from squid's viscera)　別 いしり
いかの内臓を原料とした魚醤*．しょっつる（成 17135）やいかなご醤油（成 17133）とともに，日本三大魚醤といわれる．石川県能登地方が主産地で，するめいかの加工副産物の内臓が使われる．内臓質量に対し約30％の食塩を加え，6〜8カ月間，発酵熟成させ，桶底に溜まった液汁を採取，煮熟したもので，びん詰めなどで販売される．刺身，煮物，炒め物などに使われる．

いせえび　⇒えび

磯部せんべい　磯部煎餅

成 15048　英 Isobe-senbei；(wheat flour cracker with soda spring water)　別 鉱泉せんべい
小麦粉せんべいの一種で，群馬県磯部温泉の特産である．小麦粉と砂糖をアルカリ性の磯部鉱泉水（炭酸水素ナトリウム*を含有する食塩泉）で練った生地を焼き上げたもので，特有の風味をもつ．軽く浮きがよく，口溶けが非常によく胃にもたれない点と，適当に塩味のある淡白な味が好まれる．初めは大きな円形であったが，今では角形の方が多い．明治19（1886）年に高崎—磯部間の鉄道建設が実現し，磯部温泉を世に広め，みやげ品として考案された．
現在では全国各地に炭酸含有の食塩泉が発見されており，そこでは鉱泉せんべいを名物としている．類似品にカルルスせんべいがある．

磯部せんべい（平　宏和）

板ガム　⇒チューインガム
板こんにゃく　⇒こんにゃく

いたどり　虎杖

分 タデ科ソバカズラ属（多年生草本）　**学** *Fallopia japonica* var. *japonica*　**別** スカンポ

日本各地に自生し，朝鮮・中国・台湾にも分布する．雌雄異株*．茎は太く，中空，太いものは直径4cmぐらいになる．直立し，草丈0.5〜2m，群生する．よく分岐した地下茎*から出る．根は肥大し，深く入る．葉は有柄・互生，広卵形で，先は尖る．

◇**成分特性**　若い茎に軟らかく，タケノコ状，シュウ酸*を含み，酸味がある．

◇**調理**　皮を剥いて生食，水にさらして煮食し，塩漬けにして保存食とする．

いたどり（平　宏和）

いたやがい　板屋貝

 10290（養殖 生）　**分** 軟体動物，二枚貝類（綱），イタヤガイ科イタヤガイ属　**学** *Pecten* (*Notovola*) *albicans*　**英** Japanese baking scallops　**別** しゃくし（杓子）貝；ほたてがい（誤称）

ほたてがいによく似ているが，放射肋が少なく8本ぐらいである．右の殻は深いが，左の殻は平坦よりも少し内側にへこんでいる．ほたてがいと同様に，発達した貝柱（閉殻筋）を食用にする．北海道南部から九州，韓国に分布し，外洋に面した水深10〜100mの砂底に棲む．15年くらいの周期で異常大発生を繰り返す．殻が貝杓子になるので一名しゃくし貝とも呼ばれる．養殖も試みられている．同科にほたてがい，つきひがいがある．

◇**成分特性**　南西日本でほたてがいに匹敵する大きさに達する．ローカルな漁獲物である．ほたてがいと比べると，水分がやや多く，たんぱく質，脂質がやや少ないが，成分的にはほぼ同様と考えてよい．貝柱の丸く大きいのが特徴で，ほたてがいの代用として，乾燥したり，水煮の缶詰とする．

◇**調理**　和風では，貝柱の鮮度がよければ，そぎ切りにし，刺身にするか酢の物にする．その他，ほたてがいに準じて，焼き物・揚げ物など，どんな調理法にも適している．ひもは燻製や佃煮にできる．※洋風の場合，主に貝柱を用い，ムニエル，グリエなども多く，白ワインで蒸し，各種のソースをかけたり，クリーム煮，グラタンが代表的である．中国料理では拌菜（バンツァイ；和え物），炒菜（チャオツァイ），焼菜（シャオツァイ），溜菜（リィォウツァイ；あんかけ料理），湯菜（タンツァイ；汁物）など，いろいろな調理法に用いられる．

いたやがい

●**つきひがい**

月日貝；海鏡　**分** ツキヒガイ属　**学** *Amussium japonicum*　**英** saucer scallop；sun-and-moon scallop

右の殻は白いが，左の殻は濃赤色をしている．これを月と日にたとえて名付けられた．殻長と殻高は10cm前後で，いたやがいと同じに貝柱を利用する．房総半島，中国地方以西に分布する．

イタリアンドレッシング　⇒ドレッシング
板わかめ　⇒わかめ

いちご　苺

 07012（生），07160（乾）　**分** バラ科オランダイチゴ属（多年生草本）　**学** *Fragaria* ×*ananassa*（オランダイチゴ）　**英** strawberries　**別** オランダイチゴ；くさいちご　**旬** 春

現在世界の各国で栽培されているいちごは，北米原産の *Fragaria virginia* と南米のチリ原産の *F. chiloensis* の交雑により生じたものである．これらの両種は，オランダや英国で自然に交雑して雑種ができ，1750年頃に現在のいちご（オランダイチゴ）の原種が作られ改良が加えられた．わが国では現在のいちごとは異なる野生種が，平安時代から食用にされていたとされている．現在のいちごは，明治32（1899）年にフランスから導入したものや，その後，英国から導入された品種をもとに育成された．明治末期から大正にかけて

は静岡市久能で石垣栽培が始められ、福羽（ふくば）などの品種が一時は全国的に栽培された。その後、はるのかの出現とともに、水田転換栽培が広まり、平坦地栽培からハウス栽培＊が主流になった。現在、石垣栽培は久能山だけになっている。

◇品種　8月と9月以外は周年的に収穫されるような栽培法が開発されており、品種も作型に合ったものが用いられ、品種数は多い。いちごの品種は10〜20年で世代交代され、現在、とちおとめ、あまおう、紅ほっぺなどが主流で、新品種も多くみられる。とちおとめは栃木県農業試験場で育成、平成8（1996）年に品種登録された。鮮やかな赤色で甘味が強く酸味が少ない。あまおうは福岡県農業総合試験場で育成、福岡S6号として平成17（2005）年に品種登録された。あまおうは登録商標で、「あかい」「まるい」「おおきい」「うまい」の頭文字から命名された。大粒で甘味と酸味のバランスがよい。紅ほっぺは静岡県農業試験場で育成、平成14（2002）年に品種登録された。果皮・果肉が鮮赤色、ほっぺが落ちるほど美味しいとして命名された。大粒で甘味の中に酸味が程よい。そのほか、四季なりのものや加工用品種もある。日本にはオランダイチゴと同じオランダイチゴ属（gen. Fragaria）の野生イチゴが4種あり、果実はいずれも食べられる。また、ヘビイチゴ属（gen. Duchesnea）の2種が野生し、果実はいずれも無毒であるが液汁が少ない。

産地：全国的に生産されているが、特に関東、東海、近畿、九州地方に多い。また、現在ではハウス栽培＊による生産が多くなっている。

◇成分特性　『食品成分表』では、100g中、利用可能炭水化物は（5.9）g含まれる（しょ糖（2.5）g、果糖（1.8）g、ぶどう糖（1.6）g）。有機酸＊は0.8g含まれる（クエン酸0.7g、リンゴ酸＊0.1g）。灰分が多く0.5g含まれている。果実の紅色素はアントシアン系カリステフィンとフラガリンによる。色素含量には品種間差異が大きく、一般にわが国のものは少ない。ビタミンではCが特に多く、普通のもので62mg含まれる。露地栽培＊とハウス栽培による果実のビタミンC含量には差異があり、露地ものが多いという報告もあるが、必ずしも一定しない場合がある。いちごの香気は脂肪酸とアルコールが縮合して生じるエステルである。香気の基となるアルコールは、果実表面に着いている種子のホルモン作用により生じたα-ケト酸がピルビン酸脱炭酸酵素により脱炭酸されてアルデヒドを生じ、アルデヒドがアルコール脱水素酵素によりアルコールとなる。これにより多くの脂肪酸から種々のエステル＊を生じる。

果実の肥大：いちご果実は花托の肥大したものであるが、幼果のときに表面の種子を取り除くとまったく肥大しない。これは種子中で生産される植物ホルモン（オーキシン）が果実の肥大を制御しているためである。種子を除いた場合でも、適量のオーキシンを与えると再び肥大する。

◇保存　日持ち性は非常に低く、0℃でも1週間ほどしか保存できない。しかし、冷凍（-15℃以下）すれば、1年以上品質が保たれる。いわゆる丸凍結果実といわれるもので、糖液とともに冷凍すると食味が改善される。しかし、品種によっては解凍したとき、果肉の崩れや果汁の流出（ド

いちご　上：とちおとめ、中：あまおう、下：紅ほっぺ
（平　宏和）

ドライいちご（平　宏和）

リップ）の多いものがあり，冷凍適性が重要となる．

◇**加工**　ジャムとしての加工品が最も多い．冷凍品は，果実を−1℃で1昼夜予冷してから，原料の3割程度の砂糖をまぶして急速凍結する．家庭ではフリーザーに貯蔵すればよい．市販品としてドライいちご，ジュースがある．

◇**調理**　新鮮なものをそのまま食用にするのが最もよい．酸味の強いものは砂糖などを加えて甘味を補う．なめらかな舌触りが特徴で，生クリーム，牛乳などをかけ，好みでつぶして食べるとよい．また摩砕してジュース，ゼリー，シャーベットの原料になる．❋表皮がないので，洗うとき，果実がすれ合わないように注意する．熟した果実には農薬をかけていないので，水洗を十分に行えばよいが，時間はあまりかけないようにする．食品用洗剤を使った場合は，使用基準に従い，特に水洗を念入りにする．食塩を用いると洗浄効果があがる．また塩味は相乗効果によって，いちごの甘味を強める．❋クリームによく合って，しかもいちご自体が鮮やかな色彩を添えることから，ショートケーキ，デコレーションケーキに粒のまま用いられる．❋冷やした皿に盛り，ホイップクリーム，ライトクリーム（生クリームと牛乳とを等量ずつ混ぜ合わせたもの），牛乳，エバミルクなどを砂糖と合わせて供する．ただし牛乳をかけてからあまりつぶすと，いちごの酸のため，牛乳中のカゼインが凝固して細かい粒ができる．乳脂肪だけを集めたクリームならその心配はない．

いちじく　無花果

🍎 07015（生），07016（乾），07017（缶詰）　分 クワ科イチジク属（落葉小高木）　学 *Ficus carica*　英 figs　別 とうがき（唐柿）；なんばんがき（南蛮柿）　旬 7月（夏果），8月中旬〜秋（秋果）

原産地は小アジアで，栽培の歴史は古い．特にト

いちじく（平　宏和）

干しいちじく（平　宏和）

ルコ，イラン，アフガニスタン，ギリシアなどが古く，中国へは13世紀にインドから伝えられた．わが国への伝来の時期は明確でないが，徳川時代と考えられている．

◇**品種**　いちじくは新梢の各葉腋*に着き，8月中旬から秋まで下部の節から上の節に順次成熟する．これは秋果と呼ばれ品質はよい．上位の節の果実は秋の終りの低温期に入ると成熟せず，さらに先端の果実が芽の形で越冬し，翌年気温が上がる7月に夏果が成熟し，年2回収穫できる．わが国の主要品種は，ビオレ・ドーフィン（夏果専用），蓬莱柿（秋果専用），枡井ドーフィン（夏秋兼用）である．加工用品種もかなり見られるが，わが国では栽培されていない．

産地：世界的にはトルコ，エジプト，アルジェリア，イタリアなどが主産地である．わが国では和歌山，愛知，兵庫，大阪など，西日本での生産量が多い．水田転換による栽培が多いのも特徴である．家庭果樹としても広く栽培されている．

成熟促進：西暦4世紀頃，すでにギリシアではオリーブ油による成熟促進が行われていた．果実が成熟段階に入ったとき，果実の尻（目）にオリーブ油やエチレン発生剤であるエスレルなどの薬剤を塗布すると，果実全体が急激に熟し，1週間後には食べられるようになる．なたね油でも効果があるが，これは油に含まれる不飽和脂肪酸*（リノレン酸など）が代謝されて生成する植物ホルモンのエチレン*により，成熟が促進されるためである．ただし，果実の若いうちに処理すると生長が止まり落果する．

◇**成分特性**　果実は花托の発達した肉質部とその内側に密生する約2,500の小果のある集合果*で，主成分は糖類である．『食品成分表』では，100g中（11.0）gの利用可能炭水化物*（質量計）を含み，その大部分がぶどう糖と果糖で，しょ糖はほとんど含まれていない．酸は少なく0.1gで，クエン酸とリンゴ酸*が多い．果肉の色素はアントシアン系のシアニジンである．果肉や葉からでる

白い乳液にはたんぱく質分解酵素フィシン（ficin）を含む．ビタミンCは少ない．
◇保存　日持ちが悪く，室温では2，3日が限度であるが，低温貯蔵（6℃）を行えば，1週間以上保存できる．
◇加工　干しいちじくは，アルカリ処理により表皮を除き，硫黄燻蒸を行って変色と腐敗を防止して，60℃前後で1昼夜人工乾燥し，水分を20〜30％としたもので，菓子として利用する．ジャムは熱湯で果皮を取り，砂糖を加えて濃縮する．ただし酸が少ないので，クエン酸を補添（原料の0.3％程度）すると品質が改善される．

一味唐辛子　⇨とうがらし
いっとうだい　⇨きんめだい
いっぽんしめじ　⇨うらべにほていしめじ

 遺伝子組換え食品

英 transgenic foods；genetically modified organism

遺伝子（DNA；デオキシリボ核酸）を人為的に組み換えて栽培した農産物（遺伝子組換え農産物）と，それを原料として製造・加工した食品である．最初の遺伝子組換え農作物は，1996年に米国で作付けが開始された大豆ととうもろこしである．これらは除草剤に対する耐性をもち，あるいは害虫の被害が少ない特徴をもっている．生産農家にとっては，除草や害虫防除の手間を減少することができるので著しい恩典となり，栽培が盛んとなった．
2022年4月現在，わが国で安全性審査の手続きを経た旨の公表がなされた遺伝子組換え農産物及び添加物は，農産物では，ばれいしょ（12品種），大豆（枝豆及び大豆もやしを含む，28品種），てん菜（3品種），とうもろこし（209品種），なたね（23品種），綿実（48品種），アルファルファ（5品種），パパイヤ（1品種），からしな（1品種）の9種類（330品種），添加物はα-アミラーゼ等の酵素で32品目である．多くの遺伝子組換え農作物に由来する食品が食卓を彩っている．わが国では遺伝子組換え農作物について，科学的な評価を行い，問題がないもののみが流通される仕組みが確立しているが，消費者の間に情報不足に起因すると思われる不安が広まったことから，社会的合意を得るための一つの手段として，表示制度が導入された．
　表示：遺伝子組換え農産物およびそれを原料と

して製造・加工した食品の表示基準は食品表示法*で定められている．表示対象加工食品は，大豆，とうもろこし，ばれいしょ，アルファルファ，てん菜，パパイヤを主な原材料（全原材料のうち，原材料に占める重量の割合が上位3位までで，かつ原材料にしめる重量割合が5％以上）とする加工食品33食品群と，高オレイン酸遺伝子組換え大豆を主な原材料とする加工食品（脱脂されたことにより，高オレイン酸形質を有しなくなったものを除く）およびその加工食品を主な原材料とするものである．ただし，組み換えたDNAおよびそこから発現したたんぱく質が残存しているもので，特定の成分を分画してこれらが残存しないと見なされるものは表示の義務はない（**表1，2**）．
　安全性：遺伝子組換え食品の安全性は，厚生労働省の「組換えDNA技術応用食品・食品添加物*の安全性評価指針」に基づき審査される．基本は，組み換えに使用した遺伝子を提供した宿主およびベクター（特定の遺伝子を組み込んで細胞内に運び込む小型環状DNA分子のこと），さらに発現したたんぱく質の安全性を評価することによる．必要があるときは，組換え体そのものの長期動物試験による安全性試験を行う．

糸こんにゃく　⇨こんにゃく（しらたき）
いとひきあじ　⇨あじ
糸引き納豆　⇨なっとう
いとひきひいらぎ　⇨ひいらぎ
いとふえふき　⇨はまふえふき
いとまきえい　⇨えい
いとまきふぐ　⇨ふぐ
糸みつば　⇨みつば

 いとよりだい 糸縒鯛；糸撚鯛

成 10039（生），10040（すり身）　分 硬骨魚類，イトヨリダイ科イトヨリダイ属　学 *Nemipterus virgatus*　英 golden threadfin bream　別 いとより　地 あかな（鹿児島）；いとよりだい（神戸）；いとひき（舞鶴）；いとひきこびり（松江）　旬 晩秋〜初春

全長50cmぐらいになる．体はやや側扁する．鮮やかな赤色で，黄色の縦線が数条ある．尾びれの上葉が糸状に伸長する．新潟・茨城以南の日本と西太平洋に分布する．えび，かに，ごかい類などを食べる肉食性である．初夏に産卵し，晩秋から早春が旬で美味である．同属にはそこいとよりがある．

表1　表示義務対象食品[*1]（9農産物およびそれを原材料とした33加工食品[*2]）

対象農産物	加工食品[*3]	
1. 大豆 （枝豆及び大豆もやしを含む）	① 豆腐・油揚げ類 ② 凍り豆腐、おから及びゆば ③ 納豆 ④ 豆乳類 ⑤ みそ ⑥ 大豆煮豆 ⑦ 大豆缶詰及び大豆瓶詰 ⑧ きなこ	⑨ 大豆いり豆 ⑩ ①から⑨に掲げるものを主な原材料とするもの ⑪ 調理用の大豆を原材料とするもの ⑫ 大豆粉を主な原材料とするもの ⑬ 大豆たんぱくを主な原材料とするもの ⑭ 枝豆を主な原材料とするもの ⑮ 大豆もやしを主な原材料とするもの
2. とうもろこし	① コーンスナック菓子 ② コーンスターチ ③ ポップコーン ④ 冷凍とうもろこし ⑤ とうもろこし缶詰及びとうもろこし瓶詰 ⑥ コーンフラワーを主な原材料とするもの	⑦ コーングリッツを主な原材料とするもの（コーンフレークを除く） ⑧ 調理用のとうもろこしを主な原材料とするもの ⑨ ①から⑤までに掲げるものを主な原材料とするもの
3. ばれいしょ	① ポテトスナック菓子 ② 乾燥ばれいしょ ③ 冷凍ばれいしょ ④ ばれいしょでん粉	⑤ 調理用のばれいしょを主な原材料とするもの ⑥ ①から④までに掲げるものを主な原材料とするもの
4. なたね		
5. 綿　実		
6. アルファルファ	アルファルファを主な原材料とするもの	
7. てん菜	調理用のてん菜を主な原材料とするもの	
8. パパイヤ	パパイヤを主な原材料とするもの	
9. からしな		

[*1] 従来のものと組成、栄養価等が同等のもの
[*2] 組換えDNAが残存し、科学的検証が可能と判断された品目
[*3] 表示義務の対象となるのは主な原材料（原材料の重量に占める割合の高い原材料の上位3位までのもので、かつ、原材料及び添加物の重量に占める割合が5％以上であるもの）

（食品表示基準　別表17）

表2　表示が不要な加工食品の例

対象農産物	表示が不要な加工食品
大　豆	しょうゆ 大豆油
とうもろこし	コーンフレーク 水飴：水飴使用食品（ジャム類など） 液糖：液糖使用食品（シロップなど） デキストリン：デキストリン使用食品（スープ類など） コーン油
なたね	菜種油
綿　実	綿実油
てん菜	砂糖（てん菜を主な原材料とするもの）

（消費者庁：食品表示基準Q＆A）

いとよりだい（本村　浩之）

◇**成分特性**　水分含量が100g当たり78.8gと多く，肉の軟らかいのが欠点であるが，滋味に富み，料理の材料としては重要である．白身の魚で，成分的にはいさきやあまだいなどに近いものと考えられるが，かまぼこにしたときの性質はぐちに似て坐り*やすく，戻り*やすい．
◇**調理**　身は白く淡白で，まだいよりやや劣るが色の美しさと上品な味をもっている．身がやや軟らかいのが欠点である．たいに準用されて，焼き物，吸い物，煮物，揚げ物など用途は広い．佐賀県唐津の郷土料理であるいとよりにじ焼きなどがある．

●**そこいとより**

底糸縒　学 *Nemipterus bathybius*　英 yellowbelly threadfin bream　別 きいとより　地 きいとより（高知）；あかな（鹿児島）；はらぽちょ（和歌山）
全長40cm．いとよりに比べて腹部が著しく黄色を帯びている．いとよりより深いところに棲む．東京から南の西太平洋と東インド洋に分布する．味はやや劣る．

いなかまんじゅう 田舎饅頭

英 Inaka-manju　別 薄皮饅頭
表面の生地が薄く，中のあんが部分的に見えるものである．小麦粉，砂糖，膨張剤を混ぜ合わせた生地につぶしあんを包んで蒸し上げる．福島県郡山の薄皮饅頭は，田舎饅頭の一種である．また，田舎饅頭に似たものに，ふぶき（吹雪）饅頭がある．これは小麦粉生地にやまのいもを加えて作る．

いなかまんじゅう（薄皮饅頭）（平　宏和）

いなご 蝗；稲子

成 11241（つくだ煮）　分 バッタ科イナゴ属　学 *Oxya japonica*（コバネイナゴ）　英 rice hopper；locust
イネ科植物の葉を食害する昆虫で，世界各地でみられる．5～6月頃孵化し，秋までに成虫となる．いろいろな種類があるが，食用に用いられるのはコバネイナゴである．
◇**成分特性**　たんぱく質に富み，ビタミンも豊富である．特にカロテン，B_2に富んでいる．
◇**加工**　食糧不足の時代にあっては，乾燥し炒って食べられたが，現在は佃煮にされる．
◇**調理**　味は乾燥した小えびや沢がにに似ている．※佃煮のつくり方：生きたものを布袋に入れて，腸の内容物を十分に排泄させてから，袋ごと熱湯に通して殺し，日に干して佃煮の材料とする．佃煮には，干したものはそのまま，茹でた直後のものは空炒りして，水気を除いてから調理する．砂糖，みりんをまぶし，少量の水を加えて強火にかけ，混ぜながらしょうゆ，水を加え，中火から次に弱火とし，水分がなくなるまで，崩れないようにカラリと煮上げる．

いなご佃煮（平　宏和）

いなほ 稲穂

英 rice panicle；Inaho
完熟した稲穂を短く切ったもの．金銀の水引と束ねたものもある．穂先を油で揚げ，籾の米がはぜたものに塩をふり，前菜，揚げ物などの飾りに用いる．うるち種ともち種があるが，もち種がきれいにはぜる．

稲穂　上：市販品，下：同油揚げ（平　宏和）

いのしし　猪

成 11001（肉 脂身つき 生）　分 イノシシ科イノシシ属　学 *Sus scrofa*　英 wild boar　別 やまくじら　旬 12月〜2月

豚の原種で，日本でも古くから食用に供されていた．『日本書紀』によれば，天武天皇によって出された肉食禁令第1号からはいのしし肉は除かれていたという．日本では北海道，東北地方を除く本州中部以南に分布．山地に棲み，鼻先で土を掘り起こし，木の根やドングリ，シイなどの木の実，ヘビ，ミミズなどを食べる．冬には農作物を荒らす．夜行性である．捕獲は，いのししが通る道が決まっているので待ちぶせし，銃で射ったり，柵内に追い込むなどする．春に1腹10匹の子を産み，繁殖する．子には背中に3本の縦縞が入り，うりぼう（瓜坊）と呼ばれる．これはニホンイノシシの特徴である．別名のやまくじらは肉食禁止の風習を逃れるためであったことは確かである．

◇**成分特性**　栄養成分は基本的には豚肉とあまり変わらない．ただビタミンB_1は豚肉ほど多くない．肉は色が濃く，きめがやや粗く，堅じまりで，特有の臭みがある．

◇**調理**　豚肉に比べて赤味が強く，硬く，特有の臭気をもつ．代表的な"しし鍋"は"ぼたん鍋"ともいわれ，肉を薄切りにし，鍋にたれ（だし，しょうゆ，砂糖，みそ，みりん，酒）と肉，野菜を入れ，煮ながら溶き卵をつけて食べる．特有の臭気を除くためには，生肉をみそ床につけたり，しょうゆとワインを合わせた中に一晩つけて，バーベキュー風に焼く方法もある．野菜との煮込み，みそ汁にも適する．洋風には蒸し煮，煮込み，蒸し焼きなどがある．

いのぶた　猪豚

成 11002（肉 脂身つき 生）　分 イノシシ科イノシシ属　学 *Sus scrofa*　英 Inobuta；crossbred pig (domesticated × wild)

野生のいのししと，家畜の豚を交配したもの．雌豚に雄いのししを交配し，出産後8〜9カ月で体重100kg前後のものが出荷される．

◇**成分特性**　いのしし特有の臭みが弱いとされる．肉色は鮮やかな紅色である．いのししに比べビタミンB_1の含量が高い．

◇**調理**　ヨーロッパでは強い香辛料を用いるが，日本ではみそを用いて臭みを除いて食べることが多い．※豚肉同様にさまざまな料理に使われる．小麦粉をまぶして鉄板で焼き，甘辛く味をからませた"くわ焼き"，いろいろな野菜を用いてみそ仕立てにした"いのぶた汁"，香辛料に漬け込みソテーしたものに，酸味のあるソースを添えたり赤ワインを加えた煮込み料理などがある．

いぶりたくあん　⇒たくあん漬（いぶりがっこ）
イベリコハム　⇒ハム

いぼだい　疣鯛

成 10041（生）　分 硬骨魚類，イボダイ科イボダイ属　学 *Psenopsis anomala*　英 Pacific rudderfish　別 地 えぼだい（東京）；うぼぜ（大阪，和歌山）；くらげうお（兵庫，広島）；なつかん；しゅす；しす（下関）；こた（鹿児島）；しず（関西）　旬 6〜10月

いのしし　ばら肉（平　宏和）

いぼだい（本村　浩之）

全長30cm．体は著しく扁平で，頭は丸い．体色は銀灰色．体側に葉脈のような溝がある．温暖な海のやや深いところに棲む．北海道から九州までの日本各地を含む東アジアに分布する．

◇**成分特性** 味は多少クセがあるが，たい類などの白身の魚に共通した特性を備えている．

◇**調理** まながつおによく似ていて，6月から10月までが美味．この魚は，下ごしらえのとき，えらがとりにくい．新鮮なものは刺身にも適し，酒蒸し，照焼き，煮付け，みそ漬にも適する．開き干しが一般に販売されているが，みりんにつけてひと干ししたみりん干し，西京漬などもある．洋風ではフライやムニエルに，中華では新鮮なものは蒸して酒じょうゆをかけたり，鍋焼きにし，生姜（しょうが）汁をかけて食べる．

いまがわやき　今川焼

成 15005（こしあん入り），15145（つぶしあん入り），15146（カスタードクリーム） 英 Imagawayaki；(baked sweet dough stuffed with An) 別 大判焼き；小判焼き；回転焼き；二重焼き；太鼓まんじゅう；ともえ焼き

焼き型に小麦粉，鶏卵および砂糖を水で溶いた生地を流し込み，あずきつぶしあん（餡）などを入れて焼き上げる焼き物類の一種である．冷凍食品としても市販されている．同類のものに大判焼き，鯛焼きなどがある．

◇**由来** 今川焼は江戸時代末期に庶民の人気を得た"きんつば"からヒントを得てつくり出されたといわれ，文化文政時代に日本橋の今川橋付近で売り出されたことから"今川焼"の名称で呼ばれた．当時の製法は現在のように焼き型を用いるのではなく，油を引いた銅板の上に銅の輪型をのせ，この中に生地を流して焼き上げていた．その後，鉄製の巴型を用いるようになり，これが当時世間の注目をひいた赤穂義士の討ち入りに使われた陣太鼓と似ていることから"義士焼き"と称して売り出され，いっそう評判となった．明治時代に入ってもその人気は衰えず，東京名物の一つとして庶民に親しまれ，現在に至っている．

◇**原材料・製法** 鶏卵を容器に割り込んでほぐし，ふるいを通した砂糖を加えてよく混ぜる．次に水あめを水で溶かして加える．膨張剤として重曹（炭酸水素ナトリウム*）を加えよく混ぜ均一にする．小麦粉をふるいを通して加え，軽くこねつけ，最後に冷水を少量ずつ加えながら小麦粉が固まりにならないように混ぜ合わせる．生地の具合はど

いまがわやき（平　宏和）

ら焼き生地よりやや硬めなくらいがよく，できた生地はすぐに使用せず，しばらく休ませてから使用する．焼き方は，火床に点火して焼き型を温め，油坊主で型をふき生地を7分目ほど流し込む．1分ほどしたら用意しておいたあずきつぶしあんを生地の真ん中に盛り付ける．表面に小泡が浮いてきたら別の型に生地を流し込む．後から流した生地の表面に小泡が浮いてきたら，あんをのせた方の焼き加減を確認し，両方の生地をあんをはさむようにして合わせ，よく密着させ，後から流した生地の表面を適度に焼き上げる．中あんはあずきつぶしあんが一般的であるが，白あん，クリームあん，チーズなども使用される．

大判焼き，鯛焼きなどのほか，ともえ焼き（巴型），小判焼き（小判型）があるが，それぞれ焼き型が異なるのみで，原料・製法は今川焼と変わらない．いずれも焼きたての温かいものが好まれることから実演販売されることが多い．

いもかりんとう　芋花林糖

成 15042 英 Imo-karinto 別 芋けんぴ

短冊に切ったさつまいもを二度揚げして，蜜をからませたもの．

◇**原材料・製法** 糖分が少なくでん粉価*の高い，コガネセンガン，高系4号・14号および農林1号・

いもかりんとう（平　宏和）

2号などのさつまいもを原料とする．水洗いして皮をむき，短冊形に切り，ミョウバン水溶液に一晩浸してアクを抜き，水洗後，2日間くらい天日乾燥したものを160℃の油で3分間揚げ，30〜40分休ませる．さらに，150℃の油で2〜3分間揚げ，水分を5％以下にし，遠心分離をした後，温かいうちに蜜かけをし，乾燥してつくる．

いも粉　　⇨さつまいも
いも焼酎　⇨焼酎

いもせんべい　芋煎餅

英 Imo-senbei

さつまいもを原料としたせんべい．埼玉・川越の「初雁焼」が名物で，原料いもは川越いも「紅赤」が使われている．
◇**製法**
薄く切ったさつまいもを鉄板にはさんで焼き，糖蜜とごまをまぶしたもの．

いもせんべい（平　宏和）

いもなっとう（芋納豆）　⇨あまなっとう
いもらくがん　　⇨らくがん

いよかん　伊予柑

成 07018（砂じょう 生）　**分** ミカン科ミカン属（小高木）　**学** *Citrus* Iyo Group　**英** Iyokan　**旬** 1〜2月

みかん類とオレンジ類の交雑によって生じた．かつては，タンゴールに含まれていたが，近年の研究ではタンゼロとみなされている．明治20（1887）年に山口県阿武郡東分村で偶発実生として発見され，明治25（1892）年，穴門（あなと；関門海峡の古称）みかんの名で普及された．愛媛には明治22（1889）年に入り，同県で生産が広まり主産県となる．昭和5（1930）年にいよかんに改められた．
◇**品種**　普通いよかんと宮内いよかんがある．後者は果形がやや扁平であるが，見分けにくい．

いよかん（平　宏和）

産地：愛媛県松山市周辺を中心に生産されているが，山口，静岡，佐賀，和歌山，広島の各県でも少量ずつ生産されている．温州みかんに次いで生産量が多い．
◇**成分特性**　成分的には温州みかんに類似するが，カロテン含量は温州みかんに比べ少ない．熟期は2月頃で，成分的にも充実するが，寒害や鳥害の被害があるので，着色程度が4〜6分になった年末に採取し，1月に出荷される．
◇**保存**　5〜8℃，湿度85％で行われる．特有の香りと糖・酸の調和が売りものとなっており，食味の最もよい1〜2月が食用適期である．生食が主であるが，ゼリーやマーマレードに加工されることもある．

いりこ　煎海参

英 dried sea cucumber

干しなまこのこと．なまこの内臓を除いて，うすい塩水で煮熟後乾燥する．製品に棘のあるものを棘参（しさん），ないものを無棘参（むしさん）または光参（こうさん）ということもあり，原料によって干しなまこ（まなまこ），干しふじこ（きんこ）を区別することもある．

いりざけ　炒り酒

英 Irizake

清酒に梅干しとかつお節を入れて煮詰めた江戸時代からの調味料．白身魚や川魚の刺身のつけ汁にもよい．俗にいう"かんざまし"の日本酒でもよいが，清酒一升（約1.8 L）に梅ぼし約10個とかつお節1カップ，水少々を加え，弱火でおよそ半量まで煮つめてこす．酒のアルコールは蒸発し，うま味のコハク酸，梅干しのクエン酸，塩味がよく調和される．好みによって食塩か，しょうゆを少量加えてもよい．煮物だけでなく，ドレッシン

いりざけ（平　宏和）

グ，納豆のたれ等にも利用できる．刺身のたれとしては，単なるしょうゆで食べるより，白身の魚の持ち味を堪能できる．
◇**保存**　冷ましたものをびん詰にして冷暗所に（冷蔵庫でよい）おき，必要なときに使う．

岩おこし　⇨おこし
いわがき　⇨かき（牡蠣）

 いわし 鰯；鰮

分 硬骨魚類，ニシン目ニシン科・カタクチイワシ科・ウルメイワシ科・キビナゴ科
普通，いわしという場合はまいわしを指す．そのほかにうるめいわし，かたくちいわし，きびなごなどがある．これらは，海表層の動物性プランクトンを主食としており，生息数も膨大で，くじら，まぐろ，ぶり類などの餌としての役割も大きい．魚獲量は，年により変化が激しいが，非常に多い年もあり，飼料や餌料としても大切な魚種である．
◇**成分特性**　代表的な赤身魚である．その特徴としては，脂質の含有率が漁期，大きさなどにより大きく変化することで，可食部の脂質含量はかたくちいわしでは約 $1 \sim 15 \%$，まいわしで $2 \sim 3 \%$ ないし $25 \sim 30 \%$ の変動がある．また脂質の多い時季には，脂質総量の $50 \sim 60 \%$ は皮下部と消化管周囲に貯蔵脂質として蓄積され，血合肉中の含量も普通肉より高い．うるめいわしはまいわしなどに比べると脂質が少ないので，鮮魚としては美味でないが，逆に乾製品などに向いている．いわし類は赤身魚に共通した特徴としてエキス分の主体をなす非たんぱく態窒素化合物の量が多く，その中ではグルタミン酸，ヒスチジンなどの遊離アミノ酸*，イノシン酸*など呈味に関係した核酸系成分の含量が高いので，味は濃厚である．脂質成分ではイコサテトラエン酸，イコサペンタエン酸*，ドコサペンタエン酸，ドコサヘキサエン酸*などの高度不飽和脂肪酸*の含量が高い．このイコサペンタエン酸（IPA）は血液の凝固を抑制し，血管系の病気の予防につながるとされ，ドコサヘキサエン酸（DHA）は脳を活性化し，乳児栄養や老化防止の成分として注目されている．また，いわしの小型なものは骨ごと食べられるので，カルシウムなど無機質の給源として役立つ．ビタミン類では A，D の含量が高く，E もかなり含有しており，B_1，B_2 などの水溶性ビタミン*の含量も多い．
◇**保存・加工**　鮮度が低下しやすく，また脂質が酸化されやすいので，鮮度のよい間に冷凍保存することが重要である．この場合，脂質含量の高いものは保存や加工に向かないが，グレーズ*や包装，酸化防止剤を使用することで，ある程度品質低下を防止できる．いわし類の加工法としては，塩乾品には丸干し，目刺し，連刺し（ほほ刺し）などがある．
その他の加工品としては，主にかたくちいわし，まれにまいわしを開いてから砂糖，食塩，グルタミン酸ナトリウムなどよりなる調味液に浸漬後乾燥したみりん干しのほか，燻製などもある．また缶詰には，食塩のみで調味した水煮，しょうゆで調味した味付け，トマトピューレーを加えたトマト漬，植物油を加えた油漬（オイルサーディンやアンチョビ）などのほかに蒲焼きがある．

　名産：石川のいわし糠漬，高知のいわしの卯の花ずし，長崎のいわしもち，宮崎のおびてん，いわしそば団子，神奈川などのつみいれなどが知られている．また，あまりのおいしさでご飯を借りにいくという意味から名付けられたといわれるままかり（飯借り）は，さっぱの酢漬で，瀬戸内海地方の名産である．
◇**調理**　古くから各地の沿岸で獲れたため，用途も多岐にわたっている．脂肪が多く，味は濃厚である．大衆魚として塩焼き，酢の物，酢みそ和え，あるいはすり身にして用いる．新鮮なものはそのまま生食できる．西洋料理ではマリネ，フライ，バター焼き，中国料理では寄せ鍋の材料や，唐揚げのあんかけなどに用いられる．※時季により脂肪量に大差があり，調理には脂肪ののった $8 \sim 10$ 月のものが適する．小型で鮮度低下も早いので，獲りたてのもの以外は刺身には向かない．生食の際も必ず食塩，酢やみそなどを加えて魚臭を除き，保存性を高めるようにする．持ち味を生かす調理法としては塩焼きが一番である．あらかじめ生姜（しょうが）のしぼり汁などをふって魚臭を消しておき，食べるときも大根おろしや酢を添

える．※肉質が軟らかく，すり身にするとアクトミオシンのゲルを形成しやすいので，魚肉だんごやつみいれに用いられる．鮮度の高いものほど遊離のミオシン，アクテンが多く，粘度の高いすり身になる．つなぎにでん粉，小麦粉，そば粉などを用いることもある．※鮮度低下を防ぎ，肉質の軟らかさを補うため，いわしの調理には食塩が多く用いられる．塩干しのいわし，すなわち丸干しや目刺しは，わが国の最も日常的なたんぱく質源であった．※いわしは，骨と身を容易に分離できるので，開くとき，頭を切りとってから腹開きにすれば，手で容易に中骨をとることができる．煮崩れしやすいので，煮物にはなるべく大きいものを選ぶ．生姜，あるいは梅干しなどを加えて魚臭を消す．煮崩れを防ぐため，落とし蓋をする．※だしは，汁に対し2～4％の煮干しを用いる．その頭と腸をとり，2つ3つに裂いて蓋をせずに水から煮る．うま味成分以外に多くの不味成分を含み，沸騰後の加熱時間は数分間にとどめる．粉末にして水から入れ，沸騰後2～3分煮る方法もある．

● うるめいわし

潤目鰯　成 10042（生），10043（丸干し）　分 ウルメイワシ科ウルメイワシ属　学 *Etrumeus micropus*　英 bigeye sardine；red-eye round herring；round herring　別　地 だるまいわし（新潟）；どんぶ（富山）；せんぎ（千葉）

全長30cm．体は円筒状で，口先が尖り目が大きい．腹部が丸みを帯びている．目に脂瞼（しけん）と称する膜があるためうるんでみえることが特徴である．外洋性の魚で黒潮流域に多く，大群をつくって回遊する．西日本に多く，北西太平洋に分布する．

◇成分特性　まいわしに較べると脂質の含量ははるかに少なく，また季節，魚体の大小などによる変動も少ない．乾製品としても，脂質が少ないため，良品がつくられる．

● かたくちいわし

片口鰯　成 10044（生），10045（煮干し），

かたくちいわし（本村　浩之）

10046（田作り）　分 カタクチイワシ科カタクチイワシ属　学 *Engraulis japonica*　英 Japanese anchovy　別　地 しこいわし（東京）；かたくち（東京，米子，下関）；たれくちいわし（島根，鳥取）；まいわし（瀬戸内海）；ほたれいわし（高知）；ひしこ（茨城）；せぐろ（東京，茨城，千葉，福島）

全長15cm．小柄で体は延長し，やや側扁する．口が大きく，上顎が下顎より出っぱっている．いつも群をなして外洋を回遊する．煮干し，たたみいわし，しらす干し，ちりめんじゃこ，田作りなどの原料魚で，サハリン，北海道から南日本，西太平洋に分布．脂肪が多く味が濃厚なため，普通の調理よりむしろ加工原料に適している．広島では鮮度の極めてよいかたくちいわしを刺身として賞味する．

● 缶詰

成 10060（水煮），10061（味付け），10062（トマト漬），10063（油漬），10064（かば焼）　英 canned sardines

缶詰には食塩のみで調味した水煮，しょうゆで調味した味付け，蒲焼き，トマトピューレーを加えたトマト漬，植物油を加えたオイルサーディン*，塩蔵品に植物油を加えたアンチョビ*などがある．

● さっぱ

拶双魚　分 ニシン科サッパ属　学 *Sardinella zunasi*　英 Japanese shad；Japanese scaled sardine　別　地 ままかり（瀬戸内

うるめいわし（本村　浩之）

かえりじゃこ（かたくちいわしの幼魚）

いわし缶詰　左：トマト漬け，中：水煮，右：かば焼き（平　宏和）

さっぱの酢漬け（ままかり）（平　宏和）

海）；はらかた（大阪，高知）；はだら（熊本大村湾）
全長20cm．体は細長く，腹部が側扁する．沿岸や内湾で群をなす．北海道から九州，東アジアに分布．酢漬は，ままかり（飯借り）と呼ばれ，瀬戸内海地方の名産になっている．

●塩いわし
成 10050（まいわし 塩いわし）　英 Shioiwashi；(salted whole sardine)
まいわしなどを塩漬した後，水切りした製品で，北海道などでつくられているが，保存性のある高塩分のものは消費者に嫌われ生産は頭打ちとなっている．

●ひら
平；鰳；曹白魚　分 ヒラ科ヒラ属　学 *Ilisha elongata*　英 elongate ilisha　別 　地 ひら（和歌山以西，富山以西）；ばた（愛媛）
全長60cmにもなるが，体全体が著しく側扁して板状．体色は，背部は青黄色で下部は銀白色に近い．北海道から九州にかけての日本各地とインド・西太平洋に分布する．わが国では産額も少なく，それほど美味ではないとして雑魚扱いで，塩焼き，煮付けなどとする程度であるが，中国では曹白魚（ツァオバイユー）または鰳魚（勒魚；ロオーユー），鮝魚（シアンユー）などと各地方で独特の名称が付けられていて，鮮度のよいものは紅焼（ホァンシャオ；しょうゆで炒め弱火で煮込む調理法）か清蒸（チンヂェオン；新鮮な材料に塩，こしょう等で下味を付け，生姜を入れて蒸す調理法）として食用とするほか，塩漬，粕漬，油漬や干物に加工されて珍重され，缶詰にして輸出されるほどである．

●まいわし
真鰯　成 10047（生），10048（水煮），10049（焼き），10051（生干し），10395（フライ）　分 ニシン科マイワシ属　学 *Sardinops melanostictus*　英 Japanese pilchard；sardine（一般的にはpilchard，特に小型のものをsardineと呼ぶ）；spot-lined sardine　別 いわし　地 ななつぼし（東北）；ひらご（瀬戸内海，高知）；ひらいわし（仙台）；おおばいわし（全長20cm前後以上）；ちゅうばいわし（全長10～12cm）；こばいわし（全長10cm以下）
全長25cm．体はやや円筒状で長く，腹部は側扁する．体側に7個くらいの青黒色の斑点が1列ないし2列に並んでいる．幼魚は浅海に育つが，成魚になると近海の沖合を回遊する．南サハリン，沿海州から南日本，朝鮮，東シナ海，台湾に分布する．

◇成分特性　季節による変動が大きい．『食品成分表』では100g当たり，水分68.9g，たんぱく質（アミノ酸組成）* 16.4g，脂質（TAG当量）* 7.3gとなっているが，これはあくまで平均値として考えた方がよく，大型で肥えたものは脂質を多めに，水分が少なく，小型でやせたものはその反対と思えばよい．またまいわしは，脂溶性ビタミン*のビタミンA，Dや高度不飽和脂肪酸*の

まいわし（本村　浩之）

めざし（平　宏和）

丸干し　上：まいわし，下：うるめいわし（平　宏和）

かたくちいわしを水，砂糖，食塩やみりん，しょうゆ，水飴などを溶かした調味液に漬け込んだものを天日または機械乾燥し，でん粉，デキストリン*などのつや出し溶液を噴霧後，白ごまを散布，乾燥して仕上げる．

●目刺し

成 10053（生），10054（焼き）　英 Mezashi；(salted skewered, and semi-dried whole anchovy)

片眼から下顎へ，わらでからげて製品としたもので，かたくちいわしが多いが，これは取引きが串単位で行われることで大型魚が敬遠されるからである．関東方面では，短時間の乾燥にとどめた，いわゆる生干しが主体であるが，関西方面ではうるめいわしなどを十分に乾燥した上干しが好まれる．うるめいわしは乾燥時に両眼を通し，製品とするときには眼球を取り除くのが普通である．

イコサペンタエン酸*（IPA），ドコサヘキサエン酸*（DHA）なども特に多い．

●丸干し

成 10052　英 Maruboshi；(salted and dried whole sardine)

食塩水に漬けたまいわし，うるめいわし，かたくちいわしを丸のまま乾燥したもの．昔は塩漬した魚をすのこ上に広げ，十分に日乾したが，今では丸竹などを鰓蓋（えらぶた）から口へ通しつり下げて，人工乾燥機に入れて乾燥するつり干しという製法でつくられた生干しが一般的である．関西方面などでは，十分に乾燥した上干し（本干し，かた干し）したうるめいわしも好まれる．また鰓蓋から口へ丸竹やわらを通したままにしたものは，鰓刺し（ほほ刺し）と呼ぶ．

●みりん干し

成 10058（かたくちいわし），10059（まいわし）

英 Mirinboshi

魚類の調味干し品．脂肪の少ない時期のまいわし，

いわし油漬け　⇨オイルサーディン

 いわな 岩魚

成 10065（養殖　生）　分 硬骨魚類，サケ科イワナ属　学 Salvelinus leucomaenis　別 地 きりくち（吉野，熊野）；いもうお（福井）；ごき（鳥取）；にっこういわな；やまといわな；むはんいわな；ながれもんいわな（生息地の型の区分名称）　旬 夏

日本特産の淡水魚．全長30cmぐらいになる．あめますの陸封型の一つである．体側に灰色の丸い斑点と朱紅色の斑点とが混在する．冷たい水を好み，やまめよりもさらに上流，高山（500～2,000m）の渓流に棲む．貪食で，岩陰にあって昆虫，そのほかの動物を捕食する．谷の霊，水の精などと呼ばれ，釣り人に喜ばれる．味は美味だが，寄生虫がいる場合が多く，生食には向かない．塩焼き，フライなどにする．イワナ属にはいわなと同種のあめます，ごき，異種のおしょろこま，かわますなどがみられる．

みりん干し（かたくちいわし）（平　宏和）

◇**成分特性** 『食品成分表』のいわなは養殖魚で，海産のますやにじますなどと比べると水分が100g当たり76.1gとやや多く，その分たんぱく質がわずかに少ない．また脂質（TAG当量）*は2.8gとかなり少なく，ビタミンA, Dなども少ない．肉質は白く，軟らかい．

◇**保存・加工** 主に活魚，丸のままのチルドとして流通する．加工は昔からの焼干しを除けば，土産品的なすし，燻製，うま煮（甘露煮），骨酒などに限られる．

◇**調理** 魚の処理は庖丁で軽くぬめりを落とし，塩水でさっと洗い，えら・内臓を取り除いて用いる．※和風では，振り塩後串を刺し，化粧塩をして塩焼きにしたり，練りみそを塗って焼く魚田がある．新鮮な場合は姿ずしにもする．洋風では，ムニエルやグリエ，フライ，中華風には，唐揚げの材料として好適である．

●**いわなの骨酒（こつざけ）**
鱗や内臓を除き，素焼きにしたいわなに，熱燗の酒を注いだもの．蓋をしてしばらくおくと，うっすら色づいた骨酒ができる．また，白焼きしたいわなを2〜3日風干ししてから用いると，まろやかな骨酒が得られる．白山水系，手取川のいわなの骨酒は，名物になっている．

いわなし 岩梨

分 ツツジ科イワナシ属（匍匐（ほふく）性常緑低木） **学** *Epigaea asiatica* **英** Iwanashi **旬** 夏

梨という名がついているが，バラ科の梨とは別種である．春に淡紅色の釣り鐘状の花をつける．夏に直径1cmほどの果実をつけ，果面は毛で覆われ，果実の中に白色の多肉質の胎座が発達しており，この部分を食用とする．果実の甘い味が梨に似ているのでこの名がある．北海道の南西部から本州の日本海側の山に自生している．栽培はされていない．

◇**加工** 北海道では，地域特産品としてびん・缶詰に加工される．

いわのり 岩海苔

成 09007（素干し） **分** 紅藻類ウシケノリ科アマノリ属 **学** *Neopyropia* spp. **英** Iwa-nori；spontaneous purple laver

スサビノリ，アサクサノリなど，養殖に用いられる品種以外の天然に産するアマノリ属（*Neopyropia*）の俗称である．数種類あり，一般に外洋に面した岩盤上などに着生するため，温和な条件の内湾で養殖されたものに比べ葉が硬い．

◇**成分特性** 成分は養殖あまのりと大差ないが，香りが強く，風味もよい．

◇**加工** 初冬から春にかけて，干潮時に沿岸の岩盤などからはぎとった原藻を抄（す）いて製品とするが，乾のりに比べて粗雑である．地域的な産物で，生産量が少なく，比較的高価である．

イングリッシュマフィン

成 01036 **英** English muffins

副原料の添加量が少なく，膨張剤にはイーストを使うパンである．一方，アメリカンマフィン（マフィン*）は膨張剤にベーキングパウダー*が使われる．薄焼きされたパンの周囲にフォークを差し込んで側面から割り，トーストして，熱いうちにバター，ジャム，マーマレードなどを添えて食べる．軽くこがしたときの芳香が大切にされ，内相の目が粗いのも，スライスせずにざっくりと割ってトーストするのも，こげ面を多くするのに役立つ．モチモチした独特の食感をもったパンである．

イングリッシュマフィン（平　宏和）

いんげん豆　⇒ふじまめ

いんげん豆 隠元豆；菜豆

成 04007（全粒 乾），04008（全粒 ゆで） **分** マメ科インゲンマメ属（1年生草本） **学** *Phaseolus vulgaris* **英** kidney bean **別** 菜豆（さいとう）；五月ささげ **地** 三度豆（関西）

原産は中南米で，原住民により古くから栽培されていた．その後ヨーロッパから世界各国に渡り，現在ではマメ科食用作物中で最も栽培面積が広い．日本へは承応3（1654）年に僧隠元によって中国から伝えられたといわれている．子実（種実）用とさや用があり，それぞれがつる性と矮性（つるなし）に分けられる．子実用はさやが硬く，種

いんげん豆
上左:大正金時,上中:手亡,上右:うずら豆,下左:大福,下右:虎豆
(平 宏和)

子を煮豆,あんなどの加工原料とする.さや用はさやが軟らかく野菜として用いられる(さやいんげん*).

◇品種 世界には非常に多くの形質多様な品種があり,そのうち日本の主要品種としては,金時類,手亡(てぼう)類,うずら類,大福(おおふく)類,虎豆類などがある.流通上,大福,虎豆は高級菜豆(さいとう)に分類されるが,種の異なるべにばないんげん*(Phaseolus coccineus)もこれに含まれる.子実用とさや用では,品種が異なる(さやいんげん*).

金時:種皮は赤紫色,長楕円形の中～大粒品種群で金時豆と総称し,日本の代表的ないんげん.金時から派生した白金時豆もある.煮豆,西洋料理に使われる.

手亡(てぼう):種皮は白色,楕円形の小粒品種.大部分が製あんに使われる.

うずら豆:種皮は淡褐色の地に赤紫色の斑紋がある鶉(うずら)の卵の模様に似た中粒品種.主に煮豆,甘納豆に使われる.

大福(おおふく):つる性で種皮は白色,扁平な腎臓形の極大粒品種.甘納豆,煮豆,和菓子,豆きんとんなどに使われる.

虎豆:つる性で種皮は白色の地にへそ*(目)の周りを囲むように濃黄褐色と淡黄褐色の斑紋のある大粒で,煮豆に最も適した品種.

◇成分特性 主成分は炭水化物,次いでたんぱく質で,炭水化物の主体はでん粉で約60%を占め,このほかにペントサン8.4%,デキストリン*3.7%,セルロース*3.1%,ヘミセルロース*0.8%を含み,糖類としてしょ糖,スタキオースを2～6%含む.たんぱく質の70%前後はグロブリン形態をしており,残りはアルブミン*,グルテリン*である.このグロブリン*はファゼオリンと呼ばれる.いんげんのアルブミンはファゼリンと呼ばれる.たんぱく質のアミノ酸組成はメチオニン,シスチンが少なく,トリプトファンもやや少なめである.生物価は大豆より劣り38(幼ラット)である.

無機質はカリウムが全灰分の40%以上を占める.

特殊成分:生や加熱不足の豆には,食中毒症状を呈するフィトヘマグルチニン〔レクチン(糖結合たんぱく質の総称)の一種〕の活性があるため,加熱は十分に行う.

◇加工 種子は菓子,甘納豆,あん,缶詰の原料として使われるが,特に手亡類などの白いんげんは白あんの原料として多用される.

◇調理 大型で子葉部の比率が大きく,煮ると表皮が軟化するので煮豆に最適である.でん粉質の豆で甘味とよく合うので,味付けには砂糖をたっぷり用いる.うずら豆,白いんげん,虎豆など,いずれも煮豆を代表的な調理形態とする.白いんげんはそのほかに色を生かして豆きんとんにする.※和菓子材料:あずきの赤あんに対して,白いんげんは,白あんの材料になる.原則として皮を除き,こしあんとして用いる.そのほかに粒のまま砂糖をからめ甘納豆にする.※西洋料理では豚肉とベーコン,トマトと煮込んで食べることが多い.中国料理でもはまぐり,あさり,たにし,さざえなどとともに煮込みにする.

インスタントコーヒー ⇨コーヒー

インスタント食品

英 instant foods；convenience foods **別** 即席食品

特定保健用食品，特別用途食品*とは異なり，食品衛生法*，食品表示法*などの法律的な規制を受けた名称ではない．広義には「食用に際して煩雑な調理労力と時間を必要としないもので，貯蔵または保存に特別な器具を必要とせず，さらに輸送および携帯に便利な食品」と定義されている．缶詰，びん詰とレトルト食品（牛飯，カレー，調理済み食品など），半乾燥や濃縮食品（レバーペーストや濃縮スープなど），乾燥食品（即席麺，インスタントコーヒー，粉末食品や一連の凍結乾燥食品），冷凍食品（茶碗蒸し，ハンバーグステーキ）などである．狭義には「元来，調理にかなりの時間と労力を要したものが，あらかじめある程度の加工処理をされて，簡単な調理操作だけで食べられる加工度の高い乾燥食品」を指しており，インスタントラーメンやケーキミックス，粉末清涼飲料とインスタントコーヒーなどをいっている．昭和32（1957）年頃から粉末清涼飲料，即席麺，即席カレーとして一分野の食品群として定着し，食生活の中に入ってきたものである．

いんろう漬　印籠漬

英 Inro-zuke

うりなどの中に香辛野菜を詰め込んで，たまりの多い赤みそ中で熟成させた漬物．切り口の形が印籠に似ていることから，この名がある．なお，印籠は，古くは印や朱肉を入れ，江戸時代には薬なども入れて腰につるした，扁平な長方形の小箱である．主にみそ漬であるが，粕漬，しょうゆ漬に仕上げたものがある．なお，印籠漬を鉄砲漬*と称する地方もある．

◇**原料**　主にしろうりが用いられるが，きゅうり，青うりも用いられる．しろうりは，なるべく短く，太く軟らかいものがよい．中に詰める香辛野菜として青じその葉，生姜，みょうがの花蕾*，山椒の実，青唐辛子などが使われる．

◇**漬け方**　しろうりの両端を切り落とし，中身をくり抜いて円筒にして種子が残らないようにし，水洗いしてから内面に食塩を一面にぬる．香辛野菜を細切りし，食塩でもみ，固くしぼっておき，うりの中に固く詰め込む．これを3％食塩で，原料の1/2量の重石をして2～3日漬け込む．取り出して1日ほど陰干しして，たまりの多い赤みその中に漬け込み，半年ほど熟成する．その後の食用期間は1年くらいである．

いんろう漬（奈良漬け）（平　宏和）

う

うきょう　⇨フェンネル

ウイスキー

成 16016　英 whisky；whiskey（米）

ウイスキーは発芽穀類（主として麦芽*）を主原料として糖化，発酵させたもろみ*（醪）を蒸留してつくられる．穀類を発酵，蒸留する点では，ジンやウオッカなどの無色透明な酒と同じだが，蒸留してから樽でねかせて熟成させるところが，ジンやウオッカと違う点である．この樽熟成により，琥珀（こはく）色に変わる．

◇**酒税法による定義**　酒税法では，次の通り定められている．

① 発芽させた穀類および水を原料として糖化，発酵させたアルコール含有物を蒸留したもの
② 発芽させた穀類および水によって穀類を糖化させて発酵したアルコール含有物を蒸留したもの（いずれも蒸留の際の留出物のアルコール分が 95％未満のもの）
③ 上記①または②に掲げる酒類にアルコール，スピリッツ，香味料，色素または水を加えたもの ただし，①または②の酒類のアルコール分の総量がアルコール，スピリッツまたは香味料を加えた際の酒類のアルコール分の総量の 100 分の 10 未満のものを除く，となっており，具体的にいうと，ウイスキーの範囲はウイスキー原酒（①モルトウイスキー，②グレインウイスキー）とこれが 10％以上混和されているものに限られ，さらに蒸留の際の留出物のアルコール分が 95％未満に規制されている．

◇**歴史**　起源は明らかでないが，蒸留の技術は錬金術の工程から発生したともいわれ，11～12 世紀頃，アイルランドでつくられていたのが，ヘンリー 2 世のアイルランド遠征時（11 世紀後半）にスコットランドに伝わったといわれる．当時はストレートモルトウイスキーであったが，1826 年コフィーによる連続式蒸留機が発明され，グレインウイスキーがつくられるようになり，モルトウイスキーとの混合により大量生産が始まった．なお 1877 年には 6 つのウイスキー会社が集まって英国の蒸留者協会（D.C.L.）が発足し，徐々にモルトウイスキー会社を吸収して，現在ウイスキー取引の大半を押さえるまでになった．

日本のウイスキー：明治 44（1911）年に初めてウイスキーが寿屋（現・サントリー）から製造・発売された．大正 13（1924）年にはスコットランドのグラスゴーでウイスキーづくりを学んだ竹鶴政孝（現・ニッカウヰスキー創業者）が鳥井信治郎（現・サントリー創業者）に請われて本格ウイスキーの製造を開始した．昭和 39（1964）年にはグレインウイスキーの製造がなされ，ジャパニーズウイスキーとしてのタイプづけがなされてきた．近年，急速に需要が伸びている．

◇**分類**　**産地による分類**：ウイスキーは生産地別にスコッチウイスキー（英国），アイリッシュウイスキー（アイルランド），バーボンウイスキー（米国），カナディアンウイスキー（カナダ），ジャパニーズウイスキー（日本）などに分かれ，それぞれ独特の香味を有している．

原料による分類：麦芽のみを使用するものをモルトウイスキー，麦芽以外にとうもろこしやライ麦を用いるグレインウイスキー（バーボン，カナディアン，混合用ウイスキー）ならびにモルトウイスキーとグレインウイスキーを調合したブレンデッドウイスキーの 3 種類がある．

◇**成分特性**　ウイスキーもろみ（醪）を蒸留してつくるから，水と揮発性成分が主体である．ただ

バーボンウイスキー
（平　宏和）

グレインウイスキー
（平　宏和）

ブレンデッドウイスキー（平　宏和）

し，焼酎と違って樽貯蔵されるため，樽から溶出する不揮発性成分がわずかに含まれる．揮発性成分の大部分はエチルアルコールであるが，わずかに含まれる多種類の揮発性，不揮発性成分がウイスキーの品質を左右する．通常，ウイスキーはアルコール容量％で43，40，39のものが多く，これを質量換算すると，ウイスキー100g中36.1g，33.4g，32.5gのエチルアルコールがそれぞれ含まれることになる．エチルアルコール以外の成分としてエステル*は100mL中平均25mgで，バーボンウイスキーはやや含量が高い．フーゼル油*成分は100mL中プロパノール0.4〜16mg，イソブタノール5〜130mg，イソアミルアルコール15〜240mg，フェネチルアルコール1〜2mgが含まれ，一般にアイリッシュ，バーボンウイスキーが他のウイスキーよりも含量がわずかに高い．カルボニル化合物も多種類含まれるが，アルデヒドとして100mL中7〜40mgで，このうち大部分はアセトアルデヒドとアセタールである．他方，樽材から溶出される不揮発性成分の総量は0.1％以下であるが，ウイスキーのうま味，香りに重要な役割を果たしている．そのうちフェノール性物質は100mL中8〜15mgと最も多く，糖類は少量だが，ぶどう糖，果糖などの六炭糖*のほか，五炭糖*も含まれる．そのほかβ-メチル-γ-オクタラクトンなどの重要な香気成分も含まれる．

◇保存　室温に保存し，冷蔵庫には入れない．
◇飲み方　ウイスキーは特有な香りがあるので，芳香を楽しみながら，まろやかな味を味わって飲むため，そのまま飲まれる．ただしアルコール度数が高いから，かたわらに冷水をおいておく．そのほか，よく用いられるものにオンザロックがある．オールドファッション・グラスに氷を重ねておき，この上からウイスキーを注ぐ．よく飲まれる水割りはグラスに氷を入れ，次にウイスキー，水の順に注いだもの．ハイボールは一般に蒸留酒またはシェリーをソーダで割った飲み物のことであるが，ウイスキーが最も多用される．そのほかウイスキーをベースにしたカクテルも多い．

●グレインウイスキー
英 grain whisky
grainは穀物，特に英国ではcornと同じ意味に用いられる．名前の通り，原料として約8割をとうもろこし，2割はピートで燻煙しない麦芽*を混ぜたものを用い，連続式蒸留機で蒸留したもの．ピート香がなく，マイルドな味わいをもつ．とうもろこし以外にライ麦を使うこともある．
◇製法　粉砕とうもろこしと燻煙されない二条大麦麦芽（ときには六条大麦麦芽が使用される）で糖化（とうもろこしの質量に対して4倍の水と10〜30％の麦芽を加え，60℃で糖化する）し，その糖化液を酵母で発酵し，簡単な連続式蒸留機（パテントスチル）で蒸留し，留液を樽貯蔵する．以上はスコッチ，日本などのブレンド用グレインウイスキーの製法であり，バーボンウイスキー，カナディアンウイスキーの製造にはとうもろこし以外にライ麦が使用される．ライ麦の使用量が多いと香味が濃厚となる．なおバーボンウイスキーの貯蔵には内面を焼いた樫樽が使用される．

●ブレンデッドウイスキー
英 blended whisky
モルトウイスキーとグレインウイスキーを混ぜたもの．スコッチウイスキーの大半はこのタイプ．普通，数種から数十種のモルトウイスキーと1〜2種のグレインウイスキーをブレンドしてつくる．

●モルトウイスキー
英 malt whisky
ピートの燻煙臭をつけた二条大麦麦芽（モルト）だけを原料としたウイスキー．ウイスキーの原酒ともいわれる．蒸留所ごとにピート香と樽香の付け方に特色があり，個性あるモルトウイスキーが生まれる．他の蒸留所の原酒を一滴も混ぜていないものは，シングルモルトウイスキーと呼ばれ，清酒の生一本に相当する．
◇製法　二条大麦でビールと同様に緑麦芽をつくり，燻煙室でピートと無煙炭を混ぜて下から焚き，乾燥と焙煎を行う．初め30℃，24時間，次に50〜70℃，48時間処理する．この工程で麦芽に特有の香りが付与される．これはそのまま製品に移行して煙臭をつける．この煙臭はグアヤコールまたはクレゾールなどのフェノール系化合物と

いわれている．次に麦芽*は除根，粉砕され，糖化槽に送り込まれる．これに水を緑麦芽の4倍量加え60〜65℃で約1時間加温し糖化をはかる（インフュージョン法）．次に糖液を抜きとり，残渣にさらに水を加えて75℃に加温し，糖化を進行させた後，糖液を抜きとって両糖液を合併し（pH 5.3，糖度13％内外），ウイスキー酵母を加えて25℃，3〜4日間発酵する．発酵終了したもろみ*はポットスチル（間接加熱）で2回蒸留する．1回目はアルコールを全部留出するようにし，2回目は初留と後留をカットし，中留区分のみを集める．アルコール分は約60〜68％で，これを樫樽に入れて長く貯蔵する．

ういろう 外郎

🈳 15006（白），15147（黒）　🈶 Uiro；(steamed rice sweet dough)

うるち米の粉に砂糖を加えてせいろうで蒸したもので，淡白な味と，軟らかでしかも歯切れのよい食感が特徴である．

◇**由来**　室町時代初期の頃，元より陳宗敬が来朝し，透頂香（とうちんこう）という痰（たん）切りの妙薬を伝えた．これが後に外郎薬（ういろうぐすり）として全国に広まった．"外郎"は陳宗敬の中国での官職名．菓子のういろうはこの薬に似ていたことによるという．そのほか諸説がある．

◇**原材料・製法**　当初のものは米の粉と黒砂糖を用いていたが，現在では白砂糖を用いた白ういろうが一般的である．そのほかには，抹茶の色と風味が添加されたものなど，各種ある．ないろ（内郎）と呼ばれるものは，こしあんを混ぜ込んだもので，名古屋の大須ういろの創製品である．またういろうには大別して，包み物，延ばし物，枠流し（棹物）の3種がある．これらはすべてうるち米の粉（上新粉）を主原料とし，もち米粉，浮粉（うきこ：小麦でん粉）またはくず粉に砂糖を加え，用途に応じて硬さを調整する．

　製法：上新粉に砂糖などを混ぜ合わせて，水を徐々に加えながら攪拌して，半流動状にこねつける．このときの硬さは，枠流し用なら液状に，延ばし物用なら包み物用より少し硬めにするなどの相違がある．こね上げたものを用途に応じて枠に流したりしてから，せいろうで蒸す．

◇**保存**　ういろうは蒸し菓子であるため日持ちが悪く，普通は4，5日くらいである．日数が経過するに伴って，でん粉が老化して硬くなるので，食べる際は蒸し直しをすると軟らかさがもどって

上：ういろう，下：ひと口ういろう（平　宏和）

よい．ただし，近年は包装技術が進み，多層ラミネートフィルムで包装された製品では，かなり保存性のよいものもある．名古屋地方や山口，小田原，三重などを中心に，日本各地でつくられている．

ういろうちまき　⇨ちまき
ウインナーソーセージ　⇨ソーセージ
ウインナコーヒー　⇨コーヒー

ウーシャンフェン 五香粉

🈢 五香粉（wuxiangfen；ウーシャンフェン）

各種の香辛料を配合した中国の代表的な混合香辛料である．五香（ウーシャン）は数種を意味し，必ずしも5種類とは限らない．主なものはシナモン，クローブ，花椒，陳皮，八角などである．細かい粉末なので，肉類にすりこんで臭み消しと香味付けに利用しやすい．食塩と混ぜたものは五香塩（ウーシャンイエン）と呼ばれる．

ウーシャンフェン　原材料：陳皮，八角，フェンネル，花椒，シナモン（平　宏和）

ウーロン茶　⇨中国茶，ちゃ類

ウエハース

成 15092, 15141（クリーム入り） 英 wafers

洋菓子の一種で，極めて軽い焼き菓子である．中世のヨーロッパで，教会の儀式用のパン（host）として修道士によりつくられ，その後，菓子として発達した．わが国では明治30年ごろ凮月堂の二代目米津恒次郎によって生産販売されたのが始まりである．非常に軽い食感をもち，そのままでも食べられるが，多くは2枚のウエハースにバニラやチョコレートをはじめ，各種のフルーツフレーバーのクリームをはさみ込んである．英語の名称 wafers が複数形であるのもこのことを意味している．

◇原材料・製法　基本的原料は小麦粉と水，膨張剤であるが，通常はこれに食塩，粉乳，砂糖，鶏卵，香料などが加えられる．小麦粉は強力粉と薄力粉をブレンドした中程度のものがよく，これに水をたくさん含ませることによって非常に軽いものができる．原料を混合して流動状の生地をつくり，あらかじめ熱した鉄製の焼き型に流して薄板状に焼き上げる．焼き型には格子模様のついたものが多く用いられる．

◇用途　特に消化がよく，生地だけのものや砂糖シロップのゼリーをはさんだシュガーウエハースは，離乳期の幼児や病人にも安心して与えることができる．乳幼児向けにカルシウムやビタミン類を強化したものも普及している．また，アイスクリームなどに添えられ，冷えすぎた口の中の感覚を戻すための一種の口なおしとして利用されている．

ウエハース（平　宏和）

ウオッカ

成 16018　英 vodka　露 водка

ロシアで伝統的につくられた蒸留酒で，14世紀頃からつくられ，帝政末期のロシア皇帝はこれを愛飲したといわれる．酒税法では，スピリッツに分

ウオッカ（平　宏和）

類される．

◇製法　とうもろこし，小麦，大麦，ライ麦（北欧ではじゃがいももよく使われる）を蒸煮し，麦芽*を加えて糖化させる．次いで発酵させたものを，高性能の連続式蒸留機で蒸留したアルコールを水で40〜60％に薄めたのち，白樺の炭の層を通して濾過精製したものである．炭を通過することにより，粗さ，不純物からくるにおいや味が消され，ウオッカ特有のまろやかな甘さのある酒になる．このように無色透明で無臭，味も淡くまるいのが特徴であり，貯蔵には木樽は使用せず，ステンレス，ほうろうタンクが用いられる．また最終製品に少量の砂糖や塩類を加えて風味を和らげることもある．

◇飲み方　ストレートでも飲まれるが，アルコール分が高いため，ミネラルウォーターで割るか，トマトジュースで割って飲む．

うぐい 鯎；䱵；石斑魚

成 10066（生）　分 硬骨魚類，コイ科（ウグイ科）ウグイ属　学 *Pseudaspius hakonensis*　英 Japanese dace；shier；minnow；white mullet　別 地 いだ（中国，四国，九州）；はや；あいそ；あかはら（関東，東北）；まるた（海からの遡上群をいう．まるたうぐいとの混称）；あかうお（長野）；やなぎば（琵琶湖，小型）；いご（山陰）　旬 冬

全長30cm．主として河川の上・中流に棲む．体は紡錘形でやや側扁する．青みがかった銀白色，細かい鱗に覆われている．小魚，水生昆虫，水藻などを食べる雑食性の魚である．産卵期には体側に3条の赤色縦帯の婚姻色が現れる．いつも海に棲み産卵のため川に上るもの（降海型）と，川だけで生活する純淡水型のものがある．琉球列島を除く日本各地，国外ではサハリンと朝鮮半島南部に分布する．寒ばやといわれる冬が旬である．

うぐい（本村 浩之）

◇**成分特性** コイ科の魚で，成分的には同科のふなに似ているが，ビタミンA，Dの含量がふなよりも特に高い．焼干しに加工される．

◇**調理** 大きいものは肉中に枝骨が多いので食べにくいが，10cm前後のものは，塩焼きをはじめ，魚田，煮浸し，南蛮漬にしたり，さらに小さいものは甘露煮にする．山椒みその魚田などにはオツな味がある．

●**えぞうぐい**

蝦夷鯎　学 *Pseudaspius sachalinensis*　英 rosy-face dace　別　地 うぐい（北海道，混称）；ねずみじゃこ（青森）；ふーなが；むぎばえ（福島）

全長25cm．普通のうぐいより頭が細長く，口先が前下方に突出している．婚姻色は，雌は赤色がなく雄も頬の下方のみ赤くなる．コイ科の淡水魚で，成分的には同科のふなに似ている．貯蔵のため焼干しにされる．北海道と東北地方に分布する．

●**まるた**

丸太　学 *Pseudaspius brandtii maruta*　英 Far Eastern dace　別 じゅうさんうぐい；まるたうぐい；ゆさんうぐい（これらは型の区分名称）　地 じゃっこ；おおがい；せぐろ（青森）；まるた（関東）

降海型のうぐいと同種と思われていたが，最近別種とされた．まるたとじゅうさんうぐいは近縁で亜種関係．全長50cmほどになる．婚姻色は腹部に1本だけ現れる．成魚は川の汽水域と海岸近くに生息し，産卵期は3月下旬から5月下旬で川の中流域に遡上し産卵する．孵化後，全長35mm程度で海水に対する抵抗性を獲得し，海に下る．岩手から東京にかけての太平洋沿岸に分布する．

 うぐいす豆

成 04016　英 Uguisu-mame；(green peas cooked with sugar and salt)

青えんどうを砂糖で煮たもので，うぐいす色に煮上げるので，この名がある．砂糖が平均38％加

うぐいす豆（平　宏和）

えられている．市販のうぐいす豆は，着色料として食用黄色4号と食用青色1号とを調合してきれいなうぐいす色とし，このほかに保存料としてソルビン酸カリウムが添加されているものもある．また，重曹（炭酸水素ナトリウム*）を加えて煮ると味がよくなる．

🍬 **うぐいすもち** 鶯餅

成 15007（こしあん入り），15148（つぶしあん入り）　英 Uguisu-mochi；An-stuffed rice cake covered with roasted and ground soybean）

砂糖の入った軟らかい餅であん（餡）を包み，両端を尖らせて青きな粉をまぶし，形状や色をウグイスにみたてた餅菓子である．

◇**原材料・製法** 原料に白玉粉を用いるものと，もち米を用いるものがあり，製法もそれぞれ異なっている．白玉粉を用いる場合の基本配合は，白玉粉100，砂糖100，水あめ50，青きな粉15の割合が一般的である．白玉粉の練り方は，蒸し上げ法，水練り法および茹で練り法の3通りがある（ぎゅうひ*）．一般的な蒸し上げ法では，まず，白玉粉に水を徐々に加えてこねつけて，生地の硬さを手でちぎれる程度にする．これをせいろに入れて蒸したのち，臼で軽くつく．これを容器に移して砂糖を4～5回に分けて加え，さらに水あめおよび青きな粉を加えて十分に練る．練り上がったら青きな粉の入った箱へ移して，適当量ちぎってあずきこしあんを包む．包み方は，あんを半分以上に包んだら，生地を合わせてから両端を尖らせてウグイスの形にする（この工程を省いた製品も多い）．その上に，目の細かいふるいを通した青きな粉を，平均にかけて仕上げる．

もち米を用いる製法では，水漬けしたもち米を蒸してある程度つきまとめてから，砂糖を徐々に加えて完全につき上げる．これで白玉粉を用いた方法と同様にあんを包み，青きな粉を平均にかけて

うぐいすもち（平　宏和）

仕上げる．あんは普通，あずきこしあんを使用する．また，あんよりも生地の比率が多くなると，両端を尖らせた部分が垂れさがってしまうので，生地はあまり厚くしない．

うこぎ　五加木

分 ウコギ科ウコギ属（落葉性低木）　学 *Eleuth-erococcus sieboldianus*（ヒメウコギ）　英 Ukogi
別 ひめうこぎ；むぎ　旬 春

分布は本州のようであるが，元来は，中国から薬用植物として渡ってきたといわれている．垣根などに植えられたり，野生化して川岸などに自生している．棘のある落葉低木である．同類にやや大型のヤマウコギ（*E. spinosus* var. *spinosus*）がある．これには棘の多いものと少ないものがある．いずれも食用になるが，ヤマウコギの方はそのままでは苦味が強い．ウコギは雌雄異株*で，わが国では雌株が多い．枝は灰白色で，葉柄*が5〜8cm，葉は手のひら形5葉で，3〜5cm，濃緑色で長枝には互生，短枝には束生する．初夏に短枝の先端から花柄*を出し半球形に開き，小型の黄緑色の花をたくさんつける．果実は液果*（漿果）で球形をなし，熟すると黒くなる．果実酒として利用する．そのほかミヤマウコギ（*E. trichodon*），西日本のウラジロウコギ（*E. hypoleucus*），北海道のエゾウコギ（*E. senticosus*）なども食用となる．

◇採取　春の新芽を摘む．新芽は全部採取せずにところどころ残すようにしないと枯れることがある．

◇調理　飯に炊き込んでうこぎ飯，お浸し，みそとの切り和え，天ぷらなどにする．ヤマウコギは苦味が強いので，いったん茹でて一夜水にさらしてアク抜きし，それから食べるようにする．

うこっけい卵　烏骨鶏卵

成 12001（全卵 生）　英 silky fowl's eggs

うこっけいは，中国原産の鶏の一種で，顔や骨が黒色をしているので，この名がある．卵は小型で，卵殻は淡褐色である．産卵率は低い．栄養素を強化した飼料で飼育した特殊卵も売られている．

産地：首都圏の周辺部などで，少数が飼育されているにすぎない．年間40〜50個しか産卵しない希少な卵である．

◇成分特性　一般成分上は鶏卵と比べて，特記すべきものはない．そのほかのビタミン，無機質，いずれも特別なものはない．ただし，栄養素を強化した飼料で飼育された場合は，それらの成分に増量がみられる．

◇調理　鶏卵同様，生食・ゆで卵・卵焼き・茶碗蒸し・卵豆腐・寄せ卵・汁の実など，あらゆる調理法に利用できる．そのほか酢卵・卵酒にも用いられる．

うこっけい卵（平　宏和）

うこぎ（飯野　久栄）

うごのり　⇨おごのり

うこん　宇金；鬱金

分 ショウガ科クルクマ属（多年生草本）　学 *Curcuma longa*　英 turmeric　別 ターメリック

熱帯アジア原産．生姜に似た多肉質の根茎*を乾燥させて利用する．黄色着色に用いられるスパイスで，サフランが西洋の黄色なら，こちらは"イ

うこん　上：ホール（インド産），下：パウダー（インド産）（平 宏和）

ンドのサフラン"とも呼ばれるように，東洋の着色スパイスの代表といえる．カレーパウダーにはうこんの粉末が20〜40%含まれ，たくあんやマスタードの着色にも用いられる．インドなどから輸入されている．

わが国への伝来は18世紀前半（享保年間）といわれる．欧州へは，その後入ったといわれる．

◇成分特性　やや土臭く苦味も少しあるが，香味感は弱い．その特色はクルクミンという黄色色素で，水には溶けにくいが，油や酒（スピリッツ類）にはよく溶ける．着色力は極めて強く，世界各地で染料として利用されている．また原産地の東南アジアでは，宗教上も大切な役割をもち，清めや魔除けとしても用いられている．さらに，和漢薬として肝炎や胆石，黄疸などに，うこん茶（沖縄ではウッチンとして親しまれている）として用いられている．100g当たりの成分値は，エネルギー312 kcal（1,300 kJ），水分12.8g，たんぱく質9.7g，脂質3.2g，炭水化物67.1g（食物繊維22.7g），灰分7.1gである（米国食品成分表）．

◇調理　カレー粉やたくあんに用いられるほか，ブイヤベース，パニリヤなどにサフランの代用として使われる．また，加工品の原料として，マーガリンやバター，チーズ，リキュールなどにも利用される．

うさぎ 兎

成 11003（赤肉 生）　分 ウサギ科アナウサギ属　学 Oryctolagus cuniculus var. domesticus（イエウサギ）　英 rabbit（家うさぎ）；hare（野うさぎ）

分類学上はノウサギ，アマミノクロウサギ，ナキウサギに分けられ，食用上は野うさぎと家うさぎに分けられる．家うさぎは，野生のアナウサギの家畜化されたもの．アナウサギはヨーロッパの中部以南と北アフリカに分布し，わが国の野うさぎとは別種のものである．家うさぎには肉用種，肉毛兼用種，毛皮用種，毛用種，愛玩用種があり，日本でよく知られているのは兼用種の白色日本種および毛用種のアンゴラ種である．

◇品種　肉用種にはベルジアン，フレミッシュなどがある．ベルジアンはベルギー原産．体は灰褐色，後足と耳が長い．フレミッシュはフランス原産．灰色，白，黒，あいなど，各色の毛色があり，耳は垂れている．ニュージーランドホワイトフレミッシュは兼用種である．

◇飼育　家うさぎは1年中繁殖可能で，種付け後約1ヵ月で5〜6羽の子を産み，約4ヵ月で成熟する．飼料は雑草類，野菜類，ふすま，おからなど．

◇成分特性　脂肪が少なめであるほかは他の肉とあまり変わらない．ただしリンとナイアシン*はやや多い．肉質は軟らかで，味は鶏肉に似て淡白である．

◇調理　扱いは鶏肉と同じように考えてよいが，煮込み料理，スープ蒸し，また，みその味にも合うとされる．野うさぎ肉は臭い消しのために，香辛料を用いたり濃いめの味付けにすることもある．洋風ではワインを使った煮込みや網焼きなどがある．

うし 牛

成 表1を参照　分 ウシ科ウシ属　学 Bos taurus　英 cattle；beef（成牛肉）；veal（子牛肉）　別 ビーフ（牛肉）

牛が家畜化されたのは新石器時代初期で，当時はイラク，シリア，エジプトで飼育されていたといわれる．現代の牛にはヨーロッパ系のものとアジア系のものがあり，その起源を異にする．ヨーロッパ系はオーロックスとケトルウシを先祖とする．オーロックスはかつてはヨーロッパと近東に広く分布していたが，17世紀頃絶滅したという．アジア系はインドのコブウシから出発している．

日本の牛肉食：日本でも牛は早くから飼われ，食用にも供されていた．『古語拾遺』に「昔在神代，大地主神営田之日，位牛宍食田人……」とある牛

表1　うしの成分組成（日本食品標準成分表2020年版（八訂）より）　　　　　　　　　　　　　　　（100g当たり）

食品番号・食品名		エネルギー(kcal)	水分(g)	たんぱく質(アミノ酸組成)(g)	脂質(TAG当量)(g)	利用可能炭水化物(g)	灰分(g)	葉酸(μg)
かた	和牛肉							
11004	脂身つき　生	258	58.8	17.7†	20.6	(0.3)*	0.9	6
11005	皮下脂肪なし　生	239	60.7	18.3†	18.3	(0.3)*	0.9	6
11006	赤肉　生	183	66.3	20.2†	11.2	(0.3)*	1.0	7
11007	脂身　生	692	17.8	4.0†	72.8	5.2‡	0.2	1
	乳用肥育牛肉							
11030	脂身つき　生	231	62.0	17.1†	18.0	(0.3)*	0.9	6
11031	皮下脂肪なし　生	193	65.9	17.9†	13.4	(0.2)*	0.9	7
11032	赤肉　生	138	71.7	17.4	5.7	3.4‡	1.0	8
11033	脂身　生	650	21.9	4.5†	67.7	5.6‡	0.3	1
11301	赤肉　ゆで	174	63.2	24.5	6.0	5.6‡	0.7	9
11302	赤肉　焼き	175	63.4	23.6	6.7	5.2‡	1.1	11
11309	脂身つき　ゆで	298	54.9	20.8†	23.8§	(0.1)‡	0.4	3
11310	脂身つき　焼き	322	50.3	23.0†	25.5§	(0.1)*	1.0	50
	輸入牛肉							
11060	脂身つき　生	160	69.4	19.0†	9.3	(0.1)*	0.9	5
11061	皮下脂肪なし　生	138	71.5	19.6†	6.6	(0.1)*	1.0	6
11062	赤肉　生	114	73.9	20.4†	3.6	(0.1)*	1.0	6
11063	脂身　生	537	32.0	7.1†	56.5	0*	0.4	3

宍（うししし）は牛肉であり，有史以前すでに食べられていたことがわかる．仏教の渡来以来，肉食の禁令が出され，その風習はだんだんすたれたが，ときおりは養生肉などと称し，ごく一部では食用に供されていた．幕末以後諸外国との交流が盛んになるにつれ，肉食の慣習は次第に復活したが，今日のように広く一般に普及するようになったのは第二次世界大戦後である．昭和30年頃からは，急速な消費の浸透がみられるに至った．ただ昭和40年代の前半には，肉用牛の中心種が役肉兼用種から乳用種へ転換される際，一時停滞がみられた．

◇**品種**　牛の家畜としての役割は乳，肉，労役の供給である．その目的に従い乳用種，肉用種，役用種，役肉兼用種に分けられる．肉用種は体長が長く，幅広く，深さがあり，外観は長方形に近く，よく肥り，早熟な産肉性のよい品種である．ショートホーン，アバーデンアンガス，デボン，ヘレフォード，シャローレなどがある．乳用種にはホルスタイン，エアーシャー，ジャージー，ガンジー，ブラウンスイス，シンメンタールなどがあるが，日本で飼育されているのはほとんどがホルスタインである．役用種は農耕などの労働力として使われていた牛なので，肉がしまり関節のしまっているものでアジア系のものに多い．インド牛，黄牛，朝鮮牛などがある．インド牛には役肉兼用のものもある．役肉兼用種は肉専用種と役用種の外見，特徴を具備するもので，和牛がこれであるが，実際には和牛も黒毛和種を中心に肉量および肉質を対象とした改良が進められている．

育成品種の地域差：牛は南北アメリカやオーストラリアのように，草地の豊かな新大陸では，乳専用牛と肉専用牛がはっきり分化し，肉牛は放牧地帯で育成される．ヨーロッパのように相対的に草地の少ない所では，乳肉兼用種が多く，牛肉の70％以上が乳牛または乳肉兼用種である．

わが国の品種と飼養：肉牛の品種としては英国のものが有名で，ショートホーン，アバーデンアンガス，デボン，ヘレフォードなどがある．乳肉兼用種としては乳用ショートホーンがある．乳専用種としてのブリティッシュフリージアンはホルスタイン種に属する乳用種であるが産肉性が高い．わが国のホルスタインは，米国からの輸入なのでブリティッシュフリージアンに比べ産肉性が落ちる．松阪牛に代表されるような霜降りの多い牛肉生産においては，単に脂肪交雑を増やすだけではなく，脂肪の質の向上にも配慮した生産が必要となりつつある．また，東北の日本短角種や高

食品番号・食品名		エネルギー (kcal)	水 分 (g)	たんぱく質 (アミノ酸組成) (g)	脂質 (TAG当量) (g)	利用可能炭水化物 (g)	灰 分 (g)	葉 酸 (μg)
かたロース 和牛肉								
11008	脂身つき 生	380	47.9	(11.8)	(35.0)	4.6*	0.7	6
11009	皮下脂肪なし 生	373	48.6	(11.9)	(34.1)	4.6*	0.7	6
11010	赤肉 生	293	56.4	(13.9)	24.4	4.5*	0.8	7
	乳用肥育牛肉							
11034	脂身つき 生	295	56.4	(13.7)	(24.7)	4.4*	0.8	7
11035	皮下脂肪なし 生	285	57.3	(13.9)	(23.5)	4.4*	0.8	7
11036	赤肉 生	196	65.9	(16.1)	12.7	4.4*	0.9	8
	輸入牛肉							
11064	脂身つき 生	221	63.8	(15.1)	(15.8)	4.5*	0.8	7
11065	皮下脂肪なし 生	219	64.0	(15.2)	(15.5)	4.5*	0.8	8
11066	赤肉 生	160	69.8	(16.6)	8.6	4.1*	0.9	8

† たんぱく質，§ 脂質，* 質量計，エネルギー計算は単糖当量に基づく，*＊ 差引き法

かた

かたロース

知系の褐毛和種のように，赤身型であることを特徴とした牛肉生産も注目される．わが国では中国地方を中心として西日本が主産地であったが，第二次世界大戦後，東日本，特に北海道でも生産が広まっている．

◇**品質特性** 牛肉は一般に明るい鮮紅色で，老齢になるに従って色が暗色を呈する．赤肉はきめが細かく，しまりがあり，弾力に富み，粘りがある．よく肥育し筋肉内に十分脂肪が沈着した，いわゆる"霜降り肉"は口当たりが軟らかく，独特の口中香があまく感じられ，最上肉とされる．

熟成：牛肉は屠殺後2〜3時間で硬直が始まり，12〜24時間で最大となり，以後熟成が完了するまでに0℃で10〜14日かかる．これは各種の肉の中で最長である．この熟成完了前の肉は硬く，調理時の加熱損失が大きいほか，牛肉らしい風味に欠けるとされる．牛肉は肉の中でも最も取り扱いによる品質の差がでやすいものである．

◇**規格・基準** 牛肉については枝肉取引規格，部分肉取引規格，小売肉品質基準および副生物取引規格がそれぞれ昭和37, 51, 52, 54年に設定された．その後種々の改正や政府の承認などを受け，枝肉，部分肉の規格については（公社）日本食肉格付協会の格付のもとに実施されている．また，他の2規格については普及が図られている．

枝肉・部分肉取引規格：枝肉は品種，性別を問わず，全枝肉を歩留と肉質（脂肪交雑，肉の色沢，肉のしまりときめ，脂肪の色沢と質）について評価し，それらの評価によって，A-5〜1, B-5〜1, C-5〜1の15区分に分けられるようになっている．部分肉は一定の方法によって13の部位に分割し，整形したものを枝肉同様5区分に格付けする．判定の基準は肉質（内容は枝肉に同じ）と重量区分（S, M, L）についてそれぞれ定められているが，基本としては枝肉の等級がそのまま適用されるようになっている．

小売肉品質基準：流通の簡易化，安定化を図る枝肉・部分肉取引規格と違い，消費者が購入する際の判断に役立てようとするもので，小売販売される牛肉の部位表示を定めることを主目的として

表1 うしの成分組成（つづき） （100g当たり）

食品番号・食品名		エネルギー (kcal)	水分 (g)	たんぱく質 (アミノ酸組成) (g)	脂質 (TAG当量) (g)	利用可能炭水化物 (g)	灰分 (g)	葉酸 (µg)
リブロース	和牛肉							
11011	脂身つき 生	514	34.5	8.4	53.4	(0.1)*	0.4	3
11012	皮下脂肪なし 生	502	36.1	9.4	51.5	(0.1)*	0.5	4
11013	赤肉 生	395	47.2	12.1	38.5	(0.2)*	0.6	5
11014	脂身 生	674	17.7	4.6	72.9	0*	0.2	2
11248	脂身つき 焼き	541	27.7	12.9	54.3	(0.2)*	0.6	5
11249	脂身つき ゆで	539	29.2	11.3	54.8	(0.1)*	0.3	3
	乳用肥育牛肉							
11037	脂身つき 生	380	47.9	12.5	35.0	3.9‡	0.7	6
11038	脂身つき 焼き	457	33.4	18.9	42.3	(0.3)*	0.9	10
11039	脂身つき ゆで	428	39.1	16.8	40.0	(0.3)*	0.4	7
11040	皮下脂肪なし 生	351	50.7	(13.0)	31.4	4.2‡	0.7	6
11041	赤肉 生	230	62.2	16.2	16.4	4.3‡	0.9	8
11042	脂身 生	703	15.6	3.2	76.7	0*	0.2	1
	交雑牛肉							
11254	脂身つき 生	489	36.2	10.3	49.6	(0.2)*	0.6	6
11255	脂身つき 焼き	575	26.4	12.6	58.2	(0.2)*	0.6	14
11256	脂身つき ゆで	540	29.1	12.4	54.5	(0.1)*	0.2	3
11257	皮下脂肪なし 生	438	41.0	11.7	43.3	(0.3)*	0.6	6
11258	赤肉 生	338	50.5	14.5	31.0	(0.4)*	0.8	7
11259	脂身 生	759	10.6	2.9	83.0	0*	0.2	5
	輸入牛肉							
11067	脂身つき 生	212	63.8	17.3	14.2	3.8‡	0.9	7
11068	皮下脂肪なし 生	203	64.5	(17.1)	13.1	4.3‡	0.9	7
11069	赤肉 生	163	68.6	(18.3)	8.2	3.9‡	1.0	7
11070	脂身 生	653	19.9	(4.7)	66.7	8.3‡	0.3	2
11268	脂身つき 焼き	306	49.8	21.6	21.9	5.7‡	1.0	7
11269	脂身つき ゆで	307	50.2	23.0	21.9	4.4‡	0.5	6
	子牛肉							
11086	皮下脂肪なし 生	94	76.0	(17.9)	0.5	4.5‡	1.1	6

リブロース

いる．この部位表示は輸入肉を含めて行われる．牛肉にはこれら取引規格や小売肉品質基準に基づく表示が行われるほか，食品表示法*や公正取引規約に基づく表示が要求される．なお輸入肉についてはそれを明示して販売することも政府によって指導されている．

◇**成分特性** 肉にされる牛の屠殺適期の生体重は，和牛で400〜600 kg，外国産種で600〜900 kgであり，その枝肉歩留まりは，49〜68%である．それから得られる筋肉および脂肪の量は品種，栄養状態，性などによりさまざまであるが，普通で筋肉50〜60%，脂肪20〜35%程度である．皮下脂肪を除いた牛肉の一般的な組成は100g当たり，水分57〜75g，たんぱく質18〜22g，脂質3〜55g程度であり，栄養成分的には特に脂肪の変動が激しい．この変動は品種，栄養状態，年齢，部位によって影響される．和牛の良

食品番号・食品名		エネルギー(kcal)	水分(g)	たんぱく質(アミノ酸組成)(g)	脂質(TAG当量)(g)	利用可能炭水化物(g)	灰分(g)	葉酸(μg)
	サーロイン 和牛肉							
11015	脂身つき 生	460	40.0	(10.2)	(44.4)	4.9‡	0.5	5
11016	皮下脂肪なし 生	422	43.7	11.4	(39.8)	4.6‡	0.6	6
11017	赤肉 生	294	55.9	(14.5)	24.1	4.7‡	0.8	8
	乳用肥育牛肉							
11043	脂身つき 生	313	54.4	(14.0)	(26.7)	4.1‡	0.8	6
11044	皮下脂肪なし 生	253	60.0	16.0	(19.3)	3.8‡	0.9	7
11045	赤肉 生	167	68.2	(18.0)	8.8	4.1‡	1.0	8
	輸入牛肉							
11071	脂身つき 生	273	57.7	(14.7)	(21.5)	5.4‡	0.8	5
11072	皮下脂肪なし 生	218	63.1	(16.1)	(14.9)	5.0‡	0.9	5
11073	赤肉 生	127	72.1	(18.5)	3.8	4.5‡	1.0	6
	ばら 和牛肉							
11018	脂身つき 生	472	38.4	(9.6)	45.6	6.0‡	0.5	2
	乳用肥育牛肉							
11046	脂身つき 生	381	47.4	11.1	37.3	(0.2)*	0.6	3
11252	脂身つき 焼き	451	38.7	13.8	41.7	5.0‡	0.7	5
	交雑牛肉							
11260	脂身つき 生	445	41.4	10.8	42.6	4.6‡	0.5	6
	輸入牛肉							
11074	脂身つき 生	338	51.8	14.4†	31.0	(0.2)*	0.7	5
	子牛肉							
11087	皮下脂肪なし 生	113	74.5	(17.2)	2.9	4.4‡	1.0	3

† たんぱく質, ＊質量計, エネルギー計算は単糖当量に基づく, ‡差引き法

サーロイン

ばら

好に肥育されたものは一般に脂肪が多く, 乳用雄の若齢肥育牛は和牛と比較して脂肪が少ない. リブロース, サーロイン, ばらなどは脂肪が多く, もも, そとももは脂肪が少ない. また子牛は特に脂肪が少ないが, そればかりでなく一般に水分が多い. 脂肪の質については豚と比較して飽和脂肪酸＊が多く, ヨウ素価＊が低く, 融点が高いのが特徴的である. これは牛が反芻獣であるためで, その点では脂肪酸組成は羊肉に似る. 無機質, ビタミンについては葉酸＊が他の肉に比べ多い.

◇保存　牛肉は屠殺してから食べ頃になるまでの期間が長い. しかも, その間の扱いいかんでは腐敗や成分の酸化も並行して生じる. したがって屠殺してから消費者に渡るまでの経過によっては保存期間なども大きく違ってくるが, 一般的にいえば屠殺後 0℃に保管すれば 3 週間はもつ. 日本の食肉小売店はこれを見越し, 食べ頃になってから店頭に並べたり, 意図的に熟成を施し, これを訴

表1 うしの成分組成（つづき） （100g当たり）

食品番号・食品名		エネルギー (kcal)	水分 (g)	たんぱく質 (アミノ酸組成) (g)	脂質 (TAG当量) (g)	利用可能 炭水化物 (g)	灰分 (g)	葉酸 (µg)
もも	和牛肉							
11019	脂身つき 生	235	61.2	(16.2)	16.8	4.8*	1.0	8
11020	皮下脂肪なし 生	212	63.4	17.4	13.9	4.3*	1.0	9
11021	赤肉 生	176	67.0	(17.9)	9.7	4.4*	1.0	9
11022	脂身 生	664	20.3	(4.1)	69.2	6.1*	0.3	1
11250	皮下脂肪なし 焼き	300	49.5	23.9	20.5	4.9*	1.1	7
11251	皮下脂肪なし ゆで	302	50.1	23.1	20.9	5.4*	0.6	6
	乳用肥育牛肉							
11047	脂身つき 生	196	65.8	(16.0)	12.6	4.6*	1.0	9
11048	皮下脂肪なし 生	169	68.2	17.1	9.2	4.4*	1.0	9
11049	皮下脂肪なし 焼き	227	56.9	23.4	12.0	6.4*	1.3	12
11050	皮下脂肪なし ゆで	235	56.4	25.0	12.8	5.0*	0.8	11
11051	赤肉 生	130	71.7	(17.9)	4.2	5.2*	1.1	10
11052	脂身 生	594	30.2	(4.8)	63.8	(0.2)*	0.4	2
	交雑牛肉							
11261	脂身つき 生	312	53.9	14.6	28.0	(0.3)*	0.8	12
11262	皮下脂肪なし 生	250	59.5	16.2	20.4	(0.4)*	0.9	14
11263	皮下脂肪なし 焼き	313	49.7	21.4	25.0	(0.4)*	1.0	15
11264	皮下脂肪なし ゆで	331	49.8	22.7	26.6	(0.2)*	0.4	12
11265	赤肉 生	222	62.7	17.1	16.9	(0.4)*	0.9	15
11266	脂身 生	682	17.6	4.6	73.7	(0.1)*	0.2	3
	輸入牛肉							
11075	脂身つき 生	148	71.4	(16.5)	7.5	3.6*	1.0	8
11076	皮下脂肪なし 生	133	73.0	17.2	5.7	3.1*	1.0	9
11077	赤肉 生	117	74.2	(17.8)	3.6	3.4*	1.0	9
11078	脂身 生	580	28.1	(6.0)	58.7	6.9*	0.4	4
11270	皮下脂肪なし 焼き	205	60.4	24.1	11.9	(0.4)*	1.1	10
11271	皮下脂肪なし ゆで	204	60.0	27.1	9.2	3.1*	0.6	7
	子牛肉							
11088	皮下脂肪なし 生	107	74.8	(17.4)	2.1	4.6*	1.1	5

求ポイントとした販売を行う事業者もある．家庭においては，冷蔵庫のチルドまたはパーシャル部分に入れて，ひき肉，スライス肉で2〜3日，塊りで1週間と考えるとよい．

◇**加工**　牛肉の加工品はかつてはコンビーフ，味付け煮（大和煮），野菜煮などの缶詰類が主であったが，近年はハンバーグ，スモークビーフ，ローストビーフなどの生産が多くなっている．またカレーやシチューなどのレトルト食品にも牛肉を主原料に用いるものが多い．

◇**調理**　第一に調理に適した部位を選ぶことである．軟らかい上質の部分は肉の持ち味を生かした調理に向き，肉基質部の多い硬い部分は長時間の加熱調理に向く（**表2**）．※牛脂の溶融点は人の体温より高く，冷えて固まった脂肪は口中の温度では溶けない．そこで牛肉料理はすきやきやステーキのように熱いうちに食べるものがほとんどである．近年では脂質も改良の対象となり，口溶けを考慮した改良や評価が進められている．冷製料理はもも肉やヒレ肉など，脂肪の少ないところを用いる．ユッケやタルタルステーキなどの生肉を用いたものは，食中毒事故の発生を防止するため，極めて厳しい基準が設けられている．

肉質と加熱法：肉漿部のたんぱく質は熱凝固しやすく，この区分の多い上質の肉は，加熱が長すぎると硬くなる．ステーキは中心部まで火を通し

食品番号・食品名		エネルギー(kcal)	水分(g)	たんぱく質(アミノ酸組成)(g)	脂質(TAG当量)(g)	利用可能炭水化物(g)	灰分(g)	葉酸(μg)
そともも	和牛肉							
11023	脂身つき 生	244	60.8	(15.5)	(18.2)	4.6*	0.9	5
11024	皮下脂肪なし 生	219	63.3	(16.2)	(15.1)	4.5*	0.9	5
11025	赤肉 生	159	69.0	(17.9)	7.8	4.3*	1.0	6
	乳用肥育牛肉							
11053	脂身つき 生	220	64.0	(15.0)	(15.9)	4.2*	0.9	6
11054	皮下脂肪なし 生	179	67.8	(16.0)	(10.7)	4.5*	0.9	6
11055	赤肉 生	131	72.0	(17.4)	4.6	5.0*	1.0	7
	輸入牛肉							
11079	脂身つき 生	197	65.8	(15.8)	(12.7)	4.8*	0.9	6
11080	皮下脂肪なし 生	178	67.6	(16.3)	(10.5)	4.7*	0.9	6
11081	赤肉 生	117	73.6	(17.8)	3.1	4.4*	1.0	7

*質量計,エネルギー計算は単糖当量に基づく, **差引き法

もも　　　　　　　　　　　そともも

すぎないように焼くのが普通である．一方硬い部分は水中で長時間加熱すると，コラーゲン*のゼラチン化が起こり軟らかくなるため，シチューのような煮込み料理には上質肉より肉基質部の多い部分を用いる．

　肉の線維と切り方：筋線維と垂直方向に切る．平行に切ると長い線維が残って同じ肉でも硬く感じられ，食べにくいばかりでなく，筋線維の熱収縮により変形も大きい．グロブリン区分のたんぱく質は食塩水に溶出するので，塩，こしょうが早すぎると，うま味成分が溶け出して風味の低下を招く．

●チルドビーフ
英 chilled beef
海外から，冷蔵管理を十分にして凍結せずに輸入してくる牛肉である．輸送中に熟成が進むうえ，凍結肉と違って解凍時の損失もないため，同じ外国産の牛肉ではあるが，比較的高く評価される．昭和45年頃から輸入されている．

●乳用肥育牛肉
成 表を参照，英 beef, dairy fattened steer
ホルスタイン種など乳用の雄子牛を去勢し，肉用に肥育したもの．市販通称名は「国産牛」と表記されることが多い．大衆消費を目指したもので，脂肪は少なく，ステーキ用に向く．

●銘柄牛
英 branded beef cattle
松阪牛，近江牛など，一定の系統の牛（黒毛和種など）を特定の地方で肥育した肉用牛を総称して銘柄牛と呼ぶことがある．各種の牛肉のうち和牛肉は一般に高級肉を目指して生産されているものが多く，肉質はきめ細かく，しまりがあり，適度な粘りがあって，霜降り肉になりやすいが，なかでも銘柄和牛は，特別な飼料を給与したり，きめ細やかな飼養管理の下で飼育する最高級品である．全国各地にさまざまな銘柄牛があり，和牛以外の品種を含めると350以上の銘柄がある．これらの和牛は，役肉兼用種として改良されたもので，むしろ役用に使われていたからこそ濃厚な味

表1 うしの成分組成（つづき） （100g当たり）

食品番号・食品名		エネルギー (kcal)	水分 (g)	たんぱく質 (アミノ酸組成) (g)	脂質 (TAG当量) (g)	利用可能炭水化物 (g)	灰分 (g)	葉酸 (μg)
ランプ	和牛肉							
11026	脂身つき 生	319	53.8	(13.2)	(27.5)	4.7‡	0.8	7
11027	皮下脂肪なし 生	293	56.3	(14.0)	(24.3)	4.6‡	0.9	8
11028	赤肉 生	196	65.7	(16.6)	12.5	4.1‡	1.0	9
	乳用肥育牛肉							
11056	脂身つき 生	234	62.1	(15.3)	(17.1)	4.6‡	0.9	6
11057	皮下脂肪なし 生	203	64.9	(16.1)	(13.2)	4.9‡	0.9	6
11058	赤肉 生	142	70.2	(17.9)	5.3	5.5‡	1.0	7
	輸入牛肉							
11082	脂身つき 生	214	63.8	(15.6)	(14.7)	4.9‡	1.0	7
11083	皮下脂肪なし 生	174	67.7	(16.6)	(9.8)	4.8‡	1.0	7
11084	赤肉 生	112	73.8	(18.2)	2.4	4.5‡	1.1	8

ランプ

がつくられたという説もある．

●冷凍牛肉
英 frozen beef
オーストラリアや米国からの輸入肉が主であり，解凍法によっては肉汁（ドリップ*）が出るため嗜好性は落ちる．栄養成分的には特に差のあるものでない．

●和牛
成 表を参照　英 Japanese beef cattle

表2 牛肉の部位と調理法

部　位	加熱法	調理法	調理の例
ヒ　レ	乾　式	直火焼き	網焼きビーフステーキ
サーロイン	〃	鉄板焼き	ビーフステーキ，オイル焼き
リブロース	〃	蒸し焼き	ローストビーフ
	湿　式	炒め煮	すきやき，しゃぶしゃぶ
かたロース	乾　式	直火焼き	バーベキュー
そともも	〃	鉄板焼き	ビーフステーキ
ランプ	〃	蒸し焼き	ローストビーフ
	〃	揚げ物	ビーフカツレツ
	その他	漬　物	みそ漬，かす漬
か　た	乾　式	直火焼き	バーベキュー，焼き肉
も　も	〃	鉄板焼き	ソテー，肉炒め
	湿　式	煮込み	カレー，シチュー，クリーム煮
	〃	煮　物	佃煮，大和煮
ば　ら	乾　式	鉄板焼き	肉炒め
	湿　式	煮込み	カレー，シチュー
ひき肉	乾　式	鉄板焼き	ハンバーグステーキ
	湿　式	炒め煮	肉だんご，そぼろ煮
す　ね	湿　式	煮込み	スープストック，茹で肉
尾・舌	湿　式	煮込み	シチュー

食品番号・食品名		エネルギー (kcal)	水分 (g)	たんぱく質 (アミノ酸組成) (g)	脂質 (TAG当量) (g)	利用可能炭水化物 (g)	灰分 (g)	葉酸 (μg)
ヒレ	和牛肉							
11029	赤肉 生	207	64.6	(16.6)	13.8	4.0*	1.0	8
	乳用肥育牛肉							
11059	赤肉 生	177	67.3	17.7	10.1	3.8*	1.0	11
11253	赤肉 焼き	238	56.3	24.8	13.6	4.0*	1.3	10
	交雑牛肉							
11267	赤肉 生	229	62.3	16.8	16.4	3.6*	0.9	9
	輸入牛肉							
11085	赤肉 生	123	73.3	(18.5)	4.2	2.9*	1.1	5
ひき肉								
11272	焼き	280	52.2	22.7	18.8	5.1*	1.2	7
11089	生	251	61.4	14.4	19.8	3.6*	0.8	5

*差引き法

ヒレ

ひき肉

和牛とは，黒毛和種，褐毛和種，日本短角種，および無角和種，およびこれら4種が交雑した牛のうち国内で生産されたものを指す．和牛というと純国産種のようにとられがちだが，日本古来の農耕牛に体格の大きな外国種をかけ合わせ，両者の長所を兼ね備えるよう改良した牛である．そのため，和牛の性質はずいぶんと変化した．明治以前は役用が主目的であったが，このタイプのものは現在ほとんど残っていない．明治以後食用に供されるようになり，種々改良され，役肉兼用種といえるようになった．現在では役利用の必要性がほとんど認められず，和牛は次第に肉用種に改良され定着するに至っている．現在ある品種は，この役肉兼用種の系統といえよう．黒毛和種には，ブラウンスイス，デボン，無角和種にはアバーデンアンガス，東北短角種にはショートホーンの血が混ざっている．海外でもWagyuとして生産される牛肉が存在するが，これらの牛肉は日本国内で「和牛」として販売することはできない．全肥育期間中で日本国内での肥育期間が最も長い牛を国産牛と表示する．

うしえび ⇒えび（ブラックタイガー）

うしの副生物

英 cattle offals

1頭の牛から得られる産物は，肉のほかに骨，原皮，内臓等の臓器，趾端，尾などがある．このうち，原皮は皮革原料として特に重宝がられるが，その他の部分もいろいろな用途に利用される．原皮以外の牛からの産物を畜産副生物という．畜産副生物のうち可食臓器類には，肝臓のように栄養価の高いもの，舌，尾のように洋風料理の材料として用いられるものなどがある．これら可食臓器類はバラエティーミートやファンシーミートとも呼ばれる．日本でも臓物（もつ）の煮込み，焼きとり，焼き肉の材料として利用がされる．

畜産副生物のうち可食臓器類はさらに分類があり，全国的に商品化の多いもの（可食一類）は頭肉，舌，食道，心臓，肝臓，横隔膜，胃（第一胃，第二胃，第三胃，第四胃），子宮，尾，アキレス腱，腎臓であり，あまり利用されていないもの（可食

尾（テール）　横隔膜（ハラミ）　肝臓（レバー）

舌（タン）　腱（アキレス）　子宮（コブクロ）

小腸（ヒモ）　心臓（ハツ）　第三胃（センマイ）

二類）は肺臓，脾臓，気管，乳房，胃腸周囲脂肪に分類される．

●尾

成 11103（生）　英 tail　別 テール

1頭の牛から約1.4 kgのものが得られる．皮を剝いで，輪切りにしたものが市販される．付け根の方が良質である．100g 当たりたんぱく質（アミノ酸組成）*11.6g，脂質（TAG 当量）*43.7g を含む．脂質が多いので，エネルギーも 440 kcal と高い．

◇調理　タン（舌）と同じように，じっくり煮込んで，スープやシチュー，ステーキにする．

●横隔膜

成 11274（生），11296（ゆで），11297（焼き）　英 diaphragm　別 はらみ，さがり

肺のある胸腔と腸その他の臓器のある腹腔に分けるドーム状の筋腱性の隔膜である．呼吸機能に重要な役割を果たし，横隔膜の伸縮により肺の伸縮を助ける．流通上は副生物の一種とされる横紋筋（筋繊維に横縞模様のある筋肉）である．一頭の牛から2〜3kgしかとれない稀少部位で，焼き肉のほか，煮込み料理にも用いられる．はらみとさがりの名は，一般には横隔膜の薄い部分（背中側）をはらみ，肋骨側の厚い部分をさがりとするが，地域により差異があり一概にいえない．

●肝臓

成 11092（生）　英 liver　別 レバー

1頭の牛から 6 kg 前後のものが得られる．色のよいものが上質である．子牛のものが軟らかい．100g 当たり，たんぱく質（アミノ酸組成）*17.4g，脂質（TAG 当量）*2.1g を含む．また鉄*，ビタミン類の宝庫といわれ，特に鉄 4.0 mg は野菜に含まれる非ヘム鉄の5倍も吸収率がよいとされ，貧血防止にも最適な食品である．レチノール*は 1,100μg/100g と多いが，豚，鶏の肝臓の約 1/10 の含量であり，低含量の要因として飼料の影響があげられる．ただし，鉄*は加熱により活性化し，脂肪酸の中のアラキドン酸を酸化し，レバー特有の生臭い臭気となる．

◇調理　新鮮なものは，スライスしてレバ刺として食べていたが，食中毒の多発により，生食用レバーの販売・提供が禁止された．そのほか，血抜きをして，焼いたり煮込んだりする．ソテーなど用途は広い．においを消すには，ワインに漬け込んだり，スパイスを利用する．生臭みは加熱によって生じるので，レバー調理のポイントは，加熱をしすぎないことである．ただし，その際も食中毒には留意する．レバーペーストの原料にも用いる．

●腱

成 11101（ゆで）　英 sinew　別 すじ（筋）

大腸（シマチョウ）

第1胃（ミノ）小割整形したもの

第二胃（ハチノス）

第四胃（ギアラ）

直腸（テッポウ）

うしの副生物（日本畜産副産物協会）

筋肉と骨をつなげている部分である．脚のアキレス腱の部分が利用される．茹でたもの100g当たりたんぱく質（アミノ酸組成）28.3g，脂質（TAG当量）4.3gを含む．腱に含まれるたんぱく質は，主にコラーゲン*であり，コラーゲンはトリプトファンを含まない．このため，アミノ酸スコア*で評価した場合の栄養価は低い．

◇調理　ゼラチン質の腱は，臭みを取り除き，よく味がしみ込むように長時間煮る．長時間煮ることによって，ブリブリとした，軟らかいゼラチン質を味わうことができる．おでんなどの，煮込み料理に適している．また，スープストックの材料としても適している．

●子宮

成 11102（ゆで）　英 uterus　別 こぶくろ（子袋）

雌牛の生殖器である．1頭の牛から約0.5kgのものが得られる．筋肉部分を食用とする．茹でたもの100g当たりたんぱく質（アミノ酸組成）18.4g，脂質（TAG当量）2.4gを含む．

◇調理　串焼きや汁物などの実に用いられる．

●舌

成 11090（生），11273（焼き）　英 tongue　別 タン

1頭の牛からロング約2.0kg，ショート約1.6kgのものが得られる．ロングとショートは切り方の差で，のどの肉までついているのがロングである．線維が多くて硬いが，独特の風味をもつ．100g当たりたんぱく質（アミノ酸組成）*12.3g，脂質（TAG当量）*29.7gを含む．脂質が多いのでエネルギーが318kcalと高い．

◇調理　タンシチューは，熱湯を通して皮をむき，よく炒めてからワインなどで煮詰め，野菜，調味料，香辛料とともに煮込む．塩漬にしたものを薄くスライスしソテーにしてもよい．

●小腸

成 11098（生）　英 small intestine　別 ひも；ほそ

1頭の牛から4.8kgぐらいのものが得られる．茹でて，ぶつ切りにして売られることが多い．100g当たりたんぱく質（アミノ酸組成）(7.8)g，脂質（TAG当量）24.7gを含む．脂質が多いのが特徴である．

◇調理　独特の風味と歯応えがある．茹でたものが市販されているので，2～3回茹でこぼした後，時間をかけて味をしみ込ませる．みそ煮，炒め煮，照り煮などの煮込み物に向いている．

●心臓

成 11091（生）　英 heart　別 ハツ

1頭の牛から約1.7kg得られる．100g当たり，たんぱく質（アミノ酸組成）13.7g，脂質（TAG当量）6.2g，鉄*3.3mg，ビタミンB_2 0.90mgを含む．

◇調理　新鮮なものを水で血抜きしてから，焼き肉としたり，煮込んで食べる．

●腎臓

成 11093（生）　英 kidney　別 まめ

1頭の牛から1.5kgぐらいのものが得られる．100g当たりたんぱく質（アミノ酸組成）13.6g，脂質（TAG当量）5.0gを含む．そのほか，ビタミンB_2 0.85mg，ナイアシン*5.5mgと多く含む．

◇調理　薄くスライスして，そのまま焼くか，バターでソテーにする．

●第一胃

成 11094（ゆで）　英 rumen　別 みの；ガツ

1頭の牛から7.4kgほどのものが得られる．茹でたもの100g当たりたんぱく質（アミノ酸組成）

(19.2)g，脂質（TAG 当量）6.9g を含む．そのほか，亜鉛を4.2mg と多く含む．
◇調理　乳白色で，弾力があり，内臓の中ではあまり臭みもない．筋目に，直角あるいは斜めに切り目を入れ，食べやすい大きさに切り，焼き物，炒め物にする．※和え物，煮物，揚げ物には，水にさらして茹でたものを使うので，たまねぎ・にんじん・セロリーなどの香味野菜，あるいは長ねぎ，生姜を入れて下茹でをして用いる．茹でたものを購入した際も，熱湯を通してから使う．大根，はくさい，長ねぎなどとともに，鍋物にしたり，トマトの味を中心にした調味スパイスで煮込むなどの調理法がある．

●第三胃
成 11096（生）　英 omasum　別 せんまい
内面の粘膜がひだ状に並列しているので，せんまいの名がある．1頭の牛から2.8kg ほどのものが得られる．100g 当たりたんぱく質（アミノ酸組成）(9.2)g，脂質（TAG 当量）0.9g を含む．そのほか，鉄* を6.8mg と多く含むのが特徴である．
◇調理　肉質は比較的軟らかいが，特有の歯応えがあり，独特の風味がある．十分に洗ったあと，茹でてから調理に用いる．市販品は，ほとんどが茹でた状態であるが，再度熱を通してから使った方がよい．炒め物，和え物にする．

●大腸
成 11099（生）　英 large intestine　別 しまちょう
1頭の牛から約0.9kg のものが得られる．茹でて，ぶつ切りにして売られることが多い．100g 当たり，たんぱく質（アミノ酸組成）(7.3)g，脂質（TAG 当量）12.2g を含む．
◇調理　小腸より，肉が厚い．下処理した大腸は，軟らかくなるまで茹でる．あるいは食べやすい大きさに切り，串に刺して焼いたり，揚げたりする．また，野菜と一緒にみそ煮にする．

●第二胃
成 11095（ゆで）　英 reticulum　別 はちのす
内面のひだが蜂の巣状になっている．1頭の牛から約0.8kg のものが得られる．茹でたもの100g 当たりたんぱく質（アミノ酸組成）(9.7)g，脂質（TAG 当量）14.7g を含む．
◇調理　丁寧にこすり洗いし，5～6時間水にさらした後，香味野菜などを入れて茹でて，利用する．※イタリア料理風にトマトを加えたり，中国料理風に唐辛子を用いる．

●第四胃
成 11097（ゆで）　英 abomasum　別 ギアラ；あかせんまい

色が赤いのであかせんまいの別名がある．1頭の牛から1.2kg 前後ものが得られる．茹でたもの100g 当たり，たんぱく質（アミノ酸組成）*(8.7)g，脂質（TAG 当量）*28.7g を含む．脂質が多いのが特徴である．
◇調理　塩でぬめりを取ってよく洗い，十分に茹でたものが使われる．主に，煮込み料理に適する．

●直腸
成 11100（生）　英 rectum　別 てっぽう
1頭の牛から約0.8kg のものが得られる．100g 当たりたんぱく質（アミノ酸組成）(9.1)g，脂質（TAG 当量）6.4g を含む．そのほか，葉酸* 24μg，パントテン酸* 0.85mg も多い．
◇調理　下処理方法は，小腸・大腸と同様である．煮込み料理や加工品に用いられる．

うすあげ　　⇒油揚げ
薄皮饅頭　　⇒いなかまんじゅう
うすくちしょうゆ　⇒しょうゆ
ウスターソース類　⇒ソース
うすばはぎ　⇒うまづらはぎ

うすひらたけ　薄平茸

成 08024（生）　分 担子菌類ヒラタケ科ヒラタケ属（きのこ）　学 *Pleurotus pulmonarius*　英 Indian oyster mushroom

ひらたけ近縁種の木材腐朽菌で，通常，ひらたけよりも早く初夏に発生することが多い．傘は灰色，ひだは淡い灰色，内部の肉は白色で全体としてひらたけよりも肉薄である．特に福井県では栽培されてうすひらたけの名称で市販されている．
◇成分特性　栽培品ではビタミンB_1，B_2，D が多く，食物繊維も多く含まれている．
◇調理　ひらたけに似ているが，それより味も香りも淡白なので，主に食感を楽しむ料理に向いている．汁の実や鍋物の具，きのこ飯，煮物，炒め

うすひらたけ（野生）（福井きのこアドバイザー会）

物など，用途は広い．

うずら 鶉

成 11207（肉 皮つき 生）　分 キジ科ウズラ属　学 *Coturnix coturnix japonica*　英 Japanese quail　旬 冬

ライチョウ，コジュケイなどとともにキジ科に属する小型の鳥．鶏とは類縁関係にある．アジア，ヨーロッパ，アフリカに広く分布するが，いくつかの亜種があり，日本産のものは主にアジア東部に分布するものである．降雪期に脂肪ののったものがおいしいとされる．

養殖：うずらの養殖は養鶉（ようじゅん）と呼ばれる．日本では，年間 400〜500 万羽が養殖されている．養殖は江戸時代に始まり，その目的は以前は採卵であったが，改良の結果，成熟が 1 カ月以内と極めて早くなり，食用，実験用としても用いられるに至った．

◇成分特性　味は淡白で，軟らかい．肉（皮付き）100g 当たり，たんぱく質（アミノ酸組成）*（17.8）g，脂質（TAG 当量）* 11.9g，カルシウム 15mg，鉄* 2.9g，ビタミン B_1 0.12mg を含む．

◇調理　初冬のうずらは脂がのって軟らかい肉質である．内臓はすべて除いて調理する．焼き鳥や，骨ごとたたいてだんごとし椀種にも用いる．肉は骨付きのまま切り分けたり，または姿を残したまま照り焼きや蒸し焼きにする．洋風では白または赤ワインの蒸し煮や煮込み，中国風では，五香粉（ウーシャンフェン）のたれに漬け込んで油で揚げたのち，さっと煮含めた五香鵪鶉（ウーシャンアンチュエン）などがある．

うずら卵 鶉卵

成 12002（全卵 生），12003（水煮缶詰）　英 Japanese quail's eggs

うずらはわが国で家禽化されたキジ科の渡り鳥で，肉だけでなく，卵も食べるようになったのは昭和初期からである．

産地：愛知県豊橋市近郊が主産地．鶏同様飼育条件が調節されているので，孵化後 45 日目ぐらいから 1 年目にかけて継続して産卵する．関東地方でも千葉，茨城，埼玉などで生産されているが，その量はごく少ない．年間 1 羽当たり 240 個から 260 個ぐらいを産むと産卵しなくなり，淘汰される．1 個の重さは 10〜12g で，卵殻は薄く表面を斑模様で保護色的に迷彩している．

◇成分特性　成分からみると，鶏卵に比べてエネ

うずら　上：うずら卵，下：水煮（平　宏和）

ルギーが 100g 当たり 157 kcal，脂質（TAG 当量）* は 10.7g とやや高い．鉄* 3.1mg，ビタミン A 350μg（レチノール活性当量*），B_1 0.14mg，B_2 0.72mg と，卵類のうちでは特に高く，それぞれ鶏卵の 1.7 倍，2.3 倍，2.3 倍，1.9 倍である．

◇加工　あひる卵と同様に燻製卵にしたものもあるが，多くは加熱処理し，卵殻を除いて缶詰（成 12003）やレトルトパックしたものが流通している．

◇調理　形が小さいため，料理の飾り，おでんの具や汁物の実，前菜など，鶏卵では丸ごと使いにくいところにも用途がある．殻が薄く鶏卵より割りにくいので，鈍端を庖丁で切りとるとよい．

うずら豆（煮豆）

成 04009　英 Uzura-mame；(kidney beans cooked with sugar and salt)　別 きんとき豆

煮豆の一種．いんげん豆を砂糖と少量の塩を加えて煮上げたもので，原料の鶉類の種皮の模様がうずらの卵のように見えることからうずら豆と呼ば

うずら豆（きんとき豆）（平　宏和）

れたが，現在では大正金時など，種皮が赤いいんげん豆の煮豆を指すことが多い．糖含量は約50％である．前記のように，いんげん豆の品種群を指すこともある．

打ち豆（うちまめ）⇨だいず

宇宙食

英 Space foods

宇宙に滞在する宇宙飛行士のための食事である．無重力状態の密閉空間である宇宙船内で利用される食事として，さまざまな制約のある環境と設備での利用に対応した特色を持っている．地上食との違いは，主に以下の8点になる．
①衛生的に完璧であること．そのためにHACCP*（危害分析重要管理点）手法が開発された
②常温保存で長期間（通常1年半）の賞味期限*があること
③調理が不要なこと
④喫食にあたってナイフが不要なこと（無重力なので力を入れられない）
⑤破片が飛び散らないこと
⑥匂いがきつくない（宇宙船は閉鎖空間である）
⑦味が濃い目である（宇宙では味覚が鈍くなる）
⑧栄養的に完璧なこと

①および②を満たすために，宇宙食はレトルト食品か凍結乾燥食品が主流となる．そのほかに，中間水分食品（羊羹など）や，米国では放射線殺菌食品もある．⑧に関しては，日本の宇宙食では，宇宙飛行士の健康を維持するための栄養素を強化することにしている．体たんぱく質の増強を促すアミノ酸，骨の増強を促すカルシウム，ビタミンD，イソフラボン*，放射線防御作用のあるカロテノイド*などである．

◇ **JAXA基準** 日本の宇宙食は，JAXA（宇宙航空研究開発機構）が基準を作成し，合格したものを採用している．ラーメン，やきそば，おにぎり，レトルトカレーなど2022年現在，50食品が認証されていて，一部の宇宙食は，JAXAの認証マークを付けて市販されている．さらに宇宙食は，災害時の非常食や介護食への利用も行われている．

JAXAの宇宙食　左：レトルト食品，右：粉末飲料（注湯するチューブと食用時のスパウトがついている）（撮影用食品提供：田島　眞，撮影：平　宏和）

うつぼ 鱓

分 硬骨魚類，ウツボ科ウツボ属　学 *Gymnothorax kidako*　英 brutal moray　別地 なまだ（東京）；きつね（新潟）；きだこ（三崎）

千葉・島根以南の日本と朝鮮南部から台湾に分布する．琉球列島ではまれ．比較的深い岩礁から，浅海の潮だまりまで生息する．夜行性で，かつ性格は獰猛である．全長約80cmで，形はへびに似ている．一般には食用にしないが，ところにより煮物，焼き物，揚げ物，酢の物などとして食用とし，燻製，蒲焼き，佃煮，干物に加工する．和歌山から四国，九州など，地元消費の魚である．近縁種に，あみうつぼ，こけうつぼ，とらうつぼなどがいるが，食用としない．皮はなめし皮に利用される．

◇**調理**　脂がよくのった味はうなぎやはもに通じる味とされ，つけ焼き，照焼き，照り煮とし，木の芽や粉山椒を散らすとよい．※魚をおろすとき，噛まれると危ないので気絶させてからおろす．

うつぼ（本村　浩之）

うど 土当帰；独活

成 06012（茎 生），06013（茎 水さらし），06014（やまうど 茎 生）　分 ウコギ科タラノキ属（多年生草本）　学 *Aralia cordata*　英 Udo；udo salad　旬 春

日本原産で，中国・朝鮮半島からサハリン・沖縄にまで自生がみられるが，野菜として栽培されて

いるのはわが国だけである．近年米国などでもudo saladと呼ばれて注目されている．山菜としては，軟白栽培＊したものと区別して「山うど」と呼ぶ場合が多い．しかし，「山うど」も単純に「うど」と呼ばれる．『食品成分表』においては，06012は軟白栽培された「うど」，06014は天然ものもしくは，それに近い遮光栽培しないものを「山うど」としている．

◇**野生種**　山野はもちろん，都市近郊の土手などにも生える．生長すると2m以上にもなる．葉は枝に互生し，2回羽状複葉である．長さは1mにもなる．茎は太く，また一面に白い棘状の毛がついている．茎の先に大きな花序＊をつけ，小さな白い花が球状に咲く．果実は液果＊（漿果）で黒色をしている．わが国では北海道から九州，沖縄まで分布する．積雪地方では雪解けとともに一気に気温が上がるので若芽の伸びが早く，茎が長く軟らかいものが採取できる．しかし，積雪のないところでは徐々に生長するため，長くて軟らかいものはなかなかできにくく，土寄せしたり，軟白栽培したものが市販されている．

　採取：春の芽生えを根元より折り取る．株が土砂で覆われても発芽し，土砂崩れしたところなどにもよく生えるが，地下茎＊が長い場合は白い茎を大事に掘り取る．

◇**栽培種**　繁殖は通常株分け法によるが，実生やさし木法が用いられることもある．寒（冬）うどと春うどに大別される．寒うどは休眠期間が短くて，早生で，年内から軟白ができる．白芽と赤芽の2系統がある．春うどは休眠期間が長く，十分低温にあわないと萌芽しない．坊主，紫芽，伊勢，改良伊勢，節赤，与右衛門などの系統がある．品質は春うどの方がよい．

　栽培：軟白法には，促成軟白（12〜3月どり），普通軟白（3〜5月どり），盛土軟白（5〜6月どり），抑制軟白（6〜10月どり）がある．盛土軟白は効率が悪く，近年は軟白室（むろ）を用いる軟白栽培にかわりつつある．

　主産地：群馬，栃木，秋田，東京など．

◇**成分特性**　軟白栽培によるうどは，100g当たり，水分が94.4gで，主成分は炭水化物である．ビタミン類は少なく，カロテンは含まれない．うどの食用価値は苦味と特有の風味である．苦味成分はポリフェノール化合物によるもので，同時にこの物質が褐変の原因ともなる．この褐変は主としてポリフェノールオキシダーゼによりポリフェノール成分が酸化されることにより生じる．うどの風味成分はα-ピネン，β-ピネンおよびサビ

うど　上：軟白栽培，下：山うど（平　宏和）

ネンである．その他60種以上の成分が混在して特有の香味を示す．野生うどの風味が強いのは，栽培軟白うどより，これらの香気成分の含有量が3倍以上も多いためである．

◇**調理**　純白のみずみずしい色と爽やかな歯触りが特徴である．香りが強いばかりでなく，アクも強いので，調理にはアク抜きが必要で，皮を厚くむき，切ったらすぐ水に放つ．❀ポリフェノール系物質の酸化が激しく，フラボノイド系色素も多いため褐変しやすい．アク抜きの際，水に酢やミョウバンを加えておくとポリフェノールオキシダーゼの作用を抑えて褐変を防ぎ，茹でるときにも酢を加えるとフラボノイド＊が無色となり，白く仕上がる．❀酢の物，ぬたが最も一般的で，ほかにみそ漬やサラダ，天ぷら，汁の実などに用いる．❀いろいろな形に切って椀種，刺身のつま，あしらい，和え物の飾り，蒸し物の天盛りなど，さまざまに用いる．香りと同時に，色や形で料理の美観を強調するのに役立つ．❀組織が丈夫で歯切れよく，しかも軟らかいのでどんな切り方も可能で，日本料理には最適である．千切り（針うど，しらがうど），短冊うど，松葉うど，よりうど（ねじりうど），巻きうど，へぎうど（薄くへぎ取り，吸い口などにする）などがあり，そのほかにも各種の飾り切りを行う．❀20%の食塩で漬けておき，あとで塩抜きをして同様の料理にして食べられる．風味は生ほどではないが，うど独特の香りは残っている．

生麺　　半生麺　　ゆで麺

ゆで麺（きしめん）　　乾麺 機械製麺　　乾麺 手延べ麺（稲庭うどん）

冷凍ゆで麺

うどん類　きしめん：名古屋の代表的な麺．平打ちのうどんで，「ひもかわうどん」とも呼ばれる．稲庭うどん：秋田県南部（湯沢市稲庭町）に伝わる手延べ麺で，慶長〜寛文年間（1596〜1673）に創製されたといわれている．製法は手延べそうめんと同様であるが，その違いは，製造工程で麺線の付着防止に食用植物油を使わず打ち粉（でん粉）を用い，延ばしの途中で麺体を押して平らにつぶすことである．（平　宏和）

うどん 饂飩

成 01038（生），01039（ゆで），01186（半生うどん），01041（干しうどん 乾），01042（干しうどん ゆで）　英 Udon；white salted noodles

小麦粉を原料とする麺の一種．奈良時代に渡来した唐菓子に，小麦粉の皮に肉や糖蜜などの餡を包んで煮た「混沌（こんとん）」というものがあり，食べ物なので食偏に変え「餛飩」とし，熱くして食べることから「温飩」に，さらに食偏になり「饂飩」になったとされる．元来は丸形の生地を麺棒で延ばし，細く切ったものを切り麦と呼び，これを熱くしたものを熱麦（あつむぎ），冷やしたものは冷麦と呼ばれた．

◇種類　市販のうどんは，生麺，半生麺，茹で麺，乾麺，冷凍麺に分けられる．

生麺：生地を切断したままの麺で，茹でるので手間がかかるが，一般に茹でてすぐ食べるので食味がよい．

半生麺：常法で製造された生麺を常温・加熱空気・湿熱空気などにより乾燥させたものであるが，高水分の段階で乾燥を止め，水分は乾麺より生麺に近い．土産用を中心に食味など乾麺の欠点を補うため開発されたものである．

茹で麺：生麺を沸騰水の中で加熱したものである．なお，茹で麺は食感をよくするため，原料にでん粉（ワキシーコーンスターチ，じゃがいもでん粉など）を加えることがある．

乾麺：生麺を乾燥したもので，乾燥速度を速めるため，生麺に比べ食塩の量を多めにする場合が多い．食品表示基準*では「乾めん類」のうち麺線の長径が 1.7 mm 以上としたものは，「干しうどん」または「うどん」と表示できる．

冷凍麺：急速冷凍した麺で，一般には茹で麺が利用されている．茹で時間が短時間でよく，業務用の流通が多い．

◇製法　手打ち麺，機械製麺，手延べ麺に分けられる．手打ち麺は中力小麦粉 100 に対し食塩 4〜5，水は 40〜50 とし，生地を 2〜3 時間熟成させた後，麺棒で薄く延ばしたものを庖丁で切り出して麺線とする．麺線の断面は角形である．機械製麺は作業上から手打ち麺より水の量を 10〜

15％多くし，圧延した生地を切り刃により切断し麺線とする．麺線の断面は，切り刃の形状により角形と丸形がある．手延べ麺は手延べそうめんとほぼ同様に製造される．秋田県の稲庭（いなにわ）うどん（乾麺），富山県の氷見（ひみ）うどん（半生麺）が有名である．

食味：手打ち麺は，機械製麺に比べ食味がよいとされるが，生地の熟成，多方向への圧延に時間をかけるので，グルテンの形成が十分に行われることによる．また，釜あげうどんがおいしいといわれるのは，麺線の水分含量が内部より表面に多いことが食感によい影響を与えるためである．

うなぎ（蒲焼き）（平　宏和）

うなぎ 鰻

成 10067（養殖 生），10068（きも 生），10069（白焼き），10070（かば焼）　**分** 硬骨魚類，ウナギ科ウナギ属　**学** *Anguilla japonica*　**英** Japanese eel　**標** にほんうなぎ　**別** **地** うなじ；んちゃうなぎ；たぁうなぎ（沖縄）；おなぎ（高知，兵庫北部，鳥取）；かにしい（愛知，東京一等品）；かよ（千葉）；ごま（東京四等品）；さじ（東京一等品）；はりうなぎ（小型のもの）；くだり（浜名湖）；めそ（東京，千葉，浜名湖，小型のもの）；まうなぎ（北海道，北陸，やつめうなぎと区別するため）；もどり（岡山，外海より戻ってくるもの）

全長約1m．円筒状で尾部は側扁する．背びれ，尾びれ，尻びれが連結している．皮膚は粘液が多くぬるぬるし，鱗は小さく皮下に隠れている．うなぎは淡水で5〜15年ぐらい過ごし，海に入り，グアム島北西の西マリアナ海嶺の深海で産卵する．孵化した卵はレプトケファルス*（leptocephalus）といわれる柳の葉状をした稚魚となり，海流に乗って陸地に近づき，変態して体の透明なしらすうなぎ（針うなぎ）となって群をなして川を上がる．川での生活を終えると下りうなぎ（雄は約60cm，雌は約1m）となって海に下っていく．うなぎは港湾や河川，湖沼の底の泥底の多いところに棲み，夜間活動する．北海道南部から南日本，朝鮮，台湾，中国に分布する．

養殖：現在のニホンウナギの養殖は，天然のシラスウナギを採集して養殖池で人工的に成長させる．そのため，養殖と言ってもシラスウナギの乱獲により，ニホンウナギの資源量は減少し，現在は絶滅危惧種に指定されている．近年，ニホンウナギの卵を人工ふ化させたレプトケファルス（仔魚）をシラスウナギに成長させることに成功し，ニホンウナギの完全養殖が可能になった．しかし，レプトケファルスの期間が長く，コストがかかることから完全養殖の商業化にはまだ達していない．

成長名：成長とともに，次のように呼ばれる．しらす（稚魚），くろこ→めそ（40g以下），びり→さじ（40〜56g），きそだし（50〜75g），あら（70〜300g），ぼく（300g以上）．

◇**成分特性**　多量の脂質を含有する特有な性状を有する白身魚で，周年味が変わらない．あなご，うつぼなども含め，うなぎ型の魚類の血清にはイクチオヘモトキシンと呼ばれるたんぱく毒が含まれており，多量に飲むと有害といわれるが，煮熟すると無毒になるので，生食しないこの種の魚では食品衛生上はほとんど問題にならない．

脂質：脂質含量は天然うなぎでは数％から30％までと変動が大きいが，養殖うなぎは15〜22％とほぼ一定している．うなぎの食味は含有脂質の性状に依存する点が多く，養殖ものが天然ものに比べ味がしつこいのは，脂質中に飼料とされる魚油に由来する高度不飽和脂肪酸*の含有が高いためとされている．

ビタミン：レチノール*を100g当たり，肉に

にほんうなぎ　上：成魚，下：幼魚（本村　浩之）

は150～3,000μg，肝臓中には150～90,000μg含んでおり，概して天然うなぎのビタミンA含量は高く，昔からAの給源として高く評価されている．またD，Eもかなり含有しており，その給源としても適している．うなぎは肉に総ビタミンA量の70～80％が含まれ，皮は濃度，含量ともに低く，肝臓はAの濃度は高いが，含量は総量の10％以下である．『食品成分表』は，養殖うなぎの数値で，100g当たりレチノール*で2,400μg，きも（内臓）には4,400μgとある．

◇保存・加工　うなぎは主に蒲焼きとして食用されるが，最近は産地加工の白焼きや蒲焼きを真空包装し凍結保存したものが販売されるようになった．加工法は大量生産に適するよう工夫され，調理，焙焼，包装に自動化方式も導入されている．製品としては，白焼きをそのまま包装したものにたれを添えたものと，たれをつけて焼いた蒲焼きとして包装したものの2種類がある．品質の良否はたれの配合などもあるが，原料うなぎの鮮度と焙焼の程度が最も重要で，また保存中の脂質の酸化変敗とも関係が深い．このため脂質の酸化防止がはかられている．蒲焼き以外の加工法は比較的少なく，燻製や佃煮がある程度である．名産品として，山梨のうなぎの酢の物，京都の八幡巻き，福岡のずぼうなぎ（燻製の一種）がある．大分のうなぎの刺身（よく水にさらして血抜きを行う）もあるが，血液に毒性のあるうなぎの生食は珍しい．

◇調理　うなぎの調理法の多くは蒲焼きである．蒲焼きは，照焼きの一種で，開いたうなぎに濃い調味料をからませて焼きあげた日本独特の調理法である．※関東では背開きにして軟らかくなるまで蒸してから焼く．脂肪がある程度溶出し，さっぱりした味である．関西では腹開きにしてそのまま焼くので脂肪が多く，ややこってりした味となる．いずれにしてもたれの濃厚な味がうなぎの味と調和し，これが加熱されて独特の風味をつくり上げる．この風味は特に大切にされ，養殖ものより天然うなぎが喜ばれる．蒲焼きと米飯を組み合わせたうなぎどんぶりは，関東では飯の上にうなぎをのせ，関西ではうなぎの上からさらに飯をかぶせる．これを"まむし"という．※うなぎのきもは強壮剤として吸い物の椀種（きも吸い）や串焼きに用いられる．※欧米でも中国でもうなぎはあまり食べないが，胴切りにして煮込みにしたワイン煮やステーキ，燻製などが知られている．デンマークのうなぎのスープ煮は生きているうなぎを胴切りにし，クールブイヨン（水とワインでつくる魚料理用のブイヨン）で煮てプーレットソース（仏 sauce poulette；白ソースにマッシュルームを加えた温かいソース．鶏，仔牛の肉，内臓料理，えび，うなぎ等に合う）を添えたもの．スペイン料理のアンギラス（西 anguilas）はうなぎの稚魚の油焼きである．中国料理の煮物には，腹の皮を少し残してつながるように胴切りにしたうなぎを，落花生とともに軟らかく煮込むものもある．

うに　海胆；海栗

成 10365（生うに）　分 棘皮動物，ウニ類（綱），正形亜綱ホンウニ目（Echinoida）　英 sea urchins　別 がぜ

分類学上は棘皮（きょくひ）動物に属し，なまこ類と同じ門である．生殖巣（腺）を食用とする．一般にうにを海胆（海栗）と書く場合は棘の生えたままの自然のうにのことで，雲丹と書く場合は生殖巣からつくった食品のことである．海産で，磯から深海底まで広く分布し，日本近海には140種ほどが知られ，そのうち食用にされるうには17～18種類である．日本では，縄文・弥生時代の遺跡からも発見されていることから，かなり古くから利用されていたようである．

◇成分特性　うにの生殖巣の成分は種類，産地，時季によって変動する．産卵期とその直後は生殖巣がやせて食用部分は少なくなる．食用として利用できる時季のものでは100g当たり，水分65～78％程度，脂質3～9％程度，たんぱく質12～20％程度，炭水化物2～4％である．ビタミン類ではAはレチノール*をほとんど含まないが，β-カロテンが650μg含まれるので，レチノール活性当量*として58μgと高い値を示す．B_1 0.10mg，B_2 0.44mg，ナイアシン* 1.1mgのほか，ビタミンE，B_6，パントテン酸*，葉酸*，ビオチン*，B_{12}なども豊富に含有している．また，ビタミンDを含有しないが，プロビタミンD*の含量は9～28mgと極めて高い値を示し，しいたけにほぼ匹敵する．

呈味成分：エキス分に含まれる窒素化合物の70～90％が遊離アミノ酸*で，これらが甘味，苦味に関与しており，核酸関連物質は比較的少ない．炭水化物ではその50～60％がグリコーゲン*で，ほかに少量のぶどう糖などが存在している．

脂質：グリセリドおよびリン脂質*がおのおののほぼ4割を占め，うち1割がステロール*，残りがエキネノン，β-およびα-カロテンなどのカロ

テノイド色素によって構成されている。ステロールは主としてコレステロールよりなるが, 少量の各種ステロールも含有している.
◇**保存・加工** うにの保存は氷蔵および塩蔵で, 冷凍は身崩れを起こしやすくえぐ味の発生などもあり, 難しい. 加工に塩辛が主で, 粒うにと練りうにがあり, いずれも, 普通はびん詰にして市販されている. 名産品としては福井の越前うに, 岩手の貝焼きうになどがある.
以上のうに自体の加工品のほか, うには練り製品や珍味などの色付け, 香味付けにも広く使われている.
◇**調理** 濃厚なうま味と独特の香りがあり, 日本料理ではわさびじょうゆ, ぽん酢など, 西洋料理では, レモン汁か酢をたらして生食するのが最もよい. 新鮮なものはしっかりと形を保っているが, 古くなると崩れやすい. 高級なすし種としても用いられる. 蒸し物にすると多少保存がきく. ※焼き物, 揚げ物にすると香りがよくなる. 殻のまま丸焼き, あるいは鉄板でバター焼き, 揚げ物では黄身揚げなどがよく行われる. ※調味したうには, いか, くらげ, かずのこ, あわび, 白身の魚など淡白な食品と和えると, 味を補い, 色と香りを与えることができる. この場合は加工練りうにを用いることも多い.
●**あかうに**
赤海胆 分 オオバフンウニ科アカウニ属
学 *Pseudocentrotus depressus* 英 Japanese red sea urchin
殻長6cm, 高さ2.5cmで, 扁平. 棘は赤黒色. 棘は短い. 産卵期は秋の終わりごろで, 生うには最上品である. 東京湾から九州の浅海に分布している.
●**えぞばふんうに**
蝦夷馬糞海胆 分 オオバフンウニ科オオバフンウニ属 学 *Strongylocentrotus intermedius*
英 northern short-spined sea urchin 別 がぜ;

貝焼きうに（平　宏和）

がんぜ
殻は頂面も底面もやや平ら. 大棘は短く, 暗緑色. 東北地方以北に棲む. 資源管理も種苗生産も盛んに行われている. すし種, うに丼のほか, 練りに, アルコールうになどの原料となっている.
●**越前うに**
越前雲丹 英 Echizen-uni；(salted sea urchin gonad)
福井の名産で, ばふんうにの生殖巣を主原料として, 十分に洗浄・水切りを行って塩をまぶして, 水切りしてから樽詰にした製品. 水分が40%前後, 塩分15〜18%前後で, 経木型容器などに入れて売られている. 鮮明な赤みを帯びた硬い製品で, 香味が濃厚な点で食通の人達に喜ばれる.
●**貝焼きうに**
貝焼雲丹 英 Kaiyaki-uni；(heated sea urchin gonad in shell)
うにの生殖巣をあわびの貝殻に詰め蒸し焼きにしたもので, もともとは岩手の宮古地方でつくられていたものである. 現在は缶詰などにしたものもあり, 福島県をはじめ宮城県, 茨城県などで作られている.
●**きたむらさきうに**
北紫海胆 分 オオバフンウニ科オオバフンウニ

越前うに（平　宏和）

きたむらさきうに

属 学 *Strongylocentrotus nudus*
英 northern sea urchin 別 のな
体色は紫褐色．大棘は長くあまり尖らず，細い線がある．東北地方以北に棲み北海道で漁獲される．北海道では赤身のあるえぞばふんうにより色の淡い本種が好まれる．

●こしだかうに
腰高海胆 分 サンショウウニ科コシダカウニ属
学 *Mespilia leviltuberculatus*
殻長3cm．球形に近い．色彩はオリーブ色．浅海の砂礫地帯に棲む．房総以南の各地，マレー諸島からインド洋東部に分布する．

●粒うに
粒雲丹 成 10366 英 Tsubu-uni；(salted gonads of sea urchin)
加工食品品質表示基準では，「うにの生殖巣に食塩を加えたもの（塩うに），またはこれにエチルアルコール，砂糖，でん粉，酒かす，調味料（アミノ酸など）を加えたもので，塩うに含有率が65％以上のものをいう」とし，塩うに含有率の算出には規定の算式が用いられている．主にびん詰で市販され，酒の肴などに用いられる．また，低塩で一夜漬にしたものもあり，より生に近い食感と風味を出している．

●練りうに
練雲丹 成 10367 英 Neri-uni；(salted gonad paste of sea urchin)
加工食品品質表示基準では，「うにの生殖巣に食塩を加えたもの（塩うに），またはこれにエチルアルコール，砂糖，でん粉，酒かす，調味料（アミノ酸など）を加えたもので，塩うに含有率が65％以上のものをいう」とし，塩うに含有率の算出には規定の算式が用いられている．びん詰で保存もきくので，温かいご飯にのせたり酒の肴に手軽に使える．また，みりんでのばして和え物や焼き物に用いると，淡白な食品にうに独特のコクと風味を添え，見栄えのよい一品になる．

●ばふんうに
馬糞海胆 成 10365 分 オオバフンウニ科バフンウニ属 学 *Hemicentrotus pulcherrimus* 英 Japanese green sea urchin；short-spined sea urchin 別 まぐそがぜ
殻の直径3.5cm，殻高2cmくらいで，扁平で馬糞に似ていることから，この名がある．棘は細く短い，暗緑色．産卵期は早春．卵巣は他のうにに比べ小さい．味はうにの中で一番よいとされている．北海道南部に多く棲み，九州まで分布する．

●むらさきうに
紫海胆 成 10365 分 ナガウニ科ムラサキウニ属 学 *Anthocidaris crassispina* 英 Japanese purple sea urchin
殻長5cm，高さ2.5cmくらい．棘は殻長とほぼ等しい長さをもつ．濃い紫黒色．浅海の岩礁間に棲む．産卵期は夏で，卵巣は大きく，現在では高級品である．水揚げ量も多く，日本のうに類の約半数を占めている．関東から九州の沿岸に分布する．

●らっぱうに
喇叭海胆 分 ラッパウニ科ラッパウニ属
学 *Toxopneustes pileolus*
殻長10cm，高さ5cm．殻は円形に近い五角形．殻色は一般に淡緑褐色．棘に毒がある．相模湾以南からインド洋に至る浅海沿岸に分布する．

畝（うね） ⇒くじら
卯の花 ⇒おから

 うばがい 姥貝；雨波貝

成 10316（ほっきがい） 分 軟体動物，二枚貝類（綱），バカガイ科ウバガイ属 学 *Pseudocardium sachalinense* 英 hen-clam；Sakhalin surf-clam 別 市 ほっき貝 地 ほっき貝（北海道） 旬 冬〜春

一般には，ほっきがい（北寄貝）と呼ばれることが多く，『食品成分表』の食品名もそれを採用して

粒うに（塩うに含有率94％）(平 宏和)

うばがい（ほっきがい）(平 宏和)

いる．殻長は 10 cm ぐらいになる．形は卵形で，よくふくれて重厚．殻表は暗灰色で，内側は白い．寒海に分布し，常磐，富山以北の東北地方，北海道の浅海の砂底に棲む．北海道ではほたてがいと同じように重要視される．味はよい．高級食品である．

◇成分特性　形はばかがいに似て肉は灰紫色を呈し，貝柱も身肉も美味であるが，ひもを調理する際は味や舌触りをよくするために茶褐色の殻皮を分泌する外套膜*のコンキオリン層を除くことが大切である．100 g 当たり，水分 82.1 g，たんぱく質（アミノ酸組成）*（8.1）g，脂質（TAG 当量）* 0.3 g，利用可能炭水化物*（差引き法）7.6 g，灰分 1.9 g となっており，ばかがいと比較すると水分が少なく，その分脂質と炭水化物の含量が高くなっている．またエキス分の含量も高く，味のよいのも当然である．ビタミン類の含量も低くない．

◇加工　加工品としては煮干しや缶詰がある．

◇調理　北海道の名産で，そのほかの地方では流通量が少ない．日本産のほっきがいの味は非常によく，新鮮なものを生食するのが最もよい．酢の物，刺身として食べる．乾燥品はだしとして，また水煮缶詰は加熱調理一般に使用できる．

●北の長姥貝（きたのながうばがい）

分 ウバガイ属　学 *Spisula polynyma*　英 surf-clam; Pacific surf-clam; bar-clam　別 アメリカうばがい（混称）

殻がうばがい（ほっきがい）より左右に平たく，前後に長く，足の色の赤みが強い．アラスカからカリフォルニアに至るアメリカ，カナダの沿岸に分布する．最近輸入が増え，市場に多くみられるようになった．スーパーマーケットなど小売店では，本種がほっきがいの代用として出回っている場合が多い．

うま　馬

成 11109（赤肉　生）　分 ウマ科ウマ属　学 *Equus caballus*　英 horse; horse meat（馬肉）　別 さくら肉（馬肉）

馬は進化のあとがはっきりと確かめられている動物で，約 4,000 年前には家畜化されるに至ったという．馬は家畜として労役や軍用に貴重であったため，その食用は一般に禁忌とされたように思われるが，古くは牛とともにかなり食用に供されていた．明治に入って牛肉食の普及とともにその消費は表面化し，大正期には"さくら肉"として知られるようになった．昭和 20 年以後は終戦後

馬肉　上からロース，赤肉，バラ，霜降り（平　宏和）

の軍馬の放出による食糧難の緩和への貢献から，プレスハムの主原料としての地位を通じて，馬肉の消費は日本人の食生活の中へ次第に浸透してきた．しかし第二次大戦後，先進国では，発動機の普及で生産は急減した．現在の生産は中近東，南米，特にアルゼンチン，ブラジルなどに多い．自給率は平成 30 年で 30 % 程度である．カナダ，メキシコ，アルゼンチンなどのものを中心として輸入される．昭和 50 年代以前とは異なり，加工仕向けの割合は 5 % 程度である．馬肉を俗に"けとばし"ともいう．

◇鑑別　馬肉は肉質・色調が牛肉によく似ているため，かつては牛肉と混用されたので，鑑別法が開発されている．鑑別にはリノレン酸の検出，グリコーゲンの定性・定量，F 抗体反応，種属特異性免疫血清反応などの方法が用いられる．

馬肉大和煮（平　宏和）

◇**成分特性** 肉は筋肉に脂肪が少なく，たんぱく質（アミノ酸組成）*は100g当たり17.6gと多い．2.2g含む脂質（TAG当量）*はミリスチン酸，リノレン酸を他の畜肉より多く含み，軟質でヨウ素価*が高い．カルシウム11mg，ビタミンB_1 0.10mg，B_2 0.24mgと比較的多めに含まれているほかは，牛肉とあまり差異はない．肉の死後変化は牛肉と同様に緩やかで，熟成に時間がかかる．肉は桜色で，水分に富み，粘りに欠ける．脂肪は少なく，色はクリーム，黄色，純白などさまざまである．

◇**保存・加工** 馬肉の保存は牛肉に準じればよい．馬肉の加工品は若齢馬の場合，肉質があまり牛肉と変わらないので，コーンドミート缶詰や馬肉大和煮などの製品がつくられる．

◇**調理** ほとんどの牛肉料理にその代用品として用いることができる．牛鍋（すきやき）に相当するものが"さくら鍋"である．肉質が多少硬く，味にクセがあるので，味付けにはみそを使うこともある．

うまづらはぎ 馬面剝

成 10071（生），10072（味付け開き干し） 分 硬骨魚類，カワハギ科ウマヅラハギ属 学 *Thamnaconus modestus* 英 black scraper 別 地 うまづら（東京，三崎）；うまはげ（和歌山）；ばくちこき（富山）；おきはげ；ながはげ（明石，田辺）

全長40cm．かわはぎを細長くしたような体形で，体は側扁し，口が小さく，口さきが長く，名前の通り頭部が長い．目の上に長い背びれの棘がある．かわはぎよりも沖合の海底から中層を群れで泳ぐ．北海道から南シナ海にかけて分布する．

◇**成分特性** 皮は食用とされない．肉はやや苦味があるクセのある白身の魚で，成分的には水分が100g当たり80.2gと多く，脂質（TAG当量）が0.2gと少なく，ビタミン類も少ない．しかし肝臓はA，Eなどのビタミンをかなり含んでいる．

うまづらはぎ（本村 浩之）

うすばはぎ（本村 浩之）

◇**加工** 頭部を除き，皮を除いて開いたものが冷凍品として売られている．また塩干しのほか，最近では，調味液につけて乾燥した調味干しが生産されている．

◇**調理** おろし方は，皮を口先からはがし，尾の方へむきとるように引っぱって裸にする．肉はやや泥くさいが淡白で，椀種，ちり鍋，煮付け，刺身，酢みそ和え，ムニエルなど，かわはぎと同様にして食べる．冷凍フィレーや調味干しなどに加工される．

●**うすばはぎ**

薄刃剝 分 ウスバハギ属 学 *Aluterus monoceros* 英 unicorn leatherjacket filefish 別 地 しろはげ（四国，高知）；つのこ（南九州，鹿児島）；さんすなー（沖縄）；しゃくしはげ（和歌山）

全長75cmくらい．体に斑紋がなく，下顎から下の方が角張って出っ張り，ここが薄い刃のような印象を受ける．眼の真上に棘があるが折れやすい．第2背びれも尻びれも軟条が50本を超える．尾柄がやや長い．本州以南から熱帯域にまで分布し，水深200m以浅で群をつくっている．定置網や底曳網で時々まとまって獲れることがある．

◇**調理** 美味で，刺身，鍋物，煮付けなどになる．

●**せんうまづらはぎ**

線馬面剝 分 ウマヅラハギ属 学 *Thamnaconus multilineatus* 別 せんうまづら

全長25cm．体色は淡褐色で背部に暗褐色の2条の縦帯があり，その下方に暗色線が直線または波状に走る．やや深海に生息．千葉県以南の太平洋と東インド洋に分布する．

うま味調味料

英 Umami seasoning

天然資源そのまま，またはそれらの組み合わせによってつくられる調味食品に対して，工業的につくられるうま味をもつ化合物，またはその混合物をいう．L-グルタミン酸ナトリウム，5′-イノシ

ン酸二ナトリウム，5′-グアニル酸二ナトリウム，5′-リボヌクレオチド二ナトリウムなどがある．これらを適宜配合することで呈味を増強する相乗効果がある．

◇**種類・分類** 食品添加物＊（指定添加物）としてのうま味調味料：最も古くから知られたL-グルタミン酸ナトリウムのほか，5′-イノシン酸ナトリウム，5′-ウリジル酸ナトリウム，5′-グアニル酸ナトリウム，各種アミノ酸などが指定されている．L-グルタミン酸カルシウムを除いて，使用基準はない．

うま味成分の分類：L-グルタミン酸ナトリウム，グリシン，DL-アラニンなどのアミノ酸系と，5′-イノシン酸ナトリウムなどの核酸系（5′-リボヌクレオチドナトリウム），コハク酸ナトリウムなどの有機酸系とに分けられる．また，グリシン，DL-アラニン，L-グルタミン酸，L-テアニンなどのほかは，すべてナトリウム塩，もしくはカルシウム塩かカリウム塩である．呈味には水に溶ける必要性があり，これらの塩類は溶解度が大きいからである．

◇**呈味特性** 味の相乗効果と複合調味料：調味料は単独で用いるよりも，2種類以上併用することで呈味効果が増強される．複合調味料はこの性質を利用してつくられたもので，グルタミン酸ナトリウムを中心とし，これにイノシン酸ナトリウムやグアニル酸ナトリウムなどがわずかに配合されている．味の閾値（いきち）は，単独ではそれぞれ0.03%，0.025%，0.0125%であるが，組み合わせによってさらに1桁低くなる．

味覚への作用：塩味，酸味，苦味を緩和させ，甘味にコクをつける．ただしぶどう糖や果糖など還元糖＊を多く含む食品にグルタミン酸ナトリウムを用いたときは，アミノカルボニル反応＊によって褐変が起きるので注意しなければならない．

用途：調理用，食卓用の調味料補助として使うほか，水産練り製品，肉加工品，インスタント食品など，加工食品への用途が大きい．

◇**調理** 加熱しても味は変わらないから，煮物では初めから入れてもよい．ただし，炒め物では分解が起こるので，材料を入れる前に油やグルタミン酸ナトリウムだけの強い加熱は避ける．酢の物では食べる直前に加える．

●**イノシン酸二ナトリウム**

英 sodium inosinate

かつお節のうま味成分であるイノシン酸＊のナトリウム塩で，工業化はグルタミン酸ナトリウムに比べて遅かった．1960年になって核酸＊（RNA）の分解産物の中で，特に5′-イノシン酸（5′-IMP）と5′-グアニル酸（5′-GMP）にうま味のあることが見出され，翌年から工業生産されるようになった．リボ核酸の多い酵母を原料とし，これを分解して5′-グアニル酸とともに製造する方法，ぶどう糖培地でバシラス・サチリス（*Bacillus subtilis*）によってイノシンを生成させる方法などがある．白色の結晶または粉末で水に溶けやすく，かつお節様のうま味がある．グルタミン酸ナトリウムと併用されることが多い．

●**グアニル酸二ナトリウム**

英 sodium guanyrate

しいたけのうま味成分である．イノシン酸ナトリウムのプリン塩基の一部にアミノ基の入った構造をしている．イノシン酸ナトリウム同様，酵母核酸の分解物から得られる．

●**グルタミン酸ナトリウム**

英 sodium glutaminate 別 MSG；グルソー

別称のMSGは，化学名 mono sodium glutamateの頭文字をとったもの．グルソーともいわれることがある．古くは商品名"味の素"のみであったが，現在では多くのメーカーの製品がある．L-グルタミン酸のモノナトリウム塩であり，うま味調味料の主体をなしている．明治41（1908）年，池田菊苗が昆布のうま味成分の本体がグルタミン酸であることを見出し，翌年，小麦たんぱくの加水分解＊によって製品が企業化された．原料は，小麦に次いで脱脂大豆が使われてきたが，昭和31（1956）年，協和発酵工業の木下祝郎らによって開発された発酵法が，現在では製造の主体となっている．原料にサトウキビの糖蜜が使われ，ミクロコッカス・グルタミカス（*Micrococcus glutamicus*）などのグルタミン酸生産菌によりグルタミン酸発酵で得たグルタミン酸をナトリウム塩としてつくられる．水に溶けやすい白色結晶で，60℃で100gの水に83.5g溶ける．

うみたなご 海鱮

分 硬骨魚類，ウミタナゴ科ウミタナゴ属　学 *Ditrema temminckii temminckii*　英 Temminck's surfperch；Japanese seaperch　別 たなご　地 せまつたい（鹿児島）；べにつけ（新潟）　旬 9〜10月

全長30cm．一般にたなごと呼ばれるが，淡水のたなごと区別するため，うみたなごという．北海道の南部から福島までの太平洋岸と九州北部まで

の日本海岸に分布する．岩礁域に群れをなして生息し，釣りの対象となる．卵でなく仔魚を産む胎生であるのが特徴．3〜7cmもある仔魚を10〜50尾産む．美味な魚で，東北地方では妊産婦の食料にもするが，島根では逆子を持った魚として妊婦に食べさせるのを嫌う風習がある．亜種にあかたなごとあおたなごが，近縁種におきたなごがある．

◇調理　身は軟らかいが，小骨が多く食べにくい．煮付け，塩焼き，唐揚げが一般的である．

●おきたなご

沖鱮　分 オキタナゴ属　学 Neoditrema ransonnetii　英 Ransonnet's surfperch　別地 おきたなご（三崎）；ね（隠岐）　旬 11月

全長15cm．体高はうみたなごより低く，尾びれはやや長い．うみたなごよりやや沖合いの岩礁に生息する．体色は黄褐色．比較的美味．北海道から九州にかけての日本各地と朝鮮半島南部に分布する．

海ぶどう　⇒くびれずた

 うめ 梅

成 07019（生）　分 バラ科サクラ属（落葉性高木）
学 *Prunus mume*　英 mume；Japanese apricots
旬 初夏

原生地は中国の中部から南部で，栽培の起源は古く，花は観賞用に，果実は薬用に利用されてきた．わが国に梅の記載が現れたのは8世紀の中頃で，中国から渡来したとみられ，舶来の珍しい花として当時の文人たちに愛でられた．『万葉集』には多くの梅にかかわる歌があり，平安朝にはさらに愛好されたといわれ，『古今和歌集』以前は，和歌などで単に"花"といえば，桜よりむしろ梅の花を指すほどであった．

◇品種　野生種を含めて花はいずれも美しく，果実も着けるので，野生種と栽培種との区別は難しい．利用上，花梅と実梅に大別される．花梅は観賞用として発達したものであるが，果実もなり，食用にもなる．花梅の品種は多く，明治末期には318品種が記載されている．梅が果樹として利用されるようになったのは近年になってからで，明治，大正年代に収集された品種は少なく，新しい品種を含めても，現在主要なものは50品種程度である．10g程度未満の小ウメには竜峡小梅，小梅，甲州小梅，小ウメより大きい品種には南高，白加賀，小粒南高，紅さし，鶯宿などがある．地方により適した品種が栽培されている．また，梅とあんずは近縁の植物であり，相互に雑種を形成することができる．自然状態で生じたアンズ系ウメには，豊後（ぶんご），西洋梅（せいようばい）がある．これらは，外観はあんずに近いが，果肉は酸が梅と同じように多く，香りなども梅に近い．特に豊後は大果系梅として，梅干しなどに利用されている．

産地：和歌山，群馬，福井，神奈川，山梨，奈良，三重，青森の各県である．世界では中国，台湾などがある．

◇成分特性　100g中，果肉には4〜5gの酸を含み，幼果ではリンゴ酸*が最も多いが，成熟果ではクエン酸が全酸の40〜80％を占め，そのほかリンゴ酸と，少量のシュウ酸*，コハク酸，フマル酸などからなっている．また少量ではあるが，0.8g内外の糖類を含む．また，β-カロテン当量は240μgと比較的多く，完熟してクロロフィル*が分解すると黄色となる．また最近，梅エキスに含まれるムメフラール（mumefural；クエン酸とフルフラールの縮合物）に血液循環の改善効果があるとされている．

青酸：未熟果の核仁（胚*）には，ぶどう糖が2分子結合した配糖体アミグダリン（amygdalin）が含まれ，これは酵素エムルシン（emulsin）によりシアン化水素 HCN（青酸），2分子のぶどう糖およびベンズアルデヒドを生じる．青梅による中毒はこの青酸による．なお，梅加工品が防腐効果を示すのは最終産物の安息香酸（防腐剤）を生

上：うめ，下：小梅（平　宏和）

成するためである．

　香気成分：梅果実の香気成分の主体は，ベンズアルデヒド，安息香酸，ベンジルアルコール，エチルベンゼン，5-メチルフルフラール，2,3-ジメチル無水マレイン酸などである．

◇保存　梅の貯蔵性は低いが，短期の貯蔵はしばしば行われ，貯蔵適温は10℃周辺である．低温障害は5℃周辺がいちばん発生しやすく，むしろ1℃くらいの方が低温障害の発生が少なくなる．また採取時期は初夏の高温期にあたるので，採取後の呼吸熱によるムレを防ぐため，早目に冷蔵することが大切である．

◇加工　梅干し*，梅漬*，梅びしお*などがある．また，梅酒としての利用も多い．近年はジュース（成07025）を清涼飲料や調味料として利用することが多くなっている．砂糖か液糖で青梅の果汁分を抽出するか，完熟果を機械搾汁し，水で希釈して適度な甘酸味に調製した飲料である．

◇調理　分類上は果実であるが，ほとんど酸味だけのため生食は適さない．加工品としては梅干し，調理としては梅干しを裏ごししたものをしょうゆなどと混ぜ，和え物（梅肉あん）に用いたり，つけじょうゆ（梅肉じょうゆ）にする．梅の実を塩漬にしたとき，梅から出る酸味の強い梅酢は，大根，かぶ，みょうが，生姜などを漬け込むのによい．※生梅をかつらむきしてから千切りしたものは汁物，特に箸洗い（茶懐石の中間に出される吸い物）の香り付けに用いる．また梅干しを少しむしったり裂いたりして，同じく箸洗いの"湯吸い物（熱湯を注いで作る吸い物）"の椀種にする．ほかに裏ごしした梅干しを使って仕立てた汁を梅肉仕立てという．また，細くむいたものを軽くよじった結び梅を祝膳の吸い物の吸い口として用いる．※米飯に梅干しを入れておくと，酸のため腐敗を遅らせるので，弁当，にぎり飯などの保存携帯食に常用されてきた．丸い形と赤い色が白い米飯に彩りをそえる．そのほか，すし（梅巻き），菓子や揚げ物（梅干し揚げ），和え物などの原料にもなる．

うめいろ　梅色

うめいろ（本村　浩之）

分 硬骨魚類，フエダイ科アオダイ属　学 *Paracaesio xanthura*　英 yellowtail blue snapper　別 ひわだい　地 うめいろ；うめの；うめろ（和歌山）；ぼうた；ぼうたいめいろ（小笠原）　旬 6～7月
神奈川県以南に分布し，水深200m以浅の岩礁域に生息する．全長は50cmくらいになる．その和名のごとく，体の色は赤梅の色をしているが，英名にあるように背の部分は鮮やかな黄色である．底はえ縄や釣りで漁獲される．主に練り製品原料．

◇調理　鮮度のよいものは刺身にしても食べられ，塩焼き，煮付け，ムニエル，マリネにしてもよい．

梅酒　うめしゅ

成 16022　英 Umeshu；(liqueur made from Japanese apricots)

果実系のリキュールで，わが国在来の酒である．梅酒は酒税法上は混成酒に分類され，リキュールであるが，市販の焼酎などを買ってきて家庭でつくり，家庭で消費される場合のみ，製造が許可されている．通常は焼酎（35度）2Lに青梅1kg，氷砂糖500～1,000gを入れ，半年～1年以上放置してから飲む．1年～1年半で，梅の実を取り出して，梅酒をビンに入れて保存する．焼酎以外の蒸留酒（ブランデー，ウオッカ，ウイスキーなど）で漬け込むこともできるが，アルコール度数20度以下で作ることは，酒税法上認められていない．果実のリキュールの材料には梅以外にも，みかん，くわ，いちご，かりん，ぐみ，ざくろなどがよく使用されるが，酒税法によりぶどう，山ぶどうは使ってはならないことになっている．

梅酒　原酒，アルコール19容量％（平　宏和）

◇**成分特性** 平均的な成分は梅酒100g（96.2mL）中アルコール10.2g（13.0容量％），利用可能炭水化物*（差引き法）20.7g，たんぱく質0.1g，脂質は微量である．クエン酸が多く，平均100mL中80mg含まれる．
◇**利用** 梅酒はそのまま，あるいは氷の上に注いで飲むほか，水割りしたものに砂糖を加え，清涼飲料とする．

 ## うめづけ 梅漬

成 07020（塩漬），07021（調味漬） 英 Umezuke
梅の塩漬で，梅漬（塩漬）とこれを加工した調味梅漬（調味漬）がある．
◇**梅漬** 食品表示基準*の定義では，「農産物塩漬け類のうち，梅の果実を漬けたもの，またはこれに梅酢もしくは梅酢に塩水を加えたものに漬けたもの（しその葉を巻いたものを含む）」としている．原料には完熟と未熟の梅が使われ，完熟の塩漬は果肉が軟らかく，関西ではどぶ漬と呼ばれている．未熟の塩漬はカリカリとした食感がある．そのうち，カリカリ梅漬と呼ばれるものは，収穫後の梅（大粒より小粒が多く使われる）をすぐに塩のほかカルシウムを一緒に漬込んだ塩漬である．カルシウムの添加は，果肉のペクチン*をペクチン酸カルシウムにして組織を硬化し，果肉の軟化を防ぐ効果がある．カリカリ漬用添加剤が市販されており，製品によりカルシウム塩ほか，調味料，甘味料，有機酸*などが配合されている．卵殻も利用できる．
◇**調味梅漬** 食品表示基準の定義では，「梅漬を砂糖類，食酢，梅酢，香辛料など，これらに削りぶしなどを加えたものに漬けたもの（しその葉を巻いたものを含む）」としている．調味梅漬は梅漬が塩味，酸味の強いため，梅漬を水に浸して脱塩，脱酸し（特有の風味も失われる），調味液に漬け込み，マイルドな味にしたものである．調味の主材料によりはちみつ，かつおなどの製品がある．調味梅漬にはスナックタイプのカリカリ梅があり，昭和46（1971）年に商品化され，個別包装（ハーフドライタイプ1～2個入り）の製品がみられる．

 ## うめびしお 梅びしお

成 07024 英 Umebishio；(sweetened puree of Umeboshi)
すりつぶした梅肉に水を加えたのち煮て，裏ごしする．さらに砂糖やみりんを加えて，弱火で練りあげたもの．鍋はほうろう鍋を用いる．あつあつのご飯につけて食べたり，和え衣に加えたりする．

梅びしお（平 宏和）

 ## うめぼし 梅干し

成 07020（梅漬 塩漬），07022（梅干し 塩漬） 英 Umeboshi
梅を塩漬した梅漬*を天日干しにしたものである．梅干し（塩漬）とこれを加工した調味梅干し（調味漬）がある．
◇**原料** 梅の品種は非常に多く，豊後（ぶんご），白加賀，南高（なんこう），小玉の竜峡小梅などが有名である．収穫熟度は，梅漬用のものは青みの強い早採りのものが，梅干しには若干黄色みを

梅漬け　左：小梅漬（塩漬），中：調味小梅漬（カリカリ漬），右：カリカリ梅（スナックタイプ）（平 宏和）

梅干し　白梅干し（平　宏和）

帯びた程度のものが適している．熟度の進んだものは香りが強い．

◇**梅干し**　食品表示基準の定義では，「梅漬けを干したものをいう」としている．白梅干しと赤梅干しがある．

（1）**白梅干し**：着色されない梅干しで，白干し梅干しともいう．完熟した梅が使われ，水洗いした梅に15〜20％の食塩を使い，押蓋をして重石を乗せ下漬する．漬込み期間は20日前後で，入梅明けの晴天に天日で乾燥し，1回目は漬込液に戻し，3〜4日後に取り出して数日間十分に乾燥して製品とする．

（2）**赤梅干し**：赤しその葉の色素（シソニン）で着色された梅干し．赤しその葉は塩で揉み，梅酢（下漬の漬汁）に入れ発色させたものを用いる．白梅干し同様な方法で漬込んだ梅を取り出し，発色したしその葉と梅酢を加え，押蓋をし，重石を乗せ漬込む．天日干しの2日間は色が均一になるように梅酢に戻し，数日間十分に干して製品とする．

◇**調味梅干し**　食品表示基準*の定義では，「梅干しを砂糖類，食酢，梅酢，香辛料など，もしくはこれらに削りぶしなどを加えたものに漬けたもの，または調味梅漬けを干したもの（しその葉を巻いたものを含む）」としている．梅干しが塩味，酸味の強いため，梅干しを水に浸して脱塩，脱酸し（特有の風味も失われる），調味液に漬込み，マイルドな味にしたものである．かつお節としその葉（梅酢漬）を加えて造るかつお梅干し，赤しそと一緒に漬込んだしそ漬梅干し，はちみつを加え甘くしたはちみつ梅干しなどの製品がある．

◇**成分特性**　梅干し（塩漬）は，ナトリウム*が多い（塩分19〜22％）．ただし，塩分を7〜8％に抑えた調味漬もでている．有機酸*の主成分はクエン酸で，リンゴ酸*も含まれる．

梅干しの利用法は，うめの項（調理）を参照．

●**調味漬**

成 07021（梅漬　調味漬），07023（梅干し　調味漬）

英 salted and seasoned pickles of mume

梅漬や梅干しはそのままでは，酸味，塩味ともにかなり強力である．最近はマイルドな味が好まれるため，これに即応した調味漬が出回っている．調味の主材料によって，はちみつ調味漬やかつお調味漬などがある．

◇**漬け方**：原料は梅漬，梅干しどちらでもよい．まず材料の2倍量の水に1昼夜浸して脱塩，脱酸する．これで食塩は5〜6％，酸含量は1〜1.5％前後となる．

はちみつ調味漬　脱塩梅10 kgに対し，2 kgのはちみつを4 kgの水に溶かし，これに化学調味料を適宜加え，脱塩梅を漬け込んで時々攪拌しながら約2週間くらい味をなじませる．

かつお調味漬　脱塩梅10 kg，しその葉（梅酢漬）500 gを調味液8 L（食塩200 g，砂糖1.5 kg，化学調味料100 g，食酢200 g，クエン酸10 g，リンゴ酸10 g，焼酎35度1 L，水5 L）に漬け込み，時々攪拌しながら約10日間味をなじませる．次に漬液を切り，表面の水気がなくなるまで天日で干す．かつお節1 kgをあらかじめ削っておき，鍋で空炒りしておく．これにしその葉をみじん切りにして混合する．乾燥した梅にまぶして小袋詰めして製品となる．

調味漬　左：しそ漬梅干し，中：はちみつ梅干し，右：かつお梅干し（平　宏和）

梅焼き

英 Umeyaki；(flower shaped atsuyaki)
魚のすり身に卵黄，砂糖を加えて梅の花の形に成形し，焼き上げる．厚焼きの焼き抜きかまぼこの一種．正月料理に使用する．

うらべにほていしめじ

裏紅布袋占地

分 担子菌類イッポンシメジ科イッポンシメジ属（きのこ）　学 *Entoloma sarcopum*　英 Urabenihoteishimeji　別 いっぽんしめじ

秋に広葉樹林内地上に生える．傘は直径7～12cmと大きく開き，色は灰色がかった褐色で，柄は白色で長く太い．傘の表面に指で押したような丸い模様が現れるのが本種の特徴で他の近縁のものには見られない．歯切れがよく食感はよいが，味はほろ苦い．毒きのこのくさうらべにたけと形状が似ているので，自生しているものを採取するときは注意がいる．また，別名のいっぽんしめじは近縁の毒きのこの名前でもあるので，注意が必要である．

◇調理　ほんしめじと同様，汁物や鍋物の具，焼き物，揚げ物，炒め物などに用いられる．多少紛臭が気になる場合があるので，ゆでこぼして調理するとよい．

うらべにほていしめじ（福井きのこアドバイザー会）

うるい

成 06363（葉 生）　分 キジカクシ科ギボウシ属（多年生草本）　学 *Hosta* spp.　英 plantain lily　別 ぎぼうし；ぎぼうしゅ；ぎぼし　旬 春

うるいの仲間は種類が多いが，すべて食べられる．山菜として最も親しまれているのはオオバギボウシ（*Hosta sieboldiana* var. *sieboldiana*）で，名の通り一番大型種である．主に山に広く自生するが，

うるい　上：温室栽培，下：軟白栽培（平　宏和）

谷川沿いの斜面などで清水にぬれているような場所を好んで1株または群生する．株は3～5本の葉が束になって出ていて葉柄*と葉がはっきりしている．葉柄は40～50cm，葉は幅の広い楕円形で先が尖っていて縦縞がある．株の中央から花茎*を出し，総状花序*をつける．ギボウシの名は花茎の先が擬宝珠（橋などの親柱の上にかぶせた，ネギの花の形をした飾りの金物）の形に似ていることからきているという．紫色の花を横向きに開く．分布は北海道から九州に至る．花期は7～8月である．

◇採取　春の若芽で，まだ葉が葉巻き状になっているようなものを摘む．手で摘むときには根元をつかみ，横に引っぱるようにすると根のところから折れる．群生するのが常で，収量が多い．

◇調理　若いものは，わずかな苦味があり，また，ほどよいぬめりがある．生のまま天ぷら，一夜漬，煮付け，茹でて和え物，酢の物，汁の実などにする．

うるか

成 10029　英 Uruka；(salted and fermented viscera of sweetfish and/or salted gonad preserves)

あゆの内臓の塩辛で，卵巣を用いたものを子うる

うるか（平　宏和）

か，精巣からのものを白うるか，内臓全部を原料としたものを苦（にが）うるかと呼び，頭とひれ以外の内臓を含む魚伝を細かく切ったものを原料としたものを切り込みうるかという．

◇**成分特性** 100g当たり13.0gと食塩含量が高いが，ビタミンAはレチノール活性当量*で2,000μg含まれる．

うわばみそう　蟒草

分 イラクサ科ウワバミソウ属（多年生草本）　**学** *Elatostema involucratum*　**英** Uwabamiso　**別** みず；みずな　**旬** 春

谷川のほとりや谷底の林内の湿潤な斜面などに群生する．名前はうわばみ（大蛇）が出そうなところに生えることに由来する．茎の下部が赤いので赤ミズとも呼ばれる．別種にヤマトキホコリ（*E. laetevirens*）があり，茎が全部青いので青ミズと呼ばれる．なお真のアオミズ（*Pilea mongolica*）も食用となる．赤ミズも青ミズも食べ方は同じで，茎の部分を食べる．茎は5mmほどの太さで根部にこぶのついているものがある．大きい植物は先の方で枝分かれする．葉は互生して，楕円形で鋸歯になっている．葉柄*はなく，大きいものは30〜50cmになる．葉腋*より花序*を出し，小さな白緑色の花が球状に咲く．秋には葉のつけ根がふくらみ，直径1cmくらいの透明がかった薄緑のむかごをつける．これも食用になる．

◇**採取** 軟かい春の若芽のうちに植物全体を採るのが望ましいが，比較的食用期の長い山菜で，1カ月ぐらいの摘み期間がある．

◇**調理** "みずたたき"，または"みずとろろ"といって，葉を取り去り，茎だけを3cmほどに切りすり鉢でつぶすと，ぬめりが出る．これをかつお節や納豆などと和えて，しょうゆ味で食べる．アクがまったくない．そのほか茹でてお浸し，和え物，汁の実，浅漬などにもできる．

うんしゅうみかん　温州蜜柑

成 07026（じょうのう 早生 生），07027（じょうのう 普通 生），07028（砂じょう 早生 生），07029（砂じょう 普通 生），07035（缶詰 果肉），07036（缶詰 液汁）　**分** ミカン科ミカン属（常緑性低木）　**学** *Citrus unshiu*　**英** Satsuma mandarins　**別** みかん　**旬** 晩秋〜冬

鹿児島県長島町の原産で，遣唐使が中国からもたらしたみかん類から約500年程前に偶発実生（ぐうはつみしょう）として生じたといわれている．その後，福岡，愛媛，大阪，和歌山などに伝わった後，多くの系統が枝変わり（突然変異）により生じた．温州みかんは通称，みかんと呼ばれ，わが国の柑橘類の中で最も生産量が多く重要である．温州は，みかん栽培で有名な中国の浙江省温州のことであるが，この品種と中国の温州とは直接関連はない．

◇**品種** 現在の品種を大別すると，露地栽培*で9月中旬から熟する極早生温州，10月中旬から熟する早生温州および11月下旬から熟する普通温州の3品種になる．極早生および早生種は普通温州から枝変わりとして生じたもので，外観だけでは区別しにくいが，品質，性状は異なる．極早生，早生，普通温州ともに，現在では多数の系統があり，産地により奨励系統が栽培されている．主要品種は，極早生種には日南1号，宮本，岩崎，上野などが，早生種には宮川，興津，田口，原口，肥のあけぼの，普通種には青島，南柑4号，南柑20号，大津4号，林，向山，石地などがある．

産地：柑橘類は熱帯あるいは亜熱帯性の果樹であるが，温州みかんは最も耐寒性が強い．世界での産地は日本，スペイン，米国，中国など，多くの国に及ぶ．わが国では神奈川県以南の沿岸に多く，主産地は和歌山，愛媛，静岡，熊本である．極早生種と早生種の生産は全体の40％を占め，残りの60％は普通種である．なお，温州みかん

うわばみそう（平　宏和）

うんしゅうみかん　させぼ温州（平　宏和）

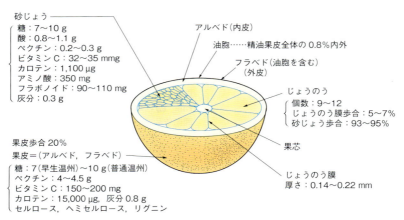

図1　みかん果実の構造と成分（成分量は100g当たり）

は果皮がむきやすく，食べやすいので，海外でも人気が高く，カナダや米国に輸出されている．

◇**成分特性**　早生種と普通種では，成分的には大きな差異は見られない．しかし，品質の上では，主に次の点が相違する．極早生・早生温州は果皮の着色，糖類の蓄積，酸の減少が早く，熟期が早いこと，果皮が普通温州より薄く，貯蔵性が普通温州に比べ劣ることである．また，果皮が薄いので果皮の割合は普通温州より5％ほど低い．じょうのう膜も一般に早生温州の方が薄い．食味は極早生・早生温州はやや淡白である．果実の部位別成分含量の概要は図1の通りである．

　果皮：アルベドとフラベド部を含む外果皮*は通常廃棄されるが，種々の成分を含んでいる．果皮を乾燥させたものを陳皮（ちんぴ）と呼んで，健胃，整腸，去痰などに漢方薬として利用する．また，和食や中華のスパイスとしても使われ，七味唐辛子にも含まれている．果汁の搾汁粕は家畜の飼料として利用される．100g中，果皮の水分は75g前後で，糖類を7～10g含み，ペクチン*も多い．果皮のビタミンCは果肉部（砂じょう）の4～5倍含まれている．果皮の橙黄色はカロテノイド色素によるもので，15,000μgのカロテンを含んでいる．

　香気：主な香気成分は，果皮に含まれ，α-ピネン，ミルセン，リモネン*，シトロネラールなどの精油*である．

　果肉：通常種子を含まず100g当たり2,700個程度の砂じょう（じょうのう1個当たり260個）の集合体であるが，100g中，成分は水分約88g，糖類7～10g，酸0.8～1.1g，ペクチン0.2～0.3g，その他セルロース*，ヘミセルロース*からなっている．糖組成は全糖の約65％がしょ糖，18％が果糖，17％がぶどう糖である．酸はクエン酸が最も多く85～90％を占め，リンゴ酸*は5～7％で，その他コハク酸，シュウ酸*などを含む．ビタミンCが多く，100g中35mg含まれている．果肉のカロテノイド*は2～3mg含まれているが，クリプトキサンチン*が多く，β-カロテンは全量の約5％に過ぎない．灰分は0.3gであり，カリウムが圧倒的に多い．果肉の遊離アミノ酸*は350mg/100g含まれるが，プロリンとアスパラギンが最も多く，その他はアラニン，アスパラギン酸，γ-アミノ酪酸，アルギニン，セリンなどが多い．じょうのう膜は4～5％のペクチン質が主成分である．毛細血管の透過性や欠陥脆弱性を防止する作用を持つビタミンP効力を有するフラボノイド化合物のヘスペリジン（hesperidin）を多く含んでいる．さらにビタミンE（トコフェロール）も多い．

◇**保存**　常温貯蔵と低温貯蔵が広く行われている．貯蔵用の果実としては貯蔵力の高い普通温州が主に用いられていて，なかでも，採取時の酸含量の多い静岡や神奈川産のものが貯蔵されることが多い．貯蔵の最適温湿度は3～5℃，85％である．貯蔵限界は常温貯蔵では2月末，低温貯蔵では5月上旬までである．貯蔵力を高めるためには，採取後果実を通風のよい所に置き，果皮が少ししおれる程度，全重の4～5％が減量したところで貯蔵箱に詰めて庫内に入れ貯蔵する．この

減量操作を予措（よそ）といっており，重要な処理である．

◇加工　温州みかんの主な加工品は果実ジュース，濃縮果汁，果汁入り飲料，缶詰，ジャムなどである．果実ジュースは果実を搾汁し，裏ごしして果肉分（パルプ）を4%前後に調整し殺菌，密封して製造する（近年，パルプ量は減少傾向にある）．この100%果汁を1/5に濃縮すると濃縮果汁が得られるが，−20℃で凍結保存すれば数年間品質の変化がなく保存できる．冷凍濃縮果汁は水で戻し飲用とするので，容器や保存管理上節約でき効率のよい果汁である．果汁入り飲料は果汁分が10〜50%になるよう水で希釈し，甘味料や香料を加えて殺菌したものである．缶詰は果皮をはぎとり，高水圧のほろ割り機でじょうのうを割り，じょうのう膜を酸（0.7%）とアルカリ（0.5%）で順次処理して脱皮し，水洗して糖液とともに密封したものである．

◇調理　ビタミンCを多く含み，保存がきくので生食が最もよい．皮は他の柑橘に比べてむきやすいので食べやすく，また果汁に加工しても変色や成分の変化も少ないので，ジュースとして飲用することが他の果実より多い．ポリフェノールオキシダーゼによる褐変はほとんどなく，また抗酸化物質が多いため，ビタミンCは比較的安定である．ジュース以外の用途としては，フルーツサラダに使われる程度である．※みかん缶詰はそのまま食べるほか，ポンチ，フルーツカクテル，冷たい麺類の彩りなどに用いられる．

● 青切りみかん

従来の早生より着色が早く，味が早くのる変異系統である極早生種を暖地で栽培し，まだ果実が青いうちに収穫して9月上旬から出荷するものであり，食味は十分でない．

● ハウス栽培みかん

英 Satsuma mandarins, greenhouse culture

温州みかんの果実に生長する花芽は1月上旬から3月にかけて分化し，5月上旬から6月上旬に開花する．花芽が分化した直後からビニルハウスで加温して栽培することで，開花とその後の果実の肥大が促進され6月上旬頃から出荷できる．夏場のみかんは稀少価値が大きく，高値になるので，生産は増加しているが，燃料消費が大きいのが問題である．

え

 えい　鱝；鱏；海鷂魚

成 10073（生）　分 軟骨魚類，エイ上目　学 Batidoidimorpha　英 skates；rays

えいは，さめとともに軟骨魚類に属し，これらの先祖型は，古生代デボン紀に現れ，内部骨格が軟骨で，楯鱗*（じゅんりん）を持つこと，体の両側または腹面に数対のえら穴があることなどが特徴である．さめはえら穴が体側面にあることでえいと区別される．

◇成分特性　軟骨魚類の特色を有し，骨質の軟らかいことと肉質の特異な臭気はサメ類同様である．この臭気は普通アンモニア臭といわれているが，母体に含有されている尿素およびトリメチルアミンオキサイドが魚の死後腐敗細菌によって分解され，揮発性のアンモニアやトリメチルアミン*に変わるからである．これらの含量は筋肉100g当たり1.7〜2gで，これがアンモニアに変わるとすると通常の軟骨魚の腐敗初期のアンモニア量30mgを越え，50mgから150mgに達することもある．しかし，それほど肉質はおかされていない．えい類の肉はさめとともに色が白く，軟骨魚であるためコラーゲン*に富み，煮るとこれがゼラチンに変化して煮こごりができる．また，えい類はさめ類と同じく，かまぼこ原料となるが，さめ類とは異なり，肉組織の形成にあたり体の中心から放射状に筋肉繊維束がでており，この間に血合肉が介在し，普通肉と血合肉を別々に処理して白色の製品をつくるには不適当とされている．

◇保存・加工　あかえい，ひらたえい，つばくろえいなどは惣菜用である．加工品としては，がんぎえいを原料とする福岡，長崎，下関のえいみりん干しや，兵庫などで安価なえい類を使ったひれの塩乾品などがあるが，あまり種類は多くない．また，かまぼこに加工されるえい類はがんぎえい，かすざめ，さかたざめ，のこぎりえい，いとまきえいなどがある．

◇調理　鮮度が落ちると臭気が出やすいため，材料は新鮮なものを選ぶ必要がある．出回り期が夏であることから，調理直前まで冷蔵庫から出さないようにする．※煮こごりを利用するには，骨ごとゆっくり煮込んだものを冷やして供する．※水分が多くうま味はそれほど強くないので，味付けの濃い煮物に適する．生姜，にんにく，酒などを

えいのひれ（みりん干し）（平　宏和）

使って臭気を消すほか，調味もみそ煮，甘酢あんかけなど，濃い味付けを行う．

●**あかえい**

赤鱝 分 アカエイ科アカエイ属 学 *Hemitrygon akajei* 英 whip stingray 別 地 えい（関東）；あかえ（関西；九州）；えう（仙台） 旬 夏

全長1m．体は平たく菱形で，長い尾をもつ．体は，背部が黄褐色，腹部が淡黄色．背部の中央に尾まで続いた棘がある．尾の棘は毒腺をもつものが多く，海外では死亡事故も起きている．初夏に7～25匹の胎仔を生む．国内では北海道から九州・種子島にかけて分布する．

●**いとまきえい**

絲巻鱝 分 トビエイ科イトマキエイ属 学 *Mobula mobular* 英 devil fish 別 地 ぎめ；ぎめえい（和歌山）；ぎんめ（伊豆）；わくえい（北陸）

四角な形と細長い尾が糸巻きに似ているところから名付けられた．体幅4～5m，重さ1.5tにもなる巨大なえいで，頭の前に角のようにみえる突起がある．日本各地の沿岸，インド・太平洋に分布する．不味で主に魚粉に加工され，食用にはあまり利用されない．近縁種のオニイトマキエイ

あかえい（本村　浩之）

(*Mobula birostris*）は，通称マンタと呼ばれ，体幅5～6m，重さ2.5tに達するものもいる．世界最大のえいで，水族館の人気種である．

●**がんぎえい**

雁木鱝 分 ガンギエイ科ガンギエイ属 学 *Dipturus chinensis* 英 yellownose skate 別 地 からけい；からかい（東北）；かすべ（北海道，山陰）；すえい（下関） 旬 夏

全長70cm．体板が角ばっており，幅が長さより大きい．口さきが長い．体色は，腹部は白く背部は茶褐色で，淡色の斑紋があり，近海の砂底に生息する．味は夏場うまく，練り製品原料となる．北海道から九州，朝鮮半島，中国，台湾に分布する．

がんぎえい（本村　浩之）

●**こもんさかたざめ**

小紋坂田鮫 分 サカタザメ科サカタザメ属 学 *Rhinobatos hynnicephalus* 英 angel fish

さかたざめの近似種．背面は褐色ないし灰褐色で，黒い点状の輪状紋が散在する．南日本から東シナ海に分布．かまぼこ原料になる．

●**さかたざめ**

坂田鮫 分 サカタザメ科サカタザメ属 学 *Rhinobatos schlegelii* 英 brown guitarfish 別 地 すき；すきえい（三重，和歌山，鹿児島）；てんがりざめ（北陸）；とおば（東京，千葉，新潟）

全長約1m．さめの名が付くが，エイ上目の魚である．体は扁平で，腹面は平たい．尾部はよく伸びている．胸びれが広く前方に伸び，口と融合している．近海の砂底に生息する．胎生．日本を含む東アジアに分布する．練り製品の原料とされる．

●**つばくろえい**

燕鱝 分 ツバクロエイ科ツバクロエイ属 学 *Gymnura japonica* 英 Japanese butterflyray 別 地 からすえい（国府津）；ちょおえい（富山）；かたびら（関西）

全長1m．体盤の幅が長さに比べ非常に大きい．

尾は細く短い．体色は茶褐色で腹部は白い．茨城県以南の西太平洋に分布する．練り製品原料．
●とんがりさかたざめ
尖坂田鮫　分 シノノメサカタザメ科トンガリサカタザメ属　学 *Rhynchobatus australiae*　英 bottlenose wedgefish　別 とんがり　地 すきさき（高知）
吻（ふん）が長く，先端が尖っている．眼の外方や後方に暗褐色の点がある．これらの点はさかたざめやこもんさかたざめにはない．南日本からアフリカおよびオーストラリアに分布．かまぼこ原料になる．
●のこぎりえい
鋸鱏　分 ノコギリエイ科ノコギリエイ属　学 *Pristis pristis*　英 common sawfish
名前の通り吻（ふん）がのこぎり状の，特徴ある姿をしている．さめとえいの中間型の魚である．日本では八重山諸島からのみ記録されている．全長2m．練り製品の原料とされる．
●ひらたえい
扁鱏　分 ヒラタエイ科ヒラタエイ属　学 *Urolophus aurantiacus*　英 sepia stingray　別 地 ひらたえい（東京）；ずるくえい（神奈川）；あかえい（下関）
全長40cm．尾びれは幅広い．体色は黄褐色で腹面は白い．尾部の棘は強大である．練り製品と原料される．南日本，東シナ海に分布する．
●やっこえい
奴鱏　分 アカエイ科ヤッコエイ属　学 *Neotrygon orientalis*　英 oriental bluespotted maskray　別 地 しろえい（和歌山）；つちえ（高知）
全長1.5m．あかえいに似ているが，背面は褐色に灰色または青色の鮮やかな斑点が散在する．腹部は白く，周縁が暗灰色である．北海道以南の西太平洋に分布する．練り製品原料となる．

衛生ボーロ

成 15061（小粒），15062（そばボーロ）　英 Eisei-boro；(Boro made from starch dough)
幼児用の菓子で，軽い食感と口溶けのよさが特徴である．じゃがいもでん粉を主原料として，小麦粉，砂糖，鶏卵，膨張剤として炭酸アンモニウムを使い，8mm角に切断した生地を，回転ドラムに通して丸め，鉄板にのせて，よく焼き上げたものである．

栄養機能食品　⇒保健機能食品

衛生ボーロ（平　宏和）

液糖　⇒さとう
液卵　⇒けいらん

エクレア

成 15073（シュークリーム）　英 eclair
シュークリームの一種．原料・製法などはシュークリームに準ずる．éclairはフランス語で稲妻のことである．皮が焼き上がった表面に稲妻形のひびができるのでこの名称が付けられたといわれている．シュー生地を細長く絞る点がシュークリームと異なる．また皮の上にチョコレートやコーヒーのフォンダン（すり蜜）などをかけることが多い．

エクレア（平　宏和）

えご練り　⇒おきうと

えごのり　恵胡海苔

成 09008（素干し）　分 紅藻類イギス科エゴノリ属　学 *Campylaephora hypnaeoides*　英 Ego-nori
高さ10〜20cmの海藻で，幼時は軟らかいが，次第に硬くなる．日本各地に分布し，ほんだわら類の海藻に着生している．
◇**成分特徴**　炭水化物が主成分で，素干し品で100g当たり62.2g含むが，そのほとんどが食物繊維53.3gである（利用可能炭水化物*（差引き

法）8.9g）.
◇用途　いぎすやおごのりとともに化学寒天の原藻として用いられる．限られた地域であるが，"おきうと（おきゅうと）"として用いられる．
◇調理　刺身のつまに用いるが，煮溶かしてこした液を凝固させたおきうと*としての利用が多い．

えごま　荏胡麻

成 05004（乾）　分 シソ科シソ属（1年生草本）
学 *Perilla frutescens* var. *frutescens*　英 perilla seeds

草丈は80cm内外，果実は蒴果*（さくか）で，種子はその中に4個入り，球形で直径約1.2mm．種皮には黒褐色，茶褐色，灰白色のものがあり，粗い網状紋がある．東部アジアの原産と考えられ，インド，中国，朝鮮，日本では古くから栽培されている．なお，しそはえごまの変種で，えごまの葉もしその葉によく似ている．生のままやしょうゆ漬，天ぷらなどにも利用できる．特に韓国では，キムチを包んで食べるなど，人気のある野草である．種子は炒ってえごま和え，ごへい餅のたれ，また，ごまの代用として食用に，鳥類の飼料としても用いられるが，主な用途は製油用である．
◇成分特性　種子の脂質（TAG当量）*含量は100g当たり40.6gで，これからえごま油を採る．乾性油*で，ヨウ素価*は200内外と植物油中最も高いものの一つであり，主として工業用に用いられる．その脂肪酸組成はリノレン酸約61%，リノール酸*約13%，オレイン酸*約17%などである．無機質も多い方で，カルシウムも豊富であり，鉄*は100g当たり16.0mg含まれる．ビタミンとしてはB_2，ナイアシン*が比較的多い．

えごま油　荏胡麻油

成 14024　英 perilla oil　別 えの油；しそ油
えごま種子（油分45〜50%）から採油する乾性油*で，搾油は圧搾後，溶剤による抽出法が一般的である．わが国では江戸期以前までは各地で栽培されていたようである．
◇成分特性　『食品成分表』によれば，脂肪酸組成はパルミチン酸5.9%，オレイン酸*16.8%，リノール酸*12.9%，α-リノレン酸*61.3%．あまに油によく似た脂肪酸組成を持ち，α-リノレン酸を多く含む（付表6）．100g当たりの成分値は，ビタミンE 66.6mg（γ-トコフェロールが多い）とβ-カロテン22μgは，あまに油より多いが，ビタミンK 5μgは，あまに油よりも少ない（付表7）．
◇理化学特性　日本農林規格関係資料によると比重0.930〜0.935，屈折率1.482〜1.484，ヨウ素価*192以上，けん化価189〜195．
◇用途　あまに油と同様，乾性油に属し酸化されやすい．歴史的に灯明油として利用されてきたが江戸期になたね油が用いられるようになり生産量が減少した．唐傘，合羽，油紙等の原料油として利用されている．食用としての利用は，あまに油と同様，最近酸化防止技術の向上により，α-リノレン酸含量の多い食用油として，健康食品として評価され利用されるようになった．
◇調理　熱が加えられないので，サラダのドレッシングや各種料理にかけて利用する．開封後は，早く消費し，冷蔵保存する．

えごま　上：えごまの葉，下：乾（平　宏和）

えごま油（平　宏和）

エシャレット　⇨らっきょう
エシャロット　⇨シャロット

エスカルゴ

成 10291（水煮缶詰） 分 軟体動物，腹足類，マイマイ科リンゴマイマイ属 学 *Helix pomatia* 英 apple snails 別 りんごまいまい

エスカルゴはフランス語でカタツムリ一般のことで，食用とされるエスカルゴは貝径約4cmの陸生巻き貝．図鑑などには"りんごまいまい"と書かれているものもある．茶色か黄色を帯び右巻きで，中部ヨーロッパの牧場や灌木の茂みが点在するような起伏に富んだ所に多い．フランスのブルゴーニュ地方が有名．ヨーロッパでは本種のほかにヒメリンゴマイマイ（*Helix aspersa*；仏 petit-gris；プチグリ）や，モリノオウシュウマイマイ（*Cepaea nemoralis*）なども食用とされる．エスカルゴはフランスのほか，英国，イタリア，オーストリアなどで高級食材とされ，盛んに養殖されている．この養殖の歴史は古く，古代ローマではコクレリアと呼ばれる特殊な囲いの内で飼育されていたという．

◇**成分特性** 成分的には，たにしなどの巻き貝に類似する．『食品成分表』では水煮缶詰の成分値を収載している．

◇**保存・加工** 日本では，ほとんどが缶詰で輸入されている．身だけを缶詰にし，殻だけ別に販売するもの，両方をセットにしたものがある．また，水煮されただけのもの，調味されたものがある．食べ慣れないと違和感をもつが，相性のよいにんにく，パセリなど，香草を用いると美味となる．最近は，焼くだけですぐ食卓に出せる冷凍品もある．

◇**調理** 特にフランス料理に用いられている．多くはフランスで養殖され，食べ頃は冬眠に入る直前である．生きたエスカルゴを料理する場合は，6～10日間絶食させ，消化管内容物を出し塩を振って臭みをとり，水洗いしてから用いる．※水煮の場合は缶を開けて水洗いし，水気を切り，コンソメと白ワインで下煮し，エスカルゴバターやソース・オランデーズ（ダッチソース）とともに殻に詰めてオーブンで焼き，オードブル，あるいは魚料理として食される．また，だし汁，酒，みりん，しょうゆで下味を付けて，和風の素材として用いることもできる．

えそ　狗母魚；鱛

成 10074（生） 分 硬骨魚類，エソ科マエソ属 学 *Saurida macrolepis* 英 brushtooth lizardfish 別 標 まえそ 地 えそ（各地）；いそ（関東）；よそ（富山，和歌山）；いそぎす（三崎）

全長40cm．体は円筒状で，頭はやや縦扁する．口が大きく，鋭い小歯が密生している．体色は灰色がかった黒．尾びれの上縁に黒縞がある．100m以浅の砂泥底に生息する．上等の練り製品原料となる．南日本からインド・西太平洋に分布する．ほかに，同属にはとかげえそ，わにえそ，同科アカエソ属のあかえそ，アオメエソ科アオメエソ属にはあおめえそ，めひかりなどがいる．

◇**成分特性** 肉色白く，深海魚の特性がある．『食品成分表』では，100g当たり水分が77.6gと多く，脂質（TAG当量）*が0.6gと少ない．うま味に富み，アシが強い性質があり，かまぼこ原料には適しているが，冷凍耐性は劣る．ビタミン類の含量も低く，栄養的にはあまり期待できない．

◇**保存・加工** かまぼこ原料として味がよいため白焼きかまぼこ，宇和島かまぼこ，皮竹輪（かわちくわ）などの各地の名産品に使われている．また，かまぼこの変形ともいうべき名産品に山口の魚のすり流し，大分のうずみなどが知られている．

◇**調理** 小骨は多いが，身はおいしい．主にかまぼこなど高級練り製品の材料となる．質がよく，弾力性，すなわちコシが強いのが特徴である．煮物，焼き物として食べる．えそのすり身をだんごにしたあとは，蒸す，煮る，揚げるなどの調理法で食べられる．

●あおめえそ

青目狗母魚　分 アオメエソ科アオメエソ属 学 *Chlorophthalmus albatrossis* 英 big-eyed greeneye 別 めひかり 地 おきうるめ；ひめひかり，めひかり（高知）

全長17cm．体は円筒状で頭は縦扁する．下顎が上顎より突き出している．目が青緑色によく光る．150～620mの深海に生息する．干物，佃煮，練り製品原料．

エスカルゴ

あおめえそ（めひかり）（本村　浩之）

● あかえそ

赤狗母魚　分 エソ科アカエソ属　学 *Synodus ulae*　英 redlizard fish　別 地 とらえそ（駿河湾）；いもえそ（関西）；ばかえそ（小湊）
全長40cm．体色が赤く，下顎が上顎より短い．浅海の砂底に生息する．南日本，台湾，ハワイ諸島に分布する．

あかえそ（本村　浩之）

● とかげえそ

蜥蜴狗母魚　成 10074（生）　分 エソ科マエソ属　学 *Saurida elongata*　英 slender lizardfish　別 地 おおよそ；ほんえそ；みつえそ（和歌山）；さどぎす（新潟）；わにこ（秋田）
全長60cm．体色は黄褐色で下方は白い．練り製品原料．青森県以南に分布する．

とかげえそ（本村　浩之）

● めひかり

目光　分 アオメエソ科アオメエソ属　学 *Chlorophthalmus acutifrons*　英 humpback greeneye　別 標 ともめひかり；とがりあおめえそ
全長35cm．体が側扁し，背びれのところが高くなっている．青森県から九州，中国，台湾，フィリピンに分布している．あおめえそとともに目が光るところより，俗にめひかりといい，最近この名で生干しとして販売される．練り製品原料ともなる．

● わにえそ

鰐狗母魚　成 10074（生）　分 エソ科マエソ属　学 *Saurida wanieso*　英 wanieso lizardfish　別 地 わにこ（秋田）
全長70cm．口端が尖っている．尾びれの上縁に黒縞がない．南日本から西太平洋に分布する．練り製品原料．

えぞあわび　⇒あわび
えぞいがい　⇒いがい

えぞいしかげがい　蝦夷石陰貝

分 軟体動物，二枚貝類（綱），ザルガイ科イシカゲガイ属　学 *Clinocardium californiense*　英 Californian cockle；Bering Sea cockle　別 市 いしがき貝
東北地方以北，オホーツク海にも分布している．水深10m以上の海底の泥の中に生息している二枚貝で，殻には放射状に40〜45本の丸い肋がある．殻の大きさは7cm程度．漁期は春から初夏である．同属のいしかげがい（*Clinocardium buellowi*）は小型で，35〜40本の放射肋がある．房総以南に分布する．
◇調理　近縁種のとりがいに食味が似ているので，とりがいの代用としてすし種に利用される．やや大味であるが，鮮度が比較的長く保たれるので刺身に向き，酢じめにして和え物，つけ焼きにも利用できる．

えぞいそあいなめ　⇒ちごだら
えぞねぎ　⇒あさつき，ぎょうじゃにんにく
えぞばふんうに　⇒うに
えぞぼら　⇒つぶ

えだまめ　枝豆

成 06015（生），06016（ゆで），06017（冷凍）
分 マメ科ダイズ属（1年生草本）　学 *Glycine max*　英 Edamame；(immature soybeans)　旬 夏
野菜用として，未成熟の種実を利用する目的で栽培される大豆を，えだ豆と呼ぶ．大豆は中国北部原産で，わが国には有史以前に渡来していたものと推定される．
◇品種　大豆は温度と日長に対する反応から，夏大豆型，秋大豆型，中間型に区分される．えだ豆として栽培されているのは大部分が夏大豆型の品種である．えだ豆用としては，早生，大粒，着粒

えだまめ（平　宏和）

密，さや・種実とも濃緑なことが要求されるが，すべての条件を満たす品種はない．小袖振，奥原1号，大袖振，白鳥，東京早生などが各地で栽培されている．新潟・東北には在来品種が多く，山形県庄内地方のダダチャ豆が有名である．

　栽培：露地栽培*が主体であったが，近年トンネル早熟，ハウス半促成栽培も行われるようになった．また，温室を利用した加温栽培も一部で行われており，ほぼ周年的に生果が供給されるようになった．

　主産地：関東以北．なお，近年は冷凍品が台湾，中国，タイなどからも輸入されている．

◇**成分特性**　たんぱく質，脂質，炭水化物，灰分，ビタミン類ともに多い野菜である．ビタミンCも多い．糖類はしょ糖が多く，遊離アミノ酸*はグルタミン酸が最も多い．カルシウムやリンも多く含まれている．

◇**保存**　保存適温は0℃で，湿度は90〜95％であり，20日以上鮮度が保たれる．また厚さ0.03mmのポリエチレン袋に包装して貯蔵すると低温貯蔵の効果はさらに大きくなる．図1に示したように，0℃では成分の保持も良好である．

◇**加工**　冷凍品に加工され，業務用のほか，家庭でも季節に関係なく食べられるようになった．冷凍品は完熟したものを用い，水洗し，97℃で2,3分加熱し，流水中で冷却してから水切りして急速冷凍する．冷凍品は−18℃以下では，長期間品質が良好に保たれる．

◇**調理**　よい風味をもち，そのまま塩茹でしてビールのつまみにしたり，しょうゆや砂糖で煮たり，摩砕して和え衣にしたりする．茹でたえだ豆の薄皮を除き，炊き立ての米飯に混ぜたえだ豆ご飯もおいしい．東北地方では，茹でてつぶしたえだ豆を「ずんだ（豆打）」とか「じんだ」といい，ずんだ餅（つきたての餅に塩，砂糖で調味したずんだをからめる）やずんだ和え（塩，砂糖，少量のしょうゆで調味し，魚介，野菜などと和える）をつくる．また，さやのまま軽く熱湯にくぐらせ，塩押しして貯蔵したえだ豆は，塩出しして茹で直すと生鮮品のようになり，正月にも用いられる．

図1　えだ豆の貯蔵温度による糖分とアミノ酸の変化（岩田隆他：園学雑，48：106，1979）

エダム　　⇒チーズ
越前うに　⇒うに
越前がに　⇒かに（ずわいがに）
えちぜんくらげ　⇒くらげ

えつ　鱭；斉魚

分 硬骨魚類，カタクチイワシ科エツ属　**学** *Coilia nasus*　**英** Japanese grenadier anchovy　**別** うばえつ

有明海の湾奥部と，これに注ぐ河川の下流部でわずかに獲れる．全長40cmの側扁した細長い魚である．胸びれに複数の長い遊離軟条がある．4〜6月産卵のため筑後川に遡上するので，この河口付近でも漁獲される．

◇**調理**　えつ料理は筑後川流域の名物である．小骨が多いので，骨切りして使う．刺身の場合は糸づくりとし，その他，唐揚げ，南蛮漬，焼き物にする．中国料理では，酥炸（スーヂャー：衣に油

えつ（本村　浩之）

脂や膨張剤を加えて軽くふくらんだサクサクした食感の揚げ物)に利用されている．

●まえつ

真鱭 *Coilia mystus* 英 Osbeck's grenadier anchovy

全長25cmくらい．渤海，黄海，東シナ海に分布し，有明海のえつと外部形態での区別はつきにくい．大河の下流域や内湾に生息する高級食用魚．

XO醬 エックスオージャン

英 XO sauce

唐辛子，食用油に干しえび，干し貝柱，ハム，にんにくなどを加えた中華調味料の一種．香港で使用が広がり，広東料理によく使用される．XOの呼称は，長期間熟成させた高級ブランデーを示すXO（extra old）に因んだものである．製品にはブランデーを風味付けとして加えたものもある．炒め物や炒飯の味付け，煮込みなどに使われる．そのままで酒のつまみとなるようなタイプのものも市販されている．

XO醬（平　宏和）

エディブルフラワー

成 06058（きく）　英 edible flower

エディブルフラワーとは，食べられる花の意．わが国でも昔から菊や菜花を食用としているが，ハーブ（香草）の流行，また，特に米の過剰に伴う減反の結果生じた遊休地の利用や地域振興を目指して，各地方で産地化の動きがある．**表1**に農林水産省が栽培を奨励しているエディブルフラワーを示した．エディブルフラワーは，食用として専用に栽培されたものが出荷・販売されている．同種でも，生花店のものには農薬が使われていたり，食用に適さない苦味があるものも多いので，安易な利用は危険である．自分で栽培する場合も，

表1　主なエディブルフラワー

英　名	和　名
herbaceous peony	しゃくやく
mallow	ぜにあおい
hibiscus	とろろあおい
sweet violet	においすみれ
viola	すみれ類
rocket	きばなすずしろ
pansy	においすみれ
pinks	せきちく
Chinese pink	とこなつ
carnation	オランダせきちく
rose	ばら類
rose geranium	においてんじくあおい
orange	かんきつ類
nasturtium	きんれんか
fennel	ういきょう
fuchsia	ひょうたんそう
cowslip	きばなのくりんざくら
honey suckle	すいかずら
forget-me-not	わすれなぐさ
borage	るりじさ
petunia	つくばねあさがお
snap dragon	きんぎょそう
lavender	ラベンダー
rosemary	まんねんろう
sage	サルビア
thyme	いぶきじゃこうそう
mint	はっか類
marjoram	マヨナラ
basil	めぼうき類
daisy	ひなぎく
cornflower	やぐるまぎく
chamomile	カミツレ
pot marigold	きんせんか
dandelion	たんぽぽ
day lily	やぶかんぞう
chive	えぞねぎ
saffron	サフラン

エディブルフラワー　ばら（ローズ）（平　宏和）

エディブルフラワー用の種子を使う．
◇調理　料理の盛付けや洋菓子に使うことで，新鮮味とその色彩によって，華やいだ演出効果が得られる．

えながおにこんぶ　⇨こんぶ

えのきたけ　榎茸

成 08001（生），08002（ゆで），08003（味付け瓶詰），08037（油いため）　分 担子菌類タマバリタケ科エノキタケ属（きのこ）　学 *Flammulina velutipes*　英 winter mushroom；Enokitake　別 なめたけ；ゆきのした

野生のものは傘は黄褐色から栗褐色で，直径2〜8cmと大きく，晩秋から早春にかけて，エノキ，カキ，イチジク，ポプラ，ブナなど広葉樹の枯れた幹から生える．柄は茶色で表面が細かい毛に覆われてビロード状になるものが多く，根元は黒褐色となる．市販品はほとんどが栽培品で，全体が白色もやし状，野生のものとは別種のようにみえる．なめこ，なめたけなどと呼ぶ地方があるが，本来のなめこは別種のきのこである．「味えのき」の商品名で売られているものは，姿は栽培品と同様だが，色は茶色で野生のものに似ている．栽培品と野生種を交配して得られたもの．生のえのきたけは鉄さび臭があるが，加熱すれば消える．
◇栽培　人工栽培は主に広口びんに入れたおが屑を用いて低温で行う．野生品は傘が茶褐色でぬめりがあり，なめこに似た食感で栽培品とは異なるおいしさがある．栽培品は色も白っぽい淡色，もやし状で，野生品とこれほど異なるきのこも珍しい．
◇鑑別　栽培品は色が鮮やかで，しおれたようになっていないもの，異臭（きのこらしい香り以外のにおい）のないものを選ぶ．
◇成分特性　100g当たり，ビタミンB_1 0.24mg，ナイアシン*6.8mgと，きのこ類としては比較的多く含む．またアスパラギン酸，グルタミン酸，アルギニン，ヒスチジン，アラニンなどのアミノ酸と，ヌクレオチド系の呈味成分5'-グアニル酸，5'-アデニル酸を含み，これらの相乗効果によりうま味を出す．それに加えて適度の粘性と歯切れのよさがこのきのこの持ち味である．なお，生のえのきたけには溶血作用をもつフラムトキシンが含まれるが，加熱により分解するので，必ず加熱してから食べる．
◇保存・加工　合成樹脂包装の生鮮品は冷蔵の必要があるが，あまり長くは保存できない．びん詰や缶詰にして保存する．また，調味品がびん詰にされ，「なめたけ」として市販されている．
◇調理　野生のものは，表面が粘性物質で覆われているが，香りはそれほど強くはない．びんで栽培したものは，細い柄の先に小さな丸い粒状の傘がついた蕾の状態を食用にする．独特の歯触りと味を生かして，汁の実，和え物，鍋物，煮物などに用いる．

エバミルク　⇨練乳（無糖練乳）

えび　海老；蝦

分 節足動物，甲殻類（綱），十脚目，遊泳亜目・歩行亜目　英 shrimp（小型えび）；prawn（遊泳型の中型えび）；lobster；spiny lobster；crawfish（歩行型の大型えび）

えび類には，大別して，くるまえびやブラックタイガーなどのように泳ぐのに適した体型の遊泳型のものと，いせえびなど歩行型のえびがある．
えび類の大半を占める遊泳型のうち，クルマエビ科のものは，食用えびの中で最も多く利用され，えび漁業の柱となっている．養殖も盛んで，くるまえび，ブラックタイガー，よしえびなどがある．このほかクルマエビ科には，東シナ海などに分布し，トロールで漁獲されるこうらいえび（大正えび）などの同科のえびが各種あり，くるまえびの

えのきたけ　左：野生（岩瀬　剛二），中：栽培品，右：栽培品（茶色種）（平　宏和）

代用として広く用いられている．
　一方，いせえびに代表される歩行型の大型えびは，高級料理の素材として和・洋・中の各種の料理に重用される．いせえびなどは実験的に養殖が試みられ，実用への期待がかけられている．一部で，漁獲したいせえびの蓄養*が行われている．巨大なはさみが特徴のアメリカ産やヨーロッパ産のロブスターは，オマールえびやロブスターの名で，外食産業を中心に親しまれている．

◇**成分特性**　えび類の可食部は腹部の筋肉で，これをしばしば尾肉というが，この部分の歩留りは種類によって異なり，いせえびのように頭部の大きいものは低く，くるまえび，しばえびなどでは高い．またさくらえびのように甲殻*の軟らかいものでは殻ごと食用にするため歩留りは大きく，キチン*，キトサンやカルシウム源としても有効である．

　成分組成：えびの身肉は水分の含量が高いにもかかわらずたんぱく質の含量も高い．したがって脂質，炭水化物の含量は低い．ただし全魚体を食用とするものでは，脂質，灰分の含量がより高く，たんぱく質の含量がやや低くなる．ビタミン類の含量は一般に低く，この給源としてはあまり期待できない．えびは魚と比べると鮮度低下が早く，黒変，肉質の軟化が起こりやすい．えびのたんぱく質の性質はよくわかっていないが，加熱によりかまぼこ型の弾力を有するゲルが形成され，保水性もよく，また冷凍耐性もかなりあるようである．えびは一般的には夏が旬であるが，抱卵する種類では漁獲が禁止となっている場合が多い．えびには，エキス分の中にベタイン*，アルギニンが多く含まれ，これが独特のうま味の本体とされている．また，チロシナーゼの作用により黒色のメラニンが形成され黒変するので，煮熟して酵素を失活させるか，酸性亜硫酸ナトリウム溶液で処理して，これを防止する．またえびの甲殻や内皮には赤色色素のアスタキサンチン*が含まれているが，一般にはたんぱく質と結合しているため必ずしも赤色を呈しているとは限らない．しかし70℃以上に加熱すると，たんぱく質が変性しアスタキサンチンが遊離するため，茹でると赤くなる．

◇**保存・加工**　えびには，生きたまま流通する養殖ものや淡水産のえび，氷蔵の沿岸もの，あるいは，海外の漁場からもたらされる冷凍ものまである．冷凍ものには，全形もの，頭部を除去した尾肉だけのものがある．凍結法も，エアーブラストで急速凍結したものも，水張り凍結もある．また生凍結と軽く煮熟してから凍結したものがある．生凍結は味はよいが，品質は煮熟凍結に比べて安定していない．

　加工品：古くから知られているのは干しえびで，素干しと煮干しがあり，煮干しえびは，殻の付いたままの皮付きえびと殻を除いたすりえびがある．さくらえびなどでは食塩水で煮熟，水切りしただけの釜上げも美味であり，またあまえびやしばえびのむき身を冷凍したものも市販されている．そのほか名産品的なものでは，小型のえびを使った佃煮，麹漬，鬼殻焼きなどがある．缶詰としては主として小型のえびのむき身の水煮，塩水漬がある．また外国ではこのほか燻製，ペースト，スープなどの缶詰もあり，半保存性の缶詰として，小えびの酢漬がある．

◇**調理**　特有のうま味を生かすことがえび料理の主眼となる．脂肪が少ないので，うま味の強い割に味が淡白で，和・洋・中国料理すべての高級材料として，その用途は極めて広い．※えびの筋肉は死後の軟化が極めて早く，食味の低下や腐敗が起こりやすい．生きたものを調理することが最も望ましいが，そうでないときも，極力新鮮な材料を使用する必要がある．冷凍品を解凍した場合も同様である．※日本料理では活けづくり（いせえび），刺身（くるまえび，あまえび），すし種（くるまえび，あまえび）として生食される．くるまえびの頭胸部を除き，腹部の殻をむいたすし種を"おどり"という．生きえびでなければできない．※加熱調理は，えびの持ち味を生かした，塩焼き，鬼殻焼き，塩茹で，椀種などにするのがよい．茹でたいせえびは，西洋料理でもマヨネーズやタルタルソースをかけただけで食卓に供する．えびの筋肉は加熱による収縮変形がはなはだしいので，短時間で加熱を終わるように注意する．特に茹で物ではうま味や栄養損失の点からもこの注意が必要である．※えびは味にクセがなく味付けしやすいため，煮物の材料としても重要である．筋肉組織が緻密で，味をしみ込ませるよりも，からませるものが多い．日本料理では具足煮，吉野煮など，西洋料理ではクリーム煮，グラタンなどホワイトソースをもとにした煮物，中国料理ではあんかけ，炒め煮，チリソース煮などが行われる．

●**あかえび**

赤蝦　分 クルマエビ科アカエビ属　学 *Metapenaeopsis barbata*　英 whiskered velvet shrimp

体長12cm．甲殻は絨毛で覆われる．淡紅褐色の斑点で覆われ，尾扇*は紅色．味はよい．本州北部より九州，台湾に分布する．瀬戸内海で多く獲

あきあみ（あみえび，素干し）（平　宏和）

れる．ほしえびやむきえびに利用される．
●**あきあみ**
秋醬蝦　分 サクラエビ科アキアミ属　学 *Acetes japonicus*　英 akiami paste shrimp　別 市 あみえび

一見あみ類のようにみえ，体長4cmくらいになる．体は無色透明．額角*は短く，棘を一つもっている．瀬戸内海，秋田以南の沿岸，河口に棲む．塩辛，佃煮にされる．岡山などの名物のあみの塩辛はこの種よりつくる．

●**あまえび**
甘蝦　成 10319（生）　分 タラバエビ科タラバエビ属　学 *Pandalus borealis*　英 northern shrimp；pink shrimp　別 標 ほっこくあかえび 市 あかえび；なんばんえび；とんがらし

体長12cmくらいになる．生時体色は赤紅色．卵は青い．胸脚*の形態，性転換することなどはほっかいえびの場合と同様である．太平洋・大西洋の北部，北極海に広く分布する．日本近海では，富山湾以北の日本海・北海道・千島・サハリン・朝鮮半島東岸の比較的深所で多量に漁獲される．最近はベーリング海域で多量に漁獲され，冷凍品として市場に現れている．甘味があり，軟らかい感触は独特で，生食用の刺身，すし種になくてはならない食材となっている．新鮮であれば，身のみならず頭部内のミソも風味があり，刺身と一緒に食べられる．

あまえび（平　宏和）

●**アメリカみなみいせえび**
アメリカ南伊勢海老　分 イセエビ科イセエビ属　学 *Panulirus laevicauda*　英 southern American spiny lobster

体長30cm．水深20〜50mに棲む大型種で，大西洋の西南部，特にブラジル沿岸での重要種である．前額板に2対の棘があり，腹甲に横溝がない．体色は淡い．

●**アメリカンロブスター**
分 ウミザリガニ科ウミザリガニ属　学 *Homarus americanus*　英 American lobster；crawfish　別 市 オマールえび；ロブスター

ヨーロッパ産のロブスター（*Homarus gammarus*）とともに英語ではlobster，仏語ではhomardと呼ばれるので，わが国ではロブスターとかオマールえびとして売られている．北米大西洋岸に産する重要種で，漁獲量も年間3万トンぐらいあり，巨大なざりがにといった体形で，第1胸脚は巨大なはさみとなっている．体長50cm，記録では体長61.3cm，体重19.3kgというものもあった．低潮帯から水深700mに棲む．

●**いせえび**
伊勢海老　成 10320（生）　分 イセエビ科イセエビ属　学 *Panulirus japonicus*　英 Japanese spiny lobster　別 かまくらえび；ほんえび；ぐそくえび

体長30cmに達する．体色は赤みがかった暗褐色．外洋に面した岩礁に棲む．産卵期は夏．古来より武勇と長寿を象徴するえびの王様として賞味され，祝儀用として珍重される．房総から九州の太平洋岸，インド・西太平洋に分布している．

●**いばらもえび**
茨藻蝦　分 モエビ科シマモエビ属　学 *Lebbeus groenlandicus*　別 おにえび，ゴジラえび

一般に小型のモエビ類中，特大で体長10cmを超える．殻は堅く短い毛が生えている．額角*は短く上縁に7本，下縁に3本の棘があるが，上縁の棘のうち4個は頭胸甲上にあり極めて強大．眼上棘，触角棘，鰓前棘はいずれも長く鋭い．尾にも棘がある．北海道以北，オホーツク海やベーリング海，さらに北極まで分布し，水深250〜300m辺りから底引き網で獲られる．

●**かのこいせえび**
鹿子伊勢海老　分 イセエビ科イセエビ属　学 *Panulirus longipes*　英 long-legged spiny lobster；western crayfish

体長30cm．体色は晴青色または紫褐色で，白または橙紅色の小さな円斑が散在する．いせえびと

オマールえび　　　さがみあかざえび　　　いせえび

もろとげあかえび　　　いばらもえび　　　くるまえび

は区別されず，美味．房総から九州の太平洋岸，インド太平洋に分布する．
●くまえび
熊蝦　分 クルマエビ科クルマエビ属　学 *Penaeus semisulcatus*　英 green tiger prawn　別 あしあか
体長15cm．無毛．体色は淡赤褐色地に青色と褐色の幅広い横縞が交互にある．足に赤色の縞があり，あしあかとも呼ばれる．味はよく，くるまえびの代用となる．天ぷらの材料とされる．房総半島以南の暖海に広く分布している．インド太平洋に棲み養殖も盛んである．
●くるまえび
車蝦　成 10321（養殖 生），10322（養殖 ゆで），10323（養殖 焼き）　分 クルマエビ科クルマエビ属　学 *Penaeus japonicus*　英 Japanese tiger prawn；kuruma prawn　別 まえび；ほんえび；まき
体長20cmくらいになる．甲殻*は薄く平滑無毛．体色は淡青，赤褐，黒色などで美しい光沢があり，10条ぐらいの黒い横縞がある．茹でると赤く変色する．味は最高といわれ，15cm前後のものが普通である．養殖ものの中心種である．25〜40gくらいのものをマキ，10cmぐらいで20gぐらいを中マキ，それ以下のものをサイマキといって，高級天ぷら店で利用される．日本近海からインド・西太平洋を経て地中海まで分布する．

●さがみあかざえび
相模藜蝦　分 アカザエビ科アカザエビ属　学 *Metanephrops sagamiensis*　英 Sagami lobster　別 市 あかざえび（混称）；てながえび（市販通称名）
体長18cm．はさみ脚は強大で五角柱状，各稜上には棘が列生する．はさみの内側の毛は黒ずんでいる．頭胸甲の額角*の側縁に連続する畝の上には3〜5対の鋭い棘が並ぶ．腹部の正中背部の畝は太く，両側の浮彫様の模様とともに「小」の字，または「工」の字のようにみえる．相模湾〜九州の水深300m前後に棲み，かご網や底引き網で漁獲される．
近縁種のあかざえびはやや大型で，はさみ脚がずっと長く，はさみ内側は黒ずまない．いずれもスキャンピやパエリアなどの欧風料理素材となる．市場ではてながえびと呼ばれることもあるが，てながえびは淡水産の別科のえびである．
●さくらえび
桜蝦　成 10324（ゆで），10325（素干し），10326（煮干し），10431（生）　分 サクラエビ科サクラエビ属　学 *Sergia lucens*　英 sakura shrimp
体長5cm程度の発光えびである．生時，体は透明で甲殻*が薄く，さくら色を呈している．産卵期は6〜8月．駿河湾は有名な産地であるが，相模湾，東京湾口にも産する．生食もされるが，主

さくらえび　上：釜揚げ，下：素干し（平　宏和）

に加工用として素干し，煮干し，釜あげ製品とされる．

● さるえび

猿蝦　分 クルマエビ科サルエビ属　学 *Trachypenaeus curvirostris*　英 southern rough shrimp

体長6〜10cm．体の表面は細毛に覆われている．額角*は雄ではまっすぐ，雌では先端が上に反る．生きているときは黄色っぽいが，死ぬと赤みがかかる．瀬戸内海に多く，とらえびやあかえびとともに利用される．

● しばえび

芝蝦　成 10328（生）　分 クルマエビ科ヨシエビ属　学 *Metapenaeus joyneri*　英 shiba shrimp　別 あかひげ

体長10〜15cmくらい．内海・内湾性の重要種で，東京湾以南，東シナ海，黄海，南シナ海に分布．しばえびの名は昔，東京の港区芝の周辺で獲れたというところからくる．絨毛に覆われた甲殻には，不規則なくぼみがある．11〜3月が漁期．味はよく，天ぷらやすり身に使われる．

しばえび（平　宏和）

● しらえび

白蝦　分 オキエビ科シラエビ属　学 *Pasiphaea japonica*　英 white shrimp　別 しろえび；べっこうえび

体長7cm．体は側扁し額角や背中の隆起がない．はさみ脚は細く弱々しい．富山湾の漁場が有名であるが，相模湾・駿河湾や遠州灘にも分布する．生食のほか素干しで珍重される．

しらえび（平　宏和）

● たいしょうえび

大正蝦　成 10327（生）　分 クルマエビ科クルマエビ属　学 *Penaeus chinensis*　英 oriental shrimp; fleshy prawn　別 高麗えび

大正えびの名で親しまれている本種は，日本周辺では，渤海（ぼっかい）湾と黄海に分布し，冷凍えびとして輸入される．大正えびの名は，大正時代に初めてこのえびの取り扱いを始めた業者の名称「大正組」に由来する．

● てながえび

手長蝦　分 テナガエビ科テナガエビ属　学 *Macrobrachium nipponense*　英 freshwater prawn; oriental river prawn　別 かわえび

淡水産のえびで，体長9cmぐらい．はさみをもった脚が体長の1〜1.8倍あるのでこの名がある．本州，四国，九州の比較的低地の河川や湖，沼などに棲む．朝鮮半島南部，中国，台湾にも分布する．生食されることは少なく，塩茹で，揚げ物のほか，佃煮にも加工される．

● とやまえび

富山蝦　分 タラバエビ科タラバエビ属　学 *Pandalus hypsinotus*　英 coonstripe shrimp; humpback shrimp

体長17cm．ぼたんえびに似るが，額角は長く上に反る．額角下縁の棘数は6〜8（ぼたんえびは10〜11），左第2脚の腕節は60節（ぼたんえびは30節）に分かれる点などで区別できる．日本海，北海道，オホーツク海からベーリング海などに産する重要種．

とやまえび

● とらえび
虎蝦　分 クルマエビ科アカエビ属　学 *Metapenaeopsis acclivis*　英 tora velvet shrimp
体長10cmくらい．あかえびによく似ており，甲殻*は赤褐色地に美しい黒色斑がある．あかえびよりも赤いことが多い．瀬戸内海，伊勢湾で多く獲れる．本州中部から九州に分布する．

● にしきえび
錦海老　成 10415　分 イセエビ科イセエビ属
学 *Panulirus ornatus*　英 painted crayfish; spring lobster
イセエビ科で最も大きく，体長55cm．体幅が広く，中央に暗褐色の横帯がある．第1触角*や歩脚にだんだら模様がある．味はやや大味．紀伊半島から南の沿岸に棲み，台湾，マレーシア，インド太平洋の暖海に広く分布する．

● バナメイエビ
成 10415（養殖 生），10416（養殖 天ぷら）　分 クルマエビ科バナメイ属　学 *Litopenaeus vannamei*　英 Pacific white shrimp, white leg shrimp
全長20cm前後になる．外形はくるまえびに似るが，体表には暗色の不規則な雲状の横縞模様がある．鮮度のよいものほど色が濃いが，最終的には白色になるのでホワイトシュリンプの名がある．バナメイは学名の種小名から．脚は白から赤色を帯びたものまである．頭部の額角*はあまり長くなく，背縁に7〜10本，腹縁には2〜4本の鋸歯がある．

◇ 原産・養殖　原産地はメキシコ〜ペルーの東太平洋の水深70m以浅．1970年代からフロリダで養殖が始められたといわれ，わが国では1990年代に，それまで中国から輸入していた大正えび（こうらいえび）不漁の代替えとして中南米からバナメイエビが輸入されたのが最初．現在では中国南部，インドネシア，タイはじめ東南アジア各国でブラックタイガー（うしえび）に代わり大規模に養殖されて輸入されている．ブラックタイガーは一時20万トンも輸入されていたが，本種の方が成長が早く，養殖池でも密殖ができるので，転作する業者が多くなった．欧米でも養殖された本種を多量に利用するので，現在の世界的養殖による生産量は100万トンを超える．

● ひげながえび
髭長蝦　分 クダヒゲエビ科ヒゲナガエビ属
学 *Haliporoides sibogae*　英 jack-knife shrimp　別 とさえび；あかすえび；がすえび
体長15cm．深海性で，水深200〜600mから底引き網でかなり多量に漁獲される．頭胸部は軟毛で覆われ，体色は紅褐色．駿河湾〜鹿児島湾から東シナ海，東南アジアに棲む．やや甘味があり美味．

● ひごろもえび
緋衣蝦　分 タラバエビ科モロトゲエビ属　学 *Pandalopsis coccinata*　英 pandalid prawn　別 むらさきえび；ぶどうえび
体長15cmくらい．体側には4〜5条の赤い縞がある．額角は長く頭胸甲長の1.5倍にもなり，上に反る．上縁に可動棘11〜15（うち5〜7棘は頭胸甲上にある），下縁に8〜10棘がある．腹部は平滑．第1胸脚の長節は扁平で葉状．第2胸脚にははさみがある．尾扇*は大きい．常磐以北の冷水域の水深200〜300mに棲み底引き網で漁獲される．
◇ 調理　生食や天ぷら素材に用いられる．

● ブラックタイガー
成 10329（養殖 生）　分 クルマエビ科クルマエビ属　学 *Penaeus monodon*　英 giant tiger prawn; black tiger　別 うしえび　市 くろえび；くろばかま
甲殻*は暗い灰色で，黒色の縞模様があり，名の由来となっている．くるまえび類で最大種，体長30cmくらいになる．わが国では瀬戸内海から九州に分布しているが，最近は，台湾や東南アジア各国からの養殖ものが大量に輸入されている．

バナメイエビ

ブラックタイガー

ぼたんえび（平　宏和）

●ぼたんえび
牡丹蝦　分 タラバエビ科タラバエビ属　学 *Pandalus nipponensis*　英 botan shrimp
体長15cm ぐらいになる．体色は赤紅色．側面に紅色の斑点がある．肉は甘味があり美味．日本特産種で，北海道噴火湾から土佐湾にかけて分布する．他のタラバエビ類と同様に性転換をする．なお，北海道でぼたんえびというのは，同属のとやまえび*を指す．

●ほっかいえび
北海蝦　分 タラバエビ科タラバエビ属　学 *Pandalus kessleri*　英 hokkai shrimp　別 しまえび；ほっかいしまえび
体長10cm ぐらいになる．縦縞模様が特徴的で，体側に幅広い緑褐色の色帯が縦走している．雄性先熟で，まず雄として成熟し，成長後に雌に性転換するので有名．寒帯性のえびで，加工原料として缶詰，佃煮，むきえびとされる．北海道，朝鮮半島東岸，千島などの寒海の内湾に分布する．

●みなみいせえび
南伊勢海老　分 イセエビ科ミナミイセエビ属　学 *Jasus verreauxi*　英 southern rock lobster；eastern rock lobster；green rock lobster
第1触角*の鞭状部が短いこと，第2触角の基部に発音器をもたないことで，典型的なイセエビ属と区別される別属のえびで，ニュージーランド，オーストラリア東南部に分布する．体長20cm．わが国にも輸入され，いせえびの代用にされる．

●もえび
藻蝦　分 クルマエビ科ヨシエビ属　学 *Metapenaeus moyebi*　英 moyebi shrimp
大きさ，分布はよしえびとほぼ同じで，しばえびとともに食用種として重要である．東京湾から九州西岸，東南アジアまで分布する．

●もろとげあかえび
両棘赤蝦　分 タラバエビ科モロトゲエビ属　学

Pandalopsis japonica　英 pandalid prawn　別 きじえび
体長13cm くらい．体には特有の縦長の赤い斑（まだら）がある．額角*は長く上に反り，上縁に可動棘20〜27（うち7〜9棘は頭胸甲上），下縁に10〜15棘がある．頭胸甲に触角上棘と鰓前棘がある．腹部に背隆起はない．第1胸脚の長節はやや扁平で葉型．北海道近海や日本海の冷水域の水深180〜530mに棲み，日本海では春から秋にかけて底引き網で ほっこくあかえび や とやまえび とともに少量混獲される．
◇調理　生食や天ぷら素材に用いられる．

●ヨーロッパ産ロブスター
分 ウミザリガニ科ウミザリガニ属　学 *Homarus gammarus*　英 European lobster　別 市 オマールえび
ヨーロッパの重要種であるが，資源量は少なく，アメリカ産の1/10にも達しない．アメリカ産との差は額角の下側に棘がない点にある．ノルウェー沿岸，地中海に分布．

●よしえび
葦蝦　分 クルマエビ科ヨシエビ属　学 *Metapenaeus ensis*　英 offshore greasyback shrimp　別 しらさえび　市 すえび
大きさは10〜15cm くらい．甲殻*は淡褐色，絨毛に覆われている．東京湾，伊勢湾，瀬戸内海などの内湾の泥の多い砂泥底に棲む．南西日本からインド・西太平洋に分布する．もえび，しばえびともどもクルマエビ科に属する重要食用種．しばえびとは色が違うほか，交接器の形態が違う．

えびすだい　⇒きんめだい
えびせん　⇒スナック菓子
えぼだい　⇒いぼだい
MCT　⇒中鎖脂肪
エメンタール　⇒チーズ

えらぶうみへび　永良部海蛇

分 爬虫類．コブラ科エラブウミヘビ属　学 *Laticauda semifasciata*　英 Erabu black-banded sea krait　別 えらぶうなぎ　地 イラブー

陸生のヘビの形質が残るウミヘビの一種．南西諸島を含む東シナ海からインド洋にかけ，比較的浅いサンゴ礁などに棲息している．

全長1〜1.3m，最長1.8mほどで，胴が太い．強い神経毒をもっているが，本種は口が小さく，性質が大人しいので，素手で捕獲しても，噛まれる被害はほとんどみられない．

沖縄地方ではイラブーと呼ばれ，古くより滋養強壮，不老長寿の薬膳素材に利用されてきた．生ではなく，燻製を使うことが多い．代表的料理に，ぶつ切りにした燻製のイラブーシンジ（煎じ汁：スープ）と取り出したイラブーとスープを豚足，昆布などと煮込んだ煮物がある．

えらぶうみへび（イラブー）の燻製（平　宏和）

エリスリトール　⇒糖アルコール

エリンギ

成 08025（生），08048（ゆで），08049（焼き），08050（油いため）　分 担子菌類ヒラタケ科ヒラタケ属（きのこ）　学 *Pleurotus eryngii*　英 king oyster mushroom

ひらたけの近縁種．原産地は南欧から中央アジアにかけてで，セリ科ヒゴタイサイコ属の植物エリンギウム・カンペストレ（*Eryngium campestre*）の枯死部から発生することから名前がつけられた．当初，病原性が疑われていたが，腐生菌なので問題はない．日本には自生のものはなく，定まった和名はないが商品名にもエリンギが使われている．野生のものは大きな傘と柄をもつが，栽培品では傘は小さく扁平で，淡い褐色，柄は白くて太く弾力がある．肉質は厚く，まつたけに似た食感

エリンギ（市販品）（平　宏和）

がある．日本では，1993年におがくずを使った栽培技術が開発され，当初は，「かおりひらたけ」，「白あわび茸」等の名前で呼ばれていたが，エリンギの名前が定着した．おがくずをビンに詰めた菌床栽培で年中生産されており，近年需要が伸び，スーパーマーケットなどでも定番のきのことなっている．

◇成分特性　100g当たり，カリウムが340mgと多い．エネルギーは31kcalである．糖類，特にオリゴ糖含量が高い．

◇調理　食感を楽しむ料理に向いている．本来の風味を消すような濃い味付けを避け，そのまま炒め物にしたり，フリッターのような軽い揚げ物にするとよい．庖丁で切らずに，手で裂いて料理する．

エンゼルケーキ

英 angel cake；angel food cake

卵白と砂糖を泡立て，小麦粉を加えて軽く混ぜ合わせて焼き上げるスポンジケーキで，白くフワフワして清純な感じがするところからエンゼル（天使）の食べ物といわれている．この白いスポンジケーキを真っ白なホイップクリームで飾ったりする．白いこのケーキに対し，黒いチョコレートケーキ*を悪魔のようなおいしさという意味を込めて，デビルズケーキと呼ぶこともある．

塩蔵わかめ　⇒わかめ

エンダイブ

成 06018（葉 生）　分 キク科キクニガナ属（1年生草本）　学 *Cichorium endivia*（キクヂシャ）　英 endive（英）；chicory（米）　別 シコレ　和 きくぢしゃ；にがちしゃ

東地中海沿岸の原産で，ヨーロッパでは数百年前

エンダイブ（平　宏和）

えんどう　左：青えんどう，右：赤えんどう（平　宏和）

から栽培されていたが，わが国には江戸時代末期に渡来した．フランス語でチコリーをアンディーブ（endive），エンダイブをシコレ（chicorée）と呼ぶため，しばしばチコリーと混同されやすい．チコリーと同じニガナ属に分類されるが，別の植物である．エンダイブは葉を軟白して食用とし，一方，チコリーは根株を伏せ込んで，軟白した芽を食用とする．広義には両者をきくぢしゃ（にがちしゃ）というが，狭義にはエンダイブのみを指していう．

◇**品種**　欠刻のない広葉型と，欠刻深く葉のちぢれる欠刻縮葉形のものがあるが，わが国では後者が主に栽培されている．広葉型は，スカロール（英 escarole，仏 scarolə）と呼ばれる．

　栽培：通常7月（高冷涼地）〜9月（暖地）に種を播き，10〜2月に軟白・出荷する．軟白は，葉を上に寄せてしばる．期間は気温にもよるが，10〜30日間である．

　産地：神奈川，千葉など，大都市の近郊および長野などの高冷地が主産地である．最近，岡山にも産地がある．

◇**成分特性**　β-カロテンを100g当たり1,700μg含む緑黄色野菜である．

◇**調理**　繊維組織が少なく軟らかいので，生食に用いる．わずかな苦味と甘味を含む風味があり，マヨネーズ，ビネグレットソース（フレンチドレッシング）によく合う．サラダ用の野菜として肉類の付け合わせにする．単に塩を振るだけでもよい．

　えんどう　豌豆

成 04012（全粒 青えんどう 乾），04013（全粒 青えんどう ゆで），04015（塩豆），04074（全粒 赤えんどう 乾），04075（全粒 赤えんどう ゆで）　分 マメ科エンドウ属（1〜2年生草本）　学 *Pisum sativum*　英 peas

地中海沿岸から中央アジア原産で，17世紀に英国で野菜用品種の育種が行われ，現在の品種が誕生した．その後，米国で加工用品種の改良が行われた．日本へは奈良時代に入ったとされるが，普及は中世後期になる．なお，さやえんどうは江戸中期にオランダ船がもたらしたものである．

◇**品種**　子実（種実）用，青実用（グリンピース*），さや用（さやえんどう*）に分けられる．種子は球形で外面がなめらかなものと，しわのあるものとがあり，色は褐，黄，緑などがある．乾燥子実には茶褐色の赤えんどうと緑色の青えんどうがある．さや用は緑色多肉質で軟らかく，甘味と香気がある．

　産地：子実用は北海道，さや用は和歌山，鹿児島，高知などである．

◇**成分特性**　主成分は炭水化物，次いでたんぱく質で，炭水化物の主体はでん粉である．このほか果糖，しょ糖，デキストリン*を含んでいる．たんぱく質の多くはグロブリン*であり，食塩水に溶解して熱しても凝固しないものをレグミン，凝固するものをビシリンと称する．このほかに少量のアルブミン*が存在し，これをレグメリンと称する．アミノ酸組成はトリプトファンとメチオニンがやや少ないため，あまり良好とはいえない．脂質は少なく，大半はトリアシルグリセロールで，次いでレシチン*である．特徴の一つはレシチンの多いことで，完熟豆には豆全体に1.2％，未熟

青えんどう茹で豆（塩味）（平　宏和）

左：赤えんどう茹で豆（塩味），中：えんどう揚げ豆，右：グリンピース（戻し豆）缶詰（平　宏和）

豆には 0.5％含まれる．

消化率：粉末にした場合，たんぱく質 84.5％，脂質 40.0％，炭水化物 95.0％である．未熟のえんどうは緑色を呈し，外観がきれいで，たんぱく質と糖分が多く風味がよい．成熟するにつれてでん粉，セルロース*その他の多糖類*が増す．

◇**加工**　子実用の青えんどうは煎り豆，煮豆（うぐいす豆*），揚げ豆，グリンピース（戻し豆）缶詰，製あん用に用いられ，赤えんどうはみつ豆，茹で豆などに使われる．グリンピース用としてはむき実用品種が栽培されている．

◇**調理**　未熟なうちにグリンピースとして用いることが多く，乾燥したものを用いることは日本では比較的少ない．乾燥子実は茹でて，みつ豆や和菓子，塩豆などの材料にする．※加熱は弱火：大豆と同様，表皮がまず膨潤してしわがよるが，子葉*がでん粉質で大豆より吸水が大きく，やがてしわがのび，強く加熱すると皮が裂ける．一晩水に浸してもどしてから軟らかくなるまで茹でる．※さやえんどうは季節の野菜としてさやごと利用し，未熟な実えんどうは緑色の素材として炊込み飯の材料などにする．

えんばく　燕麦

成 01004（オートミール）　分 イネ科カラスムギ属（1 年生または越年生草本）　学 *Avena sativa*　英 oats　別 オート；オーツ

世界ではエンバク属（*Avena*）の約 10 種が栽培されている．そのうち，世界の主要な栽培種であり，またわが国でも栽培されているえんばくは普通種といわれるものである．原産地は，中央アジアまたはアルメニアといわれており，大麦などの畑の雑草から作物化した，いわゆる二次作物である．原産地からヨーロッパへ入ったのは，小麦，大麦より新しく，青銅器時代（B.C.2200〜1300 年）と推定されている．わが国へは，明治時代になってヨーロッパより導入され，軍馬の飼料として重要であったが，第二次世界大戦後は生産が急減している．

◇**形態**　普通種の種子は，桴が黒，赤灰，黄，白色など，品種により特徴があり，子実に密着して離れにくい．粒の長さは 8mm くらい，幅は長さの約 1/3 程度で，千粒重は 40g 前後である．

◇**成分特性**　穀類の中ではたんぱく質および脂質含量が高い．主要たんぱく質は，他の穀類とは異なり，全たんぱく質中グロブリンが 80％前後を占めている．アミノ酸組成は米と似ており，穀類の中では栄養価が高い．

◇**用途**　食用では主としてオートミール*として利用されているが，飼料としても用いられる．

上：えんばく畑，
下：えんばく
（平　宏和）

お

尾　⇨うしの副生物
おあかむろ　⇨あじ

おいかわ　追河

かわむつ（本村　浩之）

成 10075（生）　分 硬骨魚類，コイ科オイカワ属
学 *Opsariichthys platypus*　英 pale chub　別 地
はや；やまべ（東京）；はす（大阪）；しら；はえ（高
知，岡山）；じんけん（長野）

全長20cm．体は側扁する．河川の中・下流に棲む．産卵期（5〜8月）の雄は青と赤の婚姻色が鮮やかに現れ，鰓蓋（えらぶた）やひれに白くて硬い追星*（おいぼし）が出る．関東以西の本州，四国の瀬戸内海側，九州北部，朝鮮半島西部，中国東部に自然分布する．琵琶湖のこあゆ（小鮎）が全国の河川に放流された際にこあゆに混入して東北地方や九州南部，徳之島，台湾など各地に定着した．食用にされることもある．

◇**成分特性**　白身の淡水魚で水分が多く，成分的にはうぐいやふなに近いが，ビタミン類の含量ではむしろこれらにまさっている．

◇**調理**　水分が多くうま味が少ないため，調理にはあまり向かない．酸味を効かせた南蛮漬や，衣で風味をカバーできるフライなど，持ち味の不十分なところを補う手段が必要である．※焼き魚には向かないが，焼いた後，干物にして水分を減少させると多少はうま味を増す．

● かわむつ

河鱒　分 コイ科カワムツ属　学 *Nipponocypris temminckii*　英 dark chub；river chub　別 地 むつ（中国，関西，中部）；はえ；はや（関西の山間部，山口，四国）

全長20cm．おいかわに横斑があるのに対し，かわむつは太い暗青色の縦帯がある．中部地方以西の本州，四国，九州に分布する．近縁種に同属のぬまむつがいる．

オイスターソース

成 17031　英 oyster sauce　別 かき油

中国特有の調味料．生がきに塩を加えて発酵させた一種の魚醬である．生がきのうま味を抽出して，これに砂糖，食塩，でん粉，酸味料などを加えたペースト状の製品もある．最近，かき缶詰製造時の煮汁が利用されている．特有の強い風味があり，少量使うことで料理を調味できる．びん詰が輸入され，また，国内の食品メーカーからも日本人向け風味のものが出されている．

◇**成分特性**　100g当たりナトリウム*含量4,500mg（食塩相当量*11.4g）．かきに由来する亜鉛を1.6mg含む．

◇**調理**　中国料理，特に広東料理でよく用いられる．牛肉と野菜を炒めた蠣油牛肉（ハオヨウニューロウ）が代表的料理である．豆腐と合わせたり，鶏の唐揚げや野菜炒めなどの隠し味として少量使うのもよい．

オイスターソース（かき油）（平　宏和）

オイルサーディン

成 10063　英 canned sardine in oil　別 いわし油漬け

おいかわ（本村　浩之）

オイルサーディン（いわし油漬け缶詰）（平　宏和）

頭，内臓を除いて塩漬したいわしに大豆油，綿実油，オリーブ油などの油を加え漬け込んだもの．オードブルやおつまみとして使われる．缶詰として販売されている．原料いわしには，わが国では小型のまいわし，米国では小型の大西洋にしん，sprat（*Spratus spratus*）なども用いられ，同じくサーディンという名称で販売されているが，国際的には *Sardina pilchardus*（和名 ニシイワシ）から作られたもののみをサーディンと呼ぶように勧告されている．

おうとう　⇒さくらんぼ

おおくちいしなぎ　大口石投

分 硬骨魚類，イシナギ科イシナギ属
学 *Stereolepis doederleini*　英 striped jewfish　別 いしなぎ　地 おおいお（北陸）；おおな（和歌山）；いしずり；いしあら（熊本）　旬 6〜8月

日本沿岸の大陸棚の傾斜の深海（水深400m以上）に生息する．大きなものは全長2m，体重250kgに達するが，市場に出回るのは50cm程度である．体の色は灰褐色．肉はピンク色をしており，味はかじきに似ている．

◇**成分特性**　大型のものの肝臓はビタミンAが極端に高く，ビタミンA過剰症を起こす危険があるので，食用が禁止されている．うきぶくろ（鰾）からは膠（にかわ）がとれる．

◇**加工**　肝臓はビタミンA，Dが多いので，かつては肝油の原料とした．

◇**調理**　白身のおいしい魚で，刺身，塩焼き，照焼き，煮魚などによい．脂肪分が多いのでみそ漬，粕漬にするのもよい．洋風にも応用できる．

おおさが　⇒めぬけ

おおさかしろな　大阪白菜

成 06027（葉 生），06028（葉 ゆで），06029（塩漬）
分 アブラナ科アブラナ属（1年生草本）　学 *Brassica rapa* subvar. *osakana*　英 Osaka-shirona
別 てんまな（天満菜）

はくさいまたは山東菜とたいさいが江戸時代に自然交雑してできた品種といわれている．葉は30cmに達して大きく，肉厚である．色は，淡いものから濃い緑までさまざまある．別名の天満菜は，大阪の天満市場〔安永元（1772）年開設〕のあった天満橋付近が軟弱促成野菜栽培の中心であったことによる．現在，主な生産地も大阪周辺である．栽培期間が短く周年栽培が可能なので，はくさいのないときに供給される．

◇**成分特性**　無機質ではカリウム，カルシウム，鉄*を含む．β-カロテンは100g当たり1,300μgで，緑黄色野菜である．

◇**調理**　漬け菜に用いられ，浅漬に適している．煮浸し，煮物の青みとして用いるのもよい．

おおさかしろな（平　宏和）

大崎菜　⇒みずかけな
オーツ　⇒えんばく

オートミール

成 01004　英 oatmeal

狭義には精白えんばくを加熱ロールで挽き割ったものであるが，一般には圧扁えんばく（ロールドオーツ）をいう．圧扁えんばくは原料えんばくを予備乾燥してから焙煎し（圧扁後焙煎する場合もある），これを搗精機で脱稃・搗精を行ったのち，精白粒を蒸熱して直ちにロールで圧扁したものである．オートミールは吸湿性が強いので，保存には注意を要する．

◇**調理**　水を加えてかゆ状に煮て，牛乳，砂糖をかけ，洋式の朝食に広く用いられる．そのほかに好みでシロップ，果実，種実などを加えることも

オートミール（平　宏和）

大麦　左：皮麦，右：裸麦（平　宏和）

ある．またクッキー，ビスケットに混ぜて風味となめらかさを与え，スープに入れてとろみとコクを与える．吸水するとすぐ軟らかくなり，同時にこげつきやすいので，加熱は長すぎないよう数分間にとどめる．※煮るときに水から入れると内部まで吸収したのち糊化が起こり，全体がドロドロに軟化するので，病人食や離乳食にもよい．沸騰後に入れると表層部の糊化が先に起こり，内部は多少歯応えのあるものになる．

おおにら　⇨らっきょう
大葉　⇨しそ

おおむぎ　大麦

成 01005（七分つき押麦）　分 イネ科オオムギ属
（1年生または越年生草本）　学 *Hordeum vulgare*
英 barley

穂の型により，六条大麦と二条大麦に分けられる．原産地は，六条大麦は西アジア，二条大麦は西南アジアといわれている．世界最古の作物の一つであり，新石器時代にはヨーロッパに伝わっていることが認められており，エジプトへも B.C.5000 年以前に伝わっていたことが，ミイラの胃の中から発見されたことで確かめられている．わが国へは，六条大麦が朝鮮を経て2〜3世紀頃渡来したといわれ，二条大麦は明治時代に北ヨーロッパよりビール用として導入された．

◇形態　大麦の種子の組織は，小麦と類似している．六条大麦には皮麦と裸麦がある．各部の割合は，熟しても稃（ふ）が離れにくい皮麦では稃と糠層（果皮・種皮・糊粉層*）20〜25％，胚*2％，胚乳*75〜80％，稃が容易に離れる裸麦では糠層20％，胚3％，胚乳80〜85％程度を示している．皮麦は，長さ6〜8mm，幅3〜4mm，厚さ2〜2.5mm，裸麦は，長さ5〜6mm，幅3〜3.5mm，厚さ2〜2.5mm程度のものが多い．容積重は，皮麦が520〜580g/L，裸麦710〜780g/L，千粒重は，皮麦20〜35g，裸麦20〜30gで，二条大麦では40〜50gである．比重は，皮麦が1.13，裸麦1.22くらいである．

栽培：大麦の多くは秋播きであるが，北海道の東北部では寒さのため秋播きが困難であり，春播きが行われている．また，ビール用二条大麦は，皮麦より耐寒性が劣るので，東北南部以南で多く栽培され，北海道では春播きが行われている．

◇成分特性　裸麦の成分は，小麦とほぼ同様の組成を示す．たんぱく質はプロラミン*（ホルデイン：大麦のプロラミンの呼称）とグルテリン*が全たんぱく質の各40％程度を占めているが，グルテンを形成しないので，大麦のみではパン・麺類の原料としては利用できない．アミノ酸組成はホルデインの影響を受け，必須アミノ酸*の中ではリシン*が少ない．炭水化物については，ほとんどがでん粉である．そのアミロース*とアミロペクチン*の比は，1：4程度であり，完全糊化温度は63℃付近である．大麦にはもち種がみられる．穀類の中では食物繊維が多く，不溶性食物繊維に比べ水溶性食物繊維が多いのが他の穀類と異なる．

◇用途　六条大麦は精麦（丸麦，押麦，米粒麦，白麦）としての利用のほか，大麦麺*，麦みそ（みそ*），金山寺みそ（なめみそ*），銚子ひしお（なめみそ*），麦こがし*，麦焼酎（焼酎*）などの原料，飼料に用いられる．二条大麦は，ビール醸造用の麦芽原料となる．

◇調理　大麦の調理のほとんどは米との混炊である．炊飯用大麦は精白した押麦と米粒麦が普及している．これは食感，味ともにかなり優れているが，やはり米だけの飯に比べて粘りは少ない．※水加減を多めに：麦の組織は米より粗く吸水性が強い．このため麦飯は消化がよいが，同じ容量でのエネルギーは白米飯より少ない．吸水速度が早いので麦は加熱直前に加え，水加減は米だけのと

押麦（平　宏和）

左：六条大麦，右：二条大麦（平　宏和）

きより約5％増す．市販の強化精麦は衛生加工されているので水洗の必要はない．❖飯にとろろ汁をかけて食べるときは，米飯の粘りがあまり強いとやまといもの粘性も加わり，かたまって食べにくい．もともと素朴な日常食だったこともあり，白米だけの飯よりもさらさらした食感の麦飯となる．

●押麦

成 01006（乾），01170（めし）英 pressed barley
大麦を精白し，蒸気で加熱・圧扁したもの．精白歩留りは，皮麦で45～55％，裸麦で55～65％．精白工程において，でん粉を除いた各成分は失われる．したがって，精麦製品には特にビタミンB_1を補うための強化がされているものがある．また，精白度が低く，強化しない精麦も流通している．精白歩留りは，皮麦で60～65％，裸麦で65～75％であり，『食品成分表』では七分つき押麦（成 01005）として成分値が示されている．

●二条大麦

英 two-rowed barley　別 ヤバネ麦；ビール麦
3小穂のうち中央の一つのみが稔性＊なので，これが穂軸に2列に並び矢羽形になる．穂の形からヤバネ麦とも呼ばれる．また，麦芽＊としてビール醸造に用いられ，ビール麦とも呼ばれる．粒ぞろいがよく，穀皮が薄く香気に富み，発芽歩合が高いものが要求される．たんぱく質は，含量が高いと麦芽エキスの低収量やビールの混濁などの原因となるので，低含量（10％前後）が要求される．六条大麦と同様に食用とされるが，この場合は大粒大麦と呼ばれている．

●米粒麦（べいりゅうばく）・白麦（はくばく）

成 01007（米粒麦）英 splited barley　別 切断麦
精白工程で黒条（縦溝部）に沿って二分したもので，切断麦と呼ばれる．切断麦はさらに加熱・圧扁した白麦と圧扁しない米粒麦に分けられる．精白歩留りは，皮麦で40～50％，裸麦で50～60％である．

●丸麦

英 pearl barley
大麦の外皮を除き，糊粉層まで削った丸い精白粒．米と混炊したり，茹でてサラダ，スープのトッピングなどに用いる．もち大麦の製品もある．

●もち大麦

英 glutinous barley
六条大麦のうち裸麦のもち種が，江戸時代に朝鮮麦などと呼ばれ，主として関西以西で栽培されていた．絶滅したといわれていた在来種のほとんどが裸麦で，粒色は褐色より紫褐色が多い．近年になり，水溶性食物繊維のβ-グルカン高含量品種の育成などが行われている．品種には六条大麦と二条大麦の皮麦と裸麦がある．用途の多くは精麦

米粒麦（平　宏和）

丸麦　原料　左：国産，右：外国産（平　宏和）

丸麦（もち大麦）（平　宏和）

大麦麺（乾麺）　上：普通（うるち）大麦麺，下：もち大麦麺（平　宏和）

用で，現在，原料のもち大麦のほとんどが外国産である．精白は，炊飯時に水分の吸収が白米と同様になるように穀粒の外皮を一部残すようにするのが一般的である．製品には丸麦，押麦，米粒麦があり，もち麦飯は，特有の食感がある．その他の用途として，大麦粉として菓子，パン，麺などの原材料に利用される．なお，旧来のもち大麦品種は，でん粉のアミロース*含量が5％程度のものを指していた．アミロースを含まない品種は1996年に育成された．

●六条大麦

英 six-rowed barley

穂軸の1節に1小花の小穂が3つ着き，左右に互生し，小花がすべて稔性*なので，粒が6列に並んだ形となり，穂の上から六角形に見える．六条大麦には皮麦と裸麦とがあり，皮麦は子房壁の分泌物質により穎果*（えいか）が熟しても稃（ふ）が離れにくく，裸麦は分泌物がないので容易に離れる．わが国では，皮麦は東海・近畿地方より東で，裸麦は西日本で主に栽培されている．その理由として，裸麦は雪害に弱いことと，皮麦は西南暖地に適した早熟品種が少ないことなどがあげられる．

◇品質　六条大麦の食品としての利用は，わが国では主として精麦（押麦，米粒麦・白麦）の原料として使用されている．したがって，原料麦の品質として，精麦歩留り，圧扁後の白度が問題となる．容積重の大きいものは，概して歩留り，製品の外観がよく，粒質としては，軟質（粉状質）のものは硬質（ガラス質）のものに比較して，圧扁の際の砕けが少なく，白度がまさる．

 大麦麺　おおむぎめん

成 01008（乾），01009（ゆで）　英 barley noodles
江戸時代には麦切りと呼ばれた大麦粉を原料とした麺である．現在，大麦粉に小麦粉を配合した麺

類が市販されている．大麦は普通（うるち）大麦ともち大麦が使われ，乾麺のほか，生麺，半生麺製品がある．茹でた麺にはなめらかな独特の食感がある．生めん類の表示に関する公正競争規約では，大麦粉が30％以上配合されたものとしている．

 オールスパイス

成 17055（粉）　分 フトモモ科ピメンタ属（常緑小高木）　学 *Pimenta dioica*　英 allspice　別 百味こしょう；三香子；ジャマイカペッパー

西インド諸島と中米原産で，現在の産地もそれらの諸国である．ハワイにも帰化しているという．シナモン，クローブ，ナツメグの3種の香りを混ぜたような香りをもつことから，この名があるという．果実は直径4〜7mmの球形で，これを完熟前にとり，天日乾燥させたもの．赤みがかった暗褐色になったものを利用する．形状は黒こしょうに似ている．

◇成分特性　シナモン，クローブ，ナツメグに共通のオイゲノールが香気の主成分で，抗菌性も強い．そのほか，シネオール，メチルオイゲノール

オールスパイス（平　宏和）

などを含む.

◇**調理** 用途は広く,シチュー,スープ,マリネや各種ソースに加えられる.トマト味ともよく合い,特に米国で好まれるスパイスである.シナモンやバニラとも相性がよく,ケーキやクッキー,ドーナッツなどにも使われる.

 ## オーロラソース

英 aurore sauce　別 ソース・オーロール

ホワイトソースをベースに,トマトピューレー,バターを加えて煮つめた淡紅色のソースで,その色があけぼの(オーロラ)色であることから名付けられた.蒸した肉料理や卵料理に合う.マヨネーズにトマトケチャップを混ぜてピンクに仕上げたものを呼ぶ場合もある.

 ## おかひじき　陸鹿尾菜

成 06030(茎葉 生),06031(茎葉 ゆで)　分 ヒユ科オカヒジキ属(1年生草本)　学 *Salsola komarovii*　英 saltwort　別 みるな;おかみる

日本,中国,シベリアからヨーロッパ南西部まで自生がある.わが国では各地の海岸に自生し,古くから食用野草とされている.典型的な短日植物である.

◇**品種** 品種といえるほどのものはないが,茎の色,節間長に変異がみられる.作型としてはハウス促成(1〜2月播き),トンネル早熟(3月播き),露地(4月播き)栽培があり,草丈10cm,本葉6枚ほどになったら収穫する.

産地:山形が主産地であるが,近年各地で栽培されるようになった.

◇**成分特性** 灰分は無水物で25%前後であり,ふだんそうと並んで野菜類中で最も高含量で,英名の"塩の草"の特性を示す.これはナトリウム*ではなくカリウムの含量が高く,アカザ科の葉茎の特徴とみられる.100g当たり,ナトリウム56mgに対し,カリウムは680mg含まれる.β-カロテンも3,300μgと多く含まれる緑黄色野菜である.

◇**調理** 茎葉の軟らかい部分を水で洗い,熱湯で2分間ほど茹で,お浸し,辛子や酢みそ和えなどで食べる.野草に準じた食べ方であるが,茹ですぎると独特のテクスチャーや緑色も消失する.

 ## おから

成 04051(生),04089(乾燥)　英 Okara;(insoluble residue from soymilk processing)　別 卯の花;きらず(雪花菜)

豆腐殻(とうふがら),すなわち豆腐の製造工程で摩砕した大豆から豆乳を搾るときに出る粕(熱水不溶性部分)である.植物のウツギの白い花にみたてて卯の花,また,「切る必要がない」の意から,きらずと呼ばれている.固形分の約50%は食物繊維であるが,抱水力があり,繊維性の食感があるので調味して食用に供する.最近では食物繊維食品としての用途も拡大している.

◇**成分特性** 旧来製法と新製法(豆乳を多く採るため改良された豆乳分離機による製品)では,水分含量に5%ほどの違いがあるため,両製品の成分値が異なる.そのため『食品成分表2010』までは,新・旧両製法の記載があった.『食品成分表』では新製法のものと乾燥おからを収載している.豆乳分離機の改良が進んだことによる.乾燥おからは,豆腐製造工程でできたおからをすぐに高温の熱風を通し乾燥させたもので,飲物やヨーグルトに加えたり,クッキーやこんにゃくに混ぜたりと,さまざまなダイエット食品やペットフードにも利用されている.炭水化物の多くは難消化性多糖類であるので,飼料に用いられていたが,味の向上と健康志向から,見直されつつある食品の一つとなっている.

おかひじき(平　宏和)

おから(平　宏和)

◇**調理** おから自体にはあまり味がないので，油，だし，調味料などを利用して調味する．代表的な料理として，おからと他の材料を炒り煮した卯の花炒りがある．このほか，炒り上げたおからで魚や野菜を和えた卯の花和え，飯の代わりにおからを使った卯の花ずし，おからに卵を入れて練り，みそ汁の実にした卯の花汁などがある．

おきあみ　沖醬蝦

成 10368（生），10369（ゆで）　分 節足動物，甲殻類（綱），オキアミ科　学 Euphausiacea（オキアミ目）　英 krill

おきあみは，あみと名がついているが，あみとは腹脚が退化していない点と胸節全部が頭胸甲で覆われる点で異なる．あみより大きく，体長15〜30mmのものから10数cmの大型の種類まで世界で数十種のおきあみ類が知られているが，経済的に利用されているのは下記の2種だけである．わが国の沿岸およびカナダ沿岸でも獲れる小型のつのなしおきあみ（*Euphausia pacifica*）は，主に釣り餌や養殖魚の餌に使用されるが，近年は「小えび」や「あみ」と称した乾製品がみられる．一方，なんきょくおきあみは，南極海域に生息し，おきあみ類中最大で，体長5cmくらいにまで成長し漁獲利用される．

◇**成分特性**　なんきょくおきあみは，『食品成分表』にみるように100g当たり，水分78.5g，たんぱく質（アミノ酸組成）*10.2g，脂質（TAG当量）*2.1g，灰分3.1gを含み，たんぱく質のアミノ酸組成も比較的バランスがとれている．脂質含量はあまり高くないが，全脂肪酸のうち，イコサペンタエン酸*（IPA）とドコサヘキサエン酸*（DHA）の含量が高い．ビタミンAはレチノール活性当量*で180μgと多い．また，殻付きのためカルシウムが360mg含まれ，えびと比べるとフッ素の含量も高い．

◇**保存・加工**　たんぱく質分解酵素活性が高いので，漁獲後，丸のまま船上で煮熟して冷凍品とするか，生冷凍する．

◇**調理**　生臭みがなく，えびとかにをミックスしたような味．かき揚げに適し，塩辛や佃煮にすることも多い．韓国ではキムチの発酵に用いられる．

●**なんきょくおきあみ**

南極沖醬蝦　成 10368　分 オキアミ属　学 *Euphausia superba*　英 Antarctic krill　別 おきあみ

体長5cmくらい．おきあみ類中最大で，南極海域に生息し，ひげくじらなどの餌となっている．一時，新たんぱく資源としても注目された．一部の加工食品の原料として利用されるほか，釣りの餌や養魚用の餌料として大量に使用されている．

おきうと　浮太；沖独活

成 09009　英 Okyuto　別 おきゅうと　地 えご練り，いご練り（新潟，福島）

えごのりに近縁種であるいぎす，あみくさ（けぼ）を混ぜてつくる，ところてん様の食品．小判状，またはそれをのり巻き状に巻いた形態で製品となっている．えごのりの風味とコシがある点が好まれ，福岡地方では朝食に欠かせない．4℃前後に冷やし，細切りにして，削り節，しょうゆをかけて食する．主に福岡市内で生産されるが，日持ちがよくないため，流通範囲が限られてきた．

おきうと（平　宏和）

沖縄そば

成 01052（生），01053（ゆで），【干し沖縄そば】01054（乾），01055（ゆで）　英 Okinawan noodles

沖縄地方独特の麺で，明治前半に支那そば，すばと呼ばれ常食となったが，第二次世界大戦後，沖縄そばの名称が一般化した．強力粉に梘水（かん

おきあみ（つのなしおきあみ，干し）（平　宏和）

沖縄そば（生）（平　宏和）

すい）と食塩を加えてつくられ，切断された麺は茹でる前に手もみでねじれをつけ，茹でたものは麺の付着を防ぐため食用油を塗る処理がされる．袋詰め包装された生および茹で沖縄そば，乾燥した干し沖縄そばが市販されている．中華麺に比べ，幅，厚さともに大きく，コシが強い．

沖縄豆腐　⇨とうふ

おきなわもずく

沖縄海蘊；沖縄水雲

成 09037（塩蔵 塩抜き）　分 褐藻類ナガマツモ科オキナワモズク属　学 *Cladosiphon okamuranus*　英 Okinawa-mozuku；cladosiphon

もずく（モズク科）より太い海藻で，奄美大島から西表島までの南西諸島に分布する．1970年代以降，沖縄で養殖が盛んとなっている．

◇**成分特性**　栄養の面からは特記する成分はないが，粘質物に富み，独特の食感がある．

◇**保存**　摘採された藻体を洗浄－雑草除去－脱水－塩蔵（20～25％）する．

◇**調理**　もずくと同様に軽く洗ったものを三杯酢や甘酢で食べる．

沖縄もずく（生）（平　宏和）

オクラ

成 06032（果実 生），06033（果実 ゆで）　分 アオイ科トロロアオイ属（1年生または多年生草本）　学 *Abelmoschus esculentus*　英 okra　別 アメリカねり；おかれんこん

1年生草本であるが，熱帯では多年生となる．東北アフリカの原産で，アフリカでは古くから栽培されていた．わが国への渡来は幕末と考えられる．近年急速に消費が増大した野菜の一つである．好温・好光性で，十分な土湿があれば夏に着果が旺盛である．わが国では親指大になった幼果を収穫し，出荷している．品種によっては，太さ2～2.5cm，長さ20cm前後になっても硬化せず，十分食用となるものもある．オクラの花はトロロアオイとよく似た花で，花オクラと呼ばれる花を食用とする品種もある．

◇**品種**　緑色が一般的であるが，紅色や黄色のものもある．紅色オクラの色素はアントシアニン*で茹でると分解し，緑色のオクラに変色する．紅色を活かしたい場合は生食とする．現在，作型に応じた品種が分化しつつあるが，基本的には，高性主枝型，高性主・側枝型，矮性主枝型に3大別される．

栽培：従来，盛夏期を中心として露地栽培*のみであったが，最近は促成（11～7月どり，加温ハウス），半促成（5～8月どり，ハウス），早熟（6月～降霜まで収穫，トンネル），抑制（10～12月どり，ハウス）栽培が分化している．

産地：鹿児島，高知，沖縄，宮崎，徳島が主産地である．生鮮品はフィリピン，タイなどから，冷凍オクラは中国，タイからの輸入もある．

オクラ　上：緑色種，下：紅色種（平　宏和）

◇**成分特性**　食用とする未熟なものにはペクチン質，アラビナン，ガラクタンなどの多糖類*が多く，粘質物の構成成分をなしている．灰分は100g当たり0.9g含まれ，無機成分としてはカリウム，カルシウムが多い．カロテンも比較的多い緑黄色野菜である．夏どり（7～9月）は春どり（4～6月）のものよりビタミンCが多い．フェノール性化合物が50mg含まれており，褐変の原因となる．

◇**保存**　低温貯蔵の最適温・湿度は7～10℃，90～95％で7～10日間鮮度を保つ．5℃以下では低温障害が生じ，ビタミンCが急激に分解され，貯蔵期間は5日程度に短縮される．

◇**加工**　生食や調理に利用する以外に酢漬，糠みそ，粕漬にもされる．

◇**調理**　淡白な味をもち，独特の粘りがあり，しかも緑色が鮮やかである．生のまま料理に用いることもできるが，薄い塩湯でさっと茹でてから次の料理にかかると，ブランチング効果で緑色が保持できる．※日本料理では汁の実，茹でて煮物や酢の物，和え物，そのほか料理のあしらいに，西洋料理でもやはり汁の実，クリーム和えに用いるほか，フライやバター炒めを他の料理の付け合わせにする．中国料理の炒め物でも同様で，料理の主材料として用いられることは少ない．※大きいものは摩砕するか，刻んで二杯酢やレモンじょうゆ，わさびじょうゆで食べるとよい．

小倉羊羹　⇨ようかん（練り羊羹）

🍬 おこし　粗粔

成 15043　英 Okoshi；(molded roasted grain with syrup)

米やあわ（粟）を煎ったおこし種を，砂糖や水あめの糖液でからめた干菓子である．

◇**由来**　起源は平安時代初期に，中国から伝わった唐菓子の"粗粔（こめ）"であるといわれ，当初は"於古之古女（おこしこめ）"といっていた．おこし米とも書き，「おこす」とは米や麦を煎ってふくらませることを意味していた．江戸時代になると大阪で，あわを蒸して天日で乾燥し，黒砂糖でかためた硬いおこしが創製された．これが岩おこしの始まりである．また江戸時代末期になると浅草で雷おこしが売り出されるようになった．

◇**原材料・製法**　主原料は，米，あわなどの穀類で，これを加工してそれぞれのおこし種がつくられる．一般におこし種の製法は2通りあり，一つは米を蒸して乾燥したものを煎る方法で，もう一つはもち粉に砂糖を加え水でこねて，だんご状にして蒸し上げ，のし餅についてのばし，乾燥させてから細断して煎る方法である．現在ではこのおこし種は専門業者によって製造されている．おこしは，おこし種に落花生，大豆，黒豆，黒ごま，青のりなどを加えて，これに砂糖，水あめの糖液を煮つめたものを混ぜ合わせてつくる．主なおこしには，岩おこし，あわおこし，雷おこし，米おこしなどがある．一般には，関西地方のおこしは硬いものが多く，関東地方のおこしはそれよりも軟らかめである．

◇**保存**　長期の保存にも耐え，製品の味も淡白で，風味もよいので，全国各地で市販され，みやげ品となっている．

●**あわおこし**
成 15043　英 Awa-okoshi

大阪の特産おこしである．細かい粒子があわ（粟）のように見えるところからこの名が付いたが，主原料は米である．大阪市二ツ井戸，津の清の初代津の国屋清兵衛が宝暦2（1752）年に創製したとされる．従来，竹筒形などであったものを板状にした．

●**岩おこし**
英 Iwa-okoshi

主として大阪を中心にした関西地方でつくられているもので，もちあわやもち米を煎ったおこし種を砂糖や水あめの糖液でからめた干菓子で，硬いのが特徴である．

上：あわおこし，下：岩おこし（平　宏和）

米おこし（平　宏和）

● 米おこし

成 15043　英 Kome-okoshi

米おこし種に砂糖，水あめ，少量の水で煮つめてつくった糖液を入れ，木杓子で混ぜ，まとめて木枠などに入れ，平らにのばしてから庖丁で一定の大きさに切断してつくる．雷おこしは，米おこしの一種で，東京浅草寺雷門の門前町でつくられている．小麦粉と米粉を練り，薄くのばし，乾燥したものを砕いてから，煎って多孔質にしたものを水あめで固めたものである．

● 落花生つくね

英 Rakkasei-tsukune

おこし種とよく煎った落花生に砂糖，水あめを煮つめた糖液を加えて混合し，一口で食べられる大きさに丸められたものである．おこし種として，米おこし種のほか，小麦粉パフ（乾燥・粉砕した小麦粉生地を膨化したもの），柿の種（米菓）を用いた製品もある．

落花生つくね　上：おこし種（小麦粉パフ），下：おこし種（柿の種）（平　宏和）

 おこぜ　䱩；虎魚

成 10077（生）　分 硬骨魚類，カジカ目オニオコゼ科オニオコゼ属　学 *Inimicus japonicus*　英 devil stinger　別標 おにおこぜ　地 おこじょ（北陸）；しらおこぜ（小田原）

全長25cm．体はごつごつしていて，多くの皮弁に覆われる．背びれの棘間の鰭膜は深く切れ込む．鱗はない．背びれ，腹びれ，臀びれの棘に毒腺があり，刺されると危険．オニオコゼ科すべての種に毒腺がある．味は上質で，吸物，ちり鍋になる．本州，四国，九州の各地，朝鮮半島，中国沿岸，台湾，ベトナム北部に分布する．本種に加え，おにだるまおこぜ（*Synanceia verrucosa*）も食用になるが，ひめおこぜ（*Minous monodactylus*）やだるまおこぜ（*Erosa erosa*）などの同科他種は小型であるため，食用として流通することはない．マタギ（猟師集団）の間には嫉妬深い女神とされる山の神を鎮めるのに，醜いおこぜの干物をお供え物として用いる風習があった．

◇**成分特性**　白身魚の代表的なもので，成分的にはあこうだい，かさご，めばるなどに近似したものである．広島の名物におこぜの煮付け，唐揚げがある．

◇**調理**　可食部は少ないが，味は淡白で上品である．煮付け，ちり鍋，ブイヤベースなど，長時間かけて味を浸透させる料理に向く．みそ汁，スープの実として骨の部分から出る味を利用できる．また下味を付けて唐揚げにするのもよい．二度揚げにして骨ごと供する．※春から夏の旬に，淡いピンク色の弾力のある鮮魚の薄づくりは，シコシコした歯応えと淡白な味わいで，ふぐに似ている．

おにおこぜ（本村　浩之）

 おごのり　海髪；於胡苔

成 09010（塩蔵 塩抜き）　分 紅藻類オゴノリ科オゴノリ属　学 *Gracilaria verrucosa*　英 Ogo-nori；gracilaria；sewing thread　別 おご；うご；うごのり

おごのり

直径1～2mmの細線状の海藻で，枝が密に分かれる．潮間帯から低潮線付近，特に内湾の塩分濃度の低い河口地域の小石や貝殻に好んで着生する．世界各地に分布し，高さは5～30cm，ときには60cmに達する．生長適温が10～30℃と広く，生長が早い．また，近縁種にオオオゴノリ（*Gracilaria gagas*），シラモ（*G. compressa*），ツルシラモ（*G. chorda*）があるが，外見がよく似ており，これらも総称しておごのりと呼ばれる．東京湾，三河湾，瀬戸内海などの一部沿岸で養殖が行われている．

◇成分特性　主成分は炭水化物である．乾燥したものを寒天製造原料とする．カルシウム，鉄*，β-カロテンが多い．

　毒性：生のおごのり（しらも，つるしらも）を採取して，そのままみそ汁の具にしたり，三杯酢で食べて死亡した例が過去において数例あるので，注意が必要である．原因は確定されていないが，おごのりの中に含まれている酵素により体内で多量のプロスタグランジンが生成し，急激な血圧降下が起こったためといわれている．市販のアルカリ処理した製品では食中毒例は皆無で，安全であると思われる．これは湯通しした後にアルカリ処理し，水洗いすることによりこの酵素が失活，流出するためと考えられる．

◇加工　普通，生おごのりといわれるものは，上述のアルカリ処理をして鮮やかな緑色を発現させたものである．これは，歯触りがよく，刺身のつまとして広く用いられる．このほかに塩蔵品がある．

押麦　⇨おおむぎ

おしょろこま

分 硬骨魚類，サケ科イワナ属　学 *Salvelinus malma krascheninnikovi*　英 dolly varden　別 おしょろこま（降海型）；からふといわな（陸封型）

わが国では，北海道のみに分布するいわなの一種．日本の河川では25cmくらいであるのが普通．降海型は128cmに達した記録がある．体はいわなに似ているが，赤色斑点が小さく鮮明である．産卵期は10～11月．近縁亜種のミヤベイワナ（*S. malma miyabei*）は北海道の然別（しかりべつ）湖とそれに注ぐ河川に分布する．美味で，塩焼き，フライ，燻製などにする．

おしょろこま（本村　浩之）

おたふく豆　於多福豆；阿多福豆

成 04021　英 Otafuku-mame；(broad beans cooked with sugar and salt or soy sause)

そら豆の大粒種の皮付き豆の砂糖煮で，しょ糖40%，食塩0.4%前後を含む．黒色をしているのは，重曹（炭酸水素ナトリウム*）を加えるためアルカリ性となり，そら豆に含まれるドーパ*（3,4-ジヒドロキシフェニルアラニン）が空気酸化して黒変したことによる．

おたふく豆（平　宏和）

鬼打ち豆

成 【いり大豆】04078（黄大豆），04079（黒大豆），04080（青大豆）　英 Oniuchi-mame

鬼打ち豆（平　宏和）

鬼打ち豆は鬼遣らい（節分）にまく煎った大豆のことである．鬼打ちは鬼遣（おにやらい）ともいい，追儺（ついな）のことで，本来は8世紀初頭に中国から伝わったとされる宮中の年中行事の一つである．大晦日の夜，鬼に扮した者を追い払って邪気を払い疫病を除く儀式である．社寺や民間でも行われ，近世，民間では節分の行事となった．
◇製法　水で洗浄あるいは布巾で汚れを拭き取った大豆をフライパンやほうろく鍋で，焦げて茶色になるまで弱火で煎って作る．水に浸した後，水切りした大豆を煎ったものが市販されている．なお，最近になり北海道，東北，新潟県，宮崎県，鹿児島県などでは殻付き落花生をまくようになった．その理由として拾いやすい，拾った豆が衛生的，美味しいなどがあげられている．

おにおこぜ　⇒おこぜ

 ## オニオンパウダー
成 17056　英 onion powder　別 たまねぎ粉
たまねぎを乾燥して粉末としたもの．食塩を添加したものもある．
　製法：剥皮したたまねぎを洗浄して3～7mmのスライスとし，4～5％の食塩水に3～5分漬けて変色を防止する．これを60℃以下で5～6時間熱風乾燥する．スライスした乾燥品を，さらに温度を下げて乾燥して水分4～5％の粉末とする．
◇成分特性　100g当たりの成分値では，水分が5.1gと生鮮物の成分値90.1gに比べて少ないので，他の成分項目の含量が多い．
◇保存・加工　スープ類，ハム，ソーセージなどの肉加工品，ソースなどに用いられ，食品加工原料として用途が広い．粉末のほか，フレーク，ペースト，ペーストオイルを乳化した濃縮液などの形態のものもあり，米国ではフレークが家庭用にも

オニオンパウダー（平　宏和）

消費されている．
　保存：保管中にも香り成分がとぶので，密閉して低温で保存する．香りのとんだものは，味は残っていても矯臭効果は弱くなる．

尾肉（おにく）　⇒くじら
おに柚子　⇒ししゆず

 ## おのろけ豆　御惚気豆
成 15044　英 Onoroke-mame；(baked rice dough-coated roasted peanuts)
中心に落花生の入った甘辛いあられで，豆菓子の一種．落花生をセンターに，寒梅粉，小麦粉などで衣をつくり，焼き上げたあと表面に甘辛味で味付けをし，刻みのりを軽くつけたもの．お好みあられの小袋入りなどには必ず入っている．

おのろけ豆（平　宏和）

尾羽（おば）　⇒くじら

 ## おはぎ　御萩
英 Ohagi；(cooked glutinous rice coated with An)
もち米を蒸すかまたは炊いてから軽くつぶして丸

め，きな粉をまぶしたものである．これに対し，あん（餡）をつけたものをぼたもち（牡丹餅）と呼んで区別していたが，現在では，砂糖を加えた黒ごま，こしあん，つぶしあん，きな粉をまぶしたものがあり，いずれも"おはぎ"と呼んでいる．

◇**由来**　おはぎは萩の餅と呼ばれていたものが，単におはぎになったといわれる．この由来は，萩の花が咲き乱れている感じに似ているからといわれる．ぼたもちは正しくはぼたん餅である．あんをつけた姿が牡丹の花のようだからと，美しい表現にみたてたものといわれる．その反対に，その姿が"ぼたぼた"した感じがするからぼた餅と名付けられたという説もある．また春につくるものをぼた餅（牡丹餅），秋につくるものをおはぎ（萩の餅）と呼ぶという説もある．現在は春秋を通じておはぎと呼ばれている．おはぎの起源は明らかではないが，江戸中期にはすでに記録に残っている．現在は年中行事の一つとして，お彼岸に食べる習慣となっている．これは江戸時代から行われていたようで，近隣に配って親睦をはかったといわれる．

◇**原材料・製法**　餅の製法には2通りの方法がある．一つはもち米を炊く方法で，もう一つは水に漬けたもち米を蒸す方法である．もち米を蒸す方法は，水漬けしたもち米をざるに上げてよく水切りし，せいろうに入れて蒸す．蒸し上がったらボールにあけ，もち米の60〜70％の熱湯を加えて杓子で攪拌する．混ぜ合わせたら厚めのふきんをかけ，その上から熱気が出ないように蓋をして放置する．よく蒸れたら，これを軽くこねて米の粒を半分程度崩し，適量とって丸めてもち種とする．おはぎの場合は，種を完全にもち状にしないことが大切である．こしあん，つぶしあんのおはぎをつくる場合は，あんでもち種を包んでから小判型に整形する．きな粉や黒ごまのおはぎをつくる場合は，上述と反対にもち種でこしあんを包み，小判型に整形してから，用意したきな粉やごまをまぶし，さらに上面へふりかけて仕上げる．きな粉はよく煎ったものを使い，砂糖を混合するときは十分乾燥したものを使用する．砂糖の割合はきな粉100に対し，20程度の配合量がよい．黒ごまも，よく煎ってから麺棒ですりつぶすが，ごまをつぶす場合は油を出さないようにすることが大切である．すりつぶしたらそのまま使用するか砂糖（ごまの30％程度）を混ぜて使用する．50g程度の大きさのおはぎの場合は，一般にあん22g，種28g程度である．おはぎは他のもち菓子と違って米の粒が半分程度残っているのが特徴である．また大量に製造する場合は包餡機を用いているところもある．

◇**保存**　おはぎは朝つくったものをその日のうちに食べる"朝生菓子"と呼ばれる生菓子であるので，できるだけ早く食べるのが望ましく，長く放置するとあん，きな粉，ごまの表面がベタついてくる．これはもち種の水分が多いために，あん，きな粉，ごまの方へ水分が移行して生じるものである．

 おひょう　大鮃

成 10078（生）　分 硬骨魚類，カレイ科オヒョウ属　学 *Hippoglossus stenolepis*　英 Pacific halibut　別 市 おおひらめ 地 ますがれい（宮城）；おがれい（上越）；ささかれい（下越）；おひょう（北海道，東北）

かれい類では最も大きく，全長は雌で3m，雄で1.4m程度．体重300kgに達する．眼の位置はひらめと反対にある．口がやや大きく，体は尾柄部が細長く，体色は黒褐色，鱗は小円鱗で，剥がれにくい．1,100m以浅の深海に生息する．東北以北の北日本海，オホーツク海，ベーリング海，北東太平洋に分布し，米国ではカリフォルニアの北部を南限とする．産卵期5〜6月，釣り，はえ縄，底曳網で漁獲される．大西洋には同属のハリバット Atlantic halibut（大西洋おひょう *Hippoglossus hippoglossus*）を産する．

おはぎ（平　宏和）

おひょう（北海道大学総合博物館）

◇成分特性　成分値はひらめに類似しているが，脂質がやや少ない．味はひらめ，まがれいなどとともに第一級とされている．欧米では非常に高く評価され，魚を使った料理の主役となっている．わが国では，刺身とされるような鮮度のよいものが少なく，冷凍された輸入品が主であるせいか，ひらめより低く評価されている．輸入切り身の成分値は，100g当たり水分77.0g，たんぱく質（アミノ酸組成）*（16.5）g，脂質（TAG当量）*1.2gである．

◇加工　加工としては冷凍フィレーが主であるが，そぼろやかまぼこの原料にもなる．

◇調理　新鮮なものは刺身にすることができるが，死後，急速に鮮度が低下して味が落ちるために，市場には一年を通して切り身の冷凍物が出回る．※身は脂肪が少なく淡白で，上質な白身である．加熱すると身がしまり，パサパサになるが，フライやムニエル，グラタンなどのように油分を補って調理するか，味の濃いソースを用いることによって味を引き立てることもできる．※和風では，観音開きにして，詰め物をし，蒸してあんをかけたりする．中国風では，唐揚げにし，トマトケチャップまたはピューレーの入ったたれでからめる．

おぼろ昆布

成 09021（削り昆布）　英 Oboro-kombu；(shaved kombu)

削り昆布の製品の一つ．まこんぶやうすこんぶ，りしりこんぶ等を原料とし，酢で前処理した原藻を夾雑物を除去したり，大きさをそろえる等の下ごしらえを行い，特殊な包丁で0.1mm以下の薄片状に削り取ったもの．表皮に近い部分を削った黒色の黒おぼろ，黒おぼろを削り取った後の白黄色の白板昆布を削った白おぼろ（太白おぼろともいう）等がある．おぼろ昆布は手づくりの高級品も多いが，機械おぼろでは，昆布を接着剤を使用して接着し，プレスによって固形にしたものを削るので，プレス時の昆布の詰め方とか削る角度によりさまざまな模様を削り出すことが可能である．

オマールえび　⇒えび（アメリカンロブスター，ヨーロッパ産ロブスター）

おやき

英 Oyaki

長野県の郷土食．北信地方，安曇野地方が発祥といわれている．小麦粉，そば粉などを練り，薄くのばした皮で野菜・山菜，あずきあんなどの具材を包み焼いたもので，蒸すこともある．形は直径8〜10cmの円形．現在では長野県名物として知られるようになり，市販されている．おやきは，山梨県の郷土食でもあり，とうもろこし粉が使われる．

おやき　野沢菜（平　宏和）

オリーブ

分 モクセイ科オリーブ属（常緑性高木）　学 Olea europaea　英 olives　旬 9〜12月

原産地は地中海沿岸で，紀元前2000年以前から油糧として果実が利用されたといわれる．15世紀から19世紀にわたり世界的に伝わった．わが国では，明治初期から各地で本格的に栽培が始められた．主として香川（小豆島）に定着した．

◇品種　大別すると油糧用と塩蔵（ピクルス）用に分けられ，品種数は300以上にのぼる．果実も2g程度の小果から12gに及ぶ大果まであり，果形も円型，楕円型など，変化に富む．塩蔵用品種としてはミッション，セビラノ，マンザニロ，ルッカ，アスコラノ種が主なものである．

産地：世界で生産されるオリーブの90%以上が油糧用に利用される．主産地はスペイン，イタリア，モロッコなどであり，わが国では香川，広島，静岡，熊本で生産されている．

◇成分特性　果実にはオレウロペイン（oleuro-

おぼろ昆布（平　宏和）

オリーブピクルス　左：グリーン，中：スタッフド，右：ライブ（ブラック）（平　宏和）

pein）という苦味成分が多いので，加工しないと食用にならない．主成分は水分と油である．油の脂肪酸組成は，約70％がオレイン酸*，10％がリノール酸*，0.5％がリノレン酸と，不飽和脂肪酸*が多く，飽和脂肪酸*であるパルミチン酸12％，ステアリン酸2％は少ない．油の含量は生果で18〜25g/100gである．そのほか少量の糖と酸を含む．

◇加工　利用法でに，搾油と塩蔵加工が行われる．塩蔵には紫黒色に着色した完熟果を用い，加工中に果皮を酸化して黒紫色に仕上げる熟果塩蔵（ライブオリーブ）と緑色果を用いて黄褐色に仕上げる緑果塩蔵（グリーンオリーブ）など，図1のように多くのタイプがある．塩蔵加工工程の基本は，カセイソーダ（2％）による果実の脱渋，塩漬（4〜8％食塩水）および乳酸発酵による食味の向上である．油は採集後，直ちに搾油し，高級油に精製される．搾油用には油含量の高い完熟果が仕向けられる．

●グリーンオリーブ
成 07037（塩漬）　英 pickles, green olive
オリーブの緑果の塩漬．オリーブ果実は，濃緑色→淡緑色→黄緑色→赤紫色→黒紫色と変化して成熟するが，グリーンオリーブは黄緑色の時期に採取し，カセイソーダ（水酸化ナトリウム）により脱渋・加工したものである．脱渋果実は4〜5％の食塩水に漬け込んで製品とする．

●スタッフドオリーブ
成 07039（塩漬）　英 pickles, stuffed olive
オリーブ果実にに核（種子）があるが，この核をコルクボーラーを用いて除き，生じた除核孔にピメント（赤ピーマン），オニオン，アーモンド等をつめて仕上げたもの．充填物は，缶詰または塩蔵しておいたものが用いられる．特にピメント詰は，紅色がさえて美しい製品になり，食味も深みが加わり，改善される．

●ライブオリーブ
成 07038（塩漬　ブラックオリーブ）　英 pickles, ripe olive
オリーブの熟果の塩漬．果実の熟度が黒紫色の完熟段階で採取して脱渋し，4〜5％の食塩水に漬け込んだものである．『食品成分表』では，ブラックオリーブとして載っている．製造中に20日ほ

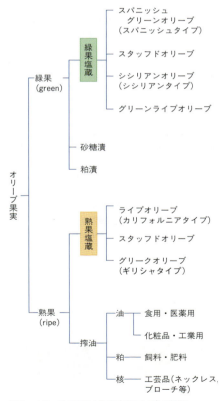

図1　オリーブの用途と塩蔵（ピクルス）の種類

ど乳酸発酵をして，果面を酸化させながら黒紫色に仕上げる．そのため，緑果塩蔵品に比べて風味が優れ，高級感もある．

オリーブ油

成 14001　英 olive oil　別 オリーブオイル

植物油がほとんど種子を原料としているのに対し，モクセイ科に属するオリーブ（*Olea europaea*）の果実から得られた油である．オリーブの利用は，古くは6,000年ほど前に遡るともいわれ，昔から高級油とされていた．オリーブは樹高10 m以上に達する常緑樹で，地中海沿岸諸国で栽培されている．オリーブ油の生産もほとんどこの地域に集中している．日本では，主に香川県で栽培されている．

◇**種類**　オリーブ果実の含油率は40〜60%で，果肉から軽い圧搾で得られるバージンオイルと，その残渣から圧搾，溶剤抽出で得られる精製オリーブ油がある．一般には，両者を混ぜて使用する．スペイン，イタリアなどが主生産国である．

◇**成分特性**　脂肪酸組成は，オレイン酸*が多く，『食品成分表』によれば，オレイン酸が77.3%を占める（付表6）．100 g当たりの成分値は，植物油の中では，β-カロテンを180 μgと多く含むが，ビタミンEは8.9 mg（α-トコフェロールが多い）と少ない．ビタミンKを42 μg含む（付表7）．不けん化物*として炭化水素の一種のスクアレンを100〜700 mg含むのが特徴である．オリーブ油特有の色は，クロロフィル*とβ-カロテンによる．

理化学特性：日本農林規格*（JAS）では，比重0.907〜0.913，屈折率（25 °C）1.466〜1.469，酸価*2.0以下，けん化価184〜196，ヨウ素価*75〜94としている．凝固点0〜6 °C．

◇**保存**　不飽和酸のオレイン酸が多いので，酸化に注意が必要である．

左：精製オリーブ油，右：オリーブバージンオイル
（平　宏和）

◇**用途**　食用とされるほか，クリームなどの化粧品，軟膏などの医薬品に広く使用される．日本薬局方にも記載されている．

◇**調理**　イタリア料理に欠かせない，特有な香りとうま味があり，高価な油脂である．地中海料理，シーフードサラダ，マリネなどの食用油として用いられる．

オリゴ糖

英 oligosaccharide

オリゴ（oligo）は，ギリシャ語で「少数」を意味し，「多数」の意味のポリ（poly）の対語として用いられる．オリゴがどのような数を指すのかについては厳密な定義はないが，通常は3〜10を指す．したがってオリゴ糖とは，単糖類*がグリコシド結合によって3〜10個結合した三糖類から十糖類を指すことになる．自然界に存在する三糖類にはラフィノースやケストース類などがあり，四糖類にはスタキオースなどがあり，五糖類にはベルバスコースなどがある．食品分野では，砂糖，でん粉などを原料とし，酵素転移作用などにより開発された複合糖類からなる甘味料をオリゴ糖と呼ぶ．なお，大豆オリゴ糖のように酵素作用によらず抽出・分離技術による製品もある．

◇**成分特性**　市販のオリゴ糖製品*はその製法から単一成分ではなく，原料糖や分解糖が含まれ，数種以上の糖類が混在する製品である．難消化性糖類を含む場合には低エネルギー値を示し，甘味度はしょ糖の1/2〜1/5と低い．

生理特性：オリゴ糖類は，マルトオリゴ糖類やイソマルトオリゴ糖類を除いて，ヒトの消化酵素では完全には消化されないため，低分子量水溶性食物繊維である．特定保健用食品となっている製品では，製品によって生理特性は異なる．

●**イソマルトオリゴ糖**

英 isomaltooligosaccharide

ぶどう糖がα-1,6結合により3〜10個結合したオリゴ糖．でん粉にグルコース転移酵素を作用させて製造される．天然にははちみつ，発酵食品に少量存在する．甘味度は砂糖の0.3〜0.55倍．まろやかな甘味，保湿性，耐熱性などが食品加工に適する．食品表示基準*では，難消化性糖質として扱われないため，エネルギー値は4 kcal/gである．ビフィズス菌増殖効果があり，純度の高い製品は非う蝕誘発性である．製品のイソマルトオリゴ糖の含有率は液状で50〜90%，粉末で65〜90%であり，製菓，パン，飲料，キャンデー

などに用いられる．特定保健用食品では，テーブルシュガー，炭酸飲料，乳酸菌飲料などに利用されている．

●カップリングシュガー
英 Coupling sugar　別 砂糖水あめ
カップリングシュガーは商標名である．グルコシル－，マルトシル－およびマルトトリオシル－スクロースを主成分とし，ぶどう糖，スクロース（しょ糖），マルトオリゴ糖などを含む各種糖類の混合物．しょ糖と液化でん粉に酵素を作用させて製造される．甘味度は砂糖の0.3〜0.5倍．非う蝕誘発性であるが，シロップ製品にはスクロースなどの糖類が含まれるので，これらがミュータンス菌（Streptococcus mutans）に利用される．キャンデー，クッキー，ゼリーなどに使用される．

●ガラクトオリゴ糖
英 galactooligosaccharide；galactosyllactose
別 ガラクトシルラクトース
乳糖*に転移酵素を作用させて得られる三糖類以上のオリゴ糖．甘味度は砂糖の0.2〜0.25倍と低いが，上品でまろやかな甘味をもち，熱や酸に安定で，食品加工に適する．難消化性で，食品表示基準では，エネルギー値は2 kcal/gである．ビフィズス菌増殖効果がある．製品のガラクトオリゴ糖の含有率は液状で約50％，粉末で70％あり，発酵乳酸飲料，キャンデー，ジャム，焼き菓子などに用いられ，特定保健用食品では，テーブルシュガーなどに利用されている．

●キシロオリゴ糖
英 xylooligosaccharide
キシロースがβ-1,4やβ-1,3結合により3〜10個結合したオリゴ糖．β-1,4結合のものがキシランを酵素により加水分解*し製造される．天然にはたけのこの中に遊離で存在する．甘味度は砂糖の0.25〜0.35倍．砂糖と同様な甘味で，熱や酸に安定である．難消化性で，食品表示基準では，エネルギー値は2 kcal/gである．ビフィズス菌増殖効果がある．製品のキシロオリゴ糖の含有率は液状で50〜70％．飲料，ガム，キャンデーなどに用いられ，特定保健用食品では，チョコレート，錠菓，乳酸菌飲料などに利用されている．

●大豆オリゴ糖
英 soybean oligosaccharide
大豆に含まれるオリゴ糖類．大豆ホエー（脱脂大豆の抽出液からたんぱく質を除いたもの）から製造され，主成分はスタキオース（四糖類），ラフィノース（三糖類）としょ糖である．甘味度は砂糖の0.7倍．スタキオースとラフィノースは難消化性で，栄養表示基準ではエネルギー値を2 kcal/gとしている．ビフィズス菌増殖効果がある．製品（液状）の大豆オリゴ糖の含有率は20％であり，主として飲料に用いられ，特定保健用食品では，テーブルシュガー，清涼飲料などに利用されている．

●乳果オリゴ糖
英 lactosucrose；galactosylsucrose　別 ラクトスクロース，ガラクトシルスクロース
ガラクトース*；ぶどう糖，果糖で構成される三糖類．砂糖と乳糖を原料とし，酵素の果糖転移作用により製造される．甘味度は砂糖の0.4〜0.5倍．砂糖と同様な甘味で，熱や酸に安定である．難消化性で，食品表示基準では，エネルギー値は2 kcal/gである．ビフィズス菌増殖効果がある．製品の乳果オリゴ糖の含有率は，液状で35〜55％，粉末で55％であり，アイスクリーム，チョコレート，キャンデー，ヨーグルトなどに用いられる．特定保健用食品では，テーブルシュガー，クッキー，炭酸飲料，発酵乳などに利用されている．

●フラクトオリゴ糖
英 fructooligosaccharide
しょ糖に果糖が1〜3個結合したオリゴ糖．砂糖に果糖転移酵素を作用させ製造される．天然には，たまねぎ，ごぼう，きくいもなどに存在する．砂糖に近い甘味と物性をもち，甘味度は主成分の純度により異なり，砂糖の0.3〜0.6倍である．難消化性で，食品表示基準では，エネルギー値は2 kcal/gである．ビフィズス菌増殖効果があり，低う蝕誘発性である．製品のフラクトオリゴ糖の含有率は液状で55〜95％，粉末で95％であり，菓子をはじめ多くの食品の甘味料として用いられる．特定保健用食品では，テーブルシュガー，錠菓，乳酸菌飲料，清涼飲料などに利用されている．

●ラクチュロース
英 lactulose　別 異性化乳糖
ガラクトースと果糖が結合した二糖類．乳糖をアルカリ異性化して製造される．加熱処理乳や乳製品に存在する．甘味度は砂糖の0.4〜0.6倍．難消化性で，食品表示基準では，エネルギー値は2 kcal/gである．ビフィズス菌増殖効果がある．製品（液状）のラクチュロースの含有率は約50％で，医薬品（高アンモニア血症，肝性脳症など），調製粉乳，乳酸菌飲料，アイスクリームなどに利用される．

オレガノ

分 シソ科ハナハッカ属（多年生草本） 学 *Origanum vulgare*（ハナハッカ） 英 oregano 別 ワイルドマジョラム 和 はなはっか（花薄荷）

マジョラムと同属異種で，地中海東部原産．耐寒性が強く容易に越冬するが，株が育ちすぎると高温多湿の条件下では下葉から腐敗するおそれがある．株は立ち性であるが，冬は這う．葉は先の尖った楕円形，緑色で，これを食用する．晩春〜初夏に花茎*を抽出し，その先に紅〜淡紫色の小さな花を群生する．欧米では匂袋，化粧品香料としても利用される．

産地：イタリア，ブルガリア，メキシコなど．
◇成分特性　生鮮物の成分値は100g当たり，水分81.8g，たんぱく質2.2g，脂質2.0g，炭水化物9.7g，カリウム330mg，カルシウム310mg，カロテン810µg，ビタミンC 45mgである（英国食品成分表）．乾燥品の成分値は100g当たり，エネルギー265kcal（1,110kJ），水分9.9g，たんぱく質9.0g，脂質4.3g，炭水化物68.9g（食物繊維42.5g），灰分7.9gである（米国食品成分表）．

香気成分：芳香と苦味があり，マジョラムと似ているが，マジョラムより強く，繊細さと甘い香りは少ない．主な香気成分はモノテルペン類，セスキテルペン類，チモール，カルバクロール，メチルシャビコールなどである．
◇調理　トマトとの相性がよく，スペイン料理やイタリア料理に用いる．また，刻んだ葉をドレッシングに加えたり，オムレツに混ぜたりして用いる．生鮮品でも用いるが，乾燥品の方がクセがなく，ピザやスパゲティソース，ビーフシチューなどに用いる．

オレンジ

成 07040（ネーブル 砂じょう 生），07041（バレンシア 米国産 砂じょう 生），07161（福原オレンジ 砂じょう 生） 分 ミカン科ミカン属（常緑性小高木） 学 *Citrus sinensis*（キンキツネンボ） 英 oranges 別 あまだいだい（甘代々）

インド原産であるが，全世界の柑橘産地に伝わり，生産量の最も多い重要な柑橘となった．世界各地に伝播する間に多数の変種が生じたが，大別すると普通オレンジ，ネーブルオレンジ（果頂部にへそ navel を有するのでその名がある），ブラッドオレンジ（果肉がアントシアン色素で赤く着色する），無酸オレンジ（酸が極めて少ない）の4群となる．オレンジの多くはわが国の気候に適さず，経済栽培が可能なものはネーブルと普通オレンジの一種である福原オレンジのみで，市販されているオレンジの多くはフロリダやカリフォルニアなどからの輸入品である．ネーブルオレンジが日本に入ってきたのは明治22（1889）年とされている．

◇品種　普通オレンジ：バレンシア，ハムリン，パーソン，シャムーティー，福原オレンジ．

上：オレガノ，下：オレガノ（乾燥）（平　宏和）

navel（へそ）

オレンジ　上：普通オレンジ：バレンシア，下：ネーブルオレンジ（平　宏和）

ネーブルオレンジ：ワシントンネーブル，トムソン，丹下ネーブル，清家（せいけ）ネーブル，福本ネーブル．

ブラッドオレンジ：ドブレヒナ，ワシントンサンギネ．

無酸オレンジ：サッカリ，スクレーニャ．

　産地：世界の大産地は米国，ブラジル，スペインなどである．わが国では，ネーブルオレンジが和歌山，広島，愛媛などで，ブラッドオレンジが愛媛（宇和島）で，福原オレンジが長崎，熊本などで生産されている．

◇成分特性　水分以外の主成分は糖類と酸である．糖類は100g中7〜11g，その約50%がしょ糖で，残りはほぼ等量のぶどう糖と果糖からなっている．酸は0.7〜1.2g，クエン酸が全酸の90%を占め，リンゴ酸*が次いで多い．ビタミンCはバレンシアオレンジが40mgで，ネーブルオレンジおよび福原オレンジは60mg含まれている．果肉には約400mgの遊離アミノ酸*を含み，アスパラギン，アスパラギン酸，プロリン，γ-アミノ酪酸，アルギニンなどが多い．果皮と果肉の色素はカロテノイド色素で，果皮には25mg，果肉には1.3mg含まれている．またフラボノイド化合物としてはヘスペリジンを含むが，これは苦味を示さない．

◇保存　低温貯蔵の最適温湿度は1〜2℃，85〜90%で，数カ月間貯蔵できる．わが国で市販されているのはカリフォルニア産が多く，そのほかオーストラリア，南アフリカ，メキシコ産のものが輸入される．船輸送によるものが多く，輸送中の腐敗の防止が最大の問題であり，ジフェニルやオルトフェニルフェノールなどの防黴（ぼうばい）剤を気化することにより腐敗防止が行われている．

◇加工　温州みかんのように果皮が容易に剝げないので，米国では全生産量の80%以上が果汁加工品として利用されている．果汁は，香気が優秀で食味がよいので，種々のタイプの果汁製品が開発されている．また缶詰，ゼリー，ジャム，マーマレード，オレンジピールなどにも加工される．

 ## オレンジジュース

成 07042（ストレート），07043（濃縮還元），07044（50%果汁入り飲料），07045（30%果汁入り飲料）．英 orange juice

オレンジジュースは，日本農林規格*（JAS）では，「オレンジの果実の搾汁若しくは還元果汁若しくはこれらにみかん類の果実の果汁，濃縮果汁若しくは還元果汁加えたもの又はこれらに砂糖類，蜂蜜等を加えたもの（みかん類の重量の割合が10%未満）をいう．」となっている．果汁の搾汁はインライン搾汁機（in-line juice extractor）により，果皮ごと全果のまま行われることが多い（図1）．搾汁果汁を裏ごしして密封殺菌すると，ストレートジュースが得られる．濃縮果汁は裏ごし果汁を殺菌後濃縮機にかけ糖度55度以上まで濃縮されたもので，一次加工品として200kg入りドラム缶で保存される．濃縮果汁は冷凍コストがかかるが，濃縮度が高いので容器の節約ができ，保存，輸送などに利点が多い．また濃縮果汁は糖度が高いので微生物の増殖が抑えられるとともに，極低温下で貯蔵されるので数年間品質の変化がなく保存できる．

オレンジラフィ　⇨きんめだい

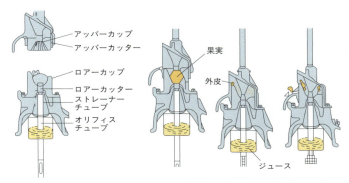

図1　柑橘果実のインライン搾汁機構略図（全果のまま能率よく搾汁される）（米国FMC社資料より）

オロブランコ

🔴 07048（砂じょう 生） 分 ミカン科ミカン属
（常緑性小高木） 学 *Citrus grandis* ×*paradisi*
'Oroblanco' 英 Oroblanco 別 市 スイーティー

1958年米国カリフォルニア大学で，無酸ぶんたんに4倍体グレープフルーツを交配して育成された柑橘である．正式の名は品種名のオロブランコであるが，1990年代からイスラエル産が輸入された．年末から3月頃にかけてスイーティーの商品名で販売されることもある．また，同じくカリフォルニア大学では姉妹品種ともいえる，大果のぶんたんにグレープフルーツ（ホワイト）を交配したものが育成され，メロゴールドの名で販売されている（公表は1986年）．わが国でも米国からの輸入品が一部で販売されている．オロブランコやメロゴールドの栽培には特許の許諾が必要で，国内で栽培するには特許の取得がいる．

◇**成分特性** 果実は450g内外であり，果実成分はグレープフルーツと同等である．糖度は高く，酸味が少ないため，グレープフルーツより甘味を強く感じる．果肉は柔軟多汁で，グレープフルーツとはひと味違った爽快な風味がある．ビタミンCは比較的多く，38mgである．

◇**保存・加工** 一般の柑橘類と同様に低温貯蔵が効果的であり，適温は1〜2℃である．加工品としては，ジュース，ゼリーなどがある．

◇**調理** グレープフルーツ同様，半分に切ってそのまま，あるいはブランデーなどをかけて，スプーンを添えて出す．そのほか，じょうのう膜を除いてサラダやデザート，製菓材料としても利用できる．またジュースにもされる．

オロブランコ（スイーティー）（平　宏和）

メロゴールド（平　宏和）

ガーリック　⇨にんにく

ガーリックパウダー

[成]17075（食塩無添加），17128（食塩添加）　[英] garlic powder　[別] にんにく粉

にんにくの鱗茎＊を乾燥して粉末としたもの．食塩を添加したガーリック・ソルトは，ふりかけ用の食卓調味料としても使われる．でん粉を混合した製品もある．粉末のほか，粗挽きも市販されている．

　製法：にんにくの鱗茎をスライスして減圧で水分約5％まで数時間乾燥する．にんにく特有の香りは，成分のアリイン＊が酵素で分解してできるアリシンから誘導される硫化アリル化合物である．加熱によって酵素は破壊されるから，熱処理によって無臭にんにく粉をつくることができる．

◇[成分特性]　にんにくの鱗茎はフラクタンを含み，でん粉を含まない．にんにく中のビタミンB_1は，成分のアリシンと結合してアリチアミンとなり，安定で吸収されやすく，薬効が優れている．アリインは腸内細菌の作用でアリシンとなることから，無臭にんにく粉であっても効果は期待できる．

◇[調理]　スープ類，ハム・ソーセージなどの肉加工品，ソースなどに用いられる．

ガーリックパウダー　中国産（平　宏和）

かいわり　貝割

[分] 硬骨魚類，スズキ目アジ科カイワリ属　[学] Kaiwarinus equula　[英] whitefin trevally　[別] ひらあじ（しまあじとの混称）　[地] ぎんあじ（有明海）；ぎんだい（北陸）；おきあじ（山口，鳥取）；かくあじ（相模湾）；めっき；めいき（和歌山，大阪）　[旬] 夏〜秋

あじ類の中では最も美味とされるしまあじの近縁種．インド・西太平洋の暖海に分布し，国内では琉球列島を除く日本各地に分布する．水深200 m以浅の海底付近に生息している．体の表面が銀色に光ることから，ぎんあじと呼ばれる．体高は著しく高く，全長は30 cmくらいになる．旬は夏から秋にかけてであるが，周年美味である．まあじやむろあじとは違った味がある．

◇[調理]　身がしまっており，クセがなく大変美味．新鮮なものなら刺身にする．そのほか焼き物，蒸し物などにする．

かいわれだいこん　貝割れ大根

[成] 06128（芽ばえ　生）　[分] アブラナ科ダイコン属（1年生草本）　[学] Raphanus sativus var. hortensis（ダイコン）　[英] Japanese radishes；Kaiware-daikon；(young stems and leaves of Japanese radishes)　[別] かいわれ；かいわれな

大根（主として四十日群の品種）を用い，発芽後子葉＊が開き，胚軸が伸びたころ食用とする．子葉が，貝が割れた（開いた）形に似ているのでその名がある．近年は水耕栽培＊が主体となっている．栽培に当たっては，まず暗い中で発芽させて白い軸を伸ばし，子葉が開いたら光を当てて緑色をつけて出荷する．ほとんど人の手を触れない自動化工場で生産されている．家庭菜園用の栽培セットも人気がある．

◇[成分特性]　$β$-カロテン，ビタミンCの多い緑黄色野菜である．

◇[保存]　組織が軟弱で，一般の野菜よりも腐敗しやすいので，低温保存して早めに食する．

かいわれだいこん
（平　宏和）

◇調理　鮮やかな緑の葉と，大きさの揃った軸を選ぶ．少し辛味があるが，生のまま刺身のつまやサラダ，料理の仕上げのあしらいなどに用いる．煮物，汁物の青みとして用いるとき，辛味が気になる場合は，さっと熱湯に通すとよい．

かいわれな　⇨かいわれだいこん

 かえる　蛙

成 11242（生）　分 アカガエル科アカガエル属　学 *Rana catesbeiana*（ウシガエル）　英 edible frog；bullfrog（ウシガエル）

かえるの中で食用に供されるものはかなりあるが，特にウシガエルは体が大きく，肉量があり，美味なので，別名"食用がえる"として知られている．このかえるは米国に広く分布するアカガエルの系統で，大正 8（1919）年に渡瀬庄三郎博士によって日本に輸入された．輸入の目的は養殖であったが，現在は養殖は極めて少なく，ほぼすべて野生化している．食用に供されるのは後肢の部分である．体色は雌雄によって異なり，雌は普通褐色に黒褐色の斑紋があり，雄は暗緑色であるが，環境によって変化する．6～8月頃大きな卵を産む．オタマジャクシも大きく，約10cmある．捕集には釣竿が用いられる．小さな虫，ミミズなどを餌に，ひっかけて釣る．赤や青の布片の擬似餌でも釣れる．一般的に入手できるものは輸入品で，ももの部分の冷凍品である．

◇成分特性　肉は水分がやや多く，脂質（TAG当量）*は 100g 当たり 0.2g とほとんどない．無機質，ビタミンも一般に少ない．味，肉質は鶏のブロイラーに似るとする例が多い．特有なにおいがあるが，水でさらして食用に供する．

◇調理　食用にするのはもも肉だけである．鶏のささ身によく似ているので，中国では田鶏（ティエンジー）と呼んでいる．天ぷら，フライ，うま煮などにする．洋風料理では，仕上げにシャロットとにんにくのみじん切りを用いる．バター焼き，衣揚げ，ソース煮などがある．

かえんさい　⇨ビーツ

 鏡餅　かがみもち

成 01117（もち）　英 Kagami-mochi　別 おそなえ；おかがみ

大小 2 個の平たい丸餅を重ねたもので，正月：

鏡餅（平　宏和）

神仏，床の間に供え，また，吉例にも用いる．だいだい，干し柿，うらじろ（ウラジロ科のシダ類），ゆずりは（トウダイグサ科の常緑高木），昆布，えびなどを添えることが多い．

 かき　柿

成 07049（甘がき 生），07050（渋抜きがき 生）　分 カキノキ科カキノキ属（落葉性高木）　学 *Diospyros kaki*（カキノキ）　英 Kaki；Japanese persimmons　旬 秋

日本および中国原産の果実で，わが国の南部には自生種が見られる．大別すると，野生種の山柿と栽培種に分けられる．雌雄同株であるが，経済品種の大部分は雄花をつけないか，わずかにつける程度である．果樹園では雄花のつく栽培品種を授粉樹として植える．果実の利用の歴史は古く，原始時代に遡る．柿の品種についての記録は江戸時代にみられる．

◇品種　1,000 種以上に及ぶが，大別すると甘柿か渋柿になる．しかし，渋味の発現は不安定な要素があり，受精により，渋味が消失したり発現したりする品種もある．完全甘柿は，受粉して種子ができてもできなくとも甘柿になる品種を指し，完全渋柿は，受粉して種子ができてもできなくとも，渋柿になる品種をいう．主要品種は，甘柿としては富有，松本早生富有，太秋，次郎，西村早生，上西早生，渋柿としては刀根早生，平核無（ひらたねなし），甲州百目，市田柿，西条，堂上蜂屋（どうじょうはちや），会津身不知（あいづみしらず）などが主なものであるが，地方品種の数は多い．項末に主要品種を記す．

　生産：耐寒性はりんごより弱く，北海道では栽培できない．特に甘柿は熟期における低温が脱渋，甘味に影響するため，東北地方では甘柿は不適である．主産地は，甘柿は和歌山，福岡，奈良，岐阜など，渋柿は新潟，和歌山，山形などである．

◇**成分特性** 甘味の主成分はぶどう糖と果糖で、しょ糖、マンニトールを含む。酸は大部分がリンゴ酸*で、その他クエン酸、酒石酸*などを少量含む。柿特有の色はアントシアン、カロテノイド*（β-カロテン、クリプトキサンチン*、ゼアキサンチン、リコペン*、ルテイン*など）による。鮮明な紅色のものにはリコペンが多い。またポリフェノールオキシダーゼを欠くため、空気に触れても褐変が起こらない。ペクチン*も0.5〜1.0%と多く含まれる。

渋味成分：渋味の本体はタンニン*で、未熟な甘柿や渋柿には多い。完熟した渋柿には0.8〜2.0g/100gのタンニンを含み、可溶性の状態で存在する。甘柿のタンニンはその大部分が縮合して高分子の状態となり不溶性であるので、渋味を示さない。渋味成分は果肉の中のタンニン細胞中に存在し、渋柿のタンニン細胞は甘柿より大きい。甘柿の"ゴマ"はタンニン細胞が変色したものである。

ビタミンC：柿果実（甘）にはビタミンCが多く、100g中70mg含まれる。また、葉に特に多く、展開間もない新葉で600mg、新しい成葉では1,500mg含まれる。

脱渋：渋柿を軟熟しないうちに食用とするには、脱渋（渋抜き）しなければならない。脱渋には炭酸ガス脱渋、アルコール脱渋、温湯脱渋などがある。炭酸ガス脱渋は炭酸ガス濃度を90%に保ち密閉し4日間保存する。またアルコール脱渋は、10kgの果実に40〜50mLの40%エチルアルコール（焼酎でもよい）を散布し、10日程度密閉することにより行われる。脱渋の原理は、果肉組織を密閉状態の下で分子間呼吸させ、それにより生じたアセトアルデヒドが水溶性タンニンを不溶化するためといわれている。渋抜き柿は肉質が軟らかく口当たりがよいのが特徴である。また成熟前の渋柿を樹の上でアルコール処理し、ポリ袋で密閉しておくと甘柿となる。

◇**保存・加工** 低温貯蔵（0℃）を行えば長期間保存できる。加工品は干し柿（ころ柿）が主なもので、そのほか羊羹などがある。

◇**調理** 日数の経過につれて固さや風味がどんどん変わるので、食べ頃のものを選ぶことが第一である。※緻密でなめらかな食感と特有の甘みを持ち、酸味が少ない。ポリフェノール*を含まず、皮をむいておいても褐変しない鮮やかな果肉の色を生かして、生食のみでなく、フルーツサラダや柿なますなど、料理の素材としても用いられる。※柿は比較的不消化物が多く、しかも味の性質上、爽やかさを求めるジュースには向かない。※柿の葉は揚げ物、柿の葉ずしのほか、乾燥して茶の代わりに用いることがある。

◇**主要品種**

会津身不知（あいづみしらず）：不完全渋柿。「西念寺（さいねんじ）」、「身不知」とも呼ばれる。西念寺（福島県二本松市）の住職が500年ほど前に中国から持ち帰ったといわれ、古くから会津地方で栽培されている。名前の由来には「多く実をつけ過ぎ自身で枝を折ってしまう」、「美味でわれを忘れ食べ過ぎる」など諸説がある。果実は大きく扁平で、横断面は円い。脱渋して生食する。

愛宕（あたご）：完全渋柿。愛媛県周桑郡（現・西条市の一部）の原産。釣鐘状で先が尖り、果皮は艶のある橙黄色。晩生品種で、脱渋し12月〜1月に出荷される。

甲州百目（こうしゅうひゃくめ）：不完全渋柿。「富士」、「蜂屋」（「堂上蜂屋」は別品種）とも呼ばれる。品種名は甲府盆地周辺で栽培されていたので甲州、果実が大きいので百匁から百目に由来するという。脱渋して生食するほか、あんぽ柿、ころ柿に利用される。

西条（さいじょう）：完全渋柿。広島県東広島市西条町が原産で、13世紀頃には栽培されていたといわれる。果形は細長く卵形で、4条の溝がある。色はあまり濃くない。重さ100〜200g。干し柿にも適しており、昭和に入ってから脱渋して食するようになった。

次郎（じろう）：完全甘柿。静岡県周智郡森町で弘化年間（1844〜1847）に松本治郎が太田川で見つけた幼木を育成したのが始まりとされている。果肉は果汁が少なく、やや硬め。

太秋（たいしゅう）：完全甘柿。農水省果樹試験場安芸津支場（現・農研機構果樹茶業部門ブドウ・カキ研究領域）で富有を母本に育成され、平成6（1994）年に品種登録された。350〜400gの極大果で、果肉が柔軟・多汁である。

西村早生（にしむらわせ）：不完全甘柿。滋賀県大津市の西村弥蔵の柿園で発見された偶発実生で、母本「富有」と父本「赤ガキ」の自然交雑によるものとされている。昭和35（1960）年に品種登録された。渋が抜けないものは、脱渋して出荷される。

花御所（はなごしょ）：完全甘柿。天明年間（1781〜1789）、鳥取県・八頭町（旧郡家町花）の野田五郎助が伊勢参りのとき、大和（奈良県）から御所柿の枝を持ち帰り、接木したのが始まりといわれ、明治42（1909）年に花御所と命名さ

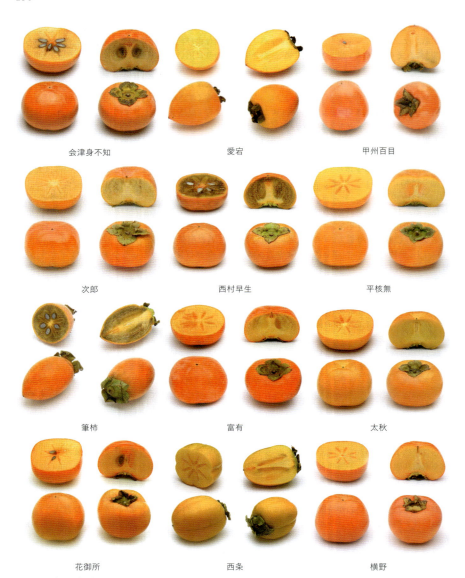

各種かき(平 宏和)

れた.11月になると完熟し渋が抜ける.外見は富有と似ており,糖度が高い.

平核無(ひらたねなし):不完全渋柿.「庄内柿」,「おけさ柿」,「八珍(はっちん)」とも呼ばれる.新潟県の原産で,新津市に樹齢300年近い原木が現存する.山形県鶴岡地方には明治18(1885)年に原産地から行商人により伝えられ,「庄内柿」として広まった.脱渋して出荷され,果形は扁平で,種がなく,甘味が強い.

筆柿(ふでがき):不完全甘柿.「珍宝柿(ちんぽうがき)」とも呼ばれ,愛知県原産で江戸時代末期には栽培されていた.果形が筆先に似ており,不完全甘柿のため甘味が出ると果肉にゴマ(黒い斑点)が入る.

上左：あんぽ柿，上右：ころ柿，下左：巻き柿（土産用），下右：柿の葉ずし．柿の葉ずしは，奈良県の郷土料理で，一口大の酢飯にさば・さけなどの切り身をのせ，柿の若葉で包んだ押し寿司である．（平　宏和）

富有（ふゆう）：完全甘柿．岐阜県瑞穂市居倉で安政4（1857）年に小倉初衛が御所系統の栽培を始め，その穂木を同村落の福島才治が接木栽培し育成改良された柿で，品種名の「富有」は，品評会出品のために明治31（1898）年に命名された．果形は丸に近い四角，果皮は光沢があり，果肉は柔軟・多汁，甘味が強い．

横野（よこの）：完全渋柿．山口県下関市安岡町横野の竹林に自生していた柿で，正徳3（1713）年に発見されたといわれている．富有より一回り大きく，脱渋したものは糖度が高い．

●干しがき

成 07051　英 dried persimmons

渋柿の果皮をむき，天日または人工乾燥室で吊して乾燥させたもの．天日の場合は20〜30日を要する．人工乾燥では，30℃くらいから徐々に温度を上げて最高70℃くらいで1週間ほどで仕上げる．乾燥の途中にもみほぐしが行われることもある．干し柿は，ぶどう糖と果糖からなる白粉が果皮表面に多く生じたものの品質がよいとされる．そのまま食べるほか，柿なますにしたり，柿羊羹などの菓子にも用いる．
製法により，次のような種類がある．

串柿：柿を竹串に刺して乾燥させたもの．

つるし柿：縄に果梗を通してつるし乾燥させたもの．

ころ柿（枯露柿）：完全渋柿品種．紅柿（約300年前，山形県上山市三上の農家の庭に鳥が運んだ種子を育成したといわれる）を用いた干し柿．名前は，むしろ・すだれの上で転がし乾燥したことに由来するといわれている．干し柿のうち水分含量を20〜30％に乾燥させたもの．表面に白粉がみられる．

あんぽ柿：渋柿を脱渋した干し柿で．外側は乾いているが，内部は生乾きで水分が多く，半生のような軟らかさで，主に甲州百目（富士・蜂屋），平核無（庄内柿・おけさ柿・八珍）が利用される．あんぽ柿の名前の由来は，明治時代になり，以前からあった天干し柿あるいは甘干し柿（あまぼしがき）より転じたといわれている．

◇製法　剥皮後，製品の黒変と微生物繁殖の防止のため，硫黄燻蒸処理し，水分含量50％前後に乾燥させる．

巻き柿：種抜きしたやわらかい干し柿を何層にも重ね，竹の皮で巻き，わらで包み，さらに細縄で巻いたもの．保存食の1種．輪切りにして食べる．

かき　牡蠣；蠣

分 軟体動物，二枚貝類（綱），イタボガキ科　英 oysters

かき類は世界中に分布しており，種類が多い．かき類は左殻で他のものに固着していて殻形は一定していないが，だいたい不規則な円板状か長三角形である．殻表の成長脈はひれ状に立ち，2枚の殻の左右で形が違う．かきは古くから食用にされ，欧米でも高級食材の最たるもので，日本人と同様，生も食べる．日本産のかきは，まがき（*Crassostrea gigas*）をはじめとして15種類ある．

養殖：世界各地で行われ，紀元前1世紀頃に始まり，ナポリでは5世紀頃から盛んとなった．養殖されるかきはわが国のまがきをはじめ，ヨーロッパがき（*Ostrea edulis*），ポルトガルがき（*C. a angulata*），アメリカがき（*C. virginica*），オーストラリアがき（*Saxostrea commercialis*）などである．

◇**成分特性** "海のミルク"と呼ばれ，栄養豊富といわれる．『食品成分表』では養殖まがきで100g当たり，水分85.0g，たんぱく質（アミノ酸組成）*4.9g，脂質（TAG当量）*1.3g，利用可能炭水化物*（差引き法）6.7g，灰分2.1gとしている．二枚貝のうちでは，たんぱく質含量は比較的低いが，脂質含量が高く，炭水化物であるグリコーゲン*の含量の高いことが特徴的である．また脂溶性および水溶性ビタミン*を豊富に含有しており，ビタミン B_{12} の含量も高い方である．まがきが美味となる冬から春には，脂質含量もグリコーゲン含量も高くなる．各種のステロール類を含有しているが，コレステロールは100g当たり38mgで，それほど高くない．無機成分，殊に亜鉛が14.0mgと特異的に多い．銅*，鉄*，マグネシウム*，ヨウ素*が豊富といわれるが，ほかの二枚貝と比べ特に高いとはいえないようである．しかしかきの身は，二枚貝の中で最も軟らかい点とクセのない味が，魅力の一つとなっており，ビタミンや無機質の給源として利用するには適している．また，タウリンも多く，血中コレステロールを下げたり，血圧を下げる効果も期待できるといわれる．昔から西欧では英語の月の名にRのつかない月（May～August）は食べてはいけないといい伝えられているが，これはヨーロッパのかきの産卵期がRのない月と一致しているためである．まがきのような卵生型のかきは，産卵期が6～7月で，この時期のかきはやせて不味となる．したがって11月頃より翌年3月頃までが美味で，これは成分的にも裏付けられている．また，産卵期の異なるいたぼがき，いわがきなどの胎生型のかきは夏も美味で食べられる．

◇**保存・加工** かきは生きた状態での流通もあるが，鮮度のよい状態でむき身にしたものを冷蔵あるいは冷凍する．加工としては，水煮および燻製油漬（成10294）などの缶詰のほか，名産品的な製品に宮城のかき飴，かきみそなどがある．中国料理に用いる蠔油（ハオヨウ：かき油，オイスターソース）は，かきの煮汁から製した魚醬油の一種である．

◇**調理** かきは他のすべての貝と違った，一種特有の味となめらかな食感をもっている．この特徴を生かすためには生食が最適である．鮮度が低下しやすいので，原則として生食には生きたものを用いる．生臭みを消すため，日本料理では酢の物，または酢みそ和え，西洋料理ではレモン汁をかけるなど，酸味を加えて用いる．※味に特徴はあるが，クセがなく，和・洋・中国の料理に広く用いることができる．かきを味わうためには，焼き物，揚げ物，フライがよい．かきの味をだしとして利用したいときには，椀種，かき鍋，かき飯，スープ，コキール，グラタン，チャウダーなどに用いる．

●**いたぼがき**

板甫牡蠣　分 イタボガキ属　学 *Ostrea densely lamellosa*　英 densely lamellated oyster　別 ころびがき；こぼれがき；ばば貝

殻表に細かい放射肋と檜皮状の成長脈がある．胎生で，本州以南，中国大陸の内海や内湾の泥底に塊状になって棲む．

●**いわがき**

岩牡蠣　分 マガキ属　学 *Crassostrea nipponica*　英 rock-oyster　別 くつがき；なつがき　旬 夏

大型の殻で，殻表は褐色．殻皮は檜皮状である．内側は白色．陸奥湾以南の潮間帯の岩礁に棲む．まがきとは異なり夏が旬．

かき　燻製油漬缶詰（平　宏和）

いわがき

●おはぐろがき
御歯黒牡蠣　分 オハグロガキ属　学 *Saxostrea mordax*　英 blacklip oyster

殻表に放射状に太く低い肋がある．内側は白色で，黒く縁どられる．紀伊半島より南の潮間帯の岩礁に棲む．小型で食用に向かない．

●かきつばた
杜若　分 シャコガキ属　学 *Hyotissa imbricata*

殻は黒紫色．殻表には多くは太い放射肋がある．そのうえ管状の突起を生ずる．房総以南に分布．肉は黒味が強い．

●けがき
毛牡蠣　分 オハグロガキ属　学 *Saxostrea kegaki*　英 spiny rock-oyster

殻表に黒色の管状突起がある．内側は緑色を帯びている．北海道南部以南の岩礁潮間帯にはりついている．

●こけごろも
苔衣　分 イタボガキ属　学 *Ostrea circumpicta*

一見，いわがきに似ているが，内側が紫色，靱帯の両縁が細かに刻まれるところが，刻まれないいわがきと異なる．分布はいわがきと同様．胎生である．

●すみのえがき
住江牡蠣　分 マガキ属　学 *Crassostrea ariakensis*　英 southern oyster

殻は扁平で，成長輪寸がはっきりでている．有明海に多く棲む．熊本県周辺の養殖種は本種．肉質はよく，美味．中国の広東沿海で古くから養殖されており，蠣油をつくるのに最適とされる．

●まがき
真牡蠣　成 10292（養殖 生），10293（養殖 水煮），10294（くん製油漬缶詰），10430（養殖フライ）　分 マガキ属　学 *Crassostrea gigas*　英 giant Pacific oyster　別 地 ながき；えぞがき（北海道，大成型）；しかめ（矮小型）　旬 冬

日本沿岸に一般的にみられるもので，サハリン以南の日本各地，中国大陸の内湾の塩分の低い潮間帯の岩礁に付着して棲む．卵生で，産卵期は6〜7月．日本のみならず米国などでも養殖している．日本では1673年，広島で小林五郎左ヱ門が養殖方法を発見したのが初めとされているが，全国で本格的に始められたのは，大正時代に垂下式養殖法が開発されてからである．6〜7月に産卵するが，これをほたてがいの殻などに付着させ採苗して養殖する．産地としては，松島湾，志摩半島，広島湾，有明海，佐渡，能登が有名である．北海道で獲れる大型のかきは，なががき，えぞがきと呼ばれるが，まがきと同種である．

かき油　⇨オイスターソース
かきちしゃ　⇨レタス
かきもち　⇨あられ
角砂糖　⇨さとう

かさご　笠子；鮋

成 10079　生　分 硬骨魚類，メバル科カサゴ属　学 *Sebastiscus marmoratus*　英 false kelpfish　別 地 あかずら（千葉）；はちめ（新潟，富山）；あかばば（阪神，松江）；がらかぶ（熊本）；がしら（関西）　旬 冬

全長約35cm．体色は変異に富み，不規則な褐色の横縞がある．沿岸性魚で，北海道から南日本，朝鮮，南シナ海北部に分布する．同科で近縁のあやめかさご，うっかりかさご，ゆめかさご，くろそいなどが食される．

◇**成分特性**　肉が白身でしまり，あこうだいより脂質（TAG当量）*が少なく100g当たり0.9gである．たんぱく質（アミノ酸組成）*は16.7gと多い．かさご類は骨や棘が多いうえ，棘に毒のあるものが多いので，調理の際には，手など傷つけないように注意を要する．

まがき

かさご（本村　浩之）

◇調理　頭が大きく，うろこも多いので，可食部は35％と少ない．白身の魚で，身もしまっており，脂肪が少なく，味も淡白なので一年中おいしいが，特に冬は美味である．※新鮮なものは生食できるので，刺身やあらいにする．そのほか鍋物，煮付け，唐揚げ，塩焼き，霜降りにして椀種などに用いられる．また，一夜干しもよい．※洋風ではブイヤベースに欠かせない．煮込むとよい味が浸出し，サフランの風味が加わるとなおいっそう引き立てられる．また，ワイン蒸しにしたり，フリッターにも用いられる．※中国料理でも，揚げ物にしてあんをかけたり，汁物などにも使用される．

●あやめかさご
文目笠子　分 メバル科カサゴ属　学 *Sebastiscus albofasciatus*　英 yellowbarred red rockfish　別 地 あかげ（茨城）；あかがし（紀州）
全長約25cm．かさごに似るが，眼の下縁に後方に向かう鋭い1本の棘がある．体色は黄味を帯びた赤色で，網目模様または流状紋（川の流れのような斑紋）がある．新潟，岩手以南，朝鮮半島，東シナ海より南シナ海北部に分布する．惣菜用．

●いずかさご
伊豆笠子　分 フサカサゴ科フサカサゴ属　学 *Scorpaena neglecta*　英 neglected scorpionfish　別 地 あかおこぜ；おこぜかさご（和歌山）
全長40cm．体は赤橙色．胸びれ腋部に皮弁があることが特徴．青森県以南の日本各地から雄虎リアにかけて分布するが，赤道付近の海域ではまれである．美味．

●さつまかさご
薩摩笠子　分 フサカサゴ科オニカサゴ属　学 *Scorpaenopsis neglecta*　英 yellowfin scorpionfish　別 地 つちおこぜ（愛媛）
全長30cm ぐらいになる．体は側扁し，後頭部が深くくぼむ．体色は茶褐色で，体側に黒褐色の横縞が数条ある．沿岸魚で南日本からインド・西太平洋に分布する．

●ふさかさご
総笠子　分 フサカサゴ科フサカサゴ属　学 *Scorpaena onaria*　英 western scorpionfish　別 地 あかおこぜ（田辺）；あらかぶ（長崎）；ががに（高知）
全長30cm 程度．体色は鮮紅色．雄は背びれに黒色斑がある．日本各地から西太平洋に分布する．

●みのかさご
蓑笠子　分 フサカサゴ科ミノカサゴ属　学 *Pterois lunulata*　英 luna lionfish　別 地 はなおこぜ（和歌山）；やまのかみ（三崎，九州，和歌山，高知）
全長30cm．体は楕円形で側扁する．すべてのひれは大きく，背びれ，腹びれ，臀びれに毒のある棘条（きょくじょう）をもっている．赤褐色の体色と斑紋が美しいため観賞魚として喜ばれるが，美味で食用にもされる．北海道から南日本，朝鮮以南の西太平洋に分布する．

がざみ　⇒かに
かじか　⇒はぜ（ちちぶ，まはぜ）

 かじか　鰍；杜父魚

成 10080（生），10081（水煮），10082（つくだ煮）　分 硬骨魚類，カジカ科カジカ属　学 *Cottus pollux*　英 Japanese sculpin　別 地 ごり；まごり（金沢）；あいかけ（和歌山）；かぶ（岐阜）；ふぐ；おこぜ（滋賀）
淡水魚．全長20cm．体はやや細く，前方は縦扁し，後方は側扁する．頭が小さく，下顎は上顎より短い．冷たい水を好み，川の上流域に生息する．骨が硬いが，すずめ焼きなどにすると相当にうまい．本州，四国，九州北西部に分布している．このほかカジカ科には，淡水産のかまきり，やまのかみ，海産のとげかじか，つまぐろかじか，あいかじかなどがいる．

◇成分特性　かじかは，白身でうま味に富む．成分は生の魚全体100g 当たり，水分76.4g と比較的多く，たんぱく質，脂質の含量はさほど多くないが，かなり多量のビタミンA（レチノール活性当量* で 180μg），B_2 0.38mg などを含んでいる．

◇保存・加工　金沢のごりの佃煮と飴だきは有名である．このほか東北ではすずめ焼きにする．海産のかじかは，かじか鮨とし，また一部の練り製品の原料に用いられる．

◇調理　淡水産は形は美しいとはいえないが，味はおいしい．生のままみそ汁にしたものが最もよく，さっと焼いて煮びたし，魚田，甘露煮，唐揚げにも利用する．金沢のごり料理，福井のあられかご料理，愛媛県大洲市のかじか串焼き（20〜

かじか（本村　浩之）

30尾並べて串ざしとし，素焼きしてしょうゆ，みりん，砂糖のたれをつけ火であぶったもの）などが有名である．※とげかじかなど，海産のものは主にみそ汁とする．

●あいかじか
藍杜父魚　分ツマグロコカジカ属　学 *Gymnocanthus intermedius*　英 whip sculpin　別　地 がんこ（富山）
全長20cm．体色は淡褐色．背部に無数の小さな黒点がある．北日本の水深250m以浅の海底に生息する．

●かまきり
鎌切　分カマキリ属　学 *Rheopresbe kazika*　英 fourspine sculpin　別 あゆかけ（かじかとの混称もある）；たきたろ　地 がこ；あられがこ（九頭竜川）
淡水魚．全長30cm．かじかによく似ている．体色がやや黒みがかった褐色．水の澄んだ砂礫質の川に生息する．冬は河口付近に下って産卵し，親はそのまま海に下って死ぬ．味は相当にうまく，冬がよい．青森以南の河川に分布する．

●つまぐろかじか
棲黒杜父魚　分ツマグロカジカ属　学 *Gymnocanthus herzensteini*　英 black edged sculpin　別 ちちびつかじか　地 ちちびつ（北海道，新潟）；ぎす（北海道）；やまのかみ（小名浜）
全長40cm．あいかじかとよく似るが，尾びれ後縁が浅く湾入すること，眼上皮弁がないことから区別される．北日本の水深150m以浅に生息する．

●とげかじか
棘杜父魚　分ギスカジカ属　学 *Myoxocephalus polyacanthocephalus*　英 great sculpin　別 もかじか；やりかじか；なべこわし　地 なべこわし；なべこわしかじか（北海道）
全長60cm．頭は大きく，縦扁する．尾びれの後端が白い．やや深い海底に生息し，国内では東北地方と北海道に分布する．産卵期は12～2月．海産かじか類中最も美味といわれる．串刺しにしたかじかにみそをつけ，遠火であぶる．これを輪切りにして，昆布だしに入れ，みそを溶き入れる．そのあまりのおいしさに，空になった鍋をたたいて壊してしまうほどなので"なべこわし"とも呼ばれる．

●やまのかみ
山之神　分ヤマノカミ属　学 *Trachidermus fasciatus*　英 roughskin sculpin　別　地 あいかけ（筑後川）

全長15cm．頭と体の前部は縦扁し，皮膚に鱗がない．晩秋，川を下り海に入り産卵する．稚魚は春先，川を上る．味は冬がよく，中国揚子江下流では松江鱸，四鰓鱸と呼び，昔から珍重される．有明海に注ぐ河川，朝鮮，中国の一部に分布する．

かじき　旗魚；梶木

分硬骨魚類，マカジキ科・メカジキ科　英 marlins；swordfishes　別　市かじきまぐろ
マカジキ科，メカジキ科に属する魚の総称．種によって多少の差異はあるが，体は長紡錘形で，側扁する．いずれも上顎が極端に突き出し，その先端は鋭く尖っている．欧米では豪快な引きを楽しむスポーツフィッシングの人気魚種である．かじき類にはかじきまぐろという名称があるが，まぐろとは種が違い，正しい名称ではない．はえ縄でまぐろを漁獲するとき，同時に獲れるため，また，肉質がまぐろに似ていることが，この名の由来となっている．まかじき，くろかじき，ばしょうかじき，しろかじき，めかじきなどがある．

◇成分特性　分類学上はまぐろ類とは別種の魚だが，肉の成分からみると類似点もあり，水分が比較的少なく，たんぱく質含量が高い．脂質含量は種類により異なり，めかじきのように高いものもあるが，平均するとそれほど高くない．ビタミンAは高くないが，Dは比較的高い．水溶性ビタミン類ではナイアシン*が高い．赤身の魚に属するが，肉色はまぐろ類よりオレンジ色の強い濃赤色を呈するばしょうかじきからまかじき，しろかじきの順に赤味が少なくなり，くろかじきやめかじきの肉は白味を帯びている．冷凍めかじきの切断面が緑色を帯び異臭を伴う現象をグリーンミート*と呼んで不良品とする．原因は鮮度低下に伴い，細菌により産生される硫化水素と血色素（ヘモグロビン）とが反応するためと考えられている．

◇保存・加工　ほとんどが冷凍される．加工用には，魚肉ソーセージ，ハムのアシを強める配合材料として重視され，はんぺんや板付きかまぼこにも使われる．また，欧米では胴肉は燻製に加工される．

◇調理　体形，肉の組織などまぐろとは異なる魚種であるが，まぐろと同様に生食され，市場では"かじきまぐろ"と呼ばれることがある．まかじきは刺身，すし種にできるが，他のかじき類は味がやや劣り，煮付けや照焼きなど，味を補強して食べる．洋風では，ステーキにする．

しろかじき（頭部）（本村　浩之）

めかじき（本村　浩之）

●くろかじき
黒梶木　成 10083（生）　分 マカジキ科クロカジキ属　学 *Makaira nigricans*　英 blue marlin　別 地 くろかわ（東京）；くだまき（高知）；かつおくい（和歌山）　旬 6～8月

全世界の温帯から熱帯に分布する．漁獲量はめかじきより少ない．大型の魚で体長4m，体重900kgに達するが，普通漁獲されるのは2～3m程度である．生きているときは，体表面は青色（英名の由来）で，死後黒に変わり，和名の由来となっている．上顎の長さが下顎より2倍以上長い．胸びれが腹びれに比較して著しく長い．味は春から夏にかけてうまい．いわゆるトローリングによるスポーツフィッシングの好対象である．

●しろかじき
白梶木　分 マカジキ科シロカジキ属　学 *Istiompax india*　英 black marlin　別 地 しろかわ（東京，高知）；げんば（鹿児島）　旬 冬

全長4.2m．背びれは前方のみが高く，胸びれは固定されて動かないのが特徴．味はよく，特に冬は美味．インド・太平洋の暖海に広く分布する．

●ばしょうかじき
芭蕉梶木　分 マカジキ科バショウカジキ属　学 *Istiophorus platypterus*　英 sailfish　別 地 ばしょう；ばんば（高知）；ばれん（北九州）；びょうぶされ（北陸）；すぎやま（和歌山，三重）；あきたろう（鹿児島）　旬 秋

めかじき　切り身（平　宏和）

全長2.5m．第1背びれが帆を張ったように大きく，バショウの葉のような形をしている．外洋性の魚であるが，かじき類の中では最も沿岸よりにくる．肉はまかじきよりも赤い．味は秋が最もよい．まかじきより脂肪が少ない．全世界の暖海に広く分布する．

●まかじき
真梶木　成 10084（生）　分 マカジキ科マカジキ属　学 *Kajikia audax*　英 striped marlin　別 地 あかじき（東京，三崎）；ないらぎ（関西）；はいお（福岡，熊本）；いらなげ（高知）　旬 夏

全長4.2m．インド・太平洋の暖海に広く分布する．くろかじきによく似るが，体がより強く側扁する．かじき類の中では最もおいしいといわれ，特に夏に味がよい．
◇成分特性　『食品成分表』では100g当たり，水分73.8g，たんぱく質（アミノ酸組成）*(18.7)g，脂質（TAG当量）*1.4gとなっており，たんぱく質含量が高く，脂質が少ない．

●めかじき
女梶木　成 10085（生），10398（焼き）　分 メカジキ科メカジキ属　学 *Xiphias gladius*　英 swordfish　別 めか　地 らくだ（千葉）；めさらし（神奈川）；いざす（北陸）；つん（高知；九州）　旬 夏

全長3.5m．体は円柱状で長く，鱗も腹びれもない．尾柄に1個の隆起線が両側にある．味はまかじきには劣るが，淡紅色の肉でうまい．かじき類中最も漁獲量が多い．全世界の海洋に分布する．
◇成分特性　『食品成分表』で100g当たり，水分72.2g，たんぱく質（アミノ酸組成）15.2g，脂質（TAG当量）6.6gとなっている通り，かじき類の中ではたんぱく質は少なく，脂質が多い．

カシス　⇨カランツ（ブラックカランツ）

 果実飲料　かじついんりょう

成【うんしゅうみかん】07030（ストレート），

07031（濃縮還元），07032（果粒入り），07033（50%果汁飲料），07034（20%果汁飲料），【グレープフルーツ】07063（ストレート），07064（濃縮還元），【パインアップル】07098（ストレート），07099（濃縮還元），【ぶどう】07118（ストレート），07119（濃縮還元），【リンゴ】07149（ストレート），07150（濃縮還元）　英fruit juice
別ジュース
天然果汁，果汁入り飲料，果肉入り飲料，果汁入り清涼飲料など，一般にジュースと呼ばれるものの総称．原料果実としては，温州みかん，いよかん，オレンジ，グレープフルーツ，レモン，りんご，ぶどう，パインアップル，アセロラ，桃，梅，などが主なものである（オレンジジュース*）．
◇**分類**　日本農林規格*（JAS）や公正競争規約が定められている．JASでは，濃縮果汁，果実ジュース，果実ミックスジュース，果粒入り果実ジュース，果実・野菜ミックスジュースおよび果汁入り飲料の6種に大別されている．果汁またはジュースと称するものは，果実や野菜の搾汁が100%を占めるもので，果汁含有率が10〜100%未満のものは果汁入り飲料としてまとめられている．また，りんごストレートピュアジュースには別にJAS規格が定められている．果実飲料の表示については，従来のJASによる品質表示基準が2015年から食品表示法*による食品表示基準*に移行した．主な表示ポイントは，以下の通りである．
①ストレート（天然果汁）と濃縮還元（濃縮果汁を精製した水で濃縮前の100%果汁になるよう戻したもの）の区別の明示
②糖類を加えたことの明示
③果汁入り飲料では，「50%りんご果汁入り飲料」などと果汁の使用割合を品名に加える．

果実ジュース　左：オレンジ粒入り100%，右：グレープ粒入り100%（平　宏和）

 果実酒　かじつしゅ
成16010（ぶどう酒 白），16011（ぶどう酒 赤），16012（ぶどう酒 ロゼ）　英fruits wine
果実を原料として発酵させたアルコール飲料である．
◇**酒税法による定義**　平成18年度に改正された酒税法では果実酒は醸造酒類に入る．それによると果実酒は，果実または果実と水を原料として発酵させたもの（アルコール分20度未満のものに限る）ならびに上記の果実にぶどう糖，しょ糖および果糖を添加して発酵させたもの（アルコール分15度未満のものに限る）である．またできあがった果実酒にブランデーなどを添加することができるが，その場合，添加アルコールが全体のアルコールの10%を超えてはならない．果実酒には，ぶどう酒（ワイン）以外にりんご酒（アップルワイン），桜桃酒（チェリーワイン）などがある．なお，梅酒など焼酎に砂糖を加え，それに各種果実を漬け込んで造る家庭酒は，ホームリカーとも呼ばれ，これらも果実酒と呼ぶこともあるが，酒税法における果実酒とは全く異なる．これらはあくまでも市販の焼酎を買ってきて，家庭で造り，家庭で消費される必要がある．この際酒税法では果実にぶどう，山ぶどうは使ってはいけないことになっている（リキュール*）．

果実酢　⇒食酢

 かしパン　菓子パン
成15181（あんなし）　英Japanese buns
食品表示基準*ではパン類は，食パン，菓子パンおよびその他のパンに分類される．菓子パンはあん，クリーム，ジャム類，食用油脂等をパン生地で包み込み，もしくは折り込み，またはパン生地の上部に乗せたものを，（食パン型に入れずに）焼いたものであって，焼かれたパン生地の水分が10%以上のもの，あるいは焼いたパンにあん，ケーキ類，ジャム類，チョコレート，ナッツ，砂糖類，フラワーペースト*類およびマーガリン類ならびに食用油脂等をクリーム状に加工したものを詰め，もしくは挟み込み，または塗布したもの，を指す．したがって，菓子パン類の範囲は幅広く，食パン，あるいは食卓パン（料理といっしょに供されるパン．パン生地を食パン型に入れずに焼いたもの）以外のものということになる．わが国独特の菓子パン類は，糖を多く加えた甘味のあるパ

かしパン　上左：あんパン，上右：ジャムパン，中：メロンパン，下左：チョココロネ，下右：クリームパン（平　宏和）

カシューナッツ　上左：皮付き いり 味付け，上右：殻，下：フライ 味付け（平　宏和）

ン生地（菓子パン生地）に，あん，クリーム，ジャムなどを包み込んで焼き上げたもので，大福餅，栗饅頭，酒饅頭などの手法をパンの製造に取り入れたものである．菓子パンの生地は一般に小麦粉100に対し，糖分20以上のものが使われ，油脂，牛乳などはあまり多く加えない．第二次世界大戦以前の菓子パン生地は，酒饅頭の生地づくりに使われた酒種によって発酵が行われていたが，現在はイーストを使った生地が一般的である．生地の糖分が多いため，イーストの耐糖性を強化する目的で，一般に製法として加糖中種法，あるいは水種法という製パン法がとられている．油脂，牛乳，卵などを多く加えた生地は，欧米においてスイートバンズまたはスイートロールと呼ばれるパンに使われ，いわゆる洋風菓子パン生地である．種類として，あましょく（甘食）*，あんパン*，カレーパン*，クリームパン*，シナモンロール*，ジャムパン*，スコーン*，チョココロネ*，スコーン*，蒸しパン*，メロンパン*などがある．

カシューナッツ

成 05005（フライ 味付け）　分 ウルシ科アナカルディウム属（常緑高木）　学 *Anacardium occidentale*（カシューナットノキ）　英 cashew nuts　別 まがたま（勾玉）の実

カシューナットノキはブラジル原産で，現在は西インド諸島，中米および南米に広まった常緑性高木（12～15m）である．果実部は特殊な形をし，主要部は花托の発達したもので，カシューアップルと呼ばれ，洋梨形で，柔軟多汁である．産地のブラジルでは，この部分も食用として生食，または発酵させて酒もつくる．このカシューアップルの先端に，腎臓形の灰色または褐色の堅い殻をもつ長さ約2.5cmの果実をつける．その内部に，酸味を帯びた油脂状の汁液に富んだ褐色の組織があり，その中に仁*がある．仁は特有の風味をもち，一種の芳香があって食用とする．ウルシ科なので，生食すると口中を傷めるため加熱が必要である．殻付きのものの生産量はインドとコートジボアールが多い；わが国への殻の付いていないものの輸入量はインドおよびベトナムからのものが多い．

◇成分特性　仁（フライ 味付け）は，100g当たり，たんぱく質（アミノ酸組成）*19.3gで，アミノ酸組成はリシン*が第一制限アミノ酸*である．脂質の脂肪酸組成はオレイン酸*が約6割を占め，リノール酸*，パルミチン酸，ステアリン酸なども含む．

◇調理　焙煎して食べるほか，製菓用に用いる．また，中国料理ではカラリと揚げたカシューナッツを鶏肉やにんにくの芽などと一緒に炒める．

花椒（かしょう）　⇨さんしょう
かしわ（鶏肉）　⇨にわとり

かしわもち　柏餅

成 15008（こしあん入り），15149（つぶしあん入り）　英 Kashiwa-mochi；(An-stuffed steamed rice cake wrapped in white oak leaf)

上新粉に少量のかたくり粉あるいは小麦でん粉を使った歯切れのよい生地で包餡（ほうあん，餡を

かしわ餅　左：こしあん，中：つぶしあん，右：みそあん（平　宏和）

包むこと）し，蒸し上げて柏の葉で包んだ和生菓子である。
◇由来　柏の木の古い葉は新しい葉が育つまで枯れないので子孫繁栄の縁起のよい葉とされ，江戸時代から，柏餅が端午の節句に供える代表的な生菓子となった．かしわは，「炊（かし）ぐ葉」に由来するといわれ，食物を包む葉の総称とされる．草木の葉に包んだ菓子は古くから存在し，各地方に種類の違う葉で包まれた餅がかしわ餅としてあったという．西日本ではサルトリイバラの葉が使われることが多い．サルトリイバラの葉で挟んだものは，しばもち，ばらもち等と呼ぶことがある．
◇原材料・製法　上新粉を主とし，生地に光沢を出すため少量のかたくり粉あるいは小麦でん粉を加え生地をつくる．生地の硬化，老化を防止するために，酵素剤を添加する場合もある．中身はこしあん，つぶしあん，みそあんがあり，つぶしあんの包餡生地には，よもぎを加える場合もある．
製法：容器に上新粉を入れ，さらに熱湯を加え，最初は大きめの杓子で平均にこねてから両手で完全にこねつける．せいろうにぬれぶきんを敷いて，その中に手でちぎって並べ，強火の蒸気にかける．ここで注意すべきことは，生蒸れの場合は歯につき，蒸れすぎるとゴム状になって作業がしにくくなることである．適当な蒸し加減は，約90〜95%がよく，ちぎった生地を中央から割って中心がわずかに変色した程度がよい．蒸し上がった生地は，十分ついてから広げて水に入れて少し冷まし，水から上げたら白に入れ再びつく．つき上がる直前にかたくり粉あるいは小麦でん粉を水で溶かして加え，生地の硬さを加減する．あんを包んだら，ぬれぶきんを敷いたせいろうに並べて，再び強めの蒸気をかけ，3分おきに2〜3回蓋を取り，外気をあてて表面に浮いた泡を消す．これを怠ると表面がアバタになる．蒸し上がったら，ぬれぶきんを敷いた取り板の上におき，よく冷ましてから柏の葉を巻く．柏の乾燥葉は前日よく水に漬けておき，翌日水を替えてから水切りし，熱湯に入れ重曹（炭酸水素ナトリウム）を適量加えてよく煮上げ，水に漬けて冷ます．このとき，葉についている重曹をよく洗い落とす．葉の洗いが悪いと，包んだ場合，生地が変色して茶色っぽくなったり変質して糸を引くようなこともあるので，注意を要する．

かすずめ　⇒さめ
粕酢　⇒食酢

カステラ

成 15009　　英 Kasutera；(rectangle sponge cake)

小麦粉，鶏卵，砂糖を主原材料とするスポンジ状の焼き菓子である．
◇由来　今から約400年前の天正年間に，ポルトガル人によって製法が伝えられた．同時代に伝えられた菓子に，あるへい糖，こんぺい糖，ボーロ，カルメラ，パン，ビスケットなどがあり，これらの菓子は南蛮菓子と呼ばれた．カステラとは，現在のスペイン東海岸の中部から北部にかけて，その頃存在したカスティラ王国のポルトガル語呼称である．このカスティラ王国でつくられていた菓子ということで，日本に伝わった際にカステラという名称になったといわれている．伝来後，日本人の嗜好に合うように種々の改良がなされ，現在では和菓子に分類されることが多い．蒸しカステラ，棹カステラなど全国各地でいろいろなカステラがつくられているが，カステラといえば一般に長崎カステラを指す．
◇原材料・製法　原料は小麦粉，砂糖，鶏卵，水あめが主であるが，はちみつ，みりんなどが加えられることもある．配合は小麦粉に対して約2

カステラ（平　宏和）

倍量の鶏卵，砂糖を使用するのが普通である．

製法：一般的には以下の通りである．ミキサーボールに全卵を割り込み，軽くほぐしてから，ふるいを通した砂糖を加え，ミキサーで泡立てる．これに水あめを入れてさらに泡立てた後，ふるいを通した小麦粉を入れて混ぜ合わせ，10分間くらい休ませる．和紙を底に貼った木枠に生地を流し込み，鉄板で蓋をしてオーブンに入れる．生地が加熱されて小さな気泡が浮き上がってくるので，へらで泡をつぶす（泡切り）．泡切り後，生地が浮き上がり表面に焼き色がついたら中枠を乗せ，鉄板をかぶせて焼き上げる．焼け具合を確認してオーブンから取り出し，取り板に乗せる．油をしみ込ませた紙を製品の表面にかぶせ，平板をのせて裏返す．木枠と周囲の紙を取り去った後，再び表に返して油紙を除き，冷却後，所定の寸法に切る．

カステラの大きさは1斤が基本になるので，これに合わせて切る．1斤は約600g，容積にして9cm × 27cm × 6cmである．なお近年，運行釜による大量生産システムが確立され，安定した品質のものが効率よく生産されている．

◇成分特性　カステラはスポンジケーキと使用原材料が似ているが，小麦粉や砂糖，鶏卵の使用量が多いこと，および香料，膨張剤などの添加物を用いない点が異なる．菓子類の中でも鶏卵の使用量が最も多いもののうちの一つで，栄養価が高く添加物を用いないこともあって，病気見舞いに多く使われている．カステラに含まれる脂質の大部分は鶏卵に由来する．糖類はしょ糖が大部分を占めているが，水あめやはちみつなどの使用により，果糖，ぶどう糖，麦芽糖*が含まれる場合もある．

鑑別：一般的によいカステラは，焼き色にムラがなく光沢がある，しっとりしていて重みがある，きめが均一で色は薄黄色，卵の香りがある，などの条件を備えたものである．カステラのスポンジ組織の形成は，鶏卵の起泡性によるところが大きい．きめがつまりすぎているものは浮きが不十分であり，また逆にフワフワしすぎてきめが荒れているものはよくないとされている．カステラの表面を指で押えたとき，弾力性があって元に戻るものがよい．

カステラまんじゅう

成 15029（こしあん入り），15159（つぶしあん入り）．英 Kasutera-manju；(sponge cake stuffed with red bean paste)

カステラまんじゅう（平　宏和）

饅頭（まんじゅう）の一種．小麦粉，砂糖，水あめ，鶏卵，重曹（炭酸水素ナトリウム*）を混ぜ合わせてつくった生地で黄身あんを包み，オーブンで焼いたものである．でき上がった生地の内相がカステラに似ているのでこの名がある．いろいろな形態にして，ひよ子，かま風呂，ぽんぽこ，礎山などの名前で売られている．

ガストロ

分 硬骨魚類，サバ科ガストロキーマ属　学 Gasterochisma melampus　英 butterfly kingfish；scaled tunny　別 カストロ　市 うろこまぐろ；こけごろも

南半球の南緯35度と50度の間に分布する．全長2m近くに達する．大きな鱗に覆われる．体は銀白色，肉は薄いピンク色．まぐろのはえ縄漁で，まぐろと混じって漁獲され，当初はかえりみられなかったが，その食味が注目され，切り身で流通している．

◇調理　肉食は白く，やや軟らかだが，まぐろ，かつおを合わせた味なので，調味法もまぐろ，かつおに準じて照焼きやしょうゆ漬に適する．

かずのこ　数の子

成 10222（生），10223（乾），10224（塩蔵 水戻し）　英 Kazunoko；Pacific herring roe

にしんの卵巣で，かど（にしんの地方名）のこが

かずのこ（塩蔵品）（平　宏和）

訛ってかずのこになったといわれる．昔は素乾品の干しかずのこの生産が多かったが，現在ではほとんどが塩蔵品である．正月料理には欠かせない．塩蔵品は水で膨潤させ塩出しをして，薄皮をむき，だし，しょうゆ，酒などを合わせた汁につけるか，かつお節でうま味を補強して生食する．特有の歯切れのよさが尊ばれる．かつお節のほか，きざみするめを併用してうま味を補強することも多い．

◇**成分特性** 塩蔵品の水戻ししたもので，100g当たり，水分80.0g，たんぱく質（アミノ酸組成）*（16.1）g，脂質（TAG当量）*1.6g，コレステロール230mg，食塩1.2gを含む．

●**子持ち昆布**
英 herring roe attached to Kombu

産卵期になると浅瀬に近づくにしんの習性を利用し，あらかじめ吊しておいた昆布に産卵させるように，巻き網などににしんを追い込む．主産地はリアス式の入江のあるカナダ西海岸ブリティッシュコロンビア州や米国アラスカ州．元来はにしんの卵であるかずのこだが，安価な代用品には，からふとししゃも（ケペリン，カペリン）の卵のものがある．

 カゼイン

成 13048　英 casein

牛乳または脱脂乳を，酸添加法または発酵法（乳酸*）により等電点*（pH4.6）付近に調整して沈殿する乳たんぱく質の総称．乳たんぱく質のうち80％を占め，α_{S1}-，α_{S2}-，β-，κ-に大別される．共通的な特徴として，分子量が2万前後，ホスホセリン残基を持つ，一次構造上に親水性アミノ酸，あるいは疎水性アミノ酸が局在する両親媒性構造を持つ，明確な立体構造をとらないなどがあげられる．一般には栄養補助食品やサプリメント用途で粉末化されたものが販売されている．また，食品工業用の用途としては次のようなものがある．

①脂肪含有粉末食品：保護膠質としての利用．インスタントの粉末クリームなどが代表的な加工品．
②ソーセージ類：カゼインナトリウムが肉の保水性を大きくする．
③菓子類：パン，ビスケット，ドーナッツの生地にカゼインナトリウムを添加すると保型性が向上し，生地の機械への粘着を防ぐ．ドーナッツの場合，小麦粉の1％程度のカゼインナトリウムの添加で，ドーナッツへの油の吸収が抑制される．
④飲料用：米国などで市販されているイミテーションミルクに用いる．
⑤医療用：高たんぱく食品の原料，低ナトリウム食への栄養補給用に使われる．
⑥その他：チーズ用，麺類の煮崩れ防止，ギョウザ，シュウマイの皮，清酒の清澄剤，ワインの脱タンニン剤として用いる．また，アルカリに溶解したカゼインナトリウムは，起泡剤またはホイッピング剤としてアイスクリーム，マシュマロ製造などに利用する．

かたくちいわし　⇒いわし

 かたくり 片栗

分 ユリ科カタクリ属（多年生草本）　学 *Erythronium japonicum*　英 dog-tooth violet　別 かたこ；かたかご　旬 春

北海道，本州北中部の山地に自生し，春の可憐な草花として親しまれている．また，鱗茎*にはでん粉が多いので，昔はかたくり粉にされたが，現在では精製じゃがいもでん粉がかたくり粉として売られている．早春の頃，日当たりのよい山野にチューリップの葉に似た紫色のまだらのある葉を広げ群生する．地下には茎が10～20cmくらい伸び，その下にらっきょう形の2～3cmほどの鱗茎がある．葉が2枚になり中心から花茎*を出し，淡い赤紫色の3cmくらいの花をつけ，花被*がそり返る．花が終わると，急ぎ実をつけ，6月には実も充実し，全体が枯れてしまう．

◇**採取** 若葉，花，鱗茎など全体が食べられるが，鱗茎は地中深いところにあるので労力の割には収量が少ない．

◇**調理** まったくクセがなく，わずかに甘い味をもつ．さっと湯に通す程度にして，お浸し，和え物，汁の実などにする．

かたくりの花

かたくり粉　⇨でんぷん，でんぷん（じゃがいもでん粉）

かちぐり　搗栗；勝栗

英 Kachiguri；(dried and peeled chestnuts)
柴栗（日本の野生種）を乾燥させ，臼で搗き，殻（鬼皮）と渋皮を除いたもの．古くは保存食として利用された．搗栗は勝に通じ，勝栗ともいわれて縁起をかつぎ，武士の戦陣の儀式，一般でも正月の祝いなどに出されてきた．これらは固いままで使われる．調理は水に戻し，豆と同様に煮て用いる．日本での生産は少なく，輸入品がみられる．

かちぐり（原料：ヨーロッパぐり）（平　宏和）

がちょう　鵞鳥

分 ガンカモ科ガン属　学 Anser spp.　英 goose
野生のガンを家禽化した．にわとり，七面鳥，ダチョウなどと違い，原産地ははっきりしていない．渡り鳥から家禽化されたがちょうやあひるのような水禽は，世界各地で飼養されている．ハイイロガンを馴化したヨーロッパ系（Anser anser）と，サカツラガンを原種とした中国系（A. cygnoides）とがある．肉用としての飼育は世界的に減少し，わが国ではペットなどとして飼われることが多い．がちょうの肝臓を肥大させたフォアグラ*は，世界の三大珍味として珍重されている．ただし，フォアグラの生産には強制給餌を伴うため，動物愛護の観点から，生産を禁止している国もある．

がちょう卵　鵞鳥卵

英 goose's eggs
野生のガンを家禽化したがちょうの飼育はヨーロッパで盛んで，中国でも食卵として用いる．がちょうの卵は1個160〜180gである．産卵数は1羽につき年間30〜40個にすぎない．わが国では少量生産されている．

ガツ　⇨うしの副生物（第一胃），ぶたの副生物（胃）

かつお　鰹；松魚；堅魚

成 10086（春獲り　生），10087（秋獲り　生）　分 硬骨魚類，サバ科カツオ属　学 Katsuwonus pelamis　英 skipjack tuna　別 地 ほんがつお（壱岐など各地）；まんだら（北陸）；まがつお（高知，長崎，鹿児島など各地）　旬 初夏，秋

かつお類，まぐろ類はともにサバ科に属し，海洋を高速で回遊する．紡錘型の体形は，この高速遊泳に適している．かつお節などからもわかるように，日本人には古くからなじみ深い魚で，かたくちいわしなどを撒き餌にして擬餌鉤で釣る豪快な一本釣りも有名である．魚を生食しない英語圏では，かつお類もまぐろ類もほかの近縁の種も同じtunaという語で表している．かつおは，全長1m．体は紡錘形で，横断面はほぼ円形である．体色は，背部は青紫色，腹部は銀白色で，4〜10条の黒褐色の縦走帯がある．暖海性の表層魚で，回遊の範囲は広い．日本には黒潮に乗って群をなして北上し，水温が下がると南下する．南方の海では年中漁獲される．味は初夏のものが最も美味とされている．

◇成分特性　回遊性赤身魚としての特性を備えているが，成分的にはまぐろの幼魚（めじまぐろ）に類似している．すなわち水分含量が比較的低く，たんぱく質含量は比較的高い．普通の肉色は通常暗赤黒色であるが，ハワイ近海産のものは血色素が少なく赤色である．まぐろ肉より血合肉の割合が多く，全体の肉の25%を占める．

脂質：まぐろの脂身（とろ）と比較すればはるかに含量は低いが，普通肉ではむしろやや高めである．含量は部位，漁期，漁場で異なる．部位では，背肉表層は皮下の貯蔵脂肪の多少により2〜15%と大きく変動するが，背肉中層は，0.5〜2%とほぼ一定している．また腹須（はらす）の部分の含量は3.5〜15%と高い．また，漁期

かつお（本村　浩之）

により含量は10〜3月頃までの冬季に低く，4〜6月，すなわち初がつおの時季に徐々に増加し，7〜9月にかけて非常に高くなる（戻りがつお）．『食品成分表』では100g当たり春獲り（初かつお）0.5g，秋獲り（戻りがつお）6.2gとしている．漁場では，いわゆる南方漁場のものはわが国沿岸のものより一般に含量が低い．かつお節原料には含量が肉の平均で1〜2%のものが適当とされ，南方かつおのように1%以下のものや，三陸沖で夏に獲れる4〜5%以上の脂質を含むものはかつお節に向かない．生食の場合は多少含量の高い方が美味で，適度の脂質を含む4〜6月が旬とされるが，夏のものは脂がのりすぎてかえって不味となる．

ビタミン：水溶性ビタミン*が比較的多く，特にナイアシン*の含量が高い．そうだがつおは成分的にはかつおに似ているが，脂溶性ビタミン*，特にDが高いことに特徴があり，Eの含量も比較的高い．しかし，血合が多く，この臭気（トリメチルアミン*）が嫌われる場合がある．

◇保存・加工　缶詰やかつお節原料としてブライン凍結されてきたが，最近では生食用として使えるように，エアーブラスト法で凍結保存された品質のよいものも出回っている．加工品としてはかつお節としての利用が一番多い．その他の加工品では，煮熟燻乾した身の角切りの佃煮（角煮 成10094）および削り節の佃煮（成10093）のほか，節製造で得られる煮汁のエキス（かつお煎じ），内臓の塩辛（本来の酒盗）および塩辛をアルコールおよび酢で洗ってから調味した製品（土産品などとして売られている酒盗）がある（酒盗 成10095）．缶詰としては水煮，味付け，油漬などがあり，フレークの缶詰もある（缶詰 味付け フレーク 成10096，缶詰 油漬 フレーク 成10097）．

劣化現象：かつおの加工品にみられる品質劣化現象では節のシラタおよび缶詰のオレンジミート*などがよく知られている．

◇調理　筋肉質でたんぱく質が多く，うま味成分も多量に含まれている．特にイノシン酸*が多いため，味が濃厚で，かつお節としてだしの素材に用いるほか，生食，焼き物，煮物などにも用途が広い．※トリメチルアミンオキサイドの量も多く，鮮度の低下につれてトリメチルアミンを生じ，生臭みが強くなる．血合肉の部分はこれが特に著しいので，生食する場合は血合肉を除く．たたきの場合は表面をごく短時間加熱し，味付けを行う．魚臭を除くため生姜（しょうが）が用いられる．生姜は，加熱後も辛味が持続するので，佃煮や角煮にも必ず用いられる．生食には生姜とともににんにく，あさつき，うどのように香りの強い薬味を添えることが多い．※大型で普通の切り身にしにくいうえ，筋肉組織が緻密で焼きすぎると身がしまり味が落ちる．したがって，姿や持ち味を生かす塩焼きには向かない．照焼きは，濃い味付けとかつおの濃厚な味とのバランスがとれるのでよく行われる．煮物では角煮のように，濃い味付けで長時間加熱するものがよい．※部位による用途：かつおは各部位がそれぞれ独特の味をもち，しかも1尾のかつおからかなり多量にとれる．そのため廃棄部が少なく，およそ次のようにそれぞれ異なる調理や加工品に使い分けることができる．

①筋肉（背部）：刺身（ひきづくり，焼き霜づくり），たたきなど
②筋肉（腹部）：刺身（銀皮づくり，焼きづくり），たたき，角煮，照焼きなど
③血合，あら：みそ煮など
④皮：酢の物
⑤内臓：塩辛

●すま

須磨；須万　分 スマ属　学 Euthynnus affinis　英 kawakawa　別 たいわんやいど；やいと　地 やいと（関西）；もんずま（高知）

南日本，インド・太平洋の温・熱帯域に分布．全

かつお加工品　左：佃煮（角煮），中：飯盗（はんとう）：酒盗と同様で内臓処理した一次塩辛から胃腸を選別し調理加工したもの，右：缶詰（油漬・味付けフレーク）（平　宏和）

長1mに達する．体は，背部は青黒色で暗色の虎状斑が多数あり，腹部は銀白色で胸びれの下方に数個の小黒点がある．沿岸表層性．美味．
●そうだ節
英Souda-bushi；(boiled and smoke-dried fillet of frigate mackerel)
そうだがつお（まるそうだ，ひらそうだをいう）から，整形や焙乾*を簡単にし，削りやカビ付けを行わない簡略化した製法でつくられる．かつお節の代用とされる．
●はがつお
葉鰹；歯鰹　分ハガツオ属　学Sarda orientalis
英oriental bonito　別地はがつお（関西；鹿児島など）；きつねがつお（東京，和歌山，高知）；すじかつお（富山）；とうさん（神奈川）；ほうさん（千葉）
全長1m．全身が小さな鱗で覆われる．両顎の歯は大きく強い．口蓋骨にも円錐形の強い歯がある．背部に黒色の縦縞がある．刺身やたたきにされるが，初冬の大型魚は極めて美味．鮮度が落ちると身が軟らかくなる．南日本，太平洋，インド洋に分布．
●ひらそうだ
平宗太　分ソウダガツオ属　学Auxis thazard thazard　英frigate tuna　別地まがつお（富山）；うずわ（神奈川）；しぶわ（静岡；伊豆）；すま；そま（三重，和歌山）
まるそうだとともに，そうだがつおとも呼ばれる．世界中の温熱帯域に分布．体は紡錘形で太いが，多少側扁する．側線の上下に微小鱗列がある．背側は青緑色，脂側は銀白色．肉はよくしまり，秋冬に美味．

ひらそうだ（本村　浩之）

●まるそうだ
丸宗太　成10088（そうだがつお　生）　分ソウダガツオ属　学Auxis rochei rochei　英bullet tuna　別地めじか（関西）；すぼた（和歌山）；ちがつお（壱岐；紀州）
ひらそうだとともに，そうだがつおとも呼ばれる．南日本を含め世界中の温・熱帯域に分布．ひらそうだに似るが，体の断面はほぼ円形．血合肉が多く，そうだ節とし，かつお節の代用とする．

かつお節
成10091，17019（かつおだし）　英Katsuo-bushi；(boiled, smoke-dried and fermented skipjack tuna fillet)
三枚におろしたかつおを煮熟後，焙乾を繰り返し行い，カビ付けして日乾し固めたもの．産地，身のおろし方，製造時期などにより多種あり，さまざまな名称をもつ．

　産地による名称：産地により製法，形状を多少異にし，三陸節，焼津節，土佐節，薩摩節のように呼ばれる．また鹿児島から沖縄にかけては大型で水分含量の高い軟らかな節（新節）が好まれる．

　亀節，本節など：三枚おろしの左右でそれぞれの片身からのものを亀節，これらをさらに上下にわけたものを本節，背側のものを雄節（おぶし），腹側のものを雌節（めぶし）という．さらに製造段階で骨抜きし軽く焙乾しただけのものをなまり節，焙乾終了後のものを鬼節（おにぶし）か荒節，削りを終えたものを裸節（はだかぶし）などと呼ぶ．さらにカビ付けをして日乾し，これをくり返すと，4回目くらいから灰色となり，それ以後はカビも生じにくくなる．このようなものを本枯節という．

　春節，秋節：製造時期により区別され，4～7月のものを春節といい，脂質が少なく品質がよい．8～10月の秋節は脂質が多く品質が劣る．

　製法：原料魚より，頭・内臓の除去，水洗，背皮はぎ，三枚おろし，身割り，煮熟，冷却，骨抜き，焙乾，整形，焙乾10～15回，削り，カビ付け，日乾，カビ付けをくり返して本枯節という製品とする．
◇保存　乾燥した所に保存し，カビや虫を防ぐ．ときには日干しするとよい．
◇調理　削って，だしに用いるほか，お浸しや冷

かつお節　上：雄節，下：雌節（平　宏和）

ややっこ，お好み焼きなどにかけて用いる．※削り方：ふきんでかつお節の表面の汚れをふき取り，皮の黒いところや血合い部は削り取る．削る前にしばらくぬれぶきんなどで包んで湿らせておく．逆目にしないよう削る方向に気をつけて，背を上にして薄く削る．削ったものを保管すると酸化されやすいので，必要量を使う直前に削るのがよい．※だし汁のとり方：うま味の主成分はイノシン酸ヒスチジン塩で，沸騰水中で加熱するとごく短時間で溶出する．加熱が過度になると渋味などの成分も溶出してくるほか，香気が揮発消失する．沸騰水に入れたらすぐ火を止め，数分間でとり出したもの（一番だし）が上等とされる．使用量は水に対して2〜3%，最大でも5%である．※うま味の相乗効果：イノシン酸*は他のうま味物質と強い相乗効果を示す．このためグルタミン酸をうま味の主成分とする昆布と併用するのがよい．混合一番だしは水1Lに昆布10〜15g，かつお節20〜30gを標準とする．

● 削り節
成 10092　英 Kezuri-bushi；(shaved "Katsuo-bushi")　別 花かつお

かつお，さば，まぐろでは，荒節（魚の頭・内臓を除き，煮て骨を除いて燻し乾燥させたもの）と枯節（荒節にカビ付けしたもの）を削ったものである．かつおの削り節には日本農林規格*（JAS）があり，「花かつお」と呼ばれている荒節を削った「かつお削りぶし」と枯節を削った「かつおかれぶし削りぶし」に分けられている．市販の多くは「かつお削りぶし」である．製品については，削り方の種類，水分などが定められおり，削り方には薄削り（厚さ0.2mm以下の片状），厚削り（厚さ0.2mm以上の片状），糸削り（糸状またはひも状），破片（破砕した薄削り）があり，水分は9%以上17%以下（安定容器に入り不活性ガス充填のものは21%以下）としている．「かつお削りぶし」は麺類のだし汁，添え物，「かつおかれぶし削りぶし」は吸い物，茶碗蒸し，添え物などに，糸削りは料理のトッピング，破片はだしパック，料理のトッピングなどに使われる．

 カップケーキ
英 cup cake

アルミニウム製や紙製のカップに生地を充填して焼成した小型のケーキ類で，パウンドケーキやマドレーヌなど，バターケーキの配合で生地をつくり，カップに充填し焼きあげる．表面にナッツやレーズンなどのドライフルーツ類をトッピングすることもある．

カップケーキ（平　宏和）

削り節　上：かつお削りぶし（薄削り），下：かつおかれぶし削りぶし（薄削り）（平　宏和）

カップリングシュガー　⇨オリゴ糖
カテージ　⇨チーズ（カッテージ）

 かとう　果糖

成 03020　英 fructose　別 フラクトース；レブロース；フルーツシュガー

天然の果実中に多く含まれるのでこの名がある．果実のほかはちみつにも含まれる．ぶどう糖と同じくヘキソース（六炭糖*）であるが，果糖はケトン基をもつため，ケトースに属する．ぶどう糖と結合したしょ糖の構成成分として多量に存在する．

製法：工業的には，でん粉を加水分解後に異性化した糖液，またはしょ糖などを含む原料を加水

分解*して得た糖液から，果糖を分離する．これを精製・濃縮し結晶させ，蜜を除去してつくる．

　甘味と温度：果糖には α 型と β 型があり，β 型の方が α 型に比べて甘味が強い．温度によって両者の平衡が移動し，温度が上がると α 型が増加するため，果糖は低温の状態の方が甘味が強い．冷やした果物が甘く感じられるのはこのためである．

◇成分特性　溶解性が大きく，甘味が強く，砂糖の 1.3～1.7 倍．濃厚溶液でも結晶が出にくい．果糖はしょ糖やぶどう糖に比べて血糖値の上昇は少ないが，体内で脂肪に変わりやすい．砂糖が肥満の誘因になるのは果糖を含むためである．

 かに　蟹

分 節足動物，甲殻類（綱），十脚目，短尾亜目・異尾亜目　**学** Brachyura（短尾亜目）；Anomura（異尾亜目）（両者を合わせ歩行亜目 Reptantia とすることもある）　**英** crabs

かに類は甲殻類のうち，えび類と並んで最もよく分化した種類である．頭胸部を覆っている甲がよく発達し，胸部に丈夫な歩脚が 5 対ある．第 1 脚だけがはさみとなっている．はさみ脚を除くそれ以外の 4 対の脚を歩脚というが，その最後の脚が平になって泳ぐのに適した形態になっているものもある．食用として世界的に喜ばれ，わが国では特に高級品である．近年，輸送技術の進歩により限られた地方の特産品であったかにが，各地に流通するようになり，需要の伸びとともに，より高値になっている．また日本から台湾にかけて棲むたかあしがには，節足動物の中で世界最大である．

◇成分特性　かにはえびと違い主として脚肉を食用とする．かにの脚肉の組織は，それぞれ膜でまとめられた筋肉繊維束の集合体がゼラチン様の組織でまとめられ，さらに表皮で覆われている．このため，かに特有の食感を有している．成分的には種類によって多少の違いがあるが，水分含量は白身魚とほぼ同程度である．その他は主としてたんぱく質とエキス分で，エキス分の量が魚よりも多いことが，かに肉の特徴である．このために肉は魚肉より傷みやすいといわれている．脂質（TAG 当量）*含量は 100 g 当たり，0.5 g 前後で低く，グリコーゲン*を主体とする炭水化物がわずかに含まれている．また灰分は 2% 前後で，銅*，硫黄の多いことが特徴である．ビタミン類では脂溶性ビタミン*はほとんど含まれていず，水溶性ビタミン*もそれほど多くは含まれていない．かにの甲殻*および表皮には，色素のアスタキサンチン*が含まれ，加熱により美しい赤色を呈することはえびと同じである．また，かにやえびなどの甲殻類の殻（外骨格）に含まれるキチン*を，脱アセチル処理して得られるキトサンは，食品添加物*（増粘材）や健康食品として，さらには神経や皮膚などの再生医療素材としても利用されている．

◇保存・加工　かには主に生きた状態あるいは氷蔵で流通したが，最近では冷凍で保存される．この場合，酵素や微生物による肉の黒変を防止するため一般的には煮熟してから凍結する．しかし，煮熟するとエキス分の一部が流出するので，食味の点から鮮度のよい状態で生凍結することも行われる．

　長期冷凍保存：かに肉を長く冷凍すると，味，色，香味がそれほど変わらなくとも，肉質が繊維状になり，なめらかな食感を失ってこわばってくる．これはかに肉が凍結変性するためで，このような肉は解凍時のドリップ*（液汁）の発生も多い．冷凍期間が短ければ，この変化はそれほど著しくないが，長いときには問題となる．生冷凍品では，このほか肉の黒変が問題となる．これは解凍放置した場合に空気にふれやすい表面に斑点状の濃い青黒色の色変が起こる現象で，鮮度，前処理，凍結法，冷凍中の管理が関係しているが，凍結した状態で煮熟解凍すれば起こらない．

　加工：かにの主要な加工品は水煮缶詰で，たらばがに，ずわいがにが主に使われるが，けがに，はなさきがにも用いられる．かに缶詰の問題点として，黒変と青変がある．缶詰の黒変は前述の生冷凍のかにの黒変と異なり，肉中に含まれる含硫アミノ酸*の熱分解により発生した硫化水素が，缶材のスズと化合するために起こる．エナメル缶を用い，硫酸紙で包むことで防止される．また青変は冷凍品の黒変に似た現象で，鮮度が悪く，血抜きが不十分の際に発生し，銅を含むかにの血色

べにずわいがに水煮缶詰（脚肉付）（平　宏和）

素の酸化に原因すると考えられ，脱血と低温煮熟法の採用で防止されている．缶詰以外のかにの加工品の種類は少ないが，名産品的なものにかに子漬，がん漬がある．

◇**調理** かにの筋肉は，加熱により味がよくなり，筋肉組織は軟らかくほぐれやすくなるので，生食はせず，必ず加熱して用いる．かには内臓の腐敗が極めて早く，筋肉に臭気が出やすいので，加熱の場合も生きたものを用いるのが原則である．けがに，ずわいがになど，遠方に輸送するものは，生産地で茹でて出荷する．❇味を付けて煮るよりも，甲羅ごと塩茹でしたものをそのまま卓上に運び，二杯酢で食べるのが一番よい．食卓の鮮やかな彩りにもなる．西洋料理では茹でたものをサラダに用いる．❇もくずがには殻のまますり鉢でつぶし，熱いみそ汁でのばす．さわがには佃煮，または生きたまま揚げるなど，小型のかには甲羅ごと加熱してそのまま食べることが多い．

●**あさひがに**

朝日蟹；旭蟹 分 アサヒガニ科アサヒガニ属 学 *Ranina ranina* 英 red frog crab；frog crab；spanner crab 別 べにがに；しょうじょうがに；よろいがに

甲長 12 cm，甲幅 9 cm くらい．体色は鮮明な朱赤色．小さい割に身肉はたくさんあり，美味である．相模湾以南，熱帯の海に分布している．

●**がざみ**

蝤蛑；擁劔 成 10332（生） 分 ワタリガニ科ガザミ属 学 *Portunus trituberculatus* 英 blue crab；swimming crab；gazami crab 別 わたりがに

甲長 7 cm，甲幅 15 cm．横に長い菱形で，体色は，雄は青緑色，甲の後部に不規則な模様がある．雌は暗褐色．はさみが長い．水中をよく泳ぎ，群をなして長距離を移動する．各種のかに料理の材料となる．抱卵期が一番美味．北海道南西部から九州，朝鮮，中国沿岸に分布する．今では養殖や放流が行われている．

けがに（平　宏和）

●**けがに**

毛蟹 成 10333（生），10334（ゆで） 分 クリガニ科ケガニ属 学 *Erimacrus isenbeckii* 英 horsehair crab；kegani crab；Korean crab 別 おおくりがに 旬 冬

甲長 10 cm くらいになる．甲羅はやや縦長の四角形をしている．先の尖った粒状の突起と硬い羽状毛に覆われている．甲の身肉が多く，冬の雄がにが美味といわれる．寒海に棲み，太平洋岸では茨城，日本海では鳥取まで．カムチャツカ，アラスカ，朝鮮半島沿岸に分布している．資源保護のため，雌と殻長 8 cm 未満の雄は漁獲禁止となっている．

●**さわがに**

沢蟹 分 サワガニ科サワガニ属 学 *Geothelphusa dehaani* 英 Japanese freshwater crab

甲長 2 cm くらいの四角形．一生，海に下ることなく山間の渓流に棲む．全国の河川に分布している．郷土料理が盛んになり，需要が増加している．養殖もされている．唐揚げ料理に使用される．肺吸虫の中間宿主であるので生食はできない．生のまま調理する際はメタセルカリア（被囊幼虫）が庖丁，まな板，食器などに飛散するので要注意．

●**ずわいがに**

楚蟹 成 10335（生），10336（ゆで），10337（水煮缶詰） 分 クモガニ科ズワイガニ属 学 *Chionoecetes opilio* 英 snow crab；Pacific snow

がざみ（平　宏和）

せいこがに（ずわいがに，雌）（平　宏和）

左：ずわいがに（雄）ゆで，右：べにずわいがに（雄）（平　宏和）

crab；queen crab；wary crab　別地 越中がに；越前がに（北陸♂）；松葉がに（山陰♂）；せいこがに（♀）；こうばくがに（♀）

ずわいの語源は楚（すわえ）で，木の枝や幹から細長く伸びた若い小枝のこと．このかにの細長い脚をその形に見立てた．雄の方が大きい．雄は甲長 12 cm，甲幅 13 cm．雌は甲長 7.5 cm，甲幅 7.8 cm．体色は淡褐赤色．脚は細く長い．寒海のかにで，山陰沖の日本海で多く獲られ，雄は越前がに，松葉がにと呼ばれる．けがにと異なり，甲羅の身肉が少ないが，雄の脚肉は多く，光沢と弾力があり，繊維が絹糸のように細く珍重される．雌は雄より小型で，せいこがになどと別の名で呼ばれるが，脚は細く脚肉は少ない．その代わり内子（卵巣内の卵）のある甲羅の身肉の味は雌の方がうまい．漁期は 11 月から翌年 3 月までである．太平洋岸では仙台湾以北からベーリング海まで，日本海では朝鮮半島東岸まで分布する．最近はより深海に棲むべにずわいがに（*Chionocetes japonicus*）も同様に利用されているが，水分がやや多く食味はずわいがにより劣る．

●たいわんがざみ

台湾蝤蛑　分 ワタリガニ科ガザミ属　学 *Portunus pelagicus*　英 blue swimming crab　別 わたりがに

甲長 6.5 cm，甲幅 14 cm．外形はがざみに似ているが，体色は暗紫色で，大小の白斑の雲紋模様がある．暖海のやや外洋に棲む．味はよい．相模湾以南，中国，インド洋，紅海，東アフリカ，オーストラリアに分布する．

●たかあしがに

高脚蟹　分 クモガニ科タカアシガニ属　学 *Macrocheira kaempferi*　英 Japanese giant crab；giant spider crab

日本（岩手沖）から台湾沖にかけての深海に棲む 1 属 1 種．全節足動物中最大の種で，十分成長した雄は脚を広げると 3 m を超える．甲は脚の長さに比べると小さく，甲長 30 cm 程度．静岡県の戸田の底引き船で水深 150〜200 m で漁獲されるものが有名．

●たらばがに

鱈場蟹　成 10338（生），10339（ゆで），10340（水煮缶詰）　分 タラバガニ科タラバガニ属　学 *Paralithodes camtschaticus*　英 Alaskan king crab；red king crab

甲長 22 cm，甲幅約 25 cm．脚を広げると 150 cm ぐらい．日本では，代表的なかにの一つだが，分類学上は真のかに類（短尾亜目）ではなく，ヤドカリに近い異尾亜目に属する．寿命は 20 年といわれる．甲面は胃域，心域，鰓域がそれぞれ隆起しており，溝で分けられている．全身に棘をもつ．漁場がたらと重なるので，たらばの名がついた．かに独特のうま味をもち，かに缶詰の王者である．沿岸ものの一部は姿荷で入荷することもあるが，歩脚だけを茹でて束ねた冷凍品が多い．さまざまな料理に利用され非常に美味で，高価で取り引きされる．漁獲は 11 月より翌年 3 月までに限られる．寒帯性で，仙台以北，日本海，北海道，千島，ベーリング海，アラスカ沿岸に分布する．また近年はいばらがに（*Lithodes turritus*），きたいばらがに（*L. couesi*），いばらがにもどき（*L. aequispina*）もたらばがにの代用として用いられている．

●のこぎりがざみ

鋸蝤蛑　分 ワタリガニ科ノコギリガザミ属　学 *Scylla serrata*　英 mangrove crab；mud

たらばがに（ゆで）（平　宏和）

はなさきがに（ゆで）（平　宏和）

crab；Indo-Pacific swamp crab　別 ドウマンがに，マングローブがに

甲長 13.2cm，甲幅 24cm，はさみ（鋏）脚長 28cm．大型のかにである．体色は暗青緑色．湾奥や河口地帯の泥底に棲む．身の量が多く美味．紀州沿岸から九州，沖縄，中国，フィリピン諸島，インド洋，ミクロネシア，オセアニアに分布する．近年浜名湖にも移入し，繁殖している．東南アジアではもっぱらマングローブ湿地で漁獲される．

●はなさきがに

花咲蟹　分 タラバガニ科タラバガニ属　学 *Paralithodes brevipes*　英 blue king crab；hanasaki crab

北海道花咲地方の名がそのまま和名となっている種類で，たらばがにに比べて浅い場所に棲む．甲羅と脚の棘がたらばより鋭く，味はたらば同様美味であるが，脚が短いせいもあって量が少ない．鮮やかな赤色に茹でられた冷凍品が売られている．北海道，千島，カムチャッカ半島沿岸からベーリング海に分布する．

●もくずがに

藻屑蟹　分 イワガニ科モクズガニ属　学 *Eriocheir japonicus*　英 Japanese mitten crab；edible fresh-water crab　別 ずがに；つがに；かわがに；けがに；もくぞうがに

甲長・甲幅とも 6cm．はさみ（鋏）脚に長い軟毛が密生する．甲羅のミソと身肉を食用とするか，すりつぶして調味料とする．肺吸虫の中間宿主であるので生食しないこと．全国の汽水線から内陸の河川に分布する．最近「上海がに」としてもてはやされているのは中国産のチュウゴクモズクガニ（*Eriocheir sinensis*；Chinise mitten crab），中国語では中華絨螯蟹（チョオンホアロオンアオシェ）または淡水蟹（ダンシュエイシェ）である．調理法は酔蟹（ズェイシェ）と呼ばれ，活きもくずがにを塩，香料，ねぎ，生姜を加えた老酒の中に漬け込む．

 かに子漬

英 salt-cured roe　別 かにうに

かにの卵の塩辛で"かにうに"とも呼ばれる．かにの甲羅をはがして卵巣を取り出し，20〜25%の塩分量に調整して20日以上かけて熟成させる．

 カヌレ

仏 cannelé

カスタード生地をこんがりと焼き上げたもの．焼き型に蜜蠟（みつろう）を塗って生地を入れ，高温で焼き，表面を少しこがしてカリッと香ばしく仕上げ，中身はしっとりとしたカスタードの風味を生かした焼き菓子．フランス，ボルドー地方の修道院で15世紀頃からつくられてきた伝統的菓子．

◇原材料・製法　牛乳とバターを混ぜながら熱し，粗熱をとる．ふるった小麦粉に砂糖，卵を加え混ぜ，先の牛乳とバターを2回に分けて加える．これに香り付けのラム酒とバニラを加え，冷蔵庫で一晩ねかせる．蜜蠟は細かく刻み，湯煎（ゆせん）で溶かす．これをオーブンで温めておいたカヌレ型1個に，口一杯まで入れる．その蜜蠟を次の型に移し，それをくり返して型の内面に蜜蠟をつけ，放冷して，しっかり固着させる．一晩ねかせた生地を，このカヌレ型に8分目入れ，高温のオーブンで，表面がこげ色になるまで焼く．焼き上がったら，すぐに型から出す．

カヌレ（平　宏和）

かのこ　鹿の子

成 15010　英 Kanoko；(Neri-yokan-centered An coated with glazed adzuki bean and agar)

ぎゅうひや羊羹を芯にして，それをあん（餡）で包み，蜜漬けしたあずきをつけた上から寒天液を刷毛塗りしたものである．

◇由来　かのこの名は，つけたあずきが鹿の背中

かのこ（平　宏和）

かぶ（平　宏和）

のまだらに似ていることからきたものである．江戸時代に手製餅菓子としてつくったのが始まりで，以後，宝暦年間（1751〜1764）に江戸人形町より売り出された江戸鹿の子（餅をあんに包み，つや出しのささげをつけたもの）が評判となって各地に伝わったものといわれている．現在は，ぎゅうひまたは羊羹をあんに包み，あずきをつけたものを"鹿の子"といい，いんげん豆をつけたものを"京鹿の子"と呼んでいる．
◇**原材料・製法**　まずあずきを軟らかく煮上げてから，徐々に糖度を上げて蜜漬けを行う．次に，あずきあんでぎゅうひを包んだところへ蜜漬けした豆を平均につけてから，寒天液を刷毛塗りして仕上げる．あずきのほかに，いんげん豆，青えんどう，栗などをのせたかのこもある．

かのこいせえび　⇒えび
カバーリングチョコレート　⇒チョコレート

 かぶ 蕪

成 06034（葉 生），06035（葉 ゆで），06036（根 皮つき 生），06037（根 皮つき ゆで），06038（根 皮なし 生），06039（根 皮なし ゆで），06040（漬物 塩漬 葉），06041（漬物 塩漬 根 皮つき），06042（漬物 塩漬 根 皮なし），06043（漬物 ぬかみそ漬 葉），06044（漬物 ぬかみそ漬 根 皮つき），06045（漬物 ぬかみそ漬 根 皮なし）分 アブラナ科アブラナ属（1年生草本）学 *Brassica rapa* var. *rapa* 英 turnip 別 かぶら；すずな
茎と根の間の肥大した胚軸を食用とする根菜類*（付図④）．肥大部分は主に木部*である．葉も食用になる．原産地については，ヨーロッパ西南部とする説と，これにアフガニスタンを加えて二元とする説とがある．春の七草の一つとしてすずなとも呼ばれ，最も古くから親しまれた野菜の一つである．わが国では，アフガン型のかぶが主流を

なしていたが，後にヨーロッパ型の品種も導入され，特に東日本を中心に分布している．主として肥大した根部を利用するが，茎葉と根を併用するもの，あるいは茎葉の利用が主体となっているものもある．なかには，こまつな，すぐきな，野沢菜などのように，植物学的にはかぶであるが，野菜としてはかぶから切り離して，"漬け菜"として取り扱われるものもある．
◇**品種**　歴史の古い野菜であるため，地域ごとに独特の地方品種が発達している．その主要なものを示すと**表1**の通りである．形，色，大きさについて極めて変異に富むが，東日本にはヨーロッパ型とアフガン型の雑種起源のもの（西洋系）が多く，西日本にはアフガン型のかぶ（東洋系・日本かぶ）が多い．全国的に栽培されているのは小かぶ（主として金町系）で，栽培時期により多くの系統が分化している．大かぶ（聖護院系）は京都を中心に関西地方に栽培が多い．近年，小かぶでは一代雑種*の利用が増大し，実用栽培の大部分はこれにかわりつつある．東京近郊で栽培が多い．また小かぶと中かぶの間の一代雑種は収穫期の幅が極めて広い．外皮が白色の品種のほか，赤かぶと呼ばれる外皮が赤，紫色のものが，地方品種として各地にある．また，大阪では天王寺かぶが復活した．茎が長く身が扁平で，少し小ぶりであるが，大変おいしいとされる．
栽培：小かぶは秋から冬，春にかけて連続的に栽培され，前述のように栽培時期に応じて多くの系統を使い分けているが，その他の品種は，秋播き，晩秋〜冬どりが主体である．
◇**成分特性**　品種が多いので成分にもかなりの相違があるが，一般成分は大根と類似している．また葉と根部では大きな差異がみられる．たんぱく質は葉で多く，根の糖類は大部分がぶどう糖で，少量のしょ糖と果糖よりなっている．有離アミノ酸は葉より根で多く，グルタミン，グルタミン酸，γ-アミノ酪酸などが多い．灰分は葉に多く，根

表1　かぶ類の種類・品種

品種群		代表品種	類似品種
東洋系	寄　　　居	寄　　居（新　潟）	小姫（新潟）
	今　　　市	今　　市（奈　良）	早生今市（奈良）
	天　王　寺	天　王　寺（大　阪） 切葉天王寺（大　阪） 加　　茂（徳　島）	とがり（大阪），尾張（愛知），屋島（香川），谷口（高知）， 武久（山口），博多裾（福岡）
	聖　護　院	聖　護　院（京　都） 新　近　江（滋　賀）	早生（京都），中生（京都），晩生（京都），大高（愛知），弘岡（高知），改良博多（福岡）
	近　　　江	近　　江（滋　賀）	東寺（京都）
	大　野　紅	大　野　紅（福　井） 彦　根（滋　賀） 飯　島（島　根） 米　子（鳥　取） 万　木（滋　賀）	豊蒔紅（青森），筒井（青森），蛭口（滋賀） 入江（滋賀）
	大　　　藪	大　　藪（滋　賀） 大　津　田（島　根）	新津田（島根）
	日　野　菜	日　野　菜（滋　賀） 伊　予　緋（愛　媛）	
	酸　茎　菜	酸　茎　菜（京　都） 松　ケ　崎（京　都） み　ず　な（静　岡）	うきな（京都）
	野　沢　菜	野　沢　菜（長　野） 鳴　沢　菜（山　梨） 長禅寺蕪菜（山　梨）	稲扱菜（長野），羽広菜（長野），木曾菜（長野）， 郡内（山梨）
西洋系	セブン・トップ	セブン・トップ（北海道） 下　　総（茨　城） けんしん（新　潟）	茨城（茨城），小岩井（岩手），豊里（山形），畜試丸（千葉）
	佐　波　賀	佐　波　賀（京　都） 山　内（福　井）	つねかぶ（岩手），みずかぶ（青森） 木田青（福井），金沢（石川），富山（富山），遠山（山形）
	長	長　　（岩　手） 由　利　長（秋　田）	遠野（岩手），暮坪（岩手），暮塚（岩手），高塚（岩手），曲沢（秋田），高湯（山形），東京長（東京），滝野川（東京）
	ゴールデン・ボール	黄　　金（北海道）	
	飛　驒　紅	飛　驒　紅（岐　阜） 河　内（福　井）	白川村紅（岐阜），船津（岐阜），玉ケ山（富山），利賀紅（富山）
	温　　　海	温　海（山　形） 開　田（長　野）	末川（長野），信州紅（長野），木曾紅（長野），諏訪紅（長野），飛驒八賀（岐阜）
	藤　沢　長	藤　沢　長（山　形） 牛　蒡　野（山　形） 肘　折（山　形） 南　部　赤（岩　手）	寺内（山形），宮沢（山形） 南山（山形），柳渕（山形），桂木（山形）
	パープル・トップ・ ホワイト・グローブ	札　幌　紫（北海道）	紫丸（北海道），漆山（山形）
	舞　　　鶴	舞　　鶴（京　都） 石　徹　白（岐　阜） 長　崎　赤（長　崎）	鷲見（岐阜） 石矢（佐賀），和多田（佐賀）
	小　か　ぶ	金　町（東　京） 博多小かぶ（福　岡）	早生（東京），中生（東京），覆下（東京），霜被（東京）

（松村　正：野菜園芸大事典，養賢堂，1977）

では約半分である．無機質はカリウムが多く，一方カルシウムは葉に多いのが特徴である．そのほかリン，鉄*など多くの成分からなっている．ビタミンCは葉に82mgと多く，根には少なく19mgである．またクロロフィル*の多い葉色の濃い部位はビタミンCが特に多く，クロロフィル含量とビタミンC含量には相関が高い．$β$-カロテンも葉には多く，緑黄色野菜であるが，根には含まれない．赤かぶの色素はアントシアン系色素のシアニジンである．かぶ特有の香気は，S-メチルシステインの酸化物であるS-トリメチルシステインスルフオキサイドである．また大根と同様にアミラーゼ*を多く有している．葉を茹で，手絞りしたものでは，質量は元の93％に減り，灰分の40％，ビタミンCの47％は失われるが，$β$-カロテンの損失はみられない．灰分の流失のうち特にカリウムの損失（50％）が大きい．

◇**保存** 貯蔵の最適温度は0℃，湿度は90～95％で，貯蔵限界は2～4カ月であるが，一般に品質が完全に保たれるのは10日以内である．

◇**加工** 漬物として利用することが多いが，用途により品種が分化している．浅漬には小かぶ，塩漬には中かぶ，千枚漬には聖護院などの大かぶが用いられる．その他の漬物には麹（こうじ）漬，辛子漬，粕漬など，保存食品としても利用される．

◇**調理** 味も用途も大根と似ているが，可食部が細胞が小さく細胞膜が薄い胚軸なので煮崩れしやすい．葉の部分は大根より軟らかく，漬物や煮物には葉ごと用いることができる．※葉だけを食べるときは，煮ると味が単調なので油炒めがよい．色，ビタミンともに有効に生かすことができる．※かぶの大型のものは，中心をくり抜いて肉詰めにすると，全体を一種の含め煮にすることができる．※白身魚におろしたかぶをかけて蒸し上げ，薄くずあんをかけて供するかぶら蒸しも上品な味わいがある．

●赤かぶ

英 red turnip

赤かぶ（平　宏和）

外皮が赤，紫色のかぶ．各地に地方品種があるが，福井の大野紅，青森の豊蒔紅（とよまきべに），山形の温海（あつみ），長野の開田，岐阜の飛騨紅などがよく知られている．赤い色素はアントシアン系色素のシアニジンで，酸性で赤みを増すので，酢につけると色がさえ美しくなる．日本でも各地に赤かぶの酢漬が伝えられ，西洋でもかぶの甘酢漬が多い．

●聖護院（しょうごいん）かぶ

英 Syogoin-kabu

京野菜として有名な大かぶで，享保年間（1716～1736）に聖護院に住む人が近江かぶを改良してつくったところから，この名がある．日本最大の大かぶで，通常直径20cmほど，質量は1～1.5kgになる．肉質はなめらかで甘味もあり，京都名産の千枚漬をはじめ，かぶら蒸しや煮付けにも適している．一代雑種*（F_1）が育成され，京都周辺ばかりでなく関西を中心に広く栽培されている．

聖護院かぶ（平　宏和）

カフェ・エスプレッソ　⇨コーヒー
カフェ・オ・レ　⇨コーヒー
カフェ・カプチーノ　⇨コーヒー
かぶせ茶　⇨緑茶
かぶら　⇨かぶ

 かぼす　香母酢

成 07052（果汁 生）　分 ミカン科ミカン属（常緑性小高木）　学 *Citrus sphaerocarpa*（カボスキシュウミカン）　英 Kabosu　旬 9～10月

大分県竹田市，臼杵市，本耶馬渓周辺で生産される大分特産の香酸柑橘である．来歴は不明であるが，臼杵市に古木が散在し，最古のものは樹齢200年にも達する．かぼすの名は，だいだいの古名かぶすが訛ったものといわれる．果形は球形．100～150g大となり，果肉は淡黄色で，酸味が

かぼす（平　宏和）

手前：日本かぼちゃ、奥：西洋かぼちゃ（平　宏和）

強く，独特の風味を持つ．種子が多く1個の果実中に20個ほど含む．日本料理には最高の酸味料で，特にふぐ料理には欠かせない．

◇**成分特性**　果実は8〜12月にわたり青切りして利用される．生果の場合は手搾りして直接料理に利用するが，成熟果実を機械搾汁して利用する場合もある．食酢として利用するばかりでなく，果汁飲料としても加工されることが多くなっている．100g中，果汁には4〜5gの酸を含むが，成熟に伴い減酸する．最も風味のよい時期は9〜10月である．果汁100g当たり，ビタミンCを42mg含む．

 ## かぼちゃ　南瓜

分 ウリ科カボチャ属（つる性1年生草本）　**学** *Cucurbita* spp.　**英** pumpkin；squash；cushaw；marrow　**別** とうなす（唐茄子）；なんきん（南京）；ぼうぶら

中米原産のつる性草本で，世界にはカボチャ属約10種が知られている．わが国で栽培されているかぼちゃは，日本かぼちゃ（和種または東洋かぼちゃ *Cucurbita moschata*），西洋かぼちゃ（洋種または栗かぼちゃ *C. maxima*）の2種類が主体であるが，ごく一部にペポかぼちゃ（*C. pepo*）が栽培されている．そうめんかぼちゃもペポかぼちゃの一種である．これら3種は，いずれもつる性であるが，なかには蔓の短いもの，あるいは叢性（ブッシュ状）となるものもある．かぼちゃの学名と英名の対応を**表1**に示した．このほか，西洋かぼちゃと日本かぼちゃの種間一代雑種は生育旺盛で，夏季にもよく生育するところから，一部で夏かぼちゃとして栽培されていたが，現在では栽培量も激減している．きゅうり，メロン，すいかなどの台木としても利用されている．

◇**成分特性**　種類，品種が多岐にわたるので成分にもかなりの変異がある．西洋かぼちゃに比べ，日本かぼちゃとそうめんかぼちゃではほとんどの成分値が低い．その要因として，両者が高水分であることの影響も大きい．主成分は炭水化物である．日本および西洋かぼちゃの炭水化物の多くはでん粉であり，糖類としてはしょ糖とぶどう糖が多く，少量の果糖，麦芽糖*，デキストリン*を含んでいる．したがってかぼちゃの甘味はしょ糖とぶどう糖による．遊離アミノ酸*は100g当たり500mg含んでおり，組成はアスパラギン，グルタミンが主成分であり，その他多くのアミノ酸を含む．また少量の酸を含み，リンゴ酸*が最も多く，クエン酸，コハク酸なども認められる．β-カロテンは日本かぼちゃよりも西洋かぼちゃが多い．果肉の黄色はβ-カロテンとキサントフィル*によるが，ビタミンCも西洋かぼちゃに多く，

表1　かぼちゃの学名と英名の対応

英名 \ 学名	*Cucurbita moschata*	*C. maxima*	*C. pepo*	*C. mixta**	利用部（用途・調理）
summer squash			○		未熟果（焼き物，ピクルス）
winter squash	○	○	○	○	熟果（飼料，パイ，加熱調理）
pumpkin	○	○	○	○	
marrow		○	○		熟果（焼き物，加熱調理）
cushaw				○	熟果（加熱調理）

*日本にはない．

〔誠文堂新光社：最新園芸大辞典・II（1969）をもとに作表〕

日本かぼちゃは少ない．また，ビタミンC酸化酵素（アスコルビナーゼ）が含まれ，特に果皮部に多く，すりおろすと活性が非常に高まり，ビタミンCを酸化する．また種子にはたんぱく質と脂肪が多く，中国料理などに用いられる（かぼちゃの種*）．

◇**保存** 保存の最適温・湿度は10～13℃，50～70%であり，2～3カ月の貯蔵が可能である．

◇**加工** 加工品としては冷凍かぼちゃが主なものである．冷凍品の原料としては西洋かぼちゃが用いられ，夏季の収穫最盛期に加工される．果実を半割して種子を除き，カットしてから蒸気または沸騰水中でブランチング*（5～9分加熱）し，冷風で冷却して15℃以下とする．空気を除いて包装し，−18℃以下に凍結，保存する．

◇**調理** かぼちゃは野菜であるが，主成分はでん粉で，むしろいも類と同様に考えてよい．このため，必ず加熱処理を必要とし，それも湿式加熱，特に煮物に適する．しかし油の味ともよく合うので，揚げ物の材料にも用いられる．※エネルギー源として主食代用に用いることができる．この場合は，持ち味を生かすため蒸し物にするのがよい．煮物の際も大切にし，控え目の量の薄味の煮汁で汁を気長に含ませるような煮方をする．汁が濃いと甘味と風味を失い，汁が多いとでん粉特有のホクホクした感じを失うので，煮あがりに汁が残らないようにする．※かぼちゃの淡い甘味を生かし，同時にでん粉の性質を利用するため，つぶしたり，裏ごしして用いることもよく行われる．つなぎやだんごにするほか，西洋料理では裏ごししたものをスープ，ピューレー，ジャムなどに用いる．また小麦粉とともにパイの皮にも用いる．

● **西洋かぼちゃ**

成 06048（果実 生），06049（果実 ゆで），06050（果実 冷凍），06332（果実 焼き） 学 *Cu-curbita maxima* 英 pumpkin；winter squash 別 栗かぼちゃ

南米の原産で，冷涼な気候に適し，ヨーロッパで多彩な品種分化をとげた．わが国には幕末に導入され，気候・風土の適した長野・福島を結ぶ線以北に普及し，特に北海道を中心に多くの品種に分化した．現在，大果のデリシャス系，中果の赤皮栗・青皮栗・黒皮栗系が北海道を中心に栽培されている．近年食生活の変化とともに，果肉の粘質な日本かぼちゃよりも，粉質で甘味の強い，ホクホクとした食感の西洋かぼちゃの消費が増大し，早生・緑色～黒緑色・中果の品種（主として一代雑種*，代表的な品種の名をとって芳香型およびえびす型といわれる）が，暖地のトンネル早熟栽培に普及している．最近は，さらに早生・小果の品種も育成され始めている．早生は暖地，そのほかは北海道で栽培されている．また，粉質でホクホクした白皮栗も育成されている．一方，冷凍品も含め，メキシコ，ニュージーランドなどからの輸入も増加している．

● **そうめんかぼちゃ**

成 06051（果実 生） 学 *Cucurbita pepo* 英 spa-ghetti squash 別 糸かぼちゃ；なますうり；きんしうり（金糸瓜）

ペポかぼちゃの一種で，北米南部の原産であるが，東ヨーロッパから小アジアに多彩な品種分化がみられる．日本では古くよりあった．日清戦争の際に兵士が持ちかえったなどともいわれている．熟果は淡黄色の楕円球形で，ドーナッツ状に輪切りにして茹でると果肉がそうめん状にほぐれる．水洗，水切りしたのち，刺身のつま，酢の物などに利用する．

西洋かぼちゃ 上：黒皮栗かぼちゃ，下：赤皮栗かぼちゃ（平 宏和）

そうめんかぼちゃ 下：茹でたもの（平 宏和）

日本かぼちゃ　バターナッツ（平　宏和）

●日本かぼちゃ

成 06046（果実 生），06047（果実 ゆで）　学 *Cucurbita moschata*　英 pumpkin；winter squash；Japanese squash

中央アメリカの原産で，わが国には戦国時代末期に渡来した．気候・風土がその栽培に適していたため急速に普及し，福島・新潟を結ぶ線以南で多彩な品種分化をとげ，第二次品種分化の中心の一つとなっている．かつては夏季の代表的な野菜として，至る所で栽培されていたが，食生活の変化とともに栽培は漸減し，西洋かぼちゃに圧倒されつつある．現在は大果の夏かぼちゃの栽培（7～8月どり）は極めて少なく，小果の黒皮系（多くは一代雑種）が主として暖地（宮崎・熊本）の施設内で栽培されている（抑制，促成，半促成）．また，中果の会津系，白皮系の品種が，トンネル早熟，早熟栽培にわずかに用いられている．

鹿ヶ谷（ししがたに）かぼちゃ：京都の伝統野菜．文化年間（1804～1818年），津軽から導入され，現在の京都市左京区銀閣寺の南西の鹿ヶ谷付近で栽培されたのが始まりで，当初は普通の菊座型であったが，数年後，現在のひょうたん型のもが作出されたといわれている．晩生種で重さ：2～3 kg，果肉は緻密，粘質で食味がよい．

バターナッツ（butternut）：植物分類上では日本かぼちゃに属し，名前はバターのようにねっとりとし，ナッツのような風味があることによるといわれている．

●ペポかぼちゃ

学 *Cucurbita pepo*　英 pumpkin；summer squash；marrow

北米南部の原産で，日本へは西洋かぼちゃより遅れて導入された．南ヨーロッパ，米国などでは野菜用，飼料用としての栽培が多い．果実は多様の形を示し，小果種は果皮の色と模様が豊かで，観賞用品種もある．近年，未熟果が食用として利用されるようになった（ズッキーニ*）．

サンバースト（sunburst）：ペポかぼちゃの一種．食用（煮物，揚げ物，漬物・ピクルス）とするほか，観賞用（飾りかぼちゃ）にも用いる．

コリンキー（korinki）：ペポかぼちゃの一種．2002年に品種登録された．完熟させずに若採りして，皮ごと生食でき，サラダなどに用いる．

●ミニかぼちゃ

英 miniature pumpkin；mini pumpkin

ペポかぼちゃ　上：サンバースト，下：コリンキー（平　宏和）

ミニかぼちゃ（上2品種）　上：坊ちゃん（西洋かぼちゃ），下：プッチィーニ（ペポかぼちゃと西洋かぼちゃの種間雑種）．おもちゃかぼちゃ（下6種）（平　宏和）

ミニかぼちゃは，日本かぼちゃ・西洋かぼちゃなどのように植物分類上の種（しゅ）に対応するものではなく，形態によるもので，500g以下のような小さいかぼちゃの名称である．したがって，ペポかぼちゃのサンバースト，コリンキーもミニかぼちゃである．ハロウィンに使われる観賞用のおもちゃかぼちゃ（飾りかぼちゃ）には，食用を含めたミニかぼちゃが多くみられる．

かぼちゃの種　南瓜の種

成 05006（いり 味付け）　分 ウリ科カボチャ属（1年生草本）　学 *Cucurbita* spp.（カボチャ類）　英 pumpkin seeds

かぼちゃの種は，もっぱら中国から輸入されたものが食用に供されている．中国料理の宴会料理で，前菜が出るまで茶請けとして出される．種子が白いので，黒いすいかの種子を黒瓜子（ヘイグアズー）と呼ぶのに対し，白瓜子（バイグアズー）と呼ばれる．炒って塩味を付けたもので，種皮を歯で割って中の仁*を食べる．

◇**成分特性**　種子は種皮が約35％を占め，そのままでは消化が悪いので，炒って摩砕して用いることもある．炒って味付けしたものの仁は，たんぱく質が豊富である．無機質も多い方で，リンが多く含まれている．アミノ酸組成はグルタミン酸，アルギニンが多い．種子油は融点-15〜-16℃の半乾性油*で，その脂肪酸組成はリノール酸*が約5割を占め，次にオレイン酸*，パルミチン酸，ステアリン酸が主である．

かぼちゃの種　上：種，仁，下：仁（いり 味付け）
（平　宏和）

カポック油

英 kapok oil

熱帯地方に栽培されているパンヤ科に属するパンヤノキ（*Ceiba pentandra*；カポックとも呼ばれる）の果実中の綿状繊維に包まれた種子から採油した油．なお，繊維はカポック（別名パンヤ）と呼ばれ，ふとん綿，クッションなどの詰め物に使われる．

　理化学特性：農林水産省出版「我が国の油脂事情」によれば，種子中の油分は18〜26％．脂肪酸組成は，パルミチン酸が15.9〜20.5％，オレイン酸*が20.1〜26.9％，リノール酸*は29.9〜44.2％である．綿実油と似た性状とされ，その代用として食用や石けん原料として用いられる．綿実油と比べて油分は似ているが，脂肪酸組成はカポック油の方はオレイン酸が多く，リノール酸が少ない．比重（25℃）0.915〜0.920，屈折率（25℃）1.469〜1.473，けん化価182〜196であり，これらも綿実油に似ているが，ヨウ素価*は85〜112で，低めである．

釜炒り茶　⇒緑茶
かまきり　⇒かじか

かます　魳；魚夏；梭子魚

分 硬骨魚類，カマス科カマス属　学 *Sphyraena* spp.　英 barracuda；sea pike

カマス属には，やまとかます，あかかます，おおやまとかます，おにかますなど，数種ある．肉はやや軟らかな白身の淡白な魚で，あかかますが最も美味で秋が旬とされる．やまとかますはあかかますに比べて水っぽいが，夏美味である．

◇**成分特性**　成分的には，あこうだい，いさきそのほかの白味魚とほぼ同様と考えてよい．大型のものはシガテラ毒を有するものもある．

◇**加工**　水分が比較的多く肉質が軟らかいので塩焼きとして賞味され，背開きをした塩干しが出回っている．アシが強く上等かまぼこの原料となるが，肉色はやや黒みを帯びる．

◇**調理**　そのままでは持ち味がやや淡白で，和風の煮魚や蒸し物などの湿式加熱より，塩焼き，フライ，唐揚げなど乾式加熱に適する．ひと塩の生干しにすると風味が向上する．塩焼きに準じて焼きすぎないようにする．※生食するときはなますに，煮物にはたまねぎ，ベーコン，牛乳，ワイン，ソースなどを加えて濃い味付けにする（かます巻き，赤ワイン煮込みなど）．中国料理でも鍋焼き

などに用いられる．

●あかかます
赤魳　成 10098（生），10099（焼き）　学 *Sphyraena pinguis*　英 red barracuda　別 ほんかます；かます（東京）；おきかます（高知）　旬 秋～冬

全長50cm．やまとかますによく似ているが，鱗がやや大きい．体色は，背部は黄褐色にやや赤みがさし，腹部は銀白色である．北海道以南のインド・西太平洋に分布する．本州でのかますは本種のことが多い．やまとかますより味はあかかますの方が身がしまって脂ものっていて美味である．脂がのる秋から冬に味がよくなる．

あかかます（本村　浩之）

●おおやまとかます
大大和魳　学 *Sphyraena africana*　英 sharpfin barracuda

やまとかますに似るが，腹びれがやや前方に位置することから識別される．全長60cmほど．琉球列島以南のインド・西太平洋に分布する．食用になる．

●おにかます
鬼魳　学 *Sphyraena barracuda*　英 great barracuda　別 どくかます

南日本，インド・太平洋，大西洋の熱帯域に分布する．全長2mくらいになる大型魚であるが，肉に毒（シガテラ）があり，販売することは禁じられている．

●もとかます
元魳　学 *Sphyraena sphyraena*　英 European barracuda

輸入魚で，全長1.6mに達する．やまとかますに似ているが，体色が緑色を帯びた灰褐色，腹面は銀白色で，鱗が小さい．味は悪くない．フランスのビスケー湾からアンゴラ，マディラ，地中海，アドリア海に分布する．

●やまとかます
大和魳　学 *Sphyraena japonica*　英 Japanese barracuda　別地 あおかます（和歌山）；みずかます（東京）　旬 夏

全長40cm．体は細長く円筒状．頭が長く，口さきが尖っていて，鋭い歯がある．小さな円鱗*に覆われていて，体色は，背部は青緑色，腹部は緑白色，ひれは黒い．南日本からアフリカ，ハワイの暖海の広い海に分布する．やまとかますは身が水っぽいので，みずかますともいい，夏に多く獲れる．

 かまつか 鎌柄

分 硬骨魚類，コイ科カマツカ属　学 *Pseudogobio esocinus*　英 pike gudgeon　別 すなほり；すなくじり　地 かわぎす（九州）；だんぎぼ（北陸，関西）；あかがら（高知）　旬 3月頃

全長20cmほどの淡水魚．富山県，静岡県から九州にかけて分布する．長く尖った吻が特徴．口に一対のひげがある．水底の水生昆虫や有機物を吸い込むようにして食する．近年，カマツカ属は，かまつか，ながれかまつか，すながかまつかの3種に分類された．

◇調理　淡白な味なので塩焼きや甘露煮など，加熱調理に適しているが，揚げ物もおいしい．

 かまぼこ 蒲鉾

英 kamaboko

水産練り製品の一種．かまぼこ（蒲鉾）の名は，魚肉をつぶし，竹の棒に筒状に巻き焼いたものがガマ（蒲）の穂に似ていることに由来するという．古くは，平安時代の『類聚雑要抄』に，永久3（1115）年，藤原忠実の転居祝の宴会の絵に，串に刺したかまぼこがのっている．なお，そのため，業界では1115を2つに分け，11月15日を「かまぼこの日」としている．原料としては，生鮮魚はグチ類，エソ類など，また，スケトウダラの冷凍すり身が多く使われている．

かまぼこ類の分類は，①蒸しかまぼこ類，②焼抜きかまぼこ類，③ゆでかまぼこ類，④揚げかまぼこ類，⑤特殊包装かまぼこ類，⑥風味かまぼこに大別される．特殊なかまぼことして，細工かまぼこ*，燻製かまぼこ，珍味かまぼこ，削りかまぼこなどがある．

●揚げかまぼこ
成 10386（さつまあげ）　英 Age-kamaboko；(deep fried kamaboko)　別 さつまあげ（関東）；てんぷら（関西）；つけあげ（鹿児島）

魚肉に食塩，砂糖，でん粉，弾力増強剤，保存料を加えたものを練りつぶして成形し，あるいはこれにえび，にんじんなどを加えたり，あるいはい

かに風味かまぼこ（平　宏和）

●板付き蒸しかまぼこ

成10379　英Itatsuki-mushi-kamaboko；(steamed kamaboko on wooden plate)　別板かまぼこ；板付けかまぼこ

魚肉の塩ずり身を長方形の木の板の上に半円形に付け，蒸気で加熱して作られる．小田原かまぼこに代表される．色が白く，つやがあり，弾力のあるものを良品とする．表面に赤く着色したすり身を上塗りしたものも作られ，無着色ものと合せて紅白とし祝儀物として用いられる．

●かに風味かまぼこ

成10376　英Kanifumi-kamaboko；(imitation crab meat made from surimi)　別かにかま，かに風かまぼこ

蒸しかまぼこに分類され，ほたて風味かまぼこやえび風味かまぼこなどとともに，かに，ほたて貝柱，えびなどの食味，食感，外観などをもたせたかまぼこと定義される風味かまぼこの一種である．1970年より市場に出現した新しいタイプのかまぼこで，最近では欧州や東アジア，東南アジア等の国外でも製造，消費されている．原料は主としてすけとうだらの冷凍すり身で，塩ずりのときにかにエキス，グリシン，砂糖，かに様香料を混ぜてかに肉の風味をつける．

製法は，刻み方式と製麺方式に大別される．前者は表面を赤色に着色した薄いかまぼこをフードカッターで繊維状に細切りする方式で，そのままあるいは塩ずり身をつなぎとして棒状に成形，蒸し加熱してかに足風の外観とする．後者は塩ずり身を薄い帯状（厚さ1.5mm，幅数10cm）に成形してから加熱して，ベルト状のかまぼこに作り，製麺のように回転スリッターの間を通し連続的に深い筋を作り，これを棒状に巻き込み，表面を赤く着色し適当な長さに切って蒸し加熱する．

●削りかまぼこ

英Kezuri-kamaboko；(kamaboko, shaved after dried)

揚げかまぼこ　上：ごぼう巻，中：揚げボール，下：じゃこてんぷら（愛媛県宇和島）（平　宏和）

か，ごぼう，えびなどに巻いたりして成形したものを油で揚げ，たんぱく質を凝固させたものである．普通のさつまあげ*のほか，大阪の白てんぷら，山口のあじてんぷら，愛媛のじゃこてんぷらや揚げボールなど，細かくみると各種各様の製品がある．

◇成分特性　成分的には，揚げることにより水分が減少し，脂質，たんぱく質含量が高く，またでん粉量が一般に高いために（かまぼこ類の認証基準作成準則では魚肉に対し10％以下，生産実態から別に規定するときは12％），炭水化物の含量もかなり高くなっている．『食品成分表』では，さつまあげが収載されている．

板付き蒸しかまぼこ（平　宏和）

削りかまぼこ（平　宏和）

愛媛県の今治・宇和島・八幡浜地方でつくられている乾燥したかまぼこを削った製品．かまぼこ用のすり身を扁平状に伸ばし，蒸したものを天日または乾燥機で乾燥させ，水を噴霧して柔軟性を与えたものを薄く削り，包装したものである．おにぎり，豆腐，酢の物などに振りかけたり，酒のつまみに使われる．

●昆布巻きかまぼこ

成 10377　英 Kobumaki-kamaboko；(surimi rolled in kombu, steamed)

富山などでつくられている蒸しかまぼこで，塩ずりした魚肉を昆布でうずまきに巻き込んで蒸し上げたもの．

●細工かまぼこ

細工かまぼこという，実用上の立場から離れ，外観の美しさだけをねらった切出しかまぼこや模様入りのかまぼこは，江戸時代の末期にはすでに作られていた．『江戸流行料理通』(1822～1835年)にも雲丹かまぼこ，たまごきみかまぼこ，濃茶かまぼこなどが記されている．現在の細工かまぼこは大別すると，刷り出し，一つ物，絞り出し，切り出しの4種になる．

刷り出しかまぼこの製法は，版画と同様に，下絵に合わせて切り抜いた型紙を，あらかじめ絵の大きさに合わせて作った下地の上に置き，一色を塗りつけ，それをはがして次の型紙を置き，別の色のすり身を塗りつけて仕上げる．ときには数百

細工かまぼこ（平　宏和）

枚に及ぶ型紙を使う方法である．一つ物（かまぼこ）は，粘土細工のようにすり身で鯛や扇などを作るもので，技術的にはそれ程高度の物ではない．絞り出しかまぼこは白や色のかまぼこの上に文字や花，鳥などの絵をデコレーションケーキのように着色したすり身を絞り出して作る，比較的容易なものである．技術的に難しいのは切り出し（かまぼこ）で，それぞれ色の異なったすり身を板の上に積み上げて仕上げる．その積む位置，大きさで最終的に切り口が，鶴，松，椿などの絵になるものである．なかには普通の板の代わりに扇型の容器を使い，切り口を扇状にして，どの切り口にも同じ絵が出るようにしたものもある．図柄には，富士山，孔雀，唐獅子，松竹梅，見返り美人などがある．

●すまきかまぼこ

簀巻き蒲鉾　成 10378　英 Sumaki-kamaboko；(steamed kamaboko covered with straw)

すのこ（竹すだれ，麦わらまたはポリプロピレン

昆布巻きかまぼこ（平　宏和）

すまきかまぼこ（平　宏和）

などプラスチックのストロー）の上で巻いて蒸し上げたかまぼこである．冷却後すのこをはずすとその跡が凹凸につく．愛媛県今治や島根県の特産品である．

● **特殊包装かまぼこ**
英 kamaboko with a special package
魚肉に食塩を加え，これに砂糖，でん粉，弾力増強剤，保存料を加え練りつぶしたもので，脂質の含有率が2％未満のものをケーシングに充塡密封してから加熱し，またはフィルムで包装した後，リテーナといわれる金属製の型枠に入れて加熱してたんぱく質を凝固したものである．上記の練りつぶし魚肉にチーズ，グリンピース，わかめ，昆布などの種ものを加えたものもある．これらは包装のやり方，種もののあるなしで，ケーシング詰普通かまぼこ，ケーシング詰特種かまぼこ，リテーナ成形普通かまぼこ，リテーナ成形特殊かまぼこの4種に細分類される．原料配合例を**表1**に示す．なお，食品表示法*では品名，原材料名，内容量，製造年月日，製造業名または販売業者の氏名または名称および住所のほか，でん粉を使用したものではでん粉含有率（規定では練りつぶし魚肉の8％以下），また食品衛生法*の規定により保存の方法の基準が定められているものではその保存法，輸入品では原産地国名を一括して表示することが規定されている．

◇ **成分特性**　配合例と製法から考えられるように，成分的には，特殊包装かまぼこ類は比較的水分が多く，そのほかの成分の含量が低いものである．

● **風味かまぼこ**
英 Fumi-kamaboko (imitation crab meat or scallop adductor muscle made from surimi)
魚肉に風味原料（かに，ほたて貝など，またはこれらの抽出濃縮物など）を加えたものを練りつぶし，成形して，蒸し加熱後，切断して繊維状にしたものである．そのまま，または塩ずり身をつなぎとして棒状に成形・蒸し加熱して製品とする．外観・香味・食感が，かに足風（かに風味かまぼこ），ほたて貝柱風のかまぼこである．

● **蒸しかまぼこ**
成 10379　英 Mushi-kamaboko；(steamed kamaboko)
魚肉に食塩または砂糖，でん粉，卵白，弾力増強剤，保存料などを加えて，練りつぶしたものを成形し，蒸し煮してたんぱく質を凝固させたものである．板付き蒸しかまぼこ，蒸し焼きかまぼこ，蒸しちくわ，すま（簀巻）きかまぼこ*，昆布巻きかまぼこ*，しんじょ，細工かまぼこ*などがある．
表1に板付き蒸しかまぼこの代表例として，ぐちを主体とした小田原かまぼこの配合例をはじめ，各種かまぼこの配合例を示す．冷凍すり身を原料としたものはすり身にすでに砂糖およびソルビトールなどが加えられているので，砂糖はほとんど加えない．また，アシを補うためにでん粉添加量がやや多くなる傾向がみられる．しかしかまぼこ類の認証基準作成準則では，でん粉および植物性たん白の添加量は魚肉の8％以下となるように定められている．

◇ **成分特性**　蒸しかまぼこ類は白身の魚を主体と

表1　かまぼこ類の原材料配合例

原料＼種類	小田原かまぼこ	宇和島かまぼこ	焼きちくわ	伊達巻き	揚げかまぼこ[4)]	リテーナ成形普通かまぼこ
魚　　肉	100	100	100[1)]	80[1)]	100[1)]	100
食　　塩	2.7	2.8	3.2	2.8	3.2	3.5
砂　　糖	8	0.5	1.8～2[2)]	12	2.5[2)]	3
でん粉	0～2	—	5～10	6.4	7～12	7
みりん	5	—	3～5	2.4	—	5
大豆たんぱく	—	—	—	—	2	—
調味料	1.2	0.6	1.5～2	2.4[3)]	1～1.5	1.5
全　　卵	—	—	—	48	—	—
卵　　白	7	若干	5	—	—	—
氷　　水	10～15	適量	20～30	適量	30～50	50～60

注：1）冷凍すり身等が主．2）ぶどう糖その他の天然甘味料を含む．3）気泡剤を含む．4）種物入りのときは魚肉100に対し，種物20～70を使用する．

しているので，成分的にはどれも大差はない．ただし，昆布巻きかまぼこは昆布の成分の影響のため，炭水化物および食物繊維やビタミン類の含量がやや高くなっている．

●蒸し焼きかまぼこ

英 Mushiyaki-kamaboko；(kamaboko, baked after steamed)

大阪焼きかまぼこなどのように，板付き蒸しかまぼこの表面にみりんまたはぶどう糖を塗ってあぶり焼きし，表面に焼き色を付けたものである．

●焼抜きかまぼこ

成 10380 英 Yakinuki-kamaboko；(baked kamaboko)

魚肉に食塩を加え，これに砂糖，でん粉その他の添加物を加え，または加えずに練りつぶし，これを成形し，あぶり焼きしてたんぱく質を凝固させたものである．これには板付き焼抜きかまぼこのほか，焼きちくわ（ちくわ*），伊達巻き*，梅焼き，厚焼きなどの卵黄入りのような製品，南蛮焼き，笹かまぼこのような板付きでない焼抜きかまぼこが属している．萩，仙崎，宇部など，山口各地にみられる白焼きかまぼこや宇和島かまぼこに代表される．

◇成分特性　表1からもわかるように砂糖は少なく，弾力が強く，塩味と魚の味の比較的強い特徴がある．成分的には，蒸しかまぼこに比べ水分，炭水化物含量が低く，たんぱく質含量が高くなっている．また焼きちくわは表に示す配合例のような練りつぶし魚肉を竹，木，金物などの串に巻きつけ，円筒状に成形してから焼き上げたものである．成分的にはちくわは，水分が少ないなどの焼抜きかまぼこの特徴のほか，白身の魚以外に冷凍すり身のように炭水化物の含まれる原料や，あじ，いわしなどの脂質の多い原料が使われる．でん粉の添加量も比較的多い（かまぼこ類の認証基準作成準則でも10％以下）ので，脂質，炭水化物の含量が高く，たんぱく質の含量が低くなっている．卵黄入り製品の配合例をみてみると，卵の成分の影響で，水分が少なく，脂質，炭水化物の含量が高くなり，ビタミン類もかなり含まれている．構造的にも気泡がかなり含まれる組織をしている点が，普通の焼抜きかまぼことは違っている．

●茹でかまぼこ

英 Yudekamaboko；(boiled kamaboko)

副材料を加え練りつぶした魚肉を成形し，湯煮してたんぱく質を凝固させたものである．はんぺん*，なると*，すじ*，つみれ*などがある．静岡地方のくろはんぺんや，近頃各地でつくられているいわしそうめんなども茹でかまぼこの一種である．

◇成分特性　成分的には，でん粉の添加量が多いので，炭水化物含量が高く，水分含量も高いのでたんぱく質含量が低くなっている．また，つみれは原料に脂質含量の高い赤身の魚が配合されているため脂質含量が高くなっている．

カマンベール　⇒チーズ
カミツレ　⇒カモミール

紙容器詰食品

英 packaged foods in paper container

紙容器詰食品には，ミルクカートン詰食品，金属代替紙容器詰食品と紙箱詰食品の3種類がある．

　ミルクカートン詰食品：この容器を利用した製品には，果実飲料，牛乳類，酒類，食用油やしょうゆなどがある．ミルクカートンには，紙容器メーカーで製造されるプレカットカートンと食品会社の自動充填包装機で製造されるポストフォームド・カートンがある．ロングライフミルクなどに利用される無菌充填包装用ミルクカートンは，常温で長期間保存することができる．

　金属代替紙容器詰食品：アルミ箔と紙のラミネート容器やセラミック蒸着フィルムと紙がラミネート（積層密着）されたカート缶に無菌充填包装されているもので，製品には，果実飲料，高齢者・医療用の高栄養流動食などがある．

　紙箱詰食品：スナック食品，冷凍食品や電子レンジ向け食品などがある．スナック食品やコーヒー，ココアの包装紙箱には，バリア性の高い内装袋を貼り合わせたバッグ・イン・カートンが使われている．冷凍食品の包装紙箱には耐水性のある紙カートンが使われており，電子レンジ向けのケーキ用には，耐熱性のあるPET/板紙の紙箱容器が使われている．

ガム　　　　⇒チューインガム
ガムシロップ　⇒シロップ
カムルチー　　⇒たいわんどじょう

かめのて　亀の手；石蜐

分 節足動物，甲殻類（綱），蔓脚目，ミョウガガイ科カメノテ属　学 Pollicipes mitella　英 barnacle　別 せい；すいくち；たかのつめ

大きさ3〜5cmの固着生活を送る甲殻類．外見が亀の手の形に似ているので，この名がある．北

かめのて

まがも　皮付き肉　上：むね肉，下：もも肉（平　宏和）

海道の南西部以南に分布している．岩礁の潮だまりの岩の裂け目などから生えたように生息している．漁獲量は少ない．漁期は4～7月である．
◇調理　市場で見かける機会は少なく，漁村などの地元や民宿で消費されるのが主で，民宿などでの磯料理に利用されている．普通は塩焼きが香ばしくてよい．また，みそ汁に入れたり，塩茹でして和え物にもする．しかし，みそ汁，塩茹では食べたあと，磯臭い生臭さが残る．

かも　鴨

成 11205（あいがも 肉 皮つき 生）　分 ガンカモ科マガモ属　学 *Anas platyrhynchos*（マガモ）　英 wild duck；duck　旬 冬

かもは世界中に分布し種類は200種を超える．河岸や沼辺に棲む陸がも（淡水がも）と主に海辺に棲む海がも（潜水がも）に大別される．陸がも，特にまがも，おながも，おかよしがも，こがもの肉は美味とされる．その中で頭部が青く光っているため俗に"あおくび"と呼ばれるまがもの肉は，まがもの分布域が広く，生息数も特に多く，大型で産肉量が多く，手に入りやすいこともあって，その代表になっている．まがもを家禽化したものがあひるである．
◇成分特性　まがも，こがもともに，むねの肉が肉づきがよく，最も食用に適した部分で，軟らかで風味もある．栄養成分的には，あひるとほぼ共通している．
◇調理　かもの肉は赤味が強く，軟らかく，脂肪は皮下に多い．和・洋・中国料理，いずれでも高級食材として扱われている．特に抱き身と呼ばれるむね肉は，日本料理で高く評価されている．煮込み，すきやき，かも南蛮，串焼き，じぶ煮，雑煮などにも適する．"かもねぎ"という言葉があるように，長ねぎと相性がよいとされる．洋風料理ではローストが代表的であり，その他，煮込み，ガランティーヌなどがある．中国料理でも，スープ蒸し，焼き物，詰め物など，宴席に供される．
●こがも（小鴨）
学 *Anas crecca*　英 teal　旬 11～2月
まがもに比べるとほぼ半分くらいの，鳩ぐらいの大きさで，狩猟鳥獣の一つである．ヨーロッパ，アジアの中北部で繁殖し，冬期に飛来するが，わが国に来るものはカムチャツカ半島で繁殖したものが主である．日本でも本州中部以北で繁殖するものもある．渡来期はかも類で最も早く，8月下旬に来る．

かもうり　⇒とうがん
かもな　⇒すぐきな
賀茂なす　⇒なす

カモミール

分 キク科シカギク属およびカマエメルム属（1年生草本）　学 *Matricaria recutita*（カミツレ，ジャーマンカモミール）；*Chamaemelum nobile*（ローマカミツレ，ローマンカモミール）　英 chamomile　別 カミツレ

ヨーロッパ原産で，キク科シカギク属のジャーマンカモミール（1年生草本）とカミツレモドキ属のローマンカモミール（多年生草本*）の2種があり，欧州では両方とも用いられている．わが国には，江戸時代にジャーマン種が伝来し，オランダ語のKamilleから和名カミツレがついたとい

ジャーマンカモミール（乾）（平　宏和）

われている．初夏に小さなマーガレットに似た白い花をつけ，この花の香りがりんごに似ており，甘い香りをハーブティーで楽しむ．欧州では古くからポピュラーなハーブで，耐寒性もあり，栽培は比較的容易だが，夏の高温乾燥には弱い．
◇**成分特性**　欧州では古くから気分を鎮め，消化を促進する作用が民間薬として使われ，乾燥花頭には芳香がある．その主な成分は，アズレン化合物のカマアズレンおよびその誘導体，クマリンなどである．
◇**調理**　ハーブティーとしては花頭を使う．生でも乾花でもよい．ティーカップ1杯の湯に3〜4個の花を使い，数分間浸出させ，こして飲む．気分をリラックスさせ，安眠や疲労回復によい．❖シェリー酒のマンザニラには，カモミールが風味付けに使われている．

かやきせんべい　⇨南部せんべい

かやの実　榧の実

成 05007（いり）　分 イチイ科カヤ属（常緑高木）
学 *Torreya nucifera*（カヤ）　英 Japanese torreya seeds

カヤは裸子植物*．山地に自生する常緑性の高木（20m）で，その実（種子）は長さ2〜3cm，幅1〜2cmの楕円形である．炒って食用とするが，

かやの実（乾）（平　宏和）

駆虫効果があるといわれている．特有の樹脂臭がある．食用油の原料としても利用され，油は芳香があり，軽淡で天ぷら油に適する．
◇**成分特性**　かやの実の仁*（炒ったもの）の主成分は脂質で，エネルギーも多く，救荒食品として用いられた．脂肪酸組成はリノール酸*49.8%，オレイン酸*35.2%，パルミチン酸7.8%である．堅果*（ナッツ）類の中で特徴的にイコサジエン酸2.3%を含む．

かゆ　粥

成【水稲】01090（全かゆ　玄米），01091（全かゆ　半つき米），01092（全かゆ　七分つき米），01093（全かゆ　精白米），01094（五分かゆ　玄米），01095（五分かゆ　半つき米），01096（五分かゆ　七分つき米），01097（五分かゆ　精白米），01098（おもゆ　玄米），01099（おもゆ　半つき米），01100（おもゆ　七分つき米），01101（おもゆ　精白米）　英 rice gruels；rice porridge
米を軟らかく炊いたもので，全かゆは米に対して5倍量（質量比），五分かゆは10倍量，おもゆは11倍量の水を加えて炊飯する．おもゆは炊飯後に，ガーゼなどでこす．

かゆ（平　宏和）

カラーピーマン　⇨ピーマン

からし　辛子

成 17057（粉），17058（練り），17059（練りマスタード）　英 mustard　別 マスタード
数種のアブラナ科の植物種子から作られる香辛料の総称で，原料とする植物はホワイトマスタードあるいはイエローマスタードと呼ばれ，洋辛子ともいうシロガラシ（*Sinapis alba*），ブラックマスタードと呼ばれるクロガラシ（*Brassica nigra*），ブラウンマスタード，チャイニーズマスタードと呼ばれ，和辛子ともいうカラシナ（*B. juncea*）の

イエローマスタード（カナダ産）（平　宏和）

粒入りマスタード（平　宏和）

種子に分けられる．市販品にはこれらを原料とした粒状，粉辛子，粒入り，練り辛子などがある．原料は，カナダなどから輸入されている．

◇**成分特性**　種子にはからし油配糖体として，白辛子はシナルビン，黒辛子と和辛子はシニグリン*が含まれる．これらの粉末を温水で練ると酵素（ミロシナーゼ*）により加水分解*され，シナルビンからは不揮発性で強い刺激性がない p-ヒドロキシベンジルイソチオシアネートを，シニグリンからは揮発性で刺激性の強いアリルイソチオシアネートを生成する．イソチオシアネート類は辛子の辛味成分であり，抗菌，抗カビ性がある．

◇**加工**　種子はピクルス，サラダなどに入れ，辛味よりうま味を出すために用いられるが，粉末，練り辛子などに加工される．粉末は種子を搾油機で油の一部を除き油分20％以下とし，粉砕したものである．練り辛子は粉末を水，酢とともに練ったもので，チューブ入り，びん詰が市販されている．さらに種子を入れたもの，調味料，ワイン，スパイス，ハーブなどを加えたものなどがある．

◇**調理**　揚げ物，おでん，納豆に添えたり，和え物に加えて味のアクセントをつけたりする．バターと練り合わせた辛子バターは，サンドイッチやホットドッグに使われて，ハムやソーセージの味を引き立てる．辛子の辛味は放置すると次第に弱くなるので，粉を溶いて使うときは，その都度つくるのが望ましい．水溶きしたあとしばらく置くと苦味が出るが，これを防ぐには酢を少量加えるとよい．ただし多すぎると酵素作用を止めてしまうので注意する．ホールのまま肉にまぶして使うこともできる．

●**粒入りマスタード**

成 17060　英 grain mustard；whole grain mustard　別 粗挽きマスタード

辛子種子を種皮ごと粗挽きにして，食酢やワインなどと混ぜてペースト状にしたもの．フランスのボルドーマスタードとドイツのジャーマンマスタードは，マイルドなタイプのものとしてよく使われる．ソーセージの付け合わせとされる．フランスのデジョンマスタードは，色が淡く辛味が強いので，ドレッシングなどの材料とされることが多い．

からしな類　芥子菜類

分 アブラナ科アブラナ属（1年生草本）　学 *Brassica juncea*　英 leaf mustard　別 ながらし（菜芥子）

中央アジア原産とされ，油用（辛子油）のものはインド，野菜用のものは中国で品種分化した．からしな類は一般に株が小さく葉の薄いものをカラシナ（*Cernua* Group），株が大きく葉肉の厚いものをタカナ（*Integlifolia* Group），さらに大株となり，葉柄*の幅が広く肉の厚いものをタニクタカナ（*Rugosa* Group）として区分する．からしな，たかなは古くからわが国で栽培されていたが，多肉たかなは明治以後に普及したものである．菜類の中では最も好温性であるが，寒地に馴化したものは低温に耐える．また，中国野菜のセリフォン（雪裡紅）もからしなの一種である（**表1**）．

作型：漬物用が主体であるので，他の菜類のように複雑な作型の分化はみられないが，早どり，かき葉，漬物用栽培に3大別できる．

からしな（平　宏和）

表1　からしな類の種類・品種

類	品種群	代表品種	類似品種
葉からしな	葉からしな 黄からしな 山塩菜	葉からしな 黄からしな 山塩菜 阿蘇たかな	久住たかな，貝地たかな，ちりめん葉がらし 柳からし
	雪裡紅 （セリフォン）	雪裡紅	千筋葉がらし
たかな	川越菜 かつぉな 紫たかな 大葉たかな 青葉たかな	川越菜 かつおな 広島紫たかな 大葉たかな 長崎たかな 青葉たかな 鹿島たかな 福井たかな	 広茎かつおな，長崎かつおな，広島青 京都純赤たかな 福井青たかな 石川たかな，東京晩生 かっぱな，宮崎在来 奈良たかな，紀州たかな
多肉たかな	柳河たかな 瘤子芥 結球たかな	柳河たかな 青茎たかな かっぱな 紫ちりめんたかな 三池たかな 瘤子芥 結球たかな	青葉たかな，於多福たかな 青菜，芭蕉菜 雲仙瘤たかな 包心たかな
茎用たかな	大心菜 榨菜	大心菜 榨菜	厚肉，五葉斉 五宝，西宝

（芦澤正和）

● からしな

🈐 06052（葉生），06053（塩漬）　🈑 leaf mustard　🈓 葉がらしな；葉がらし

からしなは，葉が粗剛で品質は劣るが，早生で，耐寒性もある．葉からしなが東北・関東に分布し，類似のやましおな（山塩菜）は福岡で，久住たかなは大分で栽培されている．いずれも浅漬用である．

◇成分特性　ビタミンはβ-カロテン，Cが多い．糖類としてはぶどう糖と果糖を含む．からしなとたかなの風味は辛味に依存している．この辛味成分は，葉の組織が破壊されることにより葉に含まれる加水分解酵素（ミロシナーゼ*）がからし油配糖体（シニグリン*）に作用し生成された揮発性硫黄化合物のアリルイソチオシアネートである．シニグリンは特にからしなの種子に多く含まれるので，種子は香辛料の和がらしの原料として利用される．

◇調理　揮発性の辛味が特徴なので，加熱調理には向かず，あくまで生食するのがよい．塩漬にして辛味を和らげ，同時に味をひきしめる．塩漬は数日で食べられる．※酵素作用により辛味を生成する．漬ける前に短時間熱湯で処理すると，ブランチング効果により色もきれいに保つことができる．※まれに加熱調理をすることもあるが，この場合は，持ち味より味付けが優先する．たとえばこまつなと同様に油揚げを入れて煮たりする．

● セリフォン

🈓 アブラナ科アブラナ属（1年生草本）　🈑 せんすじはがらし（千筋葉芥子）

中国野菜で，低温に強く，冬季に雪の中で生長するので雪裡紅の名（裡は中の意味）がある．地面の際から株が5～10本，分けつ*する．葉は数10cmに達するが，縁がなめらかな品種と，ギザギザの切り込みがある品種がある．第二次世界大戦時に，中国から種子が持ち込まれ，千筋葉芥子の和名で栽培されている．収穫時期は冬である．

◇成分特性　からしなの一種なので，アリルイソチオシアネートによる辛味がある．

◇加工　生食されるほか，冬季に収穫され漬物に

される．
◇**調理** 漬物として利用するだけでなく，漬けた物を塩抜きをして，炒め物，煮物，スープの具などに用いる．また他の青菜同様，生葉を熱湯に通し，浸し物や和え物にする．

からしめんたいこ　辛子明太子

成 10204　英 Karashi-mentaiko；(salted roe with red hot pepper powder)

すけとうだらの卵巣を唐辛子をきかせた調味液で漬け込んだもの．第二次大戦中，当時日本の統治下にあった韓国釜山と下関間に運航していた連絡船を通して，また，戦後の韓国からの引き揚げ者らがその製法を伝えたとされ，語源も韓国語の明太（ミンタイ；すけとうだら）からきているとされる．ただし，韓国のものはにんにくが使われていて，わが国のものとは風味が大きく異なる．
製造工程の漬け込みは一次漬け込み（塩蔵）と二次漬け込み（辛子調味）に分かれ，一次漬け込みにより特有の食感をもつ塩たらこになる．乳酸発酵を伴うこの漬け込みには，各社，さまざまな副材料を用いての製法がある．製品には，下関や博多の名産品とされる高級品から，「切れ子」「ばらこ」などと呼ばれる安価な業務用，家庭用の品まで，大量に流通している．

からしめんたいこ（平　宏和）

からすみ　鱲子；唐墨

成 10250　英 Karasumi；(salted and dried mullet roe)

10月から11月に獲れる大型のぼらの卵巣の塩蔵品を清水で塩抜きし，圧しながら干し固めたもので，ねっとりとした独特の食感をもつ．最近では原料には主に輸入品が使われている．また，たらやさわらの卵巣からつくられたものも出回っている．bottarga（伊）または botargo（北アフリカ）などと呼ばれるものは外国産のからすみの一種で，塩抜きを行わず，また製品を蜜蠟（みつろう）

からすみ（平　宏和）

で被覆して変敗を防いでいる．たんぱく質（アミノ酸組成）*40.4gとともに多量の脂質（TAG当量）*14.9gを含むが，脂質の構成成分が主にワックスエステル（ろう）である点が，リン脂質*を主成分とする通常の魚卵と異なっている．しかし，からすみは高価で多量に食べられることはないので，この点の規制はない．からすみは，その形が中国（唐）の墨に似ていることから名付けられたといわれる．

ガラナ飲料

英 guarana drinks

ブラジル原産のムクロジ科ガラナ属つる性植物のガラナ（*Paullinia cupana*）の種子を原料とした飲料．種子は直径約1cmの扁球形で表面に光沢があり，カフェイン*3.0〜4.5%が含まれる．ブラジルなどでは，種子を粉に挽いて，水で練って棒状に成形し燻煙乾燥しておき，これを削って湯または水に溶かして飲用する．興奮性飲料となる．また，種子の抽出液をベースにして，炭酸飲料（ガラナ飲料）を製造する．日本でも北海道など一部の地域で市販されている．

からふとししゃも　⇨ししゃも
からふとます　⇨さけ・ます（海産）

ガラムマサラ

英 garam masala

インド料理に使われる混合粉末香辛料．ヒンズー語で，ガラムは辛い（熱い），マサラは混合したものの意味．各種の調合があり，インドではそれぞれの家庭独自の処方があり「母の味」とされる．香りを重視するので，クミン，クローブ，カルダモンなど香りの強いものは必ず使われ，ほかに，コリアンダー，シナモン，こしょう，フェンネル，ローリエなどが加えられる．唐辛子とターメリッ

ガラムマサラパウダー　原材料：黒こしょう（ブラックペッパー），コリアンダー，クミン，フェネグリーク，シナモン（平　宏和）

クが入っていないのが特徴とされるが，市販品には唐辛子を加えたものもある．香りを際立たせる目的に使うので，調理の最終段階に用いる．カレー料理，鶏の唐揚げ，炒め物などと用途は広い．
配合例：クミン 20g　コリアンダー 10g，カルダモン 10g，クローブ 4g，シナモン 3g，黒こしょう 2.5g，ナツメグ 1g 以上を混合して軽く加熱，冷まして保管する．

 カラメルソース

英 caramel sauce
砂糖に水を加えて濃い褐色になるまで煮つめ，水または湯を少量加えてのばしたもの．プリンなどの菓子に合う．ハッシュドビーフなどの仕上げに加え，色と風味を添える使い方もある．ラムなどの洋酒を加えることが多い．

カラメルソース（平　宏和）

 カランツ

分 スグリ科スグリ属（落葉性低木）　学 *Ribes* spp.　英 currants　別 ふさすぐり（房酸塊）；カラント
グーズベリーと同じスグリ属に属するが，カランツはふさすぐりと呼ばれるもので，棘がなく，花

は総状花序*につき，果実はぶどうのように房状につく．ヨーロッパや中央アジアに数種の原生種がある．現在の栽培種の赤色種（レッドカランツ）はヨーロッパ西北部およびアジア東北部原産のものから改良された．一方，黒色種（ブラックカランツ）は，ヨーロッパおよび中央アジア原産のものから改良された．ヨーロッパや米国では果樹として栽培され，生食したり加工して利用される．わが国にも野生種はみられるが，栽培種までは改良されていない．わが国での栽培種は，明治初期に導入されたもので，北海道や本州中北部で栽培されている．なお，干しぶどうの一種にもカランツと呼ばれるものがある．

◇**品種**　レッドカランツにレッド・ダッチ，ブラックカランツにボスクープ・ジャイアントなどがみられる．主産地の北海道での開花はいずれも5月中旬，熟期は7月下旬である．花は小さく房状に咲き，果実は房をなして1房に数個～十数個つく．円形で径1cm前後，果面は平滑で光沢がある．

◇**成分特性**　ブラックカランツにはポリフェノール*が100g当たり0.6g含まれ，アントシアニン*も多い．

●**ブラックカランツ**

成 07182（すぐり類　カシス　冷凍）　学 *Ribes nigrum*（クロスグリ）　英 black currants　別 黒ふさすぐり；カシス
果面は平滑で光沢のある黒色．種子は数個～十数個含まれていて，ざらざらして食べるのに支障がある．味は甘酸っぱく多汁であるが，生食より加工原料向きである．主としてゼリー，ジャム，パイ，果実酒などに加工される．

ブラックカランツ（平　宏和）

●**レッドカランツ**

学 *Ribes rubrum*（フサスグリ）　英 red currants　別 赤ふさすぐり
果実が赤く熟し多汁質で，生食したり，ゼリー，ジャム，パイ，ソース，果実酒などに加工して利

レッドカランツ（平　宏和）

用される．果実が白色に熟する変種のホワイトカランツ（white currants；白ふさすぐり）はレッドカランツから育成されたもので，これも同様に利用される．

カリフラワー

成 06054（花序 生），06055（花序 ゆで）　分 アブラナ科アブラナ属（1年生草本）　学 *Brassica oleracea* var. *botrytis*　英 cauliflower　別 はなやさい（花椰菜）

キャベツ類の仲間であり，花や蕾などを利用する花菜で，大きな花蕾球を食用とする．地中海東部の原産で，ブロッコリーから分化し，イタリア，フランスの地中海沿岸部で改良が進み野菜として発達した．わが国へは明治初年に渡来し，はなやさいと呼ばれた．第二次世界大戦まではごく局地的に栽培されていたが，戦後次第に消費が増大した．

◇品種　わが国では純白なものを好むが，色には黄緑色から紫色までの幅広い変異がある．極早生の東亜熱帯群，野崎早生，スノーボール，増田中生，同晩生などが主力品種であった．最近，これらの品種間あるいは品種群間の交配による多くの一代雑種*が育成されて，実用栽培はほとんど全部一代雑種となっている．

ロマネスコ：イタリア原産の品種といわれ，スパイラル，さんごしょうなどとも呼ばれる．日本では最近店頭でみられるようになった．

栽培：春播き栽培は暖地（4〜6月どり），高冷地（6〜8月どり）で行われる．夏播き栽培は早晩品種を使い分け（9〜3月どり），各地で行われる．秋播き栽培は暖地（4月どり）に限定される．

産地：早・中生は東京近郊や長野で，中・晩生は徳島や千葉などの暖地で栽培され，ほぼ周年供給されているが，最近はブロッコリーに圧倒され，栽培量は激減している．

カリフラワー　上より，白色種（一般種），黄緑種，オレンジ種，紫種（平　宏和）

◇成分特性　淡色野菜の一般的な含量を示すが，ビタミンCとカリウムの含量が多い．しかし，これらの含量は栽培条件などによりかなりの幅で変動する．カリフラワーの原型とされるブロッコリーと比べると，カルシウム，β-カロテン，ビタミンC，食物繊維の含量は低い．

◇調理　繊維組織が少なく軟らかで，穏やかな香りと甘味をもつ．ただしアクが強い．茹でてからサラダ，和え物，煮物など，適当に味を付けて食べられる．※純白の色もカリフラワーの特徴の一つである．そのまま茹でるとアクのためフラボノイド*が黄変して色を悪くするので，酢を加えて白く茹でる．組織がもろく，茹ですぎると崩れやすくなるので，やや硬めにとどめるのがよい．表面や組織保護のため，小麦粉を加えて茹でることもある．茹でたものはソースやドレッシングをかけてサラダ，また甘酢，ごま酢など酢の物に，あるいは肉料理，鶏料理の付け合わせに用いる．衣をつけて揚げ物にするのもよい．

かりん　花梨；榠樝

成 07053（生）　分 バラ科カリン属（落葉性高木）　学 *Pseudocydonia sinensis*　英 Chinese quinces

かりん（平　宏和）

かりんとう（平　宏和）

別 アンランジュ　**旬** 秋

原産地は中国．冷涼な気候に適する．果実は300gほどで，楕円形，倒卵円形．成熟すると黄色となる．果肉には石細胞*，繊維質が多いので，肉質は不良で，生食には不向きである．果面は無毛で，この点，近縁のマルメロとは異なる．庭園木として植栽されることの方が多い．

　産地：原産地の中国には多いが，わが国では信越，東北地方に分布する．

◇**成分特性**　100g中，食物繊維は8.9gである．灰分0.5gとさほど多くはない．カリウムは270mg含まれる．ビタミンは少ないが，Cのみは比較的多く25mg含まれている．

◇**加工**　中国では煮たり，砂糖漬として食用する．また，果肉を輪切りにし風乾したものを，咳止め薬として利用する．わが国ではシロップ漬缶詰や果実酒として利用することが最も多い．また，乾燥した果実片は香気が高いので，室内に置いて香りを楽しむことができる．

かりんとう　花林糖

成 15045（黒），15046（白）　**英** Karinto；(fried and sugar-coated cough cake)

小麦粉に砂糖，膨張剤などを加えてこねつけたものを，棒状にして，油で揚げてから砂糖を衣がけした掛け物菓子である．

◇**由来**　平安時代初期に中国から伝わった唐菓子が発達したもので，現在のような形態になったのは明治以降である．東京浅草あたりから下町の味として親しまれるようになった．この駄菓子に，黒砂糖特有の風味とコクを出し，サクッとした歯触りの高級菓子に仕上げたのが，大正8（1919）年に発売された新宿中村屋のかりんとうである．現在では黒砂糖を衣がけしたものが代表的であるが，白砂糖を衣がけしたものもある．

◇**原材料・製法**　鶏卵と水に小麦粉，膨張剤（ベーキングパウダー*，重曹）および食塩を加えて混ぜ合わせる．しばらく放置して，全材料をなじませてから，麺棒で厚さ約5mmにのばして適当な大きさの棒状に切断する．棒状にしたものを30℃くらいの焙炉（ほいろ）に入れて，しばらく放置してから油で揚げる．揚げたものに加熱した砂糖蜜を衣がけしたのち，乾燥して仕上げる．また，生地にイーストを加えて発酵させたものを油で揚げる方法もある．

◇**保存**　油脂を10％以上含むため，食品衛生法*の油菓子に相当するので，保存中の油脂の酸化変敗には注意を要する．最近では，使用する揚げ油については，植物油に飽和脂肪酸*の多い固型脂を調合したものや，植物油中の不飽和脂肪酸*を水素添加し，飽和脂肪酸に変えるなどの処理をほどこした熱安定性の高いものが用いられている．なお，一般にかりんとうは，油の酸化変敗による品質の劣化が他の油菓子に比べて少ない．これは砂糖蜜によって油が皮膜されていることと，製造中に生成されるアミノカルボニル反応*の作用によるものと考えられている．

かるかん　軽羹

成 15011　　**英** Karukan；(white steamed cake made from rice flour, grated yam and sugar)

鹿児島特産のやまのいも，かるかん粉（うるち米粉）および白双糖（しろざらとう）を用いた蒸し菓子の一種である．

◇**由来**　形が軽石のようなところから"軽い羹"という意味で軽羹の字を当てる．起源は藩主島津斉彬が江戸から連れ帰った菓子職人，八島六兵衛が当地の良質なやまのいもと米を原料として研究を重ね創作し安政元（1854）年に商売を始めたとされるが，元禄12（1699）年，島津家の祝いにかるかんを用いた記録がみられる．いずれにせよ，江戸時代以降，殿様菓子として一段と発達したも

かるかん(平 宏和)

かるかん饅頭(こしあん入り)(平 宏和)

ので，その後改良が重ねられ今日の形となった．
◇**原材料・製法** 原料のかるかん粉はうるち米を水に浸し，水をきってそのまま挽いた生新粉のことで，代用として上新粉が用いられることもあるが，風味は前者と比べ劣る．まず剝皮したやまのいもを卸し金ですり鉢へすりおろしてよくすり，白双糖を2～3回に分けて加え，さらによくすり混ぜる．次にかるかん粉を入れ杓子でよくこねつける．生地ができたらせいろうに木枠を置き，ぬれぶきんを敷き生地を流し込み，露取り用のふきんをかけて強めの蒸気で約1時間ほど蒸す．蒸し上がったら板を裏返し，木枠，ふきんを取り去り粗熱を抜いた後，油布で拭いたすだれの上に返して放冷し，適当な大きさに切る．以上は"枠蒸しかるかん"といわれるものであるが，このほかにかるかん饅頭，また生地に泡立てた卵白を加えたものもある．この菓子はやまのいもが採取される10月～4月にかけて店頭に現れ，夏場は原料入手および日持ちの悪い関係からほとんどつくられなかったが，現在では冷凍や粉末のやまのいもを使って，通年つくられている．

かるかんの品質の優劣の決め手はやまのいもであり，これは鹿児島地方に特有のシラス台地で採取される粘り気のある自然薯(じねんじょ)を2～3日間水に漬けてアク抜きをしてから使用する．また水挽きした生新粉(かるかん粉)の水分含量と粒子の大きさも品質を左右する．品のよいやまのいも香りと，しっとりとした粘りがかるかんの身上であり，鹿児島の銘菓として知られている．

●**かるかんまんじゅう**(饅頭)

成 15160(こしあん入り)，15161(つぶしあん入り) 英 Karukan-manju

あん(餡)の入ったかるかん生地の饅頭．あずきあん(こしあん・つぶしあん)，大島あん(黒砂糖を使ったあん)，芋(さつまいも)あんなどの入ったものがある．かるかんが安政元(1854)年に販売されて約150年後に登場したともいわれるが，弘化3(1846)年，島津斉彬が犬追物(いぬおうもの．騎馬で犬を追い弓で射る武術)の折，かるかん饅頭が出されたという．

カルダモン

分 ショウガ科エレッタリア属(多年生草本) 学 *Elettaria cardamomum*(ショウズク) 英 cardamom 別 しょうずく(小荳蔻)

スリランカ，インド南部原産．根茎*から数本の総状花序*を出して，多数の花をつける．卵形の蒴果*(実)の中にごま粒大の種子をつけ，これをスパイスとして利用する．サフランに次いで高価なスパイスなので，ブラックカルダモン(*Amomum subulatum*)，シャムカルダモン(白荳蔻 *A. krervanh*)などの類似種も代用品として出ている．グアテマラからの輸入量が多い．

◇**成分特性** シネオールとテルピオネールという芳香成分が精油中に40％程含まれていて，樟脳(しょうのう)に似た清涼感のある爽やかな香りと，ピリッとした辛さをもつ．100g当たりの成分値は，エネルギー311 kcal(1,300 kJ)，水分8.3 g，たんぱく質10.8 g，脂質6.7 g，炭水化物68.5 g(食物繊維28.0 g)，灰分5.8 gである(米国食品成分表)．

◇**調理** 肉の臭味消しとして，ハンバーグやミー

カルダモンホール(グアテマラ産) 左：蒴果，右：種子(平 宏和)

トローフなどに使われる．産地のインドでは，本場のカレー料理に他のスパイスとブレンドして使う．※北欧ではアップルパイやデニッシュペストリーなどにも用いられ，シナモンと同様に甘味にもよく合うスパイスである．粒と紅茶とを水に入れて加熱し，牛乳と砂糖を加えてカルダモンティーとして楽しむこともできる．ただし，香りは強いので，注意が必要である．

カルメラ（カルメ焼き）（平　宏和）

カルバドス

仏 calvados

フランス，ノルマンディー産のりんご酒を蒸留したブランデー．少なくとも1年間はオーク樽貯蔵を行う．黄褐色でアルコール分は45〜50％と高く，辛口．独特の芳香をもち，食前・食後酒として，また，料理や製菓に用いられる．

カルバドス
（平　宏和）

ガルバンゾ　⇨ひよこ豆

カルメラ

英 Karumera　別 カルメラ焼き；カルメ焼き　古 カルメイラ

赤双糖を水に溶かして煮つめてから重曹（炭酸水素ナトリウム*）を加えて混ぜ合わせ，気泡を抱き込ませて固めた南蛮菓子である．
◇由来　16世紀末期の頃にポルトガル人が伝えたもので，ポルトガル語でキャラメルを意味するcaramelo から由来している．当時は浮石糖などとも呼ばれていたが，製法も現在のものとは異なり，重曹の代わりに卵白を使用して泡立たせていた．現在ではカルメラ焼きともいっており，縁日の屋台などで売られているが，最近ではごく少なくなっている．袋入りの製品もある．
◇製法　銅製の小さな手つき鍋に赤双糖と水を加えて火にかける．糖液が沸騰して適度に煮つまっ

てきたら，火からおろして，手早くすり棒でする．4〜5回すりまわしたら，すり棒の先に重曹をつけて，再び急いでかきまわすと二酸化炭素のガスで泡立って膨れ上がってくる．完全に浮き上がったら，すり棒を静かにぬき取る．カルメラの煮つめ温度は130℃くらいがよく，糖液を煮つめすぎると硬くなり，また逆に弱すぎると浮いてもしぼんでしまう．カルメラは軽石状の多孔質の砂糖菓子で，食べるとサクサクとした食感と炭酸塩の風味を特徴とする．

カルルスせんべい

英 Karurusu-senbei

磯部せんべい（鉱泉せんべい）に似た菓子である．チェコのカルルスバードの鉱泉と同質の人工カルルス塩（硫酸ナトリウム，炭酸水素ナトリウム*，塩化ナトリウム，硫酸カリウムを含む）を加えたものである．白玉粉を硬めにこね，この生地に砂糖とバターをよく溶かし込み，さらに小麦粉，卵，サラダ油，炭酸アンモニウム，カルルス塩，香料などを加えて焼き上げる．

かれい　鰈

分 硬骨魚類，カレイ科　英 righteye flounders；flatfishes；flounders（広義）

カレイ科に属する魚の総称．食用に供される種類が多い．この科の特徴は，幼魚のうちは海の中層を遊泳し，両側に目が位置しているが，成魚になるに従い体が著しく側扁して平たくなり，2つの目が体の右側に寄り，有眼側を上にして海底の砂泥上に棲むようになる．体色は有眼側はおおむね黒灰色で斑紋があり，下側になる無眼側はおおむね白色で斑紋がない．かれい類と同じく，成長するに従って目が一方の側に寄るものにひらめ類がある．その見分け方は「左ひらめ，右かれい」といって，左側に寄るものをひらめ，右側によるも

のをかれいとするのが一般的であるが，例外も多い．なお，かれいの口は小さいが，ひらめは大きく鋭い歯をもっている．

◇**成分特性** 平均値は水分76～79％，たんぱく質（アミノ酸組成）*16～19％，脂質（TAG当量）*1～3％，灰分1～2％程度となる．脂質含量の多いさめがれいやあぶらがれいなど，種類によって成分，特に脂質含量の変動が大きいものもあるが，多くの食用となる種類では，脂質含量の変動はそれほど大きくなく，1～5％の範囲と考えてよい．概して秋から初冬にかけて脂質含量が大きくなる．

味：かれいの味を大まかに分けてみると第1級が，ほしがれい，まがれい，まつかわ，むしがれい，やなぎむしがれい，まこがれい，おひょうなど，第2級が，いしがれい，あさば，ばばがれい，あかがれいなど，第3級が，ぬまがれい，なめた，そうはちおよび新顔の魚の仲間であるこがねがれいなどの北洋産のかれい類，最も不味な第4級が，すながれい，さめがれい，あぶらがれいなどとなる．もちろん，漁期，産地あるいは人の好みによってこの順位は多少変動すると思われるが，かれい類では成分的にみて脂質含量の高いものが概して不味である．

旬：かれい類は冬が旬となるものが多いが，中にはまこがれい，めいたがれいのように夏に美味となるものもある．一般にかれい類は熟卵を抱えている時期が最も美味で，この時期には不味な種類のものも何とか食べられるようになる．

コラーゲン・エラスチン：かれいは白身の魚であるが，エラスチン*およびコラーゲン*という2成分よりなる結締組織で筋肉繊維が結びつけられている．コラーゲンは煮るとゼラチンとなって溶けて出てくるが，これが冷えて固まると煮こごりになる．かれい類にはコラーゲンが多く含まれていて，コラーゲンの多い肉は煮ると軟らかくなる．なめたかれいやさめがれいが煮こごりをつくりやすいのはエラスチンに比べコラーゲンが多いからである．逆にエラスチンの多いまがれい，まつかわ，ばばがれいなどは刺身や焼き魚などに適し，概して美味であるが，すながれいのようにエラスチンが多くとも不味なものもある．

◇**保存・加工** かれいは活魚から冷凍魚までいろいろな形で市販される．

刺身に向くかれいは，ほしがれい，まつかわ，まこがれい，まがれい，かわがれい，いしがれい，おひょうなどで，これらは煮付けにも向いていて，概して肉厚のものが多い．焼き魚や干物に向いているかれいは，むしがれい，やなぎむしがれい，そうはち，あかがれい，あさば，なめたがれいなどであり，おひょう*はフライやバター焼きなどによい．北洋で獲れる冷凍かれいをはじめ，ほとんどのかれいは煮付けや焼き魚で食べられるが，あぶらがれいやばばがれいのように練り製品原料とされるものもある．しかし脂質含量が20％にもなる時期のものは，そのままではまとまらず，その利用法が工夫されている．また逆に油の少ない時期のかれい類は練り製品原料としてクセが少ないので，冷凍して，周年つぶし物の原料として利用されている．あぶらがれい，さめがれいは煮ても焼いてもうまくない．かれい類は頭，内臓，皮などを除き，フィレーとして冷凍したものが輸入され，フライ原料として利用される．名産品として岡山のでびらがある．

◇**調理** 寄生虫の危険を除けば生食は極めて美味で，まこがれいの刺身（たとえば城下がれいのふぐつくりなど）は，すき通るような白さが特に珍重される．新鮮なものは魚臭も少なく，吸い物，煮物，揚げ物などすべての料理に向く．味がやや淡白すぎるので，調味料で味を補うことのできる煮付けに向く．※西洋料理ではムニエル，フライ，グラタンなどに用いる．小型のものは小骨も食べられるので，干物や唐揚げにする．※筋肉繊維が細く組織も緻密で，長く加熱したものは身がしまり，調味料も十分浸透しない．そのため，煮物でも長時間の加熱を避ける．※かれいの味をそのまま味わうには，まこがれい，いしがれいがよく，干物はむしがれいがよい．

●**あかがれい**

赤鰈　分 アカガレイ属　学 *Hippoglossoides dubius*　英 flathead flounder　別 みがれい　地 まがれい（舞鶴）　旬 冬

全長50cm．体は長卵形で，両目の間が狭い．体色は暗褐色．水深40～900mの海底に生息する．隠岐島以北の日本海，金華山以北の太平洋の寒冷の海に分布する．刺身，塩焼き，煮魚とする．

●**あさばがれい**

浅場鰈　分 シュムシュガレイ属　学 *Lepidopsetta mochigarei*　英 dusky sole　別 あさば　地 おたふくがれい（新潟）；うちわがれい（宮城）；おきくちぼそ（山形）；ろすけがれい（稚内）

全長50cm．体は円形に近く，口は小さい．有眼側の鱗は雄は櫛鱗*，雌は円鱗*である．兵庫県以北の日本海，福島県以北の太平洋の寒冷の海に分布している．塩焼き，煮魚とする．

●あぶらがれい
油鰈　分 アブラガレイ属　学 *Atheresthes evermanni*　英 Kamchatka flounder
全長 1.2 m. 頭と口は比較的大きく，尾柄部は細い．体色は黒褐色．肝油はビタミン油の原料となる．関東以北の寒冷な海に分布する．不味である．

●いしがれい
石鰈　分 ヌマガレイ属　学 *Platichthys bicoloratus*　英 stone flounder　別 地 えしがれえ（北陸）；いしもちがれい（福岡，大分，北海道）；かったりびら（茨城）
全長 60 cm. 成長するに従って有眼側に石のような鱗板ができる．水深 30～100 m の海底に生息する．北海道から九州に分布する．美味．

●こがねがれい
黄金鰈　分 スナガレイ属　学 *Limanda aspera*　英 yellowfin sole　別 ろすけがれい　旬 冬
全長 60 cm. 北海道以北の水深 400 m 以浅に生息する．体色は有眼側が黄褐色，無眼側の背びれとしりびれに黄金色の斑紋がある．商業的に重要な魚．唐揚げ，煮魚とする．

●子持ちかれい
成 10104（生），10105（水煮）　英 flatfish with ovary
抱卵したかれい類の市販通称名であるが，北洋産などの中型から大型のものを切り身として販売する場合が多い．

●しゅむしゅがれい
占守鰈　分 シュムシュガレイ属　学 *Lepidopsetta polyxystra*　英 northern rock sole　別 あさばがれい；こけがれい；しろがれい　地 あさば（小名浜）；えんしょお（能生，青海川）；じんめ；ほしがれい（浜名湖）
全長 70 cm. 頭の背部がくぼんでいる．日本海北部から朝鮮東部，ベーリング海，北アメリカ太平洋に分布している．美味．

●すながれい
砂鰈　分 スナガレイ属　学 *Limanda punctatissima*　英 doted flounder　別 地 かわがれい（男鹿半島）；すながれい；ぱんがれい（北海道）　旬 冬
全長 40 cm. 福島県以北と北日本海沿岸，朝鮮半島，オホーツク海に分布．有眼側の体色は暗褐色で，粒状の黒色斑点や白色斑点がある．無眼側は白く，背縁，腹縁と背びれ，尻びれに幅広い黄帯がある．この色帯はまがれいより著しく濃く，この点で見分けられる．味は著しく不味．

そうはち（干し）（平　宏和）

●そうはち
宗八　分 ソウハチ属　学 *Cleisthenes pinetorum*　英 Sohachi flounder　別 地 えてがれい（山陰）；からす（水戸，銚子）；しろがれい（富山，新潟）；さっぱ（網走）　旬 冬
全長 55 cm. 左の目が完全に右側に寄らず，背正中線上にある．側線は両側にある．水深 50～200 m の海底に生息し，隠岐島以北の日本海，福島以北の太平洋の寒冷な海に分布している．干物，煮魚とする．

●でびら
英 dried small flounder　別 でべら；せんべいがれい
岡山の名産品．原料は俗に木の葉がれいといわれる，たまがんぞうびらめなどの小型のかれいの素干し品で，かるく焼いてからつぶして身をほぐし，しょうゆや三杯酢をかけたり，茶漬にして食べる．

●なめたがれい
滑多鰈　分 ババガレイ属　学 *Microstomus achne*　英 slime flounder　別 あぶくがれい　標 ばばがれい　地 うば；だるま；くろがれい（東京）；うばがれい；おばがれい（東北）；ばばがれい（北海道）；なめた（東京，宮城，茨城）；なめたがれい（三陸，山口）；しゃぼん（神戸）；びたがれい（舞鶴）；ぶたがれい（北海道）　旬 冬
全長 70 cm. 寒帯性で，愛知県以北と日本海沿岸，サハリンに分布．やなぎむしがれいに近いが，眼と眼との間の幅がやや広く，体の肉の厚味が相当ある．体色はやや赤味のある褐色で，不明瞭な斑紋がある．美味．練り製品原料にする．

●ぬまがれい
沼鰈　分 ヌマガレイ属　学 *Platichthys stellatus*　英 starry flounder　別 かわがれい；たかのはがれい　地 かわがれい（富山，北海道）；いしがれい（石川）
全長 85 cm. 鱗があらく，体側やひれに黒い模様

ひれぐろ（干し）（平　宏和）

まがれい（本村　浩之）

がある．目はひらめと同じく左側についている．島根県以北の日本海，神奈川県以北の太平洋，北洋，ベーリング海，北米に分布している．海だけでなく，海岸近くの湖沼や河川の中流域にも生息する．フライ，バター焼きに適する．

●ひれぐろ

鰭黒　分 ヒレグロ属　学 *Glyptocephalus stelleri*　英 blackfin flounder　別 地 おいらん（北海道）；おきやなぎ（宮城）；やまぶしがれい；くろがれい（大阪）；みみぐろ（京都）；みずあさば；みずあさわ（新潟）　旬 冬

全長50cm．口は小さく，頭の無眼側に大きくくぼんだ数個の粘液孔がある．体色は有眼側が黄色または黒色を帯びた褐色．背びれと臀びれは黒い．水深50～700mの砂泥底に生息し，多毛類，甲殻類などを捕食する．主に底曳網で漁獲される．山口県と千葉県以北に分布する．

◇調理　普通干物にするが，焼き魚，煮付けにしてもよい．

●ほしがれい

星鰈　分 マツカワ属　学 *Verasper variegatus*　英 spotted halibut　別 地 たかのは（小名浜，水戸）；へえじがれい（兵庫）；やまぶしがれい（山口）；やまぶし（広島）；もちがれい（有明海）；きびがれ（愛媛）

全長70cm．体色は有眼側が暗褐色で大型の暗斑がある．無眼側は雌雄ともに白色．まつかわとの区別はひれの黒斑がほしがれいは円形で，帯状のまつかわと異なる．北海道から九州にかけて分布する．美味だが，漁獲量は比較的少ない．刺身，煮魚とされる．

●まがれい

真鰈　成 10100（生），10101（水煮），10102（焼き）　分 マガレイ属　学 *Pseudopleuronectes herzensteini*　英 yellow striped flounder　別 地 あかがしら（青森，弘前）；あかくちかれい（福井）；あかじ（小名浜，仙台）；くちぼそ（新潟，秋田）　旬 春

全長60cm．有眼側は櫛鱗*，無眼側は円鱗*に覆われる．体色は有眼側が青みがかった黒褐色．瀬戸内海，長崎県からサハリン，朝鮮半島にわたる北日本海と福島県以北に分布．底曳網，刺網，釣りで漁獲され，焼き魚，煮魚とされる．

●まこがれい

真子鰈　成 10103（生），10399（焼き）　分 マガレイ属　学 *Pseudopleuronectes yokohamae*　英 marbled flounder　別 地 あおめ（宮城，福島）；あまて（山口，岡山，兵庫）；くちぼそ（新潟，福井，富山，鳥取，石川）；ほそくち（広島）；まがれい（兵庫，大阪）；もがれい（愛知）；しろしたかれい（大分）；かしらぐろ（青森）；くろがしら（北海道）；せぐろ（福井）；ほちあさば（新潟）　旬 夏

全長55cmくらい．口は小さい．有眼側は櫛鱗．無眼側は円鱗か弱い櫛鱗．体色は有眼側が黄褐色．北海道南部以南の日本各地，渤海，東シナ海に分布．産卵期は冬．底刺網，底曳網で漁獲される．刺身，煮魚とされ，肉は上質で美味．特に別府湾のものは有名．なかでも大分県日出町の城址に近い海岸で獲れるものは，城下がれいと呼ばれ，美味である．

まこがれい（本村　浩之）

●まつかわ
松皮　分 マツカワ属　学 *Verasper moseri*　英 barfin flounder　別地 やまぶれ；あぶらがれい（富山）；ばかはだ（宮城）；たかがれい（室蘭）
全長80cm．有眼側は櫛鱗*に覆われ剥げにくい．体色は無眼側が雌雄で異なり，雄は橙黄色で，雌は白色である．味は，雄にうまいが雌はよくない．冬季の漁獲が多い．関東，富山から北海道，千島に分布する．刺身，煮魚とされる．

●むしがれい
虫鰈　成 10106（干しかれい）　分 ムシガレイ属　学 *Eopsetta grigorjewi*　英 shotted halibut　別 みずがれい　地 あさうば（富山）；きくあさば（新潟）
全長50cm．体色は褐色で，大小の淡褐色の輪状斑があり，輪状斑の中にさらに小形の褐色の斑点がある．北海道から南日本，東シナ海に分布する．干物，刺身，煮物にして美味．

●めいたがれい
目板鰈；目痛鰈　分 メイタガレイ属　学 *Pleuronichthys lighti*　英 ridged-eye flounder　別地 くちぼそ（富山）；きんちろ（宮城，福島）；たばこがれい（北陸）；まつば（山陰）；めだかがれい（東北，関西，九州）　旬 夏
全長30cm．頭は小さく，目が飛び出している．両目の間に硬い骨板のあることからこの名で呼ばれる．体色は淡褐色で，たくさんの暗褐色の小さな斑点がある．温帯性かれいで，秋田県・宮城県から南日本，朝鮮，東シナ海に分布する．煮魚，唐揚げとして美味．

●やなぎむしがれい
柳虫鰈　成 10106（干しかれい）　分 ヤナギムシガレイ属　学 *Tanakius kitaharae*　英 willowy flounder　別地 やなぎ（東京，福島）；ささがれい（新潟，舞鶴）；せったがれい（函館）　旬 春先
全長40cm．頭と口が小さく，体は細長くて薄い．体色は淡褐色．「若狭がれい」や「笹がれい」の名で売られる塩干し物は最高級品といわれる．北海道から南日本，朝鮮，東シナ海に分布する．

カレー粉

成 17061　英 curry powder　別 カレーパウダー
各種の香辛料を配合した複合香辛料．香辛料としては20〜30種類のものが使われる．辛味としてはこしょう，唐辛子，生姜など，香味としてはコリアンダー，カルダモン，シナモン，ナツメグ，クミン，フェヌグリーク，オールスパイスなど，色を与えるものとしてはターメリック（うこん）

カレー粉（平　宏和）

が使われる．成分的に多いものはターメリック，コリアンダー，クミンなどである．原料を粉砕して焙煎，香気を出したのちタンクに貯蔵して熟成させる．カレー粉の加工品としてカレールウがあり，カレー粉はカレールウに対して純カレーということもある．

　由来：カレーは，元々，インドのタミール語で汁とかソースを意味するKariに由来する．インドでは，複合スパイスであるガラムマサラ（ペッパーの辛味とシナモンの芳香を中心とした複合スパイス）が万能スパイスとして利用されているが，これを元にターメリックで着色したものがカレー粉の原形である．

◇種類・分類　インドを支配した英国が，本国に紹介したのが現在のカレー粉である．今でもカレー粉にはインドタイプとヨーロッパタイプがある．インドタイプは，薬臭さを伴う強い芳香が特徴であり，ヨーロッパタイプのものは，まろやかな風味をもつ．両者の差は，配合されるスパイスの差と，スパイスの処理の差である．たとえば，インドタイプではカレーリーフ（オオバゲッキツ *Bergera koenigii* の葉）で芳香を付けるが，ヨーロッパタイプではベイリーブス（ローリエ）を使う．

　日本の歴史：日本のカレー粉はヨーロッパタイプである．日本には，明治初期に，英国のC＆B社（クロスアンドブラックウェル社）の製品が輸入され，爆発的に普及し，大正時代にはすでに大衆料理店のメニューにもあった．特に米飯と合わせたカレーライスは多くの人に好まれ，味は日本人向けにマイルドなものになった．現在でも日本独特のカレー料理として，家庭料理の主流となっている．インドで使われる薬味のチャツネの代わりに福神漬を使用したところなど秀逸である．夏目漱石の『三四郎』にもカレーライスは登場するほどで，洋食の元祖ともいえる．

◇成分特性　カレー粉の成分は配合によって異なるが，乾燥してあるので，水分は5～6％と少なく，主成分は炭水化物である．料理の副材料として使われるので，栄養的な食用価値よりも，むしろ食欲を増進させる嗜好的な価値が大きい．香辛料中の精油*などの芳香成分が，食欲を起こすと同時に消化液の分泌を促す働きをする．
◇保存　カレー粉は水分が少ないので吸湿しやすい．使い終わったらきっちりと蓋をして，香りがとばないようにして保存する．
◇調理　カレー粉は製造時に焙煎されているが，加熱することによって，さらに香りが出る．

カレーパン
成 15127（皮及び具），15128（皮のみ），15129（具のみ）　英 fried bun with curry filling
昭和2（1927）年，東京市深川区常盤町（現・東京都江東区）のパン屋（名花堂）が「洋食パン」の名で考案したといわれている．カレーフィリングを食パンまたはバターロールのような生地で包み，パン粉をまぶし，扁平にしたものを油で揚げる．最近，焼きカレーパンもみられる．

カレーパン（平　宏和）

カレールウ
成 17051　英 curry roux；Japanese curry roux
別 即席カレー；インスタントカレー
第二次大戦後に普及した日本独特の加工品である．カレー粉に小麦粉，食用油脂（ヘット，ラードなど），食塩，旨味調味料を配合した即席食品．焙煎，溶融したルウを型に充填して冷却し固化させる．原料の配合によって辛口，甘口などいろいろの製品がある．甘口タイプのものには脱脂粉乳，乳糖*などの乳製品を加える．粉末状，顆粒状，フレーク状やペースト状の製品もある．
脂肪が多いので，古くなると脂肪の酸化が起こることがある．包装を開けたらなるべく早く使いきるようにする．
◇成分特性　主成分は脂質で，約1/3を占める．

カレールウ　左：固形，右：フレーク（平　宏和）

利用可能炭水化物*（質量計）は製品により差があり，100g当たり30～45gである．
◇調理　多くのメーカーで多種類の製品を出し，外箱に甘辛の度合を表示している．好みにあったタイプを選ぶようにする．辛口のものを薄める場合には，即席のクリームスープを使うと，コクを落とさずにカレーの辛味だけを薄めることができる．和風のカレーではしょうゆを使うが，しょうゆは香りを生かすために煮込んだ最後に加える．

かわえび　⇨えび（てながえび）

かわちばんかん　河内晩柑
成 07162（砂じょう　生）　分 ミカン科ミカン属
学 *Citrus kawachiensis*　英 Kawachi bankan　別 美生柑（みしょうかん），愛南ゴールド（あいなんゴールド），ジューシーフルーツ
1905年頃，熊本県河内芳野村（現・熊本市）において発見され，ブンタン系の自然雑種と推定されている．果実は500g前後で，果皮は8mm程度の厚さがある．果肉は柔らかく多汁で，す上がりしにくく，独特な香気をもつ．外観や大きさが似ていることから，和製グレープフルーツと呼ばれることがあるが，グレープフルーツのような苦みはない．主に愛媛県，熊本県で生産されており，出回り時期は3月から7月ころである．生食が主体であるが果皮を利用したマーマレードなどがある．

かわちばんかん（平　宏和）

かわのり　川海苔

成 09011（素干し）　分 緑藻類カワノリ科カワノリ属　学 *Prasiola japonica*　英 Kawa-nori；prasiola；stream laver

カワノリ属（*Prasiola*）の淡水藻で，同属はこの一種しか日本では知られていない．東北地方南部から九州に至る地域の太平洋沿岸に注ぐ河川の上流域に分布する．藻体は笹の葉状で，鮮やかな緑色である．1層の細胞からなり，薄くて軟らかい．大きさは長さ20cm，幅4～5cmで，夏から秋にかけて清流の岩上に着生し生長する．

◇成分特性　素干しは，たんぱく質（アミノ酸組成）* が（29.7）g，カルシウムが450mg，鉄* が61.0mgと多いのが特徴的であり，β-カロテン，ビタミンB_1，B_2が多い．

◇加工　乾のりと同様に抄（す）いて製品とする．非常に美味で，珍味として尊重されるが，生産量が極めて少なく高価である．静岡の富士川のり，九州の菊池川のり，日光の大谷川のりなどがある．

かわはぎ　皮剥

成 10107（生）　分 硬骨魚類，カワハギ科カワハギ属　学 *Stephanolepis cirrhifer*　英 threadsail filefish　別 地 はげ（関西）；すぶた（名古屋）；つのこ（鹿児島）；まるはげ（明石）　旬 6～8月

皮が硬く，皮を剥いでから調理するので，名前の由来となっている．全長20～30cmの海産魚．青森県から九州にかけて分布する．沿岸の岩礁域に主に生息している．体色は青みがかった灰色で，暗褐色の斑紋が多数ある．表皮は硬い絨毛状の鱗に覆われている．本形は菱形で側扁し，口が小さくとび出ている．目の上に強い棘が1本ある．肝臓は大きく肥大していて美味である．

◇成分特性　ビタミンが比較的多く，Dが100g当たり43μg含まれる．

◇加工　皮を乾かすとやすりの代用になる．英名filefishはやすり魚の意味である．かわはぎの干物として売られているのは，うまづらはぎである．

◇調理　皮を口先から尾の方へ引っ張るようにして一気に剥いで調理する．鮮度のよいものは三枚おろし，極薄に身をそいで刺身にする．身のしまった淡白な白身魚で，ふぐに似て美味．唐揚げ，煮付け，網焼き，蒸し煮，ムニエル，マリネなどに適する．さらに肝臓は，なめらかで濃厚な味が好まれ，鍋物などでふぐの代用にされるほど美味である．また，酢をきかせて身と和える"とも和え"も珍重されている．

かわます

分 硬骨魚類，サケ科イワナ属　学 *Salvelinus fontinalis*　英 brook trout　別 ブルックトラウト

原産地は北米東岸の河川．いわなの一種で，全長80cmくらいになる．体色は背側が褐色を帯びた緑青色で，腹側は淡く黄赤色を帯びた白色．虫食い状の乳白色の斑点のほか，赤色の斑点が混在する．日本へは，明治35（1902）年に米国から日光・湯ノ湖に移入され，その後各地で養殖される．放流されたものが繁殖し，いわなとの交雑が問題となっている．

かわむつ　⇒おいかわ

瓦せんべい　瓦煎餅

成 15049　英 Kawara-senbei；(hard wheat flour cracker shaped like a Japanese traditional roof tile)

瓦の形をした小麦粉せんべい*で，主原料は小麦粉である．それに砂糖，食塩，鶏卵を用いた生地を焼き上げたもので，最も一般的なせんべい類の一つである．生地はあまり粘りの出ないようにこ

かわはぎ（本村　浩之）

瓦せんべい（平　宏和）

ね上げる必要がある．カステラを焼いたような甘味があり，ふっくらとした厚みと独特の風味が特色である．各地で土地の名所の図柄を表面に彫刻して"名所せんべい"とも称している．鎌倉，神戸などの瓦せんべいが有名である．

かわり玉

成 15109　英 china marble；color changing candy　別 チャイナマーブル；一里玉

キャンデー類の掛け物菓子の一種で，口の中で溶けるにつれていろいろな色にかわるところから"かわり玉"と呼ばれる．チャイナマーブルの語源は，china（陶器），marble（大理石）という意味から，陶器のような固くにぶい光沢と，大理石のようななめらかな外観に由来している．製品は硬く，なめていても溶けるのに時間がかかり，昔は一里の道のりを歩く間，口の中にあるところから一名"一里玉"ともいわれた．しかし，直径15mmのかわり玉をつくるのに数十日を費やすことは，万事スピーディーな時代に合わず，最近では，あめ玉の表面に着色糖衣を一度掛けたものがかわり玉として出回っている．また変形ものとしてチョコレートに糖衣がけしたものもみられる．

◇原材料・製法　砂糖，水あめ，コーンスターチ，着色料で糖蜜をつくり，砂糖の結晶粒子（グラニュー糖の小さな粒）を芯にして回転釜に入れ，回転加熱しながら色糖蜜をかけて薄い皮膜をつくり，そのつど乾燥させて糖衣をつくる．この操作を繰り返して，砂糖の層を徐々に大きくする．コーンスターチは色どめ効果として用いられる．

かわり玉（チャイナマーブル）（平　宏和）

寒晒し粉（かんざらしこ）　⇨白玉粉
かんしょ　⇨さつまいも，さとう
肝臓　⇨うしの副生物，にわとりの副生物，ぶたの副生物
乾燥いも　⇨蒸し切干

乾燥スープ

英 dehydrated soups

日本農林規格*（JAS）では，乾燥スープは次のいずれかのものを指す．

a）次の1）〜4）に調味料，砂糖類，食用油脂，香辛料等を加えて調製し，粉末状，か粒状または固形状に乾燥したものであって，水もしくは牛乳を加えて加熱し，または水，熱湯もしくは牛乳を加えることによりスープとなるもの．

1）食肉，家畜等の食肉以外の可食部分，家畜等の骨及びけん，魚介，野菜，海藻等の煮出汁
2）食肉，家畜等の食肉以外の可食部分，家畜等の骨及びけん，魚介，野菜，海藻等を煮たものを破砕してこしたもの
3）たん白加水分解物
4）1），2）又は3）につなぎを加えたもの

b）a）にうきみまたは具を加えたもの．

乾燥コンソメ，乾燥ポタージュとその他の乾燥スープがある．『食品成分表』では，乾燥コンソメは「17 調味料及び香辛料類」に固形ブイヨン（成 17027）として，乾燥ポタージュの一つであるコーンクリームスープ 粉末タイプ（成 18004）は「18 調理済み流通食品類」に収載されている．

甘草抽出物

かんぞうちゅうしゅつぶつ

英 licorice extract　別 甘草エキス

古くから知られている薬草であるマメ科カンゾウ属多年生草本*のカンゾウ（甘草 *Glycyrrhiza glabra*）の根から抽出された食品添加物*（既存添加物）で甘味料として用いられる．主成分はグリチルリチン酸（グリチルリチン）である．抽出したグリチルリチン酸をナトリウム塩としたグリチルリチン酸二ナトリウムは指定添加物とされている．グリチルリチン酸はグリチルレチン酸をアグリコン*とした配糖体*で，グリコン（配糖体の糖部分）は2個のグルクロン酸が結合した，$2\text{-}O\text{-}\beta\text{-}D$-グルクロニル-$D$-グルクロン酸である．甘味度はしょ糖の50〜200倍とされている．甘味は口に入れたときよりも後味に残る特徴をもっている．

用途：加工適性は狭く，飲料では濁りを生じる．グリチルリチン酸二ナトリウムは，みそ，しょうゆにのみ使用が許可されている．

がん漬

成 10341　英 Ganzuke；(salted and fermented fiddler crabs)

干潟に生息する小型のかに（しおまねきなど）を塩とともにつき砕いて，調味料および唐辛子を加えて熟成させた塩辛の一種である．かつおぶし粉末，いりごまを加えることもある．佐賀県有明湾の名産．

がん漬（平　宏和）

缶詰食品

英 canned foods

食品を缶に詰めて密封し，微生物による変敗が起こらないように加熱殺菌したものと，食品と缶を別々に殺菌し，無菌環境下で無菌充塡密封したものとがある．公正競争規約による食品缶詰とは「缶に密封し，加熱殺菌したもの並びにジャム・佃煮，塩蔵品及びこれに類するものを缶に密封したもの」と定義されている．

◇歴史　食品容器としての金属容器の歴史は古く，ナポレオンが軍隊用食糧のために懸賞金つきで募集した食品貯蔵法にまで遡ることができる．19世紀初頭，ニコラ・アペールによって発明されたびん詰法は，英国人のピーター・デュランの発明（1810年）になる薄い鉄板にスズをめっきしたブリキ板の容器を利用した缶詰へと応用され，1812年英国で初めての缶詰工場が稼動した．1820年には，米国で缶詰食品の製造が企業化され，1861年に始まった南北戦争では，軍隊用食糧として大量の缶詰食品がつくられた．

　容器：ブリキ缶，ティン・フリー・スチール缶*，アルミ缶，アルミチューブなどがあり，最近では，アルミ箔トレイやアルミ箔ラミネートフィルムのスタンディングパウチもみられる．

◇種類　ビール，果汁飲料や清涼飲料水などの缶入り飲料，肉，魚や野菜などの缶詰，コーヒー，調理食品などの缶詰がある．

缶詰食品（平　宏和）

製法：まぐろ缶詰では，金属缶にあらかじめ100〜104℃，60〜240分間蒸煮されたまぐろ切り身と植物油や調味料が加えられ，真空巻締め機で金属蓋と容器が巻き締められたのち，レトルト殺菌装置で113〜115℃，60〜180分間加圧加熱殺菌し，冷却する．詰められる内容物によって加熱温度と加熱時間は異なる．みかんシロップ漬の5号缶は，82〜84℃，11〜13分間低温殺菌（100℃以下の殺菌）される．

かんてん　寒天

成 09027（てんぐさ 角寒天），09028（てんぐさ 寒天），09049（てんぐさ 粉寒天）　英 agar-agar

てんぐさ，おごのりなどを主原料として，物理的，化学的に処理し抽出される粘質性の複合多糖類混合物を乾燥したものである．江戸時代，戸外に捨てたところてんが寒気で凍り乾燥したのをみて，製品が生み出された．この寒晒（かんざら）しところてんから，寒天の名があるという．

◇製法　製造方法の違いによって天然寒天，工業寒天，化学寒天に分けられる．

◇成分特性　親水性のコロイドで，冷水に不溶，熱水に可溶．水溶液は温度に対して可逆性をもち，熱水溶液を冷却すると弾力性のゲルをつくるが，このゲルは加熱によって融解する．主成分はアガロース（約70％）とアガロペクチン（約30％）である．アガロースは中性の多糖類*でゲル化力が強く，アガロペクチンは酸性多糖類でゲル化力が弱い．ゼラチンに比べて7〜8倍の凝固力をもつ．

◇調理　寒天は調理でも物性が重視され（ゲルの形成），ゼリー，羊羹，寄せ物などに広く用いられる．みつ豆のように濃い砂糖シロップを味のない寒天ブロックにからませた用い方もある．※膨潤と熱による溶解：寒天を水に浸漬すると，親水基の水和により膨潤が起こり，1〜2時間で最高

かんてん　上：乾燥てんぐさ（寒天の原料藻），下：角寒天　（平　宏和）

●**工業寒天**
てんぐさとおごのりをそれぞれ主原料とする2形態があり，製造工程は天然寒天とほぼ同じであるが，ゲルの凍結と脱水・乾燥を冷凍機などの機械によっているため，年間を通じて生産される．なお，最近は国内産原藻の不足から，おごのりなど外国産原藻への依存度が大きい．製品には粉末，ネット，フレーク，グラニュールなどの形態がある．寒天は色が白く，溶けやすく，透明感があって弾力に富むゲルをつくるものがよいとされている．主に菓子用に用いられ，細菌研究用培地のほかに工業用，医薬用に広く用いられる．

●**天然寒天**
てんぐさを主原料とし，おごのりを混合用原料として，水洗－煮熟－抽出－濾過－凝固－裁断－自然凍結⇔自然融解－乾燥の工程でつくられる．このため製造は冬に限られ，凍結⇔乾燥には7～15日を要する．製品には角寒天，細寒天があり，主な生産地は角寒天は長野，細寒天は岐阜である．

値に達する．乾燥質量の約20倍（粒状寒天は約10倍）の水を吸収する．膨潤した寒天を加熱するとすぐ溶解する．普通は寒天濃度が1%程度になるように水を加え，溶かした後，必要な濃度になるまで煮つめる．※冷却と凝固：溶けたもの（ゾル）を30～40℃以下に冷却すると流動性を失い，ゲルを形成する．※ゼリー強度：寒天のゼリー強度は濃度に比例して高くなるが，寒天濃度が高いほど凝固温度が高く固まりやすい．普通はでき上がり質量の0.5～2%の範囲で，寒天濃度が一定の場合には砂糖の濃度に依存してゼリー強度も増大する．砂糖はゼリー内の自由水を減少させ，寒天分子と水分子の水素結合を補ってゼリーを強くする作用がある．※離漿＊：寒天ゼリーを放置すると，次第に水が流出してゼリーは収縮する．これは離漿といい，コロイド粒子からなる網目構造が収縮し，包み込まれた自由水が外へ押し出されてくるためと考えられる．寒天濃度が低く加熱時間が短いほど，自由水が多く離漿が起こりやすい．砂糖の添加や低温の保持は離漿防止に効果がある．※果汁は加熱後に加える：寒天は酸を加えて長く加熱すると多少分解して，ゼリー強度が著しく低下する．果汁を加えるときは加熱溶解後火から下ろし，60℃くらいに冷めたところで加える．

●**化学寒天**
おごのり，えごのり，いぎすなどの原藻を用いてつくる．これらの海藻にはゲル化度が低く凝固しにくい寒天が多く含まれているため，原藻をアルカリ処理して硫酸を除き，ゲル化度を高める処理をする．以降の工程は工業寒天とほぼ同様であるが，煮熟する際に開放釜を使う点が異なっている．

かんぱち　間八；勘八

成 10108（三枚おろし　生），10424（背側　生）
分 硬骨魚類，アジ科ブリ属　**学** *Seriola dumerili*
英 greater amberjack　**別地** あかはな（和歌山，高知）；あかばら（鹿児島）；ひよ（神奈川）　**旬** 夏

ひらまさとともにブリ属の魚である．関西では，10cm以下の稚魚を"しお"，約20cmくらいまでの若魚を"しょっこ"という．頭を上から見ると，八の字の形に斑が見えるのでかんぱちと呼ばれる．日本各地に生息し，東太平洋を除く，全世界に広く分布する．全長は1m程度であるが，最大は2mに達する．あまり大きいとかえって味は落ち，50cmくらいのものが一般に出回る．ぶりに似ているが，ぶりより扁平で体高が高く，体色が赤みがかっている．冬が旬のぶりに対し，夏が旬である．養殖も盛んで，市場に出回っているのは養殖物が多い．ぶりよりも高級で天然物は高級料亭に仕向けられる．みそ漬にして保存でき

かんぱち（本村　浩之）

る．

◇**成分特性**　ぶりの脂質（TAG 当量）＊13.1g と比べると，三枚おろしで 100g 当たり 3.5g と約 1/4 である．大型のものはシガテラ毒を有する場合もある．

◇**調理**　市場には活魚が入荷され，鮮度のよいものは刺身が最高である．そのほか，すし種，焼き物，煮物などにあう．洋風には，バター焼きや蒸し煮にして香草入りソースを添えるとよい．

乾パン

成 01030　英 hardtack

普通のパンよりも水分を少なく焼き上げたもの．貯蔵性があるため，災害用の備蓄食品や登山，航海用に用いられる．小麦粉は中力粉を使用し，長期保存のため，ショートニングを減らして砂糖はやや多くし，水分 6% 以下とする．ごまを 1.4% 加える．

乾パン（平　宏和）

かんぴょう　干瓢

成 06056（乾），06057（ゆで），06364（甘煮）
英 Kanpyo；(dried shavings of immature bottle gourd fruit)

ゆうがお＊の白い果肉部分を帯状にむき，乾燥した食品．「かんぴょうかんな」といわれる独特の用具で幅 3～3.5cm，厚さ 3mm 前後の帯状にむき，天日または火力で水分 35～45% まで乾燥する．それを硫黄を燃やしたガスにさらして漂白し，さらに乾燥して水分 20% ぐらいにしたものである．品質保持のため防湿包装し，温度変化の少ないところに貯蔵する．

◇**成分特性**　乾物で水分が少ないので，炭水化物が多く，カリウムも多い．一方ビタミン C はゼロである．茹でると水分は 100g 当たり 91.6g 前後に，重量は 5.3 倍に増え，食物繊維を除いた炭水化物の 20% とカリウムの 70% が溶出する．

かんぴょう（平　宏和）

◇**調理**　※かんぴょうは十分吸水しても，風味や呈味成分の損失はなく，逆に調味料を十分浸透させることが大切である．吸水率が大きいので，もどすときはたっぷりの水かぬるま湯で時間をかけてもどす．初めに塩をふりかけて軽くもんでおくと，吸水がよく弾力を増して，切れるのを防ぐ．十分もどして，よく水洗い塩気をとる．※味付けは茹でてから：かんぴょうは，主に煮物にするが，ほかに汁の実，和え物，粕漬，酢漬などに用いることもある．最も代表的な用途はのり巻きで，ほかには昆布巻き，信田（しのだ）巻き，いなりずしの帯にしたり，単独で結んで高野豆腐，しいたけなどと煮たり，五目ずしの具にしたりする．いずれの場合にも，味付けは必ず十分茹でて半透明になったところで行う．調味料を初めから加えると，吸水したかんぴょうが逆に脱水されて浸透が遅れるばかりでなく，浸透にムラができ，切れやすくなる．結びひもやのり巻きの芯にするときは，特にこの注意が大切である．

かんぺい　甘平

分 ミカン科ミカン属（常緑性小高木）　学 *Citrus* 'Kanpei'　英 Kanpei

タンゴールの品種．平成 3（1991）年，愛媛県立果樹試験場（現・愛媛県農林水産研究所果樹研究センター）で，「西の香」に「ポンカン」を交配・

かんぺい（平　宏和）

育成した品種で，平成19（2007）年に品種登録された．品種名は果実が甘くて平らなことによる．収穫は1月下旬から2月下旬頃まで，果実は220g前後で，外観は扁平．果皮は濃橙色で薄く，剥き易い．糖度が高く，濃厚な味で，種子がなく，じょうのう膜が薄いので，そのまま食べられる．

甘味果実酒

成 16029（スイートワイン）　英 fortified wine

わが国の酒税法上の日本独特の用語で，果実を発酵させた酒類のうち果実酒以外の酒はすべて甘味果実酒になる．すなわち，果汁にぶどう糖，しょ糖および果糖を添加して発酵させた酒のうちアルコール分が15％以上のもの．また，上記の決められた糖以外の糖を使用したり，色素を使用したものはすべて甘味果実酒に分類される．さらに，できあがった果実酒にブランデー，糖類，色素などを添加してできた果実酒類のうち，添加アルコールが全体のアルコールの10％を超えるもの．また，上記以外の糖を用いたり，色素を使用した場合も甘味果実酒になる．なお，添加アルコールが90％を超えるものはリキュールまたはスピリッツとなり，甘味果実酒には入らない．

種類：一部の発泡性ぶどう酒*，ポート*，スイートワイン*，シェリー*，マディラ*，マラガ*，ベルモット*など，種類は多い．

甘味料　かんみりょう

英 sweetener

人の味覚の基本となっている4原味の甘味，酸味，塩味，苦味の中でも，甘味は特に生理的にも大切な意味をもっている．エネルギー源となる食品は糖類を主体とするものが多いので，甘味は生きるための基本的な味覚ともいえる．甘味を感じさせる化学成分を含む製品が甘味料である．甘味の基準となるのはしょ糖である．

◇分類　甘味料は，化学的特性から糖質甘味料，非糖質甘味料に分類され，生産上からは天然甘味料，人工甘味料に分類される．主な甘味料製品を表1に示した．

糖質甘味料：炭水化物の甘味料で，次の3群に分けられる．
①糖類：表に示した糖類のほか，粉あめ，水あめ，異性化糖なども含まれる．
②オリゴ糖類*：少糖類とも呼ばれ，単糖類が3～10個結合したもので，一般には酵素利用技術などにより新たに開発されたものを指す．
③糖アルコール類：天然に存在するものもあるが，ぶどう糖，しょ糖，乳糖*などを原料とし，これら糖類のカルボニル基を還元して得られる多価アルコールである．

非糖質甘味料：高度甘味度甘味料とも呼ばれ，次の2群に分けられる．
①天然非糖質甘味料：植物から抽出分離された甘味料である．
②合成非糖質甘味料：化学合成された甘味料である．

天然甘味料：表1の分類のうち，糖質甘味料のはちみつ，メープルシロップなどを含む糖類とオリゴ糖類，天然非糖質甘味料が相当する．

人工甘味料：合成非糖質甘味料を指す．なお，食品表示基準*では，人工甘味料の語は廃止されている．

食品衛生法*では，食品添加物*は指定添加物と既存添加物とに大別される．指定添加物は，食品衛生法第12条に基づき，使用してよいと定めたもので，食品衛生法施行規則別表1に収載されている．この指定の対象には，化学的合成品だけではなく，天然物も含まれる．表2に甘味料として用いられるものをまとめた．既存添加物は，化学合成品以外の添加物のうち，我が国において広く使用されており，長い食経験があるため，例外的に指定を受けることなく使用・販売等が認められるもので，既存添加物名簿に収載されているものである．表3に甘味料として用いられるものをまとめた．糖アルコールのうち，キシリトール，ソルビトール，マンニトールは指定添加物として扱われ，その他のものは食品として扱われている．

◇成分特性　主な甘味料製品のエネルギー値，甘味度を表1に示した．

エネルギー値：糖類のエネルギー値は，食品表示基準ではAtwaterのエネルギー換算係数を用い，4 kcal/gとしているが，『食品成分表』では，利用可能炭水化物*（単糖当量*）は3.75 kcal/g（16 kJ/g），差引法による利用可能炭水化物は4 kcal/g（17 kJ/g）としている．糖アルコールについては，ソルビトールは2.6 kcal/g（10.8 kJ/g），マンニトールは1.6 kcal/g（6.7 kJ/g），マルチトールは2.1 kcal/g（8.8 kJ/g），還元水あめは3.0 kcal/g（12.6 kJ/g），その他の糖アルコールは2.4 kcal/g（10 kJ/g）としている．糖質甘味料のうち，難消化性糖質と呼ばれるオリゴ糖類と糖アルコール類について，食品表示基準では，そ

表1　主な甘味料製品の種類と特性

分類		製品	エネルギー値 (kcal/g)*	甘味度**	う蝕誘発性
糖質甘味料	糖類	砂糖（しょ糖）	4	1	+
		ぶどう糖	4	0.6〜0.8	+
		果糖	4	1.2〜1.7	+
		麦芽糖	4	0.3〜0.4	+
	オリゴ糖類	イソマルトオリゴ糖	4	0.3〜0.55	(−)
		ガラクトオリゴ糖	2	0.2〜0.25	(−)
		キシロオリゴ糖	2	0.25〜0.35	(−)
		大豆オリゴ糖	2	0.7〜0.75	(−)
		フラクトオリゴ糖	2	0.3〜0.6	(−)
	糖アルコール類	エリスリトール	0	0.8	−
		キシリトール	3	1	±
		ソルビトール	3	0.6〜0.7	±〜−
		マンニトール	2	0.4〜0.5	±〜−
		パラチニット	2	0.45	−
		ラクチトール	2	0.3〜0.4	−
		マルチトール	2	0.7〜0.8	−
非糖質甘味料	天然	ステビア抽出物	0	100〜250	−
		カンゾウ抽出物	0	250	−
		ラカンカ抽出物	0	300	−
	合成	アスパルテーム	4	200	−
		サッカリン	0	200〜500	−

＊食品表示基準（消費者庁）による．＊＊しょ糖を1とする．
（−）：製品中の生理特性をもつオリゴ糖本体の機能で，非または低う蝕誘発性．

表2　甘味料として用いられる指定添加物

アスパルテーム
アセスルファムカリウム
アドバンテーム
キシリトール
グリチルリチン酸二ナトリウム
サッカリン
サッカリンカルシウム
サッカリンナトリウム
スクラロース
D-ソルビトール
ネオテーム
マンニトール

表3　甘味料として用いられる既存添加物

L-アラビノース
カンゾウ抽出物
D-キシロース
α-グルコシルトランスフェラーゼ処理ステビア
酵素分解カンゾウ
ステビア抽出物
ステビア末
タウマチン
ブラジルカンゾウ抽出物
ラカンカ抽出物
L-ラムノース
D-リボース

れぞれのエネルギー値が定められ，糖類のエネルギー値よりも小さいものが多い（表1；定めのないものは2 kcal/gとしている）．非糖質甘味料はペプチド甘味料のアスパルテームを除き，いずれもエネルギー値は0 kcal/gである．

甘味度：ヒトが感じる甘味の強さは，甘味物質によって異なる．最も一般的なしょ糖の甘味を1とし，相対値によって甘味度を示している．温度により，また，官能検査の測定者により甘味度は異なる．甘味度はしょ糖に比べ，糖類では果糖のみ高い値を示し，糖アルコール類，オリゴ糖類では低い．非糖質甘味料は高度甘味度甘味料とも呼ばれるように，甘味度がしょ糖の数十倍から数百倍を示す．

◇**生理特性**　糖質甘味料のうち，オリゴ糖類*と糖アルコール類は，う蝕誘発性，整腸作用，血糖

値上昇作用に，しょ糖などの糖類と異なった生理的特性を有するものがみられる．

う蝕誘発性：虫歯を発生させる口内細菌，特にミュータンス菌（Streptococcus mutans）が資化しない非う蝕誘発性あるいは低う蝕誘発性の糖質甘味料として，オリゴ糖類と糖アルコール類がある．非糖質甘味料類は非う蝕誘発性である．

整腸作用：難消化性のオリゴ糖は，消化管で消化吸収を受けずに大腸に移行し，これを栄養素としたビフィズス菌が増殖し，便通・便性を改善する．その作用はオリゴ糖の種類により異なる．消化性のオリゴ糖の中にも同様な効果のみられるものがある．なお，難消化性のオリゴ糖は一度に多量摂取すると一過性の下痢を起こす場合がある．糖アルコール類も同様である．

インスリン節約作用：糖アルコール類はインスリンを必要とせずに代謝される．したがって摂取しても血糖値を上昇させない．非糖質甘味料も同様である．

◇**加工・利用** 甘味料類は加工利用上からはそれぞれ異なる特性をもつ．砂糖などの糖類では，甘味性，溶解性，吸湿性，保湿効果，防腐・保存効果，油脂・色素・ビタミンの酸化防止，でん粉の老化抑制，ケーキなどの焼き色効果，ペクチン*のゼリー化，酵母などの発酵性などの特性をもっている．オリゴ糖類，糖アルコール類と非糖質甘味料では，さらに，う蝕誘発性，整腸作用，血糖値上昇抑制作用などに対する特性があげられる．そのため，甘味料はそれぞれ用途に応じた使い分けが必要となる．

がんもどき　一口がんも（平　宏和）

に油で二度揚げしたもの．雁の肉に風味が似ていることから，その名が付けられたといわれるが，16世紀に南蛮料理の影響で生まれた食品である．別名のひりょうずはポルトガル語 Filhos（果物などを小麦粉で包み揚げた菓子）からきた名称といわれる．

◇**成分特性** 圧搾と揚げの工程で水分は60％近くまで減少しており，たんぱく質と脂質が豆腐に比べてかなり高くなっている．

◇**調理** 手作りや上等なものは懐石料理の煮物に用いられる．熱湯をかけて油抜きしてから，やや汁を多くしてゆっくり煮上げるのがコツである．一般には，惣菜用の食品としておでん種，含め煮などに用いられる．そのほか，手作り品としてれんこんを用いたひりょうずれんこん，くわいを用いたひりょうずくわいなどがある．

かんらん　⇨キャベツ

 乾めん

英 dried noodles

日本農林規格*（JAS）では，乾めん類は，小麦粉またはそば粉に食塩，やまのいも，抹茶，卵等を加えて練り合わせた後，製めんし，乾燥したもの，ならびにそれに調味料，やくみ等を添付したものを指す．干しそばと干しめんがある．

 がんもどき　雁擬

成 04041　英 Gammodoki；(fried mixture of crushed tofu, vegetables and ground yam)　別 ひりょうず（飛龍頭）；ひりうず；ひろうず；がんも　豆腐を圧搾して，水分を搾りだしたものに，野菜，昆布，ごま，麻の実，ぎんなんなどを加え，つなぎにやまのいもをすりこんで練り，油揚げと同様

き

生（き）揚げしょうゆ ⇨しょうゆ
ギアラ ⇨うしの副生物（第四胃）
ギー ⇨バター

キウイフルーツ

成 07054（緑肉種 生），07168（黄肉種 生） 分 マタタビ科マタタビ属（つる性落葉性木本） 学 *Actinidia deliciosa*（グリーンキウイ），*A. chinensis*（ゴールドキウイ） 英 kiwifruit 別 キウイ 和 中国さるなし；支那さるなし；中国すぐり；おにまたたび

キウイフルーツはニュージーランドでの商品名．キウイ（kiwi）はニュージーランドのみに生息する珍鳥で，果実の果皮が褐色で短毛のある外観が似ているところからこの名が付けられた．キウイフルーツには *A. deliciosa* 種と *A. chinensis* 種の 2 種がある．*A. deliciosa* 種は，中国南西部の揚子江上流域が原産とされ，野生種がその後ニュージーランドで改良・育成された品種が多い．果肉色が緑色で，果皮にある毛が長く，その密度が高く，酸味が強い傾向がある．*A. chinensis* 種は，中国の南東部が原産とされ，果肉が黄色や赤色で，毛が短く酸味が弱い．ニュージーランドで開発された品種ホート 16A やレインボーレッドがある．わが国では，近縁のサルナシ（*A. aruguta*）が北海道，本州，四国，九州に分布し，糖度が高く食味はよいがキウイフルーツより小型である．本州（紀伊半島，山口県），四国，九州，沖縄県にはシマサルナシ（*A. rufa*）が分布する．それぞれの種の自生個体から選抜された品種・系統がある．

◇**品種** *A. deliciosa* 種はヘイワード，香緑，*A. chinensis* 種はホート 16，レインボーレッドがある．ホート 16A（商品名：ゼスプリ ゴールド Zespri Gold）は糖度 16 以上と甘みが強い特徴がある．ホート 16A はキウイフルーツかいよう病に感受性のため，抵抗性の Gold3（Zesy 002；商標名：ゼスプリ サンゴールド Zespri SunGold）に置き換わっている．香川県農政水産部農業試験場府中果樹研究所は，果実重が大きい品種のさぬきゴールドを育成している．

生産：中国，ニュージーランド，イタリアなどで生産量が多い．収穫最盛期はニュージーランドでは 5～6 月，わが国では 10 月下旬～11 月上旬である．愛媛，福岡，和歌山，神奈川，静岡で生産量が多い．

◇**成分特性** 100 g 中，未熟果はでん粉を 5～8 g 含むが，完熟すると糖化し甘味が増す．果実の糖類は 10 g 前後含まれる．酸は比較的多く 1～2 g 含まれ，爽やかな食味を呈する．酸組成はキナ酸，クエン酸，リンゴ酸*，シュウ酸*，コハク酸，フマル酸を含み，果肉の pH* は 3.3 程度である．たんぱく質（アミノ酸組成）* は 0.8 g，灰分は 0.7 g 含まれ，果実では多い方である．ビタミン C は 71 mg と多いが，品種により差異がある．他のビタミンも少量ずつ含む．タンニン* は 50 mg 含まれるが，渋味は少ない．果肉の薄緑色はクロロフィル* による．*A. deliciosa* 種と *A. chinensis* 種は栄養面でも特徴があり，*A. chinensis* 種は糖が 12 g 程度と多く，有機酸* は少ない．また，ビタミン C が 140 mg と多い．

◇**保存** 採集後すぐ貯蔵すると，長期間の保蔵に耐える．貯蔵に適した温湿度は，0℃，90％であり，4～6 カ月貯蔵できる．

追熟：果実は比較的硬いうちに採取され，追熟*，軟化してから食用とされる．追熟適温は 20～23℃である．エチレン* により追熟が促進される．したがって，エチレンを多く生成するりんごといっしょに貯蔵すると追熟が進むので，別に

キウイフルーツ（平　宏和）　　　　キウイフルーツ　ドライ（平　宏和）

保蔵する．
◇**加工**　加工品には缶詰（半割，スライス，全果），ジャムなどがある．缶詰は毛茸（もうじょう）をもつ果皮全体を，20％カセイソーダ液（沸騰）で30秒浸漬処理して，圧力水で除去してから果肉を40％糖液とともに缶に詰め，密封，殺菌する．ジャムは，一般の果実と同様に，果肉を破砕し砂糖で煮つめる．ときには柑橘などと，ミックスジャムとして加工される．乾燥果実は，果皮を除いて6 mm程度のスライスとし，80℃で加熱乾燥する．
◇**調理**　特有の芳香と甘味があり，果肉は淡緑色で美しい．皮をむいて薄切りにし，ヨーグルト，アイスクリーム，シャーベット，フルーツポンチやサラダに入れてもよい．前菜，チーズの盛り合わせ，ケーキ，パイの彩りとしてもよく，肉類や魚介類ともよく調和する．また，カクテルや果汁飲料に浮かしたり，洋菓子の飾りとして用いられる．

 ぎぎ　義義

分 硬骨魚類，ギギ科ギギ属　**学** *Tachysurus nudiceps*　**英** forktail bullhead　**別** はげぎぎ　**地** かわばち（水戸）；ぎぎう（琵琶湖沿岸，岡山，広島）；ぎぎゅう（群馬，福岡，熊本）　**旬** 5～6月
淡水魚．琵琶湖・淀川水系以西の本州，四国の吉野川，九州北東部に自然分布するが，各地に移植され，新潟県や三重県，鹿児島県でも生息が確認されている．川の流れがゆるい中部流域から下流域，あるいは水の流れが少ない平地の湖に生息する．全長は30 cm前後．口ひげがあり，体表面にはぬめりがある．背びれと胸びれの先端には毒腺があり，刺されないように注意が必要である．夜行性で，夜釣りでよくかかる．
◇**調理**　主になまずの代用として煮付けや天ぷらにする．みそ汁，ちり鍋にもする．焼く，蒸す，あるいはスープ煮など，広く利用されている．蒲焼きに加工することもあり，かまぼこにもできる．なれ鮨にもされる．

ぎぎ（本村　浩之）

 きく　菊

成 06058（花びら　生），06059（花びら　ゆで）
分 キク科キク属（多年生草本）　**学** *Chrysanthemum morifolium*　**英** chrysanthemum　**別** 食用菊；料理菊
食用とされるきくは，茎葉を用いるしゅんぎくと，花（一部は葉）を用いるいえぎくである．ここでいう食用菊は，いえぎくの品種である．俗に料理菊と呼ばれる．
◇**品種**　舌状花で，苦味少なく，香気の高い，黄色または桃色の大輪系であるが，白花もある．愛知，山形，新潟，青森に栽培が多い．地域によって変異があるが，主要な品種は阿房宮（黄），蔵王（黄），延命楽（桃），高砂（白）などである．作型の分化はみられない．
◇**成分特性**　新鮮物にはぶどう糖，しょ糖が多く，たんぱく質は特に多い．黄色種の乾燥品が菊のりとして市販されている．色素の主成分は，桃赤色はクリサンテミン，黄色はカロテノイド*である．
◇**加工**　加工品としては，乾燥品（菊のり）がある．
◇**調理**　食用菊のうち黄菊が味，香りともに優れている．花はそのまま，少量の塩と酢を加えた熱湯で茹で，水にとってしぼり，酢の物，和え物，刺身のつま，吸い物，漬物などにする．また葉は裏側だけ衣をつけて揚げると彩りがよい．洋風料理では菊の花をサラダに利用する．

食用菊　山形産　右：延命楽（もってのほか）（平　宏和）

●**菊のり**

成 06060　**英** Kikunori；（sheet of dried chrysanthemum petals）　**別** 乾燥食用菊
江戸時代から伝わる青森特産の食用菊の加工品である．黄色の花弁を蒸して，薄い板状に平たく並べ，乾しのりのように乾燥したもの．品種は主に青森南部で栽培される阿房宮（あぼうきゅう）が用いられる．酢を少し落とした熱湯にくぐらせて戻し，ほぐして冷水にさらし水きりして用いる．

菊のり（平　宏和）

きくいも　菊芋

成 02001（塊茎 生），02041（塊茎 水煮）　分 キク科ヒマワリ属（多年生草本）　学 *Helianthus tuberosus*　英 Jerusalem artichoke

原産地はカナダの東部および米国の北東部とされ，塊茎*が食用とされる．新大陸発見後ヨーロッパに移入され各地に普及した．わが国へは文久年間（1861〜1864）に渡来したが，一部で漬物用に供されるにすぎなかった．第二次世界大戦に入りアルコール，果糖原料として再注目されるようになった．環境適応性が強く，強健なため，野生化しているものも多い．塊茎の表皮は紫赤色のほか，黄色，白色のものがある．

◇成分特性　きくいもの塊茎の主成分はイヌリン*（フラクタンの一種）で，難消化性炭水化物（食物繊維）である．そのため，他のいも類に比べエネルギー値が低い．イヌリンの含量は品種，栽培条件によって異なり，10〜14％程度である．塊茎中には，2％前後のしょ糖と0.5％前後のぶどう糖と果糖が存在する．きくいも中には種々の酵素が存在するが，特にイヌラーゼが強くイヌリンを果糖に分解するので，貯蔵いもは甘味が強い．また麹菌および酸により加水分解*されて果糖になる．きくいものたんぱく質は生いも中に2％内外含まれるが，大部分が可溶性たんぱく質である．

◇用途　古くから各地で漬物用として用いられている．これまで生いもは異臭があるので煮て食べることは少なかったが，血糖値上昇を抑えるとされるイヌリンが豊富なことから，健康面から注目され，煮物，炒め物，汁物などさまざまな利用が広がっている．工業的には果糖原料，アルコール製造原料として用いられている．安価に大量生産が可能である．アルコールは果糖原料をアルコール発酵すると容易に得られる．

きくぢしゃ　⇨エンダイブ
きくな　⇨しゅんぎく
きくにがな　⇨チコリー

きくらげ　木耳；木水母

成【あらげきくらげ】08004（乾），08005（ゆで），08038（油いため），08054（生），【きくらげ】08006（乾），08007（ゆで）　分 担子菌類キクラゲ科キクラゲ属（きのこ）　学 *Auricularia* spp.　英 jelly ear　別 みみきのこ；みみたけ

生の状態では全体がゼリー状のきのこの総称であり，キクラゲ科のきくらげ，あらげきくらげ，シロキクラゲ科のしろきくらげなどがきくらげと呼ばれている．しろきくらげについては別項で解説する．春から秋にかけて，広葉樹の枯れ木や立木の枯れた部分から発生し，耳状の傘は直径3〜6cm，厚さ2〜5mmの茶碗形，ゼラチン状で軟らかいが，乾くと軟骨のように硬くなる．茶褐色〜黒褐色で，裏面は微細な密毛がある．日本，中国，台湾，韓国などの東アジアや一部の東南アジアで食用とされている．形が耳に似ているので英語では jelly ear と呼ばれる．元々ヨーロッパで名前がつけられたものは学名が *Auricularia auricula-judae* であるが，近年の研究では，日本産のものは種が異なっていて，さらにいくつかの種

きくいも（平　宏和）

きくらげ（野生）（福井きのこアドバイザー会）

あらげきくらげ（野生）（福井きのこアドバイザー会）

しろきくらげ（野生）（福井きのこアドバイザー会）

が混ざっているとのことで，学名は定まっていない．アラゲキクラゲについても同様で，ヨーロッパでつけられた *A. polytrycha* は日本では見つからず，すべて以前に「ナンカイキクラゲ」と名付けられた *A. cornea* と同定された．きくらげによく似た種で，裏側に長めの毛が密生する．やや暖地に多く，きくらげの涼しい地域に対してあらげきくらげは暖かい地域に適性がある．※主として乾燥品が乾物屋，八百屋，スーパーマーケットで売られているが，滋賀県の会社が栽培したものが，生で売られている．ただし，生のものも含めて市販品のきくらげのほとんどはあらげきくらげである．きくらげ，あらげきくらげともに日本，中国，韓国などで原木または菌床で栽培されているが，やはり，多くはあらげきくらげで中国からの輸入品である．

◇成分特性　乾燥品として市販されるきくらげ類は 100g 当たり水分 13〜15g，たんぱく質 5〜8g，炭水化物 70〜80g が含まれるが，炭水化物はその大部分が食物繊維である．ビタミンD は，あらげきくらげ 130.0μg，きくらげ 85.0μg と多い．

◇加工　きくらげ，あらげきくらげは乾きやすく，もっぱら乾物として市販される．市販の包装品には上記 2 種が混入している場合もあるが，多くはあらげきくらげである．

◇調理　乾物を微温湯に漬けて戻すと体積が 4〜5 倍になるので，使用量には注意する．※くらげに似た弾力が特徴で，コリコリした感触が好まれる．香りも味もほとんどなく，そのため，味付けが自由にできる．物性を生かすには細かく切らないようにし，スープ，肉とともに炒め物や煮物にする．中国料理の麺料理の副材料にもよい．※きくらげと豆腐は，風味，その黒と白の色合い，弾力性となめらかさの取り合わせがよく，互いに特徴を補い合う点が多い．けんちん汁，ぎせい（擬製）豆腐，白和えなど，両者を組み合わせてよく用いられる．

●しろきくらげ

白木耳　成 08008（乾），08009（ゆで）　分 担子菌類シロキクラゲ科シロキクラゲ属（きのこ）　学 *Tremella fuciformis*　英 white jerry fungus　中 銀耳

春から秋にかけて広葉樹の倒木や枯れ枝から発生する．八重咲きの花のような形で，ゼリー状で白色半透明．市販品は不規則に乾燥させた無色の寒天のような乾物である．木材腐朽菌とされていたが，現在では，しいたけの榾木（ほたぎ）などによく見られる子嚢菌類のクロコブタケに寄生する寄生菌とされている．昔から不老長寿の食品として，高級食材とされていた．現在は菌床栽培も可能になり，価格も安定した．わが国でも長野などで若干栽培されているが，主として中国からの乾物の輸入品が出回っている．血中のコレステロールを低下させる効果が高いとされており，中華料理ではシロキクラゲのスープやデザートとしてシロップかけが食べられている．

 きさご　喜佐古；畿佐古

分 軟体動物，腹足類（綱），ニシキウズガイ科キサゴ属　学 *Umbonium costatum*　英 button top; chequered top　別 きしゃご；ちしゃご；まいご　古 したたみ；しただみ；おはじき貝　旬 冬〜春

貝殻は海岸でよく拾われる．普通殻径 3cm くらいである．北海道南部以南の浅海の砂底に多い．貝殻は貝細工に用いられる．

◇調理　しょうゆで煮て，佃煮に加工する．茹でたものを"つきだし"に出したり，串刺しにして，みそ焼きにもする．身を出して和え物に用いるのもよい．

●いぼきさご

疣喜佐古　学 *Umbonium moniliferum*

殻径 2cm ほど．きさごによく似ているが，小型で，殻底のピンク色の滑層がきさごより広い．北海道

だんべいきさご

南部以南の内湾の干潟に棲む．昔，おはじきの材料にされた．食用には小さすぎ，漁村のおかず程度．
●だんべいきさご
団平喜佐古　学 *Umbonium giganteum*　別 市 ながらみ；えらみ
殻径5cm，高さ3cmくらいになり，きさご類中最も大型になる．他のきさごとは，螺肋（らろく）がない点と複雑な縞模様がない点で異なる．最近ながらみという名で市場に出回っているのは，ほとんど外洋性のだんべいきさごである．

刻み昆布

成 09020　英 Kizami-kombu；(dried and cut into thin strips)
ながこんぶやみついしこんぶなどを原料とし細かく糸状に刻んだもの．古くは，こんぶを銅鍋で煮て緑青で青緑色に着色してつくった青板昆布を刻んで加工した青刻み昆布を指した．これは，緑青が有害であることから明治後期より着色剤を用いる方法に変更された．

刻み昆布（平　宏和）

きじ　雉；雉子

成 11209（肉 皮なし 生）　分 キジ科キジ属　学 *Phasianus versicolor*　英 common pheasant　旬 冬
西コーカサスを原産地とし，アジアに広く分布する．米国やヨーロッパにもいるが，これらは16世紀以来東洋から輸入されたものであるという．クロクビキジ，ハジロキジ，コウライキジ，日本産キジなど，種類はかなり多い．日本産キジは日本独特の種類で，本州，四国，九州にのみ棲む．北海道にいるきじはコウライキジ（*P. colchicus*）である．日本産キジは白い頸輪のないのが特徴で，国鳥になっている．山麓，雑木林，畑地に棲み，木の実や昆虫を餌とする．平安時代から狩猟の対象とされている．現在は，人工孵化したものを放鳥している．古来から猟鳥として食用に供されており，宮廷料理の最高の材料ともされていたが，近年は数が減り，雌は捕獲禁止となっている．養殖も行われているがごく少ない．輸入品も多い．
◇成分特性　肉は脂肪が少なく，色は濃い．栄養成分は他の鳥の肉とあまり変わりがない．
◇調理　雄きじは雄鶏とほぼ同じ大きさである．和風料理では，季節の野菜を取り合わせて白みそ仕立てにしたきじ鍋や，すきやき，つけ焼きなど，洋風料理には，蒸し焼き，煮込みなどがある．

きじえび　⇒えび（もろとげあかえび）
きじはた　⇒はた
生（き）じょうゆ　⇒しょうゆ
キシリトール　⇒糖アルコール

きす　鱚

成 10109（生），10400（天ぷら）　分 硬骨魚類，キス科キス属　学 *Sillago japonica*　英 Japanese sillago　別 標 しろぎす　地 しらぎす；まぎす（東京）；きすご（大阪，四国，九州）；あかぎす（徳島）
全長30cm．体は円筒状で細長く，尾部が側扁する．口は小さい．沿岸や内湾の砂泥底に生息する．外洋には出ない．高級な魚とされている．北海道南部から九州，東シナ海，南シナ海北部に分布する．同属にあおぎす，あめぎすなどがある．
◇成分特性　成分的にはほかの白身魚とさほど変わらないが，脂質や脂溶性ビタミン含量は低く，100g当たり脂質（TAG当量）*は0.1gにすぎない．しかし，たんぱく質（アミノ酸組成）*含量は16.1gとやや高い．アシも強いので上等のかまぼこの原料となる．
◇調理　あっさりした上品な味をもった白身の魚である．刺身，塩焼き，酢の物，すし，揚げ物（天ぷら）など，生食か乾式加熱に向く．※煮物は特性を生かした調理法とはあまりいえないが，淡白な味により，吸物の椀種（結びきすの吸物）に利

しろぎす（本村 浩之）

きちじ（北海道大学総合博物館）

用される．※味にクセがなく軽い舌触りをもち，ソースの味ともよく合うので，洋式の魚料理にはしばしば用いられる．白ワイン煮，フライ，フリッターなどの料理がある．※骨が細くて可食部が多く，しかも姿が美しいので，天ぷら，唐揚げなど，そのままの形を生かした調理が行われる．

●あおぎす
青鱚　学 *Sillago parvisquamis* 英 small-scale sillago　別 やぎす　地 やぎす；あおぎす（東京）；どうしょうぎす（徳島）
全長35cm．第2背びれに明瞭な黒点列があることで，しろぎすと区別される．かつては日本各地に生息していたが，多くの場所で絶滅し，現在では別府湾など数カ所でのみ見られる．やや臭気があり，味はきすより相当に落ちる．

　　成長名：釣師用語では，さんねんひね，よねんひね，ごねんびね，ろくねんびねなど，成長するごとに呼び名が変わる．

●あめぎす
飴鱚　学 *Sillago bassensis* 英 southern school whiting
全長30cm．冷凍品が，オーストラリアから輸入されている．日本のきすと体色が背側のあめ色のところ，腹側の白色との境界線が銀色の帯状になっているところが異なる．日本のきすの大型のものがかなり高価なところから，冷凍品として輸入され特定の仲買店ではよくみられる．

きだい　⇒たい
きたのほっけ　⇒ほっけ
きたむらさきうに　⇒うに

きちじ　喜知次；吉次

成 10110（生）　分 硬骨魚類，キチジ科キチジ属　学 *Sebastolobus macrochir* 英 broadbanded thornyhead　別 市 きんき　地 あかじ（茨城，福島）；あすなろ（三崎）；きんきん（北海道胆振，日高）；めいめいせん（釧路）　旬 12〜2月

国内では北海道から島根県・三重県にかけて分布する．水深100m以上の深海に棲む深海魚である．全長は40cm．体は側扁し，頭に多くの鋭い棘がある．体表面は鮮やかな朱色で，背びれに大きな黒い斑があるのが特徴である．
◇成分特性　脂質（TAG当量）*含量は100g当たり19.4gと非常に高い．脂肪酸の中では高度不飽和脂肪酸*のイコサペンタエン酸*（IPA）とドコサヘキサエン酸*（DHA）を赤魚としてはかなり多量に含む．ビタミンAもレチノール活性当量*で65μgと白身魚としては多い．
◇加工　生食されるほか，甘塩の開き干しにされる．ただ市場で開きで出回っているのは，ベーリング海で獲れた同属のアラスカキチジ（*Sebastolobus alascanus*）が多い．小型のものは，仙台名産「笹かまぼこ」をはじめ，広くかまぼこ，ちくわの原料とされる．
◇調理　肉は白身で軟らかい．旬には脂がのっていて，煮付け，塩焼きにするが，ひと塩ものの干物もほどよく身がしまる．三枚におろして薄塩後，2〜3日粕漬にするのもよい．また，練り製品の材料にもされ，西洋料理の素材としても十分に利用できる．

きなこ　黄粉

成【黄大豆】04029（全粒大豆），04030（脱皮大豆），【青大豆】04082（全粒大豆），04096（脱皮大豆），【砂糖入り】04109（青きな粉），04110（きな粉）　英 Kinako；(roasted and ground beans)

大豆を焙煎して粉砕，ふるい分けた粉末食品である．多くは砂糖を加え，餅やだんごなどにまぶして食べる．種類としては黄大豆を原料とした黄色のきな粉と青大豆を原料とした淡緑色の青きな粉（うぐいすきな粉）がある．なお，脱皮大豆を原料とした青きな粉の市販品は見当たらない．

製法：大豆を160〜170℃で10〜20分焙煎

きな粉　左：きな粉，右：青きな粉（うぐいすきな粉）
（平　宏和）

キヌア（平　宏和）

してから冷却して粗粉砕したものを高速粉砕機で微粉砕し，最後にふるいを通して粒度をそろえて製品とする．全粒を用いた製品と粉砕の前に粗砕して種皮を除いた製品がある．保存には吸湿と害虫の侵入を防ぐことが大切である．
◇**成分特性**　栄養成分はほぼ大豆と同じであるが，高温焙煎しているので，水分が5％と少ない．種皮を除いた製品は全粒の製品に比べ，わずかではあるが，たんぱく質が多く，炭水化物と脂質が少ない．食物繊維は約20％低い．焙煎によりトリプシンインヒビター*などの生理的阻害因子は破壊されるが，消化吸収率はたんぱく質78％，脂質87％と大豆製品の中で最も低い値を示す．過度の加熱を受けたものでは，リシン*，シスチンなどのアミノ酸が一部破壊されて栄養価が低下する．
◇**調理**　香ばしく美味で，好みにもよるが，一般に緑色の大豆を原料とした青きな粉の方が香味が優れ，色もやや薄緑色できれいなので，うぐいす餅にはこのきな粉を用いる．砂糖と少量の塩を混ぜて飯や餅にまぶして食べる．黄色のきな粉とともに，おはぎ，安倍川餅，きな粉だんご，くず餅，わらび餅など，和菓子の材料として用いられる．

きなこ飴，きなこ棒　⇒だがし
黄にら　⇒にら

 キヌア

成 01167（玄穀）　分 ヒユ科アカザ属（1年生草本）
学 *Chenopodium quinoa*（キノア）　英 quinoa　別 キヌア

原産地は南米アンデス高原地帯で，インカ帝国の人びとの主食にされた．現在ではペルー，ボリビアが主産地である．わが国はペルー，ボリビアなどから輸入している．

◇**形態**　草丈1〜1.5m，アカザに似た紫紅色〜緑白色の穂をつける．種子は白色〜紅色，径約2〜3mmの扁平な円形で，千粒重2〜4gである．種子の中央にでん粉が多い外胚乳組織があり，その周りをリンク状の胚組織がとりまいている．でん粉はうるち性である．
◇**成分特性**　アミノ酸はリシンが多く，組成のバランスがよい．
◇**用途**　穀粒はスープやサラダ，粉はパン，ケーキなどに利用される．

 きぬがさたけ　衣笠茸；絹傘茸

分 担子菌類スッポンタケ科キヌガサタケ属またはスッポンタケ属（きのこ）　学 *Dictyophora indusiata* または *Phallus indusiatus*　英 long net stinkhorn；veiled lady　別 こむそうたけ；つゆぼう；へびきのこ

梅雨時に竹林に発生することが多いが，まれに広葉樹林でも見られる．始めは卵のような形で地上に現れ，表面は白色で弾力がある．底には白いひも状の根状菌糸束がつく．内部は柔らかく，ゼラチン状のものの中に傘や柄になる部分が含まれる．成熟すると先端部分は帯黄緑色で，柄の周りに編み笠のような形をしたレース状のマント（菌網）をもつ．マントの直径は約10cm，柄の長さは15〜25cmである．日本，中国に分布し，い

きぬがさだけ（下野　義人）

くつかの近縁種が存在するので，見分けるのは難しい．
◇調理　主として中華料理の食材として利用されている．傘中央の暗緑色部分に，一種の悪臭のある粘液状の胞子が付いているので除く．中国では粘液部を除き，マントの部分と軸を乾燥してから利用する．主にスープの具として利用され，独特の歯応えがある．商業的には，主として中国産の乾燥品が売られている．
◇栽培　中国では福建省を中心に，竹の稈（かん）を粉砕したもので培養し，土に埋めて商業的な栽培が行われている．日本でも栽培技術の開発に成功し，栽培が行われているが，食品としての知名度が低く，手に入りにくい．

絹ごし豆腐　⇒とうふ
絹さや　⇒さやえんどう
キノア　⇒キヌア

きのこのからし漬　茸の辛子漬

英 mushrooms pickled with mustard
◇原料　原料のきのこはしいたけなどが最もよく使われる．秋にきのこ狩りなどで一度に大量に採れたきのこの保存のためにも辛子漬にする．秋のきのことしては，さくらしめじ，ならたけもどき，まいたけ，しめじなどがあり，食用きのこなら何でもよい．きのこはいったん湯通しして4〜5％の食塩で下漬にする．もし長期保存するときは，食塩を15％以上にして軽く押し蓋をしておく．
◇漬け方　下漬したきのこを4〜5％食塩まで脱塩して，水切りしたものを辛子床に混合する．辛子床の作り方は，なすの辛子漬とまったく同じである．変質しやすいので冷蔵する．

きはだ　黄檗；黄蘗；黄膚；黄柏

成 07183（実 乾）　分 ミカン科キハダ属　学 Phellodendron amurense　英 Amur corktree　別 シコロ，シコロベ，オウバク
ミカン科キハダ属の落葉高木で，果実は直径10mm程度の球形で緑色から黒色に熟し，爽やかなカンキツの香りがする．きはだは，アイヌ民族が伝統的に利用してきた食材であり，果実は生で食用にし，また乾燥後に保存して料理に利用する．

きはだ　⇒まぐろ

きび　黍

成 01011（精白粒）　分 イネ科キビ属（1年生草本）　学 Panicum miliaceum　英 proso millet；common millet

原産地は東アジアあるいは中央アジアの大陸性気候の温帯地域といわれている．ヨーロッパ，エジプト，小アジア，中央アジア，インド，中国などでは有史以前より栽培されていた．わが国では，中国北部，朝鮮を経て伝えられたとされているが，米，麦，あわ，ひえより遅れて入ったとみられている．北海道へは，明治になって導入された．うるち（粳）種ともち（糯）種の区別があるが，わが国では古くよりもちきびが多い．現在，きびの栽培はほとんどみられず，多くの品種は絶滅の状態にある．なお，とうもろこしおよびもろこしについて，きびまたはきみと呼んでいるところがある．
◇形態　種子は堅い光沢のある稃（ふ）に包まれ，稃の色は白，灰，赤，黒などがある．脱稃した子実は白あるいは黄色で，長さ1.6〜2.2mm，幅1.7〜2mm，千粒重は4〜5gである．

きび　上：きび畑，中左：うるち種，中右：もち種，下：きびもち（平　宏和）

◇成分特性　栄養成分はあわ（粟）と似ている．
◇用途　精白して，うるち種は米と混炊し，もち種は等量のもち米とともにきび餅，また粉にして団子などに利用される．なお，きび餅ときび団子には，きびあるいはもろこしを原料としたものがみられる．きびを原料としたものは黄色，もろこしを原料としたものはあずき色なので，色により両者の区別が容易である．また，中国の酒，きび黄酒（ホアンジィォウ）の原料としても利用される．

きびだんご　吉備団子

成 15012　　英 Kibi-dango；(sweet dumpling made from rice and proso millet flour)

吉備津神社の境内できび（黍）の粉を固めてつくっただんごが売られていたものをヒントにして，安政3（1856）年に廣栄堂の初代が改良して備前池田藩に献上したものが"吉備団子"の始まりといわれる．名前の由来は，材料のきびと地名の吉備（きび）からきたものである．

◇製法　もち米を水に浸して一昼夜ねかせたものをすりつぶして，粉にした中に，砂糖，水あめ，きび（もち種）の粉を入れ，火にかけて十分に練る．これをまだ熱いうちに切り分けてだんご状に仕上げ，まわりに米粉と粉砂糖を合わせたものをまぶして仕上げる．きびの粉を入れることによって，薄黄色にわずかに色づき，独特の風味が生まれるが，入れすぎると色も黒ずみ，口あたりも，きめのこまやかさが損なわれる．なお，「きびだんご」と呼ばれるものに，駄菓子＊，東京でみられるもち粉，もろこし粉（もち種）を原料とした串だんごなどがある．

きびなご　吉備奈仔；黍魚子

成 10111（生），10112（調味干し）　分 硬骨魚類，キビナゴ科キビナゴ属　学 *Spratelloides gracilis*
英 silver-stripe round herring　別 地 きびいわし（三崎）；きみなご（三重）；かなぎ（長崎）；はまご（静岡）

全長13cm．体は円筒状でやや側扁する．産卵期（4〜8月）に大群をなして砂底に産卵する．新鮮なものは生食する．九州では上等の魚とされている．干物や飼料となる．茨城県以南のインド・太平洋に分布する．

◇成分特性　肉質は軟らかく，腐敗しやすい．頭や骨も軟らかなので，味をよくするためつぶし物に混合して用いられる．名産品としては鹿児島の刺身や天草のきびなご鍋がある．煮干しに加工したり，フィリピンでは魚醬油の原料とする．

◇調理　鮮魚を入手できる地方では，刺身として生食すると美味である．多くは丸干しして干しきびなご（別名：きびなごがらんつ）とする．料理としては，ぬた，酢の物，塩焼き，煮付け，すり身としてつみいれなどに利用する．洋風ではマリネ，フライ，バター焼き，天火焼きに，中国風では，鍋焼き，唐揚げに甘酢あんをかけたり，燻魚（シュインユー）としてもよい．

きびなご（本村　浩之）

貴腐ワイン　⇨ぶどう酒

きみしぐれ　黄身時雨

英 Kimishigure

黄身あん（餡）に卵黄と上新粉を加えた生地をつくり，あずきあんなどを包み蒸し上げた，蒸し物菓子の一種である．

◇原材料・製法　まず白あんをやや硬めに練り卵黄を加え，固まりにならないように注意して黄身あんを練り上げ，板の上に広げてよく冷ます．次

きびだんご　上：吉備団子（岡山），下：きび団子（東京・浅草）（平　宏和）

きみしぐれ（平　宏和）

に適当な容器に黄身あんを取り，砂糖を加えよくもみ混ぜてから卵黄を加え，さらに上新粉および適量の膨張剤を加えよく混合する．生地の硬さは普通の白あんよりやや硬めなくらいがよい．別に用意したあずきあんを適当な大きさのあん玉に切る．ぬれぶきんで手をふきながらしぐれ生地で包餡し丸形に整え，乾いたふきんの上に紙を敷いたせいろうに適当な間隔をおいて並べ，露取りをかけて強い蒸気をかけ，7～8分で蒸し上げる．この蒸し時間は表面にできるひび割れの程度をみて加減するとよい．このひび割れがしぐれ類の特徴である．黄身しぐれ生地を赤く染めたものを内側に重ねてあずきあんを包み，割れ目から赤色が現れるようにしたものもみられ，黄身牡丹（きみぼたん）などと呼ばれる．

キムチ　沈菜

成 06236, 17136（キムチの素）　英 kimchee；Kimchi　別 朝鮮漬

朝鮮の代表的な漬物．大きな蓋付き甕（かめ）で漬け込み，各家庭でそれぞれの味を出している．チャガチと呼ばれるみそ漬やもろみ漬などの塩分の多いものよりも保存性は劣り，浅漬的である．
◇原料　主原料ははくさいで，大根ときゅうりも用いられる．副材料には食塩をはじめ赤唐辛子を主体とし，生姜，にんにくなど併用される．また，ひこいわし（かたくちいわし）の塩辛，おきあみや小えびの塩辛などが使われる．これらの副材料は好みにより，使用したりしなかったり，多くしたり少なくしたりして一定していない．
◇漬け方　はくさいは4つ割にする．大根の場合は3cmくらいの輪切りにし，さらに縦3cm，横3cmに切ってダイス状にする．きゅうりの場合は5cmくらいに輪切りし，さらに一方の切り口を十文字に縦に2.5cmくらい包丁を入れる．
　下漬：以上の材料を2～3％の食塩（粗塩）で一夜漬ける．重石は等量程度とする．
　本漬：唐辛子粉，にんにくのすりおろし，生姜のしぼり汁に，ひこいわしの塩辛の水煮（5倍量の水）のしぼり汁を混ぜ，さらに食塩を適宜加えて漬け床をつくる．これを下漬野菜と混合して漬け込む．重石は材料の1/2程度でよい．2～3日で食用になる．配合割合の一例は次の通りである．
　配合例：下漬野菜（食塩2％）10 kg，唐辛子粉100 g，にんにく300 g，生姜300 g，ひこいわし塩辛300 g，水（ひこいわし塩辛を煮出し用）1.5 L，食塩50 g．

キャッサバでん粉　⇨でん粉

キャビア

成 10113　英 caviar；caviare

よく知られているものは，ちょうざめ類の卵の塩蔵品で，わが国では欧米風にキャビアといっているが，ロシアではイクラという．わが国では小粒の黒いものと思われているが，色も緑，灰色，黒など各種あり，粒の大きさもいろいろある．またすじこのように粒に分けないものや，からすみのように圧搾したものもあるが，それらは下級品である．低塩分（マロソルという）の大粒のものが高級品である．だんごうおの類であるランプ

キムチ 刻み（平　宏和）

キャビア（平　宏和）

フィッシュの卵からつくられた模造品も市販されているので，注意する．製法は，卵巣をとり出し，目の粗いふるいに入れてもみながら卵膜を除き，卵粒を一つひとつ分離して塩漬にする．トリュフ，フォアグラとともに世界三大珍味とされ，高級品として前菜に用いられるが，最も通な食べ方は少量のレモン汁をかけるだけである．

◇**成分特性**　水分 45.2〜53.2%，塩分 2.9〜8.1%，たんぱく質 22.5〜27.5%，脂質 13.7〜18.2% という例が知られている．成分組成は，さけの卵であるすじこやイクラとほぼ同じと考えてよい．

キャベツ

成 06061（結球葉 生），06062（結球葉 ゆで），06333（結球葉 油いため）　分 アブラナ科アブラナ属（多年生草本）　学 *Brassica oleracea* var. *capitata*　英 cabbage　引 かんらん（甘藍）；たまな（玉菜）

結球するキャベツには，普通のキャベツ（white cabbage），赤キャベツ（紫キャベツ red cabbage），チリメンキャベツ（savoy cabbage）の3つがある．キャベツが作物として成立したのは南ヨーロッパと考えられるが，それより北部のフランス，オランダ，デンマークなどで品種の一次的分化をとげ，さらに米国に伝わって二次的分化をとげた．わが国には幕末に渡来し，明治末期から大正期にかけて漸次栽培が増大した．

◇**品種**　かつては結球の内部が自己軟白するものが上品とされたが，近年は結球内部まで黄緑色を帯びる品種が好まれる．第二次世界大戦までは，米国からの輸入種子に頼っていたが，戦中・戦後にかけて，品種の生態・採種に関する研究が進み，戦後急速に品種改良が進展し，周年供給に必要な品種が育成された．まず，コペンハーゲン・マーケット，南部（冷涼地春播き），葉深（暖地春播き），渥美（夏播き早生），愛知（夏播き中生），ダニッシュ・ボールヘッド（夏播き晩生），中野早春（秋播き極早生），野崎早生（秋播き早生），黄葉サクセッション（秋播き中生），黒葉サクセッション（秋播き晩生・春播き）などの品種群が分化して，ほぼ周年生産が可能となった．これと並行して，これら品種群内・群間の交配を基礎として，各作型に対応した多くの一代雑種*が育成され，現在実用栽培されているのはすべて一代雑種である．近年は葉が軟らかくてみずみずしく，球の内部まで黄緑色味を帯びている品種が高品質としてもてはやされ，本来の春どりのみでなく，周年供給され始めている．これを一般に"春玉"と呼ぶ．このグループは生食には向くが，煮込むと葉が溶けてしまう．グリーンボールと呼ばれる型も，球状の内葉まで緑色をしているが，葉が軟らかいので生食向きである．これまで冬どりされていた品種は，球がよく締まり，球の内部まで純白で甘味に富むが，みずみずしさに欠けるとして，特に首都圏の消費者の評判がよくない．これを一般に"寒玉"と呼ぶが，葉がしっかりしているのでロールキャベツのような煮込む料理には適している．赤キャベツはサラダなどにわずかに消費されるが，生産量は少ない．

作型：品種改良と並行して栽培技術も改善され，露地野菜の中では最も早く周年栽培に必要な作型が確立された．春播き栽培（8〜10月どり）は冷涼地・高冷地での栽培が多く，暖地では少ない．夏播き栽培（11〜3月どり）は各地で行われるが，越冬栽培は北関東以北では困難である．秋播き栽培（4〜7月どり）は北海道を除く各地で行われる．

◇**成分特性**　β-カロテンはグリーンボール，ビタミンCはレッドキャベツに多く含まれる．β-カロテンは少ないが，ビタミンCが多い部類の野菜である．遊離アミノ酸*は，グルタミンが最も多く，アスパラギン，アスパラギン酸，グルタミン酸など，多くのアミノ酸を含んでいる．100g当たりの糖類の成分組成は，ぶどう糖 1.8g，果糖 1.4g，しょ糖 0.1g で，甘味をかすかに示すのはこのためである．糖類含量は生育時期によりかなり変動し，11，12月および3，4月のものが多い傾向がある．無機質のうちカルシウム含量は夏どりが多い．葉色の濃い部位は特にビタミンCも多く，クロロフィル*含量とビタミンC含量の相関は高い．キャベツの茹でによる変化では，質量は18%減少し，灰分では46%が流失し，カリウム，ビタミンCは60%前後が失われる．キャ

キャベツ（平　宏和）

ベツの香気は硫黄化合物，イソチオシアネートを主成分としている．加熱調理した際の香気成分のジメチルスルフィドはメチル－L－システインスルホキシドの分解によって生成される．0.3％の有機酸*を含有するが，そのうち70％はカリウム，カルシウムなどと塩を形成したいわゆる結合酸で，遊離の酸は全体の30％である．全酸の組成はリンゴ酸*が最も多く，次いでクエン酸，そのほかコハク酸，ギ酸，吉草酸などを含む．また胃の障害に有効な成分（ビタミンU）を含むといわれる．

◇保存　低温貯蔵の最適条件は0℃，湿度98～100％で，早生種では3～6週，普通のものでは5，6カ月間貯蔵できる．

◇加工　糠みそ漬など漬物のほか，ロールキャベツ缶詰，サワークラウト，乾燥品などとして利用される．

◇調理　葉が肉厚で，組織は丈夫なわりに軟らかく，茎にあたる部分でも，煮れば繊維組織が苦にならない．しかもアクの成分がほとんどなく，うま味と甘味が強い．このため生食してもよく，加熱をすればあらゆる調味料の味とよく合う．したがって，調理への応用範囲は極めて広い．※レタスと似た味をもっているが，レタスより硬く，そのままでは歯切れがよくない．生食の場合は千切りにし，肉料理の付け合わせか，野菜サラダの一部とする．日本ではフライなどに千切りキャベツを添えてウスターソースをかけて食べる習慣が一般化している．※キャベツ自体を味わうには，サラダ，炒め物，漬物などがある．肉の味とよく調和するので，コンビーフ，豚肉などと炒める．あまり長く加熱しない方がよい．このほか，みそ汁の実にするのもよい．※調理液中で長く加熱しても，比較的組織が崩れにくい．しかも肉類のうま味と合う．シチュー，スープなどに大きく切って入れたり，ロールキャベツのように肉を包んで煮る料理が多い．

● グリーンボール
成 06063（結球葉 生）　英 green ball

結球キャベツの一つのタイプで，まん丸い球になる．現在日本で栽培されているのは小玉で，葉が軟らかく，球の内部まで緑色を帯びている．コペンハーゲンマーケット群，アラスカ群の品種を中核にして育成された一代雑種*が主体である．主として高冷涼地で春播き栽培されるが，一般平坦地・暖地での夏播き栽培も可能である．なお，グリーンボールの名はある種苗会社の品種名からきている．

● レッドキャベツ
成 06064（結球葉 生）　英 red cabbage　別 赤キャベツ；紫キャベツ

葉の表面が紫色になるキャベツ．葉肉は白色．紫色は主にアントシアン系のシアニジンアシルグリコシドによる．マンモス・ロックヘッド，レッド・エーカーなどの品種があり，それらを基にした一代雑種（F_1）のルビーボールなどが栽培されているが，量は少ない．F_1の種子は海外へも輸出されているが，トレビスにおされて消費は低落気味である．水で抽出した赤色色素は，着色料として氷菓，炭酸飲料，漬物などに使われている．

◇調理　葉は普通のキャベツより硬いので，サラダの彩りとして利用される．また，アントシアン系色素は酸でより鮮やかな色になるので，酢を用いたドレッシングに映える．ピクルスにも用いる．

レッドキャベツ（平　宏和）

グリーンボール（平　宏和）

キャラウェイ

分 セリ科カルム属（2年生草本）　学 *Carum carvi*（ヒメウイキョウ）　英 caraway　別 ひめういきょう（姫茴香）

欧州東部，アジア西部原産．耐寒性もあり，日当たりのよい腐植質に富む粘土によく育つ．通風にも注意する．若葉は1年目から採れるが，結実には2年を要する．スパイスとして使われるのは，キャラウェイシードと呼ばれる実で，見た目には

キャラウェイシード（オランダ産）（平　宏和）

キャラメル（平　宏和）

種子のようにみえるので，シード（seed）と呼ばれるが，果実である．長さ3〜7mm，径1.5〜2mmの三日月形をしている．

◇**成分特性**　爽やかな甘さとほろ苦さをもつキャラウェイシード（果実）には，カルボンとリモネン*という香気成分が含まれ，口中清涼剤やうがい薬としても用いられる．100g当たりの成分値は，エネルギー333kcal（1,390kJ），水分9.9g，たんぱく質19.8g，脂質14.6g，炭水化物49.9g（食物繊維38.0g），灰分5.9gである（米国食品成分表）．

◇**調理**　にんじんの葉に似た若葉は，刻んでサラダやスープに散らしてパセリと同様に用いる．❋サワークラウト（ドイツの酢漬キャベツ）のスパイスとしても，キャラウェイシードは欠かせない．❋肉，特にマトンなどの臭い消しによく，刻んだシードを練り込んだキャラウェイチーズもつくられている．❋シードはライ麦パンや，粉末にしたものをクッキー，ケーキなどの風味付けにも用いる．❋ドイツやオランダのキュンメル酒，スカンジナビアのキャラウェイブランデー，イタリアのカンパリなどにも用いる．

キャラメル

成 15105　英 caramel　仏 caramel

砂糖，水あめ，練乳，油脂，小麦粉，香料などの原料を，120〜125℃の比較的低い温度で煮つめたソフトキャンデーの一種である．現在の形状のキャラメルが日本で製造されたのは，米国から製法を学んだ森永製菓が大正3（1914）年に発売したミルクキャラメルが最初である．

多くの種類があり，油脂の配合量によってハードタイプとソフトタイプに分けられる．また，加える副材料によって，チョコレート，バター，フルーツなどの名称が付けられる．

◇**原材料・製法**　攪拌機付きの蒸気釜で砂糖と水あめを溶かし，さらに練乳や小麦粉を加えて煮つめ，最後に油脂，香料，チョコレートなどの副材料を加える．それを冷却盤の上で15分ほど冷却し，圧延ローラーで一定の厚さにのばしながら切断し，包装機で1粒ずつ包装する．現在は，これらの工程が一連の自動ラインになっており，大量生産されている．

◇**保存**　気温が上がると溶けやすく，古くなると砂糖の結晶が発生し食感が悪くなることがあるため，保存には注意を要する．

🐄 牛脂　ぎゅうし

成 14015　英 beef tallow　別 ヘット

牛の脂肪組織から加熱溶出して製造した動物脂．国際食品規格によると，牛の心臓，大網膜，腎臓および腸間膜より低温で溶出した脂肪をプルミエジュ（premier jus）といい，牛の脂肪組織，付随筋肉および骨より溶出した油脂を牛脂（beef tallow）と，区別している．一般にはヘットと呼ばれる．江戸時代に入ったオランダ語のvet（脂肪）が語源で，訛ってヘッドともいう．

◇**種類**　牛脂，プルミエジュ，オレオオイル*（脂肪組織を30℃で放置，析出した固体を除いた部分），オレオステアリン（脂肪組織を30℃で放置，析出した固体部分）などがある．米国，ブラジル，中国，オーストラリアが主生産国である．

製油：融出法により採油．

◇**成分特性**　『食品成分表』では，100g当たり脂質（TAG当量）*は93.8g．脂肪酸組成は，パルミチン酸26.1%，ステアリン酸15.7%，オレイン酸*45.5%であり，ラードと似ている（付表6）．100g当たり，牛脂はレチノール*を85μg含むが，ラードでは含まない．ビタミンKを26μg含む．ビタミンE1.3mgと少ない（付表7）．コレステロールを100mg含む．

理化学特性：一般には比重（15℃）0.937〜

0.953, 屈折率（60℃）1.4532〜1.4559, けん化価193〜203, ヨウ素価*35〜48である. 融点45〜48℃.

◇**保存** 他の食用油脂と同様, 保存には酸化防止のための配慮を必要とする.

◇**用途** カレールウなどの原料に用いられる. 牛脂および水素添加牛脂が, 他の油脂との配合後, マーガリン, ショートニングに加工して用いられる. 分別法により用途の拡大が図られている.

◇**調理** 融点が高いため, 少し温度が下がると固まりやすく, 揚げ物には不向きである. しかし, ビーフカツレツを揚げるときに用いると, 肉と衣の味の調和がとれてよい. 揚げ上がりの衣は重くしっとりしている. 冷えて固まると口中の温度では融けないため, 必ず温かいうちに食べる.

きゅうせん　⇨べら
牛肉　⇨うし

牛乳　ぎゅうにゅう

成 13001（生乳　ジャージー種）, 13002（生乳　ホルスタイン種）　英 milk　別 ミルク

国内における乳および乳製品の成分規格は, 厚生省省令の「乳および乳製品の成分規格等に関する省令（乳等省令*）」で定められている（**表1**）. 乳等省令では, 牛から搾乳した乳を生乳とし, 直接飲用, あるいは加工用途で販売（不特定多数に対する販売以外の授与も含む）するものを牛乳としている. 販売に供用するための成分規格, 殺菌方法, 製造および保存方法も乳等省令で詳細に定められている. 本項目では, 説明のため乳等省令で定める牛乳を「[種類別] 牛乳」として, 全体を指す「牛乳」と分けて用いる. [種類別] 牛乳は, 商品に「成分無調整」と表示されているものも多い. なお, 以前は, 加工乳の規格で濃厚牛乳など, 乳飲料の規格でコーヒー牛乳などの商品名のものも存在したが, 現在は [種類別] 牛乳及び特別牛乳に限って商品名に「牛乳」と表示されている.

◇**飲用乳の種類** 一般に牛乳として飲用されているものは, 前出の乳等省令において, 特別牛乳, [種類別] 牛乳, 成分調整牛乳, 低脂肪牛乳, 無脂肪牛乳, 加工乳, 乳飲料に分類され規格が定められている. そのうち特別牛乳および [種類別] 牛乳は, 生乳を加熱殺菌（特別牛乳は殺菌を省略することができる）したもので, 成分の添加, 除去等の調整をすることができない. 成分調整牛乳, 低脂肪牛乳, 無脂肪牛乳は, 生乳を原料とし, 各々

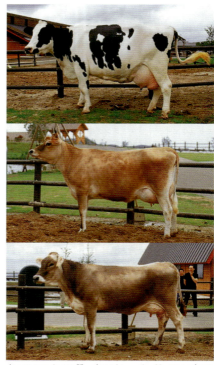

上：ホルスタイン種, 中：ジャージー種, 下：ブラウンスイス種（らくのうマザーズ阿蘇ミルク牧場）

の規格で除去する乳成分が定められている. 加工乳は生乳に乳等省令で決められた乳製品を添加して製造したものを指す. 乳飲料を除き, 無脂乳固形分を8％以上含むこととされており, 乳飲料のみ乳固形分を3％以上含む規定となっている.

◇**生産** 国内の生乳生産量は, 北海道を中心に, 東北や北関東, 九州などで多く, 特に北海道は, 生乳の5割以上を生産している. 2020年度の生乳の国内生産量は743万トンで, 年度別生産量は横ばいで推移しているが, 徐々に北海道生産乳の割合が増加している. 生乳生産量の季節別傾向としては, 冬〜春に多く, 夏に落ち込む傾向がある. これは乳牛が暑さに弱いためで, 乳脂肪分などの乳成分も夏に低下する.

◇**乳牛・乳用牛** わが国で飼育されている乳牛は, 体躯が大型で乳量が多く, 性格が温和なホルスタイン種が99％以上を占めている.

ホルスタイン：ホルスタインの名称は, ドイツのホルスタイン地方の名にちなむものであるが,

表1 乳等省令における乳等の成分規格，製造方法と保存方法の基準

	成分規格					製造方法と保存方法の基準
	生乳割合	成分調整	無脂乳固形分	乳脂肪分	細菌数*	
牛乳	100%	不可	8.0%以上	3.0%以上	50,000以下	〔製造方法〕保持式により63℃で30分間加熱殺菌するか，またはこれと同等以上の殺菌効果を有する方法で加熱殺菌すること．〔保存方法〕a. 殺菌後直ちに10℃以下に冷却して保存すること．ただし，常温保存可能品（牛乳，成分調整牛乳，低脂肪牛乳，無脂肪牛乳，加工乳，調製液状乳または乳飲料のうち，連続流動式の加熱殺菌機で殺菌した後，あらかじめ殺菌した容器包装に無菌的に充填したものであって，食品衛生上10℃以下で保存することを要しないと厚生労働大臣が認めたものをいう）にあっては，この限りでない．b. 常温保存可能品にあっては，常温を超えない温度で保存すること．
特別牛乳	100%	不可	8.5%以上	3.3%以上	30,000以下	〔製造方法〕a. 特別牛乳搾取処理業の許可を受けた施設で搾取した生乳を処理して製造すること．b. 殺菌する場合は保持式により63～65℃の間で30分間加熱殺菌すること．〔保存方法〕処理後（殺菌した場合にあつては殺菌後）直ちに10℃以下に冷却して保存すること．
成分調整牛乳	100%	可能	8.0%以上	―	50,000以下	牛乳の例によること．
低脂肪牛乳	100%	可能	8.0%以上	0.5～1.5%	50,000以下	牛乳の例によること．
無脂肪牛乳	100%	可能	8.0%以上	0.5%未満	50,000以下	牛乳の例によること．
加工乳		可能		―		〔製造方法〕殺菌の方法は，牛乳の例によること．〔保存方法〕牛乳の例によること．
乳飲料	―	可能	乳固形分3.0%以上		30,000以下	〔製造方法〕原料は，殺菌の過程において破壊されるものを除き，保持式により63℃で30分間加熱殺菌する方法またはこれと同等以上の殺菌効果を有する方法により殺菌すること．〔保存方法〕保存性のある容器に入れ，かつ，120℃で4分間加熱殺菌する方法またはこれと同等以上の殺菌効果を有する方法により加熱殺菌したものを除き，牛乳の例によること．

*標準平板培養法で1 mL当たり

（乳等省令より作成）

原産国はオランダで，乳牛として世界で最も多く飼育されている．日本には明治18（1885）年に導入された．成雌の体重は650 kg程度で，年間6000～8000 kgの生乳を生産する．

ジャージー：ジャージー種は岡山県や熊本県などで飼育されており，国内ではホルスタインに次いで飼育頭数が多いが，1万頭程度に留まる．ジャージー種は淡い褐色の被毛をもち，成雌の体重は400 kg程度と小型で，年間4000 kg程度の生乳を生産する．乳は脂肪分が5%程度と高く，バターやクリームなどの加工用途乳として特に評価されている．

ブラウンスイス：北海道や九州などの限られた牧場では，乳肉兼用種のブラウンスイス種が飼育されている．ブラウンスイス種の乳は乳脂肪，たんぱく質含量がホルスタイン種よりも高く，バターやチーズなどの加工用途乳として評価されている．

◇**製造**　**授乳検査**：酪農家で生産された生乳は，バルククーラーで低温貯蔵され，当日あるいは翌

日にタンクローリーで集乳される．集乳時には受乳検査として，乳温，乳量，比重，色調風味，アルコールテスト，酸度，乳成分，細菌数，体細胞数，抗生物質残留等の検査が一定の基準のもとで行われ，合格する必要がある．乳業工場やクーラーステーションに併設された生乳検査施設では，全乳固形分，無脂乳固形分，脂肪，たんぱく質，乳糖*，クエン酸，遊離脂肪酸などの乳成分量の他，体細胞数，細菌数，抗生物質残留等の検査が実施される．

標準化：生乳成分（特に乳脂肪分）を一定に調整するため，原料乳を混合し，目的とする乳脂率に調整する場合がある．

均質化：生乳中の脂肪は，たんぱく質やリン脂質*を主成分とする薄い膜に包まれた「乳脂肪球」の状態で浮遊している．均質化処理（ホモジナイズ）前の生乳中の乳脂肪球は，大きさにばらつきがあり，放置すると浮き上がり上部にクリーム層が形成される．生乳をホモジナイズすることで，乳脂肪球は小さく（直径 $2\mu m$ 以下）均一化され，クリームの浮上が防止される．ホモジナイズ処理には，高圧式，超音波式などのホモジナイザーが用いられるが，代表的な高圧式ホモジナイザー処理では，高圧をかけた牛乳を細い隙間から高速で噴出させて，脂肪球を細かく $1\sim3\mu m$ 以下に砕き，安定した分布状態にする．脂肪に溶けて分布する脂溶性ビタミン類などの栄養素も牛乳中に均等に分散するため，品質の安定化とともに栄養素の均一化，さらに消化吸収の改善などの効果もあり，市販されている牛乳のほとんどはホモジナイズされたものとなっている．

殺菌：病原微生物や腐敗菌を死滅させるため，乳等省令*では牛乳の製造方法の基準として「保持式により $63℃$ で 30 分間加熱するか，またはこれと同等以上の殺菌効果を有する方法で加熱殺菌すること」と定めている．実際の生乳の殺菌法には低温長時間保持殺菌（LTLT），高温短時間殺菌（HTST），高温長時間殺菌（HTLT），超高温瞬間殺菌（UHT）などがある（表2）．UHT は，耐熱性胞子形成菌にも殺菌効果があり，飲用乳の主要な殺菌方法である．一方，加工用途では，熱によるたんぱく質の立体構造の変化や，乳成分の変性が，製造に悪影響を及ぼす場合があり，低温殺菌法が選択されることもある．

充填：包装形態により，パック詰では $200 mL$ や $500 mL$，$1,000 mL$ などがあり，一部 $200 mL$ のびん詰が流通している．乳等省令では，殺菌後の牛乳は直ちに $10℃$ 以下に冷却して保存することとしている．ただし，アセプティック容器と呼ばれ，紙容器にアルミ箔を貼り合わせ，光と空気を遮断した特殊な容器に，無菌環境下で UHT 殺菌乳を充填したものは，「ロングライフ牛乳」「LL牛乳」と呼ばれ，常温で 90 日程度の賞味期限が設定されている．充填後，容器には賞味期限*または消費期限*が印字されるが，牛乳類の期限表示には，一般的な UHT 殺菌乳における賞味期限と，低温殺菌乳における消費期限の 2 種類がある．

出荷：出荷前には，出荷検査用サンプルの風味や成分，酸度，細菌数，大腸菌群などの検査が改めて行われ，合格した牛乳が保冷車で小売店等に運ばれる．

◇**成分特性** 『食品成分表』における普通牛乳は，乳等省令の［種類別］牛乳を指す．成分は 87.4% が水分，残りの 12.6% が乳固形分で，$100 g$ 当たり脂質（TAG 当量）* $3.5 g$，たんぱく質（アミノ酸組成）* $3.0 g$，利用可能炭水化物*（質量計）$4.4 g$，灰分 $0.7 g$ である．それぞれの成分の消化率が極めて高く，特に牛乳たんぱく質は 98%，炭水化物と脂肪は 99% が吸収される．また，不足しがちなカルシウム等のミネラルや，ビタミンB群を豊富に含むなど栄養的バランスのよい理想的な食品の一つである．

たんぱく質：脱脂乳を $pH 4.6$ に調整すると，白色の沈殿（カゼイン）と乳清（ホエー）に分けられる．乳たんぱく質のうち 80% がカゼイン，20% が乳清たんぱく質である．乳たんぱく質は

表2　牛乳の殺菌法

殺菌法	温度と保持時間
低温長時間保持殺菌（LTLT：low temperature long time pasteurization）	$62\sim65℃$, 30 分
高温短時間殺菌（HTST：high temperature short time pasteurization）	$71\sim75℃$, 15 秒
高温長時間殺菌（HTLT：high temperature long time pasteurization）	$75℃$ 以上, 15 分以上
超高温瞬間殺菌（UHT：ultra high temperature sterilization）	$120\sim150℃$, $1\sim3$ 秒

注：①低温殺菌や高温殺菌で，標準より $10℃$ 高くする場合がある．
　　②LL 牛乳の超高温殺菌は，$130\sim150℃$, $0.5\sim4$ 秒保持．

必須アミノ酸*をバランスよく含み，アミノ酸スコア*は100，生物化も85と高い．

カゼイン $\alpha_{S1}-$，$\alpha_{S2}-$，$\beta-$，$\kappa-$ に大別され，共通的な特徴として，分子量が2万前後，ホスホセリン残基を持つ，一次構造上に親水性アミノ酸，あるいは疎水性アミノ酸が局在する両親媒性構造を持つ，明確な立体構造をとらないなどがあげられる．牛乳中でカゼインは，カゼインミセルと呼ばれる20〜600 nmのコロイド粒子を形成している．カゼインミセルは，約93％のカゼインと無機塩類，リン酸カルシウム，クエン酸などからなる．$\alpha_{S1}-$，$\alpha_{S2}-$，$\beta-$カゼインはカルシウム感受性たんぱく質で，Ca^{2+}存在下で沈殿するが，カゼインミセルでは$\kappa-$カゼインがこれらのカゼインと相互作用して安定化している．

乳清たんぱく質 乳清たんぱく質は，$\beta-$ラクトグロブリン，$\alpha-$ラクトアルブミン，免疫グロブリン，血清アルブミン，ラクトフェリンなど可用性たんぱく質を含む．$\beta-$ラクトグロブリンは乳清たんぱく質の50％を占めるが人乳には含まれないことから，牛乳の主要なアレルゲンとして知られる．$\alpha-$ラクトアルブミンは乳清たんぱく質の20％を占め，ガラクトシルトランスフェラーゼと会合して乳糖合成に働く．免疫グロブリンは仔牛の感染防御に働き，ラクトフェリンは鉄キレート作用により微生物に対する強い抗菌活性を有する．

脂肪：牛乳中には約3.8％の脂肪が含まれ，0.1〜10 µm程度の脂肪球として乳中に分散している．脂肪球内部は，トリアシルグリセロール，コレステロールエステル，レチノールエステルなどの非極性の脂質で構成され，外側をリン脂質*やたんぱく質などからなる乳脂肪球被膜で覆われている．乳糖とともに牛乳における主要なエネルギー源で，牛乳の総熱量のほぼ1/2に相当する．また，脂溶性ビタミン*のA，D，E，Kが脂質に溶けているため，乳脂肪はこれらビタミンの重要な供給源となる．

脂肪酸組成 乳脂肪の成分はトリアシルグリセロールが脂質全体の97〜98％を占め，ジアシルグリセロールや遊離脂肪酸は，乳中リパーゼによる分解で生じる．牛乳トリアシルグリセロールの構成脂肪酸は，飽和脂肪酸*のパルミチン酸，ステアリン酸，一価不飽和脂肪酸のオレイン酸*の割合が高い．また，短鎖飽和脂肪酸の割合が他の食品にと比較して高く，酪酸*は乳に特徴的な脂肪酸として知られる．人乳と比較すると，必須脂肪酸*のリノール酸*，リノレン酸は少ない．

乳糖*：牛乳は4.8％の炭水化物を含み，乳糖は炭水化物の99.8％を占める．脂肪とともにエネルギー源となり，牛乳の総熱量の30％に相当する．乳糖は胃で分解されず，小腸上皮に発現する$\beta-$ガラクトシダーゼによりぶどう糖とガラクトースに分解されて吸収される．ガラクトース*は糖代謝経路を経てエネルギー源となるほか，脳神経系の発達にも関与し，糖たんぱく質や糖脂質*の構成成分としても利用される．乳糖は腸内細菌によっても分解され，乳酸*などの有機酸*が消化管内のpH*を下げ，有害菌の生育を抑制するとともに，腸の蠕動運動を促進するなど整腸にも働く．

乳糖不耐症 離乳後，小腸粘膜のラクターゼ（乳糖分解酵素）が不足または欠損して生じる下痢，ときに嘔吐を伴う牛乳の消化不良症．その原因は乳糖が分解されず腸内の糖濃度が高くなって浸透圧が高まり，水が腸の管腔に入ることによる．乳糖不耐症の発生頻度は人種差があり，東洋人は西洋人より頻度が高いといわれている．乳糖不耐症の人のため，乳糖の一部をラクターゼで加水分解*した乳糖分解乳が製造されている．

無機質：牛乳中にはナトリウム*，カリウム，カルシウム，マグネシウム*，リン，亜鉛など0.7％の無機質を含む．骨や歯の構成成分となるカルシウムとリンの存在比は1：1で，牛乳中ではコロイド性のリン酸カルシウムとしてカゼインミセルに含まれており，腸管から効率よく吸収される．

ビタミン：牛乳中の脂溶性ビタミンとして，ビタミンA，D，E，K，水溶性ビタミン*としてB_1，B_2，B_6，B_{12}，ニコチン酸，パントテン酸*，ビオチン*，葉酸*などを含む．特にビタミンB群，中でもB_2（リボフラビン）を大量に含み，リボフラビンは蛍光をもつため，ホエーは黄緑色を呈する．牛乳は加熱殺菌を経て製造されることから，熱に弱いビタミン類の損傷を考慮する必要がある．

◇調理 調理にはほとんど副材料か，調味料的に使用される．❋飲料として：室温以下でも，加温してもよい．60〜65℃以上で長く加熱すると，脂肪球がたんぱく質を吸着して浮きあがり，乳清たんぱく質であるラクトアルブミン，ラクトグロブリンが熱変性して皮膜を生じる．皮膜が生ずることによって，乳清たんぱく質の3.3％，カルシウムの3％，脂質の3％，ビタミンAの3.5％，ビタミンB_1の1.5％程度が失われるので，できれば65℃以下の加熱にとどめ，皮膜をつくらないようにするとよい．なお，この皮膜は撹拌しな

がら加熱することにより，ある程度防ぐことができる．冷たい牛乳を一度に飲用すると胃に負担をかけることがあるので，パンやクラッカーなどとともに摂るとよい．※ホワイトソースのベースとして：白色ルウを牛乳とスープでのばしたもの．牛乳を素材的に用いる代表的な調理である．なめらかな物性とコクのある風味を与え，料理の色を白くする．コキール，グラタン，クリームコロッケなど，用途が広い．※ゼリーの副素材として：寒天やゼラチンのゼリーには牛乳を素材とするものが多く，なめらかさと風味を与える．牛乳羹，ブラマンジェ，ババロア，スフレ，牛奶豆腐（ニューナイドウフー）など，和・洋・中にわたり，用途は広い．※カスタードプディングの材料として：卵のたんぱく質が牛乳中のカルシウムイオンによりゲル強度を増大させる．日本料理の牛乳豆腐（牛乳に卵白を混ぜて豆腐のように蒸し固めたもの）も同様の効果を期待したものである．※ケーキ中の牛乳：ホットケーキなどに加える牛乳は卵白泡を含むバッター（ケーキなどの生地種）中の気泡の安定性を高め，ケーキの均一な膨張を助ける．加熱時にはアミノカルボニル反応*による焼き上げ時の鮮明な発色とストレッカー分解*による好ましい香りを与える．※においの吸収：日本料理のみそ同様，たんぱくコロイドが臭気を吸収するので，さばのムニエルなどで，魚を加熱する前に牛乳に浸漬すると生臭みを除く効果がある．※牛乳の酸凝固：遊離酸を含む食品に牛乳を加えるとカゼインが凝固して白い粒ができる．いちごに牛乳をかけたときやトマトスープに牛乳を加えたときなどに，この現象がみられる．これは，いちごに砂糖をたっぷりかけることによって，ある程度防ぐことができる．トマトスープでは，あらかじめ煮たトマトをルウで濃度をつけ，撹拌しながら少しずつ牛乳と合わせる．合わせた後は長時間の加熱を避け，必要があれば少量の重曹（炭酸水素ナトリウム*）を加える．カゼインは酸性側（pH 4.6）で凝固しやすいので，重曹で中和することで，その凝固を防ぐのに役立つ．

●加工乳

成 13004（濃厚），13005（低脂肪），13059（乳児用液体ミルク） 英 containing recombined milk

生乳にバターや脱脂粉乳など他の乳製品を添加し，成分を調整したもの．加えてよいものは乳製品と水に限られる．乳成分を濃くした濃厚タイプや低脂肪タイプのものなどがある．無脂乳固形分8.0％以上，細菌数基準値（5万/1 mL以下），大腸菌群陰性の規格基準がある．以前は，加工乳の

飲用市販牛乳 左：牛乳，中：加工乳（低脂肪乳），右：加工乳（無脂肪乳）（平　宏和）

規格で濃厚牛乳，特濃牛乳などの商品名が許されたが，現在は［種類別］牛乳及び特別牛乳に限って商品名に「牛乳」を使用できる．

●［種類別］牛乳

成 13003（普通牛乳）　英 liquid milk；whole milk

生乳のみを原料とし，生乳を殺菌して牛乳を製造する工程で成分をまったく調整していないものである．成分無調整の表示は［種類別］牛乳を示している．無脂乳固形分8.0％以上，乳脂肪分3.0％以上，細菌数基準値（5万/1 mL以下），大腸菌群陰性の規格基準がある．

●生乳

成 13001（ジャージー種），13002（ホルスタイン種）　英 raw milk

生乳とは，搾乳したままの牛の乳をいい，牛乳や乳製品の原料となるが，わが国の法令では食品として扱われていない．生乳は基本的に加熱殺菌を経て食品たる「牛乳」として販売（不特定多数に対する販売以外の授与も含む）が許可される．ただし特別牛乳（特別牛乳の項を参照）は例外的に殺菌を省略することができる．

ホルスタイン種の生乳の組成は飼料，季節等で若干変動するが，『食品成分表』では，乳固形分12.3％，脂質3.7％，たんぱく質3.2％とされている．ジャージー種の生乳は，乳固形分14.5％，脂質5.2％，たんぱく質3.9％とされており，乳脂肪分の高さがジャージー乳の特徴である．脂肪が高いことから脂溶性ビタミン*のレチノール*やβ-カロテンを多く含み，ジャージー乳を原料としたバターは黄色味の濃い製品となる．

●成分調整牛乳

英 composition modified milk

生乳から水分，乳脂肪分，無脂乳固形分等の一部

を除去し，成分を調整したもの．水分の一部除去により，[種類別]牛乳より成分が濃厚なものもある．無脂乳固形分8.0％以上，細菌数基準値（5万/1mL以下），大腸菌群陰性の規格基準がある．

●低脂肪乳

成 13005（加工乳 低脂肪） 英 low fat milk 別 ローファットミルク

成分調整牛乳のうち，乳脂肪分の一部を除去したもの．無脂乳固形分8.0％以上，乳脂肪分0.5％以上，1.5％以下，細菌数基準値（5万/1mL以下），大腸菌群陰性の規格基準がある．

●特別牛乳

英 special cow's milk

特別牛乳さく取処理業の許可（食品衛生施行令）を受けた施設で製造された成分無調整牛乳で，[種類]牛乳よりも，無脂乳固形分基準値（8.5％以上），乳脂肪分基準値（3.3％以上）が高く，細菌数基準値（3万/1mL以下）が低い．加熱殺菌の省略が許されているが，殺菌する場合は63～65℃で30分間加熱する．

●乳飲料

成 13007（コーヒー），13008（フルーツ） 英 milk beverage

生乳または乳製品を主原料に，乳製品以外のものを加えたもの．栄養強化タイプ（ミネラル，ビタミンなどを加えたもの），嗜好タイプ（コーヒー，果汁，甘味などを加えたもの），乳糖分解タイプなどがある．乳固形分3.0％以上（飲用乳の表示に関する公正競争規約及び同施行規則による），細菌数基準値（3万/1mL以下），大腸菌群陰性の規格基準がある．以前は，生乳が50％以上入っているものにあっては，コーヒー牛乳など商品名に「牛乳」の表示が許されたが，「飲用乳の表示に

ロングライフミルク（常温保存可能品）（平 宏和）

関する公正競争規約」の改訂により，生乳100％を原料とするもの以外の商品名に「牛乳」の表示ができなくなった．一方，一定の成分要件を満たす場合には，加工乳及び乳飲料の商品名にミルク，乳という表示を使うことができる．

●無脂肪乳

英 fat free milk；skimmed milk

成分調整牛乳のうち，乳脂肪分のほぼ全部を除去したもの．無脂乳固形分8.0％以上，乳脂肪分0.5％未満，細菌数基準値（5万/1mL以下），大腸菌群陰性の規格基準がある．

●ロングライフミルク

英 long life milk 別 LL牛乳

一般の牛乳に対し，2～3カ月間の常温保存できる牛乳．UHT処理した牛乳をポリエチレンとアルミ箔を積層した特殊な紙パック（滅菌処理したもの）に無菌充填装置で充填するので，外界の微生物による二次汚染が防げ，日もちがよい（無菌包装食品*）．牛乳類は乳等省令*により，10℃以下の冷蔵保存が決められているが，昭和60（1985）年に乳等省令が改正になり，常温保存が認められた．開封しない限り長期間常温で保持できる（品質保持期限90日）．産地と消費地がはるかに離れている米国などでは，特に重要な意味をもつ．日本でもレジャー用，災害備蓄用など需要が伸びている．

乳飲料 左：栄養強化タイプ（カルシウム，鉄，葉酸，ビタミンD，B₁₂強化），中：コーヒー，右：乳糖分解乳（乳糖不耐症用）（平 宏和）

ぎゅうひ　求肥

成 15013　英 Gyuhi；(kneaded glutinous rice flour with sugar, steamed)

白玉粉または餅粉を主原料として，砂糖，水あめなどを加えて練り上げた餅菓子である．

◇由来　中国から伝わったものである．柔軟性があり，牛の皮に似ているところから，当初は牛皮と書いていたようであるが，仏教思想から鳥獣肉を食べなかった時代にその文字をはばかって求肥

ぎゅうひ（平　宏和）

ぎゅうひ飴（朝鮮飴）（平　宏和）

に改められたといわれている．寛永年間（1624～1645）に旧松江藩祖松平直政が，ぎゅうひ飴をつくらせた記録がある．その後，文化文政の頃（1804～1830），次第にぎゅうひの加工品がつくられ，今日に至っている．

◇**原材料・製法**　基本配合としては，白玉粉100に対して，砂糖200，水あめ50の割合である．製法には，蒸し上げ法，水練り法，茹で練り法の3通りがある．蒸し上げ法は，白玉粉を水（1.1倍量）で少し軟らかめにこねつけ，せいろうで約30分蒸してから臼でよくついて，砂糖を4～5回に分けて加えて十分に練り上げる．水練り法は，蒸し上げ法より多くの水（白玉粉の2倍量）で溶いてから，半透明になるまで煮返して，十分に練り上げた後，蒸し上げ法と同様に砂糖を分けて加え，練り上げる．茹で練り法は蒸し上げ法より少なめ（白玉粉と同量）の水でこねつけて平らに整形して，沸騰したお湯に入れ，浮き上がったら取り出し，蒸し上げ法と同様に砂糖を分けて加えて練り上げる．ぎゅうひはできるだけ純白に仕上がったものがよく，茹で練り法が最も純白に仕上がる．蒸し上げ法は，蒸しすぎると黄色くなる欠点があるが，大量生産には向いている．

◇**保存**　砂糖の量が多いため餅類の中では最も日持ちし，そのままでも商品となる．また，色を付けたり，ぎゅうひの中にあんを入れて丸く形を整えたぎゅうひ饅頭，赤い羊羹を巻いたきぬたなどがあり，福井の羽二重餅*もぎゅうひを用いたものである．練り切りのつなぎ（粘着性を出すもの）としても使われる．

ぎゅうひあめ　求肥飴

英 Gyuhi-ame

16世紀，安土桃山時代に創製されたもので，江戸時代の中期には各地でもてはやされるようになった．もち米の粉と砂糖，水あめに水を加えて，加熱しながら練り上げたものである．ほどよい甘味と弾力性のある食感が特徴で，長期保存に耐えられる．熊本市の朝鮮飴が歴史も古く，最も有名であるが，全国各地で種々の風味付けしたものが名物菓子として販売されている．

牛大和煮缶詰

ぎゅうやまとにかんづめ

成 11106（味付け缶詰）　英 canned with seasoning

牛肉を薄切りにして，しょうゆと砂糖を主にした調味液とともに煮たもの．におい消しのために生姜を加える．缶の大きさは6号缶（内径74.1mm，高さ59.0mm）が一般的で，肉量は95～100g含まれる．

牛大和煮缶詰（平　宏和）

きゅうり　胡瓜；黄瓜

成 06065（果実 生）　分 ウリ科キュウリ属（つる性1年生草本）　学 *Cucumis sativus*　英 cucumber　別 きうり

原産地はヒマラヤ南麓とする説が有力である．中国への伝来は紀元前後と推定されるが，文献に現れるのは6世紀に入ってからである．華北のきゅうりと華南のきゅうりは生態的特性が異なっており，前者はシルクロード沿いに，後者は東南アジア経由で伝来したと考えられる．わが国へは中国

左：加賀太きゅうり，中：若採りのきゅうり，右：きゅうり（上）と白きゅうり（下）（平　宏和）

から伝来し，数百年の歴史があると推定されるが，渡来の時期は明らかでない．江戸初期には早熟栽培が，江戸末期には框（わく）栽培が始まっていた．

◇**品種**　つる性であり，移植性，枝条の太さや分枝性，雌花の着花性，単為結果性（受粉しないで果実が着生・肥大する性質），苦味，果実の形質などに幅広い変異がみられる．きゅうりの果実は苦味成分を有し，その強弱は遺伝的に異なるが，低温・乾燥条件下で発現しやすくなる．現在のわが国の品種は改良が進み，実用栽培ではほとんど苦味を感じないものが多い．果実の形はヨーロッパ系のものは短太である．中国系（わが国のものを含む）のものは細長である．また中国系の中では，華南型の果実は短太で，黒棘（俗に黒いぼという）が多く，果皮が硬く，果肉が粘質で品質が劣る．華北型は細長く，白棘（白いぼ）が多く，果皮が薄く，果肉はもろくて品質が優れている．わが国の古来の品種は華南型が主体で，低温伸長性に富み移植性があるので，育苗して露地に定植する早熟栽培に適している．半白（はんじろ），青節成（あおふしなり），青長（あおなが），地這（ぢばい）などの品種群を分化したが，青節成群の落合系の品種が主体をなしていた．華北型の品種は，移植性は劣るが耐暑性があり，直播きによる夏きゅうりとして明治末期に関西に土着し（三尺群），戦後導入された四葉（スーヨー）は暖地に普及した．また華北型と華南型の交雑後代からは春きゅうり型の春型雑種と，夏きゅうり型の夏型雑種が成立していた．現在実用栽培されているのはこれらの品種群内あるいは品種群間の一代雑種*であり，上記の品種群および品種は育種素材に用いられているだけである．なお，品質に対する要求が高まるにつれて華南型の一代雑種は嫌われ，夏型雑種を中核とする一代雑種（いわゆる白いぼきゅうり）が春季にも栽培されるようになった．低温伸長性が劣るため，低温伸長性の高い黒種子かぼちゃ台に接いで栽培していた．この低温伸長性台木選定の過程で，一部のかぼちゃ台に接ぐときゅうりの果実表面の蠟質（ブルム）がなくなり，果面の光沢が目立ち，なんとなく美しくみえることが発見された．これがブルムレスきゅうりとしてもてはやされ，かぼちゃ台に接いだブルムレスきゅうりが主流となっている．ただ，本来ブルムはきゅうりの果面を保護しているものであり，これのなくなったきゅうりはその代償作用として果皮が硬くなっている．漬物業界ではブルムレスきゅうりは塩が馴染みにくいとして，原料としては敬遠されている．東北地方の一部で栽培されているピクルス用きゅうりはシベリアからの渡来種である．

作型：きゅうりは，本来好温性の野菜であるが，品種改良，ビニル，加温機などの保・加温資材の発達により周年的に供給が可能となった．基本的な作型は促成（12〜5月どり，全期間を保・加温下におく），半促成（1〜7月どり，生育の前半を保・加温下におく），早熟（5〜7月どり，育苗および定植直後を保・加温下におく），夏きゅうり（6〜10月どり，全期間露地，最近は雨除け），抑制（9〜1月どり，生育の後半を保・加温下におく）栽培である．なお無霜地帯では，保・加温なしに10〜12月に収穫する暖地抑制栽培が成り立つ．

栽培：促成栽培*は高知，宮崎などの暖地で，半促成は北九州，東海地方で，冷涼地抑制は東北地方で栽培されている．

◇**成分特性**　100g当たり，水分含量は95.4gで非常に多い．β-カロテンが330μg含まれ，比較的多いことを除けば，たんぱく質（アミノ酸組成）*0.7g，利用可能炭水化物*（質量計）1.9g，食物繊維1.1g，灰分0.5gと，成分的には乏しい野菜である．糖類はぶどう糖，果糖をほぼ等量ずつ含んでいる．また少量の有機酸*を含み，液汁の水素イオン濃度（pH*）は6.5である．酸組成は，リンゴ酸*が最も多く全体の90%を占めて

いる．ビタミンCは開花期の効果に多く，果実が肥大するにつれて減少する．果実のビタミンC含量は生育温度や日照量によっても変化する．したがって，夏場の露地ものと冬場の施設ものの間には差異が生じることがある．5～7月生産の果実のビタミンCは多く，それ以外は少ない．無機質は，カリウムが圧倒的に多く，その他リン，カルシウム，マグネシウム*などを含む．苦味は頭部に多く含まれ，主成分は配糖体*ククルビタシンである．果実が濃青色のもの，窒素施肥の多いときや，高温，乾燥下で生産されたものに多い．果実特有の香気は *trans*-2, *cis*-6-ノナジエン-1-オールが主成分である．

◇保存　果実を貯蔵するときの最適温湿度は10～13℃，95%で，0～14日間鮮度が保たれる．0.03mmの厚さのポリエチレンフィルムに密封するとさらに鮮度保持効果が高められる．しかし，ビタミンC含量は20日間の貯蔵により1/3に減少する．また，3～5℃では低温障害が発生し，貯蔵期間が短縮される．

◇加工　漬物としての利用も多く，ピクルス，糠みそ漬，粕漬，みそ漬，印籠(いんろう)漬などがある．ピクルス用には果実の長さが7～8cmの極小型のピクルス専用種が用いられる．わが国では最上(もがみ)きゅうりがあり，東北地方で多く生産・加工されている．

◇調理　鮮明な緑色，特有の形と香気をもち，新鮮な歯触りを尊ぶ．そのまま生食するのが最もよい．表皮の組織が強固なので，生食の際は塩をふってまな板で板ずりをする．塩，みそ，あるいはサラダドレッシングなどで食べる．あるいは切ってサンドイッチの具にする．頭部に苦味があるので，この部分を取り除き，少し皮をむくとよい．中国料理では細く切って，くらげの酢の物，冷し中華などの彩りに用いることが多い．※酸味とよく調和し，酢の物，漬物に向く．酢の物では薄切りしたものを塩もみし，酢を合わせる（きゅうりもみ）．水分が引き出されるので，合わせたら長時間おかないこと．糠みそ漬には形のまま塩もみし，半日から1日ほど時間をかけて味を浸透させる．※西洋料理の漬物はもっぱら酢漬（ピクルス）で，調味酢に長期間漬け込んで保存する．きゅうりの緑色は丈夫な表皮細胞の内部にあって比較的安定であるが，クロロフィル*は酸に弱いので，ピクルスでは緑色は期待できない．西洋料理では，肉詰の煮込み，クリーム煮などの煮物，中国料理では辛子炒め，酢豚などの炒め物にきゅうりが用いられる．香りは消えるが，透きとおったきゅうりの歯触りが喜ばれる．※日本料理では，花丸きゅうり（咲き始めの花のついた3cmほどのきゅうり）が刺身のつまとして用いられる．

●**きゅうりのからし漬**

英 cucumber pickled with mustard

◇原料　きゅうりも若採りしたものがよく，これを15～20％食塩で下漬しておき，必要に応じて脱塩，軽く圧搾して脱水（約30％）して用いる．

◇漬け方　なすの辛子漬*と同様である．

きゅうりのからし漬（平　宏和）

●**きゅうりのしお漬**

成 06066　英 salted pickles of cucumber

◇原料　きゅうりの品種は多いが，大別すれば，地這いきゅうりと立ちきゅうりの2種になる．地這いきゅうりは肉質が軟らかく，生食用か一夜漬などに適する．立ちきゅうりは白いぼと黒いぼなどの違いがあるが，どちらも塩漬に用いられる．収穫熟度が大切で，あまり若採りすると中が空洞になっている．遅採りになると種が大きくなって不適である．適期は空洞がちょうど消えたときで，その期間は2日程度である．

◇漬け方　きゅうりの質量の約1/2の水に7～8％の食塩を溶かし（漬け汁），押し蓋をしてきゅうりの質量の1.5倍ほどの重石をのせて漬け込む．重石が重いと漬け汁のあがりも早い．浅漬（一夜漬）ならば一昼夜で食べられる．芯まで食塩がしみわたるには2日ぐらい必要である．肉質がよくカビの発生を遅らせるには漬け汁を加熱して

きゅうりの塩漬（平　宏和）

沸騰させ，そのままきゅうりの上からかけて前述と同様に重石をして漬け込む．緑色が茶色に変色するが，特徴的な風味がある．また，食塩濃度を3～4％のまま長期貯蔵するには，夏期ならば5日に1度ぐらいきゅうりと漬け汁を分け，漬け汁の表面の白い産膜酵母を除去し，これを沸騰させ熱いうちにきゅうりの上からかけて漬け込む．肉質が軟らかくなるように考えられるが，かえって肉質がしまり歯触りがよくなる．この処理を続ければ冬期まで保存が可能である．この方法を避けて長期貯蔵するには，漬け汁の食塩を15％以上にしなければならない．この際，押し蓋や容器の間に隙間をなくし，重石を重くすることが肝要である．できた漬物はそのままでは塩辛くて食用にならず，粕漬やその他の漬物の下漬材料として利用する．

● **きゅうりのしょうゆ漬**
成 06067　英 cucumber pickled in soy sauce
◇**原料**　塩漬のきゅうりと生姜が主原料である．きゅうりは歯触りが重要なので，色沢は緑色で種子のない若採りのものがよい．なお，塩蔵するときは，食塩濃度を18～20％ぐらいで行う．
◇**漬け方**　**前処理**：塩蔵きゅうりを0.5～1cmほどに細切りにし，流水中で十分に塩抜きを行う．塩抜きが終わったら水切りして圧搾機でさらに水を60％ほどしぼる．別に生姜を塩蔵きゅうりの10％量ほど輪切りにし，さらに3mm角に千切りにしておく．
配合例：きゅうりのしょうゆ漬の特徴はきゅうりの歯触りとうま味にあるので，次のような副材料の配合を行う．
塩漬きゅうり10 kg，生姜1 kg，しょうゆ3 L，淡口アミノ酸液1 L，水1 L，クエン酸3 g，コハク酸3 g，うま味調味料100 g，その他核酸系うま味料少々．
漬け込み：しょうゆを80℃に加熱して，その中にその他の副材料を加えて溶かし，再び80℃に加熱してから冷却する．これを容器に入れた細切りきゅうりと生姜の千切りに上からかけて混合する．約1週間で漬け液が浸透するが，味付け濃度が均一になるように2～3回混合する．
◇**保存**　この漬物は非常に変質しやすいので小袋詰にして冷蔵する．

きゅうりうお　⇒ししゃも
きゅうりのピクルス　⇒ピクルス

キュラソー
成 16028　英 curaçao
果皮系リキュールで，南米のベネズエラに近いキュラソー島に産するオレンジ（キュラソーオレンジ）を原料としてつくる．製法の一例はスピリッツ，オレンジの皮，クローブ（丁字），シナモン（肉桂）などの香辛料を加え，48時間放置後蒸留したキュラソーのエッセンスを採取する．これをブランデーやキルシュワッサーに添加し，砂糖を加えてつくる．キュラソーは色で分類され，ホワイト（白），オレンジ（黄），ブルー（青），グリーン（緑），レッド（赤）キュラソーがある．ホワイトキュラソーはオレンジキュラソーに比べて辛口で，無色，味は淡白である．
◇**成分特性**　オレンジキュラソーは100 g（95.0 mL）中，アルコール30.5 g（40.4容量％），利用可能炭水化物*（差引き法）26.4 gが含まれる．

キュラソー　左：オレンジキュラソー，右：ブルーキュラソー（平　宏和）

京いも　⇒さといも
強化米　⇒こめ

ぎょうじゃにんにく　行者葫
成 06071（葉　生）　分 ヒガンバナ科ネギ属（多年生草本）
学 *Allium victorialis* subsp. *platyphyllum*

きゅうりのしょうゆ漬（平　宏和）

ぎょうじゃにんにく（栽培品）（平　宏和）

魚醤
上左：いしる（いしり），
上右：しょっつる，
下：ナンプラー
（平　宏和）

英 Gyoja-ninniku；Japanese victory onion
別 アイヌねぎ；えぞねぎ；ひとびろ；やまびる
旬 春

北半球に分布し，わが国では奈良以北に分布する．昔，修験道の行者が精力剤として食したといわれ，この名がある．草全体に強いにんにく臭がある．山の林内の薄日がさすようなところに群生する．地中に4～5cmほどの鱗茎*がある．鱗茎は茶色の毛のようなもので覆われている．葉は2枚で互生し，幅5cm，長さが30cmくらいになる．茎の中心から花茎*を出し，先端に球状に小さな白～淡紫色の花をつける．近年，栽培も行われている．

◇採取　鱗茎と若芽，薹が食べられる．鱗茎は花の終わったあとと若芽のうちが充実していてよい．

◇成分特性　葉（栽培品）は100g当たり，β-カロテン2,000μg，ビタミンC 59mgを含む緑黄色野菜である．香気成分は，メチルアリルジスルフィド，ジメチルスルフィドが関与している．

◇調理　若芽，薹はさっと茹でてお浸し，和え物，酢の物，生のまま汁の実などになる．鱗茎は生のままみそをつけて食べる場合もある．にんにくと同じように強烈な臭いがある．すりおろし，しょうゆ味でわさびの代わりにもできる．

きょうな　⇨みずな，ひろしまな
玉露（ぎょくろ）　⇨緑茶

ぎょしょう　魚醤

成 17133（いかなごしょうゆ），17134（いしる〈いしり〉），17135（しょっつる），17107（ナンプラー）
英 fish sauce

大豆・小麦が原料のしょうゆを穀醤と呼ぶのに対して，魚介類を原料とする発酵調味料が魚醤である．原料の魚介類に1/3から同量ほどの食塩を加え，数ヵ月から，長いものでは数年置いて製品とする．麹を加えるものもあるが，主に魚介類の自己消化と混入する微生物による発酵で，たんぱく質が分解されてうま味が生成される．タイのナンプラーに代表されるように，東南アジア各地に，特徴のある魚醤が作られている．食塩含量は25％前後で，しょうゆよりも高い．特有の香りは，酢酸，プロピオン酸，酪酸*，イソ吉草酸など，多数の揮発性成分による．日本にも，秋田のしょっつる*，石川や佐渡のいしる*，香川のいかなごしょうゆなど，地域の特産物としての魚醤がある．日本農林規格*（JAS）のしょうゆには含まれない．

●ナンプラー

成 17107　英 nam pla，Thai fish sauce

メコン川流域で発達した魚醤は，東南アジア各地でさまざまな呼称で呼ばれ，原料も各地で異なっている．タイやベトナムでは主にかたくちいわしの小魚が使われ，高級品にはまるあじなどが使われる．海産魚のほか淡水魚も原料とされ，カンボジアのトックトレイは，トレンサップ湖で獲れるトックトレイという魚で作られる．タイ内陸部でも川魚が利用される．一般には小魚が使われるが，大きな魚を切って利用することもある．

◇種類　タイ…ナンプラー，ベトナム…ニョクマム，カンボジア…トックトレイ，ラオス…ナンパ，

マレーシア…ブラデュ，フィリピン…パティス，インドネシア…ケチャップ・イカン，ミャンマー…ウガンビヤース，中国（福建省）…魚露（ユイロー）．

◇調理　濃厚なうま味があり，東南アジアでは日本でのしょうゆの利用以上に頻繁に料理に用いられる．タイのトムヤムクン，ベトナムのフォーなどに，それぞれナンプラー，ニョクマムは欠かせない．日本でもエスニック料理ブームで需要が増している．隠し味として，たれ類にも加えられる．スープ，水産加工品，食肉加工品，漬物などに向けた業務用製品も多い．

魚肉ソーセージ

成 10388　英 fish sausage　別 フィッシュソーセージ

魚肉練り製品の一種で，原料魚には主にすけとうだらが，また，製品によっては健康志向から，あじ，いわし，さば，まぐろなどが加えられる．消費の減少に伴い，平成14年には魚肉ソーセージ類の日本農林規格*（JAS）も廃止されたが，それまでJASでは「魚肉のひき肉またはすり身またはこれに食肉（豚，牛，馬，羊，山羊，うさぎ，家禽の肉）を加えたものを調味料，香辛料で調味し，これにでん粉（含有率10%以下），粉末状植物性たん白，その他の結着材料，食用油脂，結着補強剤，酸化防止剤，合成保存料を加えもしくは加えないで練り合わせたもので，脂質含量が2%以上のものをケーシングに充填加熱したものをいい，製品に占める魚肉の重量の割合が50%を超え，かつ，製品に占める植物性たん白の重量の割合が20%以下であるものに限る」とされていた．

◇成分特性　かまぼこ類との大きな相違点は，成分的には脂質とビタミン類の含量が高いことである．また特殊栄養食品として，ビタミン類の強化が行われているものもある．魚肉ソーセージは魚肉ハムに比べてたんぱく質および脂質の含量が低い．これは魚肉ハムには肉片および脂肪組織が添加されているためである．全般的に炭水化物の含有率が高く，特に魚肉ソーセージで高くなっているのは，原料に変性防止剤として糖が加えられている魚肉の冷凍すり身の使用量が増していることによるものと考えられる．

●特殊魚肉ソーセージ
英 special fish sausage
魚肉ソーセージにチーズ，グリンピース，粗びき肉などの種ものを加えたものおよび薄切り包装のものをいい，さらにハンバーグ風，シュウマイ風のものもここに含めている．

魚肉ハム

成 10387　英 fish ham　別 フィッシュハム

平成14年に廃止された日本農林規格（JAS）では「魚肉（鯨などを含む）の肉片を塩漬したもの，またはこれに食肉の肉片，肉様の組織を有する植物性たん白，脂肪層を混ぜ合わせたものにつなぎを加えもしくは加えないで，調味料・香辛料で調味し，これに食用油脂，結着補強剤，酸化防止剤，合成保存料などを加えて混ぜ合わせ，ケーシングに充填加熱したもので，魚肉の占める割合が50%を超え，魚肉の肉片の割合が20%以上で，つなぎの割合が50%未満で，かつ植物性たん白の割合が20%以下のものに限る」とし，でん粉の含有率を9%以下としている．

魚肉ハム（平　宏和）

魚肉ソーセージ（平　宏和）

巨峰（きょほう）　⇒ぶどう
清見　⇒タンゴール
きらず　⇒おから

きりざんしょ　切り山椒

成 15014　英 Kirizansho；(Sweet rice cake flavored by Japanese pepper "Sansho")　別 きり

きりざんしょ（平　宏和）

ざんしょう
すあま生地に山椒の香味を加え，薄くのばして短冊状に切断したもので，地方によっては，さんしょう餅とも呼んでいる．
◇**由来**　江戸時代の天保年間（1830～1844），日本橋小伝馬町のべったら市に売り出されたものが初めとされている．
◇**原材料・製法**　上新粉に温湯を加えて硬めにこねつけ，種をつくる．せいろうにぬれぶきんを敷いて，種をちぎりながら並べて入れ，強い蒸気にかける．完全に蒸し上がったら臼でつきまとめる．まとまったら砂糖を数回に分けてもみ込む．砂糖を全部加えたら，再びせいろうで蒸し上げる．それからもう一度臼にあけ，山椒を適量加えてつき混ぜる．それをかたくり粉の上にとり，1cmほどの厚さにのばし，冷ましてから短冊状に切断する．現在では暮の酉の市やべったら市などで売られ，正月には切り羊羹とともに販売されている．また山形県米沢市のきりざんしょうが郷土銘菓として賞味されている．

きりたんぽ

成 01113　　**英** Kiritanpo；(baked tube-shaped cooked rice)

米を炊いてつぶしたものを，ちくわ状に串に塗り，焼いたもの．名前は，稽古用の槍の先につけるたんぽ（綿をまるめて布などで包んだもの）に形が似ているところから付いた．秋田の郷土料理．

きりたんぽ（平　宏和）

切り干しだいこん　⇨だいこん
切りみつば　⇨みつば

キルシュワッサー

独 Kirschwasser　**別** キルシュ；チェリーブランデー
キルシュはドイツ語でチェリーのことで，さくらんぼを原料としたブランデー．熟した実を種子ごとつぶし，発酵させる．発酵促進のため純粋培養のイーストを加えることもある．発酵液をポットスチルで2回蒸留し，アルコール分40～50％の留分を磁器やガラス張りの容器に入れ，2～4年間熟成させる．無色透明，アーモンド様の香りをもつ．リキュール原料や製菓用に用いられる．

キルシュワッサー
（平　宏和）

🍎 キワノ

成 07055（生）　**分** ウリ科キュウリ属（つる性1年生草本）　**学** *Cucumis metulifer*（ツノニガウリ）　**英** horned melon；Kiwano　**別** **和** つのにがうり；つのうり；つのメロン

別名の通り，黄橙色の楕円形の果実の表面に角のような突起が多数ある．熱帯地域で栽培されている．キワノというのはニュージーランドの登録商標でもあるが，一般にもこの名で呼ばれている．

キワノ（新宿高野）

ニュージーランド，米国から輸入されている．
◇**成分特性** 果皮は黄橙色であるが，果肉は緑色で，ゼリー状である．ビタミン類は少なく，たんぱく質が100g中1.5gと，果実としては多い．
◇**調理** 果実を縦半分に切り，スプーンで果肉をすくって食べる．果肉をくり抜き裏ごしたものにゼラチンを入れてゼリーにしてもよい．洋菓子の飾り付けに用いるのもよい．

筋胃（きんい）⇨にわとりの副生物

 金花糖 きんかとう

駄菓子の一種．砂糖に水を加え煮つめ，火からおろして攪拌し砂糖を微結晶としたものを，果物，野菜，魚介類などの木型に流し固まらせ，風乾，彩色したもの．同類に，乳首型のものを竹串の先端に差し込んだ金花糖パイパイがある．

金花糖（平　宏和）

 きんかん 金柑

成 07056（全果 生） 分 ミカン科ミカン属（常緑性低木） 学 *Citrus japonica* 英 kumquats

原産地は中国揚子江流域で，古くはミカン属に分類された．ネイハキンカン（*C. japonica* 'Crassifolia'），マメキンカン（*C. japonica* 'Hindsii'；豆金柑），キンカン（*C. japonica*；丸実金柑），ナガキンカン（*C. japonica* 'Margarita'；長実金柑），チョウジュキンカン（*C. japonica* 'Obovata'；長寿金柑）などが知られている．わが国への渡来は文政年間（1818～1830）に遡るといわれる．果実は小さいもので1g前後（豆金柑），中程度のものが10g内外（長実金柑，寧波金柑），大果のものは30g（長寿金柑）まである．寧波金柑と長実金柑が多く栽培されているが，前者の果実は11～13g，果皮の甘味が強く品質がすぐれている．
◇**成分特性** カルシウムが100g当たり80mg含まれ，果物の中では多い．また，ビタミンC

上：寧波金柑（ねいはきんかん，にんぽうきんかん），下：きんかん漬（平　宏和）

は49mgと比較的多い．古くから，生果，乾果*，砂糖煮，砂糖漬，黒焼きの粉が，感冒，咳止めなどに効くといわれている．
◇**加工** 果実は生食，きんかん漬，ゼリー，マーマレード，缶詰などとして利用される．一般にはきんかん漬とすることが多い．果実に切れ目をつけ，1昼夜水に浸漬しアクと酸味を抜き，原料の90％の砂糖とともに煮つめると果皮が透明になり，品質のよいきんかん漬に仕上がる．
◇**調理** 果肉の部分が少なく，甘味や酸味も乏しいので，生食には不向きであるが，皮が軟らかく，しかも甘味と強い香りがあるので，砂糖で甘味を補強して砂糖煮，ゼリーなどに用いる．切ってフルーツサラダの飾りにもする．

きんき ⇨きちじ

 きんぎょくとう 錦玉糖；金玉糖

成 15015 英 Kingyokuto；(sweet agar jelly) 別 錦玉羹

寒天に大量の砂糖を入れ練り上げた流し物菓子の一種であり，透明または半透明の菓子である．
◇**原材料・製法** 良質の寒天を水でもどし，冷水を加え火にかける．沸騰して寒天が溶けたら白双糖を加え，さらに煮つめる．最後に水あめを加え軽く混ぜて火を止める．煮つめ加減は杓子から錦玉液を垂らして糸を引くようであれば適当であり，この状態の煮つめ温度は約103℃である．

キングクリップ

きんぎょくとう　上：琥珀羹，下：つや干し錦玉
（平　宏和）

適当な煮つめ加減であれば，表面に浮いてくる泡を取り去り，粗熱を抜いて型（羊羹ぶね）に流して放冷し固める．これが錦玉糖である．さらに副材料を加えた製品として，放冷する前にくず粉を加えた吉野羹，上南粉を加えた上南羹，みじん粉を加えたみじん羹，道明寺種を加えた道明寺羹（みぞれ羹），また泡立てた卵白を加えた淡雪羹などがある．また，基本工程は錦玉糖と同じであるが，煮つめを強くし，表面を薄く乾燥させ糖化させたものにつや干し錦玉がある．

キングクリップ

成 10114（生）　分 硬骨魚類，アシロ科ゲニプテルス属　学 *Genypterus capensis*　英 kingklip　別 市 キング；なまず

いわゆる新漁場の魚の一種で，美味な食用魚である．ナミビアから南アフリカにかけて分布する．全長は最大 1.8 m に達するが，普通は 80 cm 前後である．一見，なまずに似た外観で，体色は個体変異が著しく，淡赤色から桃赤色で，腹側はやや淡い．背部および側部にまだら模様がある．同様に，同属のみなみあかひげ（*Genypterus blacodes*）はブラジル南部，ペルー南部以南の南米，オーストラリア，ニュージーランドに分布し，ロック，リングの名で市販されている．このほか，Phycidae の *Urophycis mediterraneus* やアシロ科の *Brotula barbata*, *Monomitopus* spp. なども冷凍品として輸入されている．キングという商品名で売られているので，混同しないように注意を要する．国内で獲れるあしろ（阿代）（*Ophidion asiro*）は温帯性でやや深海に生息し，雑魚として取り扱われているが，この近縁種である．

◇**成分特性**　キングと呼ばれる魚にはアシロ科，タラ科，イタチウオ科の魚があるが，これらは成分的には似たものと考えられる．すなわち水分 80％，たんぱく質 18％，脂質 0.2％程度で，ビタミンの含量については，たら，すけとうだら，メルルーサなどに準じてよい．白身の淡白な味の魚であり，切り身として他の白身魚と同様に使われるが，冷凍耐性はよくない．

◇**調理**　鱗は肉眼で識別できないほど退化しており，また，背びれと尾びれが続いているため，したびらめと同じように，尾びれがないような外観をしている．肉質は白身で淡白である．ちり鍋，酒蒸し，揚げ物などに適する．洋風ではバター焼きやフライが最高においしい．また，粕漬やみりん漬にしてもおいしい．

キングサーモン　⇒さけ・ます（ますのすけ）
きんこ　⇒なまこ

キンサイ　芹菜

成 06075（茎葉 生），06076（茎葉 ゆで）　分 セリ科オランダミツバ属（1 年生草本）　学 *Apium graveolens*　英 qin cai；soap celery；leaf celery　別 せりな；中国セロリ

キンサイ（平　宏和）

中国野菜の一種．植物分類学的にはセロリと同種であるが，セロリよりも葉柄*が細長く葉が小さく，軟らかい．全長25cm程度，柄の中が空洞のもの（空芯系）と，詰まっているもの（実芯系）がある．セリ科植物特有の芳香をもち，香味野菜として用いられる．わが国では千葉などで栽培されている．
◇調理　香りが強いので，香味野菜として肉・魚の臭みを除く目的で利用される．そのほか，和え物，炒め物，スープの香り付けなどに用いる．いずれも色よく，歯切れを残すように調理する．

ぎんざけ　　⇨さけ・ます（海産）
きんざんじみそ　⇨なめみそ
きんしうり　⇨かぼちゃ（そうめんかぼちゃ）
ぎんじょうしゅ　⇨清酒

ぎんだら　銀鱈

成 10115（生），10401（水煮）　分 硬骨魚類，ギンダラ科ギンダラ属　学 *Anoplopoma fimbria*　英 sablefish　別 ほくようむつ　市 ほくようむつ；なみあら　地 なみあら（北海道南部）
ぎんだらはたらの名が付くが，たら類ではなく，アブラボウズ（*Erilepis zoniter*）と同科の魚である．全長60cm，中には1mを超すものもある．あぶらぼうずに似ているが，体はやや細く，頭が尖っている．新鮮なものでは，背面と側面は暗緑灰色で，暗褐色の網目状斑紋がある．腹面は乳白色．米国西岸やアラスカに分布．国内では，北海道沖の300～700mで漁獲される．
◇成分特性　白身の魚でありながら肉中に多量の脂質を含有している．小型のものは脂質含量が数％以下であるが，2kg以上の大型になると10～20％程度となり，とろりとした独特の食感をもっている．たんぱく質含量は15％程度で，比較的低い．水分含量は65～72％で，脂質含量のわりには高く，小型魚では80％以上となる．練り製品原料となるが，上記の成分値からわかるように歩留りは低い．米国などでは燻製や塩蔵に加工される．そのほかの成分では脂溶性ビタミン類の含量が比較的高く，100g当たりレチノール*を1,500μg程度，Dを3～4μg，ビタミンEを4～5mg程度含んでいる．
◇調理　鮮度が落ちやすいので，入手後なるべく早く調理する必要がある．肉質は白身で軟らかく，熱するとほぐれやすくなる．ちり鍋，塩焼き，煮付け，粕汁，酒蒸し，揚げ物，粕漬などに適する．ぎんだらの淡白な吸物，身を茹でてさらしふんわりと炒り上げたでんぶ，とろりとした味わいの煮付けは特においしく，切り身も比較的高値である．洋風ではフライ，ムニエル，クリームシチュー，クリーム煮，中国風では白燴魚泥（バイホエイユーニー：すり流し汁），煎魚片（ジェンユーピエン：油焼き）などがある．

ぎんだら（本村　浩之）

きんつば　金鍔

成 15016　英 Kintsuba；(red bean paste covered with dough, baked)

平鍋を使った焼き菓子の一種であり，江戸時代から親しまれている大衆菓子の一つである．
◇種類　包みきんつば，衣がけきんつば，角きんつば，およびさつまいも角きんつばなどの種類があり，それぞれ原料および製法に特徴がある．
◇由来　その形が刀の鍔（つば）に似た円形であったところから名付けられた．起源は江戸時代，天和・貞享年間（1681～1688）に京都でつくられた銀鍔（ぎんつば）という名称の焼き菓子であり，うるち米を原料としていた．当時大変好評を得たといわれる．その後，享保年間（1716～1736）にその製法が江戸に伝わり，銀鍔より金鍔（きんつば）の方が上等であるということから名

上：角きんつば，下：さつまいも角きんつば（平　宏和）

称も金鍔と改められ，原料も小麦粉を用いるようになった．文化・文政時代（1804〜1830）には江戸の金鍔として名物の地位を得て広く江戸庶民の人気を集めた．

●角きんつば

英 Kaku-kintsuba

つぶしあん（餡）を羊羹状に流し固めたものを適当な大きさに切り，あらかじめ溶いておいた小麦粉生地を薄くつけて，6面を焼き上げたものである．関西方面に多い．表面にへのへのもへじの焼き印を押し"もへじきんつば"と称して販売されたこともある．

●衣がけきんつば

英 Koromogake-kintsuba

原料は包みきんつばと同様であるが，生地を天ぷら衣状のバッターにし，あん玉にまぶして同様に焼き上げたものである．

●さつまいも角きんつば

英 Satsumaimo-kakukintsuba

さつまいもでいも羊羹をつくり，これを適当な大きさに切り，角きんつばと同じ生地をつけて同様に焼き上げたものである．

●包みきんつば

英 Tsutsumi-kintsuba

代表的な製法は，まず少量の塩を加えた小麦粉をぬるま湯でまんじゅう生地くらいの硬さにこね，十分粉の弾力を出し，ぬれぶきんをかぶせてしばらく休ませてから，用意したあずきつぶしあん（餡）を包餡する．あんの包み方は手に水をつけて行う水包みが基本であるが，この方法は熟練を要することから，手粉をつけて行ってもよい．熱した平鍋に食用油を塗り，包餡したものを順にのせ上部を少し押しつけ，こげない程度に両面を焼く．10個ぐらいになったら，ぴったり合わせないようにして一列の棒状に立てて並べ，ゆっくりころがし生の部分がないように周囲を焼く．

きんときだい　金時鯛

分 硬骨魚類，キントキダイ科キントキダイ属　学 *Priacanthus macracanthus*　英 red bigeye　別 地 きんめだい（神奈川）；せまつだい（鹿児島）；うまぬすっと（福岡）　旬 10〜12月

全長約30 cm．東インド洋と西太平洋に分布し，国内では青森県以南の各地に生息する．水深100 m くらいの大陸棚の底層に生息し，底曳網で漁獲される．体の色はきれいな赤色で，名前の金時の由来となっている．背びれ，腹びれ，臀びれに黄色の斑点がある．眼が大きい．同科にちかめきんときがある．

◇保存・加工　肉質は軟らかく，わが国ではそれほど産額が多くないので，雑魚として扱われるが，多量に漁獲される東南アジアでは冷凍すり身に加工され，練り製品原料になる．これはきんめのすり身と称して輸入されることが多い．

◇調理　白身で，味は劣るが，姿形，特に体色と眼が似ているところから，きんめだいの代用とされる．生食になり，煮物，焼き物，揚げ物にしてもおいしい．また，すり身にして，洋風であればテリーヌの素材に使うことができる．

●ちかめきんとき

近眼金時　分 チカメキントキ属　学 *Cookeolus japonicus*　英 longfinned bullseye　別 地 あかべえ；きんとき（和歌山）；かげきよ（各地）

きんときだいよりやや大型で，全長70 cmになる．日本各地とインド・西太平洋の水深100 m以上の岩礁域に生息する．

きんとき豆　⇨うずら豆

ぎんなん　銀杏

成 05008（生），05009（ゆで）　分 イチョウ科イチョウ属（落葉高木）　学 *Ginkgo biloba*（イチョウ）　英 ginkgo nuts

イチョウは中国が原産と考えられる．日本では極めて古くから各地に植栽されている．裸子植物*で，1科1属1種，雌雄異株*である．その種子は球形で，外種皮が黄熟する．この種肉にビロボール（bilobol），イチョウ酸（ginkgoic acid）などを含むため，強い臭気をもち，皮膚に触れるとかぶれを起こす．堅い内種皮（殻）に包まれた軟らかい仁*（胚乳*）をぎんなんと呼び，特有の味があって，これを煮たり炒ったりして食用とする．

◇成分特性　仁（茹で）の主成分は炭水化物で，その中ではでん粉が多い．脂質は少ないが，レシチン*，エルゴステロール*を含有する．β-カロテン当量が他の種実類に比べて多い．しかし，ぎんなんにはビタミン B_6 の生理作用を阻害する4-メトキシピリドキシンが含まれるので，食べすぎると中毒（痙れん・嘔吐）を起こすことがあり，まれに死亡例も報告されている．

◇調理　ぎんなん割りか，庖丁の峰で合わせ目をたたいて殻を割り，実を出す．実には薄皮がついているので，茹でるときに玉杓子の丸みの部分でかき回すようにしてこするか，炒ったり，油で揚

ぎんなん　左：左から種子（殻つき 生），仁（生），仁（茹で），中：缶詰，右：フライ 味付け　ぎんなんの仁を植物油でフライし食塩などで味付けしたもの（平　宏和）

げると除くことができる．冷めると薄皮がむきにくくなるので，熱いうちにむく．茶碗蒸しに入れたり，楊枝に刺して前菜に用いたりする．

きんぶな・ぎんぶな　⇨ふな

ぎんぽ　銀宝

分 硬骨魚類，ニシキギンポ科ニシキギンポ属
学 *Pholis nebulosa*　英 tidepool gunnel　別 地 かみそり（大阪湾岸）；なきり（下関，鳥取，富山）；ぎんぼう（東京）　旬 春
全長 30 cm．体は強く側扁する．頭，尾は小さい．背びれは棘だけで軟条がない．体色は黄褐色に茶の模様がある．内湾の岩礁の藻間に生息する．北海道から九州，朝鮮半島に分布する．
◇**成分特性**　白身の魚で，肉色は白く，うま味もあるが，魚形が小さく処理が困難なので，練り製品原料には使われない．東京などでは活魚としても出荷される．小型のものはまれに佃煮にする．成分的には，たらやすけとうだらなどの白身魚に類似しているが，水分がやや少なく，たんぱく質，灰分がやや高い．
◇**調理**　白身の美味な魚である．背開きにして頭と中骨を除いて用いるが，天ぷらや蒲焼き風にしたり，煮付けにもする．

ぎんます　⇨さけ・ます（ぎんざけ）
ぎんむつ　⇨マジェランあいなめ

きんめだい　金目鯛；金眼鯛

成 10116（生）　分 硬骨魚類，キンメダイ科キンメダイ属　学 *Beryx splendens*　英 splendid alfonsino　別 地 きんめ（東京，三崎）；きんめだい（各地）；ぎんめだい，まきんめ（小田原）　旬 冬
全長 70 cm．体は側扁し，頭，目がともに大きい．水深 100〜800 m に生息する深海魚．体色は赤，目が黄金色に光っているのが，名前の由来になっている．肉が軟らかいが，煮付け，みそ漬にするとうまい．寒のきんめだいは脂肪が多く，味もよい．茨城沖から相模湾，駿河湾でよく獲れる．アフリカ，オーストラリア，大西洋にも分布する．その他には，なんようきんめ，ひうちだい，はしきんめなどがある．その他，キンメダイ目には同じキンメダイ科キンメダイ属に属し，用途も同様ななんようきんめ，体色と眼からの外観が似て，鱗の堅いイットウダイ科イットウダイ属にいっとうだい，えびすだい，同じく外観が似て，近年になって海外から入荷するようになったヒウチダイ科のハシキンメ属にはしきんめ，ヒウチダイ属にオレンジラフィ，ひうちだい等がある．
◇**成分特性**　たいよりも肉質が軟らかく，脂質もやや多いが，成分的には類似した白身なので，たいの代用に使われることがある．皮の赤い色はカロテノイド色素のアスタキサンチン*である．みそ漬，粕漬に加工する．ひうちだいはきんめだいと外観が似ているが，肉に含まれる油がロウ（ワックス）であるので，そのまま食用にすると下痢を起こし，練り製品原料にしか使えない．し

ぎんぽ（本村　浩之）

きんめだい（本村　浩之）

えびすだい（本村　浩之）

かしオーストラリアでは，これに近似のオレンジラフィのロウを含む皮下脂肪を除いて食用として販売している．きんめだいは『食品成分表』では，100g当たり水分72.1g，たんぱく質（アミノ酸組成）*14.6g，脂質（TAG当量）*7.9gとなっている．
◇調理　近海ものの代表的な魚として，生食から煮物まで広い範囲の調理に用いることができる．色や形がたいに似ているので，姿焼き以外の料理では，たいの代用として用いられることが多い．※うま味は比較的少ないので，煮付けにするのがよい．また粕漬，みそ漬，竜田揚げのように，味付けの濃いものに適する．だしはあまり出ないので汁物には向かない．しかし吸物の椀種や鍋物の種には用いられる．西洋料理では煮込み，中国料理ではうま煮や鍋焼きが行われる．※肉質が軟らかくて崩れやすいうえ，脂肪が溶出するので，焼き物にはあまり向かない．焼き物では照焼きが最も美味で，みそ漬，塩焼きにもするが，身崩れをしない配慮が必要である．蒸し物にすると身がしまり，淡白な味を生かすことができる．

●いっとうだい
一等鯛；一刀鯛　分　イットウダイ科イットウダイ属　学　*Sargocentron spinosissimum*　英　North Pacific squirrelfish　別　かのこうお　地　かねひら；かのこうお；こんぺんと（和歌山）；いっとうだい（神奈川）；かげきよ；かねひら；ぐそく（高知）
全長20cm前後．鰓蓋（さいがい）には後方に向かう大きな棘がある．鱗が大きく硬いが，味は相当にうまい．沖縄では惣菜として利用している．刺身，煮付け，焼き魚にする．神奈川県から台湾，ハワイに分布する．

●えびすだい
恵比須鯛　　イットウダイ科エビスダイ属　学　*Ostichthys japonicus*　英　Japanese soldierfish　別　ぐそくだい；よろいだい　地　ぐそくだい（高知）；かねひら（和歌山）；よろいで（鹿児島）
全長40cm．青森県以南の日本各地から南シナ海にかけて分布する．体形，体色はいっとうだいに似ているが，体高が高い．かなり美味で，体の外面を覆っている硬い鱗はこの魚を焼くか煮れば容易に除去できる．鹿児島や高知などで地域的に食用とされている．

●オレンジラフィ
分　ヒウチダイ科ヒウチダイ属　学　*Hoplostethus atlanticus*　英　orange roughy
通常全長30～40cmの大型種で最大体長70cm，体重7kg程度になる．体色は明るいオレンジ色．オーストラリア南部，ニュージーランド周辺，南アフリカ沖に分布する．オーストラリア，ニュージーランドでは高級魚として国外に輸出されているが，この場合，ロウ（ワックス）を含む表皮とその下部を除く加工が必要である．水銀含量も大型魚では比較的高い．そのため，わが国では食用販売が自粛されている．

●なんようきんめ
南洋金眼　分　キンメダイ科キンメダイ属　学　*Beryx decadactylus*　英　alfonsino　別　地　いたきんめ（伊豆大島，小田原）；ひらきんめ（東京）
全長50cm．きんめだいよりも体高が高い．青森県以南に広く分布するが，房総半島から駿河湾にかけてよく獲れる．

●はしきんめ
端金眼　分　ヒウチダイ科ハシキンメ属　学　*Gephyroberyx japonicus*　英　blueberry roughy；berycoid fish　別　地　おたふく；よろいうお（高知）
ひうちだいの仲間だが，色と形がきんめだいに似ている．全長30cm．北海道を除く日本各地（ただし東北地方ではまれ）に分布する．腹部に発光器がなく，背びれに欠刻があるのが特徴．練り製品の原料となる．

●ひうちだい
火打鯛　分　ヒウチダイ科ヒウチダイ属　学　*Hop-*

lostethus japonicus 英 western Pacific roughy
別 地 よろいうお；おたふく（高知）；こせ（静岡）；むぎめしうお（和歌山）

深海魚で全長20cm．体は側扁し頭が大きい．肉にロウ（ワックス）が含まれ，下痢を起こすため，そのままでは食用にされず，加工品に用いる．練り製品原料となる．茨城県以南の南日本に分布する．

く

グァバ

成 07057（赤肉種 生），07058（20%果汁入り飲料），07059（10%果汁入り飲料），07169（白肉種 生） 分 フトモモ科バンジロウ属（常緑性低木または小高木） 学 *Psidium* spp. 英 guava 別 和 ばんじろう；ばんざくろ（蕃石榴）

グァバ類には，一般にグァバと呼ばれるバンジロウ（*Psidium guajava*）のほか，ブラジルバンジロウ（*P. araca*），コスタリカバンジロウ（*P. friedrichsthalianum*），テリハバンジロウ（*P. cattleyanum*）などがあり，世界には150種ほど分布している．原産地は熱帯アメリカで，最も有名な熱帯性果樹の一つである．わが国への渡来は古いが，本格的には大正初期に海外から導入された優良品種が栽培された．低木または小高木で，果実は球形または西洋梨状の液果*（漿果）である．果実がざくろに似ている．グァバ果肉には石細胞*を多く含み，1個の果実に85万個，重量比率では8.5%を占めている．

◇品種　赤色，白色，黄色，ピンクなど，果肉色により分けられ，種類は多い．果実の大きさは品種により50〜140gの変異がある．一般に種子は多いが，種子なしの品種もある．

産地：わが国では鹿児島県南部，奄美大島，石垣島などで栽培され，種類はバンジロウである．

◇成分特性　100g中，炭水化物は8〜10gのものが多い．有機酸*は通常0.5g前後で，クエン酸が全酸の約75%と多く，次いでリンゴ酸*となっている．灰分は果実の中では多く0.5g含まれる．カリウムが240mgと特に多い．β-カロテンは品種により含量が大きく異なり，赤肉種で多い．ビタミンCが220mgと多いのが特徴である．特に多いものでは350mgも含まれる．これ

グァバ（沖縄産）（平　宏和）

は温州みかんの10倍に相当する．部位別では果皮が最も多く，果肉が次ぐ．果心部は少ない．また加熱にも比較的安定で，90℃でも80％くらいが残存する．

◇保存・加工　2℃で貯蔵すれば1週間ほど保存できる．ピューレー，ネクター，果汁飲料などに加工される．ジュースの色は原料果実の色によるが，白色とピンクがほとんどである．果汁入り飲料のネクターは20％のピューレーを含み，pH*は3.3～3.5である．グァバペクチンを利用するゼリーの品質はよい．また葉や効果をスライスして乾燥するとグァバ茶ができ，健康食品として利用される．

くうしんさい　空心菜

成 06298（茎葉 生），06299（茎葉 ゆで）　分 ヒルガオ科サツマイモ属（つる性1年生草本）　学 *Ipomoea aquatica*（ヨウサイ）　英 water convolvulus　別 えんさい；エンツァイ；あさがおな；かんこん　標 蕹菜（ようさい）

中国原産とされているが，華南から東南アジア一帯に広く栽培されている．わが国では沖縄で栽培されていたが，最近家庭菜園用としての栽培がふえている．耐暑性強く好湿性で，盛夏にもよく繁茂し，さつまいもの蔓（つる）によく似た茎葉を摘菜して利用する．耐寒性は極めて弱く，霜にあうとすぐ黒変する．

◇成分特性　緑色が非常に濃く，β-カロテン含量は野菜類中でも高く，ほうれんそうとほぼ同じである．一般的に緑色の濃い野菜はビタミンCが多いのに反し，かなり少なく，ふだんそうと並んで野菜類中の例外と考えられる．ふだんそう，ほうれんそうなどと同様，シュウ酸塩をかなり多量に含有し，また損傷を受けると，比較的多量にあるポリフェノール類の酸化が促進され黒変しやすい．茹でによる質量減少は9％であり，カリウム，ナトリウム*，鉄*が30～40％溶出し，ビタミンCが70％溶出する．

◇調理　一般に摘みとった若い葉や茎を食べる．茹でて辛子じょうゆで食べることもあるが，油炒めによりビタミンの損失を少なくする．摘みとったものをすぐ用い，緑色が残るようにスープや肉料理の添え物，中華風炒め物などにする．

グーズベリー

成 07060（生）　分 スグリ科スグリ属（落葉性低木）　学 *Ribes* spp.　英 gooseberries　別 西洋すぐり；まるすぐり；おおすぐり　旬 7月下旬～8月上旬

グーズベリーは長野，山梨に自生するスグリ（*Ribes sinanense*）の仲間で，栽培品種にヨーロッパ原産のマルスグリ（*R. uva-crispa*）と米国原産のアメリカスグリ（*R. hirtellum*）があり，わが国には明治初期に導入された．主に北海道，東北地方で栽培されたが，経済栽培はなく，庭園果樹として植栽されている．樹高は1m前後で棘があり，果実は球形あるいは長楕円形である．品種により果重は3～10g，果色は淡緑，黄白，赤色，紫紅色などのものがみられる．生食するのが一般的である．北海道では7月下旬から8月上旬に収穫できる．

◇成分特性　果肉はゼリー状で，酸味が減少した時点が食べ頃である．ビタミンCは比較的多く，100g当たり22mg含まれている．

◇加工　甘味のあるものは生食するが，酸味の強いものは砂糖煮にしてゼリー羹の中に入れたり，ペクチン*を多く含むのでジャムにも適し，果実酒にもする．酸味を生かして，料理の添え物，ソースとして利用することもできる．

くうしんさい（平　宏和）

グーズベリー（平　宏和）

クールミント　⇨ミント（にほんはっか）
くえ　⇨はた
茎たかな　⇨からし類
茎ちしゃ　⇨レタス
茎にんにく　⇨にんにく

くきわかめ　茎若布

成 09046（湯通し 塩蔵 塩抜き）　英 stipe and center vein of Wakame

わかめを加工する際に除かれる中肋や茎を利用し，製品化したものである．中肋の塩蔵品や茎を削って乾燥し粉末状にしたものもあり，また，中肋や茎を刻んで佃煮あるいは粕漬などの漬物製品にする．

茎わかめ（平　宏和）

くこ　枸杞

成 07185（実 乾）　分 ナス科クコ属（落葉性低木）
学 Lycium chinense　英 Chinese matrimony-vine

熱帯から温帯にかけて広く分布し，日本では北海道を除く各地に自生，植栽される．樹高は1～2m．若い枝はよく伸び，小枝が棘になることがある．夏・初秋に薄紫色の五弁花を葉腋*につけ，秋に楕円形・鮮紅色で多くの種子をもつ液果が実る．

◇採取　4～5月に根元からでる徒長枝（とちょうし：剪定した切口付近から出る発育のよい枝）の若芽は，夏を通して利用できる．果実は晩秋には採取できる．

◇調理　若芽は茹でてお浸し，和え物，天ぷらに，熱湯をくぐらせて，くこ飯に使われる．生果実は生食，くこ酒，乾燥果実はドライフルーツ，薬膳料理，くこ酒に利用される．なお，葉・根皮・果実は生薬としても使われている．

くさかりつぼだい　草刈壺鯛

分 硬骨魚類，カワビシャ科クサカリツボダイ属
学 Pentaceros wheeleri　英 slender armorhead
別 市 つぼだい　地 けんけん（伊豆七島）

最大全長60cm，普通30～40cm．体は長楕円形でやや側扁し，口さきはやや突出する．鱗は細かい櫛鱗*で，胸部および腹面の鱗は粗雑である．体は淡青褐色で，腹面はやや銀白色に近い．太平洋の外洋，水深150～500m，特に中央太平洋北部の海山海域に群棲する．

◇成分特性　市販名では単につぼだいということもあるが，本来のつぼだいとは同属である．いわゆる新漁場の魚の一つで，白身の魚．比較的脂質含量が多く，美味である．成分的には，たいやそのほかの白身魚に準じて扱えばよく，たんぱく質の特性も，そぼろや煮こごりになることからわかるように，白身魚の特性を備えている．ただし肉質の安定性が悪く，練り製品原料には向かない．皮を除いた切り身として市販される．

◇調理　丸のまま入手したときは鱗が多く骨は硬いので，鱗を落とし内臓を除き，骨をつけたまま筒切りにしてあらだき風の煮魚や，三枚におろして汁物や鍋物にしてもよい．切り身のみそ漬も市販されている．中華風では黄魚羹（ホアンユーゴオン：魚のスープ），清蒸魚（チューエンヂェオンユー：魚の姿蒸し），蕃茄溜魚片（ファンチェーリィォウユーピエン：魚のケチャップあんかけ），洋風では，フライやグラタンにしてもよい．

くこ（乾燥果実）（平　宏和）

くさかりつぼだい

くさもち 草餅

成 15017（こしあん入り），15150（つぶしあん入り） 英 Kusa-mochi；(green rice cake, stuffed with red bean paste, flavored by Japanese wormwood "Yomogi") 別地 よもぎもち（関西）

よもぎの若葉をつき混ぜた餅で，あん（餡）を包んだものである．

◇由来　草餅の起こりは中国で，日本に伝わったのは9世紀頃といわれている．昔は，春の七草の一つであるははこぐさ（おぎょう）を用いていたが，室町時代からよもぎを用いるようになった．3月3日の雛まつりにつくる習慣があった．

◇原材料・製法　餅の製法には2通りあり，一つは蒸したもち米に茹でて細かく刻んだよもぎを混ぜてつき上げたものである．もう一つは，上新粉を練って蒸し，よもぎを混合してついたものである．でき上がった餅であんを包んで，はまぐり形やくわい形に整えたものや，あんを包まずに切り餅や菱形にしたものもある．よもぎはアクが強いので，茹で上がりの際にアク抜きと，よもぎの色を青々としたものにするため，重曹（炭酸水素ナトリウム*）を少量加えるとよい．最近，よもぎは乾燥粉末したものや冷凍品もあって，年間を通してつくられるようになった．

草餅（平　宏和）

くさや 臭屋

成 10014　英 Kusaya；(brine-soaked and dried scad)

伊豆諸島の名産．焼いたとき，悪臭を放つが，風味がよいため通人の好むものである．原料はくさやむろ（あおむろ）を最上とするが，普通のむろあじ，まあじのほか，とびうおやさめなども使われている．原料の鮮度は死後硬直中の極めてよいものが用いられる．

製法：むろあじを腹開きして，えら，内臓などを除いた後，2〜3回水洗いする．よく水切りしてから，長年保存してあじのエキス分が溶け込んだくさや汁に8〜20時間浸漬した後，真水で洗

くさや（平　宏和）

浄し天日乾燥または通風乾燥する．くさやは普通の塩乾品と比較し，塩分濃度が低いわりに腐りにくく保存性が高い．この理由として，くさや汁中にある菌の生産する抗生物質があげられている．

くさやむろ　⇒あじ（くさやもろ）
ぐじ　　　　⇒あまだい

くしだんご 串団子

成 15018（こしあん），15019（みたらし），15151（つぶしあん）　英 Kushi-dango；(skewered steamed rice dumpling)

串に刺しただんごはいろいろあるが，2〜5個が一般的である．室町時代の金蓮寺の『浄阿上人絵伝』には，薄茶に供すらしく2個ずつ刺してある．御所の菓子の天の川も黄色と薄紅色の2個であり，祇園だんごは3個で，江戸の羽二重ややなぎ家は4個，京都のみたらしだんご*などは5個である．串だんごには，あんをまぶしたものと，しょうゆのたれをつけたものがある．

◇製法　上新粉をぬるま湯でこねて蒸したものを臼でついて丸めて串に刺す．軟らかめのあんをまぶしたり，串に刺しただんごを軽く焼いてから，しょうゆのたれをつけて仕上げる．大量につくる場合には，蒸練機や自動串刺し機などにより製造する．

串だんご（平　宏和）

くじら 鯨；海鰌；鯢（めくじら）

分 クジラ目　**英** whale；whale meat（鯨肉）　**別** いさな（勇魚）

クジラ目に属する哺乳類の総称．ヒゲクジラ亜目とハクジラ亜目よりなる．鯨は哺乳動物の特徴を備えていながら水中生活に適応した動物で，体長1m内外のものから30mに達するものまである．ハクジラ亜目においては体長数m以上の大型種をクジラ，それ以下のものをイルカと呼ぶが，その区別ははっきりしたものではない．体形は魚類に似ており，頸部ははっきりしない．また尾部に水平の尾びれを備えるほか，胸部に前肢の変わった1対の胸びれをもち，背びれのある種類とない種類がある．ヒゲクジラ類は歯の代わりに左右にそれぞれ鯨ひげを150～400枚備えている．

◇**捕鯨の歴史**　食用としての鯨の利用は古く，ノルウェーでは4,000年以上前の壁画に，捕鯨の様子が描かれているという．わが国でも縄文時代の貝塚から骨が出土しており，奈良時代以降，仏教の影響で獣肉食が禁じられた時代も，魚とみなされていた鯨は，日本人にとって重要なたんぱく質源であった．肉や内臓ばかりでなく，皮，尾びれ，骨（細工用）など，「捨てるところがない」といわれるように，鯨をすべて活用した日本独特の鯨食文化を形成した．主にナガスクジラ，イワシクジラ，ニタリクジラ，ミンククジラ（コイワシクジラ）などのヒゲクジラ類が食用とされてきた．このほかヒゲクジラ類にはホッキョククジラ（*Balaena mysticetus*），セミクジラ（*Eubalaena glacialis*），ザトウクジラ（*Megaptera novaeangliae*），シロナガスクジラ（*Balaenoptera musculus*）などがあるが，資源量の減少から捕獲が禁止されている．

資源保護と捕鯨：近年，捕鯨に対して資源保護などの気運が国際的に高まり，1982年にIWC（国際捕鯨委員会，日本は1951年に加盟）で商業捕鯨モラトリアム（一時停止）が議決され，わが国も，商業捕鯨から撤退した．

その後は，わずかに残された調査捕鯨（ミンククジラ）と規制対象外である小型鯨類のハクジラ類はヒゲクジラ類より，ロウ（ワックスエステル）を含み水銀の含量が高いなど，一般的に食用とするには望ましくない点もある．さらに，1994年には，日本を除くIWC全会一致で，南極海はサンクチュアリー（聖域；永久保護区）として捕鯨禁止となり，ノルウェー，ギリシアはIWCを脱会し，ミンククジラを対象とした商業捕鯨を再開した．米国は基本的には反捕鯨国だが，アラスカでの原住民生存捕鯨の拡大を求めるなど，各国の捕鯨への反対理由は，政治的要素とも絡み合い，複雑な様相を呈している．さらにIWCにおける鯨の持続的利用を求める国と，全ての捕鯨を禁止とする反捕鯨国との対立が深まり，2018年12月末に，日本政府はIWCからの脱退を発表した．脱退が有効となる2019年7月以降は，日本領海と排他的経済水域（EEZ）に限定して商業捕鯨を再開し，ミンククジラ，ニタリクジラ，イワシクジラについて，資源量に影響を与えない保守的な観点から捕獲枠を設定している．

◇**食用部位**　ヒゲクジラ類の体は，表皮（黒皮）に覆われた脂肉（白皮あるいはブラバーと呼ばれる）とその下の鮮やかな赤色を呈する筋肉（赤肉）とにより成り立っており，赤肉と脂肉の一部が食用に供せられる．また，ヒゲクジラ類の中には胸部および腹部にかけて畝（うね）と称する縦溝が10数本ないし数10本存在するものがある．この部分は背部に比べ色の薄い表皮に覆われた脂肉よりなり，その下側に結締組織の多い須の子（すのこ）と称せられる特別の筋肉がある．これらの部分も食用を目的とした加工に使われる．また肛門より後部の尾部の肉は尾の身（おのみ）あるいは腰肉（こしにく）といわれる霜降り状の肉で，量的には少ないが，脂肪が多く含まれ鯨肉のうち

くじら さえずり　ミンククジラ（ノルウェー産）
（平　宏和）

くじらベーコン　ミンククジラ（ノルウェー産）（平 宏和）

で最も美味とされている．また尾そのものは，尾羽（おば）といわれる．鯨の食用となる部分は，このほかにも百尋（ひゃくひろ）と呼ばれる腸や，そのほかの内臓，蕪骨（かぶらぼね）と呼ばれる軟骨やさえずりと呼ばれる舌などがある．

◇成分特性　『食品成分表』では，ミンククジラの赤肉，うねす，本皮と加工品のさらし鯨の成分値が，肉類の食品群分類に収載されている．これらの食用部位および加工品の成分値の間で大きく異なる点は脂質含量である．このため，脂質以外の成分の含量，すなわちたんぱく質，水分，水溶性ビタミン*は当然脂質含量の低い部位は高く，逆に脂溶性ビタミン含量は低くなっている．さらに，さらし鯨は，さらし工程により，脂質，たんぱく質，炭水化物，灰分，ビタミンなどの含量がすべて低いか，0に近くなっている．また陸上動物と比べた場合にも，脂質成分に特徴がみられ，鯨は陸上動物にほとんど含まれないイコサペンタエン酸*（IPA）やドコサヘキサエン酸*（DHA）などの高度不飽和脂肪酸*の含量が高く，逆に陸上動物に多いステアリン酸などの飽和脂肪酸*の含量が低いか，ほとんど含まれず，魚介類に似た特徴を有している（日本食品脂溶性成分表，（一財）水産油脂協会：魚介類の脂肪酸組成表等参照）．その他，最近の調査により，水銀や特に脂肪の多い部位中のPCB含量が高い事例も報告されているが，PCB濃度はさらし加工で減少することから，さらし加工がPCB濃度の低減に有効とされる．

◇保存・加工　現在わが国での商業捕鯨は一定の捕獲枠の範囲内で実施されているとともに，小型沿岸捕鯨についても鯨体処理場は全国で5カ所にとどまり，鯨肉の生産量は商業捕鯨再開移行あっても年間1～2,000トンと1960年代の1％程度にとどまる．したがって，以下の加工法（品）や調理法は，かつて鯨肉が多く流通していた頃の食文化史上の知識である．塩蔵は鯨ベーコン用の畝須，さらし鯨用の尾羽などに限られている．鯨ベーコンは塩蔵した畝須を煮熟，燻乾してつくられる．赤肉は味付け缶詰や魚肉ハム・ソーセージ，鯨コンビーフなどの加工用にも使われ，須の子は前述のように缶詰に適した肉で，焼き肉缶詰，味付け缶詰などに使われている．畝や尾羽は塩蔵したものが塩くじらと称して市販されているが，これらは主にさらし鯨に加工される．また名産品としては千葉の鯨のたれ（鯨肉の塩乾品で，現在でも規制対象外鯨からつくられている），佐賀の松浦漬（軟骨粕漬），長崎の百尋（腸の煮熟品），ゆで鯨（畝須の煮熟品）などがある．

◇調理　冷凍品一般がそうであるように，解凍方法により解凍中のドリップ*が増大し，呈味成分を失うばかりでなく，肉のきめが粗くなり，食味の低下が著しい．またドリップが多いと鮮度も低下しやすくなる．適切な解凍を行うのがコツである．※加熱は短時間に：脂肪が少なく組織が粗いので，長時間の加熱によりパサパサした感じになる．油をたっぷり使った炒め焼きか，衣をつけて揚げ物にすると，この欠点を補うことができる．※味付けは濃く，薬味を加えて：臭気を消すためと，肉としてのうま味の少なさを補うために，味付けは濃いめにすることが多い．生姜，たまねぎ，にんにくなどを入れたしょうゆで下味を付けるとよいとされる．揚げ物の場合は竜田（たつた）揚げがある．※鯨肉は陸上動物の肉と異なりほとんど冷凍してから食用とされるので，寄生虫の心配がなく，解凍後新鮮なものは生食が可能である．尾肉を冷凍前に刺身にしたものは，食肉として最高の味といわれる．※尾羽は，冷凍品を水でもどして熱湯で処理してから流水にさらすと，身が収縮して，軟らかく弾力に富む歯切れのよいものになる．これがさらし鯨である．※畝は尾羽同様さらし鯨に，あるいはそれに続く須の子とともにベーコンにされるが，そのほかに須の子の方は煮物の材料にもなる．長時間加熱すると，結合組織のコラーゲン*のゼラチン化が進んで軟らかくなる．この部分は大和煮缶詰の原料に用いられていた．※ころは脂肉を加熱して油をとった後の身を干したもので，いりかわ（いりがら）ともいい，一晩ほど水をつけて軟らかくもどして使う．

●赤肉（あかにく）

成 11110（赤肉 生）　英 Akaniku；lean meat

鯨肉中，量的に最も多くとれる部分で，細かにみると結締組織の量や脂質の含量に相当の差異がみられ，一般的には筋肉線維が牛・豚などより粗いとされる．『食品成分表』に記載のあるミンククジラでは，100g当たり水分74.3g，たんぱく質（アミノ酸組成）*19.9g, 脂質（TAG当量）*0.3g,

くじら（赤肉）

利用可能炭水化物*（差引き法）4.5g，灰分 1.0g とあるように，水分とたんぱく質が多く，脂質の少ない肉である．牛の肩肉や馬肉などに近い組成を有している．しかし血液中のヘモグロビンや筋肉中のミオグロビンの量が多いので，牛肉よりいっそう鮮やかな赤色を呈する．また鯨は放血を特に行わないので筋肉中の毛細血管の血液が残り，鮮度低下に伴い特有のにおいを発生する原因となっていた．しかし，現在では冷凍法の進歩でこの点はかなり改善された．

さらし鯨　ナガスクジラ（アイスランド産）
（平　宏和）

● うね（畝）

成 11111（うねす 生）英 Une; ventral groove meat
鯨の胸腹部の畑の畝のようにすじになった脂肪に富む皮下脂肪層の部分であり，成分的にも脂質と結締組織が多く，その割合は部分によって異なっている．畝に須の子をつけたものを畝須（うねす）と呼び，塩蔵して鯨ベーコンなどに使う．畝須の成分値は『食品成分表』のミンククジラでは，100g 当たり水分 49.0g，たんぱく質（アミノ酸組成）* 18.8g，脂質（TAG 当量）* 28.1g，利用可能炭水化物*（質量計）(0.2)g，灰分 0.6g となっている．

● 尾肉（おにく）

英 Oniku; tail meat　別 尾の身
霜降り状を呈する尾部の肉．成分的にも脂質の含量が高く，牛肉のロースに似た組成を有している．しかしビタミン類は牛肉よりむしろ豊富に含まれている．脂質の組成も高度不飽和脂肪酸*がかなり含有されている．まぐろなどの魚肉に似たところもあり，鮮度のよい冷凍肉は解凍して刺身とする．

● 尾羽（おば）

英 Oba; tail　別 おばひ（尾羽毛）
尾そのもので，表皮（黒皮）の下は脂肉で，さらして脂肪分を抜いてさらし鯨として食用にする．

● 黒皮（くろかわ）

英 Kurokawa; epidermis; skin
陸上動物の表皮に相応する．成分的には約 65% の水分，約 30% のたんぱく質，3% 程度の脂質，1% 内外の灰分よりなっている．皮くじらというのは脂肪層（本皮）に黒皮のついたままのものを指し，酢みそ和え，みそ汁の実に適するとされる．

● さらし鯨

晒し鯨　成 11113　英 Sarashi-kujira; (salted, sliced and boiled tail fluke)
鯨の尾羽，または本皮を原料として製造する．原料をまず幅 5cm 程度に切断する．水洗い後 30〜40% の食塩を使用し，1〜2 カ月間塩蔵する．これをスライサーで薄く切り，熱水を注ぎながらかき混ぜ油分を抜き，さらに冷流水でさらす．この操作を 3 回程くり返すことにより，コラーゲン繊維が収縮して一部ゼラチン化し，弾力のある特有の歯応えが出てくる．さらし鯨は極めて変敗しやすいので，低温で流通させることが必要である．『食品成分表』のミンククジラでは，100g 当たり，水分 93.7g，たんぱく質（アミノ酸組成）* 5.3g，脂質（TAG 当量）* 0.8g，灰分 0.1g となっている．

● 本皮（ほんかわ）

成 11112（生）英 Shirokawa; blubber　別 しらかわ；ブラバー；しろかわ
脂肉の部分である．脂肪の含量は高いが，またたんぱく質が 6% 程度から 25% 内外まで増加するにつれて，脂質は 80% から 16% 以下まで減少している．『食品成分表』のミンククジラでは，100g 当たり，水分 21.0g，たんぱく質（アミノ酸組成）9.7g，脂質（TAG 当量）52.4g，利用可能炭水化物*（差引き法）16.6g，灰分 0.3g となっている．この脂肉は主に鯨油の生産に使われるが，一部は畝（うね）や尾羽と同じくさらしてさらし鯨とするか，加熱し脂肪分を除いたいりがら（ころという）を食用にする．

● みんくくじら

成 11110　分 ナガスクジラ科ナガスクジラ属
学 *Balaenoptera acutorostrata*　英 minke whale; pikehead; little piked whale; little finner; sharp-headed finner; lesser finback; lesser rorqual　別 標 コイワシクジラ（小鰯鯨）
ドイツ人の捕鯨砲手 Meinke の名から名付けられた．体長 10m 以下の小型の鯨で，胸びれの上面に白色帯がある．畝は細く約 60 本で，鯨ひげはごく薄い黄色である．ヒゲクジラ中最も分布が広く，各海洋にみられる．ヒゲクジラ類の他種と比べて本種は繁殖率が高く，生息数も多い．かなり

沿岸性で，内海，水道などでもみられる．

くじらもち　久持良餅；久慈良餅

英 Kujira-mochi

山形県・新庄地方の名物餅．米の粉と黒砂糖を用いた外郎（ういろう）のような菓子．青森地方では，久慈良餅と書かれる．最上・村山地方などでは，桃の節句に雛壇に供え，食べる習慣がある．
◇由来　宝永年間（1704～11）に新庄藩で兵糧食として用いられたのがはじまりといわれている．名前の由来については定かではないが，海のない最上地方で鯨肉を連想して名づけたともいわれている．保存が利くので久しく持つ良い餅「久持良餅」になったなど諸説がある．
◇原材料・製法　うるち米ともち米の粉，砂糖，しょうゆを混ぜ，水で練り，蒸したもので，なかにクルミを混ぜることもある．

くじらもち（平　宏和）

くずきり　葛切り

成 02036（乾），02037（ゆで）　英 kudzu starch noodles　別 すいせん（水繊）

でん粉めんの一種．くずでん粉を水で練り，薄くのばして生地として，これを蒸してでん粉を糊化する．半生の状態で，麺線に切断する．くずでん粉の代わりに，じゃがいもでん粉で代用したり，あるいはじゃがいもでん粉を加えて製造されることも多い．

◇成分特性　水分のほかは，でん粉が含まれるのみである．
◇調理　料理の素材として利用される場合と，菓子として利用される場合がある．料理では主に精進料理に利用される．菓子として食する場合は，黒蜜をかけて緑茶の茶請けとして利用される．

くず粉　⇒でん粉（くずでん粉）
くずでん粉　⇒でん粉

くずまんじゅう　葛饅頭

成 15030（こしあん入り），15162（つぶしあん入り）　英 Kuzu-manju；(An-ball covered with kudzu starch and wrapped with a cherry leaf)
別 地 くずざくら

くず粉と砂糖を混ぜて練り上げたくず種で，あん（餡）を包んでから蒸したものに，桜の青葉（一般に大島桜の葉）を巻いたものである．桜の葉で巻いていないものをくずまんじゅう，桜の葉で巻いたものをくずざくらと呼び分けることもある．
◇原材料・製法　くず種の基本配合としては，くず粉100に対して砂糖200,水400の割合である．くず種のつくり方には本返し法と半返し法がある．本返し法は，くず粉を透明になるまで練った種であんを包む方法であり，半返し法はくず粉を半透明に練った種であんを包み，せいろうで蒸し上げて透明にする方法である．いずれも熱のあるうちに練り上げたくず種で，普通より硬めのあずきこしあんを包む．形は一般にははまぐり形であるが，くわい形などもある．くず粉はマメ科のクズの根からとれるでん粉で，奈良でとれる吉野くずが良質とされる．桜の青葉の香りがして，表面のくずが透明で，中のあんが透けて見えるのが特徴である．冷やして食べる夏向きの菓子である．

くずきり（鍋物用）（平　宏和）

くずまんじゅう（くずざくら）（平　宏和）

くずもち　葛餅；久寿餅

成 15121（関西風 くずでん粉製品），15122（関東風 小麦でん粉製品）　英 Kuzu-mochi；(traditional starch gel confectionery made from kudzu/wheat starch)

くずもちには，くずでん粉（葛粉）を用いるものと小麦でん粉（生麸，正麸）を用いるものとがある．『食品成分表』では，前者を関西風，後者を関東風としている．読みは同じであるが，漢字では，前者を葛餅と，後者を久寿餅と書き分けることがある．でん粉ゲルの食感を愉しむ菓子である．夏季には，冷やすこともあるが，冷やしすぎると，でん粉が老化して，ゲルの弾性が失われ，食感が悪くなるほか，くずでん粉を用いるものでは，ゲルの透明さが失われる．

● くずでん粉製品（関西風）

◇由来　起源は古く，奈良時代末期のころからあり，穀類の乏しい山間地方で補食として食べていたものが，後に菓子として広まったものといわれている．水溶きしたくずでん粉を火にかけ，糊状に練り上げて，冷却して固めたものである．寛永13（1636）年に出版された『料理物語』や享保3（1718）年に出版された『古今名物御前菓子秘伝抄』には，この製法が載っている．

◇原材料・製法　くずでん粉を水に懸濁させてから鍋に入れて火にかけ，たえず鍋底からへらでかきまぜて，全体が透明になるまで練り上げて糊状にし，流し箱に流し入れて，放冷して固めた後，食べやすいように切断する．『料理物語』には，きな粉，塩，砂糖をかけるとあり，『古今名物御前菓子秘伝抄』には，きな粉をかけるとある．現在では，くずでん粉の懸濁液に砂糖を加えることもある．また，食べる際に黒蜜と砂糖を混ぜたきな粉をかける．市販製品には，くずでん粉以外に，砂糖，オリゴ糖，麦芽糖*，ぶどう糖，トレハロース，加工でん粉，ゲル化剤（増粘多糖類），こんにゃく粉，寒天などを用いたものがある．

● 小麦でん粉製品（関東風）

◇由来　文化2（1805）年に船橋屋（東京都江東区）が亀戸天神前で売り出したものが最初とされている．

◇原材料・製法　小麦でん粉を温湯に懸濁させ，布を敷いた型枠（せいろう）に流し込んで，蒸気で加熱する．蒸し上がったら，せいろうから取り出して，粗熱をとり，食べやすい大きさに切断する．黒蜜と砂糖を混ぜたきな粉をかける．水中で，1年間以上発酵させた小麦でん粉を原料とした製品には，独特の風味がある．市販製品には，小麦でん粉以外に，グリシン，pH調整剤などを用いたものもある．

くず餅　上：関西風，下：関東風（平　宏和）

ぐち　石魚

分 硬骨魚類，ニベ科　英 croakers；drums　別 にべ；いしもち　旬 冬

ニベ科に属する魚の総称．この類は近海の泥底に生息し，産卵期には群集して，うきぶくろ（鰾）を収縮して高い音を出す．このグーグーという音が，ぐちの名の由来ともいわれる．にべ，いしもち，ぐちは相互に名称の混乱がみられる．

このほかぐち類にはきぐち，ふうせい，くろぐちなど種類が多く，練り製品原料として多量に使われている．

◇成分特性　ぐち類は練り製品原料に適した白身魚で，成分的にはいさきなどの白身魚に似て，比較的脂質含量が高く，水分の高いわりにはたんぱく質含量も高く，灰分が少ない．ビタミン類の含量は低い方である．惣菜用になるが，うま味が欠けるのであまり上等品と考えられていない．『食品成分表』では，ぐちとしてイシモチの成分値が示されている．

◇保存・加工　鮮魚または冷凍品としてかまぼこ原料に使われる．冷凍耐性があり，アシが強く，かまぼこ原料として優れた特性を有す．またうま味に欠けるが，肉色が白くてよい点でも優れてい

る．にべはかまぼこ原料として多量に使われており，精肉歩留りはやや劣るが，上物を産するので関西方面では主要原料となる．そのほかのぐち類は量的にも多く，各地で広く使われているが，きぐちはアシの点でやや劣るといわれる．うきぶくろ（鰾）を乾燥したものを魚肚（ぎょと）といい食用にし，または魚膠（ぎょこう）をつくる．しかし，現在はほとんどつくられていないようである．「にべもない」という言葉は，この膠（にかわ）のような粘りがないという意味が転じて，愛着がない，そっけないという意味に使われる．

◇調理　肉質が硬く，崩れにくいので，ごく鮮度のよいものは蒸し物にして持ち味を賞味できる．普通のものは煮付けがよい．中国料理では鍋焼き，丸揚げなど，ゆっくりと時間をかけて火を通す料理に使われることが多い．

●しろぐち
白愚痴 成 10117（ぐち 生），10118（ぐち 焼き）分 シログチ属 学 *Argyrosomus argentatus* 英 silver croaker 別 いしもち；ぐち 地 いしもち；いしむち（各地）；ぐち；くち（関西）；しろぐち（各地，特に関西沿岸で獲れるもの）；にべ（福島）
全長40cm．体高が高く鱗が大きい．頭骨の中に白い固い耳石*を2個もつことから，いしもちの名が付いたといわれる．体色は銀白色を帯びた淡灰色．幼魚は内湾で育つ．成魚は水深15〜140mの砂泥底に生息する．青森県以南，黄海，渤海，東シナ海に分布する．

しろぐち（本村　浩之）

●きぐち
金石魚 分 キグチ属 学 *Larimichthys polyactis* 英 yellow croaker 別 きんぐち 地 きぐち；きんぐち（長崎，下関）；こいち（九州戸畑）
全長45cm．腹部は金色を帯びている．東シナ海，黄海に分布し，機船底曳網で獲られる．にべ類の中では漁獲量も多く，良質のかまぼこ原料になる．中国，韓国料理にも用いられる．

●くろぐち
黒石魚 分 クログチ属 学 *Atrobucca nibe* 英

きぐち（本村　浩之）

blackmouth croaker 別 はまにべ 地 ちょうせんぐち（長崎）
全長50cmくらい．南日本，インド・太平洋に分布する．いしもちに似ているが，口内や腹膜が真黒．主に練り製品原料．

●にべ
鮸 成 10118（ぐち 焼き）分 ニベ属 学 *Nibea mitsukurii* 英 honnibe croaker 別 地 あかぐち（熊本）；くろぐち（長崎）；ぬぐ（鹿児島，長崎）；いしもち（茨城）；ぐち（高知，静岡）
全長80cm．体は側扁する．体色は銀色で黒点がある．太平洋岸では岩手県，日本海岸では新潟県から南，朝鮮半島に分布している．英名，仏名にほんにべ（honnibe）という言葉が入っているが，和名のほんにべ（*Miichthys miiuy*）は別種．これは刺身，煮付けなどにして美味．

にべ（本村　浩之）

●ふうせい
大黄魚；大黄花魚 分 キグチ属 学 *Larimichthys crocea* 英 large yellow croaker
全長80cm．東シナ海から黄海に分布．機船底曳網で獲られ，中国では重要な食材である．わが国ではかまぼこなどの原料にされることが多い．ふうせいとは韓国名プウセpuseの転といわれる．

くちなし　梔子

分 アカネ科クチナシ属（常緑低木）学 *Gardenia jasminoides* 英 gardenia
日本では静岡県以西からの西南部，台湾，中国，インドシナ半島などの暖帯・亜熱帯に分布し，庭

くちなしの実（乾）（平　宏和）

木としても栽培されている．6〜7月に開花し，花は肉質の6弁で径5〜8cm，初めは白色で後に黄変し，強い芳香がある．園芸種にある八重クチナシやコクチナシは八重咲きで，雄しべが花びらになっており，雄しべがないため結実しない．実をつけるのはクチナシだけで，11〜12月に熟する果実は，香りはなく，赤黄色で5〜7稜が突き出た長卵形をしている．陰干しにして乾燥させ保存して利用する．なお，和名：クチナシは「口無」の意味で，果実が裂開しないことによるといわれている．

◇成分特性　花のジャスミン様芳香については，特徴づける主要香気成分はみられず，ヘキサノール，ジャスミンラクトン，オシメンなどのほか，微量成分を含む100種以上の成分が検出されている．乾燥果実に含まれる黄色色素はカロテノイド系のクロシンとクロセチンで，布の染料，食品の着色に利用されてきた．抽出物が食品添加物*（既存添加物）の「クチナシ色素」として市販され，着色料として麺類，菓子，冷菓，農産・水産加工品などに使用されている．なお，漢方では乾燥果実を山梔子（さんしし）と呼び，消炎，止血，解熱，鎮痛薬として用いられる．

◇調理　花は刺身のつま，茹でて和え物などにする．乾燥果実とその粉末・浸漬汁などは，栗・さつまいものきんとん，くわいなどの料理，たくあん漬の着色に使用される．また，古くからの色つけ飯に瀬戸（現・静岡県藤枝市）の染飯（そめいい）と呼ばれる強飯，豊後（現・大分県臼杵市）の黄飯（おうはん）などの郷土料理がみられる．

くちぼそ　⇒かれい，もつご
クッキー　⇒ビスケット・クッキー類

くねんぼ　九年母

分　ミカン科ミカン属（常緑性低木）　学　*Citrus aurantium* Tangor Group　英　Kunenbo；king mandarin　別　地　くにぶ（沖縄）；くねぶ（鹿児島）

インドシナ原産．温州みかんの花粉親の柑橘類である．日本へは江戸時代以前に入り，江戸時代までは主要な柑橘だった．樹は温州みかんに類するが，耐寒性は強い．果実も温州みかん状の扁円形で，110g大となる．果面は粗く，果皮は硬くて厚いので廃棄率は60％と高い．特有の臭気があり，人により好き嫌いが大きい．食味は不良で，観賞用や台木用とされる．現在はほとんど流通していない．

◇成分特性　主成分は糖類で100g中，約8g含まれている．そのほかの成分は温州みかんに類する．ビタミンCは30mg（四訂食品成分表）含まれている．なお，果汁の搾汁率は38％である．

くびれずた

分　09012（うみぶどう）　分　緑藻類イワズタ科クビレズタ属　学　*Caulerpa lentillifera*　英　green caviar；caulerpa　別　くびれづた；長命草；海ぶどう；グリーンキャビア

ポリネシア，フィリピンなど，熱帯に広く分布する．日本では宮古島，久米島など，限られたところに自生している．1970年代後半から沖縄で栽培が試みられてきた．海底を這う茎状部から出る体高が5〜10cmの直立枝を直径2mmほどの小球状の小嚢（しょうのう）が密に覆っている．その形態や食感から海ぶどう，グリーンキャビアという名前で流通するようになった．『食品成分表』には，うみぶどうで収載されている．

◇成分特性　栄養の面からは特記する成分はないが，新鮮なものは粘液性に富んでいる．

◇調理　生のものは低温流通するため，限られた地域で利用されている．一般的には塩蔵されたものが市販されており，塩を洗い流し，しばらく水

くびれずた（うみぶどう）（平　宏和）

につけて塩抜きをしてから用いる．歯応えがあり，淡白な風味で，酢の物，海藻サラダなどにするとよい．また，和え物などの天盛りとしてもよい．

くまえび　⇨えび

ぐみ　頽子；胡頽子；茱萸

成 07061（生）　分 グミ科グミ属（落葉性または常緑性低木）　学 *Elaeagnus* spp.　英 oleaster；silverberry

グミ属の総称で，原生地は世界に多く，北半球に約50種が分布する．庭木，生垣用に植えられる．果実は1～2cmの球形または長円形の紅色果が多く，食用となる．落葉性のナツグミ（*Elaeagnus multiflora* f. *orbiculata*），アキグミ（*E. umbellata* var. *umbellata*）と，常緑性のツルグミ（*E. glabra*），ナワシログミ（*E. pungens*）などがあり，性状も異なる．中でも果実の大きいナツグミの変種であるトウグミ（*E. m.* var. *hortensis*）は，渋味が少なく糖分も多いので，食味が優れ，また，変種のダイオウグミ（*E. m.* var. *gigantea*）はビックリグミと呼ばれ，果実の長径が1.7～2.3cm，果重10gと大きく，ジャムなどへの利用価値は高い．

◇**成分特性**　果肉には収斂（しゅうれん）性の酸味がある．糖類は100g中，10gであるが，甘味は弱い．たんぱく質は比較的多く1.3g含まれている．ビタミンではCを5mg含む．

なつぐみの着果状況（吉田　雅夫）

クミン

分 セリ科クミヌム属（1年生草本）　学 *Cuminum cyminum*　英 cumin　別 ばきん；まきん（馬芹）

エジプト，地中海沿岸原産．最も古くから使われているスパイスで，古代エジプトの医学書にも，薬用植物としての記述があるという．スパイスとして用いるのは長さ6mmくらいの種子だが，外観はキャラウェイシード（果実）とよく似ていて

クミン（ホール，インド産）（平　宏和）

使い方も共通し，よく混同される．日当たり，水はけのよい肥沃なローム状土壌でよく育つ．独特の強い香りと辛味をもち，カレー粉やチリパウダーの主要成分である．

産地：主産地はインド，シリア，トルコなどで，わが国へは，インドからの輸入量が多い．

◇**成分特性**　西洋では古くから薬用植物として利用され，食欲増進や興奮剤，胃腸薬などに用いられたといわれている．主成分はクミンアルデヒド，ジヒドロクミンアルデヒドなどである．100g当たりの成分値は，エネルギー375 kcal（1,570 kJ），水分8.1g，たんぱく質17.8g，脂質22.3g，炭水化物44.2g（食物繊維10.5g），灰分7.6gである（米国食品成分表）．

◇**調理**　クミンは，単独で使うよりもブレンドして用いる方が効果的である．ソーセージやミートソースなどのひき肉料理や，ピクルスなどの風味付けにも欠かせない．トマトとの相性もよい．カレー粉特有の風味はクミンによる．チーズやケーキ，リキュールの風味付けにも用いられる．

くらげ　水母；海月；水螅

成 10370（塩蔵 塩抜き）　分 刺胞動物，鉢虫類（綱），根口クラゲ目　英 jellyfish

刺胞動物，鉢虫（はちむし）類を中心としてヒドロ虫類の一部や有櫛動物門などの寒天質の多い傘をもった浮遊性のものを，すべてクラゲと総称する．このうち，根口クラゲ目ビゼンクラゲ科に属するえちぜんくらげ，びぜんくらげなどが食用される．大型のえちぜんくらげでは傘径が1mに達するものがある．くらげは生で利用されることはなく，漁獲後なるべく早く傘の部分のみ速やかに塩漬にし，塩くらげとしたものが使われている．

◇**成分特性**　生のときにはその98％以上が水分で，その他の成分はわずか2％しか含まれていない．塩くらげの成分としては，少量のコラーゲ

塩くらげ（傘の部分のみを塩漬した加工品）（平　宏和）

ン*を主とするたんぱく質のほかは塩蔵に使われた食塩と水である．ビタミン類もごく少なく栄養価よりも歯触りを楽しむ嗜好食品である．

◇保存・加工　よく水洗，水切りしてからミョウバン5%を加えた食塩をすりこみ樽詰にし，2〜3日脱水させてから本漬にする．原料の鮮度が悪く，脱水が十分行われていないものは赤く変色し，異臭を放つもととなる．傘の径の大きく，根本の部分が完全に除かれ，処理が適当に行われたものが良品である．

◇調理　コリコリした特有の歯応えが特徴である．味は淡白で酢の味に合い，中国料理では酢の物が重要な前菜となる．塩漬のくらげを水出しし，よく洗って塩抜きしてから熱湯につけ，直ちに引き上げたものを使う．硬いので，麺類のように細く切って用いる．これは酢の味を早く浸透させるのにも役立つ．※日本料理ではおろし生姜，中国料理では辛子など，香辛料を効かせるようにする．同じ酢の物に合うきゅうりを取り合わせることが多い．持ち味を補うため，うに和えにしたり，鶏肉を加えたりすることがある．

●えちぜんくらげ
越前水母　分 ビゼンクラゲ科エチゼンクラゲ属
学 *Nemopilema nomurai*　英 Echizen jellyfish；medusa

傘は半球状で，直径1.2 m，重量150 kgに達する．日本近海での食用くらげのうち最大種．体色は黄褐色．鉢水母（はちくらげ：鉢虫類のくらげ）類最大の種類．口腕*のつけ根にある翼と口腕の下面から多数の糸状突起が垂れ下がっている．中国沿岸で発生し，対馬海流に乗って成長しながら北海道西岸にまで達する．最初の標本が福井県産であったのでこの名前がある．

●びぜんくらげ
備前水母　分 ビゼンクラゲ科ビゼンクラゲ属
学 *Rhopilema esculentum*　英 Bizen jellyfish

傘は半球状で直径30 cm．体色は青色．傘の部分を干すか，ミョウバンを加えた塩漬にし，中華料理の食材として欠かせない．瀬戸内海，朝鮮，中国の沿岸に分布する．

 ## クラッカー

英 cracker

小麦粉生地をイースト発酵させた独特の風味をもつ焼き菓子で，ビスケットの一種である．クラッカーはcrack（砕ける）という意味から派生し，製品の砕けやすいパリッとした食感を生命としている．

◇種類　生地に練り込まれる材料や加工法によって，ソーダ，チーズ，オートミール，グラハム，クリームなど各種のクラッカーがある．クラッカーは長時間発酵による風味付けに特徴があり，ソーダクラッカーは特にこの方法が主流になっている．最近はオイルをうわがけした短時間発酵によるオイルスプレークラッカーが普及している．

◇原材料　小麦粉，ショートニング，イースト，砂糖，食塩，重曹（炭酸水素ナトリウム*）その他，種類によって材料が加えられるが，品質の良否を決定づける重要な役割をもつのは小麦粉である．薄力粉のみでは非常に軟らかで，口あたりはよいが膨張度が低く外観が見劣りする．またグルテンの性質が強い強力粉のみでは膨張度，外観とも優

中華くらげ（塩くらげ，調理例）（平　宏和）

クラッカー（プレーン）（平　宏和）

れたものが得られるが，品質が硬く口あたりの悪い難点がある．したがって両者の中間である中力粉が用いられる．ショートニングは生地操作を容易にし，製品の浮き，食感をよくする．イーストは生地の発酵，熟成に関与し，製品の風味にも寄与している．重曹は膨張剤としての役割のほかに，風味付けやpH調整としても重要な役割をしている．

◇製法　仕込み方法には，パンと同様にスポンジ（中種）法，ストレート（直捏）法があり，通常はスポンジ法が行われている．小麦粉にイースト，水，ショートニングを軽く混ぜ合わせて25～30℃で長時間（18～20時間）発酵を行い，発酵終了後残りの原料を加えてなめらかな生地をつくり，さらに4時間の発酵を行う．ドウシーター，ラミネーターで圧延し，折りたたみを行い，カッティングマシンで整型する．焙焼は高温短時間（260～300℃・3～4分）で行う．

●オイルスプレークラッカー

成 15093　英 oil sprayed cracker　別 スナッククラッカー

たんぱく質分解酵素の作用を利用して，短時間で生地を調整する方法でつくられている．ソーダクラッカーが発酵と重曹の風味を生かした製品であるのに対して，オイルスプレークラッカーは生地焼成後，65～70℃に温めたオイルをスプレー（噴霧）するかオイルカーテンの中を通過させる方法で，20～25％のオイルを吸着させ，食塩，香辛料などで味付けられる．

●グラハムクラッカー

英 Graham cracker

グラハム粉（小麦の全粒粉）を原料としたクラッカー．グラハム粉は米国の聖職者で食事改良家のグラハム博士（Sylvester Graham）により1839年に推奨されたので，この名がある．小麦ふすまを含んでいるので，ビタミン，無機質，食物繊維などに富む．特有の素朴な風味と食感をもつ．

●ソーダクラッカー

成 15094　英 soda cracker

米国式クラッカーの代表とされ，ソーダ（soda）の名前の通り，原料には重曹が添加され，製品のpH*は7.6～8.3のアルカリ側に仕上げられている．長時間かけてじっくり発酵させ，高温のオーブンで短時間で焼き上げる．この発酵と重曹の風味，カリッとした香ばしさで，素朴な飽きのこない味を出している．

グラニュー糖　⇨さとう

 クランベリー

分 ツツジ科スノキ属（常緑性低木）　学 *Vaccinium macrocarpon*（オオミツルコケモモ）　英 cranberry　別 オオミツルコケモモ

北米の北東部原産の野生種のオオミツルコケモモを元に育成されたつる性の小果樹を呼ぶ．主な品種はアーリー・ブラック（Early Black），フォーウエス（Howes），サーアルス（Searles）などである．初秋に1～1.5cmの球形の実が赤く熟する．酸味はかなり強い．わが国にはツルコケモモ（*V. oxycoccus*）が自生するが，栽培されていない．米国では大規模栽培され，ジュースをはじめ，パイ，ケーキ，リースなどに利用されている．ビタミンC，ポリフェノール含量も多く，わが国でも輸入品がアイスクリーム等に用いられている．

クランベリー（平　宏和）

 くり　栗

成 05010（日本ぐり 生），05011（日本ぐり ゆで），05012（日本ぐり 甘露煮）　分 ブナ科クリ属（落葉高木）　学 *Castanea* spp.　英 chestnuts

北米，欧州，北アフリカ，アジアの原産で，北半球の温帯に分布する植物およびその種子の総称．わが国では，栗は古くから山野に広く分布し，利用の歴史は古く，縄文時代に遡る．史上に記されたのは『古事記』が最初である．飛鳥時代にはすでに地域の特産物となり，焼き栗などに利用されたといわれる．平安時代には，ひらぐり（蒸して粉にしたもの），かちぐり*など，保存食としても利用されていた．また，栗は古くは「久利」と記し，「栗」の字は中国から伝わったといわれる．

◇種類　世界で栽培されている栗は数種あるが，そのうちニホングリ（*Castanea crenata*），チュウゴクグリ（*C. mollissima*），ヨーロッパグリ（*C. sativa*）およびアメリカグリ（*C. dentata*）が最も重要である．ニホングリは日本および朝鮮半島に分布する．チュウゴクグリは中国特産で，食味がよい

栗の着果状況（平　宏和）

ヨーロッパグリ（焼き）　イスタンブール（トルコ）で入手したもの（平　宏和）

ので，焼き栗（甘ぐり）用として輸入されている．ヨーロッパグリはスペイン，トルコ，イタリアで広く栽培され，剝皮が容易で，料理，菓子，ピューレー，マロングラッセ用などに適している．アメリカグリは木材用を主とし，食用にもなるが，果実は小さい．北米原産のチンカピングリ（*C. pumila*）は，果実は非常に小さいが，食味はよい．わが国の日本栗の主要品種は，筑波，丹沢，銀寄（ぎんよせ），石鎚，国見などであり，チュウゴクグリとの交雑種とみられる利平栗の栽培も盛んである．また，野生のニホングリであるシバグリ（柴栗）は全国的に分布し，一部の郷土銘菓にその風味が生かされているが，利用は少ない．わが国のクリの生産は世界第9位であるが，中国および韓国からの輸入量が多い．

◇**成分特性**　可食部である子葉*（生）の主成分はでん粉で，約25％含まれている．そのため炭水化物は多い．しかし遊離の糖は少なく，4％程度である．糖組成はしょ糖が多く，ぶどう糖と果糖をわずかに含有する．また，0.3％のペクチン*を含む．無機質は種実類の中では少ない方である．ビタミンとしてはCが比較的多い．子葉の黄色色素はカロテノイド色素で，表層部に多く含まれる．しかし，β-カロテンは少なく，ルテイン*が全体の約75％を占める．渋皮と果肉にはタンニン*が多く，加工時の褐変の原因となっている．

◇**保存**　短期間の貯蔵には冷水中に浸漬して保存

する水貯蔵があり，長期の貯蔵には低温貯蔵やCA貯蔵*が行われる．低温貯蔵の最適条件は温度1℃，湿度85〜90％である．

◇**加工**　加工品としては菓子原料，シロップ漬（甘露煮），マロングラッセ，栗きんとんなどがある．

◇**調理**　栗は，脂質ではなくでん粉を主成分としている．しかも糖分が多く甘味が強い．砂糖が普及するまでは貴重な天然の甘味資源であったから，その甘味を生かした菓子や料理が多い．マロングラッセ，栗羊羹，きんとん，含め煮，ぜんざい，甘露煮，甘ぐりなどがその例で，現在では砂糖などを加えて甘味を強調する．※そのまま茹で，あるいは焼いて食べるのも，素朴でしかも上品な持ち味を楽しむことができる．また季節の味覚として炊き込み飯（栗ご飯）もよい．西洋料理ではバター煮，クリーム煮，ピューレー，ローストチキンの詰めもの，肉料理の付け合わせなどに用いる．あっさりした風味が鶏肉とよく合い，西洋料理，中国料理とも，鶏肉と付け合わせることが多い．

左：チュウゴクグリ，右：ニホングリ（平　宏和）

クリームチーズ　⇨チーズ

 ## クリームパン

🄼 15070, 15130（薄皮タイプ）　🄔 baked bun with custard cream filling；custard cream bun
明治37（1904）年，新宿中村屋の相馬愛蔵により考案された．シュークリームを食べた折，美味であったことから，あんパンのあんの代わりにクリームを用いれば，一種独特な風味をもったパンができると考えたのである．その後，他の店でもつくられるようになり，全国津々浦々まで広がった．クリームにはカスタードクリームまたはフラワーペーストが使用される．グローブ形のパンが

上：クリームパン，下：クリームパン（薄皮タイプ）
（平　宏和）

主流であるが，最近，小振りで丸形の薄皮タイプのものがみられる．

 クリーム類

成 13014　英 cream

牛乳を遠心分離して得られた水中油滴型の乳脂肪エマルションをいう．これを殺菌して，びんまたはカートン（carton）に充填したものをクリーム，生クリームと称している．

分類：乳等省令*では，生乳のみを原料とし，乳化剤*や安定剤，植物性脂肪をまったく使用していないものを「クリーム」とし，「生乳，牛乳または特別牛乳から乳脂肪分以外の成分を除去したもの」と定義している．成分は，乳脂肪分18％以上と規定されている．これ以外のクリーム類，すなわち，乳化剤，安定剤，植物性脂肪を加えてあるものは「乳又は乳製品を主要原料とする食品」（加工クリーム）として区別している（**表1**）．

脂肪含量と用途：食品工業用には，バターやア

生クリーム（平　宏和）

表1　クリーム類の分類

		主要原料	用　途
クリーム		乳脂肪	ホイップ用 コーヒー用
加工クリーム	乳脂肪だけのもの	乳脂肪	ホイップ用 コーヒー用
	混合脂肪のもの	乳脂肪＋植物性脂肪	ホイップ用 コーヒー用
	植物性脂肪だけのもの	植物性脂肪	ホイップ用 コーヒー用
その他のクリーム	サワークリーム	乳脂肪 （クリーム）	パン等のペースト 製菓・料理材料
	クレーム・ドゥーブル	乳脂肪 （クリーム）	パン等のペースト 製菓・料理材料
	クロテッドクリーム	乳脂肪 （クリーム）	パン等のペースト 製菓・料理材料 病者用食品

イスクリームをはじめ種々の乳製品原料として用いられる．用途により脂肪含量にも差があり，たとえばバターの製造には脂肪30～40％のクリームが用いられる．市販のクリームには，脂肪20％前後のコーヒークリームから，40％前後のホイップクリームなどがある．また，乳脂肪率の高いクロテッドクリームやクレーム・ドゥーブル，乳酸菌発酵させたサワークリームなど，ゆるい固形状やペースト状のものもある．そのほか，保存性を高めるために粉末状にしたものや，原料の乳脂の一部または全部を植物油脂に置き換えたものなど，用途に応じてさまざまな製品がつくられている．

◇**調理**　ソースやクリーム煮に風味となめらかな食感を与える．また泡立てたホイップクリームはケーキの装飾として，あるいは果実にからませてクリームパフェとして，やはりなめらかな風味を付け加えるのに役立っている．※コーヒーに入れると苦味を和らげ，液面を覆って香りが逃げるのを防ぐ．ウインナーコーヒーがその例である．

●**クレーム・ドゥーブル**

英 double cream

名前の通り，フランス風の高脂肪の濃いクリーム．乳脂含量などについての乳等省令による規定はないが，一般には40～50％のものが多い．乳酸発酵させ，かすかな酸味をもつものもある．

◇**調理**　そのままパンやスコーンにつけるほか，果実に添えたりする．フランス料理や菓子にも用

左：クロテッドクリーム，右：サワークリーム
（平　宏和）

いられる．

●クロテッドクリーム
英 clotted cream
乳脂肪率をクレーム・ドゥーブルより高い 60〜70％に調整した高脂肪の英国風なコクのあるクリーム．原料はクリームのほか，1％ほどの脱脂粉乳を加えることもある．固形状で，マフィンやスコーン，パンなどにつけて食べるほか，製菓材料にも用いられる．

●合成クリーム
成 13019（クリーム・植物性脂肪）　英 synthetic cream
大豆油，やし油，パーム油などの乳脂以外の異種脂肪またはその加工油（硬化油）などを乳化したクリーム様物質である．乳脂肪主成分のクリームに類似している．乳化剤*としては，乾燥卵，レシチン*，大豆たん白，ゼラチンなどを使ったが，現在ではカルボキシメチルセルロース*（CMC）が使用されている．

●コーヒーホワイトナー
成 13020（液状 乳脂肪），13021（液状 乳脂肪・植物性脂肪），13022（液状 植物性脂肪），13023（粉末状 乳脂肪），13024（粉末状 植物性脂肪）
英 coffee whitener
コーヒー・紅茶用に製造されているクリームの総称．形態は，液状でびん入りや1回分の小カップ入り，粉末状のものがある．脂肪成分では，乳脂肪，植物性油脂，両者を混合したものの3種があり，脂肪含量などに差異がある．コーヒーなどと容易に混合する必要があり，原料植物油としては，中鎖脂肪酸を主成分とするやし油やパーム核油が使用される．

●サワークリーム
英 sour cream
均質化したクリームを乳酸発酵させたもの．乳脂肪率は40％くらいで，乳酸菌特有の爽やかな酸味がある．市販品は発酵後に殺菌したものが多く，クリームに比べ保存性もよい．
◇調理　パンなどに塗るほか，製菓材料をはじめ，カレー，ボルシチやビーフストロガノフなどの煮込み料理にも，仕上げに落とし入れて風味を加える．

●脂肪置換クリーム
成 13019（ホイップ用クリーム 植物性脂肪）　英 partially substituted cream
異種脂肪として植物脂肪が加えられたもので，乳脂の一部を不飽和脂肪酸*の多い植物油脂に置き換えて，安定性を図っている．特に粉末クリーム，調理用クリームには脂肪置換クリームが用いられている．

●粉末クリーム
成 13023　英 cream powder　別 クリームパウダー
生クリームの乾燥粉末．乳等省令*では，成分規格を乳固形分95.0％以上（うち乳脂肪分50.0％以上），水分5.0％以下，細菌数1g当たり50,000以下，大腸菌群陰性としている．乳脂肪分が多いので，フェザリング（コーヒーに入れると乳白色の微細凝固物を生成する現象）を起こさないよう加工されている場合が多い．

●ホイップ用クリーム
成 13017（乳脂肪），13018（乳脂肪・植物性脂肪）13019（植物性脂肪）　英 whipping cream
泡立て用のクリームで，脂肪分を40〜50％含むものをいう．脂肪分として乳脂肪分のみを用いたものと，乳脂肪と植物性脂肪を混合したもの，植物性脂肪のみからなるものがある．
◇調理　通常，砂糖が15％程度加えられる．洋菓子用に泡立てて用いるには，クリームの温度を2〜5℃に保つよう冷やしながら泡立てる．また，過度のホイップは，クリームの分離を招くので注意する．このほかのケーキ用クリームは，ケーキ*を参照のこと．

コーヒーホワイトナー　左：粉末状（脂肪成分：乳脂肪），右：液状（脂肪成分：植物脂肪）（平　宏和）

グリーンアスパラガス　⇨アスパラガス

グリーンボール　⇨キャベツ
栗かぼちゃ　⇨かぼちゃ（西洋かぼちゃ）

くりかんろに　栗甘露煮

成 05012　英 Kuri-kanroni

栗の砂糖煮．鬼皮と渋皮を剥いた栗を水に漬けてアク抜き後，水で煮たものを煮溶かした砂糖液に入れ，煮含めたもので，水煮の際，着色にくちなしの実*が使われる．糖度：50％前後，大きさ（1粒）：10〜25ｇ程度で，そのまま，または，料理，菓子原料に利用される．粒（ホール）の壜詰が市販されている．

栗甘露煮（平　宏和）

くりきんとん　栗金団

英 Kuri-kinton

剝皮した栗を蜜煮し，さつまいものあんで和えたもの．さつまいもは煮て裏ごしをし，砂糖，みりんなどを加えて練り，黄色に仕上げるのにはくちなし*の乾燥果実を使う．金団は金の団子，布団を意味し，主に正月のおせち料理に使われるが，明治以降に広まったと考えられている．同名の和菓子がある．

栗きんとん（平　宏和）

くりきんとん（和菓子）

英 Kuri-kinton

栗きんとん　和菓子（平　宏和）

表記には栗金団，栗きんとんなどが使われる．蒸した栗の中身をつぶし砂糖を加えながら炊き，栗の形に茶巾しぼりにしたもの（岐阜・中津川の銘菓が有名）と，つぶしあんを芯にして表面を栗きんとんそぼろで包み，蜜漬栗の半切りを中央にのせたものがある．

くりせんべい　栗煎餅

英 Kuri-senbei

白ねりあんを原料としたせんべい．栗せんべいといっても栗は用いられない（栗ペーストが入ったものもある）．伊豆地方の名物であったが，全国に製品がみられる．

◇製法　砂糖と練り上げた白あんに鶏卵を加え混合して作ったあん玉を，回転式せんべい焼機で焼きあげる．

栗せんべい（平　宏和）

くりたけ　栗茸

分 モエギタケ科クリタケ属（きのこ）　学 Hypholoma sublateritium　英 Kuritake　別 あかんぼう；やまどり；あかぼっち

クリやナラ，クヌギなどの広葉樹の切り株や倒木上に，あるいは埋もれ木から秋から晩秋にかけて

くりたけ　上：野生，下：栽培（岩瀬　剛二）

発生する．傘の色は茶色から褐色で，直径は3～8cm，ひだは最初は白いが，成熟すると紫褐色に変化する．これまで食用とされてきたが，近年有毒成分が見つかり，海外では毒きのこととされているので，注意を要する．よく似ているものに毒きのこのにがくりたけがあるが，黄色味が強く味が苦いので区別できる．さまざまなメーカーから種菌が販売されており，原木を用いた人工栽培が一部の地方で行われ，野生のものとともに市場に出されている．また，道の駅などで売られていることも多い．

◇**調理**　味が淡白でクセがなく，みそ汁の具，炒め物，煮物，焼き物，揚げ物など，料理一般に向いている．アルミホイルで包み焼きにすると栗の香りがする．

くりまんじゅう　栗饅頭

成 15031（こしあん入り），15163（つぶしあん入り）　英 Kuri-manju

カステラ饅頭よりも軟らかめの生地で，栗を入れた白あんを包み小判型にして，上部の表面に，卵黄をみりんで溶いたものを刷毛塗りしてからオーブンで焼いたものである．焼き上がったあと，刷毛塗りした部分が黒褐色に光沢を生じるのが特徴である．

栗羊羹　　⇒ようかん（練り羊羹）
栗らくがん　⇒らくがん

グリンピース

成 06023（生），06024（ゆで），06025（冷凍），06026（水煮缶詰），06374（冷凍 ゆで），06375（冷凍 油いため）　分 マメ科エンドウ属（1～2年生草本）　学 *Pisum sativum*　英 green peas　別 みえんどう

グリンピースはえんどうの未成熟の子実を生果として，または加工用として利用する．収穫が遅れると種実が硬化し，緑色があせて品質が低下する．

◇**品種**　グリンピースにはでん粉型，中間型，糖質型がある．でん粉型のアラスカ，中間型のウスイなどが著名であるが，近年，糖質型の改良も進み，瀬戸，利根，島緑などが育成されている．

作型：夏播き（10～4月どり），秋播き（4～6月どり），春播き（6～8月どり）がある．加工品があるので，青果の周年供給に対する要求は小さく，秋播き（4～6月どり）に生産は集中している．

産地：和歌山，鹿児島，北海道などであるが，冷凍グリンピースが米国，中国などから輸入されている．

◇**成分特性**　えんどうの未熟から成熟にわたる中間の青実えんどうは，種子の熟度により成分組成が変化する．未熟な種実は水分，たんぱく質および糖類が多く，熟度が進むにつれて水分が減り，でん粉が多くなっていく．通常のグリンピースの糖類のうち7～8割がしょ糖で，少量の果糖とぶどう糖を含む．これらの糖類は熟度が進み過ぎるとでん粉になるので品質が劣り，熟度判定が品質の決め手となる．調理（茹で）による成分損失率

栗まんじゅう（平　宏和）

グリンピース（平　宏和）

は，さやを有するさやいんげんなどに比べて大きい数値を示すものの，ほうれんそうなどの葉菜類*に比べると小さくなる．遊離アミノ酸*についてはさやえんどう*を参照．
◇保存　0℃，85～90％の湿度条件で保存すると1～2週間の保存ができる．
◇加工　加工品としては水煮缶詰と冷凍品が主なものである．水煮缶詰は，青実えんどうを少し水さらしして缶またはびんに詰め，2～3％の食塩水を加えて密封，殺菌する．なお，緑色に着色する場合は，食用色素を加える．冷凍品は原料を脱莢機（ピーハーラー）にかけ種実のみとし，風選して塩水（5.5～9.5％）で比重選別する．さらにブランチング*（60～90秒）を行ってから急速凍結し，ポリ袋に詰め，空気を除去してシールする．
◇調理　グリンピースの味そのものを目的に大量に使うのは炊込み飯ぐらいで，あとはほとんど料理の彩りに使う．サラダ，炒め物，和え物には茹でてから用い，スープには裏ごしして用いる．肉料理の付け合わせに色，味ともに最適である．生のものは長い加熱を避ける．色を生かす茹で方は葉菜に準じる．缶詰グリンピースに代わり，現在では冷凍品がよく用いられる．

ぐるくん　⇒たかさご
くるまえび　⇒えび
車糖（くるまとう）　⇒さとう

くるみ　胡桃

成 05014（いり）　分 クルミ科クルミ属（落葉高木）　学 *Juglans* spp.　英 walnuts

ペルシア，中国，日本，北米などを原産とする10数種のクルミ属植物およびその種子の総称．成熟すると外果皮*に裂け目ができて，中の石果*が落下するようになる．この石果の内部の内果皮*が堅くなった殻の中にある仁*（子葉*）を食用とする．米国，中国，イランなどの生産量が多い．わが国は，主に米国から輸入している．
◇種類　日本原産のオニグルミ（*Juglans mandshurica* var. *sachalinensis*）およびヒメグルミ（*J. mandshurica* var. *cordiformis*）は野生種で，全国各地に自生しているが，石果の殻が堅く，また仁の歩留りが少ないので栽培価値は低い．栽培されるのは，殻が薄く軟らかい軟殻で仁の多い種類で，西洋ぐるみと呼ばれるペルシアグルミ（*J. regia*），ペルシアグルミの変種と考えられるテウチグルミ（*J. regia* var. *orientis*；この名は，手で割れるこ

くるみ（いり）　左：殻付き，右：仁（平　宏和）

とから付けられたといわれる），テウチグルミとペルシアグルミとの自然交配でできたとされるシナノグルミがある．ペルシアグルミは明治・大正時代に導入され，フランケット，コンコード，ユーレカなど，多くの栽培品種がある．シナノグルミは，晩春，信鈴など，いくつかの優良系統が選抜されている．市販品の大半はペルシアグルミである．
◇成分特性　くるみ（炒ったもの）の仁の主成分は脂質で，エネルギー値も高い．たんぱく質の約60％はグルテリン*であり，アミノ酸組成ではリシン*が第一制限アミノ酸*である．ビタミンはB_6が比較的多い．主成分であるくるみ油は融点が低く不飽和脂肪酸*が多く，乾性油*である．その脂肪酸組成はリノール酸型で，リノール酸* 61.3％，オレイン酸* 14.9％，リノレン酸 13.3％，パルミチン酸 7.0％，ステアリン酸 2.8％である．
◇保存　収穫した石果は，付着している外果皮の残り滓などを水洗して除去し，漂白したあとよく乾燥させる．殻付きのまま，なるべく低温で乾燥した場所に貯蔵する．
◇加工　あめ煮にしたものや，くるみゆべしなどが地方の特産品として販売されている．
◇調理　脂肪が多く，特有の風味がある．これを利用してくるみ和えの材料にする．淡白な食品に油の風味と栄養価値を補強できる．同様な目的で，和え物のほか，豆腐に混ぜて"くるみ豆腐"，餅に混ぜて"くるみ餅"などに使われる．西洋料理でも，刻んでサラダにしたり，バターと練り合わせてサンドイッチやカナッペに用いる．※上品なうま味が洋菓子に最適で，ケーキやクッキーなどに砕いて用いる．甘味とよく合うことから，日本でも砂糖をからませてあめ煮にする．※中国料理ではうま煮，煮込みなどに香味を付ける材料として用いる．えび，鶏肉などの淡白なうま味にコクを付けるのによい．

グレインウイスキー　⇨ウイスキー

グレービーソース
英 gravy sauce
肉を調理したときに出る肉汁（gravy）を布でこした後，赤ワインやブイヨンを加えて煮つめたもの．肉料理に合う．ローストビーフなどに欠かせない．

クレープ
英 crepe
小麦粉に卵や牛乳，砂糖，塩，バター，ラム酒またはブランデーを加えてつくった，ゆるく流動状の種（生地）を鉄板や専用のフライパンでごく薄く焼き上げたものである．
◇由来　crepe は，縮み，ちりめんなどの意味．皮を焼いたこの菓子の表面に縮みじわができることから名付けられたという．
◇食べ方　いろいろあり，四つに折ったり，巻いたりして，ジャムやフルーツソース，チョコレート，クリーム，チーズなどをかけたり，中にはさんで食べる．千切り野菜やハムなどをマヨネーズと一緒に巻いたサラダクレープなどの食べ方もある．クレープをオレンジソースで軽く煮込んでつくるクレープ・シュゼットなど，デザートとしての食べ方もある．また，街中で焼きながら売る店頭販売も多い．

クレープ（平　宏和）

グレープシードオイル（平　宏和）

グレープシードオイル
成 14028（ぶどう油）　英 grape seed oil　別 ぶどう油
ヨーロッパブドウ（Vitis vinifera）の種子（油分7～21％）から採油した油．ヨーロッパでは古くから使われているが，日本での利用は最近のことである．あっさりした味とほのかに香るぶどうの風味が特徴．日本農林規格＊（JAS）では，食用ぶどう油として，精製ぶどう油とぶどうサラダ油に分類されている．
　産地：フランス，スペイン，イタリア，チリなど，ワインの産地が主として生産している．わが国への輸入品は，無農薬のチリ産のものが多い．
　製油：圧搾・抽出により採油される．
◇成分特性　『食品成分表』では，100g 当たり脂質（TAG 当量）＊96.5g からなる．脂肪酸組成は大豆油に似てリノール酸＊が多いが，α-リノレン酸＊は少なく，パルミチン酸 7.1％，ステアリン酸 4.1％，オレイン酸＊18.4％，リノール酸 68.4％，α-リノレン酸 0.5％を含む（付表6）．100g 当たり，ビタミン E を 35.7mg 含む（α-トコフェロールが多い）．ビタミン K は 190μg と大豆油に次いで多い（付表7）．
　理化学特性：精製ぶどう油の日本農林規格（JAS）では，比重 0.918～0.923，屈折率（25℃）1.472～1.476，けん化価 188～194，ヨウ素価＊128～150 としている．
◇保存　他の食用油と同様，酸化防止のための配慮を必要とする．
◇調理　オリーブ油ほどクセがなく，食材の持ち味を生かす油として，ドレッシング，マリネなどの生食の料理や，野菜や魚介類の炒め油，揚げ油として好まれ，使用される．

グレープフルーツ
成 07062（白肉種 砂じょう 生），07063（ストレートジュース），07064（濃縮還元ジュース），07065（50％果汁飲料），07066（20％果汁飲料），07067（缶詰），07164（紅肉種 砂じょう 生）
分 ミカン科ミカン属（中高木）　学 Citrus aurantium Grapefruit Group　英 grapefruit
18世紀，西インド・バルバドス島に生じた新果実で，ぶんたんの血を引く自然雑種といわれる．

グレープフルーツ　左：白肉種，中：紅肉種，右：缶詰（平　宏和）

フロリダには1810年に伝わり大栽培地となった．当初は禁断の実といわれ珍重されていたようで，現在でも主要な柑橘となっており，世界の柑橘生産の10％を占めている．柑橘としては珍しくぶどうの房状に結実するのでその名がある．

◇品種　果実は400g前後であるが，種子はまったく含まない品種からダンカン種のようにかなり種子の多い品種まで，まちまちである．また果肉も白色，深紅色，その中間の品種などがある．ダンカン，マーシュシードレス，レッドブラッシュなどの生産が多い．

産地：米国，イスラエル，アルゼンチン，キプロス，ジャマイカなど．わが国では経済生産はできないので，ほとんどが輸入に依存している．

◇成分特性　じょうのう膜，果肉ともに軟らかく，ジュース分が多いのが特徴である．廃棄率は30％．50％の果汁が得られる．主成分は糖類（6〜7g）と酸（1.0〜1.4g）である．全酸の90％前後がクエン酸で，次いでリンゴ酸*となっている．果実の爽快な苦味はナリンジンであり，特にアルベド部に多く1〜2％含まれているが，果汁には少なく0.03％である．灰分は100g中，0.4gで，ビタミンCは36mgである．果実特有な香気成分の主なものはヌートカートン（nootkatone）である．1〜2ppmで香気が生じる．香気は苦味をもっている．果肉の遊離アミノ酸*はアスパラギン酸，グルタミン酸，セリンなどが多い．果肉のカロテノイド色素は少ない．グレープフルーツには，ジヒドロキシベルガモチン等のフラノクマリン類が含まれることが近年明らかにされ，降圧剤，特にカルシウム拮抗剤の作用を促進して血圧を下げすぎることがあるため注目されている．降圧剤を同時に服用するときは注意を要する．

◇保存・加工　貯蔵の最適温湿度は1℃・85％で，2ヵ月間貯蔵できる．果汁，果肉缶詰に主として加工される．果汁には特有の風味があり，天然果汁，濃縮果汁，果汁飲料，清涼飲料など，加工品目も多い．これらジュース類の製法は，オレンジジュース*と同様である．

クレソン

成 06077（茎葉 生）　分 アブラナ科オランダガラシ属（多年生草本）　学 *Nasturtium officinale*（オランダガラシ）　英 watercress　別 みずがらし（水芥子）；ウォータークレス；クレスサラダ；オランダがらし；オランダみずがらし；台湾ぜり

ヨーロッパの原産で，古くから食用とされていた．わが国へは明治初年に導入されたが普及しなかった．種子が散ったものが河川に自生している．また少量ではあるが，水田などで栽培もされている．

◇野生種　湧水のある池，小川などの冷水に群生する帰化植物で，全国各地に分布している．繁殖力が旺盛で，茎を横にのばし節々より白い根を出し，水辺を埋めつくす．葉は奇数羽状に分裂し，先端が大きく，丸形をしている．茎の先端に総状花序*をつけ白い小花をつける．十字花で，径2〜3mm．花期は4〜6月である．

採取：茎の先端の軟らかい部分から折り取る．多少花がついていても食べられる．常緑であるから年中採取できる．冬には葉が濃い紫褐色をしている．

栽培種：わが国では品種・作型の分化はみられない．ハウスを利用すれば冬期も生産可能であり，

クレソン（平　宏和）

わずかながら周年供給されている．
　産地：山梨，沖縄，大分，和歌山など．
◇**成分特性**　無機質とビタミン含量が多く，カルシウム，カリウム，β-カロテン，ビタミンCなどが多い．からし油配糖体（グルコナスツルチイン）が含まれ，酵素により加水分解*されてフェニルエチルからし油が生成するので，独特の辛味をもつ．栽培品はポリフェノール類が少なく，いわゆるアク味が少ないが，野生のものはアクと香りも強い．
◇**調理**　味はからしなに似ているが，主に料理の付け合わせやサラダに．緑を生かして生のまま使われる．

くろあわび　⇒あわび

くろあわびたけ　黒鮑茸

成 08010（生）　**分** 担子菌類ヒラタケ科ヒラタケ属（きのこ）　**学** *Pleurotus abalonus*　**英** abalone mushroom

ひらたけ近縁種のきのこで中国南部から台湾が原産で，沖縄を除いて日本には分布していない．ひらたけに似ているが，傘の色が黒くてかため，あわびのような食感があることから，この名が付いている．ヒラタケ属のきのこは昔から食用とされ，世界中に多くの近縁種があること，また，海外から持ち込まれたものも多いことから，分類が難しく，学名も定まっていないものが多い．傘の色は淡い黒色から褐色，柄の色も褐色であるが，肉は白色である．石づき部分に黒色水滴状の胞子のかたまりがあり，この点でもクワガタムシの飼育に使われるおおひらたけとは極めて近縁である．
◇**栽培**　気温28℃以上の温度で生育がよいが，加温すれば栽培が可能なので，各地でおがくずを利用した菌床で栽培されている．
◇**成分特性**　成分組成はあまり特徴がない．100g当たり，食物繊維4.1g，エネルギーは28kcalである．
◇**調理**　3～4分茹でて，汁物，炒め物，天ぷら，クリーム煮などとする．ほぐしてひき肉と混ぜて，ハンバーグ，コロッケなどにするのもよい．鮮度が低下しやすいので購入後は早めに使用する．

クローブ

成 17062（粉）　**分** フトモモ科フトモモ属（常緑高木）　**学** *Syzygium aromaticum*（チョウジノキ）　**英** clove　**別** ちょうじ（丁子）；百里香；鶏舌香

インドネシアのモルッカ諸島原産．開花前の花蕾*を乾燥させて用いる．くぎのような形から，クローブ（くぎ；フランス語clouが語源），丁子の名が付けられた．また，「強い香りは百里も先からにおう」ことで，百里香の名もある．世界各地で重要なスパイスとして用いられてきた．わが国への伝来も古く，正倉院御物の丁香はクローブとされる．
　産地：海抜800～900m以下，年間降雨量が2,500mmくらいの熱帯地方．現在はインドネシアが主産地である．わが国へはマダガスカルからの輸入量が多い．
◇**成分特性**　精油*を16～20％含み，芳香成分はオイゲノールである．抗菌作用や末梢神経を麻痺させる作用をもち，古くからインドや中国で痛み止めや胃腸薬としても用いられる．
◇**調理**　肉料理のにおい消しや風味付けに用いる．ひき肉料理には粉末を，ハムやローストビーフなどの塊り肉にはホールを刺し込んでオーブンで焼く．スープやソースにも利用する．ウスターソースの原料としても用いる．使用量は控えめにする．※バニラ様の香気を生かして，バニラと混ぜて焼き菓子に使うのも効果的である．

クローブ（平　宏和）

くろあわびたけ（市販品）（平　宏和）

黒砂糖　⇒さとう

黒酢　⇨食酢
くろだい　⇨たい
クロテッドクリーム　⇨クリーム類
黒パン　⇨だがし，ライ麦パン
黒ビール　⇨ビール
黒豚　⇨ぶた
黒部すいか　⇨すいか（入善ジャンボ西瓜）
黒棒　⇨だがし
くろまぐろ　⇨まぐろ

黒蜜　くろみつ

成 03029　英 brown sugar syrup

黒砂糖に水を加えて沸騰させたのち冷却した黒褐色の粘液状の製品．黒糖蜜ともいう．主成分はしょ糖で約50％，水分約46％．市販品には赤糖（粗糖，糖蜜），イソマルトオリゴ糖シロップ，果糖，はちみつなどを加えたものもある．原料の黒砂糖由来のカリウム，カルシウム，鉄＊などのミネラルを含む．100g当たりのエネルギーは，黒砂糖だけを原料としたものは約200 kcal，市販品に多いイソマルトオリゴ糖，しょ糖型液糖などを加えた製品では約300 kcalである．ホットケーキ＊，あんみつ，みつ豆，くずきり＊，くず餅＊などに用いる．

黒蜜（平　宏和）

クロワッサン

成 01035（リッチタイプ），01209（レギュラータイプ）　英 croissants

ウィーンで考案され，その後フランスで多くつくられるようになった三日月形のパン．三日月の形は一説には，1683年，ウィーンに進軍したオスマントルコ軍に夜業のパン職人が気づき，オーストリア軍に知らせ侵撃を防いだ．その祝勝にトルコを象徴する三日月をかたどったパンを焼いたと

クロワッサン（平　宏和）

いう．油脂の使用量は多いが砂糖は少なく，朝食に好んで食べられている．内相はパイのような層状をしている．原料配合は，小麦粉100に対し，食塩1～2，イースト2～5，砂糖3～16，油脂6～25，脱脂粉乳2～5，卵5～15，水45～55，ロールイン油脂35～80の割合で用いられる．

くわい　慈姑

成 06078（生），06079（ゆで）　分 オモダカ科オモダカ属（水生多年生草本）　学 *Sagittaria trifolia* 'Caerulea'　英 arrowhead

中国原産で，オモダカから改良されたものと考えられている．オモダカはアジア，ヨーロッパ，アメリカの温～熱帯に広く分布し，一部に利用されている地方もあるが，くわいを野菜として栽培し利用しているのは，中国とわが国のみである．球茎＊上部に芽がでているので「めでたい」にかけて，縁起物として正月料理などにも使われる．
◇品種　水湿を好み，水田で栽培する．青くわい（新田くわい，京くわい）と白くわい（支那くわい，馬鹿くわい，徳利くわい）の2品種がある．前者はわが国の主要品種で，塊茎＊は小型で緑色，後者は中国に多く，大型で淡緑色である．吹田ぐわい（姫ぐわい，小ぐわい）は小型で品質もよいが，一般のくわいではなく，オモダカを大阪の吹田（すいた）で改良したものである．一方，中国料理で利用されるクログワイは別科で，カヤツリグサ科のシナクログワイ（*Eleocharis dulcis* var. *tuberosa*）である．

作型：作型の分化はみられないが，一部に早どり栽培（さぐり掘り）が行われ，また種球生産用の栽培も別個に行う．
◇成分特性　塊茎の炭水化物の大部分はでん粉である．無機質では，カリウムが多いのは他の野菜と同じであるが，その他の成分ではリンが非常に多いのが特徴である．

上：くわい，下：おおくろぐわい（水煮缶詰）（平　宏和）

◇**調理**　でん粉が多く，形，性質はいも類に似ている．甘味とほろ苦さが特徴で，これを失わないよう含め煮にするのが多く，あまり細かく切らない．中心まで味を浸透させるためには，初め水で茹で，内部まで軟らかく糊化が進んでから味付けをする．※特徴ある味を生かして生のまますりおろし，卵，小麦粉と混ぜ合わせて揚げ物の衣（くわい衣）にしたり，まんじゅうの皮に使う．じゃがいものように薄切りしたものに，衣をつけて揚げてもよい．中国料理では炒め物にも用いる．

桑の実　⇨マルベリー（桑の実）

け

 けいし　鶏脂

英 poultry fat

にわとりの脂身を加熱して得られた動物脂．煎り取りするか，煮取りする．市販はされずに，加工食品の製造に使用される．にわとりの風味を有しているので，チキンスープなどに添加される．

◇**成分特性**　脂質は99.3%．そのほか水分0.6%，たんぱく質0.1%を含む．やや黄色みを帯びている．脂肪酸組成は餌の影響やにわとりの部位により異なる．『食品成分表』によれば，皮胸部脂質（成11234）では，パルミチン酸25.8%，パルミトレイン酸6.5%，ステアリン酸6.2%，オレイン酸*45.2%，リノール酸*13.0%，α-リノレン酸*0.6%，イコセン酸0.5%である．豚，牛，羊の脂と比較して，飽和脂肪酸*が少なく，不飽和脂肪酸*が多い．

 けいらん　鶏卵

成 12004（全卵　生），12005（全卵　ゆで），12006（全卵　ポーチドエッグ），12007（全卵　水煮缶詰），12010（卵黄　生），12011（卵黄　ゆで），12014（卵白　生），12015（卵白　ゆで）　英 hen's egg

にわとりの卵（図1）．われわれが必要とするたんぱく質，脂質，ビタミン，無機質などの栄養素をほとんど含み，特にたんぱく質資源として貴重である．消化率は97%（全卵）に達する．アミノ酸組成が優れ，人乳とともに食品たんぱく質の評価基準（卵価，1965年 FAO/WHO）とされた．

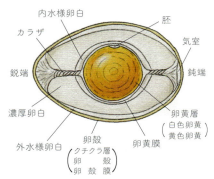

図1　鶏卵

鶏卵　左：鶏，中：うこっけい*，右：アロウカナ
（平　宏和）

近年，卵黄中のコレステロール含量（中玉1個に約280mg）が高いので，血中コレステロール濃度を高め，脂質異常症の原因物質になるという意見もある．脂質異常症などの病気のある人を除けば，通常，1日3〜4個の摂取量なら問題ない．

◇**品種**　養鶏品種では，レグホン種が最良品種であるといわれる．これは古代ローマで育成され，近代に至って米国で淘汰育成されたものである．わが国では明治・大正期からいくつかの品種の変遷を経て，最近では再び白色レグホン系のコマーシャル鶏が多くなっている．

養鶏：日本では孵卵業とも関連して，50年以上愛知が養鶏の王座を占めていたが，最近では茨城が生産量の上位を占め，寒冷地の東北・北海道でも生産が増加している．しかし，関東・東海・中国・九州で，全体のほぼ半分の羽数が飼育されている．各地ともその経営は大規模・大量生産システムになっている．

一般に流通している卵は，人工光線の活用により季節的変動をなくし，3.3m^{2}当たり40〜70羽が窓のない建物の中で飼育されており，無精卵である．これに対し有精卵は雌雄を平飼いで飼育している養鶏場で生産され，生産は小規模であるが，風味が濃いといわれることもあり，特に有機栽培野菜などとともに自然派志向に合致した食品である．栄養成分上は無精卵との差はない．

産地：茨城，岡山，鹿児島，広島などである．

◇**種類・分類**　**卵殻の色**：白色卵と褐色卵があるほか，ピンク玉と呼ばれるものもある．これは鶏の種類によるもので，殻の色と中身の卵白・卵黄の栄養価値とは関係ない．さらに，少数ながらチリ原産の品種であるアロウカナのように，薄い水色の卵殻色の鶏卵を産むものもある．

卵黄の色：卵黄に含まれる色素の大部分はカロテノイド色素で，キサントフィル類に分類されるルテイン*とゼアキサンチンが多く，クリプトキサンチン*，β-カロテンも含まれる．これらは配合飼料中のアルファルファミールや，イエローコーンに含まれるキサントフィル類が移行するためである．これらの色素のうち，β-カロテンとクリプトキサンチンがビタミンA効力を有するが，卵黄の色の濃淡は，ビタミンA効力とあまり関係がない．

卵の大小：卵の大小は飼料や季節に多少関係するが，一般に初産の若い鶏の産卵開始から5カ月くらいまでの卵は小さいのが普通である．若い鶏の産む卵なので，栄養価が高いなどといわれるが，成分上は特記すべき差はない．

特殊卵：飼料に強化したい栄養素を混合することにより，ヨード卵，ビタミン強化卵，DHA卵などの各種の卵が生産されている．

GPセンターによる格付け：鶏卵が採卵養鶏場や農家から小売店の店先に並ぶまで，早くて2日間，遠隔地からでは3〜4日を要する．最近では集荷・出荷に当って各地にGPセンター（grading and packaging center）で格付け包装して，透光テストによって卵の品質選別と質量による大きさを分類し，パック詰，あるいは箱詰として質量別の色ラベルをつけて配送している．その格付けは次の通りである．

　SS：茶ラベル‥‥‥40g以上〜46g未満
　 S：紫ラベル‥‥‥46g以上〜52g未満
　MS：青ラベル‥‥‥52g以上〜58g未満

鶏卵の殻色　左から，赤玉・薄赤玉・白玉（平　宏和）

鶏卵（ゆで）（平　宏和）

M　：緑ラベル‥‥‥58g以上〜64g未満
　　L　：橙ラベル‥‥‥64g以上〜70g未満
　　LL：赤ラベル‥‥‥70g以上〜76g未満

これは農林水産省が指導規格として定めた基準で，行政指導的な意味あいの基準である．日本農林規格*（JAS）や，厚生労働省令で規定したものではない．また，GPセンターの基準を上まわる大卵が出現することがある．二黄卵は，成熟した卵黄が相次いで排卵される場合と，卵黄が輸卵管の中で逆蠕動し，後続の卵黄とともに輸卵管を下降するときに後から卵白，卵殻膜が分泌されるので，それを包む卵殻が多くなり，結果大玉となる場合があり，異常卵でも奇形卵でもない．

◇**成分特性**　鶏卵は，質量比でみると，卵黄27〜32%，卵白56〜61%，卵殻8〜12%である．主成分はたんぱく質と脂質で，ビタミンC以外のほとんどの栄養素をバランスよく含む食品である．亜鉛の給源としても期待される．鶏卵の部位別の成分組成では，無機質の約98%が卵殻に含まれ，卵白は水分とたんぱく質，卵黄は水分，脂質，次いでたんぱく質を主成分としている．全卵，卵黄，卵白の成分組成を**表1**に示した．

たんぱく質：卵白，卵黄でたんぱく質の性格を異にしている．卵白のたんぱく質は単純たんぱく質のオボグロブリン，オボアルブミン，糖たんぱく質などである．オボグロブリンの一種であるグロブリンG_1は特にリゾチームと称され，グラム陽性菌に対し溶菌作用が強い．卵黄のたんぱく質は複合たんぱく質として，脂質やリンなどと複雑に結合し，まだ完全に鮮明にされていないが，孵化しヒナになるために必要な成分を含んでいる．たんぱく質のアミノ酸組成は極めて優れ，制限アミノ酸*はなく，アミノ酸スコア*で100，全卵の成人における生物価は94とタンパク質の観点からは高い栄養価を有するといえる．特に穀類に不足しがちな必須アミノ酸*のリシン*も多い．

脂質：卵白には微量に含まれるにすぎず，ほとんどが卵黄に含まれ，その中の60%は中性脂質，30%がリン脂質*であり，100g当たり1,200mgのコレステロールが含まれる．構成する脂肪酸はオレイン酸*が主で43.5%，パルミチン酸25.7%，ステアリン酸8.8%，リノール酸*12.0%と多い．

ビタミン：主として卵黄に多い．ビタミンAは100g当たりAはレチノール活性当量*で690μg，B_1 0.21mg，B_2 0.45mgが含まれている．Cは，卵黄にも卵白にも含まれていないが，卵黄中にはビタミンE 4.5mg，D 12.0μgが含まれている．

無機質：鶏卵に期待される無機質には，100g当たり，カルシウム46mg，鉄* 1.5mgのほか，亜鉛1.1mgがある．いずれも卵黄に多く，カルシウムは卵白の約28倍，鉄は卵白には含まれず，亜鉛もごく微量含まれるにすぎない．

消化率：調理の方法によっても違ってくるが，一般に凝固する程度に加熱した場合，卵白の消化率はよくなり，卵黄の消化率は低下する．また，生卵は加熱卵白より消化がよくないとされているのは，糖たんぱく質のオボムコイド*のアンチトリプシン作用，アビジン*によるビオチン*の吸収阻害，生卵白の繊維構造が消化酵素との混和を妨げることなどによる．卵黄は生と加熱によって消化率に大差はない．卵黄脂質はレシチン*の乳化作用の助けによって消化吸収がよく，消化率は98%である．

◇**保存**　新鮮卵の卵殻の表面を被覆剤で包んで不透過処理包装をし0〜5℃に冷蔵する方法がよく，冷蔵中の湿度は80%前後がよいが，実際的ではない．卵は卵白中にグロブリンG_1（リゾチーム）を含むため，比較的日持ちのよい生鮮食品である．卵の保存期間は25℃だと2〜3日間，20℃で4日ぐらい，15℃で7日ぐらい，10℃で20日ぐらいの間は極端な鮮度の低下はみられない．ただし，養鶏条件，流通条件によっても影響されることから，冷蔵庫内保存が望ましい．

卵の置き方：保存時の容器内への置き方は，通常鋭端を下向き，鈍端を上向きとする．これは卵

表1　鶏卵（生）の成分組成（日本食品標準成分表2020年版（八訂）より）　　　　　（100g当たり）

種類	水分 (g)	たんぱく質 (アミノ酸組成) (g)	脂質 (TAG当量) (g)	利用可能炭水化物 (g)	灰分 (g)	無機質					ビタミン					コレステロール (mg)
						カリウム (mg)	カルシウム (mg)	リン (mg)	鉄 (mg)		A* (μg)	D (μg)	E** (mg)	B_1 (mg)	B_2 (mg)	
全卵	75.0	11.3	9.3	3.4*	1.0	130	46	170	1.5		210	3.8	1.3	0.06	0.37	370
卵黄	49.6	13.8	28.2	6.7*	1.7	100	140	540	4.8		690	12.0	4.5	0.21	0.45	1200
卵白	88.3	9.5	Tr	1.6*	0.7	140	5	11	Tr		0	0	0	0	0.35	1

*レチノール活性当量，**α-トコフェロール，*差引き法

の気室部分が鈍端部にあることと関係している．また容器に保存または取り出す際，鋭端を上向きとすると，卵は持ちにくく安定せず破損卵を増やすことにつながる．卵の置き方が鮮度低下や栄養成分に関係することはない．

◇**品質変化** **気室の増大**：卵殻には多数の気孔があって，ここから卵白の水分が蒸発するため，気室が次第に増大し，卵の質量や比重が下がる．さらに卵白の水分は卵黄中にも浸透し，卵白と卵黄の水分の差が小さくなり，卵黄は質量・容積ともに増加する．卵殻を含む全卵の比重は1.08〜1.09で，同質量の卵では，卵殻が厚ければ比重は大きく，また古ければ小さくなる．

濃厚卵白の水様化：新鮮卵では，濃厚卵白と水様卵白の比は6：4であるが，貯蔵中に濃厚卵白が減少し，水様卵白が増加するので，次第に粘性が下がってくる．卵白の粘性は卵白たんぱく質中のオボムコイドの存在により，水様卵白に比べ約7倍濃厚卵白中に多く含まれている．貯蔵中における濃厚卵白の水様化は，オボムコイドの性質の変化によるもので，主として卵白中のCO_2が発散してpH*が上昇することによると考えられている．新鮮卵のpHは平均8.2〜8.4くらいであるが，貯蔵により約9.6程度に上昇する．

◇**鮮度判定基準** 卵の保存による変化を利用して，比重法，透光法，卵黄係数を用いた方法，ハウ・ユニット法，その他などの鑑別法が考えられている．

比重法：卵を空気中で貯蔵すれば水分の蒸発により気室が大きくなり，比重が1.03以下になる．水1Lに食塩を60g加えて比重1.027の食塩水をつくり，その中に卵を入れて，**図2**の状態で判断する．

透光法：比較的簡便な方法として，ロールペーパーの芯になっているボール紙の円筒の一方の口をやや斜めに切る．他方の口に懐中電灯をはめ込み，斜めの切り口に，**図3**に示してあるように鶏卵の鈍端を上にしてあてがい点灯し，暗い所で鈍端を観察する．やや黒ずんだ気室の輪郭が見える．卵をゆっくり回転させると，いっそうこの輪郭がわかる．鉛筆で卵殻に輪郭をかくと，気室の直径と深さがわかる．M級の鶏卵で気室の直径20mm以内，気室の深さ4mm以内なら新鮮な卵と評価してよい（**図3**）．卵の中心部に光を当てて，卵を回転したとき，卵黄の影がよく動くのは卵白の水様化によるもので，鮮度低下したものとみてよい．

卵黄係数：平面上で割った卵の卵黄の高さをそ

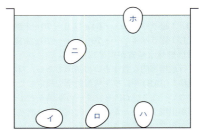

食塩水（水1L：食塩60g）

- ㋑ 産卵直後は横に転がり沈む．
- ㋺ 1週間後は鈍端を少し上げて沈む．
- ㋩ 普通の卵で，鈍端を上方に上げて沈む．
- ㋥ 古い卵で，鈍端を上方にして浮く．
- ㋭ 腐敗卵で，鈍端を水面から出して浮く．

図2　比重法による鮮度鑑別

の直径で除した値である（**図4**）．

卵黄係数＝卵黄の高さ（h）/ 卵黄の平均直径（L）

新鮮卵の卵黄係数は0.36〜0.44であるが，古い卵では卵白水分の移行や卵黄膜の弱化のため係数は小さくなる．0.25以下になると割卵の際に卵黄が崩れやすい．

ハウ・ユニット（Haugh unit；HU）法：割卵後の卵の品質を総合的に判断する方法として，世界的に採用されている．卵の重さをW（g），平板上に流した濃厚卵白の高さをH（mm）とし，次式により求める．

$$HU = 100 \log(H - 1.7W^{0.37} + 7.6)$$

ちなみに新鮮卵のハウ・ユニットの値は70以上で，特に新しい卵は86〜90となっている．

その他の鑑別法：濃厚卵白の減少や卵黄膜の弱化などを割卵の状態からみて判別することもできる（**図5**）．

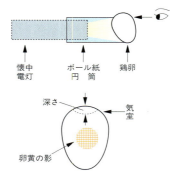

図3　透光検査

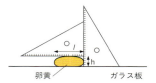

図4 卵黄係数のはかり方

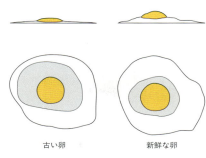

図5 卵の鮮度鑑別法

◇衛生管理 卵殻の表面に汚れがつくと，サルモネラ菌などの微生物が卵殻上で繁殖し，卵の中においても卵黄の位置が卵殻に近くなってくると，腐敗しやすい結果を招く．今日ではケージ式の金網の個室で育てるので，卵の汚染されるケースは低下している．

洗卵：GPセンターを経てくる卵は，必ず洗われるので，卵殻はきれいである．しかし，洗うと卵殻表面の気孔をふさいでいたクチクラ層をはがすことにもなり，洗った方が細菌が入りやすくなる．特に殻がぬれているままだと，細菌やカビはよく繁殖し，侵入への好条件を与えてしまう．したがって洗卵後は十分乾燥しなければならない．このように細菌の付着を少なくすることと，卵内への侵入を防止し，侵入した菌が繁殖しないうちに食べることが衛生上留意すべきポイントになる．そのため，コールドチェーンシステムによる流通が望ましい．

◇加工 加工品には，液卵，乾燥卵，加糖卵など菓子やベーカリー製品など加工食品の原材料として使用するもの，保存性を増す目的で食品工業用に製造されるもの，だし巻き卵，卵豆腐など卵を材料とした調理食品がある．スープなどのフリーズドライ製品もある．

◇調理 生食，あるいは茹でて食べるほか，料理や菓子類の材料として用途が広い．全卵を用いるほか，卵白と卵黄は味も性質も異なるので，別々に用いることも多い．※物性の利用：卵は栄養や単なる味以外に，その物性が重要な役割を果たしている．※卵白の起泡性：糖たんぱく質のオボムチン，オボムコイドはいずれも粘稠性の強い起泡性物質であり，卵白のみを混和攪拌すると，たんぱく質の泡を生ずる．このとき，オボアルブミンの薄膜が空気にふれて変性し，フィルム状に凝固し，泡をとどめる．この卵白の起泡性は泡立てやケーキをつくるために欠かせない要素である．※卵黄の乳化性：卵黄の乳化性は，マヨネーズの製造などに応用されている．マヨネーズの乳化の主体は卵黄リポたんぱく質を構成する卵黄たんぱく質と卵黄リン脂質である．これはマヨネーズの製造などに応用される．※生卵の利用は鮮度に注意：マヨネーズをつくる際，卵黄は非加熱で用いることから，卵殻に傷のない新鮮なものを用いるなど，十分な注意が必要である．※卵の鮮度と起泡性，安定性：産卵直後の鶏卵はゆで卵にしても，殻のむきやすさ，卵白の凝固状態からみた舌触りはけっしてよくない．卵白の泡立ても，新鮮卵より多少日数が経過した方が容易である．これはリゾチームとオボムチンの複合体が形成している卵白特有の網状構造が新鮮卵では強く，濃厚卵白が多いが，古くなると濃厚卵白の水様化が起き，扱いやすくなることによる．生じた泡の安定性が高くきめ細かいのは新鮮卵白である．※熱変性と凝固：卵料理のほとんどはたんぱく質の熱凝固をどのように制御するかが調理のポイントになる．※熱凝固温度とゆで卵：たんぱく質は60～70℃で熱凝固する．希釈しない卵白は，約60℃で固まりはじめ，62～65℃で流動性を失い，70℃でほぼ完全に固まる．固ゆで卵になるには80℃以上を要する．卵黄は65～70℃でほとんど完全に固まる．このように，卵黄と卵白の凝固温度に多少差があるので，ゆで卵では湯の温度と加熱時間を工夫することにより，凝固のしかたをさまざまに変えることができる．沸騰水中で3分ほど茹でると卵

温泉卵（平 宏和）

左：液卵（加糖凍結全卵），右：液卵（加糖凍結全卵，解凍）（写真：平 宏和，撮影用食品提供：キユーピー）

乾燥卵（全卵）（写真：平 宏和,撮影用食品提供：キユーピー）

白は熱凝固し，内部の卵黄は生に近い半熟卵ができる．60〜70℃で15分保つと，卵黄，卵白とも同じ程度に凝固した半熟卵ができる．65〜70℃の湯に20〜25分入れておくと，卵白は半熟，卵黄は軟らかく固まって，いわゆる温泉卵となる．内部まで完全に凝固した固ゆで卵をつくるには100℃で12〜13分を要する．❋茶碗蒸しの加熱：凝固だけではなく，なめらかな舌触りや，軟らかさが求められる茶碗蒸しは，85〜90℃を保って加熱し，内部の水の沸騰による"すだち"を防ぐようにする．このため蒸し器の蓋をずらしたり，火を弱めたりして100℃に達することを防ぐ．❋卵の濃度と熱凝固：卵を水または汁に溶いて全体を一様に凝固させる場合，たとえば茶碗蒸しのようなものでは，その濃度が汁に対し20〜25%以上であることが必要で，これより薄いと液と分離し，また濃すぎると硬くなる．❋調味料の影響：食塩は熱凝固を促進する．ゆで卵の水に1%程度の塩を加えておくと，割れたときの流出が防げる．カルシウムイオンも凝固を促進するほか，凝固物を硬くする傾向があるので，牛乳を加えると卵は硬くなりやすい．酢はpH*を下げ，等電点付近では凝固を促進し，それ以下のpHではかえって妨げる傾向がある．❋泡立てにレモン：泡立ては卵白の表面変性を利用したもので，等電点*のpHで起こりやすい．レモンの汁を少量加えるのがよいといわれるのは，酸によりわずかにpHを下げるためである．砂糖は泡の安定性をよくする．❋卵黄の黒変：卵を15分以上高温で茹でると，卵黄の表面が暗緑色になる．これは卵白のたんぱく質の分解により生じた硫化水素が，卵黄の鉄イオンと結合し，硫化第一鉄になるためである．卵が古く，pHが高く，加熱が長いほど，着色が濃くなる．茹で上がった卵を冷水に入れるのは，皮をむきやすくするのと同時に，外側を冷やして硫化水素ガスを外へ向かって発散させ，着

色を抑える効果もある．

●液卵
英 liquid egg
鶏卵を割卵して，殺菌して容器に充填したもの．液全卵，液卵黄，液卵白の3種がある．低温流通されるものと，冷凍品（凍結液全卵）がある．限外濾過膜あるいは逆浸透膜により2倍に濃縮したものもある．卵液は−20〜−30℃で凍結させ，製品は−15℃で貯蔵される．凍結しても卵白の起泡性と乳化力はほとんど変らない．マヨネーズ製造，菓子製造に用いられる．

●加糖卵
成 12008（加糖全卵），12012（加糖卵黄） 英 sugared egg
鶏卵を割卵して，砂糖を卵質量の10〜100%量加え，殺菌したもの．加糖全卵，加糖卵黄，加糖卵白がある．一般に低温で流通する．菓子の材料となる．低温濃縮した加糖濃縮卵もある．

●乾燥卵
成 12009（乾燥全卵），12013（乾燥卵黄），12016（乾燥卵白） 英 dried egg
全卵，卵黄，卵白の製品がある．全卵はスプレー・ドライ（噴霧乾燥）法噴霧乾燥法，卵白のみの場合は蒸気加熱乾燥法による．最近，フリーズ・ドライ（凍結乾燥）法凍結乾燥法もとり入れられた．これは水を加えると容易に乾燥前の状態になる．品質も優れているが，高価である．乾燥卵は吸湿を避け，光線，空気，重金属にふれないように貯蔵する．乾燥全卵，乾燥卵黄は空気中の酸素との接触を避けるため窒素ガス，炭酸ガスを封入することもある．乾燥全卵は製菓用，乾燥卵黄は製菓用のほか即席麺用の具材，ふりかけ顆粒，乾燥卵白はハム，ソーセージ，かまぼこ，麺類のつなぎに利用される．

●特殊卵
卵の栄養強化のため，目的とする栄養素を含む飼

料で生産された卵類，などがある．DHA卵，ビタミン強化卵，ヨード卵などがある．

DHA卵：ドコサヘキサエン酸*（DHA）を普通卵の5倍量約800mg/100gを含む．飼料に魚油を添加することで卵にDHAが多くなる．

ビタミン強化卵：その抗酸化性を期待し，飼料にビタミンEを加えることでEを強化する場合が多い．

ヨード卵：飼料に海藻などを加えることで，海藻中のヨウ素*が卵に移行し，通常卵の約20倍のヨウ素1.3mg/100g程度を含む．

鶏卵そうめん（カット製品）（平　宏和）

 けいらんそうめん　鶏卵素麺

英 Keiran-soumen　別 玉子素麺

福岡の銘菓．沸騰させた砂糖蜜の中に，絞り袋に入れた卵黄をそうめん状に細く絞り出し固め，取り出して冷まし，20cmくらいに切りそろえたもの（半分の長さにカットしたものもある）．江戸時代にポルトガル人より長崎に伝えられた南蛮菓子で，福岡の「松屋」の初代が長崎で明国人から製法を学び，創製したとされる．江戸初期には，早くも博多でつくられていた．

 ケーキ

英 cake

ケーキは洋生菓子を表す英語から日本語に転訛したものであるが，日本では洋生菓子のほか，広く半生菓子，焼き菓子までが含まれている．主要なものとして，スポンジケーキ類，バターケーキ類，シュー菓子類，発酵菓子類，ワッフル類，パイ類，タルト類などがあるが，そのほかのものも含め，多くの製品がみられる．

スポンジケーキ類：鶏卵による起泡性を利用した生地を焼き上げたケーキ．主原料は小麦粉（薄力粉），砂糖，鶏卵で，生地の調製には共立法（全卵に砂糖を加えて泡立てる）と別立法（卵黄と卵白に分け，各々に砂糖を加えて泡立て，両方を合わせる）がある．これらに小麦粉を混ぜた生地を焼き上げ組織が形成された製品とする．スポンジケーキはそのまま供せられる場合もあるが，クリーム，ジャムなどをサンドしたり，表面をバタークリーム，ホイップクリームなどで装飾して仕上

ケーキ類（平　宏和）

げることが多い．ショートケーキ，ロールケーキの台になる．代表的なものとして，エンゼルケーキ*，ショートケーキ*，シフォンケーキ*，スポンジケーキ*，チョコレートケーキ*，デコレーションケーキ*，ブッシュ・ド・ノエル*，モンブラン*，ロールケーキ*などがある．

バターケーキ類：油脂のクリーミング性と卵黄の乳化性による起泡性を利用した生地を焼き上げたケーキ．生地の調製には，シュガーバッター法（油脂と砂糖をクリーミングしたのち，卵，小麦粉を混合），フラワーバッター法（クリーミングした油脂に小麦粉を混合したのち，砂糖，卵を混合），オールミックス法がある．代表的なものとして，カップケーキ*，シフォンケーキ*，チーズケーキ*，パウンドケーキ*，バウムクーヘン*，フィナンシェ*，フルーツケーキ*，マドレーヌ*，マーブルケーキなどがある．

シュー菓子類：加熱生地（水または牛乳と油脂を混合・煮沸し，小麦粉，卵を加えて練った生地）を高温で焼くことにより，水分が蒸発し，大きな空洞を持ったケースができる．空洞にクリームを詰め製品とする．代表的なものとして，エクレア*，シュークリーム*などがある．

発酵菓子類：発酵生地でつくられるケーキで，イースト発酵で生じる二酸化炭素により生地を膨化させ焼成する．代表的なものとして，イーストドーナッツ（ドーナッツ*），サバラン*，シュトーレン*，デニッシュペストリー*などがある．

ワッフル類：2枚の鉄板の間に挟んで焼き上げたケーキ（ワッフル*）．

パイ類：小麦粉の生地に油脂をたたみ込んで焼成したケーキ（パイ*）．代表的なものとして，ミートパイ（パイ*），ミルフィーユ*，アップルパイ（パイ*）などがある．

タルト類：パイ生地やビスケット生地でつくった皿型の生地に各種を詰め焼成したもの（タルト・洋菓子*）．

ケーキシロップ　⇨シロップ
ケーキドーナッツ　⇨ドーナッツ

ケーパー

分 フウチョウソウ科フウチョウボク属（常緑低木）　学 *Capparis spinosa*（トゲフウチョウボク）
英 caper　別 ケッパー；カープル

南ヨーロッパ原産のトゲフウチョウボクの花蕾*のピクルス．フランス，イタリア，スペインなど

ケーパー（平　宏和）

で，ワインビネガーと食塩に漬けたピクルスが食用とされている．小粒のものほど上等とされ，スペイン，イタリア，フランスからの輸入品が市販されている．

◇**成分特性**　缶入り製品の100g当たりの成分値は，エネルギー23kcal（96kJ），水分83.8g，たんぱく質2.4g，脂質0.9g，炭水化物4.9g（食物繊維3.2g），灰分8.0gである（米国食品成分表）．

◇**調理**　スモークサーモンの薬味として，たまねぎのスライスとともに欠かせない．肉や魚の臭み消しとしても用いられる．オリーブの詰め物，アンチョビーの油漬けにも使われている．サラダやパスタのトッピングに，刻んでドレッシングやソースにも利用する．

ケール

成 06080（葉　生）　分 アブラナ科アブラナ属（1～2年生草本）　学 *Brassica oleracea* var. *aceph-*

ケール7種（スムージーセット）（平　宏和）

ala 英 kale；collard

キャベツの原種とされ，結球しない．株の大きさ，主茎の太さと分枝性，葉面の縮れと色の変異が多く，キャベツ類の中では最も多様である．家畜の飼料として重要であるが，近年はその栄養特性より，青汁の原料となり，スーパーフードやマクロビオティックとして利用されている．

◇**成分特性** 100g 当たり水分 90.2g，利用可能炭水化物*（差引き法）2.7g，食物繊維 3.7g（キャベツは 1.8g）である．カリウム 420mg（キャベツは 200mg），カルシウム 220mg（キャベツは 43mg），β-カロテン 2,900μg（キャベツは 50μg），ビタミンC 81mg（キャベツは 41mg），ビタミンK は 210μg（キャベツは 78μg），葉酸* は 120μg（キャベツは 78μg）を含み，特にキャベツと比べ栄養特性に優れるため，青汁やスーパーフードとして活用されている．

けがき　⇨かき（牡蠣）
けがに　⇨かに

けしの実　芥子の実

成 05015（乾）　分 ケシ科ケシ属（1～2年生草本）　学 *Papaver somniferum*（ケシ）　英 poppy seeds　別 おうぞくし（罌粟子）

小アジア，イラン地方原産で，阿片を採取することでよく知られる．草丈 1～1.3m．果実は球形または楕円形の蒴果*（さくか）である．蒴果の未熟な時期に，蒴壁に傷をつけると乳液を分泌するが，この乳液から阿片をつくる．蒴果の中は7～15室に分かれ，各室には白，あるいは青（黒）の腎臓形で網状紋の極めて小さい種子が入っていて，これを食用にする．熟した果実から採る種子には麻薬性はない．市販品は炒ってあるため発芽しない．栽培の歴史は古く，日本へは 500 年ほど前の室町時代に，中国あるいはインドから渡来したといわれている．主としてチェキア（チェコ共和国），トルコ，スペインなどで生産されている．わが国へはトルコからの輸入量が大部分である．わが国では，同属のアツミゲシ（*P. setigerum*）およびハカマオニゲシ（*P. bracteatum*）とともに，一般の栽培は禁止されているが，自生していることがある．

◇**成分特性** 主成分は脂質で，たんぱく質，無機質も多い．種子にはアヘンアルカロイドはまったく含まれず，製油用，あんパン，和菓子などの製菓用，あるいは食用に供する．

けしもち　けし餅

英 Keshi-mochi

大阪・堺の銘菓のあん餅．けしは江戸時代初期より大坂・堺・和歌山周辺で栽培され，産地となったが，けし餅は延宝年間（1673～81）に登場したといわれている．

◇**製法** 茶色の求肥の皮でこしあんを丸く腰高に包み，けしの実をまぶす．

けし餅（平　宏和）

削り昆布

成 09021　英 Kezuri-kombu　別 細工昆布

古くはこんぶの廃物利用として考えられたものであるが，需要が増すに従って高級な原料が使われるようになった．加工するこんぶの保存性をよくし軟らかくするために，酢を使った前処理をして削る．削り方によって糸状のとろろ昆布*，薄い紙状のおぼろ昆布* がある．とろろ昆布はほとんどが機械化されているが，おぼろ昆布は手作業の部分が多い．

けしの実　上：白・青，下：白・青（拡大）（平　宏和）

削り昆布　上：とろろ昆布，下：おぼろ昆布（平　宏和）

●白板（しろいた）昆布
英 Shiroita-kombu
削り昆布の製品の一つ．黒おぼろを削り取った後の白い肉質部だけのこんぶ．鯖の押し鮨のバッテラなどに欠かせない．

削り節　⇨かつお
ケチャップ　⇨トマト加工品（トマトケチャップ）

けつぎょ　鱖魚
分 硬骨魚類，ケツギョ科ケツギョ属　学 Siniperca chuatsi　英 mandarin fish　別 婢魚；水豚；桂魚；鰲花魚；花鯽魚；桂花魚；季花魚；胖鱖　地 まんしゅうかわめばる（中国東北地方）　旬 春
全長 65cm くらいで，黒竜江，松花江，ウスリー川や朝鮮半島に分布する．形がたいに似て背が高く，大きな口が斜めにつき，下顎が突き出している．鱗は細かいので巨口細鱗という形容どおりである．背びれは 12 本の太い棘と 13〜14 の軟条があり，尾は丸みを帯び，鰓蓋の後縁にも太い棘がある．体色は暗黄色ないしオリーブ色を帯びた褐色で，黒く太い条紋と大きな黒褐色の斑紋をもち，眼を横切る斜線を引いたような黒い条が目立っている．肉は白くしまり，小骨がない．「桃花流水鱖魚肥」（張志和『漁歌子』）といわれるように，春が旬の魚である．
◇調理　調理法は丸のままなら煎，炸，熘，烤，蒸，湯菜によく，切身としても同様にあらゆる調理法が使える．生のままあらいとしてもよい．
●こうらいけつぎょ
高麗鱖魚　学 Siniperca scherzeri　英 leopard mandarin fish
全長 40cm で，朝鮮半島の洛東江以西，中国の淡水系に分布するが，黒竜江水系にはいない．けつぎょは普通の川や湖に生息するが，本種は水が清くて流れの速い，しかも岩石の多いところに生息する．けつぎょよりやせ型で，体色は黄褐色，体側に大小の黒褐色の豹のような斑紋が多数ある．肉は極めて美味で，けつぎょ同様にさまざまな調理法で食用とされる．

月桂樹　⇨ベイリーブス

げっぺい　月餅
成 15020　英 Geppei；（Chinese style baked dough stuffed with An）
小麦粉，砂糖，卵黄，油脂などを混ぜ合わせた生地に，あん（餡）あるいは種々の木の実や果実の砂糖漬などを混ぜ合わせたものを包み，オーブンで焼いた焼き菓子である．代表的なものに，あん月餅とたね月餅がある．
◇由来　月餅は 13 世紀頃に，中国で創案された．中国では，陰暦 8 月 15 日の中秋の名月に月餅（ユエビィン）をお供えする風習がある．本来の月餅は塩気のある油のきついもので，詰めものには羊の肉やなつめなどを練り合わせたものであった．現在，日本の菓子店で販売されている月餅は，新宿中村屋の創始者，相馬愛蔵・黒光夫妻が，大正の末に北京に旅行したときに知った中国古来の月餅を，昭和 2（1927）年に日本人向きに改良したものである．当初は中国の故事にちなんで中秋の頃にのみ販売していた．現在では一年中販売され，和焼き菓子の代表となっている．また中華街などでは，本場中国風の月餅を販売している．
◇原材料・製法　現在日本でつくられている代表的なあん月餅とたね月餅の製法は次の通りである．皮生地の製法は，砂糖とバターを加熱しながら混合溶解し，冷却してから卵黄，サラダ油を加えてよく混合する．これに梘水（かんすい），重曹（炭酸水素ナトリウム*）および小麦粉を加えて軽くこね合わせ，この生地をしばらく放置して，全材料をなじませてから使用する．あん月餅のあ

月餅　左：あん月餅，右：たね月餅（平　宏和）

んは，あずきあんにごま油を加えて練ったものにくるみを混ぜ合わせる．たね月餅の種は，あんを使用する代わりにくるみ，松の実，アーモンド，落花生，白ごま，すいかの種子，杏仁，レーズン，ドレン・チェリー，とうがん果肉の加工品などを細かく刻んだものに，鶏卵，砂糖およびみじん粉を加えてよく混ぜ合わせる．あんを適当な大きさに丸めてから，生地で包んで木型に入れて上から軽く押して打ち返し，表面に模様をつける．整型したのち天板にのせて，つやを出すために卵黄とみりんを混ぜたものを刷毛塗りしてから，オーブンで焼く．

けんけら

英 Kenkera

大豆を使った福井・大野の名物菓子．菓名の由来は諸説あるが，天和 2（1682）年，初代大野藩主土井利房が藩に入ったとき，「賢家来」と名付けたといわれている．

◇製法 粗挽きした大豆粉に水あめ，砂糖，白ごまを加えて練り，短冊型に切って捻ったもの．昔はこぶし大に固められたものであったが，大正時代に形を小さくし，白ごまを加えるなど改良がなされた．

けんけら（平　宏和）

健康食品

英 health foods

健康食品と呼ばれるものに法律上の定義はなく，広く健康の保持増進に寄与する食品として販売・利用されるもの全般を指している．そのうち，国の制度としては，国が定めた安全性や有効性に関する基準など満たした「保健機能食品制度」がある．この制度は 1980 年代食品の第三次機能（一次機能は栄養供給，二次機能はおいしさ）として，生体調節作用が提唱されたところから検討が始まっている．1991 年に食品に保健機能が表示で

図1　JHFA マーク（日本健康・栄養食品協会）

きる特定保健用食品（いわゆる特保）制度が，平成 13（2001）年 4 月には栄養成分の機能の表示ができる栄養機能食品制度が開始された．また，平成 27（2015）年には企業等の責任において，科学的根拠に基づいて食品に機能性を表示できる機能性表示食品制度がスタートした．これにより，機能性を表示できる食品（保健機能食品）は特定保健用食品，栄養機能食品，機能性表示食品の 3 種類となった．したがって，健康食品には，健康補助食品，その他の健康食品のほか，これら保健機能食品*が含まれることになる．

一般に健康食品と呼ばれるものには，健康補助食品（サプリメント）的なものが多いが，そのほか通常の食品の形態をもつものとして，自然食品，有機栽培食品（有機食品・特別栽培農産物*）なども含まれる．

● 健康補助食品

英 dietary supplement

別 栄養補助食品；サプリメント

通常の食品形態ではないカプセル状，錠剤タイプのものが多く，これらの食品は有効性の臨床データを必要としないが，健康機能の表示はできない．(公財) 日本健康・栄養食品協会では健康補助食品に規格基準を設け，合格したものに JHFA マーク（図1）の表示を許可している．規格基準が設定されている食品として，たんぱく質類（たんぱく食品，たんぱく質酵素分解物食品など），脂質類（IPA（EPA），DHA 含有精製魚油食品，α-リノレン酸含有食品など），糖類（食物繊維食品，キトサン食品など），ビタミン類（米，小麦胚芽油，ビタミン C 含有食品など），発酵微生物類（乳酸菌利用食品，酵母食品など），藻類（クロレラ，スピルリナ），きのこ類（しいたけ食品，霊芝食品）などがある．

けんさきいか　⇒いか

源氏豆

英 Genji-mame　別 蓬莱豆；源平豆

煎り豆に小麦粉と砂糖で作った衣を掛けた江戸時代からある掛け物菓子で，なめらかで固く，紅で染めたものと白の2色のものがまじっている．古くは煎り豆に大豆が使われたが，明治末期になると落花生を用いたものがみられるようになった．

源氏豆（平　宏和）

原酒（げんしゅ）　⇒清酒

玄米フレーク

英 brown rice flakes

市販製品には玄米を原料としたものと玄米を主原料としたものがみられる．玄米製品は，玄米を蒸煮して圧扁したものを乾燥し，これを焙焼したものである．砂糖，果汁などを加え蒸煮した味付け製品もみられる．玄米主原料製品は，玄米に精米，砂糖，小麦粉，米糠，食塩，ビタミン類，ミネラルなどを加えたもので，製法は原材料を混合して蒸煮し，ほぐして塊状としたものをローラーで圧扁して薄いフレーク状にして乾燥し，これを焙焼したものである．

玄米フレーク　左：玄米製品，右：玄米主原料製品（平　宏和）

こ

こい　鯉

成 10119（養殖 生），10120（養殖 水煮），10121（養殖 内臓 生）　分 硬骨魚類，コイ科コイ属　学 *Cyprinus carpio*　英 carp

淡水魚．全長60〜100cm．体は細長く，側扁する．体高が高い．体色は黒色で，腹部は銀色がかった黒灰色．口辺に2対のひげがある．原産地はユーラシア大陸であるが，移植によって日本を含む世界の温帯・亜熱帯域に広く分布する．一方，日本在来のコイも琵琶湖にのみ生き残っている．あゆとともに古来代表的な淡水魚として賞味され，儀式魚としての役割もある．食用魚としての養殖（池）は江戸時代からといわれる．観賞用としてはひごい，にしきごいがあるが，食用には向かない．ドイツごい（かがみごい，かわごい）は，食用に鱗を少なく肉量を多く改良された変種であるが，日本では好まれない．また，同科の近縁種にそうぎょ*がある．

◇**成分特性**　成分的には白身魚であるが，海産の白身魚に比べると脂質の含量が高い．内臓は脂質含量が30％にもなる一方，たんぱく質含量が肉の1/2程度である．無機質の中ではナトリウム*が海産魚より低い．ビタミン類ではA，Dなどの脂溶性ビタミン*の含量が低く，しかもAは効力の劣るビタミンA_2（デヒドロレチノール）を含んでいるので，脂溶性ビタミンの給源としては期待できない．こいはアシの弱いかまぼこしかつくれないので，普通練り製品原料には使わない．養殖ものの成分値は，100g当たり水分71.0g，たんぱく質（アミノ酸組成）*14.8g，脂質（TAG当量）*8.9gとなっており，天然ものは脂質含量が低い．こいは胆嚢（たんのう）以外の内臓はすべて利用するため，養殖ものの内臓脂肪の多さが加

こい（本村　浩之）

工時に問題となる．

◇**加工** 主に活魚で取り引きされることもあり，加工はそれほど盛んでない．秋田，山形などのうま煮のパック詰，長野のこいこくの缶詰と唐揚げ缶詰，宮崎の燻製，福岡の新巻き，茨城の甘露煮，鳥取の粕漬などいろいろあるが，土産品的なものが主である．名産とされる米沢の黄金揚げ，栃木の野州煮（やしゅうに）やアイソ（白煮してから味付けする甘露煮の一種），奈良の納豆汁，香川の鉄砲和え，鳥取の糸作り，宮崎のいり酒などは加工品というより名物料理というべきであろう．

◇**調理** 淡水魚特有の魚臭に加えて，たんぱく質，脂肪ともに多いため，鮮度が低下すると臭気が強くなり，味が落ちる．このため調理には必ず生きたこいを用いる．※生食にするときには，筋肉の歯切れよさをさらに生かすために"あらい"にするのがよい．長く苦しめず，一撃で殺したものを薄くそいで冷水にさらし，わさびじょうゆまたは酢みそで食べる．生食用には，きれいな水で養殖されたこいを用いる．天然物は肝吸虫*のおそれがあるので，生食用には向かない．※持ち味にクセがあり，そのにおいを好まない人が多いので，濃い味付けや香辛料でカバーする．日本ではみそ汁で煮込んだこいこくや，甘辛く煮込んだ甘露煮，西洋ではビールやブーケガルニを加えた煮込み，中国では骨まで十分揚げたものに濃いあんをからませた甘酢あんかけなどがその例である．※こいの腹を裂くとき，胆（苦玉）を傷つけると全体が苦くなり，食べられない．また，こいの肉は二股に分岐した小骨が多いので注意を要する．※加熱の際はなるべくゆっくりと火を通し，骨まで軟らかくする．中国料理の丸揚げのように切らずに揚げる場合は，やや低温で，こげるのを防ぎながら二度揚げ，三度揚げを行って内部まで火を通す．

濃口しょうゆ　⇨しょうゆ
こういか　⇨いか
こうぎょ　⇨あゆ
紅玉（こうぎょく）　⇨りんご
こうさい　⇨コリアンダー

こうじ　麹；糀

01116（米こうじ）　**英** koji；rice mold（mould）

麹とは，蒸した米・麦・大豆などに麹菌（コウジカビ）を繁殖させたものである．みそやしょうゆ，日本酒などの製造工程には欠かせないもので，古くからわが国の発酵文化を支えてきた．麹は麹室（こうじむろ）で作るため自給は難しく，中世には製造・販売を専売する麹座という制度が認められていた．江戸の町にもみそやしょうゆ，甘酒作りのための麹を扱う麹屋があったという．いまも麹町の地名に残っている．

◇**種類・分類** 製造法の差により，餅麹（もちこうじ）と撒麹（ばらこうじ）に大別される．わが国では蒸した穀類に麹菌を増殖させて作る撒麹（ばらこうじ）が用いられる．次に培地（原料作物）の違いにより，米麹（こめ*），麦麹，豆麹などに，また，麹菌の差により黄・白・黒麹に分類される．麹菌（*Aspergillus oryzae*）は，2005 年には全遺伝子配列が明らかにされた．伝統的な産業以外にも医薬品など広い分野での有用物質の生産への利用を展望して，日本醸造学会は 2006 年，麹菌を「国菌」と認定した〔ほかにしょうゆ麹菌（*Asp. sojae*），黒麹菌（*Asp. luchuensis*）など〕．

◇**成分特性** 麹菌は各種の酵素を出しながら増殖し，麹には強力なでん粉分解酵素であるアミラーゼ*をはじめ，たんぱく質分解酵素のプロテアーゼ，脂肪を分解するリパーゼなどの酵素が含まれている．麹のもつこれらの分解酵素の作用を利用して，清酒や焼酎などの酒類，みそ，しょうゆ，食酢，漬け物などのさまざまな発酵食品が製造されている．

また，麹には発酵食品の製造工程で使われる酵素としての役割だけでなく，調味料としての側面をもっている．ユネスコの世界無形文化遺産に認定（2013 年）され，世界規模で注目される和食の見直しの時流の中で，塩麹やしょうゆ麹は，麹の新しい利用法として広まっている．

● **塩麹**

米麹と食塩を混合した複合調味料．市販品では保存性を高めるために酒精を添加している．使いやすいように摩砕してゆるいペースト状にしたものが多い．

◇**製法** 乾燥麹に 1.5 倍（質量）の湯（60℃）と，

塩麹（平　宏和）

麹の1/3（質量）の食塩を加えて，1週間（夏）～2週間（冬）程度熟成させる．2010年代にブームとなって多くの市販品が出たが，東北地方では古くから家庭で作られて利用されてきた．一般には米麹を使うが，麦麹で作ることもできる．

◇**成分特性** ある市販品は，100g当たり，エネルギー180 kcal，たんぱく質2.9g，脂質0.2g，炭水化物41.7g，ナトリウム*4.9g（食塩相当量*12.5g）．

◇**調理** 刺身，野菜などにそのままかけて使うなど，塩と同様に食卓調味料としても利用できる．きゅうりやだいこんなどの野菜に約1割（質量）の塩麹を加えて1～2時間（浅漬）から1晩おいて漬け物に，また肉や魚にまぶして焼くなど，煮物，焼き物，炒め物，汁物と用途は広い．

● **しょうゆ麹**

しょうゆ麹という呼称は，二つの意味で使われている．①しょうゆ製造に用いられる麹；製造段階での区分として，清酒麹，みそ麹，焼酎麹などに対して，しょうゆの製造に適した *Aspergillus sojae* の呼称．②米麹としょうゆを混合した複合調味料．ここでは，後者を解説する．

複合調味料としてのしょうゆ麹は，塩麹とともに，2010年代に新しいブームとなった調味料である．みそと麹を混合したみそ麹も市販されている．

◇**製法** 乾燥麹（米麹）に半量（質量）の湯としょうゆ（麹の2.5倍質量）を加えかき混ぜて，2～3週間おいて馴染ませて製品とする．麹ソースと称する製品では，麹の量を多くしてあり，塩分はおよそ10%となっている．

◇**調理** しょうゆと同様に煮物，納豆，冷や奴にかける．麹のうま味を生かして，まぐろのづけ丼や，野菜の炒め物など，用途は広い．

しょうゆ麹（平　宏和）

甲州　⇨ぶどう
香信（こうしん）　⇨しいたけ
幸水　⇨なし

香辛料

英 spices

香辛料について，世界で共通する定義はみられない．全日本スパイス協会では自主基準を設け，香辛料を「植物体の一部で，植物の果実，果皮，花，蕾，樹皮，茎，葉，種子，根，地下茎*であって，特有の香り，辛味，色調を有し，飲食物に香り付け，消臭，調味，着色などの目的で使用し，風味や美観を添えるものの総称」としている．香辛料はスパイスとハーブに大別し，スパイスは利用部位により「茎，葉，花を除くものの総称」，ハーブは「茎，葉，花を利用するものの総称」としている．香辛料の見方としての分類には，植物学的分類，機能による分類（**表1**）などがある．

◇**種類** 世界の香辛料の種類について，スパイスが300～500種類，ハーブは数万種類ともいわれている．わが国で使われている一部をあげると，スパイスではオニオン（たまねぎ*），花椒*，カルダモン*，キャラウェイ*，クミン*，こしょう*，さんしょう*，シナモン*，しょうが*，ターメリック（うこん*），唐辛子*，ナツメグ*，にんにく*，バニラ*，パプリカ*，フェンネル*，マスタード（からし*）などが，ハーブではオレガノ*，セージ*，しそ*，タイム*，タラゴン*，バジル*，パセリ*，みょうが*，ミント*，ローズマリー*などがみられる．

◇**成分特性** 香辛料の成分は食品に風味・着色を添えるが，一方，食品の酸化防止，食欲増進，また，矯臭，精神・肉体両面での薬理的などの効果がある．芳香や辛味は，植物に含まれる揮発性の精油*，樹脂などであり，そのうち，辛味成分について，種類と分布を**表2**に示した．

◇**調理** 調理における香辛料の役割は，食品素材の持ち味を生かしながら，それぞれの嗜好に合ったより好ましい味に整えることである．食品素材と相性の合う香辛料があり（**表3**），また，調理に数種以上混合して使うことが多く，ウーシャンフェン（五香粉），ガラムマサラ*，ブーケガルニ*，カレー粉，七味唐辛子などがある．

合成清酒

成 16023　英 synthetic sake

ビタミンB_1の発見者，鈴木梅太郎（1874～1943）により創製されたもので，当初は主食である米を使用しないで，清酒中の成分を混和調合して，清酒に類似の酒をつくったのが始まりである．

表1 香辛料の基本的な機能による分類

芳香性香辛料（香を付ける）	クローブ，ミント，タイム，セージ，ベイリーブス，ナツメグ，シナモン，バジルなど
香辣性香辛料（味を付ける）	こしょう，唐辛子，わさび，辛子，生姜，ホースラディッシュなど
着色性香辛料（色を付ける）	サフラン，パプリカ，うこん，くちなしなど
矯臭性香辛料（臭味を消す）	にんにく，ローズマリー，セージ，タイム，オレガノ，ベイリーブス，クローブなど

表2 香辛料の辛味物質の種類と分布

分 類	辛味物質	分 布
硫黄を含む化合物	アリルイソチオシアネート* p-ヒドロキシベンジルイソチオシアネート*	和辛子，黒辛子，わさび 白辛子
ベンゼン核に不飽和側鎖をもつ化合物	ピペリン カプサイシン サンショオール クルクミン ジンゲロン，ショウガオール	こしょう 唐辛子 山椒 うこん（ターメリック） 生姜

＊植物体・種子に含まれるからし油配糖体が加水分解され生成されたもの

表3 料理素材とハーブ・スパイス類の相性

素 材	適合性のよいハーブ・スパイス類
肉 類	にんにく，セージ，タイム，生姜，クローブ，ナツメグ，オールスパイス，ベイリーブス，たまねぎ，コリアンダー，こしょう
鶏肉類	ベイリーブス，マジョラム，タイム，ねぎ，ローズマリー，にら，たまねぎ，オレガノ，バジル，セイボリー
魚介類	タイム，ベイリーブス，生姜，ねぎ，山椒，オレガノ，バジル，ディル，フェンネル

（武政三男：スパイス＆ハーブ辞典，文園社，1997，p. 244 より作表）

大正7（1918）年頃から研究され，理化学研究所によって製造が始められた．昭和10（1935）年には特許の分権が行われ，全国各地で製造されるようになった．昭和26（1951）年以降，米の一部使用が可能となり，アルコール蒸留法も改善され品質は向上し，昭和35（1960）年頃は12万kLと消費は大いに拡大した．しかし次第に経済も回復し，米の増産が行われ，清酒の消費が伸びるようになってから次第に減少している．

◇製法 アルコール，糖類（ぶどう糖，水あめ），酸（コハク酸，乳酸＊），アミノ酸（グルタミン酸ナトリウム，グリシン，アラニン），その他，食塩，色素などを配合してつくった純合成酒に，アミノ酸，大豆たん白などの発酵液を加えたり，普通の清酒の醸造法により"香味液"をつくり，これを一定制限内で混和してつくられた酒類で清酒に類似するもの（アルコール分16％，エキス分5度以上のものに限られる）．なお米の使用量については清酒との兼ね合いなどがあり，その量には厳しい制限がある．使用した米の質量がアルコール分20％と換算した場合の合成清酒の質量の5/100を超えてはならないことになっている．したがって米を香味液として使用する場合，量的には約1割以内ということになる．

合成清酒
（平　宏和）

こうたけ　香茸；皮茸；革茸

分 担子菌類マツバハリタケ科コウタケ属（きのこ）　学 *Sarcodon aspratus*　英 imbricated hydnum　別 かわたけ　地 いのはな（岩手，宮城）；ししたけ，くろきのこ，いがたけ（岩手）；しゃくい（三重）；しゃくび（滋賀）；たばころうじ（長野）；くまじこ（石川）

9〜10月，広葉樹林内地上に群生する．傘の直径は10〜25cmに達し，大型で漏斗状にくぼんでいる．傘表面にはいぼ状の突起が多数あり，裏側には1cmほどの針状突起が密集して，その様が動物の皮に似ている．また，独特の香りがあり，乾燥するといっそう強くなる．まつたけと同様に生きた樹木の根と共生しており，人工栽培は難しく，秋だけのきのこで稀少価値がある．よく似た近縁種にししたけ（*Sarcodon imbricatus*）があるが，傘が漏斗状にはくぼまず，不快なにおいがあるため，食用には適さない．

◇調理　アクが強いので，一度，茹でこぼしてから調理する．ほろ苦い味と歯切れのよい食感が特徴である．香りを生かして煮物，きのこ飯などにする．精進料理によく用いられる．

こうたけ（野生）（福井きのこアドバイザー会）

紅茶　こうちゃ

成 16043（茶），16044（浸出液）　英 black tea

茶葉を萎らせてよく揉み，葉中の酸化酵素によって茶成分の酸化を進めて製造した黒色の完全発酵茶（ちゃ類*，図1 参照）である．

◇歴史　現在，世界の茶生産の約80％は紅茶であるが，その歴史は比較的浅く，一説には14世紀の中国，明の時代に始まったといわれる．17世紀にはオランダ人によりヨーロッパに伝わり，英国，オランダ，フランス，ロシアなどで愛飲されるようになった．特に英国では17世紀半ばに出現したコーヒーハウスを中心に，18世紀には一般家庭にも急激に普及した．紅茶が日常生活に定着すると，政府は紅茶に10割もの税を課した．この税は，当時英国の植民地であった米国にも及び，これが米国の独立戦争への引き金になったともいわれる．19世紀半ばに英国がインドやセイロン島などの旧英領植民地に大規模な茶園をつくり，製茶の機械化に成功するまでは，中国産の紅茶が世界市場を席巻していた．1840年に起こったアヘン戦争は，英国が中国から茶を輸入し，その見返りにアヘンを輸出したことにより引き起こされた．英国人にとって紅茶は，単なる嗜好品ではなく文化であるといわれ，日本でもよく知られたアフタヌーンティーだけでなく，朝から晩まで，紅茶は英国人の生活に欠かせないものとなっている．

一方，わが国への紅茶の伝来は定かではないが，記録に残るものでは，ハリスが1856年に下田に入港した際に，幕府に紅茶数箱を献上したとあるのが最初である．明治の初期には新政府によって紅茶が試製され，その後，品質も向上したが，輸入品が割安なため日本での生産は伸びず，現在に至っている．輸入品は，明治20（1887）年に英国から入ったが，本格的には明治39（1906）年，東京の明治屋によって「リプトン紅茶」が輸入された．

◇産地　茶樹の栽培には，モンスーン的気候がよく，人手もかかるため，アジア・アフリカでの栽培が多い．いわゆるティー・ベルトと呼ばれる北回帰線と赤道の間を中心に，南北にそれぞれ延びている．総生産量では，インド，スリランカ（セイロン），ケニア，インドネシア，中国の順になる．

◇製法　生葉を麻布や網でつくられた萎凋棚の上に薄く広げて陰干しし，質量減35〜45％にする（萎凋）．次いで揉捻機にかけ葉を細捻し，形状を整える．この操作で茶葉の細胞は破壊され，酵素が働きやすくなる．揉捻葉は発酵室（25℃，湿度90％以上の環境）で30〜90分間ねかせて発酵させる．この段階で茶葉は赤銅色になり，青臭さが消えて芳香が感じられる．最後に葉を85〜90℃で乾燥させる．乾燥の終わった長いままの紅茶を荒茶と呼ぶ．荒茶は形状，大きさも異なるので，さらにふるいによる選別，カット，乾燥などによる再生工程を経て仕上茶（製品）となる．

◇分類　産地による分類をはじめ，製茶工場の標高立地による区分（ハイグロウン，ローグロウンなど），収穫期による区分，茶葉の形状，メッシュのサイズによる区分など，さまざまな分類がある．その種類は4千とも5千ともいわれる．

産地による区分：市販の紅茶は製造各社が独自

表1 代表的な紅茶の産地と銘柄

産地	銘柄	特徴
インド	ダージリン	北インド，ヒマラヤ山系の海抜2,000mの高地に産する紅茶．その比類ない絶妙の香りは「紅茶のシャンペン」といわれ，殊にセカンドフラッシュの極上品にはマスカテル・フレーバー（マスカットのような香り）がある．茶水の色は明るく，やや濃いオレンジ色で，コクがある．
インド	アッサム	北インドのアッサム州でとれる紅茶．インド紅茶の50％を占め，樹も大型だが，葉も大きく，特にセカンドフラッシュは茶水も濃く，独特の奥深い芳醇な香り，力強い味で，飲み応えがある．
インド	ニルギリ	南インドのニルギリはスリランカに近いデカン高原南部で，現地語でニルギリは「青い山」の意味である．味わい香りともセイロンティーに似て，すっきりとしてクセがない．
スリランカ（セイロン）	ウバ	セイロン紅茶を代表する高品質の茶．高地特有の香り，力強い味，濃く明るい茶水の色のバランスのよい茶．7, 8月の1〜2週間に「ウバ・フレーバー」といわれるバラやスズランのような香りの茶が出る．
スリランカ（セイロン）	ディンブラ	中南部の山脈の西側（ウバの反対側）で産する香り高い茶．春摘みのものは逸品．
スリランカ（セイロン）	ヌワラエリア	山岳地帯でつくられるマイルドな茶．
中国	キーマン（祁門）	安徽省産の中国種でつくられ，蘭のような香りと，少しいぶしたような独特の香りをもつ．
中国	クンフー（功夫）	福建省でつくられる．中国紅茶はインドやセイロン産の紅茶よりも苦味が少なく，まろやかな味をもつ．
インドネシア	ジャワ	セイロン紅茶に近いマイルドな風味をもつ．
ケニヤ	ケニヤ	後発のため茶樹が若く，味も香りもフレッシュである．

のブレンドをしたものが多いが，特に有名な産地別区分としては，インドのダージリン，アッサム，ニルギリ，スリランカのウバ，ヌワラエリア，ディンブラなどがある（**表1**）．

収穫期による区分：紅茶にも品質が最高になる収穫時期"クオリティ・ピーク・シーズン"がある．たとえば，ダージリン茶などは，4月頃ファースト・フラッシュ（一番摘み）が収穫でき，6〜7月にはセカンド・フラッシュ（二番摘み），10月頃にはオータムナル・フラッシュ（秋摘み）といったように，表示区分して取り引きされる．このうちマスカテル・フレーバー（マスカットのような香り）は，セカンド・フラッシュの特定のものにのみ含まれる．

茶葉の形状による区分：**表2**に示すように，リーフティー（葉茶）とブロークンティー（砕茶）に分けられ，製法の違いによる差である．紅茶をカットせずにゆっくり揉みながら発酵させたものがリーフティー（ホールリーフタイプ）で，熱湯を注ぐと1枚ずつの茶葉が，ほぼ完全に元の姿にもどる．古典的な中国紅茶に多くみられる．これに対し，製茶の再生工程でふるいで選別あるいはカットしたものをブロークンティー（ブロークンタイプ）と呼んでいる．これはさらにふるい機のメッシュのサイズで細分化されている．また，製造工程で出る浮葉と粉茶も区分されている．

茶葉の形状やサイズは，第二次世界大戦前までは，重要な評価基準であった．しかしリーフティーは容積（かさ）が大きく，戦火をくぐって船で輸送するには不都合である．そのため英国食糧省は生産国に，輸送に適したブロークンに加工するように通達を出した．さらに，ティーバッグの普及がブロークンティーの増加を促し，生産の主流はブロークンティーで占められている．リーフティーは，古典的な中国茶や一部の北インド茶などにわずかに残されている．

◇**成分特性**　茶葉と浸出液の成分特性を**表3**に示した．浸出液にはタンニン*，カフェイン*が含まれるが，無機質，ビタミンなどはほとんど含まれない．

表2　紅茶の形状と区分

名称		形状
リーフタイプ	オレンジペコー（OP）	よくよった大型のリーフティー・チップといわれるオレンジ色の未展開の芯芽を含む上級品．サイズは7～11mmの針金状．特にチップの多いものはフラワリーオレンジペコーと呼ばれる．
	ペコー*（P）	少し硬化した葉を用いる中級品．OPより太めの短い葉でつくる．
	ペコースーチョン（PS）	葉柄や硬化した茶葉を丸く仕上げた下級品．
ブロークンタイプ	ブロークンオレンジペコー（BOP）	OPタイプの茶葉になるべき茶葉を機械でカットしたものが主体で，サイズは2～3mm．最も多く芯芽を含み上級品が多い．
	ブロークンペコー（BP）	Pをカットしたものが主体の中級品．
	ブロークンペコースーチョン（BPS）	PSをカットしたものが主体の下級品．

名称	略号	形状
ファニングス	F	風選でふるいの下に出た浮葉．葉や芽の砕けたもの．
ダスト	D	粉葉．0.4～0.6mmのふるい分けででるもの．
CTCティ**	CTC	粉茶．ティーバッグ用につくられたもの．

*　ペコーは中国語の白毫（バイハオ）からきたとされ，まだ開いていない芽先（毫芽；ハオヤー）や若葉の裏側に白く光って見える産毛を意味する．
**茶葉をつぶし（crushing），引き裂き（tearing），粒状にまるめる（curling）まで機械により行い，製造工程を簡略化して造られた紅茶．

色素：成分はタンニン（カテキン類）がポリフェノールオキシダーゼにより酸化，生成された橙紅色のテアフラビンと赤褐色のテアルビジンである．テアフラビン*（カテキン*の二量体）は紅茶中に1～2％含まれ，良質茶に多い．テアルビジン（カテキンが高度重合したもの）は紅茶中に10～15％が含まれ，浸出液は良質茶では濃く深みが加わるが，発酵が過剰になると褐色が加わる．

香気成分：主要成分はリナロール，リナロールオキサイド類，2,6-ジメチル-3,7-オクタジエン-2,6-ジオール，ゲラニオール，ベンジルアルコール，2-フェニルエタノールなどであるが，銘柄により含有比率が異なり，特有の香りを示す．

◇**鑑別**　紅茶にも鮮度は大切で，購入するときは，商品の回転のよい店の包装状態のよい品を選ぶ．比較的新しいものがよいが，これは必ずしも製造直後のものがよいということを意味しない．紅茶の色，味，香りなどのバランスがよくなるために，一定の日数を要することもある（後熟；こうじゅく）からである．容器は，伝統的なブリキ缶が最もよい．また，ストレートにはダージリン，ミルクティーにはアッサムやウバなど，飲み方に合った茶葉を選ぶ．

◇**保存**　高温と湿気に弱いので，ブリキ缶に密封し，冷蔵庫で保管するのがよい．移り香もしやすいので，厳重に密封する．

◇**淹れ方**　熱湯で淹れる：紅茶は味よりむしろ香りが生命で，高温短時間で浸出した方がよい．温めたポットに，ティースプーンで「人数分プラス1杯」の茶葉を入れる．ただし日本の水は軟質で，紅茶の味が出やすいので，この「プラス1杯」は省いてもよい．必ず沸騰したての熱湯を注ぎ，冷めないように2～3分保って浸出する．このとき，ポットの中で茶葉が上下に踊るようにさせる（ジャンピング）のが，おいしく淹れるコツである．浸出が長すぎると渋味の溶出が多く，温度が低いとジャンピングが起らず香りが引きたたない．水質や湯の沸かし方については緑茶と同じである．❈砂糖とレモン：あくまでも香りが中心で，味の方は砂糖を入れて苦味を和らげ，渋味を隠す．レモンの薄切りを浮かせると，適度の酸味とレモ

紅茶
上左：ダージリンロイヤル（インド），
上中：アッサムロイヤル（インド），
上右：ニルギリロイヤル（インド），
中左：ウバ（スリランカ），中中：ティンブラ（スリランカ），中右：キーマン（中国），下左：アールグレイ，下右：ローズティ（平 宏和）

表3 紅茶の成分組成（日本食品標準成分表2020年版（八訂）より） （100g当たり）

		水分(g)	たんぱく質(g)	脂質(g)	利用可能炭水化物(差引き法)(g)	β-カロテン当量(μg)	ビタミンC(mg)	タンニン(g)	カフェイン(g)
紅茶	茶	6.2	20.3	2.5	51.7	900	0	11.0	2.9
	浸出液*	99.7	0.1	0	0.1	0	0	0.10	0.03

* 浸出法：紅茶5g 熱湯360mL 1.5〜4分．

ンの香りが加わり，紅茶の香りがいっそう引き立つ．ただし長く入れすぎると紅茶の色素（テアフラビン*など）が酸のため色を失う．❀ミルクや洋酒：ミルクを入れると苦味や渋味が和らぎ，穏やかな味になる（ミルクティー）．ブランデーやウイスキーを落とすと，香りが加わって香気を増す．好みによりこれらを加えるとよい．

●アールグレイ
英 Earl Grey
フレーバードティーの一種で，柑橘類のベルガモット（*Citrus bergamia*）の果実より採った香油（ベルガモット油）を茶葉に吹き付けたもの．香りの主成分はリナロール，リナリールアセテートである．製品によってはレモンピールやオレンジピールの小片を混ぜたものもある．独特の爽やかな香りとすっきりした味わいをもち，日本でも人気がでている．アイスティーにもよく，紅茶ケーキやクッキー類にも使われる．菓子用には，ティーバッグの中身のような粉茶がよく，菓子専用かティーバッグ以外のアールグレイは，すり鉢ですって粉状にして用いる．なお名前は英国の伯爵（earl）チャールズグレイ（Charles Grey；1764〜1845）に由来する．当時の英国の首相のグレイが派遣した特使が中国人の役人の命を救い，そのお礼に贈られた紅茶がこのアールグレイであった．

●フレーバードティー
英 flavored tea
果物や花の乾燥小片を混ぜたり，香料を吹き付けて，その香りを付加した紅茶．代表的なものにアップルティーやマンゴーティーなどがある．果物ではそのほか柑橘類の果皮やいちご，花では，バラやジャスミン，カルダモンなどのハーブ類も使われる．

こうなご　⇨いかなご

こうぼ　酵母

英 yeast

子嚢菌類に属する微生物の一種の総称．カビと細菌との中間の単細胞の生物で，菌糸は発達せず，球状や楕円状のものが多い．土壌中や植物の花，葉，実などの表面に存在する．自然状態で存在する野生酵母と，これを人工的に培養した培養酵母とがある．

◇種類・分類　酵母は糖類に作用してアルコール発酵を起こし，糖をアルコールと二酸化炭素にする．このとき，酸素のある場合は二酸化炭素と水を多くつくり，酸素が少ない状態ではアルコールを生産する．食品加工のうえでは，この性質を利用してビール，清酒などアルコール飲料，パンなどがつくられる．酵母の本来の働きは同じであるが，主として二酸化炭素の発生を利用するものをパン酵母，アルコールの生成を利用するものをアルコール酵母という．『食品成分表』ではパン酵母（イースト）が，食品材料として取り扱われ記載されている．市販のパン酵母には生イーストとドライイーストとがある．その他，酵母を原料とした固形スープ原料に使われる酵母エキスがある．

製法：糖類原料として糖蜜を用い，これにアンモニア，硫安などを加えて通気培養し，酵母を増殖させる．もろみ*100 mL 当たり 7〜10 g の酵母が得られたところで遠心分離により酵母を分取する．これを洗浄して，フィルタープレスで脱水して包装する．

◇成分特性　イーストの主成分はたんぱく質と炭水化物で，特にたんぱく質はアミノ酸組成がよく，必須アミノ酸*では，特にリシン*含量が多い．100 g 当たり生イーストは約 70 g の水分を含むが，ドライイーストでは水分は 8.7 g，たんぱく質（アミノ酸組成）*30.2 g，炭水化物 43.1 g（うち，食物繊維 32.6 g）が含まれている．ビタミンとし

こうぼ　上：生イースト，下：ドライイースト
（平　宏和）

ては B_1，B_2，ナイアシン*が豊富である．鉄*，リン，亜鉛も多い．

◇保存　生イーストは自己消化を起こしやすく，保存しにくい．ドライイーストは缶の孔を密閉して冷蔵庫に保存すれば，約 6 カ月は保存できる．

●アルコール酵母
英 brewer's yeast

清酒やビールなどアルコール飲料の製造に利用される酵母で，純粋培養された特定の強力なアルコール発酵能を有しているサッカロミケス属（*Saccharomyces*）の菌種が用いられる．清酒では 1906 年に日本醸造協会が配布した協会第 1 号酵母以来，香味の改良されたものが次つぎに開発され，協会酵母と呼ばれて用いられている．一方，ビールの副生物であるビール酵母は栄養剤，酵母エキスの原料として利用されている．

●酵母エキス
英 yeast extract

パン酵母，ビール酵母，ワイン酵母などを原料として，自己消化や酵素添加により分解して得られた水溶性成分を乾燥させたもの．粉末とペーストがあり，固型スープの原料とされる．

●パン酵母
成 17082（圧搾），17083（乾燥）　英 baker's yeast　別 イースト

一般にはイーストと呼ばれる．パンの膨化に使われる．酵母が糖類に作用してアルコール発酵を起こし，糖をアルコールと二酸化炭素（CO_2）にす

る．この CO_2 が，パン生地をふくらませる．菌種は培養による菌体収量の多い種で，パン特有の風味を生じるサッカロミケス・ケレウィシエ（*Saccharomyces cerevisiae*）が用いられる．市販品には，生イーストとドライイーストがある．

　生イースト（baker's compressed yeast）：生酵母，圧搾酵母ともいう．パン製造用に用いる．一般には市販されていない．そのまま砕いて，水に溶いて使う．生イーストには1g中140億以上の酵母細胞が含まれている．

　ドライイースト（baker's dry yeast；yeast powder）：乾燥酵母ともいう．主に製パン用に使われ，脱水後の生酵母を顆粒状に乾燥したもの．小麦粉質量の約2％のものを砂糖を少量加えた温湯に溶かして使用する．なお，近年は溶かさないで，そのまま粉などに混ぜて使用するタイプもある．

高野豆腐　⇨こおりどうふ
こうらいえび　⇨えび
高粱（こうりゃん）　⇨もろこし

コーヒー　珈琲

成 16045（浸出液）　英 coffee

コーヒーは，アフリカ原産のアカネ科コーヒーノキ属常緑樹の種子を炒って粉にし，熱湯で浸出した液を飲料としたもの．

◇歴史　最初に飲用されたのは11世紀の頃で，アラビアの人達は，乾燥した生豆を砕いて煎じたものを胃薬として飲んでいたようである．13世紀に入って，豆を炒って用いるようになり，汁液の色も黒く，香りの高いものに変わっていった．16世紀になるとコーヒーはアラビア各国に伝わり，16世紀の中頃トルコのコンスタンチノープル（現・イスタンブール）に世界初めてのコーヒーハウスができた．さらにコーヒーは17世紀の初めにはヨーロッパ各地に，17世紀後半には米国へと伝わった．日本への伝来は，江戸時代初期（17世紀の初め）オランダ人により伝えられたといわれる．しかし一般にはほとんど普及せず，明治の文明開化を経て徐々に飲まれるようになった．戦前では昭和13（1938）年頃が全盛で，輸入量も年間8,000トンに上った．戦後は昭和26（1951）年に輸入が再開され，さらに昭和35（1960）年に完全な自由貿易時代に入り，翌年にはすでに戦前の最高輸入量を超えた．

インスタントコーヒーはすでに明治末期につくられていたといわれるが，一般に普及したのは第二次世界大戦後で，まず米国でブームを起こした．その後加工技術も急速に進歩し，品質もよくなり，全世界に広まった．

◇樹の種類　コーヒーノキ属の種（しゅ）は約40種ある．実用的な良種は低木のアラビカ種（*Coffea arabica*）で，そのほか低木のロブスタ種（*C. robusta*），高木のリベリカ種（*C. liberica*）が栽培され，コーヒー製造に用いられている．アラビカ種はもともと高原（エチオピアの高原地帯）の原産で，低地では銹（さび）病に弱い．標高600〜3,000m，温度15〜25℃，有機質に富んだ肥沃地でカリウムが多く，やや酸性で，土層の深い土壌がよい．世界の生産量の約8割をアラビカ種が占める．ロブスタとは「丈夫な」という意味をもち，その名の通りロブスタ種はアラビカ種の栽培の不可能な熱帯の低地で栽培され，病害に強い品種で，インドネシア等に多い．インスタントコーヒーの原料としてよく使われる．リベリカ種は生育旺盛で耐病性が強く，乾燥地，湿潤な低地でよ

コーヒーの生育　上左から，種子，発芽，茎が伸びる，葉が出る，双葉，葉が対葉して出る，移植，若木，成木，開花，結実（UCC上島珈琲）

表1 コーヒーの産地と銘柄

産　地	銘　柄	特　徴
ブラジル（南米）	ブラジル ブラジル・サントス	ブラジルは生産量が世界一．銘柄も多い．品種もまちまち．ブレンドのベースとして使われる．サントスはブラジルコーヒーの中でも最高級品で，香りが高く，適度の苦味と酸味がある．
コロンビア（南米）	コロンビア メデリン	生産量はブラジルに次ぐ．香り，酸味ともに優れ，コクがある．中でもメデリンは香味ともに優れ，特に酸味の具合がよい．最高級品の一つ．
ジャマイカ（西インド諸島）	ブルーマウンテン	ジャマイカの1,000メートル以上の高地で生産される．生産量は少ない．甘味があり，香りと酸味の調和がとれ，最高級品．
グアテマラ（中米）	グアテマラ	酸味が強く，適度の苦味と特有な香りがある．ブレンド用の高級品．
コスタリカ（中米）	コスタリカ	酸味と苦味が強く，ブレンド用としての優良品．
イエメン（アラビア）	モカ マタリ	独特な芳潤な香りとやわらかい苦味があり，これに強い酸味とまろやかな甘味が加わり，見事に調和している．モカを代表する最高級品はマタリという．
タンザニア（アフリカ）	キリマンジャロ	酸味がやや強く，香りの高い，コクのあるストレート用高級品．
メキシコ（中米）	メキシコ	酸味が強く，コクのある風味．高地産のものがよい．
インドネシア（アジア）	マンデリン トラジャ	なめらかなコクをもつ．やわらかな苦味． 南スラウェシ島のトラジャ地域で生産される．調和のとれた味わいをもち，生産量も限られるため高級品．
ハワイ島（太平洋諸島）	コナ	強い酸味と特有の甘い香りがある．濃いストレート用コーヒー．

く生育する．本種は香りは強いが，品質は中等で，アラビカ種の台木に用いられることも多い．

◇**産地と銘柄**　表1に示すように，現在世界のコーヒーの約半分は南米で生産されており，なかでもブラジル，コロンビアが大半を占める．前者はサントス，ブルボンサントス，後者はメデリン，マニザレスなどの名品がある．また中米ではグアテマラ，エルサルバドル，コスタリカ，北米ではメキシコなどが生産量が多い．西インド諸島は，生産量は少ないが良品で，特にジャマイカはブルーマウンテンの逸品で知られている．コーヒーの発祥の地といわれるアフリカのエチオピアにはそれほどの名品は現存しないが，モカ・ハラリ，ジンマーなどは知られている．アフリカにはウガンダ，ケニアなどの生産量の多い国もあり，特にケニアなどでの栽培量は近年増えている．またタンザニアはアフリカ最高級品のキリマンジャロを産する．アラビア地域のコーヒー生産地は紅海に面したイエメン地方だけであるが，ここには有名なモカ・コーヒーを産する．アジアではインドネシアが最も産出量が多く，マンデリンなどの逸品がある．そのほかインドのマイソール，ハワイのコナなどが知られている．

◇**製法と種類**　コーヒー果実は外皮，果肉，種子（コーヒー生豆，胚乳*）で構成され，種子の大きさは長さ14〜18mm，幅13〜15mmの楕円または球形をしており，灰緑色で薄い種皮（銀皮）で覆われている．果実の中には通常種子が2個，相向かって入っている（ときには1個のみのものもあり，これはピーベリーと呼ばれ，高価である）．収穫した熟果からこの生豆を得る方法には乾式と湿式がある．前者は天日または人工乾燥したものを石臼や脱殻機で皮と果肉をむき，さらにふるいにかけて生豆だけをとる方法である．これによる生豆はナチュラルと呼ばれ，外見は悪いが風味はよい．後者は熟果をコンクリートの水槽に約2日間ほどつけて水洗後，果肉除去機で果肉を取り除き，水槽に1昼夜浸漬して，内殻皮を除去し種子を取り出して水洗，乾燥する方法である．ウォッシュドと呼ばれ，酸味が強くなるが大量生産に適する．次に生豆は現地の処理工場に集められ，ここで回転ドラム乾燥機または天日で乾燥したのち脱殻機と研磨機にかけ，内皮と銀皮が除去される．通常この状態で産地から出荷される．

市販品は，レギュラーコーヒー，インスタントコーヒー，コーヒー飲料などに分けられる．

表2 コーヒー，ココアの成分組成（日本食品標準成分表2020年版（八訂）より） （100g当たり）

	水分 (g)	たんぱく質 (アミノ酸組成) (g)	脂質 (TAG当量) (g)	利用可能 炭水化物 (g)	β-カロテン 当量 (μg)	ビタミンC (mg)	タンニン (g)	カフェイン (g)
コーヒー浸出液*	98.6	(0.1)	(Tr)	0.8[*]	0	0	0.25	0.06
インスタントコーヒー	3.8	(6.0)	0.2	65.3[*]	0	(0)	12.0	4.0
コーヒー飲料乳成分入り加糖	90.5	0.7[†]	0.2	8.3[*]	(0)	(0)	–	–
ピュアココア	4.0	13.5	20.9	23.5[*]	30	0	4.1[**]	0.2
ミルクココア	1.6	7.4[†]	6.6	75.1[*]	Tr	(0)	0.9[**]	Tr

* 浸出法：コーヒー粉末10g 熱湯150mLで浸出． [†] たんぱく質，[*] 差引き法，[**] ポリフェノール

◇**成分特性** 他の食品に比べて特にタンニン*，カフェイン*が多い．タンニンの主成分は主にクロロゲン酸*で，原料豆で6.8～9.6%含まれる．これは焙煎によって2.4～4.9%に減少する．減少は褐変色素の形成に関与している．コーヒーの苦味の主成分であるカフェインは，焙煎によってもほとんど変化しない．平均で約1.3%含まれる．

コーヒー（炒り豆）にはそのほか平均12.6%のたんぱく質と16.0%の脂質が含まれる．たんぱく質以外に遊離アミノ酸*が含まれる．アミノ酸はほとんど全種類見出されているが，なかでもグルタミン酸，アスパラギン酸，バリンなどが多い．これらのアミノ酸は焙煎中減少し，褐変反応，香気成分生成に関与しているものと思われる．また脂質はコーヒーの風味に微妙な影響を与える．高級脂肪酸はパルミチン酸，ステアリン酸，オレイン酸*，リノール酸*などがあり，特にパルミチン酸，リノール酸含量が多い．コーヒーは熱湯で，たんぱく質全量の約10%，脂質の約5%が抽出される．コーヒーの酸味もまた品質を決めるうえで重要な成分である．有機酸*としてはクロロゲン酸が多いが，酸味を呈する物質としては，主にクエン酸，リンゴ酸*，酢酸が多い．また焙煎によってギ酸，酢酸，乳酸*が増える．コーヒーの甘味に関係する成分としてはしょ糖が主体で，生豆で5～8%，炒り豆で0.2～0.6%，インスタントコーヒーで0.2～1.2%含まれる．しょ糖は焙煎中著しく減少し，褐変色素の形成にあずかる．そのほかコーヒーには500種以上の香り物質が確認されており，コーヒーに微妙な香りを付与している．コーヒー浸出液の主成分を**表2**に示す．

◇**保存** コーヒーは，デリケートな風味を大切にするため，鮮度が重要である．挽いて粉にしてからは，特に早めに，できれば1週間ぐらいで使いきる．豆でも焙煎したものは1～2カ月を目安にする．古いコーヒーは，ツンと鼻をさすような酸化臭がしたり，味も酸っぱかったり，渋かったりする．購入時には回転のよい店で，必要量だけを豆で買い，密封して冷蔵庫に入れ，飲むときに自分で挽いて使うのが理想的である．また，冷蔵庫から出した際の結露にも注意し，必要量だけ出して，すぐに冷蔵庫にもどす．

◇**淹れ方** コーヒーには香り，味の成分のほかに，アク成分や細かい繊維も含まれている．コーヒーを淹れるとき，好ましい成分だけを抽出し，好ましくない成分が溶出するのを防ぐのが，コーヒーをうまく淹れるコツである．このためには，抽出温度と時間を正しく決め，淹れるときに攪拌や粉の圧搾を避けることが大切である．沸騰水にコーヒー粉末を入れてそのままか，火を止めて1～2分浸出する浸漬法（ボイルだて）と，粉末を紙やネルなどの袋状のものに入れ，上から熱湯を静かに注ぎ，温めたカップやポットに受ける透過法（ドリップだて）の2通りがある．前者は一度に多人数分を淹れることができ，後者はコーヒーの味を最もよく引き出すことができる．サイホンを使う方法は，この両者の折衷といえる．パーコ

焙煎度合い：生豆（上左）からイタリアンロースト（下右）まで（UCC上島珈琲）

レーターだては，沸騰水を循環させるため，方法は手軽だが，アクや不純物が抽出されてくる率が高い．手軽に使える電気コーヒーメーカーも，各種用いられている．※コーヒーは淹れてから長く放置すると香りを失い，混濁や酸味を増し，液にわずかに残留する微細な粉末から，アクや渋味が出て不快な味になる．飲み方には，何も加えないブラックをはじめ，クリームや砂糖を加えるなど，好みに応じてさまざまな楽しみ方がある．

●アイスコーヒー
英 ice coffee；iced coffee
濃厚な熱いコーヒーを砂糖シロップと氷を入れたグラスに注ぎ，急速に冷やす．澄んだ香りの高いコーヒーが得られる．

●アイリッシュコーヒー
英 Irish coffee
コーヒーに多量の牛乳を入れ，これにアイリッシュウイスキーを加えたもの．

●アメリカンコーヒー
英 American coffee
浅煎りにした酸味の強い豆をブレンドして，軽い味を大きめのカップで楽しむ．標準量の約2倍量の熱湯で淹れた薄いコーヒー．

●インスタントコーヒー
成 16046　英 instant coffee
コーヒーを焙煎，粉砕したものを80℃以上の熱湯で抽出し，噴霧乾燥または凍結乾燥によって，粒径250μm程度の粉末または粒状としたもの．コーヒー豆100gから20～30gがつくられる．
　包装容器：主に，ガラスびん，缶が使われているが，最近ではPET/Al箔/PE（ポリエステル/アルミ箔/ポリエチレン）のラミネートフィルムも使われている．

インスタントコーヒー　左：粒状，右：粉末（平　宏和）

●ウインナコーヒー
英 Vienna coffee
オーストリアのウィーンで愛飲される．カップに砂糖を入れ，これに強く煎じた濃いめのコーヒーを静かに注ぎ，液面にゆるく泡立てた生クリームをたっぷり浮かべる．スプーンで混ぜないで上部

ウインナコーヒー（UCC上島珈琲）

から飲む．

●カフェ・エスプレッソ
伊 cafe espresso
イタリアンロースト（最強煎り）の豆をエスプレッソ・マシンと呼ばれる高速コーヒー抽出機で淹れる．これをカップに注ぎブラックで飲むか，強烈すぎる場合，砂糖，牛乳などを加える．イタリアでは食後に愛飲される．

●カフェ・オ・レ
英 café au lait；coffee to the milk
フランス風の朝のコーヒーで，カフェ・オ・レとは「コーヒーと牛乳」の意味である．やや濃いめに抽出したばかりの熱いコーヒーと温めた牛乳をそれぞれポットに入れ，両者同時にカップに同量注ぎ込む．好みでこれに砂糖を入れて飲む．

カフェ・オ・レ（UCC上島珈琲）

●カフェ・カプチーノ
伊 cafe cappuccino
イタリアンタイプのコーヒー．温めたカップに小さじ2杯の砂糖を入れ，深煎りの濃いコーヒーを8分目ほど注ぎ，液面に大さじ1杯の泡立てたクリームを浮かべる．好みによりレモン，オレンジなどの皮をすりつぶしたものを振りかけてもよい．撹拌はシナモン（肉桂）の小さな棒を用いる．

●カフェ・モカ
英 Mocha coffee

カフェ・カプチーノ（UCC 上島珈琲）

わが国でのカフェ・モカは，チョコレートシロップを加えた深煎りの濃いコーヒーに泡立てた牛乳とホイップクリームを加えたものである．
単にモカともいい，世界各地でいろいろな意味で使われる．コーヒーの品種名としては，アフリカのイエメンで産出されるコーヒー豆で，なかでもモカ・マタリは有名である．ブラジルのモカは，湿式法で精製したアラビアモカ種のことで，ドイツでは Mokka はコーヒーの総称である．イタリアの moka d'oro は最高級のコーヒーを指す．飲み物としてのカフェ・モカは米国では深煎りコーヒーにチョコレートシロップを加えたもの．

●カフェ・ロワイヤル
仏 café royal
ヨーロッパタイプのコーヒー．デミタス・カップに角砂糖1個を入れ，そこに強く煎じた濃いめのコーヒーを6分目ほど注ぐ．その上に適量のブランデー（コニャック）をコーヒーに混ざらないように注ぐ．マッチで点火すると青白い炎をあげて燃えるから，燃え尽きないうちにスプーンで攪拌して飲む．または先を折り曲げたスプーンに角砂糖1個をのせ，ブランデーをその上から注ぎ火をつける．青白い炎がつき，角砂糖が溶け火が消えた頃，スプーンをコーヒーに入れて攪拌する．

●コーヒー飲料
成 16047（乳成分入り 加糖） 英 coffee drink
昭和40年代後半から急速に伸びた飲料で，通称缶コーヒーともいわれている．コーヒー飲料等の表示に関する公正競争規約によれば，コーヒー豆を原料とした飲料，およびこれに糖類，乳製品等を加え容器に密封した飲料であって，内容量100g中に何gのコーヒー豆から抽出また溶出したコーヒー分を含むかで，コーヒー入り清涼飲料（1g以上2.5g未満），コーヒー飲料（2.5g以上5g未満），コーヒー（5g以上）に区別されている．

●トルココーヒー
英 Turkish coffee
微粉末に挽いたコーヒーを，短い柄のついた小さなポット（イブリック）で冷水からゆっくり煮出し，これを漉さずにカップに入れ，上澄みだけを飲む．トルコは世界で初めてコーヒーを嗜好品とした国とされる．

●ブラックコーヒー
英 black coffee
砂糖など何も入れずに静かに口に含ませて飲む．主に香りを楽しむ．苦味，うま味や酸味の調和を欠く場合がある．一般に砂糖で苦味が，クリームで酸味が中和される．

●レギュラーコーヒー
成 16045（コーヒー） 英 regular coffee
インスタントコーヒーに対して，焙煎して挽いたコーヒー豆を使って淹れるコーヒーの意味で用いられる．産地の処理工場で乾燥後，内皮と銀皮が除かれた生豆を選別機，精磨機にかけた後，焙煎機で200～250℃，15～20分くらい生豆を焙煎（ロースト）する．この操作で生豆中の水分は蒸発し，色は褐色を帯び，特有の香りと風味が形成される．一般に焙煎が強ければ酸味が少なく苦味を強く感じ，風味が劣る．そして色と味の濃厚なコーヒーが抽出される．逆に弱く焙煎すると酸味の勝った味の薄い，風味のよいものができる．このように焙煎の程度は好みによって異なるが，通常次の8段階に分けられる．
最も浅い煎りをライトと呼び，浅煎りをシナモン，普通煎りをミディアム，やや強煎りをハイ，中煎りをシティ，やや深煎りをフルシティ，強い深煎りをフレンチ，最も深煎りをイタリアンという．次いで豆は急冷され，味や香りに特徴のある豆を数種類組み合わせ，配合される．次にこれをグラインダーで挽いて粉にする（粉砕）．挽き方には細挽き，中挽き，粗挽きなどの段階がある．挽いたコーヒーの粉末はふるいで粒度をそろえた後，製品となる．

コーヒーシュガー　⇒さとう
コーヒーホワイトナー　⇒クリーム類
ゴーヤ　⇒にがうり
コーラ飲料　⇒炭酸飲料類
凍りこんにゃく　⇒こんにゃく
氷砂糖　⇒さとう

こおりどうふ 凍り豆腐

成 04042（乾），04087（水煮） 英 Kori-dofu；(frozen, thawed and dried tofu) 別 高野豆腐；凍み豆腐

室町時代末期にみられる，冬季に豆腐を戸外で一夜凍らせ翌朝食べる一夜凍り豆腐が原形と考えられる．江戸時代になり製法が発達し，しみ豆腐と紀州高野山が起源といわれる高野豆腐に分かれ，生産・消費圏もしみ豆腐は関が原以東，高野豆腐は以西に分けられるようになった．現在，しみ豆腐の生産は少ない．

◇製法　高野豆腐：水分85％程度に調製して硬めにつくった豆腐を切り，−10℃内外の冷風を吹きつけて凍結し，−1〜−3℃の貯蔵室内で約3週間熟成させる．この熟成処理を"もや"と呼び，熟成中に大豆たんぱくの凍結変性が進み保水性が失われて，解氷後の脱水および乾燥が容易になり，高野豆腐特有のスポンジ構造が形成される．これを解凍後，脱水したものを乾燥する．現在の製品は，調理の際，軟らかく大きく膨らませるように膨軟加工が行われる．その加工法として，以前は乾燥後にアンモニアガスを製品に吸着させていたが，最近では製造工程中，脱水後に椇水（炭酸ナトリウムなど）に浸し，乾燥させる処理が行われている．膨軟性を高めるために，炭酸ナトリウムに代えて，炭酸カリウムを用いた製品も流通している．

しみ豆腐：古くからの製法で行われており，凍らせた豆腐を縄で編んで戸外で乾燥させる．もやと膨軟加工は行われていない．なお，土産用の縄で編んだ凍り豆腐は，高野豆腐（製品）を編んだものが多い．なお，凍り豆腐の表示に関する公正競争規約では，凍り豆腐の名称は，「凍り豆腐」，「こうや豆腐」または「しみ豆腐」と表示すること，としている．

◇成分特性　たんぱく質，脂質が主成分で，これらの性質は豆腐に準ずるが，たんぱく質は製造工程における凍結乾燥によって変性をきたすため食味が変わり，栄養価も豆腐に比べてやや劣る．

鑑別：脂質含量がかなり高いので，長期間保存したものは油が酸敗しているため注意が必要である．淡黄色でつやがあり，形の整ったものがよく，異臭のあるもの，橙色に変色したもの，組織が硬く角質化したものは不良品である．

◇調理　もどし方：乾燥品のまま器に入れ，80℃前後の湯をかぶるぐらい注ぎ入れ，落とし蓋をして10〜20分放置する．芯がなくなるまで吸水膨潤させたら，水中で手の平にはさみ白い水気をしぼり出し，次に再び吸水させて，汁が濁らなくなるまで何度も水を取り替えながら繰り返す．最後に十分に水気をきる．もどした凍り豆腐は乾物の4〜5倍の質量になる．しかし，凍り豆腐の製造法によってはもどさずに，乾燥品のまま調理してよいものもある．※組織がスポンジ状であるため汁をよく吸収するので，薄味の煮汁でゆっくり煮含める．精進料理の煮物の盛合わせ，五目ずし，重詰や折詰料理などに広く利用される．※食感を生かして：下味を付けて煮含めた凍り豆腐に，チーズやハムをはさんで油焼きにしたり，のりを巻いて揚げた磯辺揚など，また，唐辛子を効かせた唐辛子煮や，辛味炒め，野菜あんかけなど，淡白な味なのでさまざまな料理に利用できる．

しみ豆腐（平　宏和）

高野豆腐（平　宏和）

こおりもち　氷餅；凍り餅

英 Koori-mochi　別 凍み餅；干し餅；寒餅

氷餅には，普通の餅を切って藁で編んで吊るし，凍らせたのち乾燥したもの，熱湯で捏ねたもち米粉を蒸してからついて花・鳥・魚などの型で押し抜き，凍らせたのち，乾燥したものなどがある．熱湯に浸して軟らかくし，焼いたりして食する．また，菓子の原料にもなる氷餅は，もち米の摩砕液を加熱・糊化して型に流し，凍らせたものを切断，紙で包み乾燥させたものである．和菓子では粗く粉砕し，まぶし粉として使われる．

上：こおり餅　保存食，行事食，また砕いて和菓子の原料に用いる．下：こおり餅（しみ餅，土産物用）（平　宏和）

コールラビ

成 06081（生），06082（ゆで）　分 アブラナ科アブラナ属（1年生草本）　学 *Brassica oleracea* var. *gongylodes*　英 kohlrabi　別 球茎かんらん；かぶキャベツ

キャベツの仲間で，地中海北岸の原産とされている．ヨーロッパや中国では食用としてのみでなく，飼料用としても利用されている．わが国へは明治初期にヨーロッパ型が導入されたが，定着しなかった．現在も栽培は極めて少ない．かぶとは異なるが，肥大した部位（茎部）を利用するので，かぶキャベツとも呼ばれる．

◇**品種**　わが国では品種分化もほとんど認められず，早生のヨーロッパ群と晩生の中国群が栽培されている．ヨーロッパ群には紫色のパープルウインナ，緑色のホワイトウインナがある．最近一代

コールラビ（平　宏和）

雑種*がいくつか発表されている．

　栽培：キャベツ類の中では最も早生で，適温期なら，種子を播いてから60日ぐらいで収穫できる．消費が少ないので大規模な生産はないが，耐暑・耐寒性とも強く，栽培も容易．周年的に栽培されている．

　産地：神奈川，長野，千葉など．中国，オランダから輸入もされている．

◇**成分特性**　形状はかぶ（根）のようであるが，β-カロテン当量を100g当たり12μgとわずかながら含み（かぶは0μg），ビタミンCをかぶの2.3倍の45mg含有するなど，かぶとは異なる．一般成分，無機質成分はかぶとかなり類似している．茹でたとき，カリウムおよび灰分とビタミンCが30%溶出するが，他の成分の溶出は少ない．

◇**調理**　かぶに準じて，クリーム煮，クリーム和え，トマト煮，ベーコンや豚肉との煮込み，そのほか，スープの浮き身や酢漬にも用いる．

コーンオイル　⇨とうもろこし油

コーングリッツ

成 01133（黄色種），01164（白色種）　英 corn grits

コーングリッツは，とうもろこしの種子の胚乳部を挽き割りにしたもので，この工程で生じた微粉部をコーンフラワー（corn flour）（成 01134，01165）と呼んでいる．コーングリッツは主に硬質胚乳部，コーンフラワーは主に粉質胚乳部よりなっている．コーングリッツの用途としては，粒度が4～6メッシュのものはコーンフレーク用，9～60メッシュのものは製菓，スナック食品，ビール醸造用などである．コーンフラワーの用途は製菓，スナック食品，水産練り製品用などである．

コーングリッツ（平　宏和）

コーンミール（平　宏和）

コーンスターチ　⇨でんぷん（とうもろこしでん粉）
コーンサラダ　⇨マーシュ
コーンパフ　⇨スナック菓子
コーンフラワー　⇨とうもろこし

コーンフレーク

成 01137　英 cornflakes

コーングリッツに調味液（砂糖，食塩，水，麦芽糖*などを含む）を加え，回転式蒸煮缶で加圧・加熱し，半透明となったものを水分15％程度まで乾燥し，圧扁ロールで薄いフレーク状に焙焼したものである．朝食シリアルとして，牛乳，砂糖をかけて食べたり，チョコレートをコーティングしたスナック菓子に加工される．

コーンフレーク（平　宏和）

コーンミール

成 01132（黄色種），01163（白色種）　英 corn meal

とうもろこしをそのまま粉砕したもので，全粒コーンミールと胚芽の多くを除いたコーンミールがある．なお，コーングリッツのうち，粒度の細かい部分もコーンミールと呼ばれる．

こがねがれい　⇨かれい

ごかぼう　五家宝

成 15047　英 Gokabo；(roasted glutinous rice stick covered with sweetened roasted soybean flour paste)

おこし類に属する菓子の一種である．おこし種を水あめで固めて，周囲をきな粉と水あめで練ったもので覆い，さらにきな粉をまぶしたものである．口あたりはサックリしており，甘味もあまり強くなくさらりとしていて，きな粉特有の香ばしい風味が特徴の郷土菓子である．埼玉県熊谷市のものが有名であるが，水戸の吉原殿中も五家宝とほとんど同じ製法でつくられている．五家宝が周囲をきな粉と水あめで練ったもので覆うのに対し，吉原殿中は周囲をきな粉でまぶすだけである．味は両方ともあっさりしており似ている．五家宝は吉原殿中を元につくられたともいわれている．

◇由来　江戸時代の享保年間（1716〜1736）に，上州五箇村の里人が干し飯を蒸して棒状にし，これにきな粉をまぶしてつくったのが初めといわれる．初めの頃は1個1文（もん）であったところから一箇棒といわれていたが，その後，形が大きくなるに従い五箇棒と名付けられたといわれている．文政年間（1818〜1830）に水戸から熊谷にやってきた水戸屋先代水野源助は，五箇棒の製造を研究して品質改良を行い今日の五家宝となった．五家宝といわれるようになったのは明治以後

ごかぼう（平　宏和）

である．

◇**原材料・製法** 原料はもち米，きな粉，砂糖，水あめである．もち米の粉を水でこねてから蒸し，それを餅をつくように臼でつき，餅状になった生地を薄くのばして細かく刻み乾燥させる（おこし種）．これを煎ってから砂糖と水あめを混ぜて棒状に丸めたものを，きな粉と水あめを硬めに練り，厚さ5mm程度にのばした外皮でくるみ，棒状にのばしてからきな粉をまぶし適当な長さに切る．

ごぎ

分 硬骨魚類，サケ科イワナ属 **学** *Salvelinus leucomaenis imbrius* **英** head spotted char

ごぎとも呼ばれる．中国地方の島根県，岡山県，広島県，山口県の河川源流域に生息するイワナの亜種．体側の白斑が頭部にもある．全長30cm．環境省のレッドリストにおいて絶滅危惧Ⅱ種に分類されている．

黒糖焼酎　⇒焼酎
穀物酢　　⇒食酢

こけもも　苔桃

分 ツツジ科スノキ属（常緑性低木）　**学** *Vaccinium vitis-idaea*　**英** cowberries；lingon berry　**別** いわもも；はまなし；おかまりんご　**旬** 9～10月

高山や寒地に生育する樹高15～20cmくらいの低木である．北半球の寒帯に広く分布し，わが国では北海道から九州の高山帯にみられる．野生種のほか，北欧や北米で栽培されてはいるが，収量は少ない．地下茎*を引き，根を深く下ろして茎を直立する．果実は液果*で，7～10mm大の球形．わが国では9～10月に赤色に熟する．少し酸味はあるが，適度な甘味もあるので生食できる．ジャム，ゼリー，砂糖漬，乾燥果実，果実酒として利用する．

☕ ココア

成 16048（ピュアココア），16049（ミルクココア）
英 cocoa

アオギリ科常緑高木のカカオノキ（*Theobroma cacao*）の種子を焙煎し，外皮と胚芽などを除き，乾燥，摩砕する．そこからココアバターの一部を除去し，微粉砕したもの．

ココア　左：ピュアココア，右：ミルクココア
（平　宏和）

◇**歴史**　カカオノキは元来，中南米，西インド諸島に繁茂していた．その種子は15世紀末コロンブスによりヨーロッパに伝えられた．最初は薬剤として扱われていたが，次第に疲労回復の栄養剤になり，さらに飲用チョコレートになり，16, 17世紀の頃はかなり普及した．19世紀に入るとオランダのバンホーテン社によりカカオ豆から脂肪分を取り除く方法が開発された．これにより今日の飲用ココア，固形チョコレートの区別がなされるようになり，それぞれ完成された嗜好品として世界的に普及するようになった．

◇**製法と種類**　カカオの実は直径約15cm，長さ20～30cmの楕円形で，これを切り開くと中に30～40個の種子が軟らかい肉質に包まれて入っている．この種子を肉質部とともに堆積し，発酵させ，水洗乾燥させカカオ豆を得る．ココア（ココアパウダー）はこのカカオ豆を100～130℃の熱で焙煎し，破砕し，風力選別により外皮と胚芽を除去する．その後，必要によりpH調整のため炭酸カリウムなどを用いてアルカリ処理を行い，乾燥，摩砕後，圧搾機にかけてココアバターの一部を除去，微粉砕したものである．工程中のアルカリ処理はカカオ豆の酸味の中和，渋味とえぐ味の除去，色調の濃色化などの効果がある．一般家庭で飲まれるココアとして，ピュアココアとミルクココアがある．ピュアココアはココアバターの含量が22％以上，水分7％以下で，香料と天然の粘性調製剤以外のものを含まないココアパウダーで，ミルクココアはココアパウダーに粉乳，糖類，粘性調製剤などを加えたもので，ココアパウダーの含量は10％以上，水分9％以下とされている．

◇**成分特性**　主要成分（ピュアココア）をコーヒーの項の**表2**に示す．コーヒー，茶に比較して脂質（TAG当量）*含量が100g当たり20.9gと著しく高い．構成脂肪酸の主なものはステアリ

ン酸 35.0％，オレイン酸*34.2％，パルミチン酸 25.4％，リノール酸*3.3％で，特に前の3つが多い．100g 当たりたんぱく質（アミノ酸組成）*が約 13.5g 含まれるが，そのほかに特徴ある成分としてテオブロミン*1.7g と少量のカフェイン*0.2g が含まれる．テオブロミンはカフェインよりも穏やかな刺激性，興奮作用を有する．カロテンのほかビタミン B_1，B_2，ナイアシン*を含み，コーヒーよりもビタミン含量は高い．また，カリウム，マグネシウム*，亜鉛，銅*など，無機質も多く含まれる．さらにココアには，抗酸化物質として注目されるポリフェノール*が含まれている．

◇淹れ方　ココアは浸出液ではなく，砕いたカカオの実の粉を液中に分散させ，そのまま飲むものであるが，インスタントは別として，普通品（ピュアココア）にいきなり熱湯を加えても均一に分散せず，粒になったり，カップの底に沈殿したりする．このため少量の熱湯であらかじめ十分に練り，粉を水和膨潤させてから，火にかけて砂糖を加え，加熱しながら水または牛乳でのばす．※沸騰すると香りを失うので，沸騰直前に火からおろす．ほろ苦さをもった濃厚な味になめらかさを加えるため，バターや生クリームを浮かせて脂肪を補う．脂肪が液の表面を覆って，香りが逃げるのを防ぐ．

五穀　ごこく

中国では古来より名数と称し，事物に三皇，五穀，九族など特定の数をつけて表すことがあるが，五穀の作物の種類については定まっていない．日本においても，中国と同様に5種の穀物は書物・時代によっても異なっている．①「稲・粟・小豆・麦・大豆」（『古事記』），②「粟・稗・稲・麦・豆」（『日本書紀』），③「稲・大麦・小麦・大豆・小豆」あるいは「麦・黍・米・粟・大豆」（『本朝食鑑』）．また，「五穀豊穣」の言葉が示すように，穀物全体の総称として用いたり，必ずしも5種類に限定されず，重要な作物（穀類以外も含む）という意味で五穀を用いることもある．五穀を地域の重要作物とする例に，沖縄県石垣市の豊年祭で，五穀として，稲・粟・麦・もろこし・さつまいもを供した記録がある．

ココナッツ

分 ヤシ科ココヤシ属（常緑性高木）　学 *Cocos nucifera*（ココヤシ）　英 coconut

ココヤシ（古古椰子）の果実．原産地は不明であるが，熱帯アジアとされている．椰子（やし）とは果実の王を意味する中国語で，油糧植物として世界的に重要である．中国では3世紀頃から利用されていた記録がある．

◇品種　ココヤシ亜属に属するもので現在知られているものは 700 種にのぼるが，うち著名なものは 30 種程度である．品種は樹高で分けると，高性と矮性に，利用面からはコプラ用と生食用に分けられる．高性のものは 15〜30m の高さに生長するが，矮性のものは高性の約半分である．樹の頂部に長さ 50cm ほどの羽状の葉が輪生し，そのつけ根に果実をつける．

　産地：ココヤシは北緯 15°から南緯 12°の間に分布し，最適地は年平均気温 27℃，年降水量 1,500〜2,000mm で日照量の多い，石灰質土壌である．世界最大の産地はフィリピンで，その他，マレーシア，インドネシア，ニューギニア，ニューヘブリデス，モザンビークなどが多い．わが国では経済栽培はされておらず，輸入品が出回っている．繁殖は実生による．種を播いてから 10〜15 年目に結実し，50〜60 年生にいたるまで収穫でき，1 樹当たり年間 40〜80 個の収穫がある．

◇形態　図1にココナッツの断面を示す．一番外側が外果皮*で，この層は薄い．その下に中果皮*があり，これは繊維である．この内部は硬く，5mm くらいの球状の殻（内果皮*）となっていて，褐色のプラスチック様の容器状の組織があり，その内側に 10mm くらいの厚さの白色の胚乳*

五穀　『本朝食鑑』による五穀（平　宏和）

ココナッツ　右は内果皮断面　白い部分が胚乳，その中に果実水（ココナッツウォーター）が入っている（平　宏和）

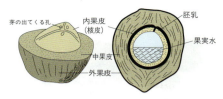

図1 ココナッツ（ココヤシの果実）の構造（阿部　登：ヤシの生活誌，p.20，古今書院，1998）

がついている．胚乳の内部は空洞になっており，2/3ほど（約500mL）の果実水（ココナッツウォーター）が入っている．

◇**成分特性**　新鮮な胚乳*は脂肪層で，35〜50％の油脂を含み，重要な油糧資源となっている．この胚乳を半割し，お椀状にして乾燥したのがコプラ（copra）で，油脂は63〜69％の高含量となる．

◇**保存**　新鮮なココナッツは，10〜16℃，湿度50％で保存すれば数カ月間，異臭やカビの発生もなく貯蔵できる．しかし，産地では24〜29℃に保存されているのが通例である．

◇**加工**　ココヤシは植物全体が利用できる効率の高い植物である．軟らかい未熟果の胚乳は香料を加えると食用となり，完熟果の胚乳は乾燥して粉にするとコプラとなる．未熟果の果実水は飲用となる．

●**ココナッツパウダー**

成 05016　英 coconut powder

コプラを破砕して粉末に加工したものである．これは菓子原料や各種料理に利用される．またコプラを圧搾してコプラ油を搾り，食用油，マーガリン，化粧品，石鹸，ローソクなどの工業用原料となる．

◇**成分特性**　100g中，水分2.5g，主成分の脂質（TAG当量）*は（64.3）g，利用可能炭水化物*（差引き法）11.5gを含む．主な脂肪酸はラウリン酸

左：ココナッツパウダー，右：ココナッツロングスレッド（細切り）（平　宏和）

45％，ミリスチン酸18％，パルミチン酸9.5％，オレイン酸*8.2％，カプリル酸7.8％，カプロン酸7.6％，ステアリン酸5.0％などである．

◇**調理**　産地ではココナッツパウダーをカレーやスープに入れたり，さまざまに利用しているが，日本では，主にクッキー，ケーキ，チョコレートなどの菓子類に利用している．

●**ココナッツミルク**

成 07157（ココナッツウォーター），07158（ココナッツミルク）　英 coconut milk

ココナッツミルクと呼ばれるものに，2種類がある．飲料とされるものは，ココナッツウォーターとも呼ばれ，未熟果の内部の果実水である．料理に利用されるココナッツミルクは，完熟した胚乳をおろし金でおろし，水をかけてその浸出液を搾り取ったものである．また固まりかけた胚乳を搾って製造することもある．カレー，スープ，煮込み，調味料などとして利用される．

◇**成分特性**　ココナッツミルクとココナッツウォーターの成分は100g中，水分が78.8g，94.3g，利用可能炭水化物*（差引き法）3.8g，5.0gである．ビタミン類はほとんど含まれない．

ココナッツミルク（缶詰）（平　宏和）

ココナッツオイル　⇒やし油

こごみ　屈

成 06083（若芽 生）　分 コウヤワラビ科クサソテツ属（多年生シダ）　学 *Matteuccia struthiopteris*（クサソテツ）　英 Kogomi　別 くさそてつ（草蘇鉄）　旬 早春

シダの仲間で，形がソテツに似ていることからクサソテツの名がある．その幼葉がこごみの名で食用とされる．世界各地に分布するが，わが国では九州以北の林中に分布している．落葉性で，株はソテツの幹を縮めたような木質化した塊をもっている．シダ類の中では最も味がよいといわれる．早春，特に雪国では雪解けと同時に葉を出し始

こごみ（平　宏和）

こしあぶら（栽培品）（平　宏和）

める．ゼンマイのように巻いた若芽を利用する．谷底に近い林内に群生し，特に土中の水分の多いところに好んで自生する．葉は8〜10本束生し，成草になるとすり鉢状に広がるのだが，葉の出はじめは全部が一つの塊となり，こごんでいる．こごんでいる若芽は，茎は濃青色で両縁が白色を帯び，幼葉が互生している．また，萌える前に包んでいた茶色の綿のような皮の破片がところどころに付いている．葉には栄養葉*と胞子葉*があり，春に出るのは栄養葉のみで束生して伸び1mぐらいに生長する．胞子葉は秋に栄養葉の中心から出て50〜60cmになる．赤茶色で栄養葉が枯れた後でも直立して残る．

山形では，ハウスやビニール覆いなどで，早期出荷用の栽培もされている．

◇採取　早春の若芽で，まだこごんでいるときに採る．

◇成分特性　若芽（栽培品）は，100g当たり，β-カロテン当量1,200μg，ビタミンC 27mgを含む緑黄色野菜である．

◇調理　アクがまったくないので茹でてお浸し，和え物，酢の物がよい．噛むと少しぬめりがある食感である．

 こしあぶら　漉油；金漆

分 ウコギ科コシアブラ属（落葉性高木）　学
Chengiopanax sciadophylloides　旬 春

里山よりやや深山で日当たりのよい山地に自生する．成長が早く，10mほどの高木になる．同じウコギ科のタラノキと異なり，葉は5枚の小葉に分かれ，棘がない．幹はまっすぐに伸び，樹皮は灰褐色でなめらか，あまり横枝が出ない．和名のこしあぶらは昔，樹脂を取って布で漉し，漆のような塗料（金漆：ごんぜつ）にしたことから名付けられたとされる．

◇採取　芽出し時期の4〜5月頃，枝先に萌える

若芽の開ききらない軟らかいものを採取する．成木は高く採取は難しいため，若木を探して採る．

◇成分特性　ウコギ科特有の香りや苦味がやや強いが，好きな人にはそこがまたよいとされる．脂質やたんぱく質が多く，栄養価も高い．

◇調理　若芽のハカマをはずし，塩を少々入れた熱湯でさっと茹で，水にさらすとアクが抜け苦味も和らぎ，お浸しや和え物，汁の実にして食べる．苦味の好きな人は水さらしをしない方がよい．また，アクの強さは油で揚げるとうま味に変わるので，生のまま天ぷらか素揚げにしてレモンやかぼす汁をかけ，塩で食べる．さっと茹でたものを，鍋にバターを溶かし，鶏のささみや細切ハムなどとともに炒め，しょうゆとこしょうで味付けし，レモン汁をかけて，山菜料理の一品となる．

 ごしきまめ　五色豆

英 Goshiki-mame

赤えんどうを原料とし，水漬け，水きりして煎り，砂糖を衣がけした掛け物菓子．白，赤，青，黄，茶色に着色したものがある．京都夷川（えびすがわ）の豆政の創製といわれ，青色は青のり，茶色はニッケイ（肉桂）を使って，味にも変化をもたせている．この五色は王朝時代から幸福を祈るときに用いられる色彩で，それぞれの色に応じた風味がある．

ごしきまめ（平　宏和）

こしょう 胡椒

成 17063（黒粉），17064（白粉），17065（混合粉） 分 コショウ科コショウ属（常緑低木） 学 *Piper nigrum* 英 pepper

コショウの実を乾燥したもの．黒こしょう，白こしょう，緑こしょうがある．品種の差ではなく，収穫時期とその後の処理方法の差による．黒こしょう（black pepper）は，こしょうの未熟な実を黒くなるまで天日乾燥したもので，黒い外皮が入っているために色は黒くて特に香気が強い．白こしょう（white pepper）は完熟した実を水に漬け発酵させ，外皮を取り除いて，これを乾燥したもので，味は穏やかである．緑こしょうは未熟な緑の実を摘んで人工的に乾燥したものである．ベトナム，ブラジル，インドネシアの生産量が多い；わが国は，マレーシア，インドネシア，ベトナムなどから輸入している．

利用の歴史：辛いスパイスとしては最古のものといわれ，B.C.10 世紀のインドの医学書や，古代ローマの記録にもその記述があるという．胡椒の名からもわかるように，中国には漢の時代に西域（胡と呼ばれた）からシルクロード経由で伝わり，その後わが国に中国から伝来した．正倉院の記録にも胡椒の文字がみられるので，奈良初期には入っていたと思われる．肉食の多い欧州では，こしょうは食品保存の上からも貴重で，16 世紀にはこしょうを求めて喜望峰からインド洋に到る航路も開けた．

◇成分特性　炭水化物が主体で，『食品成分表』では黒（粉），白（粉）それぞれ 100 g 当たり利用可能炭水化物*（差引き法）69.2 g，73.7 g，たんぱく質（アミノ酸組成）*（8.9）g，（7.0）g，脂質（TAG 当量）*（5.5）g．（5.9）g である．黒こしょうには鉄*が多く，20.0 mg 含まれる．辛味の主成分はピペリンで，香気成分としてピネン*，フェランドレン，リモネン*などが含まれる．外皮を含む黒こしょうには辛味成分含量も多い．肉の臭みを消し，防腐効果をもつ．また，香辛料として

こしょう（粉）（左から，黒・白・混合）（平　宏和）

香りや味を調えるほか，ビタミンCの酸化を防ぐ．ドレッシングに使うと，油の酸化を遅らせる効果も期待できる．薬用としては胃に作用して消化液の分泌を促す効果がある．

◇保存・用途　香りが生命であるから，容器は密栓して保存する．一度にあまり大量を購入するよりも少しずつにして，香りが十分にあるうちに使いきる．びん入りのテーブルこしょうが一般的であるが，粒こしょうを挽いて使う方が香りがよい．

用途：ハム・ソーセージ，ウスターソース，カレー粉，固型スープなどの加工品に，香辛料として最も大量に使われる．こしょうの有効成分を抽出したペッパーオイルがある．

◇調理　魚・肉料理，スープ，サラダ，各種の煮込み用のソース，麺，ドレッシングなどの基本的な香辛料である．下ごしらえにも，加熱にも，食卓用にも広く使われる．粉末だけでなく，粒状のものをこしょう挽きで砕いて使うこともある．粒はピクルスなどにも，そのまま使う．黒こしょうは味の濃い肉料理に，白こしょうはクリームスープ，すまし汁，白身魚など，明るい色彩の料理に向く．緑こしょうは彩りを生かしてホールのまま肉料理などに使う．なお，ピンクペッパー*と呼ばれるものは別科で，こしょうではない．

コスレタス　⇒レタス
古代米　⇒こめ（着色米）

こしょう　左：黒こしょう，中：白こしょう，右：緑こしょう（平　宏和）

こち 鯒

成 10122（まごち） 分 硬骨魚類，コチ科コチ属
学 *Platycephalus* sp. 英 flathead 標 まごち 別
ほんごち；くろごち 地 がらごち（瀬戸内海）；ま
ごち（東京）；ほそごち（和歌山）；ぜにごち（長崎）
旬 春～夏

全長50cm．海底（砂泥底）に生息するため体は
著しく縦扁し，頭は幅広く上下に平べったい．体
色は黒褐色．沿岸性底魚である．宮城県と新潟県
以南と東シナ海に分布する．こち類は熱帯を主と
して温帯へも分布しているが，寒帯にはいない．
わが国にはまごちのほかにめごち，おにごち等，
24種が知られている．

◇成分特性 肉色白く，味は淡白で，成分的には
たいやすずきのような典型的な白身魚の値を示し
ているが，脂質，灰分，脂溶性ビタミン*の含量
が少ない．こち（まごち）はすずきに次ぐくらい
美味といわれ，肉質もふぐの代用にされるほど上
等である．ただし，にごち，おにごちなどの近似
種の食味はかなり劣る．上等料理の材料とされ，
かまぼことしても，肉色白く，アシの強い良質の
ものが得られる．

◇調理 白身の高級魚で，肉質もしまっている．
刺身，酢の物などにするが，あらいもよい．※加
熱の際はフライ，天ぷら，焼き物など，乾式加熱
法がよい．ちり鍋などの鍋物にも向く．※また，
煮物は魚臭が少ないので淡白な味付けでよい．中
国料理には，ぶつ切りにしたものを豆腐とともに
スープで煮る料理もある．

●おにごち

鬼鯒 分 アネサゴチ属 学 *Onigocia spinosa* 英
midget flathead 別 地 おきごち；こち（高知）；
あかごち；おきのこち；しょもごち（和歌山）

全長15cm．体は縦扁し，腹面は扁平である．頭
が大きく多くの棘がある．茨城，新潟から朝鮮半
島，東シナ海，南シナ海，オーストラリアに分布

めごち 上：背面，下：側面（本村 浩之）

する．小型であるため食用に適さない．

●めごち

雌鯒；女鯒 成 10123 分 メゴチ属 学
Insidiator meerdervoorti 英 big-eyed flathead

全長25cm．体は縦扁し，腹面は扁平．頭はやや
細長い．体色は黒褐色で，不透明な暗色横帯と小
黒点がある．味はよい．東アジアの固有種．めご
ちと呼ばれる魚は日本各地に何種類かあるが，本
種とは別種で，いずれも惣菜用として利用される
程度である．関東地方ではネズッポ科の魚をめご
ちと呼んでいるので注意を要する（ねずっぽ*）．

コチュジャン

英 red chili paste 別 唐辛子みそ

朝鮮・韓国の料理で用いられる代表的な調味料．
薬念醬（ヤンニョムジャン）と呼ばれ，カンジャ
ン（しょうゆ），テンジャン（みそ）と並んで基本
調味料とされている．塩味と甘味に唐辛子の辛味
を加えた複合調味料で，日本のみそのように朝鮮
半島の各地で特色あるものがつくられている．う
るち（粳）米からつくるもの，もち（糯）米からつ
くるもの，大豆でつくるみそ玉を加えるものなど，
製法にはバラエティがある．日本での安直な製品
には，水あめ，みそ，唐辛子粉末を混ぜたものも
あるが，本来は発酵調味料であり，麹を用いて米

まごち 上：背面，下：側面（本村 浩之）

コチュジャン（平 宏和）

を糖化させ、これに唐辛子粉末、砂糖、食塩を加えて熟成させる。

◇**成分特性**　一例では、100g当たり、水分47.7g、たんぱく質8.9g、脂質4.1g、炭水化物19.4g、灰分19.9g、カルシウム126mg、リン72mg、鉄*13.6mg、ビタミンB_1 0.35mg、ビタミンB_2 0.35mg、ナイアシン*1.5mgである。

◇**調理**　焼肉の漬けだれに加えたり、ビビンパ（ビビンバ）の味付けに加えたりと、用途は広い。コチュジャンに酢やすりごま、刻みねぎなどを加えたものがチョコチュジャン（唐辛子酢みそ）で、刺身（フェ）などに用いる。

コッペパン
成 01028　英 bread type rolls；white long roll
原料配合は食パンと同じで、もともとは表面に切れ込みをつけた。わが国では、棒状のソフトロールを指す。学校給食にも多く利用される。

コッペパン（平　宏和）

五斗納豆　⇨なっとう
粉あめ　　⇨でんぷんとう
粉砂糖　　⇨さとう（粉糖）
コニャック　⇨ブランデー

このこ　海鼠子
英 Konoko；(dried gonad)　別 ほしこのこ；くちこ

干しこのこの略称。なまこの腸の塩辛であるこのわた製造の副産物の卵巣をひもにかけ三角形に乾燥したもの。このわた同様、酒の肴として通人に喜ばれている。

このしろ　鰶；鮗；鯯
成 10124（このしろ　生）、10125（このしろ　甘酢漬）　分 硬骨魚類、ニシン科コノシロ属　学 *Konosirus punctatus*　英 dotted gizzard shad　別

このしろ（本村　浩之）

地 しんこ（東京，幼魚）；こはだ（東京，10cm前後のもの）；つなし；つなせ（関西）；ぺっとお（石川）；どろくい（高知，幼魚6cmくらいまで）

全長30cm。体は細長く、著しく側扁する。背びれの最終軟条は糸状に長い。鰓蓋（えらぶた）の後方に黒点が一つある。体色は銀青色で、ひれは黄味を帯びている。内湾性で、産卵期の4～5月には汽水域に入る。北海道から九州にかけての日本各地に分布する。東アジアの固有種。外観がこのしろにすこぶる似ていて、だいたい同じ用途に使われる魚にドロクイ属のどろくいがある。どろくいは熱帯性で高知県以南の市場で見られる。

◇**成分特性**　成分的にはいわし類に似ている。『食品成分表』では100g当たり、水分70.6g、たんぱく質（アミノ酸組成）*15.6g、脂質（TAG当量）*7.1g、灰分1.7gとなっており、うるめいわしと比べると脂質がやや多い点とビタミン類の含量のはるかに少ない点が異なる。大型のものより、こはだと呼ばれる12cmぐらいの小型魚のときが最も美味で、すしの原料としては上位に位する。加工としては小型魚を甘酢漬とし、また、粟漬（粟と唐辛子を入れた酢漬）、卵の花漬（おからに入れた酢漬）に加工する。名産品としては、丹後や姫路のこのしろ鮨などがある。

◇**調理**　大きいものは塩焼きや揚げ物にするが、小型のものは骨が多く身も薄いので、姿のままの調理には向かず、骨切りにして酢の物やすし種に用いる。これが"こはだ"である。もともと脂肪が多く、身が軟らかいが、酢でしめると味がひきしまる。粟漬は、おせち料理に用いられる。西洋料理でも三枚におろしてからマリネ（酢漬）にする。

●どろくい
泥食　分 ドロクイ属　学 *Nematalosa japonica*
英 Japanese gizzard shad　別 めなが　地 めなが（高知）

全長30cm。このしろに似ているが、上顎後端が

このしろ（こはだ）粟漬（平　宏和）

下方に曲がることで，曲がらないこのしろと識別できる．高知県からマレー半島にかけて分布し，このしろより南方系である．タイやフィリピンで見られるのはこの種である．

 このわた　海鼠腸

[成] 10373　[英] Konowata；(salted and fermented viscera)

なまこの腸の塩辛．江戸時代に三河の名産を将軍家に献上したというほどで，長崎のからすみ，越前のうにとともに日本三大珍味の一つ．能登半島や伊勢湾の知多半島のものが有名．高級珍味の一つで，寒中に製造された腸の形が長く残っているこはく色のものが上質とされている．

こはだ　⇨このしろ

 コピー食品

[英] imitation foods　[別] イミテーション食品；代用食品

食品の多様化と高級化につれ，本物のかに足やキャビアと形，味が似た食品が売り出されている．これらをコピー食品，イミテーション食品と呼ぶ．原料資源が枯渇して原料入手が困難なキャビア，イクラと，安価な原料で本物の食品に似せたかに風味かまぼこ*などがある．イクラはサラダ油と海藻多糖類，キャビアはランプフィッシュの卵，かに風味かまぼこはすけとうだらのすり身を原料としてつくられる．かに風味かまぼこは食べやすさと低エネルギーという点から世界各国で野菜サラダなどに加えられて食べられており，コピー食品から脱却して独自の食品として定着してきている．また，コピー食品から独立したものとして，当初わが国では"人造バター"と呼ばれていたマーガリンやみりん風調味料，乳製品に植物油脂を加えたクリーム類など，さまざまな食品がある．原料の入手難や高価という以外にも，宗教や病気などによる制約のために，工夫され作られる代用食品もある．

こぶくろ　⇨うしの副生物（子宮）
こぶだい　⇨べら（かんだい）

 こぶ茶　昆布茶

[成] 16051　[英] Kobu-cha；(Kombu powder for drink)

昆布を薄い酢酸に漬けたのち庖丁で細かく刻み，日干し，または炒って乾燥させたものを微粉末にする．これに適量の食塩を添加，混合して製品としたものである．家庭でつくる昆布茶は，板昆布を軽く火であぶり，細かく切ったあと，急須に入れ，熱湯を注いで1〜2分おく．"こぶ"がよろこぶに通じるとして祝い事の際によく飲まれる．なお細切り昆布に小梅の梅干しを入れ，熱い湯を注いで飲む風習もある．この梅昆布茶には，小さな角切り昆布に，梅干しの粉末をまぶした簡便な市販品や粉末製品も出されている．また，こぶ茶は昆布だしの代用として，料理にも利用される．

こぶ茶（平　宏和）

 ごへいもち　五平餅；御幣餅

[成] 15123　[英] Gohei-mochi

和菓子に分類されることが多いが，本来は長野県，岐阜県，山梨県などで行事食として伝わる郷土料理である．
◇由来　名の由来については，「神に捧げる御幣の形をしている」，「五平という名の棟梁が造った」など諸説がある．
◇原材料・製法　うるち米を少し固めに炊き，熱いうちに潰し，地域によって平たい杉や竹串に，草履形，判形，円形などに練りつけ，または団子にして2〜3個を串刺しにしたものを素焼きをする．さらに，タレを塗り，焼いて仕上げる．タレ

ごへいもち（平　宏和）

はみそ，しょうゆ，クルミ，えごまなどを用いるが，地域によっても異なる．

ごぼう　牛蒡

成 06084（根　生），06085（根 ゆで）　分 キク科ゴボウ属（多年生草本）　学 Arctium lappa　英 edible burdock

肥大した直根*を食用とする根菜類*で，師部*は薄く肥大部は木部*である．ヨーロッパ，シベリア，中国東北部に野生がみられるが，わが国に野生はない．逆に野菜としての栽培はわが国のみで，栽培の歴史は 1,000 年以上になると推察される．なお，西洋ごぼうと呼ばれるサルシフィ*はごぼうと同科別属（バラモンジン属）の根菜である．

◇品種　長大な肥大根を利用するため，砂質がかった耕土の深い土壌で良品を産する．品種は極めて単純で，長大な品種はすべて滝野川群に属し，早晩生・抽薹（ちゅうだい；とうが立つこと）性の，異なるいくつかの品種を分化している．短太な品種は大浦群に属するが，局地的な品種である．このほか葉ごぼうとして利用する越前白茎群の品種が関西を中心に若干栽培されている．

作型：早春播き（7〜9月どり），春播き（10〜11月どり），秋播き（5〜7月どり）の3型があり，作型は単純である．

産地：青森，茨城，北海道，千葉．

◇成分特性　水分を除けば炭水化物が主な成分である．イヌリン*，セルロース*，ヘミセルロー

ス*などを含む食物繊維が，便秘を防ぎコレステロール値を低下させるので，栄養上好ましい食品とされている．灰分も比較的多いが，ビタミン類は少ない．ごぼうを切って放置すると黒変する．これは 0.8％含まれるタンニン*，コーヒー酸，クロロゲン酸*，イソクロロゲン酸などのフェノール成分によるもので，アクの主体ともなっている．これらの成分が，ごぼう中に存在するポリフェノールオキシダーゼ，ペルオキシダーゼなどの酸化酵素により酸化されて黒変する．ごぼうのポリフェノールオキシダーゼ活性は図1にみられるように pH 5 で最も強く作用するが，pH 4 以下では著しく低下する．したがって酢に漬けるとpH*が低下し，さらに水中で保存すれば空気にふれないので変色を防止できる．また酢に漬けると酵素活性が低下するとともにフェノール成分が溶出するため黒変が軽減される．また，ときに青緑色に変化することがあるが，これはごぼうのアルカリ性無機質（カリウム，ナトリウム*，カルシウム，マグネシウム*など）がアントシアン系色素と結合し青色を生じたり，クロロゲン酸とアミノ酸のロイシン，フェニルアラニンなどと反応し青緑色の成分に変化するためである．ごぼうの遊離アミノ酸*は，アルギニンが全体の 40％，アスパラギンが約 30％を占め，その他アミノ酸が少量ずつ含まれている．ごぼう特有の香気，土臭いごぼう臭はアルキルメトキシピラジン類，グリーン臭は芳香族アルデヒド類，フルーティな酸臭は芳香族カルボン酸などである．

◇調理　日本特有の食品で，素朴な香りと強い歯応えをもち，アクが極めて強い．大切りの煮物などではいったん下茹でしてから用いる．天ぷらやきんぴらごぼうなど，生の材料から調理すると

新ごぼう（平　宏和）

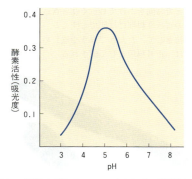

図1　ごぼうのポリフェノールオキシダーゼ活性の pH 曲線（中林敏郎：食工誌，15：199，1968）

きは，細く切って15分以上水にさらし，アク抜きする．香りや素朴な味を生かすためには，あまり皮をむかない方がよい．※ごぼうの変色は酸によって防止でき，フラボノイド*は酸性で無色になるため，茹で汁に酢を入れると白く仕上がる．また，糠や米のとぎ汁を用いると，アクが抜けやすい．※繊維は多いが，組織が粗く，調味料をよく吸収するので，あまり濃い味付けは避ける．香りを生かして肉料理，どじょうの柳川鍋，豚汁など，日本料理の惣菜に応用範囲が広い．油を使うと味・香気とも引きたつ．きんぴらごぼうはごぼうの特徴を生かした調理法である．また精進揚げもおいしい．どちらにもにんじんを少量混ぜることにより，甘味と風味が向上する．

●堀川ごぼう

別 聚楽(じゅらく)ごぼう

京野菜の一つで，その起源は16世紀，豊臣秀吉の京都の壮大な邸宅であった聚楽第の堀を豊臣家滅亡後ごみなどで埋め立てたところに植えたごぼうが，年を越して大きなものができたのが始まりといわれている．直径5〜10cm，長さは50〜60cmに及ぶ．すの入った太いごぼうで，先端はいくつにも枝分かれしている．香りもよい．品種ではなく特殊な栽培法である．現在も洛北で栽培されている．

栽培法：品種は滝野川系のごぼう（江戸時代に滝野川村，現東京都北区滝野川で栽培され改良された関東を代表する品種）で，特殊なものではない．秋に播いたごぼうを翌年6月に掘り上げ，再び斜めに伏せて定植し，冬に収穫する．

◇調理 堀川ごぼう特有の調理法としては，ごぼうの香りを失わないように軽く洗って水にさらし，筒切りにして空洞の部分にひき肉やえびのすり身をつめ，だし汁，しょうゆ，みりん，酒，砂糖などで時間をかけてじっくりと煮込む．ほかに普通のごぼう料理には何でも使える．また京都の特産物として，たたきごぼうや煮しめ，いもぼうなどは，正月料理として供される．

ごま 胡麻

成 05017（乾），05018（いり），05019（むき），05042（ねり） 分 ゴマ科ゴマ属（1年生草本）
学 *Sesamum indicum* 英 sesame seeds

原産地は熱帯アフリカで，ギリシャ，ローマ，インドでは古くから栽培されていた．わが国へはインドからインドシナ，中国を経て渡来したといわれる．草丈は1m内外，花が終わると蒴果*(さくか)は下方から上方へと成熟する．種子は1房に10数個，その色によって，白ごま，黒ごま，黄ごま，茶ごまなどに分ける．スーダン，ミャンマー，インドなどの生産量が多い．国内における生産は非常に少なくなってきており，ナイジェリア，ブルキナファソ，タンザニアなどから輸入している．

◇成分特性 白ごま，黒ごまがよく用いられているが，成分には大差がない．種子の主成分は脂質で5割以上含まれ，たんぱく質も豊富である．たんぱく質は主にグロブリン*である．無機質も多く，特にカルシウムが豊富であるが，これは種皮に由来している．鉄*も多く含まれている．ビタミンはB$_1$が多く，B$_2$も多い方である．ごまの成分であるセサミンには，脂質代謝改善作用が，抗酸化前駆体であるセサモリン（焙煎工程でセサモール，ごまサラダ油では脱色工程でセサミノールが生成され，両成分は抗酸化性を示す）は，またDNA酸化傷害抑制作用があることが明らかになっている．脂肪酸組成はリノール酸*約45％，オレイン酸*約40％，パルミチン酸，ステアリン酸が主なものである．セサミン，セサモリンなどの物質も含有しているために，一般の植物油に比べて旋光性があるのが特徴である．

◇用途 ごまの種子は製油原料として重要であるが，そのほかに，その風味を生かして製菓用，料

堀川ごぼう（平 宏和）

ごまの花（平 宏和）

ごま　左：黒，中央：黄，右：白（平　宏和）

ごま油（平　宏和）

理用に用いられ，炒りごま，練りごま，むきごまなどの加工品がある．
◇**調理**　脂肪が多く，料理の彩りや風味付けとして使われることが多く，粒のまま用いるが，ごまは外皮が硬く，消化吸収率が劣る．※炒ったごまを摩砕すると消化吸収率が高まるばかりでなく，香りも強調される．ごま和え，ごま豆腐のように，ごまそのものの風味を目的とする場合は完全に摩砕することが必要である．※ごまの形も生かし，香りも出したいときには，炒ったごまをまな板で刻むか指先でひねって香りを出し，吸い物や浸し物に使う．※おはぎやだんご，中華菓子のあんに加えるなど，菓子材料としても使われる．

ごま油　胡麻油

成 14002　**英** sesame oil

ごまの種子から採油した油．種子中の油分は35〜56％である．冷圧油は淡黄色で，ほとんど香りを有しない．種子を炒ったのち圧搾して得られる油は黄褐色である．特有の香りと味をもち，この風味に重点をおくので，精製は特に行わず，不純物を沈殿させる程度である．また，酸化に対して安定な油である．食用ごま油，食用ごまサラダ油，ごま調合油などの種類に分けられる．なお，ごま油を原料とする調味油には，ラー油がある．主生産国はインド，中国，スーダン，ミャンマーが占める．

　製油：ごま油特有の芳香を出させるため，油をとり出す前に焙煎を行う．焙煎後，脱臭を必要とする抽出法は避け，圧搾により採油する．
◇**成分特性**　『食品成分表』では，100 g 当たり脂質（TAG当量）＊98.1gからなる．脂肪酸組成は，オレイン酸＊39.8％，リノール酸＊43.6％である（付表6）．オレイン酸とリノール酸がどちらも同じくらいの40％程度であることが特徴で，この点ではこめぬか油と似ている．100 g 当たり，ごま油中のビタミンEは45.1mgで，主にγ-トコフェロールが占める（付表7）．主なステロール＊は，β-シトステロールが大部分で，そのほか，カンペステロール，スチグマステロール，Δ^5-アベナステロールを含む．ごま油に特徴的なセサモールの抗酸化性はよく知られていたが，セサミン等を含めたリグナン＊類の生体内抗酸化作用が注目されている．
理化学特性：日本農林規格＊（JAS）では，比重0.914〜0.922，屈折率（25℃）1.470〜1.474，酸価＊4.0以下，けん化価184〜193，ヨウ素価＊104〜118としている．凝固点は－3〜－6℃，引火点はごま油288℃である．
◇**保存**　ごま油中には強力な抗酸化性物質であるセサモールを含んでいることから，他の食用油よりは酸化に対し安定であるが，他の食用油と同様の注意は必要である．
◇**調理**　ごまを焙煎してから搾油するので，独特の香りがある．焙煎の程度により，色・香りに差があり，目的に応じて使い分ける．色の薄いあっさりした香りのものは，揚げ物や炒め物などに適しており，香りの強いものは，あらゆる料理の香り付けや風味付けに使われ，中国料理，韓国料理には欠かせない．

こまい　氷下魚

分 硬骨魚類，タラ科コマイ属　**学** *Eleginus gracilis*　**英** saffron cod　**別** **地** かんかい（北海道）
旬 冬

国内では東北地方の北部，北海道，国外ではアラスカにかけて分布する．水深100mくらいの海底に生息するため，主に底曳網で漁獲するが，冬季に海が結氷すると，氷に穴を開けてそこから網を下ろして獲ることができる．名前の由来はこの漁法による．まだらより小型で，体長40cmくらい．日本で獲れるタラ類の魚では最も小さい．

◇**加工** 旬のものは生食するが，塩乾品としておつまみの珍味や練り製品とすることが多い．
◇**調理** 鮮魚は産地以外の地域では入手しにくいが，冬が旬なので汁物や鍋物に利用する．その他，一夜干し，寒干しにしたあと，煮物，焼き物などに利用する．

ごまさば　⇨さば
ごまそい　⇨そい

 こまつな 小松菜

成 06086（葉 生），06087（葉 ゆで） **分** アブラナ科アブラナ属（1年生草本） **学** *Brassica rapa* var. *perviridis* **英** Komatsuna **別** ふゆな（冬菜）

植物学的にはカブの仲間であるが，野菜としては漬け菜として取り扱われる．江戸時代に，小松川村（現・東京都江戸川区）で，隣村でつくられていた葛西菜と呼ばれる菜から改良されたので，この名があるという．

◇**品種** 早晩生，抽薹*（ちゅうだい）性により多くの系統がある．近年はチンゲンサイ，タアサイなどとの交雑後代から育成した一代雑種*が多い．そのほか地方品種が多い．秋播き冬どりが主体であったが，最近は春播き，夏播きも行われ，またトンネルのみならずハウスでも栽培される．冬期には「ちぢみこまつな」が出回るが，品種名ではなく，露地栽培*により寒さに耐えるよう葉に厚み，縮みと甘味が生じたものである．

産地：埼玉，東京，茨城，福岡など．

◇**成分特性** 無機質はカリウム，カルシウムが多い．ビタミンC含量は多いが，採取後の損耗や加熱による損失が非常に早く，20℃で貯蔵した場合，貯蔵4日後には葉身では1/3，葉肉では減少率がやや少ないがかなりの量が分解，消失する．また萎凋が激しいと，ビタミンCの分解が速い．茹でると元の質量の88％となり，カリウムの75％およびビタミンCの50％が流失する．

◇**保存** 温度0℃，湿度90〜95％で貯蔵すれば20日の貯蔵が可能であるが，普通は7日前後が無難な貯蔵日数である．

◇**調理** 四季を通じて栽培ができ，幼い若芽から成長した葉まで用いることができる．アクが少なく，調味も自由にできるので，調理への利用範囲は極めて広い．※持ち味を味わうには，軽く4〜5分茹でて用いる．緑色を生かすため，茹ですぎないように注意する．※煮物では薄味の浸し煮がよく，みそ汁の実，スープの青みなどにも用いる．中国料理では，主に炒め物の材料にされる．

 ごま豆腐 胡麻豆腐

成 02056

豆腐という名前がついているが，大豆を原料としたものではなく，ごまを煎ってよくすりつぶし，同量のくずでん粉（葛粉）を加え，その約3倍量の水ですりのばしてから，漉し，火にかけて練り上げ，型に入れて冷やし固めたもの．使用するごまの種類により，白ごま豆腐，黒ごま豆腐などがある．精進料理の代表的な品目の一つであるが，現在では製品が市販されている．

ごま豆腐（平　宏和）

ごまめ　⇨田作り

上：こまつな，下：ちぢみこまつな（寒じめ栽培）
（平　宏和）

こむぎ 小麦

成 01012（玄穀 国産 普通），01013（玄穀 輸入 軟質），01014（玄穀 輸入 硬質） 分 イネ科コムギ属（1年生草本または越年生草本） 学 *Triticum* spp. 英 wheat

原産地はアフガニスタンからカスピ海南岸地域とされている．1万～1万5千年前より栽培されており，人類最初の作物と考えられている．わが国では，中国北部より朝鮮を経て北九州に4～5世紀に渡来したといわれている．

◇**種類** 現在，世界で栽培されているものは，パン小麦（普通小麦）（*Triticum aestivum* subsp. *aestivum*），クラブ小麦（*T. aestivum* subsp. *compactum*），デュラム小麦（マカロニ小麦 *T. turgidum*）などを含めたコムギ属（*Triticum*）の種である．これらのうち，世界で広く栽培されているものはパン小麦で，わが国の小麦品種のほとんど全てもこれに属し，パン，麺，菓子の原料として用いられている．

クラブ小麦はパン小麦の亜種に位置づけられるが，穂の形態が密穂であることが特徴である．アメリカ西部で栽培される白粒種銘柄（ウェスタン・ホワイト）の一部であり，菓子原料として優れている．デュラム小麦はパン小麦に次いで世界で広く栽培されており，パスタ用原料に使われる．わが国での栽培はなかったが，2018年に品種が登録され，パスタが商品化された．これら小麦のほか，ヨーロッパの一部で栽培されているパン小麦の亜種であるスペルト小麦（*T. aestivum* subsp. *spelta*）が，栄養価が高く，アレルギーを起こしにくいなどといわれ（アレルギーなどグルテン関連障害者には不適），2000年当初になり，これを原料としたパン，パスタ（輸入品）などがみられるようになった．古代小麦とも呼ばれ，原料は輸入されているが，国内でも栽培され始めている．

◇**分類** パン小麦は，その性状により次のように分類される．

（1）硝子質小麦－粉状質小麦：胚乳組織が密で，断面が半透明ガラス状を呈するものを硝子（しょうし）質小麦，胚乳組織が粗で，断面が粉状のものを粉状質小麦と呼ぶ．

（2）硬質小麦－中間質小麦－軟質小麦：穀粒が硬く，一般にガラス質でグルテン形成量が多く，製パンに適する粉の得られるものを硬質小麦，この反対の性状をもつものを軟質小麦，両者の中間の性状をもつものを中間質小麦と呼ぶ．ただし，穀粒の硬軟質性とグルテン形成量とは別の遺伝子に支配される特性である．

（3）強力小麦－薄力小麦：グルテン形成量が多く，生地の粘弾性の強いものを強力小麦，その反対の性質のものを薄力小麦と呼ぶ．

（4）白小麦－赤小麦：種皮の色が白黄色のものを白小麦（白粒小麦）と，黄，黄金，赤黄，黄赤，褐赤色のものを赤小麦（赤粒小麦）と呼ぶ．なお，白小麦は粉の色はよいが，穂発芽性が高い傾向があるので，収穫期が梅雨時にかかるわが国の栽培には適さない．

（5）冬小麦－春小麦：秋に播種し，翌年初夏に収穫するものを冬小麦，春に播種し，夏から初秋に収穫するものを春小麦と呼ぶ．春小麦は寒冷地

小麦畑（パン小麦）（平　宏和）

穂（写真左）　左より：パン小麦，クラブ小麦（無芒種），デュラム小麦，スペルト小麦（無芒種）
玄穀（写真右）　上より：パン小麦，クラブ小麦，デュラム小麦，スペルト小麦（平　宏和）

で栽培され，冬小麦に比較して収量は低いが，たんぱく質含量は高く，品質の優れたものが多い．わが国では，北海道の一部で栽培される．これは，低温要求性と出穂性に関係しており，低温要求性が大きい品種は，冬小麦として栽培し，冬期の低温にさらさなければ，出穂しない．

（6）内麦－外麦：生産地により，国内産麦を内麦（ないばく），輸入麦を外麦（がいばく）と呼ぶ．内麦は沖縄から北海道まで生産されているが，その中で比較的硬質でガラス質が多くたんぱく質も多くて加工適性の異なるものを，強力小麦として取り扱い，これに対して一般の小麦を普通小麦として区別している．

なお，小麦の性質が理解できるように，上記（2），(4) および（5）を組み合わせて，硬質赤春小麦（ハード・レッド・スプリング小麦），軟質赤冬小麦（ソフト・レッド・ウィンター小麦）などと呼ぶ．内麦は一部の春小麦などを除き軟質赤冬小麦に属する．

◇**形態**　パン小麦の種子の組織は，果皮，種皮，外胚乳，内胚乳（糊粉層*，でん粉貯蔵細胞）よりなっている．米とは異なり，粒の背面に一条の深い溝があり，反対側の基部に胚*がある．小麦（パン小麦）の種子の長さは 5～6mm，厚さが 2～3mm 程度のものが多く，長さ／幅が 2.0 以下は円粒種，2.2 以上は長粒種とされ，容積重 690～770g/L，千粒重 25～45g（30～35g のものが多い），比重は 1.25～1.40（平均 1.35 前後），硬度 5～15kg（10kg 以上は硬質）である．

◇**成分特性**　小麦の主成分は，炭水化物，特にでん粉で，次いで水分，たんぱく質が同程度，脂質，灰分などの順となっている．

水分：収穫後の気象，調製により異なり，収穫時に雨の多い内麦は外麦に比較して含量が多い．

たんぱく質：軟質より硬質になるに従って高含量となり，また，内麦は東北地方より西南地方になるに従い低含量になる傾向にある．粒の各部については，皮部，特に糊粉層と胚は胚乳部に比較して高含量であり，胚乳部は外側より中心部になるほど低含量となる．小麦の主要たんぱく質は，プロラミン*（グリアジン：小麦のプロラミンの呼称）とグルテリン*（グルテニン：小麦のグルテリンの呼称）で，全たんぱく質中各 40％程度を占めている．グルテン（麩素）は，両たんぱく質を主成分としている．小麦のアミノ酸組成は，特にグリアジンの影響を受け，リシン*が不足し，一方グルタミン酸が多く，組成の約 1/3 を占めている．また，トリプトファン，含硫アミノ酸*も少ない．

脂質：100g 当たり 3g 前後含まれるが，各部位については，胚に最も多く含まれる．脂肪酸組成では，皮部，胚，胚乳部ともにリノール酸*が 60％前後，パルミチン酸とオレイン酸が 10～20％前後含まれている．

炭水化物：そのほとんどがでん粉で穀粒の 60～70％を占め，アミロース*とアミロペクチン*の含有比率は 1：3 程度である．なお，近年，アミロースを含まないもち（糯）性の小麦が育成された．また，しょ糖，ラフィノース，ぶどう糖などの糖類も含まれるが，胚に多く，ペントザン，ヘミセルロース*，セルロース*などは皮部，胚に多い．

無機質：灰分として 100g 当たり 1.5～2g 含まれる．各部位については，胚，皮部に多く含まれるので，灰分含量の多い小麦は皮部の多いことを示し，小麦粉の製粉歩留りのうえから好ましくない．無機質ではカリウムとリンが最も多い．

ビタミン：ビタミンについては，B 群と E が含まれるが，その他は少ない．B 群は，皮部，特に糊粉層と胚に多く含まれる．米と異なり胚乳*にも比較的多い．ビタミン E は胚に多い．

◇**用途**　小麦は玄穀として，しょうゆ，ひしおみそなどの原料および飼料として用いられるが，多くは製粉加工用として利用される．

　こむぎこ　小麦粉

成【薄力粉】01015（1 等），01016（2 等），【中力粉】01018（1 等），01019（2 等），【強力粉】01020（1 等），01021（2 等），01023（全粒粉）
英 wheat flour

小麦を製粉したもの．小麦は皮が強く，一方，胚乳*は軟らかく粉になりやすい性質があるので，両方の粉砕の難易を利用して小麦粉と皮部に分ける．

◇**分類**　一般には強力粉，準強力粉，中力粉，薄力粉という種類と，特等粉，1 等粉，2 等粉，3 等粉，末粉との組み合わせによっている場合が多い．小麦粉の種類と等級別用途を**表 1** に示した．これらの原料小麦については，小麦粉の種類により主として次の小麦の銘柄が用いられる．

原料小麦：強力粉はカナダ産ウエスタン・レッド・スプリング（1CW），米国産ダーク・ノーザン・スプリング（DNS），準強力粉は米国産ハード・レッド・ウィンター（HRW），オーストラリア産プライム・ハード（PH），DNS，1CW，中力粉

表1　小麦粉の種類と等級別用途

		強力粉	準強力粉	中力粉	薄力粉	デュラム製品
原料小麦		硬質, 硝子質	硬質, 中間質, 硝子質	硬質, 軟質, 中間質, 粉状質	軟質, 粉状質	デュラム, 硝子質
麸量(グルテンの量)		甚多	多	中位	少	多
麸質(グルテンの質)		強靭	強	軟	粗弱	柔軟
粒度		粗	粗	細	甚細	甚粗
等級	特等粉	高級食パン 高級ハードロール	高級ロールパン	フランスパン	カステラ ケーキ 天ぷら	セモリナ / 高級マカロニ
	1等粉	高級食パン	高級菓子パン 高級中華麺 パン	高級麺 そうめん ひやむぎ	一般ケーキ クッキー ソフトビスケット まんじゅう	グラニュラー / マカロニ スパゲッティ
	2等粉	食パン (マカロニ)	菓子パン 中華麺 (生うどん)	うどん (中華麺) クラッカー	一般菓子 ハードビスケット	デュラム粉 /
	3等粉	焼麸 (生麸) 植物性たんぱく(粉末状, 粒状, ペースト状)	焼麸 かりんとう	かりんとう	駄菓子 製糊	
	末粉	接着剤配合, 工業用				

注：( )内は一部配合

はオーストラリア産スタンダード・ホワイト（ASW），国内産普通小麦，薄力粉は米国産ウエスタン・ホワイト（WW）などである．パスタ用粉としてはカナダ産ウエスタン・アンバー・デュラム（CWAD）などである．

種類と用途：用途に重点をおいた分類として，パン用粉，菓子用粉，麺用粉などという分け方が用いられている．さらに，パン用粉は食パン用粉，菓子パン用粉，フランスパン用粉などに，菓子用粉はビスケット用粉，クッキー用粉，ケーキ用粉，まんじゅう用粉などに，麺用粉は茹麺用粉，乾麺用粉，生中華麺用粉，即席中華麺用粉などに分けられる．なお，健康志向から小麦全粒を粉にしたグラハム粉とも呼ばれる全粒粉があり，パン，ビスケットなどに加工される．本来は全粒を挽いてつくるが，小麦粉にふすま（麩）を混合して作る場合がある．

パスタ用には，デュラム小麦を原料とした粉が使われるが，一部，強力粉または準強力粉を配合して製造されるものがある．

◇**製粉**　多数のロール製粉機とふるいの組み合わせにより，一粒の小麦の胚乳組織を順次粗砕・分離し，これを粉砕する方法が用いられている．この際，数十種の粉が得られるが，最終的には2～4種類の粉に仕分けされ，その性状により希望する等級になるように，それぞれの粉を組み合わせ混合する．したがって，同一原料小麦から，1～3等粉，末粉が同時に得られる．また，仕分けされずに全部を混合したものがあり，これをストレート粉と呼んでいる．パスタ類のためのデュラム小麦については，その破砕製品において，20メッシュのふるいを通過したもののうち，100メッシュ通過物が7％以下のものをセモリナ，7～20％のものをグラニュラー，100メッシュを全部通過するものをデュラム粉として分類している．なお，製粉の際除かれる副産物をふすまと呼び，飼料として用いられる．胚芽はビタミンB群およびEが多く含まれるので，ふすまより分けられたものが焙煎され，市販されている．また栄養剤としての胚芽油の原料としても利用される．

◇**成分特性**　小麦は製粉により皮部と胚芽が除かれるので，小麦粉は原料小麦に比較してでん粉以外の成分の含量は低くなる．特に，歩留り70％

ぐらいまでの減少が大きい．小麦粉の成分は，種類，等級などにより異なるが，一般には100g当たり水分14〜15g，たんぱく質6〜17g，脂質2g，炭水化物65〜78g，灰分1g以下である．

水分：小麦を圧砕するのに適した状態にするため，製粉する際に水を加えるので，製品は原料小麦より水分含量が高くなる．また，硬質小麦は軟質小麦より水を多く加える必要があるので，強力粉は中力粉および薄力粉より水分含量が高くなっている．さらに冬期は小麦が硬くしまっているので，水を少し多めに加えるため，夏期に比べると水分含量が高い．

たんぱく質：アミノ酸組成はリシン*が不足している．小麦粉に水を加えてこねた時形成し，粘弾性を生ずるグルテン（麩素）は，パン，菓子，麺類などの加工上重要な役割を果たしている．すなわち，グルテンは，グリアジン（小麦のプロラミン*の呼称）とグルテニン（小麦のグルテリン*の呼称）とからなるが，グルテンの両たんぱく質のうち，グルテニンは硬さを与え，グリアジンは軟らかくべたつく性質があるので，結合剤としての働きをしている．

グルテンと用途：小麦粉は，グルテンの質と量の違いによりその用途は異なる．一般に弾性より粘性，すなわち伸展性を利用するのが麺類であり，両者を利用するのがパン類である．一方，菓子および天ぷら用には，たんぱく質の少ない薄力粉が用いられる．なるべくグルテンを形成させないためであり，水と軽く混ぜるようにして使用する．たんぱく質含量は，原料小麦により異なるが，強力粉＞中力粉＞薄力粉の順であり，また，下位等級になるほど高含量となる．

脂質：中性脂質のほか複合脂質（リン脂質*・糖脂質*）が総脂質の約半分を占めている．脂質は，小麦粉の貯蔵中にその分解と不飽和脂肪酸*の酸化が行われ，グルテンの網目組織の形成に関与し，これが粉の熟成（生地が加工に適した弾力性をもつように変化すること）をもたらす一因となっている．しかし，長期の貯蔵では脂肪酸の分解が変質の要因となる．下位等級ほど脂質の含量は多い．

灰分：含量の多少は皮部混入の多少と関係があり，したがって，小麦粉の色とも密接な関係がある．灰分の少ない小麦粉は冴えたきれいな色を示し，多くなるに従いくすんだ色となる．これらのことより，灰分含量は小麦粉の品位（等級）を表す最も一般的な指標になっており，下位等級ほど含量が多い．

色：小麦粉の色が淡黄色を示しているのは，胚乳部のカロテノイド系色素によるもので，特に同色素を多く含むデュラム粉は黄色を呈する．一方，皮部，胚芽および胚乳部の外側は，フラボノイド系色素が含まれるので，下位等級のものはこの色素のため赤っぽい色にみえることが多い．中華麺製造の際にアルカリ性の梘水（かんすい）により生地が黄色となるが，これは小麦粉にフラボノイド系色素が含まれるためである．

ビタミン：B群およびEなどが含まれるが，量は少ない．

◇**保存** **熟成と変質**：製粉直後の小麦粉は，酵素作用も強く，生地をだれさせる還元性物質も多いので，パンやケーキなどがうまく製造できないことがある．しかし，これを10日前後倉庫におくことによって加工しやすいものになる．このような現象を熟成と呼んでいる．熟成した小麦粉をさらに長くおいた場合は過熟成となり，小麦粉特有の香りはなくなり，グルテンの性質がもろくなる．ある程度の過熟成は，薄力粉を用いる天ぷらや

各種小麦粉　上左：全粒粉（強力），上右：強力粉，下左：中力粉，下右：薄力粉（写真：平　宏和，撮影用食品提供：三芳商店）

デュラムセモリナ（写真：平　宏和，撮影用食品提供：三芳商店）

ケーキの製造には好ましいといわれているが，製パンの場合は十分ふくらまないので好ましくない．製粉後6カ月以内ぐらいまでに使用してしまうのがよい．一方，熟成とは別に，小麦粉を悪い条件で保存すると，変質したり虫やカビの害を受けることがある．これを防ぐには，低温・低湿度で保存する必要がある．家庭では日の当らない，風通しのよい場所に保存する．

品質鑑別：小麦粉の品質の鑑別には，パン，菓子，麺類などを直接製造して行われるほか，次のような間接的な方法によっても行われる．

(1) **色**：白色または淡黄色の冴えた色がよく，皮部が混入するとくすんだ茶褐色を帯びてくる．

(2) **粒度**：粗いほど強力粉であり，細かいほど薄力粉である．

(3) **水分**：水分含量が多いと早く変質する．正確には理化学的に測定するが，握ったときの粉の固まり具合からある程度の見当をつけることができる．

(4) **新鮮度－香味**：新鮮な粉は，好ましい香りとわずかに甘い味がある．古くなると香味は次第に消え，ひどい場合にはカビ臭となり，苦味，酸味を感じるようになる．また，糠臭のある粉は下級粉といえる．

(5) **グルテン**：小麦粉に水を加えて練り，でん粉を洗い取った後に残るものをウエットグルテン（湿麩）と呼び，強力粉では40%前後，準強力粉では35%前後，中力粉では25%前後，薄力粉では20%前後を示す．この量を測り，また，これを手で引っ張ったり押しつけたりして，伸展性，弾力性などをみて品質を判定する．しかし，ウエットグルテンの量の測定は，操作上かなり差が生ずるので，小麦粉のたんぱく質の化学的な測定が主として用いられている．また，小麦粉の種類によるグルテンの性質を数字的にみるためには，ファリノグラフおよびエクステンソグラフなどの測定機が用いられている．

なお，でん粉の性質を総合的にみるためには，粘度計の一種であるアミログラフが用いられている．

用途：小麦粉は，パン・麺類・菓子などの原料，また特殊なものとして，麩（ふ），グルテン（小麦たんぱく）類製造の原料として利用されている．

◇**調理** 小麦粉の調理は原則として，まず粉に水を加え，生地をつくることから始まる．この加水量とその後のこね方で，生地はドウとバッターの2種に大別される．

ドウ：流動性がなく，練り粉が形を保つ．パン生地，麺，ギョウザの皮，パイ，ドーナッツなどに使用する．

バッター：流動性があり，一定の形を保つことができない．ケーキ，揚げ衣などに使用する．

グルテンの形成：温度が高く，時間が長く，撹拌が強いほど進む．パンや麺のようにグルテンの形成が必要なときは，適当な温度で長時間よくこね，一方，ケーキ，天ぷらの衣のようにグルテンの粘りを望まないときは，低温短時間の撹拌にとどめる．※**添加物**：ドウに食塩を加えるとグルテンの形成が進み，コシの強さを増す．パン，麺には必ず食塩を加える（中華麺では食塩の代わりに梘水）．砂糖は逆に，ドウを軟らかくし伸びをよくする．ケーキにはこの性質が利用される．※**膨張**：こねた粉をそのまま加熱すると緻密な組織になり，消化に時間がかかるので細長く切って麺にするか，薄くのばして焼くか，あるいは適当な膨張剤を用いてスポンジ様に膨らませる．膨張には古来，酵母（イースト）が用いられたが，そのほかに化学膨張剤（ベーキングパウダー*：重曹を主体とし，これに酸を配合して二酸化炭素の発生を容易にしたもの），泡立て卵白（空気の泡の熱膨張を利用）などの手段が用いられ，ドウやバッターの強さに応じて使い分けられる．※**とろみ**：調理食品，特にスープなどに粘性を与えるのも小麦粉の役目である．味になめらかさや深味を与え，汁の温度降下を防ぐのに役立つ．この場合の粘りはでん粉によるもので，グルテンは関与しない．小麦粉を水に入れると粒子が固まって"ダマ"になろうとするが，同量のバターでよく炒め，粉の粒子の表面を油脂で覆った"ルウ"にするとこれを防ぐことができる．牛乳やスープでゆるめてもダマができない．※**水分吸収**：肉，魚など動物性たんぱく質食品を加熱するとき，小麦粉を表面にまぶしておくと，うま味を含んだ液が外部に流出するのを防ぎ，同時に加熱された小麦粉の香気も加わり風味を増す．また乾いた小麦粉は打ち粉として，麺類，ギョウザの皮などをつくる際，粘着を防ぐのに使われる．※**揚げ衣**：揚げ物は，高温のため食品の水分蒸発が激しく，表面が乾燥しこげやすい．水を含んだ小麦粉の衣で食品を覆うことにより，水分蒸発を抑え，こげるのを防ぎ，中心部までゆっくり加熱されるように温度の緩衝作用を行い，しかも風味と栄養価を向上させる．衣が材料にあまりつきすぎず，しかも離れないという条件を備えているのが，グルテン形成量の少ない薄力小麦粉である．※**小麦粉の色**：小麦粉の色素フラボノイドはアルカリで黄変し，梘水（かん

粉末小麦たんぱく（写真：平　宏和，撮影用食品提供：日本植物蛋白食品協会）

すい）の入った中華麺や重曹（炭酸水素ナトリウム*）の入った揚げ衣は黄色くなる．粉のビタミンB_1はアルカリに弱いので注意を要する．

●小麦たんぱく

成 01071（粉末状），01072（粒状），01073（ペースト状）　英 wheat gluten

小麦粉より分離したグルテンの製品には，生グルテンとこれを加工し粉末化した粉末状小麦たんぱく，粒状またはフレーク状で肉様の組織をもつ粒状小麦たんぱく，冷凍したペースト状小麦たんぱくなどがある．これらは植物性たんぱくとも呼ばれる．製パン・製麺改良剤，畜肉・魚肉ソーセージ，水産練り製品などの結着用および惣菜用などに利用される．焼き麩用には，生グルテンが利用されている．

●小麦はいが（胚芽）

成 01070　英 wheat germ

胚芽は穀粒の約2.5%を占め，小麦粉製造の副生物のふすま（麬）から分けられたものである．たんぱく質，脂質，ビタミンB，E群などが多く含まれる．市販製品には粒状，粉状，フレーク状があり，酵素活性の抑制と乾燥のため，加熱処理がされている．健康志向の食品素材として利用される．生胚芽は胚芽油の原料に使われる．

●プレミックス粉

成 01024（ホットケーキ用），01025（天ぷら用），

小麦はいが（粒状）（平　宏和）

01146（お好み焼き用），01147（から揚げ用）

英 premixed flour

パンケーキ，ケーキ，ビスケット，ドーナッツなどのほか，天ぷら，唐揚げなどをつくるための調製粉で，家庭用と業務用がある．小麦粉などの穀粉に糖類，油脂類，乾燥卵，膨張剤，食塩，香料などを配合したものである．水，その他のものを加えると，加熱調理のみで簡便に目的とする食品ができる〔成 01171（天ぷら用　バッター），01172（天ぷら用　バッター　揚げ）〕．

こむぎこせんべい　小麦粉煎餅

成 01178（かやきせんべい），15048（磯部せんべい），15049（かわらせんべい），15050（巻きせんべい），15051（南部せんべい　ごま入り），15052（南部せんべい　落花生入り）　英 wheat flour crackers　別 せんべい

小麦粉を主原料とした干菓子の中の焼き物菓子の一種である．小麦粉に砂糖，鶏卵，食塩などを加えて生地をつくり，金型（かながた）に入れて焼く．製法も簡単で保存性もあり，古く平安時代から伝わっていて，しかも，大衆的なものである．現在，全国各地で名所せんべいとして，あるいは銘菓として販売され，親しまれている．また近年，保存性に富むクリームなどをサンドした洋風せんべいなどもつくられ，それぞれの特徴をもったせんべいとして味覚を楽しませている．磯部せんべい，瓦せんべい，巻きせんべい，南部せんべいなどがある．一方で，米粉を原料とした塩せんべい（しょうゆせんべい）などの米菓も，関東の名物として好まれつつ現在に至っている．

◇由来　干菓子のせんべいは1,200年ほど前の平安時代に起源をもち，唐に留学した弘法大師（空海）が順宗帝に招かれ，亀の甲型のせんべいを食べると淡白でたいへん風味がよかったことから，帰国に際し伝えたといわれている．当時はくず粉，米粉，果実の糖液を混ぜて焼いたものであった．

今日みられるせんべいは江戸元禄年間（1688〜1704）に急速に発達をとげた．原料は小麦粉と砂糖になり，生地をこねてせいろうで蒸してから平たくのばし，それを竹筒で丸く抜きとり炭火で焼く．また，現在のように生地を焼き型に入れて焼くようになったのは，それから約120年後の文化文政年間（1804〜1830）以降である．江戸と上方では好みに相当な開きが出て，江戸末期には関東式と関西式にはっきり分かれた．

小麦粉煎餅　上：亀の甲せんべい（そら豆入り），下：山親爺

亀の甲せんべい（亀の甲煎餅）：亀の甲形をしたせんべい．小麦粉，砂糖，を水で溶き（鶏卵を加える場合もある），亀の甲型に流し込んで焼き上げ，軟らかいうちに反りをつけ仕上げる．山親爺：北海の銘菓．小麦粉，餅粉，砂糖，鶏卵，バター，牛乳，膨張剤などを原材料としたせんべい．表面はスキーをはき，鮭を背負った山親爺（熊の愛称）がレリーフ状にデザインされている（平　宏和）．

一説には，千利休の弟子に幸兵衛というものがいて，茶請けに小麦粉に砂糖を入れて焼いた菓子をつくったところ，これが茶人の間で評判になり，千利休から千の一字を付けることを許されて"千幸兵衛"と呼ばれていたのが，いつか幸の字を省いて，"千兵衛（せんべい）"と呼ばれるようになったともいわれている．

◇**種類**　磯部せんべい*，瓦せんべい*，しょうがせんべい*，鯛せんべい*，南部せんべい*，巻きせんべい*，みそ半月せんべい*のほか，亀の甲せんべい，山親爺などを含め，全国各地には焼き型，原材料配合，仕上げ方法が異なる多くのせんべいがみられる．

◇**原材料・製法**　関東式のせんべいは薄手で単味に重点をおき，淡白な味のものが多いが，関西式のせんべいは厚手で種々の味や香りが加わり，総合的な融和をねらい，形もさまざまである．

①関東式では，小麦粉 400 g に対しておよそ卵 2 個ぐらいの割で薄く溶くが，関西式は一般に卵の使用量が少ない．

②使用する金型の大きさが関東式より関西式の方が大きい．また上下に合わせると親型と子型との合わせ目の空間が，関東式より関西式の方が大きい．

③関東式は単味をねらうが，関西式は卵，砂糖，小麦粉以外の味や香りに力点をおき，さらに風雅な伝統を盛り込んでいる．

小麦たんぱく　⇨こむぎこ
小麦でん粉　⇨でん粉
小麦はいが　⇨こむぎこ

こめ　米

成【水稲穀粒】01080（玄米），01081（半つき米），01082（七分つき米），01083（精白米 うるち米），01151（精白米 もち米），01152（精白米 インディカ米），01181（赤米），01182（黒米），【水稲めし】01085（玄米），01086（半つき米），01087（七分つき米），01088（精白米 うるち米），01154（精白米 もち米），01168（精白米 インディカ米），01183（赤米），01184（黒米），01185（水稲軟めし 精白米），【陸稲穀粒】01102（玄米），01103（半つき米），01104（七分つき米），01105（精白米），01106（玄米），01107（半つき米），01108（七分つき米），01109（精白米）
分 イネ科イネ属（1年生草本）　**学** *Oryza sativa*（イネ）　**英** rice

アジア，アフリカ，南アメリカなど世界各地の，水田あるいは畑で広く栽培されている．イネの原産地は，中国南部，ミャンマー，タイ，インド東部などの諸説があるが，B.C.5000 年頃，インドのアッサム地方や中国の雲南地方で野生の稲が栽培されるようになったという説が有力である．わが国へは，B.C.1 世紀頃（弥生時代）に中国の中・南部，朝鮮半島より九州へ伝えられたものと推定されていたが，最近では縄文時代後期との説が有力である．1 世紀には近畿，3 世紀に関東，12 世紀には本州北端，北海道では明治になって栽培が始められた．

◇**種類**　イネは，日本型（*Oryza sativa* subsp. *japonica*）とインド型（*O. s.* subsp. *indica*）とに大別される．両型は形態・生態・遺伝その他の性質に多くの違いがみられる．日本型は，わが国でみられるイネで，日本，朝鮮，中国の揚子江下流域，台湾などで栽培され，インド型は，インド，ミャンマー，カンボジア，ベトナム，タイ，フィリピン，インドネシア，中国南部などの広い地域で栽培されている．なお，両型の中間にジャワ型（*O. s.* subsp. *javanica*）を分類することがある．また，西アフリカ，ナイジェリア地方では，アフリカイネ（*O. glaberrima*）が栽培されている．

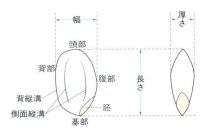

図1 玄米各部の名称

図2 玄米の組織（Winton）

◇**品種** イネには，水田で栽培される水稲と畑地で栽培される陸稲とがあり，これらは米のでん粉の性質により，うるち（粳）種ともち（糯）種に分けられ，形態・生理・生態に固有の性質をもつ多くの品種が存在する．わが国で現在栽培されている主な品種は約250種で，全体では1,000種以上にのぼっている．品種には，水稲および陸稲のうるち種・もち種のほか，水稲うるち種において醸造用品種がある．玄米の品種特性の項目としては，色沢，光沢，千粒重，容積重，搗精歩合，食味などがあげられる．なお，水稲うるち品種の作付面積比率では，コシヒカリへの集中化，銘柄米の分散化が進んでいる．米穀安定供給確保支援機構の資料によると，2019年度のうるち米の作付面積のうち，コシヒカリは全体の33.9％を占めていた．

◇**利用加工上の分類** 利用加工上は，水稲米−陸稲米，うるち米−もち米，飯用米−酒造用米，軟質米−硬質米，新米−古米，籾（もみ）−玄米−精白米の区別があり，精白米については，完全精白米−七分つき米−半つき米−胚芽米などに区別される．

◇**形態** 玄米の組織は，外側より果皮，種皮（種皮・外胚乳），胚乳*（糊粉層*・でん粉貯蔵細胞）および粒基部にある胚*（胚芽）よりなっている（図1, 2）．これらのうち，果皮・種皮および糊粉層を糠層と呼び，搗精（精白）により胚芽とともに除かれる．各部の割合は，糠層5〜6％，胚芽2〜3％，胚乳（でん粉貯蔵細胞）91〜92％である．日本産玄米の特性値は，粒形（長さ/幅）1.7〜1.8，容積重790〜840g/L，千粒重は，小粒種18〜21g，中粒種21〜24g，大粒種（主として醸造用米）が26〜28g，比重1.4前後，剛性（耐圧抵抗度）7〜9kgである．

◇**成分特性** 米の成分は，炭水化物（主としてでん粉）が最も多く，次に水分，たんぱく質，脂質，灰分などである．精白により炭水化物を除いた各成分の含量が低くなる．

水分：農産物規格規定では，玄米と精米の水分（測定法は105℃乾燥法，『食品成分表』は135℃乾燥法）について，最高限度をそれぞれ15.0％（135℃乾燥法では，約15.5％になる）としているが（**表1**），当分の間，これらの数値に1.0％が加算される．収穫後に乾燥不十分で水分が多い場合は貯蔵中に微生物の繁殖を促し，品質劣化の原因になり，過乾燥で水分が低い場合は食味低下の原因になる．

たんぱく質：100g当たり玄米で7〜8g，精白米で6〜7g含まれる．一般的には，早生種は晩生種に比較して多く，同一品種では穂揃期前後の窒素追肥または泥炭土壌で栽培されたような場合にも含量が増加する．また，陸稲は水稲に比較して，3割前後の高い含量を示す．米のたんぱく質については，他の穀類とは異なり，その80％前後がグルテリン*（オリゼニン：米のグルテリンの呼称）である．オリゼニンのアミノ酸組成は，植物たんぱく質中では良質であるので，たんぱく質の栄養価は穀類中では優れている．リシンが少なく，トリプトファン，メチオニンもやや少ないが，アミノ酸の補足効果はリシン*のみでは認められず，本来組成的には多く含まれるトレオニン*を同時に添加することにより効果が認められる．

脂質：100g当たり玄米で3g前後，精白米で1g前後であるが，玄米ではその約70％が遊離脂質（エーテル可溶性脂質）で，残りが結合脂質（でん粉と結合した脂質）である．精白米では，両脂質が各50％前後の割合で含まれている．また，糠には20％前後の脂質が含まれている．脂質含量は，品種により変動するところが大きいが，登熟期（米が成熟する期間）の気温が高いと含量が多くなる傾向がある．脂肪酸組成は，精白米についてみると，外部脂質はオレイン酸*およびリノール酸*が各40％前後と多く，次いでパルミチン酸が18％前後となっている．登熟期の気温が低いとリノール酸はオレイン酸より含量が高く

表1 水稲うるち玄米の品位規格（農林水産省農産物規格規程）

項目	最低限度			最高限度				
	整粒（％）	形質	水分（％）	被害粒，死米，着色粒，異種穀粒および異物				
等級				計（％）	死米（％）	着色粒（％）	異種穀粒（％）	異物（％）
1等	70	1等標準品	15.0	15	7	0.1	0.4	0.2
2等	60	2等標準品	15.0	20	10	0.3	0.8	0.4
3等	45	3等標準品	15.0	30	20	0.7	1.7	0.6

注：規 格 外＝1等から3等までのそれぞれの品位に適合しない玄米であって，異種穀粒および異物を50％以上混入していないもの．

定 義
百 分 率：全量に対する重量比をいう．
整　　粒：被害粒，死米，未熟粒，異種穀粒および異物を除いた粒をいう．
形　　質：皮部の厚薄，充実度，質の硬軟，粒ぞろい，粒形，光沢ならびに肌ずれ，心白および腹白の程度をいう．
水　　分：常圧加熱乾燥法のうち，105℃乾燥法によるものをいう．
被 害 粒：損傷を受けた粒（発芽粒，病害粒，芽くされ粒，虫害粒，胴割粒，奇形粒，茶米，砕粒等）をいう．
死　　米：充実していない粉状質の粒（青死米および白死米）をいう．
着 色 粒：粒面の全部または一部が着色した粒および赤米をいう．ただし，とう精によって除かれ，または精米の品質および精米歩合に著しい影響を及ぼさない程度のものを除く．
未 熟 粒：死米を除いた成熟していない粒をいう．
異種穀粒：その種類の玄米を除いた他の穀粒をいう．
異　　物：穀粒を除いた他のものをいう．

なる傾向がある．一方，結合脂質については，リノール酸とパルミチン酸が各40％前後，オレイン酸が15％前後となっている．糠については，精白米とほぼ同様の傾向を示すが，精白米に比較して主な脂肪酸では，オレイン酸がやや多い傾向にある（エーテル可溶脂質）．したがって，糠から製造される米油は，オレイン酸がリノール酸より高含量のものが多く，良質である．

炭水化物：そのほとんどがでん粉であり，でん粉の成分であるアミロース*とアミロペクチン*の含有比率は，うるち種では2:8であるのに対し，もち種はアミロースをほとんど含まない．このアミロース含量が低いほど，粘り気の多い米になる．うるち種（普通）のアミロース含量は20％前後であるが，コシヒカリは16％前後である．

無機質：リンが最も多く，カリウム，マグネシウム*は比較的多いが，カルシウムは少ない．なお，リンおよびマグネシウムは，早生種は晩生種に比較して多く含まれる．リンは玄米においてフィチン態として80％，ヌクレイン態として20％，精白米ではフィチン態として40％，ヌクレイン態として50％程度含まれている．

ビタミン：B群が玄米には比較的多く含まれるが，糠に多い．そのため，B_1では精白によりその約8割が失われ，また，常温貯蔵では1年後にその2/5，2年後にその2/3が失われる．

◇**種類と性状**

（1）**日本型米－インド型米**：粒形に違いがみられ，長さ/幅において，日本型が1.7～1.8と円粒であるのに対し，インド型は2.5前後と長粒のものが多い．うるち種のでん粉のアミロース含量は，日本型17～27％に対し，インド型は27～31％と多い．また，うるち種のでん粉の糊化温度は，日本型66～67℃に対しインド型は70～75℃と高く，糊の粘弾性も大きい．炊飯特性として，日本型はインド型に比較して，加熱時の吸水率，膨張容積が小さい．

（2）**水稲－陸稲**：陸稲は水稲に比べ，一般に耐旱性・耐病性に優れている．陸稲は，玄米の粒形が細長く，大きい品種が多く，剛度が小さく，でん粉の粒が大きい．成分的には，水稲に比較して，たんぱく質が30％程度高いのが特徴的である．この主な要因は，畑栽培と水田栽培によるところが大きい．陸稲は水稲に比べ飯の粘りが少なく，食味が劣るので，近年，その栽培はほとんどみられなくなり，栽培されている品種の多くはもち種である．

（3）**うるち米－もち米**：うるち（粳）米ともち（糯）米は，収穫後の水分の多いときは外観上からの区別が難しいが，乾燥して水分が16％以下になると，もち米は胚乳部が乳白色に変化する（このことをハゼるという）．その理由は，乾燥に

玄米（うるち種）　上：日本型，下：インド型（平　宏和）

酒造好適米（品種：山田錦）　左から玄米，精米歩合60％，精米歩合40％（平　宏和）

より複粒でん粉に凹部，すなわち複粒でん粉の内側に接する単粒でん粉に小さな穴が生じ，これらに光が散乱するためといわれている．また乾燥不良によっても乳白色にならないことがある．この場合，ヨウ素反応によりうるち米は青藍色を，もち米は赤褐色を示すので，両者を区別できる．成分特性に示したように，うるち米ともち米ではでん粉の性質が異なっている．もちでん粉（アミロペクチン*）は，少量の水を加えて糊化したのち，150℃以上に加熱すると膨化し，そのまま網状構造を固定する特有の性質がある．この性質が米菓製造に利用されるが，うるちでん粉はこの性質が小さい．また，遊離脂質は，うるち米に比較してもち米に多く含まれている．

（4）軟質米－硬質米：北海道，東北，北陸，山陰の各道県産米は，水分含量が多く軟質米と呼び，他の都府県産米の水分の低い硬質米と区別される．一般に軟質米は食味はよいが，貯蔵性が劣るといわれている．水分以外の成分については，軟質・硬質米の差は認めにくい．

（5）酒造米：清酒原料用の米を酒造米，広義に酒米（さかまい）と呼ぶ．麹（こうじ）用の米は，一般に飯米用のものを用いる場合も多いが，酒造好適米，醸造用玄米あるいは酒米と呼ばれる大粒うるち玄米（千粒重：26〜28g）が用いられる．酒造好適米は縦溝が浅く，糠層が薄く，中心部が白い心白米品種が用いられ，たんぱく質含量は低いものがよい．酒造好適米は芯が著しく軟らかく，麹にしてもろみ*（醪）に仕込んだ場合，よく溶ける性質がある．山田錦，五百万石などがよく知られている．酒造米の精米歩合（搗精歩留り）は75％前後であるが，特定名称酒と呼ばれる純米酒の本醸造酒や純米酒は70％以下，吟醸酒は60％以下，大吟醸酒は50％以下と定められている．

（6）新米－古米：古米は，一般には新米の出回った後の前年産米の名称である．食品表示基準*では，新米と表示できるのは，原料玄米が生産された当該年の12月31日までに容器包装に入れられた玄米または原料玄米が生産された当該年の12月31日までに精白され，容器包装に入れられたものとしている．米は貯蔵することにより古米化がみられ，食味が劣化する．劣化する点としては，飯の香り，粘り，光沢，硬さなどがあげられる．古米化により，生命力の弱化（たとえば発芽率の低下），粒内酵素による化学成分の変化，粒組織の硬化が認められる．成分については，遊離脂肪酸，還元糖*の増加と，ビタミンB_1，遊離アミノ酸*の減少がみられ，そのうち遊離脂肪酸の増加は古米化の要因と考えられている．

◇**品質**　**品位**：米の流通は食糧法（主要食糧の需給及び価格の安定に関する法律）の改正（平成16年）により基本的に自由化され，消費者は生産者・販売業者からさまざまな方法で購入が可能になり，政府は米不足時のための備蓄用政府米を管理するのみになった（図3）．玄米については農産

玄米　日本型　もち種（平　宏和）

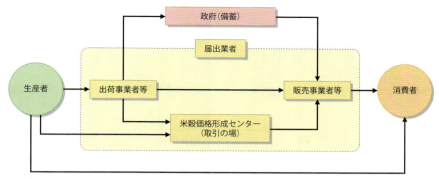

図3 米の流通経路

表2 うるち精米の品位基準

うるち精米の品位基準は、土砂、石、ガラス片、金属片およびプラスチック片が混入されていないこととするほか、次の通りとする。

水 分	粉状質粒	被害粒		砕 粒	異種穀粒および異物
		計	着色粒		
16.0%以下	15%以下	2%以下	0.2%以下	8%以下	0.1%以下

水　　分：105℃常圧乾燥法によるものをいう。16%（全量に対する重量比をいう。以下同じ）以下とする。
粉状質粒：粉質が粉状または半粉状の粒をいう。15%以下とする。
被　害　粒：汚染しまたは損傷を受けた粒（着色粒を含み、砕粒を除く）をいう。2%以下とする。
着　色　粒：粒面の全部または一部が着色した粒（精米の品質に著しい影響を及ぼさない程度のものを除く）をいう。0.2%以下とする。
砕　　粒：完全粒の2/3から1/4までの大きさの粒をいう。針金25番線のふるい目開き1.7mmのふるいをもって分け、そのふるいの上に残る程度の大きさの粒をいう。8%以下とする。
異種穀粒・異物：異種穀粒はうるち精米以外の穀粒（消費者の食用に供するため混入したものを除く）をいう。異物は穀粒以外のものおよび完全粒の1/4未満の大きさの粒をいう。0.1%以下とする。
（米穀公正取引推進協議会）

物規格規程の品位規格により検査が行われている。水稲うるち米の品位規格を**表1**に示した。検査等級は1〜3等に分けられ、表の項目のうち水分は当分の間、本表の数値に1%加算され16%としている。検査は政府に売渡す米について義務づけられている。また、米の産地品種銘柄について農産物規格規程により都道府県ごとに毎年見直されることになっているが、検査を受けていない米（玄米）は、産地・品種・産年の表示が許可されていない。市販うるち精米の品位基準を**表2**に示したが、胚芽精米の品位基準（平成7年）については胚芽保有率80%以上としており、その他はうるち精米の基準とほぼ同様である。

　鑑別：食味　米の食味については、品種、産地のほか、栽培、貯蔵、炊飯などの各種条件が影響を与える（**表3**）。食味の評価法としては、官能検査が基本となり、飯の外観、香り、うま味、粘

表3 米の食味におよぼす要因

条 件	要　　因
生 産	品種（特性）
	産地（地形・土壌・水質）
	気象（気温・日照・降雨・風）
	栽培（方法・施肥・管理）
	収穫（時期・方法）
	乾燥・調製（方法・程度）
流 通	貯蔵（温度・湿度・日数）
	精米加工（搗精度・精選・ブレンド）
消 費	保存（日数・温度・湿度）
	炊飯（淘洗・浸漬・蒸らし・炊飯器）

表4 精米の表示例

単一原料米

名　称	精　米		
原料玄米	産地	品種	産年
	単一原料米 ○○県 △△ヒカリ ○○年産		
内容量	○kg		
精米時期	○年○月○旬 または ○年○月○日		
販売者	○○米穀株式会社 ○○県○○市○○町○-○○ 電話番号○○○(△△△)××××		

複数原料米(ブレンド米)

名　称	精　米			
原料玄米	産地	品種	産年	使用割合
	複数原料米 国内産			10割
	(○○県△△ひかり○○年産			7割)
	(□□県コシヒカリ○○年産			3割)
内容量	○kg			
精米時期	○年○月○旬 または ○年○月○日			
販売者	○○米穀株式会社 ○○県○○市○○町○○○-○○ 電話番号○○○(△△△)××××			

り,硬さと,総合評価により味の良否を決める.一方,理化学的測定による方法も行われており,この結果では特に飯の粘弾性との関係が大きい.化学成分との関係では,同一品種においてはたんぱく質含量が多くなると食味が低下することが知られている.

栄養価 米の品質には栄養価は考慮されていなかったが,昭和52(1977)年に胚芽米が胚芽精米という名で品位基準が定められた.その基準では,胚芽の保有率80%以上で,その他は**表2**の品位基準に準じている.胚芽米は精白米に比較して,ビタミンではB_1 3倍,B_2,葉酸*,パントテン酸* 1.5倍,ナイアシン* 2.5倍,B_6 2倍程度,が多く含まれている.

◇**保存** わが国では,米は玄米を包装して貯蔵される.なお,諸外国では籾(もみ)としての貯蔵が普通である.包装材料としては,現在では俵は用いられず,紙袋,樹脂袋(ポリプロピレンまたはポリエチレン紐編み),麻袋が用いられている.その量目は,紙袋では30 kg,樹脂袋および麻袋では60 kgとなっている.また,最近はサイロ貯蔵も行われるようになり,高水分の籾を加熱空気により乾燥し,大型サイロに貯蔵する.包装貯蔵は,自然条件の倉庫による常温貯蔵が普通であったが,温度10～15℃,湿度70～80%による低温貯蔵も行われている.この方法は,食味の低下防止,害虫・微生物の被害が防げるため燻蒸が不要になるなどの利点がある.

◇**加工** 米は通常,玄米を精米機により搗精し,精白米として利用される.その用途としては,約8割が主食用として消費される.工業用としては,うるち米は酒類,みそ,菓子,穀粉(上新粉),ビーフン,アルファ米,強化米などに用いられ,もち米はみりん,菓子,穀粉(白玉粉,ぎゅうひ粉,寒梅粉,みじん粉,道明寺粉),包装もちなどに用いられる.

精米:日本農林規格*(JAS)では,玄米からぬか層と胚芽の全部または一部を除いたものを指す.精米は搗精度の違いにより,完全精米,七分つき米,半つき米などに分けられる.完全精米はいわゆる普通精白米で十分つき米ともいわれ,精白歩留り90～92%で,糠は玄米の10～8%となる.七分つき米は,十分つき米で得られる糠の70%を,半つき米は50%を除いたもので,精白歩留りとしては,七分つき米は93～94%,半つき米は95～96%となる.精米の保管は,日が当たらず風通しのよい場所にするようにし,米飯の食味の面からは,搗精後10～20日ぐらいまでに食べ終わるようにする.

精米の表示:食品表示法*によると,袋詰めされた精米の表示事項は,①名称,②原料玄米,③内容量,④精米年月日,⑤販売者である(**表4**).この表示は,原則として通信販売などを含めたすべての販売業者の義務になっている.販売者に代わり精米工場が表示することができるが,販売業者段階で必要な表示が行われているか確認して販売することとしている.

名称については,もち精米は「もち精米」,うるち精米は「うるち精米」または「精米」とし,うるち精米のうち胚芽精米は「胚芽精米」と記載する.なお,バラ売りの場合は生鮮食品品質表示基準が適用され,名称・原産地を表記した立て札などに表示することになっている.原料玄米については,産地,品種,産年と使用割合を表示することとし

ている.

◇**調理　炊飯の原理**：現在，日本国内で生産している米はその大部分が"炊飯"すなわち，"めし"に用いられる．炊飯には長年の伝承による水加減，火加減があるが，要は米粒に必要量の水が完全に吸収され，でん粉の糊化が完了したとき，余分な水分が残存していない状態をつくり上げることが大切である．炊飯過程は次の3つの段階に分けられる．

　　①前処理 ……… 洗米と浸漬，水加減
　　②加熱処理 …… 温度上昇期と沸騰期
　　③後処理 ……… 蒸らし

※**洗米と浸漬**：米の夾雑物や表面の糠を除き，あらかじめ適度の水分を吸収させる目的で洗米と浸漬を行う．洗米はたっぷりの水を使い，軽くかきまわすのを数回繰り返せばよく，ごしごしと洗うと米粒を損傷し食味を落とす．特に1〜2回目の洗液は濃厚な糠汁になるので，手早く捨てないと糠が米粒に吸収され，食味，保存性ともに低下する．米は夏には30分〜1時間，冬でも2〜3時間で25〜27％の水を吸収し，それ以上長く浸漬してもほとんど増加しない．※**水加減**：吸水量は米の種類や貯蔵期間により異なるが，これを考慮して，普通の炊飯では米の容積の1〜2割増しの水を加える．家庭用自動炊飯器の多くは目盛つきであるが，米や炊飯量の違いにより，「硬め」，「軟らかめ」と補正できる機種が多い．新米はやや水を控え，古米では逆にやや多くする．洗米中の吸水量は洗い方により異なるので，洗米直後に水加減をすると同じ水量でも炊き上がりは一定しにくい．そこで大量の炊飯では，洗米，浸漬後米をざるにあげて水を切ってから，あらためて水加減を行うとよい．ただしこの場合には，浸漬が長いと糖類，アミノ酸などの損失が大きくなる．※**加熱**：沸騰までと沸騰後に分けて火加減を調節する．沸騰までは全体の均一な温度上昇が目的なので，弱火で開始し，間もなくある程度強火にする．吸水は盛んになり米粒表面は糊化を始める．沸騰後はまず水とともに米が浮動を始める．この時期までは強熱することが必要である．次いで米粒は固定されて，そのすき間を沸騰水が上下するようになり，やがてこれが蒸気の通路となる．この時期には，水や蒸気が十分上下できるよう火力を調節する．強すぎると吹きこぼれ，容器下部は水不足によるこげつきが起こり，弱すぎると上部が水不足となりシンができる．※**蒸らし**：沸騰が終わり炊飯の水がほぼなくなって火を止めても，でん粉の糊化はまだ不十分である．そこで，10分以上そのままで蒸らしを行う．これにより米粒表面の水が除かれ，中まで火が通った米飯ができる．したがって蒸らしに大切なことは余熱の利用である．この時期に蓋を取ると蒸気が逃げ，温度は急に下がり，米粒表面に水滴が凝縮して，表面がぬれたまずい飯になる．蒸らしがあまり長すぎても同じ結果を招く．蒸らし終った米飯はしゃもじで軽くかき混ぜて余分な蒸気を逃し，昔は乾いた飯びつに移して保存する．

湯炊きと大量炊飯：大釜による大量炊飯では，一様な加熱が難しいので，沸騰水の中へあらかじめ洗米，吸水を終った米を入れ，直ちに上下をかき混ぜて一様に加熱する方法をとることがある．これを湯炊きという．多くの炊飯器では米全体を分割して，それを一度に加熱できるように工夫されている．現在では，蒸らし段階で一度短時間の強熱を行って100％糊化を完了させる，連続式大量自動炊飯装置が主力となりつつある．

自動炊飯器：炊飯装置の熱源は，家庭用炊飯器では電熱が主力で，大量炊飯には電気，ガスがともに用いられる．電熱はIH（induction heating；電磁調理）方式が普及し，家庭用でもこれが主力となりつつある．周囲全体から加熱しセンサーで細かく温度制御が行われる．大規模炊飯ではコンベアによって，洗米，加熱，蒸らし，保温，盛り付け，ときには包装まで自動化された連続式

玄米の等級（左から，1等，2等，3等）（平　宏和）

左から，玄米，半つき米，七分つき米，精白米（平　宏和）

炊飯装置もある．しかしどんな最新型の炊飯装置も，在来のかまどと羽釜による昔ながらの炊飯を炊き上がりの理想として，それに合わせた温度管理の性能が開発目標とされ，宣伝のキャッチフレーズとしている．すなわち米の調理には，日本人の伝統的な炊き上がりへのこだわりが極めて根強く残されている．

炊飯後の変化：炊飯後の質量は，容量で2割増（質量で5割増）の水を加えて炊いた場合，原料米の約 2.3～2.4 倍になる．また容積はもとの米の容量の約 2.6～2.7 倍になる．古米は新米より炊き増えが大きい．炊飯後の米飯の水分含量は約 60％ である．

もち米の加熱：もち米はうるち米より吸水が大きく，2時間で約 40％ に達する．これをそのまま蒸せば，でん粉の糊化は可能である．一方，炊いて飯にするのにちょうどよい水量では，粘りのため吸水も加熱もムラができる．そのため普通は十分吸水させ，これを蒸してこわ飯にする．蒸す途中で不足分の水を数回のふり水で補う．

●強化米
英 fortified rice

搗精，水洗，炊飯などにより失われるビタミン B_1 を添加した米で，昭和25（1950）年頃より製造されている．B_1 のほか B_2，ナイアシン*，パントテン酸*，E などのビタミン類，カルシウム，鉄* などの無機質，アミノ酸を添加しているものもある．強化成分量については，食品表示基準* により，一定の基準を満たせば自由に表示できる．

強化米（平　宏和）

●米麹（こめこうじ）
成 01116　英 rice-koji

うるち精白米を，水洗・浸漬・水切りしたのち，蒸し，これに麹菌（*Aspergillus oryzae*）を繁殖させたものである．甘酒・みそなどに用いる麹は，菌糸が長く伸び，一部に黄緑色の胞子の着生がみられる，いわゆる老麹（ひねこうじ）である．

米こうじ（平　宏和）

●米糠（こめぬか）
成 01161　英 rice bran

玄米を精白する際に生じる副産物で，胚芽，糠層（果・種皮，外胚乳，糊粉層*）と一部胚乳でん粉を含む．脂質を 18.3％ 含み，米糠油の原料とする．糠漬の床としても利用価値が高い．また，飼料，きのこの培地としても利用される．

米ぬか（平　宏和）

●着色米
英 pigmented rice

玄米の表面（果皮）に色素が含まれる米で，赤褐色の赤米と黒色にみえる紫黒米（別名：黒米）がある．これらは古代に栽培されていたとし，「古代米」の名で販売されている．このうち赤米については，奈良時代の文書に記述がみられる（日本型かインド型かは不明）．

日本型は冷水田に強いが栽培は少なく，対馬，種子島などの神社では古い品種が受け継がれてきた．インド型は早魃，冷害に耐えるので，江戸時代に低湿地，開田地，山間部で栽培最盛期を迎えたが，明治時代に入り，精白米に混じることを嫌い，淘汰された．

紫黒米は中国・東南アジア山間部などで広く栽培されてきたが，わが国での栽培は新しい．赤米の多くはうるち種で，色はカテコール系色素である．一方，紫黒米の多くはもち種で，色はアントシアニン* 系色素である．完全に搗精すると白米にな

着色米　上：インド型玄米　左：赤米（うるち種），右：紫黒米（もち種），下：日本型米飯　左：赤米（もち種・搗精米），右：紫黒米（もち種・玄米）混合15%（平　宏和）

上：玄米，下：発芽玄米（平　宏和）

るので，玄米または軽く搗精して利用される．

●胚芽米

成 01084（水稲穀粒 はいが精米），01089（水稲めし はいが精米）　英 well-milled rice with germ

胚芽を残した精白米で，昭和52（1977）年に食糧庁が定めた胚芽精米の品位基準では胚芽保有率80%以上で，その他は精米の品位基準を満たすものとしている．専用胚芽精米機と無洗米に仕上げる研磨機により製造される．胚芽に脂質が多く含まれるので，保存中に変質しやすく，購入後2週間程度で使い切ることが望ましい．

●ハイブリッドライス

英 hybrid rice

縁の遠い品種の雑種は雑種強勢と呼ばれ，両親より収量が高くなることがあるが，この性質を利用して異なる品種を交雑した一代雑種*（F_1）の高収量の米をいう．イネのように自家受粉*の植物で一代雑種をつくるには，雄性不稔系統（花粉に受精能力のない）と稔性回復系統（雄性不稔を回復させて種子（F_1）が稔る）の交配が必要で，この交配による種子（F_1）を播くが，農家はこの種子を毎年購入することになる．実用化されている中国の品種はほとんどがインド型雑種で，日本型ではF_1の効果が小さいといわれている．わが国ではハイブリッドライスの実用化は，あまり進んでいない．

●発芽玄米

成 01153（水稲穀粒），01155（水稲めし）　英 sprouted brown rice

玄米を水に浸漬し，0.5～1mmほど発芽させたのち乾燥させた健康志向の米である．発芽過程でたんぱく質分解酵素が胚乳*のたんぱく質に作用し，その一部が遊離アミノ酸*になる．特にグルタミン酸は脱炭酸酵素により生理機能をもつといわれるγ-アミノ酪酸（GABA）になり，玄米に比べ含量が多い．また，でん粉の一部は，でん粉分解酵素により麦芽糖*，ぶどう糖にまで分解されている．

●無洗米

英 prewashed rice　別 不淘洗米（ふとうせんまい）

精白米の糠を除いた洗米不要の精白米．糠の除去

上：胚芽米，下：精米（ひとめぼれ）（平　宏和）

上：精米，下：無洗米（あきたこまち）（平　宏和）

には，付着性を高くした糠で精白米を磨く，小さいタピオカパール*で湿らした精白米を磨く，などの方法がある．無洗米の利点としては，洗米による排水汚染の防止，調理の簡易化（研ぐ時間と水の節約），水溶性栄養成分の損失防止などがあげられる．外食産業などのほか，一般家庭での需要も増加している．

米おこし　⇨おこし

　こめこ　米粉

成 01158　英 rice flour

米を粉砕したもので，古くから上新粉，白玉粉などが和菓子の原料として使われてきた．近年，米粉と呼ばれるものは，製粉技術（気流粉砕・高速粉砕・胴搗粉砕・ロール粉砕など）の発達によって造られる直径 50〜80μm 程度の細かい粒子の製品である．パン・めん類・ケーキ・和菓子などの原料に利用される．

●玄米粉

成 01157　英 brown rice flour

玄米を米粉と同様の製法で微粒にしたもので，そのまま粉砕した生玄米粉と焙煎して粉砕した焙煎玄米粉がある．焙煎玄米粉は，加熱により米糠の酵素が失活し油の酸化が防止されるので，10カ月程度の保存が可能である．

米粉（平　宏和）

米麹（こめこうじ）　⇨こめ

　米粉パン

成 01159（小麦グルテン不使用），01211（食パン），01212（ロールパン）　英 rice bread

米粉を原料として製造されたパン．米粉は小麦粉のように捏ねたときにグルテンを形成しないので，パンをつくることは難しい．そのため，一般には副原料としてグルテンを添加した生地で造られる．

米焼酎　⇨焼酎
こめず　⇨食酢（米酢）
米でん粉　⇨でん粉
米糠　⇨こめ

　こめぬか油　米糠油

成 14003　英 rice bran oil　別 米油

米の搗精の過程で副産物として得られる糠から得られる油．糠には 18〜20% の油が含まれるので，主に溶剤抽出法で製油する．含油量は大豆と同等であるが，他の植物原料に比べると低めである．原料の米ぬかはリパーゼ活性が高く，原油の酸価* は 30 にも達する．したがって製油時には，遊離脂肪酸を十分に除去する必要がある．

◇**成分特性**　『食品成分表』では，脂肪酸組成は，オレイン酸*とリノール酸*が多いのが特徴で，ごま油と似ている．ただし，ごま油よりもパルミチン酸が多くて，ステアリン酸が少なく，パルミチン酸 16.9%，ステアリン酸 1.9%，オレイン酸 42.6%，リノール酸 35.0% である（付表 6）．100g 当たり，ビタミン E は 31.3mg 含む（α-トコフェロールが多い）．ビタミン K は 36μg 含む（付表 7）．不けん化物*にテルペンアルコールの一種のγ-オリザノール（植物ステロールのフェルラ酸エステル）を含む．γ-オリザノールは，成長促進，更年期障害の防止，老化防止に効果があるといわれている．

　理化学特性：日本農林格*（JAS）による精製こめ油は，比重 0.915〜0.921，屈折率（25℃）1.469〜1.472，酸価 0.2 以下，けん化価 180〜195，ヨウ素価* 92〜115 としている．凝固点 −5〜−10℃．

◇**用途**　さらっとした風味で，耐熱性や保存性に優れているためマヨネーズなどの原料として使われる．

こめぬか油（平　宏和）

米みそ　⇨みそ

子持ちかれい　⇨かれい
子持ちかんらん　⇨めキャベツ
ごり　⇨かじか，はぜ（ちちぶ）

コリアンダー

成 06385（葉 生）　分 セリ科コエンドロ属（1年生草本）
学 *Coriandrum sativum*（コエンドロ）
英 coriander　別 コエンドロ（胡荽）；パクチー；シャンツァイ（香菜）；こうさい（香菜）；中国パセリ

コリアンダー（ホール，モロッコ産）（平　宏和）

南欧，地中海沿岸原産で，ヨーロッパ型とアジア型があり，前者はスペイン・イタリアを中心にヨーロッパ全土で用いられる．後者は中国南部から東南アジア一帯で用いられ，日本では中国語起源の香菜（シャンツァイ）の名で呼ばれることも多い．株はロゼット*状で，葉柄*の先に切れ込みのある丸い小さな葉をつける．播種後100日前後で花茎*を抽出し，その先に小さな白い花を傘形に群生する．

◇成分特性　葉（生）の成分組成は100g当たり，水分92.4g，たんぱく質1.4g，脂質0.4g，利用可能炭水化物*（差引き法）0.1g，カリウム590mg，カルシウム84mg，β-カロテン1700μg，ビタミンC 40mgが含まれている．

香気成分：葉柄，葉，若い実には「カメムシとドクダミのにおいをミックスしたような」と酷評される香り（臭気）がある．この香味成分はカプリアルデヒドで，これがスペイン・中南米・東南アジアの料理には欠かせない香辛料となる．成熟した果実はレモンとセージのにおいをミックスしたようなコリアンドロールと呼ばれる香気があり，スープ，ソース，カレー粉などの香辛料とする．

◇調理　青葉はクセのある強い香りをもち，好悪の差の激しいハーブである．主な用途は，肉や魚料理の臭み消しや，スープやお粥に散らす．多く加えすぎないよう注意する．※種子は丸ごと，または粉末で，肉，卵，豆料理などに広く使われる．他のスパイスとのブレンドもよく，カレーパウダーやチリパウダーの原料としても用いられる．

コリアンダー（シャンツァイ，パクチー）（平　宏和）

コリンキー　⇨かぼちゃ（ペポかぼちゃ）
ごれんし　⇨スターフルーツ

混成酒

成 16027（薬味酒）　英 compound alcoholic beverages　別 再製酒

再製酒とも呼ばれ，醸造酒*や蒸留酒*に種々の材料を加えたもの．たとえばぶどう酒を基酒に用いたベルモット*，スイートワイン*，米を原料とするみりん*，合成清酒，蒸留酒に果実や草根木皮浸出物，香料などを加えたリキュール*，薬味酒*などがある．なお，酒税法でいう「混成酒類」には合成清酒，みりん，甘味果実酒*，リキュール，粉末酒，雑酒*が入る（付表14）．

コンソメ

成 17027（固形ブイヨン）　英 consomme；bouillon　別 ブイヨン

調味料としてのコンソメはブイヨンとも呼ばれ，いわゆるインスタントのスープの素である．使用に便利なように，固形キューブ（bouillon cube）に個装されているものが多い．また，顆粒や粉末の製品もある．

また，コンソメという言葉は，わが国ではスープストックに香味野菜やスパイスを加えて濾してつくる透明なスープのことを指すが，この澄んだスープの総称は正式にはポタージュ・クレール（フランス語 potage clair），またはクリアスープ（英・米語 clear soup）と呼ばれる．

日本農林規格*（JAS）では，乾燥コンソメを乾燥スープのうち「食肉，家畜等の食肉以外の可食部

コンソメ（固形）（平　宏和）

分，家畜等の骨およびけん，魚介の煮出汁を使用し，かつ，つなぎを加えないものであって，水を加えて加熱し，または水もしくは熱湯を加えることにより食肉または魚介の風味を有するおおむね清澄なスープとなるもの」と規定している．

◇**成分特性**　野菜や肉類，魚介の抽出エキスを中心に，風味調味料，うま味調味料を配合したさまざまなものがある．『食品成分表』では「固形ブイヨン」として収載され，100g 当たりナトリウム* 17,000 mg（食塩相当量* 43.2 g）である．

◇**保存**　吸湿しやすいので，開封後は冷蔵庫で保管する．

◇**調理**　コンソメスープの素として使うときは指定された分量に従って使用する．カレーやシチュー，スープ，煮込み料理など幅広く使える．

昆虫食品

成 insect foods；edible insect

食用とされる昆虫，もしくは昆虫を由来とする食品原材料を指す．昆虫は古代からヒトの食用とされてきたことが知られている．現在でもアジアではラオス，ベトナム，タイ，中国など，アフリカ，メキシコ，アマゾン，メラネシアなど，世界各地で昆虫食は認められ，熱帯，亜熱帯では常食となっている地域もある．食用昆虫数は約 2,000 種ともいわれている．日本ではハチ，イナゴ，カミキリムシ（幼虫），コガネムシ（主に幼虫），カイコ（蛹），ゲンゴロウ，水棲昆虫（トビゲラ，カワゲラ，トンボの幼虫），セミなどがこれまでに食用とされてきた．これらのうち，現在，商品として流通しているものは，イナゴ*，ハチの幼虫（はちのこ*），カイコ（蛹），ザザムシ（カワゲラの幼虫）であり，その多くは佃煮として加工されている．近年，動物性たんぱく質の需要急増や地球温暖化に対応するため，次世代の食材や家畜の飼料として未利用資源である昆虫を食資源として活用しようとする動きが高まっている．日本でも食品加工原料などとしてコオロギの乾燥粉末が流通するようになった．

コンデンスミルク　⇨ 練乳（加糖練乳）

こんにゃく　蒟蒻

成 02002（精粉），02005（しらたき）　**分** サトイモ科コンニャク属（多年生草本）　**学** *Amorphophallus konjac*（コンニャク）　**英** konjac

地下に球茎*（こんにゃくいも）を生じ，これを採取する．わが国ではこんにゃくいもをそのまま食用にすることはなく，すべて加工され食用こんにゃくとして利用されている．したがって，通常こんにゃくという場合は食用こんにゃくを指す．原産地はインド，スリランカまたはコーチシナ（インドシナ半島の南部）といわれ，現在，天然のものが中国，東南アジア，アフリカ大陸に広く分布している．わが国へは中国から仏教伝来とともに精進料理として伝来したという説，遣唐使が持ち帰ったという説，欽明天皇（在位 539〜571年）の時代に朝鮮から伝わったという説などがある．平安時代の『拾遺和歌集』（1005〜1007年頃成立）の中に詠まれている．室町時代には点心として利用され，戦国時代には豆腐や納豆とともに食用に供された．しかし庶民の食品として親しまれ広く普及したのは江戸時代からで，『蒟蒻百珍』（1846年）という料理書まで刊行されている．こんにゃくいもの主産地は群馬を中心とした北関東および東北南部である．

◇**品種**　わが国で栽培されるこんにゃく（いも）の品種は少なく，次の 3 種だけである．最近では，在来種の作付比率が減少している．

①**在来種**：いもの生長率は劣るが，マンナン*含

精粉（漂白製品）（平　宏和）

こんにゃく　左：いも（球茎），右：花
花：いもは5，6年目に葉を出さずに花茎を抽出する．花は雌雄異花で仏炎包に包まれた上の雄花部，下の雌花部（写真では見えない）に多数の花が着き，特有の匂いを放つ（平　宏和）

量が最も多く品質が一番優れている
②備中種：いもの生長率は優れているが，品質は在来種に比べてやや劣る
③支那種：生長が旺盛で栽培しやすいが，マンナン含量が少なく商品価値が低い

◇製法　一般に食用こんにゃくの原料には2〜3年生のいも（球茎*）が使用される．食用こんにゃくの製法には，①生いもを使用する方法，②こんにゃく粉〔精粉（せいこ）〕を使用する方法，③生いもと精粉を混合して使用する方法があるが，精粉を使用する方法が一般的である．
生いもの細胞中からこんにゃく粉（精粉）を製造する工程は，荒粉（あらこ）加工と精粉加工とに分けられる．荒粉は他のいも類の切干しに相当するもので，洗浄した生いもを薄い輪切りにして乾燥したものである．昔は人手で天日乾燥を行っていたが，現在ではほとんどが火力乾燥によってつくられる．精粉はこの荒粉を搗臼でよく粉砕してマンナン粒子だけを分離したものである．
食用こんにゃくの製造工程は糊化と凝固成形とに分けられる．精粉を用いてつくる場合は，加水後マンナン粒子が膨潤して糊の粘度が高くなった状態で練り機にかけ，よく練り合わせながら水酸化カルシウムを加え，手早く凝固させる．製品としては，板こんにゃく，突きこんにゃく，しらたき，玉こんにゃく，刺身こんにゃくなどがあり，特殊な製品に赤こんにゃく，凍りこんにゃくがある．

◇成分特性　こんにゃくいもの主成分は炭水化物で，大部分は多糖類*の一種で，水溶性食物繊維のグルコマンナンであり，特にコンニャクマンナンと呼ばれる．グルコマンナンはマンナン細胞の液胞内に蓄積されるが，細胞は肉眼で認められるほどに巨大化するのでマンナン粒子と呼ばれる．昔から「腹の砂をとる」とされ，"胃腸のほうき"

といわれるのも，食物繊維のグルコマンナンの働きによる．マンナン細胞中にはこのほかにでん粉や酵素類が存在する．これに水を加えると著しく膨潤して容積を増しコロイド化するが，これにアルカリを加えると凝固して不溶性となる．この際煮沸すると，凝固が著しく促進され硬さも増してくる．食用こんにゃくの製造はこの原理によるもので，アルカリ剤としては現在主として水酸化カルシウムが用いられている．こんにゃく製品は多水分（約97％）の低エネルギー食品であり，食物繊維も豊富なことから，健康食品としても注目され，ゼリー類，スープ類など，種々の製品がつくられている．

◇調理　ゲルの弾力や歯切れのよさを主目的として利用される．こんにゃくにはそれ自体に味がないので，おでん，煮しめなど，汁を十分吸収させたい煮物，表面にみそを塗る田楽（でんがく）や刺身こんにゃくのように，物性と味の両方を味わうことのできる料理に向く．※もともと素朴な味わいを特徴とする食品なので，あまり細かく庖丁を入れるよりも，手でちぎって煮た方がよいこともある（ちぎりこんにゃく）．この方が表面積も広くなり味が浸透しやすいばかりでなく，弾力が強調される．同様な理由で，たづな切りという切り方も行われる．※肉の味や脂肪の風味とよく合うので，油で炒めて煮込む炒り煮や，すきやきに適している．すきやきにはなるべく味が早く浸透するように，しらたき（糸こんにゃく）が用いられる．この場合に，肉と長く接触させるとカルシウムイオンが肉を硬くするので注意が必要である．

●赤こんにゃく

成 02042　英 Aka-konnyaku；(red konjac gel)
滋賀県近江八幡で安土桃山時代からつくられている赤色の精粉こんにゃく．由来として，織田信長の派手ごのみがこんにゃくを赤く染めさせたという説，祭りの山車の赤紙の飾りより考えられたという説などがある．赤い着色は，べんがら（主成

赤こんにゃく（平　宏和）

こんにゃく麺(サラダ用)(平 宏和)

板こんにゃく　上:精粉白板こんにゃく,中:精粉黒板こんにゃく,下:生いもこんにゃく(平 宏和)

分:三酸化二鉄)の使用によるものである.普通の板こんにゃくと同様に利用される.

●板こんにゃく

成 02003(精粉こんにゃく),02004(生いもこんにゃく)　英 Ita-konnyaku;(konjac gel, block type)

厚い板状に成形したこんにゃく.精粉またはすり下ろした生いもに水を加えて攪拌して糊状にし,これを水酸化カルシウム液と練り合わせ,加熱して凝固させたものである.製法には,練り合わせたものを袋などに充填し,成形・加熱する生詰め製法と,缶などの型枠に流し込み,加熱してブロック状になったこんにゃくを取り出し切断し,袋などに充填する缶蒸し製法がある.精粉の製品には,精粉のみの白板こんにゃく,副原料に色付けを目的として海藻粉末(ひじき,あらめなど)を加えた黒板こんにゃくがある.なお,糊化における原

料の配合割合は,一般に精粉の場合,精粉1に対し水37以下,生いもの場合,生いも1に対し水4以下,水酸化カルシウムは精粉質量の5%以下である.

●凍りこんにゃく

成 02043(乾),02044(ゆで)　英 Kori-konnyaku;(freeze-dried konjac gel)　別 凍(し)みこんにゃく

薄く切ったこんにゃくを凍らせ天日で乾燥したもの.江戸時代よりつくられていたが,現在,茨城県久慈郡水府村などでわずかに製造されている.水かけ・凍結と乾燥を2～3週間繰り返した白色・半透明,厚さ約3mmのスポンジ状の製品で,水に戻して洗いあく(灰汁)をとってから,煮しめ,天ぷらなどに利用される.肌洗い用にも使われる.

●こんにゃく麺

英 Konnyaku-men;(konjac noodle made from konjac flour and other ingredients)

こんにゃく(主として精粉)を使用した低エネルギー麺.製品には,ラーメン・焼きそば・スパゲッティ・そば・うどん・そうめんなどがある.こんにゃく特有の臭みがなく,サラダ用の製品も市販されている.しらたきと同様に製造されるが,添加物として穀粉(小麦粉・もち粉),糊料(加工でん粉),着色料などが使われる.

●刺身こんにゃく

英 Sashimi-konnyaku;(sliced konjac gel)

凍りこんにゃく　左:表,右:裏(平 宏和)

刺身こんにゃく(副原料:青のり)(平 宏和)

しらたき（平　宏和）

突きこんにゃく（平　宏和）

生または簡単に水洗して刺身のように食べることができるこんにゃく．精粉またはすり下ろした生いもを水に溶き糊状にし，水酸化カルシウム液と練り合わせたものをカット装置で切断しながら加熱槽に吐出し，板状または薄片状に凝固させたものである．色付け，風味付けを目的とし副原料に青のり粉末などを混ぜることがある．わさびしょうゆ，酢みそなどをつけて食する．

●しらたき

成 02005　　英 Shirataki；(konjac noodle)　　別 糸こんにゃく

こんにゃく粉（精粉）に水を加え練り合わせて糊化し，水酸化カルシウム液を加えてアルカリ性としたあと，多数の細孔から熱湯の中に押し出して固めたもの．一般的に糊化に用いる水の量は精粉1に対して水27以下であり，水酸化カルシウムの添加量は，精粉質量の8％以下である．

●玉こんにゃく

英 Tama-konnyaku：(round konjac gel)

精粉を板こんにゃくと同様に練り，水酸化カルシウム液を加えたものを丸め，熱湯中で凝固させたもの．ごま，海藻粉末などを入れた製品もある．

●突きこんにゃく

英 Tsuki-konnyaku；(thin konjac gel made of block-type konjac gel by extrusion)

板こんにゃくを心太（ところてん）を作るように，突き出したもの．しらたきより太く，短い．しらたきと同様に，糸こんにゃくと呼ぶ地域がある．

こんにゃくゼリー　⇨ゼリー

コンビーフ

成 11105　　英 corned beef

コンビーフは英語のコーンドビーフの訛ったもの．cornedには塩漬けするという意味があるので，コーンドビーフは保存のため食塩に防腐剤として硝酸塩，亜硝酸塩を加えてつけ込んだ牛肉（塩漬け牛肉）を意味する．欧米では未加熱のもの，加熱した塊，アルミ容器入の細くほぐしたものなど，種々のタイプの牛肉加工品が缶詰製品以外にコンビーフの名称で生産され，流通している．わが国でも最近，一部に同様な品が見受けられるが，ごく一般的には，コンビーフは細かくほぐした味付け牛肉の缶詰，ないしはそれと同じようなタイプの畜肉缶詰の名称と考えられている．

規格：コンビーフ缶詰またはコンビーフ瓶詰には日本農林規格*（JAS）が設けられ，「コーンドミート缶詰またはコーンドミート瓶詰のうち，原料の食肉として牛肉のみを使用したものをいう．」としている．コーンドミート缶詰については，「畜

コーンドミート加熱食肉製品（包装後加熱）上：コンビーフ（プラスチック容器），下：ニューコーンミート（アルミ容器）（平　宏和）

玉こんにゃく　生芋こんにゃく（平　宏和）

産物缶詰のうち，食肉を塩漬し，煮熟した後，ほぐしまたはほぐさないで，食用油脂，調味料，香辛料等を加えまたは加えないで詰めたものをいう．」とされる．馬肉を使ったものについてはコンドミートの呼称を用いることができるが，その場合は「牛肉の重量が牛肉及び馬肉の合計重量の20％以上のものに限る．」としている．この缶詰の表記には，ニューコンドミートまたはニューコンミートが用いられる（旧表記：ニューコンビーフ）．

◇**製法** 脂肪の少ない牛肉を食塩，硝酸カリウム，亜硝酸ナトリウムを加え，冷蔵庫で3～7日塩漬する．塩漬完了後，肉を100～120℃で60～100分煮熟する．この際，低温で煮熟した方が香味は失われない．煮熟した肉は筋膜，腱，膜などの付着物を取り除いた後，3cm目プレートの肉挽き機にかけてよくほぐし，香辛料，調味料，ひき脂肪を加え，よく混合する．これを缶に詰め，脱気，巻締めし，殺菌する．缶は多くの場合，枕缶が用いられる．殺菌は高温高圧で行う．近年，枕缶に替わり，加熱食肉製品（包装後加熱）が市販されている．製品には多層で遮光性があり酸素を通しにくいプラスチック容器にシール蓋のアルミシートを貼り合わせたもの（電子レンジが使える）（写真上，シール蓋：上部），アルミ箔容器に多層の遮光性があり酸素を通しにくいシール蓋のプラスチックシートを貼り合わせたもの（写真下，シール蓋：底部）がみられる．

◇**成分特性** わが国のコンビーフは脂肪の少ない肉を加熱してほぐしたものに，後から脂肪を調合する方法で製造されるので，一般成分は比較的安定しており，添加塩分を除けば，生肉と比べて大きく異なるのは，高加熱するために生じるいくらかの微量な成分の変化だけである．すなわち，必須アミノ酸*ではシスチンが約60％，ビタミンではB_1が約35％減少するだけである．『食品成分表』では，100g当たり，たんぱく質（アミノ酸組成）*18.1g，脂質（TAG当量）*12.6g，リン120mg，食塩相当量*1.8gが含まれている．

◇**保存・加工** 缶詰と加熱食肉製品（包装後加熱）は十分に脱気殺菌されているから，缶や蓋を開けさえしなければ，長期間保存に耐える．

こんぶ　昆布

🌿 褐藻類コンブ科コンブ属ほか 学 *Saccharina* spp. ほか 英 kombu；tangle；ribbon weed；kelp コンブ属（*Saccharina*）およびその近縁種の総称である．藻体は葉，茎，根に区分される．葉状部は帯状に長く2～3mから20mに伸びるものがあり，幅は6～10cmのものから30cmに達するものがある．茎状部は，3～15cm程度で短く，下部が枝分かれして根状部となり岩などに付着する．一般に最大干潮線*以下4～14mの深さで，外海に面する岩礁上に生育する．いずれも寒海産で北海道沿岸各地に分布する（図1）．食用にされるこんぶは，マコンブ，リシリコンブ，ホソメコンブ，ミツイシコンブ，ナガコンブ，ガゴメコンブ，エナガオニコンブ（ラウスコンブ），アツバコンブ（*S. coriacea*），ネコアシコンブ（*Arthrothamnus bifidus*），トロロコンブ（*Kjellmaniella gyrata*）など10種類ほどである．これらは北海道沿岸で地域別に生産され，生産地によりこんぶの種がほぼ決まっているため，製品には産地名がついているのが特徴の一つである．また，同一生産地の中でも漁場の違いによって品質の差が大きい．

◇**種類と産地** 主な種類と生産地をあげると次のようになる．

まこんぶ，がごめこんぶ：渡島地域沿岸（松前半島東岸－噴火湾）．

みついしこんぶ：日高・胆振地域沿岸（室蘭－襟裳岬－広尾）．

ながこんぶ，ねこあしこんぶ，とろろこんぶ，あつばこんぶ：釧路・根室地域沿岸（十勝川－釧路－根室半島）．

えながおにこんぶ（らうすこんぶ）：根室海峡沿岸（羅臼）．

りしりこんぶ：オホーツク海沿岸－日本海沿岸（網走－宗谷－留萌－利尻・礼文両島）．

ほそめこんぶ：石狩・後志・檜山地域沿岸（留萌－松前半島）．

天然こんぶと養殖こんぶ：こんぶの生産は天然産および養殖産に二大別される．天然こんぶとは，まったく人手をかけず自然の状態で生育したもの，あるいは投石などによって着生しやすい条件をつくることによって自然生育を助けたものをいい，養殖こんぶとは，人工採苗による種糸（たねいと）を海に張り出して生育させたものをいう．また，このほかに最近では人工採苗したものを室内で一定期間管理した後，漁場に移して生育期間を1年に短縮した促成こんぶがあり，これによれば寒海に限らず，各地で養殖が可能である．

◇**成分特性** 呈味成分：干し昆布の主成分は炭水化物で55～65％を占める．糖類はアルギン酸*，フコイダン，ラミナラン*，マンニトールなどで，

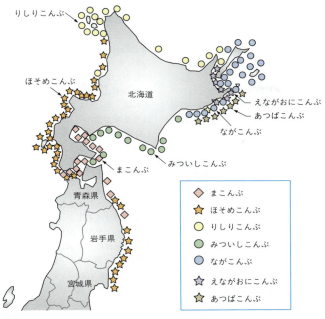

図1　こんぶの分布

アルギン酸とマンニトールはそれぞれ20％以上も含まれている．たんぱく質含量は他の藻類食品に比べて低く，その種類や性状は明らかではないが，エキス分中のアミノ酸は全窒素量の50％近くを占め，その大部分はグルタミン酸である．そのほかにアスパラギン酸，プロリン，アラニンなど10数種が存在する．これらはこんぶの味を代表する成分である．

栄養特性：アルギン酸などの多糖類*には血中コレステロール低下，血圧低下などの薬理作用が認められている．他の海藻にもいえることだが，これらの多糖類は難消化性で，食物繊維としての機能をもつ．また，低エネルギーによる肥満防止や，血中コレステロール値を正常に戻し，血糖値の上昇を抑制し，便通を促進して大腸癌の発生率を抑えるなどの作用がある．無機質，特にカルシウム含量が高く，リン含量との比率（Ca/P比）が大きいことが栄養上の特質といえよう．ヨウ素*は100g当たり200～230mgと藻類食品中含量が最も高い．β-カロテンをはじめビタミンB群，Cなども多く，しかも乾燥食品であるにもかかわらず，それぞれが安定して含まれている．

鑑別：良質の干し昆布は一般に緑色を帯びた黒色で光沢があり，乾燥が十分で，肉厚でよい香りがある．黒色が強すぎるものは，いわゆる旬をはずれて採取されたもので味が劣る．また，黄味を帯び全体に光沢のないものは品質が劣る．なお，表面に生ずる白粉はマンニトールであってカビではない．

◇**保存・加工**　7月中旬から9月にかけて採取したこんぶは，天日で乾燥して干し昆布にする．これには複雑な段階があり，1回目の乾燥の後，選別，整形，結束の各段階を通じて日数をかけ徐々に乾燥する．機械乾燥のみによった場合はよい製品が得られない．製品として出荷されるものは，

昆布巻き（平　宏和）

その結束方法の違いによって次のように呼称が異なる．
①元揃（もとぞろ）え昆布：葉元をそろえて結束したもの
②長切（ながき）り昆布：75〜105cmに切りそろえたもの．各種あり
③折り昆布：一定の長さに折りたたんだもの
このように三大別されるが，これらの呼称と品質とは関係がない．なお，このほかに棒昆布（長切り昆布より短い30〜60cmに切りそろえたもの），雑昆布がある．
こんぶは利用範囲が広く，加工品の種類では海藻の中でも群を抜いている．佃煮（成09023），昆布巻きなどの惣菜類をはじめ，とろろ昆布，塩昆布，酢昆布，昆布茶など多種多様である．珍味としては，かずのこを産みつけた子持ち昆布（かずのこ*）がある．

◇調理　グルタミン酸のうま味を目的に，素材としてよりもむしろだしの材料として使用されることが多く，日本料理ではかつお節とともに，一番だしの基本的な材料である．※昆布巻きはこんぶと魚のうま味を組み合わせた代表的なこんぶ料理である．わかさぎ，はぜ，にしん，さけ，煮干しなどの魚を巻き込む．※佃煮には，他のだしを用いることなく，水，しょうゆ，酢，砂糖のみを加えてつくることにより純粋にこんぶのうま味を味わうことができる．※佃煮には，水量の1〜2割の酢を用いる．これはこんぶのアルギン酸が酸により膨潤や部分的溶解を起こしやすく，水だけのときより軟らかく煮えるためである．酢昆布，とろろ昆布などの加工品も酢への浸漬により軟らかくなる．※煮しめ，おでんのこんぶは，それ自体のうま味を味わうほかに，煮汁に溶出したうま味を他の材料に移す役割もある．すなわち，だしの役割と素材としての役割とを兼ねた使い方である．※煮物以外でも"昆布じめ"のように，淡白な味の白身魚にこんぶの味を長時間かけてしみこませる料理がある．味がなじむまで数時間かかる．魚自体の味を主にして，こんぶの味はその引き立て役程度にしたいときは，"昆布押し"といって同じ処理を短時間行う．関西地方のさばずし（バッテラ）にも白板昆布が用いられる．※昆布だしのとり方：うま味の損失を防ぐため，なるべく洗わずにしぼった布でふきとる程度で用いる．その後，水に浸して膨潤させるが，かつお節よりはうま味が溶出しにくく不味成分が少ないので，1時間から1夜くらいまで浸漬しても，水を替えない限りさしつかえない．加熱すると組織の崩れや液の粘りが出るので，加熱は80〜85℃で数分間にとどめる．ただし鍋物のように汁を直接の目的としない場合は，材料にうま味が浸透するように長時間入れたままにしておく．こんぶとかつお節を併用するだし汁（一番だし）は，必ず沸騰直前にこんぶを取り出してから，かつお節を入れる．

●えながおにこんぶ
成 09013（素干し）　分 コンブ科コンブ属　学 *Saccharina diabolica f. longipes*　英 Ena-ga-oni-kombu　別 らうす（羅臼）こんぶ
知床半島南岸にのみ生育し，幅広で丈が長く，まこんぶの白口（最上品）にまさるとも評される．表皮の肌色から黒口と赤口とに区分される．だし汁が濁るが，特有の濃厚な風味があり，人気が高く高級銘柄となっている．

●がごめこんぶ
成 09014（素干し）　分 コンブ科トロロコンブ属　学 *Kjellmaniella carassifolia*　英 Gagome-kombu
長さ1〜2m，幅15〜30cm，厚さ3mmに達する．体表面に独特の凹凸があり，複雑な雲文様を描く．製品はがごめ元揃え昆布，がごめ折り昆布とする．主としてとろろ昆布，おぼろ昆布として用いられる．

●ながこんぶ（長昆布）
成 09015（素干し）　分 コンブ科コンブ属　学

えながおにこんぶ（らうすこんぶ）（平　宏和）

まこんぶ

Saccharina angustata. var. *longissima* 英 Na-ga-kombu

みついしこんぶの変種で，長さ7〜10m，長いものは20mに達することがあり，長く伸びるのが特徴である．幅6〜15cm．生産量はこんぶ中最も多く，長切り昆布あるいは，これより短い棒昆布とする．灰色を帯びた黒色で，味は薄いが，肉厚のものはみついしこんぶと同じように用いられる．用途は昆布巻き，刻み，佃煮，切り昆布，塩昆布などである．

●ほそめこんぶ（細目昆布）

成 09016（素干し）　分 コンブ科コンブ属　学 *Saccharina religiosa* 英 Hosome-kombu

長さは1.3〜1.6mと短く，幅は6〜9cm．生産量は少ない．棒昆布，折り昆布とする．黒色だが切り口はこんぶ類中最も白いのが特徴である．口に含むとうま味を感ずるが，すぐに味が消える．とろろ昆布，おぼろ昆布，佃煮などに用いる．

●まこんぶ（真昆布）

成 09017（素干し 乾），09056（素干し 水煮）　分 コンブ科コンブ属　学 *Saccharina japonica* 英 Ma-kombu

長さ2〜6m，幅30cm，厚さ3mmで，こんぶ類の代表種である．生産量はながこんぶに次ぐ．こんぶの最高級品として元揃え昆布，折り昆布，長切り昆布など，製品形態はさまざまである．褐色で，切り口の色により白口（最上品）と黒口（普通品）とに分けられる．極めて上品な味をもち，だし汁が澄んでいる．用途はおぼろ昆布，とろろ昆布，白板昆布，だし昆布，塩昆布などである．

●みついしこんぶ（三石昆布）

成 09018（素干し）　分 コンブ科コンブ属　学 *Saccharina angustata* 英 Mitsuishi-kombu　別 日高こんぶ

長さ2〜6m，幅6〜10cmと細長い．生産量は

みついしこんぶ

りしりこんぶ（平　宏和）

まこんぶに次いで第3位．長切り昆布，折り昆布とする．黒色を帯びた緑色で，りしりこんぶに比べ味は薄いが，一般向きの味をもっている．だし汁はやや青白く濁る．容易に煮えるのが特徴である．用途は昆布巻き，だし昆布，佃煮，塩昆布などである．

●りしりこんぶ（利尻昆布）

成 09019（素干し）　分 コンブ科コンブ属　学 *Saccharina japonica* var. *ochotensis* 英 Rishiri-kombu

まこんぶの変種で，長さ1〜3m，幅5〜10cm．生産量はみついしこんぶに次ぐ．長切り昆布，折り昆布とする．黒褐色でまこんぶより硬いが，品質はよく，まこんぶに次ぐ高級品である．だし汁は澄み，上品な味が出る．用途はとろろ昆布，だし昆布，おぼろ昆布，白板昆布，塩昆布などである．

こんぺいとう

金平糖；金餅糖；金米糖

英 Konpeito　別 こんぺい；こんへいとう

表面にたくさんのツノの出た砂糖菓子で，ポルトガルから伝わった南蛮菓子の一種．干菓子類の掛け物菓子に分類される．大きさは各種あり，彩りもさまざまなものがある．色付けだけの製品と，さらに味まで付けた製品がある．幕末から明治にかけて非常にもてはやされた．

◇由来　ポルトガル語のconfeitos（コンフェイトス；砂糖を使った菓子を意味する）が語源である．最初，中国から渡来したものといわれているが，室町時代の永禄12（1569）年，オランダの宣教師，ルイス・フロイス（Luis Frois）が織田信長に謁見した折に，ろうそく数本とこんぺい糖入りのフラスコを贈ったことが記録に残っている．また，井原西鶴の『日本永代蔵』（貞享5(1688)年刊）の中には，こんぺい糖についての製法発見

の苦心とともに，その製法についても書かれている．それによると，日本で製造されるようになったのは，だいたい貞享・元禄頃からで，まず長崎でつくり始め，次第に江戸へ入ったようである．しかし製法が困難なところから，渡来してから製造されるまでには他の南蛮菓子に比べ長い年月を要した．また，この当時は，中心となる種がごまであったが，後にけしの実となった．

◇**原材料・製法** 回転鍋に古くはけしの実，現在ではグラニュー糖やイラ粉（蒸したもち米を乾燥し，細かく砕いたもの）を核として入れ回転させながら砂糖を溶かしてつくった糖蜜を少しずつかけ，回転鍋の角度を変えながら製造していく．回転鍋の温度，角度や，糖蜜の温度，糖度などの調節に難しい点がある．

使用される砂糖は，転化糖分が多いと固まりにく

こんぺいとう（平　宏和）

く，吸湿もしやすいため，精製度の高いグラニュー糖や氷砂糖などが用いられる．また，表面に出たツノの数は，24本程度であるが，製法や粒の大きさにより変わり，36本までつくった例があるという．

さ

ザーサイ　榨菜
成 06088（漬物）　分 アブラナ科アブラナ属（1年生草本）　学 *Brassica juncea* var. *tumida*　英 Zha cai；Stem mustard

中国の代表的漬物で，四川省の特産物である．
◇**原料**　からしな*の一種で，茎用たかなの榨菜が原料になる．この野菜の特徴は，茎がいくつものコブをつくって肥大するので，その肥大茎を利用する．中国では8〜10月に種子を播いて40〜50日で移植し，翌年の3月頃に収穫される．生育に長期間の温暖な気候を必要とするので，わが国では良品の生産は難しく，わずかに栽培がされている．
◇**漬け方**　まず葉を除去し，茎を縦と横に4つに切り，糸を通して天日で十分に乾燥する．焼酎を適宜ふりかけながら7〜8％の食塩で1週間程度下漬する．これを下漬液で洗浄し，皮の硬い部分を庖丁で切り取った後，重石をのせて水切りを行う．この下漬原料に香辛料をまぶし，焼酎をふりかけながら5％の食塩を加えて本漬とする．香辛料には唐辛子，山椒，茴香（ういきょう），八角，桂皮末，甘草などが用いられる．漬け込みが終わったら容器（一般には蓋付きの大甕が用いられている）を密封して熟成させる．よく乾燥した原料を用いれば約1年間保存できる．
◇**食べ方**　そのままでも食べられるが，いったん塩抜きをしてから油炒め，煮込み，雑炊，炒飯などの料理に使われる．

ザーサイ（平　宏和）

菜豆（さいとう）　⇨いんげん豆
サイドベーコン　⇨ベーコン
サイマキ　⇨えび（くるまえび）

佐賀ぼうろ
英 Saga-boro　別 丸ぼうろ

佐賀地方の名物菓子として有名である．小麦粉，砂糖，鶏卵にはちみつなどを加えて，膨張剤として重曹（炭酸水素ナトリウム*）を添加したものを生地とする．2時間程度ねかせてから，丸く型抜きし，鉄板に並べて焼き上げたものである．

佐賀ぼうろ（平　宏和）

さかまんじゅう　酒饅頭
英 Saka-manju

本来の酒饅頭は，小麦粉に酒種を加え，発酵による炭酸ガスを利用して，生地をふくらませたものである．ところがこの酒種を加える製法は，日本酒をつくる方法と同様であることから，酒税法により"酒母製造の免許"が必要である．そこで，酒種の代わりに，酒粕や日本酒を加えることが一般に行われている．なお，酒税法における酒母*とは，酵母で含糖質物を発酵させることができるものおよび酵母を培養したもので含糖質物を発酵させることができるものならびにこれらにこうじを混和したもの（製薬用，製パン用，しょうゆ用

さかまんじゅう（平　宏和）

その他酒税の保全上支障がないものとして財務省令で定める用途に供せられるものを除く）である．酒税法施行規則では，その他の財務省令で定める用途をみそ製造用としている．

 さきいか 裂烏賊

成 10354　英 Saki-ika；(dried, seasoned and shredded squid)
いかの調味加工品．あかいかなど，身肉の軟らかいいかを原料としてつくられる．ひれと表皮を除いた胴肉を調味液に漬け，焙焼し，ローラーで伸展してから3mmくらいの幅に裂き，味を調え乾燥したもの．

さくらえび　⇒えび
さくらだい　⇒あさひだい，たい（まだい）

 さくらだい 桜鯛

分 硬骨魚類，ハナダイ科サクラダイ属　学 *Sacura margaritacea*　英 cherry bass　別 おうごんさくらだい　地 うみきんぎょ（紀州）；きんぎょ（静岡県静浦）
さくらだいは，ここで述べるハナダイ科の魚以外に，新漁場の魚であるあさひだい*の市販通称名として，また瀬戸内海のまだいの産卵前，桜の時季に獲れるものの季節的な美しい呼び名として使われるので，混乱しないように注意を要する．全長20cm．体はやや太短く側扁する．体色は雌雄で異なり，雄は鮮紅色で体側に真珠色の多くの斑点がある．雄の背びれの第3棘条および第3軟条，尾びれの上下両端の軟条は著しく延長する．雌は赤黄色で，背びれ棘部の後部に大型の黒色斑が1個ある．味はあまりよくない．上等の練り製品原料となる．関東地方以南，朝鮮，台湾に分布する．
◇**成分特性**　本来ハナダイ科のさくらだいは練り製品の原料以外に，鮮魚として利用されることは

さくらだい（本村 浩之）

少なく，漁村の惣菜用として食用にされる．成分特性はまだいに準じて考えればよい．
◇**調理**　美しい魚であるが，漁獲量が少なく，特別な調理法はない．白身で味は淡白なので，煮物，焼き物に適している．
●**かすみさくらだい**
霞桜鯛　分 イズハナダイ属　学 *Plectranthias japonicus*　英 Japanese perchlet　別　地 あかはぜ（高知）
全長30cm．体は太短く側扁する．体色は赤黄色，背びれ，尾びれの大部分が黄色．味はよくない．相模湾以南，オーストラリアまでに分布する．
●**すみつきはなだい**
墨附花鯛　分 スミツキハナダイ属　学 *Selenanthias analis*　英 pearl-spotted fairy basslet
全長17cm．体は卵形，体色は赤く，ひれは黄色．目の下縁に沿って黄色縦帯があり，雄は臀びれ中央軟条の辺縁に黒色斑が一つある．味はよくない．南日本からオーストラリアにかけて分布する．

さくら肉　⇒うま
さくらます　⇒さけ・ます（海産），ます（淡水産）

 さくらもち 桜餅

成【関東風】15021（こしあん），15152（つぶしあん），【関西風】15022（こしあん），15153（つ

さきいか　左：皮付き，中：ソフト，右：燻製（平　宏和）

桜餅　上：関東風，下：関西風（平　宏和）

ぶしあん）　英Sakura-mochi；(An-stuffed dough in a salted cherry leaf)

小麦粉やもち種でつくった皮であん（餡）を巻いて，それに塩漬の桜の葉（一般にオオシマザクラの葉）を巻いたものである．

◇由来　江戸時代の享保2（1717）年，隅田川の東岸にある長命寺の門番であった山本新六が考案したものである．当初のものは小麦粉を水で溶いて鉄板の上に薄くのばして焼いたもので，あずきのこしあんを巻いてそれに塩漬の桜の葉を巻いたものであった．これが花見客に評判となり，江戸の名物の一つとなった．後に，小麦粉のほかにもち粉も使うようになり，また淡い桜色に色付けされるようになった．

◇原材料・製法　現在では，原料の違いにより2種類の桜餅がある．一つは関東風で，小麦粉を主原料としたものである．もう一つは関西風で，もち米を蒸して乾燥させた道明寺種を主な原料としたもので，道明寺桜餅とも呼ばれる．関東風の製法は，小麦粉に砂糖，みじん粉を混合したものを，水で溶いた白玉粉の中へ加えてこねつけてから，淡い桜色に着色する．この種を，平鍋の上に長い小判型に流して焼く．表面が乾いたら，裏返して，軽く焼き上げる．冷えたらあんを巻いて，それに塩漬した桜の葉を巻いて仕上げる．この場合のあんは軟らかめに練ったものの方が食感がよい．関西風の製法は，まず道明寺種に水を加えて十分吸水させた後，せいろうで蒸す．蒸し上がったら，砂糖を加えてかき混ぜてから淡い桜色に着色する．これであんを包んで，小判型に整えてから塩漬した桜の葉を巻いて仕上げる．道明寺種のものは，生地の水分が多いためにあんが水分を吸収し

て軟らかくなるので，普通のものよりやや硬めに練り上げたものを使用するとよい．なお，塩漬した桜の葉は，一度熱湯を通し，塩出ししてから餅に巻く．桜餅の特徴は，塩漬の桜の葉の香りと塩味がもち種に移行するところにある．桜の葉の塩漬には香気成分としてクマリンが含まれている．

さくらゆ　桜湯

英Sakura-yu；(cherry blossom tea)　別さくら茶
桜の花の塩漬に熱湯を注いだ花茶（はなちゃ）の一種．結納，結婚式などの祝儀のときに用いられることが多い．桜は八重桜を用い，白梅酢を振り，塩漬にする．2〜3片を湯のみ茶碗に入れて熱湯を注ぎ，桜の色と香り（主成分はクマリン）を楽しむ．このほか，塩漬の花を用いる花茶には，らん茶が，乾燥花を用いるものにはハイビスカスティーやローズティーなどがある．

左：桜湯　右：花の塩漬（平　宏和）

さくらんぼ　桜ん坊；桜桃

成07070（国産　生）　分バラ科サクラ属（落葉性高木）　学Cerasus spp.（オウトウ）　英cherries
別おうとう（桜桃）；スイートチェリー；チェリー
旬6月

多くの栽培種があるが，広く世界で栽培されているのは甘果桜桃（sweet cherry）と呼ばれるセイヨウミザクラ（Cerasus avium）と酸果桜桃（sour cherry）と呼ばれるスミミザクラ（C. vulgaris）の2種にすぎない．わが国で一般に利用されるのは甘果桜桃のみである．そのほか小果のマザクラ，ミザクラなどがある．原産地は明確でないが，アジア西部および黒海沿岸地方といわれ，その栽培の歴史は有史以前に遡る．現在のさくらんぼがわが国に導入されたのは明治初年で，主として米国，フランスからである．

生産：落葉果樹のうちで収穫期が最も早く，早生種は6月初めに，中生種は6月中旬，晩生種は6月下旬に収穫される．同一品種でも南に位

さくらんぼ　上左：佐藤錦，上中：紅秀峰，上右：月山錦，下左・下中：紅さやか（収穫後期には下中のように紫黒色になる），下右：アメリカンチェリー（平　宏和）

置する地域ほど早い．生産地は山形，青森，山梨，北海道で，なかでも山形の生産量が圧倒的に多い．さくらんぼは，雌ずい*の柱頭に同一樹および同一品種の異株の花粉を受粉しても結実しない，いわゆる自家不親和の性質が非常に強く，他の品種を混植しなければ果実が着果しない．

◇品種　一般に生食されたり，加工される甘果桜桃には開花後30〜35日に収穫される早生種，40〜45日の中生種，50〜55日の晩生種の品種群がある．早生種には紅さやか，日の出，中生種にはジャブレー，黄玉（きだま），佐藤錦，高砂，蔵王錦，晩生種にはナポレオン，紅秀峰，紅てまりなどがある．生産量は佐藤錦，紅秀峰，ナポレオンが多い．甘果桜桃は生食するほか，多くのものが加工される．酸果桜桃は酸味が強く，わが国での生産はほとんど見られないが，品種としてはアマレル群，モレロ群がある．主として加工用として利用される．

◇成分特性　『食品成分表』では，100g中，水分は国産83.1g，米国産81.1gで，輸入果実の水分含量はやや低い．糖分は11〜25g，糖類はぶどう糖と果糖が多く，しょ糖は少ない．ソルビトールを含む．有機酸*は，甘果桜桃では3g内外，主要な酸はリンゴ酸*であり，全酸の75％以上を占める．ビタミン類は少なく，Cは10mg内外のものがほとんどである．果肉の鮮明な紅色はアントシアン系色素の配糖体*のシアニジン3-グルコシドである．遊離アミノ酸*はアスパラギンとアスパラギン酸が特に多い．

◇保存　保存性が低く，日持ち性は劣る．産地では果実を採取後，直ちに氷水に10分ほど浸漬したり，冷気にあてて予冷し，保冷車で輸送するなど，消費地まで15℃以下の温度が保てるような出荷，輸送方法がとられる．低温貯蔵の場合は，0℃，85〜90％の湿度で10〜14日間保存できる．

◇加工　諸外国では，加工用には酸果桜桃を原料とすることが多いが，わが国では甘果桜桃を兼用している．加工品としては，主にシロップ漬缶詰と糖果（ドレン・チェリー drained cherry，クリスタル・チェリー crystal cherry など）に加工される．缶詰は，原料果実を80〜85℃に加熱，果肉中の空気を除いて冷却し，染色液に漬けて着色後，糖液を加えて缶に密封し，殺菌してつくる．ドレン・チェリーは，漂白した果実を除核し，安定な紅色ないし緑色に再度染色，45％以上の糖液に浸漬する．さらに70％以上の糖液に漬け，糖液を切ったもの．ドレン・チェリーを乾燥して糖の結晶を果面に析出させたのがクリスタル・チェリーである．

さくらんぼ缶詰 ライトシロップ漬（平　宏和）

● アメリカンチェリー
成 07071（生），07072（缶詰）
英 sweet cherries imported from the USA
米国からの輸入さくらんぼが主流をなし，果皮，果肉ともに赤紫色の大粒系品種．ビンクやバンなどがその代表である．果肉は硬めだが，強い甘味と香りをもつ．また，白色種で甘く，果肉も軟らかいレーニヤも輸入されている．主産地は米国カリフォルニア州，ワシントン州で，5～7月頃の輸入が多い．米国産のほか最近ではニュージーランド産の品種ドーソンも出回っている．

 ざくろ　石榴

成 07073（生）　分 ミソハギ科ザクロ属（落葉性小高木）　学 *Punica granatum*　英 pomegranates
原産地はペルシア地方で，有史以前より利用されてきた．わが国に渡来した年代は不明であるが，鎌倉時代にはすでに栽培されていた．わが国では花木として改良された．国内産のものは極めて少なく，市販品の多くはカリフォルニアやイラン産である．
◇**品種**　花木としてのざくろの品種は，わが国に50種以上あるが，果樹としての品種はほとんど見あたらない．中国には400～500gに及ぶ大果種があり，インドでは700gにもなる品種や無核種もある．果実は球形で，直径7～8cmのものが多い．果皮は厚く革質，黄色で，日光に当たると紅色となる．
◇**成分特性**　廃棄率は種子が多いので，皮と種子で55%（輸入品，大果は60%）に及ぶ．100g中，水分は83.9gと多く，有機酸*は0.3g前後．クエン酸，リンゴ酸*などが含まれる．ビタミンCは10mg含まれる．果肉の鮮明な紅色はアントシアン系色素である．
◇**加工**　果実は生食のほかカクテル用シロップグレナディン（grenadine）の原料となる．鮮やかな紅色を生かして，ざくろ酒や濃縮ジュースもつくられる．

ざくろ　上：米国産，下：国産（平　宏和）

 さけ・ます（海産）　鮭；鱒（海産）

分 硬骨魚類，サケ科　英 salmons ; salmonids
サケ科に分類される魚にはさまざまな種類がある．本来，さけとますはすべてサケ科に分類されるが，日本では産地や調理法の都合のためか，昔からさけとますを区別している．英語では，海に下るもの（降海型）を salmon，一生を淡水域で過ごすもの（陸封型）を trout としているが，同種でも両方の型があり，この区分も一概にはいえない．淡水産の種については，ます（淡水産）の項を参照されたい．
◇**種・分類**　サケ科の魚の特徴は，淡水で生まれ，海洋で育ち，産卵のため生まれた川に帰る母川回帰能力をもっていることである．これを遡河魚（そかぎょ）（遡河回遊魚 anadromous fish）という．さけは，ところによって差はあるが，9月から1月にかけて，産卵のために1日約14kmの速さで河川を上る．親魚は川に上りはじめるとまったく食料をとらず，消耗が激しく，雄は両顎が伸び"鼻曲がり鮭"となり，雌は体色がレンガ色に変わり，紫色の斑紋が現れる．これを第二次

さけ　左：雄，右：雌（本村　浩之）

性徴色という．産卵床は水深60～90cmくらいの砂礫底を選び，長さ1m，幅50cmぐらいの穴を掘り，産卵（3,000～4,000粒）し，雄がその上に射精して砂礫で表面をおおう．産卵後は雌雄ともに，餌をとることもなく色あせて死滅する．受精卵は普通60日くらいで孵化する．稚魚は鱗の生じない6cmほどの大きさで川をくだり海に入る．初夏の頃，河口付近で稚魚の大群をみることができる．海に下ったさけ・ますは3～5年海洋で成育し，親魚となり，産卵のため故郷の河川に帰ってくる．

◇**成分特性** さけ肉の外観上の特色は美しい赤色を呈していることである．しかも，さけの色はまぐろやかつおなどの赤身魚と違い，加熱しても褐色とならず，赤色がそのまま保たれている．これはさけ・ます類が筋肉中にアスタキサンチン*という赤色のカロテノイド色素を含んでいるためで，赤身魚に含まれる筋肉色素や血色素は微量しか含まれていない．したがって，さけは赤身魚ではなくて，むしろ白身魚に類似した特性を有しており，煮たときに軟らかくなって，そぼろにすることもできる．しかし成分的には，一般的な白身魚と比べると脂質の含量が高く，脂溶性ビタミン類の含量も赤身魚と同等以上の量を含有している．

肉色の差異：さけの種類により肉の色が違うのは，前記のアスタキサンチンの量が違うからで，肉の色が最も赤いべにざけと比べると，ぎんざけは約半分，しろざけやからふとますはさらにその半分以下しか含まれず，かつ若干の黄色色素が含まれている．

◇**保存・加工** 昔は塩蔵が主体であったが，現在は凍結保存が主となり，塩蔵品も冷凍されるようになっている．これは消費者が塩辛いものを段々と好まなくなったためで，それにつれ塩ざけより生ざけの消費が増えたからである．昔のさけの塩蔵品は，海で獲れたさけを多量の食塩を使って粗放的な山積み法で塩蔵した塩ざけ（塩引き）と，その年新たに遡河したさけを薄塩で丁寧な処理で塩蔵した新巻*に分かれていたが，現在では北洋のさけも新巻と同じ方法で塩蔵され，凍結保存されるようになったため，両者の区別がはっきりしなくなった．また近頃では立て塩漬の製品が一般化し，塩分量が比較的一定しているので定塩さけと呼び，塩分量により，甘塩，中辛，辛塩に分けている．

塩ざけの呼称：従来は，用塩量が魚体重の1～2割のものを新巻き，2.5～3割のものを塩

べにざけ水煮缶詰（平　宏和）

けとしていたが，塩ざけの製法・用塩量も変わり，必ずしも厳密な呼称とはいえない．『食品成分表』での塩分含量で比較すると，新巻が3g/100gに対して，塩ざけは1.8g/100gとなっている．新巻も塩ざけも昔のものより塩分含量が減っているので，常温での保存は難しい．

加工品：さけの加工品としては，べにざけや大西洋さけなどより製造される燻製品がある．これには塩蔵したさけを10数日間18～25℃で長時間燻乾した冷燻品と，三枚におろしたさけを食塩水に短時間漬けてから，約50℃で10数時間燻乾し，約80℃で短時間仕上げの燻乾をした温燻品（スモークサーモン）とがある．また，卵巣や魚卵を加工したすじこやイクラ，腎臓の塩辛であるめふん，鰓（えら）を血抜きして塩蔵したささめなどがある．すじこやめふんは塩分含量が高いので多量に食べるものではないが，カルシウム，鉄*などの無機質やビタミン類の含量が高い点に特色がある．

さけ類の保存食品としては水煮缶詰があり，べにざけ，ぎんざけ，からふとますなどが原料とされる．べにざけが最も品質がよいが，その生産量は少なく，いわゆるさけ缶はからふとますを原料としたものが多い．味付け缶詰もあるが，一般的でない．

ます寿司（富山産）（平　宏和）

その他の加工品として，北海道の粕漬，麴漬，飯鮨（いずし）や白子の調味干し，岩手の鰓のたたき，新潟の飯鮨，酒浸しなどがあるが，名産品的なものである．

◇**調理** 寄生虫（アニサキス*等）のおそれがあり，原則的には生食を避ける．ただし，すし，酒浸し，氷頭（ひず）なます（頭部の軟骨を三杯酢にしたもの．新潟，富山の郷土料理）など，酸やアルコールを加えて保存したものは生食可能である．ほかに生さけの燻製，凍結品の刺身（ルイベ）など，地域的には生食されることもある．一度凍結したさけは，寄生虫が死滅し，刺身として生食もできる．❖塩ざけは直火焼きにする．洋風では網焼き，バター焼き，チーズ焼き，フライなど，焼き物や揚げ物によく，またスープ煮，ワイン蒸し煮など，汁のたっぷりした煮物にも適する．生臭みも少ないので，彩りを生かしたちらし寿司や押し寿司など，冷たい料理にもよい．❖さけは，明治以前にはほとんど河川で獲られていたので，それぞれの河川の流域に独特の郷土料理が発達している．三平汁，石狩鍋，十勝汁（以上北海道），もみじ漬（岩手），納屋煮，酒浸し（新潟）など，鍋物，汁物，漬物が多い．❖"氷頭"をはじめ，卵（すじこ，イクラ），腎臓（めふん，塩辛），あら（汁物）など，どの部分も捨てずに利用できる．缶詰は高圧で加熱して骨まで軟らかく食べられるようになっており，カルシウムのよい給源となる．

●**からふとます**

樺太鱒 成 10126（生），10127（焼き），10128（塩ます），10129（水煮缶詰） 分 サケ属 学 *Oncorhynchus gorbuscha* 英 pink salmon 別 地 せっぱります；らくだます（北海道）

北日本から北太平洋に分布する50cmくらいになる小型のさけ類．産卵期に雄の背は著しく脊椎が曲がることより，北海道などでせっぱります，らくだますといわれる．肉は桃色で缶詰に適し，いわゆるさけ缶は主に本種を原料として製造される．

◇**成分特性** 輸入切り身の成分値は100g当たり，水分70.1g，たんぱく質（アミノ酸組成）*(18.0)g，脂質（TAG当量）*5.1gである．

●**ぎんざけ**

銀鮭 成 10130（養殖 生），10131（養殖 焼き） 分 サケ属 学 *Oncorhynchus kisutch* 英 coho salmon；silver salmon 別 地 ぎんます（新潟）

北海道以北からアラスカ，カリフォルニア州に分布する．北洋で漁獲され70〜80cmになる．かつては，北海道の河川にも上ってきたが，今ではほとんどみられない．現在は，三陸海岸の生簀での養殖が行われている．また，南米のチリで養殖されたものが輸入されていて，品質のよいところから"チリぎん"と呼ばれて広く販売されている．肉は薄桃色で，輸出用缶詰につくられる．

◇**成分特性** 『食品成分表』では，養殖もので100g当たり，水分66.0g，たんぱく質（アミノ酸組成）16.8g，脂質（TAG当量）*11.4gであり，天然のさけやべにざけと比べるとたんぱく質が少なく，脂質が多い．

●**さくらます**

桜鱒 成 10132（生），10133（焼き） 分 サケ属 学 *Oncorhynchus masou* 英 cherry salmon；masu salmon 別 地 ほんます；ます；まます（東京）

全長60cm．日本海岸では北九州以北，太平洋岸では利根川以北に分布する．さけと同様に遡河中で，淡水で産卵し，孵化した稚魚は海に下り，生後3年で成魚となって，産卵のため生まれた川へ上る．さくらますの名前は，産卵期のますが桜色となることと，桜の咲く頃に川を上るためともいわれている．さくらますはさけと違って遡河中も餌をとり，陸封性（land-locked）が強く，河や湖で永住する場合もあり，これをやまめと称している．さくらますはさけによく似ているが，ひとまわり小さく，太めである．体の背部に黒い小斑点が散在する．東京市場で単にます，またはほんますというと本種を指し，北日本では，からふとますを指すことが多い．さくらますは，ます類中最も美味とされるが，現在ではさけ・ます類の中で最も漁獲量が少ない．からふとますが主として缶詰などの加工原料に利用されるのに対し，高級品として料亭などで用いられることが多く，小

からふとます（北海道大学総合博物館）

さくらます（北海道大学総合博物館）

売店の店頭に現れることはまれである．名産品としては，富山のます鮨が有名．

●さけ

鮭；鱒 成 10134（生），10135（水煮），10136（焼き），10139（塩ざけ），10143（水煮缶詰） 分 サケ属 学 *Oncorhynchus keta* 英 chum salmon；dog salmon；keta salmon 別 しろさけ；しろざけ；あきさけ 地 あきあじ（北海道）；しゃけ（東京）

他のさけ・ます類と区別するため，しろざけともいう．単にさけというと，本種を指すことが多い．全長90cm．体は紡錘形でやや長く，側扁する．体色は，背部は青灰色，腹部は銀白色である．昔から庶民の魚として喜ばれてきた．昔は産卵のため沿岸に帰った（9〜12月）さけを定置網や流し網漁業で獲ったものを"秋あじ"といって，大きく肉もよくしまり最もうまいとしていた．しかし近頃は5〜8月頃，沖合で漁獲されたものの方が，かえって味がよいとしている．時期を選ばず沿岸で獲れるものも"ときしらず"と呼び品質がよいとされる．河を遡上しはじめ，色の変わったものを"ぶなざけ"といい不味とする．太平洋岸では利根川以北，日本海沿岸，北海道，カムチャツカ，北米に分布する．最近では人工孵化事業が盛んに行われている．

◇**成分特性** 『食品成分表』では100g当たり，水分72.3g，たんぱく質（アミノ酸組成）*18.9g，脂質（TAG当量）*3.7gとなっている．

●さつきます

五月鱒 分 サケ属 学 *Oncorhynchus masou ishikawae* 英 red-spot masu salmon

あまごの降海型である．全長40〜50cm．さくらますに似ている．神奈川県以西の太平洋側および瀬戸内海の沿岸に分布．美味である．

●たいせいようさけ

大西洋鮭 成【養殖 皮つき】10144（生），10145（焼き），10433（水煮），10434（蒸し），10435（電子レンジ調理），10436（ソテー），10437（天ぷら）【養殖 皮なし】10438（生），10439（水煮），10440（蒸し），10441（電子レンジ調理），10442（焼き），10443（ソテー），10444（天ぷら） 分 タイセイヨウサケ属 学 *Salmo salar* 英 Atlantic salmon 別 アトランティックサーモン

大西洋北部とそこに注ぐ河川に分布するヨーロッパ原産のさけである．全長1.5m以上になるが，近年天然産のものは激減し，北欧や南米で養殖されたものが輸入されている．体色は背面が暗青色で腹面は淡く，体側は銀色で小さな不定形の斑点が散在するのが特徴．太平洋産のさけと異なり，産卵後も生き残るものが多い．肉色はぎんざけと同じ程度の桃色である．主にドレス（頭，内臓を除いたもの）あるいはフィレーの冷凍品として輸入される．生鮮の切り身や塩蔵品としても販売されるが，加工としては普通スモークサーモンと呼ばれる燻製品としての評価が高い．

◇**成分特性** ぎんざけと同じく，養殖ものでは100g当たり，水分62.1g，たんぱく質（アミノ酸組成）17.3g，脂質（TAG当量）*14.4gとなっているように脂質が多い．

●べにざけ

紅鮭 成 10149（生），10150（焼き） 分 サケ属 学 *Oncorhynchus nerka* 英 sockeye salmon 別 べにます；カバチエプ（アイヌ語）

北海道からアラスカ，アメリカ西海岸に分布し，全長80cmになる．肉色は濃赤色で，産卵期になると雄の体表やひれが紅色になる．9〜10月に川の上流の礫地に3,000〜4,000粒の卵を産み，親は産卵後に死ぬ．べにざけの陸封されたものがひめます*である．

●ますのすけ

鱒之介 成 10152（生），10153（焼き） 分 サケ属 学 *Oncorhynchus tschawytscha* 英 chinook salmon；king salmon；spring salmon 別 すけ；おおすけ（北海道，東北） 市 キングサーモン

日本海北部からオホーツク海，ベーリング海に至る北洋に分布する．同属中最も大きく2mくらいにもなる．8〜1月に産卵．稚魚は1年近くを川で過ごした後，海へ下る．北洋で漁獲されるが，数は少なく，量的にはアメリカ側に偏在する．これも最近では養殖ものが増加している．

◇**成分特性** 『食品成分表』では，輸入切り身は100g当たり，水分66.5g，たんぱく質（アミノ酸組成）(16.2)g，脂質（TAG当量）9.7gで，ぎんざけと同様，脂質の多い点に特徴がある．

酒粕 さけかす

成 17053 英 Sakekasu；(Sake lees)

酒粕には，清酒もろみ*を搾って得られる清酒粕と，みりんもろみを搾って得られるみりん粕がある．清酒粕はアルコールを約8％（重量％），みりん粕は約4％含む．

◇**調理** 板粕は焼いたり，水，砂糖などを加えて，速成甘酒や粕汁などにする．粕汁は，酒粕と少量のみそで味を付け，具をたくさん入れた汁物で，寒い冬には特に喜ばれる．塩ざけや塩ぶりを，大

酒粕（平　宏和）

さざえ

根，にんじん，さといも，こんにゃく，油揚げなどとともにだしの中で煮た中に酒粕と少量のみそを加えて，弱火で気長に煮込む．また，酒粕の風味を生かした粕漬はウリ科などの野菜，たい，さけ，たら，さわら，まながつお，いかなどの魚介類の保存食として利用されている．

さけとば　鮭冬葉

英 Sake-toba

さけの塩干品．皮付き三枚おろしに塩味を付け，尾部を残し，縦に身を切り乾燥させる．ソフトとばと呼ばれる製品は，加工は同様であるが，調味液に浸漬し，乾燥時間を短くし，ソフトに仕上げたもので，皮をとり一口大に切った包装品もある．

鮭とば（ソフト，スライス）（平　宏和）

さざえ　栄螺；拳螺

成 10295（生），10296（焼き）　分 軟体動物，腹足類（綱），サザエ科サザエ属　学 *Turbo sazae*
英 turban shell；spiny top-shell；horned turban　別 さざい；さたべ　旬 春～夏

こぶし形の巻き貝で，殻には太くて強い管状の突起がある．この突起は荒い海に棲むものでは大きいが，内湾や静かな海に棲むものでは小さく，ときにはないものもある．卵生で，産卵期は夏．3年ぐらいで市場サイズになる．一番うまいのは産卵前の最も太った春から夏にかけてである．北海道南部から九州，中国大陸，朝鮮の暖海の潮間帯下の岩礁に棲み，あらめ，わかめ，ほんだわら，かじめなどの海藻を主食とする．殻が貝細工に使われるやこうがいも，さざえの仲間である．

◇成分特性　巻き貝の中ではたんぱく質含量が高く，脂質，炭水化物の含量が低い．しかしビタミン類はかなり豊富である．さざえのステロール*は100g当たり140mgとされているが，そのほとんどがコレステロールよりなり，またプロビタミンD*の含量も，巻き貝の中では最も高い部類に属する．

肉質：さざえの肉は内臓，筋肉が，およそ4：5の割合で構成され，残りが外套膜*となっている．これらの肉の性質をみると，コラーゲン繊維を主とする足の筋肉は生では硬いが，加熱すると軟らかくなるのに対し，熱凝固性のたんぱく質を主体とする内臓は逆の傾向を示す．

◇加工　加工品は少ないが，粕漬のほか，味付け缶詰につくられている（トップシェル*）．名産品的なものとして，石川県輪島地区のさざえべしが唯一のものであろう．これは殻のまま茹で，中身を取りだし，さざえ10に対し麹3，塩1くらいの割合で漬け込んだもので，薄く切ってそのまま食べる．

◇調理　生食する．加熱調理の場合，殻ごと火にかけて焼き，しょうゆを落として食べる．筋肉部分は淡白な味でうま味もそれほど強くないが，筋肉につづく内臓（わた）の部分は，多少クセのある特有の風味をもつ．わたの白いのは雄，緑色のは雌であるが，雄雌で味が変わることはない．外套膜の縁は少し苦い．だし汁，みつば，しいたけ，ぎんなんなどを加えて，殻におさめて焼くのがつぼ焼きである．ほかに和え物，うま煮などにもする．※筋肉が比較的硬いので，加熱が長いと身がしまって味を落とす．なるべく短時間で焼くようにする．

● ちょうせんさざえ

朝鮮栄螺 分 チョウセンサザエ属 学 *Turbo argyrostomum* 英 top shell；turban shell

朝鮮という名が付いているが，韓国には産しない．奄美以南の西太平洋，インド洋に分布する．形は棘のないさざえに似ている．殻口*が銀白色で，食用のほか貝ボタンの原料となる．殻口が黄金色の近似種きんぐちさざえ（*Turbo chrysostomum*）は東南アジア，南太平洋に分布する．

● まるさざえ

丸栄螺 分 チョウセンサザエ属 学 *Turbo setosus* 英 top shell

沖縄以南，西太平洋，インド洋に分布する．螺塔に比べ体層が太い．螺肋は太くなめらかで，棘立つことがない．食用．

● やこうがい

夜光貝 分 ヤコウガイ属 学 *Turbo marmoratus* 英 green turban；green snail 別 やくがい

奄美以南，西太平洋，インド洋の水深20〜50 mの岩場やサンゴ礁に棲む．さざえ類中，最も大きく，殻高18cm，殻径20cmにもなる．殻色は緑色の濃淡と褐色の斑紋がある．食用とするほか，殻を磨（す）って美しい真珠層を磨き出し，正倉院の宝物に見られるような螺鈿（らでん）などの装飾品とする．昔，屋久島からの献上品で「やくがい」といわれ，それが転じて夜光貝となったといわれ，夜光という意味ではない．刺身にすると美味で，加工原料にも用いられる．

ささげ　上：ささげ，下：黒ささげ（黒あずき）沖縄産（平　宏和）

 ささげ 豇豆；大角豆

成 04017（全粒 乾），04018（全粒 ゆで） 分 マメ科ササゲ属（1年生草本） 学 *Vigna unguiculata* 英 cowpea

原産地には，熱帯アフリカやインド北東部など諸説がある．日本へは中国を経て伝わり，全国的に栽培されているが，特に愛知，岡山，千葉などの暖地で盛んである．世界では，ナイジェリア，ニジェールの生産量が多い．

◇**品種**　矮性とつる性の2種類に大別される．品種には，つる性でさやの長さが短い金時ささげ，小豆ささげ，黒ささげなどと，さやの長い十六ささげなどや，矮性で種子を食用とするやっこささげなどがある．いずれも未熟のさやの軟らかいうちは野菜として利用される．特に十六ささげの種子は味が悪いので，普通は食用とはされず，もっぱら野菜用である．ささげの種子は球形か腎臓に似た形で，色は白，黒，褐赤，紫などがある．そのうち，黒ささげについては，黒あずきともいわれ，北海道，東北地方，長野，沖縄などで栽培，利用されている．

◇**成分特性**　主成分は炭水化物，次いでたんぱく質で，炭水化物の主体はでん粉である．たんぱく質の多くはグロブリン*で，これをビグニンと称する．このほかはほとんどあずきに準ずる．

◇**用途**　子実（種実；完熟豆）はあん，甘納豆などの菓子の原料，赤飯に用いられる．

◇**調理**　吸水による表皮の損傷（胴切れ）があずきより少ないので，あずきの代わりに赤飯に用いられる．

笹だんご

成 15124（こしあん入り），15154（つぶしあん入り） 英 Sasa-dango

笹の葉で巻いた小豆餅で新潟の名物．古くは，ハレの日の食品であった．

笹だんご（平　宏和）

◇**由来** よく分からないとされているが，明治初期は塩小豆あんであったという．

◇**原材料・製法** もち米とうるち米の粉と乾燥ヨモギを熱湯で捏ね，小豆あんを包み，これを上下から数枚の笹の葉でやや俵形にしてくるみ，両端と中央をイグサかスゲで結んで，蒸す・茹でるなどして仕上げる．

笹ちまき　⇨ちまき

サッカリン

英 saccharine

1880年代に工業化された歴史の古い甘味料で，白色，無臭の結晶である．無水フタル酸の脱水によってつくられる．サッカリンは水に対する溶解度が低い（20℃で1,000 mLに1 g）ために，一般には溶性サッカリンと呼ばれるサッカリンナトリウムが食品添加物*（指定添加物）として使われている．甘味度はしょ糖の200〜500倍とされ，pH*や濃度によって異なる．食べたあとに口中に甘さの残る，いわゆる後味をもっている．また，加熱によって苦味を呈じるので，単独で用いるよりも砂糖と併用されることが多い．

　用途：エネルギー値が0 kcal/gであることから，ダイエット食品への利用が行われている．そのほか，漬物，水産練り製品，佃煮などの加工食品に使われる．それぞれの食品について食品衛生法*による使用基準が定められている．

さつきます　⇨さけ・ます（海産）

雑穀　ざっこく

「雑穀」については明確な定義はなく，次のような諸説がある．①主穀の米・麦を除くイネ科の穀類．②主穀の米・麦を除く穀類．この説では，イネ科以外の穀物として，擬似穀類（タデ科：そば，アカザ科：キヌア，ヒユ科：アマランサスなど），さらにはまめ類，油糧種子（なたね，ごま，えごまなど）を含む場合もある．③「millet」に対応する穀類．雑穀は英語のミレット（millet）の訳語で，イネ科の小粒穀物の名称である．この説では，米，麦，さらにとうもろこし，もろこし，はとむぎなども含まれない．

雑酒　ざっしゅ

酒税法による分類（品目）の一つで混成酒類に入る．酒類は原料や製造方法によって分類されているが，どれにも該当しないもの．この中に木灰を原料の一部とする熊本地方の特産の赤酒*などがある．

さっぱ　⇨いわし

さつまあげ　薩摩揚げ

成 10386　**英** Satsuma-age（deep fried kamaboko）　**別** さつまあげ（関東）；てんぷら（関西）；つけあげ（鹿児島）

魚肉に食塩，砂糖，でん粉，卵白などを加えたものを練りつぶして成形し，あるいはこれにえび，にんじんなどを加えたり，あるいはいか，ごぼう，えびなどに巻いたりして成形したものを油で揚げ，たんぱく質を凝固させたものである．
中国から沖縄（琉球）経由で薩摩に伝わり，全国に拡がったといわれ，関東ではさつまあげ，関西ではてんぷら（揚げかまぼこの総称として），鹿児島ではつけあげなどと呼ばれる．形は楕円形から丸形，角形などさまざまで，副材料として加えるものには，たまねぎ，にんじん，ごぼうなどのほか，いか，たこ，えびなど，うずらのゆで卵を包み込んだものなど各種の特色ある製品がある．

◇**成分特性** 揚げてあるため水分が減少し，たんぱく質12.5 gがその分だけ多くなるほか，脂質含量の多い赤身魚の利用や揚げ油の表面への付着により脂質（TAG当量）* 3.0 gが多く，またでん粉量が一般に多いために（かまぼこ類の認証基準作成準則では魚肉に対し10％以下，生産実態から別に規定するときは12％），利用可能炭水化物*（差引き法）も14.6 gとかなり多い．

◇**調理** さっと軽く焼き，生姜や辛子じょうゆで食べるほか，煮付けや煮物などにする．

さつまあげ（平　宏和）

さつまいも　薩摩芋；甘藷

成【皮なし】02006（生），02007（蒸し），02008（焼き），【皮つき】02045（生），02046（蒸し），02047（天ぷら），【むらさきいも 皮なし】02048（生），02049（蒸し），【でん粉】02033

分 ヒルガオ科サツマイモ属（多年生草本）　学 *Ipomoea batatas*　英 sweet potato　別 かんしょ（甘藷，甘薯）；りゅうきゅういも；からいも

ヒルガオ科に属する多年生草本*の塊根*である．わが国では1年生作物として栽培される．原産地は確定的ではないが，中央アメリカのメキシコとコロンビア地方とされている．中米，北米のインディアンにより栽培されていたが，1492年コロンブスによりスペインに伝えられヨーロッパに広がった．アジア方面へはスペイン人によってマニラ（ルソン）へ，ポルトガル人によってマレー群島へ伝えられた．中国へは1594年，明の時代にルソン島から福建地方へ伝えられた．日本へは，琉球の進貢船総管野国（名不明）が中国の福州から慶長10（1605）年に琉球（沖縄）にもち帰り，長崎，薩摩（鹿児島）を経て，山陽，関東へと全国的に広まった．

◇用途　さつまいもは単位面積当たりのエネルギー生産量が食糧作物中最大で，エネルギー供給源として重要な作物である．わが国では近世以来，救荒作物として栽培され，第二次世界大戦中および戦後に食用のみでなくアルコール原料用，甘味資源用として重要視された．

◇品種　さつまいもには多くの品種があるが，利用加工上，特に重要な性質としては，いもの色沢，形状はもちろん，食味，収穫量，成分含量，栽培・貯蔵の難易などがあげられる．昔は農家が優良なものを選び出していたが，大正半ば頃から農林省が人工交配による積極的な品種改良を開始し，以来優良品種が次つぎとつくられ，現在はその多くが育成品種となっている．さつまいもの品種を用途別にみると，①食用，②食品加工用，③でん粉・アルコール・飼料用に大別される．

肉質の色については，紫系（むらさきいも）とオレンジ系があり，一般のさつまいもにくらべ紫系はアントシアニン含量，オレンジ系はβ-カロテン含量が高い．

①食用：食用品種の代表にべにはるか，ベニアズマと高系14号がある．べにはるかは，皮色は赤紫色，肉は黄白色で，食味が優れ，菓子原料などにも向く汎用性の高い品種として，九州沖縄農業研究センターで育成され，2007年に登録された．ベニアズマは，農林省九州農業試験場で得られた交配種子を農林水産省農事試験場が選抜・育成を行い，昭和59（1984）年に登録・命名された．皮は濃赤紫色，肉は黄色・粉質で甘味が強い．高系14号は，沖縄県農業試験場で得られた交配種子を高知県農業試験場で選抜・育成され，昭和20（1945）年に品種登録された．皮は紅色，肉は黄白色・粉質で食味が優れている．さらに本品種を用いた選抜・改良が各地でなされ，鳴門金時（徳島県），宮崎紅（宮崎県），ベニサツマ（鹿児島県），土佐紅（高知県）などの派生系統が多くみられる．オレンジ系には，鹿児島県種子島の在来種：安納芋（あんのういも）があり，第二次世界大戦後，南方からの帰還兵が持ち帰った苗を安納地区で栽培したのが始まりといわれている．品種には在来種を選抜し，平成10（1998）年に登録・命名された皮色が赤紫色の安納紅，淡黄色の安納こがねがある．加熱時のとろりとした食感と甘味が強い．

②食品加工用：肉色が紫系の品種が九州（紫いも）～沖縄（紅いも）にみられる．オレンジ系ではベニハヤトがあり，肉色が濃い．これらは菓子，パウダー，ペーストの原料としても利用される．蒸し切干し用としては，皮色が黄白色のタマユタカが多く使われる．そのほか，β-アミラーゼ活性が低く，加工時に褐色化の原因になる遊離糖の

さつまいもの花（平　宏和）

さつまいも　上：高系14号，下：コガネセンガン（平　宏和）

生成が少ない品種もみられ，じゃがいもと同様に使われる．

③でん粉・アルコール・飼料用：品種にはでん粉含量の高いことが要求され，代表品種としてコガネセンガンがある．農林省九州農業試験場で育成，昭和41（1966）年に登録・命名された．皮色と肉色は黄白色で，粉質で甘味が強い．九州のいも焼酎に多く使われるが，食用・加工用にも利用されている．

◇**成分特性** 主成分は炭水化物で，でん粉が大部分を占めるが，じゃがいもに比べると糖分を多く含んでいる．しかし，同量の米や小麦粉に比べて水分含量が多いので，エネルギーは約1/3と低い．炭水化物以外には，少量ではあるが，たんぱく質，無機成分を含む．このほかにビタミン類，酵素類，樹脂成分などが存在する．100g当たりのビタミンCの含量は29mgと，温州みかん35mg並みに高く，しかも加熱にも比較的安定している．満腹感の得られる割には低エネルギーで，食物繊維，ビタミンCが多い食品として，また便秘を防ぎ大腸癌予防に有効な食品として再評価されている．しかし，大量にまた長期間にわたって食用とするには，水分が多いため貯蔵が困難で腐敗しやすい短所をもっている．最大の欠点は，輸送の際，同じエネルギー量を運ぶのに，米麦など穀類の3倍もの質量を運ぶことになることである．またじゃがいもに比べて糟分が多いこと，特有のにおいがあることなどがあげられる．

特殊成分：さつまいもを切断すると，その切り口から粘性のある白い乳液が出る．この乳液は一般に"ヤニ"と呼ばれ，手や器物に付着すると黒くなる．これはヤラピノール酸とオリゴ糖からなる樹脂配糖体ヤラピンである．ヤラピンは豊富な食物繊維と相まって，便通をよくし，また健胃効果があるといわれている．

さつまいもを切断して乾燥する場合，乾燥中にいもが褐変して，食品価値が低下する．この変色の原因はいもの中の酸化酵素が，クロロゲン酸*その他のポリフェノール物質に作用してキノン型となり，これがアミノ酸またはたんぱく質と結合して褐変物質ができるためである．蒸し切干し*は，生いもに長時間水蒸気（80℃以上）をあてて酸化酵素を破壊した後，蒸しいもを切断して乾燥するので合理的な加工品である．

◇**保存** さつまいもは生育中いつでも収穫できることが特徴である．さつまいもは米麦などの穀類に比べると貯蔵が困難とされていた．その理由は，水分含量が多く寒さに弱く（9℃以下で腐敗），病気にかかりやすいこと，発芽しやすく（17℃以上で発芽），呼吸熱や二酸化炭素の発生量が多いことなどがあげられている．しかし最近は貯蔵技術が進歩し，ほぼ完全に貯蔵できるようになった．品種により貯蔵性に難易はあるが，温度は10～15℃，湿度は90～95％の条件が満たされればどんな方法でもよい．種いもや生食用のいもを貯蔵する際にキュアリング処理*が行われる．この処理によりいも表面の傷を受けた細胞層がコルク化し，腐敗菌の侵入を防ぎ低温に対する抵抗力を増大させ貯蔵性を高める効果がある．

◇**加工** 生食用を除いた一次加工品としては，でん粉加工を除くと，いもあん，いも羊羹*，いもせんべい*，いもかりんとう*，いも納豆（あまなっとう*），スイートポテトチップス，冷凍食品，いも焼酎*などがある．

◇**調理** いも類の中でただ一つ強い甘味をもつ．このため副食に組み込むより，単独で間食に用いたり，あるいは主食代用に用いられることが多い．※アミラーゼ*を含み，60℃近くまでゆっくり加熱していくと，糖化が進んで甘味が増す．電子レンジで急速に加熱したさつまいもに甘味が乏しいのはこのためである．そこで大型のまま蒸したり，石焼きにする方法が行われる．※和・洋・中国料理とも，甘味をさらに強調するような調理法が行われる．きんとん，甘辛煮，パイ，スイートポテト，あめ煮，さつまいもとりんごの重ね煮などがその例である．塩を少し用いると甘味が強調されるので，ふかしいもにも蒸し上がったところでふり塩をする．※さつまいもを甘辛く煮付けるとき，調味料を最初から加えておくと，内部までよく浸透するとともに組織をひきしめて煮崩れを防ぐ．※さつまいもは揚げ物にすると，油脂が加わって味になめらかさを増す．天ぷら，揚げ煮（大学い

さつまいも 上：山川紫，中：ベニハヤト，下：安納芋
（平 宏和）

も），バター焼きなどがその例である．中国料理の抜絲（バーシー；あめ煮）も高温で揚げたいもが冷えないうちに，油を混ぜた砂糖のあめをからませて糸をひかせる．❋さつまいもの皮に含まれるクロロゲン酸は，アルカリと反応すると緑色に変わる．このため，揚げ物の衣に重曹（炭酸水素ナトリウム*）を入れたとき，さつまいもの皮と接触した衣の部分が揚げたあと鮮やかな緑色を示すことがある．

●いも粉
英 sweet potato flour
さつまいもからつくられるいも粉は，第二次世界大戦後の食糧難の時代には，主食としてかなりの量が生産され消費されていた．しかしその後，食糧事情の安定化とともに急激に減少した．現在では商品生産はほとんど行われていない．昭和45（1970）年頃より新しいいも粉として"スイートポテトマッシュ"が開発され，スナック食品や製菓原料に用いられている．加工法は，乾燥マッシュポテトの製法に準じている．

●さつまいもチップス
英 sweet potato chips
さつまいもを薄く輪切りにし，油で揚げ，食塩，または食塩と砂糖で軽く味付けしたスナック菓子．紫系とオレンジ系品種の製品もみられる．

●大学いも
英 Daigaku-imo；(fried sweet potatoes covered with syrup)
乱切りしたさつまいもを油で揚げ，糖蜜で絡めたもの．煎り黒ごまを表面に散らすこともある．大正から昭和にかけての学生街で好まれたのでこの名が付けられた．

大学いも（平　宏和）

さといも　里芋

成 02010（球茎 生），02011（球茎 水煮），02012（球茎 冷凍）　分 サトイモ科サトイモ属（多年生草本）　学 *Colocasia esculenta*　英 taros；dasheens　別 古 家のいも

熱帯アジアのインド，スリランカ，スマトラ，マレー半島の原産で，かなり古い時代から分布していたサトイモ科の多年生草本*だが，わが国では1年生作物として栽培されている．熱帯では多年生になる．現在では広く熱帯，温帯の各地に栽培されている．原始マレー族の移動とともに太平洋一帯や，アフリカ，スペインに達した．新大陸発見後米国にも伝わり，近年北米でも，ハワイその他から導入し試作され，利用法が研究されている．中国では紀元前，『史記』（B.C.100～200年）にすでに記録があり，『斉民要術』（560年頃）には15品種が記載されており，親いも用や子いも用品種を類別している．わが国にもかなり古くからあったようで，『万葉集』（783年頃），『倭名類聚抄』（931～938年），『延喜式』（927年）にも記載がある．さといもの意味は"山のいも"に対して里で栽培したため付けられたもので，古くは"家のいも"と呼ばれた．

◇品種　もっぱら野菜として利用され，市場向けの栽培が多く，また中部以北や冷涼地では生育期

さつまいもチップス　上：普通品種，下：紫系品種（平　宏和）

さといも（石川早生）（平　宏和）

間が短いため早生の子いも用種が多く分布している。関東以南の暖地では、親子兼用種が多い。さといもは種いもの上に新規いも（親いも）を形成する。親いもは円筒形が多いが、まれに塊状形の者もある。親いもの基部には子いもが形成されるが、子いもには丸形、長丸形、長形、細長形のものがある。同様に子いもから孫いも、孫いもから曾孫いもができる。利用上の品種分類は、親いも用種、親子兼用種、子いも用種、葉柄用種に大別される。通常、市場でさといもと呼ばれているものは子いもだけを指す場合が多い。代表的品種としては親いも用種として、たけのこいも（京いも）、親子兼用種として赤芽、セレベス（大吉）、唐芋（とうのいも）、八つ頭などがある。なお、えびいもは唐芋の子いもを4〜5個に制限し、1個400g前後のえび形になるように栽培されたものである。子いも用種として蘞芋（えぐいも）、石川早生、土垂（どたれ）、蓮葉芋、烏播（ウーハン）などがある。葉柄用種（ずいき用）としては、みがしき、溝芋（みそいも）などがある。なお、さといもと分類学上の種が異なるが、蓮芋（はすいも）（*Colocasia gigantea*）などがある（ずいき＊）。

◇**栽培** 原産地の熱帯地方のタロイモは水田栽培されるが、わが国ではほとんどが畑作である。わずかに奄美大島、沖縄諸島で水いも（田いも、ターム）が水田栽培されている。

◇**成分特性** さといもの成分は品種、産地、栽培条件などにより異なるが、水分70〜80％、固形物中では炭水化物（主にでん粉）が大部分を占める。でん粉以外の炭水化物としては、ペントザン、ガラクタン、デキストリン＊、しょ糖なども含まれている。ビタミン類は比較的少ない。さといもの粘質物（ぬめり）は多糖類＊のガラクタンとたんぱく質が結合したものである。

特殊成分：いもにわずかにえぐ味があるが、これは微量のホモゲンチジン酸＊とシュウ酸カルシウムを含むためである。アクにはわずかにシュウ酸＊があるため、直接皮膚にふれると痒みを起こさせる。さといもの葉柄＊を"ずいき"と呼び

えびいも（平　宏和）

食用とされる。葉柄には緑色から赤紫色まで種々あるが、緑色のものはシュウ酸の結晶を含み、えぐ味が強くて食用にならない。赤紫色のものが食用に供される。その赤紫色はアントシアンである。

◇**保存** 貯蔵は比較的簡単であるが、5℃以下の低温では腐敗するので注意を要する。

◇**用途** 南方ではでん粉への利用も行われているが、わが国では野菜として副食に用いられる。茹でたものが冷凍食品にされる。

◇**調理** 味は淡白だがアクとえぐ味がある。これを抜くためにも、茹で物または煮物など湿式加熱がよい。大型の八つ頭は含め煮にする。※ぬめりは煮汁の粘度を高め、泡立ちやふきこぼれの原因になったり、調味料の浸透を妨げたりする。ぬめりを形成する粘質物は食塩水に可溶なので、煮る前に塩もみをして除くか、あるいは塩を入れて下茹でするとよい。※いもを皮付きのまま蒸し、または茹でたものをきぬかつぎ（衣被）と呼び、月見料理などに使われる。

●**京いも**

成【たけのこいも　球茎】02052（生），02053（水煮）　英 Kyoimo　別 たけのこいも

親いも用種の代表的なもので、肉質は粉質で煮物に利用される。形がたけのこに似た円柱形をしている。寒さに弱く、主産地は九州である。

●**セレベス**

成 02050（球茎 生），02051（球茎 水煮）　英 Celebes

さといも（土垂）（平　宏和）

京いも（平　宏和）

セレベス（大吉）（平　宏和）

やつがしら（平　宏和）

インドネシアのセレベス島（現・スラウェシ島）から昭和10（1935）年に日本へ導入された赤芽系の品種で，大吉，赤芽芋とも呼ばれる．親子芋兼用種で，収量も多い．芽が赤く，子芋も丸形で大きい．やや粉質で煮崩れしやすい．9月中旬～翌年1月ころまで出荷される．

●水いも
成 02013（球茎 生），02014（球茎 水煮）　英 Mizuimo

さといもの変種で，南九州から，奄美大島，沖縄地方で栽培されている．灌水した水田で栽培するものを田いも（ターム）という．1個300～500gの親いもを食用とする．沖縄では正月や盆の行事食としても欠かせない．一般に，生で流通することはなく，蒸したり，煮たりしてから出荷する．葉柄*も食用となる．

●やつがしら（八つ頭）
成 02015（球茎 生），02016（球茎 水煮）　英 Yatsugashira

唐芋（とうのいも）が変化したもので，不整形な塊状のため頭が八つあるようにみえるのでこの名がある．この形は，親いもの肥大が早めに止まり，子いもの肥大が早いので，親子が分球せずに結合したためにできる．でん粉含量が高く味もよいので，さといもの中でも高級品とされる．おせち料理にも使われる．

水いも（水煮）（平　宏和）

 さとう　砂糖

英 sugar

甘蔗（かんしょ；サトウキビ），ビート（テンサイ，サトウダイコン）などの天然の植物に含まれるしょ糖を取り出した製品である．それぞれを甘蔗糖，ビート糖（テンサイ糖）という．

◇**歴史**　**甘蔗糖**：甘蔗（*Saccharum officinarum*）はイネ科の多年生草本*で，古くからインドで甘味を得るために利用されていた．B.C.325年，アレキサンダー大王のインド遠征時の記録に，「アシの茎から蜜をとっている」と記されている．6～7世紀頃には，茎から搾った汁を煮つめて砂糖がつくられた．16世紀にはアメリカ大陸に伝播し，プランテーションと呼ばれる大農園が奴隷労働を基盤としてつくられ，以後，砂糖は次第に各地に広まっていった．日本へは奈良時代に中国から渡来した鑑真和上がもたらしたといわれる．足利時代には中国との貿易が盛んとなり，砂糖の消費も増え，菓子も並行して発達したが，江戸時代に砂糖が国内生産されるまでは薬用として用いられていた．明治時代でも砂糖はむしろ貴重品として扱われ，一般への普及は遅れていた．キャラメルをはじめとする大量生産菓子の発達は，日清戦争以後，台湾での砂糖の生産の増大によるところが大きかった．現在甘蔗は沖縄県，鹿児島県で栽培されている．

ビート糖：1747年ドイツのマルグラーフ（A.S. Marggraf）が，当時家畜の飼料とされていたビートに6％のしょ糖が含まれていることを発表し，甘蔗によらずに砂糖の製造が行えるようになった．ビートのしょ糖含量は，その後の品質改良によって次第に増量し，現在では20％を超すまでになっている．日本にビートの製糖工場ができたのが明治13（1880）年で，これ以降，北海道で栽培されている．

◇**種類・分類**　原料による分類：わが国で使われ

甘蔗の茎（平　宏和）

る砂糖の大部分が甘蔗糖である．甘蔗には約18%，ビートには15〜20%のしょ糖が含まれる．甘蔗では茎を搾って糖液を得るが，ビートでは酵素作用があるために，薄片としたものを温湯で浸出して糖液とする．そのほかわずかではあるが，サトウカエデ，スイートソルガム（糖用モロコシ），サトウヤシも砂糖の原料となる．かえで糖はメープルシュガーともいい，独特の風味をもつ（メープルシロップ*）．

　製法による分類：砂糖は製造の工程で得られた糖液を濃縮し，さらにこれを結晶させて得られる．甘蔗の搾汁液，ビートの浸出液は，いずれも不純物を多く含んでいるために精製が必要である．不純物としては遊離酸，たんぱく質，ペクチン*，色素，ガム質，繊維などがある．これらを除去したのち，真空結晶缶で糖液の濃縮，結晶の析出を行う．この操作を煎糖（せんとう）という．煎糖によって得られたしょ糖の結晶と液体の混合物は白下（しろした）または白下糖と呼ばれる．白下から結晶を分離したものが分蜜糖で，残りが糖蜜である．糖蜜を含んだ状態のままつくられた製品を含蜜糖（がんみつとう）という．精製，結晶化の操作の差異によって，砂糖は**図1**のように分類される．図に示した砂糖のほか，含蜜糖として原料糖，精製糖，糖蜜の2種類以上を混ぜてつくる再生糖と呼ばれる加工糖がある．製品として再生三温，再生赤糖，白下などがあるが，一般にはみられず，主に加工食品用である．

◇**成分特性**　**エネルギー値**：砂糖はほとんどがしょ糖であり，吸収されてエネルギー源として利用される．体内に入った砂糖は構成成分であるぶどう糖と果糖とに分解されて吸収される．その後の代謝には，ビタミンB_1を必要とする．砂糖の過剰摂取はB_1の不足を起こすため，B_1の含まれる食品を同時に摂らなければならない．

　水分：ざらめ糖と氷砂糖以外はわずかの水分を含んでいる．車糖では上白糖，三温糖の順に水分

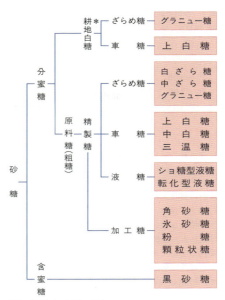

注）* 国産ビート糖の場合

図1　製法による砂糖の分類

含量は多くなる．ポリエチレン袋詰の際の自動秤量と袋詰の一連の工程が円滑に行われるよう，上白糖の水分は0.8%に調整されている．

　しょ糖含量：一般に含蜜糖では，天然原料に含まれている夾雑物が混入するために，相対的にしょ糖濃度は低い．黒砂糖では80%である．しょ糖含量は精製されるほど高くなり，車糖の場合，三温糖で96.4%，上白糖で97.8%である．ざらめ糖，氷砂糖などは純粋に近いしょ糖の結晶で，しょ糖含量は99.9%以上と高い．氷糖蜜は63.3%のしょ糖を含む．砂糖の甘味はしょ糖濃度だけによるものではなく，車糖のように転化糖*をわずかながら含み，しっとりとした感じを与えるものは純粋に近い氷砂糖などよりも甘味を強く感じる．

　無機質・ビタミン：砂糖類のうち黒砂糖にはカリウム，カルシウムが多く含まれ，リン，鉄*，ナトリウム*なども残存している．ビタミンは黒砂糖，和三盆糖を除きほとんど含まれない．清涼飲料製造などの加工原料用としては，あくまでも高純度の砂糖が要求されているが，一方，消費者からは，あまりに精製されすぎて，栄養学的な面からビタミンや無機質の欠如が問題だとの指摘もある．車糖の三温糖にはビタミンB_1，B_2が微量

表1 砂糖の加熱温度による変化

加熱温度（℃）	液の状態
100～110	泡が立つ，シロップ状
120	液に粘りが生じる，糸をひく
140～155	やや黄色となる
175～180	褐色となる
180～190	褐色濃くなる，カラメルの生成

表2 砂糖の調理

物　性	用　途
粘性付与	シロップ，抜絲（バーシ）
水分の保持	あん，ケーキ
コロイド形成	ケーキ，メレンゲ
テクスチャー保持	フォンダン，カスタード
光沢付与	きんとん，あめ煮
老化防止	ようかん，あん
防腐	砂糖漬
発酵促進	パン，まんじゅう
ペクチンのゲル形成	ジャム，ゼリー
結晶化	ボンボン，金平糖
カラメル化	プディング

に含まれるが，これは原料糖である粗糖のビタミン B_1，B_2 が，精製工程で濃縮されてくるものである．無機質やビタミンは，精製技術が進んで，以前の製品よりも全般に少なくなっている．

◇用途・保存　用途：二次的に加工した角砂糖，氷砂糖，コーヒーシュガーなどのほか，製菓，清涼飲料水，乳製品，缶詰など，加工食品のための業務用として約70％が使われている．甘味を与える以外に粘性，保存性，着色，乳化性などの点で，砂糖の役割はたいへん大きい．砂糖は表1のように加熱温度によって次第に性状が変化していく．この変化は菓子製造に利用されている．食品への直接の用途のほか，オリゴ糖，糖アルコール，有機酸*，の製造，しょ糖脂肪酸エステル*（乳化剤*）の製造など，工業原料としても利用される．

鑑別：まず用途に見合った製品を選ぶことが大切である．角砂糖や小袋に入ったものは当然，価格的には割高となる．色合い，固まり具合，異物の混入の有無などを見る．色相が均一で，結晶に透明感があり固まっていないものがよい．

保存：純粋のしょ糖は，水に溶けやすい白色の単斜系結晶である．溶解度（しょ糖溶液100g中のしょ糖百分率）は0℃で64.18％，50℃で72.25％，100℃で82.97％であり，吸湿しやすい．湿度の高いところでは表面が湿って，細菌の作用で臭味が出ることがある．転化糖*の多いものほど変質しやすく，車糖は特に注意を要する．なるべく低温で保存する．

◇調理　砂糖は甘味料として用いられるだけではない．その物性を利用して，表2のように各種の調理に用いられる．※しょ糖は還元性がなく，調理中の化学変化が少ない．また温度による甘味度の変化も少ない．甘味度も高く，調味料として用いるのに最適である．※調理における砂糖の濃度：コーヒー，紅茶のような飲物は8～10％，汁粉や菓子類では20～50％に及ぶ．防腐効果は50％以上で期待できる．普通の調理では保存性を求めないので5％以下である．ただし煮豆や甘酢，甘みそ和えでは10％以上になる．※煮物には塩より先に：材料への浸透が食塩より遅いので，同時に加えると砂糖がなかなかしみ込まない．このため普通の煮物では砂糖を先に加えるようにする．※味の相互効果：少量の塩の存在で，対比効果により甘味が強調される．逆に少量の砂糖を隠し味として加えると，他の味を引き立たせることもある．酸味や苦味に砂糖を加えると，呈味刺激が抑制される．コーヒーに砂糖を入れるのはその例．砂糖と他の甘味料とを合わせると一般に相乗効果により甘味が強くなり，しかも持続性をもつようになる．※溶解度：砂糖は温度が高いほど溶解度が高まる．20℃の水100mLに溶けるしょ糖は203.9gであるが，100℃では487.2gが溶ける．コーヒーや紅茶は冷めないうちに砂糖を入れないと溶けにくい．また粒子が小さいほど早く溶けるので，コーヒーや紅茶にはグラニュー糖を，梅酒のようにゆっくり溶かしたいものには氷砂糖やざらめ糖を用いる．※砂糖溶液の濃度と沸点：50％以下の砂糖溶液では沸点は100℃前後を保っているが，それより濃度が高まると急激に沸点が上がり，90％溶液では120℃に達する．それ以上では砂糖自体の温度が上がり，溶液とはいえない粘度の高いものになる．これを冷ますと，加熱していたときの温度と濃度により，それぞれ違った性質をもつ固い塊になる．したがって，どこまで煮つめてから冷ますかが，砂糖を扱うときのコツとなる．煮つめたときの温度とそれを冷やしたときの状態は表3の通りである．

●液糖

成 03012（しょ糖型液糖），03013（転化型液糖）

表3 砂糖溶液の煮つめ状態と沸点

煮つめ状態	沸点（℃）	用　途
syrup（シロップ）	104.4	料理，菓子一般
thread（糸状）	107.7	料理，菓子一般
pearl（真珠状）	110.5	料理，菓子一般
blow（糸を引く）	113.2	ボンボン
soft ball（軟らかい玉）	118.3	フォンダン，いしごろも
hard ball（硬い玉）	124.0	クリームフォンダン，バターボール
soft crack（軟らかいクラック）	137.7	キャンデー
hard crack（硬いクラック）	155.5	ドロップ，ひき飴
caramel（カラメル）	176.6	べっこう飴，プディングのカラメルソース

英 liquid sugar

元来，砂糖や転化糖*の濃厚溶液を液糖と呼んだが，現在では主に加工用として利用される液状の糖溶液を液糖という．液糖にはしょ糖型液糖と転化型液糖とがあり，さらに上物，中間物，裾物（すそもの）液糖に分けられる．食品加工用として過去十数年のうちに急増し，業務用砂糖の30％以上は液糖に変わっている．液糖にはこのほかに，しょ糖型液糖または転化型液糖を異性化糖，水あめ，コーンシロップなどと混合したものもある．液糖はメーカーにとっては結晶化，乾燥工程がなく，ユーザーにとっては解袋，溶解などの操作が省略でき，輸送にはタンク車を使うので荷役が容易であるなどの利点がある．

　しょ糖型液糖：しょ糖型液糖は精製されたしょ糖液で，品質は結晶糖と変わらない．常温で結晶の析出しない最高濃度はブリックス（Bx；甘味度の単位）67度である．

　転化型液糖：しょ糖の一部を転化させたもので，しょ糖以外に果糖とぶどう糖とが含まれる．転化割合によって濃度に異なり，Bx75〜83度のものがある．しょ糖40〜50％，転化糖50〜60％のものが安定である．転化にはイオン交換樹脂や転化酵素が利用される．

●角砂糖

成 03008　英 cube sugar

グラニュー糖にグラニュー糖の飽和溶液を加え，これを型に入れて熱風で加熱して固めたもの．立方体のもののほか，ドミノ糖と呼ばれる直方体のものがあり，紅茶，コーヒー用に使われる．そのほか祝儀用に種々の形に成型したものがある．

●顆粒状糖

英 granulated sugar

純度の高いグラニュー糖や白ざら糖を原料とし，細かい結晶を固めて溶けやすいように顆粒に再加工したもの．低温でもよく溶ける．冷菓，ヨーグルトなどに加えるのに使われる．

●グラニュー糖

成 03005　英 granulated sugar

ざらめ糖の中で最も結晶の小さいもので（粒径0.2〜0.7mm），クセがないので紅茶やコーヒー用に向く．グラニュー糖よりも結晶の大きなものが白ざら糖である．グラニュー糖と白ざら糖はほぼ同程度の純度である．

●車糖（くるまとう）

成 03003（上白糖），03004（三温糖）　英 soft sugar　別 ソフトシュガー

車糖は中国由来の名称で，水分がやや多く，結晶の小さい（0.07〜0.26mm）精製糖．ビスコ（転化糖シロップ）を振りかけまぶしてあるので，

上：角砂糖，下：顆粒状糖（精糖工業会）

車糖 左：上白糖，中：中白糖，右：三温糖（精糖工業会）

しっとりとした感触があり甘味が強い．わが国では独特の風味が好まれ，需要が多い．製品としては上白（じょうはく）糖，中白（ちゅうはく）糖，三温（さんおん）糖がある．国内生産量は上白糖が最も多く，次いで三温糖で，中白糖はかなり少ない（2020年度の国内生産量は，上白糖が約486,000 t，中白糖が283 t，三温糖が約81,000 tであった）．

上白糖：一般に白砂糖と呼ばれる代表的な砂糖で，車糖のうち，最も品質がよい．白ざら糖，グラニュー糖を回収した糖蜜からつくられる．転化糖*は1.30％で，しっとりとしたソフトな風味がある．一般家庭用（料理，菓子など），パン・菓子用などに使われる．

中白糖：上白糖を回収した糖蜜からつくられる．薄茶色で転化糖は1.90％と多く，上白糖と同じ感触の砂糖であるが，甘味はやや強い．最近，一般にはあまりみられなくなった．煮物・佃煮用などに使われる．

三温糖：上白糖，中白糖を回収した糖蜜からつくられるので純度が低い．そのため，黄褐色で無機質成分も多い．転化糖は2.10％で甘味が強く，特有の風味がある．煮物・佃煮用，製菓用などに使われる．カラメル色素を加えた製品もある．

●黒砂糖

成 03001　英 brown sugar lump　別 黒糖

甘蔗を原料とした含蜜糖で，黒褐色をした塊状をなしている．甘蔗の搾汁に清澄剤として石灰などを加え，糖液を直火で加熱する．煮つめたものを撹拌しながら放冷すると得られる．吸湿性があるので密封できる容器に保存する必要がある．風味を生かして，かりんとう，羊羹などに利用される．黒砂糖には無機質として，カリウム，カルシウム，鉄*などや，ビタミンB_1，B_2などが含まれる．粉末黒砂糖は黒砂糖を粉砕したもので，鹿児島，沖縄，南西諸島産である．

●耕地白糖

英 plantation white sugar

甘蔗，ビートを栽培している場所（耕地）に設立された製糖工場で，原料糖（粗糖）の結晶をつくらず，糖汁より直接つくられる白い砂糖．甘蔗糖では耕地白糖の生産は少ないが，ビート糖のほとんどが耕地白糖である．日本でつくられる耕地白糖としては，北海道のビート糖（グラニュー糖，上白糖）がある．

●コーヒーシュガー

成 03010　英 candy sugar for coffee；coffee sugar

テーブルシュガーの一つで，ホットコーヒーに用いられる．カラメル*を加えて着色した糖液を氷砂糖と同様の製法で大きな結晶としたものである．見た目に美しく，コーヒーに風味を添える．

黒砂糖（精糖工業会）

コーヒーシュガー（平　宏和）

●氷砂糖

成 03009　英 crystal candy sugar　別 氷糖

純粋なしょ糖の大きな結晶である．氷に似ているのでこの名がある．ロック氷糖とクリスタル氷糖がある．ロック氷糖は，グラニュー糖や白ざら糖を原料として調製した，ブリックス（Bx；糖度の単位）70度程度の糖液を結晶皿に入れて種糖（たねとう）を加え，室（むろ）に静置し，室の温度を45～60℃に上げながら，2週間ほどかけて結晶を大きく成長させる．結晶皿から取り出し，砕いて，分蜜したのち乾燥して製品とする．クリスタル氷糖は，円筒形のかごに入れた種糖を，50～60℃の糖液に漬け，かごの回転に伴い，種糖が糖液を出入りすることにより，数日間，結晶を成長させる．分蜜した後，乾燥して製品とする．甘味は白ざら糖と同様に淡白である．結晶が大きいので少しずつ溶けるため，梅酒などの果実酒の製造に用いられる．

●ざらめ（双目）糖

成 03005（グラニュー糖），03006（白ざら糖），03007（中ざら糖）　英 hard sugar　別 ハードシュガー

結晶が車糖よりも大きく，結晶の感じが固いのでハードシュガーと呼ばれる．転化糖＊をほとんど含まないため，甘味はむしろさっぱりしている．国内生産量はグラニュー糖が最も多く，次いで白ざら糖，中ざら糖の順である（2020年度の国内生産量は，グラニュー糖が約450,000 t，白ざら糖が約24,000 t，中ざら糖が約22,000 tであった）．

白ざら糖：別名上ざら糖．99.95％がしょ糖で，透明感のある1～3 mmの結晶である．高級和菓子，クッキーなどに用いるほか，老酒（ラオチュウ）に入れることもある．

中ざら糖：別名黄ざら糖．結晶は白ざら糖と変わらないが，表面にカラメルをかけてつくるため，色は薄い褐色を帯びている．赤ざらと呼ばれることもある．三温糖と同様に煮物に使うほか，漬物

上：白ざら糖，下：中ざら糖（精糖工業会）

など，加工用にも用いられる．上白糖とほぼ同じ純度である．

●粗糖（そとう）

英 raw sugar

粗糖は精製糖の原料で，生産地によって成分，性状はやや異なる．砂糖の製造は，甘蔗の栽培地でまず原料糖（粗糖）とされ，これが精糖工場に運ばれ，不純物を取り除いたのち，再び結晶化される．これに対し，テンサイの生産地で精製糖の段階まで精製されて製品（糖度98％以上）とされるものが耕地白糖（こうちはくとう）である．

●てんさい含蜜糖

成 03030　英 modestly refined beet sugar

てんさいを原料とした精糖の過程で得られる濃縮糖液を乾燥させて製造する含蜜糖で，しょ糖が主成分（85.1 g）であるものの，ラフィノース，1-ケストースなどの低分子量水溶性食物繊維を8.3 g含む特徴がある．『食品成分表』で収載したものはホクレンの製品で，製造会社が異なると組成が異なる可能性がある．

●糖蜜（とうみつ）

成 03014（氷糖みつ）　英 molasses

砂糖製造時に副生される，結晶分離（析出）をした後のしょ糖が含まれる液体．大別すると氷糖蜜（ひょうとうみつ）と精製糖廃糖蜜がある．氷糖蜜は，氷砂糖を製造する際にできる糖蜜で，食品加工用に利用される．精製糖蜜（廃糖蜜）は，粗糖を精製して砂糖をつくる際の精製糖製造工程の最終段階にできる黒褐色，粘稠性の糖蜜である．グルタミン酸ナトリウム，アルコール製造の発酵

氷砂糖（精糖工業会）

粉糖（精糖工業会）

和三盆糖（精糖工業会）

原料や，飼料として利用される．
●**粉糖（ふんとう）**
成 03011　英 powdered sugar　別 粉砂糖
グラニュー糖を粉砕したもので，しょ糖は98.3％である．コーンスターチを加えて固化を防ぐこともある．ケーキなどの飾りに用いられる．

●**和三盆糖（わさんぼんとう）**
成 03002　英 Wasanbonto；(non-centrifugal soft white sugar)　別 三盆白（さんぼんじろ）；和白
香川と徳島で伝統的な手法でつくられる分蜜糖と含蜜糖の中間的な砂糖．産地の名を冠して，阿波三盆，讃岐三盆などと呼ぶ．糖蜜から自然結晶させて生成した白下糖を少量の水を加えて練り，布で包み，圧搾して分蜜し（押し），翌日手で揉みあげて不定形の結晶の角をとる（研ぎ）．この操作を3〜5回繰り返し，すのこに広げて結晶を乾燥させる．研ぐ作業を盆と呼ばれる台の上で3回くり返すことから，三盆糖の名が付けられたという．一部糖蜜が残るため独特の風味をもっている．卵色で，結晶が小さく，口当たりのよい，まろやかな甘味をもち，高級和菓子の材料とされる．

 さとうづけ　砂糖漬
英 candied fruit and vegetable
果実，野菜などを砂糖液に浸漬，十分に浸透してから乾燥し，表面に糖液を析出させたもので，一種の保存食でもある．果実ではぶんたん*やオレンジなどの果皮，きんかん*，あんず，ももなど，野菜ではふき*，しょうが，れんこんなどが使われる．そのほか，あずき，くり，はすの実などの種実を用いた砂糖漬があり，これらは甘納豆*の一種とされる．

 さなづら
英 Sanazura
やまぶどう*の果汁を用いたゼリー状の菓子で，秋田県の銘菓．さなづらはやまぶどうの秋田方言．
◇**原材料・製法**　製法のヒントは，山形県の銘菓「のしうめ*」といわれている．寒天に水を加え，加熱した液に，砂糖，ミックスジャム，やまぶどう液，酸味料などを加え，ゼリー状に薄く固め，長方形に切り，竹皮を模した紙にはさんだものである．

さなづら（平　宏和）

サニーレタス　⇨レタス

さとう漬　上：レモンピール，中：しょうが，下：とうがん（平　宏和）

さば　鯖；鱢；青花魚

成【まさば】10154（生），10155（水煮），10156（焼き），10403（フライ）　分 硬骨魚類，サバ科サバ属　学 *Scomber japonicus*　英 chub mackerel　標 まさば　別 ほんさば　地 まさば；ほんさば（各地）；ひらさば（鹿児島，宮崎）；ひらす（長崎）　旬 秋〜冬

全長60cm．体は紡錘形でやや側扁する．横断面は円形に近い．体色は青灰色，腹部は銀白色である．背側に青黒色の波状黒斑がある．鱗は小さい．沿岸に棲み，水温10〜20℃のきれいな海を好み，水温により広い範囲を回遊する．産卵期は沿岸付近より北上し，産卵が終わると南下する．「サバの生き腐れ」といって，水からあげると死に，すぐ死後硬直を起こし，自己消化が早いため細菌が付着しやすい．琉球列島を除く日本沿岸，朝鮮，台湾，フィリピン，ハワイ，カリフォルニアに分布する．同属にごまさばなどがある．

◇成分特性　いわしなどとともに典型的な赤身魚で，魚体の大小，漁期，漁場によって成分値，特に水分，脂質の含量は大きく変動する．まさばでは秋から冬にかけて脂質含量が最大となる．すなわちこの時期の大型（35cm以上）のさばの可食部の脂質は20％を超え，水分は逆に60％以下になる．また逆に20cm以下の脂質含量は一般に低く，時季により数％を下回ることがある．脂ののった時期の大型のまさばは鮮魚としては美味であるが，加工には向かない．さばの脂質は主に皮下脂肪層に存在し，次いで内臓，頭，骨，尾などとなり，いわしと違って内臓の脂質含量はそれほど高くない．また脂質の構成脂肪酸は高度不飽和酸の含量が高く，酸化変敗しやすいので，練り製品の原料としては脂質の含量の少ない大型魚から，廃棄部，皮，血合肉などの部分をなるべく除去したものを用いている．したがって鮮魚として販売されているものは加工用のものより脂質含量が高く，平均値としても『食品成分表』の値のように，まさばで100g当たり，水分62.1g，たんぱく質（アミノ酸組成）*17.8g，脂質（TAG当量）*12.8gとなる．

一般に市場で青物とか青魚と呼ばれるいわし，さば，さんまなどには，高度不飽和脂肪酸*が多く，血中コレステロールを下げる．特にイコサペンタエン酸*（IPA）は血液の凝固を防ぎ，脳梗塞や心筋梗塞を予防し，ドコサヘキサエン酸*（DHA）は，脳を活性化し，乳児栄養や老化防止に有効といわれる．ただし，アミノ酸組成をみるとヒスチジンが多く，酵素によってヒスタミンに変化するとアレルギー源にもなるので，鮮度には特に注意を要する．

一般にはまさばがごまさばより美味で上等と考えられているが，盛夏は反対にごまさばよりまさばが不味となる．その理由は明らかでないが，脂質およびたんぱく質の量，質が生殖腺の発達に応じ変化し，その時期がまさばとごまさばでずれていることによると思われる．

◇保存・加工　保存：氷蔵または冷凍で保存される．さばの氷蔵限界は約5日で，7日目には初期腐敗が認められる．またこの時期にはたんぱく質の変性も進み，かまぼこ形成能も失われてしまう．このように，さばの変性は白身魚に比べて速やかである．これは白身魚に比べ多量に含まれているグリコーゲン*が急速に分解して乳酸*を生ずることが一因である．さばは白身魚と比較すると水分が少なく肉組織がしっかりしているため，冷凍耐性は高いと考えられてきたが，これはその利用の形態が，干物とか，煮物，焼き物用あるいは缶詰など，たんぱく質の変性がそれほど問題とならないものが主であったからで，練り製品原料とし

まさば（本村　浩之）

上：塩さば，下：塩さば開き干し（平　宏和）

て使う場合には，鮮度の極めてよいときに処理する必要がある．

加工品：さばの加工には塩蔵がある．背開きの塩さばを俗に青切りといい，主にしめさばやさば鮨の原料とし，一般家庭用に小売りされることは少ない．そのほかの加工品としては背開きの塩乾品やさば節がある．さばの缶詰には水煮（成10164），味付け（成10166），みそ煮（成10165）のほか，最近では各種の調理缶詰がつくられている．また，さばを原料とした練り製品には静岡の黒はんぺんが有名で，食味はよいが日持ちの悪い欠点がある．しかし一般にはかまぼこ原料としては不向きで，まれに油の少ない小型魚をつぶし物や特種な魚肉ソーセージなどに用いることがある程度である．

◇調理　さばは，季節により脂肪量に差があり，旬の時期には20％以上の脂肪を含むものがある．このため，調理の範囲は極めて広く，酢の物，焼き物，煮物，揚げ物など，各種の調理に適する．いずれの場合も，塩を十分に用いて魚臭を除くことが大切である．※鮮度の低下が早く，生食は避けた方がよい．しかし，酢じめは魚臭を消し，濃厚なさばの味によく調和する．普通のしめさばのほか，昆布じめ，さば鮨（バッテラ）など，昆布でうま味を補強した酢の物がよい．一般に魚に昆布を用いるのは，イノシン酸＊とグルタミン酸の相乗効果によりうま味を強める効果があると考えてよい．※みそ煮にすると魚臭が吸着され，しかもさばの味とよく調和する．この場合も，しょうゆを最後に加えると，香りもよく味も引き立つ．※油を使って炒め，あるいは揚げることにより，さばの特徴が強調される．ムニエル，唐揚げ，フライなどがよく，天ぷらには向かない．揚げ物は生姜じょうゆで下味を付けるか，できあがりにおろし大根，おろし生姜としょうゆを添える．

●ごまさば

胡麻鯖　成10404（生），10405（水煮），10406（焼き）　学 *Scomber australacius*　英 spotted chub mackerel；slimy mackerel；blue mackerel　別 地 まるさば（関東，関西，高知）；ほしさば（出雲崎）　旬 夏

全長60 cm．まさばによく似ているが，腹部に小黒点が散在している．沖合を大群をなして回遊する．寒いところには少なく，北海道から南日本，インド・太平洋に分布する．

ごまさば（本村　浩之）

●さばぶし

鯖 節　成10157（ごまさば さば節）　英 Sa-ba-bushi；(boiled, smoke-dried and molded fillet of mackerel)

かつお節よりもカビ付け，日乾などを省略した製法でつくられ，けずり節の原料とする．かつお節よりやや生臭いが，濃厚なだしがとれるので，吸い物以外のだし汁に適する．

●しめさば

締め鯖　成10163　英 Shimesaba；(vinegar cured fillet of mackerel)

新鮮なさばを塩にしてから酢でしめたもので，塩蔵のさばからもつくる．鮮魚を用いての作り方は，三枚におろし腹骨を取り，塩を十分にまぶして4〜5時間おく．これを水洗し，水気をふいて20分ほど酢に浸してしめる．ちらしやにぎり鮨の種にしたり，バッテラに用いる．

●大西洋さば

大西洋鯖　成10158（生），10159（水煮），10160

さば缶詰（平　宏和）

しめさば（平　宏和）

（焼き）　学 *Scomber scombrus*　英 Atlantic mackerel　別 ノルウェーさば；にしまさば

全長30〜40cm, 最大60cm. 体の背面は黒がかった青色. 腹面は白い. 背面の波状黒斑がまさばより明瞭にみられる. 北大西洋の両岸, 地中海, 黒海に分布し, 日本近海でのまさばなどの漁獲量の減少に伴い, 多量に輸入されている. 成分的にも日本産のさばよりも脂質が多く, 加工した場合には味がよい点がある. そのため最近は, 加工用には主にこの種類が使われており, スーパーマーケットでみられる塩さば, 塩干しなどはほとんどがこれである. 栄養的にはビタミン類の含量もむしろまさばに優りイコサペンタエン酸*（IPA）, ドコサヘキサエン酸*（DHA）の含量も多く, まさばには劣らない.

●へしこ

英 Heshiko　別 へしこ漬

魚の糠漬で北陸地方の保存食. 福井地方ではさばが多く使われ, 名前の由来は, 若狭言葉の「圧（へ）し込む」ともいわれている. さばの背割りに食塩を撒布して塩蔵, 水切りしてから, 糠をまぶしたものを桶に並べ, 糠と米麹などを撒布したものを層状に繰り返し詰め, 6カ月〜2年熟成させる.

へしこ（平　宏和）

サバヒー　虱目魚

分 硬骨魚類, サバヒー科サバヒー属　学 *Chanos chanos*　英 milkfish　別 虱目魚　地 ハマネツ（沖縄県与那国島）, ミチャー（沖縄県）

サバヒー（satbakhi）とは台湾での名称である. 全長2m. 北海道を除く日本各地, インド・太平洋に広く分布する. にしんに似た形で尾びれが長く後縁は深く交差, 体は円鱗*で覆われ, 体色は銀白色. 海産魚であるが, 淡水域にも侵入する. 東南アジアでは養殖が盛んで重要な食用魚.

◇調理　普通, 鮮魚で流通し, 家庭での調理の食材として利用されるほか, 缶詰, 干物, 燻製などに加工される. たとえばフィリピンでは bangus

サバヒー（本村　浩之）

という名称で油漬缶詰, トマトソース漬缶詰, 燻製に, dueng na bangus という名称で干物に, tambakol という名称で輸出用冷凍魚に利用される. インドネシアでは asap といってスナックにもされる燻製が作られている. 調理法としては南蛮漬けや揚げ物などがよい.

サバラン

英 savarin　仏 savarin

イーストを使った発酵生地を中央が空洞になったリング状の型（サバラン型）に詰めて, 焙炉（ほいろ）で発酵させてからオーブンで焼き, ラム酒やキルシュワッサーなどで風味付けしたシロップに浸してしみ込ませ, 生クリームをのせてつくる. シロップでしっとりとした, 香りの高いケーキである. パリの菓子職人ジュリアンが, 1840年代に創案したもので, そのシロップは秘伝とされていた. サバランの名はフランスの哲学者・法律家で, 食通として知られ, 『美食礼讃』の著者でもあるブリア・サバラン（Brillat-Savarin）の名前に因んでいる.

サバラン（平　宏和）

サフラワー油

成 14004（ハイオレイック）, 14025（ハイリノール）　英 safflower oil　別 紅花（べにばな）油

キク科に属するサフラワー（ベニバナ）（*Carthamus tinctorius*）の種子（油分25〜37%）から採油

上：紅花の種子（サフラワー油原料）（日清オイリオグループ），下：サフラワー油（高オレイン酸油）（平　宏和）

した油．元来はリノール酸*含量が高いことが特徴であったが，品種改良によりオレイン酸*含量の高いハイオレイックサフラワー種子がつくられた．食用精製サフラワー油，食用サフラワーサラダ油，およびハイオレイックの食用精製サフラワー油などの種類がある．北アフリカ，中東，米国などが主として生産している．

◇**成分特性**　『食品成分表』では，100g当たり，脂質（TAG当量）*98.5gからなる．脂肪酸組成は，ハイオレイックとハイリノールで違いがある．ハイオレイックは，オレイン酸77.1％，リノール酸14.2％で，オレイン酸はオリーブ油に匹敵する．ハイリノールは，オレイン酸13.5％，リノール酸75.7％であり，リノール酸はぶどう油よりも多く，『食品成分表』収載の油脂中では最大である（**付表6**）．サフラワー油脂中の100g当たりのビタミンE量は30.2mgを示す（α-トコフェロールが多い）（**付表7**）．サフラワー油脂中の主なステロール*は，β-シトステロール，Δ^7-スチグマステロール，カンペステロール，スチグマステロールなどである．

理化学特性：日本農林規格*（JAS）では，比重（ハイリノール種0.919〜0.924，ハイオレイック種0.910〜0.916），屈折率（25℃）（ハイリノール種1.473〜1.476，ハイオレイック種1.466〜1.470），けん化価186〜194，ヨウ素価*（ハイリノール種136〜148，ハイオレイック種80〜100）としている．脂肪酸に占めるオレイン酸の割合は，ハイオレイック種の種子から採取したものにあっては70％以上であること．
◇**保存**　他の食用油脂と同様，酸化防止のための配慮を必要とする．

サフラン　泊夫藍

分 アヤメ科クロッカス属（多年生草本）　**学** *Crocus sativus*　**英** saffron　**別** ばんこうか（番紅花）

園芸種のクロッカス（春サフラン）の近縁種で，秋に薄紫の花をつけ，長い花梗の赤い雌ずい*（めしべ；約6cm）の上部は3本に分かれ，長くのびて花の外に垂れる．スパイスとして利用するのは，この雌ずいの乾燥品で，100gのサフランを得るのに3万個の花がいるといわれ，世界で最も高価な香辛料とされている．スペイン，イランなどから輸入している．

◇**成分特性**　サフランの主要な色素は，カロテノイド*のクロシンである．水溶性で着色力は極めて強く，クロシン1に対して15万倍の水でも黄色を認識できるという．主な芳香成分は，サフラナールで，苦味成分はピクロクロシンであるという．100g当たりの成分値は，エネルギー310kcal（1,300kJ），水分11.9g，たんぱく質11.4g；脂質5.8g，炭水化物65.4g（食物繊維3.9g），灰分5.4gである（米国食品成分表）．
◇**調理**　魚介類とよく合う独特の香りと，鮮やかな黄色が特徴で，ブイヤベースやパエリヤなど，南欧料理には欠かせない．チキンピラフにも利用される．数本を水か湯に溶かして用いる．湿気を嫌うので乾燥状態で保存する．

サフラン（スペイン産，試料重さ0.4g）（平　宏和）

サプリメント　⇒健康食品（健康補助食品）
サブレ　⇒ビスケット・クッキー類
ざぼん　⇒ぶんたん

さめ 鮫；鯊

分 軟骨魚類, ネコザメ目, テンジクザメ目, ネズミザメ目, メジロザメ目, カグラザメ目, ツノザメ目, カスザメ目, ノコギリザメ目　**英** sharks
別 ふか (鱶)；わに (鰐)

さめ類は軟骨魚類のうちノコギリエイ目, トンガリサカタザメ目, サカタザメ目, シビレエイ目, ガンギエイ目, トビエイ目, ギンザメ目を除いた魚類の総称で, その先祖は古生代デボン紀に現れたといわれ, 最も原始的な魚の一つに入る. なお, キャビアで有名なちょうざめが, さめの名が付くが, さめ類ではない.

◇**成分特性**　さめ類は普通の硬骨魚類とかなり異なった肉質をもっている. すなわち骨質の軟らかいことと肉質の特異な臭気にある. この臭気はさめ類に多量に含有される尿素およびトリメチルアミンオキサイドが, 死後, 腐敗細菌により分解されて生ずるアンモニアとトリメチルアミン*に由来する. しかも, 細菌によって肉質の方がおかされる以前に, 尿素とトリメチルアミンオキサイドが分解を受けるため, 肉質はそれほど悪くないのに特異なアンモニア様臭気が感じられるのである.

アンモニア臭：この悪臭発生を防ぐ有効な方法はないが, 極めて新鮮なうちに冷凍し解凍後, 直ちに食用に供すれば, 細菌による分解が起きず, においの発生はない.

成分：水分はあぶらざめのように脂質含量の高いものは約72%と低いが, 大多数の種類では75～77%の範囲にある. たんぱく質含量は15～21%と魚種による差が大きい. 脂質含量は, あぶらざめのように9.4%と高いものを例外とすれば1～3%で, 比較的一定しており, 炭水化物であるグリコーゲン*の量も比較的高い. 灰分含量は1%前後で, 1%以下のものも多い. さめ類が, 前記のように悪臭発生のおそれがあるにもかかわらず練り製品原料として広く使われるのは, 肉色が白くアシの強いゲルをつくるからである. しかしゲル形成能は種類によって大きく異なる. アシの強いかまぼこをつくるものにほしざめ, よしきりざめ, 中程度はしゅもくざめ, つのざめ, あおざめ, あぶらざめ, 弱いものにあいざめ, めじろざめなどがある. ビタミン類, 殊に脂溶性ビタミン*の含量も種類によって違っていて, ビタミンAではあぶらざめ, どたぶか, よごれなどのように肉100g当たり150～600μgのレチノール*を含むものを例外とすれば, 大部分は6～10μgである. また, さめ類はビタミンDをほとんど含有しない特徴がある. さめ類の骨は硬骨魚の骨に比べてリン酸カルシウムが少なく, コラーゲン*やコンドロイチン硫酸が多く含まれていて, 食用や薬用に利用できる. 特にうばざめや深海性のつのざめ類の肝油 (不飽和炭化水素スクアレン ($C_{30}H_{50}$) が主成分) が, 健康食品や化粧品の原料として利用されている.

◇**保存・加工**　さめの肉質は比較的安定しているが, 前述のアンモニア臭の問題がある. したがって鮮度のよいものを冷凍することは, さめに適した保存法である.

加工品：肉が刺身や一般惣菜用として利用されるほか, 肉の乾燥品 (さめのたれ), 燻製, 節 (さめ節), そぼろ, 軟骨 (明骨；めいこつ) などとして食用にされる. しかし, これらの用途はふかひれ*が中国料理の材料として使われるほかは微々たるものである.

練り製品原料：主な用途は何といっても練り製品原料である. しかし種類によってはこれに適さないものがある. よしきりざめは, 一般にまぐろはえ縄の混獲物であるため取り扱いが悪く, 市販のものはほとんどにアンモニア臭が感じられ, 不味で特有の臭気もあるが, 肉色が白く, アシが強いため, 主にはんぺんなどに使われる. しゅもくざめは肉色の白いものと赤いものがあるが, 白い方がうま味もあり原料として良好である. おながざめは肉色も赤みを帯びてアシもさほど強くない. 上記のさめは肉質が軟らかいので水物と呼ばれる. めじろざめ, あおざめ, ほおじろざめ, ひらがしらはこれらと反対に肉質が硬く (硬物), 同じ取り扱いをしてもよしきりざめなどに比べて臭気が少ない. 以上はいずれも練り製品原料として適しているが, 普通, 水物と硬物を混合して使う. このほか, ほしざめ, のこぎりざめ, かすざめなども上等のかまぼこになる. ねずみざめはうま味に富み, 肉色もやや赤みを帯び, 主に惣菜用として利用される. あぶらざめやつのざめなども同様で, これらはアシは弱いが練り製品にも利用できる.

◇**調理**　特有の魚臭があるため, ごく新しいもの以外は調理に向かない. ほしざめの刺身など, 特別な場合以外は加熱調理を行う. ※酢を用いるとアンモニア臭を中和できるので, 酢漬や酢みそにするとよい. 煮付けの場合は一度茹でこぼしてから煮る. ※少しでも魚臭を他の味でカバーするため, 調味料やソースの味が加わる調理法がよい.

● あいざめ

相鮫　分 ツノザメ科アイザメ属　学 *Centrophorus atromarginatus*　英 dwarf gulper shark　別 ひれざめ

全長1m．南日本の太平洋岸からインド・太平洋に分布．肉は食用．脂質含量は少なく，高級の練り製品ができる．肝臓からとる油はスクアレンの原料として有名．皮は刀のつか張りに利用する．また，わさびをおろすために用いる．

● あおざめ

青鮫　分 ネズミザメ科アオザメ属　学 *Isurus oxyrinchus*　英 shortfin mako

全長4m．体は紡錘形，吻が長く尖っている．体色は青いが，腹部は黄色がかっている．このさめは遊泳速度が最も速くて，また食食なさめとして知られているが，人を襲うことはむしろまれである．4〜25匹の胎仔を産む．北海道から全世界の暖海に分布する．食用としても有用で，生，冷凍，燻製，乾燥して消費されている．切り身はステーキ，フライ用．練り製品原料．ひれも使う．

あおざめ（本村　浩之）

● あぶらつのざめ

油角鮫　成 10167（生）　分 ツノザメ科ツノザメ属　学 *Squalus suckleyi*　英 North Pacific spiny dogfish　別 市 あぶらざめ　地 あぶらざめ（東北）；あぶらつの（東京）

全長1.5m．北太平洋の寒帯から温帯に広く分布する．東京市場で単にあぶらざめというのは，えどあぶらざめのことで別種である．体色は灰褐色で白点が散在する．卵胎生で，1〜15匹の胎仔を1年おきに産む．国内では東北地方に多く，冷凍焼き竹輪などの製造に使用される．このさめの皮をむいた剥鮫（むきざめ）または棒鮫（ぼうざめ）は東京などのスーパーマーケットでも見かけることがある．

あぶらつのざめ（本村　浩之）

● うばざめ

姥鮫　分 ウバザメ科ウバザメ属　学 *Cetorhinus maximus*　英 basking shark　別 地 うとうざめ；うばざめ（北海道，東北）；ばか；ばかざめ（茨城，千葉，東京）

全長12m．現存魚類の中では，じんべえざめに次いで二番目に大きい．体は紡錘形でよく肥っている．英名や地方名の通り性質はおとなしく水面に浮かんだりするので，簡単に捕獲されることがある．肝臓から油（スクアレンの原料）をとる．北極から全世界の温帯部に分布する．

● おながざめ

尾長鮫　分 オナガザメ科オナガザメ属　学 *Alopias pelagicus*　英 pelagic thresher　別 にたりざめ　標 にたり　地 おなが（各地）；ねずみ，ねずみざめ（関西）

全長3.8m．体は紡錘形，尾びれが著しく長い．体色は，背部は黒青色，腹部は灰色，沖合の表層に棲む．胎生．青森県以南のインド・太平洋に分布する．肉は上等のかまぼこ原料になる．おながざめ類には，このほかに，はちわれ（*Alopias superciliosus*）とまおなが（*A. vulpinus*）がある．

● かすざめ

糟鮫　分 カスザメ科カスザメ属　学 *Squatina japonica*　英 Japanese angelshark　別 地 さめ（関西）；いんば（高知）；いんばねす（福島）；いんねい；いんねん（山陰）；かす；かすくれ（千葉）；かすざめ；かすぼう（神奈川，東京）；てんがい（仙台）；みのざめ（鹿児島）

全長2m．体は幅広く扁平する．体色は茶褐色．浅海の砂底に生息する．胎生．皮は研磨用に利用する．東アジアの固有種．練り製品原料．

● ころざめ

胡爐鮫　分 カスザメ科カスザメ属　学 *Squatina nebulosa*　英 clouded angelshark　別 地 さめ（関西，かす鮫との混称）；ころ；ころざめ（東京，千葉）；いんば（高知）

全長2m．体色が青褐色，多くの黒点とまじって白色斑がある．かすざめに近いためによく混同される．胸びれの外角がかすざめでは直角に近いが，ころざめでは直角よりはるかに大きい．日本中部から朝鮮，台湾に分布する．練り製品原料．

● しろざめ

白鮫　分 ドチザメ科ホシザメ属　学 *Mustelus griseus*　英 spotless smooth-hound　別 いぬざめ　地

あかぶか；しろぶか（和歌山）；あかぼし（東京）；こしなが（高知）；まのくり（鹿児島）
全長1m．ほしざめに似ているが，白い斑紋がない．北海道から台湾に分布している．生食，練り製品原料．

●しろしゅもくざめ
白撞木鮫　分 シュモクザメ科シュモクザメ属　学 *Sphyrna zygaena*　英 smooth hammerhead　別 しゅもくざめ　地 しろ；しろしゅもく（東京）；かせぶか（関西，高知）；かせわに（山陰）；かねたたき（和歌山）
全長4m．体は紡錘形．頭側が左右にふくれ出し，丁字形．その先に目がある．丁字形の頭部がちょうど撞木（しゅもく）の形になっているのでこの名で呼ばれる．性質は獰猛．夏20〜50匹の胎仔を産む．世界の温帯から熱帯の海に分布する．肉色が白く，はんぺん等の練り製品，ふかひれの原料．しゅもくざめ類にはしろしゅもく以外に多くの種類があり，世界で2属9種ほどが知られている．わが国にに4種ほどが入荷している．そのうち体色が濃く，肉色が赤いあかしゅもくざめ（*Sphyrna lewini*）は練り製品でも，さつまあげ等に利用される．肝油のビタミンAの含量が高い．

●じんべえざめ
甚兵衛鮫　分 ジンベイザメ科ジンベイザメ属　学 *Rhiniodon typus*　英 whale shark　別 じんべいざめ　地 えびすざめ（静岡，千葉，神奈川）；じんべえ（千葉）
全長15m．現存魚類の中では最大で，このさめが暴れると小舟はひっくりかえされ，漁夫に恐れられる．体が太く，頭は平べったい．歯が小さい．皮膚は粒状の鱗が散在し，ヤスリのようになっている．卵胎生．全世界の暖海の沖合に分布する．

●つまりつのざめ
短角鮫　分 ツノザメ科ツノザメ属　学 *Squalus brevirostris*　英 shortnose spurdog　別 地 つのめ；つのざめ（東京）；けんのおそ；つののうそ（長崎）；つのぶか（高知）
全長1mくらい．東アジアの温帯から熱帯域に分布する．体色は背面が灰褐色，腹面は淡色．12〜4月に胎仔を産む．美味．あぶらざめ同様，第1背びれと第2背びれに角状の棘があるところよりつのざめと名付けられた．

●どたぶか
奴太鱶　分 メジロザメ科メジロザメ属　学 *Carcharhinus obscurus*　英 dusky shark
全長4m．南日本，世界の温・熱帯に広く分布．頭は縦扁．体色は黒褐色，腹面は白．卵胎生．練り製品原料．

●なぬかざめ
七日鮫　分 ネズミザメ目トラザメ科ナヌカザメ属　学 *Cephaloscyllium umbratile*　英 blotchy swell shark　別 ねこ，とら（銚子）；とらぶか（高知）
体長1mほどになる．北海道南部から東シナ海まで分布し，水深20〜700mくらいの海底に生息し甲殻類や軟体動物を食べる．体の後部は細くなるが，腹部を扁平にふくらませる習性がある．体には雲状の斑紋や斑点がある．卵は長さ20cmぐらいの四角い袋状の卵嚢に入れて刺胞動物のヤギ類などの枝に絡めて産みつけられる．孵化には1年くらいかかる．練り製品の原料に利用される．

なぬかざめ（本村　浩之）

●ねこざめ
猫鮫　分 ネコザメ科ネコザメ属　学 *Heterodontus japonicus*　英 Japanese bullhead shark　別 地 さざえわり（関西）；さざえわに（山陰）；ねこ（和歌山，北九州）；ねこぶか（関西，九州，四国等各地）
全長1.2m．頭部が丸く，猫の顔立ちに似ている．そのうえ，全体がずんぐりむっくりで，薄茶色の体色に濃茶色の横縞があり，性質が温和なところからこの名が付いた．口は円形で唇が厚い．背びれが2基あって，ともに強い棘がある．卵生．沿岸のやや深い海底に生息する．練り製品原料．南日本から台湾に分布する．

●ねずみざめ
鼠鮫　分 ネズミザメ科ネズミザメ属　学 *Lamna ditropis*　英 salmon shark　別 もうかざめ
全長3m．体は紡錘形，口は円錐形．尾柄に1個の隆起線がある．体色は灰青色，腹面は白く暗色斑が散在．寒帯性魚で相模湾以北，北太平洋，ベーリング海，カリフォルニアに分布．肉は美味で，惣菜用として重要．かまぼこ原料には適さない．ふかひれ原料．

●のこぎりざめ
鋸鮫　分 ノコギリザメ科ノコギリザメ属　学 *Pristiophorus japonicus*　英 Japanese sawshark　別 地 だいぎりざめ（東京）；のこぶか（大阪）

のこぎりざめ（本村　浩之）

全長1.5m．体は細長く腹面は平たい．吻は長く突き出し，その両側に大小不同の棘が並んでいるので，この名がある．吻中央に一対のひげがある．沿岸の海底に生息する．胎生．北海道から台湾，中国に分布する．練り製品原料．

●ひらがしら
平頭　分 メジロザメ科ヒラガシラ属　学 *Rhizoprionodon acutus*　英 milk shark
全長1.7m．頭が広く縦扁している．体色は灰褐色．1〜8匹の胎仔を産む．青森県以南のインド・西太平洋に分布する．練り製品原料．ひれも使う（ふかひれ）．

●ほしざめ
星鮫　分 ドチザメ科ホシザメ属　学 *Mustelus manazo*　英 starspotted smooth-hound　別 そうぼうしろざめ　地 ほしぶか；まぶか（大阪，高知）；のおそぶか；のおそ（瀬戸内海沿岸）；まのうそ（長崎）
全長1.5m．日本近海で獲れる普通のさめである．北海道から九州，台湾からベトナムに分布する．体は細長く，頭部は平たく，尾部は側扁する．体色は茶褐色で，白い斑紋が星のように散在するのでこの名で呼ばれる．近海の砂底に生息し，春さき1〜22匹の胎仔を産む．ほしざめはさめ類中最も美味な種類の一つ．鮮度のよいものは刺身，高級練り製品原料となる．

ほしざめ（本村　浩之）

●ほほじろざめ
頬白鮫　分 ネズミザメ科ホホジロザメ属　学 *Carcharodon carcharias*　英 great white shark　別 ほほじろ；ほおじろ　地 いらぎ（北九州）；まいら（高知）

全長6m．体は紡錘形，5つの鰓孔（えらあな）がすべて胸びれより前にある．尾柄に隆起をもつ．胎生．人食いざめと呼ばれ，獰猛である．南日本から全世界の暖海に分布する．練り製品原料．

●めじろざめ
目白鮫　分 メジロザメ科メジロザメ属　学 *Carcharhinus plumbeus*　英 sandbar shark　別　地 めじろ（東京）；ひらがしら（関西）；やじ；やじふか；やえじ；しろふか（長崎）
全長2.5m．体は紡錘形で，頭が広く縦扁する．体色は背部は青灰色で，腹部は銀白色．6〜13匹の胎仔を産む．海の中層や上層を泳ぐ．性質は獰猛だが，人への攻撃例は少ないといわれる．全世界の温帯から熱帯域に分布する．練り製品原料．

●よごれ
汚　分 メジロザメ科メジロザメ属　学 *Carcharhinus longimanus*　英 oceanic whitetip shark　別 よごれざめ
全長4m．世界の熱・亜熱帯域に広く分布．第1背びれが円みを帯びていて非常に大きく，胸びれも大きい．体色は青灰色，腹面は淡い．両背びれ，胸びれの後端部に白っぽい部分がある．臀びれと第2背びれに黒色斑がある．卵胎生で1〜15匹を産む．練り製品の原料．

●よしきりざめ
葦切鮫　成 10168（生）　分 メジロザメ科ヨシキリザメ属　学 *Prionace glauca*　英 blue shark　別 あおた；みずぶか；よしきり　地 よしきり（東京）；みずぶか（大阪，高知，九州）；あおぶか（関西）；こんじょうぶか（高知）；あおなぎ（三陸）
全長4m．体は紡錘形，吻は長く尖る．鰓孔（さいこう）の下部に槍形の胸びれがあり，尾びれの上葉がかなり長い．体色は，背部は黒みを帯びた青灰色，腹部は銀白色．温海の沖合に生息し，4〜135尾の胎仔を産む．性質は獰猛で漁師を襲うこともある．全世界の温帯から熱帯に分布する．はんぺんなどの練り製品原料．ひれは高級品．

さやいんげん　莢菜豆；莢隠元

成 06010（若ざや 生），06011（若ざや ゆで）　分 マメ科インゲンマメ属（1年生草本）　学 *Phaseolus vulgaris*　英 Sayaingen；(immature pods of kidney beans)

さや用はいんげん豆の全作付面積の20％程度である．いんげん豆の品種数は極めて多いが，さや用に用いるのは軟莢種で，つる性（ケンタッキー・ワンダー，衣笠，穂高など）と，矮性（マスターピース，江戸川など）がある．矮性軟莢種は高温では着莢（花）が激減し，生育は不良である．なお，ケンタッキー・ワンダーを馴化したものは尺五寸，どじょういんげんなどと呼ばれている．

栽培：近年作型の分化がみられ，ハウス半促成（4～6月どり），露地（6～7月どり），高冷地（8～10月どり），抑制（9～12月どり）が基本の型である．

産地：千葉，北海道，鹿児島など．

◇成分特性　遊離アミノ酸*は，アスパラギンが圧倒的に多い．その他，アスパラギン酸，トレオニン*，セリン，グルタミン酸，アラニン，バリンなどをほぼ等量含んでいる．成熟するにつれ種実へ移行し，たんぱく質のファゼオリンとなって蓄積される．さやの炭水化物はガラクトアラバンからなるヘミセルロース*となり，多量に蓄積する．豆にはたんぱく質，糖類，でん粉，マンニトールなどが多い．100g当たりのβ-カロテン当量は590μgであるが，厚生労働省では栄養指導上緑黄色野菜としている．ビタミンCは少ない．少量の酸を含むが，主成分はリンゴ酸*である．

◇保存　低温貯蔵を行う場合は，温度4～7℃，湿度95％で，ポリエチレン包装を行い貯蔵すると，7～10日間品質が良好に保たれる．

◇加工　さや付きのまま水煮缶詰に加工されるが，果肉が軟化するので軟化防止にカルシウム剤（乳酸カルシウム）が用いられる．また近年は冷凍品に加工されることも多い．

◇調理　緑色を生かして，各種の料理に用いる．軟らかく，しかも煮崩れしないので，煮物に適するほか，ごま和え，揚げ物，炒め物によい．※さやいんげん自体を味わう料理のほかに，グリンピースと同様に色を目的に使われることが多い．細切りにして，汁，スープ，シチューなどの青み，五目ずしの彩り，肉料理の付け合わせなどによく用いられる．※さやに筋があるのでまずこれを除き，茹でてから次の調理へ移る．青みを生かして茹でるのは，葉菜類*と同様である．組織が多少硬いので，重曹をごく少量用いることもある．青菜とちがい，重曹を入れても軟化しすぎることはなく，色はよくなる．

さやえんどう　莢豌豆

成 06020（若ざや 生），06021（若ざや ゆで）　分 マメ科エンドウ属（1～2年生草本）　学 *Pisum sativum*　英 Sayaendo；(immature pods of garden peas)　別 絹さや

◇品種　えんどうの中で，若ざやを利用するものである．若ざや用とするのは軟莢系の品種で，洋種大ざや群（オランダ，仏国大莢など），矮性小ざや群（伊豆赤花，渥美白花など），高性小ざや群（白花絹莢，赤花絹莢など）のグループがある．関西以西に大ざやが，東海以東に小ざやの品種が分布しているが，最近は小ざや（絹莢）が全国的に増えている．作型としては，夏播き（10～4月どり），秋播き（4～6月どり），春播き（6～8月どり）栽培があり，近年はハウス栽培*も行われ始めている．

産地：鹿児島，愛知，福島，和歌山など．

◇成分特性　たんぱく質と炭水化物に富む．100g当たり，β-カロテンは560μg，ビタミンCは60mgで，厚生労働省では栄養指導上緑黄色野菜としている．糖類はぶどう糖が多く，しょ

さやいんげん（平　宏和）

さやえんどう（平　宏和）

糖と果糖も含む．遊離アミノ酸*は野菜の中では最高の含量を示し，さやえんどうではグルタミン酸とアスパラギン酸が多く，実えんどうのグリンピースではアルギニンとグルタミン酸が多い．

◇**保存** 低温貯蔵の最適温・湿度は0℃，90〜95％で，20日から最高50日保存できる．

◇**調理** 吸い物，和え物，五目ずしなどの飾りにして季節感などを出すために用いられる．主として絹さやがよい．歯切れよさも特徴なので茹ですぎないようにする．※爽やかな甘味と歯触りをもち，煮物，揚げ物，炒め物など，加熱調理の素材としても重要である．和・洋・中国すべての料理に用途が広い．緑色を生かすため，加熱は短時間にとどめる．煮物のように味を含ませたいときは，下茹でして冷やし，冷たい調味液につけて味を浸透させるとよい．

● **スナップえんどう**

成 06022（若ざや 生） 英 snap peas 別 スナックえんどう

普通のさやえんどうに比べてさやは肉厚で，実が生長してもさやは軟らかく，実とさやともに食べられる．1970年代に米国から導入された新種で，シャキっとした歯触りで甘味も強く，需要は増えつつある．絹さやと同様に，色と歯触りを生かして用いる．塩・こしょうでソテーにしても，独特の甘味が生きる．

スナップえんどう（平　宏和）

 さより 鱵；針魚；細魚

成 10170（生） 分 硬骨魚類，サヨリ科サヨリ属 学 *Hyporhamphus sajori* 英 Japanese halfbeak 別 地 かんぬき（東京）；さいより（北陸）；すくび（松山，米子） 旬 春，秋

全長40cm．体は細身で側扁する．体色は背部は薄い青色，腹は銀白色，下顎が著しく伸び，その先は美しい紅色をしている．内湾の表層で群をなす．高級魚で味はよい．春と秋が特にうまい．北海道から南日本，朝鮮に分布する．

さより（本村　浩之）

◇**成分特性** 白身の魚で，吸い物種のほか一般惣菜用．塩乾品があるが，加工用にはあまり使われない．成分はきすなどの白身魚に似ていて，身が軟らかいうえ，脂質やビタミン類も含量は少ない方である．淡白な割には生臭みがあるので塩水に漬けて身をしめ，生臭みをとるのがよいといわれている．

◇**調理** 鮮度が落ちると内臓の部分が変色しやすいので，腹部が茶色になったものは避ける．鮮度のよいものでも，冷蔵庫にしまう前に内臓を抜いておく方がよい．※細長い魚形を生かして結ぶとか，開いて包むとか，切り重ねるとか，いろいろな扱い方がある．頭の方から巻いて2つに切って切り口を見せると鳴門巻きになり，三枚におろした身に薄く塩をふり昆布をはさむと昆布じめになる．刺身には，細作りや鳴門巻きとし，皮目の美しさを生かして赤身の刺身などと盛り合わせる．※椀種には，結んで茹でたものや，切り身にかたくり粉をまぶして茹でて用いる．また，すし種，天ぷら，フライなどにも利用する．※さよりのそのままの味を賞味する塩焼き，酢じめにして用いる黄身ずし，手綱ずし，サラダやワイン蒸しなどにも用いる．

 さらがい 皿貝

分 軟体動物，二枚貝類（綱），ニッコウガイ科サラガイ属 学 *Megangulus venulosa* 英 great northern tellin 別 しろ貝；ひら貝

横長で平たい二枚貝．殻の長さ10cm，殻の高さ5〜6cm．殻は白色で，別名の由来となっている．わが国では北陸以北，東北以北の沿岸に分布して

さらがい（しろがい）

いる．水深 10 m くらいに生息しており，漁獲量は少ない．
◇**調理** 殻ごと焼き貝がうまい．身は比較的硬く，多少渋味があるのでワインで蒸し煮にし，香草の風味を効かせたソースを添える．他の二枚貝類同様，殻付きの場合は，塩水につけて砂を吐かせて使用する．

さらしあめ　晒し飴

英 Sarashi-ame

水あめを主原料とした固形飴の原形ともいえるもので，125～150℃に煮つめたものを，80℃程度に冷やしてから棒に掛けて引っ張り，これを繰り返し気泡が練り込まれて白くなったもの．この工程を引き飴といい，口溶けと舌触りがよくなる．七五三の千歳飴もさらしあめの一種である．最近の製品には，乳製品が添加されることもある．また，金太郎飴は着色したさらしあめを顔の形になるように組み合わせて引きのばしたもので，このような細工飴を"組飴"と呼んでいる．

さらしあめ（金太郎飴）（平　宏和）

さらし鯨　⇨くじら

サラダ油

英 salad oil　別 サラダオイル

生野菜などを食べるドレッシングに適するように，新鮮で安定な風味を持つ．なたね油，大豆油といった植物油脂を原料とするが，これらは不飽和脂肪酸*を多く含んでいるため，時間が経過すると酸化を受け，風味が劣化する．家庭ではサラダ油を冷蔵庫で保管することがあるが，冷蔵時や寒冷時でも固体が析出しないように精製されている．『食品成分表』にも，"製造過程で，低温下でも固体脂を析出しないよう脱蠟（ウィンタリング*）を行うとともに，精製度をより高めたもの"と記載されている．加熱安定性もあるので，揚げ油としての用途にも使用できる．
◇**成分特性** 日本農林規格*（JAS）では，調合サラダ油 について，一般状態は，清澄で，舌触りよく，香味良好，色は，黄 35 以下，赤 3.5 以下（ロビボンド法 133.4 mm），水分及び夾雑物は，0.10 % 以下，冷却試験は 5 時間 30 分清澄，酸価*は，0.15 以下（食用オリーブ油を調合したものにあつては，0.40 以下），不けん化物*は，1.5 % 以下（食用こめ油を調合したものにあつては，3.0 % 以下），原材料は，食用植物油脂以外のものを使用していないとある．他に JAS では，サフラワーサラダ油，ぶどうサラダ油，大豆サラダ油，ひまわりサラダ油，とうもろこしサラダ油，綿実サラダ油，ごまサラダ油，なたねサラダ油，こめサラダ油が規定されている．

製法：農林水産省出版の『我が国の油脂事情』によれば，次の順序で製造している．
①圧搾及び溶剤による抽出
②溶剤除去：溶剤を蒸留除去して粗油を得る
③脱ガム脱酸：水を加え，脱ガムすると原油になる．原油に「リン酸」を加え，ガム質を除去しやすくした後に「カセイソーダ」を添加して，遊離の脂肪酸やガム質などを除去する．
④脱色：水洗後「酸性白土」を加え，撹拌して葉緑素などの色素を吸着させた後，ろ過により白土を除く
⑤脱ロウ：0～5℃の低温に冷却して，析出する固い油分を取り除く
⑥脱臭：高温・真空・水蒸気蒸留
⑦業務用の油には必要に応じて微量の「シリコーン」を添加（製品に表示される）
⑧ろ過

サラダ菜　⇨レタス
サラミソーセージ　⇨ソーセージ
ざらめ糖　⇨さとう

サルシフィ

分 キク科バラモンジン属（2 年生または多年生草本）　学 *Tragopogon porrifolius*（バラモンジン）
英 salsify；oyster plant；vegetable oyster　別 和 西洋ごぼう；むぎなでしこ；ばらもんじん（婆羅門参）

いわゆる西洋野菜の一種．南欧で広く栽培されている．根は太さ 2～3 cm，長さ 30 cm 程度のものを収穫する．
◇**成分特性** ごぼうよりも軟らかく，根の中は白

サルシフィ(芦澤　正和)

色をしている．煮ると，かき（牡蠣）のような香りがするので，英名の oyster plant の由来となっている．茹でたものの成分値は，100g当たり水分78.7g，たんぱく質2.65g，炭水化物14.9g（うち，食物繊維3g），脂質2.7g，無機質ではカリウム274mg，カルシウム46mg，カロテン25.3μg，ビタミンC 4.5mg などである（米国食品成分表）．

◇**調理**　葉も利用する．ごぼうに似てアクが強いので，皮をこそげ取り，切ったらすぐに酢水につけ，黒く変色するのを防ぐこと．根には肉類の臭みを和らげる効果があり，シチュー，クリーム煮などの煮込み料理に適している．そのほか，茹でてサラダ，浸し物にも用いる．

さるなし　猿梨

分 マタタビ科マタタビ属（落葉性つる性草本）
学 *Actinidia arguta*　英 hardy kiwi　別 しらくちづる

雌雄異株*または雑居性（雌花と雄花，両生花を同一株に着生する性質）で日本列島，朝鮮半島，中国等に自生する．キウイフルーツと同属の液果*で，果実を切った断面もよく似ている．自生株から選抜した品種が育成されている．夏に直径2cmほどの果実をつける．梨という名が付いているが，バラ科の梨とは別種である．果実の形が梨に似ているのでこの名がある．また，猿がこの果実を使って酒を作るとのいわれから，この名があるともいう．この植物は蔓（つる）が丈夫で，山地でつり橋を作るのに利用される．果実は"こくわ"とも呼ばれる．生食されるほか，ワインやジュースなど醸造や加工用として利用される．

さるぼう　猿頰

成 10318（味付け缶詰）　分 軟体動物，二枚貝類（綱），フネガイ科サルボウ属　学 *Scapharca kagoshimensis*　英 mogai clam；bloody clam；half-crenated ark　別 藻貝；えてぼう；あか貝；こあか

あかがいの仲間で，殻は中型で横長の長方形をしている．殻長10cm．殻表は灰色で，放射肋は32本ある．左殻の肋上に顆粒がある．東京湾から九州，中国大陸沿岸の潮間帯から水深10mぐらいの泥底に棲む．シュロの葉などを沈めそれに付着した幼貝を採取して養殖を行う．

◇**成分特性**　あかがいの仲間で，血液中にヘモグロビンを含有するので，肉が赤色を呈する．成分的にはあかがいより水分が多く，たんぱく質，炭水化物（全糖）の含量も低い．ビタミン類の含量も，あかがいと同等か，やや低い程度である．『食品成分表』には味付け缶詰の成分値が載っている．

◇**加工**　あかがいの缶詰として市販されているものは，そのほとんどがさるぼうを使っている．味付けおよび串ざしの缶詰が主なものである．

◇**調理**　主として加工原料に用いられ，調理上の用途はあまり多くない．良質のもの，特にさるぼうはあかがいの代用に生食することもある．しかし，色が本物のあかがいより白っぽく，風味も乏しい．煮付け，佃煮など，濃厚な味の加熱調理に適している．洋風料理でも煮込みがよい．

●**くいちがいさるぼう**

喰い違い猿頰　学 *Scapharca inaequivalvis*　英 bloody clam；ark-shell

殻はさるぼう同様，左殻は右殻より大きい．殻の

さるなし（自生種採株）の着果状況（小町園）

さるぼう（缶詰）（平　宏和）

放射肋は 32 本あるが，さるぼうのように顆粒状にならない．房総以南，インド，西太平洋の水深 5〜20 m の細砂底に棲む．味はよい．

●くまさるぼう

熊猿類　学 *Scapharcc globosa ursus*

殻は大型でやや四角形，よくふくらんでいる．殻皮が厚く黒いので，熊の名がついた．瀬戸内海や有明海の水深 5〜20 m の細砂底に棲む．味はよく，生食にも缶詰にもなる．

ザワークラウト

英 sauerkraut

ドイツの代表的なピクルスで，名前は"すっぱいキャベツ"の意味．2〜3% の塩にキャラウェイ，ローリエなどの香辛料を加え，キャベツを切断してよく混ぜ，甕（かめ）に入れて漬け込み，重石をのせ発酵させる．夏は 3, 4 日，冬は 1 週間ほどで乳酸が 1.5% ほどに達したときに食用とす．乳酸* が多くなるので保存性は高くなる．ドイツではソーセージやじゃがいも料理の付け合わせとして欠かせない．

ザワークラウト（平　宏和）

サワークリーム　⇨クリーム類
さわがに　⇨かに

さわら　鰆

成 10171（生），10172（焼き）　分 硬骨魚類，サバ科サワラ属　学 *Scomberomorus niphonius*　英 Japanese Spanish mackerel　別 ほんさわら　地 おきさわら（対馬）　旬 冬

全長 1 m．体は側扁する．歯が強く小刀状である．体側に小黒点が散在し，波状の側線がある．寒さわらといって冬，特にうまい．卵巣から"からすみ"の代用品もつくる．北海道から南日本，朝鮮，台湾に分布する．特に瀬戸内海で多く獲れる．同属にうしさわら，よこしまさわら，また近縁にかますさわらがいる．

さわら（本村　浩之）

出世魚：成長するにつれて名前の変わる出世魚* としても知られており，関東では 50 cm ぐらいまでをさごち，関西ではさごしと呼び，70 cm ぐらいまでをやなぎ，70 cm を超えるとさわらになる．

◇成分特性　まぐろに近い魚で，『食品成分表』では 100 g 当たり，水分 68.6 g, たんぱく質（アミノ酸組成）* 18.0 g, 脂質（TAG 当量）* 8.4 g, 灰分 1.5 g となっており，めじまぐろに類似しているが，脂質はそれより多く，脂溶性ビタミン* はやや少ない．ただし肉は白く，関東では刺身，関西では照焼きなどにされる．一般に切り身で売られるさわらは，さわらのほか，うしさわら，かますさわらなどが混じっている．これらも美味であるが，さわらには及ばない．高価でもあるし，肉色が白といっても赤みを帯び，これのみでかまぼこをつくることはないが，味がよいためまれに混和する．

◇調理　刺身も供されるが，脂肪が多いので，肉質が軟らかく身割れしやすいため，塩焼きやフライなど，乾式加熱に適している．※西洋料理や中国料理では，この魚自体それほど味が濃くないことから，グラタン，煮込みなど，他の食品と組み合わせて，調理される．※魚臭が強くなく味が上品なので，まつたけをはさんだり，茶そばをはさんだり（信州蒸し），みそ漬（特に西京漬）にして食べることもある．

●うしさわら

牛鰆　分 サワラ属　学 *Scomberomorus sinensis*　英 Chinese seerfish　別 おきさわら　地 おおさわら（各地）；はさわら（神奈川）；ほていさわら（秋田）；やなぎさわら（富山）

全長 2 m．さわら類の中で一番大きい．体側の後方上部に 2 列の黒斑が縦列する．美味．秋田，千葉から南日本，朝鮮，東シナ海，台湾，ベトナムに分布する．

●かますさわら

魳鰆　分 カマスサワラ属　学 *Acanthocybium so-*

かますさわら（本村　浩之）

landri 英 wahoo 別 おきさわら 地 おおかます（長崎）；さわら（宮崎，鹿児島，小笠原）；とおじんさわら（千葉）；おきざわら（神奈川）
全長2m．体側に暗色の太い横線がある．味はさわらより劣る．みそ漬，フライ，照焼きなどにする．また節をつくる．青森県以南，全世界の温帯から熱帯の海に分布する．スポーツフィッシングの人気魚種でもある．

●よこしまさわら
横縞鰆 分 サワラ属 学 *Scomberomorus commerson* 英 narrow-barred Spanish mackerel 別 よこじまさわら 地 くろざわら（富山）；さわら（秋田）；いのーさわら（沖縄）
全長2m．体側に多数の短い暗色横帯がある．さわらの中で最も美味．新潟県以南のインド・西太平洋に分布する．

さんかい漬　山海漬

英 Sankai-zuke
◇**原料**　野菜類とかずのこやくらげを配合した粕漬で，新潟の特産である．原料野菜はきゅうり，大根ほかで，たいていは下漬しておいたものを水さらしして脱塩し，圧搾・脱水して用いる．
◇**漬け方**　下漬野菜類を中漬として，前もって調合しておいた調味液に約1日間漬ける．調味液の配合は水10L，水あめ500g，食塩300g，アミノ酸液1Lくらいでよい．中漬が終わったら液を切り，本漬け床に練り合わせて本漬とする．本漬粕の配合はわさび漬の粕と同じである．

さんしょう　山椒

成 17066（粉）　分 ミカン科サンショウ属（落葉低木）　学 *Zanthoxylum piperitum* 英 Japanese pepper 別 古 はじかみ（椒）
果実と葉に辛味と芳香成分が含まれるので，香りを生かして食用とされる．雌雄異株＊で秋に結実する．葉はそのまま，実は，若いものはそのまま，熟したものは果皮が乾燥粉末として使われる．日本原産で，すでに縄文時代の出土品の土器に入っていたことから，古くから使われていたことがわかる．奈良時代には，現在のように漬物，煮物などに使われていた．山野に自生する棘のあるヤマアサクラザンショウと，栽培される棘のないアサクラザンショウがある．アサクラザンショウは果実が大きく香りが強い．
◇**成分特性**　香りの主成分はジペンテン（DL-リモネン）で，その他にゲラニオール，シトロネラールを含むといわれている．山椒の辛味は樹皮，葉および実にも含まれる．主成分はサンショオールで，刺激性をもち，これにより味覚，嗅覚を麻痺し，魚などの生臭みを消失させ食欲をそそる作用がある．苦味は主としてサンショオールによる．
◇**調理**　若芽はたいへん香りが高いので，木の芽でんがく，和え物，佃煮，料理のあしらいや吸い口などに広く用いられる．料理で，単に"木の芽"というときは，山椒の若芽を指す．※実は未熟のものは料理のあしらいや佃煮にする．夏のうちに採取される青みのある未熟果を青山椒という．陰干しにして水煮ののち食塩水に漬けて保存する．成熟した果実の果皮を粉末としたものが粉山椒で，黄褐色を呈し特有の香気がある．うなぎの蒲焼きには欠かせない．七味唐辛子の原料でもある．

さんかい漬（平　宏和）

粉山椒（平　宏和）

上：山椒の葉，中：花山椒（枠内：雄花） 吸い口や煮物，焼き物のあしらいに用いられる，下：青山椒（未熟果）（平 宏和）

上：花椒 ホール，下：青花椒 ホール（平 宏和）

山椒みそは，白みそ，みりんなどに粉山椒または木の芽をすりつぶしたものを混ぜたものである．幹はすりこぎとして利用される．

●**花椒（かしょう）**

学 *Zanthoxylum bungeanum*（カホクザンショウ）
英 Sichuan pepper 中 花椒（ホアジャオ） 和 カホクザンショウ

花椒はサンショウと同じサンショウ属植物であるカホクザンショウ由来の中国香辛料で，薬用（健胃，消炎，利尿，駆虫）としても使われる．山東，河北，河南，山西，四川などで生産され，果実の乾燥品（花椒・青花椒）がわが国に輸入されている．一般に花椒と呼ばれるものは，完熟果実から黒い種子を除いた果皮（芳香・辛味成分が含まれる）を乾燥した製品で，赤花椒ともいう．一方，青花椒は藤椒と呼ばれ，未熟の青い果実を花椒と同様に乾燥した製品である．花椒は，唐辛子の焼けつくようなカプサイシン*の辛味（辣味）ではな

く，痺れるようなサンショオールの辛味（麻味）がある．炒め物，煮物，漬物などに，粉末は五香粉（ウーシャンフェン*），また，揚げ物などに振りかける花椒塩の材料として使われる．青花椒は，花椒と山椒の中間のような痺れる辛味で，上品で華やかな香りがある．冷製料理，炒め物，香りを油に移した藤油などに使われる．花椒，青花椒は粉末も市販されている．

サンチュ ⇨レタス

 サンドイッチ

英 sandwich

野菜，卵，ハムなど，材料を適宜に2枚のパンの間にはさんだ，手軽で携帯に便利な調理パンである．18世紀後期にイギリスで考案されたもの

サンドイッチ（平 宏和）

が発端であるといわれる．2枚のパンには必ずバターをムラなく塗る．これは中にはさむ食品をパンに密着させ，はさんだ材料の水分がパンに吸収されるのを防ぎ，同時に風味と栄養価を向上させる．野菜は塩をふってしばらくおき，脱水したところでその水を布などで吸いとってからはさむとよい．

さんとうさい　山東菜

成 06089（葉 生），06090（葉 ゆで），06091（塩漬）　分 アブラナ科アブラナ属（1年生草本）　学 *Brassica rapa* var. *pekinensis*　英 Shandong cai；non-heading Chinese cabbage

別 市 ぺか；ぺかな；さんとうな；はくさいな

はくさいのうち不結球のものをさんとうさいという．丸葉でまったく結球しない丸葉山東と，切葉で葉柄基部が結球状となる切葉山東があり，その間に多くの変異がある．ぺかなは東京都江戸川地方の名で，かつてぺか舟と呼ばれる川舟で輸送したのでこの名がある．生長は早く，盛夏を除きほとんど周年的に栽培し，30日ほどで若採りして，煮物・漬物用とする．

産地：関東地方．

◇**成分特性**　無機質，ビタミンなど，はくさいに比べ成分値が高い緑黄色野菜である．茹でにより質量で75％ほどになり，カリウムとビタミンCの50％ほどが減少する．

◇**調理**　成熟したものは組織が多少硬いが，若採りしたものは軟らかく，漬物，煮物，汁の実などに用いる．漬物もかつては長期の保存漬にしたが，若採りのものは浅漬にする．

さんとうさい（平　宏和）

三度豆（さんどまめ）　⇒いんげん豆
サンバースト　⇒かぼちゃ（ペポかぼちゃ）
サンふじ　⇒りんご

さんぼうかん　三宝柑

成 07074（砂じょう 生）　分 ミカン科ミカン属（小高木）　学 *Citrus sulcata*　英 Sanbokan　別 だるまみかん　旬 3，4月

原産は和歌山県海草郡で，江戸時代に和歌山城内に原木があって，その果実を三方に盛り城主に献上したことからその名が生まれたといわれる．

産地：主産地は発祥の和歌山で，そのほか三重，千葉でも少量生産されている．

◇**成分特性**　果実は250〜300gで果梗部に大きな突起があり，基部にくびれがあり，だるまの形に似ている．果面は凸凹が激しく果皮は厚く，種子は30個ほどあり，す上がり（果汁分が抜けサクサクになる症状）が発生しやすいので，廃棄率が55％と高い．食味は淡白で特有の香味を有し，果形に特徴があり親しみ深い果実である．収穫期は1月から6月に及ぶが，最盛期は3月，4月で，採取後，直ちに出荷される．砂じょうの一般成分は，100g当たり，水分87.6g，炭水化物10.9g（うち，食物繊維0.9g），灰分0.5gで，ビタミンCを39mg含む．

さんぼうかん（平　宏和）

さんま　秋刀魚；三馬；三摩

成 10173（皮つき 生），10174（皮つき 焼き），10175（開き干し），10176（みりん干し），10177（缶詰 味付け），10178（缶詰 かば焼），10407（皮なし 生）　分 硬骨魚類，ダツ科サンマ属　学 *Cololabis saira*　英 Pacific saury　別 地 さいら；さいれ（和歌山）；せいら；さざ（長崎）　旬 秋

全長40cm．体は細長く側扁する．歯は著しく小さい．体色は銀色．寒帯性の魚で，外洋を群泳する．秋，産卵のため沿岸にくる．九州から北海道，朝鮮半島から北米西岸に分布する．

◇**成分特性**　いわし，さばなどとともに代表的な多獲性赤身魚である．したがって成分，特に水分，

さんま（本村　浩之）

さんま開き干し（平　宏和）

脂質の含量は魚体の大小，漁期などにより大きく変動する．可食部の脂質含量は最も脂ののった時期の大型（32cm以上）のものでは17〜24％，中には25％を超えるものもある．一方，漁期の初め頃では30cm程度の比較的大型のものでも7〜9％くらいである．また小型（25cm以下）のものでは，漁期によらず5％程度の脂質しか含まれていない．『食品成分表』の収載値（100g当たり，水分55.6g，たんぱく質（アミノ酸組成）*16.3g，脂質（TAG当量）*22.7g）は，市販されている大きさのものである．生鮮時のさんまの吻端*は橙黄色を呈しているが，これはカロテノイド色素の存在による．鮮度が低下すると退色して白くなるため，鮮度の指標となる．秋の北海道から南下し始める頃のものが，最も脂質の含量が高く美味であるが，三陸，房総沖に下るにつれて脂質が少なくなり，その後の時期には不味となる．日本海でもさんまが獲れるが，脂質含量が低いので塩焼き用の鮮魚としての販売には向かないが，かえって加工には適している．成分的にはさばやいわしに類似しており，肉質の安定性も両者の中間である．

◇**保存・加工**　以前は，保存は塩蔵が主であったが，現在はそのほとんどが冷凍保存されている．鮮魚として販売されているものは氷蔵のもののほか，冷凍品を解凍したものもあるので，脂質の酸化していないものを選ぶ必要もある．さんまの加工は，主に鮮魚としての販売に向かない脂質含量の低いものの方が良品が得られる．開き干しは背開きの塩乾品で，冷凍品を原料としてもつくられる．食塩，砂糖，水あめ，みりんなどの調味料に漬けてから乾燥したものがみりん干しである．さんまの缶詰には，水煮，味付け（成10177），トマト漬，蒲焼き（成10178）などがある．その他の加工品には塩さんま（塩蔵），燻製があるが，どちらも塩分含量の少ないものに嗜好が移っている．名産品的なものには和歌山のさんまの棒鮨（さいらの鉄砲鮨）など，各地で飯鮨につくられる．また，さんま節やまぐろはえ縄やはまち養殖の餌料ともなる．

◇**調理**　肉質が軟らかくうま味はやや少ないが，脂肪に特徴がある．脂ののった秋のさんまの特徴を生かすには，塩焼きか，鉄板上でバター焼きがよい．鮮度のよい場合は，生食することもある．※特有の魚臭があり，特に鮮度の低下したものに著しい．一方，内臓は味がよく苦味も穏やかで食べられる．生臭みや苦味を和らげ，爽やかな季節の味を出すため，さんまの塩焼きには大根おろしをたっぷり添えたり，すだち，かぼす，レモンなどの汁を落としたりする．塩焼きばかりでなく，バター焼きにも大根おろしが用いられる．※うま味がそれほど強くないので，バター焼き，オイル焼きなど，油脂を用いた料理のほか，チーズ焼き，つけ焼き，みそ焼き，濃い味付けをする料理にも比較的広く用いることができる．また味付け缶詰の原料としても利用される．酢の味にもよく合い，日本料理では酢和え，押し鮨，洋式調理ではマリネ（酢，油漬キャベツでさんまを巻く）などに用いられる．

さんま缶詰　上：味付け，下：蒲焼き（平　宏和）

し

CA包装食品

英 controlled atmosphere packaging foods

古くより，青物を低酸素・高二酸化炭素の雰囲気で貯蔵する方式がとられていた．この方式をCA貯蔵*（controlled atmosphere storage）と呼んでいる．このCA貯蔵を発展させ，生鮮食品や加工食品を包装容器に詰め，包装内部の雰囲気を制御し，保存性を上げるための包装が行われている．この食品をCA包装食品と呼んでいる．
CA包装食品には，MA（modified atmosphere）包装食品，ガス置換包装食品と脱酸素剤封入包装食品がある．ときには真空包装食品も含まれることがある．ここでは，MA包装食品，ガス置換包装食品と，脱酸素剤封入包装食品について述べる．

● MA包装食品

英 modified atmosphere packaging foods

青果物分野では，ガス透過性の高いフィルムを使用して，青果物の呼吸作用とフィルムのガス透過性により袋内雰囲気ガスを制御して，鮮度を保持する方式がとられている．ブロッコリー，ほうれんそう，レタスなどの青果物をこの方式で包装したものをMA包装食品と呼んでいる．

● ガス置換包装食品

英 gas exchange packaging foods

酸素や水蒸気の透過しにくい包装容器の中に食品を入れ，容器内部の空気を窒素，酸素，二酸化炭素の混合ガスで置換して，完全密封した食品である．

置換するガスの種類：加工食品の中でもたんぱく質系食品であるスライスチーズや薄切りハムなどは，窒素と二酸化炭素の混合ガスで置換包装されており，脂肪と肉色素の酸化が防止され，細菌などの発育が抑制されている．ドライミルク，削り節やコーヒー，紅茶，粉末清涼飲料などは，肉色素の酸化防止，ビタミン類の損失防止，香気逸散防止などの点から，窒素が封入されている．生鮮食品のうち，業務用生肉と魚の切り身は，バリア性包装材料*の中に入れてから，窒素と二酸化炭素の混合ガスで置換包装されている．コンシューマーパック用生肉は，酸素によって肉色素が保持され，二酸化炭素によって微生物が抑制されている．

● 脱酸素剤封入包装食品

英 free oxygen scavenging foods

カビや細菌などの微生物が発育しやすい食品や，空気中の酸素で脂肪酸化や色素退色が起こる食品の腐敗変質を防ぐために，脱酸素剤を封入して包装された食品．この方法は，包装食品中の酸素を酸化鉄の還元などで除去し，真空状態と同じようにして，微生物の発育と食品の酸化を防止するものである．包装のための機械設備も必要としない利点がある．

◇歴史　1925年，Maudeによって，世界で初めて鉄粉と硫酸鉄による脱酸素剤が開発され，1943年に乾燥食品に対して鉄化合物系の脱酸素剤が使われた．わが国でも1969年にハイドロサルファイトを主成分とした脱酸素剤が開発された．そののち，加工食品の品質保持剤として酸化鉄を主体とした製品が開発され，中小を含めた多くの食品会社で採用された．これら脱酸素剤が，1976年頃よりバリア性包装材料を組み合わせて，カステラ，和菓子のカビ防止と油菓子などの酸化防止に大量に使われるようになった．

◇効果　包装食品の中に，脱酸素剤を入れた場合，包装袋中の酸素を吸収することにより，食品の微生物抑制，虫害防止と油脂や色素の酸化防止など，多くの効果がみられる．また，食品の風味保持と青果物の鮮度保持などの効果もみられる．

シークヮーサー

成 07075（果汁　生），07076（10％果汁飲料）
分 ミカン科ミカン属（常緑性小高木）　学 Citrus depressa　英 Shiikuwasha；Shekwasha　別 和 ひらみレモン

沖縄県地方特産の柑橘類で，奄美大島以南の南西

シークヮーサー　上：未熟果，下：成熟果（平　宏和）

諸島と台湾の山地に自生する．「シー」は酸,「クワシャー」は与えるという意味の琉球語である．第二次世界大戦前には未熟果の果汁が織り上げた芭蕉布の洗浄やシミ抜きに使われていたことが語源といわれている．成熟果で直径3〜4cm,質量25g程度．生食されることは少なく，果汁を絞って飲料にすることが多い．
◇**成分特性**　100g中，生果汁にはビタミンCが11mg含まれる．酸は2gである．
◇**加工**　清涼飲料，濃縮果汁飲料に加工される．未熟果は食酢の原料となる．
◇**調理**　半切りにして，料理に添えられる．

乾ししいたけ　左：冬菇（どんこ），右：香信（こうしん）
（平　宏和）

しいたけ　椎茸

成【生しいたけ　菌床栽培】08039（生），08040（ゆで），08041（油いため），08057（天ぷら）【生しいたけ　原木栽培】08042（生），08043（ゆで），08044（油いため）　分担子菌類ツキヨタケ科シイタケ属（きのこ）　学 *Lentinula edodes*　英 Shiitake；Shiitake mushroom
別地ならのこけ（新潟）；なば（宮崎，大分）；やましいたけ，にらぶさ（山形）

野生のものは春と秋（深山では夏〜秋）に，広葉樹のナラ，ミズナラ，シイ，カシ，クヌギ，クリ，その他の枯幹，切り株に生える．まれに，原木を立てかけてあるスギなどの針葉樹から発生することもある．傘の径は4〜10cmで，饅頭型から成熟が進むと平に開く．傘の表面には茶褐色の綿毛状の鱗片があり，裏側は白いひだがある．柄は傘より薄い褐色で，比較的短い．日本では北海道から奄美大島までの範囲で生育し，海外では，中国，韓国，東南アジアの高山帯，ニュージーランドにも分布している．元々，原木を野外の林内に置いて栽培することが多いため，野生のしいたけを野外で見かけることはまれで，見つけたとしても栽培品が逸出した場合（エスケープと呼ぶ）がほと

んどである．日本をはじめ中国，韓国で原木栽培が盛んに行われ，市販品はほとんどすべて栽培品である．ただし，近年ではおがくずを使った菌床栽培が盛んで，生しいたけでは90％以上が菌床栽培品，乾ししいたけでは逆に原木栽培品が約90％を占めている．近年では中国の生産量が莫大で，日本に大量に輸入されている．まつたけ，しめじ（いわゆる本来のほんしめじ）とともに日本の代表的な食用きのこである．わずかに輸出され，主な輸出先は香港であるが，シンガポール，米国，オーストラリアなどへも出されている．特に米国では，"shiitake" の名で低エネルギー食品として注目されている．

◇**栽培種**　栽培品のしいたけには冬菇（どんこ），香信（こうしん）などと呼ばれ，形状・色調による区別がある．寒い時期に乾燥した状態で生長したしいたけは，肉厚で傘が白く，亀甲状あるいは菊花状に割れた花冬菇（はなどんこ）になる．これは乾ししいたけの最高級品とされる．比較的低温時に生長し，傘が七分開きぐらいで採取したものは冬菇と呼ばれる．傘が肉薄のしいたけは香信と呼ばれる．冬菇系の品種でも肉厚の採取適期を逸したものは肉薄になり香信型になる．このようなしいたけの形状・色沢はその品種にも関連がある．低温で発生する品種（春出，春秋出品種）や比較的高温でも発生する品種（秋出，夏出品種）があり，冬菇は春出，春秋出品種を用いて傘の肉厚なきのこにしたものということになる．

規格：生しいたけについては林野庁が全国統一規格をつくり，きのこの傘の直径の大・中・小によってL，M，Sの3群に区分し，七分開き以内で色沢・形状良好で肉厚，水分が少なく汚染・病虫害のないものを秀，秀に次ぐものを優に区分している．

産地：栽培品の主な産地は徳島，岩手，北海道，群馬，栃木，秋田，福島などの各県で，寒冷地で

しいたけ（原木栽培）（岩瀬　剛二）

も温室栽培を行い，冬にも栽培出荷している．一方，九州の大分でも大量に栽培されている．

　しいたけ類似の毒きのこ：夏〜秋にブナに生える一見しいたけ風のきのこは，多くは毒きのこのつきよたけである．

◇成分特性　キチン*，ヘミセルロース*，トレハロース，マンニトール，還元糖*などの炭水化物を含む．またプロビタミンD*のエルゴステロール*を多量に含む．エルゴステロールの大部分は遊離型で，傘の部分に最も多い．しいたけのうま味は5′-グアニル酸とグルタミン酸などの遊離アミノ酸類の相乗効果による．特有の芳香成分はレンチオニンと呼ばれる物質である．しいたけの水抽出有機塩基（エリタデニン）には血中コレステロールを低下させる作用があることが見出され，また，抗腫瘍多糖類レンチナンを含み，癌の抑制作用が期待される．さらに，ウイルス感染に対する生体防御因子のインターフェロン誘起物質も含まれるといわれ，その効用が再認識されている．ただし，たんぱく質，脂質，食物繊維など，しいたけの各成分の消化率は非常に悪いとされている．

◇保存・加工　生しいたけは主に発泡スチロールトレイに入れたり，網袋詰などにして市販されているが，貯蔵性がない．なるべく長持ちさせるには冷蔵するか風通しをよくして乾燥気味に保つ．保存用としては大半が乾ししいたけにされる．

◇調理　ヌクレオチドの一種である5′-グアニル酸によるうま味が特徴で，古来，昆布とともに代表的な植物性のだしとして用いられてきた．乾燥して保存できるのが特徴であり，乾燥するとむしろうま味を増すので，だしにはもっぱら乾燥品が用いられる．※乾ししいたけを戻すときは，長時間の浸漬を避ける．吸水完了後，長く置くとうま味成分が溶出する．浸漬水に砂糖を少量加えて置くとうま味成分の溶出を多少遅らせるほか，しいたけの風味にコクを与えるといわれる．※うま味を生かして，乾ししいたけそのものを味わうには煮物がよい．十分戻してから味を付けるようにし，煮しめ，すしの具，佃煮などにする．戻したときの水を汁に使うとうま味の損失を防げる．※香りを重視するので，焼く，揚げるなど，乾式加熱がよい．しいたけそのものを味わうには生しいたけを直火焼きにして，ポン酢，しょうゆで食べるか，油をひいた鉄板で焼き，レモン汁などをかけて食べる．また肉のうま味と調和させる料理として，肉詰焼き，肉詰揚げなどがある．このほか生しいたけの香りは，椀種，鍋物，炊き込み飯などにもよい．

●乾ししいたけ

成 08013（乾），08014（ゆで），08053（甘煮）

英 dried shiitake

しいたけを乾燥したもの．乾燥は，集荷施設などで専用の乾燥室や乾燥器を設けて火力で行っている．少量の乾燥は天日で4〜7日かけて行う．

　産地：生しいたけの生産は，徳島，岩手，北海道，群馬などが多いが，乾ししいたけの産地は，大分，宮崎，熊本など九州地方が多い．

◇成分特性　100g当たり，ビタミンDを17.0μg，食物繊維を46.7g含む．

 しいの実　椎の実

成 05020（生）　分 ブナ科クリカシ属（常緑高木）

学 *Castanopsis* spp.（シイ類）　英 sweet acorn；chinquapin

日本列島の中部以南の暖地に分布し，高さは20m以上に達する．果実は堅果*で，開花の翌年の秋に熟する．総苞*はやや球形で，数層の横輪があって外面に短毛が密生し，熟すと不規則に先端から裂けて中から堅果が落下する．堅果が球形ないし卵円形のツブラジイ（コジイ *Castanopsis cuspidata*）と，長楕円形で先が尖っているスダジイ（イタジイ *C. sieboldii*）がある．いずれも，堅果内部の子葉*を生のまま，あるいは炒って食べる．

◇成分特性　子葉は炭水化物が多く，その主たるものはでん粉である．灰分は少なく，ビタミンCが多い．

しい（スダジイ）の実（平　宏和）

 じーまーみ豆腐　地豆豆腐

沖縄の地方食品．じーまーみ（落花生の沖縄方言）を水につけ皮をむき，すり潰したものを裏ごしし，

じーまーみ豆腐（平　宏和）

溶いたさつまいもでん粉と混ぜ，加熱しながら練り上げ，流し箱に流し込み固めたものである．つけ汁（材料：だし汁，しょうゆ，みりんまたは砂糖など）を張った器に盛付けたり，つけ汁をかけて供する．

しいら　鱰

成 10179（生）　分 硬骨魚類，シイラ科シイラ属
学 *Coryphaena hippurus*　英 common dolphinfish
別 地 まんびき（宮城，神奈川，千葉，熊本など）；しら（秋田，富山）；まんさく（広島）　旬 夏
全長 2m．体は著しく側扁する．雄の成魚は前額部が隆起している．体色は緑金色で美しい．死ぬと黄色を帯びる．世界の暖海に広く分布し，小さな群をなして回遊する．白身で，ハワイではマヒマヒ（mahimahi）と呼ばれ，高級魚に入る．同属にえびすしいらがある．
◇**成分特性**　わが国沿岸で獲れるものは夏に美味である．精肉歩留りは 45% 程度で，魚体の大きくなるほど高い値を示す．肉色はやや赤みを帯び，肉質は水っぽい．成分的にはたちうおなどの魚に似ているが，たんぱく質は多め（21%前後），脂質は少なめ（0.2〜3.4%）で，その他の成分も同程度と考えてよい．惣菜用のほか塩乾品とし，アシは強くないが練り製品原料としても用いられる．
◇**調理**　新鮮なものは，刺身，塩焼き，照焼き，煮物，フライに利用する．殊に油脂を加えると味

が引き立ってくる．また，やや味を濃くした照焼きやみそ漬などもある．九州，四国では塩を強くふって干したものを塩まんびきという．また，かまぼこの材料としている．

●**えびすしいら**
恵比寿鱰　学 *Coryphaena equisetis*　英 pompano dolphinfish　別 地 えびすしいら；おきしいら；ひらめしいら（島根）
全長 90cm．額が著しく出張っている．しいらより体高が高い．世界の暖海に広く分布する．

シェリー

英 sherry　西 Jerez　別 セリー
スペインのヘルス地方を中心につくられるワインで，ブランデーで補強されており，甘口から辛口まである．シェリーにはぶどう酒表面にシェリー酵母を繁殖させてつくるフィノ，アモンチラードと，酵母が表面に産膜しないが熟成を十分に行うオロロソ，アモロソなどの種類がある．アルコール 18〜20%（容量）で，独特の酸化臭がある．酒税法では甘味果実酒に分類されている．

シェリー（平　宏和）

塩　⇒食塩
塩いわし　⇒いわし

しおがま　塩釜

成 15053　英 Shiogama；(molded sugar-mixed roasted glutinous rice flour with perilla leaf powder)
干菓子の押し物菓子の一種である．らくがん風の和菓子であるが，らくがんよりも余分に湿り気を与え，強く押し詰めないため，口あたりがサックリしている．また，砂糖と塩の配分がほどよく，野趣に富んでいる．しおがま類似の菓子は各地でつくられており，もち米の代わりにうるち米を

しいら（本村　浩之）

しおがま（平　宏和）

使ったものや，中にあんを入れたものなどがある．代表的なものとしては，宮城県塩釜市のものが有名である．
◇由来　江戸中期，明和の頃（1764〜1772）からつくられている．神代の昔，塩釜にある塩釜神社の祭神である塩土老翁（しおつちのおじ）がこの地に降りて，藻塩草を焼いて塩をつくることを人々に教えた際に，しおがまの製法も伝えたといわれている．
◇原材料・製法　当初，もち米を蒸して干し，粉末にする際にホンダワラなどの藻塩草（藻塩の材料にする海藻）を加えて散らし，押し固めたものであった．後に，みじん粉に砂糖と少量の塩，水を加え，よくもみ混ぜてからしその葉を加え，押し固める方法に変わった．藻塩草をしそに替えることにより，風味が向上した．

塩麹　⇒こうじ

塩昆布　しおこんぶ

成 09022　　英 Shio-kombu；(seasoned and dried kombu)　別 塩吹き昆布

角切り，または千切りした昆布をしょうゆ，砂糖などで調味した液で煮たものである．これを乾燥させ，塩を吹かせた乾燥塩昆布もある．昔の製法で，表面に塩が吹き出たので塩吹き昆布ともいう．今では，精製塩とグルタミン酸ナトリウムを混合したまぶし粉によって粉付けをする工程がある．

塩せんべい　⇒しょうゆせんべい
塩だら　⇒たら

しおで　牛尾菜

分 サルトリイバラ科シオデ属（つる性多年生草本）　学 *Smilax riparia*　英 Shiode　別 ひでこ
旬 春

山のアスパラガスといわれるほど，形・味ともに似ている．九州から北海道まで分布する．つる性で雌雄異株*で，茎は長く他の植物にからみついて生長し，2mほどになる．棘はない．葉は互生して，短い柄があり，腋から托葉*を出して，これが巻きひげになっている．葉の形は楕円形で先が尖っている．夏に葉腋*（葉の付け根）から長い花柄*を伸ばし淡黄緑色の多数の小花が球状に集まって咲く．果実は球形の液果*（漿果）で，黒色である．シオデは東北地方では珍重され，最高級品として販売されている．平地からやや高山にまで自生し，原野や山林のふちなどの日当たりのよい肥沃な土地に好んで群生する．道路わきの腐植の多いやぶなどに，大型のものが集団で生えていることがある．別種のタチシオデ（*Smilax nipponica*）も食用となる．
◇採取　春の若芽が20〜30cmのとき，手で折れる軟らかいところを摘み取る．この山菜は他の植物よりやや遅れて芽を出すので，見つけるのが難しい．
◇調理　山菜の王様といわれ，味もよい．茹でてお浸し，和え物，油炒め，揚げ物，汁の実など，何にでも使用できる．

塩昆布　左：塩昆布（角切り），右：乾燥昆布（千切り）（平　宏和）

しおで（平　宏和）

塩にしん　⇒にしん
しおふき　⇒ばかがい

塩豆 しおまめ

成 04015　英 Shio-mame；(roasted and salted peas)

えんどうに塩味を付けた煎り豆．乾燥えんどうを水に浸し，煎ったものに食塩，豆の表面を白くするための貝カルシウム（胡粉とも呼ばれ貝殻を粉にしたもの．主成分は炭酸カルシウム），糊料にでん粉，ふのりなどを用いた混合液をかけ，乾燥したものである．そのため，無機質として100g当たり，食塩1.5gとカルシウム1,300mgが含まれる．

しか（もも肉）（平　宏和）

生のニホンジカやエゾシカを用いる事例も増えている．

◇**成分特性**　表1にしかの成分組成を示す．えじしか，ほんしゅうじか・きゅうしゅうじかの間で脂質含量の多少の違いはあるものの，大きな違いはない．赤肉のたんぱく質含量も20％前後と，他の食肉と同等である．野生動物であるため，季節により成分値は一定の範囲で変動するものと考えてよい．

◇**調理**　脂の少ない赤身肉で，軟らかく，消化もよいが，味は淡白である．調理する際は，表面の黒い部分や筋があれば取り除き，火を通す．※みそ・しょうゆ・みりんなどの調味料，ハーブ，香辛料，ワイン，香味野菜を上手に使って調理することによって，焼き物，蒸し物，煮込みなど，いろいろと使うことができる．たとえば和風であれば，たたき，みそ煮，野菜と一緒にみそ仕立てにしたもみじ鍋，洋風には，しか肉のステーキに香味ソースを添えたり，香味焼き，煮込みなどがある．※加熱しすぎると硬くなりやすいので，焼き加減・煮加減に注意する．

塩豆（平　宏和）

塩レモン　⇒レモン

 しか 鹿

成 表1を参照　分 シカ科シカ属　学 *Cervus elaphus*（アカシカ），*Cervus nippon*（ニホンジカ）
英 deer；venison（しか肉）　別 しか肉

これまでわが国で食用とされてきたのはヨーロッパ原産のアカシカの輸入品であったが，近年，野

表1　しかの成分組成（日本食品標準成分表2020年版（八訂）より）　　　　　　　　　　　　（100g当たり）

食品番号・食品名		エネルギー (kcal)	水分 (g)	たんぱく質 (アミノ酸組成) (g)	脂質 (TAG当量) (g)	利用可能炭水化物 (g)	灰分 (g)	レチノール (µg)	ビタミンB_1 (mg)
あかしか									
11114	赤肉　生	102	74.6	(18.9)	0.9	4.5*	1.1	3	0.21
にほんじか									
11275	赤肉　生	119	71.4	22.0	3.0	(0.3)**	1.2	4	0.20
えぞしか									
11294	赤肉　生	126	71.4	20.8	4.5	(0.6)**	1.1	5	0.21
ほんしゅうじか・きゅうしゅうじか									
11295	赤肉　生	107	74.4	18.5	1.8	3.6*	1.1	3	0.18

* 質量計，エネルギー計算は単糖当量に基づく，** 差引き法

しかくまめ 四角豆

成 06092（若ざや 生） 分 マメ科シカクマメ属（1年生草本） 学 *Psophocarpus tetragonolobus* 英 winged beans

東南アジア，南米などの熱帯地域で広く栽培されている．完熟した種子は豆として利用し，若いさやは野菜として利用する．さやの断面が四角形をしているのでこの名がある．また，四角形の稜に翼のような突起があり，英名の由来となっている．さやの長さは10～30cmに及ぶ．色は緑色が基本であるが，紫色がかるものもある．

◇**成分特性** 若ざやの成分は100g当たり，たんぱく質（アミノ酸組成）*(2.0)g，炭水化物（差引き法）1.0gで，β-カロテンが430μg含まれている．◇**調理** 野菜としては若ざやを食べる．さやいんげんと同様に茹でてから，サラダ，炒め物，シチューなどに利用する．

しかくまめ（若ざや） 右下：完熟豆（平　宏和）

しこくびえ 四国稗

分 イネ科オヒシバ属（1年生草本） 学 *Eleusine coracana* 英 finger millet 別 かもまたびえ；こうぼうびえ；ちょうせんびえ

原産地はアフリカ（エチオピアから南方地域）と考えられ，アフリカとインドが主要な栽培地である．わが国には中国から伝えられたが，現在，わずかに山間地で栽培がみられる．

◇**形態** 草丈約1m，穂は手の指あるいは鳥の脚のように分かれた形をしている．種子は褐色～黄褐色，径約1.5mmの球形で，千粒重約2.5gである．

◇**成分特性** うるち性のもののみが知られ，100g当たりの成分値は，エネルギー1,342kJ，水分10.9g，たんぱく質7.2g，脂質1.9g，利用可能炭水化物*（差引法）66.8g，食物繊維11.2g，灰分2.0g，カルシウム364mg，鉄*4.6mg，ビ

しこくびえ 上：穂，下：玄穀（平　宏和）

タミンB_1 0.37mg，ビタミンB_2 0.17mgである（インド食品成分表）．

◇**用途** 粉を平たい丸形や団子にし，みそ汁に入れたり，そばがきのようにして食べる．また，はったい粉（炒った種子を挽いたもの）としても利用される．

地酒 ⇨清酒

ししとうがらし 獅子唐辛子

成 06093（果実 生），06094（果実 油いため） 分 ナス科トウガラシ属（1年生草本） 学 *Capsicum annuum* 英 sweet peppers 別 ししとう；青とう

江戸時代から，小果で辛味の少ない系統が"ししとう"の名前で栽培されていた．現在これらの中から，ほとんど辛味を生じない系統が育成され，"ししとう"という商品名で流通している．野菜としての区分のうえでは，辛味のあるものを唐辛子，辛味のないものをピーマンと呼ぶので，ししとうもピーマンの区分に入れることが多い．

◇**成分特性** 辛味のないししとうがらしは開花後20日前後の未熟果（幼果）を利用するので，香辛料として利用する辛味種とは一般成分はかなり異なり，水分以外の各成分は少ない．同じ甘味種の青ピーマンの成分値に類似しているが，水分が少なく，カリウムが多く含まれる．

◇**調理** 辛味がほとんどなく，薄い甘味をもち緑

ししとうがらし（平　宏和）

色が鮮やかで，栄養的にもカロテンを含む緑黄色野菜としての価値が大きい．種子ごと食べられるので，そのまま食べるかまたは焼いて食べる．炒め物，揚げ物など，油を使って加熱すると，カロテンがよく吸収され風味もよい．ただし，加熱により膨張して，破裂することがあるので，穴をあけたり切れ目を入れておいてから揚げる．料理の主役になることなく，肉料理の付け合わせに用いられることが多い．色と香りを生かすため，加熱はなるべく短時間にとどめる．

しじみ　蜆

🈷10297（生），10413（水煮）　🈹軟体動物，二枚貝類（綱），シジミ科　🈠Corbiculidae（シジミ科）　🈺freshwater clams；corb shells

しじみは，よく知られた淡水または汽水に棲む貝である．河口近くで採れるのがやまとしじみ，上流の砂のきれいなところで採れるのがましじみ，琵琶湖特産種がせたしじみである．味はいずれもよく，むき身や佃煮としてもよい．

◇**成分特性**　廃棄率：しじみを他の二枚貝，たとえばあさりと比較すると，第一には廃棄率の高いことがあげられる．すなわちしじみは貝殻が約8割ほどを占めているため生肉の歩留りが低い．むき身としてよりは，貝殻のついた状態で汁などに利用される．成分的にはあさりに比べ，炭水化物，カルシウム，カロテン，ビタミンEの含量が高い．その他の成分ではビタミンB_{12}の含量が高く，時季にもよるが，あさりの数倍の含量になることもある．また，しじみはエキス成分が濃厚で，グリコーゲン*の量も多く，コハク酸の量も多い．昔から，しじみ汁は黄疸によいといわれている．これは，あさり汁などにはあまり含まれていないメチオニン，シスチン，システイン，タウリンなどが豊富に含まれ，肝機能を亢進するのに役立つためとされている．

季節変動：しじみの成分は季節により変動が大きい．せたしじみの例では11月に可食部が多く，5月に少ないといわれ，グリコーゲンの量もこれに並行するといわれている．産卵期である7〜8月に最低となり，産卵後冬にかけて急増する．脂質は冬少なく，春から夏にかけて増加し，産卵後激減する．無機質の変化はあまり著しくないが，産卵期に増加する．また単に量的な変化だけでなく，脂質の高度不飽和脂肪酸*の含量なども冬と夏ではかなり異なっている．脂質成分中，リン脂質成分としてグルタミン酸を含むことが，しじみに特異的である．特に栄養的に重要なのは，巻き貝よりは少ないが，二枚貝の中でコレステロール含量が高く，100g当たり62mgに達し，総ステロール類の約6割を占めることである．プロビタミンD*である7-デヒドロコレステロールの含量も，総ステロールの8〜9％を占め，比較的高い．そのほか，しじみに特有な7-デヒドロスティグマステロール（コルビステロール）を含んでいる．

◇**加工**　しじみは小型であるうえ廃棄率が高く，可食部の歩留りが悪いので，加工用にはあまり使われず，やまとしじみ，せたしじみの佃煮がある程度である．しじみはビタミンB_1分解酵素（チアミナーゼ）を含有していることもあり，普通生食はしない．

◇**調理**　小型で，身そのものを一つひとつ味わうことが難しいので，汁物にして汁を味わうとよい．殻付きのまま熱湯で煮立てる．うま味は強いが多少クセがあるため，すまし汁よりみそ汁の方がよく，粉山椒，七味唐辛子などの薬味を加える．❋しじみは淡水域で生息する種類と，汽水域で生息する種類がある．どちらも1％程度の塩水に4〜5時間程度つけて砂を吐かせる．口の開かないものは取り除く．❋大粒のものは汁ばかりでなく，炊込み飯や佃煮，醬油づけにすることもある．また洗ってさっと茹で，身を取り出したものを三杯酢で味付けした和え物もある．❋他の貝類と同様，煮過ぎると身が硬くしまり味が落ちるので，加熱は最少限度，口を開くまでとするのがよい．❋料理屋では煮すぎないよう"振り仕立て"にする．しじみをざるに入れ，熱湯の中で振って火を通し，その汁の方にみそを入れて味を付ける．

●**せたしじみ**

瀬田蜆　🈹ヤマトシジミ属　🈠*Corbicula sandai*　🈺Seta freshwater clam　🈞春

やまとしじみによく似ているが，殻頂がよくふくらんでいる．琵琶湖およびその水系に棲み，大津市瀬田で大量に獲れたのでこの名が付いた．卵生

やまとしじみ

ししゃも（北海道大学総合博物館）

である．
● **ましじみ**
真蜆 分 マシジミ属 学 *Corbicula leana* 英 common freshwater clam 旬 冬
殻長3cmに達する．形はほぼ三角形で，殻表の光沢は弱く，幼貝は淡緑色で焼けこげのような斑点がある．成長するにつれて黒くなる．雌雄同体で，胎生．全国の河川に分布し，むしろ地方的に利用される．旬は冬．「寒しじみ」は本種である．
● **やまとしじみ**
大和蜆 分 ヤマトシジミ属 学 *Corbicula japonica* 英 common freshwater clam；Japanese corbicula 旬 夏
殻表に強い光沢があり，黒びかりし，輪肋*（りんろく；成長線）がはっきりしている．幼貝は黄色の放射帯をもつことが多い．卵生で，全国の河口，湾などの汽水域で多く獲れる．旬は夏．「土用しじみ」は本種である．わが国のしじみ生産の大部分が利根川河口と宍道湖のやまとしじみであったが，最近各地に中国産の別種が撒かれて市場には混合物が多くなった．

 ししゃも 柳葉魚

成 10180（生干し 生），10181（生干し 焼き）
分 硬骨魚類，キュウリウオ科シシャモ属 学

Spirinchus lanceolatus 英 shishamo smelt；Japanese capelin

柳の葉に似た姿から，アイヌ語のシュシュハム（柳の葉）が名前の由来といわれる．全長15cm．体は細長く側扁する．体色は背部は暗黄色で，腹部は銀灰色．成熟した雄は黒褐色になる．味は塩干ししたものがうまい．北海道東南部に分布し，産卵のために遡上した子持ちししゃもは，特に味がよい．同科にからふとししゃも，きゅうりうおがある．

◇**成分特性** 抱卵した雌（子持ちししゃも）が特によいとされるが，索餌期のものも利用される．生干し塩乾品として流通している．索餌期には脂質の含量が高く，背部6〜9％，腹部は10〜15％あり，油ししゃもといわれる．産卵期には脂質含量はやや減少する．産卵期のものは，加工前の生のときに雌雄ともに水分含量が，国産もの73〜78％，輸入のからふとししゃもは80％前後で，脂質の含量は雌が6〜9％に対し，雄は2〜5％と低い．市販の生干しの塩乾品は，水分含量60〜70％，塩分含量1〜2％である．冷凍で保存すると約6カ月はもつが，油焼け*が進み香味が損なわれる場合がある．なおロシアなどからふとししゃもを大量に漁獲し，油漬などの缶詰に加工する．

◇**調理** 乾物はさっと焼き，そのまま酒のつまみなどにする．市場では主に輸入品のからふとししゃもが生干しの塩乾品として出回っている．抱卵した雌は，子持ちししゃもと呼ばれる．新鮮なものは塩焼き，煮付け，揚げ物など用途が広い．

左：子持ちししゃも生干し（ひと塩品，北海道産），右：子持ちからふとししゃも生干し（ひと塩品，ノルウエー産）（平　宏和）

からふとししゃも（本村　浩之）

● **からふとししゃも**
樺太柳葉魚　成 10182（生干し 生），10183（生干し 焼き）　分 カラフトシシャモ属　学 *Mallotus villosus*　英 capelin　別 ケペリン；カペリン
ししゃもと違って，舌の上に生えている歯が微小であり，鱗が細かい．また遡上はしないで，海だけで一生を終える点もししゃもと違う．北大西洋と北太平洋に莫大な資源があり，今まではほとんど食用とされなかったが，現在ではししゃもの代用品として大量に輸入され，市場に出る子持ちししゃものほとんどが本種である．また，同じくししゃもの代用品となっているきゅうりうおとは上顎の鋤骨に大犬歯がない点で，わかさぎの類のちかとは腹腔壁が黒い点で区別できる．

● **きゅうりうお**
胡瓜魚　分 キュウリウオ属　学 *Osmerus dentex*　英 Arctic smelt
全長 30cm．体は細長く側扁する．口が大きい．体色は暗褐色で，腹部は銀白色．きゅうりの香りがする．沿岸魚であるが，平常はやや沖合いに生息する．味は塩干しにしたものを焼いて食すとうまい．最近市場に出回っている大型のししゃもはこの種で，大部分は輸入品である．北洋の魚で，北海道からカムチャツカ，アラスカ，北海に分布する．

🍎 **ししゆず**　獅子柚子

分 ミカン科ミカン属（常緑性小高木）　学 *Citrus pseuogulgul*　別 ジャガタラ柚；おに柚子
中国原産で，奈良時代に渡来したといわれている．樹高は 2〜3m になり，5〜6月に開花する．果実は大きく，直径 20cm 以上・質量 1kg 以上にもなり，11月中・下旬から着色する．
◇加工　果肉は酸味が強いので，厚い果皮をぶんたんと同様にマーマレード，砂糖漬に利用する．

しそ　紫蘇

成 06095（葉 生），06096（実 生）　分 シソ科シソ属（1年生草本）　学 *Perilla frutescens* var. *crispa*　英 perilla
ミャンマーから中国の原産で，東洋の温帯地域に広く分布する．わが国の至る所にも逸出したものが野生している．利用の歴史は古いが，最近需要が増加している．種子が食用，油料原料として利用されるえごま*は，しそから分化したといわれている．
◇品種　用途により芽じそ，穂じそ，葉じそに区分される．また加工してしそ油をとる．品種は青じそと赤じそに大別され，色素の多少により幅広い変異があるほか，ちりめんの多少，抽穂の早晩によって多くの系統に分けられる．また表面が緑，裏面が赤い系統（ウラアカ）もある．青じその葉は大葉と呼ばれ，赤じそより香りが高く，すし，刺身，天ぷら，薬味など，広く利用されている．
栽培：用途によって栽培法が異なり，それぞれに促成，早熟，露地，抑制栽培*が分化している．

ししゆず（平　宏和）

しそ　上：青じそ（大葉），中：赤じそ，下：穂じそ（花）（平　宏和）

芽じそは播種後15〜30日で収穫する．穂じそ，葉じそは，ハウスの利用，加温栽培もある．また穂じそでは出穂期調節のため電照栽培も行われる．

産地：愛知，高知，千葉，群馬，大分，静岡，愛媛など．

◇成分特性　一般成分は他の野菜と大差ないが，灰分とビタミン類，特にβ-カロテンが多いのが特徴である．カロテンは100g当たり，葉（青じそ）で11,000μg含まれ，野菜では最も多く，実（青じそ）は2,600μgである．ビタミンKも690μg（葉）と多い．青じその葉の遊離アミノ酸*は，アスパラギン酸，グルタミン酸，アスパラギン，アラニンなどが多い．糖類含量は少ないが，葉ではぶどう糖，しょ糖を含み，種子にはしょ糖を含んでいる．しそ特有の香気はペリラアルデヒドであり，これだけでしその香りがする．梅干しなどに用いる赤しその色素はアントシアン系色素のシソニンとペリラニンである．水で抽出した色素が，着色料として梅干しなどに使われる．

◇保存・加工　ポリエチレンの袋に密封し，低温貯蔵を行えばかなり保存できる．ゆかり®（緑）と呼ばれるものは，梅干しに加えた赤しそ，または塩漬の赤しそを乾燥させ細かくしたもので，ふりかけなどに用いる．新鮮な実（穂じそ）は塩漬として利用したり，しそ酒にもできる．また，干しじそ，桂皮，茴香（ういきょう）などの混合物を水蒸気蒸留し，これに焼酎を加えて希釈するとしそ酒ができる．なお，しそは短日植物で，秋になると花芽ができて伸展葉数が少なくなるが，電照栽培により長日処理を行えば，葉がいつまでも収穫，利用できる．

◇調理　しその強い香りは，古来日本料理の香味野菜として欠かせないものである．また赤しそ，青じそはそれぞれに彩りのうえでも大きな役割を果たしている．刺身のつま，すまし汁の吸い口，天つゆや麺つゆの薬味などに用いる．※若い葉は軟らかく，大きいままで食用にできる．天ぷらの青み材料として用いられるほか，みそを巻いて油焼き，きゅうりとともに三杯酢の和え物，巻きずしの材料などに用いる．※赤しその葉のアントシアン色素シソニンは，梅漬けに加えると酸のため鮮紅色となり梅干し*の色を形成する．※しその穂から実だけを集めたものは，塩漬にすると保存がきく．また葉とともに佃煮にすることもある．

しそパン

駄菓子の一種．小麦粉，砂糖，水あめ，膨張剤に水を加えて固くこねた生地を蒸し，型で抜き焼き上げたもの．仕上げに，溶いた砂糖を煮つめ，しそを加えた蜜をパンにかけ，乾かす．

しそパン（平　宏和）

したびらめ　舌鮃

分 硬骨魚類，ウシノシタ科・ササウシノシタ科
英 soles；tongue soles；tonguefishes　旬 夏〜秋

したびらめは総称で，国内ではウシノシタ科とササウシノシタ科に属するものが40種知られている．かれいの仲間で，周年美味であるが，夏から秋が旬といわれる．

◇成分特性　成分的にはかれい類に似ている．『食品成分表』では，くろうしのした，あかしたびらめの五枚おろしを100g当たり水分78.0g，たんぱく質（アミノ酸組成）*（15.9）g，脂質（TAG当量）*1.2gとしている．皮が硬くて，特有の臭気があるが，加熱すると肉離れがよい．コラーゲン*が多いので，煮こごりとすることもできる．塩乾品などもある．頭を除去した冷凍品とし，外国ではフィレーや缶詰にもする．

◇調理　表皮が黒く姿もあまりよくないので，外観を尊重する日本料理ではあまり重くみられない．しかし西洋料理では"魚の女王"とまでいわれ，ムニエル，蒸し焼き，グラタン，フライ，洋酒蒸しなど，極めて広い用途がある．くろうしのしたの皮は非常に硬く食べられないので，廃棄率が45％と高い．調理に際してまずこの皮を手で剥ぎとる．粘質物が多くむきにくいが，ふきんでぬめりをとり，指先に塩をつけてむく．肉は白身で淡白であり，ホワイトソースによく合う．※皮のままの調理は湿式加熱に限られ，中国では蒸し物や鍋物にするが，わが国では有明海で獲れる"くつぞこ"と呼ばれるしたびらめを，丸のまま煮付けて食べるのが有名である．

●あかしたびらめ
赤舌平目 成 10184（生） 分 ウシノシタ科イヌ
ノシタ属 学 *Cynoglossus joyneri* 英 red tongue-
sole 別 地 あか；あかした（東京）；あかねずり
（福井）；あかべた（高知）
全長 25cm．体色は有眼側が赤褐色．体形はくろ
うしのしたに似る．日本各地，黄海，東シナ海に
分布する．ウシノシタ科中，最も美味．

あかしたびらめ（本村　浩之）

●くろうしのした
黒牛之舌 成 10184（生） 分 ウシノシタ科タイ
ワンシタビラメ属 学 *Paraplagusia japonica* 英
black cow-tongue 別 あおしたびらめ；うしの
した；したびらめ 地 うしのした（東京，関西，
山陰，松山）；げた（香川，岡山）；くっちょん（福
岡県柳川）；ねずら（東北）；くつぞこ（熊本，佐賀）
全長 35cm．体は扁平で牛の舌に似ている．尾び
れの区別がなく，背びれ，臀びれと連続している．
口端が鈍く，下方に向いている．沿岸から水深
65m 以浅の砂泥底に生息する．体色は有眼側が
黄褐色で黒褐色の点が散在する．肉はうまく，フ
ランス料理に使う．北海道から南日本，朝鮮，南
シナ海に分布する．

くろうしのした（本村　浩之）

●ささうしのした
笹牛之舌 分 ササウシノシタ科ササウシノシタ
属 学 *Heteromycteris japonicus* 英 bamboo sole
別 したびらめ
全長 15cm．体は扁平する．背びれと臀びれは尾
びれと離れている．青灰色で黒い斑紋が散在する．

沿岸性の雑魚でうまくない．青森県以南の日本各
地から中国沿岸にかけて分布する．

●つのうしのした
角牛之舌 分 ササウシノシタ科ツノウシノシタ
属 学 *Aesopia cornuta* 英 unicorn sole 別 地
しまうしのした（東京）
全長 20cm．尾びれは背びれ，臀びれと連続する．
黒い横縞がある．水深 100m くらいの砂泥底に
生息する．味はまずい．千葉県以南の日本各地か
らインド・西太平洋に分布する．

七味唐辛子　⇒とうがらし

しちめんちょう　七面鳥

成 11210（肉 皮なし 生） 分 キジ科シチメンチョ
ウ属 学 *Meleagris gallopavo* 英 turkey 別 ター
キー

北米原産で，家禽としては比較的歴史の新しい食
肉鳥である．雄はクジャクのように尾羽を扇状に
広げて雌を誘うほか，頭上のとさかや顎下の肉垂
れを，時に応じて青，赤，紫に変化させるのでこ
の名がある．米国では七面鳥は感謝祭やクリスマ
ス用の食肉鳥として欠かせないものと知られてい
るが，米国に渡った英国の移民が収穫祭用に供し
たのが始まりといわれる．飼育はすべて鶏に準ず
るが，近年での日本における飼育は昭和 27
（1952）年に始まるとされる．

◇成分特性　成熟すると生体は 10〜15kg にな
るが，食用には生後 1 年以内の 4〜5kg の去勢
した雄が用いられる．肉には脂肪が少なく，やや
パサつく．栄養成分的には他の鳥類と比べ特に変
わるところはない．肉はむねにあり，胸部の形で
品を選ぶ．

◇調理　調理法はほとんど鶏肉に準ずる．日本料
理では，すきやき，直火焼きなどにする．洋風料
理では，丸ごと蒸し焼きにして，クリスマスパー
ティや感謝祭，結婚式などの豪華な祝宴に供され
る．栗詰め蒸し焼きやトリュフ詰め蒸し焼きなど
がある．冷製料理には，ガランティーヌ，アスピッ
ク，ショーフロアなどがある．※臓物も料理に利
用する．くびつる，手羽肉，砂ぎも，レバー，心
臓などをぶつ切りとし，香草や野菜を加え，ワイ
ンとトマトピューレで煮込むなどの方法もある．

しどげ　⇒もみじがさ
地鶏　⇒にわとり
しなちく　⇒めんま

シナモン

成 17067（粉）　分 クスノキ科ニッケイ属（常緑高木）　学 *Cinnamomum* spp.　英 cinnamon　別 にっけい（肉桂）；にっき；けいひ（桂皮）

数種のニッケイ属植物の内樹皮から作る香辛料の総称．植物の英名でもある．スリランカ（セイロン），南インドなどの熱帯地方原産のセイロンニッケイ（セイロンシナモン *Cinnamomum verum*）と中国，インドシナ原産のカシアニッケイ（シナニッケイ，チャイナシナモン，カシア *C. cassia*）が主に利用される．日本にもニッケイ（*C. sieboldii*）が自生しており，根皮を利用していた．現在は，生産についての統計はない．生産量は，インドネシア，中国，ベトナム，スリランカが多い（FAOSTAT では，セイロンシナモンとカシアは区別していない）．いずれも樹皮の外側を削り取った後，内樹皮をナイフではぎとり，乾燥させて用いる．独特の甘味で清涼感がある強い芳香をもち，辛味がある．原料となる植物により，香辛料としての特徴は異なる．古くから親しまれたスパイスの一つで，旧約聖書にもシナモンの記述がある．わが国への伝来も早く，正倉院の御物である桂心はカシアの可能性があるとされる．わが国では，カシアとセイロンシナモンなどが利用され，中国で生産されたカシアが，輸入量の 7 割以上を占める．日本薬局方のケイヒ（桂皮）は，カシアである．

◇成分特性　芳香成分にはシナミックアルデヒドをはじめ，オイゲノール，ベンズアルデヒドなどを含んでいる．この主要精油成分のシナミックアルデヒドには，嗅覚を刺激し胃腸の機能を亢進させ，消化液の分泌を促す作用があり，和漢薬としてばかりか，西洋でも民間薬として古くから広く使われている．また，オイゲノールは，クローブやナツメグ，オールスパイスなどに共通して含まれており，これらの香りには似かよった点がある．

◇調理　最も一般的には，アップルパイやフルーツケーキ（パウンドケーキ）など，甘い菓子やパンに用いる．わが国でも京菓子の"八つ橋"をはじめ，各地の銘菓や駄菓子に広く使われている．また，砂糖と混ぜたシナモンシュガーは，テーブルシュガーとしてコーヒーや紅茶に入れたり，トーストに振りかけたり重宝する．また，棒状のシナモンスティックをスプーン代わりにコーヒーや紅茶に添えて風味を楽しむのもしゃれている．※パウダーをひき肉料理などに少し混ぜて用いるのもよい．

シナモン　上：桂皮（ベトナム産），下：シナモンスティック（スリランカ産）（平　宏和）

シナモンパウダー（スリランカ産）（平　宏和）

シナモンロール

英 cinnamon roll；cinnamon bums

パン菓子の一種で，スウェーデンではじめてつくられたといわれ，同国では 10 月 4 日がシナモンロール・デーになっている．北欧，北米ではよく食べられているが，北米では，一般に朝食やデザートに利用される．

シナモンロール（平　宏和）

長方形に伸ばしたパン生地の表面にバターを塗り，シナモンと砂糖を混ぜたものを振りかけ，渦巻状に巻いて（中にレーズン，チェリー，アンジェリカなどを巻き込むこともある），小口から輪切りにし，オーブンで焼き上げる．さらに，焼きあがったものに，糖衣することもある．

じねんじょ ⇨やまのいも
しばえび ⇨えび

シフォンケーキ（平　宏和）

しば漬　柴漬；紫葉漬

成 06199（なす 漬物 しば漬） 英 Shiba-zuke；(eggplant pickled with perilla leaf, cucumber, Myoga etc.)

京都の特産漬物で，しそ（紫蘇）の葉が入るので紫葉漬とも書く．一説には，壇の浦で助けられた建礼門院徳子が，京都洛北の寂光院に隠棲した際，近隣の人が慰めに持ち寄った手作りの漬物の中に発酵した漬物があった．建礼門院はこの漬物を好み，赤しその葉が入っていることから「紫葉（しば）漬」と名付けたという．現在でも寂光院では，近隣の人による昔ながらのしば漬の漬け込みを年中行事にしている．

◇漬け方　なす，きゅうり，みょうがをしその葉とともに3～5％の食塩で漬け込み，梅酢を加え，押し蓋をして重石を原料の2倍くらいにして漬け込む．塩分が少ないので乳酸発酵が起こり，酸ができ，梅酢とともに酸性になるのでしその赤い色素が溶出して赤色の漬物にできあがる．これを細切りにして，しょうゆ漬にしたものもある．変質しやすいので包装して冷蔵する必要がある．

しば漬（平　宏和）

シフォンケーキ

英 chiffon cake

chiffonとはフランス語で"絹モスリン"のことである．卵白と卵黄を別々に砂糖を加えてよく起泡させ，サラダ油，水，小麦粉，香料などを混ぜ合わせて，ケーキ型に流し込んで焼き上げる．非常にソフトで，ふんわりとした口あたりのよいケーキである．

シベリア

英 Siberia

カステラで羊羹をはさんだ菓子．大正時代に生まれたといわれるが，名前の由来には，羊羹の部分が雪原を走るシベリア鉄道に，また，断面がシベリアの凍土にみえるなど諸説がある．

シベリア（平　宏和）

しまあじ　縞鰺

成 10185（養殖 生）　分 アジ科シマアジ属　学 *Pseudocaranx dentex*　英 white trevally　別 あぶらかまじ　地 こせ（和歌山）；かつおあじ（鹿児島）；ひらあじ（熊本）

全長1mになる．体は長卵形で側扁する．ゼンゴは側線直走部の後半にある．近海魚で，アジ類の中で最も高級な魚．主に生食され，加工には使わない．全世界の暖海に生息する．近年，養殖によるものも多く出回るようになった．近縁種にかいわりがある．成分的には，養殖もので脂質（TAG当量）*が100g当たり6.6gと多く，ビタミンDも一般のあじより多い．

しまあじ（本村　浩之）

しまちょう　⇨うしの副生物（大腸）
島らっきょう　⇨らっきょう
しみ豆腐　⇨こおりどうふ
凍み餅（しみもち）　⇨こおりもち
しめさば　⇨さば
しめじ　⇨ほんしめじ

🍄 霜降りひらたけ

分 担子菌類ヒラタケ科ヒラタケ属（きのこ）　学
Pleurotus sp.
きのこ生産販売会社のホクト（株）が開発したひらたけの仲間の新種で，スーパーなどで市販されている．ひらたけと元々日本には分布しないヒラタケ属のエリンギなどの他のきのこを交配して雑種をつくり，さらに交配育種を重ねることで作出した雑種で，特許登録している．傘の直径3〜7cm，ひらたけに似るが，やや肉厚で濃いめの茶褐色の傘にうっすらと白い筋模様が入っているため，商品名が「霜降りひらたけ」とされた．うま味も香りも強く歯応えもあり，肉くずれしにくい特色を持つ．技術開発により新たな品目が生み出され，市場に出回ることは新たな消費を生み出す可能性もあり，今後もさらなる新品種開発が期待される．なお，霜降りひらたけという名称は，ホクト（株）の登録商標となっている．
◇調理　ひらたけと同様に，汁の実，鍋物，天ぷら，炒め物，きのこ飯など，うま味と歯応えを生かしてさまざまな調理に用いられる．

シャーベット　⇨氷菓

🌾 ジャイアントコーン

成 01135（フライ　味付け）　英 oil-roasted and salted corn of cultivar Cuzco
ペルー原産のペルビアンコーン，クスココーンと呼ばれる大粒種を用いたスナック菓子で，玄穀粒を水に浸漬後，パーム油などでフライし，食塩で味付けしたものである．

ジャイアントコーン　左：玄穀，右：フライ・味付け（平　宏和）

🥔 じゃがいも　ジャガ芋

成【塊茎 皮なし】02017（生），02018（蒸し），02019（水煮），02066（電子レンジ調理），【塊茎 皮つき】02063（生），02064（電子レンジ調理）
分 ナス科ナス属（多年生草）　学 *Solanum tuberosum*　英 potatoes；white potatoes　別 ばれいしょ（馬鈴薯）
ナス科の多年生草本*で，その塊茎*を食用に供する．わが国では1年生作物として栽培される．原産地は南米アンデス山系の標高4,000〜5,000mの地域とされており，この地方では古くから重要な食品として栽培されていた．1540年頃スペインに伝えられ，18世紀末までにはヨーロッパ各国に普及していった．現在もヨーロッパと旧ソ連（ロシア）では，最も重要な作物となっている．わが国へは慶長3（1598）年，オランダ船によりジャワ方面から長崎に伝えられ，さつまいもの渡来に数年先立つといわれる．
　名前の由来：じゃがいもの名は，ジャワ島の商業港ジャカトラ（現・バタビア）が訛ってジャガタライモとなり，さらにジャガイモと呼ばれるようになった．一方，馬鈴薯の方は，江戸時代の植物学者小野蘭山が中国の文献を読み，いもの形か

霜降りひらたけ（岩瀬　剛二）

ら連想し馬鈴薯（マメ科のホドイモ）を中国名と勘違いし命名したといわれる．現在の中国名の馬鈴薯には，1912年に中国教育部で日本名を使うことにした経緯がある．

じゃがいもはさつまいもと異なり，最初は当時の日本人の嗜好に合わず，江戸時代はあまり普及しなかった．しかし，生育期間が4〜5カ月と短く，あまり高い温度を必要としない効率のよい作物であることが認識されるようになり，明治以後，米国その他から多数の優良品種が導入され，各地に普及していった．第二次世界大戦後はさつまいもとともに貴重な主食として重用された．

エネルギー生産量：単位面積当たりのエネルギー生産量は，さつまいもや米には及ばないが，麦類よりは多く，特に一定期間当たりのエネルギー生産量は食糧作物中では最大である．冷涼な気候に適し豊凶の差が少ないため，北海道では安定した寒冷地作物として非常に重要なものである．

◇**品種**　わが国では明治初期以来もっぱら欧米品種の導入が行われ普及した．大正中期から本格的な品種改良が始められ，昭和13（1938）年からは農林番号の新品種が次つぎと生み出された．最近では食用，加工食品用，でん粉原料用，飼料用など用途別の専用品種が数多く育成されている．春作の食用品種としては，男爵薯，メークイン，ニシユタカ，キタアカリなどの人気が高い．そのほか早生の食用品種として，ワセシロ（別名；伯爵，ネオ男爵）は肉色が白く，粉質で，味はよい．秋作の主要品種としては，ニシユタカ，デジマ，メークイン，アイユタカ，農林1号などがある．長崎など九州の暖地では，ニシユタカやデジマなどが二期作されている．でん粉用にはコナフブキやコナヒメなどがある．ポテトチップス用には，トヨシロなどが，フライドポテトには塊茎の形が長回転楕円体のホッカイコガネなどが使われている．

◇**成分特性**　主成分は炭水化物（でん粉）であるが，さつまいもに比べて糖分が少なく，しょ糖，ぶどう糖，果糖を加えて1％以下である．このため味が淡白で主食として食べられる利点がある．たんぱく質はグロブリン*が主体で，乾物中約10％含む．全窒素中約50％がたんぱく態窒素で，残りがアミド化合物である．一般に肉色が黄白色のいもほどたんぱく質が多い傾向にあり，味が濃厚であるといわれている．無機成分の中ではカリウムとリンが多い．100g当たりのビタミンCの含量は28mgと多く，加熱に比較的安定している．

特殊成分：ソラニン，チャコニン　じゃがいもに含まれる有毒配糖体で，いもの切り口に希硝酸を注ぐと赤く色が変わるのでわかる．ソラニンやチャコニンは苦味があり，多量に摂取すると有毒である．部位により含量が異なり，芽の部分に最も多く，次に周皮*に多い．中心部には少ない．また，いもの大きさ，品種，生育の段階によって含量が異なる．一般に普通の品種では生いも100g中に2〜13mg含まれるが，日光に当たってクロロフィル*を生じ緑色になったじゃがいもには30〜50mg，発芽部分に500mgもあることがある．ソラニンやチャコニンを30mg以上とると中毒を起こすが，調理の際に煮汁にも溶出するので，茹でこぼすことによってかなり除かれる．しかし，ソラニンやチャコニンには苦味もあり，味のうえからも好ましくないので，発芽した緑色のいもを食用にする際には，特に気をつけて芽を除き，皮は緑の部分を厚くむいて用いることが必要である．

褐変物質　じゃがいもを切断したものを生のまま空気にさらしておくと，切り口が褐変する．これはいもの中のポリフェノール物質が，ポリフェノラーゼなどの酵素によって酸化されるためである．またチロシンがチロシナーゼによってメラニンとなるのも褐色に変わる原因となる．これらは酵素的褐変であるが，水煮後，いもの内部が黒変するのは非酵素的なもので，調理器具などより溶出した鉄*とフェノール化合物との反応によるものである．

◇**保存**　じゃがいもは水分含量が多いにもかかわらず寒さに強いので，貯蔵は容易である．また貯蔵中の管理がよければかなり長期間貯蔵しても品質はあまり変化しない．東ヨーロッパや北海道でじゃがいもが栽培された理由は，この貯蔵しやすい性質による．通常，温度0〜8℃，湿度85〜90％の範囲で貯蔵されるが，最適温度は0.5〜3℃である．ただ0〜5℃の低温で貯蔵した場合

じゃがいもの花（平　玄和）

にはでん粉が糖化してしょ糖や還元糖*が多くなる．これを20℃くらいで1週間程度放置すると糖分の80％ほどがでん粉にもどる．低温貯蔵に代わる方法として，放射線処理により発芽を防止する貯蔵法が実用化されている．

放射線処理：収穫後のじゃがいもにコバルト60を線源とし0.10～0.15 kGyの照射を行うことにより発芽防止が達成でき，世界で最も早く実用化した食品照射技術である．わが国での食品への放射線照射は，じゃがいもの発芽防止のためのγ線照射のみが，食品衛生法*により認められている．また，照射されたものは，同法により梱包箱の外装に，γ線処理により芽止めされた旨の表示が義務づけられている（照射食品*）．

◇加工　でん粉，乾燥マッシュポテト，ポテトチップをはじめ各種スナック菓子，冷凍食品など，加工食品原料としても重要である．

◇調理　うま味が強く，おでんやみそ汁に入れると汁の味をよくする．しょうゆ，砂糖で味付けしてもよい．淡白なうま味が肉や油脂の味とよく調和するため，西洋料理では肉料理の付け合わせとして用いられる．日本には明治期以後に普及した，肉じゃが，ポテトコロッケなど，独自の和洋折衷料理がある．※そのまま茹でるか，または焼いて食べると持ち味を楽しめる．バターをつけるといっそう風味がよい．ほかにみそ汁から天ぷらまで，和・洋・中華の汁物，煮物，炒め物，揚げ物，サラダなど，用途は極めて広い．※加熱によりでん粉が糊化されたものは煮崩れしやすく，これを逆に利用してマッシュポテトをつくる．茹でたじゃがいもは必ず熱いうちに裏ごしする．冷えたいもはペクチン*が硬化して細胞膜が壊れやすく，つぶすと糊化でん粉が押し出されて粘りを増す．組織だけを崩して細胞を分離し，しかも細胞自体は壊れていない状態にするのが理想である．※マッシュポテトやサラダ向きの肉質が粉質のもの（男爵薯など）と，肉質が緻密な粘質で煮崩れしにくいもの（メークインなど）があるので，調理法に合わせて，適した品種を選ぶことが大切である．※粉吹きいもは，塩茹でしたじゃがいもの表面一層だけ組織を壊し，細胞を離ればなれにしたものである．新じゃがいもはペクチンが未熟で不溶性のため，細胞が容易に離れず，しかも細胞自身は軟らかくて壊れやすい．そのため粉吹きいもには新じゃがは不向きで，9月以降十分に成熟した粉質のものを用いるのがよい．※褐変は空気を遮断すると防げるので，切ったらすぐに水に放つ．酸化は光にあたると著しく進むので，じゃがいもは暗所に貯蔵する．※水さらしとペクチン*の硬化：じゃがいもを長時間水にさらすと，細胞膜のペクチンが水中の無機イオン（Ca^{2+}，Mg^{2+}など）と結合して不溶化し，細胞内のでん粉の吸水が妨げられ，煮えにくくなる．細切りのじゃがいもを炒めるときはこれを逆に利用し，形の崩れを防ぐ．

●乾燥マッシュポテト

成 02021　英 dehydrated mashed potato　別 インスタントマッシュポテト

温水を加えて混ぜると，マッシュポテト状になる製品．成形ポテトチップスをはじめ各種スナック菓子など，加工食品原料としても重要である．ビタミンB_1やCなどが多く，消化もよいので利用範囲も広い．製法により粒状のグラニュールと薄片状のフレークとに分けられる．工業的製造法は，じゃがいもを洗浄，選別，整形後スライスする．その後まず72℃で20分間予備加熱し，一部のでん粉を糊化しておいてから15分間約20℃に冷却してでん粉を老化させる．次いで100℃で蒸煮し裏ごし後，乳化剤*（安定剤）を加えドラムドライヤーで乾燥して製品とする．

●男爵薯

英 Irish Cobbler

明治40（1907）年，函館ドック社長・川田龍吉男爵が英国から持ち帰ったのが名前の由来である．作付面積は最も多く，代表的な品種で，北米・ロシアでも栽培されている．肉質は粉質で味もよく，マッシュポテト，粉吹きいも，サラダなどに向いている．

男爵薯（平　宏和）

●農林1号

北海道農業試験場で育成された食用とでん粉用の兼用種で，昭和18（1943）年の農林省の登録番号がそのまま品種名となった．肉質は粉質で，でん粉用のほか，ポテトチップス，フライドポテト用として利用される．寒冷地から暖地まで栽培可能な品種である．

●メークイン
英 May queen
大正6(1917)年に英国から導入された品種で，ヨーロッパの伝統行事である五月祭の女王を意味する品種名である．長卵形の独特な形と，粘質で緻密な肉質で，煮物，炒め物などに最適で人気が高い．

メークイン（平　宏和）

しゃくしな　⇒たいさい，パクチョイ

しゃこ　蝦蛄；青龍蝦

成 10371（ゆで）　分 節足動物，甲殻類（綱），口脚目，シャコ科シャコ属　学 *Oratosquilla oratoria*　英 mantis shrimp；squilla

体長18cm．体は背腹に扁圧されていて，頭胸部は小さく台型．長い柄のついた眼をもつ．第2胸脚（捕脚）は大きな1対のはさみとなっている．胸脚＊は細いが腹肢は幅が広い．大きなシャベル状の尾扇＊をもつ．はさみは，カマキリのように物をとらえ，尾扇は砂泥底に穴を掘るのに役立つ．体色は青みを帯びた薄茶色．茹でるとえびやかにのように赤くならず，紫褐色になる．死ぬといたみが早い．北海道から九州の各地，沿海州，朝鮮，中国，インド洋，南アフリカ，オーストラリアに分布する．

◇成分特性　分類学上ではえびとかなり縁の遠い甲殻類であるが，一般成分の含量はえび類に近似する．ただ，脂質は数％程度あり，えび類より高含量である．しゃこは固有の紫褐色の色調が喜ばれ，黄灰色のものは白じゃことも呼ばれ，市場では嫌われる．しゃこはえびと同様に赤色色素のアスタキサンチン＊と少量の黄色色素カロテノイド＊を含んでいるが，上記の紫褐色は別種の未知の色素に原因し，この欠乏により白じゃことなるものと考えられている．

◇保存・加工　しゃこは冷凍すると肉質のスポンジ化が問題となる．これを防ぐには，生冷凍では極めて鮮度のよい状態で殻付きのまま急速冷凍し，食べる前に茹でるか蒸すかして，加熱解凍するのがよい．また，腐敗も早いので，産地で水揚げ後，生きているうちに茹でて甲羅をはずし，真空包装する．低温で凍結保管し，流通するものが多い．

◇調理　茹でて出荷されるので，鮮度が低下していても見分けにくいので注意が必要である．※えびやかにとはやや違った特有のうま味をもっている．塩茹でにしたものを，そのままわさびじょうゆで食べる．そのほかには，すし種，具足煮，揚げ物などに用いる．南蛮漬や酢の物にもよい．卵巣は「かつぶし」といって味が濃厚で歯触りもよく，子持ちしゃこは特に好まれる．※えびのように縦割りにするのでなく，背甲の両側をはさみで切り落とさないと身はきれいに取れない．具足煮（殻付きのままの煮物）は代表的な調理法なので，なるべく茹でたものではなく生しゃこを使うのがよい．

●もんはなしゃこ
紋花蝦蛄　分 ハナシャコ科　学 *Odontodactylus scyllarus*　英 coral mantis-shrimp

体長13cm．背側は暗緑色で，頭胸甲の側面に黒斑がある．捕脚は紅色で美しい．触角＊も紅く，歩脚や尾節の毛は暗赤色．眼は丸く2本の平行線で区切られる．サンゴ礁に棲み，紀伊半島以南の熱帯インド・西太平洋に分布し，漁村などの地元で食用や釣餌にされるが，大量に市場に出る種ではない．

しゃこ

ジャム

成 表1を参照　英 jam
果実に砂糖を加えて加熱し，ペクチン＊，有機酸＊，糖の相互作用によりゼリー状になったもの．
◇規格　日本農林規格＊（JAS）では「ジャム類」について，果実，野菜または花弁を砂糖類，糖ア

ルコールまたは蜂蜜とともにゼリー化するようになるまで加熱したもの，また，これに酒類，かんきつ類の果汁，ゲル化剤，酸味料，香料などを加えたものとし，その種類をジャム，マーマレード*，ゼリー*，プレザーブスタイルに分けている．そのうち「ジャム」はマーマレード，ゼリー以外のもので，そのプレザーブスタイルについては，いちごを除くベリー類の果実を原料とするものは全形果実，いちごを原料とするものは全形果実または2つ割り果実，ベリー類の果実以外の果実などを原料とするものは厚さ：5mm以上の果肉などの片で，その原形を保持したものとしている．特等と標準があり，果実など含有率は特等：45％以上，標準：33％以上である．

◇**原料** 本来，ジャムの原料は果実であったが，ペクチンなどのゲル化剤，酸味料，香料などが利用できるため，果実のほか，野菜，花弁などの製品がみられる．果実にはあんず，いちご，いちじく，ぶどう，ブルーベリー，りんごなど，野菜にはにんじん，かぼちゃ，ルバーブなど，花弁にはすみれ，ばら，ラベンダーなどが使われる．

◇**製法** 果実ジャムは，小果は花柄*，萼（がく）片などを除き，大果は剝皮，除芯，除核などをし，プレザーブでは必要に応じ整形する．これに砂糖，ゲル化剤（ペクチン）を加えて，加熱濃縮し，酸味料，香料などは加熱停止の直前に添加する．糖

表1 ジャムの成分組成（日本食品標準成分表2020年版（八訂）より）　　　　　　　（100g当たり）

食品番号・食品名	エネルギー（kcal）	水分（g）	たんぱく質（アミノ酸組成）（g）	脂質（TAG当量）（g）	利用可能炭水化物（g）	灰分（g）
07010 あんず ジャム 高糖度	252	34.5	(0.2)	(0.1)	(63.4)*	0.2
07011 あんず ジャム 低糖度	202	48.8	(0.3)	(0.1)	49.4‡	0.2
07013 いちご ジャム 高糖度	250	36.0	(0.3)	(0.1)	(62.4)*	0.2
07014 いちご ジャム 低糖度	194	50.7	(0.4)	(0.1)	47.5‡	0.3
07123 ぶどう ジャム	189	51.4	(0.3)	(Tr)	(47.2)*	0.5
07125 ブルーベリー ジャム	174	55.1	(0.4)	(0.2)	(41.3)*	0.1
07154 りんご ジャム	203	46.9	(0.2)†	(Tr)	(51.0)*	0.1

† たんぱく質，* 質量計，エネルギー計算は単糖当量に基づく，‡ 差引き法

ジャム（プレザーブ）　上左：あんず，上中：いちご，上右：いちじく，下左：ぶどう，下中：ブルーベリー，下右：りんご（平　宏和）

度については，健康志向から低い製品がみられる．日本ジャム工業組合では，糖度が65％以上を高糖度，55％以上65％未満を中糖度，40％以上55％未満を低糖度としている．

ジャムパン

成 15071　英 baked bun with strawberry jam filling；jam bun

明治33（1900）年，木村屋その他の有力菓子商は東洋製菓株式会社を設立し，外人技術者の指導の下にビスケットの大量生産を始めたが，その際ジャムをビスケットにサンドする作業から，木村屋の三代目儀四郎は，あんぱんのあんの代わりにジャムを包み込むことを思いついた．その後，同業者が競ってジャムパンをつくり全国に広がっていった．ジャムパンに使うジャムは，あんず，りんご，いちごなどが一般に使われている．また，糖度を抑えたジャム（糖度50～55％）を使う場合もある．これは主に甘味を抑え，ジャムの糖度を下げることにより生地水分のジャムへの移行をできるだけ防ぎ，パンの老化を防ぐためである．

ジャムパン（平　宏和）

シャロット

分 ユリ科ネギ属（多年生草本）　学 *Allium ascalonicum*，英 shallot　仏 échalote　別 エシャロット；ベルギーエシャロット

たまねぎの近縁種である．欧州で広く栽培されている．たまねぎは通常球が1個だけであるが，シャロットは小さな球が数個から十数個ずつ束になっている．見た目は小型のたまねぎである．球の直径3cmぐらいが多い．また，エシャロットはシャロットの仏語で，わが国でもエシャロットと呼ばれることもある．日本では，らっきょうの若いものを市場でエシャレットといっているため，混同に注意する．

シャロット（平　宏和）

◇**成分特性**　100g当たり，水分92.8g，たんぱく質1.5g，糖類はしょ糖1.1g，果糖1.0g，ぶどう糖1.2g，ビタミンC 13mgである（英国食品成分表）．

◇**調理**　フランス料理，イタリア料理に欠かせない．主材料として用いるよりも香り付けに使うことが多い．みじん切りやすりおろしたものを油で炒めて，肉や魚の臭味消しに使ったり，ドレッシングやソースに入れる．選ぶときはたまねぎと同様，球が堅くしまって，皮がよく乾燥しているものがよい．

シャンツァイ　⇨コリアンダー

シャンパン

英 champagne　仏 champagne　別 シャンペン

発泡性ぶどう酒のうち，フランスのシャンパーニュ地方で，独特の製法でつくられるもの．細やかな泡立ちとコクのある味わいをもつ．シャンパーニュ地方はパリの北東170kmに位置する丘陵地帯．フランスのぶどう産地では最も北にあるものの一つで，石灰の混在した土壌は，シャンパン用のぶどうの生育に適している．なお，シャンパーニュ地方以外でつくられた発泡性ぶどう酒をシャンパンと呼ぶことは禁止されている．同じフランスでも他の地域の産はバン・ムスー，ドイツはゼクト，イタリアはスプマンテと呼ばれる（ぶどう酒*の項，図1）．

◇**製法**　シャンパン方式と呼ばれる製法は，一次発酵ののち各社独自のブレンドをし，糖分と酵母を加えびん詰して二次発酵させる．こうして1年～数年間じっくり熟成させ，その間に生じるおりを動びん（remuage）して徐々にびん口に集め，口抜きという作業で取り除く．取り除いて減った分をリキュールで補添して仕上げる．この分量

シャンパン　左：ロゼ，中：白，右：ドン・ペリニヨン（平　宏和）

により，極辛口から極甘口まで味が分かれる．びん内圧力は20℃で4～6 kg/cm^2，アルコール13%（容量）ほどである．シャンパンはほとんど白であるが，少量だがロゼもある．

●ドン・ペリニヨン
仏 Dom Pérignon
ドン・ペリとも呼ばれ，最高級シャンパンの代名詞ともいえる銘柄で，モエ・エ・シャンドン社の製品．シャンパンの創始者といわれる修道士のドン・ピエール・ペリニヨンの名に因む．特上ぶどうのみでつくられ，美しい色合いと豊かな泡立ち，マイルドな味わいをもつ．

ジャンボすいか　⇨すいか（入善ジャンボ西瓜）

ジャンボたにし

分 リンゴガイ科リンゴガイ属　学 *Pomacea caniliculata* 英 apple snail　別 和 すくみりんごがい
各地で養殖されていた通称ジャンボたにしといわれる巻き貝は，雑食性で，和名をすくみりんごがい（竦み林檎貝）といい，南米原産で台湾を経て導入されたという．ジャンボたにしは俗称である．日本のたにしが胎生なのに対し卵生で，また触角*が眼の上のみでなく口の両側にもあるので，一見してたにしとは異なるグループであることがわかる．一時は西日本を中心に養殖が流行し，エスカルゴの代用品などに用いられたが，過剰生産のため養殖場などから野外に脱出し，イネなどを食害したり生態系を乱していることが問題となっている．

シュークリーム

成 15073　英 cream puff　仏 chou à la crème

シュー皮にカスタードクリームを詰めたものである．シュー（chou）とは，フランス語でキャベツの意味である．皮の焼き上がりの形がキャベツに似ているので，この名前が付いた．
◇種類　洋菓子店にはキャベツ型のもののほか，エクレア*，スワン，ルリジューズ，パリ・ブレストなどがある．スワンはシュー生地を逆S字形に焼き，これを首に見立てて白鳥の形に仕上げたものである．ルリジューズは大きいシュークリームの上に小さいシュークリームを積み重ねてまわりをクリームで飾り，修道女（ルリジューズ）の形に仕上げたものである．またパリ・ブレストは大型のリング状のシュークリームである．クロカンブッシュはシュー皮をピラミッド型に積み上げ上部を飾り付け，結婚式などに祝い菓子として使われる．日本では中に詰めるクリームに生クリームを用いることがあるが，フランスでは生クリームはあまり使用せず，カスタードクリームを基本にしてリキュール類，ラム酒，チョコレート，コーヒーなどで風味付けをしたものを用いる．
◇原材料　シュー皮に使用する原料は小麦粉，鶏卵，油脂，食塩である．小麦粉は通常，薄力粉が使われる．油脂はバター，マーガリン，ショートニングなどが使用できるが，一般にバターの場合は軟らかくでき上がり，ショートニングの場合は硬くなる．カスタードクリームの原料は卵黄，砂糖，牛乳，油脂，小麦粉，コーンスターチなどである．
◇製法　シュー皮：水の入った鍋に油脂を入れて沸騰するまで煮立てる．油脂が完全に溶解したら火を弱め，小麦粉を加え強く攪拌し水気がなくなるまで練る．なめらかになったら火からおろし卵を数回に分けて割り込み，へらですくってだらりと落ちる硬さになるまでよく混ぜる．手早く生地をしぼり袋に入れ，天板に平均した大きさで絞り出す．これをオーブンに入れ焼き上げる．焼成温度は200～220℃である．
シュー皮の組織の骨格を形成するものは小麦粉で

シュークリーム（平　宏和）

ある．小麦粉がこの特性をもつのは，その主成分であるでん粉とグルテンの働きによる．でん粉に水を加えると吸水して膨潤し，さらにこれに熱を加えることによって糊化する．この糊化したものを加熱すると膨れる（膨化性）．また小麦粉に水を加えこねると小麦たんぱくに特有のグルテンが形成される．このグルテンは網目状の組織を形成する．以上の2つの現象が相互に作用して，シュー皮の組織を形成する．また油脂には組織に柔軟性を与え，膨張を円滑にする働きがある．さらに鶏卵中のレシチン*が乳化剤*として働き膨張を助ける．このように各材料の特性が総合的に働いてシュー皮は大きく膨張するのである．

カスタードクリーム：卵黄をボールに割り込み，砂糖を加え攪拌する．さらにふるいに通した小麦粉，コーンスターチを加え，混ぜ合わせる．これに加熱した牛乳を入れ，クリーム状になるまで湯煎，またはごく弱火で煮る．シュー皮に切り込みを入れカスタードクリームを詰める．近年，自動化ラインによる大量生産方式も開発されており，この場合はクリームをパイプを通して連続的に送り込み，ノズルから直接充填している．これらは，一般菓子店，スーパーなどの量販店で販売されている．

ジュース ⇨果実飲料，野菜ジュース

じゅうろくささげ 十六豇豆

成 06097（若ざや 生），06098（若ざや ゆで）
分 マメ科ササゲ属（1年生草本）学 *Vigna unguiculata* var. *sesquipedalis* 英 asparagus beans; yard beans 別 ながささげ

アフリカ原産．ながささげの品種群の一つで，未熟さやを野菜用として利用する．耐暑性強く，盛夏期の栽培もできるが，耐寒性は弱い．
◇**品種** 十六ささげの品種群はさやの長さは30～40cmで，さやのやや長い十六ささげのほか，さやの短い姫ささげなどがある．さらにさやの長い三尺ささげの品種群はさやの長さは60～120cmで，三尺ささげ，二十六ささげなどがある．
栽培：愛知を中心とした地方的な利用が主体で，作型といえるものはないが，盛夏期出荷向けの普通栽培のほか，早出しと遅出し栽培がある．
◇**成分特性** ビタミンCが多く，さやいんげんよりカロテンは2倍，Cは3倍近く多い．
◇**調理** 長いさやはさやいんげんより軟らかく，茹でて和え物，浸し物など，素材としての持ち味，歯触りを生かした調理に用いることができる．

シュトーレン

英 stollen 独 Stollen 別 シュトーレン；シトーレン

ドイツの伝統的なクリスマスケーキ．ドレスデンのドレスデナー・シュトーレンがよく知られている．どっしりと重い菓子で，クリスマスの1カ月前には焼き上げ，薄切りにして食べる．
◇**原材料・製法** ラムまたはブランデーに漬け込んだレーズン，チェリー，あんず，プルーンなどのドライフルーツ類，レモンピール，オレンジピール，アーモンド，くるみなどのナッツ類を砂糖，バター，牛乳を多く含んだ発酵パン生地に混ぜ，棒状とし，二つ折りにして焼き上げる．焼き上がったら表面にバターを塗り，粉糖をまぶす．

シュトーレン（平 宏和）

しゅんぎく 春菊

成 06099（葉 生），06100（葉 ゆで）分 キク科シュンギク属（1年生草本）学 *Glebionis coronaria* 英 garland chrysanthemum 別 きくな（菊菜）；しんぎく；さつまぎく；オランダぎく

地中海沿岸の原産とされているが，食用として利用するのは，中国，東南アジアおよびわが国である．地方名としてさつまぎく，オランダぎくのほか，りゅうきゅうぎく，ルソンぎく，こうらいぎくなどがあることから，わが国へは500年ほど前に南方や朝鮮半島を経て渡来したものと考えら

じゅうろくささげ（平 宏和）

しゅんぎく（平　宏和）

れている．

◇**品種**　独特の香気が好まれる．葉の切れ込みの多少により，小葉，中葉，大葉に分けられる．小葉は香気が高いが，収量は少なく，現在ほとんど栽培されていない．中葉が主体で，関西〜西日本には大葉も多い．同じ中葉でも，関西では分枝がなく，根もとから収穫する株張り型が，また関東では，分枝させて順次摘みとり収穫する株立ち型が栽培されている．

　栽培：鍋料理が主体であるので，秋播き（10〜3月どり）が中心であるが，近年は周年的に栽培され，トンネル，ハウス利用による冬〜春播き（2〜6月どり），高冷地あるいは都市近郊の夏播き（7〜10月どり）栽培も行われる．

◇**成分特性**　カロテンなど，ビタミンに富む野菜である．100g当たり，可溶性シュウ酸は27mg含むが，ほうれんそう（650mg）に比べれば少ない．0.1%内外の遊離の糖類を含み，ぶどう糖と果糖が多く，しょ糖を含んでいる．遊離アミノ酸*としてはグルタミンとアスパラギンが多い．ビタミンCはあまり多い方ではなく一般には20mg内外であるが，場合によっては50mgに及ぶ個体もある．茹でて手絞りするとその質量は21%減少する．またカリウム50%，ビタミンCの80%が失われる．しゅんぎくはほうれんそうなどよりわずかにpH*が高く，30分の加熱によっても70%以上が保たれ，クロロフィル*の保持が良好である．生鮮物には180mgの有機酸*を含み，そのうち半分がリンゴ酸*，その他クエン酸，コハク酸などである．しゅんぎくは特有の風味をもっているが，その香気の主体はα-ピネン，ベンズアルデヒド，カンフェン，β-ピネン，β-ミルセン，β-クエニルエチルアルコールなど，13種の成分が認められている．

◇**保存**　厚さ0.03mmのポリエチレン袋に入れ保存すると，0℃では3週間貯蔵できる．また5℃では4日，15〜18℃では2〜3日の保存が可能．しかしポリエチレン袋を用いないで結束しただけで貯蔵すると1週間が限度である．

◇**調理**　特有の品のよい香りが喜ばれ，日本料理には欠かせない材料である．代表的な料理は浸し物で，色や組織にあまり変化が起きないよう，塩を少し入れて1〜2分で茹でる．そのほか和え物，汁の実，鍋物の主材料や副材料として用途が広い．※香りや色とともに，独特の軟らかい歯触りが特徴である．これを生かすためには，硬化していないものを選ぶことが必要である．※短時間の加熱で軟らかく食べられることと，鮮やかな緑色をもっていることから，みつばなどとともに，天ぷらの材料にも好適である．また中国料理では炒めて皿に敷き，その上に濃厚な味の肉料理をのせることがある．これは彩り，香りともに肉の味を向上させる．

じゅんさい　蓴菜

成 06101（若葉 水煮びん詰）　分 ハゴロモモ科ジュンサイ属（多年生草本）　学 *Brasenia schreberi*　英 water shield　別 古 ぬなは；ぬなわ　旬 初夏〜夏

わが国の原産とされるが，アジア，アフリカ，北米にも自生がみられる．わが国では，すでに6〜7世紀から利用されていた．古い池や沼に自生するものを採取，利用する．品種・作型といったものはなくて，茎の頂部より発生した若茎と，

上：じゅんさい採り（芦澤　正和），下：じゅんさい水煮（平　宏和）

そのまわりのぬめりの部分を食用とする．5～6月どりのものを一番芽と称し，品質が最もよく，6～7月どりを二番芽，7～9月どりを三番芽という．最近，転作水田を利用した栽培が普及している．

産地：秋田，青森．

◇**成分特性**　水分が98.6g/100gで，栄養的には極めて乏しい野菜であるが，粘質物の独特の舌触りが珍重される．粘質物はD-ガラクトース，D-マンノースなどを三体とする多糖類*である．

◇**加工**　加工品としては水煮缶詰のほか，酢漬の原料に利用される．水煮缶詰（びん詰）は原料を4～5分蒸し煮し，冷却後水さらしを行い，水とともに煮つめる．製品は粘性を帯びている．

◇**調理**　表面を覆っている寒天状粘質物の独特の舌触りが特徴で，これを生かして椀種，汁の実に用いるほか，和え物の材料として適している．三杯酢，辛子酢，辛子酢みそ，おろしじょうゆなどで和える．※生のものを放置すると褐変が起こる．よく水洗いしたものを熱湯で一度煮沸，その後水で十分冷やすことにより，変色を防ぎアク抜きができる．汁に入れたとき，汁がにごらない程度に水洗いが行われていることが必要．市販の水煮・びん詰は，すでにここまでの処理が行われているので，そのまま利用できる．

純米吟醸酒　⇨清酒
純米酒　⇨清酒

 しょうが　生姜

成06102　分ショウガ科ショウガ属（多年生草本）　学 *Zingiber officinale*　英 ginger　別ジンジャー

インド，マレー方面の原産とされており，ヨーロッパでは貴重な薬用・香辛料とされていた．中国，東南アジアでの栽培が多い．わが国への伝来は古く，すでに3世紀には記録がみられる．戦前には輸出もされていたが，現在は東南アジア方面から多量に輸入している．

◇**品種**　栄養繁殖性で，根茎*の大きさから，小しょうが群，中しょうが群，大しょうが群に分類される．また，栽培，収穫方法の違いで，根しょうが，葉しょうが，芽しょうがに分けられる．根しょうがのうち，収穫してから約2カ月は「新しょうが」として流通する．しかし，それ以降は貯蔵品の「ひねしょうが（種しょうが）」として流通している．原産地では多彩な品種分化をとげ，分けつ性，根茎の形，色，辛味などにより多くの品種がある．わが国の品種は比較的単純である．小しょうが群は早生で，分けつ*多く，根茎は小さい．貯蔵性に富み，辛味が強く，芽しょうが，葉しょうが用とされる．金時，谷中，茅根（かやね）などの品種がある．中しょうが群は中生，分けつやや少なく，根茎で中型で，葉しょうが，生食，漬物用である．中しょうが，黄しょうが，土垂（どだれ），近江などの品種がある．大しょうが群は晩生で，分けつ少なく，根茎は大型で，主として漬物用である．大しょうが，お多福，インドなどの品種がある．

作型：芽しょうがは主として軟化（促成；1～5月どり，または半促成；5～6月どり）栽培．葉しょうがは促成（5～6月どり），半促成（6～7月どり），早熟栽培（7～9月どり）．根しょうがは半促成（6～7月どり），早熟栽培（7～8月どり）もされるが，露地普通栽培（8～11月どり）が主体である．

産地：高知，熊本，宮崎，千葉，和歌山，鹿児島など．

◇**成分特性**　小しょうが，中しょうが，大しょうが群など，品種が多いので成分にもかなり違いがある．

香気・辛味成分：食用価値は香気と辛味であり，調理上効用が大きい．辛味成分は生鮮物中0.05%のジンゲロンと油状のショウガオールである．香気成分はモノテルペン類のα-ピネン，β-ピネン，カンフェン，ミルセン，β-フェランドレン，リモネン*，ゲラニオール，シネオール，酢酸ゲラニル，ネラールなどが主体で，ジンギベレン，α-クルクメンなどが混在する．新しょうがと種しょうがの精油成分は量的，質的に異なり，新しょうがではゲラニオールと酢酸ゲラニルが多く，種しょうがではネラールとゲラニオールが多い．

◇**保存**　種しょうがの貯蔵適温は13～15℃で，これ以下の低温下では低温障害が生じ腐敗する．

根しょうが（ひねしょうが）（平　宏和）

しょうが漬物 左:酢漬（紅しょうが），右:甘酢漬（ガリ）（平　宏和）

野外では乾燥地に室（むろ）をつくるか，山の中腹に横穴を2〜3m掘って貯蔵するが，寒地では不可能である．現在は貯蔵用倉庫を備えているところも多いが，高知では壕（ごう）と呼ばれる手掘りの洞窟の一部が，まだ利用されており，内部は自然がつくりだす貯蔵に最適な条件になっているという．保存期間は6〜10カ月である．ただし，市販のしょうがの冷蔵保存期間は意外に短く，1〜2週間でぬめりが出る．凍結により長期保存が可能であるので，家庭では，購入後すぐに小さく切ってポリエチレン袋などに入れ，冷凍保存するとよい．

◇加工　漬物の酢漬（紅しょうが 成06104），甘酢漬（ガリ 成06105），菓子原料などのほか，乾燥粉末，砂糖漬に，さらには香辛料として清涼飲料などに用いられる．根茎を水蒸気蒸留して得られる精油*と溶剤抽出で精製されるオレオレジン（植物素材を溶剤で抽出濃縮したもの）は添加として食品工業に広く利用される．しょうが砂糖漬は菓子の一種で，原料を薄く切って2,3回煮沸してアクを抜き，砂糖中で煮てから，砂糖をまぶして仕上げる．

◇調理　辛味の少ない新しょうがは，みそをつけたりして生食したり，調味じょうゆに浸して食べたり，天ぷらの材料に用いたりする．酒の肴に好適．※酢の味はしょうがの辛味を和らげ，魚料理などに添えて味を引き立てる．新しょうがをそのまま甘酢につけた筆しょうがは，焼き物の付け合わせに，根しょうがを薄切りにして甘酢に漬けたもの（ガリ）（成06105）はすしの付け合わせに，梅酢に漬け赤く着色した紅しょうが（成06104）はのり巻き，いなりずし，五目ずしなどのつまに用いる．※薬味として，主に根しょうがの皮をむいてすりおろし（成06365, 06366），刺身，鍋物，焼き物，冷やっこなどに用いる．千切りやみじん切り，汁をしぼって中華料理の下味付けや煮物に加えてもよい．肉や魚の生ぐさみを消すのに好適である．また，たんぱく質分解酵素による軟化効果も知られている．※炒め物や煮物では，なるべく細かくみじん切りにし，初めに熱した油や煮汁の中に入れて加熱し，香りをひき出したところで材料を入れてその香りを移す．佃煮や貝のしぐれ煮のように長時間加熱する濃い味付けの煮物では，みじん切りにせず，薄切りにして香りがゆっくりとひき出されてくるようにする．このように，隠し味としてのしょうがの役割は幅広い．※濃い砂糖の味とよく調和し，上品な味となる．西洋料理ではパイ，クッキー，パン，ピクルスなど，中国料理ではしょうがの砂糖漬など，菓子への用途も広い．飲料にも用いられ，ジンジャーエールはその代表的なものである．

●新しょうが

成06386（根茎 生）

通年で流通する根しょうがは貯蔵した「ひねしょうが」であるが，早採り，もしくは，収穫したての根しょうがは「新しょうが」として流通する．新しょうがの旬は栽培方法によって異なり，路地栽培の場合は9〜10月，ハウス栽培*の場合はそれよりも早く6月ころからである．新しょうがは茎の付け根が鮮やかな紅色で全体的に白っぽいのに対し，ひねしょうがは全体的に黄金色である．ひねしょうがに比べ，みずみずしく，柔らかく，辛みが少ないとされ，食品成分表の水分含量や食物繊維量にも表れている．

●根しょうが

成06103（根茎 皮なし 生）　英ginger root　別ひねしょうが

しょうがの根茎のこと．種として植え込んだ根茎を種しょうがといい，これから新しいしょうがができる．これを芽しょうが，葉しょうが，根しょうがとして利用する．種しょうがから分けつ肥大した根茎を，梅雨時から秋に収穫して出荷するものが新しょうがである．新しょうがを数カ月貯蔵（寝かせるともいう）したものが，一般にひねしょ

新しょうが（平　宏和）

葉しょうが（平　宏和）

錠菓（平　宏和）

うがと呼ばれる．寝かせることで辛味や香りが強くなる．また，新しょうががついている種しょうがをひねしょうがという地方もある．
●葉しょうが
成 06102（根茎 生）　英 Ha-shoga　別 盆しょうが　古 はじかみ
芽が出て，茎が細く，根元が淡紅色をしており，根茎が小指の大きさほどのものを葉をつけた状態で出荷する．品種としては茎数が多く，葉柄基部が鮮紅色の谷中しょうが，つばめしょうがが使われる．
●芽しょうが
別 筆しょうが；矢しょうが；軟化しょうが
葉しょうがよりさらに若いもので，床に日覆いをし軟白栽培*したもの．甘酢漬（はじかみ）に利用される．

なタブレットで，口臭防止用，のどすっきりタイプなど，多様なものが若者向けに多く出されている．ラムネ菓子（駄菓子*）も錠菓の一種である．

しょうがせんべい　生姜煎餅
英 Shoga-senbei
主原料の小麦粉に砂糖，膨張剤を加えた生地を楕円形のせんべい型に流し込み，焼き上げた後，軟らかいうちに反りをつけ，生姜蜜を刷毛で塗り，乾燥して仕上げたものである．焼き上げ後，反りをつけるなどの加工がされたものもある．各地の銘菓，また，駄菓子として販売されている．

しょうがせんべい　左：金沢（柴舟），右：角館（平　宏和）

聖護院（しょうごいん）かぶ　⇒かぶ

芽しょうが（平　宏和）

錠菓　じょうか
英 tablet candy　別 タブレット
打錠機で圧縮整型された菓子をいう．
◇製法　砂糖，ぶどう糖を主原料として，これに果汁ゼラチンやアラビアガムなどを結合剤として加え，少量の香料，酸味料を添加し，打錠機にかけてつくる．清涼菓子と呼ばれるもので，ミント系のものも多い．口中で溶ける際に吸熱性のあるぶどう糖，キシリトールと組合わせ清涼感を出す製品もみられる．携帯に便利な容器に入った小さ

紹興酒　しょうこうしゅ
成 16013　英 Shaoxing giu
中国の浙江省紹興県を発祥とするので，この名がある．中国には白酒（バイジィォウ）と呼ばれる蒸留酒と黄酒（ホアンジィォウ）と総称される醸造酒があり，紹興酒は中国の代表的醸造酒である．その歴史は古く，7千年前にはすでに造られていたともいわれ，2,400年前には文献にも記載がある．

◇**製法** 蒸したもち米に水をかけて吸水させ，水と酒薬を混ぜ，甕（かめ）の中で7，8日間保つと次第に発酵してくる（醸酒 ニェンジィォウ）．これに麦麹〔麦麴（ばくきょく）〕などを加え，水を入れ，20℃くらいで1〜2カ月発酵させて搾る．酒薬（薬酒）（ヤオジィォウ）は清酒の酒母麹にあたる．米粉を主原料とし，ヤナギタデなど10数種類の薬草やその汁を加えて成形したものに，酒薬粉末をふりかけ温所に置き，酵母やカビを繁殖させたものである．
麦麹は粉砕した小麦を主原料とし，水を加えて主にレンガ状に成形したものに，主にカビ（一部酵母）を生やしたものである．

◇**成分特性** アルコール13〜18％（容量）で，酸度が高い．好みにより氷砂糖を溶かして飲む．色は茶褐色で，風味が強い．

◇**用途** 嗜好飲料の酒類としての利用のほか，魚や肉の臭みをとり料理の香りを高める，調味料としても欠かせない．中国では，どのレストランの厨房にも置いてあるという．そのほか栄養剤的にも用いられ，浙江省では今でも出産後の体力回復に，温めた紹興酒に生卵と赤砂糖を入れて飲む習慣があるという．

●**老酒（ラオチュウ）**

中 老酒（laojiu；ラオジィォウ）

黄酒（ホアンジィォウ）は穀類を原料とする中国の醸造酒で，これを長期間貯蔵して熟成させたものの総称．日本では紹興酒の老酒がよく知られている．

紹興酒（平　宏和）

しょうさい　⇒ふぐ（まふぐ）

 照射食品 しょうしゃしょくひん

英 irradiated foods

貯蔵期間延長と病原微生物の殺菌を目的として放射線照射を行った食品．食品の照射に使われる放射線には，γ線，X線，電子線（electron beam）がある．それぞれγ線照射食品，電子線照射食品と呼ばれる．

●**γ線照射食品**

英 γ-ray irradiated foods

第二次世界大戦後（1945年以降），国連のFAO/WHOで放射線によって食品を貯蔵させる方法が検討され，数種類の食品に対して，γ線を照射することが許可された．2021年現在，世界で食品の放射線処理を許可している国は40カ国以上であり，商業化している国は12カ国以上である．それら各国ではじゃがいも，たまねぎ，にんにく，パパイア，米，小麦，乾燥野菜，香辛料，鶏肉などに対してγ線あるいは電子線処理が行われているが，わが国では食品衛生法*により，発芽防止を目的としたじゃがいもにのみ許可されている．それらの処理は線量によって次の3型に分けられる．

①低線量照射（1 kGyまで）：発芽防止と殺虫および害虫不妊化

②中線量照射（1〜10 kGy）：貯蔵期間延長，食中毒防止と殺菌

③高線量照射（10〜50 kGy）：完全殺菌．香辛料，乾燥野菜と配合飼料の殺菌に，5〜10 kGyの放射線が照射されている．黒こしょうの実験では，1 g当たり10^8の細菌数をもっている試料に10 kGyの放射線処理で1 g当たり10^2に減少し，1 g当たり10^4のカビが2 kGyの処理で10に減少したとされている．

γ線照射食品（じゃがいも）

●**電子線照射食品**

英 electron irradiated foods

電子線照射装置は，電子加速器とコンベア装置から成り立っている．電子線は，γ線に比べて1,000〜10,000倍も放射線発生量が多く，短時間に大量に処理できる．処理コストもγ線の1/2〜1/10といわれ，粉末食品や穀類のように無包装の状態で大量処理するのに適しており，1台の加

速器で年間50万～100万トンの処理が可能である．現在わが国では，電子線照射装置は，包装材料の架橋と殺菌に使われている．食品への電子線照射については，香辛料やでん粉の殺菌テストが行われている．

上新粉 じょうしんこ

成 01114　英 Joshinko；（non-glutinous rice flour）
うるち精白米を，水洗・水切り・乾燥し，適度に吸水した状態で粉砕，乾燥したものである．和菓子の原料として用いられる．なお，和菓子のかるかんに用いられるものは，水切り後，乾燥させずにそのまま挽いた粗びきのもので，かるかん粉と呼ばれる．生とこれを乾燥したものがある．

上新粉（平　宏和）

上撰（じょうせん）酒　⇨清酒

醸造酒 じょうぞうしゅ

英 fermented alcoholic beverage
酒類のうち原料をアルコール発酵させ，発酵液をそのまま，あるいは濾過して製品としたもの．発酵形式により並行複発酵，単行発酵，単発酵に分かれる．並行複発酵はもろみ*（醪）中で糖化しながら発酵が行われる形式で，清酒*がその代表である．単行発酵は，ビール製造にみられるように最初麦芽*を糖化し，その糖化液を発酵させる形式をいう．単発酵はぶどう酒のように糖化を必要とせず，発酵だけが行われる形式を呼ぶ．醸造酒の有機酸*および香気成分となるアルコール類の含量を表1，2に示す．なお，平成18年度に改正された酒税法で新設された，酒類の4分類（発泡性酒類，醸造酒類，蒸留酒類，混成酒類）の中の「醸造酒類」とは，清酒，果実酒，その他の醸造酒をいい，「その他の醸造酒」とは穀類，糖類等を原料として発酵させたもの（アルコール分が20度未満でエキス分が2度以上のもの）である（**付表14**）．

焼酎 しょうちゅう

成 16014（連続式蒸留），16015（単式蒸留）　英 Shochu
米，麦類，いも類，そばなどのでん粉質を麹で糖化，発酵させるか，糖蜜などの糖原料を発酵させて，単式あるいは連続式蒸留機で蒸留したわが国固有の蒸留酒である．

◆**歴史**　沖縄の泡盛がわが国の本格焼酎（焼酎乙類）の原形である．泡盛の発祥は，15世紀初頭と推定されている．この渡来はシャム国（タイ）とされるが，明らかでない．焼酎製造の技術はさらに16世紀初頭鹿児島に伝わった．焼酎という名称は永禄2（1559）年，鹿児島県大口市の郡山八幡の木札にみられる．17世紀にはさつまいも（甘藷）の栽培技術が沖縄から伝わり，甘藷焼酎が開発された．また泡盛の蒸留機は酒粕用に改良され，17世紀末には清酒の副業として，酒粕焼酎が全国的に広まった．戦後，焼酎は日本古来の蒸留酒

表1　醸造酒の有機酸含量（g/L）

	清酒	ビール	ぶどう酒
酒石酸	0	0	1.50～2.39
コハク酸	0.40～0.60	0.05～0.15	0.36～0.82
リンゴ酸	0.20～0.40	0.02～0.09	0.19～1.87
乳酸	0.35～0.55	0.05～0.23	0.43～2.57
クエン酸	0.04～0.09	0.07～0.16	微量～0.47
酢酸	0.02～0.10	0.02～0.10	0.52～1.56
ピルビン酸	0.01～0.05	0.01～0.03	0.02～0.07
α-ケトグルタル酸	0.01以下	0.01以下	0.02～0.04

（醸造物の成分，日本醸造協会，1999）

表2　醸造酒の主要アルコール類（エチルアルコールを除く）含量の一例（mg/100 mL）

	清酒	ビール	ぶどう酒
プロパノール	2.2	0.8	2.4
イソブタノール	6.0	1.1	6.5
イソアミルアルコール（活性アミルアルコール含む）	23.0	5.8	26.0
フェネチルアルコール	5.0	2.0	2.5
グリセロール	500	160	700
2,3-ブチレングリコール	34	50	60

（醸造物の成分，日本醸造協会，1999）

として見直され，消費も伸びている．他方，焼酎甲類は明治中期頃，優秀な連続式蒸留機が輸入され，穀類から純アルコールがつくられるようになった．当時は焼酎と認められず，酒精含有飲料とされていたが，昭和15（1940）年の酒税法改正で焼酎甲類の扱いを受け，単式蒸留機（ポットスチル）のものは乙類に判定されていた．なお，平成18年度の酒税法改正で甲類は連続式蒸留焼酎，乙類は単式蒸留焼酎に分類された．

◇**製法と分類** 酒税法では連続式蒸留機を使用したものを連続式蒸留焼酎（distilled through continuous still），単式蒸留機を使用したものを単式蒸留焼酎（distilled through a pot still）に区分している．またアルコール分も単式蒸留焼酎は45％（容量）以下，連続式蒸留焼酎は36％以下，エキス分2度未満（酒100mL中のエキスのg数）である．連続式蒸留焼酎は別名ホワイトリカーと呼ばれ，廃糖蜜，穀類などを原料とした純アルコールを薄めたものである．単式蒸留焼酎の製造は，原料穀類を蒸煮後，焼酎麴を使って糖化，発酵させる．麴製造用原料米には，通常，砕米（93％精白）が使われる．清酒麴と同様な操作で麴をつくるが，麴菌は黒麴菌またはそれの変異株の白麴菌が使われる．その品温経過も前半が高く（38～40℃），後半は生酸（クエン酸）を促進する意味で低温（35℃以下）に放置し，40～44時間で出麴とする．次に原料を蒸煮後水と混ぜて糖化を図りながら，酵母で発酵させる．もろみ*（醪）の品温は20～25℃，期間は10～20日，アルコールは米焼酎もろみで16～19％，いも焼酎もろみで14～16％である．蒸留は直接蒸気吹込みで1回蒸留され，貯蔵後出荷される．焼酎はアルコール濃度により，20度，25度，35度焼酎に分類される．ここでいう"度"とはアルコール濃度（容量％）を表している．

原料別分類：単式蒸留焼酎は使用する原料穀類によってさらに類別され，泡盛，いも焼酎，米焼酎，麦焼酎，そば焼酎，黒糖焼酎，白糠焼酎，じゃがいも焼酎，粕取り焼酎などがある．

◇**成分特性** 焼酎はアルコール含有もろみを蒸留したものであるから，水と揮発性成分が主体で，不揮発性成分はほとんどない．揮発性成分の大部分はエチルアルコールであるが，わずかに含まれるその他の揮発性成分が焼酎の品質を左右する．一般に連続式蒸留焼酎（甲類）は連続式蒸留機を使用する関係で単式蒸留焼酎（乙類）に比較してエチルアルコール以外の揮発性成分は少ない．通常，焼酎100g中エチルアルコールは35度で29g，25度で20.5g，20度で16.3g含まれる．エチルアルコール以外の成分として，エステル*は100mL中，乙類28～30.4mg，甲類8.0～11.5mgで，甲類は少なく，乙類では泡盛が多い．その他の微量成分としてフーゼル油*成分は甲類ではほとんど含まれず，乙類では100mL中，プロピルアルコール1～30mg，イソブチルアルコール13～40mg，イソアミルアルコール19～65mg，フェネチルアルコール1～3mgが含まれる．米焼酎は他の酒と比較してやや含量が多い．カルボニル化合物も乙類では多種類含まれるが，アルデヒドとして100mL中，0.2～9mgである．また蒸留時の加熱により生成するフルフラールは0～1.5mgの含量である．これらは甲類にはほとんど含まれない．

◇**保存と飲み方** 蒸留酒であり，変化が少ないから家庭では定温で保存する．※飲み方はウイスキー同様ストレート，オンザロック，水割りなどがある．そのほかやや違った方法として，お湯や炭酸水で割って飲むことがよく行われる．温まるから香りがひきたってうまい．また，ホワイトリカー（連続式蒸留焼酎）など香りもクセもあまり強くない焼酎（アルコールは35度）では，梅，その他の果実を漬け込んで，各種の果実の酒を製造する．梅酒はその代表である．

●**泡盛（あわもり）**

成 16060　英 Awamori

外国砕米（主としてミャンマー，タイのインド型の米を90％くらいに精白し，さらに破砕したもの）を原料とし，その蒸米に「あわもり麴菌」（黒麴菌の一種 *Aspergillus luchuensis*）という麴菌を生やして麴をつくる．この麴と水だけでもろみを仕込んで糖化，発酵後蒸留した焼酎で，味も濃く，個性が強い．沖縄の特産である．3年以上かめに貯蔵したものを特に古酒（クース）という．

泡盛（平　宏和）

左1本：連続式蒸留焼酎，右4本：単式蒸留焼酎（左から，米焼酎，いも焼酎，麦焼酎，そば焼酎）（平　宏和）

●いも焼酎
内地砕米（92％くらいの精米歩合の白米）を使って白麹菌（黒麹菌の変異株 *Aspergillus kawachii*）で麹をつくり，この米麹と甘藷（さつまいも）を原料として仕込んだもろみ*を蒸留したもので，ふかしいものような特有な香りと柔らかい甘味をもつ．主産地は鹿児島，宮崎，伊豆七島である．

●粕取り焼酎
清酒粕（約8％のアルコール分が含まれる）を蒸留してとった焼酎．特有の高い香りがある．また酒粕中にはアルコール以外に米でん粉，麹，清酒酵母などが含まれるから，これを利用するために粕をいったん水に溶かし，再発酵させてから蒸留する．これを"粕もろみ取り焼酎"という．

●黒糖焼酎
黒糖と米麹を使ってもろみをつくり蒸留したもので，黒糖原料の特有の香気（ラムと共通の香り）がある焼酎である．鹿児島県奄美大島の特産である．

●米焼酎
内地砕米を使って白麹菌で麹をつくり，この米麹と内地砕米を使って仕込んだもろみを蒸留したもので，甘味があり，味の濃い焼酎．全国各地でつくられるが，特に熊本県人吉の球磨（くま）焼酎はよく知られている．九州では米製（べいせい）焼酎といって親しまれている．なお，泡盛も米焼酎に入る．

●じゃがいも焼酎
米麹とじゃがいもを原料として仕込んだもろみを蒸留したもので，香りに特徴がある．秋冬は北海道産のでん粉用品種，春夏は長崎県産の食用品種を使用する．

●白糠（しろぬか）焼酎
清酒仕込みの精米のときに出る白糠と米麹を使ってもろみをつくり蒸留したもので，甘味のあるすっきりした香りの焼酎である．新鮮な白糠を使うことが大切．

●そば焼酎
米焼酎の掛け米の一部にそばを使ったもので，宮崎県の高千穂地方に多い．

●麦焼酎
米麹あるいは一部大麦を使って麹をつくり，これに裸麦，大麦あるいはそれらを圧扁した押麦を使って（最近では70％精白の大麦が多い）仕込み，蒸留したもので，製品は麦こがし様の芳香をもつ．長崎県壱岐が主産地である．

小腸　⇨うしの副生物，ぶたの副生物

 しょうゆ　醬油

英 soy sauce

大豆を主原料としたわが国の伝統的な液体調味料．

　歴史：原形はみそと同じように中国大陸から伝来した．伝来の時期については諸説あり，奈良時代頃と推定される．初めは，ひしお（醬）と呼ばれて半固形のものであった．その後，たれ汁を分離して液体調味料として使用する現在のしょうゆに発展した．醬は元来，東南アジアなどの発酵食品に起源があるといわれ，その原料も穀類や豆類だけでなく，肉や魚，野菜などさまざまであった．現在でも魚醬は東南アジアの基本調味料であり，わが国でも秋田のしょっつるや能登のいしる（いかの魚醬）などは魚醬*の名残りといえる．江戸時代には長崎・出島からオランダに輸出され，すでにヨーロッパでも知られていた．現在，日本食への評価が高まったこともあり，米国，オランダなどで現地生産され，輸出も伸びている．

◇種類・分類　日本農林規格*（JAS）では，①こ

いくち（濃口）しょうゆ，②うすくち（淡口）しょうゆ，③たまり（溜）しょうゆ，④さいしこみ（再仕込）しょうゆ，⑤しろ（白）しょうゆの5種類のしょうゆの品質について規定している．しょうゆは，醸造方式の違いにより，本醸造方式によるもの，混合醸造方式によるもの，混合方式によるものに分けられる（これらに砂糖類，アルコール等を補助的に加えたものを含む）．

本醸造方式しょうゆ：もろみ*を発酵させ，および熟成させて得られた清澄な液体調味料を指す．

混合醸造方式しょうゆ：もろみにアミノ酸液，酵素分解調味液または発酵分解調味液を加えて発酵させ，および熟成させて得られた清澄な液体調味料を指す．

混合方式しょうゆ：本醸造方式によるもの，混合醸造方式によるものもしくは生揚げまたはこのうち2つ以上を混合したものにアミノ酸液，酵素分解調味液もしくは発酵分解調味液またはこのうち2つ以上を混合したものを加えたものを指す．

そのほか，JAS 規定外のものに減塩しょうゆ，生（なま）しょうゆなどがある．

製法：こいくちしょうゆの製造工程は図1に示すように，蒸煮大豆と割砕小麦を混合して麹（こうじ）とし，これに食塩水［濃度 Bé（ボーメ）19°］を1.2倍と酵母を加えて，ときどき攪拌しながらゆっくりと時間をかけて発酵させる．発酵過程において，もろみ（諸味）中の酵素，乳酸菌*，酵母の作用によりしょうゆ特有の味・香りがつくられる．この発酵が終わったもろみを搾って得られる生揚げしょうゆを JAS の成分規格に合うように調製する．さらに，これを火入れ（加熱殺菌）して容器に詰める．火入れの目的は，微生物や酵素の働きを停止させて品質を安定化させること，調理の段階で加熱されたときに生ずる沈殿をあらかじめ除くこと，加熱によって生じょうゆにしょうゆ特有の香り・色沢を付けること，にある．

◇**成分特性** 原料配合，製法により多少の違いはあるが，一般的にはうま味成分は，グルタミン酸などのアミノ酸，甘味成分はぶどう糖，麦芽糖*，グリセロール*など，酸味成分は乳酸*，酢酸，コハク酸である．香気成分として現在までに約300種類の物質が報告されているが，特徴的なものとして，メチオノール，アセトアルデヒド，イソバレルアルデヒド，フルフロール，アセトインなどがある．色は，熟成中にアミノ酸と糖が反応して生ずるメラノイジン色素による．

また，JAS により，各しょうゆの種類ごとに，性状，色度，全窒素分，無塩可溶性固形分などの成分含量によって，特級，上級，標準の品質基準が設けられている．さらに製造方法から本醸造・混合醸造・混合方式のいずれかを表示することが規定されている．本醸造は，発酵法によって発酵，熟成させたもの，混合醸造はアミノ酸液などを加えて発酵・熟成させたもの，混合方式は本醸造または醸造しょうゆにアミノ酸液等を加えて調製したものをいう．

うま味成分と規格：しょうゆのうま味の主体はグルタミン酸などのアミノ酸によるもので，アミノ酸，ペプチド*などを含めた窒素の総量（全窒素分）が，しょうゆの品質の良否の基準とされる．JAS におけるこいくちしょうゆの等級ごとの品質基準では，全窒素分が100mL 当たり，特級1.50g 以上，上級1.35g 以上，標準1.20g 以上，うすくちしょうゆでは，特級1.15g 以上，上級1.05g 以上，標準0.95g 以上とされている．また，食品表示基準*では，特級の中で，こいくちしょ

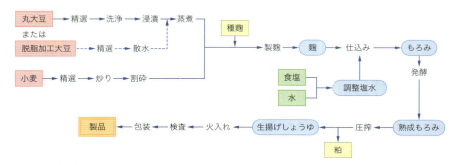

図1　本醸造方式によるこいくちしょうゆの製造工程（水沼武二・井口信義，藤巻正生ほか編：食料工業，恒星社厚生閣，1985 を改変）

うゆでは全窒素分 1.65 g 以上，うすくちしょうゆでは無塩可溶性固形分 15.4 g 以上を含むものは特選，さらに，こいくちしょうゆでは全窒素分が 1.80 g 以上，うすくちしょうゆでは無塩可溶性固形分が 16.8 g 以上を含むものは超特選の呼称が認められている．

◇保存・加工　開栓せずに冷暗所に保存した場合は，濃口，たまり，再仕込みなど色の濃いものは 1 年以上ほとんど変化がないが，開栓すると色，香りともに変化しやすく，6 カ月が限度である．淡口や白しょうゆは密栓しておいても 3 カ月くらいで色が変わり，開栓後は 1 カ月で色の変化が起きる．PET 容器はガラスびんに比べやや保存性が落ちるから，冷蔵庫で保存することが望ましい．

◇調理　日本料理の味付けに，下ごしらえから食卓段階まで塩味料として広く用いられ，西洋料理の塩，こしょうに相当する．❋日本料理を代表する刺身では，しょうゆだけが唯一の調味料である．中国料理にも欠かせないが，日本の場合ほど単独で使用することはない．❋しょうゆは，塩味料であると同時に，うま味料としての役割も大きい．さまざまな動・植物性食品のうま味を補強し，風味を向上させ，食生活を豊かにするのに役立っている．他の調味料や香辛料と混ぜて，各種の合わせじょうゆ，薬味じょうゆなどをつくる．❋吸物では九分どおり塩で味付けして，最後にしょうゆを少し加え，色と香りを付ける．香気を目的とするときは，長い加熱を避けて最後に用いる．煮崩れを防ぐため，初めからしょうゆを加えておきたいような煮物の場合でも，大部分を初めに加え，仕上がり直前に残りを加えるようにする．❋乾式加熱では，つけ焼き，照焼きなどのようにしょうゆが焦げてできる色や香りを目的とする場合も多く，このときは温度を加減しながら加熱を続ける．❋しょうゆ中の食塩はたんぱく質の凝固を促進し，魚類などの身を引きしめる．また生魚などを漬けておくと塩類に溶けるたんぱく質を溶かし出すと同時に，臭気成分を引き出し，においを除く作用がある．薬味，香辛料を加えたしょうゆに魚や肉を浸漬するのはそのためである．❋使い分け：料理一般には普通の濃口しょうゆ，特に材料の色を生かしたい煮物にに淡口しょうゆ，色をまったく付けたくないときは白しょうゆ，刺身のつけじょうゆにはたまりしょうゆ，というふうに使い分ける．

●うすくち（淡口）しょうゆ
成 17008，17139（低塩）　英 Usukuchi-shoyu；（light color type soy sause）
関西を中心に発達してきたしょうゆで，料理の材料や食器との調和をとるために，色も味も淡く仕上げている．このため，原料は丸大豆と軽く焙煎した割砕小麦を用い，もろみ*の圧搾前に，米に換算して 10〜20％の甘酒（蒸し米を麴菌によって糖化したもの）を添加する．熟成期間は天然醸造で 10 カ月，温醸で 6 カ月程度とこいくちしょうゆに比べるとやや短い．全窒素分はこいくちしょうゆよりも少ない．塩分含量は 18.9 g/100 mL（16 g/100 g）とこいくちしょうゆの 17.1 g/100 mL（14.5 g/100 g）よりも多い．

●生（き）揚げしょうゆ
別 生（なま）しょうゆ
JAS や食品表示基準では，しょうゆの製造工程で，熟成もろみを圧搾して得られた状態の液体を生（き）揚げと呼ぶ．生揚げしょうゆは，生揚げに火入れと同等な処理をしたものを指す．実際には，生揚げを，生ビールと同様に，ミクロフィルター（膜）で濾過し，微生物を除いたものである．なお，食塩，調味料，アルコールなどの添加は禁止されていない．びん詰めの生揚げしょうゆは，開栓後，空気による成分の酸化で品質劣化が起きるが，二重構造のボトル詰めの製品では，空気に触れず，高い香りと風味を保つように工夫されている．

●減塩しょうゆ
成 17086（こいくちしょうゆ 減塩）　英 low salt soy sauce
食品表示基準では，しょうゆ 100 g 中の食塩量が 9 g 以下のものは「減塩」と表示できる．低ナトリウムしょうゆで，こいくちしょうゆをイオン交換膜を用いる脱塩法により，あるいは低塩仕込み法などで，食塩含量を通常のしょうゆの半分以下とする．近年の減塩志向で一般にも使われている．減塩しょうゆ以外にも，低塩，うす塩，あま塩，あさ塩と表示されるしょうゆ（食塩含量は通常のしょうゆの 80％以下）なども市販されている．食品表示基準に定められた基準値以下に低減した製品は，含まない旨（ゼロなど），低い旨（低など），低減された旨（オフなど）の表示ができる．

●こいくち（濃口）しょうゆ
成 17007　英 Koikuchi-shoyu；（common type soy sause）
関東を中心として，全国的に販売されており，しょうゆの全生産量の 85％近くを占める．香りが高く，生臭さを消す働きもある．原料はほぼ同量の大豆と小麦で，大豆は丸大豆や脱脂加工大豆，小

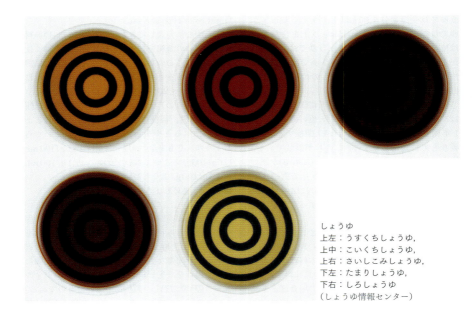

しょうゆ
上左：うすくちしょうゆ，
上中：こいくちしょうゆ，
上右：さいしこみしょうゆ，
下左：たまりしょうゆ，
下右：しろしょうゆ
（しょうゆ情報センター）

麦は焙煎した割砕（かっさい）小麦が使用される．大豆は，一般に脱脂加工大豆が多く使われる．原材料表示で，大豆のみ，大豆と脱脂加工大豆，脱脂加工大豆のみと区別されている．

●さいしこみ（再仕込）しょうゆ

成 17010　英 Saishikomi-shoyu；(refermented type soy sause)　別 甘露しょうゆ

天明年間（1781～1789）に山口県柳井地方でつくられるようになった特殊なしょうゆで，山口を中心に広島，島根などで生産される．濃口しょうゆに比べ，色沢，味が濃厚で，たまりしょうゆより香りが高い，特色あるしょうゆである．煮物などの調理用よりも，刺身やすしなどのつけしょうゆとして用いられる．製法は，仕込みの食塩水に替えて，生揚げ（発酵・熟成させたもろみを圧搾して得られた液体）を仕込み水として用い，再び麹を加えて再発酵させて仕上げる．したがって，うま味，色ともに濃厚である．手間も原料費も2倍かかるので，価格も高い．

●しろ（白）しょうゆ

成 17011　英 Shiro-shoyu；(extra light color type soy sause)

1800年代の初めに愛知県碧南市周辺でつくられるようになった名古屋地方の特産のしょうゆで，淡口しょうゆよりさらに色が薄く，麹の香りと甘味が強い．直接還元糖を約10％含む．原料は，大豆は10％でほとんどが小麦なのでうま味に欠ける．全窒素分はこいくちしょうゆの3分の1以下である．調理用のほか，菓子，キャラメルなど加工用に使われるが，保存期間が短く，3カ月以上経過すると黒変する．

●だししょうゆ

成 17087　英 Dashi-shoyu

しょうゆをだしで割ったもので，塩辛さにうま味を付け加える．浸し物や刺身のつけしょうゆとして利用する．減塩効果もある．

●たまり（溜）しょうゆ

成 17009　英 Tamari-shoyu；(full-bodied type soy sause)

小麦をほとんど使わず，大豆または脱脂加工大豆のみを原料とした麹を食塩水に仕込んで熟成させる．しょうゆの原形ともいえるしょうゆである．炭水化物原料が少ないので，アルコールなどの香気成分が少なく，香りは少ないが，全窒素分がこいくちしょうゆよりも多いので味が濃厚である．熟成期間は1～1.5年と，こいくちしょうゆよりも長い．生産量は全しょうゆの3～4％で，愛知・三重・岐阜が主産地である．刺身しょうゆや米菓・佃煮・加工食品用などに多く使われる．

●土佐しょうゆ

英 Tosa-shoyu

しょうゆにみりんと清酒，さらにかつお節を加え

て煮立たせ1割ほど煮詰めてこしたものである．刺身のつけしょうゆ，鍋物や湯豆腐のたれとして利用する．かつお節を加えることから土佐の名が付いている．

●丸大豆しょうゆ

こいくちしょうゆのうち，原料大豆は脱脂加工大豆ではなく，丸大豆を使用したもの．丸大豆からつくったものは，もろみの酸化が抑えられることや脂質が分解して生成されたグリセロール*が味をまろやかにするなどの利点があり，高級しょうゆとして人気が出ている．

しょうゆ麹　⇨こうじ

 しょうゆせんべい

成 15060　英 Shoyu-senbei；(rice cracker seasoned with soy sauce)　別 塩せんべい

米菓の一種．うるち米の粉を蒸し，ついた生地を平たくのばし丸形に抜いたものを干し，両面を炭火で焼き，しょうゆを基とした調味料を表面に塗ったもので，塩せんべいともいう．元来農家で食べ残しの米やくず米を用いて間食用につくられていた．奥州街道の宿場，草加（現・埼玉県草加市）を中心にした農村地帯で副業的につくり出した"草加せんべい"が有名である．米の香りと淡白なしょうゆ味の風味が関東人の好みに合っている．砂糖の入ったせんべいの発達によって一時すたれたが，しょうゆの普及によって江戸時代に復活した．

しょうゆせんべい（平　宏和）

しょうゆだんご　⇨みたらしだんご

 しょうゆ豆

成 04076　英 Shoyu-mame

香川の郷土料理で，乾燥そら豆を煎り，しょうゆと砂糖（唐辛子を入れることもある）を沸騰させ

しょうゆ豆（平　宏和）

た調味液に一晩浸したものである．酒の肴や箸休めに合う．

 蒸留酒

英 distilled alcoholic beverage；spirits

酒類のうち，発酵によって造った酒をさらに蒸留して得られた酒．各々次の発酵形式で得られた熟成もろみを蒸留したもの．焼酎（単式蒸留）は並行複発酵，ウイスキー*，ウオッカ*，ジン*などは単行発酵，ブランデー*，ラム*は単発酵である．並行複発酵はもろみ（醪）中で糖化しながら発酵が行われる形式で，清酒*がその代表である．単行発酵は，ビール製造にみられるように最初麦芽*を糖化し，その糖化液を発酵させる形式をいう．単発酵はぶどう酒のように糖化を必要とせず，発酵だけが行われる形式を呼ぶ．一般には，蒸留酒とスピリッツ*は同じものを指す．ただ，わが国の酒税法ではスピリッツを蒸留酒類のうちの一つとしている（**付表14**）．

 しょうろ　松露

分 担子菌類ショウロ科ショウロ属（きのこ）　学 *Rhizopogon roseolus*　英 false truffle　別 ほど；まつのつゆ；こめしょうろ

主として海岸の若齢あるいは攪乱されたクロマツ林の中に4～5月，9～10月頃に群生するが，アカマツ林でも見られる．半ば埋もれているが，完全に地上に出ていることも多い．海岸の砂地の中に，炭の粉を埋めておくと発生が促進されることが報告されている．マツタケと同様に生きたマツの根と共生している菌根菌であるため，しいたけのような人工栽培は難しい．しょうろのように形状が球形に近いものは，もともとは腹筋類という分類群にまとめられていたが，DNA解析の結

しょうろ（野生）（岩瀬　剛二）

果，しょうろはぬめりいぐちに近縁で，遠縁のものが多数あることが示され，腹菌類という分類群は解消された．なお，トリュフはせいようしょうろとも呼ばれるが，子嚢菌類であり，類縁関係はまったくない．形状は直径2cmほどの球状で，最初は白色だが，成熟に伴って黄褐色となり，触った分が淡紅色になる特徴がある．内部が白く若いものを食用とする．成熟したものは内部が茶色になり，食用としない．人工栽培されないので，比較的珍しく，道の駅などで珍味として手に入ることがある．

◇調理　ほのかなフルーティーな香りとりんごのようなシャキシャキとした食感がある．汁の実，土びん蒸し，鍋物の具，茹でて酢の物や和え物などにする．保存するときは，塩漬にしたり，茹でてびん詰にする．

ショートケーキ

成 15075（果実なし），15170（いちご）　英 short cake

薄いスポンジ層の間にフルーツや生クリームをサンドして重ね，表面にクリームを絞った洋生菓子で，いちごやメロン，洋なしなどを飾ったさまざまなものがある．

ショートニング

成 14022（家庭用），14030（業務用 製菓），14031（業務用 フライ）　英 shortening

精製動植物油脂，硬化油などを，急冷練り合わせを行ったり，あるいは急冷練り合わせをすることなしにつくられた可塑性油脂．急冷練り合わせをしない場合は，乳化剤*を加えることにより製造し，パンなどの製造用に使われる．用途に合わせ製法を変えている．ショートニングに要求されている性質として，ショートニング性（製品にもろさ，砕けやすさを与える性質），クリーミング性（材料をこねたときに一緒に空気を抱き込む性質で，均一な膨張，パン等の均一なすだちに関係する），稠度性（広い温度範囲で粘稠性を示す性質）などがあげられる．

◇種類　ショートニングという名前の由来は，ビスケットなどの焼き菓子にポロポロとしたもろさ，砕けやすさを与える（shorten）ところから生まれた．ケーキやパンをつくるときの業務用として，また，家庭用にも利用されている．ショートニングには可塑性ショートニング，液体ショートニング，粉末ショートニングがある．

◇製法　食用油脂および乳化剤*を配合した後，ボテータを用い急冷練り合わせを行う．このとき，窒素ガスを容積で10〜20％分散させる．包装後，25〜30℃で2日間熟成する．

◇成分特性　『食品成分表』によれば，ショートニングは，ほぼ脂質からなる．脂肪酸組成は，家庭用では，パルミチン酸32.8％，オレイン酸* 36.7％，リノール酸* 11.3％，業務用製菓では，パルミチン酸36.2％，オレイン酸33.8％，リノール酸8.5％，業務用フライでは，パルミチン酸36.5％，オレイン酸39.9％，リノール酸13.4％である（付表6）．これらの脂肪酸組成は，マーガリンの業務用有塩タイプと似ている．また，マーガリンよりは少ないが，100g当たりのビタミン

ショートケーキ（平　宏和）

ショートニング（平　宏和）

E は 26.6 mg であり（**付表 7**），ビタミン D 0.1 μg とビタミン K 6 μg を含む．

理化学特性：日本農林規格＊（JAS）では水分 0.5％以下，酸価＊0.2以下，ガス量急冷練り合わせをしたものにあっては，100 g 中 20 mL 以下であること，としている．

◇**保存** 他の食用油脂と同様，酸化防止のための配慮を要する．ショートニングを用いて製造した製品のうち，流通期間が長期にわたる製品としてビスケット，クッキーなどがある．これらに利用される油脂原料は酸化に対する安定性のよい油脂が選ばれる．

◇**調理** 小麦粉生地に練り込んで，適当なショートニング性（もろさ）やクリーミング性（なめらかさ）を与える．このためケーキ，パイ，ビスケット，クッキー，ドーナッツ，クラッカーなどに広く用いられ，軽く仕上げるのに役立つ．本来，バターと同じ用途であるが，ショートニングの方がバターより安定で，酸化・分解などの変化を起こしにくい．※ショートニングは本来，業務用の加工品向けに開発された油脂製品であるが，フライ用のショートニングはラードの代用として，揚げ油，炒め油として欧米の家庭で広く使われている．

食塩　しょくえん

成 17012, 17013（並塩），17014（精製塩 家庭用）　英 salt　別 塩

古くから塩は重要な生活物資とされ，俸給を意味するサラリーはラテン語の形容詞 salarium（塩の）に由来する．わが国でも，平安時代には塩を賞与とする習慣があった．また，塩は製紙やプラスチック，ガラスなどの製造原料として工業的にも重要な位置を占める．1905（明治 38）年に専売法が敷かれ，長い間大蔵省専売局，日本専売公社，日本たばこ産業（株）によって一元的に販売されてきた．1997 年 4 月には，専売制は廃止されたが，新たに「良質な塩の安定的な供給の確保とわが国塩産業の健全な発展を図る」ことを目的とする塩事業法が施行され，財務大臣の指定を受けた（公財）塩事業センターが家庭用食塩の販売等の業務を行うこととなった．現在わが国の家庭用食塩は，この塩事業センターで取り扱うもの（以下，センター塩と略称）をはじめとして，1,000 種を超えた商品が，販売されている．

◇**種類・分類** 塩の原料資源として，①海水，②海塩，③岩塩，④湖塩，⑤温泉水のいずれかが記載されている．海水には約 3％の塩化ナトリウム

各種食塩　左：精製塩，中：食卓塩，右：焼塩（平　宏和）

が含まれており，水分を蒸発させれば粗製の食塩が得られる．ただし，海水には塩化ナトリウム以外にも，塩化マグネシウム，硫酸マグネシウムなどが含まれているので，塩の析出時に分離させ，これらをある程度取り除くことが多く，残った液は「にがり＊」として豆腐凝固剤などに使用される．

ヨーロッパ，米国，ロシア，中国などの内陸部には広く岩塩層が分布し，オーストリアのザルツブルクのように地下の岩塩鉱から純度の高い塩化ナトリウムが採れるところもある．かん湖は塩分の濃い湖で，イスラエルの死海に代表され，非常に濃厚な塩水でできている．

製塩の歴史：わが国では岩塩もかん湖もないため，もっぱら海水を原料として食塩がつくられてきた．しかも雨が多いので，食塩の製造には海水を濃縮するための過重な労働が常に伴っていた．歴史的には，縄文時代には，素水焚き（そすいだき）といわれる海水を土器に入れて煮つめる方式で塩がつくられた．奈良時代には揚げ浜式と呼ばれる，海水を塩田（砂浜）にまいて蒸発させることを繰り返すやり方がとられた．江戸に入ると，入り浜式といわれる満潮時に塩田に海水を引き入れて行う方法がとられた．昭和 20 年代後半からは，流下式塩田法が広く導入された．昭和 47（1972）年以降は，日本で開発されたイオン膜・立釜法によって，より簡便に海水から短時間に大量の食塩がつくられている．

製造方法（工程）：塩の製法は大別して，以下の 3 工程に分けられる．
①濃い塩水を作る工程
②塩を結晶化させる工程
③使用目的に品質を整える工程

それぞれの工程は，**表 1** に示すようにさまざまな製法があるが，現在，わが国の家庭用食塩の大きな割合を占める塩事業センターが取り扱っている塩は，イオン膜・立釜法が多い．

岩塩　左：岩塩（テキサス，米国），中：ピンクソルト（パキスタン），右：湖塩（パタゴニア，アルゼンチン）
（平　宏和）

イオン膜・立釜法：塩は水に溶けると，ナトリウムイオン Na$^+$ と塩化物イオン Cl$^-$ に分かれる。そこで，塩水（海水）に電気を通して，陽イオンしか通さない陽膜と，陰イオンしか通さない陰膜とを交互に置いて，濃い塩水をつくり，それを立釜（真空式蒸発缶）を用いて効率よく煮つめて塩にする。したがって従来の製塩法との違いは，海水を濃縮する方法であって，濃縮した海水を煮つめて塩にする工程は，基本的に差はない。イオン膜・立釜法による塩の製造方法を図1に示す。

日本で販売されている塩の種類：センター塩の主な生産方法には2種類がある。第一は，国内の工場で製造されている塩で，海水濃縮として，イオン膜法を用い，結晶化には立釜法でつくられている。「食塩」，「並塩」がこれに当たる。第二は，天日で海水を濃縮・結晶させた輸入塩を原料として，国内で溶解し，立釜法で煮つめ，結晶化させたものである。「食卓塩」，「クッキングソルト」などがこれに当たる。

食塩の表示：食品表示法*の規定（図2）に加え，食用塩の製造・販売業者が設立した食用塩公正取引協議会が定めた食用塩の表示に関する公正競争規約（2019（令和元）年6月施行）がある。当該規約における表示のポイントは，次のようになっている。

①原材料名は海水，海塩，岩塩，湖塩，温泉水のうちのいずれかに限定
②製造工程の特性の表示
③低ナトリウム塩の表示基準の設定
④特定事項（地域名など）が含まれた商品名の表

表1　塩の製造方法（工程）と使用用語

製造工程	使用用語
①濃い塩水を作る工程	天日，イオン膜，逆浸透膜，平釜，溶解，（浸漬）
②塩を結晶化させる工程	天日，平釜，立釜，噴霧乾燥，加熱ドラム
③目的品質に整える工程	乾燥，焼成，粉砕，洗浄，混合，造粒
④その他：採掘	

ポイント　★塩は①＋②で作られ，③で水分・にがり調整，粒の大きさの調整等を行うことがあります。
　　　　　★①が「溶解」の場合，原材料の塩を溶かして濃い塩水を作ることを意味します。
　　　　　★「採掘」は，天然に存在する岩塩，湖塩を掘りだす工程です。
　　　　　★「浸漬」は藻塩の場合，「焼成」は焼塩で行われる工程です。

（食用塩公正取引協議会）

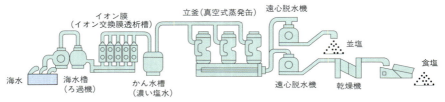

図1　イオン膜・立釜法による塩の製造法（塩事業センター）

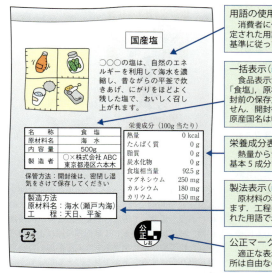

図2 食塩の表示例（食用塩公正取引協議会）

示基準の設定

また，特定用語の使用基準や不当表示の禁止などについての規約がある．

これらの表示ルールに沿った適正表示には，「しお公正マーク」がつけられる（**図2**）．

◇**成分特性** 食塩は体内のナトリウム*とカリウムのバランスをとるうえで，生理的に必要な物質である．すなわち体内でナトリウムイオンと塩化物イオンに分かれて吸収され，ナトリウムイオンは体液の濃度調整をはじめ，筋肉の収縮，神経の刺激伝達などに関わっている．塩化物イオンも胃液の主要な構成成分である塩酸になる．このように塩は生命維持に不可欠である．しかし，最近では高血圧，慢性腎臓病，胃がんなど生活習慣病との関連から，ナトリウム（食塩）の過剰摂取が問題とされ，『日本人の食事摂取基準*（2020年版）』（厚生労働省）では，成人の1人1日当たりの食塩相当量*の目標量を男性は7.5g未満，女性は6.5g未満と設定している．

◇**調理** 食塩は味付けの基本として大切な役割をもっている．人間の味覚が好ましいと感じる塩味の濃度は，ほぼ1%である．これは人間の体液の浸透圧に等しい生理食塩水の濃度（0.85～0.9%）にほぼ近い．したがってみそ汁，すまし汁などの塩味も，普通は0.8～1.2%程度である．煮物の汁などは2%くらいの濃いものもあるが，具が入ると実際には全体の味は薄くなる．梅干しや塩辛のように20%にもなるものでも，米飯と一緒に食べるときは相対的に塩味は薄くなる．塩じめ，塩もみ，ふり塩，塩抜き，塩茹でなどの調理用語からもわかるように，塩味をつける以外にも，後述するように，食品の保存性の向上，たんぱく質の凝固促進，たんぱく質の可溶化，グルテンの形成，脱水作用，酵素作用の抑制などさまざまな作用がある．

保存効果：食品に多量に加えると，食品の保存性が向上する．これは高濃度の食塩が微生物の原形質分離を起こさせ，脱水作用で細胞内の水分が奪われるためである．そのほか，塩化物イオンの直接の防腐効果も考えられる．一般の細菌は5%程度の食塩で生育が抑制され，15～20%で繁殖できなくなる．20%以上では，ほとんどの微生物は生育できない．

たんぱく質の凝固促進：食塩にはたんぱく質の熱凝固を早める働きがある．これは可溶性たんぱく質の負電荷が中和され，分子コロイドの凝集性が高まるため起こる．茶碗蒸しの卵液がだし汁で希釈されていても，加熱によって硬くなるのはこの原理による．ゆで卵をつくるときに茹で水に少量の食塩を加えておくと，卵が割れても白身が流出しにくい．焼き魚のひれ塩も，こげ目がつきにくいようにし，見た目を美しくする効果のほか，

溶出したたんぱく質が凝固して，ひれの形を整える効果を果たしている．

たんぱく質の可溶化：つみいれをつくるときに食塩を加えてすり身とすると，グロブリン系のたんぱく質が溶出してきて，味のよいすり身ができる．

グルテンの形成：小麦粉のたんぱく質であるグリアジンとグルテニンは，水を加えてこねると，粘弾性をもつグルテンを形成する．この際，食塩を加えるとグルテンの形成は強められ，弾力のあるドウができる．このためパンやうどんには必ず食塩が加えられる．

脱水作用：細胞膜を通して細胞内の水分が移動して，漬物などの味をつくる．まず，野菜などの組織の水分が食塩の添加で引き出されてくる．"青菜に塩"はこの原理による．きゅうりの板ずりによって，きゅうりがしなやかになるのも同様である．

酵素作用の抑制：たとえば，りんごをむいたあと食塩水に浸けると褐変を遅らせることができる．また，果実や野菜のジュースをつくるときに食塩を加えればビタミンC酸化酵素の働きが抑えられ，酸化を遅らせることができる．

塩出しと迎え塩：塩蔵品など塩分の濃い食品を水に浸けて塩味を抜くのが塩出しである．塩蔵品に使われた食塩に，塩化マグネシウムや塩化カルシウムなどが含まれるときに，これらの成物の溶出が遅れるので，食塩水に浸して食塩の溶出を抑えながら，全体の塩類を溶出させる．この方法は迎え塩と呼ばれる．

● **低ナトリウム塩**

高血圧や腎臓病などでナトリウム摂取を制限された病者用の食塩代替物で，塩化ナトリウム以外の塩類（主として塩化カリウム）の含量が25%以上のもの．食用塩の表示に関する公正競争規約では，低ナトリウム塩と記し，1%以上含まれる成分量を表示するよう定めている．アミノ酸などの添加で味の改善が図られているものもある．

● **藻塩（もしお）**

現在，藻塩には2種類ある．一つは，あらめなどの海藻を海水に浸漬して，海藻成分を抽出し，その海水を平釜で濃縮する製法のものと，もう一つは，海塩に海藻抽出物を添加混合して製造したものである．「…焼くや藻塩の身もこがれつつ」の歌（藤原定家）でも知られる，海藻を海水に浸漬し，それを天日に干し，表面に析出した塩を海水に溶かして濃い塩水を作り，釜で煮つめたとされる昔ながらの藻塩作りが，現在，観光・通販用

藻塩（平　宏和）

に一部地方で行われている．食用塩の表示に関する公正競争規約では，「藻塩」の用語は，海水の中に海藻を浸漬して製塩した食用塩または海藻抽出物，海藻灰抽出物もしくは海藻浸漬により製造された粗製海水塩化マグネシウムを添加した食用塩に限り表示することができる，としている．

● **焼き塩**

塩化ナトリウム以外の成分を比較的多く含む食塩の潮解性（固体が大気中の水分を吸収して，溶液となる性質）を減少させるため，高温で加熱して，潮解性の高い成分，例えば，塩化マグネシウムを酸化マグネシウムに変化させ，湿度の高い状況で保存してもサラサラとした性質を保つようにした食塩．家庭では，焙烙（ほうろく）や鉄製フライパンを用いて煎ることにより加熱できる．食用塩の表示に関する公正競争規約では，「焼き塩」の用語は，結晶化した塩を高温になるまで加熱することによって，塩の成分の一部又は全部を変化させた食用塩に限り表示することができる，としている．塩を結晶化させる工程の後に，塩の結晶を高温になるまで加熱することによって，成分の一部または全部を変化させる方法を焼成と呼ぶ．なお，同公正競争規約の施行規則では，焼成が380℃以上の場合は「高温焼成」，380℃未満の場合は「低温焼成」と表示することができる，としている．

食酢　しょくす

英 vinegar　**別** 酢

仏語の vinaigre（ビネガー）は，vin（ワイン）と aigre（すっぱい）とからできた言葉で，もともとワインが酢酸菌によってすっぱくなったことから名付けられた．このように酢は酒づくりと関係が深く，世界各地でその土地の酒の原料に近い酢が

表1 日本農林規格（JAS）による食酢の分類と品質規格

分類		定義	酸度	無塩可溶性固形分
醸造酢	穀物酢	醸造酢のうち，原材料として1種又は2種以上の穀類を使用したもの（穀類および果実以外の農産物並びに蜂蜜を使用していないものに限る．）で，その使用総量が醸造酢1Lにつき40g以上であるもの．	4.2%以上	1.3～8.0%
	米酢	穀物酢のうち，米の使用量が穀物酢1Lにつき40g以上のもの（米黒酢を除く）．	4.2%以上	1.5～8.0% (1.5～9.8%)*
	米黒酢	穀物酢のうち，原材料として米（玄米のぬか層の全部を取り除いて精白したものを除く．）またはこれに小麦もしくは大麦を加えたもののみを使用したもので，米の使用量が穀物酢1Lにつき180g以上であって，かつ，発酵および熟成によって褐色又は黒褐色に着色したもの．	4.2%以上	—
	果実酢	醸造酢のうち，原材料として1種または2種以上の果実を使用したもの（穀類および果実以外の農産物ならびに蜂蜜を使用していないものに限る．）で，その使用総量が醸造酢1Lにつき果実の搾汁として300g以上であるもの．	4.5%以上	1.2～5.0%
	りんご酢	果実酢のうち，りんごの搾汁の使用量が果実酢1Lにつき300g以上のもの．	4.5%以上	1.5～5.0%
	ぶどう酢	果実酢のうち，ぶどうの搾汁の使用量が果実酢1Lにつき300g以上のもの．	4.5%以上	1.2～5.0%
	酢	穀物酢，果実酢以外の醸造酢	4.0%以上	1.2～4.0%

注）＊糖類，アミノ酸液および食品添加物を使用していない米酢に適用．

つくられた．そのため，酢は人類最古の調味料ともいわれ，3,000年前にすでに酢が使われた記録がある．わが国でも古くは辛酒（からざけ）と呼ばれ，酒粕か悪くなった酒から酢をつくったことがわかる．すっぱい（すい）という意味ですと呼ばれるようになった．疲労の一因となる体内の乳酸＊の蓄積を防ぐので，昔から疲労回復によいとされてきた．酢とはちみつを混ぜたもの（バーモント・ドリンク）は，すでにローマ時代に兵士たちの飲み物となっていたといわれる．

◇**種類・分類** 日本農林規格＊（JAS）では，醸造酢を次のいずれかのものとしている．

a）穀類（酒かす等の加工品を含む．以下同じ．），果実（果実の搾汁，果実酒等の加工品を含む．以下同じ．），野菜（野菜の搾汁等の加工品を含む．以下同じ．），その他の農産物（さとうきび等及びこれらの搾汁を含む．以下同じ．）もしくは蜂蜜を原料としたもろみまたはこれにアルコールもしくは砂糖類を加えたものを酢酸発酵させた液体調味料であって，かつ，氷酢酸または酢酸を使用していないもの．

b）アルコールまたはこれに穀類を糖化させたもの，果実，野菜，その他の農産物もしくは蜂蜜を加えたものを酢酸発酵させた液体調味料であって，かつ，氷酢酸または酢酸を使用していないもの．

c）a）およびb）を混合したもの．

d）a），b）又はc）に砂糖類，酸味料（氷酢酸および酢酸を除く．），調味料（アミノ酸等），食塩等（香辛料を除く．）を加えたものであって，かつ，不揮発酸，全糖または全窒素の含有率（それぞれ酸度を4.0％に換算したときの含有率をいう．）が，それぞれ1.0％，10.0％または0.2％未満のもの．

醸造酢は，穀物酢，果実酢，米酢，米黒酢，りんご酢，ぶどう酢とに分けられる（**表1**）．

製法：米酢と果実（りんご）酢を例に，**図1**に示したように，原料となる穀物や果実などをアルコール発酵させてから，種酢と呼ばれる酢酸菌（エチルアルコールを酸化して酢酸を生成する好気性細菌の総称）により酢酸発酵させてつくられる．

◇**成分特性** 食酢の主成分はいずれも酢酸である．これは原料に由来するアルコールに酢酸菌が働いて酢酸が生じることによる．ただし，種類によって酢酸の濃度は多少差がある．酢酸のほか原

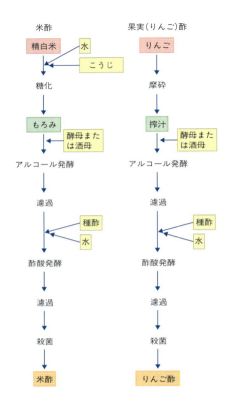

図1　食酢の製造工程

料からくる多くの有機酸*が含まれるが，一般には酸度（総酸量）を酢酸として表示する．公正競争規約では，総酸量を小数第1位まで表示することになっている．なお，原材料の名称は多いものから記載することも定められている．

　酸度：JAS によって，穀物酢は 4.2％以上，果実酢は 4.5％以上と定められている．市販の果実酢は，多くは 5％以上の酸度をもつ．

　香りと風味：酢酸のほか，乳酸，コハク酸，リンゴ酸*などの有機酸，グリセロール*，エステル類，アルコール類，アミノ酸などが，それぞれの風味や香りをつくっている．着色はアミノカルボニル反応*による．

　◇**調理**　酸味を付けるために，主に他の調味料と合わせて使われる．二杯酢，三杯酢などは，酢としょうゆ，砂糖，食塩などを組み合わせて風味を出している．また，サラダオイルと混ぜてフレンチドレッシングにすると，油っこさを和らげて口当たりをよくする．塩味の濃いものに酢を加えると，塩辛さが和らぐ．砂糖を使った料理に少量の酢を加えると甘味が増す．

酸味を付ける以外にも，酢にはその特性を生かした調理上のさまざまな役割がある．

　防腐効果：強い殺菌力があり，少量の酢を入れて米飯をたくと，夏でも飯がすえにくくなる．

　殺菌効果：魚の調理の際に臭みとりのため行う酢洗いによっても，殺菌効果が認められる．酢に浸したふきんでまな板を拭けば，まな板の殺菌ができる．

　酢洗い：さといも，じゅんさい，あわびなどのぬめりをとるには，洗い酢（水1：酢1）で洗う．水に少量の酢を加えて4〜5分間煮たあとに水洗いしてもよい．山菜や野草のえぐ味も，酢洗いや酢を加えた水で煮るととれる．

　料理の色と酢：食品に含まれる色素には，pH*によって呈色が異なるものがある．酸性で，アントシアン系色素は鮮やかな色となり，フラボノイド系色素は無色となる．また酢は酵素の働きを抑えるので，食品の酵素による褐変を防ぐことができる．芽生姜は，熱湯にくぐらせたあと酢に漬ければ，きれいなピンク色となる．れんこんは酢で煮ると白く仕上がる．これが酢ばすである．

　酢じめ：魚は酢に漬けることで身がしまる．これは酢がたんぱく質の凝固を促すためである．さば鮨のさばも，酢に漬けることで皮が剝がれやすくなる．ゆで卵の茹で水に酢を少量加えると，卵が割れても白身が流れ出しにくくなるが，これも酢のたんぱく質凝固促進の作用による．

　酸化防止：ビタミンCは酸性で安定性が増すため，大根おろしに酢を加えれば，Cの破壊を防ぐことができる．

　軟化効果：酢に魚を漬けると臭みが抜けると同時に，骨まで軟らかくなる．マリネは，ワインやサラダ油とともに酢を使うことで軟らかくなり，うま味成分の浸透もよくなる．

●**果実酢**

成 17017（ぶどう酢），17018（りんご酢）　英 fruit vinegar

果汁をアルコール発酵させたのち，または果実酒を酢酸発酵させてつくる．代表的なものに，りんご酢（アップルビネガー），ぶどう酢（ワインビネガー）がある．洋風料理やピクルスの製造に向く．

●**粕酢**

英 Kasu-zu

清酒製造の副産物である酒粕を原料とした醸造酢．木樽に入れ，冷所に1年以上置いて熟成させた酒粕に，適量の水を加えてかゆ状にし，濾過

して酢酸発酵をさせてつくる．色が濃いのが特徴である．穀物酢の原料の一部に使われる．

●黒酢

成 17090　英 black rice vinegar

米または小麦，もしくは大麦を原料とする米黒酢と，大麦のみを原料とした大麦黒酢とがある．市販品には米黒酢が多く，単に黒酢と呼ばれる．JASでは，米黒酢とは，米またはこれに小麦もしくは大麦を加えたもののみを原材料とし，米の使用量が1L当たり180g以上で，発酵および熟成によって褐色または黒褐色に着色したものとされている．米を原料としたものでは，蒸し米，麹，水を大型のかめに仕込み，屋外で1～3年発酵・熟成させて製品とする．発酵期間が長いため黒褐色を呈する．中国で生産される食酢は，白醋（パイヅゥ）と呼ばれる透明なものもあるが，多くは黒醋（ヘイヅゥ）（黒酢）である．

◇成分特性　米黒酢の主成分は酢酸で4.0～4.4%である．JASでは，全窒素分は0.12%以上，着色度0.30以上と定められている．食品添加物*は一切使用してはならない．他の食酢に比べてアミノ酸が豊富である．

◇用途　こくのある風味を持つので，酢豚などの中国料理に向いている．黒酢にリンゴ果汁，はちみつなどを加えた特定保健用食品の飲料も市販されている．

●穀物酢

成 17015　英 grain vinegar

原料に穀類を使用した醸造酢で，市販品ではこのタイプが最も多い．食酢の表示に関する公正競争規約では，穀物酢とは，醸造酢のうち，原材料として1種または2種以上の穀類を使用したもの（穀類及び果実以外の農産物並びに蜂蜜を使用していないものに限る．）で，その使用総量が醸造酢1Lにつき40g以上であるものをいう．

●酒精酢（しゅせいず）

英 Shusei-zu

アルコールを酢酸発酵させた醸造酢．これだけでは香気に乏しいので，普通は粕酢をブレンドする．酒精酢には高酸度酢と呼ばれる酸度が10～15%のものもある．穀物酢の原料などに用いられる．

●麦芽酢

英 malt vinegar

麦芽*に含まれる酵素を利用して，大麦，ライ麦，小麦などを糖化し，アルコール発酵させたのち酢酸発酵させてつくる醸造酢．ビール様の香気をもち，英国でよく使われる．

●バルサミコ酢

成 17091　英 balsamic vinegar

イタリア北部，モデナ地方特産のぶどう酢．balsamicoは，すばらしい香りの意味で，長期間熟成させるため黒褐色で，酸味は強くないが独特の

食酢　上左：穀物酢，上中：バルサミコ酢，上右：ぶどう酢，下左：米酢，下中：りんご酢，下右：ぽん酢（味付け）（平　宏和）

まろやかな甘味をもつ．ぶどう汁を樫，桜，栗，くるみなどの木樽に次つぎと移しかえて熟成し，熟成期間は長いものでは12年以上に及ぶ．ソースやサラダに使うほか，そのまま果実やアイスクリームにかけることもある．

●ぶどう酢

成 17017　英 wine vinegar　別 ワインビネガー
ぶどう果汁をアルコール発酵させたのち，または，ぶどう酒を酢酸発酵させてつくる醸造酢．ワインのような芳香をもつ．白ぶどう酢と赤ぶどう酢とがある．白ぶどう酢は原料として白ぶどうを用い，赤ぶどう酢は赤ぶどうの果汁に果皮を加えてアルコール発酵させた液を用いる．ぶどう酢に食塩や甘味料，香辛料を加えたものがドレッシングビネガーとして市販されている．そのまま，またはサラダ油に混ぜてドレッシングに使用する．

●ぽん酢

成 17110（ぽん酢しょうゆ，市販品）　英 citrus vinegar　別 ぽん酢しょうゆ
柑橘類の成分であるクエン酸が酸味の主体で，市販品は柑橘果汁にしょうゆや食酢を加えたものが多い．だいだい，すだち，レモンなどの汁も同じ目的に使われる．『食品成分表』では，調味ソース類の中でぽん酢しょうゆとして収載されている．

●米酢（よねず）

成 17016　英 rice vinegar　別 こめず
米と麹を原料とした醸造酢．蒸し米を米麹または酵素で糖化して，アルコール発酵させたのち酢酸発酵させてつくる．糖分，アミノ酸，エキス分が多く，まろやかなコクがある．

●りんご酢

成 17018　英 cider vinegar；apple vinegar
別 サイダービネガー；アップルビネガー
りんごを原料とした醸造酢．アルコール発酵させた果汁を酢酸発酵させる．りんご中のリンゴ酸*が風味を増し，爽快な香りが洋風料理に合う．

食パン

成【角型食パン】01026（食パン），01174（焼き），01175（耳を除いたもの），01176（耳），【山形食パン】01205，【食パン】01206（リーンタイプ），01207（リッチタイプ）　英 white table bread
わが国では最も多くつくられているパンで，食パン型に入れて焼くときに蓋をする角形と，蓋をしない山形がある．ワンローフ（one loaf；パン種を一塊にして型に入れ，焼き上がりの形が一山に

上：食パン　左：山形，右：角形，中：ラウンド食パン，下：デニッシュ食パン（平　宏和）

なったもの），イギリスパンは蓋をしない．2斤棒，3斤棒と大型に焼かれるパンで，原料小麦粉はたんぱく質の質，量ともに優れた強力小麦粉が使われる．フランスパンが外皮（クラスト）を賞味するパンであるのに対し，食パンは内相（クラム）を賞味するパンである．また，円筒形のパン型で焼いたラウンドパンがあり，パン型は半円筒型を合わせた円筒形で，側面に凹凸のあるトヨ型と細い穴のあるメッシュ型がある．なお，食パンの耳とは外皮を指すが，食品成分表では外側から約1cmの厚さの部分としている．

新しい食パンとして，1980年代に京都ではじめてつくられというデニッシュ食パンがある．バター（マーガリン）を折り込んでつくるデニッシュ生地を食パン型に入れて焼いた美しい焼き層のあるパンである．

植物性たんぱく

英 vegetable proteins

日本農林規格*（JAS）では次のいずれかのものを指す．

a）大豆等の採油用の種実もしくはその脱脂物または小麦等の穀類の粉末に加工処理を施してたん白質含有率を高めたものに，加熱，加圧等の物理的作用によりゲル形成性，乳化性等の機能又はかみごたえを与え，粉末状，ペースト状，粒状又は繊維状に成形したものであって，植物たん白質含有率が50％を超えるもの．

b）a）に食用油脂，食塩，でん粉，品質改良剤，乳化剤*，酸化防止剤，着色料，香料，調味料等を加えたもの（調味料又は香辛料により調味したものであって，調味料及び香辛料の原材料及び添加物に占める重量の割合が3％以上のものを除く．）であって，植物たん白質含有率が50％を超えるもの．

粉末状植物性たん白：植物性たん白のうち，乾燥して粉末状としたものであって，その粒子が目開き500μmの試験用ふるいを通過するものおよびこれを粒状に成形したもの．

ペースト状植物性たん白：植物性たん白のうち，ペースト状またはカード状のもの．

粒状植物性たん白：植物性たん白のうち，粒状またはフレーク状に成形したものであって，かつ，肉様の組織を有するもの．

繊維状植物性たん白：植物性たん白のうち，繊維状に成形したものであって，かつ，肉様の組織を有するもの．

食品成分表では，穀類に小麦たんぱく（成 01071，01072，01073）が収載され，豆類に大豆たんぱく（成 04055，04056，04057，04058，04090）が収載されている．

食用菊　⇒きく

 しょっつる

成 17135　英 fish sauce

魚醬油の一種．魚を塩漬して発酵，1～3年かけて魚体が分解し，液化するまで熟成させてつくる．はたはたを原料とすることで有名な秋田の特産品であったが，現在ではむしろほかの魚種（いわし，あじ，いかなごなど）の方が主体となっている．熟成し液状になったら濾過，煮沸してこし，さらに数カ月間ねかせる．しょっつるで味付けしただしに，きりたんぽなどを入れたしょっつる鍋は秋田の郷土料理として有名である．類似の魚醬油には，石川のいしる，瀬戸内のいかなごしょうゆな

しょっつる（平　宏和）

どがある．東南アジアでは魚醬油が古くから常用されていて，パティス（フィリピン），ニョクマム（ベトナム），ナンプラー（タイ）などが知られている（ぎょしょう*）．

初乳　⇒じんにゅう
ショルダーハム　⇒ハム
ショルダーベーコン　⇒ベーコン

 しらうお　白魚

成 10186　(生)　分 硬骨魚類，シラウオ科シラウオ属　学 *Salangichthys microdon*　英 Japanese icefish　別　地 しろうお（大阪，伊勢湾）；しらす（石川）；しれよ（秋田）；しろいお（富山）　旬 早春

全長12cm．体は細長くやや側扁する．頭は著しく縦扁する．体色は銀白色で，生きているときは透明感があり，繊細な美しさがある．死ぬと白くなり，名前はそれに由来するといわれる．内湾や汽水域に生息し，かつては隅田川や宍道湖（松江）でよく獲れた．上等な食品とされている．北海道から九州，朝鮮半島，サハリンに分布する．ハゼ科のしろうおも外見がよく似ているので混同される．しろうおは生きているときはしらうおより美味であるが，死ぬと急速に味が落ち，しらうおより不味になる．有名な福岡室見川の白魚の踊り食いは，このしろうおの方である．また，しらすもよく間違えられるが，これはいわし類やうなぎの

しらうお（本村　浩之）

稚魚で，どちらも塩水で煮て水切りした釜上げものが売られているが，しらすの方がさらに小型で値段も安いので容易に区別できる。
◇**成分特性**　さけ・ますに近い魚であるが，100g当たりの成分は，水分が82.6gと多く，たんぱく質（アミノ酸組成）*は（11.3）g，脂質（TAG当量）*は1.4gと低く，味も淡白である。
◇**調理**　早春の頃に出回り，純白な色と端麗な姿が珍重される。丸のまま食べられるが，脂肪も少なく，味は極めて淡白である。日本料理では吸物の椀種として白い姿を鑑賞するほか，茶碗蒸し，卵とじ，天ぷらなどに用いられる。※洋式，中国式の料理では，味の淡白さを補うように，フライ，唐揚げなどもっぱら揚げ物が行われる。中国料理では銀魚炒蛋（インユーチャオダン；しらうおと卵の炒め物），蝦蟹銀魚（シアシェインユー；しらうおとえび，かにとの煮込みあんかけ）などが一般的である。

しらうお　⇨はぜ（しろうお）

しらこ　白子

成 10207（まだら　しらこ　生）　英 milt of cod
別 菊子；雲腸（くもわた）
魚の精巣をいい，一般にはまだらのそれを指す。安価なものはすけとうだらのもの。汁物や茶碗蒸しの種，鍋料理の具などに利用する。またボイルしてポン酢などで食べる。成分としては，コレステロールが360mg/100gと高い。

しらす　⇨しらうお

しらす干し　白子干し

成 10055（微乾燥品），10056（半乾燥品）　英 Shirasuboshi；（boiled and semi-dried whitebait）　別 地 ちりめん（関西）

しらす干し　左：微乾燥品，右：半乾燥品（平　宏和）

全長3cm以下のイワシ類の稚魚（しらす，関西ではちりめんじゃこ）からつくった煮干しをいう。このうち煮沸後，水切り，放冷しただけの製品を釜上げしらすといい，これを乾燥したものがしらす干しで，これには水分量70％程度の関東向けの製品と，水分量45％前後の関西向けの製品がある。しらす干し，釜上げしらすともおろし和えにするほか，かき揚げの材料に用いられる。

●**生しらす**
成 10396（生），10445（釜揚げしらす）
食用にされている「しらす」は主にイワシ類の稚魚である。主体はカタクチイワシであるが，マイワシのものは「ましらす」と呼ばれる。ときには他魚種の稚魚やアミなどの小型の甲殻類や頭足類の幼体などもまれに混じる。流通機構が不十分な時代は加熱・乾燥あるいは佃煮などで流通していて「ちりめんじゃこ」，単に「じゃこ」とも呼ばれていたが，最近の低温輸送と保蔵技術が発達したため，「釜揚げしらす」さらには鮮魚のまま食膳に上るようになり，「生しらす」として，刺身やすし種ほか惣菜材料として流通するようになった。

しらたき　⇨こんにゃく

白玉粉　しらたまこ

成 01120　英 Shiratamako；（glutinous rice flour milled in water）　別 寒晒し粉（かんざらしこ）
もち精白米を，水洗・浸漬・水切りしたのち，石臼で水挽きした乳液を圧搾脱水したものを切断・乾燥したものである。古くは寒中に乳液を水晒ししたもので，寒晒し粉とも呼ばれている。

白玉粉（平　宏和）

シラップ　⇨シロップ

しらぬひ 不知火

成 07165（砂じょう 生）　分 ミカン科ミカン属（落葉性小高木）　学 *Citrus* 'Shiranuhi'　英 Shiranui　別 デコポン

農林水産省果樹試験場口之津支場（現・農研機構九州沖縄農業研究センター口之津カンキツ試験地）で昭和47（1972）年にタンゴール（みかん類とオレンジ類の雑種）の清見（宮川早生温州×トロビタオレンジ）を母親にし，みかん類に分類されるぽんかん（中野ぽんかん）を交配して育成された．市販通称名であるデコポンは，熊本県果実農業協同組合連合会が所有する登録商標で，全国統一糖酸品質基準として糖度13度以上，クエン酸1％以下としている．正確にはタンゴール類でもみかん類でもないが，どちらかというと，みかん類の血の濃い品種といえる．果実は温州みかんより一回り大きく，果皮はやや粗く，果実の頂部がふくらんでいるのが特徴である．温州みかんに似て果皮はむきやすく多汁で，風味はオレンジとぽんかんの性質を受け継いで極めて良好である．柑橘類の中では最も食味のよい品種に入るとされている．

しらぬひ（登録商標名：デコポン）（平　宏和）

汁粉 しるこ

成 15139（こしあん），15140（つぶしあん）

砂糖で味付けた小豆あんの汁に，餅，白玉団子などを入れたもので，御膳汁粉，田舎汁粉，小倉汁粉などがある．

御膳汁粉：こし餡を匿いた汁粉で，一般に汁粉といえば御膳汁粉をいう．この名称は関東の呼び名で，関西では「こしあんぜんざい」という．

田舎汁粉：粒あんを匿いた汁粉で，こしあんに比べ，小豆の風味が味えある．この名称は関東の呼び名で，関西では「ぜんざい」という．田舎汁粉は豆から煮る場合がある．

小倉汁粉：原料のあんは，こしあんに粒あんを加えたものである．その割合は，こしあん：6に粒あん：4程度で，初めから練るのではなく，盛り付ける際に調合する．

田舎汁粉（平　宏和）

シルバー

成 10187（生）　分 硬骨魚類，イボダイ科セリオレラ属　学 *Seriolella punctata*　英 silver warehou　別 市 おきぶり

日本のめだいやいぼだいに近く，体表から多量の粘液を分泌する．肉質は可食部の歩留りが多く，クセがなくかなり美味である．ニュージーランド沿岸の水深400〜700mに分布している．体色は青灰色で，腹方は淡く全体に銀白色の光沢を帯びる．体側に小黒点が散在することが特徴の一つ．新漁場の魚の一種で，日本のトロール船が漁獲する．

◇**成分特性**　100g当たり水分72.4g，たんぱく質（アミノ酸組成）*（15.4）g，脂質（TAG当量）* 6.5g，灰分1.1gで，成分的にはいぼだいなどに類似している．頭，内臓を除いた冷凍品として販売されている．

◇**調理**　肉質は適当な脂肪分がある白身で，クセがない．特に，そぼろにするときれいにでき上がるが，和風のつけ焼きや揚げ物，蒸し物，香り漬などにも適する．中国風では甘酢あん煮，洋風ではムニエル，フリッターなどに用いられる．

しろあまだい　⇒あまだい
しろいか　　　⇒いか（けんさきいか）
しろうお　　　⇒しらうお，はぜ

しろうり 越瓜；白瓜

成 06106（果実 生），06107（漬物 塩漬），06108（漬物 奈良漬）　分 ウリ科キュウリ属（つ

しろうり（平　宏和）

る性1年生草本）　**学** *Cucumis melo* var. *utilissimus* 'Albus'　**英** oriental pickling melon　**別** あさうり；つけうり

メロン類はアフリカ原産とされているが，その一変種であるしろうりはアジア東部（特に中国）で分化・発達した．わが国には10世紀頃すでに記録があり，栽培もきゅうりより古いといわれる．奈良漬用として用いられるほか，各地に地方的品種を分化し，地域によって生食・浅漬用にも用いる．

◇**品種**　メロン，まくわうりと同一種であるが，成熟しても甘くならない．主として若い果実を漬物用とする．しろうり，かたうり，しまうりの3群に区別されるが，現在しろうり群が主流をなしている．しろうり群のうち，東京大しろうりは最も大果で，奈良漬*専用である．東京早生は小型であるが，各地で栽培されている．沼目は両者の中間で，桂もこれに近い．

　栽培：高温期の栽培に適し，早熟（6～8月どり），普通（7～9月どり）栽培が主体であるが，青果用，浅漬用としての需要もあり，促成（12～5月どり），抑制（8～11月どり）栽培も行われる．

　産地：徳島，千葉など．

◇**成分特性**　きゅうりとほぼ同様の成分値を示す．ただし廃棄率は，しろうりの方がわたを除いた場合，大きな数値を示す．

◇**加工**　奈良漬，みそ漬，印籠漬の原料として利用される．

◇**調理**　きゅうりより青み，香り，歯触りともに劣るので，大部分は漬物用にされる．多少未熟なものは浅漬もよいが，味が淡白なので，濃く味の付いた保存漬として，奈良漬，みそ漬などに向く．※持ち味が薄く，調理への用途はあまり広くない．軽く日に干した雷干しにし，二杯酢，甘酢，辛子和えなどに用いる程度である．中国料理では中に詰物をし，スープでたっぷりと煮込んだ，あくまでも味付け中心の料理にする．

●**雷干し（かみなりぼし）**　しろうりをらせん状に細長く切って干したもの．夏の雷雨の多い時期に，ちょうど雷神の太鼓に似た形に干すので，雷干しという．しろうりの両端を切り落とし，長い箸で中の種を取り除き，箸をさし込んだまま庖丁を当てて，うりをまわしながら1cm幅のらせん状に切っていく．これに塩をふって放置し，組織が軟化したところで伸ばして竿にかけ，そのまま日光で1日干す．これを3cmくらいに切り，酢の物などにして食べる．

しろぎす　⇒きす
しろざけ　⇒さけ・ます（さけ）

白酒　しろざけ

成 16024　**英** Shiro-zake；(cloudy mirin containing solid particles of rice and rice koji in suspension)

蒸し米，米麹を焼酎とともに仕込み，約1カ月熟成させたもろみ（醪）をすりつぶした酒である．3月3日の桃の節句などに飲まれる．

◇**成分特性**　100g（82.6mL）中，4.9g（7.4容量％）のアルコールと利用可能炭水化物*（差引き法）48.5g，たんぱく質1.9gを含む．ビタミン（B_1，B_2，ナイアシン*）含量も比較的多い．

白酒（平　宏和）

しろざめ　⇒さめ
白しょうゆ　⇒しょうゆ

シロップ

英 syrup, sirup　**別** シラップ

本来は濃厚な糖液のことであるが，糖類を水に溶解した糖液もシロップと呼ばれる．糖類としては，砂糖，異性化糖（果糖ぶどう糖液糖またはぶどう糖果糖液糖），はちみつなどが使われる．糖類の

シロップ ポーションタイプ（平 宏和）

フルーツシロップ
かき氷用（平 宏和）

みのものをシンプルシロップと呼び，シロップ漬，シロップ煮，菓子，飲料などに使われる．また，使用目的により，香料，着色料，酸味料などを加えたものがある．その他，サトウカエデの樹液からつくられるメープルシロップや黒蜜がある．

● ガムシロップ

英 gum syrup

砂糖の結晶をふせぐため，砂糖液にアラビアガムを加えたシロップ．飲料の甘味付けに用いる．糖度は約70％．砂糖，果糖ぶどう糖液糖のみの製品がガムシロップとして市販され，アイスコーヒー・アイスティー用にポーションタイプ（1回分の小カップ入り）がある．

● グレナデンシロップ

英 grenadine syrup

ざくろの果汁シロップと，鮮やかな紅色の着色料，香料を加えた無果汁のシロップがある．カクテルのほか，ソーダ水，シャーベット，ゼリーなどに使われる．

● ケーキシロップ

英 pancake syrup

ホットケーキにかけるシロップ．果糖ぶどう糖液糖，水あめ，香料，カラメル色素などを原料とした製品が市販されている．糖度は約70％．菓子，飲み物，トーストなどにも使われる．

● シュガーシロップ

英 sugar syrup

砂糖液をいうが，果糖ぶどう糖液糖も使われる．糖度は約65％．アイスコーヒー・アイスティー用にポーションタイプ（1回分の小カップ入り）がある．

● フルーツシロップ

英 artificial fruit syrup

糖液にいちご，メロン，オレンジ，レモンなどの人工香料，着色料，酸味料などを加えたもの．糖度は約50％．市販品の糖液には果糖ぶどう糖液糖が使われている．かき氷，アイスキャンデー，ソーダ水，ゼリーなどに利用される．

白なす ⇒なす
しろみる ⇒なみがい
白ワイン ⇒ぶどう酒（白ぶどう酒）

 ジン

成 16019　英 gin

グレインアルコール（とうもろこし，ライ麦などの穀類を麦芽＊で糖化し，発酵したものを連続式蒸留機で蒸留したもの）に杜松（ねず）の実（ジュニパー・ベリー juniper berry）の香りを付けた蒸留酒である．17世紀の中頃，オランダのライデン大学の医学部教授のフランシス・シルビウス（Franciscus Sylvius）によってつくり出されたといわれる．当時利尿剤として用いられたが，この特有の芳香が人々に知られ，酒としてオランダ全土に広がった．17世紀末には，オランダから迎えられて英国の王となったウィリアム三世によって英国国内に広まった．酒税法では，スピリッツに分類される．

左：グレナデンシロップ（左：無果汁，右：果汁），右：ケーキシロップ（平 宏和）

ジン 左：ドライジン，右：オールドトムジン
（平　宏和）

◇**製法**　一般には麦芽を用いてとうもろこし，ライ麦などの穀類を糖化，発酵させたのち，その発酵液を蒸留する．留液のアルコール分は50〜60％程度に薄め，これに杜松の実などの香料植物を刻んで加えるか，蒸留釜の上部に設けた棚にこれらの香料植物を置き，ここをアルコール蒸気が通過するようにして蒸留する．このため，留液はジュニパー特有の香気をもったものになる．そのほか香料植物の精油*を留液に加える方法，またジンエッセンスなどを購入してアルコールに加えて製品化する簡便法も行われている．

◇**種類**　産地別にオランダジン，ロンドンジン，アメリカンジンなどがある．また甘味によってドライジン，オールドトムジンに分けられる．後者はドライジンに砂糖シロップを2％くらい添加し，甘味を付けたものである．

◇**飲み方**　ウイスキーと異なってストレートで飲まれることは少ない．トニックウォーターなどで割ったジントニックなどが知られている．

真空調理食品

英 cooked foods after vacuum packaging

1979年，フランスのレストラン業界で開発された調理済み食品である．わが国では1980年代後半から認知され始め，現在ではクックチルの代表的な調理法の一つとしてホテル，レストラン，病院などの各方面で広く普及しつつある．この食品は食肉，魚肉や調味料をナイロン系か共押し出し多層バッグに入れ，空気を抜いて真空パックし，材料のうま味や風味が壊れない低い温度（肉なら約65℃）で加熱調理されたものである．

真空調理法には以下の利点がある．
①食品素材がもつ風味や旨みが封じ込められ，均一に味がしみこむ

②食材の目減りが少ない
③人的要因による品質のバラつきが解消でき作業効率が向上する
④チルドで保存できるので作り置きが可能である．保存性が高い
⑤セントラルキッチンシステム*の採用が容易であり，各店でコックを置く必要がない

人乳　じんにゅう

成 13051 　英 human milk；breast milk；mother's milk（母乳）　別 母乳

分娩後のヒトの乳房から分泌される白色不透明の液汁．乳児にとって，健康な母親の乳は理想的な食品である．他の動物の乳汁と同様，初乳と常乳（成熟乳），泌乳末期乳などの成分の差，さらに授乳婦の食物摂取状況や健康状態による濃度の差などはあるが，民族・人種による成分の差異はほとんど認められない．

◇**成分特性**　表1には，人乳と，乳を利用している代表的な家畜乳の一般成分組成を示した．人乳は，家畜乳と比較して，たんぱく質および灰分含量が低く，馬乳以外の家畜乳と比較して，利用可能炭水化物（主に乳糖*）含量が高い．人乳の成分組成は，主に乳業界の研究者によって詳細に研究され，その知見が乳児用調製粉乳の開発に活かされてきた．人乳の全固形分は平均12％である．うちたんぱく質（全窒素から推定される粗たんぱく質）含量は1.1％で，カゼインが全タンパク質のうち約40％を占める．また，全窒素中約28％が非たんぱく態であり，非たんぱく態窒素の多い点が人乳の特徴でもある．人乳中に含まれる非たんぱく態窒素としては，N-アセチルグルコサミンのようなアミノ糖類が多く，これらは母乳中に0.4％前後含まれる．アミノ糖類は，良好な腸内フローラを代表するビフィズス菌の腸内定着を促進する．乳脂肪含量は牛乳とほぼ同じだが，脂肪酸の組成が異なる（表2）．灰分は牛乳の1/3以下と少なく，乳児用調整粉乳では，腎機能の未熟な乳幼児の負担軽減のため，過多な無機質を低減している．

たんぱく質：アルブミン型乳汁の典型といわれるように，カゼインとアルブミン*を主体とする乳清たんぱく質の比は，人乳の場合1：1.73である．これに対して牛乳の場合は1：0.25で，牛乳はカゼイン型乳汁の典型であることがわかる．

脂質：牛乳と人乳の脂質含量は同程度である

表1 動物乳の一般成分組成 （100g当たり）

食品番号	種類		エネルギー(kcal)	水分(g)	たんぱく質(アミノ酸組成)(g)	脂質(TAG当量)(g)	利用可能炭水化物(g)	灰分(g)
13051	人乳		61	88.0	0.8	3.6	(6.4)*	0.2
13001	生乳	ジャージー種	77	85.5	3.5	5.0	4.5*	0.7
13002	生乳	ホルスタイン種	63	87.7	2.8	3.8	4.4*	0.7
13052	やぎ乳		57	88.0	(2.6)	3.2	(4.5)*	0.8
—	馬乳		45	89.8	2.1†	1.2§	(6.5)‡	0.4
—	水牛乳		97	83.4	3.8†	6.9§	(5.2)‡	0.8
—	羊乳		108	80.7	6.0†	7.0§	(5.4)‡	1.0

† たんぱく質，§ 脂質，* 質量計，エネルギー計算は単糖当量に基づく，‡ 差引き法
（文部科学省科学技術・学術審議会資源調査分科会報告：日本食品標準成分表2020年版（八訂），馬乳はUniacke-Lowe, T. (2011) Studies on equine milk and comparative studies on equine and bovine milk systems. PhD Thesis, University College Corkから引用，水牛乳および羊乳は米国食品成分表による）

が，その脂肪酸組成は，牛乳脂質には飽和脂肪酸*が，人乳脂質には不飽和脂肪酸*，特に多価不飽和脂肪酸が多いのが特徴である（**表2**）．

ビフィズス因子：ビフィズス菌（*Bifidobacterium bifidum*）の発育促進物質をいう．ヘキソサミンのほか，20種を超えるアミノ糖類が人乳中には含まれている．これらが母乳栄養児の腸内細菌叢をビフィズス菌優位な状態にし，人工栄養児より乳児期大腸疾患を少なくしている．

ラクトフェリン：1939年にデンマークの科学者によって発見された乳清たんぱく質で，鉄*と結合しやすい特性から赤みがかった色をしているため"牛乳の赤いたんぱく質"とも呼ばれた．ラクトフェリンは多くの哺乳動物の乳に含まれているが，人乳には特徴的に多く含まれ，初乳（出産後5日目ごろまでの母乳）には100mL当たり約600mg，常乳（出産後3週間以降の母乳）には約200mg含まれる．鉄をキレートする作用が強く，増殖に鉄イオンを必要とする細菌やウイルス感染から新生児を保護する作用が知られているほか，ビフィズス菌の増殖，鉄結合能と関連する鉄吸収調節，抗炎症作用，脂質代謝改善作用などの健康の維持・増進作用も認められている．

●初乳

🇬🇧 colostrum

分娩後5～7日までに分泌される乳のこと．一般に乳汁の分泌は，分娩後の1～3日目から始まり，5～7日までの初乳は，それ以降の常乳（成熟乳）に較べ，黄色がかり粘稠性がある．成分にも差異があり，たんぱく質，ビタミン，無機質に富み，エネルギーは分娩後第1日の初乳の場合は成熟乳の約2倍で，哺乳量の少ない新生児に適している．免疫グロブリンの濃度が高く，殺菌酵素リゾチームの含量も多い．母乳から得られる免疫は新生児期（出生後約1カ月間）には有効で，上気道炎その他の呼吸器感染症罹病率は，母乳栄養児の場合低いことが知られている．

表2 牛乳と人乳の脂肪酸組成（全脂肪酸中％）

脂肪酸	普通牛乳	人乳
オクタン酸	1.4	0.1
デカン酸	3.0	1.1
ラウリン酸	3.3	4.8
ミリスチン酸	10.9	5.2
ミリストレイン酸	0.9	0.1
ペンタデカン酸	0.5	0.0
パルミチン酸	30.0	21.2
パルミトレイン酸	1.5	2.3
ヘプタデカン酸	0.6	0.0
ヘプタデセン酸	0.3	0.0
ステアリン酸	12.0	5.4
オレイン酸*	23.0	40.9
リノール酸	2.7	14.1
α-リノレン酸	0.4	1.4
アラキジン酸	0.2	0.2
イコセン酸	0.2	0.5
アラキドン酸	0.2	0.4

*オレイン酸は，オレイン酸，シス（*cis*）-バクセン酸等の計の値．
（文部科学省：日本食品標準成分表2020年版（八訂）脂肪酸成分表編）

す

酢　⇨食酢

すあま　素甘

英 Suama；(sweetened rice cake)　別 すわま；しんこ餅

上新粉を原料とした餅菓子の一種．一般的には淡い桃色に着色した餅で表面を覆い，鬼すだれで巻いて筋目をつけ，小口切りにする．祝いごとに用いられる紅白の鶴の子餅（鳥の子餅）も，すあまでつくられることが多い．一方，すはま（洲浜）をすあまともいうが，別の菓子である．

◇**原材料・製法**　上新粉と砂糖を混ぜて練り，蒸してから軽くつき，筒形にしてすだれで巻いて形づくる．

鶴の子餅（平　宏和）

スイーティー　⇨オロブランコ
スイートコーン　⇨とうもろこし

スイートチリソース

英 sweet chili sauce

辛味の強いチリソースに比べてソフトな味わいを

スイートチリソース（平　宏和）

スイートポテト　下右：紫いも（原料）（平　宏和）

もつエスニック調味料の一つである．チリソースよりも砂糖や食酢の含量が多い．市販品にはナンプラーをベースにしたものが多く，ナム・チム・ガイの名でタイ料理に使われる．揚げ物，焼き肉，春巻きなどのつけだれとされる．チリソースの呼称が付けられているが，チリソースと異なり日本農林規格*（JAS）の規定はない．

スイートポテト

英 sweet potato

さつまいもの中身をくり抜いて，味付けをしてオーブンで焼いた菓子である．

◇**原材料・製法**　天火で焼いたり，蒸し焼きにしたさつまいもを縦半分に切り，皮を破らないように中身をくり抜き裏ごしする．これに，砂糖，バター，牛乳，卵黄，生クリームなどを加え，火にかけてペースト状に練り，洋酒，バニラエッセンスなどで香り付けをしてもとの皮の中に詰め，表面に卵黄を塗ってオーブンで焼いてつくる．皮の代わりにアルミ型などが使われることも多い．

スイートワイン

成 16029　英 sweet wine

ぶどう酒にアルコール，糖類，はちみつ，香味料，

スイートワイン
（平　宏和）

タンニン*，着色料，水などを加えてつくられる日本独特の酒で，日本的ポートワインと呼ばれる．戦前はワインといえばこの酒を連想する日本人が多かった．今でも根強い人気がある．アルコール含量は，9〜14％（容量）のものが多い．酒税法では甘味果実酒に分類されている．

すいか　西瓜

成 07077（赤肉種 生），07171（黄肉種 生）　分 ウリ科スイカ属（つる性1年生草本）　学 *Citrullus lanatus*　英 watermelon

原産地については諸説があるが，熱帯アフリカ説が強い．栽培の起源は古く，エジプトでは4,000年前に始められたという．また南部ロシア，中央アジア，中近東の内陸乾燥地帯では飲料として古くから利用されてきた．わが国へは天正年間（1573〜1593）に九州に伝来したのが最初とされ，品質はよいものではなかった．農林水産省の分類からいえば野菜の一種であるが，甘味が強く，食品としての取り扱いは果実とみなされている．

◇**品種**　明治中期に欧米や中国から多くの品種が導入され，なかでもアイスクリームという品種が日本人の好みに適合し広く栽培された．その後，これらは在来種と自然交雑し，改良が加えられて現在のすいかの源となった．品種により外皮の色，厚さ，斑紋，種子の数（200〜800個），果肉色（紅肉，黄肉），果実の大きさ（大，中，小玉），形（球，高球，楕円）などに大きな違いがある．また2倍体と4倍体の交雑による3倍体の種子なしすいかも育成されている．また遺伝的に固定された品種と一代雑種*（F_1）があり，品種の数は多い．基本品種は，甘露（かんろ）すいか，黒皮すいか，アイスクリームの3種である．

　生産：施設栽培*を含めると作型は多く，適品種を用いて周年的に生産されている．生産性を高めるため接ぎ木栽培が行われることが多い．台木としてはユウガオ，カボチャを用い，双葉のときに接ぎ木する．また昆虫の活動のない時期には人工受粉を行わないと結実しない．開花，受粉後25〜30日後に熟するが，温度の影響が大きく，日内最高気温の月間積算温度として，700〜1,000℃になれば完熟する品種が多い．

◇**成分特性**　可溶性固形物の大部分は遊離の糖分であり，約7〜9％含まれる．水分は可溶性固形分により左右されるが，通常100g中，89.6gである．糖類としては果糖が最も多く，その他ぶどう糖，しょ糖，デキストリン*を含む．糖類は果肉の中心部に多く，外側部より約2％も多い．灰分は0.2g，無機質の大部分はカリウムで120mg含まれる．遊離アミノ酸*としては利尿作用と関係があるといわれるシトルリンが多い．赤肉（せきにく）種の色素はカロテノイド色素で，2〜8mg含まれている．そのうち70〜75％がリコペン*，4〜10％がβ-カロテンであり，その他少量δ-カロテン，γ-カロテンなどが含まれている．黄肉（おうにく）種の場合はリコペン，β-カロテンともに非常に少ない．リコペンにはA効力はないので，カロテノイド*の含量の割にA効力は低い．β-カロテン当量として，100g中赤肉種が830μgに対し黄肉種は10μgである．ビタミンCは10mgで少ない．主な香気成分は，β-ハイドロプロピオンアルデヒド，アセトンなどである．

◇**保存**　低温貯蔵を行えば，2〜3週間の貯蔵が可能であるが，品種により貯蔵性は異なる．低温貯蔵の最適条件としては2〜5℃，湿度85〜90％である．品質評価法としては打音の電気的解析による方法が開発されているが，十分ではない．一般的には手でたたいたときに重い濁音を発するものが品質がよく，熟練すると判定が可能である．

◇**加工**　大部分が生食に供される．中国から輸入された専用品種の種子を食塩を加えて炒めて食べる以外，実用的な加工はほとんど行われていない．

◇**調理**　夏季に冷やしてそのまま生食するのが最もよい．果糖が多く低温で甘味が強まるので，必ず冷やして食用とする．食塩を少量添えると，味の対比効果により甘味を増す．※糖分を補強したり，洋酒で調味する食べ方がある．丸い形を利用し，半分に割って果肉を出し，細く切って再びもとの皮の中におさめ，その上から洋酒，シロップなどをかけて食べる（すいかバスケット）．フルーツポンチの材料にも用いる．※鮮やかな赤色を料理の彩りにすることも多い．冷むぎの水に浮かせ

すいか　手前：小玉すいか，後：黒小玉（平　宏和）

たりするのはその例で，夏の季節感を生かすことができる．※皮は，漬物の材料にもなる．組織が粗いので，糠みそ漬は短時間で漬かる．食べる数十分前に入れるくらいでよい．

●小玉すいか
一般に小玉すいかと呼ばれるものは果重が1.5〜2 kgと小さく，核家族向きに品種改良されたものである．紅こだま，黄こだまなどの品種がある．果皮の色や模様は大玉種と変わらない．果皮は薄く，甘味に富むが，肉質はやや軟らかく，シャリっとした歯触りに欠ける．また，長楕円形のものもあり，果肉が橙黄色の嘉宝（かほう）や，赤色のラグビーボールなどが知られている．

●種無しすいか
英 seedless watermelon
種の稔らないすいか．一般に流通しているものは，1940年代に日本で開発され，染色体が三倍体の植物が不稔性である性質を利用したものである．普通すいか（二倍体）の芽の成長点を薬品（コルヒチン）処理して四倍体をつくり，この雌しべに二倍体の花粉をつけ，三倍体の種子を採取，これの雌花に二倍体の花粉を受粉させてつくられる．三倍体の種子が市販されている．一方，1990年代後半，軟X線照射による雌花の部分不活化花粉を受粉させてつくる種無し技術が農研機構で開発された．すいかは白く薄い種皮のシイナがみられるが，同一品種の種無しの品質は種ありと変わらない．軟X線照射処理花粉も市販されるようになり，その普及が期待されている．

●入善ジャンボ西瓜
別 黒部すいか；ジャンボすいか；まくらすいか
富山の特産品として有名．明治末に米国から導入されたラットル・スネーク系の品種とされる．俵型の超大果は15〜20 kgにもなり，8月中旬〜下旬に収穫される．果肉はやや硬く，甘味も薄い．果皮が厚いため，輸送性に優れているので贈答用に珍重される．

入善ジャンボ西瓜　果重13 kg　左：小玉すいか（あきた夏丸チッチェ，果重2 kg）（平　宏和）

すいかの種　西瓜の種

成 05021（いり 味付け）　分 ウリ科スイカ属（1年生草本）　学 *Citrullus lanatus*（スイカ）　英 watermelon seeds

熱帯アフリカ原産のつる性草本で，12世紀の中頃に中国に渡ったといわれている．すいかの種は，もっぱら中国産で，特に大きな種子が多くできる品種から採られたものが輸入され，食用に供されている．中国料理の宴会料理で，前菜が出るまで茶請けとして出されるものは，黒瓜子（ヘイグアズー）という．一般に食べられる干した瓜子は鹹瓜子（シアングアズー）で，塩を加えた湯で煮てから干したものである．歯で割って中の仁*を食べる．

◇成分特性　種子は種皮が約60％を占める．仁（炒って味付けしたもの）は脂質とたんぱく質が豊富である．たんぱく質はグロブリン*がその主要なものである．種子油は半乾性油*で，その脂肪酸組成は，リノール酸*71％，オレイン酸*11％，パルミチン酸10％，ステアリン酸7％が主である．

すいかの種（いり 味付け）（平　宏和）

ずいき　芋茎

成 06109（生），06110（ゆで），06111（干しずいき 乾），06112（干しずいき ゆで）　分 サトイモ科サトイモ属（多年生草本）　学 *Colocasia esculenta*（サトイモ）および *C. gigantea*（ハスイモ）　英 Zuiki；(petiole of taro)

さといもの葉柄*のこと．サトイモ（*Colocasia esculenta*）の品種のうち，えぐ味の少ない葉柄を利用する．八つ頭のような親芋・子芋兼用種の葉柄とともに，葉柄専用の品種もある．生と干したものが利用され，干したものは芋がらとも呼ばれる．

◇品種　葉柄主体または専用の品種には次のようなものがある．みがしきは中生で，淡緑色の葉柄のほか半粉質の親芋・子芋も利用するが，収量は

上：蓮芋（葉柄専用種），下：芋がら（平　宏和）

少ない．鹿児島では一般に葉柄を利用している．溝芋（みぞいも）も中芋で，葉柄は淡緑，首部は赤色を帯びる．半粘質の親芋・子芋も利用するが収量は少ない．蓮芋はさといもの近縁種（*C. gigantea*）であり，葉柄専用種である．ジャワ原産で，りゅうきゅうとも呼ばれる．葉柄は緑白色で，肥厚して孔（通気孔）が太い．孔が蓮根のようなのが，蓮芋の語源とされる．軟らかく，えぐ味はない．生のまま皮をはぎ利用されるが，肥後ずいきは皮をはぎ，水晒しをし，乾燥したものである．

◇**成分特性**　100g当たり，生ずいきの水分は94.5gで，乾燥すると9.9gほどになる．干しずいきは乾燥により水分を除くので，各成分は濃縮されて高含量となるが，茹でもどすと生ずいきを茹でたものと大きな成分の違いはなくなる．『食品成分表』の両者（茹で）の違いは原料によるところが大きい．生ずいきのえぐ味は強烈であるが，主成分はホモゲンチジン酸*とされている．

◇**調理**　葉柄専用のもの以外はアクが強く，そのままではえぐ味がある．アク抜きをかねてゆっくり茹でたものを，さらに半日か1日水に漬ける．美しい赤味をもたせるには，茹でるとき，酢を加えるとよい（アントシアン系色素の赤変を促進し，フラボノイド*による褐変を防止）．葉柄専用種はえぐ味がないので，そのまま利用できる．赤唐辛子を加えることも多い．これはえぐ味を隠すのに役立つ．※干したものは1晩水に漬け，茹でて用いる．味付け中心の料理に向き，調味料をよく吸収するので，薄味の煮物に最適である．

酢によって色が美しくなるので，よく酢の物にするが，この際あまり酢を吸収しないうちに食べる．

水産練り製品　⇨かまぼこ
すいせん（水繊）　⇨くずきり

すいぜんじな　水前寺菜

成 06387（葉 生）　分 キク科サンシチソウ属（多年生草本）　学 *Gynura bicolor*　英 Suizennji-na
別 金時草；ハンダマ

地方野菜として知られ，熊本県で水前寺菜，石川県金沢では金時草（きんときそう・きんじそう），沖縄県ではハンダマと呼ばれている．熱帯アジアの原産といわれ，日本には宝暦年間（1751～1764）に中国から伝えられたといわれている．

◇**栽培**　生育適温は20～25℃で，草丈30～60cm，葉腋*から盛んに分枝し，伸びて匍匐状なる．若い芽を20～25cmの長さに摘み取り，出荷される．葉の裏の色は金時草の名の由来になったように，さつまいも「金時」の色（赤紫色）をしている．

◇**調理**　軽く茹でてお浸し，みそ汁，酢みそ和え，天ぷらなどにして食べられる．独特の強い香りとぬめりがある．

すいぜんじな（平　宏和）

すいぜんじのり　水前寺海苔

成 09024（素干し 水戻し）　分 藍藻類クロオコックス科スイゼンジノリ属　学 *Aphanothece sacrum*　英 Suizenji-nori

淡水藻で，体は藍緑色あるいは褐紫色．寒天質の軟らかい塊で，その中に径3.5～6μmの微細な長楕円形細胞が不規則にうずまっている．塊は大きくなるとともに中空状になり，径20cmほどになる．温暖で清水が湧き出る浅い小川や池の中の小石などに着生し，生長すると付着部を残して

水前寺のり（平　宏和）

水中をただよいながら生育を続け,周年繁殖する.
　産地：分布は九州,特に熊本市水前寺付近と福岡県甘木市,久留米市周辺に限られ,今では甘木市の黄金川のみで生産されているほか,養殖も試みられている.
◇成分特性　無機質では鉄*およびビタミンK含量が多いのが特徴的である.フィコシアニン*を含むため,特有の藍緑色を呈する.
◇加工　寒天質の塊を採取し,夾雑物を除いてから臼などですりつぶした後,素焼き板にこてを使って一定の厚さに塗りつけ,陰干しにする.風味はないが,鮮やかな色彩と歯触りの良さで賞用される.地域的に特殊な食品で,生産量は極めて少ない.
◇調理　乾燥した製品は硬いので小さく切り,十分膨潤させて軟らかくなったものを用いる.急ぐときは熱湯をかけてもよい.味を補うため,油で炒めて和え物にしたり佃煮にする.そのほかには刺身のつま,吸い物や酢の物の飾りに用いる.

すきみだら　抄身鱈

成 10201　英 Sukimidara；(skinned, salted and dried fillet of pollack)

元来はまだらを原料とし塩乾品であるが,現在ではすけとうだらを用いた製品が普及している.頭,内臓を除去したすけとうだらを水にさらしてから三枚おろしとし,ひれや黒膜*を除去後洗浄したものを塩蔵し,さらに皮を除去してから乾燥した製品.皮はかつて写真製版用のゼラチン原料として重要で,すきみだらは本来これを目的として開発された製品である.主に二次加工原料として珍味や調味料の製造に用いられる.一般家庭では塩抜きしてから適当にむしり,そのまま食べるか,料理の材料とする.成分的には,100 g当たり,水分 38.2 gでたんぱく質と灰分の含量が高く,脂質をほとんど含まない.ただし食塩含量が 18.8 gと高く,堅干しなので,今後は低塩分化,ソフト化が望まれる.

すきみだら（原料：まだら）（平　宏和）

スキムミルク　⇨粉乳（脱脂粉乳）
すく　⇨あいご

すぐきな　酸茎菜

成 06113（葉 生）, 06114（根 生）, 分 アブラナ科アブラナ属（1年生草本）　学 Brassica rapa var. neosuguki　英 Sugukina　別 かもな（加茂菜）古 すいな（酸菜）

かぶの仲間.京都上賀茂の特産で,秋遅く収穫される晩生型の野菜である.かぶとしては原始型に近く,葉に比して根の部分が小さい.根は紡錘形で,横じわがある.葉には切葉と丸葉がある.品種の区分についてはかぶの項に記した.現在栽培されているものは,明治時代にすぐきなと聖護院かぶとの交雑後代から育成されたものとされる.
◇成分特性　成分としては,他の野菜と大差はないが,カロテン,ビタミンCがやや多い.
◇加工　乳酸発酵によるすぐき（酸茎）漬に加工される.
◇調理　繊維組織が硬く,普通の調理に向く味ではないので,そのまま食用にすることはない.京都地方特産のすぐき漬の原料として用いるだけである.

●すぐき漬

酢茎漬　成 06115　英 Sugukina pickles；(salted and lactic acid fermented pickles of Sugukina)
すぐきなを薄塩で漬け込み,乳酸発酵させた,酸味のある独特の風味をもつ漬物である.
◇漬け方　すぐきなを水洗い水切りした後,6〜7％の食塩で下漬を行う.重石は材料と同質量以上あればよい.10日ぐらい経ち,十分漬け汁があがってきたところで材料を取り出して,水洗いを行う.水切りして本漬に移す.そのままか,水洗いで薄塩になったならば,漬けあがり濃度約

すぐき漬（平　宏和）

2％になるよう食塩を加えて漬け込むようにする．押し蓋をして漬け菜と同質量の重石をのせる．約2～3カ月発酵を行って製品となる．速成したい場合には，25～30℃の室（むろ）で発酵させる．1～2週間ですぐき漬独特の風味が出るようになる．

スクラロース

英 sucralose　別 トリクロロガラクトスクロース

しょ糖を原料とした高甘味度甘味料．構成成分であるガラクトース*の部分に塩素を含むので，トリクロロガラクトスクロース（trichlorogalactosucrose）とも呼ばれる．英国で開発されて，1982年，カナダで初めて食品添加物*として認可され，各国で使用が広まり，日本では1999年に使用が認められた．食品添加物（指定添加物）．

◇成分特性　しょ糖の約600倍の甘味がある．水やアルコールへの溶解度が高く，飲料，菓子，ゼリーなど加工食品の広い分野で使用されている．原料はしょ糖であるが，食品表示基準*では，エネルギーを0 kcal/gとしている．キシリトール，エリスリトールなどと同様に非う蝕性である．

すけとうだら　⇨たら

スコーン

英 scone

スコットランドが本場の円形の菓子パンで，かつては粗挽き大麦粉を使って薄く焼かれていたが，現在では薄力小麦粉が使われ，ベーキングパウダー*を加えてふっくらと丸形につくられている．粉にバターと数％の砂糖，少量の食塩を加え，卵，牛乳で生地をまとめる．ポテトや乾燥果実，ナッツ類，チョコレートなどを加えたものもある．生地を薄くのばして型抜きし，表面に牛乳，卵の

スコーン　上：プレーン，下：チョコレート，くるみ（平　宏和）

混合液を刷毛で塗って天板に並べ，焼き上げる．ティータイムのほか，朝食にも好んで食べられる．

酢こんぶ

英 Su-kombu

まこんぶ，りしりこんぶの肉厚の良質なこんぶを使用し，「漬けまえ」と呼ばれる下ごしらえ（加工前日に「酢酸，食酢」に浸す）をしたものの爪（頭部），耳（両縁）を切断し，酢・砂糖による味付けを行った後，販売サイズに切断して乾燥し製品としたもの．また，駄菓子として短冊状に切ったこんぶを酢，甘味料（ステビア）などの調味液で味付けしたものもある．これは大正7（1918）年に売り出され，昭和28（1953）年にはチューインガムサイズの赤箱に入ったものが商品化された．

酢こんぶ（平　宏和）

すじ　⇨うしの副生物（腱）

すじ　筋

英 Suji；（boiled kamaboko of shark meat surimi with cartilage）　別 すじかまぼこ

練りつぶし魚肉にさめやえいの軟骨，または結締

すじ（平　宏和）

すずき（本村　浩之）

組織を破砕したものと，つなぎのでん粉などを加えてつくった茹でかまぼこである．関東地方を中心に流通し，おでん種として用いる．

すじあいなめ　⇒あいなめ

 すじこ

成 10141（しろさけ すじこ）　英 Sujiko；(salted ovary)　別 すずこ（鈴子）

さけの卵巣の塩蔵品で，色をよくするため残留量で5ppmまでの亜硝酸塩の使用が許されている．そのまま切って酒の肴やおにぎりの具，オードブルなどに用いられる．多量のビタミンA（『食品成分表』では100g当たりレチノール*670μg）と赤いカロテノイド色素（アスタキサンチン*）を含む．コレステロールが高く（510mg/100g），食塩含量も多い（4.8g/100g）．

すじこ（平　宏和）

 すずき　鱸

成 10188（生）　分 硬骨魚類，スズキ科スズキ属
学 *Lateolabrax japonicus*　英 Japanese sea bass
旬 夏

全長1m．体は側扁する．体色は背部は黒く，腹部は銀白色．温帯性の魚で，淡水と海水とを往来する．産卵期である晩秋から冬に海で産卵する．3～4年で60cmとなり，成魚になる．肉は白身で，上等魚である．北海道から南九州，朝鮮に分布する．すずきのほか，スズキ目には多くの科が含まれている．すずき，ひらすずきのほか，たいりくすずきはスズキ科，あかめやナイルパーチ，あかめもどきなどアカメ科，くえ，あおはた，きじはた，まはたやあかはたはハタ科に分類される．

　出世魚*：成長につれて名が変わる．東京付近では10cmくらいのものを"こっぱ"または"でき"，20cmくらいのものを"せいご"，30～40cmくらいのものを"ふっこ"，60cm以上のものを"すずき"，1mにもなる老大魚を"おおたろう"と呼ぶ．また北陸では，15cmぐらいまでを"めいご"，30cmぐらいを"はねご"，成魚は"すずき"，老大魚は"ゆうど"と呼ぶ．さらに東海では，25cmぐらいを"せいご"，45cmぐらいを"またかあ"，以降成長につれて，おおまた→こうち→ちういお→おおちょう→おおものと呼び名が変わる．

◇**成分特性**　典型的な白身魚．成分は，白身魚の中ではたいとともに水分もそれほど高くなく，たんぱく質含量が高く，脂質含量が中位の部類に属する．灰分の中ではカルシウム含量は比較的低く，鉄*も多い方ではない．ビタミン類では100g当たりA（レチノール*）180μg，Dは10μg含んでいる．肉は多少黒みを帯びるが，それほど気にならない程度であり，うま味もある．かまぼこにしてもアシが強く上等品の原料となる．30cm以上のふっこになると美味である．"すい"といわれる特にやせたものがあるが，これは水分含量が高く，脂質をほとんど含まないので，食べてもうまくない．一種の異常魚である．

◇**調理**　せいご，ふっこより，"すずき"になった大きいものの方が脂肪が多く，味もよい．あっさりした白身の魚で独特なうま味もあり，生食，特にあらいに好適である．和式では塩焼き，椀種．洋式でも網焼き，油焼きなど，持ち味を生かした

加熱法が行われる．※味にクセがなく，油や調味料はもちろん，肉や野菜の味ともよく合う．このため西洋料理では煮込みやグラタンに用いられるほか，せいごのように小型のものは，ベーコン巻きや詰物をしてバター焼きにする．中国料理でも香草と盛り合わせた刺身や，炒め煮，うま煮，寄せ鍋など，広く魚料理の材料として用いられる．※体形が美しく，切り身にせず全体を丸焼きにすることも行われる．水でぬらした厚手の和紙で包んで焼く"奉書焼き"はよく知られている．中国料理には丸ごと蒸し焼きにする料理がある．

● あかめ
赤眼　分 アカメ科アカメ属　学 *Lates japonicus*　英 Japanese lates　別 地 まるか（宮崎）
全長1.3m．体高は著しく高く側扁する．下顎は突き出ている．沿岸魚で，よく川を遡る．幼魚は内湾や河口域に生息する．成魚はすずきと同様，上等魚である．高知県と宮崎県に多く生息する．近縁種の *Lates calcarifer* は東南アジアからインド，オーストラリアに分布する．本種は一般に食用にされるのは30cm程度の小型のものであるが，全長2mにもなる大型魚で，これらの地域では重要魚類で養殖も行われている．また釣り魚として人気のあるナイル河のナイルパーチ（*L. niloticus*）もこれに近い大型の種類である．

● あら
鯍；阿羅　分 アラ科アラ属　学 *Niphon spinosus*　英 saw-edged perch；ara　別 地 おきすずき（高知）；ほた（関西）；おらます（和歌山）；いかけ（山陰，中国）；たら（長崎，熊本）　旬 冬
全長1m．尾びれの上葉と下葉にそれぞれ1条の黒色縦帯がある．30cmほどの幼魚のときは口から尾柄にかけて褐色の縦帯がある．北海道から朝鮮，中国，フィリピンに分布する．四国や九州であらというのは，ハタ科のくえ*を指すので，混同しないようにする．

● ひらすずき
平鱸　分 スズキ科スズキ属　学 *Lateolabrax latus*
全長90cm．石川県・茨城県から種子島・屋久島にかけて分布する．すずきと似ているが，背びれの軟条類が多いことから区別できる．ルアー釣りなどの対象魚としても人気が高い．すずきと違い，遡上はしない．すずきより不味．

すずしろ　⇨ だいこん
すずな　⇨ かぶ

すずめ　雀

成 11211（肉骨・皮つき 生）　分 ハタオリドリ科スズメ属　学 *Passer montanus*　英 sparrow　旬 秋～冬

全世界に広く分布しているが，原産はヨーロッパおよびアジアである．人家近くに棲み日本で最も普通にみられる．春と夏はひとつがいずつに分かれ，人家の軒先などに枯れ草などで巣をつくり，ひなをかえす．産卵は2～8月の間に2～3回．ひなは約12日で孵化し，半月で育つ．この間は，昆虫類を主食とし，害虫駆除に役立つが，秋から冬にかけてはイネその他の作物を荒らすなど，害益両用に働くので猟期を限って狩猟が認められている．現在市販されているものはほとんど中国産やベトナム産の冷凍ものである．

◇成分特性　肉は赤味が濃く，やや酸味があり，しまっている．骨も軟らかいので普通，羽毛と内臓を除いただけで全体を食用に供する．そのため，100g当たり，カルシウム1,100mg，リン660mg，鉄*8.0mgなどを多く含み，無機質やビタミンに富む．

鑑別：寒中に獲れた食鳥としてのすずめを"寒すずめ"と呼んだ．「寒雀」は冬の季語である．体臭のないもの，羽毛の濡れていないものを選ぶ．
◇調理　焼きとりが代表的な料理である．また，頭，骨もいっしょにたたいてだんごにし，みそ汁や吸物の具として用いることもある．小さい鳥なので，火加減には注意を払う．

スターアニス

分 モクレン科シキミ属（高木）　学 *Illicium verum*（トウシキミ）　英 star anise　別 はっかく（八角）；だいういきょう（大茴香）

中国西南部原産．高木で，10mにもなる．果実（蒴果*）は8個の八角星形の集合果*で，熟すと木質化する．中に種子が含まれるが，さやの方が香りが強い．大型の香辛料という意味で，中国では大料（ダーリアオ）とも呼ばれる．中国では古くから健胃剤や風邪薬として用いられ，また，重要な香料として線香や抹香の原料としても使われている．

◇成分特性　セリ科のアニスやフェンネルに似た香りをもつ．これは香気成分のアネトールという物質が共通して含まれるからで，特にスターアニスの含量は多く，香気も強い．なお，わが国の四国，九州など，関東以西の温暖な日当たりのよい

スターアニス（八角）（中国産）　上：果実（開裂面），下左：果実（裏面），下右：種子（平　宏和）

山林に自生するシキミ（別）ハナノキ Illicium anisatum）も同属の植物で，果実の色や形がスターアニスと似ているため誤用されることがあるが，シキミの実には有毒物質シキニンが含まれているので，注意のこと．
◇調理　豚の角煮や鴨の汁煮など，中国料理にはよく用いられる．複合香辛料である五香粉（wuxiangfen；ウーシャンフェン）の主原料である．杏仁豆腐のシロップの香り付けに用いることもある．また，カレーパウダーや各種ソースにも加えられる．

スターフルーツ

成 07069（生）　分 カタバミ科ゴレンシ属（常緑性小高木）　学 Averrhoa carambola（ゴレンシ）　英 star fruit；carambola　別 ごれんし（五歛子）
東南アジアの熱帯地域に自生している．果実は長さ10cmくらいで，その名の通り横断面が五角形の星型をしている．果皮は熟すると黄色になる．甘味が強い甘味種と，酸味が強い酸味種がある．わが国では沖縄，宮崎でわずかに栽培されている．

スターフルーツ（沖縄産）（平　宏和）

◇成分特性　シュウ酸*を含み，青梅のような酸味がある．ビタミンCは12mg/100g含まれる．
◇加工　生食されるほか，砂糖漬にして乾燥果実にする．全体が緑色の未熟なものはサラダなど料理に使う．
◇調理　黄色くなった頃，生食する．そのほか，ゼリーやジャムに用いられる．

スタウト　⇒ビール
酢だこ　⇒たこ

🍎 すだち　酸橘

成 07078（果皮 生），07079（果汁 生）　分 ミカン科ミカン属（常緑性低木〜小高木）　学 Citrus aurantium Sour Orange Group　英 Sudachi
ゆず近縁の香酸柑橘で，原産地は明確ではないが，徳島県阿南市には樹齢350年の古木があり，これが原種とみられている．樹の棘の有無と果実の種子の有無により，無棘無核系，無棘有核系のメンスダチ，有棘無核系，有棘有核系のオンスダチに分けられる．無核系はいずれも果実が小さいので，経済栽培に向かないが，庭木・盆栽に適している．無棘有核系のうち，メンスダチの品質（果実）が優れ，徳島県の奨励種となっている．果実は30〜40gの短球形で，果面は油胞が密で凹凸が多くやや粗い．熟すると橙黄色に着色するが，生果としての利用は8月〜11月の緑果ないしは黄緑果を採取して出荷される．ゆずに似た香気があるが，ゆずより爽快で，風味が優れる．果汁の苦味はなく果肉は淡黄色，柔軟多汁である．各種日本料理に利用される．
◇成分特性　果実のビタミンCは多く，100g当たり，果皮では110mg，果汁では40mg含まれている．β-カロテン当量は果皮に520µg含まれるが，果汁にはほとんど含まれていない．

すだち（平　宏和）

すだれ麩　⇒ふ

🍆 ズッキーニ

成 06116（果実 生）　分 ウリ科カボチャ属（つる性１年生草本）
学 *Cucurbita pepo* 'Melopepo'
英 zucchini；courgette　別 つるなしかぼちゃ
旬 初夏〜夏

西洋野菜の一種．日本で昔から栽培されているそうめんかぼちゃ*と同じ種（ペポかぼちゃ）で，未熟果を食用とする．形はきゅうりに似た果菜であるが，かぼちゃなので果実は成熟すると大きくなる．開花後４〜５日で長さが20cm前後になったときに収穫する．日本では果皮の色が緑色の緑果種と，黄色の黄果種があるが，外国には白色，桃色，まだらのものもある．近年わが国での栽培も増加している．

◇**調理**　味も成分もきゅうりに似ている．油との相性がよく，炒め物，揚げ物にするほか，軽く炒めて煮込み料理にも用いられる．下処理としては，切ったら水に漬けてアク抜きし，十分に水気を切って使う．なお，花丸きゅうりのように，花がついている幼果（花ズッキーニ）の花の中に肉や魚を詰めて蒸したりして利用される．

ズッキーニ（平　宏和）

🐢 すっぽん　鼈

成 11243（肉 生）　分 スッポン科スッポン属
学 *Amyda japonica*　英 softshell turtle；terrapin
旬 10〜４月

南米以外の熱帯から温帯にかけて広く分布する淡

すっぽん

水に棲むカメに近い動物である．カメと違うのは甲羅の表面に角質の甲板がなく，軟らかい点である．甲長17cmに達する．甲板は円形に近く，頸は長く，口さきは突出し四肢や水かきがよく発達している．性質は肉食性で，魚や甲殻類を鋭い歯で噛みつき食べる．日本南部の河川に棲み，浜名湖がその主産地である．現在天然のものは少なく，ほとんどが養殖である．すっぽんの養殖は養鼈（ようべつ）と呼ばれる．旬のうちでも特に，冬眠に入る頃が最も脂がのっておいしいとされる．

◇**成分特性**　栄養価の高いものとされているが，肉は水分が多く，たんぱく質，脂肪は少なく，エネルギー値は低い．ただし無機質，ビタミンは比較的多く，特にレチノール*は100g当たり，94μgと脂肪の割には多く，B_1 0.91mgもかなり多い．

◇**調理**　"四つおろし"もしくは"四つほどき"という独特のさばき方があり，首を切断し，血を取り，甲，内臓，膀胱，胆のうを除き，腹甲を切り，足を４つに分け，爪を除き食する．血は酒を入れた器にしぼり，飲用することもある．おろしたすっぽんは，鍋，スープ，煮物，雑炊などにする．クセがあるので，生姜や酒で仕立てるのがよいとされる．洋風料理には，スープ，煮込み，クリーム煮，トマト煮などがある．

ステビア抽出物

英 stevia extract　別 ステビア甘味料

南米産のキク科ステビア属多年生草本*のステビア（*Stevia rebaudiana*）の葉から抽出して得られた，ステビオール配糖体を主成分とするものである．乾燥物換算したものは，ステビオール配糖体４種（ステビオシド，レバウジオシドA，レバウジオシドCおよびズルコシドA）の合計量として80.0％以上を含む．甘味度はしょ糖の100〜250

倍である．食品添加物＊（既存添加物）．

　用途：非発酵性の天然添加物なので漬物，水産練り製品，また，ダイエット食品などの甘味料として利用されている．

砂ぎも　⇒にわとりの副生物（筋胃）

🍬 スナック菓子

成 15101（スナック類 小麦粉あられ）　英 snack foods

ポテトチップスやポップコーンに代表され，手軽に食べられる便利さと，甘くなくあっさりとした風味などで広い嗜好性をもった軽食的な菓子である．スナック菓子は，その原料により，主にポテト系，コーン系，小麦粉系などに分かれる．食感や風味に工夫をこらした多種多様な製品がつくられている．

　ポテト系：ポテト系スナックとしては，ポテトチップス＊，成形ポテトチップス＊，ポテトシューストリングなどがある．

　コーン系：コーン系スナックには，コーンパフやポップコーンなどがある．

　小麦粉系：小麦粉系スナックとしては，えびせんなどがある．小麦粉にでん粉や調味料，膨張剤を加え，水を加えて蒸練機で練り，圧延して所定の形状に切断し，焙煎または，フライしてつくる．小麦粉には中力粉を使用し，でん粉にはじゃがいもやさつまいもでん粉を使用する．

● **えびせん**

英 Ebi-sen

代表的小麦系スナック菓子．第二次大戦後，米が食糧管理法で入手困難のため，小麦粉を代用に使った「あられ」として売り出されたが，その後，えびを練りこむなど，スナック菓子としての改良がなされた．

◇ **製法**　小麦粉，でん粉，えび，膨張剤，調味料などを混合し，蒸しながら練った生地を圧延・切断成形・乾燥し，焙煎したものに食塩を振り，植物油を吹きかけたものである．

● **コーンパフ**

英 corn puff

主原料のコーングリッツやコーンミールなどのコーン粒に水を加えた後，エクストルーダー＊（自動押出し機）で加熱・膨化し，味付けをしてつくる．冷却後，防湿フィルムで包装する．

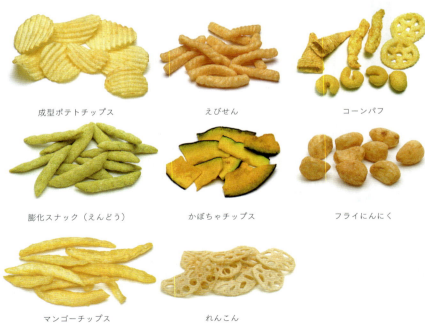

成型ポテトチップス　　えびせん　　コーンパフ

膨化スナック（えんどう）　かぼちゃチップス　フライにんにく

マンゴーチップス　　れんこん

スナック菓子（平　宏和）

●膨化スナック

英 puff snack

原料（穀類，豆類など）を爆裂（膨化）させ，味付けした多孔質の菓子である．製法として，原料を加圧容器に入れて加熱し，急激に常圧として水分を瞬間的に蒸発させたもの，エクストルーダー（自動押出し機）により，原料を加圧状態から常圧に押出して瞬間的に水分を蒸発させたものなどがある．コーンパフも膨化製品である．

●野菜・果実スナック

英 vegetable and fruit snack

野菜，果実をそのまま，またはスライスしてフライし，味付けしたものである．原料としては，さまざまな野菜や果実が利用されるが，珍しいものでは，オクラやなすなどの製品もある．また，つくり方も油で揚げずに電子レンジを使って家庭でつくる野菜チップスもある．

スナップえんどう　⇨さやえんどう
須の子　⇨くじら
スパークリングワイン　⇨ぶどう酒

スパイス

英 spices

全日本スパイス協会の定義では，香辛料*のうち，利用部位として茎と葉と花を除くものの総称としている．フェンネル*，オールスパイス*，オレンジピール，花椒*（かしょう），カルダモン*，かんぞう，クミン*，クローブ*，けしの実*，こしょう*，ごま*，サフラン*，さんしょう*，シナモン*，しょうが*，ディル*，とうがらし*，ナツメグ*，にんにく*，パプリカ*，フェネグリーク*，ホースラディシュ*（西洋わさび），マスタード*（からし），ゆず*，ロングペッパーなどがある．

スパゲッティ

成【マカロニ・スパゲッティ】01063（乾），01064（ゆで），01173（ソテー）　英 spaghetti

わが国でも最もポピュラーなパスタで，食品表示基準*では，マカロニ類のうち，1.2mm以上の太さの棒状又は2.5mm未満の太さの管状に成形したものは，スパゲッティと表示することができる．さまざまなパスタ料理のほか，付け合わせやサラダ，スープの具などに利用される．種類・製法など，詳しくはパスタの項を参照．

すはま　洲浜

英 Suhama　別 すあま；豆あめ

きな粉に水あめ，砂糖を加えて練り合わせた半生菓子．江戸時代前期につくられ，小口に切った横断面が，正月などの宮中儀式に用いられる入り組んだ浜辺を意匠化した州浜台に似るところから名付けられた．現在では，州浜生地を使用した菓子も「州浜・すはま」と呼ばれ，わらび，そら豆などの形をした茶菓子もみられる．

すはま（平　宏和）

スピリッツ

英 spirits

一般には，蒸留酒とスピリッツは同じものとすることが多い．ただ，わが国の酒税法では，蒸留酒類のうちの一つとしてスピリッツは分類されており，焼酎，原料用アルコール，ウイスキー，ブランデー以外のエキス分が2度未満の蒸留酒としている（付表14）．スピリッツの代表的なものとしては，ウオッカ*，ジン*，ラム*，テキーラ*，アクアビット*がある．なお，いずれのスピリッツもカクテルの主要ベースである．

◇成分特性　スピリッツの成分はアルコールと水でほとんど大部分が占められる．アルコールはウオッカ100g中，50度ウオッカで42.5g，40度ウオッカで33.4g含まれ（容量％でそれぞれ50％，40％），ジン100g中，47度ジンで40.3g，37度ジンで30.8g含まれる（容量％でそれぞれ47.5％，37.0％）．またラムは平均100g中，37.9g（容量％で45.0％）である．その他の成分として，100mL中，総アルデヒドはウオッカで0～3mg，ジンで0.4～9.4mg，ラムで5.4～19mg，フーゼル油*はウオッカで1～8mg，ジンで14～100mg，ラムで60～200mgである．またエステル*はウオッカで3～70mg，ジンで2～40mg，ラムで7～560mgである．ヘビーラムで含量が著しく高い．その他ジンには，杜松（ねず）の実など香料植物の精油成分が含まれる．

スプラウト

成 06354（ブロッコリー 芽生え） 英 sprout

芽生え・萌芽のことで，従来もやしの訳語として用いられていた．もやしとしては主として豆類の萌芽が用いられていた．最近，アブラナ科野菜の萌芽，特にブロッコリーの萌芽がアメリカでスプラウトの名で健康食品としてもてはやされ，これが日本でもスプラウトの名で普及しはじめ，ほかにも，マスタード，ガーデンクレス（こしょうそう），レッドキャベツ，そば，ねぎ（芽ねぎ）など，さまざまなスプラウトが栽培されている．大根の萌芽＝スプラウトは，かいわれで，えんどう豆のそれは，豆苗（とうみょう）である．

上：ねぎ（芽ねぎ），
下：ブロッコリースプラウト（平　宏和）

スペアミント　⇨ミント

すべりひゆ　滑り莧

分 スベリヒユ科スベリヒユ属（多肉性1年生草本）　学 *Portulaca oleracea*　英 purslane　別 うまびゆ；いぬひょう；ぬめりくさ　旬 夏

マツバボタンと同属で，観賞用の園芸品種もある．日当たりのよい庭や畑に生える．全体が多肉質で，茎は径5mmほどの円柱形で赤紫色をし，枝分かれして地面を這い，先が斜めに立ち上がり高さ30〜50cmほどになる．葉は1〜2cmの濃緑色・倒卵形で，茎にやや対生状につく．花は黄色で，

すべりひゆ（平　宏和）

枝の先端に1個ずつ咲く．花弁は5枚，径が1cmほどで，強い日光が当たったときだけ咲き，目立たない．真夏の暑さと乾燥には極度に強く，根を抜いて乾かしても枯死しにくい．

◇採取　初夏から晩夏にかけて，よく茎の太った，軟らかいものを採取する．

◇調理　さっと茹でて辛子じょうゆで食べるのがよい．茎にはシュウ酸*がありすっぱい．※真夏日に，大量に採れたときはさっと茹で，ゼンマイのように天日乾燥をして保存しておく．後日，水にもどし，油炒め，和え物などにして食べる．

スポーツ飲料

成 16057（スポーツドリンク）　英 sports drink；isotonic drink　別 アイソトニック飲料

運動時などに水分を効果的に体内に吸収させることを目的とした飲料で，その浸透圧を体液の浸透圧とほぼ等しくしたものが多い．一般に激しく運動する選手は，2時間で約2.5Lの汗をかくといわれ，水分の欠乏による熱疲労と熱射病の防止から，運動時にスポーツ飲料を飲むようになってきている．

◇歴史　米国フロリダ大学のロバート・ケード博士が研究を行い，水にナトリウム*，カリウムなどとぶどう糖を加えると，運動中といえども，体内への吸収が速やかであることを見出した．米国

スポーツ飲料（平　宏和）

では，1968 年にストークリー・ヴァンキャンプ社より，このスポーツ飲料がゲータレード®という名で発売された．
◇**種類** 防湿性の包材で包装されている粉末タイプと，缶やペットボトルに詰められている液状タイプがある．糖類以外にビタミンB_1，B_2とCを含んでいるので，疲労回復飲料としても優れている．わが国では，米国よりゲータレード®が輸入されているとともに，国内の食品会社は国産のスポーツ飲料を発売している．スポーツ選手ばかりか一般の運動愛好家，製鉄所などの高温な場所で働く人々をはじめ，熱中症予防などに広く飲まれている．最近では，スポーツ飲料のほかに，スポーツフーズが市販されている．このスポーツフーズには，チューインガム，キャンデーやかき氷などがある．これは酸味成分をベースにして，ぶどう糖を中心にビタミン，カリウムとナトリウムが加えられ，運動中のエネルギー補給に利用される．

スポンジケーキ

成 15074　英 sponge cake
主原料は小麦粉，砂糖，鶏卵で，鶏卵の起泡性を利用し，ふっくらと焼き上げた洋生菓子．ショートケーキ，デコレーションケーキなど，スポンジケーキ類（ケーキ*）の台に広く使われる．食品成分表の成分値とショートケーキ製品の部分割合とから，製品の成分値を計算できる．

スポンジケーキ（全卵）表面：アーモンドスライス（平　宏和）

スモークサーモン

成 10151（べにざけ くん製）　英 smoked salmon
別 鮭燻製；温燻鮭
主としてべにざけや太平洋さけなどを原料とした燻製品，三枚におろしたさけを短時間塩水に漬け，約50℃で10数時間燻乾し，仕上げに約80℃で

スモークサーモン（平　宏和）

短時間燻乾した温燻品である．オードブルやマリネとして欠かせない．塩水漬のとき，各種の調味料や香辛料を加える場合もある．『食品成分表』では，べにざけ・くん製として収載されている．

スモークタン

成 11108　英 smoked tongue
牛の舌（タン）を材料としてつくる加工品が主で，製法はハムと同じである．下処理をした後，乾燥，燻煙，湯煮をして製品とする．牛タンのほか，豚や羊のタンも用いられる．
◇**調理** 燻製特有の香りがあり，保存性もあるので常備すると便利である．薄切りにしてオードブル，サンドイッチ，酒の肴にしたり，ワインに浸した後，刻んでサラダの上に飾ったり，料理の付け合わせなどに用いる．

スモークタン（平　宏和）

スモークレバー

成 11197　英 smoked liver
肝臓の燻煙製品．原料には，牛の肝臓を使うものと豚の肝臓を使うものがある．肝臓に食塩，香辛料その他を加え，燻煙し，加熱して製品とする．
◇**成分特性** 豚のレバーを使った製品では，100g当たり，たんぱく質（アミノ酸組成）* 24.9g，脂質（TAG当量）* 4.5g，利用可能炭水

スモークレバー（平　宏和）

化物*（差引き法）10.3gを含む．そのほか，鉄* 20.0mg，レチノール* 17,000μg，ビタミン B_{12} 24.0μg，葉酸* 310μg を含み栄養価が高い．酸化防止剤としてビタミン C が添加されることもある．

◇**調理**　スライスして，オードブル，酒の肴などに用いられる．

すもも　李

成07080（生）　分バラ科サクラ属（落葉性小高木）　学 *Prunus* spp.　英 plums

世界のすももを大きく分類すると欧亜系，東亜系および米国系の 3 つに分けられる．わが国在来のすももは東亜系に属し，原産地は中国であり，はたんきょう（巴旦杏）またはいくり（郁李）と呼ばれるスモモ（*Prunus salicina*）（日本李）を基本種とする品種群を指す．しかし現在は欧亜系（セイヨウスモモ　*P. domestica*），米国系（アメリカスモモ　*P. americana*），あるいはこれらの雑種などが導入，育成されていて，品種は複雑である．欧亜系の原生地は欧州東南部，西南アジア，中国北部にわたり，米国系は，米国中部，北米ケンタッキーなどである．栽培の歴史は古く，欧州では 2,000 年前，米国では 17 世紀である．わが国へは，10 世紀頃，遣唐使によって中国から伝来したと考えられている．そのため当初は，からももと呼ばれていた．

◇**品種**　日本在来種には市成（いちなり），甲州巴旦杏（こうしゅうはたんきょう），大石早生（おおいしわせ）など，外来種としては，ビューティー，フォーモサ，サンタローザ，ソルダム，ホワイトプラム，メスレーなどがある．これらが現在わが国での主要栽培種になっている．

産地：主産地は山梨，長野，和歌山，山形などである．

◇**成分特性**　ニホンスモモ 100g 中，糖類は 7g で，ぶどう糖が最も多く，果糖，しょ糖，キシロースを含む．酸含量は 1.3％程度で，リンゴ酸*が全酸の大部分を占め，そのほかクエン酸が含まれる．遊離アミノ酸*はアスパラギンが特に多く，その他ではグルタミン酸，プロリンが多い．そのほかのアミノ酸も少量ずつ含まれる．ビタミン C は少なく，4mg を含むにすぎず，β-カロテン当量も 79μg と少ない．

◇**保存**　低温貯蔵に適した温湿度は 3℃，85％である．低温下では果実の軟化や着色が抑制され，30 日程度の貯蔵に耐える．果実の軟化は 20℃で最も進み，着色も早い．30℃以上の高温では軟化も着色も遅れるが，この原因は，果肉細胞壁を分解する酵素活性が高温で低下したり，アントシアン色素（シアニジン-3-グルコシド）の合成能が低下するためであると考えられている．

◇**加工**　加工品には缶詰，ジュース，乾燥品，果実酒などがある．プルーン（干しプラム）はそのまま食べたり，煮込んでデザートとして用いる．また，健康食品，ダイエットフードとしても利用されている．

すもも　上：サマーエンジェル，下：大石早生
（平　宏和）

ソルダム（平　宏和）

サンタローザ（Santa Rosa）：米国でバーンバンクが明治40（1907）年に育成した品種で，ニホンスモモにアメリカスモモあるいは中国のシモンスモモを交雑したものといわれている．日本には1920年代に導入された．果皮は完熟すると鮮紅色になり，果肉は黄色，多汁で酸味・甘味ともに強く，香りがある．

ソルダム（Soldam）：米国・コロンビア大学のディーン博士から，明治40（1907）年に仙台・伊達家の養種園に送付されたものを育成したのが始まりといわれる．ニホンスモモ系の品種で，果皮は厚く，果肉は鮮紅色，甘味が強く，適当な酸味がある．

●プルーン

成 07081（生），07082（乾）　学 *P. domestica*（ヨーロッパスモモ）　英 European plums；prunes

ヨーロッパスモモのうち乾燥果実として利用されてきた品種の総称である．しかし最近はヨーロッパスモモの別名にもなっている．雨の少ないカリフォルニアなどで栽培されている．わが国には明治初年に導入されたが，生育期に雨が多いため裂果や病害が多く，長野などの一部で栽培されているにすぎない．わが国の主要品種はシュガー，サンプルーン，スタンレーなどで，適度な酸味と甘味があり，果肉は硬く核と離れやすい．8月以降に収穫される．

◇成分特性　プルーンは，果実の糖分としてソルビトールが特に多いのが特徴である．乾燥果実では100g中，β-カロテン1,100μg，カリウム730mgが多い．ソルビトールは，保水性が高く，整腸効果があるため，またビタミン・無機質に富む健康食品としてプルーンエキスなどが利用される．

プルーン（平　宏和）

するめ　鯣；寿留女

成 10353　英 Surume；(dried squid)　別 あたりめ

するめは原料いかの種類，産地などで多少製法を異にしているが，内臓などの部分を除去し素干し

するめ　上：素干し風景，下：するめ（平　宏和）

としたものである．最近ではするめいかの減少と原料に適したいか類が少ないため，するめの生産が減少する一方，あかいかなども使えるさきいか，いか姿焼き，いか燻製，のしいかなどの調味加工品が伸びている（いか*）．

するめいか　⇒いか
ずわいがに　⇒かに

ずんだ餅

成 15143（ずんだあん），15144（ずんだもち）
英 Zunda-mochi；(glutinous rice cake coated with immature soybean An)

つぶした枝豆のあんを餅にまぶした，東北，特に宮城県を中心とした郷土菓子．かっては，農村部で枝豆の出始める季節のお盆・秋の彼岸に仏前に供える行事菓子であったが，現在では，冷凍枝豆を利用して通年食べられるようになり，また，「冷

ずんだ餅（冷凍市販品・解凍）（平　宏和）

凍ずんだ餅」が商品化され，仙台名物として販売されている．

◇**由来** 名の由来については，豆を打つので「豆打餅」，陣中において刀で豆を刻んだので「陣太刀餅」など諸説がある．

◇**原材料・製法** 枝豆を莢（さや）のまま茹で，取り出した豆の種皮を剝いで，擂鉢で潰し，砂糖と少量の塩を加えてあんにし，これを餅にまぶしつける．なお，餅のほか，おはぎ，団子，白玉などにまぶすこともある．

せ

 清酒 せいしゅ

成 16001（普通酒） 英 sake, Japanese rice wine
別 日本酒

米，米麹および水を主原料として，糖化発酵させたもろみをこした醸造酒である．日本の酒造りは，縄文時代に遡るとされる．

◇**酒税法による定義** 平成18年度に改正された酒税法では清酒は「醸造酒類」に入る．それによると清酒はアルコール分が22度未満のもので①米，米麹，水を原料として発酵させてこしたもの，②米，米麹，水，清酒かす，その他政令で定めた物品（副原料）を原料として発酵させてこしたもの，と定義される．この副原料としては「アルコール，焼酎，ぶどう糖，その他政令で定める糖類，有機酸*，アミノ酸または清酒」で，さらにこの副原料の使用量は米（米麹を含む）の重量の半分までと制限している．今回の改正で重要なことは，清酒を①アルコール分が22度未満のものに限定する．②副原料の範囲から，麦，あわ，とうもろこし，こうりゃん，でん粉等を除外する．③副原料の使用量を米の重量の半分までとする（したがって従来の「三増酒」は除外された）．④従来のアルコール度数課税を改め単一税率とする，等である．これによって清酒は米を原料とする醸造酒という位置付けが法令上明らかにされた

なお，これらの削除される材料を使った酒は「その他の醸造酒」に該当するが，従来の清酒製造免許により製造可能である．

◇**製法** 米は酒造用玄米を精米機にかけて玄米の目方の2割5分から3割を糠として取り除いた白米が使用される．このように精白するのは胚芽や外層部にたんぱく質，脂肪，灰分，ビタミンが多く，これが麹，酵母の生育を促進させ，酒質の調和を崩し，また生成酒の着色や雑味成分となり，酒質を劣化させるためである．清酒用米麹は上述の精白米を洗米，浸漬後，こしき（甑；蒸し器）で蒸した蒸し米に麹菌（*Aspergillus oryzae*）を繁殖させたものである．通常，蒸し米を人間の体温ぐらいに冷却し，麹室（温度25〜28℃，湿度70〜90％）に入れ，床一面に広げて種麹（麹菌の胞子が多数着生した麹）を散布し，30℃から最高40℃に品温を調節し，その間，適宜米粒を攪拌して約40〜42時間かけて造られる（図1）．酒

母は上述の麹と蒸し米と水とを混ぜ、これに乳酸*と清酒酵母（*Saccharomyces cerevisiae*）を加えて酵母を純粋に大量培養したものである。この酒母*に多量の蒸し米と麹と水を加えたものが清酒もろみ（醪）で、通常、3回に分けて4日間で仕込む。その操作は添え、仲（なか），留（とめ）仕込みと呼ばれ、これを三段仕込みという。毎回の仕込み量は倍，倍になっており、雑菌の汚染を防ぎながら酵母を純粋に大量に培養する。このようにして仕込まれたもろみは最初8℃で、その後温度を上げて最高16℃にし、約20日間かけて、麹で蒸し米を糖化しながらアルコール発酵を行う。もろみ*のアルコール分は発酵日数10日で約10％，15日で15％，20日で約18％である。なお、もろみ末期に甘味の調節のために蒸し米や甘酒を添加したり（四段仕込み），一定制限内で30％アルコールの添加（アル添酒），あるいは調味液（30％アルコール中にぶどう糖，水あめ，コハク酸，乳酸を溶解したもの）を添加（増醸酒；ぞうじょうしゅ）する方法が行われる。なおこの増醸酒の製法にあっては酒税法上，厳しい制限がある。また最近はこれらを添加しない純米清酒も造られている。アル添などの終わった熟成もろみは次に粕袋に入れられ圧搾濾過される。この濾液は、おり引き、再濾過し、清酒となる。これは生酒（なまざけ）で、通常は62℃，5分間加熱殺菌（火入れ）された後、貯蔵される。

◇種類　普通酒：「普通酒」は、酒税法上の「特定名称酒」として分類されない日本酒の通称である。特定名称酒はラベルに「吟醸」「純米」「本醸造」等と記載されるのに対し、それらが表示されていない酒が普通酒であるが、通称であるので、その表示はない。スーパーマーケットやコンビニに並ぶ大手酒造会社のパック酒やカップ酒は、そのほとんどが普通酒である。また、銘酒で著名な酒造会社からも普通酒が販売されている。普通酒の消費は多く、普段使いの手軽な酒としてたしなまれ、日本酒の中で7割のシェアを占めている。かつて、日本酒には級別制度があり、国税局での審査により「特級」「一級」「二級」の等級が認定され、区分ごとの税率が課されていた。普通酒は概ね「一級酒」「二級酒」に相当するが、1992（平成4）年の同制度の廃止後は表示されず、現在に至っている。一部の酒造メーカーでは、それに変わるランク付けとして「特撰」「上撰」「佳撰」と表示している。ある酒造会社では、旧特級クラスを「特撰」、旧一級クラスを「上撰」、旧二級クラスを「佳撰」としているが、あくまでも独自基準による表示である。

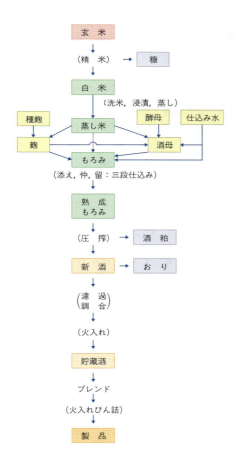

図1　清酒の製造工程図

普通酒　左2製品はメーカーが独自に「上撰」と表示しているもの（平　宏和）

表1 特定名称酒の製法品質表示基準

特定名称	使用原料	精米歩合	麹米の使用割合	香味等の要件
吟醸酒	米，米麹，醸造アルコール	60%以下	15%以上	吟醸造り，固有の香味，色沢が良好
大吟醸酒	米，米麹，醸造アルコール	50%以下	15%以上	吟醸造り，固有の香味，色沢が特に良好
純米酒	米，米麹	-	15%以上	香味，色沢が良好
純米吟醸酒	米，米麹	60%以下	15%以上	吟醸造り，固有の香味，色沢が良好
純米大吟醸酒	米，米麹	50%以下	15%以上	吟醸造り，固有の香味，色沢が特に良好
特別純米酒	米，米麹	60%以下又は特別な製造方法（要説明表示）	15%以上	香味，色沢が特に良好
本醸造酒	米，米麹，醸造アルコール	70%以下	15%以上	香味，色沢が良好
特別本醸造酒	米，米麹，醸造アルコール	60%以下又は特別な製造方法（要説明表示）	15%以上	香味，色沢が特に良好

①精米歩合とは，白米のその玄米に対する重量の割合をいう．精米歩合60%というときには，玄米の表層部を40%削り取ることをいう．
②麹米とは，米麹（白米に麹菌を繁殖させたもの）の製造に使用する白米をいう．
　なお，特定名称の清酒は，麹米の使用割合（白米の重量に対する麹米の重量の割合）が，15%以上のものに限られる．
③醸造アルコールとは，でん粉質物や含糖質物から醸造されたアルコールをいう．
　なお，吟醸酒や本醸造酒に使用できる醸造アルコールの量は，白米の重量の10%以下に制限されている．

(酒のしおり：国税庁酒税課，令和4年3月)

特定名称酒：「清酒の製法品質表示基準」（国税庁告示第8号）の表示基準では，特定名称酒は，精米歩合の違いや醸造アルコール添加の有無などによって，本醸造酒，純米酒，特別本醸造酒，特別純米酒，吟醸酒，純米吟醸酒，大吟醸酒，純米大吟醸酒の8種類に分類されている（**表1**）．さらに，「農産物検査法によって，3等以上に格付けされた米を原料に使っている」「添加する醸造アルコールの量が，使用する白米の総重量の10%以下である」「麹米の使用割合が15%以上である」等の基準がある．それらのラベルには，「吟醸」「純米」「本醸造」等と記載されている．その他，原酒，生酒，生貯蔵酒，生一本，樽酒等についても，これを任意に表示する場合の基準が定められている．

甘口と辛口：清酒を味覚により，飲んで甘いと感じる甘口と，辛口に大別する．清酒の甘味は主としてエキス分中に含まれる糖分（主にぶどう糖）の量に，辛味は主としてアルコール分に起因するので，清酒中の比重の重いエキス分と軽いアルコール分のバランスを表す"日本酒度"が甘辛の尺度に使われる．一般に甘口とは日本酒度－5より負の数値の大きいもの，辛口は0より数値の大きいものとされているが，最近は基準点が＋側へずれてきている．しかし，甘辛の感覚はあいまいで，たとえば温度によって，また酸の多少によって異なる．酸の多い場合は甘味を弱く感じ辛口に，少ないときは糖分は少なくても甘口に感じる．

◇ **成分特性**　**アルコール分**：清酒100g（100.1mL）中には平均すると水分82.4gとアルコール（エチルアルコール）12.3g（15.4容量%）が含まれる．

たんぱく質：約0.5%のたんぱく質（窒素化合物）が含まれ，窒素化合物のうちでいわゆる純たんぱく質と呼ばれるものは約1割で，大部分はペプチド*またはアミノ酸である．これは原料である米のたんぱく質が麹の酸性プロテアーゼ，酸性カルボキシペプチダーゼによって分解されるためである．清酒のアミノ酸含量は，ビール，ぶどう酒など他の醸造酒と比較して全アミノ酸含量はやや高く，なかでもアラニン，アルギニン，グルタミン酸，ロイシン，グリシン，リシン*，メチオニン，プロリン，チロシン，バリンなどが多い．

特定名称酒　①吟醸酒，②大吟醸酒，③純米酒，④純米吟醸酒，⑤純米大吟醸酒，⑥特別純米酒，⑦本醸造酒，⑧特別本醸造酒（平　宏和）

これらのアミノ酸は低級ペプチドとともに清酒の味"ゴクミ"と緩衝能を与える．

炭水化物：最も多いのはぶどう糖 1.5〜3.5% で，そのほか，麦芽糖*，イソマルトース，サケビオース，コージビオース，パノース，イソマルトトライオースなどが含まれる．『食品成分表』の 100 g 当たりの炭水化物（3.6〜4.9 g）は，差引き法による炭水化物なので，有機酸*，高級アルコール，エステル*などが含まれる．

酸：酒の酸味は有機酸含量に左右される．清酒の有機酸は，コハク酸，リンゴ酸*，乳酸*で大部分占められている（醸造酒*，表1）．このうちリンゴ酸は酒に爽やかな酸味を与え，コハク酸は酸味のほかにうま味をもたらす．

芳香成分：香りの主要成分は高級アルコールならびにそれらのエステルである．イソブタノール，イソアミルアルコール（活性アミルアルコールを含む），フェネチルアルコールなどが比較的多い（醸造酒*，表2）．またグリセロール*は甘味と粘質を与える．エステルは量的には少ないが，酢酸エチル，酢酸イソアミル，カプリン酸エチルなどが比較的多い．これらは酒の香りに著しい影響を与えている．

ビタミン：清酒は他の醸造酒と比較すると B_1，B_2，ナイアシン*は約 1/10，パントテン酸*は約 1/3 で，少ない．それに反して，B_6 含量は多い．これは原料（米，麦，果汁）に由来するビタミン含量の違いによるが，清酒は玄米を精白し，多量に含む糠部を除去することと，生成液に炭素処理を施して，脱色，味の調整を行う際に B_2 などが除かれることが原因している．

◇保存　清酒は日光に当たると急激に変色を起こし，香りも悪くなり，品質が劣化する．したがって直射日光を避け，冷暗所に保存する．なお，開栓後室温で長く放置すると，時には酒が白濁することがある．これは火落（ひおち）菌という乳酸菌*が繁殖したためで，飲んでも体に害はないが，酒質は劣化する．

◇飲み方　日本酒は香り，味，それに液の粘性によるコクなどが一体となって，芳醇なうまさをつくりだすものである．これらの条件はすべて温度に関係するので，どの程度の"燗"をするかは，日本酒にとって最も重要なことである．味に特徴のある酒は 40℃ 程度の低温で，香りに特徴のある酒はやや高温で（60℃ 前後），普通の酒は 50〜55℃ 程度がよい．最近は洋酒風に日本酒を冷やして飲むことも盛んである．

◇調理　日本酒はコハク酸を中心とするうま味が強く，動物性食品の調理にうま味調味料として用いることができる．アルコールはたんぱく質に作用し，あるときは組織を軟化させたり，逆にたんぱく質を凝固させて身を引きしめたりする．魚介類の臭気を消す作用も見逃せない．※料理と清酒：洋酒が料理のための酒という性格をもつのに対し，日本酒では，おいしく酒を飲むためにいろいろな料理を添える．アルコールの体内分解を早め，悪酔いを防ぐためには，動物性たんぱく質をともに摂るのがよい．

●生一本（きいっぽん）

英 Kiippon

単一の製造場のみで醸造した純米酒である．「灘の生一本」は古くから広く知られている．

●貴醸酒（きじょうしゅ）

英 Kijoshu

清酒で仕込んだ清酒．普通の清酒は米，米麹と水を原料とし，添（そえ），仲（なか），留（とめ）の三段仕込みでもろみ*（醪）とし，発酵させるが（「製法」の項目参照），貴醸酒は仕込み水の半分

にあたる量の清酒，すなわち留の仕込みに清酒を使う．もろみは初めから8％くらいのアルコール分があるから，成分は濃く，特色のある酒質になる．

●吟醸酒（ぎんじょうしゅ）
成 16004　英 Ginjo-shu
本醸造酒のうちで精米歩合が60％以下の高度精白米を使用し，10℃前後の低温で1カ月程度の長時間じっくりと発酵させて造られる清酒（いわゆる吟醸造り）であり，きれいですっきりとした味と，吟醸香と呼ばれる特有の芳香が特徴である．

●原酒（げんしゅ）
英 Genshu
製成後に加水調整しない清酒．アルコール分はだいたい18％以上あり，通常は19～20％のものが多く，味も濃い．

●地酒（じざけ）
英 Jizake
古くからその地に伝わり息づいている酒．その地方特有の気候，水，米を活かし，固有の技術から生まれる酒の総称である．

●純米吟醸酒
成 16005　英 Junmai Ginjo-shu
吟醸酒のうちで醸造アルコールを使用しない清酒である．すなわち高度精白（60％以下）の米，米麹および水だけを原料とし，いわゆる吟醸造りをして造られる清酒で，吟醸酒固有の香味，色沢が良好なものである．

●純米酒
成 16002　英 Junmai-shu
米，米麹および水だけを原料として製造した清酒で，香味および色沢が良好なものである．なお，酒税法での精米歩合の条件は除かれている．純米酒は醸造アルコールを添加しないことから，米のうま味が活かされた濃醇なタイプの酒になりやすい．

●樽酒（たるざけ）
英 Taruzake
木製の樽（主に杉樽）で貯蔵し，木香の付いた清酒（びん，その他の容器に詰め替えたものを含む）である．杉樽に清酒を入れると，杉材の色素や成分の溶出と同時に，杉材の匂い「木香」が付く．この香りが珍重される．

●生酒（なまざけ，なましゅ）
英 Namazake
製成後にいっさい加熱処理をしない清酒．麹香と発酵香を含み，フレッシュな感覚をもつ．一般に清酒はもろみ*（醪）を搾り，清澄にしたあと，酵母や火落菌などの微生物や米麹から移行している酵素類を殺菌して酒質を安定に保つために，「火入れ」といって60℃に加温してから貯蔵したり，出荷する．生酒はこれを行わずに，もろみを搾って清澄にして，除菌濾過，そのまま製品にしたもの．最近は長期酒質の安定のために，限外濾過法によって酵素類を除いた製品もある．

●生貯蔵酒
英 Namachozo-shu
製成後，加熱処理をしないで低温で生酒を貯蔵しておき，出荷のびん詰の際に火入れ・急冷する方法がとられた清酒である．この方法でも清酒特有のフレッシュな香味が保たれる．

●普通酒
成 16001
433ページの「◇種類　普通酒」参照．

●本醸造酒
成 16003　英 Honjozo-shu
精米歩合70％以下の白米，米麹，醸造アルコールおよび水を原料として製造した清酒で，香味および色沢が良好なものである．この際，米麹製造に使用した白米も70％以下であること．また，醸造アルコールはもろみ（醪）に添加すること，その量は使用した白米（米麹用の白米を含む）重量の10％（アルコール分95％の重量）以下と定められている．本醸造酒は一般に純米酒よりすっきりとして飲みやすくなる傾向がある．

清浄歓喜団　せいじょうかんきだん
英 Seijokankidan

奈良時代，遣唐使により伝えられた唐菓子（とうがし；からくだもの）の一種で，本来は歓喜天（聖天）への供え菓子．口元が細くしまった巾着形で，蓮華をかたどる渦巻が口にあり，独特の香りをもつ揚げ菓子で，現在も天台宗・真言宗寺院の供え菓子となっている．

◇製法　薬味・香料（肉桂，はっか，丁子，こしょ

清浄歓喜団（平　宏和）

うなど）を混ぜたこしあんを米粉と小麦粉の混合生地（蒸したものと生を合わせて薄くのばしたもの）で包み，ごま油で揚げる．

精米　⇨こめ
西洋なし　⇨なし
西洋はっか　⇨ミント
西洋わさび　⇨ホースラディッシュ

セージ

成 17070（粉）　分 シソ科アキギリ属（多年生草本）　学 *Salvia officinalis*　英 sage

地中海沿岸原産．真紅の花を咲かせる園芸種のサルビアの仲間で，スパイスとしては生の葉，乾燥させた葉と花穂を用いる．温暖で日当たり，水はけのよい土地に育ち，蕾の出る直前に，茎先20cmほどで葉を採る．葉は縮れの入った楕円形で，白い細かな毛に覆われている．1週間くらい日陰で乾燥させ，密閉容器に保存する．

◇**成分特性**　乾燥葉はよもぎに似た強い香りとわずかな渋味と辛味をもっている．肉類の臭い消しとして欠かせない．ソーセージなどにも用いられる．精油*を2～3％含む．主成分はツヨンとボルネオールで，そのほか，サルペンなどを含む．ツヨンはよもぎの香り，サルペンが強い特有の香りのもとである．また，古代ギリシャ，ローマの頃から民間薬として広く用いられていたという．薬効としては強壮，消毒，止血，消化促進などが期待され，"長生きのハーブ"と呼ばれている．

セージ　上：右下：葉面，下：フランス産（平　宏和）

◇**調理**　肉や魚介類の臭い消しとして，特にイタリア料理には欠かせない．ハンバーグなどのひき肉料理やスープ，ドレッシングなどにも用いる．ただし香りはかなり強いので，使用量は控えめにする．

赤飯　せきはん

成 01118　英 Sekihan；(glutinous rice steamed with adzuki-beans or cowpeas)

もち米100に対して，下煮したあずきまたはささげを10～20の割合で混ぜ，蒸す．途中，2～3回のふり水をする．もち米を蒸したものは，おこわまたはこわめし（強飯）とも呼ぶ．

赤飯（平　宏和）

せっぺい　雪平

英 Seppei

練り切りに，さらにぎゅうひと純白に仕上げるため卵白を加えて練り上げたもの．雪平は純白であるため，着色しても美しい色彩に仕上がり，上生菓子の折詰や引き菓子などには必ずといってもよいほど用いられるものである．

せとか　⇨タンゴール
セミドライソーセージ　⇨ソーセージ
セミノール　⇨タンゼロ

ゼラチン

成 11198　英 gelatin

獣鳥の骨や皮，筋，魚のあらなどをよく煮て冷ますと煮汁が固まるようになる．これを"煮こごり"というが，この煮こごりは筋肉や骨，皮，筋中に含まれる不溶性たんぱく質のコラーゲン*が熱によって可溶化され，水溶性コロイド状物質となって煮汁に溶出してくるからできる．この水溶物

ゼラチン（粉末）（平　宏和）

質をゼラチンという．ゼラチンの利用範囲は食用，薬用のほか，印刷用，接着剤，写真乳剤など非常に広く，またその歴史も古い．膠（にかわ）は不純物の多いゼラチンであるが，この利用はローマ時代に遡る．したがって製法もかなり進んでおり，粗製のものから精製されたものまで，かなりいろいろな種類のものが得られるようになっている．

◇製法　まず洗浄した骨や皮などの原料を石灰水に浸して脂肪を除く．これを水洗し，蒸気釜で加熱し，コラーゲンを加水分解*させてゼラチンとする．不純物を除いて漂白，乾燥する．乾燥方法により板状，粒状，粉状のものが得られる．

◇成分特性　ゼラチンは大部分がたんぱく質である．しかし必須アミノ酸*であるトリプトファンの含量がごく微量で，アミノ酸スコア*は0（ゼロ）である．微量成分ではカルシウムやナトリウム*が多いが，実際に食用に用いられるときは数%のゲルとして用いられるので，栄養的価値は多くは期待できない．ゼラチンは純粋なものは無味無臭で硬く，もろく透明でやや黄味を帯びた物質である．普通は9～12％の水分を含んでいる．純度が落ち，水分が増すに従って透明度は失われ，色は黄乳白色となる．ゼラチンは加熱しすぎると組織が破壊されて凝固力が失われる．また，ゼリー強度と糖，pH*については次項（調理）を参照．

◇調理　製品として薄板状と粉状のものがある．前者は色が薄く透明感のあるもの，後者は粒子がきれいにそろっているものがよい．ゼラチンは味そのものよりも，物理的なゼリー特性を利用し洋風料理の冷製料理（ショーフロア，アスピックやゼリーなど），デザートゼリー（フルーツゼリー，ババロアなど），菓子（マシュマロ，キャンデーゼリーなど）に利用されている．※いずれのゼラチンも10～30分くらい水に浸漬して，吸水膨潤させてから加熱溶解する．これをしないと，均一に溶解しにくい．ゼリーのために用いられるゼラチン濃度は通常3～4％が目安である．粉状のゼラチンは板状のゼラチンに比べて表面積が大きいので吸水速度が早い．また，水温が高いと吸水が早く，膨潤度が高くなる．※吸水膨潤したゼラチンは，湯煎にして溶解させるのが好ましい．直火で沸騰させると，低分子化が起こり安定したゼリー強度が得られない．※溶解したゼラチン液は，冷却してゲル化させる．濃度が3～4％のゼラチン溶液では，温度が10～15℃以上だと凝固しにくいので，冷却してゲル化させる．さらに同じ濃度でも，冷却時間，冷却温度によってゼリー強度が異なり，時間が長く温度が低いほどゼリー強度は強くなる．※ゼラチンゼリーは融解温度が低く，3～4％のもので24～25℃であるため，室温の高いときには注意する．融解温度が低いことから，口の中に入れただけで溶け，口溶けのよさが賞味される．ゼリーが崩壊した場合には，低温に放置すれば再凝固する特性をもっている．※添加物の影響：ゼラチンは砂糖や酸によっても影響を受ける．砂糖を加えた場合，砂糖濃度が高くなるに従って，ゼリー強度は強く弾力は増すとともに，崩壊力は減少する．レモン汁その他の酸を加えてpHが低くなると凝固力が弱まる．

せり　芹

成 06117（茎葉　生），06118（茎葉　ゆで）　分 セリ科セリ属（多年生草本）　学 *Oenanthe javanica*　英 water dropwort　別 かわな（川菜）；ねじろぐさ（根白草）

日本原産の宿根性湿地性の草本*．東アジアに広く野生種が分布し，わが国の各地にも自生する．アジア各地で古くから栽培されており，わが国でも，早春の香りを伝える野菜として古くから親しまれ，春の七草の一つ．10世紀に栽培の記録がある．

◇野生種　秋に伸びた枝の節から新芽を出し，翌

せり（平　宏和）

春に最も盛んに生長する．全体が，毛がなくなめらかである．根は白くやや太いものと褐色の毛根が伸びているものがある．根株から数本の葉が束のようになって生え（束生），1本の葉は互いちがい（互生）になっている．葉は2回羽状複葉で全体は三角形で鋸葉になっている．夏には枝先より小さい複散形花序を出して白い小花が球状に咲く．実は3mmぐらいで，三角の裂片をつける．水田やあぜ道わきなどに生えるものを"田ぜり"といい，アクが強く，やや硬い．一方，湧き水や沢などに生えるものを"水ぜり"というが，種類は同じものである．

採取：地方によって異なるが，1〜5月に，春の根生葉（付図①）がよく伸びたところを根付きのまま採取する．また，秋遅くにも同じように採取することができる．しかし，春のものより葉数も少なく細くなっている．

◇栽培種　野生の根株を利用して栽培していた．近年これらの中から，伸長が旺盛で軟白しやすいものを選抜し，系統分化が始まっている．秋〜冬季の利用が主体で，作型の分化はほとんどみられない．水質のよい湧水・流水を利用し，15〜16℃の水温で育てるので，栽培は宮城，茨城，大分など．

◇成分特性　ほかの野菜と大差ないが，カロテンが多い．無機質はカリウムとリンが多い．カルシウムは他の野菜に比べ少ない．茹でにより質量で約10％減少する．無機質では特にカリウムの流失が55％と多く，ビタミンCも50％が失われる．

香気成分：せりをはじめ，みつば，パセリ，セロリーなど，セリ科の植物は，特有の芳香をもつ揮発性の油を含んでいるので，ハーブ（香草）としての役割も大きい．せりの香気成分もまた独特であるが，その本体はカンフェン，β-ピネン，ミリスチン，カルバクロール，オイゲノール，シンナミルアルコールである．
七草の他の植物と同様，薬草として胃腸，中風などに古くから民間療法に用いられていた．

◇調理　みそ汁の実，お浸し，和え物，天ぷらなど，いずれもすばらしい香りがあっておいしい．また，すきやきなどにもよい．

🍬 ゼリー

成 15087（オレンジ），15088（コーヒー），15089（ミルク），15090（ワイン）　英 jelly

ゼラチン，寒天，ペクチン*などのゲル化剤を用いて，果汁や果肉，ワインなどの洋酒類，コーヒー，

ゼリー　左：コーヒー，中：ホワイトピーチ（ナタデココ入り），右：びわ（平 宏和）

乳製品など，さまざまなものと混合・溶解させた後，冷却凝固してつくるデザート菓子である．ゲル化剤には，このほかカラギーナン*なども使われ，単体もしくは混ぜ合わせて使われる．その種類や添加濃度，pH*によってゲルの質が異なり，ゼリーの保形性，弾力，食感が変わってくる．口あたりや口溶けの設定によって，ゲル化剤を選択し，混合比，添加量を定めている．
ゲル化剤の種類によって，ゼラチンゼリー，寒天ゼリー，こんにゃくゼリー，ペクチンゼリー，カラギーナンゼリーなどと呼ばれる．食品表示基準*では，ジャム類のうち，果実等の搾汁を原料としたものをいう．

● こんにゃくゼリー
成 15142　英 konjac jelly
こんにゃく粉（精粉）をゲル化剤とし，砂糖，酸味料，香料，着色料などと混合，加熱溶解，凝固させたゼリー．なお，こんにゃくゼリーは弾力性が強く，咀嚼力の弱い幼児・高齢者が噛まずに飲み込んだ場合，のどにつまらせる危険性がある．

こんにゃくゼリー　左：白桃味，中：ぶどう味，右：レモン味（平 宏和）

🍬 ゼリーキャンデー

成 15107　英 jelly candy

砂糖と水あめでつくった糖液を凝固剤で冷却凝固したものである．凝固剤としては，ゼラチン，ペクチン*，寒天などのゲル化剤が使われる．用い

寒天ゼリーキャンデー（平　宏和）

る凝固剤によって，ゼラチンゼリー，ペクチンゼリー，寒天ゼリーキャンデーと呼ばれる．また，冷却凝固には冷却板やスターチモールドが使われる．スターチモールドとはスターチ（でん粉）を平たく盛り，水分5〜6％，温度25〜40℃ぐらいに保ち，いろいろな型でくぼませたものである．

●寒天ゼリーキャンデー

成 15107（ゼリーキャンデー）　英 agar jelly candy

寒天を6〜10時間ほど水に漬ける．その後，加熱し，沸騰させてから砂糖や水あめを加えていったん107℃まで煮上げた後，80℃ぐらいまで冷却して，酸味，色，香りを付けて冷却凝固してつくる．

 ゼリービーンズ

成 15108　英 jelly beans

掛け物類*に入るゼリー糖菓．キャンデー類の一種で，その形が豆に似ているところからゼリービーンズの名称がある．

◇原材料・製法　原料はでん粉，砂糖，水あめと比較的単純であるが，製造には時間と手間がかかる．まず，原料を混合，加熱して軟らかいでん粉ゼリーをつくり，所定の型どりをしたコーンスターチの中に流し込む．これを一定の硬さになるまで乾燥して，糖掛け用ゼリーの芯をつくる．乾燥に要する時間は，60℃の乾燥室で1〜2日間が普通である．この乾燥ゼリーを回転釜に入れ，着色した粘性のある糖液とグラニュー糖を交互に掛けて糖衣を形成させる．最後のつやがけは，回転釜で食ロウなどを使うことによって，ゼリービーンズ同士がふれ合いながら，表面になめらかさと光沢を出す．このつやを安定させるために乾燥仕上げを行って製品とする．ゼリービーンズは，その光沢と色のバラエティ，噛んだときの適度な硬さが重要であるが，味付けとしてチョコレートやいろいろな香料が使われる．

セリフォン　⇨からし類
セルフィーユ　⇨チャービル

 セルリアック

分 セリ科オランダミツバ属（1年生草本）　学 *Apium graveolens* var. *rapaceum*　英 celeriac　別 セロリアック；セロリアク　和 根セロリ；いもセロリ

西洋野菜の一種．和名の通りセロリーの変種で，セロリーに似た味，香り，歯触りがある．フランス，ドイツでの栽培が多い．わが国でも長野でわずかに栽培されている．セロリーと違って根を食用とする．根は直径10cm程度の球状で，外側は茶色，内部は白色で，しわがよっている．表面がしっかりしていて重く，握りこぶしくらいの大きさのものを選ぶとよい．小さすぎると未熟で，大きすぎるとすが入って味が落ちるので注意する．収穫時期は秋である．

◇成分特性　100g当たり，水分88.8g，たんぱく質1.2g，糖類はしょ糖1.2g，果糖0.4g，ぶどう糖0.3g，β-カロテン当量26μg，ビタミンC 14mgが含まれる（英国食品成分表）．

◇調理　アクが強く，皮をむいて切ると変色してしまうので，レモン汁か酢水に浸して変色を防ぐ．

ゼリービーンズ（平　宏和）

セルリアック（平　宏和）

生のままでは硬いので，茹でてからサラダにしたり，スープ，シチューなどに用いる．

セロリ

成 06119（葉柄 生）　分 セリ科オランダミツバ属（1年生草本）　学 *Apium graveolens* var. *dulce*　英 celery　別 オランダみつば；セルリー

充実・肥大した茎を食用とし，肉食には欠かせない野菜である．ヨーロッパ，地中海沿岸諸国，近東，インド北部に野生種が分布している．古代から薬用・香辛料とされていたが，17〜18世紀頃にイタリアおよびフランスで野菜用に改良され食用とされるようになった．わが国では幕末になって栽培が始まった．

◇**品種**　葉柄*の色により，白色種，赤色種，黄色種，中間種，緑色種に区分するが，わが国では中間種（コーネル16，司619など）と緑色種（トール・ユタ10，ソルトレークなど）が栽培されている．葉柄が細く，中空のスープ・セルリーは原始的なタイプ．東洋在来種（芹菜；きんさい）には葉柄が中空のものと充実しているものとがあるが，葉色は淡い．これもスープ・セルリーというので，前者と混同しやすい．

　栽培：夏播き（10〜3月どり），高冷地の春播き（9〜11月どり）栽培が主体であったが，近年トンネル，ハウスを利用して，春播き（6〜7月どり），秋播き（4〜5月どり）も行われている．

　産地：長野，静岡，福岡，愛知など．

◇**成分特性**　一般成分は，いずれも他の野菜と比べ多い方ではない．ビタミン類もさほど多くはない．葉柄はしょ糖，ぶどう糖と果糖を含んでいる．またマンニトール（1.0g）を含む．無機質はカリウム，カルシウム，リン，ナトリウム*などを含んでいる．茎葉の遊離アミノ酸*は，アスパラギン，グルタミン，グルタミン酸が多い．

◇**保存**　低温貯蔵の最適温・湿度は0℃ 98〜100%で，2〜3カ月の貯蔵がきく．

セロリ（平　宏和）

◇**調理**　セロリーの食品としての価値は歯切れのよい肉質と爽快な香気で，特有の香りを利用する．セロリー自体を味わうにはサラダが最適であるが，そのほか，薄く切って日本料理では刺身，酢の物の取合わせに，西洋料理ではスープ煮，フリターあるいは裏ごししてピューレーなどの香味付けとする．加熱調理に用いる際は，軟らかさより香気が目的なので，緑色の部分を使うか，白い物でも外側の硬化した茎の部分を用いるのがよい．※新鮮な茎の歯切れよさを尊ぶ．白く軟らかい部分の筋をとり，食べる直前まで氷水につけてパリッとさせ，組織を新鮮に保ったものを，塩，ドレッシング，マヨネーズなどで食べる．※肉を使った煮物や炒め物に他の材料と混ぜて使うと，香りもよく味も引き立つ．

セロリシード

分 セリ科オランダミツバ属（1年生草本）　学 *Apium graveolens*（セロリ）　英 celery seed

セロリの種子を利用するスパイスで，青臭さとほろ苦さをもつ．ヨーロッパ原産のスモールエイジ（smallage）と呼ばれる野生型の種子である．

◇**成分特性**　精油*の主成分は，リモネン*とセリネン，そのほかセダノライドなどを含み，独特の青臭さは，このセダノライドによる．100g当たりの成分値は，エネルギー 392 kcal（1,640 kJ），水分6.0g，たんぱく質18.1g，脂質25.3g，炭水化物41.4g（食物繊維11.8g），灰分9.3gである（米国食品成分表）．

◇**調理**　ピクルス，トマトジュース，各種ソースなどに用いられる．また，サラダ，スープ，シチューなどにも使われる．※セロリーソルトは手軽に使えるテーブルスパイスとして，セロリーシードの粉末1に食塩3の割合で配合されたものである．粉末セロリーシード3にこしょう7ぐらいの配合でつくるセロリーペッパーも便利である．

煎茶（せんちゃ）　⇨緑茶
せんなり　⇨はやとうり
せんべい　⇨べいか（米菓）
ぜんまい　⇨うしの副生物（第三胃）

ぜんまい　紫萁；薇

成【生ぜんまい 若芽】06120（生），06121（ゆで），【干しぜんまい 干し若芽】06122（乾），06123（ゆで）　分 ゼンマイ科ゼンマイ属（多年生シダ

せんまい漬（平　宏和）

上：ぜんまい，下：ぜんまい水煮（平　宏和）

学 *Osmunda japonica*　英 royal fern　旬 春

秋に枯れるシダの仲間で，大型の塊状の根茎＊より黒色の硬い根を数多く生じ，岩場にも生育する．春に根茎より栄養葉＊と胞子葉＊とがまざって綿帽子をかぶって束生する．胞子葉は栄養葉より若干早く萌芽する．これは一般には食用にしない．胞子葉は粒状となり，胞子囊＊を束生して直立する．栄養葉は2回羽状複葉で，葉は7〜10cmの楕円形をしている．丘陵地帯から高山までの森林，原野，湿原などに集団をつくって自生する．日当たりのよいところより林内とか谷に面した斜面の湿地帯などに好んで自生する．

◇採取　春の若芽で，まだ渦巻状になっており，綿帽子の破片が巻きついている頃の軟らかいところから摘み取る．

◇調理　そのままでは苦味が強いので，0.5％の重曹でアク抜きするか，木灰をふりかけて，沸騰した湯をかけ，一晩放置して流水でよく洗い，アク抜きをする．※干しぜんまいを湯でもどしたものを，こんにゃくや油揚げなどとともに煮物にして食べる．

 せんまい漬 千枚漬

英 Senmai-zuke

◇原料　京都の特産とされている聖護院かぶを原料とした甘酢漬である．かぶは若採りの，すの入っていないものがよい．

◇漬け方　かぶを水洗いし，表皮を厚めにむき，定規付きの特殊な庖丁か一定の厚さにした大型のカンナで，3mm程度に薄切りする．これを容器に1枚ずつ並べて食塩をふりかけ，これを繰り返して容器一杯にする．食塩の量は2％である．押し蓋をして原料の1/2の重石をのせる．2〜3日して十分に漬け汁があがってきたら本漬に移す．本漬は，水に浸した板昆布を一面に敷き，その上にかぶを並べ，食塩と調味料をまきながら漬け込む．時々，板昆布と赤唐辛子の輪切りをはさむ．容器一杯になったら押し蓋と重石をのせる．2〜3日後には食べられる．調味料の配合割合は，下漬かぶ10kgに対して板昆布300g，砂糖150g，みりん200mL，食塩70g，食酢800mL，クエン酸20g，赤唐辛子少々である．

そ

 そい 曹以

分 硬骨魚類，メバル科メバル属　学 *Sebastes schlegelii*（クロソイ）英 Korean rockfish　別 標 くろそい　地 くろぞい（北海道）；くろから（富山）；わが（愛知）　旬 3〜5月

そいと呼ばれる体色が褐色がかったかさご類には各種ある．上記学名のクロソイはサハリン，北海道から九州，朝鮮半島に分布する．浅い海の岩礁域に生息する．全長は50cmくらいになる．体の色は暗灰色で，背側に黒い帯紋がある．そいの中では，最も美味である．同属はごまそい，しまそい，むらそいなどがある．

◇調理　そいは磯臭さがあるが，淡白な食味に人気があり，鮮度のよいものは刺身にすると美味である．焼き物，煮物，酒蒸し，鍋物と用途の広い魚である．なお，おろす場合，鋭い棘に注意する．

● ごまそい
胡麻曹以　学 *Sebastes nivosus*　英 snowy rockfish　別 地 かみしも（東京）；ごますり（宮城）；ごまぞい（北海道）　旬 3〜5月

全長40cmくらい．その名のようにごまのような白い斑点がある．北海道から山口県，神奈川県にかけて分布する．それほど美味な魚ではない．

● しまそい
縞曹以　学 *Sebastes trivittatus*　英 threestripe rockfish　標 しまぞい　別 地 きぞい；まぞい；むらぞい（北海道）　旬 3〜5月

全長35cmくらい．体の側に2本の黒い縞模様がある．福島県・島根県以北，朝鮮半島にかけて分布する．さほど美味なものでない．

● むらそい
斑曹以　学 *Sebastes pachycephalus*　英 spotbelly

しまそい（本村　浩之）

rockfish　別 地 ごまかし；なつばおり（小名浜）；もぶし（下関）　旬 3〜5月

全長35cmくらい．腹側に多数の黒斑がある．北海道以南，朝鮮半島南部に分布．それほど美味でない．

 そうぎょ 草魚

分 硬骨魚類，コイ科ソウギョ属　学 *Ctenopharyngodon idella*　英 grass carp　別 ツァーヒー（台湾での呼称の訛）；くさくいうお（俗称）

全長1.5mの淡水魚．こいによく似ているが，口ひげがなく，背びれが短い．草色の魚で，草をよく食べるところから名が付けられた．大河川の下流域や平野部の湖沼に生息する．中国原産であるが，長江から国内に移植され，利根川・江戸川水系で繁殖している．環境省が生態系被害防止外来種に指定．中国料理のこいの代用となるが，骨が多い．そうぎょはこいより，練り製品には向いているが，小骨が多いことが問題である．調理法としては"紅焼（ホァンシャオ）"がごく一般的である．家庭では切り身を鍋物などに用いる．

そうだ節　⇒かつお
そうはち　⇒かれい

くろそい（本村　浩之）

むらそい（本村　浩之）

そうめん　素麺

成【そうめん・ひやむぎ】01043（乾），01044（ゆで），【手延そうめん・ひやむぎ】01045（乾），01046（ゆで）　英 Somen；(a kind of white salted noodles)

小麦粉を原料とする乾麺の一種で，うどん，ひやむぎより麺線が細い．そうめんは，奈良時代は，索麺（さくめん）と呼ばれていた．索（なわ）のような麺という意味である．

◇製法
機械製麺と手作業による手延べ製麺に分けられる．

機械製麺：小麦粉に食塩と水を加え，ミキサーで練り合わせてグルテンを形成させ麺帯を切り出し，乾燥する．食品表示基準*では，「乾めん類」のうち，長径1.3mm未満に成形したものとしている．

手延べ製麺：小麦粉に食塩・水を加え，練り合わせたものに麺線の付着と乾燥を防ぐため食用油（綿実油など）を塗付し，よりをかけながら順次引き延ばして麺状とし，乾燥する．製造期間としては，11月より翌年3月末頃までの，湿度が低く寒い時期に手作業によりつくられ，天日で乾燥し倉庫内で梅雨期を過ごす，いわゆるヤク（厄：一種の高温発酵；熟成）を済ませてから出荷する．このような加工法のため，十分にグルテンが形成され，またヤクを済ますことにより油臭さがとれ，独特の食感をもった製品となる．製品は，麺線を引き延ばすため切断面が円形となる．食品表示基準では，「乾めん類」のうち，長径が1.7mm未満で丸棒状に成形したものは「手延べひやむぎ」または「手延べそうめん」と表示することができ，日本農林規格*（JAS）では，手作業の工程と熟成

特産そうめん　上：白石温麺，中：大門素麺，下：五色素麺（平　宏和）

期間を生産の方法として明示している．

産地：小麦の生産地における農家の副業として発達したため，三重，奈良，兵庫，岡山，香川，長崎などの各県が主産地となっている．奈良県の三輪で生産される三輪そうめん，兵庫県の龍野そうめんなどが有名である．

食味：手延べ麺は機械製麺に比べ，食味がよいとされている．手延べ麺は製造工程において生地のグルテンが麺線の方向によりをかけながら引き延ばされるため，茹でた麺は強い弾力があり，口当たりがなめらかで，歯切れがよく，歯応えの硬い食感がある．

●**白石温麺（うーめん）**
400年以上の歴史を持つ宮城県白石市の特産品で，長さは約10cmと通常の1/2ほどである．麺生地同士の付着防止のため食用油を使わず，打ち粉を使い手延べで製麺していたが，明治後期に機械製麺が始まり，第二次世界大戦後，手延べ製麺は皆無となった．現在，手延べ製麺が復活したが，機械製麺が主流である．

●**大門（おおかど）素麺**
160年以上の歴史を持つ富山県砺波市の大門地区特産の手延べそうめん．麺の製法は一般の手延べと同じだが麺が長く，半乾燥のとき，丸まげ状に

上：そうめん（青巻：手延べ製麺，赤巻：機械製麺）下：そうめん断面（左：手延べ製麺，右：機械製麺）
（平　宏和）

丸めて4個を和紙で包装し，時間をかけて乾燥させる．茹でるときには麺を二つに割って用いる．

● 五色（ごしき）そうめん

通常の白のほか，茶・黄・赤・緑に着色された五色のそうめん．愛媛県松山市の名産品．1635（寛永12）年，松平定行が伊予松山藩へ国替えの際，伊勢桑名から移住し創業した長門屋の八代目が，1722（享保7）年，紅花，クチナシなどで着色したそうめんを考案し，江戸時代，朝廷や将軍にも献上された．現在の着色は，茶はそば粉，黄は卵，赤は梅肉，緑は抹茶であるが，天然着色料も使われている．

ソース

成 17001（ウスターソース），17002（中濃ソース），17003（濃厚ソース），17085（お好み焼きソース）
英 sauce

西洋料理に使われる液体または半流動体の複合調味料の総称．煮込み月のように，料理をつくるときの素材として用いられるものが多い．日本では，ソースというと普通，ウスターソースやとんかつソースなどの食卓用ソースを指す場合が多い．

◇ 種類・分類　料理用ソースと，食卓に置く食卓用ソースとに区分される．

食卓用ソース：『食品成分表』では，ウスターソース類として，ウスターソース，中濃ソース，濃厚ソースの3つに分けられている．この区別は日本農林規格*（JAS）に定められた粘度によっている．濃厚ソースは，とんかつソースと呼ばれる．さらに『食品成分表』2015年版には，お好み焼きソースも加えられた．そのほか，みりん，食酢，にんにく，ごま油などを配合した焼き肉用のたれ類が，バーベキューソースなどの名で市販されている．

料理用ソース：西洋料理でよく使用されるソースには，タルタルソース，ホワイトソース，ブラウンソース，グレービーソースなどがある．また，菓子用ソースでは，カラメルソースをはじめ，各種のフルーツソースや洋酒の風味を効かせたソースがある．これらのソースは基本的には手作りするが，手軽に使える市販品も出ている．

その他，トマトケチャップやウスターソースをベースとしたスパゲッティソース，ピザソースなどをはじめ，ナンプラーやスイートチリソースなどのエスニックソースなど，さまざまなタイプのものが市販されている．焼き肉のたれやステーキソースなども広義のソースと考えられるが，これ

左からウスターソース，中濃ソース，濃厚ソース
（平　宏和）

にも，用途別にいろいろのものがある．ごま油や各種サラダ油の使われたものでは，古くなると油の酸化が起こるから注意しなければならない．原材料はしょうゆ，醸造酢，風味調味料，サラダ油，ごま，にんにく，たまねぎ，果汁，ワイン，みりん，みそなど，対象とされる食材の種類別にそれぞれ工夫されている．商品形態としてはびん詰，アルミパックやプラスチック容器入りなど，各種がある．

● ウスターソース類

英 common type Worcester sauces

日本農林規格*（JAS）では，野菜もしくは果実の搾汁，煮出汁，ピューレーまたはこれらを濃縮したものに砂糖類（砂糖，糖蜜および糖類をいう），食酢，食塩および香辛料を加えて調製したもの，あるいは，これにでん粉，調味料等を加えて調製したものであって，茶色または茶黒色をした液体調味料をいうと定義される．ウスターソース類には，粘度0.2 Pa・s未満のウスターソース，粘度0.2 Pa・s以上2.0 Pa・s未満の中濃ソースと粘度2.0 Pa・s以上の濃厚ソースがある．ウスターソースは，英国のヘレフォード・ウスター県のウスターという町でつくられたソース（インドの総督だったサンディ卿がその処方を伝えたとされるLea & Perrin's sauce）であった．このタイプのソースが明治時代に日本に伝わり，日本独自の発達を遂げて広く使用されるようになった．洋風料理には何でもソースをかけるという風習が定着した背景には，しょうゆが日本の社会に欠かせない食卓調味料だったことも影響していると考えられる．

製法：野菜や果実の煮汁に香辛料や調味料を配合して熟成させる．原料にはトマト，りんご，たまねぎ，にんにく，セロリーなどが多く使われている．酸味料としては果実酢を使ったものが風味がよい．香辛料にはこしょう，ナツメグ，フェンネル，赤唐辛子，クローブ，ベイリーブス（ローレル），セージなど十数種類が使用される．

◇**成分特性** 濃厚タイプのものは，とろみをつけるためにコーンスターチなどのでん粉類やカラギーナン*，各種ガムなどの増粘剤が含まれるので比重が大きい．

◇**保存** びん詰は栓を開かなければ，3～4年は風味は変わらない．プラスチック容器は1～2年を目安とする．開栓したものは，口もと近くを清潔にしてかたく栓をしておく．ソースには合成保存料は使われていないが，食酢，食塩，香辛料などの作用で，開栓後もそのまま数カ月は保存できる．中濃ソース，とんかつソースは冷蔵庫に保存する方がよい．

◇**調理** 日本では古くから，テーブルに置いてコロッケやカツなどにそのままかける食卓用ソースとして使われてきた．しょうゆとともに現在でもこの使われ方は多い．トマトケチャップ，ワインなどに合わせて，さらに風味のあるソースとして利用することができる．また，煮込み料理や焼き物，炒め物，焼きそばなどの味付けや下味を付けるのにも利用できる．

ソーセージ

成 11186　英 sausages

ソーセージの語源はラテン語のsalsus（塩）から来ている．ソーセージとは，本来生肉または塩漬け肉（可食内臓を含む）を細切りし，調味・香辛料を加え練り合わせたもの，あるいはそれらに他の調理素材（穀類・野菜など）を加え，練り合わせたもの，およびそれらを燻煙，ボイル，乾燥した，要するに細切り肉製品をいう．その代表的なものは，古くから腸，膀胱などの可食ケーシングに詰めてつくられる．ソーセージを腸詰と訳すのはそのためである．その歴史は紀元前1000年に遡る．

◇**種類** ソーセージは，使用する原料肉やその他の調味素材の種類および配合割合によって区別され，その種類は極めて多く，西洋では辞書がつくれるぐらいあるといわれている．大別すると水分が多いドメスティックソーセージ（ウインナー，フランクフルト，ボロニア，レバーソーセージなど）と，乾燥して長期保存を目的としたドライソーセージに分けられる．また，ケーシングに充填していない，燻煙していないなどの相違点もあるが，ランチョンミート*をソーセージの一種と考えることもある．

◇**品質特性** ソーセージの良否は形状，色，香味のほか，しまり，弾力などによって見分ける．種類によって基準が違い，一概にいえないが，一般に変形の少ない均一な外観で，色は明るいピンク系統の色，香味はあまり強くなく，肉質は硬くしまっている中に弾力の感じられるものがよいとされる．

◇**規格** わが国では次の11種類，すなわち，セミドライソーセージ，ドライソーセージ，加圧加熱ソーセージ，無塩漬ソーセージ，ボロニアソーセージ，フランクフルトソーセージ，ウインナーソーセージ，リオナソーセージ，レバーソーセージ，レバーペースト，加圧加熱ソーセージにつき日本農林規格*（一般JAS）が設けられている．また，特定JAS規格として，熟成ボロニアソーセージ，熟成フランクフルトソーセージ，熟成ウインナーソーセージについて規格が設けられている．JASでは，使用し得る材料や添加物とそれらの使用量，および品質基準，表示方法が規定されている．表示は食品表示法*に基づくもののほか，原材料名，賞味期間，保存方法を記載することとなっている．

◇**成分特性** 栄養価は種類によって著しく異なるが，成分値から大別すると，ドメスティックソーセージ，ドライソーセージ，内臓入りのソーセージの3つに分けられよう．ドメスティックソーセージは100g当たり，水分60g前後，たんぱく質13～15g，脂肪20～25g，炭水化物3～7gのものである．主原料が畜肉であり，それを軽く加熱したものであるから，栄養的には調理肉とあまり変わらない．微量成分で異なる点はナトリウム*とビタミン類である．ナトリウムは食塩のほか各種添加物に含まれ，多くなる．ビタミンは加熱や経時的変化によって減少する．ただし豚肉の使用いかんによってB_1，B_2が若干多くなる．ナイアシン*，Cについては添加物のため多くなることもある．ドライソーセージでは，乾燥により水分が減少し，その分だけ各種成分が増す．内臓入りのソーセージでは，ドメスティックソーセージに比ベナトリウムが少なく，リン，ビタミンが多く，特に肝臓を用いたものはビタミンAが著しく多くなり，よい栄養源となる．

◇**保存** ソーセージは製品の種類により著しく保存性が異なる．最短は2～3日のものから最長は6カ月を超す．消費期限*，賞味期間の明示が必要なのもこのためである．

◇**調理** 歯切れのよい皮（天然腸またはケーシング）の弾力とゲル状の中身のなめらかなテクスチャーとを特色とする．また複雑な香辛料の香りもソーセージの特徴の一つである．サンドイッチ，

サラダ，冷肉料理などには，加熱せずに用いる．サラミソーセージのように乾燥したものはそのまま切って洋酒のつまみにする．※加熱調理にも広く用いられ，炒め物や煮込み，ピザなど，ヨーロッパ各地（特にドイツ）の地域性豊かな料理がある．※多様な原料を配合して一つの味として完成させたソーセージは，他の食品に味を移すよりも，あくまでもソーセージの持ち味を生かすように，なるべく大きな形のままで加熱するのがよい．そのままボイルもしくは焼くか，または大きく切って野菜とともに煮る．小型のウインナーソーセージは，乾式加熱でも熱が内部まで伝わりやすい．

●ウインナーソーセージ
成 11186（ぶた），11306（ぶた ゆで），11307（ぶた 焼き），11308（ぶた フライ） 英 Vienna (Wiener) sausage

オーストリアのウィーンで生まれたスモークソーセージ．羊腸に詰め，燻煙，湯煮する．わが国でも最も馴染み深い．日本農林規格＊（JAS）の規定で，「ケーシングに羊腸を使用したもの，または製品の太さが20mm未満のもの」とされている．

●サラミソーセージ
成 11188（ドライソーセージ） 英 salami sausage 別 サラミ

ドライソーセージのうち，肉をより粗く挽き，水を加えることなく練り，ケーシングには隙間なく固く詰め，低温で自然乾燥したもの．長期保存可能で，夏場でももつようにしたもの．産地によってさまざまのものが作られ，名を博している．粗挽きの牛・豚肉，豚脂肪の基本原料に，調味料，香辛料，発色剤，ワインなどを加える．JASでは原料肉に牛肉と豚肉を用いるもののみをサラミと称することと定義している．『食品成分表』では，ドライソーセージとして収載されている．

●セミドライソーセージ
成 11187（ぶた） 英 semi-drysausage

セミドライソーセージは，本来は乾燥度の低いドライソーセージのことであるが，乾燥の進むことを防ぐために加熱することが多く，一般には乾燥

ウインナーソーセージ（平 宏和）

セミドライソーセージ（平 宏和）

後加熱する製品と解されている．代表的な製品の一つであるモルタデラ（Mortadella）は，豚の多脂肪肉を除き，牛，豚の塩漬け肉を細めのプレートを通してチョッパーで挽く．これに3分間カッターにかけた豚の多脂肪肉，約1.5cm角の豚背脂肪，香辛料などを合わせ，大型のケーシングに充填後，燻煙する．

●ドメスティックソーセージ
英 domestic sausage

ドメスティックの名前どおり，本来は家庭的な手作り風のもので，日本ではドライソーセージに対応する種類のソーセージを指す．水分が多く風味はよいが，ドライソーセージと比較して貯蔵性は劣る．豚ひき肉と調味・香辛料を練り合わせ単に豚腸に詰めただけのフレッシュポークソーセージ，豚肉や牛肉を塩漬けし，そのひき肉にその他の調味素材を加えて羊腸に詰め，燻煙したウインナーソーセージ，同じ製法であるがケーシングの大きさの異なるフランクフルトソーセージやボロニアソーセージ，肝臓に肉や脂肪を混ぜボイルしたレバーソーセージなどがある．

●ドライソーセージ
成 11188（ぶた） 英 dry sausage

乾燥させ，長期保存できるようにしたソーセージ．塩漬けした牛や豚のあらびき肉に香辛料を加えて牛大腸に詰め，乾燥・燻煙したサラミソーセージ，サラミソーセージより塩漬け肉をさらに細かく挽いて，それに豚脂を加えて，豚腸などに詰めたセルベラート，乾燥度が低くボイルを行うモルタデラなどが知られる．日本農林規格（JAS）の規定では，セミドライソーセージ（原料が畜肉のみであって，水分が55%以下のもの）とドライソーセージ（原料が畜肉のみであって，加熱しないで，乾燥したもので，水分が35%以下のもの）を区別している．

●生ソーセージ
成 11194（ぶた） 英 fresh sausage 別 フレッ

ドライソーセージ 「カルパス」として製造されたもの（平　宏和）

ボロニアソーセージ（平　宏和）

シュソーセージ
ドメスティックソーセージのうち非加熱のものの総称．原料のひき肉に，調味料や香辛料を混ぜ，ケーシングに詰めただけのもの．燻煙も加熱も行っていない．新鮮なうちに，焼いたり，煮たりと加熱して食べる．わが国では生肉とみなされるため，添加物の使用も，ソーセージの名称も許可されていない．冷凍輸入品が，一部で流通している．

●**フランクフルトソーセージ**
成 11189（ぶた）　英 Frankfurter；Frankfurt sausage　別 フランクフルター
ドイツのフランクフルト地方で生まれた大型のスモークソーセージの一種．主原料は豚肉で，豚腸または人工ケーシングに詰め，燻煙，湯煮したもの．JAS の規定で，「豚腸を使用したもの，または太さが 20 mm 以上 36 mm 未満のもの」とされている．

●**ボロニアソーセージ**
成 11190（ぶた）　英 Bologna sausage　別 ランチョンソーセージ
イタリアのボロニア地方で生まれた大型のスモークソーセージ．原料は牛肉と肉以外の副生物を加え，牛腸に詰め燻煙，湯煮する．JAS の規定では，「ケーシングに牛腸を使用したもの，または太さが 36 mm 以上のもの」とされている．

●**リオナソーセージ**
成 11191（ぶた）　英 Lyoner sausage
JAS の規定で，「原料肉が畜肉のみであって，グリンピース，ピーマン，にんじん，穀粒，ベーコン，ハム，チーズなどの種ものを加えたもの」とされている．南仏のリヨン地方の原産なので，この名がある．その後はドイツで発展した．原料肉には豚のもも肉や牛肉を用い，細切りした脂肪，副菜，白こしょう，ナツメグ，カルダモンなどの香辛料を混ぜ合わせ，太めのケーシングに詰めて燻煙，湯煮する．

リオナソーセージ（平　宏和）

●**レバーソーセージ**
成 11192（ぶた）　英 liver sausage
牛・豚のひき肉にこま切れのレバー（肝臓）を混合してケーシング詰めし，湯煮したもの．JAS の規定で，「原料に畜肉と肝臓を使用したもので，肝臓の重量が 50% 未満のもの」とされている．

即席みそ　⇨みそ

フランクフルトソーセージ（平　宏和）

即席麺

🅰【即席中華めん 油揚げ】01056（味付け），01057（乾 調味料等含む），01144（乾 調味料等含まない），01189（ゆで 調味料等含まない），01198（調理後全体 調味料等含む）
【即席中華めん 非油揚げ】01058（乾 調味料等含む），01145（乾 調味料等含まない），01190（ゆで 調味料等含まない），01199（調理後全体 調味料等含む）
【中華カップめん 油揚げ】【焼きそば】01060（乾 調味料等含む），01202（調理後全体 調味料等含む），【しょうゆ味】01191（乾 調味料等含む），01192（調理後めん スープ残し），01200（調理後全体 調味料等含む），【塩味】01193（乾 調味料等含む），01194（調理後めん スープ残し），01201（調理後全体 調味料等含む）
【中華カップめん 非油揚げ】01061（乾 調味料等含む），01195（調理後めん スープ残し），01203（調理後全体 調味料等含む）
【和風カップめん 油揚げ】01062（乾 調味料等含む），01196（調理後めん スープ残し），01204（調理後全体 調味料等含む）　🄴 precooked noodles

即席麺類は昭和33（1958）年に市場に初めて登場し，その即席性，新規性，簡便性，大衆性のために急速に消費量が増大した．初めは味付け麺であったが，昭和36年頃からスープ別添えのものが市販され，これが即席麺の主流となった．また，昭和46年には，即席性の最も高いカップ麺（スナック麺）が市販され，レジャー食品として若年層に広く受け入れられた．また，常温で長期保存できる茹で麺が，ロングライフ麺と呼ばれ市販されている．

日本農林規格*（JAS）では，即席麺とその添付調味料，かやくを次のように定義している．
・即席麺
①小麦粉またはそば粉を主原料とし，これに食塩またはかんすい（梘水）その他麺の弾力性，粘性などを高めるもの等を加えて練り合わせた後，製麺したもの（かんすいを用いて製麺したもの以外のものにあっては，成分でん粉がアルファ化されているものに限る）のうち，添付調味料を添付したものまたは調味料で味付けしたものであって，簡便な調理操作により食用に供するもの（凍結させたものおよびチルド温度帯で保存するものを除く）．
②上記①にかやくを添付したもの．
・添付調味料：直接または希釈して，麺のつけ汁，かけ汁などとして液状またはペースト状で使用されるもの（香辛料などの微細な固形物を含む）．
・かやく：ねぎ，メンマなどの野菜加工品，もちなどの穀類加工品，油揚げなどの豆類の調整品，チャーシューなどの畜産加工食品，わかめ，つみれなどの水産加工食品，てんぷらなど，麺および添付調味料以外のものをいう．
◇**分類**　即席麺類の種類は多く，さまざまな製品があるが，麺の特性などにより，即席中華麺，即席和風麺，即席カップ麺（中華・和風スタイル）に分類され，製法としては，油揚げ麺では製麺―蒸し―型詰め―油揚げ―冷却―包装の工程で，非油揚げ麺（アルファー化乾燥麺）では，油揚げの工程の代わりに熱風乾燥の工程が入る．カップ麺では蒸しの工程の次に調味液に浸漬，または調味液の噴霧の工程とこれを軽く熱風乾燥する工程が入り，さらに油揚げ―冷却―カップ詰（粉末調味料・味付けかやくの添加）―包装の工程となる．

そこだら　底鱈

🄳 硬骨魚類，タラ目ソコダラ科　🄴 whiptails；grenadiers；rattails

そこだら類は各種あるが，体は細長く側扁し，後方は次第に細くなっている．眼は大きく，下顎の下にひげがある．そのため名前にひげと付けられているものが多い．世界各地の深海に分布している．国内からは70種が知られており，種類・数

即席麺　左から：即席中華麺（油揚げ味付け），油揚げ，非油揚げ，即席カップ麺（中華スタイル），即席カップ麺（和風スタイル）（平　宏和）

は多いが，大部分は小型で漁獲高は少ない．底曳網で漁獲される．地方名はほとんど種類による区別なしに，神奈川県でちょ，茨城県でとうじん，愛知県ででんぴ，高知県でねずみと呼んでいる．

◇**成分特性** 頭が大きいので可食部の歩留りが低い．成分的にはたら類より水分がやや多く，その分たんぱく質が少ない．その他はたら類と大差ない．

◇**保存・加工** そこだら類は現在，底曳網の漁獲物に多量に混獲されても，主にフィッシュミール（魚粉）の原料とされ，ほとんど食用とされない．ただ地方的には惣菜物や練り製品原料として利用されており，たら類同様，珍味加工やすり身原料としても使える．

◇**調理** 深海魚で鮮度のよいものは入手しにくく，調理にはあまり用いられないが，新鮮なものは白身魚として吸い物の椀種にしたり，たらのようにちり鍋にする．

●**いばらひげ**
茨鬚　分 ホケダラ属　学 *Coryphaenoides acrolepis*
英 Pacific grenadier
全長 80 cm．土佐湾以北の太平洋岸，ベーリング海，北太平洋に分布．水深 300〜3,700 m の砂泥底に生息する．吻は尖らず，眼と口は大きい．腹びれは 8〜9 軟条．第 2 背びれ起部は臀びれ起部より前に位置する．体色は黒褐色．美味で吸い物種に使う．

いばらひげ（本村　浩之）

●**おにひげ**
鬼鬚　分 トウジン属　学 *Coelorinchus gilberti*　英 ogre grenadier　別 しょうのふえ
全長 70 cm．北海道から四国の太平洋岸，九州・パラオ海嶺に分布する．水深 260〜930 m の砂泥底に生息する．吻は尖り，吻の下面に鱗がなく，多くの皮弁がある．発光器は肛門付近にのみある．

●**さがみそこだら**
相模底鱈　分 ミサキソコダラ属　学 *Ventrifossa garmani*　英 serratespike grenadier
全長 40 cm．東北地方から九州の太平洋岸，東シナ海，台湾，フィリピンの水深 200〜720 m の海底に生息する．吻が短く，口はやや大きい．腹部と鰓膜は青黒色．惣菜物に用いられる．

さがみそこだら（本村　浩之）

●**そこだら**
底鱈　分 ネズミダラ属　学 *Nezumia kamoharai*
英 grenadier
全長 40 cm．千葉県沖と相模湾からのみ知られている．吻端*中央部にある突起は未発達．腹びれは 13 軟条．

●**そろいひげ**
揃鬚　分 トウジン属　学 *Coelorinchus parallelus*
英 spiny grenadier
全長 45 cm．相模湾以南の日本から東インド洋と西太平洋の水深 400〜1,050 m の海底に生息する．吻は尖り，その下面は鱗で覆われる．まばらひげは最近そろいひげと同種とされた．惣菜物や練り製品原料に用いられる．

●**とうじん**
唐人　分 トウジン属　学 *Coelorinchus japonicus*
英 hardheaded grenadier　別 ひげ　地 とうじん（各地）；てんぴ（愛知）；ねずみ（高知）；ひげ（三崎）
全長 70 cm．岩手県から土佐湾の太平洋岸，富山湾から九州北部の日本海岸，朝鮮半島，東シナ海，台湾に分布する．水深 240〜1,000 m の砂泥底に生息する．吻は尖り，その下面は鱗で覆われる．練り製品原料．

とうじん（本村　浩之）

●**ひもだら**
紐鱈　分 ホカケダラ属　学 *Coryphaenoides longifilis*　英 filamented grenadier
全長 90 cm．北海道から土佐湾の太平洋岸，オホーツク海，ベーリング海の水深 550〜2,025 m の砂泥底に生息する．吻は尖らず，丸みを帯びる．腹びれが著しく伸長する．

●**むぐらひげ**
土竜鬚　分 トウジン属　学 *Coelorinchus kishinouyei*
英 molenose grenadier

むぐらひげ（本村　浩之）

全長36cm．千葉県から高知県の太平洋岸の水深180〜680mの砂泥底に生息する．吻は短いが尖る．胸びれ基部上方に1黒色円斑がある．

●**むねだら**
胸鱈 分 ホカケダラ属 学 *Coryphaenoides pectoralis* 英 breast grenadier；pectoral rattail
全長1.5m．北海道から伊豆半島，オホーツク海からアラスカを経てカリフォルニアに分布する．水深140〜3,500mの砂泥底に生息する．吻は短いが尖る．口は大きく，上顎後端が眼の後縁を越える．

●**やりひげ**
槍鬚 分 トウジン属 学 *Coelorinchus multispinulosus* 英 spearncse grenadier 別 いなせひげ 地 とうじん（宮城，神奈川）；ねずみ（高知）
全長40cm．福島県・新潟県から九州，朝鮮半島，東シナ海，台湾に分布する．水深140〜500mの砂泥底に生息する．吻は長く，尖る．体側に明瞭な虫食い模様がある．冬季は美味．練り製品原料に用いられる．

やりひげ（本村　浩之）

 その他の醸造酒

平成18年度に改正された酒税法で新設された酒類の品目の一つである．「その他の醸造酒」は穀類，糖類その他の物品を原料として発酵させた酒類（醸造酒）のうち，清酒，果実酒を除く，アルコール分が20度未満のもの（エキス分が2度以上のものに限る）と定義されている．この中には，濁酒*，紹興酒*等が入る．

 そば　蕎麦

分 タデ科ソバ属（1年生草本）　学 *Fagopyrum esculentum* 英 buckwheat 別 古 そばむぎ

原産地は東アジアの温帯北部，バイカル湖から中国東北部に至る冷涼地域といわれている．わが国へは，中国から朝鮮を経て渡来したと考えられている．古い記録として養老6（722）年に旱ばつに備えるため，そばの栽培を奨励した元正天皇の詔勅が『続日本紀』にみられる．冷涼な気候に適し，山地・やせ地・乾地に生育し，生育期間が60〜80日と短いので，救荒作物あるいは山間部の作物として普及されるようになった．なお，北アジア・シベリア・中国などでは，ダッタンそば（*Fagopyrum tartaricum*）が栽培されており，ルチン含量は多いが苦味がある．

◇**分類**　4月（暖地）〜6月上旬（北海道）に播種し，6月中旬（暖地）〜8月中旬（北海道）に収穫されるものを夏そば，7月（北海道）〜9月上旬（暖地）に播種し，9月中旬（北海道）〜11月中旬（暖地）に収穫されるものを秋そばと呼ぶ．秋そばは，夏そばより広く栽培され，収量・色・香り・味ともに良好である．なお，一般に新そばという場合は，新しい秋そばのことである．

◇**品種**　栽培品種については，そばが他家受粉植物のため遺伝的に不純であり，ほとんどが在来品種である．品種は夏型・秋型・中間型に分けられるが，北海道では主に夏型品種が，それ以外の地域では主として秋型品種が栽培される．なお，そば殻の色より，赤そば（褐色）・黒そば（泥褐色）・銀そば（銀灰色）などと呼ばれることがある．

◇**形態**　そばの種子は瘦（そう）果で三角稜型をし，果皮（そば殻と呼ばれる部分）・種皮（表皮と海綿柔組織）・糊粉層*・胚乳*・胚*の部分よりなっている．糊粉層は緑黄色で1層の細胞よりなり，胚乳は発達してでん粉を満たし，胚は薄く広い子

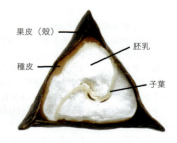

そば種子の横断面（平　宏和）

上：そばの花，中：そば　右は脱殻したもの，下：ダッタンそば（平　宏和）

葉を有し，胚乳内にS字状（Z字状のものもある）に包まれる．種子の大きさは，長さ7mm，幅5mm前後で，千粒重は20～30gである．

品質：国内産のほか，中国，米国などから輸入されているが，品質は国内産のものが最もよく，特に寒冷地のものの評価が高い．

◇**成分特性**　そばの加工品であるそば粉（全層粉）の栄養成分は，たんぱく質10％前後，脂質3％前後，主要成分であるでん粉は70％前後である．

たんぱく質：アミノ酸組成は含硫アミノ酸*は少ないが，リシン*，トリプトファンなどが多い．主要たんぱく質は，グロブリン*である．

脂質：脂肪酸組成はオレイン酸*およびリノール酸*が35％前後，パルミチン酸が16％前後，リノレン酸が2％程度となっている．

でん粉：アミロース*とアミロペクチン*の比は1：4程度で，糊化温度は64～68℃である．

ビタミン：ビタミンB_1，B_2が多く含まれ，ビタミンPの一つであるルチン*が15mg/100g程度含まれている．

◇**用途**　わが国では主としてそば粉として，そば切り（そば），干しそば，菓子（そばぼうろ，そばまんじゅう，そばらくがん），そば焼酎など，また，粒として，そば米の原料に用いられる．

●**ダッタンそば**

韃靼蕎麦　**分** タデ科ソバ属（1年生草本）　**学** *Fagopyrum tartaricum*　**英** Tartary buchwheat　**別** にがそば

普通のそばより高地や寒冷地で栽培され，中国南～中部での栽培が多いが，古くよりネパール，ブータンなどの山岳地帯の伝統的作物となっている．種子は三稜形であるが，稜線は波状で，光沢がない．粉は黒く，苦味がある．ルチンが多く含まれるところから（そばの100～200倍），その生理機能が注目されている．

そば（めん類）

成 01127（生），01128（ゆで），01129（干しそば 乾）01130（干しそばゆで），01197（半生そば）　**英** Soba；buckwheat noodles　**別** そば切り

そば（そば切り）は，慶長年間（1600年前後）に始まったといわれている．それまでのそばの食べ方は，そば米やそばがきであった．江戸中期には，そば切りが広がり，庶民の暮らしにも欠かせないものとなった．今日では，そばといえばそば切りを指すまでになっている．初めはそば粉のみの生そばであったが，そば粉のみでは細いそばを打つことが難しいので，つなぎとして小麦粉が用いられるようになった．その混合割合により，一九，二八，同割などという．つなぎ粉の割合は，風味からいって，二八そば（小麦粉2割：そば粉8割）が望ましいが，現在では同割（どうわり）といわれ，等量または小麦粉がそれ以上のものが多いのが実状である．

◇**種類**　市販のそばは，生そば，半生そば，茹でそば，干しそば，冷凍そばに分けられる．

生（なま）そば：生地を切断したままの麺で，一般に茹でて食べるので，食味がよい．打ち粉をまぶした状態で包装され売られている．「そば屋」で調理して提供される「生（き）そば」（上等なそばを呼んでいた名残）とは異なる．生めん類の表示に関する公正競争規約では，そば粉30％以上，小麦粉70％以下の割合で混合したものを主な原料とし，これに水を加えて練り合わせた後，製麺したものとしている．規約の表示基準では，なま（生）のほか，加工したゆで，むし（蒸し），半なま（半生）があげられている．

半生そば：常法で製造された生そばを常温・加熱空気・湿熱空気などにより乾燥させたものであ

そば（平　宏和）

るが，高水分の段階で乾燥を止め，水分は干しそばより生そばに近い．土産用を中心に食味など乾麺の欠点を補うため開発されたものである．

茹でそば：生そばを沸騰水の中で加熱したもので，包装されて売られており，薬味やつゆを添付したものもある．

干しそば：そばの乾麺で，日本農林規格*（JAS）では，乾めん類のうち，そば粉を使用したものを指す．等級には，上級と標準があり，原料そば粉の配合割合（食塩以外の原材料および添加物に占めるそば粉の重量の割合）は，上級は50％以上，標準は40％以上としている．製めんで生そばと異なる点は，乾燥を速め，麺線の伸長防止のため，水に食塩水を使用している．風味はそばに劣る．

冷凍そば：急速冷凍したそばで，一般には茹でそばが利用されている．茹で時間が短時間でよく，業務用の流通が多い．

◇**製法**　手打ちと機械製麺がある．手打ちは，「一鉢，二延ばし，三庖丁」といわれているように，まず木鉢でこね，次いで麺棒で延ばし，そば切り庖丁で切ったものを茹で上げる．一方，機械製麺は明治30（1897）年頃から全国に普及し始めたもので，現在はほとんどが機械化されている．

◇**食べ方**　そば粉は小麦粉より吸水が早くのびやすい．そばのもり，ざるは茹でてすぐ冷やしたも

のをなるべく早く供する．そばの風味を生かすためには汁をあまり多くつけない方がよく，また歯触りを味わうにはあまりよく噛まずにのどを通すのがよいとされる．かけそばのように汁仕立ての場合もうどんのように煮込まず，湯の中で手早く温めて汁をかける．

 ## そばがき

英 Soba-gaki　別 そばねり

そば粉の最も原始的食形態で，江戸時代に今日のそば（そば切り）が広まるまでは，そば米やそばがきが主体であった．作り方は2通りあり，そば粉を熱湯で強くこね，餅状にしたもの（椀がき）と，鍋にそば粉と水を入れて加熱しながら練り上げるもの（鍋がき）がある．椀がきには沸騰した湯を用い，どちらの作り方でも器もあらかじめ温めておく．しょうゆつゆに大根おろしやねぎなどの薬味を添えて食べる．

 ## そば粉

成 01122（全層粉），01123（内層粉），01124（中層粉），01125（表層粉）　英 buckwheat flour

そば粉の製造は，石臼またはロール，あるいはその併用により行われる．まず殻を剥離し，風選，篩別でこれを除き，次いで胚乳部を1段，2段，3段と順次に製粉し，ふるい分ける．それらの各段でとれたそば粉は，それぞれ内層粉（一番粉），中層粉（二番粉），表層粉（三番粉）と呼ばれる．製造の初期工程で得られる内層粉は種子の中心部分で，ほとんどが胚乳*のみであり，白色で最も良質である．これで製造されたそば（そば切り）は，うま味と香りがあるが，粘りは少ないため，そばはつくりにくい．次に得られる中層粉は，殻，

そば粉　上左：全層粉，上右：内層粉，下左：中層粉，下右：表層粉（写真：平　宏和，撮影用食品提供：霧下そば本家）

種皮がある程度挽き込まれるので，やや緑褐色である．これで製造されたそばは，特有の香りと歯応え，そば特有のアクの強さと粘りがある．引き続き得られる表層粉で製造されたそばは，本来の香り，味，色調はあるが，ややきめが粗く，内層粉また中層粉によるものと比較するとかなり食味が劣る．これらの粉は用途に応じて配合し，各種のそば粉がつくられる．また，そば粉には，挽きぐるみといって，一番粉～三番粉に相当する部分を全部挽き込んだものがあり，全層粉ともいわれる．これから製造したそばは，色も黒くあまり良質ではない．そばは表層より内層になるに従い，炭水化物（主としてでん粉）を除いた各成分の含量は減少する．各成分における表層粉に対する内層粉の割合をみると，一般成分では炭水化物を除いて40%前後，無機質ではカリウム，マグネシウム*，リンが20～25%，その他は30～40%，ビタミンB群ではB₂の50%を除き，ほかは30%前後，食物繊維は25%となっている．また，そばに含まれているルチン*も表層部に多い．なお，そば粉は小麦粉とは異なり，胚*・糊粉層*などが挽き込まれているので，アミラーゼ*，マルターゼ，リパーゼ，プロテアーゼ，オキシダーゼなどの酵素が多く含まれ，その作用が強いので変質しやすい．購入後1週間以内に使いきるなど，貯蔵に注意が必要である．

そば焼酎　⇒焼酎

そばボーロ　蕎麦ボーロ

成 15062　英 Soba-boro；(Boro made from buckwheat and wheat flour dough)　別 蕎麦ほうる

京都の河道屋創製の焼き菓子．カステラや金平糖などとともに，南蛮菓子の一種とされる．小麦粉，そば粉に鶏卵，砂糖を加えてこね，薄くのばし，梅花型に打ち抜き，さらに真中を丸く打ち抜いて焼く．サクっとした歯応えと香ばしさをもつ．

そばボーロ（平　宏和）

そば米　そばまい

成 01126　英 Soba-mai；(parboiled buckwheat grain)　別 そばごめ；むきそば

そばは古くより長野地方ではそばまい，徳島地方ではそばごめ，山形地方などではむきそばと呼ばれて，粒食として利用されてきた．一般には玄そば（玄穀）を茹でたのち乾燥し，そば殻を取って丸抜きにしたものである．米と混ぜて炊いたり，雑炊・お茶漬とする．なお，粒食としては，ロシアでみられるような，殻を除いた粒または挽き割りにミルクあるいはバターをかけたスープ仕立てのかゆ（カーシャ）がある．

そば米（平　宏和）

そばまんじゅう　蕎麦饅頭

英 Soba-manju

本来は，そば粉を用いたものであるが，現在では上新粉とやまのいもを主原料としている．やまのいもを加えた饅頭は，じょうよ（上用）饅頭，また，やまのいもを使用することから，じょうよ（薯蕷）饅頭とも呼ばれる．上用饅頭は上新粉より細かい上用粉を使用するからともいわれ，そば饅頭はこれらから派生したものともいわれる．そば粉を用いたものは，本そば饅頭と呼ばれる．

◇製法　関東式と関西式があり，生地のこねつけ方がまったく逆である．関東式では，上新粉と砂糖を混ぜ合わせた中に，やまのいもをすり込んでこねつけるが，関西式では，すりおろしたやまのいもの中に砂糖を混ぜてから上新粉を混ぜる．

そばまんじゅう（本そばまんじゅう）（平　宏和）

そばもち そば餅

英 Soba-mochi

京都・尾張屋のそば餅が有名で、そば餅と呼んでいるが、そば饅頭の一種である.

◇由来　古く、そば粉を団子状にして焼いたものを「そば餅」と呼んでいたが、明治の初頭になって、そば粉を使った焼菓子を考案し、呼び名をそのままに「そば餅」にしたという.

◇原材料・製法　小麦粉、そば粉、鶏卵、砂糖に膨脹剤を加えた生地でこしあんを包み、上面に胡麻を振りかけ、オーブンで焼き上げる.

そばもち（平　宏和）

ソフトクリーム　⇨アイスクリーム

そぼろ

成 10210（たら 加工品 でんぶ）, 10448（たら加工品 桜でんぶ）　英 Soboro；(mashed and seasoned fish meat)　別 でんぶ；もみにく

魚肉を湯煮し、細かくほぐして乾燥させたもの. 原料肉にはすけとうだらのほか、あじやぐちも用いる. たらの肉は白身魚の特性を有し、加熱したものをほぐしてそぼろにすることができる. そぼろをさらに細かくほぐしたものをおぼろといい、これを調味液で煮詰めて味付けしたものをでんぶという. 桜でんぶというのは塩、砂糖で調味し、桃色に着色したものである.『食品成分表』でも、でんぶ*で収載されている.

そぼろ（あまだきでんぶ）（平　宏和）

そら豆（完熟豆）蚕豆；空豆

成 04019（完熟・子実 全粒 乾）　分 マメ科ソラマメ属（1〜2年生草本）　学 Vicia faba　英 broad beans　別 なつまめ

原産地は西南アジア（カスピ海南部）または北アフリカといわれる. 栽培の歴史の最も古い豆の一つで、ヨーロッパ各地の新石器時代の遺跡から出土する. 日本へは天平年間（729〜749年）に中国経由で伝えられたといわれ、17世紀の文献にもその名がみられる. 種子は扁平で腎臓形をしており、赤褐色または緑褐色. 粒の大きさは品種によって異なり、大粒種は18〜28mm、幅：12〜24mm、小粒種は10〜18mm、幅：6〜13mmである.

◇品種・産地　加工用そら豆の国内生産はほとんどなく、中国や豪州からの輸入量が多い.

◇成分特性　あずきやえんどうに似ていて、主成分は炭水化物、次いでたんぱく質で、炭水化物の主体はでん粉で、このほか糖類、ペクチン質、セルロース*などを含んでいる. たんぱく質はえんどうのたんぱく質とよく似ている. アミノ酸組成はシスチン、メチオニン、トリプトファンが少ないため良質とはいえない. 生物価は48(幼ラット)である. 脂質は少なく、えんどうと似てレシチン*の割合が高い. 無機質はリンとカリウムが多い.

◇用途　ふき豆*、おたふく豆*、しょうゆ豆*、豆板醬*、そら豆菓子の原料に使われる.

●そら豆菓子

成 04020（フライビーンズ）　英 Fried beans

製品には煎り豆（はじき豆）、揚げ豆としてフライビーンズ（いかり豆）, 結び豆, うに豆, カレー豆（カレービーンズ）などがある. 揚げ豆は水に浸漬した豆を植物油で揚げるが、フライビーンズには種皮の一部を切って揚げたものと脱皮して揚げたものとがある. 結び豆は結び目のように中央に種皮を残して揚げたものである. それらは油揚

そら豆（完熟豆）（平　宏和）

そら豆
上左：煎り豆（はじき豆），上中：フライビーンズ（いかり豆），上右：結び豆，下左：うに豆，下右：カレー豆
（平　宏和）

げ後，食塩をふり製品とする．うに豆は練りうに，唐辛子，食塩などを，カレー豆はカレー粉，食塩などを，フライビーンズ（脱皮）に味付けしたものである．

そら豆（未熟豆） 蚕豆；空豆

成 06124（未熟豆　生），06125（未熟豆　ゆで）
分 マメ科ソラマメ属（1～2年生草本）　学 *Vicia faba*　英 broad beans；fava beans；horse beans
別 なつまめ

莢（さや）に入った未熟豆が野菜として利用される．一つの莢の中は2～7個，普通は2～4個の子実がある．

◇品種　早生種（房総早生など），長莢種（讃岐長莢など），大粒種（河内一寸，陵西一寸，打越一寸など）大別される．現在，小・中粒種の栽培はほとんどみられない．

◇産地　温暖地の栽培が多い．10～11月に播種し，5～6月に収穫する秋播き栽培が一般的で，鹿児島，千葉，茨城産が多い．

そら豆（未熟豆）（平　宏和）

◇成分特性　種皮を除いたもの100g当たり，水分は72.3g，たんぱく質（アミノ酸組成）*8.3g，利用可能炭水化物*（差引き法）15.6g（うち，食物繊維2.6g）で，ビタミンB_1，B_2，C，ナイアシン*も比較的多い．糖類はしょ糖が圧倒的に多く，少量のぶどう糖と果糖を含んでいる．無機質ではカリウムに次いでリンが多い．少量の有機酸*を含み，クエン酸とリンゴ酸*が多い．遊離アミノ酸*は，アルギニン，アラニン，アスパラギンが多いのが特徴である．さやには有機塩基が多く，またメラニン前駆体の3,4-ジヒドロキシフェニルアラニン（ドーパ*）がさやや種皮に0.25％含まれており，酵素によって酸化されると黒変する．

◇用途　塩茹で，豆飯，煮物，あん，きんとん（和菓子）などに利用される．

◇調理　塩茹でにして持ち味のままを味わうだけでもよく，特にビールのつまみに用いられる．西洋料理ではサラダのほかバター煮，クリーム和え，グラタンなど他の味とともに料理される．※季節感のある食品で，色や持ち味を生かして薄味の含め煮，あるいは皮つきのまま煮込んだものを裏ごししてポタージュ，コロッケなどに用いる．塩味の炊き込み飯もよい．油の味とよく調和し，中国では青いものを揚げ物にする．また，炒め物の炒蚕豆（チャオツアンドウ），あんかけの燴蚕豆（ホエイツアンドウ）などがある．※皮は硬いのでむいて食べる．子葉*は軟らかい．塩茹での場合，食べやすいようにあらかじめ皮に少し切れ目を入れておくこともある．その場合は茹ですぎると内部の成分が溶出し，味が落ちるばかりでなく色も悪くなるので，加熱は短時間にとどめる．

た

ターキー　⇨しちめんちょう

タアサイ　塌菜
成 06126（葉 生），03127（葉 ゆで）　分 アブラナ科アブラナ属（1年生草本）　学 Brassica rapa var. narinosa（キサラギナ）　英 ta cai　標 きさらぎな（如月菜）　旬 秋～冬

中国野菜の一種．近年，中国から再導入されたものが軟弱野菜として若どりされている．葉柄*が短く，葉数が多く，広がった多くの葉をつける．葉は緑色が濃く，しわがよっている．名前のタアとは「ひしゃげた」の意味．わが国には比較的古く，昭和初期に導入され，漬け菜としても利用されている．大株で寒さに強い．冬場霜に当たったものは，口当たりは軟らかく甘味も増し美味であることから，如月菜〈きさらぎな〉とも呼ばれ，寒冷地の冬の葉菜として関東北部から東北地方で栽培されている．また，暑さにも強く，夏にも栽培され，葉菜類*の不足を補うのに役立つ．
◇**成分特性**　無機質ではカリウム，カルシウムが多く，ビタミンはβ-カロテンとC含量が高い緑黄色野菜である．茹でると元の質量の90％となり，カリウムは33％，ビタミンCは60％が失

われる．
◇**調理**　炒め物，スープ類，あんかけ，煮込み，鍋物などに手軽に用いられ，またバターや牛乳と一緒に用いた西洋料理にもよい．

ターメリック　⇨うこん

たい　鯛
分 硬骨魚類，タイ科　英 sea breams

姿も味もよいたいは，名前が「めでたい」に通じることから，祝儀用の魚としても重用され，まだいをはじめ，ちだい，くろだいなど多くの種類がある．タイ科以外の魚も，たとえばきんめだいのように"タイ"の名が付けられることが多い．
◇**成分特性**　典型的な白身魚．天然魚では100g当たり，水分含量が72～77g程度，たんぱく質含量は20g程度である．脂質含量も2～6gとたらやすけとうだらよりも高い．ビタミン類は低い．灰分は1.2～1.5g程度であるが，カルシウム，鉄*などの含量は低い．
◇**保存・加工**　たい類は鮮度低下が比較的遅く，「腐ってもたい」の言葉どおり，保存期間中食味の低下が少ない．しかし，凍結時の肉質の安定性はよくないので冷凍には向かない．このため氷蔵が普通で，冷凍は一部遠洋もののたいに限られている．たいの加工品は数多く，岡山，広島，兵庫，香川でつくられている浜焼きだい，福井の小だいささ漬とたい鮨，新潟のたいの黒干し，富山のたいのべっこう漬，宇部のたい煎餅など，名産品的なものばかりである．たい類は高価なため一般的には練り製品原料としないが，特殊な目的で高級かまぼこに使われることはある．
◇**調理**　たいはその味とともに，みごとな姿と美しい色で，日本料理の代表的な魚として用いられてきた．また"めでたい"ということばの縁起から，祝い事に欠かせない．※生食には，新鮮なまだいが最もよく，ちだいがそれに次ぐ．しかし冷凍したものは歯切れのよさを失い，生食には向かない．くろだいは筋肉質で味に多少クセがあり，それが加熱により強まるため，やはり加熱調理よりは，あらいや刺身のような生食に適している．※焼き物，煮物，蒸し物，鍋物（ちり鍋）など，各種の加熱方法が行われる．持ち味を生かす塩焼

タアサイ　下：冬場のロゼット（平　宏和）

まだい（本村　浩之）

ちだい（本村　浩之）

きや蒸し物には，まだいがよい．小型の尾頭つきにはたいの代用としてぼだいもよく使われる．たいはうろこが硬いので，下ごしらえの際に完全に除くことが必要である．❀まだいは内臓以外ほとんど捨てるところなく利用できる．うしお汁は頭，中骨をだしにした吸い物で，魚臭の少ない新鮮なものを材料に，汁が濁らないように注意して仕上げる．このほかちり鍋，かぶと焼きなど，頭そのものを目的とした料理が多い．

●インドだい

印度鯛　分 タイワンダイ属　学 *Argyrops spinifer*
英 king soldier bream

全長70cm．体は卵形で側扁する．体色は赤く，背びれの第3～第7棘条までが糸状に伸びている．体側に4～5条の濃赤色の横帯がある．インド洋に分布する．

●きだい

黄鯛　成 10189（生）　分 キダイ属　学 *Dentex hyselosomus*　英 yellow sea-bream　別 地 れんこ，れんこだい（西日本）；ばんじろ（山陰）；こだい，まこだい（高知，宮崎）

全長40cm．体は卵形で著しく側扁する．体色は赤に黄みが強い．臼歯がない．ちだいよりも深い泥質の海底に生息する．青森県から屋久島，朝鮮半島，台湾，ベトナム，インドネシアに分布する．

●きちぬ

黄茅渟　分 クロダイ属　学 *Acanthopagrus latus*
英 yellowfin sea bream　別 きぢぬ；きびれ 地 きびれ（大阪，北九州）；ひれあか（高知）；しろだい；しらたい（静岡，紀州）；ちぬ；ほんちぬ（高知）

全長50cm．くろだいより体高が高い．腹びれ，臀びれ，尾びれが黄色である．味はくろだいと同様で，美味である．南日本，朝鮮，インド，オーストラリアに分布する．

●くろだい

黒鯛　成 10190（生）　分 クロダイ属　学 *Acanthopagrus schlegelii*　英 blackhead sea bream　別 地 ちぬ；ちん（関西）；かえず；けえず（若魚）；ちん（5～6cmの幼魚）　旬 夏

全長60cm．体は楕円形で強く側扁する．吻はつき出て，尖る．体とひれは黒色．沿岸魚で内湾にも多く，水深5～50mの岩礁域に生息する．味はよく，特に夏にうまい．北海道から九州，朝鮮，台湾，中国，ベトナムに分布する．性転換をする魚としても知られ，若魚は雄で，体長15～25cmのころは雌雄同体，25～30cmくらいでは多くが雌になる．他のタイ科魚類も同様に性転換する．

きだい（れんこだい）（本村　浩之）

くろだい（本村　浩之）

へだい（本村　浩之）

●ごうしゅうまだい
豪州真鯛 分 マダイ属 学 *Pagrus auratus* 英 silver seabream 別 市 ニュージーランドまだい

全長 1.3 m．体重 20 kg に達するものもある．日本のまだいによく似る．雄の老大魚は前額が張りだす．ニュージーランドとオーストラリアに分布．冷凍または氷蔵で輸入され，主にパーティ料理や祝儀物に使われる．

●たいわんだい
台湾鯛 分 タイワンダイ属 学 *Argyrops bleekeri* 別 たかさごだい

高知県以南，台湾，中国，インドネシアに分布する．

●ちだい
血鯛 成 10191（生），分 チダイ属 学 *Evynnis tumifrons* 英 crimson-sea bream 別 地 ちこ；ちこだい（関西）；べにだい（和歌山）；ひだい（九州）；はなだい（東京，千葉）

全長 50 cm．体は楕円形で著しく側扁し，まだいより体高が高い．赤色で尾びれの縁が黒くない．まだいより深い所に棲む．まだいに次いでうまい．北海道から九州，朝鮮半島に分布する．

●ひれこだい
鰭小鯛 分 チダイ属 学 *Evynnis cardinalis* 英 cardinal sea-bream 別 地 ちこ（東京）；ひれこ；えびすだい（関西）

全長 35 cm．ちだいによく似ているが，背びれの第 3，第 4 棘条が糸状に伸びる．南日本，朝鮮から中国，台湾に分布する．

●へだい
平鯛 分 ヘダイ属 学 *Rhabdosargus sarba* 英 goldlined seabream 別 地 へじぬ（和歌山）；へまい（愛媛）；ひょうだい（高知，長崎）

全長 40 cm．体は楕円形．背部外郭は丸みを帯び，吻も鈍く丸い．体色は黒青色．体側に薄い縦帯がある．沿岸魚で，幼魚は内湾で育つ．味はくろだいよりも磯臭くなくてうまい．北海道以南，イン

ド・西太平洋に分布する．

●まだい
真鯛 成 10192（天然 生），【養殖 皮つき】10193（生），10194（水煮），10195（焼き），10408（養殖 皮なし 生） 分 マダイ属 学 *Pagrus major* 英 red sea-bream 別 地 たい（一般）；ぺん（東京，小型魚）；かすご（東京，中型魚）；おおだい（東京，大型魚）；ほんたい，ほんだい（関西）

たいというと一般に本種を指し，古来，日本の海魚の王様である．全長 1.2 m くらいになる．たいの幼魚を関東，東海ではかすご，長崎でひしこ，高知でたいごなどと呼ぶ．体は楕円形で側扁する．歯が強く貝でも砕いて食べる．体は赤く，尾びれの縁が黒いのでほかのたいと区別しやすい．桜の咲く 4 月頃の産卵前の美しく美味なたいを瀬戸内海ではさくらだいと呼ぶ．産卵期は 1 ～ 6 月で，北方ほど時期が遅い．産卵後のものは，むぎわらだい，にがりだいといい不味で値も安い．雄は雌より大きい．日本各地，朝鮮，中国，台湾，東シナ海に分布する．各地で稚魚を放流しての増殖や養殖も盛んに行われている．

大学いも　⇒さつまいも
だいこくしめじ　⇒ほんしめじ

🥬 **だいこん** 大根

成【葉】06130（生），06131（ゆで），【根 皮つき】06132（生），06133（ゆで），【根 皮なし】06134（生），06135（ゆで），【根 皮なし 生】06367（おろし），06368（おろし汁），06369（おろし水洗い） 分 アブラナ科ダイコン属（1 年生草本） 学 *Raphanus sativus* var. *hortensis* 英 daikon；Japanese radish 別 古 すずしろ

肥大した胚軸とこれに連続した直根*を食用とする根菜類*（付図④）．胚軸と直根の肥大部分は主に木部*であり（付図⑥），胚軸と直根の割合は品種により異なる（図 1）．葉も食用になる．連続原産地については異論が多いが，野生種が地中海沿岸地方に多いこと，最古の栽培の記録もエジプトにあることから，地中海沿岸を原産地とする説が有力である．一方，西南アジアから東南アジアにかけて野生型から栽培型への連続的変異があるので，この地方を原産地とする説も有力である．エジプトでは，4,500 年以上前のピラミッドに大根に関する記録がある．中国でも，すでに 3,000 年以上前の文献に記載がある．わが国でも，1,000

年以上前に記載があり，栽培の歴史は極めて古い．
◇品種　栽培の歴史，形態的・生態的特性から，西洋大根（西洋廿日大根，西洋夏大根，西洋冬大根），中国大根（中国小大根，中国大根），日本大根に3大別される．日本大根は，日本在来の大根と中国大根（華北型，華南型）とが，長い間に複雑に絡みあって成立したものと考えられる．江戸時代には現在の品種群の基本となるものはすでに成立していた．戦前には，地域ごとに独自の品種が発達していたが，戦後生産の大規模化，これに伴う規格の統一につれて地方品種（地大根という）は急速に減少し，主として若干の基本品種のみが栽培されるようになった．さらに一代雑種*の利用が急速に増加するにつれて，品種の単純化がいっそう進んでいる．近年まで，次のような品種群が各地で栽培されていた．

四十日（しじゅうにち）群：早生で，耐暑性があり，都市近郊で四季どりに用いられるが，収量が少ない．代表品種として四十日がある．

みの早生群：江戸時代に成立した品種で，早生，耐暑・耐病性が強く，秋の早どり用とされ，これからとうが立つのが遅い春みの型，高冷地の夏播きに適した夏みの型が育成された．代表品種として，春播きみの早生，みの早生などがある．

練馬群：土層の深い関東で成立した早播きに適した品種で，晩生，長大，吸込み性である．これはさらに漬物用の練馬，調理用のつまり・中ぶくら，兼用の理想に3大別される．代表品種として，秋まつり，三浦，理想，練馬丸尻，練馬尻細などがある．

宮重（みやしげ）群：在来の方領と華北型大根との交雑により生じた，青首・中生の抽根性品種群である．総太（そうぶと），長太（ながぶと），切太（きりぶと）などに区分され，漬物用，干し，調理用となる．代表品種として，宮重尻丸，宮重長太，宮重総太，白首宮重などがある．

聖護院群：細長い宮重群をもとに土層の浅い京都で文政年間（1818～1830）に成立した丸大根で，肉質は緻密である．代表品種として，早生聖護院，晩生聖護院などがある．

阿波晩生群：中部以西の耕土のやや浅い地方向けに育成されたたくあん用品種群である．代表品種として阿波晩生がある．

二年子（にねんご）群・時無（ときなし）群：とう立ちの最も遅い寒越しの大根であるが，アクが強く，質はよくない．二年子は関東で，時無は関西の土層の浅い地方で成立した短根大根である．品質はよいが，ウイルス病に弱い．代表品種として，二年子，時無，夏などがある．

これらのほか亀戸品種群，白上り品種群，東北，信州および南九州の地大根品種群などがあり，諸品種群の多くの品種（一代雑種）を作型・地域ごとに使い分け，周年供給が成立していた．1980年代に入り品質に対する要求が高まるとともに，甘味に富み，辛味がなく，首部が淡緑色を帯びる品種が高品質とされ，青首大根ブームが起こり，現在の青果用の品種はすべて青首となった．このタイプの育成の中核になったのは青首宮重総太（あおくびみやしげそうぶと）型の品種であり，近年は各作型に適応する青首大根が育成され，完全に周年供給されている．ただ，本格的なたくあんにすると青首部が黒ずむので，青首系品種はたくあんには適さない．根形には，丸形，円筒形，紡錘形，くさび形などがあるが，そのうち漬物用の守口（岐阜）は長さ1.2～1.5mに達する世界最長の大根で，漬物・調理兼用の桜島（鹿児島）は重さ10～15kgに達する世界最大の大根である（図1）．

栽培：生食・浅漬用として周年的な需要があるので，秋どり（10～1月），冬どり（1～3月），春どり（3～5月），夏どり（高冷涼地，6～10月）栽培が分化した．近年はトンネルのほか，ハウスも利用されている．加工（たくあん，干し）用は栽培の容易な秋どりが中心である．

す入り：品質低下の大きな障害にす入りがある．これは過熟現象の一つで，根部の組織が老化し糖分などの成分が消耗して，組織がスポンジ化する現象である．

◇成分特性　品種により形も大きさも非常に異なるが，一般成分に大差はなく，100g当たり，水分は根で95g，葉では90g前後である．糖類は根と葉ともにぶどう糖が多く，次いでしょ糖，果糖が多い．また麦芽糖*も含まれている．灰分は根では少なく，葉には多い．また，葉にはカリウムとカルシウムが多い．特にカルシウムが相対的に多いのが特徴である．茹でによる成分変化は，葉では質量の20%が減り，灰分の60%，カリウムの35%，ビタミンCの70%が失われる．一方，根では質量の15%が減り，灰分の30%，カリウムの20%，ビタミンの60%が失われる．生育時期別にみると生育初期にはたんぱく質，脂質，繊維および灰分が多いが，生長するにつれて濃度では低下する．遊離アミノ酸*としてはグルタミン，アスパラギン，アラニン，アルギニンなどが多い．ビタミンCは根よりも葉に多く含まれている．Cは，30日程度の生育段階では根でも50mg程度

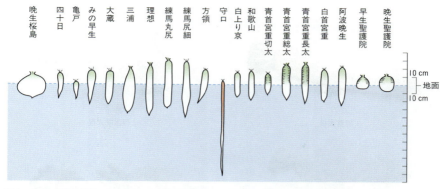

図1 大根の品種と根形，根の大きさ，抽根性の模式図（芦澤正和：野菜園芸ハンドブック，養賢堂，1982）

含まれているが，収穫時には少なくなる．葉では逆に生育につれて次第に多くなる．大根には少量の有機酸*が含まれているが，その組成はリンゴ酸*，クエン酸，グルクロン酸，酢酸，ピログルタミン酸である．

辛味：辛味成分はイソチオシアネート類で，中でもトランス-4-メチルチオ-3-ブテニルイソチオシアネートは全イソチオシアネート量の9割を占めている．これらは大根中に配糖体*の形で存在しており，組織が破壊されると共存する酵素のミロシナーゼ*の作用を受けイソチオシアネート類が遊離し，辛味を生じる．しかしこれは揮発性が強く，水溶液中では不安定で次第に消失する．この辛味は，大根の生育初期には成熟期の5倍ほど多く含まれる．また根部の部位による辛味成分は図2に示すように先端部ほど多い．

酵素：根には各種の酵素が含まれている．最も多いのは消化酵素のアミラーゼ（ジアスターゼ）で，このほかグリコシダーゼ，アミダーゼ*，オキシダーゼ，カタラーゼ，ペルオキシダーゼなどがある．オキシダーゼは，焼き魚の焦げに含まれる発癌性物質を分解する作用があるとされており，焼き魚のおろし添えはこの意味からも合理的な組み合わせといえる．大根のアミラーゼはpH5.2〜5.8，60〜65℃のとき最も活性が強い．浅漬のように短期保存では活性があるが，たくあん漬にはない．

◇保存　低温貯蔵は0℃，湿度90〜95％が最適条件で，3カ月貯蔵できる．また干し大根としての利用も多く，種々の形態のものがつくられる．

◇加工　代表的なものとしてたくあん漬があげられる．そのほか糠みそ漬，麹漬，みそ漬，酢漬，守口漬，奈良漬，つぼ漬などにも利用される．品種により用途がだいたい仕分けられている．

◇調理　日本では古来，最も広く用いられてきた野菜の一つで，最近まで日に一度，大根を食べない日はなかったほどである．生食すると特有の香り，辛味，甘味があり，塩味や酸味ともよく合い，薬味に用いると肉や魚の生ぐさみを消し，煮物にすると辛味が消えて淡白な風味を生じ，調味料の味をよく吸収する．ほとんどすべての漬物の原料として好適で，その用途は万能といってもよい．ただ水分が多く，細かく切って加熱すると形が崩

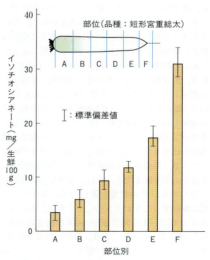

図2 大根の部位別辛味成分（イソチオシアネート）含量（江崎秀男ほか：栄養と食糧，33(3)：161，1980）

青首大根

聖護院大根

辛味大根

中国大根（紅芯）

だいこん（平　宏和）

れ汁が流れ出るので，炒め物，揚げ物には向かない．※大根の組織は，そのまま食べるにはやや硬い．これをすりおろすと軟らかく食べられるうえ，大根のアミラーゼ*，その他の酵素が作用しやすく，食物の消化を助けることが期待できる．古来，自然の知恵として大根を摩砕して食べるようになったのは，このような理由による．刺身とか酢の物のつまにしたり，なますやサラダにするときも，細く切って用いる．※アミラーゼ以外にプロテアーゼ，リパーゼの作用もあるといわれ，鶏の水炊きに入れたり，たこ，あわびのように筋肉の緻密な動物性食品の付け合わせとして用いると軟らかさを増す．※大根おろしの辛味とほろ苦さは，刺身，焼き魚，鍋物，焼き肉，揚げ物，麺類などの薬味に好適である．唐辛子（もみじおろし），のり（磯辺おろし），ゆず（ゆずもみじ）など，他の薬味と組み合わせて用いることも多い．大根の辛味は前述のようにイソチオシアネート類で，酵素作用によって生成するので，摩砕により辛味がでてくる．辛味成分は揮発性で，長時間放置するとほとんど辛味を失う．また，おろして長時間おくとビタミンCの酸化も進むので，なるべく直前に摩砕することが望ましい．※大根おろしのビタミンCは，2時間で20〜90％酸化されるが，鉄*，銅*などの金属により，酸化が促進される．アルミニウムはほとんど影響ない．にんじんを混ぜてすりおろすと，アスコルビン酸酸化酵素*により酸化が促進される．※図2の通り，大根の

辛味成分は，頭より尾の方に多い．おろしそのものを味わうときは頭部を用い，好みで酢を落として辛味を和らげる（酵素作用を止め，辛味の生成を防ぐ）．薬味として辛味を効かせるときは尾の方でもよい．※ふろふき大根：大根を大きく切り，だし昆布をしいた鍋で軟らかくなるまでゆっくりと茹で，大根臭や苦味成分が抜けたところで，ごまみそやゆずみそをかけて食べる．米のとぎ汁で20〜30分下茹でしてもよい．茹でる時形が崩れ

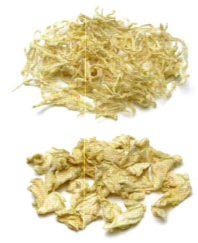
切り干しだいこん　上：千切り干し，下：ふと切り干し（平　宏和）

葉だいこん（平　宏和）

ないよう，面取りして皮を除いておく．※おでん：こんにゃくとともに大根は汁を最も多量に吸収し，しかも他の材料にはない野菜としての歯触りを残している．

●辛みだいこん

小ぶりで辛みが強く，水分が少ないダイコンの総称である．辛みの明確な基準はない．辛味はアリルイソチオシアネート（芥子油）によるものであり，ダイコンをすりおろし，細胞が壊れるとイソチオシアネートがミナシローゼという酵素と接触して生成される．長野県の伝統野菜である「ねずみ大根」，「親田辛味大根」が有名であるが，他にも京都府や滋賀県，群馬県の伝統野菜（「辛味大根」あるいは地域名称で呼ばれている）や，赤い「からいね大根」，緑色の「カザフ辛味大根」などがある．辛味の強さに加えて，水分が少なくおろしに向くので，そばやうどんの薬味として用いられることが多い．

●切り干しだいこん

🈛06136（乾），06334（ゆで），06335（油いため）　🈎Kiriboshi-daikon；(cut and dried Japanese radish root)

秋大根を用いて，天日で1日干して水分13〜15％にしたもの．千切り干しのほか，丸のまま，または四半分にして乾燥してから小口切りにした花切り干し，縦割りの割り干しなどの種類がある．乾燥による独特のうま味がある．油揚げや生揚げ，にんじん，しいたけなどを加えて煮付けると素朴な味がよい．また，刻んでしょうゆ，酢，酒を合わせた漬け汁に漬け，はりはり漬にする．

●葉だいこん

🈛06129（葉 生）　🈎Ha-daikon；(radish, cultivar for leaf use)

大根の葉を利用することを目的として栽培されたもの．早生の四十日など，生育が早く，葉の軟らかい品種が利用され，葉の長さが20cmほどのものが出荷される．100g当たりβ-カロテンを2,300μgと豊富に含む緑黄色野菜である．漬物や炒め物に用いる．

●茹で干しだいこん

🈎Yudeboshi-daikon

細切り，輪切りなどにした大根を茹で，乾燥したものである．同様の製品に蒸し干しだいこんがある．加熱により製品の酵素が失活しているので，貯蔵中の成分変化が少ない．これらは調理で煮え戻りが早く，その食感が軟らかい．

 たいさい　体菜

🈛06144（つまみな 葉 生），06145（たいさい 葉 生），06146（たいさい 塩漬）　🈐アブラナ科アブラナ属（1年生草本）　🈒*Brassica rapa* var. *chinensis*　🈎Taisai；Chinese mustard　🈑しゃくしな

漬け菜の一種である（つけな類*，表1）．中国では華中に広く分布していて，一般的な野菜である．この群のものを日本ではたいさいと呼んでいる．明治時代に渡来し，雪白（せっぱく）体菜，二貫目（にかんめ）体菜となった．またわが国の在来の漬け菜類と交雑して，長岡菜，雪菜がうまれた．最近中国からいろいろなタイプのものが再導入され，青軸のものは，チンゲンサイ（青梗菜）*，白

茹で干しだいこん（平　宏和）

雪白体菜（せっぱくたいさい）（芦澤　正和）

軸のものは，パクチョイ*（パイゲンサイ；白梗菜）の名で市販されている．関西で，主として漬物・煮物に利用する．

◇調理　漬物用の葉であるが，産地では茹でてお浸しや和え物に用いたり，煮物や汁の実に用いられることもある．冬のカロテンの給源として有力である．

●せっぱくたいさい
雪白体菜 成 06144（つまみな）英 Seppaku-taisai 別 しゃくしな（杓子菜）；ほていな（布袋菜）；さじな（匙菜）

明治時代に中国から導入されたパクチョイが日本で栽培され，馴化したもの．かつては水田の裏作として広く栽培されたが，現在の栽培は少ない．若採りしたものがつまみなとして出ている．類似品種に大型の二貫目体菜（にかんめたいさい）や，わが国在来種の漬け菜と交配した長岡菜，雪菜がある．まびきした大根やこまつなも"つまみな"と呼ばれるが，別種である．

◇成分特性　『食品成分表』には，たいさい類の中に，若採り雪白体菜がつまみなとして記載されている．たいさいは，100g当たり，β-カロテン1,500µgを含む緑黄色野菜．

◇調理　浅漬にしたり，お浸しにする．

第3のビール　⇒発泡酒
だいじょ　⇒やまのいも
大正えび　⇒えび（こうらいえび）

だいず　大豆

成【黄大豆】04023（国産 乾），04024（国産 ゆで），04025（米国産 乾），04026（中国産 乾），04027（ブラジル産 乾），04078（いり大豆），【黒大豆】04077（国産 乾），04106（国産 ゆで），04079（いり大豆），【青大豆】04104（国産 乾），04105（国産 ゆで），04080（いり大豆）分 マメ科ダイズ属（1年生草本）学 Glycine max 英 soybean

原産は中国といわれ，栽培の歴史は5,000年前に遡るとされる．わが国でも秋田，静岡，山口など各地の弥生後期（約1,800年前）の遺跡から大豆が出土している．欧米では新しい作物であるが，1898年に米国が中国から多数の品種の導入を行い，現在では世界最大の生産国となり，採油用，たんぱく質源として最大の作物になっている．わが国は，米国，ブラジル，カナダなどからの輸入量が多い．

◇品種　生育期間から極早生，早生，中生，晩生，極晩生の各品種に分けられる．外観からは，種皮の色では黄・緑・褐・黒・くらかけ（緑でへそ*のまわりが黒いもの），へそ（目）の色では白・褐・黒，粒形では球・楕円・長楕円・扁球，粒大では極大・大・中・小・極小に分けられる．なお，粒大の分類として農産物検査法（食糧庁）ではふるい目を通る大きさで分けているが，質量（百粒重）では，大粒は30g以上，中粒は20～30g，小粒は10～20g，極小粒は10g以下程度のものである．国産大豆の品種として，粒大から，極大粒：鶴の子・ミヤギシロメ・オオツル，小粒および極小粒：納豆小粒・スズヒメ・スズマル・コスズ，種皮の色から黒大豆：中生光黒・トカチクロ・丹波黒・雁食（がんくい），青大豆，鞍掛（くらかけ）大豆などがある．米国産大豆は銘柄を含め，IOM，VINTON，BEESONなどがある．

利用：大豆は，豆腐とその加工品，みそ，納豆，煮豆，きな粉，豆乳，ひたし豆，もやしなどに使われる．豆腐用ではたんぱく質と遊離糖類含量の高いものが，みそ用には中粒，白目で遊離糖類含量が高く，子実*の黄色が鮮やかで，煮え，風味ともによいものが上質とされている．また，製油用としても重要で，原料は脂質含量の高い米国産とブラジル産大豆が用いられている．製油後の脱脂大豆はしょうゆ，大豆たんぱく（濃縮たんぱく，分離たんぱくなど）の原料，飼料として利用される．なお，近年，米国産大豆としてたんぱく質含量の高いものが生産され，豆腐用に輸入されている．えだ豆用品種は，えだまめ*を参照のこと．

◇成分特性　たんぱく質と脂質および炭水化物が主成分である．

たんぱく質：含量は産地によって異なるが，主なものはグロブリン*に属するグリシニン84%とアルブミン*に属するレグメリン5%である．グロブリンは水に不溶性で塩類に可溶性であるが，大豆を水で処理すると大豆中の塩類が溶けて塩類溶液となるため，グロブリンが溶出する．したがって，水，熱水により，全たんぱく質の85%を抽出することができる．このように大豆は多量のたんぱく質を含み，そのうえ大部分が水溶性であることが大きな特徴の一つで，これを利用して豆腐がつくられる．このほかグルテリン*，プロテオースを含んでいる．アミノ酸組成はメチオニン，シスチンなどの含硫アミノ酸*が不足しているが，リシン*が多い．このため"畑の肉"と呼ばれている．一方，植物性たんぱく質の特徴であるグルタミン酸も多い．生物価は75（幼ラッ

だいず
上左：黄大豆，上中：黒大豆（黒豆），
上右：黒大豆（雁食），下左：青大豆，
下右：鞍掛大豆（平　宏和）

ト）で，植物性たんぱく質の中では高い方である．

脂質：脂質の含量も産地によって異なり，ブラジル産や米国産が高いのは，採油用に高脂質を目標に栽培されているためである．脂質の多くはトリアシルグリセロールで，脂肪酸の多くはリノール酸*（約50％）が占めており，このほかオレイン酸*（約25％），リノレン酸（約9％），パルミチン酸（約11％），ステアリン酸（約3％）を含んでいる．

炭水化物：炭水化物の含量もたんぱく質，脂質と同様に産地によって異なる．でん粉は未熟時のえだ豆には含まれるが，完熟豆にはほとんど含まれず，ほかの豆類の炭水化物の主体がでん粉であることに比べて大きく異なっている．炭水化物の50〜60％が食物繊維で，しょ糖，スタキオース，ラフィノース，ベルバスコースなどのオリゴ糖類*とアラビノガラクタンなどの多糖類*が含まれる．

無機質：リンとカリウムが多い．リンはフィチ

ンとなって存在し，カルシウム，カリウム，マグネシウム*もフィチンと結合している．

ビタミン：ビタミンは，B_1，B_2を含み，そのほかEを含んでいる．このEは大豆油の酸化防止に役立っている．Cはほとんど含まれないが，もやしにすると生成される．クロロフィル*は特に未熟豆，緑色豆に多い．

消化率：大豆は栄養成分的に優れているが，組織が硬いので消化率は低い．加工により向上がみられ，大豆製品のたんぱく質と脂質の消化吸収率は，特に湯葉の値が高い．一方，無加水加熱製品のきな粉のたんぱく質の消化吸収率は低い（**表1**）．

特殊成分：生大豆には血球凝集作用を有するソイインと消化酵素を阻害するトリプシンインヒビター*がある．しかし加熱によってその作用を失う．また配糖体*のサポニン*も少量あるが，溶血作用，毒性はなく，活性酸素消去能，抗酸化能などがあるといわれている．また，豆類で大豆に多く含まれる植物エストロゲンのイソフラボン*が，コレステロール低下作用，骨粗しょう症予防などに効果があることが認められている．

◇調理　必ず加熱を必要とする．生大豆はほとんど消化されず，特有の臭気をもっている．加熱によりたんぱく質の消化率は向上するが，豆の強固な組織構造のため限界がある．※大豆を煮るためには十分な水が必要で，煮る前に水に浸して吸水させる．大豆を覆っている種皮は強く，内部の子葉部もきめ細かく硬いので，少なくとも5〜6時

大豆のへそ（目）の色　左：黒目（早生緑），中：褐目（キタムスメ），右：白目（トヨハルカ）（平　宏和）

表1　大豆製品の消化吸収率（％）

食　品	たんぱく質	脂　質
煮　豆	92.0	90.1
豆　腐	96.9	95.0
油揚げ	90.7	98.1
生揚げ	96.6	98.3
凍り豆腐	92.9	93.8
湯　葉	100	100
納　豆	90.1	92.7
きな粉	78.1	86.8

（科学技術庁資源調査会：資料第70号，1979）

表2　大豆の吸水率

時　間	30℃	8℃
1	34%	30%
3	74	50
6	96	67
10	106	99
15	113	111
20	114	117
24	114	118

（杉田浩一：調理の科学 第3版，医歯薬出版，1981，p.258）

間は水に漬ける必要がある．吸水により組織は膨潤して質量と容積を増す．この膨潤は内部の子葉より種皮の方が早いので，豆の表面にしわがよりやすい．吸水は温度が高いほど早く，古い豆ほど大きい（**表2**）．吸水後の質量はもとの豆の2.1〜2.2倍，容積は約2.5倍になる．◆大豆を煮るときには種皮が部分的に加熱されて破れないように，なるべく均一に熱を加える必要がある．このため，さし水もあまり急冷しないように行う．また昆布，野菜などを一緒に煮たり，たけのこの皮や笹の葉を鍋に敷いたりすると，大豆の表皮を保護するのに役立つ．◆均一な加熱を行うためには，煮上がったらそのまま蓋をあけずに冷ますか，落とし蓋をして蒸気を有効に利用するのも一法である．黒豆は特にムラなく加熱するために，煮汁をたっぷり用意して，煮上がってからも豆が汁中によく浸されるようにするとよい．◆調味料の加え方：調味料はあらかじめ煮汁に加えて，一晩ほどおいて徐々に豆にしみ込ませるようにしたい．加熱の途中で加えると，豆の中の水分が急に引き出されて中身が縮むので，しわがよりやすくなる．また途中で温度が下がるため，加熱にムラができる．調味料を途中で加えるときは，豆が軟らかく煮えてから数回に分けて加える．◆重曹（炭酸水素ナトリウム*）とビタミンB_1：煮豆に重曹を少々加えると，豆の種皮の繊維が軟化し，軟らかく仕上がる．ただし，B_1の損失が大きい．豆を2%重曹水に16時間漬け，1時間加熱すると，煮上がった豆のB_1は75%失われる．◆大豆を浸す水に食塩を約1%加えておいても，豆は軟らかく煮える．これは大豆たんぱく質のグリシニンが水よりも塩類の溶液に溶解しやすいためである．

●打ち豆（うちまめ）

英 Uchi-mame；(crushed soybeans)
別 たたき豆；つぶし豆；ひき割り豆

大豆をふやかして，石臼の上や板あるいは平らな石にのせ，木槌でたたいたり，押麦機で打ちつぶして乾燥させたものである．打ち豆は，つぶしてあるため適度な食感が残りながらも崩れていて食べやすい．大豆のように長時間かけてもどす手間がないために，調理が簡単で迅速に行える．また，保存もできる便利な東北・北陸地方の郷土食である．打ち豆ご飯，煮物，みそ汁の実，酢の物などに利用される．

打ち豆（平　宏和）

●大豆水煮缶詰

成 04028（黄大豆）　英 boiled and canned soybeans

大豆を水煮し，缶詰にしたものである．製品には液汁を加えない製法で作った高真空缶詰*と液汁を加えて作ったものがある．
豆類は乾燥して保存できるという利点がある反面，調理にあたっては水に浸漬してもどし，長時間加熱してやわらかくして食べる必要がある．水煮缶詰はこれらの作業が省ける便利な食材である．サラダから各種煮物，和え物など，幅広く利用できる．

●蒸し大豆

成 04081（黄大豆）　英 steamed soybeans

水に浸漬した黄大豆を水蒸気で加熱処理した製品

大豆水煮缶詰（平　宏和）

である．水分含量が，ゆでや水煮缶詰に比べて，低いため，たんぱく質等の成分項目の含量が高い傾向がある．

だいず油　大豆油

成 14005　英 soybean oil

黄大豆（油分17〜18%）から採取した油．含油量は米ぬかと同等で，他の植物原料と比べて低い．食用精製大豆，食月大豆サラダ油，水素添加大豆油などがある．大豆栽培の原産地は中国，日本とされている．大豆油の主産国は中国，米国，ブラジル，アルゼンチン である．

製油：大豆油はヘキサン抽出により採油される．抽出効率を上げるため，圧扁（組織を薄くし，表面積を広くし組織中の油を溶出しやすくする），乾燥（溶媒の浸透性をよくする）を行った後に抽出が行われる．

◇成分特性　『食品成分表』によれば，100g当たり脂質（TAG当量）*97.0gからなる．脂肪酸組成はオレイン酸*23.5%，リノール酸*53.5%，α-リノレン酸*6.6%で（付表6），とうもろこし油と似ているが，α-リノレン酸が多いのが特徴である．100g当たりのビタミンE含量が114mg（γ-トコフェロールが多い），ビタミンKは『食品成分表』に収載される油脂の中では最も多く210μgである（付表7）．主要ステロール*はβ-シトステロール，カンペステロール，スチグマステロールである．原油中にはレシチン*を含むが，精製操作により除かれる．

理化学特性：日本農林規格*（JAS）では，比重0.916〜0.922，屈折率（25℃）1.472〜1.475，酸価*0.2以下，けん化価189〜195，ヨウ素価*124〜139としている．凝固点−7〜−8℃．

◇保存　他の食用油と同様，酸化防止のための配慮を必要とする．

大豆たんぱく　大豆蛋白

成 04055（粒状大豆たんぱく），04056（濃縮大豆たんぱく），04057（分離大豆たんぱく 塩分無調整タイプ），04090（分離大豆たんぱく 塩分調整タイプ），04058（繊維状大豆たんぱく）英 soy protein

大豆油生産の副産物である脱脂大豆を原料としてつくられる．小麦を原料としたものを含め，植物性たん白といわれている．日本農林規格*（JAS）では，植物性たん白を，主原料（大豆等の採油用の種実もしくはその脱脂物または小麦等の穀類の粉末）に加工処理を施してたん白質含有率を高めたものに，加熱，加圧等の物理作用によりゲル形成性，乳化性等の機能またはかみごたえを与え，粉末状，ペースト状，粒状または繊維状に成形したものであって，主原料に由来するたん白質（無水物換算値）が50%を超えるものとしている．

◇種類・用途　粒状大豆たんぱく，濃縮大豆たんぱく，分離大豆たんぱく，繊維状大豆たんぱくなどがある．そのうち，粒状大豆たんぱくと分離大豆たんぱくの生産が最も多い．主として食品工業において，食肉加工品，水産練り製品などの品質改良材，増量材として利用されている．

粒状大豆たんぱく：脱脂大豆をエクストルーダー*により粒状に組織化したもの．肉に似た組織を利用して，加工食品（ハンバーグ，ミートボール，ギョウザ，シュウマイなど）の食感改良に使われる．

濃縮大豆たんぱく：脱脂大豆をアルコールや酸

だいず油（平　宏和）

左:粉末状分離大豆たんぱく，右:粒状大豆たんぱく（写真:平　宏和，撮影用食品提供:日本植物蛋白食品協会）

により洗浄して糖類などを除き，乾燥した粉末．たんぱく質・機能性食材，結着性を利用して水産練り製品（かまぼこ，ちくわなど），食肉加工品（ハンバーグ，ミートボールなど）の型崩れ防止に使われる．

分離大豆たんぱく：脱脂大豆より水抽出した豆乳を乾燥した粉末．たんぱく質・機能性食材，乳化・抱脂肪性と吸水・保水性を利用して食肉加工品（ハム，ソーセージ，ハンバーグ，ミートボールなど）の脂肪分離，離水防止に使われる．分離大豆たんぱくには100g当たりのナトリウム*が640mgと約半量の塩分調整タイプがあり，プロテインパウダー，育児用粉乳などに使用される．

繊維状大豆たんぱく：分離大豆たんぱくを主原料とし，繊維状に組織化したもの．肉に似た組織を利用して，乾燥品は中華精進料理，大豆唐揚げなどの食品素材に，冷凍品はコンビーフスタイル食品の具材などに使われる．

大豆はいが 大豆胚芽

成 04083　英 soybean embryonic axis

大豆子実の2%程度の胚軸（発芽に際して，幼芽，上胚軸，下胚軸，幼根になる部分）にロースト等の加熱処理をしたものである．なお，大豆子実において，穀粒の胚芽に相当する部分は，種皮を除いた子葉*および胚軸であるので，分離した胚軸を「はいが」と呼ぶのは誤りである．製品としては，粒状，粉末化したものなどがある．粒状のものは，パン，焼き菓子，チョコレート菓子，トッピングなどに，粉状のものは焼き菓子，スナック菓子，和菓子などに利用される．

◇**成分特性**　微量成分である大豆イソフラボン含量は，大豆の品種や栽培環境によって変動するが，普通は乾燥した子実の0.2～0.3%程度である．しかし，部位的には胚軸部分に多く含まれるため，製品となった大豆はいがは，高イソフラボン含有素材である．

大豆ミート食品類

英 textured soy protein products

大豆ミート原料を用いて製造した，肉のような特徴をもった加工食品．使用する大豆ミート原料の仕様，動物性原料の使用の有無，製品中の大豆たんぱく質含量の程度により，大豆ミート食品と調製大豆ミート食品に分けられる．日本農林規格*（JAS）における大豆ミート原料とは，**表1**の

表1　日本農林規格（JAS）における大豆ミート原料

a）大豆または大豆加工品に，たんぱく質含有率を高めるなどの加工処理を施したもの
b）a）を加熱，加圧等の物理的作用によって粉末状，ペースト状，粒状，繊維状等に成形したもの
c）a）またはb）に大豆以外の植物性原材料，食用植物油脂，食塩，でん粉，品質改良剤，乳化剤，酸化防止剤，着色料，香料，調味料等（動物性原材料*由来のものを除く）を加えたもの

*動物性原材料とは，家畜（牛，豚，馬，めん羊および山羊），家と（兎），家きん，食用に供される獣鳥，水産動物類（魚類，貝類および海産ほ乳動物類を含む），は虫類，昆虫およびその他の動物に由来する原材料（乳および食用鳥卵を含む）を指す．

表2　日本農林規格（JAS）における大豆ミート食品と調製大豆ミート食品の要求事項

	大豆ミート食品	調製大豆ミート食品
生産の方法	①大豆ミート原料を用いて，製品特有の肉様の特徴を有するように加工すること ②アミノ酸スコアが100である大豆ミート原料を使用すること ③1次原材料から3次原材料までに，動物性原材料およびその加工品を原材料として使用しないこと ④大豆たん白質含有率が10%以上であること	①大豆ミート原料を用いて，製品特有の肉様の特徴を有するように加工すること ②1次原材料から3次原材料までに動物性原材料（乳および食用鳥卵を除く）およびその加工品（調味料を除く）を原材料として使用しないこと ③大豆たん白質含有率が1%以上であること
製造工程の管理および製造工程中の区分管理	（1）設計したレシピどおりに製造工程を管理しなければならない （2）製造工程中の大豆ミート食品類は，当該大豆ミート食品類のレシピによらない方法によって製造しているものや製造されたものと区分して管理されなければならない	

いずれかを指す．また，JASでは，大豆ミート原料を用いて，製品特有の肉様の特徴を有するように加工することなどの要求事項を満たすように生産される加工食品（大豆ミート食品，調製大豆ミート食品）を規定している．要求事項には，(1)生産の方法と(2)製造工程の管理および製造工程中の区分管理がある（表2）．製品の表示においては，大豆ミート食品にあっては「大豆ミート食品」または「大豆肉様食品」，調製大豆ミート食品にあっては「調製大豆ミート食品」または「調製大豆肉様食品」と容器包装の見やすい箇所にそれぞれ記載しなければならない．また，消費者に誤認を与えないよう，当該製品が食肉ではないことの説明を容器包装の見やすい箇所に「肉を使用していません」，「肉不使用」などと記載しなければならない，としている．

大西洋あじ　⇒あじ（にしまあじ）
たいせいようさけ　⇒さけ・ます（海産）

鯛せんべい
英 Tai-senbei
鯛の形をした裏白の小麦粉せんべい＊．千葉・房州地方の名物．日蓮上人「妙（鯛）の浦の鯛」の伝説により生まれた．砂糖，小麦粉，鶏卵と少量の膨張剤を混ぜ，水で溶いてのばしたものに溶いた白玉粉を加えて混合，鯛模様のある裏型に流し込み，けし粒を散らし，無地の表型から強火で裏白に焼き上げる．焼き上がったせんべいは，軟らかいうちに焼き色の着いたほうを下にし，木製の溝型でそりをつける．

鯛せんべい（平　宏和）

だいだい　代々；橙
成 07083（果汁 生）　分 ミカン科ミカン属（常緑性小高木）　学 Citrus aurantium　英 sour oranges
インドのヒマラヤ地方原産で，東洋に伝播してだ

だいだい（平　宏和）

いだいとなったとされている．現在ではサワーオレンジ，回青橙（かいせいとう），臭橙（しゅうとう）などの品種に分化している．臭橙は"かぶす"とも呼ばれ，一般には臭橙のことを"だいだい"といっている．成熟果は落下しにくく，採取しないで放置しておくと，同じ樹に三代の果実をつけることができるために"代々"の名が付いた．このような縁起に因んで正月のしめ飾りに使われるようになった．果実は球形で250g内外，果面は濃い橙色で，果皮は厚く苦味がある．酸味が強く甘味は弱く，生食には不向きである．生産は限られており，まとまった産地はない．
◇成分特性　搾汁率は30％内外である．果汁の有機酸＊は100g中5g程度含まれており，主成分はクエン酸である．果実のペクチン質が特に多く，また，果皮の橙色が鮮明で，香りにも優れているのでマーマレード用原料として最適である．

だいふくもち　大福餅
成 15023（こしあん入り），15155（つぶしあん入り）　英 Daifuku-mochi；(rice cake stuffed with An)
もち米を蒸してつき上げてからあん（餡）を包んだものである．単に大福餅というのは白大福餅のことであり，もちの皮の中に赤えんどうを入れた豆大福餅，よもぎ（蓬）を入れたよもぎ大福餅などがある．さらに，あんの中にいちごを入れたいちご大福などもつくられている．
◇由来　江戸時代の元禄年間（1688〜1704）の頃からあった腹太餅（はらぶともち）という形の大きい塩あん入りの餅を，明和9（1772）年に現在のような砂糖入りのあんとして，形も小さくして売り出したのが最初である．後に，名前も縁起のよい大福餅となった．
◇原材料・製法　皮の製法は，普通の餅の製法と同様であり，水漬けしたもち米を蒸して，手水を

大福餅（平　宏和）

加えて軟らかくなるまで臼でつく．つき上げた餅をかたくり粉の粉箱にあけて，適量ちぎってあずきこしあんを包む．形は腰高，小判型，扁平な丸形に整えるものなどがある．最近では大量に製造する場合は，もち米の代わりにもち粉を用いることもある．もち粉を温湯でこね，せいろうで蒸してからつきまとめる．

大福餅は時間がたつと，でん粉が老化して硬くなるが，焼くと軟らかさがもどって食べやすくなる．本来の大福餅は皮に砂糖を入れないものであるが，最近は軟らかいものが好まれるために，砂糖や硬化防止効果のある酵素などを加えることもある．また，白大福餅を薄い紅色に染めた紅大福餅もつくられている．

●豆大福餅
英 Mamedaifuku-mochi
餅の皮の中に薄い塩味を付けた赤えんどうを混ぜた大福餅．豆の塩味とあんの甘味が引き立て合う．赤えんどうではなく，黒大豆や黄大豆を混ぜるものもある．
◇製法　水漬けした赤えんどうをせいろうで蒸してから，食塩水で煮て軟らかくしておく．もち米を軽くつきまとめてから，少量の食塩を加えて十分につく．つき上げた餅に，豆を崩さないように注意しながら混ぜ合わせる．この皮であんを包む．

●よもぎ大福餅
英 Yomogidaifuku-mochi
もち皮によもぎを入れた大福餅．よもぎの風味と色を楽しむ．草大福餅ともいう．
◇製法　茹でたよもぎを固く絞り，庖丁でたたいて細かく刻んでおく．軽くついた餅の中へ，刻んでおいたよもぎを入れて十分につく．よもぎ大福餅の場合は，あずきつぶしあんを包むのが普通である．よもぎは茹で上がる間際に少量の重曹を加えると，アクが抜け色も青々としたものとなる．

鯛みそ　⇨なめみそ

 タイム

成 17071（粉）　分 シソ科イブキジャコウソウ属（多年生草本）　学 *Thymus vulgaris*（タチジャコウソウ）　英 thyme　別 たちじゃこうそう（立麝香草）；きだちひゃくりこう（木立百里香）
茎はすぐ木化し，丈夫で，繁殖力も旺盛．株は小さく，葉も小さな楕円形，灰緑色．ハーブとしては葉を利用する．乾燥品には葉と茎を用いる．晩春〜初夏に花茎*を抽出し，その先に白〜桃色の小花を群生する．
◇成分特性　生鮮物の成分組成は100g当たり，水分69.3g，たんぱく質3.0g，脂質2.5g，炭水化物15.1g，カリウム270mg，カルシウム630mg，β-カロテン当量760μg，ビタミンC 17mgが含まれている（英国食品成分表）．乾

上左：あわ大福餅，上右：とちの実大福餅，下左：豆大福餅，下右：よもぎ大福餅（平　宏和）

上：タイム，下：タイム（乾）（平　宏和）

燥品の100g当たりの成分値は，エネルギー276 kcal（1,160 kJ），水分7.8g，たんぱく質9.1g，脂質7.4g，炭水化物63.9g（食物繊維37.0g），灰分11.7gである（米国食品成分表）．

香気成分　爽やかな芳香とほろ苦い香りの主成分は，チモールとカルバクロール．種類や栽培の条件などで，それらの香気成分の割合は異なるので，香りにも差が出る．チモールには殺菌作用もあり，防腐・防黴剤としても用いられる．

◇調理　生葉・乾燥品ともに防腐作用があるので，ハム・ソーセージに圧いるほか，ソース，ケチャップ，肉料理にも加える．魚介類ともよく合うので，はまぐりのチャウダーやブイヤベースにも欠かせない．

 たいやき　鯛焼き

成 15005（今川焼）　英 Taiyaki；（baked sweet dough stuffed with An）

鯛をかたどった焼き型に小麦粉，鶏卵および砂糖を水で溶いた生地を流し込み，あずきあん（餡）などを入れて焼き上げた焼き物類の一種で，今川焼*から派生した菓子である．

◇由来　明治42（1909）年に東京日本橋にあった浪花屋（現在，東京麻布で営業）が考案し，各地に広まった．

◇原材料・製法　生地の原材料は小麦粉，鶏卵および砂糖で，製法は今川焼と同様である（今川焼*）．焼き型は鋳物の合わせ型が使われ，中あ

たいやき（平　宏和）

んは，あずきのつぶしあんが一般的であるが，カスタードクリーム，チョコレートなどの製品もある．冷凍食品としても市販されている．食品成分表では今川焼に「たい焼を含む」としている．

たいらがい　⇨たいらぎ

 たいらぎ

玉珧；江瑤；馬頬；馬甲；珧

成 10298（たいらがい　貝柱　生）　分 軟体動物，二枚貝類（綱），ハボウキガイ科クロタイラギ属　学 Atrina japonica　英 pen shells；fan-shells；sand-dwellers　別 たいらがい（平貝）；ひろう貝；えぼうし貝　旬 秋

一般には，市場名のたいらがい（主に貝柱）で呼ばれ，『食品成分表』でも，たいらがいで収載されている．殻長35cm．殻は広い三角形．殻表のなめらかなもの（ずべ）と放射状に鱗片が多く並んだもの（けん，がざ）があり，それらは地方によっては区別されている別種であるが，一般市場では区別しない．殻は薄く，ひびが入りやすい．殻色は青銅色．内側は紫黒色である．身は灰色で，貝柱は白く大きい．宮城，富山から九州南端まで

たいらぎ

の干潮線*から20mぐらいの砂泥底に棲む．産地は，伊勢湾，瀬戸内海，有明海で，特に有明海がよく知られ，有明海の不知火（しらぬい）はたいらぎを採る漁り火の異状屈折現象によるものである．たいらぎなどハボウキガイ科の貝は日本に15種類くらい棲んでいる．
◇**成分特性**　貝柱が主な可食部である．成分的にはほたてがいの貝柱に似ているが，ステロール*およびコレステロールの含量はほたて貝柱よりかなり低くなっている．また，プロビタミンD*である7-デヒドロコレステロールは総ステロールの6〜15%程度含有している．食用部が貝柱で内臓を含まないので，脂溶性，水溶性のビタミン類も少なく，これらの給源とはならない．
◇**保存・加工**　ほたての貝柱同様，缶詰原料や煮干しとするほか，佐賀，福岡などで，貝柱を粕とみりんで漬けた「筑紫漬」などがある．塩漬された原料が輸入されているが，有明海産のものが独特な味をもつとして特に賞味される．
◇**調理**　貝柱は美味．殻付きの生きたものは生食できる．すし種にもよい．茹でたものや，冷凍品も市販されており，味が淡白なので油を使った焼き物（バター焼き），揚げ物（フライ）などに向く．そのほか，うま味を補うため，昆布じめ，うに和えなどもよい．

●**はぼうきがい**

羽箒貝　分 ハボウキガイ属　学 *Pinna attenuata*　英 pen-shell；fan-shell　別 たち貝
たいらぎよりやや細長い．殻頂から裂け目の稜がのびている．潮間帯の砂泥底に殻頭部を埋めて立っている．房総以南に分布し，味はよいが，市場に出るほど大量には獲れない．

たいわんがざみ　⇨かに

たいわんどじょう　台湾泥鰌

分 硬骨魚類，タイワンドジョウ科タイワンドジョウ属　学 *Channa maculata*　英 blotched snake-head　別 らいぎょ（カムルチーとの混称），地 生魚（広東）
全長60cm．空気呼吸ができるため，水温，水質の変化に強い．肉食性で，魚類や両生類のほか，ときには小型の鳥や哺乳類も捕食する．体側に細長い暗色斑が3縦列ある．1906年に初めて台湾から大阪府下へ移入された．産卵期は5〜8月で，この間に2〜5回産卵する．南方系で中国南部，インドシナ半島，台湾，フィリピンに分布し，移入されたものは近畿地方に多い．
◇**調理**　フライ，唐揚げや中国料理に使う．中国料理では丸のまま使うことは少なく，白身で煮崩れしないので切身として調理する．寄生虫（有棘顎口虫）の宿主となっているので生食は避けること．

●**カムルチー**

分 タイワンドジョウ属　学 *Channa argus*　英 northern snakehead　別 らいぎょ（雷魚）
全長1m以上になる．体側の斑紋は大きく，2縦列ある．1923年頃韓国から奈良県郡山へ初めて移入され，北海道を除く本州各地に分布．ルアー釣りの対象魚として人気がある．本種は北方系で朝鮮半島，中国，シベリアに分布する．
◇**調理**　たいわんどじょうと同じで，寄生虫の宿主であり生食は避けること．

カムルチー（本村　浩之）

タウマチン

英 thaumatin　別 ソウマチン
西アフリカの熱帯樹林地帯に自生するクズウコン科の *Thaumatococcus danielli*（和名不詳）の果実から水で抽出した天然添加物の甘味料である．分子量が約21,000〜24,000の3種のたんぱく質からなる．甘味度はしょ糖の2,000〜3,000倍である．甘味を出現しない濃度で，食品の香味，風味，味などを増強し，苦味，渋味などを消失する作用がある．加熱するとたんぱく質が変性し，甘味がなくなる．エネルギー値はたんぱく質なので1g当たり4kcalであるが，甘味が強く使用量が少ないので，低エネルギー甘味料として清涼飲料，冷菓などに利用される．食品添加物*（既存添加物）．

たかあしがに　⇨かに

たかさご　高砂

成 10196（生）　分 硬骨魚類，タカサゴ科タカサ

たかさご（本村　浩之）

ゴ属　**学** *Caesio diagramma*　**英** double-lined fusilier　**別**　**地** ぐるくん（沖縄）；あかむろ，はなむろ（和歌山）；たなむろ（長崎）

全長30cm．国内では西日本から沖縄にかけての近海，国外では西太平洋に分布する．南西諸島では大切な食用魚である．特に沖縄では，県の魚として指定されている．さんご礁の外縁部に群をなして生息している美しい魚で，追込み漁で漁獲する．体の色は，背側が青色，腹側が薄い赤色で，側面に2本の黄色の帯があるのが特徴である．練り製品原料として使われる．

◇**調理**　身は軟らかいが，新鮮なものは刺身，たたきがよい．また，塩焼き，唐揚げなどに用いられる．

だがし　駄菓子

英 Dagashi

元来，駄菓子は安価な子供向けの菓子で，駄菓子屋で売られていたが，現在，駄菓子屋が少なくなり，スーパーマーケット，コンビニエンスストア，菓子専門店などでも売られるようになった．それらの店舗では，高級菓子，郷土銘菓としての駄菓子がみられる．郷土駄菓子では仙台駄菓子，会津駄菓子，飛騨駄菓子などが有名である．

◇**由来**　古くは雑菓子と呼ばれ，駄菓子の名称が使われるようになったのは明治時代になってからといわれている．また，明治以前には1個が約1文であったので，一文菓子とも呼ばれていた．大正時代になると，菓子を玩具化し容器詰にしたもの，動物，人形，小鳥などの形にした菓子などの食玩駄菓子（おもちゃ菓子）が売り出された．さらに，第二次大戦後には，スナック菓子のように新製法技術による駄菓子もみられるようになった．

◇**原材料・種類**　主として穀類，豆類などと，砂糖，黒砂糖，粗糖，水あめなどが原料であり，原色を基調とした種々の形の素朴な菓子で，地方では独特の名称と味覚を生かしたものがみられる．

包装された干菓子が多い．駄菓子は歴史が長いこともあって種類は多く，次の駄菓子（20選）はその一例で，そのほか，飴*，あんこ玉，きなこ飴，豆板*，かりん糖*，金花糖*，金平糖*，しょうがせんべい*，ゼリー*，チョコレート菓子（チョコレート*），爆弾あられ*，ビスケット*，三島豆*などを含め多種多彩である．

●**あんず菓子**
あんずを使用した菓子には糖掛けあんず，ゼリー，あんず飴などがみられるが，駄菓子では1960年代半ばに発売された「みつあんず」が人気の一つ．干しあんず，水あめ，砂糖，蜂蜜，酸味料，糊料，香料，食用色素などをペースト状にしたものである．1970年代半ばには，棒状のプラスチックフィルム袋に，細かく小片にした干しあんずを甘味料，酸味料（クエン酸），香料のシロップ漬にした「あんずボー」が発売されたが，これも駄菓子定番の一つで，冷凍して食べるとおいしい．

●**梅ジャム**
梅干の種子をとった梅肉に砂糖，水あめ，食塩，酸味料，着色料など加え，練り上げたジャム．第二次世界大戦直後，紙芝居屋菓子の定番である小麦粉，コンスターチ，脱脂粉乳，甘味料などを原料とした薄く淡いミルクせんべい（ソースせんべい）に塗るジャムとして製造されたのが始まりである．

●**型打ちラムネ**
成 15106（ラムネ）
砂糖，ぶどう糖，でん粉，果汁，酸味料（クエン酸・酒石酸*），着色料，香料などを原料とし，型打ちした錠果*．

●**きなこ棒**
水あめを原料とし，きな粉，黒砂糖を混ぜた飴にきな粉をまぶした棒状の飴菓子．串に差し込んだものもある．

●**黒パン**
小麦粉と黒砂糖に膨張剤を加え，固く練った生地を焼いた乾燥焼き菓子．

●**黒棒**
九州地方の焼き菓子であるが，全国でも売られている駄菓子．小麦粉，鶏卵，黒砂糖に膨張剤を加え，棒状に成型した生地を焼き，切りそろえたものに黒砂糖の糖蜜を塗り，乾燥させたものである．

●**コーンスナック**
とうもろこしを原料としたスナック菓子で，そのうち，駄菓子では「うまい棒」が人気の一つ．エクストルーダー*（自動押出し機）で製造した竹輪のような形のコーンパフ（スナック菓子*）で，表

駄菓子20選（平　宏和）

面は調味料，香料などの混合粉末で各種の味付けをしている．

●ココアシガレット
昭和21（1946）年販売のたばこ：ピースの箱（初期のデザイン）と中の紙巻きたばこをイメージした砂糖菓子で，昭和26（1951）年に売り出された．砂糖，ぶどう糖，デキストリン＊，ココアパウダー，香料などを原料とするはっかの香りとココア味の棒状菓子．大人のまねをしたがる子供向けの駄菓子であるが，喫煙が問題となっている現在，箱には「あなたの禁煙を応援します」と大人向けの記載がある．

●ごま板
炒ったごまに飴をからませ，板状に伸ばした飴菓子．

●スティックゼリー
細長い中空のスティックに入ったゼリーで，口にくわえて吸い込むようにして食べる．ゼリー＊は，果汁，砂糖，酸味料，香料，食用色素などとゲル化剤を混合，加熱溶解，凝固させたもので，通常のゼリーより軟らかい．第二次世界大戦前より製造されていた菓子で，スティックはガラス管，ゲル化剤は寒天であったが，現在，こんにゃくゼリー（ゼリー＊）の製品も多く，スティックは薄いプラスチックフィルムの細長い袋が使用されている．

●べっこう飴
砂糖，水あめ，水を煮溶かし，泡立防止と型離をよくするために少量の食用油を加え煮詰め，輪型に流し込んだ光沢のあるべっこう色の飴菓子．

●麦チョコ
膨化した麦（大麦または小麦）にチョコレートを直接噴霧または回転釜を用いて噴霧を繰り返し，層を厚くコーティングした菓子．製品の誕生には諸説があるが，1960年代といわれている．

●ラーメンスナック
即席非油揚げ麺の天日干し中に出るカケラの利用

しそパン*　　酢こんぶ*　　スティックゼリー
風船ガム（チューインガム*）　　ふ菓子*　　べっこう飴
麦チョコ　　ラーメンスナック（ベビースターラーメン）

法から考え出されたスナック菓子．元祖は「ベビースターラーメン」で，味の種類も多い．チキンラーメンは，小麦粉に水を加えて練り合わせ，製麺したものを蒸し，しょうゆ，砂糖，チキンエキス，調味料などで味付けした後，植物油脂で揚げ，そのまま食べやすいサイズに切断したもの．

たかな　高菜

成 06147（葉 生）　分 アブラナ科アブラナ属（1年生草本）　学 *Brassica juncea* var. *integrifolia*
英 Takana；broad leaf mustard

からしな類の漬け菜で，中央アジア原産とされ，わが国にはシルクロード経由で中国から入ったとされる．関東以南の各地に広く分布し，鹿島たかな，石川たかな，福井たかな，京都赤たかな，広島紫たかな，長崎たかなのような地方品種を分化し，各地の漬物用として重要な役割を果たしている．また，福岡のかつおなのように煮食するものもある．

◇調理　繊維組織が硬く，浸し物，和え物には向かない．新鮮なものは香りもよく，2〜3分茹でてから煮付けるとおいしいが，大部分は漬物の原料にされる．漬物としては長期の保存漬の方が味がよく，年間を通じて食べることができる．これは独特の辛味成分のため，漬物の酸度の上昇が抑えられるからである．中国料理（特に四川料理）では，担々麺のように漬けたものをさらに炒める料理がある．

●たかな漬

高菜漬　成 06148　英 Takana-zuke；（salted pickles of Takana）

◇原料　たかなの塩漬で，九州の名産品だが，たかなは品種も多様で地方によりいろいろなものがある．とうが立つのが遅く，肉質，風味ともに優れた漬け菜である．山形の青菜（せいさい）もた

上：たかな　下：赤大葉高菜（平　宏和）

上：たかな漬，下：めはり寿司（焦がし醬油梅入り）南紀，熊野地方や奈良，吉野地方の郷土料理．たかなの浅漬でくるんだもの（平　宏和）

かなの一種で，浅漬に仕上げたものである．
◇**漬け方**　刈り取ったたかなを1日ほど天日に干して全体をしなしなにする．水洗い水切りし，2，3本ずつ束にして漬け込む．食塩濃度は漬け込みの時期と早出し，遅出しによって異なる．春秋期に漬け込むときは4〜5%，夏期は7〜8%，冬期は2〜3%にする．押し蓋をして等量の重石をして，漬け汁があがってきたら半減する．遅出しの場合は重石を2/3ぐらいにしておく．早出しの場合，食塩が浸透してもしばらくは辛味がある．約2カ月ぐらい経って，熟成して葉の色が茶色になる頃に辛味が抜ける．その頃が食べ時でもある．
◇**保存**　漬物を容器より出したら，空気に触れないよう包装して低温で保存する．2〜3カ月漬け込んだ遅出しのものはべっこう色をしていて独特の風味がある．保存法は早出しのものと同様である．

●**多肉たかな**
九州に広く分布しており，深漬用である．福岡県の三池たかなが著名であるが，柳河ちりめん，おたふく，紫ちりめんなども地域的に栽培されている．山形青菜（せいさい），南部ばしょうなはその寒地馴化型である．三池たかなは，広島菜，野沢菜とともに，日本三大漬け菜といわれる．

鷹の爪　⇨とうがらし

たかべ　鰖；高部

成 10197（生）　**分** 硬骨魚類，タカベ科タカベ属　**学** *Labracoglossa argentiventris*　**英** yellowstriped butterfish　**別**　**地** しまうお（熊本）；ほた（鹿児島）；しゃか（和歌山）　**旬** 7〜9月

全長20〜30cmの海産魚．茨城県・若狭湾以南の日本各地に生息する．特に伊豆諸島の岩礁に多く棲み，この地方での海釣りの対象となっている．体表面の色は青灰色．背側に黄色の縦線が1本走っているのが特徴で，英語名の由来となっている．
◇**成分特性**　脂質（TAG当量）*含量が100g当たり7.4gと比較的多い．
◇**保存・加工**　体表面の黄色線は，鮮度が落ちると不明瞭になるので，鮮度の指標となる．主につぶしものとして練り製品に使われる．
◇**調理**　身は少し磯臭さがあるが，軟らかい．盛夏から秋には脂がのり，コクのある味である．鮮度のよいものは刺身にし，たたき，塩焼き，煮付けなどにしてもよい．流通量は少なく，旬の時期は市場価値は高い．

たかべ（本村　浩之）

たくあん漬　沢庵漬

成 06138　**英** Takuan-zuke；(Japanese radish pickled with rice bran and salt)

大根を米糠と塩を混ぜた糠床に漬けたもの．大別すると本漬たくあん（干し大根漬）と早漬たくあん（塩押し漬）の2種と，秋田のいぶりがっこなどがある．
　由来：諸説あるが，慶長年間の「紫衣事件」に連座した沢庵和尚と三代将軍家光とのエピソードは有名である．一方，沢庵の沢には「うるおう」「まじりけなし」などの意味があり，「たく」とか「じゃく」と読む．九州地方では，みそや漬物を茅ぶきの庵に貯え，糠と塩で漬けたものを「沢庵（じゃくあんまたはじゃかん）」と呼んでいたので，文字から「たくあん」となったともいわれる．

● いぶりがっこ

成 06388　別 いぶり漬；いぶりたくあん

秋田地方名産の漬物で，元々は冬の訪れの早い秋田内陸の山間部で，たくあん用の大根干しを，降雪と凍結から守るため屋内に干したのがはじまりとされる．縄で編んだ大根をいろりの上に吊るし，燻されて適当に乾燥したものを原料としたたくあん漬．現在では，大根を燻煙室で燻して作られる．

● 早漬たくあん

成 06138（塩押しだいこん漬）　別 塩押し大根漬

早漬たくあんは生大根にそのまま食塩をふりかけ押し蓋と重石で漬け込んで脱水する方法で，加工場で大規模に行う場合に，簡便さのためにとられる方法である．

◇原料　原料大根には美濃早生大根か，または，練馬大根などが適している．生大根を干さずにそのまま食塩で下漬して脱水し，柔軟になったところで本漬に移す．しかし，生干し大根を用いるときは下漬の必要はなく，味，歯切れともに優れている．

◇漬け方　下漬の食塩は3～4％である．漬け汁があがってきたら重石を半減する．下漬期間は5～7日でよい．本漬は，下漬大根10kgに対して米糠500g，食塩200g，色素2g（黄色），サッカリン1gの配合で，本漬たくあんの漬け方と同様の方法で混ぜ合わせ，漬け込む．重石は大根と同量にする．漬け込み期間は10～15日である．その後，食用期は，秋・冬季ならば1カ月以上ある．

● 本漬たくあん

成 06139（干しだいこん漬）　別 干し大根漬

原料に干し大根を用いたたくあん漬．大根の成分がそのまま濃縮されるので早漬たくあんより風味の点で優れている．食用期は周年化しているので漬け込み期間，つまり食用期間をいつにするかによって干し程度，食塩，重石の質量が変わってくる（表1）．家庭においては直接，桶に漬け込む

たくあん漬　上：本漬たくあん，下：いぶりがっこ（いぶりたくあん）（平　宏和）

場合が多いので，干し大根を用いる．

◇原料　原料大根は練馬大根が主体で，品種としては練馬尻長，練馬中太，晩生練馬，大倉大根などが適している．早採りの方が組織が軟らかくて歯切れがよい．質量は1本800g～1kgぐらいが適当である．

◇漬け方　乾燥　葉を切り落とし，水洗いして縄で10～15本に編み，日当たりのよい雨のあたらないところに吊して乾燥する．乾燥の程度は食用期によって，早く食用にしたい場合には弱く，遅く食用にしたい場合は強めにする．乾燥が終わったら，1本ずつ板の上で手で十分にもみこんで組織の軟化を行う．

　漬け込み　本漬たくあんの食用期別乾燥程度と配合例を表1に示した．米糠は新鮮なものを用い，色素は許可された黄色色素を少々とうこん粉などが用いられる．甘味料のサッカリンは，多すぎるとあと味が口中に残るようになるので，できるだ

表1　本漬たくあんの食用期別乾燥程度と原料配合例

食用期 （漬込期間）	食塩 濃度	乾燥程度	干し 大根	食塩	米糠	色素	サッカリン	重石 （当初）
1～2月 （2～3カ月）	甘塩	ひらがなの 「く」の字形	10 kg	400 g	600～800 g	0.8 g	0.6 g	10 kg （15）
4～5月 （5～6カ月）	中塩	ひらがなの 「つ」の字形	10 kg	600 g	400～600 g	0.6 g	0.3 g	15 kg （20）
6月以降 （7カ月以上）	辛塩	ひらがなの 「の」の字形	10 kg	800～1,000 g	300～400 g	0.5 g	—	15 kg

け少なめに加える．熟柿や柿の皮なども用いることもある．砂糖はアルコールと乳酸発酵を起こすのでできるだけ用いない方がよい．そのほかの副材料としてはうま味調味料や唐辛子などがある．漬桶は異臭のないものを用いる．

副材料の混合は，色素を食塩に混ぜ合わせ，サッカリンは少量の水に溶かして食塩によく混合し，米糠に混ぜ合わせる．これを60：40に分けておく．40％の方は容器の下側半分に用い，残りの60％の方は上側半分にふりかける．桶の底に干し大根葉を1列に敷き，混合米糠を少量ふりかけ，その上に干し大根を隙間のないように並べ，混合米糠をふりかける．これを繰り返し，半分以上になったら混合米糠を多い方にする．最上部には干し大根葉を2列くらい敷きつめて混合米糠の残り全部をふりかける．押し蓋をのせ，大根量の1.5～2倍量の重石をのせて漬け込みを完了する．数日して漬け汁が押し蓋の上まであがってきたら重石を減らす．その後はポリエチレンフィルムなどでおおいをして，さらに蓋をして食用期まで熟成させる．

 濁酒 だくしゅ；にごりざけ

英 Dakushu 別 どぶろく（俗称）

清酒に対する濁酒で，いわゆる「どぶろく」の俗名で知られている．清酒と同じようにもろみ*（醪）をつくり，これを濾さずにそのまま飲むもの．なかには米粒や麹がそのまま入っている．酒税法では，「その他の醸造酒」に分類されている**（付表14）．**

濁酒（にごり酒）
（平 宏和）

 たけのこ 筍；竹の子

成 06149（若茎 生），06150（若茎 ゆで），06151（水煮缶詰） 分 イネ科マダケ属（多年生竹） 学 Phyllostachys spp. 英 bamboo shoots 旬 3月初旬（暖地）～5月下旬

食用とするのは，主としてモウソウチク（孟宗竹 Phyllostachys edulis）であるが，このほかマダケ（真竹 P. reticulata），ハチク（淡竹 P. nigra var. henonis），チシマザサ（千島笹 Sasa kurilensis）なども利用される．また，秋に出るたけのことして珍重されるものに，シホウチク*がある．モウソウチクは華南の原産で，わが国へは18世紀初め琉球から鹿児島に導入され，これがもとになって各地に広がったものとされている．わが国のみならず，中国，東南アジアの諸国でも広く食用とされている．

栽培：地下茎*（べん根）によって繁殖する．生産用の竹林の造成には，まず1～2年生の目通り（目の高さのところの直径）10cm程度の若竹を母竹に選び，節数10節前後，長さ60cmくらいのべん根をつけて竹林予定地に植え込む．栽植距離は4m×4m～6m×6m，10a当たり60～30本である．植付け後3～4年間はたけのこを収穫せず，成竹として竹林の育成にあたる．7～8年間で成園となるので，順次古い竹を間抜し，10a当たり200～300本になるよう成竹数を調節する．間抜は秋季に行う．竹が密生して，日当たりが悪くなると，たけのこの発生が遅れ，品質も悪くなる．モウソウチクは，栄養繁殖*によって増殖してきたため，品種分化は認められない．自然の気象・立地条件を利用した普通栽培が最も多く，3～5月に収穫される．青果物として出荷されるほか，缶詰，塩漬，乾燥たけのことされる．冷涼地では5～7月に収穫される．このほか，ビニル・マルチ，ハウス，および竹林の地面をプラスチックフィルムなどで覆い，地温を上げて促成する方法などが行われ，11～3月に出荷される．

産地：福岡，鹿児島，熊本，京都など．

◇**成分特性** 調理後のたけのこはたんぱく質，炭水化物が比較的多い以外，成分としては特に高い値はないが，生長中の幼植物の特徴として，遊離アミノ酸*，還元糖*など代謝の中間産物を多く含み，強いうま味をもっている．呈味成分としてはグルタミン酸，ロイシン，アスパラギン酸などのアミノ酸，シュウ酸*など有機酸*を含む．たけのこはえぐ味が強いが，この主成分は，アミノ酸のチロシンが酸化したホモゲンチジン酸*とシュウ酸によるといわれており，米糠や米のとぎ汁で茹でると除去できる．塩蔵しなちくを塩抜きをしたものは水分以外の主成分は炭水化物で，そのほとんどが食物繊維である．

たけのこ　左：モウソウチク（野生），中：モウソウチク（生），右：水煮（フィルム包装）（平　宏和）

◇加工　水煮缶詰と乾燥品（めんま*）が主な加工品である．たけのこは鮮度低下が早いので採取後，直ちに加工する．水煮缶詰にするには尖端部の軟らかい皮を残して外皮を除去し，40～60分蒸し煮してから冷却，20～30時間水換えしながらアクを抜き，缶あるいはびんに詰め，脱気後殺菌して冷却する．また，最近はナイロン，ポリエチレンのラミネートフィルムで包装し，加熱殺菌された茹でたけのこが，年間を通じて出回っている．

◇調理　鮮度を重視：たけのこのように植物として完成された状態でなく，極度の速さで生長している幼植物は，遊離アミノ酸，還元糖など代謝の中間産物を多く含み，これが特有のうま味を形成している．したがって収穫直後からそれらの物質の消耗により，味がぐんぐん低下していく．そのため，掘りたては軟らかく，うま味もあり，調理前にあらかじめ茹でる必要はないが，時間の経過したものはえぐ味がでて硬くなるので，茹でてから用いる．※下茹で：市販されている普通のたけのこは，多少ともえぐ味の成分が増えているので，使用にあたってはアク抜きを要する．アクの成分中にシュウ酸の多いのが特徴で，これを減らすには米のとぎ汁か米糠を加えた汁で茹でる．糠を加えると煮汁へのシュウ酸の溶け出しは加えないときの7～8倍に増え，たけのこのシュウ酸残存量は1/2になるという．糠の効用はアクの成分の吸着，あるいは糠がたけのこの成分の酸化を防ぐ，また糠の酵素がたけのこを軟らかくするなど，いろいろいわれているが明らかでない．また，たけのこを皮のまま茹でると，還元性の亜硫酸塩が繊維組織を軟化させるともいわれる．アク抜きしたたけのこの味は淡白で，味付けが自由にでき，調理の範囲は広い．※部位による使い分け：たけのこは先端，中間，根もとで軟らかさ，形，組織，アクの量などが異なるので，調理ではこれを使い分ける．アクやえぐ味は一般に先端に多いが，軟らかさは根元の方が劣る．炒め物，揚げ物など加熱調理一般には根元の方を用い，先端は椀種，サラダ，和え物，たけのこご飯など，たけのこの風味と持ち味を目的とする料理に用いる．また，青果物として出荷される旬のたけのこは，季節の味わいを満喫できる．

●しほうちく
四方竹　分 イネ科カンチク属（多年生竹）　学 *Chimonobambusa quadrangularis*　別 しかくだけ（四角竹）

高さ4～5m，稈（かん）（茎のこと）は名前の通り四角形で，径は2～6cm．このたけのこは，秋（9月上旬～10月上旬）に出るので，珍重される．主産地は高知県で，南国市が特に多い．茹でる際に剥皮すると，黒色となるので，皮と一緒に茹でる．

しほうちく（ゆで）（平　宏和）

●ねまがりたけ
根曲がり竹　分 イネ科タケ亜科ササ属　学 *Sasa kurilensis*（チシマザサ）　標 千島笹（チシマザサ）　別 姫竹（ヒメタケ），姫筍（ヒメタケノコ）　旬 5～6月

イネ科タケ亜科ササ属チシマザサの若竹の山菜．信越から東北にかけては雪の重みで根元が曲がっているので，根曲がり竹と呼ばれる．山陰地方などでは，姫竹または姫筍と呼ばれる．竹ではなく笹の若芽なので，孟宗竹（モウソウチク）や破竹

ねまがりたけ　上：生，下：ゆで（平　宏和）

（ハチク）の筍と比べるととても細く小さいが，破竹より肉厚である．アクが少ないので，生のままかじってもエグミはなく，歯触りがよく，よい香りがする．

たけのこいも　⇒さといも（京いも）

たこ　蛸；章魚

分 軟体動物，頭足類（綱），八腕形目，無触毛亜目　英 octopuses；devilfishes

日本周辺に約50種いる．軟体動物の中ではいか類とともに高度に分化した動物である．たこの足は8本で，ほぼ等長である．丸く坊主のようなところが胴で，内臓が入っていて，眼のあるところが頭部である．口のようにみえる管になった部分は漏斗*（ろうと）で，呼吸や排泄のための水の出るところである．口は，8本の腕に囲まれた真中にあって，強い顎板をもっている．海底の岩礁に棲み，夜，活動する．穴に入る習性もあるため，たこつぼで漁獲される．底曳網漁もある．

◇成分特性　特有の筋肉組織をもち，筋繊維に方向性がない．全体に弾力があり，シコシコした歯応えをもつ．成分的にはいかに類似しているが，いいだこは内臓，卵などを含むため，やや水分が多く，たんぱく質の含量が低いなど，多少異なっている．

◇保存・加工　一般的には煮熟した後に加工するが，干物の一部にまれに生のまま処理する場合がある．保存を兼ねた加工品には酢だこ，味付けだこ，干しだこなどがある．珍味としては燻製のほか乾製品がある．燻製は煮だこを原料としていかの調味燻製とほぼ同様なやり方でつくられる．乾燥品に削りだこ，そぎだこがあり，削りだこは調理し皮をむいたたこを煮熟してから乾燥し，さらに細長い薄片に削ったものである．そぎだこは，削らずに，細長い片に切って干したものである．茹でだこはもともと調理の一種と考えられるが，生のものは鮮度が低下しやすいため，現在では茹でたものを冷凍して販売し，加工品として扱われている．みずだこなどが使われ，調理したたこを塩もみしてから煮熟したもので，そのまま調理材料とするほか，二次加工用の原料にもする．

◇調理　前述したように，筋肉組織に特徴があり，加熱による収縮がはなはだしく，硬くなりやすい．物性の特徴を生かしながら，軟らかく加熱することが大切である．※脂肪が少なく，味も淡白でクセがない．※持ち味が淡白なので，酢だこやすし種に用いられる．煮物では，調味料が浸透しにくいので，時間をかけてゆっくりと煮上げる．煮物には体内に米粒状の卵が詰まっているいいだこがよく，さといもと煮るとよい．このほか，まだこは大豆とともに煮ると調味液がゆっくり浸透して，軟らかく煮上げることができる．

●味付けだこ
味付蛸　英 boiled and seasoned octopus
小型のたこの内臓を除き，煮熟してからしょうゆを主体とする調味液につけたものである．
●いいだこ
飯蛸　成 10360（生）　分 マダコ科マダコ属　学 Amphioctopus ocellatus　英 ocellated octopuses；small poulp；webfoot octopus　別 こもちだこ
全長20cm前後の小さいたこで，体の表面にぼつぼつがあり，腕と腕との間の膜上に1対の金色の環紋がある．秋から冬にかけて抱卵する．この時季に煮付けると，胴の中の卵が米飯粒を詰めた感じから飯蛸（いいだこ）と呼ばれる．北海道以南，中国沿岸にかけて分布する．

いいだこ

酢だこ　原料：みずだこ（平　宏和）

●かいとうげ
海藤華　別 たこきん
まだこの卵巣（真子）をいい，まだこではピンポン球くらいの大きさである．海藤華とは，卵の薄皮に切れ目を入れて茹でると，中の子がはじけて，華が咲いたようになるところからきている．珍味として喜ばれる．また，まだこの卵は海中の岩棚の下などに房にして吊り下げられるので，その様をふじの花にたとえたものともいわれる．

●酢だこ
酢蛸　英 boiled and vinegar cured octopus
たこの加工品として最も一般的なもので，まだこやみずだこを茹でてから，酢につけたもの．食塩のほか適当な調味料で味付けしたものもあり，赤く着色するが，無着色のものもつくられている．

●たこ珍
蛸珍　英 smoked small octopus
いいだこの燻製であるが，塩以外の調味料は使わない．たこくんともいう．

●干しだこ
英 dried octpus

まだこ　干しだこ（熊本 天草産）（平　宏和）

小型のまだこ，長足のみずだこなどの大型たこを乾燥したもの．まだこを原料とした製品は兵庫県の明石・淡路島，熊本県の天草地方などで生産されており，生きているたこの内臓・眼球を除去し，胴部に竹のU字枠を挿入，足切りをして乾燥させる．漁師の保存食として作られていたが，販売されて酒の肴，料理に使われる．北海道，青森の沿岸部では，みずだこ，やなぎだこの腕の乾燥品がみられる．

●まだこ
真蛸　成 10361（生），10362（ゆで）　分 マダコ科マダコ属　学 *Octopus vulgaris*　英 common octopus；poulp　別 たこ；あかしだこ
腕を含めて全長60cmになる．体の表面に小さないぼがある．腕の長さは胴の長さの約3倍．生時は体色は一定せず，周囲の色に似せる．産卵期は5月頃．寿命は2年くらいといわれる．近海もののまだこは茹でると濃いあずき色となる．市場でみられる薄いあずき色のまだこは大西洋方面で獲られた冷凍品であって，通称アフリカだこといわれる．市場に出回っているたこは日本産のものは少なく，大部分はモロッコなど外国産の冷凍だこである．まだこはたこ類の中で一番なじみが深い．まだこは日本以南，インド・太平洋，大西洋，地中海など，広く分布しているが，全部一種ではないかもしれない．

まだこ（ゆで）

●みずだこ
水蛸　成 10432（生）　分 マダコ科マダコ属　学 *Paroctopus dofleini*　英 North Pacific giant octopus　別 しおだこ；おおだこ；ほっかいだこ
全長3m．外套長40cm．体重30kgもある大だこで，秋から早春にかけて漁獲される．まだこと異なり，茹でても赤くならないので食紅で色付けして出荷される．身はまだこより柔らかい．北海道周辺から北米にかけて寒い海に分布している．

みずだこ（矢野　涼子）

たこ焼き

成 Takoyaki

水溶きした小麦粉の生地を焼き器具に流し込み，たこ（蛸）と具を加え，球形に焼き上げたものである．

◇由来　昭和10（1935）年に大阪市西成区の会津屋が「たこ焼き」の名で販売したのが始まりといわれている．その後，全国に広まり，昭和38（1963）年には東京にもたこ焼き屋が開店している．

◇原材料・製法　店舗，家庭でつくられ，冷凍品も市販されており，その原材料・製法もさまざまである．一般には小麦粉に鶏卵を加え，だし汁で溶いた生地を半球形（直径：3～4.5cm）のくぼみのある鋳物製のたこ焼き器具に流し込み，1口大に切った茹でだこを入れ，その上にに天かす（揚げ玉）と刻んだねぎ，紅しょうがなどを散らし，これを金串で反転させながら球形に焼き上げる．焼き上がったものは容器に移し，トッピングとしてソースを塗り，青のり，削り節などを振りかけ，好みでマヨネーズもかける．表面はカリッと，なかはとろりとし，たこ（蛸）とともに，独特の食感がある．

たこ焼き プレーン（平　宏和）

だし巻き卵

成 12019　英 Dashimaki-tamago；omelet roll；(omelet with stock)

卵にだし汁を卵の30％程度加え，食塩，砂糖，酒などで調味して卵焼き器で焼きあげたもの．

だし巻き卵（平　宏和）

たたみいわし　畳鰯

成 10057　英 Tatamiiwashi；(sheet of dried larvae)

しらすを水洗後型枠ですくいあげ，すだれに板状にふせ，十分に乾燥するまで（水分10％前後）干し上げたもの．和紙のように薄く仕上げる．湘南（神奈川県）や静岡が主産地．さっとあぶって，しょうゆをたらして食べる．

たたみいわし（平　宏和）

たちうお　太刀魚；魛

成 10198（生）　分 硬骨魚類，タチウオ科タチウオ属　学 *Trichiurus japonicus*　英 largehead hairtail　別 地 たちお（明石，鳥取）；たち（神戸，福岡）；はくうお（仙台）；さわべる（福岡）　旬 4～5月

全長1.5m．体は細長く延長し，左右に平たい．尾部はひも状となり，尾びれがない．名前の通り体色は太刀のごとく銀色に輝く表皮の銀粉を有しているが，剝離しやすい．大きな口と強い歯をもつ．北海道から九州，朝鮮，東シナ海に分布する．たちうおに似たタチウオ科の魚にオシロイダチ属

たちうお（本村　浩之）

のおしろいだちがある．

◇**成分特性**　周年美味だが，4〜5月頃の，卵巣が熟し脂質の多いものがうまい．ただし卵は舌触りがあらく不味である．白身のクセのない魚で，関西で好まれる．成分的には，白身の魚の中では比較的水分が少なく100g当たり61.6gである．脂質（TAG当量）*は 7.7gと多い．鮮魚としては脂質の含量の高い大型魚が好まれるが，かまぼこ原料としては脂質の少ない小型魚が適している．鱗が銀箔のようにみえるのはグアニンの結晶が沈着しているためで，これを魚鱗箔（ぎょりんぱく）と称し，採取して模造真珠の原料にする．

◇**調理**　鱗の銀白色が剥げていないものほど新鮮である．この色は鱗を除いても体表面に残るので，これを生かして銀皮づくり（昆布じめにしたたちうおの刺身）などにする．※体長が長く，肉質は軟らかく崩れやすい．新鮮なものを胴切りにして，焼き物にするか，フライ，唐揚げなどにするのがよい．焼くと脂肪が滲出してくるので，熱いうちに酢じょうゆで食べる．※煮付けにもするが，肉質がひきしまらないので，本来は煮物や鍋物には向かない．※もともと小骨の多い魚で，しかも薄く細長いものを胴切りにするので，小骨の部分を除くことが難しい．したがってあまり高級料理には向かない．

●**おしろいだち**

白粉太刀　分 オシロイダチ属　学 *Eupleurogrammus* sp.　英 cresthead cutlassfish；ribbonfish　別 おしろいたち

全長90cm．渤海，黄海，東シナ海に分布する．たちうおとの差異は，たちうおが側線が胸びれ上方で斜行するのに対し直線的であること，腹びれを有しないのに対し退化した根跡を有するなどの点である．食品としてはたちうおと同様に扱われる．

だちょう 駝鳥

分 ダチョウ目ダチョウ科ダチョウ属　学 *Struthio camelus*　英 ostrich　別 鳳五郎

ダチョウ科の大型鳥で，頭高は約2〜2.5mに達し，現存する鳥中最大．雄は翼と尾が白く，他は黒色．雌は灰褐色．乾燥地に棲息し雑食性であるが，日本では1991年以来各地で飼育されている．だちょうは成長すると体高約2m，体重100〜150kgに達し，走力時速約60〜70kmに達するという．有史以前からアラビア，アフリカの砂漠地帯に群生し，狩猟鳥として人類に大きな貢献をしてきた．

◇**品種**　種類は大別してレッドネック種とブルーネック種に分けられているが，正しくは6種の亜種があり，この5種のほか，ミナミアフリカ種（ブルーネック）を基に家禽化された馴養種のアフリカン・ブラック種がある．

◇**飼養**　だちょうは粗飼料の利用性が高く，糞と尿の排泄が別で環境管理がしやすく，自給生産性の高い動物資源として興味ある存在である．2001年現在世界42カ国以上で飼育され，日本では1991年以来沖縄から北海道までの各地で飼われるようになった．

◇**成分特性**　だちょうの肉は身体の後半，ももからすねにかけてついている．大別して，もも，フィレ，ドラムと呼ぶ．ももの成分値は，100g当たり，エネルギー116kcal（483kJ），水分75.7g，たんぱく質22.0g，脂質2.4g，灰分0.6gである（米国食品成分表）．おおむね馬肉，牛豚のヒレ肉の値に近いとみてよい．ただし，リン，鉄*，ビタミンA，ビタミンB_1などは比較的多い．

◇**調理**　部位によって質がかなり異なるので，調理の際には注意を要する．

だちょう肉（平　宏和）

だちょう卵　駝鳥卵

英 ostrich's eggs

だちょうは一雄多雌，一つの巣に数羽が産卵する．だちょうの卵は一般的には繁殖用とされるが，食用とすることもある．

◇構成　卵の長径は約 15〜20 cm で，卵重は 1.2〜1.8 kg（平均 1.3 kg 程度）で，鶏卵の 20〜25 倍に達する．卵殻色は乳白色からベージュまでの変異がある．卵殻は 1.9 mm（鶏 0.3 mm）程度と厚く，卵殻強度は 55 kg（鶏の平均 3.2 kg）にも達するので，輸送が容易である．卵殻質量は全卵質量の約 20%（鶏卵の場合 12% 程度）を占める．卵の内容物質量は卵質量の 80〜85%，卵黄は約 400 g，全卵質量に対しておよそ 26%（鶏卵は 31%），内容質量に対しては 33% 程度，卵白は約 800 g で，全卵質量の 54%（鶏卵は約 57%）を占める．

◇成分特性　だちょう卵の一般成分は鶏卵と大差がない．卵白たんぱく質のうち熱抵抗性の高い糖たんぱく質であるオボムコイド*含量が比較的高い．鶏卵に含まれるアビジン*は，だちょう卵には含まれていない．アミノ酸組成は，鶏卵に比較し含硫アミノ酸*がやや多いが，大差はない．コレステロールも鶏卵と大差はない．ビタミン B_1 および葉酸*が鶏卵の 1.6 倍，セレン*は 2.6 倍，鉄*は 1.1 倍である．

◇調理　半熟卵にするには，45 分程度，固茹でにするには約 90 分を要する．調理には鶏卵と同様に利用されるが，卵白の付着性が鶏卵より大きいため取り扱いにくいという難点がある．加熱凝固卵黄にも粘りがあってほぐれにくいことから，鶏卵よりやや高めの温度で調理するとよい．泡立ち性は鶏卵に比較し低い．

だちょう卵　うずら卵，鶏卵との比較（平　宏和）

だつ　駄津

分 硬骨魚類，ダツ科ダツ属　学 *Strongylura anastomella*　英 Pacific needlefish　別 地 だす（関西）；なぐり；なごり（北陸，山陰）；さんかん（九州）　旬 6〜8 月

全長 1 m．国内では北海道から九州に分布し，琉球列島や小笠原諸島には生息しない．沿岸の表層を回遊する．沿岸を春に北上し，秋に南下する．非常に細長い体型をしており，英名の由来となっている．体の色は背側が青緑色，腹側が白色である．

◇調理　あまり美味ではないが，練り製品の材料として用いるほか，煮付け，焼き物にする．

田作り　たづくり

成 10046　英 Tazukuri；(dried young anchovy)　別 ごまめ（古女；伍眞米；乾鯷鰊）

小型のかたくちいわしを煮熟しないで，そのまま乾燥したもの．おせち料理のあめ煮も，田作りまたはごまめと呼ばれる．田作りの名は昔，いわしを稲作の肥料にしたことから付けられたといわれる．ごまめとは細かい群をなすいわしを意味するこまむれ（福井県の方言）から転じたという．生のいわしをそのまま乾燥してあるため，保存性は劣る．

田作り（あめ煮）（平　宏和）

脱脂粉乳　⇨粉乳

たで　蓼

成 06285（めたで 芽ばえ 生）　分 タデ科イヌタデ属（1 年生草本）　学 *Polygonum hydropiper*（ヤナギタデ）　英 water pepper

日本原産で，日本をはじめ北半球の温帯・亜熱帯の水辺に自生している．わが国では魚の生臭味を消すとして古くから利用されてきた．噛んだときに舌をただれさせるのでこの名があるという．

◇品種　ヤナギタデ（*Polygonum hydropiper*）とその変種のアオタデ（*P. h. var. laetevirens*），サツマ

べにたで（平　宏和）

だてまき（平　宏和）

タデ（*P. h. f. viridis*）がある．一般的に利用されるやなぎたでは，ほんたで，またでといわれ，葉，茎とも濃い紅色をしており，あおたで，ほそばたでは緑色をしている．芽たでは本葉が出る前の子葉*で，紅たでと青たでがある．紅たではやなぎたで，青たでにはあおたでとほそばたでが使われる．青たでに，藍染料をとる植物として有名なアイタデ（*P. tinctrium*）が代用されることがあるが，辛味はない．本葉を利用する笹たでは，本葉5〜6葉がでたところを切りとったもので，あおたでが使われる．

　産地：静岡，大阪，島根．

◇**成分特性**　芽たでは100g当たり，β-カロテン4,900μgを含む緑黄色野菜であるが，食べる量は少ないので栄養的には重要でない．

◇**調理**　芽たでは，色，香り，辛味を目的に薬味や刺身のつまとして用いる．紅たでは，たい，いかなどの刺身に添えると白い切り身の色が引きたつ．炒ったもの（炒りたで）を椀種に用いることもある．※たで酢：笹たでをみじん切り，または摩砕して酢と合わせたものをあゆの塩焼きに添える．

 だてまき　伊達巻き

成 10382　英 Datεmaki；(rolled up baked kamaboko of surimi and egg)

東京名産の伊達巻きは甘味の強い鶏卵入りの焼きかまぼこである．名前の由来は，伊達政宗の好物説，一般のかまぼこよりも華やかなところから，派手で凝った装いをする人を呼ぶ伊達者（こちらも語源は政宗の説もあり）からという説，和装に用いる伊達巻き（長襦袢の上にしめる帯）に似ているという説など，さまざまである．すり身を塩ずりし，卵と砂糖を同量加え，すりつぶして気泡を入れ，最後にでん粉，みりん，調味料を加えて本ずりする．四角い鍋に入れて，あぶり焼きにする．焼き上がった身は竹簀の上で軽く冷やし，巻き上げる．焼き色のついた面が表面になるように"の"の字型に巻き直して，形を固定する．正月料理には欠かせない．

 たにし　田螺

成 10299（生）　分 軟体動物，腹足類（綱），タニシ科　英 pond snails；mud snails　別 たつぶ；たつぼ；つぶ

タニシ科の日本産は，まるたにし，おおたにし，ひめたにし，ながたにしの4種で，淡水食用貝．卵胎生で幼貝を産む．養殖されていた南米原産のジャンボたにし*は，リンゴガイ科で apple snail と呼ばれ，タニシ科ではない．

◇**成分特性**　昔は農村の重要なたんぱく質源とされた淡水産の巻き貝である．100g当たり，たんぱく質（アミノ酸組成）*(9.4)gは巻き貝としてはむしろ少ない方であるが，二枚貝と比べると多い．脂質（TAG当量）*0.3gおよび利用可能炭水化物*(差引き法)7.9gは少ないが，灰分3.5gは非常に多い．巻き貝であるが，コレステロール以外のステロール*を含んでおり，プロビタミンD*の含量も高い．そのほか，β-カロテン当量960μg，ビタミンB_2 0.32mgなどは多い．B_1は0.11mgと少ないが，B_1分解酵素（チアミナーゼ）を含有していることと関連があるのかもしれない．

◇**調理**　茹でてむき身で市販されているものは，熱湯を通すか，さっと火を通して用いる．殻付きのものは，必ず生きているものを求め，泥を吐かせ，茹でてから身を引き出して用いる．下煮をして木の芽和え，山菜和え，酢みそ和えにしたり，串に刺してみそ焼きやつけ焼きとする．

●**おおたにし**

大田螺　分 マルタニシ属　学 *Cipangopaludina*

たにし　左：まるたにし，右：ひめたにし

バタースコッチ（平　宏和）

japonica　英 giant mud-snail；pond-snail
殻高5cmくらいになる．胎仔数は30～40個．幼貝のうちは角ばっていてソロバン玉状である．田や湖沼に棲む．
●ながたにし
長田螺　分 ナガタニシ属　学 *Cipangopaludina longispira*　英 mud-snail；pond-snail
琵琶湖特産．殻高5cmくらいになる．胎仔殻は大きく1cmを超え，5～6個しか産まない．
●ひめたにし
姫田螺　分 ヒメタニシ属　学 *Sinotaia quadrata histrica*　英 small pond-snail
殻高3cmくらい．殻は卵形．水田や沼溝の水質の多少汚れたところにも棲む．最も普通．
●まるたにし
丸田螺　分 マルタニシ属　学 *Cipangopaludina chinensis malleata*　英 pond-snail；mud-snail
旬 春
殻高約4cm．殻色は黒褐色．殻は螺層*がよくくらんでいる．胎仔殻は小さく30～40個を産む．全国の水田や湖沼に棲む．冬季は乾田のくぼみの中で越冬する．米国にも移入した．

タピオカ　⇒でん粉（キャッサバでん粉）

 タフィー
成 15111（バタースコッチ）　英 taffee；toffee；toffy
砂糖・水あめを主原料とし，少量の食塩，香料，バター，ナッツ類，チョコレート，コーヒーなどを加えたもので，ドロップに次いで水分の少ないハードキャンデーである．バターを添加したバタースコッチ*や，もろい食感のブリットル*が含まれる．
◇製法　砂糖を水に溶解し，水あめを加えて直火で127℃に煮つめ，これに油脂や練乳などを加えてさらに煮つめた後，ナッツなどの副原料を添加し，均一に混合したものを80℃に冷却，圧延，成型する．

 たまがしら　玉頭
分 硬骨魚類，イトヨリダイ科タマガシラ属　学 *Parascolopsis inermis*　英 unarmed dwarf monocle bream　別 地 ひょうたんうお（和歌山）；むぎむし（大阪）；うみふな（三重）；ふな（静岡）
全長30cm．東インド洋と南日本からフィリピン，インドネシアにかけての西太平洋に分布する．水深50～210mの岩礁域に生息する．体色は赤色で，体側に赤い4本の太い横断紋があるのが特徴．
◇調理　新鮮なうちは刺身とし，食味もよいので，煮魚，焼き魚として用いる．

 たまごたけ　卵茸
分 担子菌類テングタケ科テングタケ属（きのこ）
学 *Amanita caesareoides*　英 Caesar's fungus　別 あかだし；だしきのこ　地 うぐいすたけ（兵庫）；たまごばったけ（香川）
シイ，ナラ，ブナ，モミなどの林に7～10月頃にかけて群生する比較的大型のきのこである．はじめは白い卵状であるが，成熟するにつれて先端

たまごたけ（野生）（岩瀬　剛二）

が破れて柄が伸び、傘が開いて柄の根元には白いつぼ*が残る。傘は鮮やかな赤色から橙赤色で、一見、毒きのこのようであるが食用となり、その直径は10～18cmに達する。傘の周辺には条線が明瞭である。傘の裏はひだとなり、淡黄色。柄は長いもので18cmになり、淡黄色の地に帯赤橙色のだんだら模様があり、つば*をもち、中空で折れやすい。西洋では近縁種がローマ時代から食用とされてきた。近縁種に、傘が黄色いキタマゴタケ、傘が褐色のチャタマゴタケなどがある。従来の学名は *Amanita hemibapha* だったが、近年の遺伝子解析の結果、変更された。なお、まだ十分に研究が進んでいないため、いくつかの種が混ざって記載されている可能性が高い。
◇調理　若いものはうま味があって味がよく、汁の実、酢の物、マヨネーズ和えなどに用いられる。天ぷらにも鍋物にもよく、用途は広い。ただし、茹でると煮汁に黄色い色素が出て、きのこ自体は茶色に変色するため、焼いた方が見た目はよい。

 卵豆腐

成 12017　英 Tamago-dofu；(steamed beaten egg with soup stock)

卵料理の一種。卵に少量の塩、しょうゆ、みりんなどで調味しただし汁を加え、容器に充填して蒸したもの。

卵豆腐（平　宏和）

 たまごパン　玉子パン

英 Tamago-pan

大正時代の初め、東京・上野のパン屋が売り出したのが始まりとされ、卵型のソフトな食感のボーロである。
◇製法　小麦粉、砂糖、鶏卵、膨張剤にバニラ香料を添加した生地を同じ厚さにのばし、卵形の抜き型で抜き取り、上面に水霧を吹きかけ、焼き上

たまごパン（平　宏和）

げる。

玉こんにゃく　⇒こんにゃく
玉ちしゃ　⇒レタス
玉菜（たまな）　⇒キャベツ

 たまねぎ　玉葱；葱頭

成 06153（生）、06154（水さらし）、06155（ゆで）、06336（油いため）、06389（油いため あめ色たまねぎ）　分 ヒガンバナ科ネギ属（多年生草本）　学 *Allium cepa*　英 onion

原産地はインド北西部、中央アジア南西部とみられているが、野生種は発見されていない。栽培の歴史は極めて古く、エジプトではピラミッド建設の労働者が食用にしたという記録がある。現在、世界各地に広まって、野菜としての栽培のないところが珍しいほどである。わが国への伝来は比較的新しく、本格的な栽培が始まったのは明治に入ってからである。
◇種類　球の辛味の有無によって甘たまねぎ (mild onion) と辛たまねぎ (strong onion) に大別される。甘たまねぎは葉の断面が丸く、葉色が淡く、球の外皮は薄い。辛たまねぎは葉の断面が半円で、葉色が濃く、球の外皮は厚い。ヨーロッパや米国では甘たまねぎの栽培も多いが、わが国では辛たまねぎが大半で、甘たまねぎは少ない。外観の色・形で、黄色種・赤色種・白色種・球形種・扁平種・卵形種に大別される。
◇品種　辛たまねぎの黄色種（黄たまねぎ）は貯蔵性が高く、国内の最大の産地は北海道で、スーパーもみじ、北もみじ2000、オホーツク222、札幌黄（昭和時代の品種）などがある。甘たまねぎの品種に赤色種の赤たまねぎ*、白色種の白たまねぎ*がある。
作型：作型は極めて単純で、北海道は春播き栽培（9月どり）、その他の地域（愛知、長野、兵庫

たまねぎ（平　宏和）

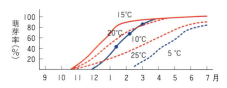

図1　たまねぎの貯蔵温度と発芽率（小餅昭二：北農，44（3）：11，1977）

など）は秋播き栽培（3～6月どり）の2型である．早晩品種の使い分けと，吊り玉・冷蔵などの貯蔵法の併用により，周年的に供給される．最近，暖地では春播きして7月に子球を作り，これを9月に定植して11～12月に収穫する冬どり栽培が行われ始めている．なお中国，米国，ニュージーランドなどからの輸入が増えており，特に，日本で不作の年には急増する．

◇**成分特性**　鱗茎*（球）の糖類は果糖が多く，ぶどう糖としょ糖をほぼ等量含んでいる．また多糖類*も多く，その構成糖は，ガラクトース*，ガラクツロン酸，アラビノース，リボース，ラムノースである．その他の成分は比較的少ない部類である．遊離アミノ酸*はアルギニンとグルタミンで，その他に20種のアミノ酸を少量ずつ含んでいる．たまねぎ特有の主要香気成分は，スルフィルド類のジ－2－プロペニルスルフィド，ジメチルスルフィド，メチル－2－プロペニルジスルフィド，ジプロピルジスルフィド，プロピル－2－プロペニルスルフィドなどで，そのうちジプロピルジスルフィドが多く含まれる．これらの成分は，細胞中のイソアリイン（S-1-プロペニルシステインスルホキシド）に酵素（アリイナーゼ）が作用し，生成された不安定前駆物質（プロペニルスルフェン酸）が重合，さらに多様に反応したものである．たまねぎを切った際に発生する催涙成分は，プロパンチオールS-オキシドで，プロペニルスルフェン酸に催涙成分生成酵素が作用し生成されたものである．また，少量の有機酸*0.2g/100gを含むが，主成分はリンゴ酸*とクエン酸である．

◇**保存**　保存の適温は0℃，湿度は65～70％で，1～8カ月の貯蔵が可能である．国内産たまねぎの多くが貯蔵にまわされ，周年安定した供給がなされている．生育後期において外葉が枯れ上がると休眠に入り，休眠中は好適な発芽条件を与えても発芽も発根もしない．休眠中は呼吸系酵素は極めて弱いが，休眠が終わると活性が急激に高まり，発芽，発根を始める．休眠期間は一般に30～60日であり，それ以後は発芽，発根を行うことになる．**図1**に示すように5℃以下の低温では発芽や発根を遅らせる．ただし，新たまねぎ，赤たまねぎは生鮮野菜であり，保存はきかないため，早めに使いきる．

◇**加工**　各種ソース，ドレッシング，たれなど，また，ケチャップの原料とするほか，乾燥して粉末とした製品はオニオンパウダー*として香辛料に利用される．

◇**調理**　生たまねぎの揮発性辛味成分は，切ると涙腺を刺激して涙が出る．その特有の刺激臭と辛味を利用して，サラダや和え物に香味野菜として薄く刻んで用いたり，摩砕して薬味に用いたりする．肉料理の臭気を消すのに最適で，にんにくと異なり加熱後は臭気が残らないので，西洋料理には不可欠である．この用途には，オニオンパウダーも同様に利用できる．※味のベースとして：辛味とともに甘味の強いのが特徴で，加熱後辛味成分が一部揮散するほか，上記のように残りが還元されてプロピルメルカプタンのような甘味成分に変化し，いっそう甘味を増す．汁物には煮て裏ごしにかけ，ひき肉料理などには刻んで混ぜ，炒め物や揚げ物には千切りや角切りとし，煮物では丸い形を生かし，内部を中空にしてひき肉詰めなどに用いる．また，あめ色になるまで根気よく炒めたたまねぎは，独特の甘味とコクがあり，カレーやシチューなどの味のベースとして欠かせない．気

赤たまねぎ（平　宏和）

小たまねぎ（平　宏和）

葉たまねぎ（千葉県産）（平　宏和）

長にじっくり炒めてつくるオニオングラタンなども，炒めたたまねぎの甘味を生かした料理である。
※たまねぎを煮物に用いるとき，加熱前後の容量に大差があることに注意を要する。

●赤たまねぎ
成 06156（りん茎 生）英 red onion 別 レッドオニオン；紫たまねぎ
外皮が紫紅色なだけでなく，輪切りにしたとき，リング状に赤い縞模様がある。湘南レッド，アーリーレッドなどの品種があり，甘たまねぎである。赤色色素は6〜8種の成分からなり，シアニジン-3-グルコシド，シアニジン-3-アラビノシドなどのシアニジン系色素である。甘味があり，辛味は弱いので生食向きである。彩りもよいので，スライスして，サラダに利用される。保存性はない。

●小たまねぎ
英 small onion 別 ペコロス；プチオニオン；ペティオニオン
早生系の品種を密植（または苗床の状態）栽培して，小玉（直径3〜4cm）で収穫したもの。冷蔵して周年的に供給されている。最近はこの栽培に適した系統が選定され，冬播き（トンネル），春播きして初夏から秋にかけて収穫することも行われ，生鮮品の供給の幅も広がりつつある。ビーフ・シチューなどに煮込まれる。

●白たまねぎ
英 white onion 別 サラダオニオン；サラダたまねぎ
白色種のたまねぎで，そのほとんどが甘たまねぎである。極早生種，早生種で外皮が薄く，形が扁平なものが多い。水分が多く多肉質の鱗葉は軟らかい。春先に「新たまねぎ」，葉を残し「葉つきたまねぎ」として販売されることがある。品種に愛知伝統野菜の愛知白があり，フランスの白たまねぎを改良したといわれている。北海道には春播き品種の真白（ましろ）などがあり，一般的な白たまねぎの出回りが2〜4月に対し，8月上旬〜9月中旬になる。甘味があり，生食向きで，スライスしてサラダに利用される。保存性はない。

●葉たまねぎ
成 06337（りん茎及び葉 生）英 immature onion；bulb and stem
たまねぎの鱗茎*（球）が完全にふくらむ前に，葉ごと収穫したもの。1〜4月に出荷される春野菜である。特定の品種名ではなく，球がふくらみかけた頃に収穫する若採りのたまねぎで，さまざまな作型・品種のものがある。現在では各地で栽培されているが，特に千葉県長生郡は有名で，市場に葉たまねぎを出したのも長生郡がはじまりともいわれる。この地方では昔から，若採りたまねぎが貴重な冬野菜として親しまれていたが，昭和52（1977）年，暖冬のため分球してしまうたまねぎを何とか市場に出すために，昔からの若採りたまねぎをヒントに葉たまねぎが誕生したといわれる。葉ごと食べられるためβ-カロテンやビタミンCも多く，たまねぎと青ねぎの両方の味を持つ春野菜。ただし，たまねぎとは違い，保存はきかないので早めに使いきること。

たまりしょうゆ　⇒しょうゆ

白たまねぎ（真白）（北海道産）（平　宏和）

タマリロ

分 ナス科ナス属（常緑性小高木） 学 *Solanum betaceum*（コダチトマト） 英 tamarillos；tree tomatoes 別 和 こだちトマト；トマトの木

南米アンデス山脈の高地に自生し，海抜1,500〜2,000mでよく育つ．トマトの類縁種で，果実は長径5〜10cmの卵形．夏に果実をつける．果面の色や感触はトマトに似ている．香りもトマトに似ている．メキシコやニュージーランドで栽培されている．わが国では栽培されていない．

◇成分特性　100g中，水分86.5g，糖類は4.7gで，しょ糖が50％と果糖とぶどう糖が各25％，β-カロテン当量920µg，ビタミンC 23mg程度が含まれる（英国食品成分表）．

◇加工　生食されるほか，ジャム，ゼリーなどのフルーツ菓子に加工される．

◇調理　果肉が完熟して軟らかいものを選んで生食する．砂糖をかけると果肉がよりさえた赤色になり，さらに冷やすと食べやすいといわれる．また，果肉をすくい出したものに，砂糖やリキュールをかけてシャーベットにしたりジャムにしたりする．

たもぎたけ　楡木茸

成 08019（生）　分 担子菌類ヒラタケ科ヒラタケ属（きのこ）　学 *Pleurotus cornucopiae* var. *citrinopileatus*　別 ゴールデンしめじ　地 にれたけ（北海道）；とちもたし（岩手）；きんたけ（熊本）；わかい（宮城）

主としてニレ，ブナ，カエデ，ナラなどの広葉樹の枯れ木や切り株から5〜10月頃に発生する．ひらたけに似るが，傘の色が鮮やかな橙黄色であり，ヒラタケほど傘は大きくならず，中央部がへそ状にくぼむ．柄とひだは白色．北海道では一般的な食用きのことして知名度が高いが，本州以南では，発生量が少なく，なじみが薄い．原木栽培も可能だが，北海道ではオガクズを主体とした菌床栽培が盛んに行われている．

◇調理　口当たりがよく，味と香りもよい．きのこ飯，汁物，煮付け，炒め物などに適しており，味付けも持ち前の風味を生かした調味とする．洋風料理にもよく合う．

たもぎたけ　上：野生（玉井　裕），下：市販品（平　宏和）

たら　鱈；大口魚

分 硬骨魚類，タラ科　英 cod fishes；pollacks　旬 冬

雪の季節の北国には欠かせない代表的な魚で，ヨーロッパで好まれる．雪のように白い身が特徴で，国内でも古くから白身魚を代表する冬の味覚として親しまれてきた．

◇成分特性　水分が多く，脂質の含量が極めて低いのが特徴．まだらとすけとうだらとで大差はない．たんぱく質の含量も比較的低い．したがって，栄養価は低いが，無機質やビタミン類は白身魚として標準的な量を含んでいる．たら類は鮮度の高いときは美味であるが，鮮度は低下しやすく，味の落ちる速度も早い．この点が，同じ白身魚であるたいなどと異なっている．この味の低下はまだらより，すけとうだらの方が速い．そのうえ鮮度低下を招きやすいことと相まって多獲魚であるため取り扱いが雑で，すけとうだらの不評の原因となっている．しかし，佐渡の郷土料理となっている沖汁のように，獲れたばかりのすけとうだらは相当に美味である．

◇保存・加工　たら類は凍結した場合の肉質の安定性は低い．成分的に水分が多く，また肉中に窒素ガスが含まれていることなども原因して，冷凍保管条件が悪いとたんぱく質が変質し，肉がスポンジ状になる．また，たら類はトリメチルアミンオキサイドを分解し，ホルムアルデヒドを生成する酵素の含量が高く，このことによってもたんぱく質の変性は促進される．たら類の肉は産卵期には水分が増加し，冷凍中の変質をいっそう起こし

やすくなる．そこでさまざまな加工法が工夫され，塩だら，冷凍すり身，すきみだら*などにされている．そのほかの加工品としては棒だら，丸干しすけとうだら，開きたら，すけとうの素干し，または塩乾品がつくられてきたが，最近ではこれらの生産は減少し，各種の調味加工乾燥品がつくられるようになった．また塩蔵品もつくられ，切り身として売られるほか，粕漬や調味加工品の原料として利用されている．また，たらこの利用も重要である．

◇**調理** 白身の軟らかい筋肉組織をもち，ほぐれやすい．しかも死後硬直と軟化が早く，鮮度が低下しやすいので，刺身には向かない．生食の場合も昆布じめなどにしてうま味を補うとともに，酢を加えて身を引きしめるようにする．❋うま味は強くないが，長時間加熱すると淡白なだしがとれる．これを利用してちり鍋とする．そのほか日本料理では，煮付けや身をほぐしてつくるでんぶのように，調味料で味を補う料理に向いている．西洋料理，中国料理では，脂肪を補うため，コロッケ，フライ，ムニエル，唐揚げなど，油を用いた加熱料理がよく行われる．特にスペイン，ポルトガル料理には欠かせない素材である．❋乾物の利用：塩蔵品を干した塩干しだらと，素干しにした棒だらとがある．たたいて組織を破壊したものを焼いて食用にしたり，米のとぎ汁などにつけ軟らかくもどしたものを煮物の素材に用いたりする．さといもの一種であるえびいも（唐芋）と棒だらを，じっくり煮込んだ京都のいも棒は有名である．❋しらこは新鮮なものは生のまま，またはさっと塩茹でしてポン酢で食べる．汁物，鍋物にもよく，たらこは生のままか，さっとあぶっておにぎりの具にしたり，和え物に彩りを添えたり，広く煮物，揚げ物一般に用途が広い．スパゲッティの具にも使われる．❋すけとうだらは魚肉自体より卵巣の方が調理には重要で，たらこや明太子（めんたいこ）はそのまま，あるいは焼いて惣菜やお茶漬用にする．

●**塩だら**
成 10208 英 salted fillet of cod
たらの塩蔵品．塩蔵は水分を減少させ，肉質をいためず保存できるため，たら類の保存法として適している．塩だらは明治以前からたらの保存品として各地で製造されてきた．戦前までは15〜20％もの施塩をし，非常に塩辛いが長期保存のできる製品であった．近頃は消費傾向が薄塩製品を好むようになり，保存性が極めて悪くなり，凍結あるいはチルド方式で流通するようになっている．生鮮または船内凍結まだらをフィレーとし，水洗塩漬け後，水洗い整形し，そのままあるいは切り身としてトレー詰とする．

●**すけとうだら**
鯳；介党鱈；佐渡鱈 成 10199（生），10200（すり身）10409（フライ） 分 スケトウダラ属 学 *Theragra chalcogramma* 英 pollack 別 すけそうだら（助惣鱈） 地 すけそ（仙台）；きじだら；きだら（富山）；すけとう（鳥取，青森）；たら（北陸）

全長60cm．まだらとよく似ているが，下顎が上顎より長く突き出ている．水深2,000m以浅の深海の中層に群をなして暮らす．3年で成魚になる．卵巣は塩漬し，たらこにされる．日本海では山口以北，朝鮮東海岸に多く，太平洋岸には少ない．北は北洋，ベーリング海，北米に分布している．新鮮なときは，まだらよりも美味といわれるが，鮮度はおちやすく味が急に悪くなる．また，やせていて肉量は少ない．

◇**成分特性** 100g当たり，水分81.6g，たんぱく質（アミノ酸組成）*14.2g，脂質（TAG当量）*0.5gを含んでいる．

すけとうだら（本村　浩之）

●**たいせいようだら**
大西洋鱈 分 マダラ属 学 *Gadus morhua* 英 Atlantic cod
全長2m．北大西洋沿岸に分布．欧米で単にcod（たら）といえばこの魚を意味する．大型のものほど深海に棲み，水深110〜180mの大陸棚で大量の浮性卵（まだらの卵は沈性卵）を産る．形はまだらに似る．欧米で商業的価値の高い魚で，中石器時代より食用とされてきた．

●**まだら**
真鱈 成 10205（生），10206（焼き），10209（干しだら） 分 マダラ属 学 *Gadus macrocephalus* 英 Pacific cod 別 たら 地 ほんだら（福島）；あかはだ（山陰）；ひげだら（神奈川）

全長1m．頭は大きく体は細長い．腹がふくれている．単にたらというと本種を指す．タラ科の魚は，背びれが3つ，臀びれが2つに分かれている．

まだら（本村　浩之）

たらこ　上：着色・塩蔵（すけとうだら），下：生たらこ（まだら）（平　宏和）

まだらは水深150～250mの岩礁や砂泥底に生息する．貪食な魚でえびや貝などを食べるうえ，腹がふくれている姿から，「たら腹食べる」の語源となっている．日本海，東北以北の北洋，朝鮮，アラスカ，北米に分布する．棒だらは，まだらを三枚におろし，頭と中骨を除いた素乾品．

◇**成分特性**　『食品成分表』では切り身で100g当たり，水分80.9g，たんぱく質（アミノ酸組成）*14.2g，脂質（TAG当量）*0.1gとなっており，赤身魚と違い成分の季節的変動は少ない．

●**みなみだら**

南鱈　成10267（生）　分ミナミダラ属　学*Micromesistius australis*　英southern blue whiting

南半球に分布するタラ科の魚は本種のみで，ニュージーランド，アルゼンチンの水深200～800mに生息する．3年魚で全長約30cmになり，成魚は50cmを超える．オキアミ類や端脚類（ヨコエビ目；魚類の餌料プランクトン）を主餌とするが，成長するに従って小魚からいか・たこ類まで何でも食べる．新漁場の魚の一つで，近年商業的な漁獲対象として漁獲量が減っているすけとうだらの代替品としても注目され，すり身原料魚として期待されている．また，卵巣はたらこの代替品として，佃煮などに利用される．近似のプタスだら*Micromesistius poutassou*はアイスランド，バレンツ海，地中海，アドリア海に分布する．

◇**成分特性**　成分的には，ほとんどすけとうだらと変わらない．冷凍すり身原料として適している．卵はたらこの代用品となる．

◇**調理**　肉質は白身で軟らかく，クセがないので，ほとんどの料理に適する．味は淡白である．骨ごと筒切りにしてみそ汁にすると骨からのうま味も抽出されておいしい．衣揚げにしたり，唐揚げにしたのち甘酢あんをかける中国風の料理や，洋風のソース煮にしてもよく，また，蒸し煮にしたのち，身をほぐしてコロッケに利用する場合もある．

たらこ　鱈子

成10202（生），10203（焼き）　英Tarako；（salted pollack roe）　別もみじこ

すけとうだらの卵巣を塩蔵し，赤く着色したもの．色素の使用を避けた無着色のものもあるが，外観は劣る．製法は，成熟した卵巣（真子）は混入する水子（熟度の進み過ぎた完熟卵）および切り子（調理時に切り損じた卵巣）を洗浄後水切りをへてから塩漬けする．この際，普通着色液を加え，かき混ぜながら10～15時間後，清水中で洗浄してから整形水切りし，選別して樽詰する．また，福岡の名産品で，韓国料理を応用して唐辛子で味付けしたからしめんたいこ*もある．また，まだらの卵巣は生鮮のまま，本たらこなどという名で市販される．

◇**成分特性**　脂質（TAG当量）含量は2.9g程度だが，コレステロール含量が350mgと比較的高い．水溶性ビタミン*は，ビタミンB_1 0.71mg，ビタミンB_2 0.43mg，ナイアシン*50mg，ビタミンB_{12} 18μg，葉酸*52μg，パントテン酸*3.68mgなどの含有量が高い．

タラゴン

分キク科ヨモギ属（多年生草本）　学*Artemisia dracunculus*（タラゴン）；*A. dracunculoides*（ロシアンタラゴン）　英tarragon　別エストラゴン

シベリア原産のロシアンタラゴンと地中海沿岸原産のフランスでエストラゴンと呼ばれるタラゴン（フレンチタラゴン）がある．前者は種子ができるが，後者は不稔性で，もっぱら栄養繁殖*による．種苗業者で取り扱われている種子はロシアンタラゴンである．フレンチタラゴンの方が香りが高く，まろやかといわれる．立ち性で，葉は皮針形状，鮮緑色．晩夏に抽薹（ちゅうだい；とう*

タラゴン（乾）（平　宏和）

（薹）がたつこと）する．株は夏と秋に休眠する．乾燥品と酢漬のものが用いられていたが，最近は生鮮品もみられる．

◇**成分特性**　フレンチタラゴン（生）の成分組成は 100g 当たり，水分 86.3g，たんぱく質 3.4g，脂質 1.1g，炭水化物 6.3g，カリウム 450mg，カルシウム 170mg，β-カロテン当量 375μg，ビタミンC 2mg が含まれている（英国食品成分表）．フレンチタラゴン（乾）の成分値は，100g 当たり，エネルギー 295 kcal（1,240 kJ），水分 7.7g，たんぱく質 22.8g，脂質 7.2g，炭水化物 50.2g（食物繊維 7.4g），灰分 12.0g である（米国食品成分表）．

香気成分：アニスに似た甘くまろやかな香りをもつ．この香気の主成分はメチルシャビコールで，開花直前にその含量がピークになるという．

◇**調理**　ピクルスやソースに入れたり，サラダにも添える．また白ワインのビネガーにタラゴンの若芽を漬け込んだエストラゴンビネガーも，ドレッシング，マヨネーズなどに使われる．

たらのめ　惣の芽

成 06157（若芽　生），06158（若芽　ゆで）　分 ウコギ科タラノキ属（落葉性低木）　学 *Aralia elata*（タラノキ）　英 Japanese angelica-tree　別 たら；たらうど；うどもどき；とりとまらず　旬 春

タラノキの若芽である．春の木の芽の王座格で，古くから高級な山菜とされている．タラノキは高さ数メートルになる落葉低木で，幹や枝に剛棘がある．葉は互生し，枝の先に集まる．葉柄*は 0.5～1m にも達する．葉は 2 回羽状複葉，楕円で鋸歯をしている．各羽片は 5～9 個で両面にうす毛が生えていて，裏側が白っぽい．8 月頃枝先に円錐花序*をつけ，多数の白花をつける．実は球形の液果*（漿果）で黒色に熟する．アジア各地，わが国でも全国各地の平地の原野から高山までの日当たりのよいところに群生する．特に，山林の伐採跡地や，山や畑の縁などに大群落で自生することがある．近年，切断した根を植えて増殖させる方法が開発され，全国的に栽培が増えている．

◇**採取**　軟らかいうちに春の若芽の 10～15cm を採る．タラノキは棘があるので皮の手袋をつけて採るようにする．また二番芽も採ってしまうと，その木は枯れてしまうので，1 芽は必ず残すのが保護のうえからも重要である．

◇**調理**　天ぷら，茹でてお浸し，和え物，みそ汁の実，すまし汁の実などにする．ほのかな独特の香りが特徴である．

たらばがに　⇒かに
樽酒（たるざけ）　⇒清酒

タルタルソース

英 tartar sauce

マヨネーズをベースに，たまねぎ，ゆで卵やパセリ，さらにきゅうりのピクルスをみじん切りにしたものを加え，混ぜあわせたもの．英語で tartar というように，9 世紀にロシアを侵略したタタール族の名を冠して付けられた名である．魚介類のフライやムニエル，サラダなどに合わせる．

たらのめ（栽培品）（平　宏和）

タルタルソース（平　宏和）

タルト・洋菓子

成 15133　英 tart

パイ生地やビスケット生地を皿形のタルト型に広げて敷き，型に合わせて切り取り，その上にフルーツや各種のジャム，マーマレード，ソース，クリームを詰めてつくる．詰めてから焼く場合と焼いた生地に詰める場合とがある．フルーツには，りんご，いちご，キウイフルーツ，チェリー，缶詰の黄桃やパインアップルなどが使われる．小型のタルト型でつくったものは，タルトレット（tartlet，フランス語 tartelette）と呼ばれている．

タルト・洋菓子　上左：クリームチーズタルト，上右：オレンジタルト，下左：タルトレット（ブラウニーショコラタルト），下右：タルトレット（ナッツキャラメルタルト）（平　宏和）

タルト・和菓子

成 15024　　英 Taruto；(An-centered rolled sponge cake)　別 和風タルト

和菓子のタルトは，カステラであん（餡）を巻いたものである．

◇由来　約300年ほど前にオランダ船により長崎に伝来した南蛮菓子の一種である．当初は洋菓子のタルトに近い形態の菓子であったと思われるが，その後，天明の倹約令による南蛮菓子の製造中止などの変遷を経て今日の形となった．この南蛮菓子を長崎から他の地方へ伝えたとされる人に松山藩主松平定行が知られる．定行は長崎探題として在任の折，出島の異人館で供応されたこの南蛮菓子を大変気に入り，郷土松山への製造技術を伝えたとされる．現在松山銘菓として知られるタルトはこの流れを汲むものである．

タルト・和菓子（平　宏和）

◇原材料・製法　鶏卵，砂糖，小麦粉およびその他の副材料によりカステラ生地をつくり，天板に薄く流して焼き上げる．冷めて生地がもどったら，まだ余熱の残っている軟らかいあんを薄くのばしすだれで巻く．あんは，あずきあんのほかにゆずの香りを付けたものなども用いられる．

たれ類

成 17098（ごまだれ），17108（冷やし中華のたれ），17112（焼き鳥のたれ），17113（焼き肉のたれ），17114（みたらしのたれ）　英 sauces and dips

野菜のピューレー（つぶしたり裏ごししたもの）をベースに，しょうゆ，砂糖，うま味調味料などを配合してつくる．焼き肉のたれ，蒲焼きのたれ，しゃぶしゃぶ用のごまだれなど，和風料理用のものや洋風のステーキ用たれまで，さまざまな製品がある．

◇調理　調理前の下ごしらえの味付けとして，また，調理後の調味料としても使用できる．開封後は，冷蔵庫に保管して早めに使いきる．

たれ　左：しょうが焼き，右：焼き肉（平　宏和）

タン　⇒うしの副生物（舌），ぶたの副生物（舌）

たんかん

分 ミカン科ミカン属〔常緑性小高木〕 学 *Citrus tankan* 英 Tankan

中国広東省の原産で，みかん類とオレンジ類の雑種であるタンゴールの一品種である．オレンジの芳香と味をもち，みかんのように皮がむきやすい．果実は球形で，150g前後である．果面は橙黄色で小じわがあり，やや粗い．果皮も温州みかんより厚いがむきやすい．甘味は強く，酸味は適度で芳香があり，風味はよい．種子は2, 3粒あるが，無核果も生じる．

◇産地：わが国では鹿児島や沖縄が主産地で，2〜3月にかけて熟する．海外では台湾が主産地である．貯蔵は短期間だが，温度10〜15℃以下，湿度80〜90％の条件下で行う．

たんかん（平　宏和）

だんご　団子

成 15018（くし団子 あん こしあん入り），15151（くし団子 あん つぶあん入り）　英 Dango；cereal dumplings；(dumpling made from rice flour)

米，きび，もろこしなどの粉をこねて丸めたものを，蒸す，茹でる，あるいは焼くなどして，あん（餡），きな粉，ごま，みそ，しょうゆ，あるいは砂糖などをまぶしたものである．

◇由来　本来，仏を祀るための供物にしたものであり，遣唐使が中国から持ち帰った唐菓子の中の"団喜（だんき）"から系統を引いたものといわれ，非常に古くからあった．だんごは一般に，あんを入れないのが普通であるが，この"団喜"はあん入り餅であった．だんごの種類は多く，丸めただけのもの（吉備だんご*，月見だんご*，草だんご*）と，竹の串に刺したもの（串だんご*，みたらしだんご*）との2通りの系統がある．

◇保存　時間がたつと，でん粉が老化して硬くなることから，砂糖や老化防止剤などを添加することもある．

タンゴール

分 ミカン科ミカン属（木本） 学 *Citrus reticulata* × *sinensis* 英 tangors

みかん類（tangerine）とオレンジ類（orange）の雑種で，tangとorを組み合わせた新しい柑橘の総称である．オレンジの芳香と味をもち，温州みかんのように皮のむきやすい性質を併せもつ．たんかん，いよかんは自然交雑によるタンゴールと見られている．

◇生産：米国でも自然交雑によるテンプル，マーコット，オータニーク，人為交雑によるウマティラ（温州みかん×ルビーオレンジ），清見（きよみ；宮川早生温州×トロビタオレンジ）などがあり，生産量もかなり多い．わが国ですでに定着しているたんかんといよかん以外，外国からの導入種はわが国の気候風土に合わず生産は安定しない．

◇成分特性　いずれも糖度が高く，風味は良好であるが，いよかんとたんかん以外は果実が小さく，種子が多いのが欠点である．新しく育成された清見は多汁で風味がオレンジに類し，品質は良好である．『食品成分表』でも，きよみが収載され，100g中，水分は88.4g，糖類は10g程度である．そのほかの成分値はオレンジに近く，ビタミンCは42mg程度含まれている．

◇保存　低温貯蔵の適温は，5〜8℃，湿度90％であるが，品種により多少異なる．

◇加工　生食用が主で，加工用としてはほとんど用いられていない．しかし，風味がよいので，温州みかんの果汁に配合（10％程度）して用いられることがある．

● きよみ

清見　成 07163（砂じょう 生）　英 Kiyomi

タンゴールの品種．昭和24（1949）年，農林水産省果樹試験場興津支場（現・農研機構果樹茶業研究部門カンキツ研究領域）で，温州みかんの宮

清見（平　宏和）

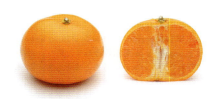

せとか（平　宏和）

川早生とトロビタオレンジを交配・育成した品種で，昭和54（1979）年に品種登録された．品種名は育成地（静岡市清見区）の近くの清見潟（きよみがた）や清見寺（せいけんじ）に由来する．果実は200〜250gで，温州みかんとオレンジの性質を兼ね備えている．果皮は黄橙色で，果皮は温州みかんと比べるとやや厚めだが，じょうのう膜が薄く，果肉は袋ごと食べられる．

●せとか

07166（砂じょう 生）　英 Setoka

タンゴールの品種．昭和59（1984）年に農林水産省果樹試験場口之津支場（現・農研機構九州沖縄農業研究センター口之津カンキツ試験地）において，タンゴールの清見にアンコールを掛け合わせたものに，マーコットを交配・育成した品種で，平成13（2001）年に品種登録された．品種名は育成地（長崎県南島原市）に望める海峡「早崎瀬戸」と香りのよいことに由来する．

果実は200〜280gで，果面はなめらかで，果皮は橙〜濃橙色，果皮は薄い．アンコールあるいはマーコットと類似した香りがあり，果肉は濃橙色，肉質は柔軟・多汁で，袋ごと食べられる．

はるみ（平　宏和）

●はるみ

07167（砂じょう 生）　英 Harumi

昭和54（1979）年，農林水産省果樹試験場興津支場（現・農研機構果樹茶業研究部門カンキツ研究領域）で，「清見」と「ポンカン F-2432」を交配・育成した品種で，平成11（1999）年に品種登録された．品種名は，新春に店頭に並び，「清見」の血を引いていることに由来する．果実は180〜200gで，果皮は橙色，果汁も多めで甘く，香りも豊か，じょうのう膜が薄く，果肉は袋ごと食べられる．

炭酸飲料類

英 carbonated beverages；carbonated drinks

炭酸ガス（二酸化炭素）を含む飲み物の総称．日本農林規格＊（JAS）の定義によれば，飲用適の水に，炭酸ガスを圧入したものおよびこれに甘味料，酸味料，フレーバリング等を加えたものとしている．炭酸水，透明炭酸飲料，コーラ飲料，フルーツ・フレーバー系炭酸飲料に分けられる．

◇製法　炭酸飲料の製法は水に炭酸ガス，シロップを混合する方式により，三段びん詰方式とプレミックス方式がある．前者はあらかじめ砂糖，その他の添加物の原料をシロップにして冷却し，びんに注入しておき，これにガス水（炭酸ガス混合機を用いて，冷却された原水にガスを圧入したもの）を注入し，希釈，打栓し，びん内攪拌して仕上げる．後者はシロップを自動的に一定の割合に希釈し，カーボクーラー（冷却と炭酸ガスを混合する）を通してびん詰機に送る方式である．甘味料として加える代表的な糖類は砂糖（特にグラニュー糖）と異性化液糖である．酸味料としてはクエン酸，リンゴ酸＊が主体で，そのほかコハク酸，乳酸＊などが使われる．フレーバリングならびに着色は炭酸飲料の性格を決めるもので，最も重要である．特に前者には，各社それぞれに工夫がなされている．

◇成分特性　JASでは，炭酸ガスのガス内圧力は，炭酸水は0.29MPa以上（20℃），果汁，果実ピューレ，乳または乳製品を加えたもの，並びにそれらを加えずに果実または果汁を印象づける色および香りを付けたものは0.07MPa以上，上記以外のものは，0.10MPa以上であることになっている．市販品は，糖類（水溶性全糖）はしょ糖として9〜12.5％含まれる（炭酸水を除く）．pH2.5〜2.9の酸性飲料が大部分で，酸味料はガス圧や糖度によりばらつきがあるが，0.05〜

コーラ飲料（平　宏和）

0.5％含まれている．

●コーラ飲料
成 16053（コーラ）　英 cola drink

熱帯アフリカ原産のアオギリ科の常緑高木コーラ（*Cola acuminata*）の種子（カフェイン*2.4％，テオブロミン*0.02％などを含む）を粉砕して抽出したコーラエキスを加えた黒褐色の炭酸飲料．フレーバーはライムなどの柑橘系のもの，スパイス系のものが調合されている．1886年に薬剤師のJ. S. ペンバートンにより米国アトランタで創製された．

●炭酸水
英 carbonated water

水に炭酸を圧入したもの．天然地下水を用いる天然炭酸水と，水と適当な塩類（炭酸ナトリウム，食塩，重曹など）を加えて加工したものに炭酸ガスを圧入した人工炭酸水がある．

●透明炭酸飲料
成 16054（サイダー）　英 clear soft drinks；clear carbonated drinks

無色透明な炭酸飲料のうち，フレーバリングを行ったもの．サイダー類（ラムネを含む）とレモン・ライム系がある．前者は炭酸水にレモンやオレンジなどを基調としたフルーツ系の軽いフレーバーエッセンスを加え，さらに糖類（大部分しょ糖）を加え甘味付けをし，酸味料を加えて爽快さをもたせたものである．後者はライムフレーバーとレモンフレーバーを配合したレモン・ライムフレーバーを基調としたエッセンスを加えたものである．ただし，この両者の間には明らかな違いはない．

●ビール風味炭酸飲料
成 16058　英 beer-flavored carbonated drinks

酒税法では，アルコール分が含まれない，もしくは1％未満のアルコール分を含むアルコールテイストの飲料をノンアルコール飲料と定めている．しかし，アルコールが0.9％までは含まれている可能性があり，消費者がアルコールが含有されていない酒類の代替飲料と誤認する可能性があるため，2003年以降にノンアルコールビールの呼称・表示は，「ビール風味炭酸飲料」等に変わった．ノンアルコールビールは1920年代に禁酒法が敷かれた米国でビールの代替品として「Near Bear」が誕生したことに始まる．一方，日本でもビール風味炭酸飲料の元祖ともいえる「ホッピー」が1948年に販売されている．1982年にドイツから「ゲステル」が輸入販売され，新聞記事に初めて「ノンアルコールビール」という用語が登場した．1986年にイギリスの「バービカン」の輸入販売が成功し，徐々に輸入銘柄が増え，浸透した．しかし，日本で本格的に「ノンアルコールビール」が開発され，販売が増加したのは，道路交通法が改正され，酒気帯び運転の基準が改訂され，罰則が強化された2002年以降である．当初は，各社ともに，原料に麦芽*やホップ，水あめ等を用い，独自の発酵技術を駆使し，美味しさを確立するのに苦労したが，徐々に改善されている．また，2009年にはキリンビールが完全にアルコールを含まないビール風味飲料である「フリー」の開発に成功し，ビール製造大手4社からアルコールを含まないビール風味炭酸飲料が販売されている．このように，日本では「ビール風味炭酸飲料」として，アルコール分が含まれない飲料とアル

透明炭酸飲料　左：サイダー，右：ラムネ（平　宏和）

ビール風味炭酸飲料（平　宏和）

コール分が1%未満の飲料が混在しているが,『食品成分表』では市販品「ビール風味炭酸飲料」の分析値に基づき成分含量を収載している.

●フルーツ・フレーバー系炭酸飲料
成 16052（果実色飲料） 英 fruit flavored carbonated drinks
果実または果汁と印象づける色および香りを有する炭酸飲料である．具体的にはグレープ，オレンジ，アップル，ピーチ，プラムなどのフルーツ・フレーバー系の香りを有する飲料である．以上のほか果汁（10％未満）または乳成分を含む炭酸飲料もある．

フルーツ・フレーバー系炭酸飲料　左：オレンジソーダ，右：グレープソーダ（平　宏和）

●粉末清涼飲料
英 powdered soft drinks
糖類（ぶどう糖），酸（クエン酸，酒石酸*，リンゴ酸*），またはこれらの塩類を適当に配合したものに粉末乳化香料を適量混合し，防湿性のフィルムに包装したもの．果汁は含まない．粉末乳化香料としては，香料，乳化剤*，色素などを天然ガム，その他コロイド物質で分散，均質化して，粉末化したものである．水を加えて溶かし，飲用する．粉末ジュースとも呼ばれたが，ジュースは天然果汁を含んだものにのみ用いられるようになった．重曹や酒石酸を加えた粉末発泡清涼飲料もある．

●ラムネ
英 Ramune
ラムネは，玉詰瓶（ラムネ瓶）に入れられた，レモネード様の炭酸飲料であり，成分はレモネードやサイダーに似る．したがって，水に砂糖やぶどう糖果糖液糖のような糖類とクエン酸などの酸味料を加え，香料（フレーバー）で柑橘風味にし，清涼感を与えている．瓶は，上から5分の2ほどの位置にくびれが設けられており，口とくびれの間にラムネ玉と呼ばれるガラス球が封入されている．この瓶に飲料を充填し，すぐに瓶をひっくり返すと，内部の炭酸ガスの圧力でラムネ玉が口部のゴムパッキンに押し付けられ，瓶が密閉される．飲む際は，瓶の口を密封しているラムネ玉を瓶内に押し込み，内圧を逃がすことで開栓する．かつては，瓶全体がガラスでできていたが，最近では，瓶口がプラスチックとなり，中のラムネ玉を取るために口の部分を時計回りにひねると，口部キャップが外せるようになっている．

男爵薯，男爵いも　⇨じゃがいも
淡色ビール　⇨ビール

 タンゼロ

分 ミカン科ミカン属（木本）　学 Citrus×tangelo
英 tangelos
みかん類（tangerine）とぶんたんまたはグレープフルーツ（pomelo あるいは pummelo）の雑種で，tang と elo を組み合わせて呼ぶ柑橘の総称である．自然交雑によるものと，多くの人為交雑によるものが存在する．1900年以降に米国で発見あるいは育成されたものがほとんどであるが，わが国でも近年導入され，全国的に生産が行われるようになった．

◇品種　自然交雑によるものにはサンジャシント，人為交雑種にはソーントン，オーランド，ミネオラ，セミノール，ヤラハ，パール，ウエキワなどが主な品種である．わが国ではセミノールの生産が現在のところ最も多い．

特性：タンゼロ類は果重が80〜200gと，品種間で差が大きく，酸が多く，種子も多いのが特徴である．パール，ウエキワなどは果実が小さいが，そのほかのものは温州みかんよりはるかに大きく，果皮はなめらかで温州みかんほどではないが，総じてむきやすい．肉質は柔軟で果汁分が非常に多く，独特の芳香を有し，食味はたいへんよい．しかし，採取直後は酸味が強く，本来の食味となるのは4月以降である．

◇成分特性　セミノールは100g中，水分は86.0g，柑橘類としては低い．たんぱく質1.1g含まれており比較的多い．灰分は0.4gと，温州みかんとほぼ同等かやや多い．無機成分ではカリウムが最も多く，200mg含まれている．ビタミン類は温州みかんに近い．ビタミンCも多く，41mg含まれている．

◇保存　果実の糖分が樹の上で最高となるのは3月頃である．酸味は多く，2,3月に収穫され，3℃前後で貯蔵してから出荷される．貯蔵条件が良好

セミノール（平　宏和）

であれば，5，6月まで品質よく貯蔵できる．
◇**加工**　果汁分が多いので，加工して品質のよい果汁製品が得られる．しかし，果肉が軟弱なので缶詰加工には不向きである．ジャムとしての加工は有望である．

●**セミノール**
成 07085（セミノール 砂じょう 生）英 Seminole
タンゼロ類の品種．米国フロリダ州の農務省の試験場で，ダンカングレープフルーツとダンシータンゼリンを交配・育成され，1931年に発表された．日本へは昭和30（1955）年に種子で導入し，選抜が行われた．晩生で栽培しやすい品種で，果実は表面がなめらかで，具皮は鮮やかな赤橙色，果皮は薄い．重さは150～200g，肉質は柔軟・多汁で，甘・酸味のバランスがよい．3月下旬～4月上旬に収穫し，4月下旬以降に出荷する．

●**ミネオラ**
英 Minneola
タンゼロ類の品種．米国フロリダ州の農務省の試験場で，ダンカングレープフルーツとダンシータンゼリンの交配で育成され，1931年には発表されたセミノールの姉妹品種である．名前は米国フロリダ州ミネオラの地名による．日本へは昭和30（1955）年に種子で導入し，選抜が行われた．果皮は赤橙色で，不知火*のように果実の頂部が膨らんでいるが，果実は小さい．果重は140～170g，果皮は比較的薄く，手でむくことができる．2月下旬から5月頃に出回るが，米国カリフォルニア産のものが輸入されている．

たんぽぽ　蒲公英

分 キク科タンポポ属（多年生草本）　学 *Taraxacum* spp.　英 dandelion　別 つづみぐさ　旬 春
春告げ花ともいえる代表的な春の野草である．日本に限らず，世界の温帯，亜熱帯地方のどこにでも分布する．また，畑や原野など日当たりのよいところなら場所を選ばず自生する．種類が多く日本だけでも30種以上あるといわれ，地方ごとに別種がある．近年では外来種のセイヨウタンポポ（*Taraxacum officinale*）がはびこっており，在来種のカントウタンポポ（*T. platycarpum* var. *platycarpum*），シロバナタンポポ（*T. albidum*），カンサイタンポポ（*T. japonicum*）などが少なくなった．すべての種類が食用になる．茎を出さないで，葉を根ぎわから八方に出す（根生葉）．根は太く直根性である．葉は羽状で深く切れ込みがある．中心から花茎*を出し黄色の花が咲く．欧米ではセイヨウタンポポが19世紀半ばより栽培され，食用とされてきた．
◇**採取**　春の若芽を根ごと掘り取る．両方とも食用になる．
◇**成分特性**　タンポポの成分組成は100g当たり，水分85.3g，たんぱく質2.9g，脂質0.8g，炭水化物6.1g（うち，食物繊維2.7g），カリウム397mg，カルシウム62mgで，β-カロテン5,850μg，ビタミンC 38mg（フランス食品成分表）．
◇**調理**　茹でて2～3時間水にさらして苦味（弱い）を抜き，煮物，和え物，きんぴらなどがよい．また，花は天ぷらなどが彩りもよく，他のものとの付け合わせによい．軽く湯にくぐらせて酢の物，ミモザサラダ風にしてもよい．

ミネオラ　カリフォルニア産（平　宏和）

たんぽぽの根

ち

 チアシード

成 05046（乾） 分 シソ科アオギリ属（1年生草本） 学 *Salvia hispanica*（チア） 英 Chia seeds

中南米を原産地とするチアの種子である．種子は直径1mm程度の楕円形で，種皮色には茶，黒，灰色などの変異があり，水につけると吸水しゲル状になる．これがチアシードを入れた飲み物に独特の食感を与える．n-3脂肪酸であるα-リノレン酸*を含む脂質が豊富で，食物繊維も豊富である．南米（パラグアイ，ボリビア，ペルー，アルゼンチンなど）産，メキシコ産，オーストラリア産などの種子が輸入されている．マヤ文明やアステカ帝国等のメソアメリカ文明では，重要な食用・薬用作物であったと考えられている．

 チーズ

英 cheeses

チーズは，おおまかには乳や脱脂乳に乳酸菌*や凝乳酵素（レンネット）を加えて固め凝乳（カード）をつくり，そこから乳清（ホエー）を取り除いたものである．

◇**歴史** 最初は，原料乳や容器等から移行した乳酸菌や酵母による自然発酵で凝固した発酵乳を，加温や撹拌することによりホエーを分離して取り除き，カードを集めてチーズをつくっていたと考えられる．次の段階で，乳の凝固にレンネット（乳を飲んでいる反芻動物の子の第四胃の浸出液）を添加するという技術，つまり食品の加工に意識的に酵素を利用するという画期的な技術が確立された．この技術が，古代オリエントでいつ頃，どの地域で，どのようにして誕生したのかは，技術史のうえで興味のある問題だが，まだよくわかっていない．ヨーロッパ系のチーズは，修道院や農家で手づくりされながら，7～12世紀にほぼ今のようなチーズとして完成された．チーズの工場生産が始められたのは，1850年代である．プロセスチーズの製造・販売は，1900年代にクラフト（クラフト社の創業者）によって開始された．日本では，明治8（1875）年に北海道の開拓庁・七重勧業試験場でチーズの試行が行われ，明治33（1900）年に北海道トラピスト修道院で製造・販売が開始された．プロセスチーズが商業的に生産されるようになったのは，1930年代である．

◇**種類・分類** ナチュラルチーズとプロセスチーズに大別される．羊，やぎ，牛，ヤク，水牛など，反芻類の乳を乳酸発酵で，または乳酸発酵とレンネットの添加を組み合わせて凝固させ，凝固物をカットし，チーズの種類によっては加温してカード（固相）とホエー（液相）に分離させる．そのカード自体，またはカードに食塩を添加して熟成させたものがナチュラルチーズである．現在，世界で製造されているナチュラルチーズの種類は1,000種以上といわれ，いくつかの分類法がある．その一つは，硬さによる分類である．硬さは水分含量に左右されるので，これは水分含量による分類ともいえる．他の一つは**表1**のように，製造方法による分類である．

◇**製法** ナチュラルチーズの製造方法は，チーズの種類によって異なる．ゴーダチーズの製造工程の概略は，**図1**のようになる．原料牛乳の殺菌はレンネットの作用に影響を及ぼさないように，62～65℃30分間の低温長時間保持殺菌（LTLT）か，73℃15秒間程度の高温短時間殺菌（HTST）で行う．殺菌後の原料乳を，発酵用乳酸菌が働く30℃前後まで冷却し，中温性のホモ発酵乳酸菌を主体とするチーズスターターカル

表1 製造方法によるナチュラルチーズの分類

製造方法	代表的チーズ
熟成しない（フレッシュチーズ）	カテージ，クリーム，モッツァレラ，フェタ
細菌だけで熟成	エダム，ゴーダ，チェダー，エメンタール，パルメザン，サムソー，マリボー，グリエール
白カビを表皮に生やして熟成	カマンベール，ブリー
表皮を洗いながら熟成（ウォッシュチーズ）	マンステール，エポワス
青カビを内部に生やして熟成	ロックフォール，ゴルゴンゾーラ，スティルトン
やぎ乳を原料にする（シェーブルチーズ）	ヴァランセ，サント・モール・ド・トゥレーヌ

図1 ゴーダチーズの製造工程

チャー(スターター)を添加し,乳酸発酵を開始させる.次いで凝乳酵素(レンネット)を添加して30分ほど静置すると,牛乳は豆腐状に固まる.レンネット凝固は,遊離のカルシウムイオンを必要とすることから,原料乳の加熱殺菌によるカルシウムイオンの減少を補うため,レンネット添加と同時に塩化カルシウムを加える場合もある.これをカードナイフで8mm角程度の均一なブロックにカッティングし,徐々に温度を上げながら撹拌を続けると,ホエー非出が促進され,カードは収縮して粒子状になる.一定時間の撹拌後,ホエーを1/2程度排除して温水を添加し,さらに撹拌して目的の硬さまでカードが収縮したところでホエーを排除してカードを集める.予備圧搾しマット状になったカードを型(チーズモールド)に合わせた大きさに切り分け,円形のゴーダチーズモールド(2〜15kg用),ベビーゴーダチーズモールド(200〜1000g用)に型詰めして圧搾し,ホエー排除を強制するとともにカードを確実に結着させる.これを20%程度の食塩水に数時間〜数日浸漬して加塩する.加塩工程を終えた後,低温乾燥室で表面を乾燥させ,12℃程度の熟成室に移して温度と湿度を管理して熟成させる.ゴーダチーズの熟成期間に,数カ月〜オールドゴーダチーズのように1000日熟成に至るものまであ

る.熟成期間中には食塩のチーズ内部への浸透,チーズ表面からの水分の蒸発による外皮(リンド)の形成など表面的な変化の他,原料乳,スターター,レンネットに由来した酵素が働き,乳たんぱく質はペプチド*からアミノ酸へ,乳脂肪はグリセロール*と脂肪酸へと低分子化し,それらの低分子と派生成分によってチーズ特有の味や香り,テクスチャーが生み出される.

スターター(チーズスターター*):スターターは,乳酸菌*が主体である.主な役割はチーズ製造の初期工程において乳酸*を産生することで,原料乳のpH*を低下させ,腐敗菌の増殖を抑制するとともに,レンネットによる乳たんぱく質の凝固を促進する.一方,熟成の促進用途や,各種チーズの製法上特異的に用いられる熟成用スターターは,チーズ製造の初期工程には特に影響しないが,チーズの熟成期間中にたんぱく質や脂質を分解することで,熟成を促進し,味,香り,テクスチャーなど独特の風味を形成する.乳酸菌以外にもエメンタールチーズ等の製造時にはプロピオン酸菌スターター,カマンベール,ブルーチーズ等の製造時にカビスターターが用いられる(表2).国内で広く普及しているスターターは,高濃度/高活性の乳酸菌を保護材とともに凍結乾燥した凍結乾燥粉末で,チーズ製造時に直接原料乳

表2 チーズのスターターに使用される微生物

種類	属名	種名
乳酸菌	Lactococcus	L. lactis, L. cremoris
	Streptococcus	S. salivarius subsp. thermophilus
	Leuconostoc	L. mesenteroides subsp. mesenteroides, L. mesenteroides subsp. cremoris
	Lactobacillus	L. delbureckii subsp. delbureckii, L. delbureckii subsp. bulgaricus, L. delbureckii subsp. lactis, L. helveticus
	Propionibacterium	P. shermanii
カビ	Penicillium	P. roqueforti, P. candidum, P. camemberti, P. caseicolum
酵母	Debaryomyces	D. hansenii
	Candida	C. colliculosa
	Kluyveromyces	K. marxianus subsp. marxianus

(乳酸菌研究集談会編:乳酸菌の科学と技術,学会出版センターより一部改変)

に添加して用いることができる．

レンネット：反芻動物の子が乳だけを飲んでいる間に屠殺して，第四胃を摘出し，乾燥してシート状にしたものを，ホエーまたは食塩水で浸出した浸出液がレンネットである．この中に含まれている凝乳酵素をキモシン*といい，プロテアーゼ（エンドペプチダーゼ）の一種である．キモシンは，カゼインミセルの外側に位置してその安定化に寄与するκ-カゼインに対する基質特異性が高く，加水分解*によって106残基目以降の親水性ペプチド（グリコマクロペプチド）を切り離す．カゼインミセルに残る105残基のペプチド*はパラκ-カゼインと呼ばれ，疎水基を比較的多く含むため，カゼインミセル表面では疎水度が増す．カゼインミセル構成カゼインのうち，α_{S1}-，α_{S2}-，β-カゼインはカルシウム感受性でCa^{2+}イオン存在下で沈殿する性質を持ち，κ-カゼインのミセル安定化作用が失われると，重合して凝集体（カード）が形成される．原料乳はカルシウムを豊富に含むが，加熱殺菌によってカルシウムイオンの不溶化が起こり，カード形成に支障がある場合には，塩化カルシウムの添加が必要となる．キモシンの至適pHは酸性側にあり，スターターの働きで徐々に乳酸酸性となる原料乳にキモシンを作用させることで，効率よくカード形成が進行する．牛乳を加熱殺菌すると，カルシウムイオンが減って凝集性が悪くなるので，塩化カルシウムの添加が必要になる．伝統的に用いられてきたレンネットは，上述の通り仔牛第四胃消化液の精製物であるが，家畜不足や動物愛護の観点から安定供給が難しくなっており，ある種の植物由来の植物レンネットや，ケカビ（*Rhizomucor*）由来の微生物レンネットなどの代替レンネットと呼ばれるもの，さらに前述したキモシンの遺伝子を組み込んだ遺伝子組み換え微生物で生産する組み換えレンネット（発酵生産キモシン）が広く利用されている．

リンドレスチーズ：硬質チーズや半硬質チーズは，熟成中に表面が硬化してリンドと呼ばれる皮膜を形成する．リンドにはカビが生えることが多いが，同時にカビからチーズの内部を保護する役割をしていて，チーズを食べるときは廃棄されることが多い．この無駄をなくするために，チーズの表面をワックスでコーティングしたり，熟成初期のチーズ表面に酢酸ビニルのエマルション*を塗布して人工の皮膜を形成する方法が適用されてきた．これをさらに徹底させて，カードをプラスチックのフィルムで密閉してダンボール包装し，低温で熟成させるという方法が開発された．この方法ではリンドが形成されないので，つくられたチーズをリンドレスチーズと呼んでいる．全自動で連続的にチーズを製造するシステムでは，原料牛乳が供給されると，ダンボール包装されたリンドレスチーズが産出されるという構成になっている．伝統的な方法でつくられた硬質チーズや半硬質チーズと，それに対応するリンドレスチーズとを比較すると，後者は，熟成中の損耗が少なく人手もかからないから格段に製造費が安いが，前者が持っている固有の組織や風味を完全に再現しているわけではない．しかし，ゴーダ系のチーズやチェダー系のチーズでは，かなりの量がリンドレスチーズとして製造されている．

チーズの認証表示：各種ナチュラルチーズの製造方法は，生産地の土地や風土，歴史などと深く結びついており，チーズの名称も原産国，原産地にオリジナルなものである．ヨーロッパでは，原産地以外でつくったチーズが偽物として出回り国益を脅かすことを懸念し，1952年に主要チーズ生産国8カ国（フランス，イタリア，スイス，オーストリア，オランダ，デンマーク，ノルウェー，スウェーデン）でストレーザー協定を結び，原産地名称を保護する制度をつくった．フランスのAOC，イタリアのDOCなどがこの協定に基づいた認証である．ヨーロッパ諸国がEUとして統合された後は，EUとして統一の見解で農産物の品質と名称を保証するため，PDO（保護原産地呼称．フランスではAOP，イタリア，スペインではDOPと表記），PGI（保護地理表示．フランスではIGPと表記）の認証が制度化された．

◇成分特性　チーズカードを構成する乳たんぱく質は，熟成中に原料乳，レンネット，スターター等に由来するたんぱく質分解酵素によって徐々に分解され，チーズ独特のうま味や香りが生まれる．ホエーに含まれる乳清たんぱく質，乳糖*，水溶性ビタミン*がホエーの排除とともに失われるが，チーズには牛乳の栄養成分が濃縮されており，栄養的に優れたたんぱく質食品である．脂肪含量は，原料が脱脂乳，生乳，クリームのいずれであるかによって変わる．脂肪もスターターや原料乳由来のリパーゼによって，熟成中にいくらか分解される．乳糖はほとんどホエーとともに排除され，残っているわずかの乳糖も熟成中に乳酸*に分解されることから，チーズの乳糖含量は極めて低く，乳糖不耐症の人も利用できる乳製品である．無機質含量はチーズの種類によって異なるが，他の食品と比較して，有用なカルシウムとリンの供給源

ウォッシュチーズ
（エポワス）

エダム

エメンタール

チーズ各種（平　宏和）

である．ビタミンは，脂溶性のA，Kの大部分が脂肪と一緒にチーズに移行する．また，水溶性ビタミンでは原料乳中のB_2の約1/4がチーズに移行するほか，B_{12}，葉酸*が多い．チーズの香り成分は熟成を経て変化するほか，チーズ種による違いも大きく多岐にわたる．カゼイン分解に由来する揮発成分としてアルデヒド，アミン，含硫化合物など，糖代謝産物として生成するアセトアルデヒド，ジアセチル，アセトイン，プロピオン酸など，乳脂肪がリパーゼによって分解されることで生じる短鎖脂肪酸，アルデヒド類，メチルケトン類などがチーズの風味形成に働く．香り成分生成に関与する酵素は原料乳やレンネットに由来するものもあるが，スターターおよび非スターター微生物由来酵素の関与が大きい．

◇**保存**　チーズは種類によって保存性に差があるが，冷蔵することと表面を乾燥させないことが，保存の共通原則と言える．カッテージチーズやモッツァレラチーズのようなフレッシュチーズは，冷蔵においても香気成分の消失や移り香，食味・食感の劣化など嗜好性が低下し，衛生面も考慮して賞味期限*が短く設定されている．カマンベールチーズ，ブリーチーズ，ブルーチーズなどカビで熟成するチーズやウォッシュチーズ（**表1**）は，包装後加熱殺菌したロングライフタイプのものを除き，冷蔵中も熟成が進むことから，賞味適期を超えて過熟となったものは，アンモニア臭やランシッド臭に代表される悪臭が発生するなど，著しく嗜好性が低下する．硬質・半硬質のチーズは保存性が高く，熟成によって味や香りが変化することから，熟成期間の違いを長く楽しむことができる．しかし，チーズ表面やカット面のカビ汚染など可視的な汚染のほか，リステリアなど低温細菌の汚染にも注意が必要であり，低温による長期保存を過信すべきではない．

●**ウォッシュチーズ**
チーズの外皮を塩水や製造地域のワインやビールなどの地酒で洗う操作を繰り返し，熟成を進める一連のチーズ種で，カードは比較的柔らかい組織となる．マンステールやエポワスなどフランス産チーズのほか，比較的風味の穏やかなタレッジョなどイタリア産のものもある．チーズ表面には好気性，好アルカリ性の細菌であるリネンス菌（*Brevibacterium linens*）が繁殖し，脂肪とたんぱく質を分解してチーズの熟成に働くほか，雑菌やカビの繁殖を防ぐ効果がある．中身は比較的マイルドで深い味わいがあるが，表皮は独特な強い香りを呈するものが多く，通好みのチーズとされていた．近年では伝統的製法の輸入品のほかに，国内のチーズ工房が個性的な熟成管理を取り入れ製造したものも市場に並んでいる．

●**エダム**
成 13031　英 Edam cheese
オランダの代表的なチーズで，生産量の25%を占める．名前はアムステルダムの北にある港エダムに由来している．やや扁平な球型で，輸出用は赤いワックスで覆われているので，日本では「赤玉」と呼ばれてきた．半硬質チーズで，製法はゴーダチーズとほとんど同じだが，半脱脂乳を原料にしているので，脂肪含量はゴーダチーズより少ない．3〜4カ月熟成させたものは，しなやかな組織と穏やかな味なので，薄切りにしてサンドイッチに使うのに適している．それ以上熟成させたものは硬い組織と重厚な味になるので，すりおろして料理に使うのに向いている．

●**エメンタール**
成 13032　英 Emmental cheese
大きなものでは重量100 kgを超える大型の円盤状のチーズで，塩分が低く，独特の風味と大きなガスホール（チーズアイ）を特徴とするチーズ．チーズアイはスターターに用いるプロピオン酸菌

カッテージ

カマンベール

グリュイエール

チーズ各種（平　宏和）

が熟成中に生成する炭酸ガスが，緻密で弾力性のあるグリーンチーズに閉じ込められてできる．熟成は，10〜13℃ 2 週間未満，23〜25℃ 3 週間，13〜15℃ 5 カ月以上の 3 段階に分けて行う．ガス孔が形成されるのは第二段階で，このときチーズ全体が膨れ上がる．テーブルチーズ用途の他，チーズフォンデュなど伝統的なスイス料理に用いられる．

●カッテージ

成 13033（カテージ）　英 cottage cheese　別 カテージ

熟成させないフレッシュチーズのひとつで，原型は自然酸敗した乳から作られた世界最古のチーズ種の一形態である．原料乳を乳酸菌*で発酵してカゼインを酸凝固し，ホエーを除去したもので，家庭でも自作することができる．脱脂乳を原料に製造されるものが主流で，世界各地で製造されている．フレッシュチーズ全般の特徴として消費期限*が短く冷蔵保存する必要がある．

●カマンベール

成 13034　英 Camembert cheese

フランス北部ノルマンディ地方を発祥とする白カビチーズで，現在では世界各国で製造されている．AOC 認証を受けているカマンベール・ド・ノルマンディーは，乳牛ノルマンド種の乳を原料とし，直径 11 cm 高さ 3.5 cm 程度の円盤状で，白カビに覆われ，土地のポプラの木を利用した木製容器に入っている．伝統的製法で製造されるカマンベールチーズは，熟成とともに白カビによる発酵が進行して風味が強まり，内部組織はクリーム状を呈するようになる．スターター乳酸菌やカビが生育を続けることから，低温保存下でも熟成が進行し，過熟となったものは灰色を帯びてランシッド臭などの腐敗臭を発するなど嗜好性が低下する．一方，白カビによる熟成が適度な状態で容器に密閉し，加熱殺菌した「ロングライフタイプ」のものも一般化しており，このタイプのものは，乳酸菌*やカビなどの働きを止めることで，過熟による品質低下を防ぎ，賞味期限*の延長を達成している．

●クリームチーズ

成 13035　英 cream cheese

クリームを乳酸発酵させて作ったフレッシュチーズで，脂肪含量が高い．なめらかな組織とクリーミーな香りや爽やかな酸味を持つ．ドライフルーツやナッツなどを加えたアレンジ商品も多く生産されており，テーブルチーズ用途のほか，料理やデザート原料にも用いられる．

●ゴーダ

成 13036　英 Gouda cheese

オランダの代表的な半硬質チーズで，生産量の 60% を占める．名前はロッテルダムの東北にある町ゴウダに由来している．直径 30 cm ほどの円盤状で，内部は緻密で引き締まった組織となり，小さな丸いガスホールが点在する．5〜6 カ月熟成させたものは，しなやかなでクリーミーな組織となり，ミルクの甘味が感じられるマイルドな味のチーズとなる．テーブルチーズ用途のほか，シュレッドチーズ原料，各種料理の原料として広い用途をもつ．

　　各国のゴーダチーズ：ゴーダチーズは 13 世紀から世界的に知られていたので，多くの国でゴーダチーズを製造するようになった．ストレーザ協定後は，スウェーデンはヘルゴード，ノルウェーはノルヴェジア，デンマークはダンボーと，それぞれ固有の名前を付けている．なお，デンマークのサムソーやマリボーも，ダンボーに近いチーズである．日本では，プロセスチーズの原料として，1930 年代にゴーダチーズの製造が始められた．

●シェーブル

成 13057（やぎ）　英 goat milk cheese

山羊乳のカゼイン構成の特徴として，α_{S1}-カゼ

チーズ各種(平 宏和)

インの割合が小さいことがあり,それゆえカードが脆く,大型のチーズに成形することが難しい.したがって,シェーブルチーズは小型で,ホロホロと崩れるような柔らかな食感が共通的な特徴となっている.木炭の粉を表面にまぶして熟成することで酸味をまろやかに調製する製法が多く取り入れられており,ヴァランセ,クロタン・ド・シャヴィニョル,サント・モール・ド・トゥレーヌ,セル・シュール・シェルなど原産地ごとに特徴的なチーズが製造されている.その形状もピラミッド型,饅頭型,棒型,ハート型など変化に富む.

●チーズスプレッド
成 13041 英 cheese spread
製品中に 51% 以上のチーズ分を含むスプレッドで,乳等省令*の乳製品や乳または乳製品を主原料とする食品には該当しないが,公正競争規約のチーズフードに含まれる.最終質量の 10% 以内であれば,乳に由来しない脂肪,たんぱく質または炭水化物を加えることが認められている.

●チェダー
成 13037 英 Cheddar cheese
英国を代表する硬質チーズで,ロンドンの西方 200 km にあるチェダーという町が原産である.英国のチーズ生産量の 60% を占めるばかりでなく,米国,オーストラリア,ニュージーランドなどで大量に製造されるので,世界で一番生産量の多いチーズになる.ホエーを除去したカードにチェダリングという操作を行うのが特徴で,食塩はこの過程で直接添加される.直径 35 cm,高さ 30 cm の円筒状の型に詰めて成形し,生チーズの全面を木綿の寒冷紗で包んでラードで密着させる「包帯巻き」を行ってから,半年から 1 年間熟成させる.マイルドで酸味のある味で,そのまま食べてもよいし,用途も広い.日本では,プロセスチーズの原料として,1930 年代にチェダーチーズの製造が始められた.

上:ホワイトチェダーチーズ,下:レッドチェダーチーズ(平 宏和)

●パルメザン

成 13038　英 Parmesan cheese

パルメザンチーズの呼称の由来となった，パルミジャーノ・レッジャーノは，北イタリア，ポー河の流域，パダーノ平野のやや南西よりの地帯で生産される超硬質チーズで，厳格な製造上，品質上の規定があるDOP認証チーズである．製造には，製造日前日に搾乳した原料乳から乳脂肪を部分的に除去したものと，当日搾乳した全乳を合わせたものを用い，高温でクッキングを行って水分含量の少ないカードをつくる．これを，直径40cm，高さ23cmの太鼓状に成形し，飽和食塩水に4週間浸漬して加塩した後，熟成する．最低1年間の熟成期間中にはパルミジャーノ・レッジャーノ協会による厳格な検査が行われ，さらに熟成を重ねるに適した上級品が選別，認定される．選別を経て長期熟成し，再検査で品質が認められたものはさらに高い規格となり最終的に4段階に格付けされる．高級なテーブルチーズ用途のほか，イタリア料理を代表する食材としてさまざまな料理に用いられる．一方，世界各地で「パルメザンチーズ」の名でイミテーションが作られており，国内でもパスタやサラダにふりかける粉チーズタイプのものが広く流通している．

●ブルー

成 13039　英 blue cheese

チーズの内側に青カビ（*Penicillium roqueforti* など）を増殖させて熟成するチーズの総称．代表的な製法は，カードに青カビの胞子を加えて円筒状に成形した後，表面を加塩する．チーズブロックに穴を開けて通気孔を作ることで，青カビが通気孔に沿って生育し，熟成が進むと鋭い刺激性のある独特の風味を呈する．テーブルチーズ用途の他に，ドレッシングやディップに使うことも多い．フランスのロックフォール，イタリアのゴルゴンゾーラ，英国のスティルトンが世界三大ブルー

プロセスチーズ（平　宏和）

チーズとして広く知られており，ロックフォールのみ羊乳を原料乳とする．

●プロセスチーズ

成 13040　英 processed cheese

ナチュラルチーズを原料にして，これにリン酸塩，クエン酸塩などの溶融塩を加えて，加熱，融解，殺菌した後，一定の質量，形状に包装したものである．原料チーズには，ゴーダ系，チェダー系などの半硬質または硬質チーズが多く用いられる．なめらかな組織を保つために熟成の若いチーズ，風味とコクを出すために熟成の進んだチーズを配合している．ナチュラルチーズと比較して，①加熱殺菌し包装してあるので，衛生的で保存性がよい．②各種のナチュラルチーズを配合できるので，望みの品質のものを，安定して製造することができる．③包装形態を自由に選択できる，などの特長がある．しかし，ナチュラルチーズ固有の風味や組織は失われて，魅力に乏しくなるという反面もある．日本には，ナチュラルチーズの伝統がなく，先にプロセスチーズが製造・販売されたこと

パルメザン

ブルー
（ロックフォール）

マスカルポーネ

チーズ各種（平　宏和）

モッツァレラ　　　　　ミモレット　　　　　リコッタ

チーズ各種（平　宏和）

もあって，プロセスチーズの消費量が圧倒的に多かったが，最近になってナチュラルチーズの消費量が，プロセスチーズを上回るようになった．

●マスカルポーネ

成 13055　英 Mascarpone cheese

イタリア北部のロンバルディア地方で冬に製造されていたが，現在はイタリア全土で生産されている．乳たんぱく質を酸および加熱で凝固するタイプのフレッシュチーズで，その製法はリコッタチーズに準ずるが，原料には生クリームを用いる．マスカルポーネは，ティラミスの原材料として広く知られるようになった．濃厚な生クリームのような食感を持ち，塩味や酸味がおだやかで，さまざまな食材と組み合わせることで料理にコクをもたらす特徴から，広い用途で利用されている．

●モッツァレラ

成 13056　英 mozzarella cheese

カードに熱水を加えて練りと伸展を繰り返し，チーズに繊維構造を作らせる「パスタフィラータ製法」で製造されるチーズの代表である．伸展性のあるカードを丸くちぎって成型する工程があり，モッツァレラの名称は，「ちぎる」という意味のイタリア語モッツァーレ mozzare に由来する．イタリア南部カンパーニア地方が原産で，水牛乳を原料としていたが，現在は牛乳で作るものが多く，世界中で生産されている．非熟成チーズ共通のミルクの甘味を感じるくせのない風味と，柔らかで弾力のある食感を特徴とし，カプレーゼなどの前菜に用いられるほか，加熱するとよく伸びる特徴から，ピザやパスタなどにも利用され，イタリア料理に欠かせない食材となっている．

●ミモレット

英 mimolette cheese

フランスのフランドル地方特産の球状の半硬質チーズで，オランダのエダムをまねて作られたといわれている．原料乳に植物性の色素アナトーを加えて製造することから，カードはオレンジ色を呈する．ミモレットチーズは熟成中にその表面にシロンと呼ばれるダニの一種を生息させることが特徴的で，これはカビを食べてチーズを保護する．シロンは人を刺すダニとは種類が異なり基本的に無害である．熟成期間の短いものは「ジュンヌ」と呼ばれ，柔らかく，薄切りにしてサンドウィッチ等に利用される．熟成が進むとカードは固くなり，1年以上熟成したものは「ヴィエイユ」と呼ばれ，からすみにも例えられる濃厚な味わいとなる．

●リコッタ

成 13058　英 Ricotta cheese

牛乳，水牛乳，やぎ乳などにレンネットや酸を作用させ，凝固したカードを分離したあとのホエー（乳清）を加熱して，ホエーに残っているたんぱく質を凝固させて回収した，フレッシュチーズである．リコッタは「2度煮た」という意味のラテン語に由来するとされ，元来，羊乳のチーズ（ペコリー）を作ったあとのホエーでつくられたといわれる．低脂肪でさっぱりした味であり，ケーキや料理の材料にする．

チーズケーキ

成 15134（ベイクドチーズケーキ），15135（レアチーズケーキ）　英 cheese cake

チーズを主原料にしたケーキで，チーズの味・香りを特徴としている．ふんわりとスポンジ状に焼き上げるベイクドチーズケーキと，ゼラチンで冷やし固めるレアチーズケーキの2種類がある．使用する原料チーズは，カテージチーズやクリームチーズが多いが，そのほか，エダムチーズやチェダーチーズなど，各種のチーズがある．ヨーロッパでは，昔からチーズが食生活に欠かせないため，チーズを使ったケーキが多く，それぞれのチーズの風味を特徴としている．

上：ベイクドチーズケーキ，下：レアチーズケーキ
（平　宏和）

チェリー　⇨さくらんぼ
チェリーブランデー　⇨キルシュワッサー

🍎 チェリモヤ

成 07086（生）　分 バンレイシ科バンレイシ属（落葉性低木）　学 *Annona cherimola*　英 cherimoya；custard apple

南米アンデス山脈の高地に自生する．現在は北米やスペインなどで栽培されている．わが国でも，新しい特産品を目指してハウスでの栽培が試みられている．果実は直径10cmほどの球形あるいはハート形で，果皮面はうろこ状である．果皮色は，未熟なときは黄緑色であるが，加熱すると黒褐色になる．果肉は白く，黒い種がある．英名にカスタードとあるように，バニラアイスクリームのような食感がある．
◇加工　生食されるほか，シャーベットなどのフ

チェリモヤ（新宿高野）

ルーツ菓子に加工される．
◇調理　皮の色が茶褐色になって弾力がある頃が食べ頃で，美味とされる．メロンのように，皮ごとカットして食べる．

ちか　鯤

成 10211（生）　分 硬骨魚類，キュウリウオ科ワカサギ属　学 *Hypomesus japonicus*　英 Japanese surfsmelt　別 ひめあじ；えぞわかさぎ　地 つか；ちか（東北，北海道）

全長20cm．体は細長く，側扁する．体色は黄褐色を帯び，腹面は淡い．体側中央に青色の縦帯がある．沿岸域に生息し，4～5月に内湾に産卵する．1年で成熟し産卵後死ぬが，2～4年生きるものもある．わかさぎと違い，湖沼や川には生息しない．本州北部，北海道，朝鮮半島，千島列島に分布する．定置網，地曳網にて漁獲．
◇成分特性　同属のわかさぎと比べるとたんぱく質（アミノ酸組成）*が100g当たり（16.2）g とやや多く，脂質（TAG当量）*は 0.4g とやや少ない．味はわかさぎに劣るが，成分的には似たものと考えられる．主に惣菜用であるが，干物や佃煮にもされる．
◇調理　わかさぎに似て白身で軟らかく，淡白な味をしており，唐揚げ，天ぷら，塩焼き，甘酢漬，昆布巻きなどがある．

ちか（本村　浩之）

ちくわ　竹輪

成 10381（焼き竹輪）　英 Yaki-chikuwa；(baked tubular kamaboko)　別 焼きちくわ

塩ずり身を串にさしてあぶり焼きする竹輪は蒲の穂に似ているかまぼこの原型で，日本各地に，豊橋竹輪，野焼き，長崎竹輪，豆竹輪，阿波竹輪などと呼ばれる名産品があり，それぞれ原料魚，製法，製品の形や大小を異にしている．これらはあまり煮物に使わず，そのまま食べるので生竹輪と総称される．おでんなどの煮物に使われるのが冷凍焼き竹輪で，大きな斑点状の焼き色があるとこ

焼き竹輪（平　宏和）

ろからぼたん焼き竹輪とも呼ばれ，東北，北陸，北海道で作られ，普通冷凍して流通するのでこの名を得た．竹輪はもともとかまぼこと呼ばれていたが，板付きかまぼこが誕生してから竹の茎を芯にしてすり身を巻き付け焼いたものを竹輪と呼ぶようになった．竹輪の原料は，えそ，かます，とびうお，はも等の製地特有の魚であるが，最近ではすけとうだらの冷凍すり身を主とした塩ずり身をステンレスの串に巻き付け，ガス，電気，遠赤外線などの熱源を用い，自動的に成形，加熱を行う大量生産品が普通に見られるようになった．冷凍焼き竹輪はもともとあぶらざめを使い，10%以上の多量のでん粉を使うところが，他の名産的な竹輪と異なっており，このため冷凍しても，煮汁をよく吸い，味よくやわらかな食感で食べられる．

竹輪麩（ちくわぶ）　⇒ふ

 ちごだら　稚児鱈

分 硬骨魚類，チゴダラ科チゴダラ属　学 *Physiculus japonicus* 英 Japanese codling　別 地 どんこ（東北から北関東）；ぐぞう；ぐぞぼ；くほぞ（小名浜）；ひげだら（三崎）　旬 冬
全長40cmに達する．北海道から九州にかけての日本沿岸と台湾に分布する．これまで生息水深が浅い個体がえぞいそあいなめ，深い個体がちごだらと呼ばれていたが，近年これらは同一種であることが明らかになった．体はやや側扁した円筒形で，赤褐色．下顎先端に1本のひげがある．
◇調理　鍋物にして食べるほか，干物に加工される．吸い物種としたり，みそ汁や煮物のほか照り焼きなどにもよい．

 チコリー

成 06159（若芽 生）　分 キク科キクニガナ属（多年生草本）　学 *Cichorium intybus*（キクニガナ）
英 chicory（英）；endive（米）　別 アンディーブ
和 きくにがな

セロリに似た食感と苦味がある．類縁のエンダイブと混同される．チコリーのフランス名がアンディーブ，エンダイブのフランス名がシコレと，英名と逆になっているためである（米国ではエンダイブ）．調理業界では一般にフランス語を用いるので，英語を用いる食品分野とで錯誤を生じる．株は立ち性．葉は長楕円形で大きく，緑〜灰緑色．根は大根のように肥大し，その上にロゼット*を形成する．この肥大した根を収穫・貯蔵し，適宜軟白室（むろ）に伏せ込んで，萌芽を軟白し利用する．伏せ込みは，軟白みつばに準ずる．春に花茎*を抽出し，頭状花をつける．花は白または青色で美しく，観賞価値がある．なおトレビスは，チコリーの一種であるが，大きくなった葉を食べる．
◇加工　乾燥した肥大根の焙焼した粉（チコリーと呼ばれる）が，コーヒーの代用として18世紀後半より利用された．現在でもチコリコーヒーなどの名で，ハーブ飲料として販売されている．それ用の品種も栽培されている．
◇調理　先端がしっかりして，みずみずしく艶のあるものを選ぶ．独特の香りとほろ苦さがあり，シャキッとした歯触りがよいので，サラダによく使われる．葉を1枚ずつ取って船形を生かし，オー

ちごだら（本村　浩之）

チコリー（平　宏和）

ドブルをのせたり，また細かく切って酢油で和える．そのほかポタージュ，グラタン，バター炒めにする．茹でるときはレモン汁を加えると白く仕上がる．

ちしゃ　⇨レタス
ちちぶ　⇨はぜ

ちぢみゆきな　縮雪菜

成 06376（葉 生），06377（葉 ゆで）　分 アブラナ科アブラナ属（1年生草本）　学 Brassica rapa var. narinosa（キサラギナ）　英 Chijimi-yukina
旬 秋～冬

雪菜と呼ばれる葉菜には，伝統雪菜・仙台雪菜・ちぢみ雪菜などがある．ちぢみ雪菜は，宮城・松島の民間採種場が育成，1943年，品種として発表され，中国野菜のタアサイ*が原種といわれる．耐寒性が強く，冬の寒さにあたるとロゼット化する．葉柄*は薄い黄緑色，葉は少し厚く縮緬状の皺があり濃緑色である．11～3月が収穫期で，現在，宮城県を中心に栽培されている．
◇成分特性　原種のタアサイと同様，無機質はカリウム，カルシウムなど，ビタミンはカロテン，Cなどが多く含まれる．一般にタアサイに比べ栄養成分値が高いのは，低水分含量のため乾物量が多いところが大きい．成分表による生100g中の乾物量は，ちぢみ雪菜：11.9g・タアサイ：5.7g．
◇調理　特有のほろ苦さがあるが強くなく，火を通すと甘味を増す．炒め物，浸し物，和え物，汁の実，浅漬けなどに利用される．

ちぢみゆきな（平　宏和）

ちぬ　⇨たい（くろだい）

ちまき　粽

成 15025　英 Chimaki；(steamed rice or kudzu starch dough wrapped in green bamboo leaves)

くずちまき（平　宏和）

5月5日の端午の節句を祝って供える菓子で，くず粉または米粉でつくった餅を，くま笹の葉で巻いて蒸したものである．また，昔は笹ちまき，あくまき*のように，保存・携帯食としても使われた．
◇由来　昔，茅（ちがや）の葉で巻いたので"茅巻"（ちまき）といい，中国から伝来したものである．日本に伝わった年代は明らかでないが，一説には神功皇后が三韓征伐のときに持ち帰ったといわれる．仁徳天皇のときに宮中にちまきを献じたという説もある．『伊勢物語』や『古今和歌集』などにもその記述がみられる．中国におけるちまきの起源には2説あり，『続斉諧記』と『庖丁書録』に記されている．よく知られたものには，中国の屈原（くつげん）にまつわる説がある．戦国時代（B.C.300年頃），楚の王族で詩人でもあった屈原が讒言（ざんげん）により失脚し，湖南の汨羅（べきら）に身を投じた．その命日5月5日に人々は竹筒に米を詰めたものを水に投げ入れた．これがちまきの起源といわれる．やがて端午の節句に邪気を払うためにちまきを供えるようになったという．
◇原材料・製法　現在つくられているちまきは，くずちまき（一般には水仙ちまきという）が多く，このほかに材料によって，羊羹ちまき，ういろうちまき，道明寺ちまき，道喜ちまきなどがある．くずちまきの製法は，くず粉を半量の水で溶き，砂糖を加えてから残りの水を使ってこす．そのまま火にかけて透明になるまで練り固める．これを長方形にして笹の青葉に包み蒸し上げる．
◇保存　くず粉または米粉でつくった餅を笹で包むのは，今日でいう包装の考え方を取り入れたものであり，また笹を包装材として使用したのは笹の葉が防腐効果をもっていることから，笹で包めば保存性がよくなることを古代の人達は知っていたものといえる．

上左：ういろうちまき，上右：道喜ちまき（中央：羊羹ちまき，下：水仙ちまき），下左：笹ちまき，下右：道明寺ちまき（平　宏和）

● ういろうちまき
英 Uiro-chimaki
砂糖を水で溶いた中に上新粉を混ぜて蒸し，よくこねてからくず粉を水溶きして加え，その種を笹の青葉で巻いて蒸し上げる．

● 笹ちまき
英 Sasa-chimaki
最も古風なちまきで，もち米を少量の食塩を加えた水に一夜漬け，笹の青葉の表面（つやのある方）を内側にして三角に包み，蒸したものである．

● 道喜（どうき）ちまき
英 Douki-chimaki
文亀3（1503）年頃，京都の老舗，川端道喜により創製されたちまきである．これには吉野のくず粉を練り上げてつくる水仙ちまきと，こしあんを練り込んだ羊羹ちまきの2種類がある．笹の香りがちまきに移り淡白な味である．

● 道明寺ちまき
英 Domyoji-chimaki
道明寺種を笹の青葉に巻いて蒸し上げたものである．道明寺種はつばき餅と同様の方法でつくる．

● ようかん（羊羹）ちまき
英 Yokan-chimaki
羊羹を笹の青葉に包み蒸し上げたもの．または，円錐形の金型に流し固めた羊羹を笹の葉で巻いて仕上げたもの．

チャーシュー　⇨焼き豚

チャービル

分 セリ科シャク属（1年生草本）　学 *Anthriscus cerefolium*（ウイキョウゼリ）　英 chervil　別 セルフィーユ　和 ういきょうぜり（茴香芹）

欧州南部から東部原産．株はあまり大きくならず，パセリ程度．ロゼット*状で，細い葉柄*の先に奇数羽状に葉を分岐し，葉は3小葉からなる．葉片はパセリよりやや小さく，細裂し，緑色．食用には若い葉を利用する．晩春〜初夏に花茎*を抽出し，その先に白い小花を小傘状につける．パセリに似た香りと，アニス様の甘い芳香をもつ．ハーブ類の中では香りが穏やかで，クセがない．乾燥品が利用されていたが，最近は生鮮品もみられる．

◇成分特性　乾燥品の成分組成は，100g当たり，水分7.2g，たんぱく質23.2g，脂質3.9g，炭水化物37.8g，カリウム4,740mg，カルシウム

チャービル（平　宏和）

1,350 mg, ビタミンCは含まれない（英国食品成分表).

◇調理　パセリと同様に刻んでスープ, シチューなどに浮かし, サラダに加えたりするほか, 多くの肉・魚料理, 野菜料理に用いる. 用途は広い.

着色米　⇒こめ

ちゃつう　茶通；茶津宇；楪津宇

成 15026　英 Chatsu；(baked tea leaf-seasoned sweet dough stuffed with An)

小麦粉に卵白, 砂糖および抹茶を加えて練った皮で, ごまあん(餡)を包み, 皮の上部に煎茶をつけて焼いた焼き菓子である. 皮の上部に煎茶をつけるので, この名称がある.

◇原材料・製法　皮の製法は, 卵白をほぐしてから, ふるいを通した砂糖を加えてよくすり混ぜる. よく混ざってから抹茶を少量添加したあと, ふるいを通した小麦粉を加えて軽くこねつける. こねつけたらふきんをかぶせて, 30分間くらい放置して, 皮種をよくなじませる. あんは一般にごまあんを使用する. ごまあんの製法は, あずき生あんに砂糖を加えて練り, あらかじめ煎ってすっておいた黒ごまを最後に加えて, 普通の練りあんよりやや硬めに練り上げる. このごまあんを皮種で包み, 上部をぬれぶきんで湿らせてから, 煎茶を2～3葉つける. 煎茶をつけたところが下になるように平鍋の上に置いて, 厚さが2cmほどになるように手のひらで押しつける.

茶通の焼き方は, "角きんつば"のように6面を焼くのではなく, 上下両面のみを焼き, その間に側面に火が通るようにする. したがって, 平鍋の火加減が強すぎると側面の乾きが悪く, べとついた製品となるので, やや弱めに調節する. このほかに, 黒ごまの代わりに白ごまを使用したあんや, 皮に卵黄を加えたものもある. また焼き上がった表面にすり蜜を塗ったものもみられる. 茶通の特徴は素朴な外観で, 外皮がうっすらと乾いていて, 抹茶とごまの風味が楽しめるところにある.

チャパティ

英 chapati

インド, パキスタン, バングラデシュ, ネパールなどで食べられている円形の平焼きパンである. 原料の小麦粉は全粒粉で, しばらくねかせた無発酵の丸めた生地を薄く延ばし(直径15～20cm・厚さ5～6mm), 熱した鉄板や石板の上で両面を焼く.

チャパティ（平　宏和）

ちゃ類　茶類

英 teas

チャ(Camellia sinensis)は, ツバキ科に属する常緑樹で, 原産は中国雲南省周辺とみられる. 世界中の茶のルーツも中国茶であるといわれ, 呼称はほとんどチャもしくはテに帰属する. 緑茶, 紅茶, 中国茶のウーロン茶に代表されるが, その種類は多種多様である. しかし, 植物学的には同じチャの茶葉を加工したものである. 現在世界で生産される茶のうち最も多いのは紅茶で, 約200万トン, およそ70％を占めている. 緑茶と中国茶は, 合計でも65万トンほどであり, 2020年における日本の緑茶製造は7万トン程度である. 緑茶, 紅茶, 中国茶については, 各項目を参照.

◇歴史　中国では周の時代(B.C.2000年)にはすでに山地産のヤマチャ(自生茶)があったといわれている. 民に農耕を教え, 百草をなめて医薬をつくったとされる中国の伝説上の帝王, 神農氏が, 薬草を試して歩くのにヤマチャを毒消しに使っていたとされている. 日本へは奈良朝の末期から平安朝の初期(9世紀の初め)に入唐した僧侶によって伝えられたといわれている. 当初は主として僧侶や貴族の間でのみ, 薬用的趣味として飲用されていたため, 平安末期に一時廃絶に近い状態

茶通（平　宏和）

になった．これを復興したのが鎌倉初期の留学僧栄西禅師で，12世紀の後半，宋より帰朝の際，種子を持ち帰り，筑前の背振山に栽植し，同時にこれを各地に広めた．また，日本最古の茶書である『喫茶養生記』を著した．その後，明恵（みょうえ）上人は京都の栂尾（とがのお）で，聖一国師は静岡で茶の栽培をした．茶祖栄西禅師が宋よりもたらした茶のつくり方は，現在の抹茶方式で，室町時代に入り急速に発展した．茶の湯の開祖といわれる村田珠光や千利休などの名匠もこの頃輩出した．秀吉，家康も茶を愛好した．江戸時代の初期には煎茶の飲用も始まった．これは，隠元禅師が中国式釜炒り茶の製法を伝えたのが始まりで，わが国における煎茶道の開祖といわれる．なお，元文3（1738）年に京都山城国湯屋谷の永谷宗円により蒸し製煎茶が考案され品質は著しく改良され，形式にとらわれない，より庶民的な茶として急速に普及した．また19世紀の中頃には玉露も試製され，茶の種類も多くなった．大正12（1923）年に三浦政太郎医博により緑茶中にビタミンCが多量に含まれること，昭和60（1985）年に，賀田恒夫博士により緑茶中タンニン*が突然変異を阻害することが発表され，緑茶は保健的飲料として価値が倍加した．また品種改良，冷蔵貯蔵の普及により，茶のうまさが大衆に浸透し，煎茶を中心に今日まで日本人の嗜好飲料の主流をなしている．

◇**品種**　茶樹は，主に次の3つに大別される．
①**中国種**：葉が小さくて丸く，薄い．低木で寒さに強い．カテキン*類の含量は比較的低く，うま味に関係するアミノ酸含量は高い．
②**アッサム種（インド産）**：葉が大きくて先が尖り，肉厚で軟らかい．高木で寒さに弱く，カテキン類の含量は高い．
③**アッサム雑種（中国系アッサム種）**：①と②の交配種（改良品種）で栽培の主体となっている．さらに茶葉の大きさによって，大葉，中葉，小葉に分けられる．インドやスリランカ（セイロン）の紅茶産地では高地，中地，低地にいくにつれて中国種，アッサム雑種，アッサム種が栽培されている．また中国や日本の緑茶地帯では，中国種が栽培されている．なお，スリランカの良質な紅茶（ディンブラのハイグロウンティ）や中国の紅茶を産する茶樹はアッサム雑種である．

◇**栽培**　茶樹の栽培は，熱帯および亜熱帯の高温・多湿で，季節的な降雨量の多い，いわゆるモンスーン的気候が適している．しかも同じ土壌で繰り返し栽培を続けるためには，こまめな除草と土づくりの施肥が不可欠である．そのうえに新芽と若芽を摘み取るなど，土づくりから収穫まで，人手のかかる作業である．したがって，モンスーン的気候で，広い土地と安い労働力を確保できることが茶樹の栽培の条件となる．こうした点からも，アジア・アフリカが主産地となっていて，特に中国，インド，ケニア，スリランカなどが多い．

◇**種類**　茶のルーツである中国茶をみると，種類は数百とも数千ともいわれるが，日本でよく知られているのは，ウーロン茶，ジャスミン茶，プーアール茶などの一部である．紅茶も同様で，茶それ自体が奥の深い一つの文化を形づくっている．最も一般的な分類として，製造工程における発酵（酸化酵素による酸化）の違いによる分け方がある．まったく発酵させない緑茶，10～60％ぐらい発酵させる半発酵のウーロン茶，ほぼ100％発酵させる紅茶がある（**図1**）．

◇**成分特性**　成分組成を**表1**に示した（紅茶については，紅茶の項を参照）．なお，茶葉を湯で浸出した場合，浸出液中に水溶性成分の糖，ビタミン，タンニン*，カフェイン*などは抽出されるが，脂質，脂溶性ビタミン*などはほとんど抽出されない．

たんぱく質：製品中に20～30％含まれる．遊離アミノ酸*は10数種類含まれ，うま味や甘味を出し茶の味を決める要素となる．遊離アミノ酸全体の60％がテアニン*（グルタミン酸のエチルアミドで上品なうま味，甘味がある）で，そのほかグルタミン酸，アスパラギン酸，アルギニン，セリンなどが主なものである．

炭水化物：単糖，オリゴ糖では，しょ糖，ぶどう糖，果糖が主要なもので，アラビノシルイノシトールが含まれている．多糖では，ガラクタン，アラバン，アラビノガラクタン，ペクチン*，デキストリン*などが含まれる．

ビタミン：茶の成分のうち重要なのはビタミンCで，緑茶葉には100g当たり60～260mg含まれる．一方，紅茶では発酵過程でほとんど失われる．そのほかβ-カロテン当量，B_1，B_2，ナイアシン*も含量が高い．またパントテン酸*，葉酸*，ビオチン*，ビタミンEの作用をもつトコフェロール，ビタミンPの効果のあるルチン*などが含まれる．

無機質：100g中5～7gの無機質成分が含まれる．このうち50％がカリウム，15％がリンで，そのほかカルシウム，マグネシウム*，鉄*，マンガン*，ナトリウム*などがある．また，微量成分として大切なセレン*，亜鉛も含む．

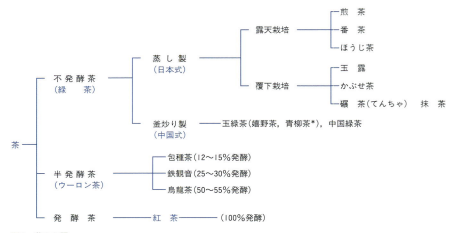

図1 茶の分類
＊嬉野茶や青柳茶は，現在は蒸し製玉緑茶に移行している．

表1 茶の成分組成（日本食品標準成分表2020年版（八訂）より） （100g当たり）

		水分 (g)	たんぱく質 (アミノ酸組成) (g)	脂質 (TAG当量) (g)	利用可能炭水化物 (g)	β-カロテン当量 (μg)	ビタミンC (mg)	タンニン (g)	カフェイン (g)
煎茶	茶	2.8	(19.1)	2.9	8.4＊	13000	260	13.0	2.3
	浸出液a)	99.4	(0.2)†	(0.0)§	0.3＊	(0)	6	0.07	0.02
玉露	茶	3.1	(22.7)	4.1§	6.4＊	21000	110	10.0	3.5
	浸出液b)	97.8	(1.0)	(0.0)§	0.3＊	(0)	19	0.23	0.16
番茶 浸出液c)		99.8	Tr†	(0.0)§	0.1＊	(0)	3	0.03	0.01
抹茶		5.0	23.1	3.3	9.5＊	29000	60	10.0	3.2
釜炒り茶 浸出液a)		99.7	(0.1)†	(0.0)§	0.0＊	(0)	4	0.05	0.01
ウーロン茶 浸出液c)		99.8	Tr†	(0.0)§	0.1＊	(0)	0	0.03	0.02
ほうじ茶浸出液c)		99.8	Tr†	(0.0)§	Tr＊	(0)	Tr	0.04	0.02
玄米茶 浸出液c)		99.9	0.0†	(0.0)§	0.0＊	(0)	1	0.01	0.01
麦茶 浸出液		99.7	Tr†	(0.0)§	0.3＊	(0)	(0)	—	—
昆布茶		1.4	7.5	0.2§	33.4＊	31	6	—	—
なぎなたこうじゅ浸出液		99.9	0.0†	Tr§	Tr＊	—	0	0	—

浸出法：a) 茶10g 430mL 90℃ 1分．b) 茶10g 60mL 60℃ 2.5分．c) 茶15g 650mL 90℃ 0.5分．
† たんぱく質，§ 脂質，＊質量計，エネルギー計算は単糖当量に基づく，‡ 差引き法

タンニン＊：茶葉に含まれる代表的なタンニンはカテキン類で，エピガロカテキン-3-ガレート，エピガロカテキン，エピカテキン-3-ガレート，エピカテキンが緑茶中10〜20%を占め，渋味や苦味を形成する．カテキン類は，近年，抗酸化作用，抗菌作用（病原性大腸菌O157＊や胃潰瘍などの誘因とされるピロリ菌にも有効とされており，歯に対する作用では特定保健用食品として認可されている），発癌抑制作用，抗腫瘍作用，癌転移抑制作用，糖尿病予防効果，コレステロール改善効果，抗アレルギー効果，肝臓保護効果などのさまざまな機能性が報告されている．一般にカテキン類は被覆茶葉より露天茶葉の方が多く，夏茶で多くなる．紅茶は揉捻，発酵過程中酸化酵素

によりカテキンの大部分がテアフラビン（カテキンの二量体で橙紅色の色素）やテアルビジン*（高度重合した赤褐色色素）に変化する．

カフェイン：茶葉にはコーヒー，ココアと同様にカフェインが含まれる．苦味があり，その含量は製品により異なるが2～4％を示し，神経の興奮，強心，利尿効果などをもたらす．

🍬 チューインガム

英 chewing gum 別 ガム

食べずに噛むことを特徴とした，風味と噛み心地を楽しむ菓子である．そのため硬すぎたり，粘着性が強すぎてはならない．嗜好品ではあるが，噛むことによって緊張を和らげたりする効果がある．chew は噛むという意味で，gum はゴムである．中米の原住民がナポディラの樹液（チクル樹脂）を噛む習慣をもっていたのがその起源である．19世紀末に米国で企業化されたが，わが国で生産販売されたのは昭和の初期で，本格的に広まったのは第二次世界大戦後である．板ガム，風船ガム，糖衣ガムなど，形や機能により多種多様なものがある．一般的に砂糖類を70％余りと多く使用しているが，低エネルギーや虫歯（う歯）予防のため砂糖に替えて天然甘味料や糖アルコール類を用いてシュガーレスをうたったものも多い．さらに口臭防止や眠気覚ましなど，特別な機能をもたせたものもある．

◇**原材料**　ガムベース原料：天然樹脂のチクルやチクルに類似したジェルトン，ソルバなどの植物性樹脂と酢酸ビニル樹脂やエステルガムなどの合成樹脂を混合して用いる．さらに，ガムベースに柔軟性を与えるなどの目的で，ポリイソブチレンやワックス，乳化剤*などが添加される．

風味原料：各種の糖類が用いられ，水あめや砂糖，ぶどう糖のほかに，エネルギー制限や虫歯予防のためにソルビトール，還元麦芽糖（マルチトール），キシリトールなどの糖アルコールや加工甘味料が用いられる．ガムの特徴づけには，着色料，香料，酸味料が用いられる．香料には清涼感や刺激感のあるペパーミント，スペアミントなどミント系のものをにじめ，フルーツ，ヨーグルトなどさまざまなものが使われる．

◇**製法**　ガムベース原料を120℃ぐらいの温度で溶解してから冷却し，温度が低くなってから糖類，香料などを混ぜて成型する．溶解は，加圧して行う場合もある．

チューインガム　上左・中：板ガム，上右：風船ガム，下：糖衣ガム（平　宏和）

●**板ガム**

成 15118　英 stick gum　別 味ガム

ガムベースをエクストルーダー*で押し出し成型した後，圧延ロールで薄くし，冷却後，カットして包装する．

●**糖衣ガム**

成 15119　英 sugar-coated gum

回転鍋の中でガムのまわりに糖シロップを繰り返しかけて，糖衣の層をつくるガムで，角型と丸型のマーブルガムがある．

●**風船ガム**

成 15120　英 bubble gum

ふくらますことができるように，かつ，適度な噛み心地をつけるために，特殊なガムベースを原料にし，砂糖，ぶどう糖，香料，酸味料，果汁などを加えてつくる．風船ガムのガムベースには，合成樹脂である酢酸ビニル樹脂を主に，皮膜性を強化するためエステルガムを加えているのが特徴である．

中華ちまき　中華粽子

英 Chinese Chimaki

中国料理の点心で，端午の節句に作られるちまき．水に浸漬，水切りして炒めたもち米としいたけ，たけのこなどを炒め，豚肉，調味液料（しょうゆ，酒，塩など）などを加えて煮た具を混ぜ，竹皮で

中華ちまき（平　宏和）

三角に包み，紐で巻き，中火で水煮あるいは蒸したものである．冷凍品もある．由来などは，ちまき*の項を参照．

中華風クッキー

成 15054　英 Chinese style cookie

ラードやマーガリンなどの油脂類を多く使ったクッキーである．

◇**原材料・製法**　油脂と乳化剤*をよく混ぜ合わせて，砂糖，鶏卵，重曹（炭酸水素ナトリウム*）などの膨張剤，バニラなどの香料を入れて混ぜ，最後に小麦粉を入れてよくこねて生地をつくる．10〜20gぐらいの生地をとり，適当な形にして，約180℃で焼き上げる．焼成の前に，アーモンドなどをのせるものもある．

中華風クッキー（平　宏和）

中華まんじゅう　中華饅頭

成 15034（あんまん こしあん入り），15035（肉まん），15166（あんまん つぶしあん入り）　英 Chinese style steamed bread；(Chinese steamed bun filled with sweet bean paste or meat filling)

小麦粉を主原料とした皮であん（餡）もしくは肉を包んだ蒸し菓子の一種である．中華料理では点心として用いられ，あんや肉などが入ったものを包子（バオズー）といい，入らないものを饅頭（mantou；マントウ）といって区別している．

◇**由来**　中国における饅頭の起源にはいくつかあるが，通説としては諸葛孔明に始まるという．3世紀の初頭，三国時代の名将諸葛孔明が南方の蛮族を征伐しようと瀘川のほとりまで行ったとき，瀘川の風浪が荒くて渡れなかった．そこで，諸葛孔明が浪をしずめる方法を聞いたところ，水神への生贄（いけにえ）として人頭を供えるようすすめられた．そこで孔明は人頭に代わるものとして羊と豚の肉を細かく切り，小麦粉の皮で包み，人

中華まんじゅう　上：肉まんじゅう，下：あんまんじゅう（平　宏和）

間の頭に似せた饅頭を供えることで浪をしずめ，戦に勝つことができた．これが肉入り饅頭の始まりといわれている．大和時代に渡来したといわれる唐菓子や南北朝時代に渡来し奈良饅頭となったものは，蒸し饅頭ではあるが，中華菓子としての饅頭ではない．中華菓子として中華饅頭が日本に広まったのは明治以後，中華料理店が日本にできた時代と思われる．

◇**種類**　中華饅頭は中に入れるものによって種類があり，あずきあんにごまやラードを練り込んだあん饅頭（通称；あんまん），豚のひき肉，ねぎ，たけのこ，しいたけなどを入れた肉饅頭（通称；肉まん，豚まん）が代表的で，焼き豚を入れたチャーシュー饅頭，最近ではカレー饅頭，ピザ饅頭なども出回っている．冬季のおやつや軽食として食べることが多く，パン菓子店の店頭スチーマーで蒸したものを販売する方式が普及してから急激に喫食機会が増え，冬季の代表的な食品になった．また，電子レンジやオーブンレンジの普及により，家庭で蒸し器を使わなくても手軽に加熱処理できるようになったことも中華饅頭の普及に役立っている．

◇**原材料・製法**　皮：小麦粉（中力粉）にぬるま湯で溶いたイースト，砂糖，食塩を加えてよくミキシングし，こね上げる．

肉センター：たけのこやねぎ，水で戻した干ししいたけをみじん切りしたものをラードで炒め，調味料として，しょうゆ，砂糖，酒，食塩，グルタミン酸ナトリウムなどを加えて味を調え，さらに豚のひき肉や香辛料としてこしょうや生姜などを加え仕上げる．

あんセンター：あずき生あんに砂糖，水あめを加え加熱しながら，さらに油脂（ラードか植物性油脂），すりごまなどを加えて練り上げる．

包み方：まんじゅうの皮を適当な大きさに丸め，のしてから肉センターやあんセンターを中心に入

れ，ひだができるように包み込む．皮とセンターの比率は2：1ほどが一般的である．包んだら底にパラフィン紙を敷いて，せいろうに並べる．

蒸し方：せいろうに並べた饅頭に温度と湿度を適当に与え，一定時間発酵させてから蒸し器にかけて蒸し上げる．大量生産メーカーでは皮とセンターを別々につくり，これを包餡機で自動的に包んで敷紙付けし，焙炉（ほいろ）で発酵させ蒸し機で蒸すまで，一連の機械装置で連続して生産している．また，蒸し上げたものを凍結し調理済み加工冷凍食品として販売しているものも多くみられる．以前は肉饅頭といえば豚肉入りとされていたが，最近はこれに代わって植物性たん白を使うものもある．

中華麺

成 01047（生），01048（ゆで），01187（半生中華めん），【蒸し中華めん】01049, 01188（ソテー），【干し中華めん】01050（乾），01051（ゆで） 英 yellow alkaline noodles　別 中華そば

小麦粉を原料とする中国の麺類は，①拉麺：練った生地を両手で線状に引き延ばし，だんだん細くしてつくる手延べ麺，②切麺：日本のそばやうどんと同様に，練った生地をめん棒を用いて台の上で薄く延ばし，折りたたんで細い幅に切ってつくる手打ち麺，③線麺・麺線：日本の手延べそうめんと同様につくる手延べ麺，の3つに分けられる．そのうち日本の中華めんは，①と②に相当するもので，市販の多くは後者の機械製麺による切麺である．日本のうどんと原料について異なるところは，たんぱく質の多い小麦粉と，梘水（かんすい）を用いることである．梘水としては，炭酸ナトリウムと炭酸カリウムの粉末または液状の市販のものが使用される．梘水はアルカリ性のため，小麦粉のグルテンおよびでん粉に作用し，中華麺の伸展性を増加させ，フラボノイド色素は特有の黄色となり，同時に独特の香りがつくり出される．なお，梘水の使用量は，中華麺の種類により異なる．

わが国の中華麺の種類としては，手打ち中華麺，生中華麺，半生中華麺，茹で中華麺（上記はいずれもラーメン用），蒸し中華麺（焼きそば・油揚げ麺用），干し中華麺，即席中華麺などがある．
◇調理　中国料理では，湯麺（tangmian；タンミエン；汁そば），炒麺（chaomian；チャオミエン；焼きそば），冷麺（lengmian；ロォンミエン；冷やしそば）などに分けられ，それぞれ多様な具が加わる．中華麺は日本でも人気料理で，全国各地にさまざまな種類と食べ方の「ラーメン」がある．

 中国茶

英 Chinese tea

中国大陸および台湾で生産される茶の総称．茶樹は中国西南部，雲南省南部の西双版納（シーサンパンナ）もしくは雲南省から貴州省へ連なる高原が原産とされる．

茶のルーツである中国茶には，何百，何千もの種類があるといわれ，その分類も多数であるが，最も基本的なものに茶の浸出液の色による分類がある（表1）．日本で最も一般的な中国茶であるウーロン茶は青茶（チンチャー）に分類され，半発酵茶である．中国茶といえばウーロン茶と思われがちだが，中国茶の生産量では約7割を緑茶（釜炒り茶）が占める．

◇産地　中国大陸における産地の中心は，長江流域で，全生産量の2/3を占める．産地は西南，華南，江南，江北の4つの地域に分けられる（表2）．

台湾の茶の栽培は19世紀初めに大陸から伝わり，20世紀になると英国の会社が設立され，福建省からの苗木で高品質の茶を生産した．第二次世界大戦までの白毫烏龍茶（フォモーサーウーロンティ）は，世界的に銘茶として知られていた．現在では，凍頂烏龍茶，文山包種茶などが著名である．

◇淹れ方　中国茶は種類によって淹れ方もさまざ

中華めん　左：生中華めん（太麺），中：茹で中華めん，右：干し中華めん（平　宏和）

表1 中国茶浸出液の色による分類

色	名称	発酵の度合い	特色	代表的な茶	産地
淡 ↓ 濃	白茶(パイチャー)	軽度発酵茶 発酵度10〜20%	うぶ毛のような白毛のある新芽でつくる釜炒りも揉捻もしないシンプルな茶.茶葉も白っぽく,茶水も非常に淡い.やさしい味と清新な香りをもつ.	白毫銀針(はくごうぎんしん) 白牡丹(はくぼたん) 寿眉(そうび)	福建省北部
	黄茶(ホアンチャー)	軽度発酵茶	緑茶と青茶の中間とされるお茶.悶黄(もんおう)という軽度の後発酵をうながす製法でつくられる.100g数万円という高価なものもある.	君山銀針 崇安蓮芯	湖南省 福建省
	緑茶(リューチャー)	不発酵茶	釜炒り製法でつくられる中国の緑茶は,歴史的にも最も古く生産量も多い.日本茶に比べ渋味,苦味が弱く,すっきりした味わいをもつ.	龍井茶(ロンジンチャー) 珠茶(ズーチャー)	浙江省杭州 浙江省
	青茶(チンチャー)	半発酵茶 発酵度30〜60%	ウーロン茶に代表されるお茶で緑茶と紅茶の中間的なお茶.爽やかさと味わいを兼ね備えたお茶で,油料理との相性もよい.	鉄観音 武夷岩茶 水仙 白毫烏龍茶 凍頂烏龍茶 文山包種茶	福建省安渓 福建省 福建省・広東省 福建省 台湾 台湾
	紅茶(ホンチャー)	完全発酵茶	世界中の紅茶のルーツともいわれる中国紅茶は,インドやセイロン産に比べ苦味が少なくまろやかな味をもつ.	祁門紅茶(キーマン) 功夫紅茶(クンフー) 荔枝紅茶(レイシー)	安徽省 福建省 広東省
	黒茶(ヘイチャー)	後発酵茶	茶葉は黒褐色ないし暗褐色,茶水は褐黄色ないし褐紅色.乾燥前に茶葉を堆積し,麹菌により自然に後発酵させる.特有の風味とコクがあるが,初めはカビ臭く感じることもある.	普洱茶(プーアルチャー) 六堡茶(ロッポチャー)	雲南省 広西省

表2 中国大陸の茶の産地

	地域	気候	生産品
西南地区	雲南省,貴州省,四川省	年間を通して安定した常春のような気候.降雨量も多すぎず,気温も温暖.	紅茶,緑茶,黒茶
華南地区	広西省,広東省,福建省	熱帯から亜熱帯に属し,雨量も多い.	青茶,緑茶,紅茶,白茶
江南地区	江南省,湖南省,安徽省南部,浙江省,江蘇省南部,湖北省	亜熱帯気候で雨量も比較的多い.中国を代表する産地で,全生産量の約1/2を占める.	紅茶,緑茶
江北地区	安徽省北部,江蘇省北部,河南省,陝西省,甘粛省,山東省	気温は低く冷害を受けやすい.降雨量も少ない.	緑茶

まである.中国では一般的には急須はあまり用いず,大ぶりの蓋付きの湯呑みに直接茶葉を入れ,熱湯を注いで飲む.ただし,ウーロン茶の一種の功夫茶(ゴンフーチャー)などでは急須を用い,功夫茶器などの小ぶりの器で飲む.あらかじめ温めておいた急須に茶葉を入れ,熱湯に近い熱い湯をさっと注ぎ,すぐに出す.この1番目の湯は,アクを出し茶葉を広げるためで,普通は飲まない.2度目に注いだ湯で淹れた茶から,香りと味を楽しみながら飲む.

●ウーロン茶

烏龍茶　成 16042　英 oolong tea；wulung tea

中国茶　左から，凍頂烏龍，文山包種茶（写真：平　宏和，撮影用食品提供：日本緑茶センター），プーアール茶，花茶（ジャスミン）（平　宏和）

🀄 烏龍茶

半発酵茶であり，不発酵茶の緑茶と完全発酵の紅茶の中間的性質をもつ．4,000年ともいわれる長い歴史を経て今日，世界中で親しまれている．茶の浸出液の色による分類（表1）では，青茶（チンチャー）に属する．つくりたての茶葉の色が，褐色がかった緑色で，これを"青"といっている．青茶の産地は福建省，広東省，台湾の山岳部で，鉄観音（てっかんのん）の名で有名な茶も福建省のウーロン茶の代表格である．

◇**製法**　生葉を日光に当て（日干萎凋，40〜50分），ときどき撹拌して均一な萎凋を図り，次に室内に移して1時間ごとに10〜15分間ぐらい撹拌し（揺青），葉の周辺が褐色になり少し発酵して芳香を発する時点で，釜炒りしてつくられる．

◇**成分特性**　浸出液にはタンニン*，カフェイン*が含まれるが，その他の成分の無機質，ビタミンなどはほとんど含まれない．独特の香りは製造工程の日干萎凋により生成されるもので，ジャスミンラクトン，4-ヘキサノリド，インドールなどが主成分である．

●包種茶（パオチョンチャ）
🀄 包種茶

ウーロン茶に属する茶で，香りが高い．これはウーロン茶よりも日干萎凋を軽くし，発酵度を弱め，芳香の発生，茶葉の褐変がごくわずかに起こった時点で釜炒りする．台湾の特産である．高級品はそのまま包種茶にするが，品質のよくないものは茶葉とジャスミン（茉莉花）などの花と交互に積み重ねて花の香りを茶葉に付けた一種の花茶（ホアチャ）の範疇に入る製品もある．

●プーアール茶
普洱茶　🀄 普洱茶

広東省や香港でよく飲まれる代表的な黒茶（くろちゃ）．普洱は雲南省の一県名．殺青（さっせい）した茶葉を堆積して渥堆（あくだ）発酵する．それを数年単位放置した後，蒸気を加えて圧搾固形化したりそのまま乾燥したものである．殺青は熱を加えて発酵を止めることであり，渥堆は高温多湿の状態で放置（大量の茶葉を積み上げて）して後発酵させることである．雲南省での生産が多く，茶葉の色は黒褐色，水色は褐黄色．日本でも馴染み深くなったが，麹特有のカビ臭さがあり，初めは飲みにくいこともある．慣れると独特の風味とコクがある．古いものほどアルカリ度が高くなり，良品とされる．普通の散茶（葉茶）のほか，茶葉をさまざまな形に固めたものもあり，茶碗型（沱茶；トゥオチャー），レンガ型（磚茶；ヂェアンチャー）などがある．

●花茶（ホアチャ）
🀄 花茶

茶葉に花の香りを移して，風味のブレンドを楽しむ茶で，ベースになる茶は，緑茶や半発酵茶の包種茶である．花は，ジャスミン（茉莉花；モウリーホア）をはじめ，菊，キンモクセイ（桂花；グェイホア），クチナシ，ラン，バラ，梅などが使われる．花自体に薬効があるとされるものが多く，健康茶としても人気が高い．塩漬や乾燥した花に熱湯を注いで飲む花茶（はなちゃ）はさくらゆ*を参照．

中国なし　⇨なし

 中鎖脂肪酸油 ちゅうさしぼうさんゆ

英 medium chain triglyceride；medium chain triacylglycerol；MCT　別 中鎖トリグリセリド；中鎖脂肪酸トリグリセリド；MCT；MCTオイル；中鎖トリアシルグリセロール；中鎖脂肪酸トリアシルグリセロール

◇**定義**　脂肪酸はそれを構成する炭素の鎖長により短鎖脂肪酸，中鎖脂肪酸，長鎖脂肪酸に分類さ

れるが，これらの定義は複数あり統一されていない．たとえば，短鎖脂肪酸は炭素数が4以下あるいは6以下，中鎖脂肪酸は6〜10，8〜10，6〜12，あるいは8〜12となっている．これに合わせて，長鎖脂肪酸は12以上あるいは14以上となる（表1）．中鎖脂肪酸油は，常温で液体であるが，飽和脂肪酸*からなるので酸化安定性に優れている．日本では統一された呼び方はなく，別名のようにさまざまに呼ばれる．ここでは短鎖脂肪酸6以下，中鎖脂肪酸8〜10，長鎖脂肪酸12以上として述べる．

◇**中鎖脂肪酸を含む食品** 『食品成分表』では炭素数4以上の脂肪酸が収載されている．短鎖脂肪酸および中鎖脂肪酸は，主に乳製品に含まれているが，これらの脂肪酸が含まれる食品は限られており，乳製品以外では，ココナッツミルク*（オクタン酸7.8％，デカン酸6.2％），あまのり*（デカン酸1.2％），カレー粉*（デカン酸1.5％）等である．油用類では，パーム核油*（オクタン酸4.1％，デカン酸3.6％），やし油*（オクタン酸8.3％，デカン酸6.1％），バター*類に含まれる．

◇**由来** 中鎖脂肪酸油の機能は，1951年米国のBloomらにより見いだされた．炭素数12以上の普通の油脂，すなわち，長鎖脂肪酸からなるトリアシルグリセロールの消化吸収は膵リパーゼや胆汁酸を必要とし，リンパ管を経由し血管へ輸送される．ところが炭素数10以下の脂肪酸の場合の消化吸収では胆汁酸を必要とせず，また膵リパーゼがなくてもよい．リンパ管を経由することなく腸上皮細胞から門脈を経て肝臓に運ばれ，速やかにエネルギーになる．その後の研究で，中鎖脂肪酸油は脂肪組織に蓄積されにくいことも明らかにされた．

中鎖脂肪酸油（平　宏和）

◇**製法** やし油やパーム核油を加水分解後，脂肪酸を分別蒸留し，炭素数6〜10の脂肪酸画分を得て，グリセロール*とのエステル化によって製造されている．臨床適用の面では炭素数が8と10の脂肪酸が95％以上，12の脂肪酸は2％以下，6の脂肪酸は痕跡程度が望ましいとされている．

◇**用途** 速やかにエネルギーとなり，脂肪組織に蓄積されないこと，表面張力および粘度が小さく，展延性に優れていることなどが注目され，医薬分野では，膵リパーゼの分泌が悪い人や術後のエネルギー確保に緊急を要する患者への栄養補給などに利用されている．また，経口・経腸栄養剤，あるいは流動食，非常食などに利用されている．

チューハイ

成 16059（缶チューハイ レモン風味）

◇**歴史** チューハイは，焼酎やウオッカなどをベースに，果汁などのフレーバーを加え，炭酸で割ったアルコール飲料である．1980年代に，酒税が高かったウイスキーでつくるハイボールの代用品として，焼酎をソーダ類で割った低アルコール飲料として登場した．「チューハイ」の語源は，焼酎の「酎（チュー）」とハイボールの「ハイ」の組み合わせである．居酒屋のメニューとして供される他，1984年に缶入り飲料が登場し，家庭でも広く飲まれるようになった．

◇**酒税法による定義** 法令（酒税法，食品衛生法*）にはチューハイの区分はなく，業界団体などの統一基準もない．しかし，酒税法では，エキス分が2度未満の場合スピリッツ，エキス分が2度以上の場合リキュールに分類される．また炭酸ガスを含有した製品は「その他の発泡性酒類」の要件を満たし「（発泡性）」等と併記される．アルコール度数が10度未満（発泡性の場合）または9度未満（非発泡性の場合）では酒税の税率が安く，

表1　脂肪酸の炭素数による分類例

炭素数	名　称	分類例			
2	酢酸	短鎖	短鎖	短鎖	短鎖
4	酪酸				
6	ヘキサン酸	中鎖	中鎖	中鎖	中鎖
8	オクタン酸				
10	デカン酸				
12	ラウリン酸				
14	ミリスチン酸	長鎖	長鎖	長鎖	長鎖
16	パルミチン酸				
18	ステアリン酸				

本表では炭素数18までの脂肪酸を示す．

缶チューハイ　ベース（基酒）左：スピリッツ（ウオッカ），中：焼酎，右：リキュール（平　宏和）

安価な製品が多い．また，2006年にアルコール度数が7度以上9度未満の「ストロング系」と呼ばれるチューハイが登場し，市場規模が拡大傾向にある．

◇**種類**　ベースとなる酒類は焼酎，スピリッツ（ウオッカ等の蒸留酒），リキュール（スピリッツに果実等を漬け込み，糖類等を添加した混成酒），原料用アルコール（醸造用アルコール）が用いられるが，現在は焼酎が少なく，スピリッツまたはリキュールが主流となっている．また，割材としては炭酸水に加えて，甘味料や酸味料，香料等が用いられるが，果汁を用いた製品も増えている．ウーロン茶や日本茶を用いた製品もあり，この場合，炭酸ガスは添加されない．

超高圧処理食品

英　ultra high pressure utilized foods

食品を加熱する代わりに超高圧で処理した食品．加熱によるフレーバーや味の変化が生じず，ジャムやデザート原料に用いられる．食品の高圧利用は，話題になった新しい技術の一つである．

特徴：2,000〜6,000気圧（202〜606MPa）の静水圧を液状食品や固形食品に加えた場合，従来の食品とまったく物性の異なる食品が生まれてくる．高圧利用により，殺菌，殺虫，酵素失活，酵素反応の制御と変性の4つの作用があることがわかり，保蔵期間の延長，微生物汚染防止，賞味期間の延長，新食品素材開発などが期待される．

変性：高圧利用による食品加工調理例では，青果物類は透明化する傾向があり，畜肉，魚肉類では，加熱したように白っぽくなってくる．卵では，5,000〜6,000気圧（505〜606MPa）程度で黄身が，7,000気圧（707MPa）で白身が固まる．オレンジジュースでは，これらの高圧を加えても，処理前の液状を保つと報告されている．

ちょうごう油　調合油

成　14006　英　mixed vegetable oil

2種以上の植物油を混合して，使用勝手をよくした一般用食用油．表示は使用量の多い原料より記載される．天ぷら油やサラダ油などに広く応用されている．日本農林規格*（JAS）では，調合油，精製調合油，調合サラダ油の3種類に分類している．

◇**成分特性**　『食品成分表』では，配合割合が大豆油1，なたね油1とした調合油の脂肪酸組成は，パルミチン酸7.5％，ステアリン酸3.2％，オレイン酸*43.2％，リノール酸*36.7％，α−リノレン酸*7.3％である．

理化学特性：日本農林規格（JAS）による調合サラダ油は，水分および夾雑物0.1％以下，酸価*0.15以下（食用オリーブ油を調合したものにあっては，0.40以下），不けん化物*1.5％以下（食用こめ油を調合したものにあっては，3.0％以下），5時間30分間冷却しても清澄なこととなっている．

◇**保存**　不飽和脂肪酸*の含量が高く，酸化に注意する必要がある．

◇**調理**　加熱に強く，風味もよいので，揚げ油として使用する．

調合油　左：調合ごま油　原料：食用ごま油・食用なたね油，右：調合サラダ油　原料：食用大豆油・食用なたね油（平　宏和）

ちょうざめ　蝶鮫；鱘魚

分　硬骨魚類，チョウザメ科　英　sturgeons

チョウザメ科の魚の総称である．さめの一種と思われがちだが，さめの仲間（軟骨魚類）ではない．ちょうざめ，ベルーガ，ほしちょうざめ，ヨーロッパちょうざめなどがある．

◇**成分特性**　ロシアのちょうざめ肉の分析の例では，水分76.4％，脂質11.1％，たんぱく質9.8％であるので，魚肉中比較的脂質の多い部類に入る．

ちょうざめの仲間（本村　浩之）

◇保存・加工　わが国では，ちょうざめは漁獲高が少なくほとんど利用しない．このため最近は宮崎，茨城，岐阜，愛知など各地で養殖が試みられている．しかしロシアなどの外国では食用魚として重要である．白身の魚で，クセのあるにおいがあるが，鮮魚のほか，冷凍品，塩蔵品，燻製などがあり，ロシアでは燻製のスライスはオードブルに欠くことができない．塩蔵品をトマトソースやその他のソース，あるいは魚汁または肉ゼリーとともに密封した缶詰や燻製の油漬缶詰もある．また冷凍保存を必要とする半保存性の缶詰として，調理したスライスをワイン，酢，香辛料とともに漬け込んだものが各種ある．

◇調理　ちょうざめは，煮物，フライ，すり身などに用いられるとともに，かまぼこの原料にもなる．日本での利用は輸入品のキャビア*が主なものである．

●ちょうざめ
蝶鮫　分 チョウザメ属
学 *Acipenser medirostris*　英 green sturgeon　別
地 かわざめ（北海道）

全長1.5m．体は円筒状に近い．体の背中線，体側，腹部に5条の硬鱗が縦列する．その鱗の中央に突起があり，蝶に似ていて，その名の由来となっている．吻は突き出し，その下に4本のひげがある．春から夏にかけて産卵のため河川に上る．産卵後はすぐ海に下る．孵化した稚魚は晩秋に川を下る．卵巣の塩蔵したものはキャビアといって高級食品となる．日本海の東部と北部，北太平洋に分布する．日本では石狩川，天塩川などでみることができたが，最近では獲れない．ロシア，中国や北米などにも各種あり，特に黒海，アゾフ海，カスピ海沿岸のヨーロッパちょうざめ，ほしちょうざめ，ベルーガなどは有名で，キャビアに製し，世界中で販売される．このほか養殖用に改良されたベスター（bester）はベルーガとこちょうざめ（*Acipenser ruthenus*）の交配種であり，キャビアにも利用される．

●ベルーガ
分 ダウリアチョウザメ属　学 *Huso huso*　英 beluga　別 おおちょうざめ

全長2～最大8.6m．体重約200 kg,最大2,700 kgに達する．チョウザメ科の中で最大種である．成熟までに18～20年かかるものもあり，100年以上生育することができるという．卵も大粒で，これから作るキャビアは最高級とされる．黒海，カスピ海に分布．

●ほしちょうざめ
星蝶鮫　分 チョウザメ属　学 *Acipenser stellatus*　英 stellate sturgeon；sevruga

全長約2.2m，体重25～80 kg．チョウザメ科の中では，8～9年と比較的早く成熟する．卵は黒灰色から黒色の小粒．黒海，カスピ海に分布．

●ヨーロッパちょうざめ
欧羅巴蝶鮫　分 チョウザメ属　学 *Acipenser sturio*　英 European sea sturgeon；Atlantic sturgeon；common sturgeon　別 にしきちょうざめ；バルチックちょうざめ

全長約1～2m，最大6m．体重は60 kgほどであるが，まれに400 kgに達する．卵は中粒．黒海を除くヨーロッパ沿岸と北アメリカ東岸に分布する．

丁字（ちょうじ）　⇒クローブ
調製豆乳　⇒豆乳

調製粉乳　ちょうせいふんにゅう

英 modified milk powder

一定の目的にそって成分を調製した粉乳で，代表的なものには乳児用調製粉乳がある．そのほか，妊産婦・授乳婦用，病者用の粉乳がある．妊産婦・授乳婦用粉乳は，一般の成人より無機質・ビタミンなどが高く設定された妊産婦・授乳婦の栄養所要量に対応させた粉乳である．病者用では，先天性代謝異常用，牛乳アレルギー治療用，乳糖不耐症用，腎不全用などがある．

●乳児用調製粉乳

成 13011　英 modified milk powder for infants

母乳の代用に用いる粉乳で、牛乳成分を母乳の組成に類似させるために必要な栄養素を加えて調製した粉乳。内閣府令で定める特別用途食品*の一つである。乳等省令*の定義では、「生乳、牛乳、特別牛乳、またはこれらを原料として製造した食品を加工し、または主原料とし、乳幼児に必要な栄養素を加え、粉末状にしたもの」となっている。以前は、この粉乳を他の調製粉乳と区別して「特殊調製粉乳」としていたが、ほとんどの調製粉乳が特殊調製粉乳によって占められるようになり「特殊」の二字を削り、「調製粉乳」に一本化されている。したがって乳等省令における「調製粉乳」は、乳児用のものを指す。

◇**成分特性**　牛乳を原料としているが、人乳と牛乳の成分組成との間に明確な差異があることと、人乳の研究が微量成分まで究明されたことにより、母乳類似の各栄養素を特にビタミンの面で強化したり、乳糖量やたんぱく質、脂肪酸の組成を調製して人乳に近づけてある。またビフィズス菌増殖因子を加えたり、イオン交換処理によって牛乳の電解質、灰分を調製して母乳分泌の不十分な乳児に対する乳児用調製粉乳としている。乳等省令の成分規格では、乳固形分50.0%以上、水分5.0%以下、1g当たりの細菌数50,000以下、大腸菌群陰性としている。

●調整液状乳

成 13059（乳児用液体ミルク）　別 乳児用調整液状乳、乳児用液体ミルク

乳等省令では、乳幼児を対象とする食品として「調製粉乳」の規格基準等が制定されていたが、育児の負担軽減や、災害時などの緊急時の利便性から「調整液状乳」の要望が高まり、2018年の省令改正により規格が制定された。それによると、「調整液状乳」は、「牛乳などを原料とし乳幼児に必要な栄養素を加え液状にしたもの」と定義され、また省令改正とともに、特別用途食品における乳児用液体ミルクの許可基準が設定・施行され、国内における製造および販売が可能になっている。調整液状乳、乳児用調整液状乳、乳児用液体ミルクは、同じものを指し、その栄養組成は調乳後の粉ミルクに等しい。常温保存が可能でお湯に溶かす必要がなく、そのまま乳幼児に与えることができる。

ちょうせんはまぐり　⇒はまぐり

ちょうふ　調布

英 Chofu

薄い焼皮で求肥を巻き、調布の文字が焼印で押してある夏季の和菓子。

◇**由来**　調布とは律令制下の租税に収めた布のことで、菓子は巻いた布をかたどっている。江戸時代には見られず、比較的新しい菓子である。

◇**原材料・製法**　小麦粉、砂糖、鶏卵などの生地を平鍋で焼いた皮種で求肥を包み、焼印をいれる。

ちょうふ（平　宏和）

調理済み流通食品

英 prepared foods

家庭内でそのまま食べられる惣菜や、加熱するだけで家庭ないし業務用に利用できる食品。惣菜のほか、缶詰食品*、レトルト食品*、冷凍食品*、電子レンジ対応食品*などがある。『食品成分表』では、食品群の名称を2015年版までの「調理加工食品類」を2020年版で「調理済み流通食品類」に変更している。

チョココロネ

成 15072　英 cornet with chocolate cream
別 チョココルネ

菓子パン生地を円錐形のコルネ型に巻きつけて成形・焼成し、型を除いた後の空洞部分にチョコレートクリームを充填したものである。コルネ（cornet）は仏語で角笛のこと。角笛型の金属製の器具に、細長く切ったパン生地を巻き付けて焼く。中にクリームをつめたものはクリームホーンという。パン生地の代わりに折りパイの生地を用いたものもある。また、チョコレートクリーム入りのパンには、小振りで丸型の薄皮タイプのチョコレートパンもみられる。

上：チョココロネ，下：チョコパン 薄皮タイプ
（平　宏和）

🍬 チョコレート

英 chocolate

焙焼したカカオ豆の胚乳*をすりつぶしたものに，砂糖，乳製品などを加えてつくった菓子である．原料のカカオ豆は，南米原産のカカオの果実を発酵させてから，種子だけを取り出して乾燥させたものである．カカオは赤道の南北緯20°以内の高温多湿な熱帯地方で栽培されており，アフリカのガーナやコートジボアール，ブラジル，ベネズエラなどが主要産地である．

◇**由来**　スペインのヘルナンド・コルテス（Hernán do Cortés）が16世紀の前半にアステカ帝国を征服したが，現地民はカカオ豆を貴重なものとして通貨と同様に扱っており，しかもチョコレート飲料をつくって珍重していた．そこでカカオ豆をスペイン王カール5世にあてて送ったのが，ヨーロッパに伝わるきっかけとなった．その後次第に広まったが，もっぱら甘味料を加えて，チョコレート飲料として使用されていた．チョコレートが今日のような菓子になったのは，極めて最近のことで，19世紀（1828年）にオランダのバンホーテン社がカカオ豆から油脂分を搾油して，含油量の少ない飲みやすい飲料としてココアを製造し，この副産物としてココアバターが世に出るようになってからである．固形の食べるチョコレートがつくられたのは19世紀の初〜中頃で，さらに1875年スイスでミルクチョコレートが開発され，世界的に広がった．現在，カカオ豆は国際商品として，ロンドンおよびニューヨークの取引所で取引されている．また，チョコレートの製造は自動化ラインで大量生産されている．わが国で最初につくられたチョコレートは，明治11（1878）年東京両国の米津風月堂のものである．明治32（1899）年には森永，大正15（1926）年には明治の両製菓会社により製造が始められ，今日のような市場の拡大は，戦後の昭和30年代に入ってからである．

◇**生地の製法**　カカオ豆を焙焼して，皮と胚芽を除去し，摩砕機ですりつぶす．これに口溶けをよくするため，ココアバターが加えられる．ココアバターはカカオマスに含まれているものだけでは不足するので，ココア粉末を製造するときに搾油したものも加えられる．さらに，砂糖，乳製品，香料などを混合して，ローラーを通し，きめ細かくなるまでつぶす．肌目をなめらかにすると同時に，揮発性の酸や水分を除去する目的で，精練機にかけて，2〜3日間練り上げる．こうしてできたチョコレート生地を一定の温度に調整して型に流し込み，冷却トンネルを通して固化させ製品にする．チョコレート製品の表面の光沢や風味をよくするために，テンパリングという工程が必ず行われる．

カカオマス：カカオ豆を焙焼し，胚乳を機械的に摩砕し液状にしたものをカカオマスと呼ぶ．

テンパリング：口触りのなめらかな製品にするために行うチョコレートの温度調節である．ココアバターの結晶を微細で安定したβ型結晶にするためにする．テンパリングが悪いと不安定なα型結晶が多くなり，製品の外観が悪く，口あたりの悪いものができる．テンパリングにはいくつかの方法があるが，最も一般的なものでは，溶解したチョコレートを26〜27℃まで冷却し，撹拌しながら湯煎して，30℃ぐらいまで温度を上昇させる．この過程でβ型結晶の核が発生し，冷却したときにチョコレート中にβ型結晶が多数生成することになる．

◇**保存**　ココアバターの融点は34℃，凝固点は26℃ぐらいであるため，常温では硬く，口の中では人間の体温で簡単に融けるという特性をもっている．したがって，チョコレート製品は，30℃以下の温度で保管しなければならない．

ファットブルーミング：ココアバターの特性から，気温が上昇すると製品に含まれるココアバターが溶けだして，冷えると固まり，製品の表面に白い粉をふいたようになることがある．これをファットブルーミングと呼び，チョコレートの風味を著しく損なうことになる．

◇**製品の分類**　製品については，原料配合，製造

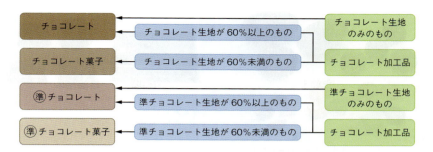

図1 チョコレート製品の名称（全国チョコレート業公正取引協議会のウェブ・サイト https://www.chocokoutori.org/cont3/13.html）

法，形態，規約などによる多くの分類方法がある.
①原料配合：チョコレート生地のみの製品とチョコレート生地以外のナッツ，フォンダンなどの製菓材料，キャラメル，ビスケットなどの菓子を用いた製品に大別される．
②製造法：型抜きチョコレート，掛け物チョコレート，被覆チョコレート，シェルチョコレートなどがある．
③形態：多種の製品があるが，一般的なものは日本では板チョコで，外観は似ているが中にクリーム，フォンダンなどが入ったシェルチョコレートがある．また，ナッツをチョコレートで丸型に仕上げた掛け物チョコレートなどがある．
④規約：「チョコレート類の表示に関する公正競争規約」では，チョコレートの種類別名称について，チョコレート生地，準チョコレート生地の使用量などにより，チョコレート，チョコレート菓子，準チョコレート，準チョコレート菓子に区別している（図1）．

チョコレート生地：カカオ分が全重量の35％以上（ココアバターが全重量の18％以上）であって，水分が全重量の3％以下のもの〔ただし，カカオ分が全重量の21％を下らず（ココアバターが全重量の18％以上），かつ，カカオ分と乳固形分の合計が全重量の35％を下らない範囲内（乳脂肪が全重量の3％以上）で，カカオ分の代わりに，乳固形分を使用することができる〕としている．

準チョコレート生地：（ア）カカオ分が全重量の15％以上（ココアバターが全重量の3％以上），脂肪分が全重量の18％以上のものであって，水分が全重量の3％以下のもの（ただし，チョコレート生地に該当するものを除く）．（イ）カカオ分が全重量の7％以上（ココアバターが全重量の3％以上），脂肪分が全重量の18％以上，乳固形分が全重量の12.5％以上（乳脂肪が全重量の2％以上）であって，水分が全重量の3％以下のもの（ただし，チョコレート生地に該当するものを除く）としている．

チョコレート加工品：チョコレート生地または準チョコレート生地とビスケット，ナッツなどを組み合わせたものである．

その他ミルクチョコレート，生チョコレートにもそれぞれ規約がある．

●板チョコレート

英 chocolate bar　別 板チョコ

チョコレート生地のみで造られた平たい板状のチョコレート．液状のチョコレートを成形型に流し込み，冷却後に取り出した「型抜きチョコレート」で，ミルクチョコレートが一般的である．

板チョコレート　左：ブラックチョコレート，中：ミルクチョコレート，右：ホワイトチョコレート（平　宏和）

掛け物チョコレート　上左：チョコレート掛け（キャラメル），上右：チョコレート掛け（アーモンド），下：糖衣掛け（平　宏和）

シェルチョコレート　左：ストロベリー，右上：ガナッシュ，右下：柑橘リキュール（平　宏和）

●掛け物チョコレート
成 15137（アーモンドチョコレート）英 pan coating chocolate；panwork chocolate 別 パンコーティングチョコレート；パンワークチョコレート
製法により分類したチョコレートの名称．回転釜（パン）の中で芯になるナッツ類，キャンデーなどにチョコレート生地を掛け，やや厚い層で被覆したもので，一般にチョコボールといわれ，アーモンドチョコレートは代表的な製品である．また，この製品には同様な製法で芯になるチョコレートボール，丸いチョコレートなどに砂糖の糖液を掛け乾燥を繰り返し，砂糖の結晶で被覆した糖衣チョコレートがあり，代表的な製品にマーブルチョコレートがみられる．

●型抜きチョコレート
英 mold chocolate

製法により分類したチョコレートの名称．液状のチョコレートを成形型（モールド）に流し込み，冷却し固めたチョコレート．板チョコレートが代表的なもので，成形型には粒が分かれたものもあり，ナッツなど固形物を入れた製品がある．型の材質は金属のほか，プラスチック，製品を押し出すことができるシリコンゴム製のものもある．

●シェルチョコレート
英 shell chocolate
製法により分類したチョコレートの名称．ボンボン・ショコラ製造のため，ベルギーで生まれた製法によるチョコレート．液状のチョコレートを成形型に流し込み，逆さにして余分なチョコレートを流れ落とし，型に残ったチョコレートを冷やしてシェル（殻）をつくり，その中にクリーム，ジャム，ナッツ類など入れ，さらにチョコレートで蓋をしたものである．近年，型を逆さにせず，冷却した金属製の型を押し当て，厚みが均一のシェルの製法が登場している．

チョコレートスナック　上左：ビスケット，上中：ウエハース，上右：ピーナッツ，中：クラッカー，下左：コーンフレーク，下右：プレッツェル（平　宏和）

● スイートチョコレート
英 sweet chocolate　別 ビターチョコレート
ビターチョコレート，ブラックチョコレート，プレーンチョコレートなどとも呼ばれる．カカオマス，ココアバターと砂糖が主原料である（配合例：カカオマス30〜50，ココアバター5〜20，砂糖50〜55）．砂糖は苦味の強いカカオマスとバランスをとるため，ミルクチョコレートより多く使用している．粉乳は加えないのが本来であるが，最近では少量加えたものが多い．

● チョコレートスナック
英 chocolate snack　別 チョコスナック
スナックやビスケットにチョコレートを入れたり，被覆，吹きつけなどをしたもので，製法により多くの製品がみられる．

● 生チョコレート
英 fresh type chocolate
なめらかな口どけと，香り高いカカオと生クリームのマイルドな味わいをもつ高級チョコレートまたはチョコレート菓子．チョコレート類の表示に関する公正競争規約には次のような規格があり，これに該当するもののみが生チョコレートと表示することができる．
①チョコレート生地にクリームを含む含水可食物を練り込んだもののうち，チョコレート生地が全重量の60％以上，かつクリームが全重量の10％以上のものであって，水分が全重量の10％以上であること
②①に適合するチョコレートにココアパウダー，粉糖，抹茶等の粉体可食物をかけたもの，またはチョコレート生地で殻を作り，内部に前号に適合するチョコレートを入れたものであって，当該チョコレートが全重量の60％以上，かつ，チョコレート生地の重量が全重量の40％以上であること

● 被覆チョコレート
成 15114（カバーリングチョコレート）　英 coating chocolate；enrobing chocolate；couver-

被覆チョコレート　左：チョコレートウエハース，中：玉チョコ，右：フィンガーチョコレート（平　宏和）

ture　別 エンローバーチョコレート
製法により分類したチョコレートの名称．ビスケットや成型したクリーム，フルーツ，ナッツ，キャラメル，ヌガー，ゼリーなどにチョコレート生地を被覆させたもの．チョコレートにカカオ脂の量などを調節して適当な温度で流動状にして，手がけないし機械がけする．

● ホワイトチョコレート
成 15115　英 white chocolate
カカオマスから搾油したココアバターに，乳製品や砂糖を加えてつくる白色のチョコレート．ココアバターと粉乳が使われているので，完全な白色ではなく，やや黄色味を帯びている．

● ボンボン・ショコラ
英 bonbon chocolate
ボンボンはフランス語で一口サイズの砂糖菓子のことで，ボンボン・ショコラは一口サイズのチョコレートの総称．ボンボン・ショコラは日本の名称で，正しいフランス語ではボンボン・オ・ショコラ．一般にはセンターになるものを，シェルやチョコレートで被覆する．シェルで覆う製品は，型によるシェルチョコレート製法でつくり，チョコレートで覆う製品（カバーリングチョコレート）は，機械によるエンローバーチョコレート製法か手作業によってつくられる．

生チョコレート（平　宏和）

ボンボン・ショコラ　左：フェレロ ロシェ，中：トリュフ，右：キャラメル（平　宏和）

●ミルクチョコレート
成 15116　英 milk chocolate

カカオマス，ココアバター，粉乳と砂糖が主原料のチョコレート（配合例：カカオマス15，ココアバター20，全脂粉乳20，砂糖45）．粉乳として，全脂粉乳のほか脱脂粉乳が使われる．スイスで加糖練乳を加えて，1875年につくられたものが最初である．わが国のチョコレート類の表示に関する公正競争規約では，チョコレートのうちチョコレート生地の乳固形分がチョコレート生地の重量の14％以上（乳脂肪分がチョコレート生地の重量の3％以上）のものに限り表示することができる．

 チョコレートケーキ
英 chocolate cake

チョコレートまたはココアを使用してつくるチョコレートの色と風味を有するケーキ．ヨーロッパでは一般にチョコレートケーキと呼ぶが，米国では卵白でつくる白いエンゼルケーキに対して，ココアやチョコレートを使う黒っぽいこのケーキはデビルスフードケーキ（Devil's food cake）と呼ぶことが多い．また，天板で焼いて切り分けるブラウニーなど，チョコレートケーキには多種多様なものがある．つくり方の一例を示す．小麦粉にココアパウダーを混ぜて焼いたスポンジケーキを3枚にスライスし，間にバタークリームを塗って重ね合わせてから，溶かしたチョコレートを全体にかける．チョコレートは湯煎にかけて溶かし，ショートニングや粉糖，ラム酒を入れて十分に混ぜ，ケーキの中心部分に流しかけて周囲に広げる．主体となるココアスポンジは，いろいろなタイプのものが用いられ，くるみやアーモンドスライスを混ぜたものもある．

チョコレートまんじゅう
チョコレート饅頭
英 Chocolate-manju

小麦粉，砂糖，鶏卵，チョコレート，ココア，水あめ，バター，膨張剤を混合した生地で黄味入り白あんを包み，オーブンで焼いたものである．表面にチョコレートをコーティングしたものもある．

チョコレートまんじゅう（平　宏和）

チョップドハム　⇒プレスハム

 ちょろぎ
長老喜；千代呂木；甘露児；草石蚕
分 シソ科イヌゴマ属（多年生草本）　学 Stachys sieboldii　英 Chinese artichoke

中国の原産で，現在わが国で食用とされているのは華南原産と推定されている．わが国へは17世紀に渡来し，18世紀に普及したと考えられている．通常は肥大した塊茎*を用いて繁殖する．両端が尖り，長さ3〜5cm，径0.5〜1.5cmの巻貝状の独特の形をしている．その形がしずくや蚕を思わせるので，甘露児，草石蚕の字を当てたりもする．品種・作型の分化は認められず，春に発芽し，越夏して秋になると地下の匍匐枝（ほふくし）の先に球茎*を形成する．地上部の枯死前に収穫して，加工用にする．

◇加工　加工が主で，収穫後，直ちに水洗，水切りして，10 kg当たり梅酢9Lに漬け込む．食塩水（水18 L＋食塩3 kg）につけ，塩味がついた

チョコレートケーキ　左：ショートケーキ，中：オペラ，右：ブラウニー（平　宏和）

ちょろぎ 甘酢漬（平 宏和）

チリパウダー（平 宏和）

ら取り出して粕漬とする．また塩漬して，赤しそや食紅で赤みをつけたものもある．
◇**調理** 家庭料理として，茹でてバター炒め，塩調味で食べる．煮物にしたり，三杯酢で和えることもあるが，主に上記の漬け込んだものを用いる．

チリソース

成 17038　**英** chili sauce

裏ごしして濃縮したトマトに，さらに皮をむいて粗く刻んだトマトと，にんにく，たまねぎなどの野菜を加え，食塩，唐辛子などの香辛料，食酢，糖類で味付けする．唐辛子の味に特徴があり，味はケチャップよりも濃厚である．たまねぎの細片やトマトの種も入っていて風味があり，食卓用ソースとして使われる．日本農林規格＊（JAS）では，可溶性固形分は 30 ％以上とされている．

チリソース（平 宏和）

チリパウダー

成 17072　**英** chili powder

メキシコ産の唐辛子（チリ）の粉末に，パプリカ，ディル，オレガノ，クミン，ガーリック，クローブなど，さまざまなスパイスをミックスしてつくられるブレンドスパイス．「赤くて辛い」基本型から，緑色で辛くないものまで，さまざまなタイプのチリパウダーがあり，地方や家庭ごとに種々のバリエーションがみられる．メキシコなど中南米料理やアメリカ南部の料理には欠かせない．原料スパイスの配合のみでなく，製法面からもスパイスをローストしてからブレンドしたり，ブレンド後に数カ月間熟成（エージング）させたりと，よりマイルドな幅のある芳香を出す工夫がなされている．
◇**調理** スペイン料理と，それから発展したメキシコ料理によく用いられる．代表的メキシコ料理のチリコンカーン（牛肉をトマト，チリパウダーなどで煮込んだもの．豆を加えることもある）や，タコスをはじめ，ソース，ピクルス，えびやかきのオードブル，オムレツなど，唐辛子やパプリカの鮮やかな赤色と風味が利用される．

チリペッパーソース

成 17005　**英** hot pepper sauce　**別** 唐辛子ソース

唐辛子をベースにし，酢，食塩などを混ぜて熟成させた調味料．代表的な製品として"タバスコ"（マキルヘニー社の登録商品）があり，強い辛味と独特の酸味をもっている．完熟唐辛子（品種：タバスコ）をすり潰し，岩塩とともにオーク樽に入れて発酵させた後に酢で調味したものである．タバスコは，メキシコのカンペチェ湾の湿地帯・タバスコ地方で栽培されていたキダチトウガラシ（*Capsicum frutescens*）で，南北戦争の頃，南軍兵士がルイジアナ州に持ち帰ったものである．ソースにはタバスコのほか，トウガラシ（*C. annuum*）に分類される緑色でまろやかな辛味のメキシコ代表するハラペーニョ，*C. chinense*（和名不詳）に分類される中央〜南アメリカ原産の激辛で柑橘

チリペッパーソース　原料品種　左：タバスコ，右：ハラペーニョ（平　宏和）

系の香りのあるハバネロなどの品種を用いたものがある．

◇成分特性　100g当たり，酢酸を7.6g，唐辛子に由来するβ-カロテン当量1,600μgを含む．
◇調理　ピザ，パスタ料理，サラダなどに数滴振りかけて食する．

ちりめん　⇨しらす干し
ちりめんちしゃ　⇨レタス（リーフレタス）

チルド食品

[英] chilled foods

流通販売状態による分類の一つ．食品を常温販売食品，チルド食品，冷凍食品の3つに分ける．チルド食品は，昭和50年に農林省（現・農林水産省）が設定した食品低温流通推進協議会において，-5～5℃の温度帯で流通する食品とされた．チルド食品の温度帯に法的な規制はなく，食品別に最適な温度帯が設定されている．商業ベースでは0～10℃の温度帯で流通しているものが多い．これはさらに温度帯で3つに分けられる．

① 5～10℃の温度帯で流通販売されるクール（cool）食品．生鮮魚肉や乳製品などがあげられる．
② -5～5℃の温度帯で流通販売される狭義のチルド食品．チルドビーフなどのように長期間保存できる食品が属している．
③ 製造と流通，輸送段階は冷凍状態であり，販売段階でチルドに戻す食品．刺身用のまぐろ切り身などがある．

近年，低温流通される冷凍食品やチルド食品が着実に伸びてきている．特に生鮮食品，乳製品や食肉加工品などは，包装されたのち低温で流通されている．また，チルド食品の中には，高度な包装技術を要する無菌化包装食品も種類と生産量が増えてきている．

◇種類　次のような食品が，包装されて，チルドの状態で流通販売されている．

・農産加工品：

豆腐：価格的に安価であるが，腐敗しやすい欠点をもっている．その保存性は，夏期水槽内では1日といわれている．そのため，プラスチック容器で完全に密封されて，5℃の低温で販売されている．

生麺：中華麺，うどんやそばなどの生麺は，カビや細菌などの微生物が発育しやすい．包装された中華麺は，10℃の温度で5日間は保存できる．

惣菜：野菜サラダ，野菜や魚の天ぷらなどの惣菜は，トレイに入れられ塩ビラップなどでストレッチ包装されている．流通販売の温度は10℃以下が厳守されている．

・生鮮魚と生鮮魚肉：

生鮮魚：漁獲後冷凍され，スキンパックされたのち，フローズンチルドで売られるものと，冷蔵された魚をトレイに入れてストレッチ包装されたものがある．いずれも10℃以下で販売されている．

生鮮魚肉：鶏肉，豚肉や牛肉などは，真空包装かストレッチ包装されている．保存温度が高いと，食肉の血色素の酸化と微生物による腐敗が起こるので，-2～5℃で流通販売する必要がある．

・乳製品：

チーズ：ナチュラルチーズの中でも，フレッシュチーズといわれるものは鮮度保持のために10℃以下の低温流通が必要である．また，スライスチーズ，スティックチーズなど一般のプロセスチーズは真空包装が行われているので，カビなどの発生はみられないが，チーズの品質を維持するために10℃以下の低温で保持しなければならない．

牛乳，ヨーグルト：これらの乳製品は，無菌充填包装されているので保存性は良好であるが，品質を維持するため10℃の低温で保持する必要がある．

・水産加工品：

水産練り製品：かまぼこ，竹輪などの水産練り製品は，細菌やカビが発育しやすい．そのため，真空包装，包装後再加熱などの処理が行われている．しかし，常温に放置すれば腐敗するため10℃以下の低温で流通販売されている．

塩蔵品：あじやかますなどの塩蔵品は，プラスチック包装材料で包装されているものが多いが，低塩志向で保存性は低いので10℃以下で流通販

売される．

・食肉製品：

チルドビーフ：スーパー，食肉店や外食産業向けに，牛肉ブロックを酸素や水蒸気の透過しにくい包装材料に入れ，真空包装したのち-3〜0℃の低温で流通販売される．

食肉加工品：加工されたハム類は，1本ごとに真空包装されるか，スライスされ，バリア性のある包装材料で真空包装されたのち，10℃以下の低温で流通販売されている．

洋菓子類：デザート食品や生クリームケーキなどの洋菓子も10℃近くの温度で保管，販売されている．

◇**包装**　材料：チルド食品の包装材料としての必要条件は，低温下で水蒸気などの透過が少なく，食品を変質させる酸素の透過が少ないこと，低温での強度が強いことなどがあげられる．包装形態からみて，包装材料を6つに分けることができる．

① プラスチックフィルム：生鮮食品や一般のチルド食品には，単体か積層のプラスチックフィルムが多く使われている．

② トレイ・ラップフィルム：肉や魚，惣菜の包装には，トレイとラップフィルムの組み合わせが使われている．

③ カップ・紙カートン：ミルクや果汁飲料，ヨーグルトにはカップや紙カートンが使われている．

④ 深絞り包装：食肉加工品や水産加工品の包装に使われる．

⑤ コンポジット缶＊：濃縮果汁飲料に多く使われている．

⑥ 多層フィルム．チルドビーフやチルドフィッシュの生鮮食品や食肉加工品の包装材料として共押し出し多層フィルムが使われている．

　方法：チルド食品の製造には，包装機械，熱処理装置，秤量器，梱包機などのシステムが組み込まれている．また，包装技法として，真空包装，ガス置換包装，脱酸素剤封入包装と含気包装＊などが使われている．

◇**保存性**　チルド食品の中でも，生鮮魚や生鮮食肉の保存性は，10℃で3日程度であり，豆腐（充填豆腐を除く）は5℃で2日，生麺は10℃で5日間である．食肉加工品は無菌化包装か真空包装後再加熱されているものが多いので，10℃で30日程度保存できる．また，真空包装されたのち低温で流通されるチルドビーフは，-2〜0℃で50〜60日間保存後でも商品価値があり，長期間にわたって肉色素の保持，肉表面の乾燥や目減り防止と微生物の発育阻止など，効果がみられる．食品を低温に保持することによって，腐敗細菌やカビの発育を阻止することができる．また，バリア性のある包装材料で真空包装したり，ガス置換包装することによって，チルド食品の保存性はいっそう向上する．

チンゲンサイ　青梗菜

成 06160（葉生），06161（葉ゆで），06338（葉油いため）　**分** アブラナ科アブラナ属（1年生草本）　**学** *Brassica rapa* var. *chinensis*（タイサイ）　**英** qing gin cai　**別** 青軸パクチョイ　**旬** 秋

中国野菜の中では，わが国で最も普及している緑黄色野菜．都市近郊での栽培が多い．パクチョイ類のうち，白軸のものをパクチョイ，青軸のものをチンゲンサイと呼ぶ．葉も柄も濃い緑色をしている．葉はしっかりしていて胴がしまり，先端が開いている．

◇**成分特性**　パクチョイとともに緑黄色野菜である．茹でるとおよそ質量で30％，カリウム30％，ビタミンC55％が減少する．

◇**調理**　葉は鮮やかな緑色，葉柄＊は肉厚で薄い緑色のみずみずしいものを選ぶ．茹でるときは，根元に十字の切り込みを入れ，熱湯に塩・油を加えると色鮮やかに仕上がる．味にクセがなくアクが出ないので，煮物，炒め物，スープ，和え物などに利用でき，応用範囲は広い．また料理の盛付けに彩りを添える効果がある．

チンゲンサイ（平　宏和）

ちんすこう　金楚糕

英 Chinsuko

沖縄地方には，独特の異国的な菓子が多く，原料に黒糖やラード，ごまなどを使った特徴のある菓子が多い．ちんすこうは，その代表で，小麦粉にラードと砂糖，落花生粉を加え，木型で抜いてクッキー風に焼き上げた菓子．みやげ物としても人気

ちんすこう（平　宏和）

が高い．

琉球王国だった頃からの歴史的流れの中で，日本や中国などの影響を受けながら，沖縄の風土に合った独特の風味の菓子が発達してきた．和菓子というより，沖縄菓子として分類されるべきものである．そのほかの沖縄菓子には，黒糖カステラのこくりゅう（黒琉）などがある．

つ

月見だんご

英 Tsukimi-dango

陰暦8月15日の十五夜の名月に供えるだんごのことで，十五夜に因んで15個積み重ねて三方に盛る．

◇製法　上新粉をぬるま湯でこねて小さく切り，丸くしてぬれぶきんを敷いた中に入れて蒸す．月見だんごは中にあんを入れないのが普通である．関西風の月見だんごは，細長い形にして片方を丸め，あんを巻いたものに仕上げる．

月見だんご（平　宏和）

つくし　土筆

成 06162（胞子茎 生），06163（胞子茎 ゆで）
分 トクサ科トクサ属（多年生シダ）　学 *Equisetum arvense*（スギナ）　英 field horsetail　別 つくしんぼ　旬 早春

春の訪れを告げる早春の野草の一つである．ツクシはスギナの胞子茎であり，同じ根から別に生える栄養茎を一般にスギナと呼んでいる．スギナは北半球の温帯に広く分布し，わが国では九州以北の原野，丘陵に大小の集団となり群生する．ツクシはスギナに先だって生え，茎が3～5mmで節があり，硬いハカマをつけている．先端がラグビーボール形になっていて胞子穂となり，後に開いて黄緑色の胞子をまき散らす．一般にはツクシのみ食用にし，スギナは食用にしないが，利用する地方もある．なお，市販されるものには促成栽培品がある．

◇採取　胞子穂の開かない硬いうちに摘む．頭の開いたものは全体が筋っぽくて食べられない．

◇成分特性　100g当たり，8.1gの食物繊維を含む．生にはビタミンB_1分解酵素（チアミナーゼ）

つくし（平　宏和）

が含まれている．
◇**調理**　ハカマを爪でとりはずしてから，茹でてお浸し，酢の物，辛子和え，ごま和えが合う．

つくね　捏ね

🈠 11293（にわとり）　🈡 Tsukune；Japanese meatball

つくねは，魚介や肉などでつくった種を団子状にしたものを指す．同様の種を団子にせず，つまみとって直接鍋や煮汁に入れたものは，つみれ*（つみいれ）と呼ばれる．しかし現在は，主に魚介類中心の種をつみ入れたものをつみれ，肉などを主体とした種を団子状にしたものを，つくねと呼ぶことが多い．また，つみれには水産練製品としてのものもある．
◇**製法**　鶏または豚ひき肉またはすり身に，副材料として少量の野菜などを好みで用い，つなぎを加え，調味して団子にしたもの．また，鶏肉つくねには，軟骨を細かくくだいて混ぜる場合もある．甘辛く煮付けたり，鍋物の具に用いる．油で揚げたものはつくね揚げと呼ばれる．

鶏肉つくね（平　宏和）

つけな類　漬け菜類

🈡 non-heading brassica leafy vegetables

葉菜類*のうち，広義には漬物のほか煮物にも利用されるアブラナ科アブラナ属（gen. *Brassica*）の不結球についての園芸上の通称．*B. rapa* に属

する漬け菜類のほか，かぶ類のかぶな類（酸茎菜，野沢菜など），*B. juncea* に属するからしな類（からしな，たかななど）からなっている．なお，かぶな類，からしな類と *B. rapa* に属するはくさい（不結球〜結球）を独立したものとし，漬け菜としない場合がある．漬け菜の種類・品種について，表に示した（表1）．かぶな類，からしな類は，それぞれの項を参照のこと．

表1　漬け菜類の種類・品種

品種群	代表品種	類似品種
在来菜種	四月菜（福井） 早生菜（山形） 畑菜（京都） 田舎菜（熊本）	赤種（山口），秋穂種（山口） 早生畑菜，晩生畑菜 茎立菜（福島），津真菜（三重），おおばこ菜（福井）
茎立菜	茎立菜（北海道） 若菜	早生茎立菜，晩生茎立菜
小松菜	小松菜 黒菜 新潟小松菜 大崎菜（新潟）	東京小松菜，丸葉小松菜，信夫冬菜（福島），武州寒菜，正月菜，卯月小松菜 札幌菜，白勢菜，熊本京菜
水菜	京菜 水菜 潮江菜（高知） 壬生菜（京都）	早生京菜，晩生京菜 早生水菜，晩生水菜 早生壬生菜，晩生壬生菜
体菜	雪白体菜 四月白菜 長岡菜（新潟） 雪中菜 青梗菜（チンゲンサイ） パクチョイ（白菜）	雪白二貫目体菜 大沼菜（新潟），雪菜（山形）
塌菜（タアサイ）	如月菜	
大阪しろな	大阪しろな	晩生大阪しろな
真菜	不見菜（秋田） 真菜（東京） 文右衛門菜（奈良）	晩生真菜
広島菜	広島菜	
長崎白菜	長崎白菜 ちりめん白菜	早生長崎白菜，晩生長崎白菜，彦島春菜

（永吉秀夫：野菜園芸大辞典，養賢堂，1970より一部加筆）

つばき油　椿油

英 camellia oil

ツバキ科に属するツバキ（*Camellia japonica*）の種子（油分30～40％）から採油した油．通常，乾燥種子をローラで粉砕し，蒸したものを圧搾法により採油する．優良品を得るため，蒸さない冷圧法もある．東京，長崎，山口などで生産されている．

◇成分特性　脂肪酸組成は，オレイン酸*が主成分で87％，次いでパルミチン酸8％，リノール酸*3％を示す．オリーブ油やひまわり油のハイオレイックよりもオレイン酸が多く，不飽和脂肪酸*の97％を占める．

理化学特性：以前は，日本農林規格*（JAS）があり，原油について，比重0.910～0.914，屈折率（25℃）1.466～1.468，酸価*5.0以下，けん化価188～194，ヨウ素価*78～83としていたが，現在は廃止されている．凝固点は－15～－21℃と低い．

◇用途　酸化しにくい安定性のある油で，揚げ物，炒め物に用いられる．食用以外では，毛髪に対する吸収性のよい植物油なので，古くより頭髪用に利用されている．

上：つばきの種子，下：つばき油（平　宏和）

つばきもち　椿餅

英 Tsubaki-mochi

道明寺餅につばきの葉を上下につけた餅菓子である．

◇由来　日本で最初の餅菓子というべきもので，古く唐菓子の"椿餅（つばいもち）"が起源といわれている．『うつほ物語』や『源氏物語』につばいもちの名がみられ，宝暦年間（1751～1764）の『古今名物御前菓子図式』には「餅を白でついたものをつばきの葉2枚ではさむ」とある．菓子に天然の草木の葉を使用したのは，このつばき餅が初めである．

◇原材料・製法　上新粉や餅粉などいろいろの原料でつくる地方もあるが，道明寺種を用いるのが普通である．製法は，道明寺種を水に漬けて膨潤させておき，それを沸騰した砂糖液の中へ入れて，杓子で撹拌しながら軟らかめに練り上げる．これを冷ました後，手水を使いながら，適当量ちぎってこしあん（餡）を包み，小判型にしてつばきの葉を上下につける．つばきの葉は葉表が外面になるようにする．

つばき餅（平　宏和）

つぶ　粒貝；螺

成 10300（生）　分 軟体動物，腹足類（綱），エゾバイ科　学 Buccinidae（エゾバイ科）　英 whelks　別 つぼ；うみつぼ

エゾバイ科の日本産は種類が多く，200種を超える．つぶは同科の殻高4～10cmのえぞぼら類や，えぞばい類の食用種の俗称である．常磐地方の浅いところで採れるつぶは主にひめえぞぼらであるが，三陸から北海道にかけて大陸棚やそれ以深からはさらに多くの種類が漁獲される．一時はその漁場はベーリング海からアラスカ湾まで拡大し，そこからは30種を超す種が混獲利用され，主にむき身として市場に出ていた．漁村によっては，磯で採れる巻貝を「つぶ」「つぼ」「いそもん」と呼ぶので，エゾバイ科とは限らない．ばい，えぞばい，えっちゅうばいなどは，ばい*の項を参照．

◇成分特性　つぶのうちエゾボラ属の一部には唾液腺にテトラミンという毒物を含みしばしば食中毒を起こすため，この部分を除く必要がある．このほか，中腸腺を含む内臓に食物連鎖由来の毒物を含む場合もあるが，いずれも肉身は無毒である．内臓を食用とする場合もあるが，一般的には内臓

えぞぼら

つぼ漬（平　宏和）

を除いた方が安全である．各部の割合は殻が50，身肉20，えらなど9，内臓18，唾液腺3前後であり，スーパーマーケットなどで冷凍品として販売されているものは筋肉部のみにしてあるので中毒の心配はない．つぶは惣菜用のほか，缶詰にも加工される．

◇調理　身を引き出し，テトラミンを含む唾液腺を切りとり再び殻に入れ，だし汁を注いで殻ごと焼くと"つぶ焼き"になる．そのほか酢みそ和えなどにもする．

●えぞぼら

蝦夷法螺　成 10300（生）　分 エゾボラ属　学 *Neptunea polycostata*　英 Ezo-neptune；whelk；winckle　別 つぶ；まつぶ

大型のつぶで，殻長は15cmくらい．殻表に螺肋があり，それに交わる生長脈は縦のひれ状板になる．殻口*は朱褐紫色．水深50〜200mの海底に棲む．北海道，東北に分布．

●ひめえぞぼら

姫蝦夷法螺　成 10300（生）　分 エゾボラ属　学 *Neptunea arthritica*　英 neptune；whelk, winckle　別 つぶ　旬 6〜7月

殻長8cmくらい．殻は赤褐色をしており，殻の肩のところに低いこぶ列がある．殻口内は濃い紫色をしている．北海道，東北，日本海の潮間帯から水深100cmくらいの岩礁に棲む．味はよく，6〜7月が旬．

粒入りマスタード　⇒からし
つぼだい　⇒くさかりつぼだい

つぼ漬　壺漬

英 Tsubo-zuke　別 山川漬；唐漬（からづけ）

鹿児島県山川地方に古くからある大根の塩漬で，中国から伝えられたといわれ，作り方も榨菜（ザーサイ）と似ているといわれる．

◇原料　原料の大根は栽培が容易で，寒さ，病害に強い練馬大根が適している．山川町周辺では9月中〜下旬に播種して12月中〜下旬に収穫する．収穫した大根は直ちに畑で掛干しを行う．乾燥に30〜40日を要し，帯結びに2回結べる程度（水分65〜75％）まで行う．乾燥歩留まりは20％ぐらいである．これを海水で洗い，木臼でよくつき，ムシロに広げさらに2日くらい乾燥する．

◇漬け方　乾燥大根に塩をまぶしながら1本ずつ細口の甕（かめ）に漬け込み，密封して，日光の当たらない乾燥した低温のところに保管し，熟成を待つ．食塩の量は出荷時期によって加減し，薄塩の場合は5〜6％，長期保存の場合は8〜10％とする．製品は1〜2本を真空包装して80℃で15〜20分，スライスして調味したものは15分ほど殺菌して出荷する．最近では理想大根という品種を用い，乾燥歩留まりを30％ぐらいに上げ，調味をした製品が多くなってきている．

つまみな　摘み菜

成 06144（葉生）　英 Tsumamina

漬け菜類や大根などを生育途中で間引き的に収穫したものの総称．市場名としても使われている．たいさい，さんとうさいなどが多いが，そのほかの漬け菜の地方的品種も同様に利用される．

◇成分特性　『食品成分表』では，雪白体菜（せっぱくたいさい）の若どり（本葉4〜5枚）を，つまみなの一つとしてあげている．『四訂食品成分表』では大根の間引いたもの（まびき菜）が収載されており，100g当たりカロテン1,700μg，ビタミンC 70mgとなっている．

つみれ　摘入れ

成 10383　英 Tsumiire；(boiled red meat fish

つみれ（平　宏和）

つるあずき（平　宏和）

paste）　別 つみいれ

いわしなど赤身の魚の肉に卵白，でん粉などを加えて練り，団子をつぶしたような形にして湯煮した色の黒い，弾性のない製品である．また，いわしのつみれ汁などのように，たたきつぶした魚肉に卵白を加え，塩，生姜汁などで調味して煮立った汁につみ入れてつくる，手作りのつみれもある．鶏肉を用いる鶏つみれなどもある（つくね*）．

 つりがねにんじん　釣鐘人参

分 キキョウ科ツリガネニンジン属（多年生草本）
学 *Adenophora triphylla* var. *japonica*　別 ととき；とときぱ　旬 春

草原，丘陵，高原に至るまで群がって生える山菜である．根茎*は地中にまっすぐに伸び，白色をしている．茎は直立して1mにもなる．根生葉は葉柄*が長く葉は丸い．茎につく葉は輪になってつき，その数は4～7枚と定まっていない．形は長楕円形をしている．また，葉，茎の色は赤褐色のものから緑一色のものまであり，かなり亜種があるが，みな食用になる．茎の先端に円錐花序*をつけ，うす紫色のキキョウに似た釣鐘型の花を，輪状に4～5段につける．花の色は，濃いものあり薄いものありで，変化がある．根は乾燥させて，鎮咳・去痰薬とする（沙参：しゃじん）．
◇採取　ととときとも呼ばれる春の若芽を摘む．茎の切り口より白い液を出し，特異なにおいがする．やがて酸化して黒くなる．
◇調理　爽やかな香りがあり，うまい．茹でて和え物が合う．みその切り和えなどもよい．天ぷら，汁の実にもできる．

 つるあずき　蔓小豆

成 04064（全粒 乾），04092（全粒 ゆで）　分 マメ科ササゲ属（1年生草本）　学 *Vigna umbellata*

英 rice bean　別 たけあずき；ばかあずき；かにのめ；かにめ

植物分類上ではツルアズキと呼ぶが，流通上はたけあずきと呼ばれる．つる性と直立性がある．南アジア地域で，太平洋の諸島栽培され，米の代わり，また，米と同様に煮て食べることから英名がある．子実は長円形であずきより細長く，長さ5～10mm，幅2～5mm，種皮の色は黄・褐・赤・黒などで，百粒重は8～12gである．若いさやや葉は野菜として利用される．日本には，完熟豆が輸入され，製あん用の原料（増量材）として利用されている．

 つるな　蔓菜

成 06164（茎葉 生）　分 ハマミズナ科ツルナ属（多年生草本）　学 *Tetragonia tetragonoides*　英 New Zealand spinach　別 はまぢしゃ；はまな（浜菜）　旬 7～9月

オセアニアからアジアの海岸に自生する．別名はまなには，若い葉柄*を食用とする別種で，アブラナ科の *Crambe maritima* がある．つるなは，茎が長く地面を這うように1mぐらい伸び，葉は三角形から四角形で長さ5～10cmほどになる．この若菜を摘み取って食用にする．芽や葉は，摘んでもまた芽が出てくるので次つぎと収穫できる．夏の暑い時期にも収穫でき，味はほうれんそうに似ている．ほうれんそうの代用としても利用

つるな（平　宏和）

される．低温期には地上部が枯死するが，春になると再萌芽してくる．市場に出回るのは，農家が副業として栽培しているものが中心である．

◇**成分特性** β-カロテン 2,700 μg，ビタミン C 22 mg と高い緑黄色野菜である．鉄*も 3.0 mg と多い．胃痛に効く薬草としても用いられる．

◇**調理** 少し青臭く，ざらつく感触があり，利用範囲は限られる．アクが強いので，茹でたあと冷水に取り十分にさらしたあと，お浸しや和え物にする．また，葉肉がしっかりしているので天ぷらにも用いられる．

つるにんじん　蔓人参

成 06102（根 生）　分 キキョウ科ツルニンジン属（つる性多年草）　学 *Codonopsis lanceolata*　別 ジイソブ，トトキ，トウジン

「つるにんじん」は，キキョウ科ツルニンジンの根である．食品成分表には，2020 年版（八訂）でアイヌ民族の伝統食品として収載された．つる性の多年草で，東アジアの森林に広く生育している．根がウコギ科のオタネニンジン（高麗人参）に似ているのが名称の由来である．日本では，北海道や長野県の一部を除き，あまり食用にされないが，韓国では高級食材の「トドック」として珍重され，人工栽培も行われている．高麗人参と同じような薬効があるとされ，漢方では党参（トウジン）として利用されている．

つるむらさき　蔓紫

成 06165（茎葉 生），06166（茎葉 ゆで）　分 ツルムラサキ科ツルムラサキ属（つる性 1 年生草本）　学 *Basella alba*　英 Malabar nightshade；Indian spinach；basella　別 バセラ　旬 夏

熱帯アジア原産で，蔓が長く 1〜4 m に達する．蔓に紫紅色の果実がつくことから名が付けられた．自生地では多年生であるが，野菜として栽培するときは 1 年生である．主に熱帯地域でほうれんそうのように食用とされる．茎と葉柄*が紫紅色の赤茎種（*Basella rubra*）と，青い青茎種（*B. alba*）がある．葉は長さ 5 cm ほどで，やや肉厚，青茎種は濃い緑色，赤茎種は紫色でやや小さい．青茎種，赤茎種とも食用となるが，販売用としては青茎種を用いる．赤茎種は花が美しいため，日本では観葉植物としても栽培される．健康野菜としても注目され，中国野菜として扱われている．

◇**成分特性** 100 g 当たり，β-カロテン 2,900 μg，ビタミン C 41 mg と高い緑黄色野菜である．解熱，利尿の効果があるとして民間薬としても利用される．

◇**調理** 若い茎，葉を取りさっと茹で，お浸し，和え物，炒め物にする．しかし，独特のぬめりと土臭さがあり，なじみにくい欠点もある．

つわぶき　橐吾；石蕗

成 06167（葉柄 生），06168（葉柄 ゆで）　分 キク科ツワブキ属（常緑性多年生草本）　学 *Farfugium japonicum*　英 Japanese silverleaf　旬 春〜夏

分布は，本州中・南部，四国，九州．海岸近くの土手や林内に群生する．フキに似ている．日陰を好むので砂浜などには生えない．観賞用として多くの園芸品種があり，庭園などで植えられていることも多い．根茎*は太く横たわり枝分かれして，先端より長い柄のある葉を束生する．葉柄*は丸くて一条の溝がある．葉は多角形をした丸型で，つやがある．ツワブキの名もつやぶき（艶蕗）から転訛したといわれる．幼葉は茎，葉ともに茶褐色の粉をまぶしたようになっている．秋季に束生する葉の間から長さ 50 cm ほどの茎を伸ばし，先端に黄色の花を多数つける．花は 3 cm ほどで，菊の小花に似ている．1 個の花のようにみえる頭状花序*の外側に雌花性の舌状花が 1 列に並び，中央の花はすべて両性の筒状花で，花冠*は 5 裂し，冬に結実する．

つるむらさき（平　宏和）

つわぶき（平　宏和）

◇採取　フキと同じように軟らかい葉柄を採る。葉は春から夏にかけて芽出しするので採取期は長い。
◇調理　さっと茹でて皮をむき，一夜水さらしをしてアク抜きする．煮物，和え物にできるほか，4〜5cmに切って佃煮にするのが本領である．これが本当のキャラブキである．山野に自生するフキを葉つきのまま佃煮にしたものも，キャラブキと呼ばれている．

て

低脂肪乳　⇨牛乳

 ティラピア

成 10212（生）　分 硬骨魚類，カワスズメ科カワスズメ属　学 Oreochromis niloticus　英 Nile tilapia　別 ナイルティラピア　標 いずみだい　市 ちかだい

原産地はアフリカであるが，日本をはじめ温暖な国へかなり広く移殖され養殖されている．全長60cmに達する淡水魚である．南日本では野生化もしている．雌が口中に卵や仔魚をふくんで守る習性がある．

◇成分特性　淡水魚であるが，たいなどに似た感じの白身の魚である．『食品成分表』ではナイルティラピアの名で収載され，100g当たり水分73.5g，たんぱく質（アミノ酸組成）* 17.0g，脂質（TAG当量）* 4.6gとなっており，脂質が比較的多い．また無機質やビタミン類は淡水魚であるので，それほど期待できない．肉質は身がしまり淡白な味で，その特徴は筋原繊維の温度安定性の高いことである．白身の魚の中でも安定性の高いすずきなどよりもさらに高い．すなわち，冷凍，解凍しても刺身で食べられる．逆に欠点としては，骨が硬く廃棄率の高いことである．

◇調理　刺身または煮物，焼き物，蒸し物，揚げ物，鍋物にしてもよく，身崩れしない．また，中国料理にも西洋料理にも適し，唐揚げ，フライ，バター焼き，蒸し煮にしたのち，たっぷりしたホワイトソースで食べるのもうまい．

ティラピア（本村　浩之）

 ティラミス

英 tiramisu　伊 Tiramisù

ティラミス（平　宏和）

ディル（葉）（平　宏和）

イタリアンデザートとして日本でも人気の高いチーズケーキ．イタリアのマスカルポーネチーズ（牛乳からとったクリームを原料とした熟成させないフレッシュチーズ）を用いたチーズクリームをエスプレッソコーヒーをしみ込ませたスポンジケーキとの層にして，ココアパウダーを振りかけたもの．マルサラ酒の香りを加えて独特の豊かな味わいをもつ．

◇**原材料**　マスカルポーネチーズ，生クリーム，卵，砂糖，マルサラ酒，スポンジケーキ，エスプレッソ，ココア．

◇**製法**　チーズと生クリームを混ぜ，卵黄，砂糖，マルサラ酒を合わせたものを加える．これにメレンゲを2回に分け，さっくりと混ぜてチーズクリームをつくる．エスプレッソコーヒーを刷毛でたっぷりしみ込ませたスポンジケーキと，チーズクリームを層にして型に入れ，ココアパウダーを振りかけ，冷蔵庫で冷やし固める．

 ## ディル

分 セリ科イノンド属（1年生草本）　学 *Anethum graveolens*（イノンド）　英 dill　別 イノンド；ジル（蒔蘿）

地中海沿岸原産．株は立ち性で，短い葉柄*の先に，糸状に細裂した葉をつける．株が大きくなると春～夏にかけて花茎*を抽出し，多数の小花傘からなる大きな花傘をつける．小花傘は多数の黄色の小花からなる．

◇**成分特性**　生鮮物の成分組成は100g当たり，水分83.9g，たんぱく質3.7g，脂質0.8g，カリウム750mg，カルシウム340mg，β-カロテン当量6,100μg，ビタミンC 86mgが含まれ，種子は水分7.7g，たんぱく質16.0g，脂質14.5g，カリウム1,190mg，カルシウム1,520mg，β-カロテン当量32μgでビタミンCは含まれていない（英国食品成分表）．

香気成分：葉茎（ディルウィード dill weed），種子（ディルシード dill seed）など，株全体に香気があり，葉茎と種子とは異なった香味をもつ．生の葉は爽やかな芳香をもち，香気の主成分はα-およびβ-フェランドレン，ベンゾフラノイド，リモネン*，*p*-シメンなどである．種子は刺激的な強い香りと辛味をもつ．香気の主成分はカルボン，α-およびβ-フェランドレン，リモネンなどで，香りはかなり強い．

◇**調理**　生の葉は爽やかな香りを生かしてスープやサラダに刻んで加え，肉・魚料理にも用いる．
※種子はピクルスに加えてディルピクルスとし，ビネガーにディルシードを浸すとドレッシングビネガーとなる．香りが強く，シードには辛味があるので，使用量には配慮が必要である．

デーツ　⇒なつめやし
テール　⇒うしの副生物（尾）

 ## テキーラ

英 tequila　西 tequila

メキシコ原産のリュウゼツラン（龍舌蘭）の一種であるマゲイを原料にした蒸留酒*である．メキシコで製造されるので，サボテンを使用していると誤解されがちであるが，マゲイは大型の多肉植物であり，地下茎*がデンプンなどの養分を貯蔵して肥大化した球茎*（きゅうけい）を使用する．球茎は，重さ30～100kgほどにもなり，巨大なパイナップルのような外見から，スペイン語でパイナップルを意味する「ピニャ」と呼ばれる．リュウゼツランは，アガベアメリカーナ，アガベアトロビレンス，アガベアスールテキラーナの3品種が存在するが，テキーラの原料としては，アガベアスールテキラーナ（ブルーアガベ）が用いられる．

◇**製法**　ピニャを大型のオーブンで約40時間蒸

テキーラ（平　宏和）

し上げるか，あるいは，圧力釜で約6時間加熱し，デンプン質を糖分に変える．加熱されたピニャを1週間ほど放置後に破砕し，加水・圧搾することで，甘い「モスト」と呼ばれる液汁を搾汁する．搾汁は，「タオナ」と呼ばれる石臼を使う方法と「ローラーミル」と呼ばれる粉砕機を使用する方法がある．搾汁に酵母を加えて発酵し，糖分からアルコールを生成する．発酵後に蒸留し，アルコールと水を分離し，アルコール濃度を高める．それをオーク樽に入れて熟成させるが，その期間により見た目や香味が変わる．メキシコは平均気温が高く，早く熟成が進むので，地下に熟成庫をつくり温度をコントロールしている蒸留所が多い．1994年にテキーラ規制委員会が設立され，主原料の割合（51％以上），蒸留地，蒸留回数（最低2回），アルコール度数（35〜55％）などの基準を定めている．

◇種類　熟成期間によって以下の3種類に分類される．

テキーラ・ブランコ：ほとんど熟成させず，短期間で製造されたもの．無色透明でシャープな味わいが特徴．

テキーラ・レポサド：オーク樽で2カ月から1年程度熟成されたもの．薄黄色でまろやかで，一番テキーラらしい特徴を有するとされる．

テキーラ・アネホ：オーク樽で1年以上熟成されたもの．樽材の風味がのり，しっかりしつつ，まろやかな味わいが特徴とされる．

◇飲み方　ウイスキーのようにストレートで飲まれるほか，カクテル等の材料にも使われる．カクテルのマルガリータ（Margarita）はテキーラを世界的に有名にした．メキシコでは，ライムを口へ絞りながら楽しみ，最後に食塩を舐めるのが正統な飲み方とされる．

デコポン　⇨しらぬひ

デコレーションケーキ

英 fancy cake

デコレーションケーキ（和製英語）は，スポンジケーキを台にして，各種のクリーム，フルーツ，チョコレートや砂糖，マジパンなどでつくったプレート，ベル，動物などの成形物で飾り付けして仕上げたケーキである．ショートケーキやバースデーケーキ，クリスマスケーキ，ウエディングケーキなどのほか，雛まつりや七五三，母の日などの祝い事や行事に合わせてつくられる．ウエディングケーキなどの大型の段物デコレーションの場合には，スポンジ台をいくつか使い，間に中間を支えるサポーターを入れて段をつくる．

てっぽう　⇨うしの副生物（直腸）

てっぽう漬　鉄砲漬

英 Teppou-zuke

しろうりの中にしそを巻いた青唐辛子を詰め，みりん等を含む醤油床に漬け，熟成させた漬物．真ん中をくり抜いたうりを砲身に見立て，シソ巻きの唐辛子を火薬に見立てているのが語源である．うりに詰め物をした漬物という意味では印籠漬＊に似るが，印籠漬は主に味噌漬けが主流であるのに対し，鉄砲漬は主にしょうゆ漬けが主流である．また，印籠漬は切り刻んだ香味野菜を入れるのに対し，鉄砲漬はシソ巻き唐辛子を入れる．千葉県の特産品で，成田山新勝寺のお土産としても有名である．なお，印籠漬と似た製法の漬物を鉄砲漬と称している地方もある．要はうりに詰め物をした漬物の総称であり，それも間違いではない．また，岩手県の「金婚漬」や三重県の「養肝漬」等の伝統的な漬物は，うりに詰物をした漬物という意味で広義の鉄砲漬である．

◇原料　主にしろうりが用いられる．しろうりは，

鉄砲漬（しょうゆ漬け）（平　宏和）

なるべく短く，太く軟らかいものがよい．中に詰めるのは，しそを巻いた青唐辛子である．
◇漬け方　しろうりの両端を切り落とし，中身をくり抜いて円筒にして種子が残らないようにし，塩漬けした後，脱塩，圧搾する．この開口部にシソを巻いた唐辛子を詰め，みりんや少量の砂糖を加えた醤油ベースの調味液に漬ける．なお，金婚漬は味噌に漬けている．

てながえび　⇒えび，えび（さがみあかざえび）

デニッシュペストリー

成【デンマークタイプ】15076（プレーン），15171（こしあん），15172（つぶしあん），15173（カスタードクリーム），【アメリカンタイプ】15182（プレーン），15183（こしあん），15184（つぶしあん），15185（カスタードクリーム）　英 Danish pastry

デンマークタイプとアメリカンタイプがある．デンマークタイプに，生地に粉の質量の50〜100％のマーガリンなどを折り込んで成形，焼成したものでパンとパイの中間のような味とざっくりした食感をもつ．この菓子パンはデンマーク由来の名で呼ばれており，この地がパンの発祥との説もあるが，デンマークではヴィエナブロート（ウィーン風のパン）であり，パンの発祥地はウィーンとされている．一般の菓子パンが生地管理を常温〜38℃前後で行うのに比べ，デニッシュペストリーでは，生地中に油脂を折り込むために5℃前後で作業を行う．アメリカンタイプは，デンマークタイプに比べ，生地は強力粉の割合が高めで，混捏をしっかりかけるため気泡が多く，折り込み油脂量，折り込み回数が少ない．ソフトでさっくりした食感で，菓子パンとして包装し市販されている．

テフ

分 イネ科スズメガヤ属（1年生草本）　学 Eragrostis tef　英 teff

穀粒が非常に小さく，英名 teff の語源は，エチオピアのアムハラ語の téfa「紛失」で，小さいので落とすと見失うという意味である．原産地はエチオピアの北部高地とされている．現在，エチオピアの標高1,700〜2,800m（最適は1,900〜2,000m）の高地草原を中心に栽培が行われている．栽培は手入れをほとんどせずに収穫する半遊牧的農業に適している．7月〜8月に手で種子を散播し，約4カ月後に収穫される．刈取り後，人や牛などの家畜の足踏みによって脱穀される．現在でも，テフはエチオピアの主食として重要な穀類となっている．わが国では，今のところほとんどが，通信販売のみであるが，欧米では低脂肪でミネラルに富む健康食品として注目されている．

◇性状・利用　種子は，長さ：1〜1.5mm，幅：

デニッシュペストリー　上：デンマークタイプ（左：クリーム，右：アップル），下：アメリカンタイプ（左：マロン，右：洋梨）（平　宏和）

上：テフ（左：赤色種，右：白色種），下：テフと米の比較（平　宏和）

0.75〜1mm，千粒重：0.3〜0.4g（コメの1/50前後）で，穀類の中では最も小粒なものである．白色種と赤色種などがあり，一般に白色種が好まれるので価格が高い．石臼で挽いて製粉したものの利用が多い．

◇**成分特性** 玄穀の100g当たりの成分値は，エネルギー367 kcal（1,540 kJ），水分8.8g，たんぱく質13.3g，脂質2.4g，炭水化物73.1g（食物繊維8.0g），灰分2.4gである（米国食品成分表）．

◇**調理** 調理の代表的なのはインジェラ（ingera）で，テフの粉に水を加え，24〜48時間の乳酸発酵をさせた生地を平鍋で円形に焼いた一種のパンケーキである．クレープ状，直径：40〜50cm・厚さ：数mmで独特の酸味をもつ．

 ## デミグラスソース

成 17105　英 demiglace sauce　別 ドミグラスソース

小麦粉，バターを土台としたブラウンソースに，フォン・ド・ヴォー（fond de veau；牛肉・牛骨・野菜などを煮込んでつくるだしのこと）を加えて煮込み，風味付けした褐色のソース．仏語のdemiは半分の意，glaceはこおらせるの意味で，半煮こごり状のソースということからこの名が付けられた．ステーキ，ビーフシチューなどの肉料理に用いられる．缶詰やレトルトパウチの製品が数多く市販されている．

デミグラスソース（平　宏和）

デュラム小麦　⇒こむぎ
デラウェア　⇒ぶどう
寺納豆　⇒なっとう

 ## テリーヌ

英 terrine

テリーヌは陶器や陶磁器作られたテリーヌ型（四角，長方形，楕円形など）を用いて作られる．型

テリーヌ　上段（左から）：田舎風テリーヌ，鶏肉とケール，古代麦，キヌア入り野菜のテリーヌ，ハムとパセリのテリーヌ，中段（左から）：魚介のリエット，オレンジ風味，ほろほろ鳥とフォアグラ，レンズ豆のテリーヌ，とうもろこしと枝豆のテリーヌ，下段（左から）：鶏肉と豚足のテリーヌ，スモークサーモンと香草入りクリームチーズのテリーヌ，プレミアム田舎風テリーヌ（平　宏和）

にベースとなるファルス（魚のすり身，マリネした肉をミンチにしたもの）と具としてのガルニテュールを組み合わせることで，多様なテリーヌが作り上げられる．野菜，魚，肉，レバーなど，あらゆる素材の利用が可能である．一方，パテ・アン・クルート（広い意味のパテ*）は，テリーヌ型内に全面的にパイ生地を敷き詰めたものと，上部にだけパイ生地をかぶせて焼き上げるなどテリーヌと同様に作ることができるため，現在では，テリーヌとパテの呼称は明確ではない．

てんぐさ　天草

成 09025（素干し）　英 Tengusa；agar seaweeds

テングサ科のマクサ（*Gelidium elegans*），ヒラクサ（*Beckerella subcostata*），オバクサ（*Pterocladia capillacea*），ユイキリ（*Acanthopeltis japonica*），シマテングサ（*Gelidium rigidum*）の5種の総称である．狭義には，マクサを指す．世界で70種，日本で17種が知られている．一般に藻体は紫紅色，軟骨状で長短の細い枝を羽状に出す．枝の太さは1〜5mm，高さは10〜30cmで，なかには1mに達するものもある．外洋に面した低潮線下部から深さ20mくらいの岩上に着生する．

産地：日本各地沿岸，朝鮮半島，インド洋，大

乾燥てんぐさ（寒天の原料藻）（平　宏和）

西洋などに広く分布する．寒天の主要な原料藻で，4月から10月にかけて採取し，天日に干す．投石などによって増殖が行われるが，養殖はしない．

◇**成分特性**　寒天の原料藻としての乾燥てんぐさは，一般に主成分として炭水化物が50～60％を占める．この大部分は細胞間物質としてガラクトース*で構成される粘質多糖類（ガラクタン）である．このほかに光合成色素としてクロロフィル*，カロテノイド*，フィコビリンを含むが，乾燥の際，散水しながら漂白し，"さらし原藻"とすることがある．

◇**用途**　乾燥てんぐさとして寒天やところてんの原料にする以外に，水もどししたものをサラダに用いることがある．採取したてんぐさは，水洗いして塩分を除き，20時間ほど天日乾燥した後，藻体に付着している貝殻や石灰藻などを取り除いて梱包する．かつては各地で生産されたが，現在では主に伊豆諸島，伊豆半島沿岸のほか，紀伊半島，房総半島沿岸で生産される．

電磁調理器用食品

🇬🇧 induction heating adaptability foods

電磁調理器で加熱することができる食品であり，高齢化社会に重用される．電磁調理器は，電磁誘導により電流を導入して加熱する安全な調理器である．電磁コイルに交流電流を流し，鉄芯を通る交流磁界を発生させる．この磁力線が鉄鍋を通るとき，渦電流が生じ発熱する．ガスコンロに比べ，2倍も熱効率がよい．induction heating（誘導加熱）を略してIHと呼ばれ，IHクッキングヒーター，IHジャー炊飯器などの製品がある．炎が出ない，鉄以外のものは加熱しないなど安全性に優れ，特にガス調理用器具が禁止されている場所や高齢者家庭で重宝されている．

容器の材質：現在，これら電磁調理器に使用できる容器の材質は，鉄製かホウロウびき製に限られており，銅製，アルミ製では，電気抵抗が小さく使用できない．電磁調理器で調理できる包装容器と詰める食品との研究は，レトルト殺菌可能でバリア性があり，容器としても使えるスチール製容器，導電性プラスチックなど，種々検討されている．

電子レンジ対応食品

🇬🇧 microwave heating adaptability foods

包装容器ごと，電子レンジで2,450MHz（メガヘルツ）のマイクロ波を照射して，調理加熱できる食品である．米飯，調理冷凍食品，ビーフシチューや煮魚などがある．

加熱のメカニズム：マイクロ波は，物体に突き当たると反射・透過・吸収の現象を起こす．すなわち，金属の表面では反射し，エネルギー損失係数の小さい物質（ガラス，陶器，プラスチック類）の中は透過するが，食品のように損失係数の大きい物体に当たると，分子摩擦によって熱エネルギーに変わり，加熱される．したがってプラスチック包装材料や紙で包装された食品では，食品だけが加熱される．

容器素材：電子レンジ対応食品の容器は，耐熱性のあるものが使われており，一般の冷凍食品やチルド食品では，PP（ポリプロピレン）単体かPP＋CaCO$_3$（炭酸カルシウム）の容器に詰められており，PPを主体とした容器はオーブン適性がなく，電子レンジ用として使われている．電子レンジ・オーブン用にはC-PET（結晶化ポリエステル）が使われているが，オーブン焼き上げ後，取り出すときに容器が変形することがある．また，不飽和PET（ポリエステル）の耐熱性は260℃と高く，電子レンジ・オーブンの高温にも耐えられる．

碾茶（てんちゃ）　⇒緑茶

でんぶ　田麩

🇯🇵 10210（しょうゆでんぶ），10448（桜でんぶ）
🇬🇧 Denbu（crumbled and seasoned ground fish）
別　そぼろ；おぼろ

魚肉のそぼろを調味したもの．たい，たらのような白身で筋繊維の硬い魚の加熱肉をもみほぐしたもの（そぼろ）を，しょうゆ，砂糖，みりん，うま味調味料と着色料などからなる調味液で煮詰め，少量の砂糖をまぶし，乾燥して製品とする．すしなどに使われる桜でんぶは，砂糖，食塩など

でんぷ（たら） 左：でんぷ（しょうゆでんぷ），右：桜でんぷ（平　宏和）

でほぐしたそぼろを味付けし，薄紅色に着色したものである．

でん粉　澱粉

英 starches

でん粉は，同化でん粉と貯蔵でん粉に大別され，食品として利用するものは，植物の根，茎，種子などに蓄えられている貯蔵でん粉である．エネルギー源として非常に重要な成分であるが，生のままでは消化が悪いため，水を加えて加熱し，糊化して利用する．現在でん粉原料として利用されているものは，とうもろこし，さつまいも，じゃがいも，米，小麦，キャッサバ，サゴヤシなどで，工業的規模で生産されている．

◇成分特性　でん粉粒の大きさおよびその形は，それぞれの原料植物によって異なる（表1）．各種でん粉の平均粒径は，さつまいも，タピオカ（キャッサバでん粉）18μm，じゃがいも50μm，とうもろこし16μm，小麦20μm，米5μmである．

アミロースとアミロペクチン：でん粉は直鎖状のアミロース*と呼ばれる成分と，分岐をもつアミロペクチン*と呼ばれる成分の混合物である多糖類*である．通常のでん粉ではアミロース含量が25％前後で，残りがアミロペクチンである．しかし，でん粉の中にはまったくアミロースを含まない，もち性のでん粉がある．たとえば，もちとうもろこしでん粉（ワキシーコーンスターチ），もちソルガムでん粉，もち米でん粉などである．またアミロース含量が高いハイアミロースコーンスターチ（アミロース含量50～80％）がある．

でん粉価*：よく精製されたでん粉では，不純物はほとんどなく，水分を差し引いたものがほぼでん粉価と考えてよい．

無機質：無機成分はでん粉の種類，製造法により含量に差があり，それぞれ特徴をもっている．地下でん粉の場合，じゃがいもでん粉ではカリウム，リンが非常に多く，カルシウムが少ない．さつまいもでん粉ではカルシウムが多く，リンが少ない．同じ地上でん粉でも，コーンスターチでは無機成分含量そのものが非常に少なく，各金属元素も特徴がないが，小麦でん粉ではリンが多く，カリウム，ナトリウム*，マグネシウム*，カルシウムがやや多い．米でん粉はカルシウムとリンがかなり多い．上記の性質は加工利用上非常に重要である．

◇理化学的特性　アミロースとアミロペクチンは構造が非常に異なるため，理化学的性質にも大きな差がある．それぞれ糊化，ヨウ素-デンプン反応に関係する．

糊化温度：米，小麦，とうもろこし，じゃがいも，さつまいもの各でん粉の糊化温度については表1に示したが，タピオカでは70℃前後である．

鑑別：不純物の多い少ないは色沢で識別される．

表1　でん粉の性状

性状＼種類	米	小麦	とうもろこし	じゃがいも	さつまいも
粒　　状	多面形・複粒	凸レンズ形・単粒	多面形・単粒	卵形・単粒	多面形・つりがね形・複粒
粒の大きさ（μm）	2～10	5～50	6～30	15～120	5～60
粒度分布	斉	不斉	やや不斉	不斉	やや不斉
平衡水分（％）	13～14	13～14	13～14	18～20	13～15
アミロース（％）	19前後	25前後	25前後	25前後	19前後
糊化温度（℃）	70～80	62～83	65～76	55～66	58～67
粘　度	低・安定	低・安定	低・安定	高・不安定	中・不安定
膨潤度	2.2	2.8	3.5	5.9	3.4

簡単に調べるにはベッカー試験を行う．すなわちガラス板にでん粉 5 g をとり，ヘラで薄くおし広げて標準のものと色相を比較する．このとき，直射日光を避ける．乾燥度は，包装の上から指でおさえてみて，ギシギシ音が出るものほど乾燥度が高い．水分が 18% 以上になったものは，握ると塊りになる．

◇保存　よく精製されたでん粉を紙袋などで包装し，通常の環境条件下で保存すれば，長期間貯蔵が可能である．

◇加工　加工利用法は，次のように二大別される．

（1）**天然高分子としての利用**：食品，接着剤，製紙用，繊維用などがあるが，食品関係ではでん粉のもつ粘弾性を利用して，食品に粘性，硬さ，ボディ，ゲル特性などを与える目的で使用されることが多い．代表的なものは，次の通りである．①ソース，スープその他の増粘剤，粘度安定剤．②洋菓子のアイシングなどの保水剤．③ガム，ドロップなどのゲル形成剤．④魚肉，フライ用パン粉の粘結剤．⑤粉末としてのパン，あめ菓子，餅などの粘着防止剤．⑥ハム，ソーセージ，かまぼこなどの畜肉，魚肉製品の粘結・保水剤．⑦米菓，衛生ボーロなどの膨化剤．

（2）**加水分解による利用**：原料でん粉の違いにより製造法に差はあるが，各製品は，原料でん粉にほとんど関係がなく，加水分解*の程度，精製度などにより，粉あめ，水あめ，ぶどう糖など，それぞれ特徴のあるものが製品化され利用されている．

◇調理　でん粉の調理には必ず糊化が必要で，しかも全体が一様に糊化することが望まれる．このためには水を加え，加熱前に十分撹拌し，ムラのない状態に吸水させておかなければならない．吸水状態が不均一なままいきなり加熱を始めると，部分的に糊化されたでん粉の塊りができ，あとで撹拌しても一様になりにくい．※調理における用途は，あんかけや炒め物をまとめる場合のように，糊化されたでん粉の粘性によって料理に特有の舌触りとなめらかさを与えるほか，吉野煮，酢豚などのように少ない汁で材料全体に味をまぶすことができる．※濃度の使い分け：でん粉では一定の形を保つゲルの状態にしたい場合と，流動性のあるゾルの状態にしたい場合とがある．それぞれに適した濃度の使い分けと，主な調理は次の通りである．

①ゲルにするもの…くず桜（20%），ブラマンジェ（8〜9%）など．

②ゾルにするもの…くず湯（5〜8%），くずあん（3〜6%）など．

※水気が多く，表面が軟らかい動物性食品を揚げるような場合，表面にでん粉をまぶすことにより，水分を吸収するとともにうま味成分の損失を防ぐことができる．小麦粉も同じ用途に使われるが，粘りが出るのでフライのようにさらに衣をつける場合を除き，でん粉の方が適している．中国料理にその例が多い．※揚げ物をカラリとさせるために，グルテンの少ない薄力小麦粉を使用するが，これにでん粉を混ぜるとさらにグルテン量を低下させることができる．衣はやや透明になり，冷めてもあまりしなやかにはならない．これも中国料理の揚げ物によく行われる．天ぷら用のプレミックス粉にも通常はでん粉が配合される．

●**大うばゆりでん粉**

成 02070

オオウバユリ（*Cardiocrinum cordatum* var. *glehnii*）は，ユリ科ウバユリ属の多年草で，アイヌ民族は，鱗茎*から採取したでん粉を伝統的に利用してきた．洗った鱗茎を搗き潰して，繊維分と濾し分けたでん粉を水で晒して，水分を除いて，乾燥させたものである．

●**化工でん粉**

英 modified starch　別 加工でん粉；変性でん粉

天然でん粉を利用目的に合うように，化学的，物理的あるいは酵素的に処理を行ったもの．食品，工業用に，2,000 以上の種類がある．食品用としては，可溶性でん粉，デキストリン*，アルファー化でん粉，でん粉リン酸エステル，カルボキシメチルでん粉などが利用されている．

可溶性でん粉：でん粉を糊化温度以下でごく弱く加水分解，または次亜塩素酸ナトリウム処理をしたもので，天然でん粉の形を保ち，冷水に不溶性，熱水に可溶性で粘度の低い溶液となる．増粘剤，増量剤，粉末化基材などに使われる．

デキストリン*：でん粉を熱，酸，酵素など加水分解処理したもので，処理条件により溶解性，粘着性，吸湿性，着色度などの性質が異なる．その性質により，たれ類のとろみ付け，スープ・調味料の粉末化，佃煮の保湿，ハム・ソーセージの保水などに使い分けられる．

アルファー化でん粉：でん粉と水を加熱して糊化し，急速に脱水・乾燥したもので，冷水不溶性であり，ソース，スープ，ケーキミックス，アイスクリーム，インスタント食品の安定剤，増粘剤などとして用途が広い．

でん粉リン酸エステル：でん粉のリン酸エステル誘導体で，でん粉リン酸エステルナトリウムが

食品の増粘剤，糊料などに利用される．

カルボキシメチルでん粉：でん粉のヒドロキシル基にカルボキシメチル基を導入したもの．冷水可溶性で，増粘剤，粘着剤などに利用される．

● かたくり（片栗）粉

英 Katakuriko

本来は，春に淡紫色の可憐な花を咲かせるユリ科カタクリ属のカタクリ（*Erythronium japonicum*）の鱗茎からつくったでん粉をいう．純白で味もよいが，生産量はごくわずかである．現在市販されているかたくり粉は，精製じゃがいもでん粉である．

製法：鱗茎を4～5月頃に掘り取り，水洗し，摩砕する．これを木綿などの布袋に入れてさらし，でん粉を流し出して精製・乾燥する．

用途：高級和菓子，高級料理に用いられる．

● キャッサバでん粉

成 02028 英 cassava starch 別 タピオカ

東南アジアや南米などで栽培されるブラジル原産のタカトウダイグサ科キャッサバ属の多年生草本＊キャッサバ（*Manihot esculenta*）の根茎＊から製造されるでん粉でタピオカとも呼ばれる．

製法：キャッサバの根茎を水洗，剝皮して摩砕し，ふるい分けして得られたでん粉乳を精製し，乾燥する．工場設備は家内工業的なものから近代的大工場まで種々ある．

用途：でん粉粒の外観はさつまいもでん粉に非常によく似ている．糊化しやすく，その際に大量の水を吸収する性質があるため，食用や工業用に特殊の用途がある．わが国に輸入されるものは，直接食用とされるものは少なく，水あめ，ぶどう糖原料，繊維工業，接着剤，化工でん粉など，ほとんどが高分子的性質を利用する用途に使用されている．

◇ タピオカパール

成 02038（乾），02057（ゆで） 英 tapioca pearls

キャッサバでん粉（タピオカ）を径1～6mmの

タピオカパール　上：一般製品，下左：カラーミックス，下右：ブラックタピオカ（平　宏和）

球状に成形したもの．湿潤状態のキャッサバでん粉を回転鍋を用いて成形する．製品には，白色のほか，着色料でさまざまな色を付けたものがある．一般には，スープの浮き身，プディングなどに利用されるが，カラメル色素，炭末，黒糖などで着色されたブラックタピオカは，タピオカティーに使われる．特殊な利用としては，無洗米製造の際，糠（ぬか）の除去剤に使われている．

● くず（葛）でん粉

成 02029 英 kudzu starch 別 くず粉

マメ科クズ属のクズ（*Pueraria lobata*）の根からつくられるでん粉である．わが国では，最も古くから利用されたでん粉といわれ，『出雲風土記』（733年）には，すでにその記述がみられる．

製法：野生のクズの根を打ち砕き，水中で洗い出しでん粉を分離し，これを沈殿法により水洗，精製した後，乾燥して製品とする．主産地は奈良（吉野葛），福岡（筑前葛），三重，福井である．市販のくず粉には，じゃがいもでん粉が多く含まれているものが多い．

用途：くずでん粉は昔から病人や小児の栄養食として用いられており，また高級和菓子の原料として重用されている．

キャッサバの根茎（平　宏和）

くずでん粉（くず粉）（平　宏和）

● 小麦でん粉

成 02031　英 wheat starch

小麦粉からつくられる．古くから麩の製造の際の副産物で，正麩（しょうふ）と呼ばれ，糊料に使われてきた．

製法：小麦粉を水と混和してグルテンを形成させ，さらによく練りながら水をかけてでん粉を洗い出す．得られたでん粉乳をふるい分けした後，テーブルまたは遠心分離機で精製，脱水後，乾燥を行い，粉砕，ふるい分けして製品とする．でん粉は単粒で円形であるが，粒径分布が小粒子群と大粒子群に分かれているのが特徴である．

用途：古くから繊維用糊料として用いられているほか，多くの接着剤，水産練り製品や菓子（くず餅）用として使用されている．最近では次第にコーンスターチに置き換えられるものもある．製菓材料としての精製小麦でん粉は，うき粉または本うき粉と呼ばれる．

● 米でん粉

成 02030　英 rice starch

生産量が少ないため，一般市場には出回っていないが，粒子が極めて小さく（2～10μm）角状であるなど，他のでん粉にない性質がある（表1），そのためものの表面を平滑にするので，写真印画紙，錠剤の表面仕上げなど特殊な用途に利用されている．

製法：たんぱく質を除くために，原料の精白米をアルカリ（0.2～0.5％の水酸化ナトリウム）液に浸漬し，原料が軟化したら石臼などで摩砕しふるい分け，たんぱく質の抽出処理を行う．得られたでん粉乳はアルカリを除き，精製後乾燥して製品にする．

● サゴでん粉

成 02032　英 sago starch

ヤシ科サゴヤシ属のサゴヤシ（*Metroxylon sagu*）の幹の髄から分離したでん粉である．

製法：幹を80cmくらいに切断したあと皮を剥ぎ，薪状としたものを摩砕する．これをさらによくたたいてでん粉粒を露出させた後，50～60メッシュのふるいで分け，沈殿させたものを掘り上げて天日乾燥して製品とする．沈殿中に発酵したり，水洗いに川水を使用するため品質はよくない．しかし，近代的精製工場の製品は良品質のものもある．

用途：サゴでん粉は種々加工されて生産地の主食や一般食品とされるが，わが国に輸入されるものは，ソルビトール，でん粉糖，化工でん粉原料として用いられている．

● さつまいもでん粉

成 02033　英 sweet potato starch　別 甘藷澱粉

さつまいもを原料としたでん粉である．

製法：水洗したさつまいもを摩砕，ふるい分け（篩別）して得られたでん粉乳を精製した後，自然乾燥または火力乾燥させて粉砕，ふるい分けする．製品の形態は生でん粉，並でん粉，さらしでん粉に分けられるが，食品用にはさらしでん粉が使用される．

用途：ほとんどが水あめ，ぶどう糖，異性化液糖用に消費され，少量がはるさめなどに使用されている．

● じゃがいもでん粉

成 02034　英 potato starch　別 馬鈴薯でん粉；かたくり粉

じゃがいもからつくられたでん粉．わが国では原料の関係で，工業的生産は北海道に限られている．

製法：さつまいもでん粉の場合とほぼ同様であるが，北海道においては近年，大規模集中生産が行われるようになり，極めて良質の製品が合理化工場で生産されている．粒形は卵形で，粒径は市販でん粉中最大である．糊化温度は他のでん粉に比べて低く，糊の透明度が高いが，加熱と撹拌を続けると急激に粘度低下が起こる．

用途：でん粉の特性を生かした固有の用途としては，水産練り製品，食品用，化工でん粉用などがある．なお，市販のかたくり粉は，精製じゃがいもでん粉である．

じゃがいもでん粉（平　宏和）

● とうもろこしでん粉

成 02035　英 corn starch　別 コーンスターチ

一般にコーンスターチと呼ばれるでん粉は，デントコーン*と一部にフリントコーン*を原料とするでん粉で，そのほか，とうもろこしでん粉には，ワキシーコーンスターチとハイアミロースコーンスターチがある．

製法：コーンスターチはとうもろこしを0.25～0.30％の亜硫酸水に50～60時間浸漬した後，

粗砕して比重差により胚芽を分離する．これをさらに細かく摩砕して種子や繊維などを除去してでん粉乳とする．でん粉乳を遠心分離機で精製，濃縮，脱水し，乾燥して製品とする．収量は原料とうもろこしの 70〜75％ である．

用途：ぶどう糖，水あめの原料をはじめ，天ぷら粉，各種菓子類，アイスクリームなどに用いられる．また糊料として，工業用にもダンボール製造などに使われる．

ワキシーコーンスターチ（waxy corn starch）：もちとうもろこしでん粉である．コーンスターチと同様にしてつくられる．一般成分，粒形，粒径などは普通のとうもろこしでん粉と変わらないが，ワキシーの方が膨化力が大きく糊の粘性が強く，透明度が高く老化しにくい特徴がある．そのため，食品の増粘剤・安定剤として用いられている．

ハイアミロースコーンスターチ（high-amylose corn starch）：高アミロース種のとうもろこし（アミロース含量；50〜80％）を原料としたでん粉．常圧加熱（100℃以下）で糊化しにくく，糊液は急速に不透明になりゲル化し，老化しやすい．食品では食感改善，ゲル化増強などの目的で，製菓，製パンなどに利用される．一般のとうもろこしでん粉と異なり，難消化性なので，ダイエット食品，低エネルギー食品にも使用される．

● わらび（蕨）粉

英 bracken starch　別 はな；わらびでん粉

ワラビ科ワラビ属のワラビ*の根（地下茎*）からとったでん粉である．昔は救荒食料として利用された．現在は，わらび餅をはじめとした和菓子の原料として利用される．奈良，福岡が生産地であるが，量はわずかであり，高価なので，一般には代用品としてさつまいもでん粉が使われている．

製法：秋から冬に地下茎を掘り出し，泥を落とした後，石臼で挽く．粉に水を加えるとでん粉が溶け出してくるので，これを集めて沈殿させる．再び水を加えて洗い，再度沈殿させる．これを数回繰り返す．脱水した後，乾燥して製品とする．地下茎からの歩留りは 12〜15％ である．

用途：わらび餅*，わらび羹などの和菓子の原料に用いられる．極めて粘度が高いので，かつては和傘や提灯の貼り合わせに使われた（わらび糊）．

 ## でんぷんせんべい　澱粉煎餅

英 starch crakers

でん粉を使ったスナック菓子．愛知で多く製造され，大正末期〜昭和初期に製法が完成された．代表的なえび満月は，あおさと中央にえびを配したものである．そのほか，低たんぱく食品としての治療食用，子供用などさまざまな製品がある．

◇**製法**　原料でん粉にはじゃがいもでん粉が使われ，これにえび，食塩，砂糖などを加え焼き上げる．

でん粉せんべい（平　宏和）

 ## でんぷんとう　澱粉糖

英 starch sweeteners

でん粉を酸または酵素の作用によって分解し得られたでん粉分解生成物で，一般には粉あめ，水あめ，ぶどう糖に分類される．

糖化方法による分類：でん粉は，ぶどう糖が α-1,4 結合をくり返して，直鎖状となったアミロース*と，α-1,6 結合によって枝分かれをした構造をもつアミロペクチン*とからなる．これらの結合が切れて，ぶどう糖またはぶどう糖が 2 分子結合した状態である麦芽糖*などになれば甘味を生じる．したがって，あめもぶどう糖も，酸または酵素のいずれによっても製造される．酸（塩酸，硫酸，シュウ酸*など）で分解してつくるあめが酸糖化あめ，酵素（アミラーゼ*，その他の糖化酵素剤）で分解してつくるものが酵素糖化あめである．従来の麦芽*のアミラーゼを利用した

わらび粉（写真：平　宏和，撮影用食品提供：かまくらこ寿々）

あめが麦芽あめである．ぶどう糖にも酸糖化によるぶどう糖と，カビや細菌のアミラーゼによって糖化してつくるぶどう糖とがある．ぶどう糖の一部を果糖に変化させ，甘味度を増したものが異性化糖である．

糖化の程度による分類：でん粉を分解する場合，完全に分解が進めば最終的には全部ぶどう糖となる．水あめは分解生成物としてのぶどう糖や麦芽糖のほか，まだデキストリン*（中間生成物）が残っている状態である．粉あめは水あめよりも分解の程度が進行していないもの（DE 値 25～35）である．分解の程度によって，水あめと粉あめに区分され，一般に水分は，水あめ 15.0 g，粉あめ 3.0 g である．酸糖化あめの甘味はぶどう糖，麦芽あめの甘味は麦芽糖，あめの粘りはいずれもデキストリンによっている．

DE 値：でん粉の加水分解*の程度，つまり糖化の進行の状況を示すには DE 値が用いられる．DE 値とは dextrose equivalent の略で，次の式によって求められる．

DE 値＝（直接還元糖（ぶどう糖として）/ 固形分）× 100

この値が小さいほどオリゴ糖類*や多糖類*の含量が多いことを示す．純粋のぶどう糖は DE 値が 100 である．酸分解の場合には糖化を進めて DE 値を上げようとすると，いったん生じたぶどう糖が再び結合してゲンチオビオース，イソマルトースのような苦味をもつ物質をつくる．したがって，実際には DE 値 100 となるまで加水分解が進行することはない．DE 値と製品の性質との間には**表 1** に示すような関係がある．

◇**成分特性**　ぶどう糖，水あめ，粉あめの項を参照のこと．

◇**用途・保存**　**用途**：ぶどう糖は，口の中で溶ける際，熱を奪うので清涼感があり，清涼飲料，菓子を中心とした加工食品の甘味料として使われる．水あめは菓子原料，佃煮，ジャムなどに向けられる．甘味を与えるほか，加工食品のつやや粘稠性のうえで大切な働きをしている．粉あめは大部分が酒造用と冷菓用に使われているほか，甘味が低く高エネルギーで吸収もよいので腎臓病などのエネルギー補給食品など治療食の素材としても用いられる．

保存：ぶどう糖は吸湿しやすいので乾燥したところに保存する．結晶の小さなものほど吸湿しやすい．

●**異性化糖**

成 03026（ぶどう糖果糖液糖），03027（果糖ぶどう糖液糖），03028（高果糖液糖）　英 high fructose syrup　別 異性化液糖

ぶどう糖の一部をぶどう糖異性化酵素（グルコースイソメラーゼ）によって果糖に変えた，ぶどう糖と果糖の混合物．果糖は，ぶどう糖に比べ，甘味が強いので（甘味度；砂糖 1，ぶどう糖 0.6～0.8，果糖 1.2～1.7），異性化糖はぶどう糖よりも甘味が強く，果糖 42％のものは砂糖と同じ甘味度である．異性化反応は，カビや細菌から得られるグルコースイソメラーゼによって行われる．日本農林規格*（JAS）では，異性化液糖には，果糖含有率が 50％未満のもの（ぶどう糖果糖液糖），果糖含有率が 50％以上 90％未満のもの（果糖ぶどう糖液糖）と果糖含有率が 90％以上のもの（高果糖液糖）がある．ぶどう糖が果糖に異性化される割合は 45％程度なので，果糖含有率が高い製品（果糖ぶどう糖液糖，高果糖液糖）をつくるには，イオン交換樹脂を用いて果糖純度の高い分画を分離し，これをぶどう糖果糖液糖に混合する．現在，果糖ぶどう糖液糖が，飲料，缶詰，ジャム，冷菓などに広く用いられている．

●**粉あめ**

成 03015　英 dried glucose syrup

DE 値 20～40 程度の酸糖化水あめを真空ドライ

表 1　DE 値とでん粉糖の相関

でん粉糖	DE 値	甘味度	粘度	結晶性	浸透圧
結晶ぶどう糖	99～100	高	低	大	高
全糖ぶどう糖	97～98	↑	↑	↑	↑
液状ぶどう糖	60～95				
水あめ（高糖化）	47～55				
水あめ（中糖化）	40～45				
水あめ（低糖化）	25～35	↓	↓	↓	↓
粉あめ	20～35	低	高	小	低

ぶどう糖（平 宏和）

ヤーまたは噴霧乾燥によって粉末としたものである．一般には100g当たり，利用可能炭水化物*（差引き法）97.0g，水分3.0gである．DE値の程度によって製品の品質は変わってくる．DE値25以下の粉あめには，水分含量4.0％以上のものもある．甘味度は砂糖の0.3～0.4倍と弱いが，病人食などのエネルギー補給には好都合で，砂糖の代わりに用いられる．また，しょ糖やぶどう糖，果糖は吸収が速く，インスリンの需要を増大させるため，腎疾患などの病人食用の甘味料として，アイスクリームやシャーベットに利用されている．

●**ぶどう糖**

成 03017（全糖），03018（含水結晶），03019（無水結晶） 英 glucose；dextrose 別 グルコース

ぶどう糖は砂糖よりも甘味が弱く，精製も砂糖に比べて困難であるため，調味料としての利用は遅れていた．ただし，でん粉の酸分解によって比較的簡単に製造できるために1950年頃までは純度の低い粗悪品が出回っていた．その後，国内で生産できる甘味資源として注目され，酵素法の開発によって高品質のものがつくられるようになった．ぶどう糖は日本農林規格（JAS）により，無水結晶ぶどう糖，含水結晶ぶどう糖，全糖ぶどう糖の3種類が定められている．無水結晶ぶどう糖，含水結晶ぶどう糖にはそれぞれ特級，標準があり，ぶどう糖分，水分，灰分，着色度，濁度などの基準がある．無水結晶ぶどう糖および含水結晶ぶどう糖では，ぶどう糖分は特級99.5％以上，標準99.0％以上である．全糖ぶどう糖は，加水分解して得られたぶどう糖液を脱色，脱塩，濃縮し，直接または固型化したのち粉末状にしたもので，ぶどう糖分は97.0％以上（無水物換算）と定められている．でん粉糖にはJASの規定以外に液状ぶどう糖，水あめなどがある．

◇**成分特性** ぶどう糖は，しょ糖よりも甘味が弱く，しょ糖の0.6～0.8倍である．

●**水あめ**

成 03024（酵素糖化），03025（酸糖化） 英 glucose syrup

でん粉を酸または酵素の作用によって部分的に加水分解し得られたもので，分解生成物としてのぶどう糖や麦芽糖*のほか，まだ中間生成物のデキストリン*が残っている粘稠性のあめである．酸糖化水あめ，酵素糖化水あめ，麦芽水あめの3種がある．

酸糖化水あめ：でん粉をシュウ酸*などの酸で糖化したもの．高糖化度，中糖化度（普通糖化度）と低糖化度水あめがあり，DE値を**表1**に示した．水分は15～40％，固形分中の糖組成は糖化条件により異なるが，中糖化度ではぶどう糖20％，麦芽糖15％，デキストリン65％程度である．

酵素糖化水あめ：麦芽糖（マルトース）の含量が高いのでハイマルトースシロップともいう．でん粉をα-アミラーゼで液化したのち，β-アミラーゼで糖化したもの．DE値40～55，水分15～25％，固形分中の糖組成は，ぶどう糖5％，麦芽糖50％，デキストリン45％である．

麦芽水あめ：でん粉を麦芽*のβ-アミラーゼで糖化したもの．DE値42～48，水分15～25％，固形分中の糖組成は，ぶどう糖10％，麦芽糖45％，デキストリン45％である．古くは米，あわなどを原料としてつくられていた．通常は未

水あめ（平 宏和）

麦芽水あめ（粟あめ）（平 宏和）

精製のため，特有の風味をもっている．
　用途：水あめの甘味度は砂糖の半分以下なので，使用目的は甘味料としてのみではなく，デキストリンの増粘効果，保湿性，非結晶性の特性を活かし，キャラメル，ドロップ，キャンデーなどのあめ菓子，あん，ジャム，佃煮などに利用される．

● 還元水あめ
成 03032　英 reduced glucose syrup
水あめを原料として，その還元末端のカルボニル基を水素添加により還元した糖アルコールの混合物である．原料となる水あめの糖化度の違いにより高糖化還元水あめ，中糖化還元水あめ，低糖化還元水あめがある．『食品成分表』において，統一したエネルギー計算方法を用いずにエネルギー計算をした唯一の食品で，炭水化物の全てが糖アルコールであるとみなした収載値(69.9)gに，化合物としての還元水あめのエネルギー換算係数(3.0 kcal/g，12.6 kJ/g)を乗じて，エネルギーを計算をしている．

でん粉めん
成 02058（生），02059（乾），02060（乾，ゆで）
英 starch noodles
広義には，くずきりやはるさめなどのでん粉を原料としためん（麺）の総称．成分表では，じゃがいもでん粉を主原料にして，とうもろこしでん粉を配合して製造したマロニー社の製品（マロニー）を指す．

テンペ
成 04063　英 tempɘh；(fermented soybeans with Rhizopus oligospcre)
インドネシアのジャワ島，スマトラ島地域で伝統的に生産されている大豆の無塩発酵食品．伝統的なものは蒸した大豆をバナナの皮に包んで発酵させたが，近代的な工場では，大豆を吸水させ，脱皮，蒸煮後，ブロック状に成形し，菌を接種し，30～35℃で約1日発酵させ製品とする．全粒を用いた製品もある．発酵に用いる菌は，クモノスカビの *Rhizopus oligospore*，*R. oryzae* などで，菌糸が大豆の表面を白く覆う．
◇調理　薄く切って油で揚げて食べるのが一般的で，スープにも用いる．

天満菜（てんまな）　⇨おおさかしろな

テンメンジャン　甜麺醬
成 17106　別 中華甘みそ
甘味のある中国料理の調味料．小麦粉で麹をつくり，食塩水と混合し，4～5カ月発酵させたもの．濃い褐色から黒色をしており，味は甘い．
◇調理　北京料理でよく用いられる．特に北京ダックには欠かせない．北京ダックのように，そのまま料理に添えるほか，回鍋肉や麻婆豆腐などの炒め物，煮物などにも利用される．日本のみそで代用するときは，八丁みそなどの豆みそをベースに砂糖で甘味を付け，しょうゆやごま油を加えて練り上げる．

テンメンジャン（平　宏和）

テンペ（平　宏和）

と

 糖アルコール

英 polyol, sugar alcohol

単糖類*のアルデヒド基またはケトン基が還元された構造をもつ多価アルコールで，高温・高圧下で糖に水素を添加してつくられる．ソルビトール，マンニトール，キシリトール，還元麦芽糖（マルチトール）などがある．

◇**成分特性**　**生理特性**：糖アルコールは，難消化性で低エネルギーであり，血糖値を急激に上昇させないといった利点があるために，ダイエット食用への利用がすすめられている．しかし，大量に摂取した場合に一過性下痢を起こすことがあり，これらが使用されている清涼飲料の過度の摂取には注意が必要である．また，糖アルコールは，砂糖に比べて虫歯を発生させる口内細菌のミュータンス菌（Streptococcus mutans）や乳酸菌*の増加を助長しない．

　用途：一般に耐熱性，耐酸性，耐アルカリ性にすぐれ，アミノ酸と褐変反応を起こさず，安定性が高いので，低甘味の食品素材として，また，低エネルギー，低う蝕誘発性であることから，肥満，虫歯予防を目的とした砂糖代替甘味料として利用される．

●**エリスリトール**

英 erythritol

ぶどう糖を原料として酵母による発酵法でつくられる四炭糖（炭素4個からなる糖）の糖アルコール．天然には発酵食品（ワイン，清酒，しょうゆなど），果実，きのこなどに含まれている．生体内で代謝されず，ほとんどが尿中に排出されるので，食品表示基準*では，エネルギー値は0 kcal/gとされ，糖質甘味料中最も低く，非う蝕誘発性である．甘味度は砂糖の0.8倍で，溶解時に吸熱作用があるため，口中で清涼感がある．甘味として菓子，清涼飲料に使用されている．

●**キシリトール**

英 xylitol；xylite　別 キシリット

天然には果実，野菜，きのこなどに存在する糖アルコールで，キシロースを水素添加により還元してつくられる五炭糖*（炭素5個からなる糖）の糖アルコールである．難消化性で，食品表示基準ではエネルギー値を3 kcal/gとしている．甘味度は砂糖とほぼ同じで，溶解時に吸熱作用があるため，口中で清涼感がある．食品添加物*として認可（1997年）されている抗う蝕性の甘味料で，ガムやタブレット菓子などに使用される．

●**ソルビトール**

英 sorbitol；sorbite　別 ソルビット

天然には果実，海藻に含まれる．ぶどう糖を水素添加により還元してできる六炭糖*（炭素6個からなる糖）の糖アルコールである．食品添加物（指定添加物）としてD-ソルビトールが甘味料や製造用剤として利用されているが，使用制限はない．難消化性で，エネルギー値は，食品成分表では2.6 kcal/g（10.8 kJ/g），食品表示基準では3 kcal/gとしている．低う蝕誘発性で，甘味度は砂糖の0.6～0.7倍である．粉末は白色で吸湿性が大きく，溶解時に吸熱作用があるため，口中で清涼感を与える．保湿性が高く，難発酵性，保香性などがあり，あん，煮豆，佃煮，カステラなどに利用される．

●**パラチニット**

英 palatinit

パラチノースを水素添加により還元してつくられる二糖類の糖アルコールで，欧米ではイソマルトともいう．2種類の糖アルコール（6-α-D-グルコピラノシル-1,6-ソルビトールと6-α-D-グルコピラノシル-1,6-マンニトール）からなる．難消化性で，食品表示基準では，エネルギー値を2 kcal/gとしている．非う蝕誘発性で，甘味度は砂糖の0.45倍で，あっさりした甘味をもち，キャンデー，チューインガム，糖衣剤などに利用される．

●**マルチトール**

成 03031（還元麦芽糖）　英 maltitol；maltite　別 マルチット

でん粉からつくった麦芽糖*を水素添加により高圧還元してつくられる二糖類の糖アルコールである．還元麦芽糖ともいう．甘味度は砂糖の0.8倍で，砂糖類似の良好な甘味である．非う蝕誘発性，低エネルギー性〔食品成分表では，2.1 kcal/g（8.8 kJ/g）〕，食品表示基準では2 kcal/g）とともに，褐変防止作用，難発酵性などを利用し，キャンデー，ケーキ，和菓子，佃煮などに利用されている．林原（岡山市）が無水結晶マルチトールの製造法を開発した．成分表で分析したものは，この製法による製品（マービー粉末）である．

●**マンニトール**

英 mannnitol　別 マンニット

天然に広く植物界に分布する六炭糖*の糖アルコールで，海藻，たまねぎ，にんじんに含まれる．

しょ糖の接触還元などによりつくられる．難消化性で，エネルギー値は『食品成分表』では 1.6 kcal/g（6.7 kJ/g），食品表示基準では 2 kcal/g としている．低う蝕誘発性で，甘味は爽快でクセがなく，甘味度は砂糖の 0.4～0.5 倍である．食品添加物として使用制限があり，使用量が調味料，ふりかけ，あめ類，らくがん，チューインガムなどに定められている．

●ラクチトール

英 lactitol

乳糖*を水素添加により還元してつくられる二糖類の糖アルコールである．難消化性で，食品表示基準ではエネルギー値を 2 kcal/g としている．非う蝕誘発性で，甘味度は砂糖の 0.3～0.4 倍と低いが，砂糖に近い甘味質をもつ．キャンデー，菓子類などに利用される．

 とうがらし 蕃椒；唐辛子

成 06169（葉・果実 生），06170（葉・果実 油いため），06171（果実 生），06172（果実 乾），17073（粉） 分 ナス科トウガラシ属（1 年生草本） 学 *Capsicum annuum* 英 chili peppers 別 南蛮；鷹の爪

熱帯では多年生となる．熱帯アメリカの原産で，コロンブスによってヨーロッパに伝えられ，インド・東南アジアに伝わった．わが国への伝来は戦国時代末期（16 世紀）である．

◇**分類** 辛味の強いものから弱いものまで幅広い変異があり，まったく辛味のないものもある．辛味のあるものは主として香辛料（唐辛子）に用いられ，辛味のないものは青果用（ピーマン*，ししとうがらし*など）として用いられる．唐辛子の多くは乾果用であるため，作型の分化はみられない．

わが国では香辛料としての唐辛子は 1960 年代まで輸出用として栽培されていたが，漸次減少し，現在は中国などから輸入している．

◇**品種** 品種の主なものは次の 5 品種群に分けられる．

五色群：円錐状の小果で，観賞用とされる．成熟すると果色が緑－紫－黄－橙－赤に変色する．

榎実（えのみ）群：果実が丸い小果で，辛味が強く，観賞・香辛兼用である．

鷹の爪群：赤く細い小果であるが，辛味が強く，薬味に用いられる代表品種である．外皮が薄いので乾果製造が容易であり，粉末用・ソース用とされた．熟期が不揃いで，収穫に手間がかかるのが難点である．

八房（やつぶさ）群：果実が房なりになって一斉に赤熟するので，収穫は容易である．果実は鷹の爪群より大きいが，辛味はやや劣る．

伏見辛群：最も大果である．辛味は少なく，辛味のない伏見甘は，ピーマン類に分類される（ピーマン*）．伏見辛は乾果用としての栽培は少なく，緑果と葉（葉唐辛子）を利用する．

◇**成分特性** 辛味種の生果の成分は，水分が少なく，β-カロテンは野菜としては高い含量を示す．ビタミン C も多い．

辛味成分：辛味種の食品的価値は，香辛料として辛味を利用することで，辛味の主成分にはカプサイシン*とジヒドロカプサイシンである．とうがらしの辛さはスコヴィル値（Scoville scale）で示し，単位はスコヴィル辛味単位（Scoville heat units；SHU）である．辛味の程度は品種により差異があり，鷹の爪は辛味が強く，カプサイシンが生鮮物で 100 g 当たり 200 mg 含まれている．乾燥物のスコヴィル値は，40,000～50,000 SHU といわれている．また小さい果実の品種ほど辛味成分含量が多い．辛味は種子部と胎座部に多く，果肉部は極めて少ない．生育中の辛味の発現は開花後 20 日頃から急激に増大し，図 1 のように完熟して着色すると最高値を示す．このカプサイシンは，油に溶けて，消化吸収されやすく，唾液をはじめ，消化液の分泌を促進するので，薬味に用いることで食欲を増進させる．また，末梢血管を拡張し，血流をよくする作用もあり，体温を高く

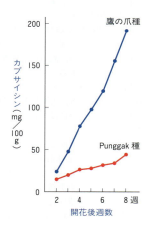

図 1　唐辛子の生育と辛味成分（カプサイシン）含量
（朴　載福，高橋基一：園学雑，49：189，1980）

唐辛子（鷹の爪）（平　宏和）

上：一味唐辛子，下：生七味（平　宏和）

する．さらに近年の研究では，エネルギー代謝を高めるホルモンの一種であるアドレナリンの分泌を促進し，脂肪代謝を盛んにして体脂肪蓄積を抑えるのに有効とされて，生活習慣病予防の面からも注目されている．

　色素：唐辛子の辛味の主成分は果皮に含まれるカプサイシンである．辛味は赤い色とは関係はない．赤色はカロテノイド色素で，β-カロテン（黄赤），カプサンチン（赤）およびカプソルビンを含む．カプサンチンは脂肪酸と結合して存在しているが，カロテンより濃い色素で，完熟して赤色となるのはこの色素に依存する．

　◇**加工**　生果のまま漬物などに利用するほか，粉末にして七味唐辛子や各種ソースの原料に用いられる．香辛料としては，一味唐辛子や七味唐辛子が代表的である．また，唐辛子粉にも，干し唐辛子をそのまま粉末とした辛味の強い赤唐辛子粉と，唐辛子をいったん焙煎してから粉末にした辛味の少ない焼き唐辛子粉の2種類がある．唐辛子は細かい粉末にするほか，粗い粉末としたり，糸状に細く刻んで使うこともある．細く刻んだ糸唐辛子は，朝鮮料理の飾り付けによく使われる．

　◇**調理**　葉は手早く茹で，固くしぼって佃煮にする．これを葉唐辛子と呼び，酒の肴や茶漬とともに食べる料理として好まれる．※唐辛子の鮮やかな赤い色は見た目にも美しく食欲をそそる．和・洋・中国各種の調理に薬味，香辛料として広く用いられる．煮込みやソースには辛いものを，サラダドレッシングには辛くないパプリカ*が用いられる．唐辛子の辛味は，乾燥しても加熱しても消失することがないので，七味唐辛子，タバスコ，辣醬（ラージャン；唐辛子みそ），ラー油*（ラーユ；ごま油に唐辛子を入れ加熱したもの）などの原料に使われる．漬物を漬け込むときの薬味にもよく使われ，特に朝鮮漬（キムチ）は有名である．

●**一味唐辛子**
成 17073（とうがらし 粉）　英 red-pepper powder
辛味種の唐辛子である鷹の爪などの品種を乾燥して粉末にしたもの．和風スパイスの代表である．

●**七味唐辛子**
唐辛子を中心とした混合香辛料の一つで，7種類の薬味を配合したことから名付けられた．七色唐辛子ともいう．唐辛子，山椒，陳皮（ちんぴ：みかんの皮を刻んで乾燥したもの），麻の実，けしの実，しその実，白ごま，黒ごま，あおさなど，適当に組み合わせてある．組み合わせ，配合割合は地方や製品により異なる．

　配合例：唐辛子23，山椒13，陳皮30，麻の実2，白ごま20，黒ごま4，あおさ13．

●**葉とうがらし**
成 06169　　英 Ha-togarashi（Red pepper leaf with fruit）
未熟果実のついた葉つき唐辛子．辛味種の伏見辛，

葉とうがらし（平　宏和）

各地の七味唐辛子（括弧内は原材料）　左：東京（唐辛子，ごま，山椒，けしの実，陳皮，焼唐辛子，麻の実），中：長野（唐辛子，ごま，山椒，しそ，陳皮，生姜，麻の実），右：京都（唐辛子，ごま，山椒，けしの実，陳皮，あおさ，麻の実）（平　宏和）

八房，鷹の爪などが用いられるが，葉は辛味がなく，薄く軟らかで，唐辛子固有の風味がある．果実の色は収穫時期により緑色から赤色まで異なる．調理には果実も利用するので，調和した辛い味付けになる．佃煮にするのが一般的であるが，炒め物，煮浸しなどにも利用される．

唐辛子みそ　⇨コチュジャン

とうがん　冬瓜

成 06173（果実　生），06174（果実　ゆで）**分** ウリ科トウガン属（つる性1年生草本）**学** *Benincasa pruriens* f. *hispida*　**英** wax gourd　**別** とうが；かもうり

インド，東南アジアの原産で，ジャワには自生がみられる．わが国への渡来は古く，すでに10世紀に記載がみられる．耐暑性が強く，粗放な栽培に耐える．亜熱帯，熱帯では夏期の重要な野菜となっている．貯蔵性が高く，冬までもつのでこの名がある．

◇**品種**　品種分化は少ない．小とうがんは果実が扁円形（ひきうす形），緑色で，白斑を有し成熟すると白粉に覆われる．長とうがん，早生とうがんは果実が長円形であるが，果色は小とうがんに近い．いずれも促成，早熟栽培用とする．在来種の果実は扁円形で，緑色地に淡緑色の斑があり，白粉を生ずる．露地栽培専用である．台湾種，琉球種は長円筒形の大果で，果実は緑色，白粉は少～無である．

栽培：需要は限られているが，地域的に根強い消費があり，促成（2～3月どり），半促成（4～5月どり），早熟（7～8月どり），普通（8～10月どり）栽培が分化している．

産地：愛知，沖縄，岡山，神奈川．特に沖縄では重要な果菜である．

◇**成分特性**　水分が非常に多いため，各成分含量は少ない．ビタミンCのみは39 mg/100 gとかなり高含量である．"茹で"により質量が10％減少し，ビタミンCが40％溶出するほかは，特に大きな変化がない．味は淡白であり，成分含量が少ないことと対応している．

◇**調理**　とうがん自体は水分がほとんどを占め，固有の味に乏しいので，味付けが調理の主眼である．含め煮のように，薄味のスープやだし汁を内部まで浸透させるか，田楽，ふろ吹きのように表面にみそなどの濃い味をからめるか，どちらかの系統の味付けが選ばれる．あんかけは薄味の含め煮にさらに薄味のあんをかけるもので，とうがんの組織を崩さず，歯触りを生かしながら，二段構えに味付けをする料理である．とうがんだけでは味が淡白にすぎるので，魚のすり身，生揚げなどを組み合わせた煮物も行われ，淡白な味と軟らかさが，年配の人に好まれる惣菜となる．また，中国料理でもよく使われる．

とうがん（平　宏和）

とうきび　⇨もろこし
トウキョウX　⇨ぶた

凍結乾燥食品

英 freeze dried foods　**別** FD食品

−40～−30℃で急速に凍結した食品を真空状態で，かつ0℃以下で乾燥する食品である．このと

きの乾燥は，凍結した水分が昇華するため，乾燥による食品の色，味，香りなどの変質が少ない．昇華に必要なエネルギー（680 kcal/1 kg・水）は加熱によって凍結品に供給される．略して FD 食品ともいう．

◇**歴史** 20 世紀に入って，Schakell Farsdorf らによって進められた血清やワクチンの凍結乾燥の研究に遡る．のちに食品の凍結乾燥が企業化された．わが国においては，1950 年に入ってから食品の凍結乾燥が本格的に研究されるようになり，1960 年に企業化に成功した．世の中でインスタント食品が要求されるにつれて，凍結乾燥食品の生産も軌道にのり，インスタントコーヒーやカップラーメンの具として食品の一角を占めるに至った．

◇**種類** あらゆる食品を凍結乾燥することができるが，価格面と味の点などからわが国で商品化されているのは，インスタントコーヒーとカップラーメンの具が主であり，えび，肉，油揚げ，野菜と卵などの食品がある．最近では，凍結乾燥されたみそが，香りがよく生のみそと同じような味がするため，多くの食品会社がインスタント用みそとして利用している．海外では，コーヒー，スープ，野菜，果汁などが軍事用食糧，レジャー用食料として使われている．

◇**凍結乾燥装置** わが国では，多品種少量生産できるバッチ式タイプが，多くの食品会社で採用されている．これらの装置は，①凍結乾燥室，②真空ポンプ，③冷凍装置，凝縮器（コールドトラップ），④加熱器，⑤制御装置の 5 つの部分から構成されている．

◇**製造工程** **前処理**：固体食品と液体食品とは異なっている．固体食品では，野菜，肉類，加工食品原料の鮮度，成分および添加物，細菌などをチェックしてから，ブランチング*による酵素失活，細菌抑制，褐変防止と脂肪および脂溶性成分の酸化防止などを行う必要がある．また，液体食品では，殺菌してから真空濃縮を行い，pH 調整や抗酸化剤などを添加する．

凍結：いろいろな方法がとられているが，冷凍装置により，−30〜−40℃で急速凍結する．食品によっては，液化炭酸ガスや液化窒素で急速凍結することもある．

乾燥：凍結された食品から水分を乾燥させるために，乾燥装置内で，真空度 1〜0.01 mmHg にして乾燥する．氷が昇華するとき，食品から熱を奪うので食品の温度は低下する．その結果，昇華速度が緩慢になるので，乾燥装置内の乾燥板を加熱し，乾燥板温度を 35〜50℃とし，品温の低下と乾燥速度の低下を防ぐ．生牛肉を例にとると，10 mm の厚みで真空度 0.1 mmHg，乾燥板温度 45℃では，6〜8 時間で水分量 3％内外の乾製品となる．乾燥が終われば，装置内を常温に戻して製品を取り出す．この際，装置内に送り込む空気は，相対湿度 20％以下の乾燥空気か乾燥窒素ガスを使用する．

包装容器：凍結乾燥された食品は，防湿性のある包装容器に詰められる．凍結乾燥食品は，わずかの水分でも吸湿し，品質が変化するので，包装容器は酸素や水蒸気が透過しにくく，虫などに侵入されないものでなければならない．一般には，缶，ガラスびんやバリア性のあるプラスチック包装材料が使われており，内容物の酸化を防ぐため，窒素ガス封入や脱酸素剤が入れられているものが多い．なお，インスタントみそ汁などは，PET/Al 箔/特殊 PE（ポリエステル/アルミ箔/特殊ポリエチレン）のバリア性のあるプラスチック包装材料が使われている．

◇**成分特性** 生鮮食品に比べ成分変化は極めて小さい．製品の水分量が 1％以下の場合，貯蔵温度 5〜40℃の範囲では，ビタミン C 量に変化はない．牛乳，コーヒーなどの芳香は失われず，肉は数分間で復元するといわれている．鶏肉，牛肉，豚肉，ベーコン，えび，キャベツ，にんじん，とうもろこし，グリンピースなどについての実験によると，肉類ではビタミン B_1，B_2，ナイアシン*，B_6 などの損失，および必須アミノ酸*，不飽和脂肪酸*の変化は，缶詰での熱処理や放射線照射された食品に比べて少ない．野菜類では，カロテン，ビタミン C の損失は最も小さかったと報告されている．

◇**保存性** 保存性は，食品の含有水分と包装材料の防湿性に関係がある．乾燥キャベツの水分が 2.8％のとき，37℃，6 カ月保存しても，ビタミン C の損失は少ないが，水分含量 4.7％のとき，ビタミン C の残存率は貯蔵前の 1/3 になる．また，粉末トマトの製品水分が 1.2％のとき，38℃，1 カ月後の還元糖残存率は 94％，アミノ態窒素残存率は 73％，濾液透過率は 70％であったのに対して，製品水分が 3.4％のときは還元糖残存率 90％，アミノ態窒素残存率 39％，濾液透過率は 37％に低下することがわかった．一般の凍結乾燥食品は，水分含量が少ない場合，1 カ年は十分保存できる．

とうじん ⇒そこだら

とうち 豆豉

中 豆豉　**別** 唐納豆

黒大豆を蒸煮，食塩を加えて発酵させてつくる中国の調味料．寺納豆（浜納豆）に似た黒褐色の粒状．唐納豆ともいう．中国産では広西産が有名で，そのほか広東，湖南，四川など各地の製品がある．広東料理には欠かせない．塩味の濃淡により塩豉，淡豉と区分することもある．山東省の八宝豆豉のように，しょうが，しそ，花椒などを加えたものもある．

◇**成分特性**　機能性成分としては，抗酸化作用を持つポリヒドロキシフラボンを含む．

◇**調理**　そのまま，または刻んで，麻婆豆腐や炒め物などに用いる．豆豉を原料としてオイスターソース（かき油）などを加えてペースト状にした豆豉醤も市販されている．

豆豉（平　宏和）

 とうぢしゃ　⇨ふだんそう
とうな　⇨ながさきはくさい，みずかけな
とうなす　⇨かぼちゃ

とうにゅう 豆乳

成 04052　**英** soy milk

大豆のたんぱく質などの熱水可溶性物を抽出した乳状の飲料である．中国，台湾などでは古くから大量に消費されてきた．中国では豆乳臭は問題にならないが，日本では豆乳臭が嫌われるので，脱臭，着香あるいはその併用などの加工を行った製品が出回っている．日本農林規格＊（JAS）では，豆乳類を，豆乳，調製豆乳，豆乳飲料に分類している．豆乳は，大豆（粉末状のものおよび脱脂もの を除く）から熱水等によりたん白質その他の成分を溶出させ，繊維質を除去して得られた乳状の飲料であって大豆固形分が8％以上のものとしている．

　製法：豆腐の製造工程の豆乳とほぼ同じである

左から，豆乳，調製豆乳，豆乳飲料（麦芽コーヒー）
（平　宏和）

が，豆乳臭の原因となる各種のヘキサナール，ヘキサノールなどの成分の生成に関与するリポキシゲナーゼを不活性化させるため，120℃で豆乳を短時間処理する方法などが行われている．大豆には芽胞菌の付着が多いので，豆乳の殺菌は145℃で2秒，あるいはそれと同程度の高温瞬間殺菌を行ったうえで無菌充填される．

◇**成分特性**　たんぱく質，脂質などが主成分で，これらの性質は原料大豆に準ずるが，たんぱく質は水，熱水に易溶性のグリシニンとアルブミン＊である．たんぱく質，脂質の含有率は牛乳に似ているので牛乳代用品として用いられる．わが国ではもっぱら豆腐製造時の中間物としてつくられ，独特の香り・味のため飲用することは少なく，一部菜食主義者や牛乳アレルギーの乳幼児などに用いられるにすぎなかったが，最近では健康飲料として広く飲用されている．牛乳に比べ糖類，カルシウム，ビタミンなどが少ないので，これらを補うことが必要である．

●**調製豆乳**

成 04053　**英** soymilk, reconstituted type

調製豆乳は，豆乳の嗜好性，栄養バランスなどを補った製品である．JASでは，大豆豆乳液に大豆油その他の植物油脂及び糖類，食塩等の調味料を加えた乳状の飲料であって大豆固形分が6％以上のもの，ならびに，脱脂加工大豆（大豆を加えたものを含む）から熱水等によりたん白質その他の成分を溶出させ，繊維質を除去して得られたものに大豆油その他の食用植物油脂および砂糖類，食塩等の調味料を加えた乳状の飲料であって大豆固形分が6％以上のものとしている．

●**豆乳飲料**

成 04054（麦芽コーヒー）　**英** soymilk, drink type

JASでは，調製豆乳液または調製脱脂大豆乳液に粉末大豆たん白（大豆豆乳液，調製豆乳液も

しくは調製脱脂大豆豆乳液を乾燥して粉末状にしたものまたは大豆を原料とした粉末状植物性たん白のうち繊維質を除去して得られたものをいう）を加えた乳状の飲料（調製豆乳液または調製脱脂大豆豆乳液を主原料としたものに限る．以下「調製粉末大豆豆乳液」という）であって大豆固形分が4％以上のもの，ならびに，調製豆乳液，調製脱脂大豆豆乳液または調製粉末大豆豆乳液に果実の搾汁（果実ピューレーおよび果実の搾汁と果実ピューレーとを混合したものを含む．以下同じ），野菜の搾汁，乳または乳製品，穀類粉末等の風味原料を加えた乳状の飲料（風味原料の固形分が大豆固形分より少なく，かつ，果実の搾汁を加えたものにあっては果実の搾汁の原材料及び添加物に占める重量の割合が10％未満であり，乳又は乳製品を加えたものにあっては乳固形分が3％未満であり，かつ，乳酸菌飲料でないものに限る）であって大豆固形分が4％以上（果実の搾汁の原材料及び添加物に占める重量の割合が5％以上10％未満のものにあっては2％以上）のもの，としている．コーヒー・麦芽*の製品が多い．

トウバンジャン　豆板醬

成 17004　英 doubanjiang　中 豆瓣醬

唐辛子の辛味を効かせた中国のみそ．原料は種皮を除いたそら豆で，吸水させた後，蒸さずに麹をつけ，食塩を加えて6～8カ月発酵させる．これに赤唐辛子，香辛料，調味料を加えて1カ月熟成させる．中国では豆瓣辣醬と区別して，そら豆を用いた，唐辛子を加えていないみそを豆瓣辣という．ごま油と干しえびを加えたものは金鉤豆瓣（ジンゴウドウバン）と呼ばれる．

◇成分特性　100g当たり，ナトリウム*7,000mg（食塩相当量*17.8g），唐辛子の影響で，ビタミンKが12μg，β-カロテン1,400μgが含まれる．
◇調理　中国料理，特に四川料理に欠かせない．

豆板醬（トウバンジャン）（平　宏和）

わが国でも，麻婆豆腐には欠かせない調味料として親しまれている．

とうふ　豆腐

成 04032　英 tofu；soybean curd

豆腐の「腐」は中国語で「ブヨブヨしたもの」の意で，その名が示す通り中国から伝来したものである．中国では8～9世紀（唐代中期）にできたという説が有力で，わが国では平安時代の寿永2（1183）年の春日神社の文献に記載がみられ，その後，室町時代にはかなり普及したといわれる．江戸時代までは現在の木綿（もめん）豆腐のみであったが，その後，関西地方において，絹ごし豆腐という名で軟らかい，色の白い豆腐がつくられるようになった．現在市販されている豆腐は，つくり方によって，木綿，絹ごし，ソフト，充塡の4種類に大別される．このほか，豆腐加工品に焼き豆腐，生揚げ，がんもどき，油揚げ，凍り豆腐などがある．また，豆腐関連食品に，おから，湯葉などがある．

製法：基本的製法は，大豆を浸漬・吸水させた後，摩砕機ですりつぶし，消泡剤を加えて100℃で3～5分程度の加熱をし，布または豆乳分離機により豆乳とおからに分離する．この加熱処理により，大豆中のトリプシンインヒビター*などの有害成分の無毒化，豆乳の殺菌が行われる．得られた豆乳に凝固剤を加えて凝固させ，豆腐をつくる．豆腐製造時における豆乳濃度，凝固剤の種類（硫酸カルシウム，塩化マグネシウム，グルコノデルタラクトンなど），凝固方法の違いにより，木綿，絹ごし，ソフト，充塡など，食感の異なった豆腐ができる．

◇成分特性　水分以外はたんぱく質と脂質が主成分であるが，それらの含量はつくり方によって水分含量が異なるため木綿と絹ごし豆腐では少し差がある．カルシウムとマグネシウム*は，使用する凝固剤の種類（硫酸カルシウム，塩化マグネシウム）により，同種の豆腐でも成分値にかなりの違いがみられる．また，絹ごしと充塡豆腐は豆乳全体を凝固させるので，他の豆腐に比べ豆乳からの水溶性の無機質やビタミンの損失はない．豆腐は大豆たんぱく質のグリシニン，アルブミン*を凝固させて利用するため，大豆の不消化性を改善するものとして優れ，たんぱく質と脂質の消化吸収率は煮豆が92％と90％であるのに対し，97％と95％を示す．欠点は細菌に汚染されやすく，形が崩れやすいことである．

豆腐　左：絹ごし豆腐，中：木綿豆腐，右：沖縄豆腐（平　宏和）

◇調理　豆腐特有の軟らかいゲルの性質が，野菜や動物性食品とは異なった舌触りを与えるので，すきやきや肉・魚介類の鍋物には欠かせないものである．自由な形に調整できるので，詰め物，肉だんご，白和えの衣のように崩して用いる調理も多い．古くから豆腐に関する料理書は多く，なかでも『豆腐百珍』『続豆腐百珍』『歌仙豆腐』などが有名である．豆腐は固有の風味をもちながら，どのような味付けにも調和し，淡白な味で，長く食べ続けても飽きない食品である．汁の実，煮物，鍋物，揚げ物，焼き物など用途は極めて広い．すきやき，鍋物，煮物には焼き豆腐が適する．しかし，豆腐の真味を賞味できるのは冷やっこと湯豆腐であろう．※冷やっこ：豆腐を2cm前後の立方体に切ったものを奴（やっこ）と呼ぶ．冷やっこには絹ごしがよく，食塩を加えて加熱し，冷やして供すると軟らかく豆腐臭さがない．かけじょうゆには土佐じょうゆか，生じょうゆを少量の酒で割って花かつおを添える．薬味には，青じそ，さらしねぎ，みょうがの千切り，おろし生姜などを用いる．※湯豆腐：湯豆腐には木綿が適する．鍋に昆布を敷き好みの大きさに切った豆腐を並べ，湯と食塩を少々入れて火にかける．豆腐が動き出して浮き上がるまでが食べごろで，土佐じょうゆ（しょうゆ*）などのつけじょうゆに軽くくぐし，熱いうちに賞味する．※揚げだし豆腐：豆腐の表面の水気を拭き，全体にかたくり粉をまぶしてやや高温の油でからっと揚げる．※炒り豆腐：野菜と鶏肉や豚肉を炒めた後，豆腐を加えて手早く炒り上げるが，強火で炒める音が雷のようなので雷豆腐ともいう．※ぎせい（擬製）豆腐：ほぐした豆腐に，卵と野菜を加えて厚焼き卵のように焼く．※豆腐の田楽：練りみそを塗って焼く．※中華の豆腐：中国料理にも豆腐料理が多く，豆腐とひき肉を用いた麻婆豆腐，豆腐の揚げ物，豆腐丸子（ドウフーワンズー），揚げた豆腐の中身をくり抜き，ひき肉を詰めてしょうゆ味で煮込んだ紅焼豆腐（ホァンシャオドウフー），油焼きした豆腐に，野菜入り肉みそをかけた醤豆腐（ジアンドウフー）などがある．

●沖縄豆腐

成 04036　英 Okinawa-tofu

沖縄地方特産の硬い豆腐．伝統的な製造法は，高温の状態の濃い豆乳に，凝固をさせるための海水を入れ，あとは木綿豆腐と同じ方法でつくり，強く圧搾・成形したものである．現在では凝固のために木綿豆腐用の凝固剤を使用しているが，沖縄豆腐の特徴を出すように少量の食塩を加えている．木綿豆腐と比べ水分が少ないため，ほとんどの成分値が高く，また，食塩を加えるのでナトリウム*は木綿豆腐の13倍の値（170mg/100g）を示す．

●絹ごし豆腐

成 04033，04099（凝固剤：塩化マグネシウム），04100（凝固剤：硫酸カルシウム）　英 Kinu-goshi-tofu; tofu with whey

濃い豆乳を凝固剤（硫酸カルシウム＋グルコノデルタラクトン，塩化マグネシウム＋グルコノデルタラクトン，硫酸カルシウム＋塩化マグネシウム＋グルコノデルタラクトンなど）で凝固させ，布を敷いた孔のある型箱に入れて混合し，全体をゲル状に固め，水さらしした製品である．舌触りがなめらかで軟らかい．

●充塡豆腐

成 04035　英 packed-tofu

絹ごし豆腐と同じ程度の濃い豆乳を冷却後，凝固剤（塩化マグネシウム＋グルコノデルタラクトンなど）を加えて混合し，包装容器に注入・密閉したものを熱水中で加熱し，豆乳全体をゲル状に凝固させたものである．舌触りがなめらかで，軟らかい．他の豆腐より保存性がよい．

豆腐
上左：焼き豆腐，上中：ゆし豆腐，
上右：六条豆腐，下左：とうふかん，
下右：豆腐よう（平　宏和）

●ソフト豆腐
成 04034　英 soft-tofu
木綿と絹ごし豆腐の中間程度の濃度の豆乳を凝固剤（塩化マグネシウム＋グルコノデルタラクトン，硫酸カルシウム＋塩化マグネシウム＋グルコノデルタラクトンなど）でゲル状に凝固させたものを布を敷いた木綿豆腐用型箱に入れ，圧搾・脱水させ成形したものを水さらしした製品である．

●豆腐羹（とうふかん）
重石で水切りした豆腐をしょうゆに浸して煮上げ，布に包み汁切りしたもの．京都・宇治でつくられ，黄檗（おうばく）普茶料理に使われる．

●豆腐竹輪
成 04044（蒸し），04045（焼き）　英 Tofu-chikuwa
水切りした豆腐に魚肉すり身を2対1の割合で加えてすりつぶし，金串に竹輪状に巻きつける．これを蒸すか，焼いて製品とする．明治初期につくられるようになった鳥取地方の特産品．

●豆腐のみそ漬
熊本県東南部（五木村，五家荘）に伝わる保存食．絞った豆腐を弱火で乾燥し，布に包んで麦味噌に半年ほど漬け込んだもの．昆布を巻いた製品もある．

●豆腐よう
成 04043　英 Tofu-yo
沖縄地方特産の豆腐加工品．沖縄豆腐を約3cmに角切りにし，塩をまぶして2, 3日陰干ししたものを，米麹を泡盛ですりつぶし，砂糖，塩で調味した特別のつけ汁に2〜6カ月漬け込み発酵させる．チーズのような香りがして，酒のつまみとして好まれる．

●木綿（もめん）豆腐
成 04032，04097（凝固剤：塩化マグネシウム），04098（凝固剤：硫酸カルシウム）　英 Momen-tofu；regular tofu　別 普通豆腐
薄い豆乳を凝固剤（硫酸カルシウム，塩化マグネシウム，硫酸カルシウム＋塩化マグネシウムなど）で凝固させ，凝固物を崩し，上澄み液を除いたものを布を敷いた孔のある型箱に入れ，圧搾・脱水させ成形したものを水さらしした製品である．舌触りがやや粗く，硬めな食感をもつ．

●焼き豆腐
成 04038　英 Yaki-tofu；(drained and grilled tofu)
硬めにつくった木綿豆腐を3〜4cmの厚さに切り，重石をして水分をよく取って炭火かガスバーナーで表面に焼き目を付けたものである．

●ゆし豆腐
成 04037　英 Yushi-dofu
沖縄地方の特産品．沖縄豆腐の製造途中の豆乳に凝固剤を加えて凝固したものを，ゆ（豆乳に凝固剤を加えたときに凝固しない黄色い液）の混った状態で袋詰して売られる．伝統的製法では凝固剤として海水が用いられたので薄い塩味があった．近代的製法では少量の食塩が加えられている．一種のおぼろ豆腐．食塩が加えられているので，ナトリウム*240mg/100gを含む．

豆腐　上：豆腐のみそ漬け，下：豆腐竹輪（上：焼き，下：蒸し）（平　宏和）

●六条豆腐

成 04088　英 Rokujo-dofu

古くは鹿茸豆腐とも書き，京都六条あたりでつくられたともいわれている．水気をとった豆腐に食塩を塗り，乾燥させたのち，花かつおのように削ったもので，夏の土用につくられた．現在では六浄豆腐の字を当てて，月山，湯殿山の玄関口，山形県西川町でつくられている．出羽三山の参詣者の宿坊で精進料理の食材に使われてきた．吸い物，酢の物などに利用される．

 とうまんじゅう　唐饅頭

成 15032（こしあん入り），15164（つぶしあん入り）　英 To-manju

平鍋の上に銅製の金型を置き，この中に小麦粉，砂糖，鶏卵を混ぜ合わせた種を盛って，その中に扁平にしたあんを入れ，側面に焼き色を付けないように焼いたものである．この製法は江戸時代初期にオランダ人から伝授されたものである．

唐まんじゅう（平　宏和）

 トウミョウ　豆苗

成 06019（茎葉 生），06329（芽ばえ 生），06330（芽ばえ ゆで），06331（芽ばえ 油いため）
分 マメ科エンドウ属（1〜2年生草本）　学 *Pisum sativum*　英 domiao；(young stems and leaves of garden peas)　別 トウミャウ

中国野菜の一種．本来は，えんどうの若い蔓（つる）の先と茎葉を摘んだものである．しかし，現在は，水耕栽培*したスプラウトを指すことが多い．褐豌豆が専用品種であるが，絹さやの蔓先も使われる．播種5〜6日で発芽し，20〜25日で茎が20cmほどになった芽先を10cmほど摘みとる．

◇成分特性　100g当たり，β-カロテン 4,100μgを含む緑黄色野菜である．『食品成分表』では，えんどう類に収載されている．

◇調理　えんどうの風味とほのかな甘味があり，炒めたり，スープの具，和え物，お浸しなどに用いる．

トウミョウ（平　宏和）

 どうみょうじこ　道明寺粉

成 01121　英 Domyojiko；(steamed glutinous rice flour)

もち精白米を，水洗・浸漬し，蒸したものを乾燥して糒（ほしい；道明寺糒）とし，これを二つ割り，

道明寺粉　道明寺（大阪府藤井寺市）の糒（和紙袋の「ほしいひ」は豊臣秀吉による）（平　宏和）

三つ割りなどに粗砕したものである．ほとんどが菓子の原料，たとえば桜餅・椿餅・みぞれ羹・みぞれ饅頭など．料理では揚げ物の衣などに用いられる．

道明寺ちまき　⇒ちまき

  ## とうもろこし　玉蜀黍

成【黄色種】01131（玄穀），01134（コーンフラワー），【白色種】01162（玄穀），01165（コーンフラワー）　分 イネ科トウモロコシ属（1年生草本）　学 *Zea mays*　英 maize；corn　別 とうきび（唐黍）；なんば；なんばきび；きみ；きび

◇由来　原産地は南米北部と推定されている．コロンブスにより，1493年に新大陸よりスペインに導入され，その後急速に世界中で栽培されるようになった．わが国には，天正年間（1573～1592）に，ポルトガル人により長崎に伝えられたといわれており，西南地方より順次関東北部，東北南部へ達した．一方，明治に入って，米国より北海道へ新品種が導入され，これらは次第に南下し，東北を経て関東北部に達した．なお，とうもろこしの最も広く使われている呼び名はとうきびで，九州，北海道のほぼ全域，四国の過半，北陸，東北の一部において使われている．

◇種類　とうもろこしは，茎は高さ1～4 m，茎頂に雄花穂，茎の中部に雌花穂がつく．雌花穂は苞葉で包まれ，絹糸と呼ばれる束になった雌ずい（蕊）*が苞葉の先から現れ，他家受精により結実

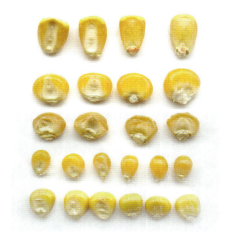

とうもろこしの種類　上から，デント種，フリント種，スイート種，ポップ種，ワキシー種（平　宏和）

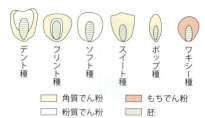

図1　とうもろこしの種類と粒質

する．とうもろこしの種類は，種子の胚乳*における角質でん粉（硬質でん粉）と粉質でん粉（軟質でん粉）の分布により，図1のように大別される．主な品種は，以下の通りである．

スイート種（sweet corn；甘味種）：種子は半透明で，胚乳組織が緻密でないので，成熟後は乾燥して皺状になる．甘味が強く，成熟しても糖含量が高い．デント種型・フリント種型・ソフト種型がある．主として未成熟のものを，生食，缶詰，冷凍，料理用などに利用する．

ソフト種（soft corn；軟粒種；粉粒種）：粒のほとんどが粉質でん粉であるため，成熟すると全体が収縮するので，粒形はフリント種に似ている．市販食品では，フライスナックのジャイアントコーン*の原料に使われている．

デント種（dent corn；馬歯種）：角質でん粉が種子の側方に，粉質でん粉が粒頂部より内部に分布するので，成熟すると粉質でん粉の部分が収縮し，粒頂部にくぼみができる．デントとはくぼみのことであるが，馬の歯のようにくぼむのでデント種を馬歯種と呼ぶ．世界で最も生産量が多く，飼料用，工業用に広く利用される．わが国には，明治になり導入された．

フリント種（flint corn；硬粒種）：粉質でん粉は胚乳*の内部に分布し，外側は角質でん粉で完全に覆われている．わが国では2系統あり，一つは天正年間ポルトガル人により伝えられ，四国・九州の山間部，富士山麓などで主食用とされていたものである．もう一つは明治に導入されたもので，北海道に多く，子実用，生食用として利用されてきた．

ポップ種（pop corn；爆裂種）：胚乳の大部分が角質でん粉で，粉質でん粉が内部にあり，本質的にはフリント種に属する．炒ると水分の膨張により爆裂し，胚乳の内部が反転露出して，もとの容積の15～35倍となる．爆裂のための水分含

左：デント黄色種，右：デント白色種（平　宏和）

量は13.5%程度が最適であり，温度は150〜230℃が必要である．ポップコーン*などのスナック菓子用として利用される．

　　ワキシー種（waxy corn；もち種）：米国の宣教師が1908年中国在来とうもろこしの中からみつけたのが始まりで，もち性の胚乳組織が半透明蠟（ろう）状を示すので，ワキシー（waxy）種と名付けられた．でん粉として食品工業用に利用されている．なお，日本で古くからもちとうもろこしと呼ばれ，生食していたものは，日本在来のフリント種の粘りけのあるものである．

◇形態　種子は一般には扁球形のものが多いが，球形，先端の尖った形のものもある．色は，黄色，白，紫，赤県色のほか，混色した斑状のものなどがある．種子は外側から，透明で硬い果皮，薄い種皮次いで外胚乳，内胚乳（糊粉層*，でん粉貯蔵細胞）と，背面の基部に胚*がある．外部の割合は，胚乳82%，胚12%，果皮〜糊粉層・尖帽（種子を芯に連結させた組織の残り）1%程度であり，胚の占める割合が他の穀類に比較して大きい．

◇成分特性　主成分は炭水化物，特にでん粉で，次いで水分，たんぱく質，脂質などの順になっている．

　　たんぱく質：ツェイン（とうもろこしのプロラミン*の名称）が全たんぱく質中45%前後，グルテリン*が35%前後である．ツェインはリシン*，トリプトファンが少ないので，全粒としては両アミノ酸が不足する．

　　脂質：胚乳では1%前後であるが，胚では35%前後と高く，胚の粒に対する割合が大きいので，全粒中脂質の85%が胚に存在する．胚からは食用油（コーンオイル）が得られるが，その脂肪酸組成は，リノール酸*55%，オレイン酸*30%，パルミチン酸11%程度である．

　　炭水化物：他の穀類と異なり，炭水化物中の食物繊維が13%前後と多く，残りのほとんどがでん粉である．普通のとうもろこしはうるち種で，でん粉の成分であるアミロース*が約25%，アミロペクチン*が約75%を占める．一方，もち種（ワキシー種）の成分は，アミロペクチンでアミロースを含まない．また高アミロース種ではアミロース含量が50〜60%のものがある．

　　ビタミン：黄色種は，プロビタミンA*として100g当たりβ-カロテン99μgのほか，α-カロテン11μg，β-クリプトキサンチン100μg程度が含まれる．

◇用途　未成熟のものは，生食，冷凍用，スイートコーン缶詰などに用いられる．スイートコーンの品種としては，風味のあるゴールデンクロスバンタム，甘味の強いハニーバンタムが良質である．また，ヤングコーンと呼ばれ，8cmほどの若い穂を軸ごと食用とする．完熟種は，食用，飼料として用いられる．食用としては，コーンスターチ，コーングリッツ，コーンフラワーなどの原料として広く用いられている．また，とうもろこしを原料にした酒では，カナダや米国のバーボンウイスキー，アンデス地方のチチャなどが有名である．

◇調理　穀類には珍しく，未熟のものをそのまま焼いたり，あるいは茹でたりして食用とする．※完熟とうもろこしは粗挽きにしてかゆ状に煮るか，または粗粉を固めて蒸しパン風にして主食とする国や地域がある．粉を丸め，せんべい状に押し広げて焼いたものにたまねぎ，チーズ，肉などを詰めて揚げたタコスは，代表的なメキシコ料理の一つである．※コーンフレーク*はでん粉が糊化された状態を保っており，牛乳をかけたり果実を散らしただけで食べられる．せんべいのように歯応えがよく，消化もよい．

●スイートコーン

成【未熟種子】06175（生），06176（ゆで），06177（穂軸つき 冷凍），06178（冷凍），06339（電子レンジ調理），06378（冷凍 ゆで），06379（冷凍 油いため），【缶詰】06179（クリームスタイル），06180（ホールカーネルスタイル）　別とうもろこし；とうきび　旬8月末〜9月

とうもろこしのスイート種（甘味種）は，未成熟のもが野菜として利用される．スイート種の歴史は新しく，19世紀末にはじめて記録に現れる．日本には明治以降に米国から導入され，全国各地に在来種化して残っているが，現在のスイートコーンと呼ばれる野菜品種は，第二次世界大戦後，米国で育成された新品種が導入されたのがはじまりである．

◇品種　スイートコーンの品種の大部分は米国で

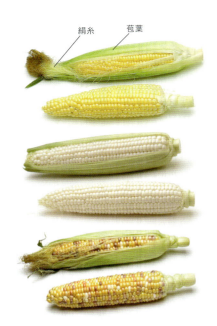

スイートコーン 上：黄粒種，中：白粒種，下：バイカラー種（平 宏和）

スイートコーン レトルト軸つき（平 宏和）

育成された一代雑種*である．種類としては，糖度によりスイート種とスーパースイート種に分けられ，スーパースイート種は糖度が高く生食専用種で，加工用には適さない．また，粒の色により黄粒種，白粒種，バイカラー種に分けられる．黄粒種は，ゴールデンコーンとも呼ばれ，粒が濃黄色の品種である．品種には味来（みらい），ゴールドラッシュなどがある．白粒種は，粒が白色で糖度が高い品種で，多くのものが生のまま食べられる．品種にはシルバーコーン（ハニーバンタムの白粒種），ピュアホワイトなどがある．バイカラー種は，白粒種と黄粒種の一代雑種で，その穂では，黄色と白色の粒（雑種第2代，F_2 にあたる）がメンデルの分離の法則に従って，3対1の割合で混ざる．品種にはピーターコーン，ゆめのコーンなどがある．

栽培：スイートコーンに対する需要は近年急速に増加し，露地栽培*のほか，早出しを目標として，早熟，トンネル早熟栽培も普及している．また，スイートコーンは冷凍貯蔵され，青果のない時期の需要を満たしている．

産地：北海道，千葉，茨城．

◇**成分特性** 可食部は50％で，苞葉，雌ずい（め

しべ），穂軸が約50％を占めている．一般成分では，たんぱく質，脂質および炭水化物に富む．ビタミン類では B_1，B_2，ナイアシン*が多いのが特徴である．スイートコーンの味を支配する成分は水溶性の糖分である．糖含量は品種により4～11g/100gまで変異に富んでいる．糖類はしょ糖，ぶどう糖および果糖である．成熟するにつれて，遊離の糖類がでん粉に変化し，甘味が減って食味が低下する．スイートコーンのたんぱく質のアミノ酸組成は，アスパラギン，グルタミン，アスパラギン酸，アラニンなどが多い．脂肪酸組成はオレイン酸*，リノール酸*など不飽和脂肪酸*が多い．なお，プロビタミンA*としてはβ-カロテンとβ-クリプトキサンチンが含まれている．

◇**保存** 甘味を支配する糖分は保存温度により採取後数日のうちに減少し，品質が劣化する．**図2**に示すように，水溶性全糖は1℃ではほとんど減少せず，数日間品質が保たれるが，20℃あるいは30℃では急速にでん粉に変化し，甘味が減るので，市販品は鮮度が大切である．

◇**加工** 加工品としては水煮缶詰とコーンスープ，冷凍品が主なものである．缶詰加工工程はほとんど自動化されており，種類は全粒を缶詰とす

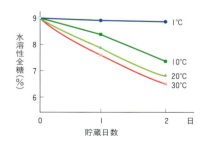

図2 スイートコーン（品種：ハニーバンタム）の貯蔵温度と粒中の水溶性全糖含量（長野農試：野菜の差圧通風式予冷技術の確立, 1981）

スイートコーン缶詰　手前：ホール，奥：クリームスタイル（平　宏和）

るホールカーネルスタイルと果粒の頭部を浅く切断し，その残部からクリーム状の果肉を掻き取り，両者を混合したものに適量の食塩，砂糖，水，コーンスターチを加えて粘稠度を調整し缶詰としたクリームスタイルがある．また，インスタント食品としてのコーンスープも需要が多く，缶詰や粉末，紙パック入りなど，さまざまな種類が出回っている．冷凍品の場合も種類は缶詰の場合と同じであるが，製造法は原料の苞葉を除いてから100℃で10～15分蒸気加熱を行い，冷却，水切りしてから凍結される．

◇**調理**　生とうもろこしの旬は夏の終わり頃である．最近は冷凍品も出回っているが，生には季節の味わいがある．皮をむいたものを茹でたり，焼いたりして食べる．また，こそげた粒を，かき揚げや，すりつぶしてすり流し汁あるいは揚げ物の衣にする．洋風料理では，粒をバター炒めにして肉料理の付け合わせにしたり，コロッケ，鶏肉との煮込み，スープやサラダなどにする．中国料理ではスープやあんかけ料理に用いられる．スープに玉米湯（ユーミータン）などがある．缶詰はホールとクリームスタイルの2種類を手軽に使い分けられ，さまざまに用いられる．

●**ヤングコーン**

成 06181（幼雌穂　生）　**英** young sweet corn；

young ear of corn　**別** ベビーコーン；ミニコーン

スイートコーンの未熟果．日本では専用品種はなく，生食用甘味種の二番雌穂の未熟のものを若採りし利用する．軸のまま水煮して缶詰やびん詰にする．軟らかく，独特の食感と風味があり，水煮缶詰や茹でたものをサラダにしたり，中国料理の食材として，八宝菜，五目ラーメンなどに利用する．

とうもろこしでん粉　⇒でん粉

とうもろこし油　玉蜀黍油

成 14007　**英** corn oil　**別** コーン油；コーンオイル

とうもろこしの胚芽（油分33～40％）から抽出法により採油した油．胚芽はとうもろこしからでん粉（コーンスターチ）を生産する際の副産物として得られる．とうもろこし油の主生産国は米国，中国である．

◇**成分特性**　『食品成分表』では，100g当たり脂質（TAG当量）*96.8gからなる．脂肪酸組成は，オレイン酸*29.8％，リノール酸*54.9％，α-リノレン酸*0.8％である（**付表6**）．大豆油と似た脂肪酸組成を持つが，比較すると，α-リノレン酸が少ない．ビタミンE含量は，『食品成分表』に収載されている油脂の中では大豆油に次いで多く，100g当たり90.7mg（γ-トコフェロールが多い）を含む（**付表7**）．ビタミンK含量は5µgと少ない．主要ステロール*は，β-シトステロール，カンペステロール，スチグマステロールである．

理化学特性：日本農林規格*（JAS）による精製とうもろこし油は，比重0.915～0.921，屈折率（25℃）1.471～1.474，酸価*0.2以下，けん化価187～195，ヨウ素価*103～135としている．凝固点−18～−10℃．引火点249℃，燃焼点

ヤングコーン（平　宏和）

とうもろこし油（日清オイリオグループ）

287℃である。

◇**保存・加工** 不飽和脂肪酸*のリノール酸が多いので，酸化防止に注意が必要であるが，トコフェロールを多く含むので，同程度の他の植物油よりも酸化安定性はよい．加工油としては，マーガリンに利用される．

◇**調理** ドレッシング，マヨネーズなどに利用されるほか，フライ，天ぷら，炒め物にも使われる．加熱すると香ばしい独特の香りがあるので，揚げ油としても利用される．

ドーナッツ

英 doughnut

小麦粉，卵，糖類，ショートニング，牛乳などと膨張剤またはイーストを混捏してつくった菓子生地あるいはパン生地（発酵生地）を油で揚げたものである．

◇**分類** 菓子生地のドーナッツ（ケーキドーナッツ）とパン生地のドーナッツ（イーストドーナッツ）では製法，製造工程に違いがあり，味，食感，保存性にも違いがでてくる．フライング用油脂は，大豆油，綿実油，落花生油などの植物油，パーム油などの植物脂，あるいは植物油を水素添加により固形化した硬化油などを使い，180～190℃で揚げる．ドーナッツとして最も一般的なリングドーナッツの形態は，表面積が広いため揚げムラが少なく均一に揚げられる．揚げた後冷却し，フィリング（詰めもの）を詰めたり，トッピング（上飾り）を行う．ドーナッツはいろいろなドーナッツ生地と多種のフィリング，トッピングの組み合わせにより，菓子としてだけでなく軽食など多様な用途に用いられる．

ドーナッツをアメリカ型とヨーロッパ型に分けて，その特徴を比較すると，アメリカ型はミックス粉を含めて生地の種類が非常に多いが，フィリングの種類が少ない．ヨーロッパ型は生地の種類は多くないが製菓料理用のフィリングが多く，それを巧みに使って各国の特徴を出している．

●**あんドーナッツ**

英 An-doughnut

パン生地で小豆あんを包み油で揚げ，冷却したのち，表面に粉糖をかける．あんは粒あんまたはこしあんが使われる．

●**イーストドーナッツ**

成 15077（プレーン），15174（こしあん），15175（つぶしあん），15176（カスタードクリーム） 英 yeast-leavened doughnut

上：あんドーナッツ，中：イーストドーナッツ，下：ケーキドーナッツ（平 宏和）

イーストで発酵させた生地（パン生地）を用いたドーナッツ．発酵工程があるので，ケーキドーナッツに比べて製作工程が長くかかる．揚げ油の吸油率はケーキドーナッツより少なく，パン生地の性質上，老化も早い．軽食としても用いられる．

●**ケーキドーナッツ**

成 15078（プレーン），15177（こしあん），15178（つぶしあん），15179（カスタードクリーム） 英 cake type doughnut

一般には，ミキシングした副材料の中に小麦粉と膨張剤を加えて軽く混合して生地をつくる．この生地は，ケーキとしての性格上糖分が多い．フライング時の吸油率（揚げ油の吸着割合）はイーストドーナッツより多く，老化も遅い．また，発酵工程がないため，製法も比較的簡単で短い工程時間ででき上がる．ドーナッツ専門店の多くの品揃えはこのケーキドーナッツである．

特定保健用食品 ⇨保健機能食品

とくびれ 徳鰭

分 硬骨魚類，トクビレ科トクビレ属 学 *Podoth-*

とくびれ（本村　浩之）

ecus sachi 英 sail-fin poacher 別 わかまつ 地 わかまつ（北海道）；はっかく（北海道）；まつお（新潟）；ひぐらん；ひげらん（富山）；さち（青森） 旬 冬

全長 50 cm．島根県および静岡県以北，朝鮮半島東岸，ピョートル大帝湾に分布する．体は細長くて角張り，後方に向かって細くなる．強い鉤状の棘をもつ骨枝が体側に 4 縦列あり，体の断面が八角形になっているので，はっかく の別名がある．吻（ふん）は尖り，下面や口角部に多数のひげがある．体色は暗灰褐色で下方は淡い．背びれ，臀びれ，尾びれの縁辺は黒い．白身で見栄えはしないが，やや美味である．ひれの大きい方が雄で，そのため雌雄で別の名で呼ばれることがある．

特別牛乳　⇨牛乳

特別用途食品

英 foods for special dietary uses

乳児，妊産婦，高齢者，病者などを対象に，特別の用途に合わせてつくられた食品．健康増進法*第 26 条（旧栄養改善法第 12 条）に基づき，消費者庁長官の許可を必要とし，認証マークがつけられる（図 1）．この食品を摂ることによって乳児，幼児，妊産婦，病者などの発育または健康の保持もしくは回復に適当であるということを医学的，栄養学的表現で記載したもので，用途を限定したものである．特別用途食品にはそれぞれ定められた許可基準があり，この許可基準を満たすよう品質管理に責任を持った製造が行われている．特別用途食品のうち，特定保健用食品は他の特別用途食品とは少し異なり，特定の保健の目的に適するという表示を行った食品である．特別用途食品のうち，病者用食品には，規格，許容される特別用途表示の範囲，必要表示事項が記載されている許可基準型食品と，許可基準のない個別評価型食品がある．個別評価型食品は，次にあげる要件を満たすことが必要である．

①食事療法の目的を達成し，食生活の改善に効果が期待できるものであり，その効果の根拠が医学的・栄養学的に明らかにされている．
②食品またはその成分について，適切な使用方法が医学的・栄養学的に設定でき，食経験等からみて安全なものである．
③成分について，物理化学的性状とその試験方法，定性・定量試験方法が明らかにされている．
④同種の食品と同じような喫食形態をし，日常的に食べられている食品である．
⑤錠剤型，カプセル型等をしていない通常の形態の食品であり，食品またはその成分が医薬品の

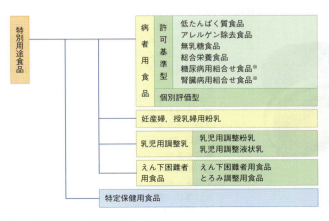

図 1　特別用途食品の分類と表示マーク

原材料として使用されない．
妊産婦・授乳婦用粉乳，乳児用調製乳，えん下困難者用食品等は許可基準型食品である．

とこぶし　床伏；常節；若鰒

成 10301（生）　分 軟体動物，腹足類（綱），ミミガイ科トコブシ属　学 *Sulculus diversicolor aquatilis*　英 Japanese ormers；ear shell；tokobushi abalone　別 ながれこ；ながれめ　旬 冬～春

とこぶしはあわびによく似ているが，殻が小さく，殻表の凸凹が少ない．殻長10cm．呼水孔が6～9とあわびより多く，煙突状に立ち上っていない．貝殻の内側は真珠光沢に紅がかった淡紫色が混じり美しい．北海道南部から九州の暖流の流れている潮間帯付近の岩礁に棲む．味はよい．

◇成分特性　あわびと同様に内臓の毒性は3～4月に認められる．成分的にはたんぱく質があわびより多く水分はやや少ないが，ほかの成分の含量は類似している．生食もするが，むしろ惣菜用で，缶詰もある．

◇調理　テクスチャーはあわびに似ているが，小型で肉量が少なく，味もあわびより劣るため，生食せず，主に蒸し物にする．塩蒸しのほか，蒸したもののうにに和えに，あるいは含め煮や照焼きのように，濃い味付けで，風味の不足を補う．

●ふくとこぶし
福床伏　学 *Sulculus diversicolor diversicolor*　英 tokobushi-abalone；Japanese ormers；ear shell　別 あぶき

とこぶしの南方型で，殻表の放射肋は弱い．とこぶしより殻が深く，身量が多い．九州以南，インド・西太平洋に分布していて，伊豆七島の名産品．とこぶし同様に利用する．

とこぶし

ところてん　心太

成 09026　英 Tokoroten；gelidium jelly；agar

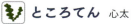

ところてん（平　宏和）

jelly

てんぐさを熱湯で抽出し，水に対して1～2%の寒天質を溶解させ，冷やしてゲル化させたものである．このゲルを天突きで細長く突き出したものに酢，しょうゆ，あるいは糖蜜などをかけて食べる．

◇成分特性　水分が98～99%で，固形分としてのガラクタンは食べてもほとんど消化しない．てんぐさによる独特の香りがあり，その感触とともに夏の味覚として古くから親しまれてきた．最近では寒天を溶かしてつくるものが多く，独特の香りがない．

 とさかのり　鶏冠海苔

分 紅藻類ユカリ科トサカノリ属　学 *Meristotheca papulosa*　英 Tosaka-nori

海藻で，体高10～40cm．外海の岩上，低潮線下から10mの深さに分布する．本州中南部太平洋岸から九州西岸に生育している．ちょうど鶏のとさかのように複雑な形に広がっている．原藻の処理，加工法により，赤とさか，青とさか，白とさかに分けられる．白とさかは，原藻を脱色処理したものである．

◇成分特性　ガラクタンを主とする炭水化物が主成分．

◇調理　産地付近では，生のものを刺身のつまに用いるほか，歯応えのよさを生かして酢の物，和え物，サラダなどに利用している．塩蔵品は，水で洗い，塩出し後，熱湯をさっと通して調理する．

●青とさか
成 09030（塩蔵 塩抜き）　英 Tosaka-nori, green

原藻を水酸化カルシウム（食品添加物用）海水液に浸漬し，葉体が緑色になったら取り上げて，よく水洗して水切りし，加塩後，絞って脱水し保蔵する．

左：赤とさか，右：青とさか

● **赤とさか**

成 09029（塩蔵 塩抜き） 英 Tosaka-nori, red
採取した原藻をそのまま塩漬し，水切り散塩して放置し，2〜3日，ときおり手もみしながら乾燥し保蔵する．

どじょう　泥鰌；鰌

成 10213（生），10214（水煮）　分 硬骨魚類，ドジョウ科ドジョウ属　学 *Misgurnus anguillicaudatus*　英 Oriental weather loach　別 地 おどりこ（東京）；じょしょ（和歌山）；あじめ（長野）
旬 初夏

全長20cm．淡水魚．体は円筒状でやや側扁する．口は小さく，その周囲に10本のひげがある．体色は黄色がかった黒褐色．側線が体側の中央をまっすぐに走っている．日本各地の浅い池，沼，小川，田などに分布．養殖も盛んである．主に活魚として流通しているが，裂いたものも市販されている．

◇**成分特性**　大型のものは多くは雌で，周年成熟卵をもったものがあるが，夏美味で，冬はやせている．成分は，100g当たり水分が79.1gと比較的多く，たんぱく質（アミノ酸組成）＊は13.5g，脂質（TAG当量）＊は0.6gと少ないので思いのほかあっさりとしている．骨が軟らかく丸ごと食べる場合が多いので，『食品成分表』には全魚体の分析値がのせてあるため，灰分の値がやや高いが，肉のみではこの1/2程度と考えられる．また普通魚にはあまり含まれていないβ-カロテンの含量が高い点に特徴がある．

どじょう（本村　浩之）

◇**加工**　どじょうを使った加工品は，蒲焼き，佃煮くらいで少ないが，調理の種類や名物料理はいろいろある．
◇**調理**　体表面が粘質物で覆われ，丸ごと食べることも多いので，味は濃厚と考えられがちだが，実際は脂肪も少なく淡白である．小さなものはそのまま，大きなものは裂いて汁物（どじょう汁），鍋物（どじょう鍋，柳川鍋）などにする．特に大きいものは蒲焼きにもする．※粘質物に細菌が繁殖しやすく，鮮度が低下するので，必ず生きたものを用いる．1〜2日真水につけて泥を吐かせてから調理する．丸のまま用いるときは蓋付きの器に入れ，酒をふりかけて殺す．アルコールの作用でぬめりがとれ，骨も軟らかくなる．裂くときはうなぎと同様，生きたものをまな板にのせてそのまま背開きにし，骨は必ず除く．※皮が比較的硬いので，丸ごと利用するときは，ある程度長時間の湿式加熱を必要とする．生食，焼き物は不適当である．※淡水魚特有の泥臭さを消すため，柳川鍋ではねぎ，ごぼうを加えて煮る．また卵を加えて粘質物を吸着する．味付けは濃いめにし，山椒（さんしょう）を薬味に用いる．どじょう汁の場合もみそを用いて臭気を消し，ぬめりを吸着させる．

● **あじめどじょう**

味女泥鰌　分 シマドジョウ属　学 *Cobitis délicata*　英 delicate loach　別 地 あじめ（木曾川，長良川水系）；ごまどじょう（京都）
日本固有種で，中部，近畿地方に分布．眼の前に暗色線がないのが特徴．澄んだ川の上流に生息する．美味．吸物，佃煮，飴だきなどにする．特に卵を持ったものを煮付けにしたり，焼干しにしたものをもう一度火にあぶって食するのがうまい．

● **あゆもどき**

鮎擬　分 アユモドキ属　学 *Parabotia curta*　英 kissing loach　別 地 うみどじょう；あいはだ（滋賀）；あもず，きすうお（岡山）
全長20cm．体は短く太い．体色は背側が黄褐色で腹側は白い．琵琶湖水系と岡山県に生息する．彦根藩士，小林義兄の『湖魚考』には，入梅のころ味良しとあるように，美味で特に塩焼きがよい．しかし現在は絶滅のおそれがあるほど，数が減少している．天然記念物に指定されているため，美味だが食用にできない．

● **ふくどじょう**

福泥鰌　分 フクドジョウ科フクドジョウ属　学 *Barbatula oreas*　英 stone loach　別 地 どじょう（北海道）

左：とちの実，中：とちの実（蒸し，アク抜き冷凍品），右：とち餅（平 宏和）

全長20cm．体はほぼ円筒状であるが，腹面は平べったい．体色は黄褐色，体側の背部に暗褐色の雲状斑がある．食用になる．

とちの実　栃の実

成 05022（蒸し）　分 トチノキ科トチノキ属（落葉高木）　学 *Aesculus turbinata*（トチノキ）　英 Japanese horse chestnuts　別 とちぐり

トチノキは，日本各地の山地に自生する．主として中部以北の山間部で採取される．果実は倒卵円形で，径5cm，殻が厚く，秋に熟して三裂する．種実は栗に似て赤褐色の光沢のある種皮に覆われている．西洋トチノキはマロニエと呼ばれ，街路樹などに利用される．

◇**成分特性**　仁*（アク抜き後，蒸したもの）の主成分は炭水化物で，主としてでん粉である．仁にはサポニン*，アロインが含まれていて苦い．中部地方や東北地方では，灰汁に浸漬し，水にさらして苦味をとり去り，もち米やときには米の胚芽，あわのもち種とともに搗（つ）いて"とち餅"などをつくって，主食の一部として利用していた．現在，アク抜きした冷凍食品が市販されている．

トップシェル

学 Turbinidae（サザエ科）；Trochidae（ニシキウズガイ科）　英 top shells

トップシェルとは，『四訂食品成分表』ではさざえの食品名の中に味付け缶詰として収載されていたものの原料貝である．真正のさざえは現在，漁獲量が減り，加工原料に使用されることはまれである．そのため『五訂食品成分表』から，2010年版までは，味付け缶詰に使用される原料貝をまとめてトップシェルという食品名とし，同缶詰についての成分値を示していた．2015年版（七訂）以降には収載されていない．

◇**種類・分類**　英名の top shell は通常，ニシキウズガイ科およびサザエ科に属する海産巻き貝の総称名として使われている．わが国でいえば，もちろんさざえやその近縁種，あるいは「しったか」と俗称されるばていらや同科の貝はいずれもトップシェルに入るが，現在では国産種が缶詰の素材となっている可能性は低い．

市場でも殻付きで原料を見かけることは少なく特定できないが，築地市場には南米産のチリクマノコガイ（*Tegula atra*），南アフリカ産の南アメクラガイ（*Oxystele sinensis*），ニュージーランド産のクックウラウズ（*Cookia sulcata*）やツヤサザエ（*Turbo cidaris*），南オーストラリア産のナミガタスガイ（*Subninella undulata*）ほか多種類にわたるトップシェルのカテゴリーに入る貝がみられるので，それらのうちのいずれかが加工品原料となっていると思われる．また中国から輸入されるあかにしを原料とした味付缶詰をさざえの味付缶詰という名称で販売している例がある．

◇**成分特性**　味付け缶詰は，内臓を除いた身を片状または塊状に切って，砂糖，食塩，しょうゆおよび調味料とともに缶詰にしたものである．さざえ（焼き）と比較すると，成分的には添加物の影響で，炭水化物含量および食塩相当量*の多いこととビタミン類の含量がやや低い以外は，両者に大差はない．ただしビタミン B_{12} の含量が10倍

トップシェル缶詰（種不明，味付け）（平 宏和）

程度多いのは原料尾由来のものであろう．100g当たり，たんぱく質16.3g，脂質0.8g，炭水化物6.6g（『食品成分表2010』より）．

とびうお（本村 浩之）

とびうお 飛魚

成 10215（生），10421（煮干し），10422（焼き干し），17130（あごだし）　分 硬骨魚類，トビウオ科トビウオ属　学 *Cheilopogon agoo agoo*　英 Japanese flying fish　別 あきつとびうお；とびのうお；ほんとび　地 あご（瀬戸内西部，山陰，九州）；とんび（富山）；とりうお（広島）；たちうお（新潟）　旬 春と秋

とびうお類には同属を含め多くの種類があるので，上記学名のものをほんとびと呼んで他種と区別する．全長35cm．体はやや側扁する．背面は幅広く平たい．胸びれが翼のように大きく，空中を飛翔する．外洋性の暖海の魚で，黒潮にのって群をなして北上し，4～7月ころ海藻に産卵する．日本近海には近似種が28種ほどいて，漁獲期により，春とび，夏とびなどと呼ばれる．ほんとびは八丈島などで夏に獲れる夏とびの一種である．とびうお類は北海道以南の日本各地，朝鮮，台湾などに広く分布する．

◇成分特性　白身の魚で，成分は100g当たり，たんぱく質（アミノ酸組成）*が18.0gと多く，脂質（TAG当量）*が0.5gと少ない．カルシウム，鉄*なども少なく，ビタミン類の含量も低い．肉色は白く，かまぼこの原料としてもかなり優れたものである．この場合，小物の方が脂質が少ないとして喜ばれる．

◇加工　乾製品に適し，煮干しはあごだしとして，みそ汁や料理，ラーメンの汁などに用いる．長崎の焼きあご（焼乾），塩あご（塩乾）などのほか，くさやにもする．すしの材料ともなり，またあご竹輪は兵庫や島根の名産である．このほか，輸入された卵巣はゴールデンキャビア（ミニイクラ），とびこと呼ばれ，すし屋などで使われている．

◇調理　筋肉は発達しているが，うま味はそれほどでもなく，生鮮魚よりむしろ干物や練り製品の原料に用いることが多い．鮮度のよいものは塩焼きにする．脂肪が少なく，加熱により身がしまって硬くなるので，煮魚には不適当である．中国料理では鍋焼きのほか，揚げ物に用いられる．

●あかとび

赤飛　学 *Cheilopogon atrisignis*　英 glider flyingfish　別 あかとび　地 とびうお（神奈川県江の島）
全長35cm．伊豆諸島から西太平洋まで分布．10月下旬まで漁獲されるが，八丈島では特に夏に多獲され，夏とびの一種である．

●あやとびうお

綾飛魚　学 *Cypselurus poecilopterus crassus*　英 yellowing flyingfish　別 地 せみとび（東京）；もんつき（和歌山）；きじとび（千葉県館山）
全長30cm．胸びれに多数の円形褐色斑が散在している．本種は産業的に重要なとびうお類中最小のものの一つである．北海道から西太平洋に広く分布する．東京市場などでせみとびというのは本種をいう場合が多い．

●はまとびうお

浜飛魚　学 *Cheilopogon pinnatibarbatus japonicus*　英 coast flyingfish　別 地 こしなが；おおとび（宮崎）；かくとび（東京，伊豆七島）；はるとび（伊豆七島）；ふるせん；ふるせんとび（和歌山県串本）
全長約50cm．日本各地に分布する．国内最大のとびうおで，加工用にも重要である．伊豆七島などで春に漁獲される春とびは本種である．

●ほそとびうお

細飛魚　学 *Cypselurus hiraii*　英 darkedged-wing flyingfish　別 ほそとび　地 とびうお（神奈川県江の島）；にゅうばいとび（伊豆大島，他種との混称）；まる（九州）；まるとび（日本海沿岸）
全長28cm．北海道西部以南の日本各地に分布する．春，北上し秋に南下する．産卵期は初夏で，夏とびの一種である．

とびこ　⇒とびうお
どぶ漬　⇒うめぼし，ぬかみそ漬
どぶろく（俗称）　⇒濁酒

トマト 蕃茄

成 06182（赤色 果実 生），06391（黄色 果実 生）
分 ナス科ナス属（多年生草本）　学 *Solanum lycopersicum*　英 tomato　別 古 あかなす
熱帯では多年生となる．果実と野菜の中間的な極めて特徴のある味をもつ食品である．果実として

は液果*に分類され，構造も果肉部，種子部および種子を囲む粘質物と極めて多様である．ペルー・エクアドル圏の原産で，インディアンの移動とともに，アンデス，中央アメリカ，メキシコに伝播したと考えられている．15世紀末にコロンブスによってヨーロッパにもたらされたが，初期は観賞用として扱われ，食用とされたのはかなり後である．19世紀にイタリアを中心に品種改良が進み，英国では早生品種が育成された．米国へは18世紀末に伝えられ，ここで急速な品種分化をとげた．わが国では18世紀初めにトマトの記録があるので，17世紀末には導入されていたと推定される．しかし，野菜として利用され始めたのは明治に入ってからである．初めは特殊な西洋野菜とされていたが，1930年代に入ってようやく一般に普及した．

◇**品種** 花房は通常主枝の7〜8節につき，その後3〜5節おきに着生するが，品種によっては1〜2節ごとに花房がつき，腋芽が発達せずに芯止り型となるものもある．前者では栽培に支柱を必要とするが，後者は無支柱栽培に適した形質である．わが国のトマト品種は英国および米国系品種の影響が大きい．英国から大正期に導入されたベスト・オブ・オールは，低温・弱日照下でもよく生育し，促成向けのみでなく，露地でも栽培されていた．しかし，酸味が強くトマト臭があったため，酸味が少なくトマト臭の弱い，米国系のポンデローザにおきかえられていった．たまたま，前者が赤色・小果，後者が桃色・大果であったため，桃色・大果を好むわが国独特の風潮が生まれた．ポンデローザをもとに，昭和に入ってわが国の固有の品種が育成され，さらにアーリアナ，グローブ，フルーツ，マーグローブなどが導入され，これらの中から，現在の一代雑種*(F_1)のもととなっている品種が育成された．先端に色が付き，へた部に向かって色が薄くなり，へた部には緑が残っている果実(ベースグリーンという)が一般に好まれていたため，わが国のトマト品種は特異な状態であったが，近年この傾向はなくなった．さらに，完熟しても変質しにくい品種が求められ，1980年代に入りF_1の完熟型品種が流通し始めた．このはしりとなったのは桃太郎(タキイ種苗・1983年発売)である．これに引き続いて各種苗会社から多くの完熟型品種が発表されているが，桃太郎が完熟型の代名詞のようになっている．これらの品種はいずれも従来の品種に比べ糖度が高いので"甘熟"の字が当てられることもある．また，フルーツトマトと呼ばれるものは，品種名ではなく，特別な栽培法によって糖度8度以上の高糖度にしたものである．切った際に身崩れが少なく品質がよいとされるファーストは，その来歴・成立の経過が不詳である．愛知県下で見出され，愛知・静岡に普及し，ファーストを育種親に用いたF_1も，ファーストの名で流通している．現在，実用栽培されているのはすべてF_1である．また，病害防除のため抵抗性台木利用による接木栽培も行われている．

作型：きゅうりとともに果菜類*の中の主要作目であり，作型の分化が著しい．各作型を対象として育成されたF_1，保加温施設・資材・機器の発達，生産地域の組み合わせによって周年的に供給されている．基本的な生果用の作型は，促成(2〜6月どり，高知，宮崎)，半促成(3〜7月どり，東海，南関東)，早熟(5〜9月どり)，露地(6〜10月どり，北関東，現在は主として雨除け栽培)，抑制(10〜2月どり，東北，長野)栽培である．加工用には有支柱(6〜10月どり)，無支柱(7〜10月どり)栽培があり，加工専用の品種が用いられている．

◇**成分特性** 果実は100g当たり，94g内外の水分を含む．糖類は3〜4g含有し，果糖とぶどう糖が含まれており，完熟果実で最高値を示す．また未熟果は1gのでん粉を含んでいるが，成熟につれて減少し，0.1g以下となる．有機酸*は0.08〜0.1gで，酸味の主体はクエン酸であり，次いでリンゴ酸*が多い．遊離アミノ酸*としては，γ-アミノ酪酸，グルタミン酸，アスパラギン酸，ヒスチジンなどが多い．果実の成熟に伴う着色と色素の消長の関係は**図1**に示す．熟するにつれてリコペン*(赤色)とカロテン(黄色)が増加し，緑色素のクロロフィル*が消失し着色が進行する．この着色は20〜25℃で最も早く，10℃以下の低温あるいは30℃以上の高温では果実が赤くならず黄色となる．トマト果実の特有の香気は，アルデヒド類，ケトン類，アルコール類が混合し

トマト（品種：桃太郎）（平　宏和）

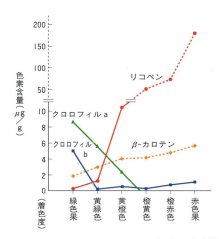

図1 トマトの成熟過程における果実の着色度と色素の消長との関係（Edwards ほか：Food Technol. Aust. 19；352, 1967）

たものである．ミニトマトは水分が普通のトマトより少なく，炭水化物，β-カロテン，ビタミンCなどは高い．トマトの100g当たりのβ-カロテンは540μgであるが，厚生労働省では栄養指導上，両トマトを緑黄色野菜としている．

◇保存　未熟果実の追熟*の最適温度は21℃であり，この温度でに果実が均一に熟し，着色が最もよくなる．トマトは採取後果実の呼吸量が上昇し熟するが，エチレンガスを与えると追熟が早く進行する．完熟果実の低温貯蔵の最適温度は8～10℃，湿度は90～95%で，4～7日間の貯蔵が可能である．

◇加工　加工品としては果実を丸ごと缶詰とする水煮缶詰（ホールトマト），トマトの皮と果心を除いたまま液を加えないで缶詰とする固形缶詰（solid pack），果実のパルプを裏ごししたピューレー（purée），ピューレーを煮詰めて濃縮したペースト（paste），果実汁を搾り，裏ごしし，食塩（0.5%）を加えて製品化するトマトジュースなどがある．ピューレーからは，香辛料，食塩，砂糖などを加えて調味しソース，ケチャップなどが製造される（トマト加工品*）．

◇調理　特有の味と食感をもち，調理への用途も多彩である．※新鮮なものは冷やしてそのままか，塩を少々かけて食べる．また大きめに切って，サラダに用いるのもよい．そのほか薄切りにして酢の物のあしらいや，サンドイッチの具にも用いられる．肉料理の付け合わせに好適で，西洋料理の皿に1～2片添えるのは，彩り，味，栄養，いずれの面からもプラスである．※皮は丸ごと熱湯に1分間ほどつけると，するりときれいにむける．※形を生かした加熱調理：日本料理では小型のトマトの種子を取り出し，とりそぼろを詰めて薄味で煮たもの，西洋料理では同じくゆで卵，野菜，肉などを詰めて焼いたスタッフドトマト，輪切りにして塩，こしょう，小麦粉をつけ，なすとともに焼いた天火焼きなどがある．※調味料的な使い方：トマトの味を目的とし，形は崩れてもよい．スープ，ソース，シチュー，煮込みなどがある．肉類，いわし，卵，じゃがいも，その他の野菜など，非常に広範囲の食品とよく調和する．

●ミニトマト

成 06183（赤色 果実 生）　英 cherry tomatoes
別 プチトマト；チェリートマト

トマトの小粒種．質量10～15g程度のものが出荷される．洋梨型のペアトマトや黄色いものもある．もともとは機内食用に開発されたもので，国際空港の周りでのみ栽培されていたが，1980年代に入り一般的になり，栽培もしやすく，家庭菜園でも人気種となっている．形のかわいらしさと甘味の強さでも人気が強く，弁当用にも重宝である．普通のトマトと比べ，水分は少なく，他の成分が多く含まれている．

ミニトマト（平　宏和）

●フルーツトマト

特定の品種名ではなく，特別な栽培法で作られた高糖度のトマト．栽培は水遣りを少なくして甘味を凝縮させ，また，根が伸びる領域を制限し，肥料の吸収を抑えるなどして，トマトにストレスを与え，糖分を増加させる方法が行われている．一般のトマトで糖度は4～6度であるが，8～9度，中には果物並みの10度以上のものもある．

トマト加工品

英 tomato processed products

日本農林規格*（JAS）では，トマトジュース，トマトミックスジュース，トマトピューレー，トマトペースト，トマトケチャップ，トマトソース，チリソース，固形トマトをトマト加工品としている．トマト加工品については，公正競争規約も定められている．トマトケチャップを中心としたトマト加工品は，食生活の洋風化，嗜好の多様化の中で，その消費が大きく伸びてきた．

加工用トマト：生食用と異なってリコペン色素含量が多いため，赤色が濃い．栽培の多くは無支柱栽培である．以前は加工用のよい原料がなかったため，トマト製品には合成着色料による着色が行われたが，現在では着色は行われない．また，収穫期に完全に熟したものを短時間で処理するため，ビタミンCの破壊も少ない．

◇**成分特性** トマト加工品は100g当たり，水分が65〜87gと幅があり，水分の多いピューレーは特に保存しにくい．ビタミンとしてはプロビタミンA*のカロテンが豊富である．ナイアシン*も含まれる．ピューレー，ペーストではビタミンCも期待できる．ケチャップ，チリソースでは食塩が3〜3.3％含まれている．

◇**保存** ペーストやトマトソースは酸性であるため，缶詰製品などが残った場合はガラス容器に移し替えて冷蔵庫に保存する．密閉しておかないと上部が吸湿してカビが生える．ペーストも開栓後5日くらいの間に使いきった方がよい．味は，ケチャップでは開栓後キャップを固く閉めて，冷蔵庫に入れておけば数カ月は変わらない．粉末トマト製品は特に吸湿に注意する．ホールトマトやトマトピューレーは味付けされていないから，開栓後はなるべく早く使いきる．

ケチャップ類の風味：ケチャップ，チリソースなど，香辛料が多く加えられて調味されたものでは，食酢や香辛料の使い方で製品の良否が決まる．香辛料はたまねぎ，にんにくなど香味野菜のほか，こしょう*，タイム*，ベイリーブス*（ローレル），セージ*など多くの種類が使われる．各社で特徴を出すように独自の配合が工夫されている．

●**トマトケチャップ**

成 17036 英 tomato ketchup 別 ケチャップ

トマトピューレーに食塩，香辛料，食酢，砂糖，うま味調味料，酸味料，にんにく，たまねぎなどを加えて濃縮してつくる．日本農林規格（JAS）では，可溶性固形分は25％以上とされている．日本で初めてトマトケチャップが発売されたのは明治40（1907）年であるが，他の調味料と同じように，どこの家庭でも広く使われだしたのは1960年以降である．生産は関東，東海地方に集中している．トマト以外の野菜，果実が混ぜられたものはミックスケチャップと呼ばれる．

●**トマトジュース**

成 06185（食塩添加），06340（食塩無添加） 英 tomato juice

トマトの搾汁で，食塩を添加したものと添加しないものとがある．トマト加工品の表示に関する公正競争規約では，（ア）トマトを破砕して搾汁し，または裏ごしし，皮，種子等を除去したものまたはこれに食塩を加えたもの，（イ）濃縮トマトを希釈して搾汁の状態に戻したものまたはこれに食塩を加えたもの，をいう．

●**トマトスープ**

英 tomato soup

トマトピューレーに小麦粉，バター，食塩，粉乳，香辛料，たまねぎなどを加えて味付けしたもの．缶詰も製造されている．なお，手作りでは，生トマト（完熟）を使ったり，トマトジュースを利用することもある．スープの具も多様である．

●**トマトソース**

成 17037 英 tomato sauce

つぶして裏ごししたトマトを濃縮して，食塩，香辛料，食酢，糖類などを加えて調味したものをいう．日本農林規格*（JAS）では，可溶性固形分は

トマト加工品　左から：トマトケチャップ，トマトスープ（2倍濃縮），トマトピューレ，トマトペースト（平　宏和）

トマトジュース　左：食塩添加（低塩），右：食塩無添加（平　宏和）

ドライトマト（天日乾燥トマト）（平　宏和）

8％以上25％未満としている．ケチャップよりもさらっとした感じで味もさっぱりしている．

●トマトパウダー

英 tomato powder；powdered tomato

果汁を粉末としたもの．水分4～5％で吸湿性がある．主に加工食品の原料として粉末スープやドレッシングに使われる．

●トマトピューレー

成 17034　英 tomato puree

トマトをつぶして裏ごしし，2.5～3倍の濃度に濃縮したものである．日本農林規格（JAS）では，無塩可溶性固形分が8％以上24％未満としている．味付けはされていない．トマトケチャップの原料となるほか，トマト料理のベースとなる．

◇調理　トマトの味と香りだけを生かしてあるので，味付けは自由にできる．すべてのトマト料理のベースとして，煮込み料理やシチュー，パスタなどに広く使える．トマトソースをつくるときには，あらかじめピューレーを7～8分間煮て揮発酸をとばして，酸味を抜くことも行われる．

●トマトペースト

成 17035　英 tomato paste

トマトピューレーよりもさらに煮つめてペースト状にしたもの．真空で5～6倍まで濃縮したもので，日本農林規格（JAS）では，無塩可溶性固形分が24％以上と定められている．

●トマトミックスジュース

成 06186（食塩添加），06341（食塩無添加）　英 tomato juice mixed with other vegetable juices

トマト搾汁を主原料として，野菜類の搾汁などを加えたもので，食塩を添加したものと添加しないものとがある．トマト加工品の表示に関する公正競争規約では，（ア）トマトジュースを主原料とし，これにセルリー，にんじんその他の野菜類を破砕して搾汁したものまたはこれを濃縮したもの

を希釈して搾汁の状態に戻したものを加えたもの，（イ）トマトジュースを主原料とするもので，（ア）に食塩，香辛料，砂糖類，酸味料（かんきつ類の果汁を含む），調味料（アミノ酸等）等〔野菜類（きのこ類および山菜類を含む）以外の農畜水産物および着色料を除く〕を加えたものをいう．

●ドライトマト

成 06370　英 sun-dried tomato

トマトの乾燥品．主に缶詰用品種が使われ，二つ割りにしたトマトに塩を振りかけ，天日で乾燥する．そのままシチューに使ったり，水，食酢で煮たのち，湯を捨て，にんにく，唐辛子，ベイリーブスなどを加え，オリーブ油に浸し，貯えた油漬をサラダ，ピザ，パスタなどに使用する．加工された油漬びん詰も市販されている．

●ホールトマト

成 06184（食塩無添加）　英 whole tomato　別 トマトソリッドパック

トマトをそのまま，または二つ割り，四つ割りなどにして缶詰，またはびん詰としたものである．トマトジュースを加えたものもある．軟化を防ぐためにカルシウム塩が添加される．

◇調理　生食用トマトに比べ，加工用トマトは全体が赤くなり，しかも色素量が多い．また，種の部分が少ないので煮込み料理などに適している．缶詰やびん詰は季節に関係なく使えて便利であ

ホールトマト（平　宏和）

る．ピザソースなどを煮込むときは汁ごと入れ，実は手でつぶして入れる．ビーフシチュー，ミネストローネ（minestrone；イタリアの代表的野菜スープ），ミートソースなど利用範囲も広く，欠かせない素材となっている．

ドミグラソース　⇨デミグラスソース
とやまえび　⇨えび
ドライソーセージ　⇨ソーセージ
とらえび　⇨えび

ドラゴンフルーツ　上：レッドピタヤ，下：ホワイトピタヤ（平　宏和）

とらぎす　虎鱚

分 硬骨魚類，トラギス科トラギス属　学 *Parapercis pulchella*　英 harlequin sandsmelt　別 地 とらはぜ（関西，四国，九州など）；とらごも（鹿児島）；いもはぜ（広島）；いしぶえ（和歌山）　旬 6〜8月

全長20cm．体は赤褐色で，褐色の黄帯紋が数本，青色の側帯紋が1本ある．南日本，中国からインド洋の近海に分布し，浅い海の砂底に生息する．

● くらかけとらぎす
鞍掛虎鱚　学 *Parapercis sexfasciata*　英 grub fish　別 くらかけぎす　地 とうぐろ（東京）；とらはぜ（関西）；おきはぜ（高知）

全長25cm．割合に浅いところで獲れる．地色が黒ずんでいることで区別される．とらぎす類の中で最も多く，最も美味である．練り製品原料．

ドラゴンフルーツ

成 07111（生）　分 サボテン科ヒモサボテン属ほか（多年生多肉草本）　学 *Selenicereus undatus*（ホワイトピタヤ），*S. costaricenis*（レッドピタヤ），*S. megalanthus*（イエローピタヤ）　英 dragon fruit；pitaya　別 ピタヤ

ピタヤは柱サボテン類（*Selenicereus*）の果実の総称．ピタヤはスペイン語で，日本ではドラゴンフルーツの名で販売されることが多く，『食品成分表』でもその名で収載されている．南部メキシコからエルサルバドル一帯が起源とされているが，近年ではベトナムでの栽培が盛んで周年で栽培されている．わが国へも主にベトナム産が輸入されており，国内では沖縄や鹿児島で栽培されている．流通量が多いのはホワイトピタヤで果実は長楕円形で横径7cm，長径10cm程度であり，果皮は明るい紫色で，幅の広い鱗片で覆われている．果肉は果汁に富み白透色で，多くの黒ごまのような種子がある．スプーンですくって食べる．糖度は低いが，上品な甘味がある．カリウムを豊富に含む．ピタヤの種類によって，鱗片の形態も果皮・果肉の色も多様である．花は園芸観賞用として白蓮閣の名でも栽培されている．

◇加工　紫色の果皮を利用してパイやキャンデーの色付けに利用される．ジュースにもよい．

とらふぐ　⇨ふぐ

どらやき　銅鑼焼き

成 15027（つぶしあん），15156（こしあん）
英 Dorayaki；（a pair of baked round sweet dough filled with An）

小麦粉に鶏卵，砂糖および少量の重曹（炭酸水素ナトリウム*）を加えて焼いた2枚の皮で，軟らかいあずきつぶしあん（餡）をはさんだ焼き菓子である．

◇由来　起源は江戸時代の元禄年間（1688〜1704）に日本橋大伝馬町の菓子屋「梅花亭」の創製であるといわれている．2枚の皮を合わせた形が，銅鑼に似ているところから，銅鑼焼きの名が付いたという．昔のどらやきは，あんに小麦粉をねった皮の生地を，天ぷらの衣のようにつけてから焼いていたが，現在では皮を初めに焼いてから，あんをはさむ．また"三笠山"の商品名で売られているものもあるが，これもどらやきの一種である．阿倍仲麻呂が唐に渡り故郷を偲んで詠んだ「天の原ふりさけみれば春日なる　三笠の山に出でし月かも」によせて，満月の形を表し，この名称が付いた．

◇原材料・製法　皮の基本配合は，小麦粉100，鶏卵100，砂糖100の割合が一般的である．あんは砂糖の割合が多く，軟らかめのあずきつぶしあんを用いる．皮の製法は鶏卵をほぐしてから，

どらやき（平　宏和）

上：ドリアン，下：ドリアン（果肉部）（平　宏和）

ふるいを通した砂糖を加えてよく混合する．次に水溶きした重曹とふるいを通した小麦粉を加えて，かたまりにならないように軽く混合する．皮種をしばらくねかせた後，平鍋の上に円形になるように流して焼き上げる．表面が乾いたら，金べらで裏返して軽く焼き上げる．皮が完全に冷めないうちに，2枚の皮で，別に用意したあずきつぶしあんをはさんで仁上げる．どらやきの特徴は，表面が均一にきつね色に焼き上がり軟らかで風味のある皮と，なめらかでつやのあるあんがよく調和のとれたところにある．

ドリアン

成 07087（生）　分 アオイ科ドリアン属（常緑性高木）　学 *Durio zibethinus*　英 durian

ボルネオ，西部マレーシア原産で，東南アジアの赤道付近で栽培されている．果面に剛健な棘を持つ威容から，古くから"果実の王"とされてきた．ドリアンの duri はマレー語で棘の意である．土着の品種は多く，品種により品質が異なる．果実は 1〜3 kg で，外皮は厚さ 1 cm ほどの軟らかい革質であり，鋭い棘に覆われている．果肉にはチーズとバナナを混ぜたような特有の強い臭気があり，食べ馴れない人には苦痛さえ与える．しかし異臭の中に香気があるともいわれ，評価は極端に分かれる．果実は 5 片に分かれ，各片に 2〜6 個の種子を包む乳白色の肉塊が詰まっている．肉質は粘質で，甘味があるが，酸味はなく生クリームに似ている．異臭は果皮の内壁から発生する硫化水素とジアルキルポリスルフィド類で，非常に強い臭気を放つため，産地に近い地域の一部のホテルでは，ドリアンのホテル内への持ち込みを禁止する所もある．

　産地：タイ，マレーシア，インドネシア（スマトラ，ジャワ）などに多く産する．産地での人気は高く，収穫時には街のあちこちにドリアン売りの屋台が出る．木で熟して自然に落ちたものでないと食味は劣り，落果後3日以内が一番美味である．最近ではわが国でも輸入が多い．

◇**成分特性**　可食部は 20〜25% である．果皮を除いた輸入冷凍品で，成分は 100 g 中，水分 66.4 g と，果実としては少なく，利用可能炭水化物*（差引き法）が 25.5 g，食物繊維が 2.1 g 含まれている．たんぱく質（アミノ酸組成）* 2.3 g，脂質（TAG 当量）* 2.8 g も多い．ビタミンはいずれも多く，C は 31 mg 含まれている．また種子は栗ほどの大きさで，でん粉，ビタミン，無機質に富み，食用となる．

◇**調理**　熟果内の果肉を生食するのが普通であるが，ジャム，羊羹のような砂糖菓子，アイスクリーム，缶詰などとして利用する．

とりがい　鳥貝

成 10303（斧足 生）　分 軟体動物，二枚貝類（綱），ザルガイ科トリガイ属　学 *Fulvia mutica*　英 egg-cockles　旬 冬〜春

殻は薄く，形は左右がふっくらとして丸形に近い．殻表の放射肋は殻皮が毛状に立っている．内側は紅紫色，足は長く黒灰色をしている．春秋 2 回産卵する．肉は軟らかく味がよい．とりがいの名の通り鳥肉に似ているといわれる．また，とがってくの字型に曲がった足の形からという説もある．黒灰色の足は"おはぐろ"とも呼ばれ，すし種となる．東京湾以西の内海の水深 10〜30 m の砂泥底に棲む．

◇**成分特性**　産地でむき身にされ，足部筋肉のみ市販されているので，一般には殻付きの姿をみることはない．これは消化管内に泥が含まれ，内臓は泥くさいからである．足部の表皮は茶褐色の色彩があり，筋繊維が他の貝と異なり，すし種として重宝されている．成分としては，ばかがいと比較すると水分が少なく，たんぱく質，炭水化物が

とりがい（平　宏和）

黒トリュフ（市販品）（平　宏和）

多い．しかしビタミン類は少ない方である．コレステロールの含量 22 mg は二枚貝の中で最も低い方であるが，プロビタミン D* はかなり含有されている．

◇調理　紫黒色の足の部分をすし種に用いる．肉厚のものが甘くて美味．筋肉のシコシコした歯応えが特色で，加熱すると硬化する．酢の物もよい．

トリュフ（黒）

分 子嚢菌類セイヨウショウロタケ科セイヨウショウロタケ属（きのこ）　学 *Tuber melenosporum*　英 truffle　別 トリフ；西洋しょうろ

キャビア，フォアグラと並んで世界の三大珍味といわれ，フランスが世界に誇る高級珍味である．ナラ属やヘーゼルナッツの木の根に共生して，地下で子実体*を形成する．この仲間は世界各地に分布するが，食材として珍重されるのは，フランスからイタリアの石灰岩地帯にかけてのものである．人工栽培できないと言われていたが，ニュージーランド，オーストラリアにはナラ類やヘーゼルナッツの木とともにトリュフの菌株が持ち込まれ，栽培にも成功し，市販品が出回るようになっている．また，スペインでも栽培に成功したとされる．直径数 cm～10 数 cm で，表面色は黒から褐色である．黒いものの方が品質がよい．いくつかの品種が知られているが，フランスのペリゴール地方で産出するものが高品質として高く評価されている．地下にあるものを，訓練した雌豚あるいは犬が，その香りで探すことで有名であり，近年では犬をトリュフ探索用に訓練し，トリュフ探索犬として高価で取引きされている．日本でも近縁の種アジアクロセイヨウショウロ（*Tuber himalayense*）が見つかっており，ヨーロッパ産の黒トリュフと同様の香りがあるため，トリュフ代替品としての活用が見込まれているが，日本ではまだそれほど知名度が高くないためか，市場で流通するには至っていない．

◇成分特性　特有の香りは α-アンドロステロールである．

◇調理　香りが命であるので，新鮮なうちに味わう．特に脂肪と相性がよく，芳香を付け，味を引き立たせる効果がある．使用時は，ぬるま湯に浸して表面についている土を除き，水ですすぎ，乾かしてから調理する．スープの実，ソースの香り付け，サラダやオードブルなどに用いられる．高級トリュフをパスタの上に生のままスライスして食するのが有名である．

トリュフ（白）

分 子嚢菌類セイヨウショウロタケ科セイヨウショウロタケ属（きのこ）　学 *Tuber magnatum*

南ヨーロッパ，特にイタリア北部のピエモント州やマルケ州で見られる白色系のトリュフの一種である．ナラ類，ヘーゼルナッツの木，ポプラ，ブナなどの根に共生する菌根菌で，きのこは秋に採れる．内部はクリーム色から褐色で白く霜降り状になっており，大きなものでは直径 12 cm，重さ 500 g にも達するが，通常はもっと小さい．世界で最も高価なきのことして知られ，2001 年では，1 kg 当たり，20～50 万円程度で売買されていた．特に大きなものは，オークションに掛けられ，2007 年には，1.5 kg という大きなものが，最高 3000 万円以上で落札された例がある．イタリアでは各地でトリュフフェスティバルが開かれているが，中でもマルケ州のアックアラーニャで開かれるトリュフフェスティバルが有名である．アックアラーニャ近辺では，さまざまなトリュフを採取することができ，2 月には黒トリュフ，7 月にはサマートリュフ（*Tuber aestivum*）のフェスティバルが開かれるが，最も重要で大きな催しは 10

日本の白トリュフ（ホンセイヨウショウロ，野生）
（山中　高史）

月の終わりに約2週間にわたって開かれる白トリュフフェスティバルである．日本でも，よく似たきのこが見つかっており，ホンセイヨウショウロ（*T. japonicum*）と名付けられているが，今のところ，黒トリュフ（アジアクロセイヨウショウロ）ほど多くは産しないようである．

◇**成分特性**　黒トリュフとは異なり，2,4-ジチアペンタンが主成分であり，かなり強い匂いがある．玉ねぎが腐った匂いに似ていると比喩されることもある．

トルココーヒー　⇨コーヒー

ドレッシング

英 salad dressing

狭義には食酢とサラダ油を混合した前菜やサラダなどにかけるソースの一種．このいわゆるフレンチドレッシング（酢油ソース，ソース・ビネグレット）を単にドレッシングと呼ぶが，広義にはマヨネーズ*も含めてドレッシングといっている．

◇**種類・分類**　日本農林規格*（JAS）では，ドレッシングを食用植物油脂および食酢もしくは柑橘類の果汁に食塩，糖類，香辛料等を加えて調製し，水中油滴状に乳化した半固体状もしくは乳化液状の調味料，または分離液状の調味料であって，主としてサラダに使用するもの，ならびにこれにピクルスの細片等を加えたものと定義している．つまり，マヨネーズもドレッシングの一つである．さらに，ピクルスなどを加えたサンドイッチスプレッドのようなものも含まれる．ドレッシングは，乳化液状のもの（乳化型），分離液状のもの（分離型）および半固体状のものに分けられる．

乳化型ドレッシング：乳化液状で，粘度30Pa・s未満のもの．放置しておいても分離しない，とろりとしたタイプのドレッシングで，クリーミータイプとも呼ばれる．これはスパイスや食塩，砂糖などを食酢と混合し，これにサラダ油と卵黄などを加え，ホモゲナイザーにかけて十分に混合させて乳化してつくる．

分離型ドレッシング：乳化状態ではなく，振ったあとにすぐ分離してしまうフレンチドレッシングタイプのものである．分離型ドレッシングには，フレンチドレッシング，イタリアンドレッシング，和風ドレッシングなどがある．

半固体状ドレッシング：粘度が30Pa・s以上のもので，水分，油脂含量率および原材料の規定によりマヨネーズ，サラダクリーミードレッシングおよびそれ以外のものに分類される．

◇**成分特性**　約50％が水分で，乳化型の方が分離型に比べて水分が多い．脂質は約40％，分離型の方がやや多い．ノンオイル型は脂質が含まれない分，水分は多い．香辛料，調味料の種類や量によっていろいろのタイプがあるが，成分には大きな差異はない．たとえば，フレンチドレッシングの成分は，JASの乳化液状および分離液状ドレッシングとして，水分85％以下，油脂10％以上とし，性状，原材料，食品添加物*などの規定がある．食塩は3～4％，酸は0.8～1.3％である．

◇**調理**　酸味がマヨネーズより強いものが多いので，野菜サラダやフルーツサラダに向く．イタリアンドレッシングは，にんにくの香りが効いていて，魚のフライ，焼き肉などにかけてもよい．甘口のものには，フレンチドレッシングにはちみつを加えたハニードレッシングがある．そのほか，ヨーグルト，カレー粉，生クリーム，マヨネーズ，わさびなどを混ぜると好みのものができる．※家庭でつくるときは，必要な量を毎回つくるのがよい．冷蔵庫で保存し，市販のものも，口をあけたら，なるべく早く使いきる．

手づくりのドレッシング：ドレッシングビネガーの代わりに，市販のピクリングスパイス（各種スパイスを混合したもの）を漬けたりんご酢を利用してもよい．油は新しいクセのないものを使う．

●**イタリアンドレッシング**

英 Itarian dressing

分離型ドレッシング（フレンチドレッシング）におろしにんにくを加え，マスタード，たまねぎのみじん切りなどを混ぜ合わせてつくる．主に野菜サラダに用いられる．

●**ごまドレッシング**

成 17117（乳化型）　英 sesame dressing

白ごまを原料として，食酢，食塩，砂糖などを加

左：イタリアン，中：分離型ドレッシング（フレンチ），右：乳化型ドレッシング（サウザンアイランド）
（平　宏和）

えたドレッシング．食用油脂を加えた乳化液状ドレッシング（クリームタイプ）と，食用油脂を使用しない，ドレッシングタイプ調味料（ノンオイルドレッシング）とがある．『食品成分表』にはクリームタイプが記載されている．クリームタイプ製品では，100g当たり脂質（TAG当量）*含量は（37.1）gであるが，ノンオイルドレッシングでは，原材料に食用油脂を使用していないので，原料のごまに由来する脂質3g未満を含む．ごまに由来するカリウム，カルシウムなどのミネラルを含む．

●サウザンアイランドドレッシング
成 17041（乳化液状）　英 thousand island dressing

マヨネーズを中心として，トマトケチャップ，たまねぎ，きゅうりのピクルス，ゆで卵のみじん切りなどを加えたドレッシング．米国で発達したもので，細かく刻んだ材料を1,000の島に見立てて名付けられた．主として野菜サラダに用いられる．

●ドレッシング・ビネガー
英 dressing vinegar

りんご酢やぶどう酢に食塩，砂糖，香辛料，うま味調味料，ワインなどを配合した製品である．好みの量のサラダ油と混ぜるだけで，香りのよいドレッシングができる．

●ドレッシング・ミックスタイプ
英 mixed type salad dressing

ミックスタイプのものとして，イタリアンなど洋風をはじめ，和風，中華風のものなど，工夫を凝らした多種多用な製品が多く出回っている．和風ドレッシングは，しょうゆで味付けしたり，しそなどの和風ハーブで風味付けしている．中華風ドレッシングはごま油を使って中華風味を出している．また，低エネルギーに仕上げたノンオイルのものも多い．

●フレンチドレッシング
成 17040（分離液状），17149（乳化液状）　英 French dressing　別 オイルアンドビネガータイプドレッシング

分離型ドレッシングの代表で，オイルアンドビネガータイプともいう．これはドレッシングの基本であって，酢と食用油とを混ぜ，少量の食塩，こしょうを加えたものである．酢1に対して油1～2の割合が標準とされる．そのほか，ガーリック，辛子，トマトケチャップなどを加えた製品もある．乳化液状のものも市販されている．

●和風ドレッシング
成 17116（分離液状），17039（ノンオイル）　英 soy sauce based dressing

原材料としてしょうゆ，昆布だし，かつお節エキスなどの和風の食材を使用した分離状ドレッシング．成分は100g当たり酢酸0.9g，水分は約70%，脂質（TAG当量）*は（14.0g）で，しょうゆのこくとだしのうま味が特徴である．酸味はフレンチドレッシングよりも少ない．原料に食用油脂を使用しないものは，和風ドレッシングタイプ調味料（和風ノンオイルドレッシング）と呼ばれる．

ノンオイルドレッシングは，主原料は醸造酢，砂糖，しょうゆなどで，食用油脂は使用していない．ドレッシング類の表示に関する公正競争規約では，製品100g中の脂肪量0.5g以上3g未満のものについてノンオイルドレッシングまたはこれに類似する用語を表示する場合は，「原材料に食用油脂を使用していない」旨および「含有脂質は原材料の○○等に由来するものである」旨の表示を行うものとする，としている．

 トレビス

成 06187（葉 生）　分 キク科キクニガナ属（多年生草本）　学 *Cichorium intybus*（キクニガナ）
英 red chicory；radicchio
別 トレビッツ；赤芽チコリー；レッドチコリー；ヴェローナ（長頭形）

レッドチコリーとも呼ばれ，イタリアの野菜である．日本名のトレビスは Radicchio di Treviso と呼ばれる品種名に由来する．Treviso（トレビソ）はイタリア北東部の地名．チコリーと同種であるが，チコリーが萌芽を食用とするのに対し，トレビスは結球した葉を食用とする．葉色は赤色である．1980年代に輸入された新野菜の一つで，長

トレビス（平　宏和）

頭形のものはヴェローナの名で出されている．ヴェローナはイタリアの品種名のRossa di Veronaに由来する．Verona（ベローナ）はイタリア北東部の地名．葉身は紫色，中肋（葉の中央の筋）・葉脈は白色で，葉には苦味がある．
◇**成分特性**　赤色はアントシアン色素でカロテノイド*ではないので，カロテン，またビタミンCの含量も低い．やや苦味がある．
◇**調理**　彩りがよいので，サラダにしたり，料理の下に敷いたりする．

ドロップ

成 15110　英 drop

砂糖，水あめを主原料としてつくった菓子をキャンデーと総称し，ドロップはこれを140〜150℃の高温に煮つめたハードキャンデーの一種である．最も一般的なものは，種々のフルーツの香りと色を付けた酸味のあるフルーツドロップである．そのほかに，はっか（ミント）やチョコレートを練り込んだものもある．またあめの風味を増すために，天然果汁を練り込んだり，液状のジャムや洋酒などをあめで包んだ高品質なものもつくられている．
◇**製法**　まず主原料の砂糖と水あめを煮つめる．煮つまったあめを冷却盤にとり出し，着色料，香料，クエン酸，酒石酸*などの酸味料を加えてよく混合して，80℃程度に冷やす．これを，製品の型を彫刻した砲金（銅90%，スズ10%内外からなる合金）製のローラーに通して型抜きし，冷風を送って十分に冷却する．1粒ずつ包装しない場合は，コーンスターチとぶどう糖の混合粉末をかける．ドロップは砂糖のみでつくると結晶が発生しやすくなり，保存がきかない．水あめを加えると，結晶を防止して，製品に粘りを与えることができる．

ドロップ（平　宏和）

とろろいも　⇒やまのいも（ながいも）

とろろ昆布

成 09021（削り昆布）　英 Tororo-kombu；(shaved kombu)

削り昆布の製品の一つ．まこんぶやしりこんぶ等を原料とし，酢で前処理した原藻を何枚も重ねて圧搾し，固形状にしたものをこんぶ削り取り機にかけ，糸状に削り取ったもの．こんぶ全部を削った黒とろろ，黒おぼろを削った残りの芯（白板昆布）を削った白とろろがある．白とろろは，白おぼろに使用できなかった裁ち屑等を用いてもつくられる．

とろろ昆布（平　宏和）

どんこ　⇒ちごだら，はぜ，しいたけ

とんし　豚脂

成 14016（ラード）　英 lard　別 ラード

豚の脂肪組織を加熱溶解して精製した動物脂．日本農林規格*（JAS）では食用油脂のうちの精製（脱酸，脱色，脱臭等）した豚脂または精製した豚脂を主原料としたものを急冷，練り合わせ等を行い製造した固状または流動状のものと定めている．しかしこの規格では，豚脂とは豚の脂肪組織から分離した油脂か，他の組織などから分離した油脂であるのかについては定義していない．精製

豚脂（ラード）（平　宏和）

ラードのうち，精製した豚脂のみを使用したものは純製ラードとし，精製した豚脂が主原料である食用油脂を使用しているものを調製ラードという．国際食品規格では，豚の脂肪組織から分離した油脂をラードといい，豚脂は豚の組織と骨から溶かして得られる脂肪である．中国，米国，ブラジル，ドイツが主生産国である．

製油：融出法により採油．乾式と湿式がある．湿式の方が油脂の風味，色，安定性が優れている．
◇成分特性　『食品成分表』では，100g 当たりラードの脂質（TAG 当量）*は 97.0 g．脂肪酸組成は，パルミチン酸 25.1％，ステアリン酸 14.4％，オレイン酸* 43.2％，リノール酸* 9.6％，α-リノレン酸* 0.5％である．牛脂よりもリノール酸とα-リノレン酸が多い．ビタミンEはわずかに含むが，牛脂よりも少ない（付表6，7）．100 g 当たりのビタミンKも 7μg と牛脂より少なく，コレステロール量は牛脂と同じで，100 mg である．

理化学特性：日本農林規格（JAS）による純製ラードは，酸価 0.2 以下，ヨウ素価* 55 以上 70 以下，ボーマー数 70 以下であることとしている．調製ラードは，酸価* 0.2 以下，ヨウ素価 52 以上 72 以下，融点 43 ℃以下としている．一般には，融点 28～48 ℃，引火点 215 ℃，燃焼点 242 ℃である．
◇保存・加工　他の食用油脂と同様，保存には酸化防止のための配慮を必要とする．
　加工：他の油脂との配合において，マーガリンやショートニングに加工し用いられることもある．
◇調理　牛肉料理に牛脂（ヘット）を用いるのと同様，豚肉を豚脂（ラード）で揚げると味の調和がとれてよい．豚肉には脂肪が多いので，中国料理では使用のつど，刻んだ脂身を加熱して直接ラードをとる．こうしてとったラードはあまり長期間の保存はできない．※融点が低く，冷えて固まっても口中の温度で融けるので，フライの揚げ油に使うことができる．植物油を用いたフライより衣はやや重く，しっとりとしたものになる．

豚足　⇨ぶたの副生物
豚トロ　⇨ぶた

とんぶり

成 06188（ゆで）　分 ヒユ科バッシア属（1年生草本）　学 *Bassia scoparia*（ホウキギ）　英 summer cypress seeds　別 ずぶし；ねんどう；ほうきんの実　旬 9月

ほうきの材料に用いるホウキギの熟した子実である．乾燥して蒸し煮したものが流通している．秋田地方の特産品．その歴史は徳川時代といわれているが，明らかではない．本格的に栽培されたのは昭和 25（1950）年以降とされている．ホウキギの若葉も浸し物や天ぷらとして利用される．とんぶりは，その形状と歯触りがキャビアに似ていることから，ジャパニーズキャビア，和製キャビアとも呼ばれる．また，畑の数の子の名もある．
◇調理　生のとんぶりは9月頃出回り，それ以外は乾燥貯蔵あるいは茹でた種子を水切りした後，びん詰または，袋詰され市販されている．パラパラしているので，粘りのあるやまのいも，納豆，なめこ，オクラなどに混ぜると食べやすい．洋風には，ポタージュの浮き身として，また，ひき肉料理やサラダの中に入れて用いる．

とんぶり（平　宏和）

な

ナーベラ　⇒へちま
ナイルティラピア　⇒ティラピア

 ながさきはくさい　長崎白菜

成 06189（葉生），06190（葉ゆで）　分 アブラナ科アブラナ属（1年生草本）　学 *Brassica rapa* var. *glabra*　英 Nagasaki-hakusai　別 地 とうな（唐菜：九州）

古くから長崎地方で栽培されていたのでこの名がある．漬物に利用される漬け菜の一種．唐菜が示すように，江戸時代に中国から長崎地方に伝えられたものである．葉がちりめん状に縮れ，中肋（葉の主脈）は広く多肉で独特の白さがあり半結球である．関東地方で栽培される縮緬（ちりめん）白菜（唐人菜ともいう）や彦島春菜も近縁である．

◇調理　漬物に加工されるが，鍋物や，茹でて食べるのもよい．

 なぎなたこうじゅ　薙刀香薷

成 16061（浸出液）　分 シソ科ナギナタコウジュ属（1年生草本）　学 *Elsholtzia ciliata*　別 セタエント

なぎなたこうじゅは，シソ科ナギナタコウジュの茎葉および花の浸出液である．食品成分表には，2020年版（八訂）でアイヌ民族の伝統食として収載された．アジアの温帯地域に分布し，日本では北海道から九州にかけての道端や山道に生育している．草丈は60cmになり，紫色の花の穂が反り薙刀（なぎなた）に似ているのが名前の由縁である．開花期に地上部の全草を刈り取り，風通しのよいところに吊して陰干ししたものは，生薬の「香薷（こうじゅ）」として用いられ，解熱，利尿，発汗促進等に効能があるとされる．アイヌ民族ははナギナタコウジュを「セタエント」と呼び，刈り取って乾燥させたものを煮出して茶のように飲用していた．

 なし　梨

成 07088（生），07089（缶詰）　分 バラ科ナシ属（落葉性高木）　学 *Pyrus pyrifolia* var. *culta*　英 Japanese pears　別 和なし；日本なし

わが国のなし（梨）は正式には日本梨といわれる．原産地は日本中部以南と中国の揚子江沿岸である．原生種には枝に棘のあるものが多い．最古の梨栽培の記録は『日本書紀』（720年）で，これより以前から栽培されていたと考えられている．ナシ属（gen. *Pyrus*）には，日本梨，中国梨，西洋梨の3種を含み，性状も大きく異なるので別途に扱われる．英語のpearは西洋梨を指す．

◇品種　19世紀前半の嘉永年間までに150種があり，明治に入って全国的につくられた品種も100種に及ぶ．明治40（1907）年頃から長十郎が全国的に普及した．同時に二十世紀，晩三吉（おくさんきち）が栽培されるようになった．大正年代には長十郎と二十世紀が代表品種となり，今日まで続いている．その後，農林水産省を中心に新品種の育成事業が活発に行われるようになり，長十郎より品質が優れ収穫時期を考慮した新品種，早玉（はやたま），幸水，新水（しんすい），豊水などが育成され，現在の主要品種となった（表1）．梨は外観から青梨と赤梨に区分することもある．果面が茶褐色のものを赤梨（幸水，長十郎，新水，新高（にいたか），豊水など）と呼び，緑色がかったものを青梨（二十世紀，八雲，菊水など）と称している．主要品種には，次のようなものがある．

あきづき：赤梨．（独）農研機構果樹研究所（現・農研機構果樹茶業研究部門）で母本「新高×豊水」・父本「幸水」の実生から育成され，平成13（2001）年に品種登録された．中生の大果品種．

晩三吉（おくさんきち）：赤梨．新潟県で江戸時代末期に「早生三吉」の自然交配による実生から育成されたといわれている．晩生の大果品種．

幸水（こうすい）：赤梨．農林省園芸試験場（現・農研機構果樹茶業研究部門）で母本「菊水」・父本「早生幸蔵」の実生から育成され，昭和34（1959）年に品種登録された早生種．果肉は柔軟・多汁．早生なしの代表品種となっている．

新興（しんこう）：赤梨．新潟県農事試験場（現・新潟県農業総合研究所）で「二十世紀」の自然交雑の実生から育成され，昭和16（1941）年に品種登録された晩生の大果品種．その後の遺伝子解析から，父本は新潟に江戸時代からある「天の川」の可能性が高い．

南水（なんすい）：赤梨．長野県南信農業試験場で母本「越後」・父本「新水」として平成2

表1 日本梨の代表品種の収穫期（神奈川県内）

収穫期		品　種
7月下旬		早玉
		長寿
8月上旬		新水，君塚早生
		多摩，市原早生
	中旬	八雲，石井早生，八幸
		幸水，雲井
	下旬	新世紀，翠星，早生二十世紀
		早生幸蔵
9月上旬		長十郎，千両，旭
	中旬	二十世紀，豊水，幸蔵
		菊水，旭竜
		早生赤，今村夏
	下旬	今村秋，新高
		明月，北甘
10月上旬		世界一，新興，八千代
		天の川
	中旬	初霜，国富
		伯帝龍，国長
	下旬	大広丸
		土佐錦
11月上旬		晩三吉
		横越

注：赤字は生産量の多い品種
（梶浦一郎氏資料を一部改変）

(1990)年に品種登録された中生種．

　新高（にいたか）：赤梨．神奈川県農事試験場（現・神奈川県農業技術センター）で昭和2（1927）年に命名された晩生の大果品種．母本「天の川」・父本「今村秋」とされていたが，その後の遺伝子解析から，母本「長十郎」・父本「天の川」の可能性が高い．果皮は淡黄褐色，果肉は柔軟・多汁で甘味が強い．

　二十世紀（にじっせいき）：青梨．明治21(1888)年，千葉県松戸市の松戸覚之助が偶発実生として発見し，明治31（1898）年に「二十世紀」と命名された．果皮は黄緑色，果肉は柔軟・多汁で甘味・酸味も適当で，外観・品質がよい．

　豊水（ほうすい）：赤梨．農林省果樹試験場（現・農研機構果樹茶業研究部門）で母本「り-14」・父本「八雲」として昭和47（1972）年に品種登録された中生種．その後の遺伝子解析から母本「幸水」・父本「イ-33」の可能性が高い．肉質は幸水と同程度．

◇**産地**　なしは九州から北海道まで広く栽培されている．このように栽培域が広いので，同じ品種でも地域により熟期が大きく異なり，出荷調整に一役買っている．

◇**栽培**　**袋掛けと無袋栽培**：袋掛けによる栽培が多く，多大の労力を必要とするが，病虫害の軽減や外観の保持のうえで欠かせない．病虫害防除や価格の点で問題点も残されているが，無袋栽培も行われる．また，栽培上の大きな難点は受粉作業に多くの労力を要することである．

◇**成分特性**　梨果肉にはザラザラした感触があるが，これは石細胞*によるものである．

　日本なしは果肉100g中，水分は88.0g，利用可能炭水化物*(質量計)8.1g，食物繊維0.9gである．主成分は糖類である．糖含量は品種により差異があり，豊水12g，長十郎11g，二十世紀は10g前後のものが一般的である．糖組成は品種により異なるが，一般にはしょ糖が最も多く，次いで果糖，ソルビトール，ぶどう糖の順に含まれる．また，ソルビトールが多いは，バラ科の果実の特徴である．西洋梨は果糖が最も多く，中国梨はしょ糖が非常に少ない．葉から果実への移行は，ソルビトールおよびアルブチン（ヒドロキノンとぶどう糖の配糖体*）の形で大部分行われる．日本梨の酸は0.2g内外含まれ，リンゴ酸*が主で全酸の90％を占め，そのほかクエン酸が含まれる．ビタミン類は少なく，特にCは少ない．真夏から初秋の果物として，爽快な甘味，肉質および風味がある．梨特有の香りは，ギ酸イソアミル，酢酸イソアミルなどのエステル*である．アミノ酸はセリンとアスパラギン酸が非常に多い．

◇**保存**　低温貯蔵の適適湿度は，2～5℃，90％で，晩三吉，王秋などの品種によっては3カ月程度貯蔵できる．普通の品種では30日程度が限度である．厚手のポリ袋で包装して低温貯蔵すると長期間保存できる．また，30℃以上の高温下で保存すると，新水などの品種は生理障害としての黒変現象を起こし，外観を著しく損なうので注意する．

◇**加工**　梨の加工品としては果肉の缶詰とネクターが主であるが，生産量は非常に少ない．缶詰は果皮をアルカリ剥皮または刃物で剥ぎ，果心部を除き糖液とともに密封，殺菌してつくる．ネクターは果肉からピューレーを得，水で希釈し，甘味料，香料などを加えて調製し，殺菌，密封する．梨の飲料の製造に当たっては石細胞を除く工程が重要である．また梨は香気が少ないので，しばしばほかの果実と混合する．

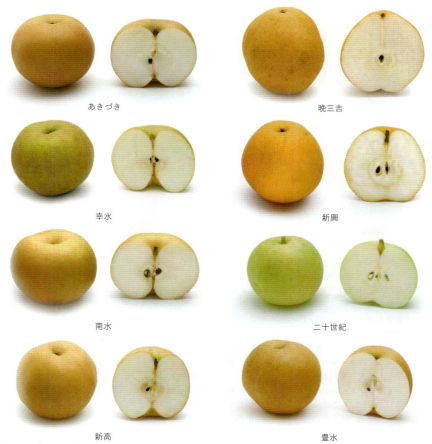

あきづき　　　　　　晩三吉

幸水　　　　　　　　新興

南水　　　　　　　　二十世紀

新高　　　　　　　　豊水

各種なし（平　宏和）

●西洋なし

成07091（生），07092（缶詰）　学 Pyrus communis var. sativa　英 pears　別 洋なし

温帯果樹の中では最も古い栽培の歴史を持っており，ローマ帝国時代に欧州西部，中部，北部に伝わり，その後各国に広まった．特にフランスは栽培適地であるところから，世界に先がけて品種改良が行われた．現在では米国，英国で栽培が盛んである．わが国に入ったのは明治初期であるが，現在でも生産量は少ない．

◇品種　フランス原産のラ・フランス（10月中旬収穫，果重250g）とル・レクチェ（10月下旬収穫，果重250〜400g）英国原産のバートレット（8月下旬収穫，果重170g）がわが国の主な品種である．果形は長瓶状（バートレット）からや球形に近い瓶状（ラ・フランス）など，変化がある．

ゼネラル・レクラーク（General Leclerc）：フランスで昭和25（1950）年に発見された高級品種「ドワイエネ・デュ・コミス」の自然交雑の実生から育成された．果皮は黄緑色の大型品種．

マックス・レッド・バートレット（Max Red Bartlett）：米国ワシントン州で昭和13（1938）年に発見された「バートレット」の枝変わりから育成された品種．日本には昭和28（1953）年に導入された．追熟後の果皮は紅色に着色する．

マルゲリット・マリーラ（Margeritt Marila）：フランスのリヨン郊外で明治7（1874）年に発見

ラ・フランス　　　　　　　　　ゼネラル・レクラーク

マルゲリット・マリーラ　　　　マックス・レッド・バートレット

西洋なし（平　宏和）

された品種．品種名は発見者の名前に由来する．果皮は黄色の大型品種．

　ラ・フランス（La France）：フランスで1864年にクロード・ブランシュにより発見された品種．日本には明治36（1903）年に導入された．外観はよくないが，香り・味ともに最高といわれ，日本における西洋なしの代表品種．

　ル・レクチェ（Le Lectier）：ル・レクチェは1889年頃にフランスで発表された品種で，日本には明治36年頃，新潟県の民間人によって導入された．

◇**産地**　山形，青森，新潟，長野が主産地である．
◇**成分特性**　100g中，水分84.9g，利用可能炭水化物*（質量計）(9.2)g，食物繊維1.9g，糖類約12g（そのうち約50％が果糖で，そのほかしょ糖，ソルビトール），および少量のでん粉を含む．

西洋なし　缶詰（平　宏和）

酸は0.4gで，リンゴ酸*が全般の65％前後を占め，次いでクエン酸，キナ酸などを含む．香気の主成分は2,4-デカジエン酸のメチルエステルで，そのほかアルコール，エステル*などを含む．肉質は緻密で特有の芳香があり，食味は果実中最高と賞する人が多い．

　追熟*：樹の上では完熟しないので，採取後追熟して食用とする．追熟の適温は15〜21℃，湿度80〜85％で，1〜2週で熟する．追熟前，1〜4℃で1週間ほどおくと均一に追熟する．追熟により果実は黄化，でん粉は糖化し，果肉は軟らかくなり食味が向上する．

◇**保存**　長期貯蔵を行うときは採取後，直ちに冷蔵する．冷蔵の最適温度は-1℃，湿度85〜90％で，バートレットでは2，3カ月の貯蔵が可能である．

◇**加工**　缶詰は適熟果の果皮をはぎ，芯を除いて整形，肉詰めし，糖液を加えて密封・殺菌する．未熟果はフェノール成分が多く，加工中に褐変したり，変色するので不向きである．

●**中国なし**

成 07090（生）　学 *Pyrus bretschneideri*　英 Chinese pears

中国原産の梨．わが国への導入は明治初期から大正にかけてである．品種として，鴨梨（ヤーリー），慈梨（ツーリー），紅梨（ホンリー）などがある．形は西洋梨に似て，下ぶくれをしている．果肉は軟らかく多汁で，甘味が強い．特有の芳香がある．

慈梨（ツーリー）（平　宏和）

収穫期は10月であるが，しばらく貯蔵した方が香りが増す．

慈梨（ツーリー）：中国山東省莱陽県の原産で，日本には大正元（1912）年に導入された．果皮は黄緑色で香り，甘味ともに強い．

鴨梨（ヤーリー）：日本への導入は，ツーリーより早く，明治元（1868）年とされる．果形は洋梨型で，「香りの梨」と呼ばれるほど強い香りをもち，果皮は黄色．果肉は柔軟だが石細胞*も多く，シャリシャリとした食感をもつ．多汁で甘酸っぱい味である．

◇**成分特性**　100g中，水分86.8g，利用可能炭水化物*（差引き法）11.4g（うち，食物繊維1.4g）である．糖類は主に果糖で，4〜5gほど含まれる．生食が主である．

なす　茄子；茄

成 06191（果実 生），06192（果実 ゆで），06342（果実 油いため），06343（果実 天ぷら）
分 ナス科ナス属（1年生草本）　学 *Solanum melongena*　英 eggplant（米）；aubergine（英）　別 なすび

熱帯では多年生の低木となる．インドの原産であるが，中国ですでに5〜6世紀に記録がみられる．わが国でも8世紀に記録があり，10世紀頃には盛んに利用されていたと推定され，17世紀には早熟栽培が行われていた．古くは"なすび"といい，語源も諸説あるが，なつみ（夏の実）からなすみ，なすびに転訛したともいわれる．

◇**品種**　果形，果色，へたの色に変異がみられるが，わが国の品種では果色は黒紫色，へたの色も紫色である．果形に地域ごとの好みが強かった．ごく一部に緑色（青なす）が利用されている．

丸なす群：東北・信越・京阪に分布する．晩生・大果で，みそ漬，煮物，田楽に用いられる．京野菜として賀茂なすと呼ばれる大芹川（おおせりかわ）が有名であるが，近年は栽培が減り高価なので，代用として米なすが使われることが多い．

小丸なす群：丸なす群から派生し，東北・信越・京阪に分布し，漬物・煮物になる．辛子漬には，山形の出羽小なすが使われている．

卵形なす群：関東を中心に分布し，浅漬用に最も適する．果色が濃紫色で，光沢があり，美しいが，現在はほとんど栽培されていない．

中長なす群：東海・関西・中国・四国に分布し，その範囲が最も広い．果形は長卵形で，煮物・漬物兼用．現在の主要品種はほとんどこのタイプである．

長なす群：東北型と関西型がある．いずれも果形は円筒形であるが，東北型は早生で果肉がよくしまり，煮物・漬物となる．関西型は関西以西に分布し，中〜晩生で，果肉のしまりが悪く，漬物用には向かない．

大長なす群：九州の久留米長なすなどは，焼きなす，煮なす用で，果形は長円筒形，晩生で，耐暑・耐病性が高い．

現在実用栽培に用いられているのは，これら群間の一代雑種*（F_1）であるが，栽培容易で収量が多く，形状・品質がどの群の分布地帯にも向くため，中長なすタイプのF_1が大生産地帯では主体となっている．タキイ交配千両や千両2号などのタイプである．土壌伝染性病害の多発地帯では，耐病性台木への接木栽培も普及している．

このほか特殊なものに，青なすと白なすがある．

作型：江戸時代から作型の分化がみられたが，現在の作型は，促成（11〜6月どり），半促成（3〜6月どり），早熟（4〜10月どり），抑制（9〜11月どり）栽培がある．鹿児島県指宿では，温泉熱利用による框（わく）栽培（促成）が戦前から行われている．

◇**成分特性**　水分含量は，果菜類*として一般的な92g/100g前後であるが，トマトやきゅうりと異なり果汁が遊離しにくい特徴をもっている．しかし加熱すると，組織の軟化と同時に果汁が遊離しやすくなる．その他の成分は，格別なものはなく，ビタミン類も少なく，無機質もごく一般的である．

色素：なすの果皮の色はアントシアン系のナスニンとヒアシンの配糖体*が主体である．ナスニンは赤紫色で，加水分解*によりデルフィニジン（紫色）1分子とグルコース2分子，p-クマル酸1分子になる．ヒアシンは青色で，ナスニンのp-クマル酸分子がとれた化学構造を示す．これ

大長なす

小なす

長なす

イタリアなす

各種なす（平　宏和）

らは鉄*やニッケルイオンで安定なキレート化合物を形成し，より青色が濃くなる．漬物に鉄やミョウバンを加えるのはこのためである．

◇**保存・加工**　貯蔵は湿度90〜95％，温度8〜12℃が最もよく，1週間前後保存できる．また，加工品には，糠みそ，辛子，塩，麹，粕，しば漬などの漬物がある．

◇**調理**　他の野菜と異なり，組織が粗く，煮ると崩れやすい．しかし生食では歯切れもよくないうえ，特有の青くさみがある．そこで乾式加熱に最も適しており，油炒めや揚げ物の材料に向く．なすの色素ナスニンは，アントシアン系の色素で水溶性のため，油を使った乾式加熱では色の溶出や破壊も防げる．※なす特有の濃い紫色を生かすことが，なすの調理の要点となる．漬物にミョウバンや釘を入れるのもその例であるが，長時間の加熱を避けることも大切で，みそ汁の実にするときも，一応火がとおったところでなるべく早くみそを入れて仕上げる．※なすはアクが強く，ポリフェノール*による褐変も起こりやすい．切ったらすぐ水に入れ，これを防ぐ．アクの成分は100℃以上で数分加熱すると甘味に変わるといわれる．※舌触りがなめらかで，持ち味は比較的乏しいので，肉，魚など，味の濃厚なたんぱく質食品と組み合わせると風味が引き立つ．はさみ焼き，はさみ揚げ（肉や魚をはさむ）などのほか，含め煮，炒め煮にすることもある．みそ味ともよく合い，炒めるかまたは油を塗った直火焼きにして，練りみそをつけて食べるとよい．

●**青なす**
なすの黒紫色はアントシアニン系の色素であるが，これが形成されずに葉緑素がつくられる種類を青なすという．果形は長なす形と丸形があり，果皮は淡い緑色で，果肉はしまっている．埼玉など一部の地方だけで利用されている．

●**イタリアなす**
イタリアで食されているなすで，日本でも栽培がみられるようになった．へたが緑色，果肉は薄めの紫をしているものが多く，白と混じっているもの，白地に薄い紫のぼかしが入ったもの，白などがある．皮は固く果肉は緻密で，ほとんど生食することはなく，加熱調理に向いている．

●**賀茂なす**
丸なす群の大芹川は，賀茂なすの名で京野菜として知られている．750g以上にもなる大きな丸形で，美しい濃紫色である．肉質はしまり，煮物，揚げ物，田楽に最適である．また，油を塗って焼き，練りみそをつけてあぶった"しぎ焼き"にもよい．果肉がしまっているので，若採りしたものが奈良漬にも使われる．

●**白なす**
黒紫色も葉緑素も形成されない，名前の通り白く，卵形なので，たまごなすとも呼ばれる．東南アジアでは食用にも使われるが，わが国では鉢植えの

青なす

白なす

賀茂なす

米なす

観賞用にされることが多い．生食用の白なすも試育されている．
● 米（べい）なす
成 06193（果実 生），06194（果実 素揚げ） 英 western type eggplant 別 洋なす；ブラックビューティ
ヨーロッパ，米国系の品種を基に育成され，果形は球から楕円形の大なすである．へたが緑色で，肉質はしまり，焼きなすによい．形を生かしてひき肉を詰めて煮るなど，賀茂なすの代用としても使われる．
● なすのからし漬
茄子の辛子漬 成 06198 英 small oval type eggplant pickled with mustard
◇ 原料　なすは小なすがよい．熟度が進んで種子がざらざらするものは避け，若採りのものを用いる．

なすの辛子漬（平　宏和）

◇ 漬け方　普通のなすの場合は，下漬したものを2～3cm角に切り，脱塩・圧搾したものを用いる．直径が2～3cmの小なすの場合は，下漬したものを軽く塩抜きして，切らずにそのまま漬け込む．辛子床の配合は下記の通りだが，辛子粉は最後に練り合わせるようにし，品温を40℃くらいにすると辛味が出てくる．漬け込んでからは辛子の酸化を防止するため，空気にふれないように包装紙（クラフト紙）などで目張りするのが肝要である．

辛子床の配合例：下漬なす（脱塩・圧搾）10kg，水飴2kg，砂糖1kg，食塩300g，うま味調味料10g，辛子粉1.5kg，水（湯冷し）3L，（重石3kg）．
◇ 保存　辛子は酸化すると辛味がなくなるし，また，漬け床は糖分が多く変質しやすいので，必ず密封して低温で保存する．
● なすのこうじ漬
茄子の麹漬 成 06197
なすの麹漬は山形県庄内地方の郷土料理である．炊いた米に麹と塩を混ぜ，人肌まで冷ました後，桶や樽になすとともに敷き詰め，重しを乗せ，40日程度漬け込んで製造する．なお，なすは米なすのほか，希少な地方伝統野菜の「薄皮丸なす」が用いられることもある．また，漬け原料として，麹に加え，砂糖，水飴，醸造酢，唐辛子等が用いられる場合もある．『食品成分表』においては，市販品を試料とし，漬け込み液（麹，しょうゆ，

なすのしお漬（平　宏和）

砂糖，唐辛子等）を濡れ布巾で除いたものを分析し，成分値が決定されている．

●なすのしお漬

茄子の塩漬　成 06195　英 salted pickles of egg-plant

◇原料　なすの品種は丸形から細長いものまでさまざまあるが，若採りで軟らかいものが好ましい．
◇漬け方　なすのへたを切り落として容器に入れ，5％の食塩をふりかけ，焼きミョウバン0.1％を加え，手でよくもんで，量が多い場合は板などを用いて，食塩でなすの表面にかすり傷をつける．なすの表面から食塩によって脱水されて藍色の汁がにじむようになったら，差し水としてなすの質量の半量を加え，再びよく攪拌して食塩を溶かす．押し蓋をしてなすの2倍量の重石をして漬け込む．浅漬（一夜漬）ならば一夜で食べられるが，芯まで漬けあがるには一昼夜かかる．漬けあがったならば重石を半減する．食べ時は2日ほどなので，なすを漬物容器より取り出して冷蔵すれば1週間ぐらいは保存できる．下漬として長期保存したい場合は，この要領で漬けあがり食塩濃度を15％以上にしなければならない．

 なずな 薺

成 06200（葉 生）　分 アブラナ科ナズナ属（1年生草本）　学 *Capsella bursa-pastoris*　英 shepherd's purse　別 ぺんぺんぐさ；三味線草　旬 春

世界各地に広く分布する．わが国でも春の七草の一つとして，古くから親しまれている．ナズナの名も「撫でめずる菜」の意の撫菜（なでな）から転訛したといわれる．道路端や空地などのどこにでも生える野草である．根は白く太い直根*があり，細い側根をたくさんつける．葉はタンポポに似て根生葉で，放射状に地面に広がる．羽状に深く切れ込みがある．タンポポよりも小型である．中心より花茎*が伸び，枝分かれしてその先端にまばらな総状花序*となって，多数の白い花が咲く．実（蒴果*）は三角形で，三味線のバチに似ている．
◇採取　葉根全体を採る．冬，葉は紫色になり縮んだようになっている．春に緑色に変わり，中心から花茎が数cm伸びた程度までは採取時期である．
◇成分特性　100g当たり，β-カロテンが5,200μg，ビタミンCが110mgと多い．
◇調理　ごぼうに似た独特の香りがあってうまい．クセがないので，熱湯をくぐらせる程度にして，ごま和え，くるみ和えなどもよく，みそ汁の実などもよい．

 ナタデココ

成 07170

ココナッツミルクを原料とした寒天ゼリー状のフィリピンのデザート用発酵食品．日本のみつ豆の寒天と同様に，ナタデココをバナナ，パインアッ

春の七草（平　宏和）

ナタデココ（平　宏和）

上：なたね（日清オイリオグループ），下：なたね油
（平　宏和）

プル，パパイア，柑橘類などと一緒にシロップを入れて食する．わが国でも同様に利用されるが，ナタデココの成分は菌が生産するセルロース*（バクテリアルセルロース）なので，食物繊維食品として扱われている．

◇**原材料・製法**　存で漉したココナッツミルクに砂糖を加えて加熱・冷却したのち，氷酢酸で約pH 4 として酢酸菌（*Acetobacter xylinum*）を接種し，約30℃の室で 2 週間程培養する．その間，培地の表面に酢酸菌の菌膜とその下に厚さ 3～4 cmの寒天ゼリー状の凝固物（ナタ）が生産される．菌膜を除き，ナタを 1～2 cm角の賽（さい）の目に切り水洗いして酢酸を除き製品とする．

なたね油　菜種油

成 14008　英 rapeseed oil

アブラナ科に属するセイヨウアブラナ（*Brassica napus*）と，在来種，和種と呼ばれるアブラナ（*B. rapa*）の種子から採油した油．これらの種子中の油分は 22～50％である．なたねの原産地は地中海に近接した高冷地といわれる．主産国はカナダ，中国，インド，ドイツである．食用菜種油には，なたね油，精製なたね油，なたねサラダ油がある．

　製油：圧搾・抽出により採油される．

◇**成分特性**　100 g 当たり，脂質（TAG 当量）*は 97.5 g である．かつて，なたね油脂肪酸の主成分はエルカ酸*であったが，現在流通している多くのものは品種改良がなされたキャノーラ種から採油したキャノーラ油であり，これにはエルカ酸はほとんど含まれておらず，オレイン酸が多い．『食品成分表』において，キャノーラ油の脂肪酸組成は，オレイン酸*62.7％，リノール酸*19.9％，α-リノレン酸*8.1％である（付表 6）．α-リノ

レン酸は大豆油よりも多い．100 g 当たりのビタミン E は 48.3 mg（γ-トコフェロールが多い）である（付表 7）．ビタミン K 含量も比較的多く，120 μg である．主要ステロール*は，β-シトステロール，カンペステロール，ブラシカステロールである．

　理化学特性：日本農林規格*（JAS）では，比重 0.907～0.919，屈折率（25℃）1.469～1.474，けん化価 169～193，ヨウ素価*94～126 としている．凝固点 0～−12℃．

◇**保存**　他の食用油脂と同様，酸化防止のための配慮を必要とする．

なたまめ　刀豆；鉈豆

分 マメ科ナタマメ属（つる性 1 年生草本）　学 *Canavalia gladiata*　英 sword beans　別 たてはき

熱帯アジア原産．若いさやを野菜として利用するほか，完熟種子を豆として利用する．さやの形が鉈（なた）の形をしているのでこの名がある．さやは幅が 3～5 cm，長さが 20～30 cm となり，中に種子が 8～16 個入っている．豆の色が赤色の品種と白色の品種がある．後者は白なたまめと区別することもある．また，なたまめよりも小型で細長いさやをつけるたちなたまめ（*Canavalia ensiformis*）があり，なたまめと同じように利用される．なお，完熟豆には青酸配糖体が含まれるので，水とともに十分に加熱してアク出しをして利用する．

◇**加工**　若いさやを粕漬，みそ漬などの漬物とし

なたまめ(平 宏和)

糸引き納豆(平 宏和)

て利用する.福神漬が最も利用が多い.なお,豆は煮豆にしたり,東南アジアでは炒ってコーヒーの代用とする.
◇**調理** さやは福神漬に古くから使用されている.中国料理で炒め物や煮物にも利用されているが,主な利用法は漬物である.若さやを一度湯通ししたあと塩漬やしょうゆ漬にすると風味のある漬物になる.

なつがき ⇒かき(いわがき)
ナッツアイスクリーム ⇒アイスクリーム

なっとう 納豆

英 natto;(fermented soybeans)
大豆の発酵食品で,寺納豆などの塩辛い納豆と糸引き納豆がある.納豆の名は,納所(なっしょ;寺の台所)でつくった豆料理という意味から付けられたといわれ,製法はその原形が奈良時代に中国から伝えられたといわれる.中国の納豆である豆豉(とうち)*には淡豉(たんし)と塩豉(えんし)があり,淡豉が現在の糸引き納豆の母体で,塩豉が寺納豆(浜納豆)に近いとされる.単に納豆といえば,今は糸引き納豆を指すが,中国から入った原形は,塩辛い寺納豆に近いものであった.

● 糸引き納豆
成 04046 **英** Itohiki-natto;(whole soybean fermented using *Bacillus subtilis* (*natto*)
蒸煮した大豆に納豆菌(枯草菌の中で納豆製造に使われる一部の菌株.わが国では,学名を *Bacillus subtilis* (*natto*) と表記することが多い)を作用させて粘質発酵させた食品である.丸大豆を原料とした普通の糸引き納豆のほかに,ひき割り大豆でつくる"ひきわり納豆"や糸引き納豆に麹と食塩を加えて熟成させた"五斗(ごと)納豆"などがある.糸引き納豆の原形は中国から伝えられたと考えられるが,日本独自の発展をし,室町時代の文献には糸引き納豆の記述がみられる.東北地方ではそれより以前にあったともいわれ,江戸の頃には特に関東地方で好まれた食品になり,関東以北に多い傾向は現在でもみられる.古くは稲わら(天然の納豆菌が付着している)を利用してつくられていたが,大正中期になり純粋培養の納豆菌による製法が開発された.

製法:蒸煮大豆に納豆菌を散布し,容器に詰めて発酵室に入れ,品温を 40〜50℃ に制御しながら 16〜24 時間発酵させ,10℃ 以下に冷却する.製品は納豆菌が生きているので保存期間は短い.発酵が進みすぎるとチロシンの結晶が析出し舌触りが劣化する.

◇**成分特性** 主成分はたんぱく質,脂質,炭水化物で,これらの性質は原料大豆に準ずるが,大豆たんぱく質は納豆菌によって一部消化分解され,特有の香りと粘性物質を生じる.16 時間発酵のものでたんぱく質の 10% が遊離アミノ酸*になっているといわれる.

特殊成分:香りの一部はたんぱく質の分解によるアンモニアで,古いものほどアンモニア臭がする.納豆菌によって生合成された粘質物は,主としてグルタミン酸からなるポリペプチドとアラビノース,マンノース*,ガラクトース*やガラクツロン酸などの重合体の混合物である.これには,血栓溶解作用を有するとされるナットウキナーゼが含まれ,脳血栓や脳梗塞などの血管系の病気の予防に有効という説もあるが,人体への有効性については,信頼できるデータはみられない.一方,血液凝固作用のあるビタミン K(特にメナキノン-7;K_2)が納豆菌によりつくられ,多量に含まれている.また,粘質物は胃壁を保護するため,アルコールの吸収を抑え,悪酔い防止に役立つといわれる.納豆にはトリプシン,ペプシン,アミラーゼ*,インベルターゼ*,カタラーゼなどいろいろな酵素,また,リパーゼ,ウレアーゼなどもわずかであるが含まれている.ビタミン B_2 が

納豆菌により合成されるため,0.56mg/100gと多い.納豆菌は腸内で有害菌の繁殖を防ぐ作用を有する.豆の硬い組織が蒸煮と納豆菌の作用で消化しやすい形に変わっているので,消化率も高い.
◇**調理** 辛子じょうゆ,ねぎ,削りがつおなどを加えてよくかき混ぜ,温かい米飯にかけて食べるのが最もおいしい.好みによって,青のりやしらす干しを加えたりするのもよい.巻きずしの種としてもよく,また,つき立ての餅や焼いた餅とともに食べたりもする.❋納豆をすりつぶしてみそ汁に入れた納豆汁は,みそ汁になめらかな粘りとコクのある風味を与える.また,よくすってしょうゆと辛子を加え納豆じょうゆとして,あじやいなだの刺身につけて食べたり,昆布じめにしたひらめ,たい,きす,さよりなどの白身魚と和え物にするのもよい.

●**五斗(ごと)納豆**
成 04048　英 Goto-natto
山形県の米沢地方で古くからつくられている納豆の二次加工品.昔は五斗(約90L)も入る大樽に仕込んだので"五斗(ごと)納豆"の名が付けられたといわれる.この五斗納豆を商品化したものが「雪割納豆」である.糸引き納豆10に対し,麹5,食塩は適宜加えて2〜4週間熟成させる.原料納豆は,ひき割り納豆がよい.

五斗納豆(平　宏和)

●**寺納豆**
成 04049　英 Tera-natto;(whole soybean fermented using *Aspergillus oryzae*, salted)　別 塩辛納豆
煮大豆を麹発酵させ,塩水を加え熟成させた発酵食品.奈良時代に,鑑真和尚が中国から持参したといわれる塩豉(えんし)から発達した.元来,寺僧のたんぱく食品として寺院で製造されてきたものである.静岡県浜松地方で商品化されたものが浜納豆の名で知られている.静岡県三ヶ日の大福寺納豆や,京都の大徳寺納豆などが有名.

寺納豆(大徳寺納豆)(平　宏和)

製法:煮大豆に小麦粉と種麹を混合して,25〜30℃の発酵室内で3〜4日麹菌 *Aspergillus oryzae* を繁殖させてから,塩水を加えて数カ月から1年以上熟成させ,乾燥して仕上げる.副原料として加える香味料にそれぞれ特色があり,山椒や生姜がよく用いられる.寺院の自家製品は保存性を考えて食塩濃度を高くしてあるが,市販品では水分を40%以下に下げているので食塩含量は7〜10%と,みそよりも低いものがある.
◇**成分特性** 主成分はたんぱく質,脂質,炭水化物で,それぞれの性質は原料大豆のそれに準ずるが,いずれも熟成時間が長いためこの間に分解される.たんぱく質は分解の結果,多量の遊離アミノ酸*となり,みそ風の食味を呈する.黒みを帯びた保存性の高い食品である.
◇**調理** そのまま茶や酒に添えるのがよく,また茶漬け,おろし和え,黄身揚げにしたり,塩茹での小えびと交互に松葉に刺して前菜に用いる.

●**ひきわり(挽き割り)納豆**
成 04047　英 Hikiwari-natto;(dehulled and split soybean fermented using *Bacillus subtilis* (*natto*))
煎った大豆を石臼でひき割り,種皮を除いた後は,糸引き納豆と同様につくる.青森県の津軽地方や秋田県の横手地方においては,あらかじめ大豆を炒ってからひき割る.昔,家庭で納豆をつくっていたときは,ひき割ることにより,煮る時間を短

ひきわり納豆(平　宏和)

縮でき，かつ失敗のない納豆をつくる知恵であった．納豆餅などの和え物に使うときは，からみつきやすく便利である．糸引き納豆に比べ熟成が速く進むので，たんぱく質の分解によるアンモニア臭が強くなり，アミノ酸のチロシン（白色）が析出し舌触りが劣化しやすい．成分は糸引き納豆に似ているが，種皮を除くので食物繊維が少なく，納豆菌がつくるビタミンKは糸引き納豆の約1.5倍含まれる．

なつみかん　夏蜜柑

成 07093（砂じょう 生），07094（缶詰）　分 ミカン科ミカン属（常緑性低木）　学 *Citrus* Natsudaidai Group　英 Natsumikan　別 標 夏だいだい；夏かん

1700年頃，山口県長門市仙崎の海岸に漂着した柑橘の種子を播いて発生したものといわれる．原木は現在も存在し，天然記念物に指定されている．食酢としては利用されたが，食用に供されたのは明治以後のことである．夏だいだいが正式の名称で，通称名を夏みかんまたは夏かんといっている．

◇品種　夏かんと夏かんより枝変わりで生じた川野なつだいだい（通称　甘夏かん）が主なもの．現在では酸味の少ない甘夏かんの品種が多数発生し，経済栽培は甘夏かんのみで，夏みかんは庭木が主になっている．

◇成分特性　夏みかんと甘夏かんの成分上の大きな相違点は酸含量であり，そのほかの成分含量の差異は非常に少ない．また酸含量は採取時期によりかなり変化する．夏みかん，甘夏かんともに3〜4月に採取されるが，遅く採取するほど酸が少なくなる．したがって酸の多い夏みかんは4月に，酸の少ない甘夏かんは3月に収穫する．しかしいずれの時期でも夏みかんは甘夏かんより酸が多い．100g中，食用適期の6月の酸含量は夏みかん2.5g，甘夏かん1.5gで，主成分はクエン酸である．糖類はいずれも5〜7gで，しょ糖が最も多く，その他ぶどう糖および果糖を含む．果肉の遊離アミノ酸*は500mg含むが，アスパラギンおよびプロリンが多い．果肉のビタミンC含量は38mgである．品種により35〜60mgの変異がある．

凍害と苦味：3月から4月にかけて収穫されるので，1，2月の低温にあうことが多く，特に-4℃以下では凍害を受けやすい．夏みかんの苦味は主としてナリンギン*によるが，これは果汁には少なく，砂のう膜，じょうのう膜，果皮および種子に多い．果実が凍結すると組織が破壊され，ナリンギンが果汁に溶けて苦味を呈する．

◇保存　低温貯蔵の最適温湿度は5℃，90％であり，3カ月間貯蔵できる．しかし，一般には採取後，酸味を早く低下させるため，常温下で貯蔵することが多い．また，採取後できるだけ早く酸味を少なくするには，30℃程度の高温下で3日ほど処理するとよい．

◇加工　主な加工品は果汁，マーマレード，缶詰であるが，缶詰としての利用は少ない．果汁の利用は，100%天然果汁は酸味が強く食味が劣るので，温州みかん果汁などと混合されたり，果汁入り清涼飲料としての利用が多い．マーマレードは切断果実に水を加えてペクチン質を抽出，搾汁し，砂糖を加えて濃縮し，苦味抜きをした果皮スライスを加えて仕上げる．夏みかんを原料として中級の品質のものが製造できる．わが国の柑橘では，マーマレード原料には，だいだいの臭橙（しゅうとう）が最も適しており，品質も特によい．

●甘夏かん

成 07093（なつみかん）　別 川野なつだいだい；甘夏みかん；甘夏

大分県津久見市の川野豊の果樹園で発見された夏みかんの変種で，昭和25（1950）年に川野なつだいだいとして種苗登録された．早生種で，酸味が少ないので通称甘夏かんなどと呼ばれ，夏みかんに代わり生産量が増加した．愛媛，熊本が主産地である．

なつみかん（平　宏和）

あまなつ（平　宏和）

なつめ　棗

成 07095（乾）　分 クロウメモドキ科ナツメ属（落葉性小高木）　学 *Ziziphus jujuba* var. *inermis*　英 jujube

原生地はヨーロッパ東南部，アジア南部，東部とされている．紀元1世紀にはシリアで栽培されていたという．中国では紀元前から重要な果実であり，品種も多い．わが国には古く中国から入り，『万葉集』にも詠まれている．生食用果実として発達し，明治年間はほかの果実が少なかったので，家庭果樹として重要であったが，現在では利用価値は低い．

◇**種類**　世界で約40種あるが，ナツメのほか，シナナツメとも呼ばれるサネブトナツメ（*Zizyphus jujuba*），インドナツメ（*Z. mauritiana*）が主なものである．サネブトナツメはナツメの原種で，ナツメと異なり托葉*の変化した棘がある．果実は橙色で果皮は薄く，長さは2〜4cmの楕円形で，果肉は粉質である．りんごに似て味は酸味があり，爽快な風味を有する．熟果を生食するほか，糖菓，ピクルス，シロップ漬，乾果*として利用される．

◇**成分特性**　100g中，生鮮果実は，水分76.7g，糖類19.7g，β-カロテン当量24μg，ビタミンC 57mgが含まれる（英国食品成分表）．糖類として果糖を多く含んでいる．そのほか，有機酸*やサポニン*が含まれ，健胃，強壮，精神安定など，漢方でも用いられる．乾燥果実は，水分21.0g，利用可能炭水化物*（差引き法）58.9g（うち，食物繊維12.5g），カロテンとビタミンCはほとんど含まれない．サネブトナツメは種子の仁*が酸棗仁（さんそうにん）と呼ばれ，精神安定薬として漢薬に用いられる．

ナツメグ

成 17074（粉）　分 ニクズク科ニクズク属（常緑高木）　学 *Myristica fragrans*（ニクズク）　英 nutmeg　別 にくずく（肉荳蔲）

インドネシアの，モルッカ諸島原産．熱帯雨林気候によく育ち，現在の主産地はスリランカや西インド諸島のグレナダなど．雌雄異株*で樹高10〜20mになり，5cmほどの球形の果実がなり，熟すと果皮は裂け，赤い種子がみえる．この鮮赤色の種皮を乾燥させたものがメースで，メースを除いた種子を割ると褐色の仁*がある．この仁がナツメグと呼ばれる．

欧州へは，6世紀頃アラブの商人がコンスタンチノープル（現・イスタンブール）に運んだのが始まりといわれ，わが国には，19世紀半ばに長崎に入ったという．

◇**成分特性**　同じ果実から仁と種皮をとるので，ナツメグとメースの香りはよく似ているが，メースの方が香りや苦味が穏やかである．両方とも不快臭をおおう矯臭効果に優れている．また，和漢薬として健胃剤や下痢止め，消化不良などに用いられる．いずれも精油*を5〜15%含み，その主成分はα-およびβ-ピネン，カンフェンで，そのほかジペンテン，ゲラニオールなどが含まれる．

◇**調理**　ハンバーグ，ミートローフ，ミートソースなどのひき肉料理にナツメグは欠かせない．クッキーやケーキなどの焼き菓子やドーナッツなど甘い菓子にも使われる．

●メース

英 mace

ニクズクの仮種皮（種子の周りを包むもの）を乾

上：なつめ，下：なつめ（乾燥果実）（平　宏和）

ナツメグ（ホール，インドネシア産）　右下：縦横断面（平　宏和）

燥させたもの．ナツメグは，同じ果実の仁*（種子）を乾燥させたもの．メースの方が，香り，苦味とも穏やかである．
◇**成分特性**　100g当たりの成分値は，エネルギー475kcal（1,990kJ），水分8.2g，たんぱく質6.7g，脂質32.4g，炭水化物50.5g（食物繊維20.2g），灰分2.2gである（米国食品成分表）．
◇**調理**　加熱により甘味が引き立つ．メースはシナモンと合わせるとより効果的なので，フルーツケーキや焼きりんご，アップルパイなどに用いられる．

なつめやし　棗椰子

成07096（乾）　**分**ヤシ科ナツメヤシ属（常緑性高木）　**学**Phoenix dactylifera　**英**dates　**別**デーツ（果実）

ペルシア湾地帯，チグリス・ユーフラテス河沿岸地方の原産．アラビアでは有史以前から栽培されていた．株は雌雄異株*であり，樹液からやし酒のdibisが得られるので，宗教的に尊ばれ，古代の楔形文字にも現れる．わが国にはデーツと呼ばれる乾果実が輸入されている．
◇**品種**　世界には栽培品種は数千あるといわれる．有名品種として10数種がみられ，アラビア人が主食とするでん粉質のトーレイ（Thuri），北アフリカ原産のディグレット・ノアー（Deglet Noor），そのほかイラクのザヒディ（Zahidi）などがある．
産地：イラク，アラビア半島などの中近東，エジプト，シリア，イラン，インド，ザンジバル，スペイン，米国，スリランカ，台湾などである．樹高は20〜25m．果実は房状になり，1房に1,000個以上着生する．果実はなつめ状で，長さ3〜8cmくらい，果肉の液汁には甘味がある．
◇**成分特性**　乾燥果実のデーツは100g中，水分24.8g，主成分は利用可能炭水化物*（差引き法）65.4g，食物繊維7.0gで，糖分としてぶどう糖と果糖がそれぞれ30g前後含まれている．灰分は1.5gと多く，無機成分では特にカリウムが550mgと多い．

なぬかざめ　⇒さめ
菜の花　⇒なばな

なばな　菜花

成【和種なばな】06201（花らい・茎　生），06202（花らい・茎　ゆで），【洋種なばな】06203（茎葉　生），06204（茎葉　ゆで）　**分**アブラナ科アブラナ属（1〜2年生草本）　**学**Brassica spp.　**英**rape　**別**菜の花　**旬**早春

市場では菜花のほか菜の花とも呼ばれる．現在日本ではアブラナ（B. rapa var. oleifera，ナタネ，ニホンアブラナ，在来種ナタネ，和種ナタネ，赤種ナタネなどともいう）が主として栽培されているが，一部に栽培されていたセイヨウアブラナ（B. napus，ヨウシュナタネ，西洋ナタネ，黒種ナタネなどともいう）が漸増している．
在来種ナタネに属する菜花の産地としては京都（伏見菜花），千葉（房州菜花）などが有名である．ナタネに属する菜花の産地としては三重（伊勢菜花），宮城（つぼみな）などが知られている．北関東で栽培するしんつみな，かぶれな，かきななども同種であるが，これらは主として葉（とうもついている）を利用するため，菜花としては取り扱われていない．中国野菜として知られるサイシン（菜心 B. rapa var. utilis）やコウサイタイ（紅菜苔 B. rapa var. chinensis）も菜花といえるが，別個に取り扱われている．
◇**成分特性**　黄色い花の蕾と若い葉・茎を食用とする．『食品成分表』には和種菜花の花蕾*・茎と，洋種菜花の茎葉の成分が記載されている．β-カロテンは和種菜花2,200μg，洋種菜花2,600μg，

デーツ（なつめやし乾燥果実）（平　宏和）

なばな（平　宏和）

ビタミンCは，和種菜花130mg，洋種菜花110mgと含量が高い．
◇**調理** 美しい緑色を生かして春を楽しむ料理の添え物として利用される．食用とするのは，堅い蕾と若い葉・茎である．葉や茎には独特の風味とほろ苦さがあるので，必ず下茹でして用いる．在来種は蕾を，西洋種は蕾・茎を食用とする．辛子じょうゆ，ごまじょうゆなどで和えたりする．

生揚げ なまあげ

成 04039 英 Nama-age；(drained and burned tofu) 別 厚揚げ

豆腐を厚めに切って油で揚げたもの．豆腐より水分が少なく，脂質が多い．豆腐の形の崩れを避けて料理に使うことができるのが特徴である．生揚げは油揚げのように表面積を膨化させる必要がないので，油揚げで行う低温での揚げ工程を省き，厚切りの豆腐を直接180℃前後の高温の油で揚げて製品化する．したがって，表面の組織は脱水され固定化するが，内部の組織はほとんど変化せず，豆腐の食感を残しており，料理の材料として使用される．
◇**保存** 保存期間は，豆腐に準じて1〜2日であるが，できるだけ空気に触れないようにラップなどにくるむ．
◇**調理** 形は油揚げを厚くしたものであるが，用途も豆腐に準じる．しっかりした表皮ができているので崩れにくく扱いやすい．使用にあたっては，熱湯をかけて油抜きして用いる．素焼きして生姜じょうゆやレモンじょうゆで食べたり，汁物，おでんや煮物，炒め物，和え物などに用いる．

生揚げ（厚揚げ）（平　宏和）

まなまこ

背側 / 腹側

なまこ 海鼠

成 10372（生） 分 棘皮動物，ナマコ類（綱），樹手目綱および楯手目綱 英 sea cucumbers；holothurians

うに類と同じ棘皮動物に属し，日本近海には185種ほどいるが，食用になるものは，まなまこ，きんこなど，ごく限られる．酢の物など生食するほか，乾物は中国料理の材料となる．腸管や卵巣も加工して，古く平安の頃から珍重された．
◇**成分特性** 食用にする身といわれる部分は，上皮と前後に縦走している輻管*とそれに直角に発達した繊維状の組織である．大部分がコラーゲン*からなる結合組織で，エラスチン繊維は存在しない．したがって，この部分は他の魚介類と違って筋肉組織ではなく，消化吸収されにくいため，なまこはたんぱく性食品と考えるより嗜好品と考えるべきである．上皮はその中に多くの石灰質の骨片を含み，こするとぬめり状となってむけ，水分がでて身がしまり，コリコリとした歯触りとなる．これが好まれるのである．成分的には大部分が水分で，魚肉の1/3以下のわずかなたんぱく質と炭水化物，かなりの灰分とからなる．またこの炭水化物はフコースよりなる多糖類硫酸エステル，また体表面に分泌される粘液中の炭水化物もグルコサミンおよびマンノース*よりなる粘質多糖類で，量，質の両面からみて栄養的価値は低く，ビタミン類もほとんど期待できない．上記の身に囲まれた体腔内には，このわたとして食用される腸管などの内臓が存在するが，その塩辛の成分は

なまこ（スライス）（平　宏和）

ややたんぱく質，炭水化物が少なく，いかの塩辛に似ている．

◇**保存・加工**　中国料理などの材料として珍重される干しなまこ（いりこ*）が唯一のものであったが，最近では酢なまこの加工が主体となっている．

◇**調理**　肉が硬く，コリコリした弾力ある歯応えを特徴とする．鮮度が落ちると軟らかくなり，この特徴を失う．新鮮なものをよく洗い，二杯酢，三杯酢などで生食する．※生食は日本料理特有のもので，中国では乾燥品（いりこ）を水でもどし，炒め物，あんかけ，煮物など，加熱調理の材料に用いる．※干しなまこはほとんど無味に近く，長時間水に浸漬してもうま味の溶出は心配ない．浸漬は1昼夜ぐらい行って，その後，数時間弱火で茹でたのち，よく水洗する．つけ汁に米のとぎ汁を用いると，内外の浸透圧差が小さくなり，吸水，膨潤が緩慢に行われるため，形や組織を保ったままで中心部まで軟らかくすることができる．

●**きんこ**

金海鼠　分 キンコ科キンコ属　学 *Cucumaria frondosa japonica*　英 orange-footed sea cucumber　別 ふじこ

体長10〜20cm．体幅は体長の約半分．体色は一定しないが，灰褐色のものが多く，暗褐，濃紫，黄白色のものもある．体は肥厚し，触感はなめらかで，樹枝状の触手*10本を有する．茨城以北，北海道，千島，サハリン，日本海沿岸の寒冷地方の浅海に分布し，古来金華山付近は漁場として有名である．ふじことも呼ばれ，干して中国料理の材料とする．ふじなまこ（*Holothuria hilla*）はクロナマコ科の別種．

●**まなまこ**

真海鼠　分 マナマコ科マナマコ属　学 *Apostichopus japonicus*（あかこ），*A. armata*（あおこ，くろこ）　英 Japanese common sea cucumber　旬 冬至のころ

日本各地で最も一般的にみられる種類．砂底に多く棲み，体色が青ねずみがかったのをあおなまこ（あおこ），岩礁に棲み肌に赤褐色の模様のあるのをあかなまこ（あかこ）と呼ぶがそれぞれ別種である．体長20〜30cm，体幅6〜8cmくらい．体は体軸にそって延長し，背面は丸みを帯びている．一端に口，他の一端に肛門が開き，背部と腹部を区別できる．腹側には歩くための管足列があり，背部にはこれが変わった疣足*がある．また口の周囲には管足*の変化した房状の触手を備えている．浅海に棲み，晩春から初夏にかけて産卵

する．産卵が終わると夏眠状態になり，秋口から再び活動を始める．卵巣の干したものを"このこ*"，腸管の塩辛を"このわた*"として珍重する．千島より九州南端に分布する．

 なまこもち　生子餅；海鼠餅

英 Namako-mochi

つきあげた餅を棒状またはかまぼこ状にし，なまこ形に整形した餅．寒餅と呼ばれ，寒に入ってから作られることが多い．原料にはもち米のほか，もち種のきび，あわ，もろこしが使われることもある．

◇**製法・種類**　なまこ餅には砂糖，黒大豆，のり，ごま，食塩などを加えたものがあり，これらはつきあげ途中またはつき上げ後に加えてつき混ぜる．小口切りにして焼いたりする．小口切りにし乾燥したものは，かき（欠）餅と呼ばれ，焼いたり，油で揚げて食する．かき餅の名称は，焼いた餅が欠いて食べられることに由来する．

なまこ餅（平　宏和）

生酒（なまざけ，なましゅ）　⇒清酒

 なまず　鯰

成 10216（生）　分 硬骨魚類，ナマズ科ナマズ属　学 *Silurus asotus*　英 Amur catfish　別 標 まなまず　地 かわっこ；ちんころ（東京付近幼魚）

全長60cm．淡水魚．頭は縦扁し，胴は円筒形で尾部は側扁する．背びれは小さく，臀びれが長い．口辺に長短2対のひげがある．淡水の泥底に棲み，夜行性である．味は素朴である．日本各地，台湾などの東アジアに分布する．なまずの成魚には地方名がほとんどない．反対に幼魚には地方名が非常に多い．別名としてその一例をあげた．なお，なまずには同属のいわとこなまず，びわこおおなまずのほか，アメリカナマズ科アメリカナマズ属のアメリカなまずがある．

◇**成分特性**　白身の淡水魚で，成分的にはこいに

なまず（本村　浩之）

似ているが，こいよりもたんぱく質（アミノ酸組成）*がやや多く，100g当たり(15.5)gで，脂質（TAG当量）*が7.3gとやや少ない．ビタミンA，Eはかなり高い．食味は種類によって差があるという．わが国では普通活魚として流通し，加工はしないが，米国などでは皮をむいたフィレーの冷凍品や燻製もある．

◇調理　なまずは，身が軟らかい．※普通は，蒲焼き，なまず鍋，またすり身にしてつみいれなどに用いる．蒲焼きは，なまずの代表的な料理であるが，みりんじょうゆを用いたつけ焼きと，山椒じょうゆを用いた利休焼きがある．そのほか，吸い物，みそ煮，煮付けなどの料理がある．アメリカなまずはフライに向く．寄生虫の宿主となることもあり，生食は避ける．

●**アメリカなまず**
亜米利加鯰　成10216（なまず）　分アメリカナマズ科アメリカナマズ属　学*Ictalurus punctatus*　英channel catfish　標チャネルキャットフィッシュ
北アメリカ原産．日本には1971年に移入され，現在では霞ケ浦や琵琶湖など日本各地に定着している．全長1.3m．2005年に特定外来生物に指定された．

●**いわとこなまず**
岩床鯰　分ナマズ科ナマズ属　学*Silurus lithophilus*　英rock catfish　別地いわとこ；ごまなまず（琵琶湖）
琵琶湖，淀川水系に分布する．体色が淡黄褐色で暗色斑のあるなまず．なまずの中で最も美味とされる．

●**びわこおおなまず**
琵琶湖大鯰　分ナマズ科ナマズ属　学*Silurus biwaensis*　英Lake Biwa catfish　別地おおなまず（琵琶湖）
名前の通り琵琶湖にすむ全長1m以上にもなるなまず．味はあまりよくない．

生パスタ　⇒パスタ
生ハム　⇒ハム
生ビール　⇒ビール
生麩（なまふ）　⇒ふ

なまり節

成10090

「なま節」ともいう．かつお節の製造過程で，頭部，内臓，腹肉，背びれを除いたカツオを三枚に下ろし（大きいカツオでは，片身をそれぞれさらに背側と腹側に切り分ける），煮かごに並べて，85℃，70～90分程度煮熟し，放冷後，骨を抜いた魚肉をせいろに並べて一回目の焙乾*（水抜き焙乾または一番火という）を終えたもの，または，なまり節製造のために煮熟または蒸煮しただけのものをいう．水分が多いためかつお節のように長期保存はできない．そのまま適当な大きさに切って調味料をかけて食べたり，煮つけやサラダの素材として用いられる．

なまり節（平　宏和）

生わかめ　⇒わかめ（湯通し塩蔵わかめ）

なみがい　波貝

分軟体動物，二枚貝類（綱），キヌマトイガイ科ナミガイ属　学*Panopea japonica*　英Japanese geoduck；geoduck clam　別市しろみる　和おきなのめんがい　旬冬
殻長10～12cm，殻高5cmくらいの二枚貝．北海道から関西まで分布しているが，主に瀬戸内海で漁獲される．みるくいと似て水管が長く，これ

なみがい（しろみる）（平　宏和）

なめこ　左：菌床栽培，右：水煮缶詰（平　宏和）

を食用とする．市場ではしろみるとも呼ばれるが，みるくいとは別の科である．みるくいの代用品として利用される．近縁種のアメリカナミガイ（*Panopea generosa*）も輸入されている．
◇**調理**　湯がいてすし種として用いたり，また，刺身，酢の物，ぬたなどに使われる．

なめこ　滑子

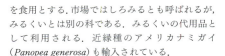

成 08020（株採り　生），08021（株採り　ゆで），08022（水煮缶詰），08058（カットなめこ　生）
分 担子菌類モエギタケ科スギタケ属（きのこ）
学 *Pholiota microspora*　**英** Nameko；Nameko mushroom　**別** なめたけ（滑茸）；なめすぎたけ；ほんなめこ；やまなめこ

傘，柄ともに著しい粘質物に覆われているのが特徴である．9月〜11月上旬に主としてブナやサワグルミなどの広葉樹の枯幹や切り株から発生する．傘の直径3〜8cmで，表面は茶褐色〜橙褐色で粘質物が多く，柄の長さは2〜5cmで淡黄褐色である．以前は学名として *Pholiota nameko* が使われていたが，現在は変更されている．ほとんどの市販品は，おが屑培地での菌床栽培によるものである．中部以北の山間地では，原木による栽培も行われているが，一般にはほとんど出回らない．
◇**成分特性**　ビタミンB_1，B_2，ナイアシン*，エルゴステロール*をいくぶん含んでいる．栄養価は低い．著しい粘質物の風味と歯触りなどの物性が，なめこの価値である．
◇**鑑別**　傘が開ききっていない，粘質物の多い，かつ粘質物に土の微粒などの付着していないものを選ぶ．
◇**保存・加工**　生なめこは乾かないようにポリ袋包装され冷蔵するが，長くは保存できない．乾燥すると価値がないので，冷凍，びん詰，塩漬などにする．缶詰は1〜2％の食塩水に浸した後，水洗し肉詰を行い，2％食塩水を加えて脱気，殺菌を行い仕上げる．
◇**調理**　表面を厚く覆った透明な粘質物のなめらかな舌触りが特徴である．缶詰は食塩水処理をしてあるが，生鮮品はまず水洗後，短時間茹でるか，または汁に入れる．茹でてから冷ますと表面に抽出された粘質物の粘性が増し，ぬめりがあまりにも多くなりすぎる．ぬめりはある程度除去するが，多少残しておく程度がよい．❖大根おろしと和えたり，みそ汁の具にも用いられる．

なめたけ　⇨えのきたけ，なめこ

上：なめこ（野生），下：なめこ（原木による栽培）（岩瀬　剛二）

金山寺みそ（平　宏和）

ひしおみそ　左：野田ひしお，右：銚子ひしお
（平　宏和）

 なめみそ　嘗め味噌

英 Name-miso

そのまま食べたりするみその加工品で，醸造によるものと，普通みそを加工した加工なめみそがある．醸造なめみそにはひしおみそや金山寺みそがあり，加工なめみそには鯛みそ，鉄火みそ，ゆずみそ，ピーナッツみそなど，みそに入れる材料の名前を付けたものが種々ある．

● **きんざんじ（金山寺，径山寺）みそ**

成 04061　英 Kinzanji-miso

中国の五山の一つ径山寺でつくられていたものが，鎌倉時代に紀州の湯浅に伝えられたのが始まりといわれるが，現在では各地でつくられている．大豆を炒って，臼でひいて皮を除いて湯浸しし，浸漬した精白小麦または裸麦と一緒に，蒸し煮・冷却後，種麹を散布して麹をつくり，これに食塩水と塩漬にしたなすやしろうりと生姜を加え，重石を載せて，発酵・熟成後，水あめや砂糖などで調味したものである．

● **鯛みそ**

英 Tai-miso

砂糖，水あめ，みりんなどを加えて調味したみそに，たいそぼろを混ぜ，加熱しながら練り合わせた魚みそ．たいそぼろにたらそぼろを加えた製品もある．

● **ひしお（醬）みそ**

成 04062　英 Hishio-miso

煎って種皮を除いた大豆と麦で麹をつくり，食塩水と塩漬け野菜（なす，しろうりなど）を加え発酵・熟成させたなめみそ．代表的なものとして，千葉県の銚子ひしおと野田ひしおがあげられる．銚子ひしおは原料麦に大麦を用い，製法は金山寺みそとほぼ同様である．熟成期間がやや長いので黒褐色を呈し，水あめ・砂糖などで調味をするので甘い．野田ひしおは原料麦に小麦を用い，製法は仕込む際，食塩水の代わりに生揚（きあげ）しょうゆを用い，唐辛子粉末を少量加える．しょうゆもろみ*に似て特有の香味をもち，光沢のある赤褐色でやや辛口である．

 ならたけ　楢茸

分 担子菌類キシメジ科ナラタケ属（きのこ）　学 *Armillaria mellea* subsp. *nipponica*　英 honey mushrooms　別 おりみき；ならもたし

世界中で広く食用とされている．6〜10月頃に1本ずつあるいは何本ものきのこがかたまりとなって発生する．傘は，直径3〜10cmで淡褐色，柄はほぼ同色で長さ5〜15cm，白いつば*がある．植物寄生性，病原性が強く，カラマツ，サクラ，スギなどを枯らしてしまうので，林業では有

鯛みそ缶詰（平　宏和）

ならたけ（野生）（福井きのこアドバイザー会）

害菌である．リンゴ，ナシ，モモ，ブドウ，クリなどの果樹にも害を及ぼす．樹木の根際から土壌中に黒いひものような根状菌糸束を伸ばして周囲に広がるので，早めの対策が重要である．一方，ツチアケビやオニノヤガラなどの無葉緑ラン科植物の根にも入り込むが，逆に菌糸が分解されて養分とされている．また，ウラベニホテイシメジと同じイッポンシメジ属のタマウラベニタケに入り込むと，きのこの形になれずに球形になることが知られており，タマウラベニタケの名前の由来になっている．ただし，逆にタマウラベニタケがナラタケに寄生しているという考え方もあり，定まってはいない．また，多くの近縁種が知られており，その総称としてならたけの名前が使われている．

◇調理　淡白な味と香りとをもつ．みそ汁，鍋物，きのこ飯などに広く利用される．軸の部分は消化が悪いので，大量に食べない方がよい．

なら漬　奈良漬

成 06108（しろうり 奈良漬）　英 Nara-zuke；(vegetables pickled with Sake lees)

◇原料　しろうり類を主材料とするもので，奈良が本場である．用いるしろうりは地方によって異なり，大越うり，青うり，桂うり，縞うりなどの品種がある．いずれも皮の軟らかいうちの若採りが肝要である．

◇漬け方　しろうりを縦に半割して種を取り，食塩15〜20％で下漬しておく．中漬として数回にわたり調合粕に漬け替えて，最後に本漬粕に漬けて熟成させて製品となる．本漬の粕は，次には中漬最後の粕に回され，中漬の最後の粕は，その前の中漬の粕へと順送りに前工程に回して使われる．全工程が完了するまで約50日ほどである．中漬期間を長くするほど品質がよくなる．この速成法として，下漬うりを水さらしして食塩を抜き，水切り後中漬粕に2〜3回漬け替えて本漬に移す方法もある．約20日で仕上がる．これまで述べた方法は，いずれも促成法である．本来は，漬け込みに，調合粕を用いずに，酒粕のみを使い，漬け込み期間は少なくとも3年としたものである．本来の製造方法は今西本店（奈良市）が伝承している．

本漬粕の配合例：酒粕10 kg，みりん粕2 kg，砂糖1 kg，水あめ500 g，焼酎500 mL，みりん200 mL，食塩100 g，中漬うり20 kg．

◇保存　促成法による製品は，変質しやすいので必ず冷蔵する．本来の製造方法による製品は，常温で，長期（2年）間保存できる．

なると　鳴門

成 10384　英 Naruto；(boiled stick kamaboko with cross section of red swirl)　別 なるとまき

なると巻きの略．普通，赤白2色の練りつぶし魚肉をすだれなどで巻いて成形し，着色した魚肉のうずまき状の模様が切断面に現れるようにしたもの．小口切りにした断面が鳴門の渦潮のようにうずまき模様になるところから名付けられた茹でかまぼこである．彩りを生かして，ラーメンや皿うどんの具として，また雑煮に加えることもある．

なると（平　宏和）

ナン

成 01037　英 nan, naan

インド，パキスタン，アフガニスタンなどでよく食べられる平焼きパンで，日本でもエスニック料理店で供される．ナンの語源はペルシャ語と言われる．小麦粉，塩，酵母に水を加えた生地を薄くのばして，釜の内壁に貼り付けて焼く．材料には，このほか，国によっては牛乳，ヨーグルト，卵や少量の砂糖などを加える場合もある．表面がデコボコふくれた平たい楕円形で，素朴な味はカレー料理とよく合う．

なら漬（しろうり）（平　宏和）

ナン(平　宏和)

なんきょくおきあみ　⇨おきあみ
南京豆　⇨らっかせい
軟骨　⇨にわとりの副生物，ぶたの副生物

なんばやき　南蛮焼

英 Nanbayaki；(round bake-marked yakinuki)
和歌山県田辺地方特産の焼きかまぼこ．すり身に調味料と卵白を加える．塩ずりした身を鉄製の角形の鍋に詰め，加熱する．ほぼ焼き上がったら反転し，圧力をかけて上面を鍋に接触させ中央に丸く焼き色をつける．この焼き色がなんばきび(とうもろこし)の実のような色なので，なんば焼きと呼ばれるようになったという．

南部せんべい　南部煎餅

成 15051（ごま入り），15052（落花生入り） 英
Nanbu-senbei；(wheat flour cracker mixed with sesami seeds or peanuts)
小麦粉せんべいの一種．岩手県盛岡市を中心とする南部地方でつくられたのが始まりで，この名がある．出兵の際，携帯食糧としてつくられたのが始まりと伝えられ，せんべいの原始型として江戸時代から全国に知られていた．菓子せんべいとせんべい汁用のかやきせんべいがあり，現在，青森県，岩手県で多く生産されている．小麦粉，食塩，膨張剤（重曹）に水を加え，練った生地を円形の金型に入れ，焼いて製品とする．菓子には白せんべい（生地のみを焼いたもの）とごま，落花生などを加えて焼いたものがある．せんべいの縁に「みみ」と呼ばれる部分があるのが特徴．ごま入りはごまの風味と小麦粉の特有の甘味が，古風な自然の香りと素朴な伝統の味をつくり出している．白せんべいは硬いのが普通であるが，ごま入りは歯触りもよく食べやすい．このほかに落花生入りのものが多く販売されるようになり，砂糖を

南部せんべい　上：落花生入り，中：ごま入り，下：かやきせんべい(平　宏和)

使用することで，やや甘味のある独特の風味をもつ．そのほか変り種にはのり，えび，すりごま，生姜，くるみ，バター入りなども製造されている．
●かやきせんべい
成 01178　英 kayaki-senbei　別 おつゆせんべい
せんべい汁の具に使う白せんべい．汁で煮崩れしないように，普通の南部せんべいより重曹を減らして低温で焼く．せんべい汁は，野菜やきのこを入れたしょうゆ仕立ての鶏肉などのスープに割ったせんべいを加え，煮立てたもので，青森県南部，岩手県北部地方の郷土料理である．

ナンプラー　⇨ぎょしょう

に

 にがうり 苦瓜

成 06205（果実 生），06206（果実 油いため）
分 ウリ科ツルレイシ属（つる性1年生草本） 学
Momordica charantia 英 bitter gourd；balsam pear 別 つるれいし；ゴーヤ

果実に独特の苦味があり，これが食用としての風味となっている．東インドから熱帯アジアの原産とされ，ヨーロッパでは古くから観賞用として栽培されている．正式の植物名はツルレイシ，レイシという所があるが，これは誤用．レイシ（ライチー*）は果物の一種である．中国，東南アジアでは重要な野菜である．わが国へは17世紀に渡来し，観賞用とされた．九州南部では主として家庭菜園に自家用として栽培されていたが，近年は市場出荷もされている．沖縄では古くからゴーヤ（苦いうりの意）と呼ばれ重要な夏野菜である．

◇品種　果実の長さ（15〜50 cm），果面の突起の多少，果面の色（白〜緑）に変異がある．九州南部で自家用に栽培されているのは中長果・緑色系であるが，宮崎，鹿児島，沖縄では，市場出荷を目指して一代雑種*も育成され，普及し始めている．

作型：需要の伸びにつれて作型が分化し，促成（11〜6月どり），半促成（4〜6月どり），早熟（5〜10月どり），普通（7〜10月どり）栽培が行われている．

◇成分特性　一般成分，無機質成分，およびビタミンCを除くビタミン類は，きゅうりとほとんど同じ含量である．にがうりの特徴はビタミンC含量にあり，76 mg/100 gを示す．"にがうり"といわれるように，ククルビタシンという苦味物質を含有し，その程よい苦味が調理方法によって生かされてくる．特に沖縄地方では，夏期に野菜が乏しかった頃のビタミンCの給源としてその価値が高かった．

◇調理　初めて食べるには，独特の苦味が少し強い．苦味を和らげる調理法として，卵と一緒に炒める，酸味を利かせるなどの工夫をする．油炒めはビタミンCの損失を抑え，合理的な調理方法である．豆腐とともに炒めたゴーヤチャンプルーや卵とじが代表的であるが，塩もみ，酢の物，卵の衣をつけた揚げ物，甘味を付けたピーナッツみそ和え，みそ味の煮物など，多くの調理がある．また塩漬，黒砂糖と泡盛による漬物などもある．ジュースやゼリーにもする．

にがそば　⇒そば（ダッタンそば）

 **にぎす** 似鱚

成 10217（生）　分 硬骨魚類，ニギス科ニギス属
学 *Glossanodon semifasciata* 英 deep sea smelt
別 地 おきがます（和歌山）；おきのかます；おきぎす（日本海沿岸）　旬 冬〜春

全長25 cm．体は細長く円筒形．口は小さく，目が大きい．形がきすに似ているのと味がきすに似て美味であるので，にぎすといわれるという．青森から九州，台湾の水深70〜430 mに生息する．干物や練り製品などの高級な原料となる．茨城，新潟から南日本，朝鮮に分布する．

◇成分特性　体は非常に軟らかく，鱗は剥離しやすい．三枚おろしにしたもので，100 g当たり，水分78.5 g，たんぱく質（アミノ酸組成）*(15.5) g，脂質（TAG当量）*0.9 gを含む．肉質はアシが強く，かまぼこ原料として優れている．

◇調理　塩焼き，佃煮，干し魚，および練り製品の材料にする．塩焼きは，にぎすを三枚におろして，皮の中ほどに飾り包丁を入れ，皮が外側になるように両端を身の中央でつき合わせて丸く形づ

にがうり　上：緑，下：白（平　宏和）

にぎす（本村　浩之）

くり，金串に刺して焼く．そのほか，しいたけやピーマンとともに卵白でまとめた，淡白な蒸し物などがある．

にくずく　⇨ナツメグ
にしきえび　⇨えび
にしきごい　⇨こい

 にしき卵　錦卵；二色卵

英 Nishiki-tamago

卵料理の一種．ゆで卵を卵黄と卵白に分け，卵白は裏ごしをして砂糖，食塩などで調味し，卵黄は砂糖，食塩などと粗くつぶして裏ごしをし，巻きすに卵黄に卵白を重ねて巻き，蒸したもの．このほか，押し枠に 2〜3 色を重ねて押し，蒸したものもある．

にしき卵（平　宏和）

にしまあじ　⇨あじ
にしまさば　⇨さば（大西洋さば）

 にじます　虹鱒

成【海面養殖】10146（皮つき 生），10147（皮つき 焼き），10402（皮なし 生），10148（淡水養殖 皮つき 生）　分 硬骨魚類，サケ科サケ属　学 Oncorhynchus mykiss　英 rainbow trout（陸封型）

全長 90 cm．北米原産．日本に輸入され，各地で養殖され，釣魚としての人気も高く，観光用のま

にじます（本村　浩之）

す釣り場も多い．体は背面が暗青色，腹面は銀白色．体側に赤色縦帯，小黒点が散在する．降海型は steelhead trout とも呼ばれる．刺身，塩焼き，フライなどにするが，ます類の中ではそれ程美味なものではない．

◇**成分特性**　淡水養殖ものを三枚におろしたもので，100 g 当たり，水分 74.5 g，たんぱく質（アミノ酸組成）* 16.2 g，脂質（TAG 当量）* 3.7 g 含む．

二条大麦　⇨おおむぎ

 にしん　鰊；鯡

成 10218（生），10220（開き干し）　分 硬骨魚類，ニシン科ニシン属　学 Clupea pallasii　英 Pacific herring　別 地 かど；かどいわし；ばかいわし（北海道）

全長 35 cm．北海の回遊魚．北海道，北日本，カムチャツカ，アラスカ，カリフォルニア，中国北部，朝鮮半島にも分布している．体は腹部が側扁する．背びれと腹びれが体の中央にあって，上下に対立している．2〜4 年で成魚になる．春に大群で沿岸の海藻に産卵する．昆布に産み付けられたものが子持ち昆布（かずのこ*）である．味は脂肪がよくのりうまい．燻製，油漬にされる．卵巣はかずのことして珍重される．日本（北海道）で獲れるにしんは，戦前までが最盛期で，近年は漁獲が減少している．そのため近頃は，国外産の本種および大西洋産の同属のたいせいようにしんの冷凍品や加工品が輸入されている．

◇**成分特性**　いわしに似た赤身魚で，成分的にも類似している．いわしと同様，漁期，漁場，大きさなどにより，成分，特に可食部の脂質含量は，最低 1〜2 %から最高 20 %程度まで大きく変化する．最近では輸入物が多く，夏に漁獲される脂質含量の多い索餌群の夏にしん（油にしん）が多く流通しているため，『食品成分表』の脂質（TAG 当量）*の含量が 13.1 g と高めになっている．またビタミン D，E の含量もいわしよりやや高く

にしん（本村　浩之）

なっている．脂質の構成成分をいわしと比べると高度不飽和脂肪酸*の含量が少なく，そのため，いわしの脂質より酸化変敗しにくい．練り製品原料としてみた場合，にしんは脂質の含量が多く，まとまりが悪いうえアシも弱いが，いわしより大型であるため取り扱いやすい利点もある．さつまあげなどに使用できるが，資源が減少しているので価格的に使用できない．にしんはまた，欧米でわが国以上に好まれる魚で，ロシアでもいわしなどと比べるはるかに高く評価されている．

◇保存・加工　鮮度が落ちやすいのと寄生虫の問題もあり，生食されない．昔は非常に多量に獲れたので保存・加工法が発達したが，現在では保存は主として冷凍によっている．昔は乾燥または塩蔵によった．素干しの身欠きにしんや塩蔵の塩にしんなどがよく知られている．その他，塩乾開き干し，調味漬などがある．また，卵巣を利用するかずのこも重要な加工品である．

にしんは欧米で好まれる魚類であるため，各地の特産的な加工品が多く，キッパー（kipper；燻製）もその一つであるが，スコッチキュアー（Scotch cured herring）などの塩蔵品や，酢漬（ビスマルクヘーリング；ドイツ語 Bismarckhering やロールモップス；ドイツ語 Rollmops など），香辛料漬などの漬物類のほか，各種の缶詰がつくられ，わが国でも輸入品が一部で市販されている．

◇調理　脂ののった時期のごく新鮮なものは塩焼きにする．脂肪が多く，うま味が少なく，しかも臭気が出やすいことから，一般に照焼き，蒲焼き，みそ煮，汁物など，濃厚な味付けの料理に用いる．※糠漬にしん（すしにしんという）をいもや野菜の入った昆布だしの汁で煮た三平汁は北海道の郷土料理として有名である．西洋料理や中国料理では下味を付けて油焼きにするものが多い．

● 塩にしん

英 salted whole herring

丸のまま塩蔵したもの．現在では塩分の含量も少なく，保存性も悪くなっている．

● たいせいようにしん

大西洋鰊　学 *Clupea harengus*　英 Atlantic herring

北海道でのにしん漁獲量の激減に伴い，大西洋産の本種が，冷凍品や加工品として大量に輸入されている．全長50cmに達し，にしんより大型で，ノースカロライナからラブラドル，グリーンランド，ジブラルタルに至る北大西洋に分布．大西洋のにしんは腹びれよりも前方および後方の腹中線に鋸歯状の鱗（隆起線のある稜鱗*）があるが，北太平洋のにしんはこのような鱗が腹びれより後方だけにある．

● にしんの燻製

成 10221　英 smoked herring

わが国のものは丸のままの冷燻品である．外国には，背開きしたにしんを軽く塩水に漬けてから冷燻したキッパー（kipper）と呼ばれる製品があり，一部で輸入品が市販されている．

● 身欠きにしん

身欠鰊　成 10219　英 Migaki-nishin；(dried fillet of herring)

にしんの頭，内臓などを除いて二つ割にして，そのまま乾燥した素乾品である．昔は背肉だけの一本どり身欠きであったが，現在は腹内部を切り取らない二本どり身欠きである．昔は春にしんの一本どり身欠きであったので，よく乾燥し，脂質の含量もそれほど高くなかったが，現在のものでは脂質が多いため乾燥度も昔より低く，保存性は劣っている．また生干し程度の水分含量の高い（約60％）ものも身欠きという名で市販されているが，この生身欠きは常温で保存できない．身欠きにしんは昆布巻き，煮付けなど煮物に広く用いられるが，古いものは脂肪の酸化による特有の渋味がある．硬く乾燥した身欠きにしんを煮るときには，灰汁（あく）に一夜浸漬して，魚体表面の酸化物と結合させ，渋味を除く．

身欠きにしん（平　宏和）

にっき，にっけい　⇨シナモン
にべ　⇨ぐち

煮干し

成 10045（かたくちいわし）　英 Niboshi；(boiled and dried whole anchovy)　別 いりこ（熬子；炒子）

主に小型のかたくちいわしを食塩水で短時間煮沸後，水切り乾燥を行ったもの．まいわしを使用することもあるが，品質は劣る．

煮干し（かたくちいわし）（平　宏和）

乳酸菌飲料　左2製品：乳製品，中：殺菌乳製品，右2製品：非乳製品（平　宏和）

日本酒　⇨清酒
日本茶　⇨緑茶
ニューサマーオレンジ　⇨ひゅうがなつ

乳酸菌飲料　にゅうさんきんいんりょう

英 lactic acid bacteria beverages

乳等省令*では，乳製品乳酸菌飲料と乳酸菌飲料を区別しており，前者に無脂乳固形分3.0％以上，乳酸菌数または酵母数が1000万/mL以上，大腸菌群陰性の規格基準がある．生菌タイプと殺菌タイプがあり，殺菌タイプは，発酵後加熱殺菌して保存性を高めたものでそのまま飲むものと，うすめて飲むものがある．わが国における乳製品乳酸菌飲料は，三島海雲らによる「カルピス」（1919年）や，代田稔による「ヤクルト」（1935年）など，早くから独自の製品開発が行われてきた．一方，乳製品のカテゴリーに入らない乳酸菌飲料は，無脂乳固形分3.0％未満で，乳酸菌数または酵母数が100万/mL以上，大腸菌群陰性と規定されている．

●乳製品乳酸菌飲料
成 13028
無脂乳固形分を3.0％以上含み，乳酸菌数または酵母数が1000万/mL以上のもので，ヤクルトなどが代表例である．甘味や香料が添加されているが，乳酸*の酸味や発酵臭が感じられる．

●殺菌乳製品
成 13029
無脂乳固形分を3.0％以上含む．発酵後加熱殺菌して保存性を高めたものでそのまま飲むものと，うすめて飲むものがある．カルピスなどが代表例で，果汁や炭酸を利用したさまざまなバリエーションがある．

●非乳製品
成 13030

無脂乳固形分が3.0％未満で，乳酸菌数または酵母数が100万/mL以上含む飲料をいう．この規格を満たせば発酵は必須ではなく，機能性や保健効果が期待される特定の乳酸菌*を規定菌数以上含む飲料もこの分類に含まれ，機能性を表示したものもある．

乳児用調製粉乳　⇨調製粉乳
乳用肥育牛肉　⇨うし

にら　韮

成 06207（葉　生），06208（葉　ゆで），06344（葉　油いため）　分 ヒガンバナ科ネギ属（多年生草本）　学 Allium tuberosum　英 Chinese chive；Chinese leek；garlic chive

東アジアの原産で，中国東北部からシベリアにかけて野生がみられる．中国では最も古い野菜の一つで，葉にらのみでなく，花茎*も花にらとして利用される．わが国では9〜10世紀から利用された記録があるが，近年まで栽培は微々たるものであった．1960年代に入り需要が急増し，周年生産されるようになった．

◇品種　株分けによって繁殖できるが，通常は種子繁殖による．休眠の深浅と萌芽の早晩，分けつ性，葉の大きさなどによっていくつかの系統があり，目下育種が進められている．小葉は耐寒性強く，栽培は容易であるが，品質が劣る．大葉および同系のグリーン・ベルトは満州にらの系統とされ，葉が大きく，品質はよく，耐寒・耐暑性が劣るが，冬期の休眠はなく，適温に保てば1年中栽培できる．在来系は強健で，品質もよいが，萌芽が遅い．

作型：近年急速に作型が分化し，促成（12〜2

にらの花（平　宏和）

にら　上：にら，中：花にら，下：黄にら（平　宏和）

月どり），トンネル早熟（2〜3月どり），露地（4〜11月どり），抑制（11〜12月どり）栽培が行われている．

　産地：高知，栃木，茨城，宮崎，群馬．

◇成分特性　β-カロテンが，3,500μg/100gと高い緑黄色野菜である．茹でによって質量は約40％ぐらい減少し，灰分，カリウム，B_1，B_2，Cなどは50〜70％溶出する．ねぎ類の一般的な香気成分である多数のアルキルジスルフィド類による複合的な香りがあり，生のときの香りはかなり強い．茹でると香りは穏やかになる．

◇調理　独特のにおいが肉料理の生臭みを消し，香味野菜としてそのうま味とよく調和する．中国料理では多くの料理，特に炒め物によく用いられる．にらの香りを目的とした料理には，だしを加えて土鍋で炊き込んだにらがゆなどがある．※組織は傷つきやすく，鮮度が低下すると味も香りもよくない．なるべく買った日に調理する．また長時間加熱してもすぐ色があせ，他の食品全体ににらの香りが吸収されてしまう．にら自体を味わうには短時間の加熱にとどめ，汁の実や卵とじにするときもなるべく火からおろす直前に入れる．

●黄にら

成06210（葉 生）　英Ki-nira；(blanching-cultured Chinese chive)　別黄金にら

その名の通り黄色いにらである．栽培の途中で土を寄せて日光を遮断して黄化するか，地上部を刈り取って黒フィルムをかけ黄化させる．また地上部を刈り取った根株を室（むろ）に伏せ込み，萌芽を黄化させる．黄にらはにらよりも風味が穏やかであるが，甘味は強い．中国料理に使用され，高級野菜として扱われる．軟白栽培*のため軟らかく，弾力性があり，ほのかに甘い香りがある．岡山では家庭用にも利用されている．

◇成分特性　にらに比べ，栄養成分が少なく，特にβ-カロテンの含量が59μg/100gと大きく異なる．

●花にら

成06209（花茎・花らい 生）　英Hana-nira；Chinese chive　別にらばな

中国野菜の一種で，花のとう*（薹）と蕾を食用する．中国，台湾から導入された花茎採り用の専用品種が使われ，長期間にわたって花茎が出る．葉は細く硬いため食用としない．テンダーポール，フラワーポールなどの品種が知られている．時期が限定されるが，葉にらの花茎も利用できる．とうは軟らかく，甘味があり，にら特有の香りがある．成分組成はにらと似ているが，カロテンの含量が少ない（1,100μg/100g）．

◇調理　中国料理では一般的な食材．葉にらと同じように香りが強いが，花茎を食すため，違った歯応えがあり，甘味がある．加熱が長すぎると，この歯応えを失うため，肉または魚介類と炒める場合，特に入れるタイミングに注意を要する．

にわとり　鶏

成 表1を参照　分 キジ科ヤケイ属　学 *Gallus gallus domesticus*　英 chicken；fowl meat（成鶏肉）；broiler meat（若鶏肉）　別 チキン（鶏肉）；かしわ（鶏肉）

鶏はインドでは B.C.3200年，中国では B.C.1400年，エジプトでは B.C.500年頃に飼われていた．わが国でも神話として，天の岩戸の前で天鈿女命（あまのうずめのみこと）が踊った際，鶏が声を合わせて鳴いたという話が有名であり，かなり古い歴史がある．鶏は七面鳥やきじなどと類縁関係にある野鶏が飼い馴らされたものであるが，現在東南アジアに見出される4種の野鶏の中で，雑種ができやすいセキショクヤケイが原種ではないかと考えられている．

◇品種　鶏の家禽としての役割は卵，肉の供給と

表1　にわとりの成分組成（日本食品標準成分表2020年版（八訂）より）　　　　　　　　　（100g当たり）

食品番号・食品名		エネルギー(kcal)	水分(g)	たんぱく質(アミノ酸組成)(g)	脂質(TAG当量)(g)	利用可能炭水化物(g)	灰分(g)	レチノール(μg)
手羽	親・主品目							
11212	皮つき 生	182	66.0	(20.8)	9.6	3.0*	0.6	60
	若どり・主品目							
11218	皮つき 生	189	68.1	(16.5)	13.7	0.0*	0.8	47
手羽さき	若どり・主品目							
11285	皮つき 生	207	67.1	16.3	15.7	0.0*	0.8	51
手羽もと	若どり・主品目							
11286	皮つき 生	175	68.9	16.7	12.1	0.0*	0.8	44
むね	親・主品目							
11213	皮つき 生	229	62.6	(15.5)	16.5	4.7*	0.7	72
11214	皮なし 生	113	72.8	(19.7)	1.5	5.1*	0.9	50
	若どり・主品目							
11219	皮つき 生	133	72.6	17.3	5.5	3.6*	1.0	18
11220	皮なし 生	105	74.6	19.2	1.6	3.4*	1.1	9
11287	皮つき 焼き	215	55.1	29.2	8.4	5.8*	1.6	27
11288	皮なし 焼き	177	57.6	33.2	2.8	4.7*	1.7	14
もも	親・主品目							
11215	皮つき 生	234	62.9	(17.4)	18.3	0.0*	0.7	47
11216	皮なし 生	128	72.3	(18.5)	4.2	4.1*	0.9	17
	若どり・主品目							
11221	皮つき 生	190	68.5	17.0	13.5	0.0*	0.9	40
11222	皮つき 焼き	220	58.4	(26.4)	12.7	0.0*	1.2	25
11223	皮つき ゆで	216	62.9	(22.1)	14.2	0.0*	0.8	47
11224	皮なし 生	113	76.1	16.3	4.3	2.3*	1.0	16
11225	皮なし 焼き	145	68.1	(21.5)	4.5	4.7*	1.2	13
11226	皮なし ゆで	141	69.1	(21.1)	4.2	4.6*	0.9	14
11289	皮つき から揚げ	307	41.2	20.5	17.2	17.0*	3.2	28
11290	皮なし から揚げ	249	47.1	20.8	10.5	17.3*	3.4	16
ささみ	親・副品目							
11217	生	107	73.2	(20.3)	0.8	4.6*	1.1	9
	若どり・副品目							
11227	生	98	75.0	19.7	0.5	2.8*	1.2	5
11228	焼き	132	66.4	26.9	0.8	3.5*	1.4	4
11229	ゆで	121	69.2	25.4	0.6	3.1*	1.2	4
11298	ソテー	186	57.3	30.6	4.6	4.7*	1.8	8
11299	天ぷら	192	59.3	22.2	6.9	9.6*	1.3	4
11300	フライ	246	52.4	22.4	12.2	11.1*	1.3	4
ひき肉	二次品目							
11230	生	171	70.2	14.6	11.0	3.4*	0.8	37
11291	焼き	235	57.1	23.1	13.7	4.8*	1.3	47

† たんぱく質，＊ 質量計，エネルギー計算は単糖当量に基づく，＊ 差引き法

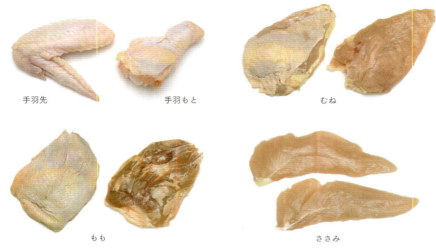

にわとり（平　宏和）

愛玩用である．卵用としては白色レグホン，横斑プリマスロックなど，肉用としては白色コーニッシュ，ブラーマなど，肉卵兼用種としてはニューハンプシャー，ロードアイランドレッド，名古屋コーチンなど，愛玩用としてはチャボ，長尾鶏，シャモなどがあげられる．肉用として非常に大きな比重を占めているブロイラーは，食鶏のうち飼育日数が短期間で出荷される若鶏の総称である．地鶏は，在来種由来の血液百分率が50％以上の国産系の総称であると日本農林規格*で定義される．

鶏は生後160～180日で性成熟に達し，卵を産み始める．昭和30年代前半まではこうした成鶏の中で産卵率の低いものが淘汰され，廃鶏肉として利用された．したがって昔は少なくとも生後6カ月以上を経たものが食用に供されたと考えてよい．これらは俗に"かしわ"と呼ばれた．この時代に雄は種雄鶏となるものを除いてひなのまま殺処分された．近年には品種の改良とともにこのような"ぬき雄"を含めて肉用鶏は生後1～2カ月間に食用に供されるようになった．食肉の利用の増大に伴い，米国式で大規模・大量生産システムによる養鶏が起こり，このような鶏をブロイラーと呼ぶ．また，これに伴って採卵，採肉の両方の専門経営とも大規模化した．現行の規格では3カ月齢未満の食鶏を「若どり」と呼ぶこととしている．

輸入とインテグレーション：2022年現在では世界貿易機関（WTO）協定の関税率は鶏肉11.9％，骨付きもも肉8.5％となっている．ブロイラーは，総合商社や飼料メーカーなどにより，飼料供給や素ひな供給とが一体となって，生産から流通まで系列化する，いわゆる垂直的統合（通称インテグレーション）の典型的な例を示している．

◇**成分特性**　鶏肉は皮付きのまま食用に供される．したがって，ささみ肉を除くと，皮下脂肪のために，牛や豚のほとんど筋間脂肪を含まないもも肉に比べ，むしろ水分，たんぱく質が少なく，脂肪が多く，エネルギーに富んでいる．しかし，総括的にみれば牛，豚の赤身肉の成分組成と大差ない．ただしレチノール*の存在は特異的で，100g当たり若鶏（ブロイラー）もも皮付きで40μg，成鶏のむね皮付きでは，72μg含まれている．

品質特性：鶏肉は色が淡色で肉質は軟らかく，脂肪は皮下に沈着していても筋肉中には少なく，またその脂肪もオレイン酸*，パルミチン酸，リノール酸*が主体で融点も30～32℃と低い．

鑑別：鶏肉の良否を見分けるには皮をみる．皮はクリーム色でつやがあり，毛穴がぶつぶつ盛り上がっているのがよい．肉はむっくりとややふくらみを感じ，しまりのあるものを選ぶ．丸どりはむね肉のよくついた，しかも胸骨先端のあまり軟らかでないものがよい．

◇**規格・表示**　鶏肉には取引規格と小売規格が設

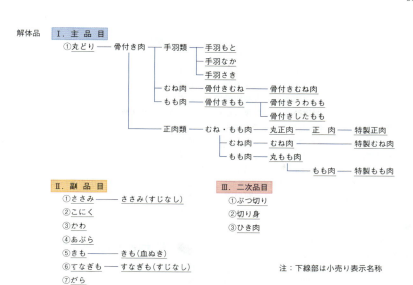

図1 小売鶏肉（解体品）の種類・名称

表2 鶏肉の部位と調理法

部　位	加熱法	調理法	調理の例
丸どり	乾　式	直火焼き	ブロイラーチキン
	〃	蒸し焼き	ローストチキン
	湿　式	煮込み	鶏の丸煮
手羽 むね	乾　式	炒め焼き	チキンソテー
	〃	揚げ物	唐揚げ，フライドチキン
	湿　式	煮込み	カレー，手羽煮込み
もも	乾　式	直火焼き	バーベキュー
	〃	鉄板焼き	もも焼き
	〃	揚げ物	チキンカツ，フライドチキン
ささみ	生食*	—	刺身
	湿　式	汁物	吸い物
	〃	鍋物	水炊き
	〃	蒸し物	茶碗蒸し，白蒸し
もつ	乾　式	直火焼き	焼きとり
	湿　式	煮物	佃煮

＊食中毒を防ぐため食品衛生には十分留意し，抵抗力の弱い高齢者や子供は，生食を避ける．

けられている．取引規格は食用に供される鶏が生産者の庭先から小売店の店頭に達するまでの流通段階での生鶏および鶏肉の種類，名称，質量区分，品質標準を規定したものであり，小売規格は小売店が消費者に販売する際の鶏肉の原料鶏の種類，販売形態での名前（解体品），品質標準，販売の際の表示について規定したものである（図1）（付図⑨，肉類の部位名称）．

◇保存・加工　保存は必ず冷蔵し，冷蔵庫に入れても保存はせいぜい3〜4日である．長期保存は凍結する．加工品としては，燻製にした燻鶏，ロースターであぶり焼きにして売るローストチキン，水煮・野菜煮缶詰などがある．

◇調理　部位により調理法が異なるほか（表2），

丸ごと加熱する料理もあり，祝宴などで食卓に豪華な雰囲気を出すのに役立つ．※加熱法：ささみは脂肪が少ないので，長時間加熱すると身がしまって硬くなるが，他の部分は骨と肉が容易に離れるようになるまで，ゆっくりと火を通す方がよい．しかし小さく切ったものは焼きとりや唐揚げのように乾式加熱でも十分に軟らかく食べられる．※皮と骨の利用：ほとんどの料理で皮は肉とともに食べられる．鶏皮のコラーゲン*はゼラチン化が容易で，長く煮込むと溶けるように軟らかくなる．骨は"がら"と呼ばれ，スープストックの素材として重要である．このほか中国料理では，とさかから足の先端まで含め煮として利用される．

● 地鶏

英 domesticated fowl meats

在来種由来の血液百分率が50％以上のものであって，出生の証明ができるものを素びなとして使用し，不可日から80日間以上の飼育，そのうち28日齢以降は平飼いとし，平飼いにおける飼育密度は10羽/m²以下で生産されたものを地鶏肉と呼ぶことがJAS規格で規定されている．地域の特徴を活かしつつ，ブロイラーよりも付加価値の高い肉質等を重視して改良され，生産されているものである．明確な定義のない「銘柄鶏」とは異なる．

名古屋コーチン　手前：雌，奥：雄（名古屋コーチン協会）

● ブロイラー

英 broiler meats

食肉用に肥育された若鶏のこと．白色コーニッシュに白色ロックをかけ合わせた二元雑種のブロイラー専用種が米国で開発され，わが国にも1960年に導入された．ブロイラーはもともと調理適度を示す語で，broil（あぶり焼く）用の若鶏という意味であったが，養鶏上は肉用にほぼ3カ月未満肥育して出荷する若鶏の代名詞となっている．ブロイラーは，穀類約2.5 kgを肉1 kgに転換し得る動物である．これに対し，牛は穀類10 kgを，豚は4 kgを肉1 kgに転換できるとされている．

◇飼養　ブロイラーにおいては，産肉効率をよくするため，ケージで飼養される．この方法では立体的に飼育できるから，狭い場所で，小資本での養鶏を可能にしたうえ，鶏の汚染防止，競争による採食の不均一などの防止や環境管理の容易化，などの利点がある．ブロイラーは肉が軟らかく，水っぽいといわれるが，年齢の若さとともに，こうした飼い方にも起因していると考えられる．

にわとりの副生物

英 chicken offal and by-products

鶏は牛，豚と体型も骨格構造も違う鳥類である．またそれを取り扱う業界も異なる．ここでいう副生物は，食鶏取引規格（農林水産省）では副品目と呼ばれている．牛，豚の副生物と内容的に異なる点は多くないが，その中に皮が含まれることが違う．鶏では，肝臓，心臓，筋胃，腸，皮が利用されているが，最近では胸骨先端の軟骨部が焼きとりの材料として用いられている．

● 皮

成 11234（むね 生），11235（もも 生）　英 skin

胴体，ももから得られる．皮下脂肪を含んだものは胸の皮で，100g当たり，たんぱく質（アミノ酸組成）* 6.8g，脂質（TAG当量）* 46.7g，ももの皮では，たんぱく質（アミノ酸組成）5.3g，脂質（TAG当量）50.3gと脂質含量が高い．

◇調理　皮下脂肪をとって，湯通しをして脂を抜いて調理する．煮込み料理が一般的である．炒め物，和え物，焼きとりにも利用できる．

● 肝臓

成 11232（生）　英 liver　別 レバー

いわゆる鶏レバー．1羽の鶏から約40gがとれる．100g当たりたんぱく質（アミノ酸組成）16.1g，脂質（TAG当量）1.9gを含む．そのほか，鉄*を9.0mg，レチノール*を14,000μgと多く含み，鉄，ビタミン類の宝庫である．

◇調理　焼きとりで食べるのが一般的である．そのほか，煮込んでもつ鍋にしたり，揚げ物，炒め物にもなる．いずれにしても，加熱は短時間にし，みそや生姜でにおい消しをする．

レバー（平　宏和）

①軟骨，②せせり，③やげん軟骨，④はらみ，⑤首皮
（平　宏和）

● 筋胃（きんい）

成 11233（すなぎも　生）　英 gizzard　別 砂ぎも；さのう（砂囊）

鶏に独特の消化器官．1羽の鶏から約40gがとれる．色が青っぽいのが上質である．100g当りたんぱく質（アミノ酸組成）* 15.5g，脂質（TAG当量）* 1.2gを含む．

◇調理　新鮮なものを煮込んでもつ鍋にしたり，もつ焼きにする．揚げ物，炒め物にもなる．

● 軟骨

成 11236（胸肉　生）　英 cartilage bone

一般的にブロイラーの胸骨先端部を指し，焼きとりの材料として食用に供されている．100g当り，たんぱく質12.5g，脂質（TAG当量）0.3gが含まれる．軟骨の主成分の一つであるたんぱく質はゼラチンが主である．また，カルシウムは47mg含まれる．

人形焼き　にんぎょうやき

英 Ningyo-yaki

カステラ生地の焼き菓子．江戸時代後期に流行し，初めの形は草花であったが，現在，七福神，動物，玩具など多様であり，時代とともに変化し，人気キャラクター風のものもある．東京人形町，浅草の名物菓子となっている．

◇製法　小麦粉，砂糖，鶏卵，膨張剤を混合した生地を焼き型に流し込み，あんを入れて両面を焼き上げる．あんは，こしあんが多いが，白あん，抹茶あん，カスタードクリームなどもある．

すなぎも（平　宏和）

● 心臓

成 11231（生）　英 heart　別 ハツ

1羽の鶏から約20gがとれる．独特の歯触りがある．100g当り，たんぱく質（アミノ酸組成）* 12.2g，脂質（TAG当量）13.2gを含む．そのほか，レチノール*を700μgと多く含む．

◇調理　肝臓（レバー）とともに，焼きとりで食べるのが一般的である．調理の前に，周りの脂肪を取り除き，血抜きをする．

● 腸

英 intestine　別 ひも

1羽の鶏から約50gがとれる．『四訂食品成分表』では，100g当りたんぱく質14.4g，脂質18.9gを含む．

◇調理　煮込んでもつ鍋にしたり，もつ焼きにする．

人形焼き（平　宏和）

にんじん　人参

成【根　皮つき】06212（生），06213（ゆで）【根　皮なし】06214（生），06215（ゆで），06345（油

いため），06346（素揚げ），【根 冷凍】06216，06380（ゆで），06381（油いため）．【根 皮】06347（生），【グラッセ】06348，【きんとき 根】【皮つき】06218（生），06219（ゆで），【皮つき】06220（生），06221（ゆで） 分 セリ科ニンジン属（1年生草本） 学 *Daucus carota* subsp. *sativus* 英 carrot

肥大した直根*を食用とする根菜類*（付図④）．肥大部分は主に師部*である（付図⑥）．葉も食用になる．最もなじみ深い緑黄色野菜で，ヨーロッパ系と東洋系に二分される．両者とも源は同じで，ヒンズークシ山脈とヒマラヤ山脈の合流地点一帯が原産地と考えられている．アフガニスタンでは古くから栽培されていたが，これが中近東に伝わって二次的分化をとげ，さらに12～13世紀にヨーロッパに伝わった．16世紀後半にオランダで現在のヨーロッパ系にんじんの基礎となるカロテンを含んだ橙色系品種が育成され，これをもとにフランスで現在の品種の基本となる品種が育成された．これとは別に，中国へはイラン経由で13世紀に伝来し，華北を中心に東洋系にんじんが分化した．わが国へはこれが16世紀末に伝わったと推定されるが，18世紀にはすでに品種の記録がみられる．ヨーロッパ系にんじんは18世紀に最初の記録がみられ，幕末～明治初年に多数の品種が導入された．

◇**品種** 根の長短，根の色について幅広い変異がみられるが，現在のわが国の品種は短根・橙色系が主体となっている．

東洋系にんじん：かつては各地に広く栽培されていたが，現在はほとんど栽培がみられない．わずかに金時群の品種（京にんじん，大阪にんじんとも呼ばれる）が関西以西に栽培されているのみである．根は30cmぐらいの長円錐形，ヨーロッパ系の橙色はカロテンによるが，東洋系の濃赤色の根色はトマトと同じリコペン*による．肉質は軟らかく，にんじん特有のカロテン臭がないので，日本料理用に珍重されている．

ヨーロッパ系にんじん：ヨーロッパ系のうち大長にんじんは，関東以北に広く栽培されていたが，現在は局地的に栽培されているのみである．実用栽培には，三寸型と五寸型がある．一時は四寸型も育成されていたが，今ではほとんどなく，三寸型もわずかに家庭菜園などで作られるだけで，現在の主体は五寸型のみになっている．寒地型と暖地型がある．寒地型五寸にんじんは，チャンテネーから分化したもので，長さは15cm内外，太めの円錐形で，尻がつまる．低温期の着色が不良であるが，とうが立ちにくく，春播きに適する．暖地型五寸にんじんには，チャンテネーとアーリー・ロングホーンとから分化したものがある．根長は20cmほどの逆棍棒系，寒地型より色が濃く，低温期にもよく着色するが，とうが立ちやすいので夏播き栽培する．現在は一代雑種*（F_1）が主流になりつつある．

栽培：冷涼性の野菜で，寒暑とも激しいと発育・着色が不良となる．3～6月，9～11月が生育適期で，この時期に生育をすすめる春播きと夏播きが主体である．しかし，トンネル・マルチの利用，高冷地の開発により，ほぼ周年的に生産されている．基本の作型は，春播き（6～10月どり），夏播き（10～3月どり），冬播き（4～6月どり）栽培である．

産地：北海道，千葉，徳島，青森など．

◇**成分特性** にんじん（直根）は，多数の品種，栽培条件により周年供給されるが，時期別による成分の差異は明確でない．品種については，一般的なヨーロッパ系にんじんと正月料理などに使われた東洋系にんじんの代表的なきんとき（金時）の成分値をみると，ヨーロッパ系にんじんは水分とカロテンの含量は高いが，他の成分含量はいずれも低い．糖類はしょ糖が主体なので，かなり甘味を示す．

カロテン：一般に赤橙色の濃いものほどカロテノイド色素が多く，そのうちカロテンが約90％と高い．なお，金時（東洋系にんじん）の鮮やか

にんじん（平　宏和）

金時にんじん（平　宏和）

な赤色は，リコペン（トマトの赤色色素）による．生の冷蔵保存では，徐々にビタミンが分解されるが，ブランチング後に冷凍保存すると，カロテンは6カ月後でも90％保持される．乾燥した場合は，40～50％分解するので窒素ガス充塡する必要がある．

酸化酵素：にんじんはリポキシゲナーゼを含み，すりつぶして放置することによりカロテンは急速に酸化され，ビタミンA効力は低下する．ビタミンCはいずれも100g当たり4～6mg（生）と野菜類中低含量であり，かつアスコルビン酸酸化酵素*（アスコルビナーゼ）活性が高いので，生で他の野菜と混和するとビタミンCの分解を速める．

調理と成分：乱切りにして同量の水で煮たのち湯切りすると，質量は約10％減少する．このとき，生100gを基準とした成分の変化率（残存量）は，たんぱく質75％，脂質90％，炭水化物85％，灰分80％，カルシウム100％，リン90％，鉄*90％，ナトリウム*75％，カリウム85％，マグネシウム*100％，カロテン90％，ビタミンC45％である．無機質は葉菜類*に比べ比較的損失が少なく，ビタミンCの溶出が大である．

◇調理　にんじんそのものを味わうより，他の野菜と組み合わせて用いることが多い．淡い甘味と鮮やかな色，特徴ある香りで，風味・色彩・栄養的価値を向上させる．ごぼうと組み合わせてきんぴらごぼう，大根と組み合わせた紅白なますやもみじおろし，じゃがいもと組み合わせたサラダなど，にんじんの色や味が利用される．※カロテンの色は中心より外側に近い方が鮮やかである．色を生かすには，なるべく皮を薄くむく．バターで炒めて肉料理の付け合わせにするが，加熱を短時間にとどめるため，あらかじめ茹でておき，こがさないように炒める．※組織が硬いのが特徴で，料理によっては，その歯切れよさを尊ぶものもあるが，煮物ではなるべく軟らかく芯まで調味料が浸透した方がよい．生食や短時間の加熱調理に使うときは，摩砕するか，みじん切り，あるいは細かく千切りにする．おろし，コロッケ，サラダ，揚げ物などがその例である．※大根おろしに，にんじんを加えて摩砕すると，にんじんの中のアスコルビン酸酸化酵素が大根のビタミンCの酸化を促進する．にんじんを大根の1/6量加えると，ビタミンCの減少率は85～95％にのぼるといわれる．アスコルビン酸酸化酵素の最適pHは5.5～6.0なので，酢を加えれば酸化が防げる．このため大根おろしに加えるときは，まずにんじんを

葉にんじん（平　宏和）

おろしたものに酢じょうゆを加えてから，大根おろしと混ぜるとよい．紅白なますは酢を加えるので酸化が抑制される．

●葉にんじん

成06211（葉　生）　英Ha-ninjin；(carrot, cultivar for leaf use)　別にんじん菜

にんじんの葉を利用することを目的として栽培されたもの．生育が早く，葉の軟らかい品種が利用される．普通の栽培で間引きしたものも利用する．葉の長さが10cmぐらいのものが主に京都付近で出荷される．最近は，根が肥大しないので水耕栽培*を利用することもある．葉にんじんはビタミンCが，にんじん（根）より多い．使い方は，そのままサラダにしたり，和え物として食べる．

●ミニキャロット

成06222(根　生)　英baby carrot　別ベビーキャロット；姫にんじん

サラダや付け合わせ用に用いられる特殊なにんじんで，ヨーロッパでフォーシング型と呼ばれ，温床栽培されている．大きさが小指よりやや長めのウインナーソーセージ形の品種や，パリジャンキャロットと呼ばれる親指の先よりやや大きい丸形の品種もわずかに栽培されている．成分含量は普通のにんじん（ヨーロッパ系）と比べ，炭水化物とカロテンが少ない．

ミニキャロット（平　宏和）

にんにく　大蒜；葫

成 06223（りん茎 生），06349（りん茎 油いため），17076（おろし）, 分 ヒガンバナ科ネギ属（多年生草本） 学 *Allium sativum* 英 garlic 別 ガーリック 古 おおびる（大蒜）

栄養繁殖性草本，2年生作物として栽培する．中央アジア原産とする説が有力であるが，野生は発見されていない．栽培の歴史は極めて古く，古代エジプト・ギリシアの頃から知られており，中国でも2,000年以上前から栽培されていた．わが国でもすでに10世紀に薬用としての記録がある．近年，生活の多様化とともに急速に消費が伸びている．そのため，安価な中国からの輸入品も多く流通しているが，国産品に比べ辛味が強いといわれる．

◇品種　鱗片か珠芽*によって増殖する．12〜13個の鱗片が輪状に着生する在来種と，6個の鱗片が2層に着生する六片種とがある．在来種には，遠州極早生，壱州早生（いしゅうわせ）などがあり，主として暖地（香川）に，六片種は主として寒地（青森）に分布している．中国から導入された嘉定（かてい）の栽培も増加している．

無臭にんにく，グレートヘッド・ガーリックといわれるものはにんにくとは別種で，リーキ（4倍体）*Allium ampeloprasum* と同種の6倍体である．プチにんにくは，にんにくの珠芽を1年間栽培したもの．2年栽培すると普通のにんにくになる．

作型：乾球を主として利用していたので，作型の分化はみられなかった．生球の消費が増加するとともに，特殊早出し（12〜3月どり），早出し（4〜5月どり），普通（5〜6月どり）栽培が分化した．乾球用の栽培は9月植え6月どりである．

◇成分特性　一般に風乾物として流通しており，水分が少ないので，相対的に他の成分の含量が多い．利用可能炭水化物として，しょ糖，果糖およびぶどう糖を含む．でん粉は含まない．主な食物繊維はフラクタンである．果糖4残基からなる，非還元性のスコロドース（フラクタンの一種）を多く含むとされているが，この糖の構造を決定した報告はみあたらない．無機質中カルシウムおよびカリウムは低含量を示す．

香気と辛味：香気および辛味成分は，主としてアリイン*が加水分解酵素（アリイナーゼ）によって分解されたアリシン，ならびにアリルジスルフィド類（メチルアリルジスルフィド，ジアリルジスルフィドなど）である．生ですりつぶすとアリインの分解が急速となり，臭気の強いアリシンの生成が多くなる．アリシンとビタミンB_1が結合したアリチアミンは，B_1分解酵素（チアミナーゼ）で分解されないB_1化合物として知られる．また，アリシンは強い抗菌作用をもつ．風乾物は変質しにくく，保存性がよい．独特の風味があり香辛料として賞用される．

◇加工　乾燥品を粉末にしたガーリックパウダー*やスライス（乾物）を香辛料として利用する．また，酢漬やしょうゆ漬，梅肉漬などのほか，にんにく酒などにも加工される．

◇調理　強い臭気は，それ自体あまり好まれるものではないが，香辛料として肉料理に用いるとその風味を非常に向上させる．❉生のにんにくは辛味があり，中国では料理の合い間にこれをかじることもあるが，普通はすりおろし，あるいは材料にこすりつけて用いる．煮物には薄切りにして入れるのもよい．加熱により辛味は消えるが，香りは残る．焼き肉のつけじょうゆには，薄切りのにんにくを入れておく．また，シチューや炒め物，ギョウザなどの隠し味に，ドレッシングやたれ，かつおなどの刺身の薬味としても欠かせない．❉にんにく自体を味わうにはしょうゆに1/4の酒を加えて，一度煮立てたものににんにくをつけておく．薄切りにして酒の肴にもよく，刻んで炒め物に加えてもよい．梅びしおに和えた製品なども出ている．

●茎にんにく

成 06224（花茎 生），06225（花茎 ゆで） 英 Kuki-ninnniku；(scape of garlic) 別 にんにくの芽

にんにくの花茎*が茎にんにくで，中国料理では

にんにく　上：生，下：スライス，乾燥（平 宏和）

茎にんにく（平　宏和）

古くからよく利用されていた．わが国でも第二次世界大戦後中国から入り，"にんにくの芽"として流通し，専用品種が栽培されている．中国からの輸入物も多い．にんにく特有の風味があるが，鱗茎*に比べるとずっと穏やかな味わいがあり，ほのかな香りが感じられる．甘味と歯応えもあり，美しい緑色をしているので，炒め物，和え物，サラダなど，料理の素材として広く用いることができる．硬いと思われるときは，さっと茹でるか，炒める途中で少量の湯と塩を加えて蒸らして用いると，色鮮やかに，しかも歯応えを残して仕上げることができる．

●葉にんにく
英 leaf garlic　別 スタニー；あおびる（青蒜）；葉びる

にんにくの鱗茎が肥大する前の若い葉を野菜として利用するもの．葉の軟らかい品種が使われる．第二次世界大戦後中国から入り，高知などで少し作られていたが，近年その他の地方でも栽培が始まっている．煮物や炒め物に用いる．

葉にんにく（平　宏和）

にんにく粉　⇒ガーリックパウダー
にんにくの芽　⇒にんにく（茎にんにく）

ぬ

 ヌガー

英 nougat

砂糖，水あめを主原料として，比較的低温で煮つめたソフトキャンデーの一種である．語源はラテン語の nux（ナッツの意味）からきたといわれている．キャンデーの中では，最も食感の軟らかなもので，形を整えるために寒天やゼラチンを加えたものと，泡立てた卵白を混ぜて，白色の粘りの強い食感に仕上げたものとに大きく分けられる．また中に混ぜるものによって，アーモンド，落花生，くるみなどを混ぜたナッツヌガーや，砂糖漬のチェリー，あんずジャムなどの果実を混ぜたフルーツヌガーなど，非常に多くの種類がある．
◇製法　一般的なヌガーの製法は，主原料の砂糖と水あめを120〜130℃に煮つめ，あらかじめ泡立てておいた卵白に少量ずつ加えて攪拌する．攪拌を続けていると，細かな粘りの強い純白の状態になってくる．そのとき，香料や着色料とバターなどの油脂を混ぜ，最後にナッツやフルーツを加え，冷却盤に流す．これをローラーにかけてのばし，好みの大きさに切断する．

ヌガー（平　宏和）

 ぬかみそ漬　糠味噌漬

成 06068（きゅうり），06137（だいこん），06196（なす），06044（かぶ 皮つき），06045（かぶ 皮なし）　英 Nukamiso-zuke；(vegetables pickled in salty rice bran paste)　別 どぶ漬

一名"どぶ漬"ともいい，各種野菜を糠みそ（糠床）に漬け込んだものである．
◇原料　野菜ならばなんでもよい．きゅうり，なす，大根，かぶ，にんじん，キャベツ，新生姜などが特に合う材料である．

ぬか漬　上：きゅうり，下：なす（平　宏和）

◇**漬け方**　漬け込むときは少量の食塩を野菜の表面にまぶしてやると，夏期には 12～24 時間，冬期は 1～3 日で漬けあがる．なすを色よく漬けるには，少量の食塩にごく少量の焼きミョウバンを混ぜてなすの表面を手でこすりながら傷をつけてから漬け込むとよい．

◇**糠みそ**　米糠 1 kg に対し，食塩 80 g，水 700 mL の割合で練り合わせ，甕（かめ）かホウロウ引きの容器に入れ，しっかりした蓋をして 1 週間くらい，最低 1 日 1 回は攪拌して熟成する．乳酸菌*や酵母が繁殖して米糠の成分である糖類を分解し，乳酸*やアルコールができてくると，特有の香りがでてくる．米糠は新しいものを用い，できれば使用量の半量は煎った方がよい．全部を煎ると米糠中の酵素が失活し，またビタミン B_1 や他のビタミン類が分解されるので好ましくない．

◇**糠床の手入れ**　野菜の出し入れのときに 1 日 1 回は必ず糠床を上下混合して空気を抱き込ませる．これを怠ると糠床は嫌気性となり，酪酸菌などが繁殖して悪臭を放つようになる．野菜から出た水分で糠がゆるくなったら，ざるなどを糠床に押し込んでおき，浸透してきた汁を汲みとり，さらに新しい糠と食塩を補給して適度な硬さに戻す．また，ビールや酒の飲み残しや，粕漬の残り粕，唐辛子，昆布などを入れると，いっそう風味がよくなる．ただし，ハエなどが入らないようにしっかりした蓋をするか，ポリエチレンフィルムなどでおおいをすることを忘れてはならない．

ぬめりすぎたけ　滑杉茸

成 08023（生）　分 担子菌類モエギタケ科スギタケ属（きのこ）　学 *Pholiota adiposa*　英 Numeri-sugitake　別 地 のびるちょうはつ（青森）；やなぎなめこ（山形）

なめこの近縁種．ブナなどの広葉樹の切り株に 6～7 月，9～10 月頃に群生する．傘は円山形から扁平で，色は褐色，とれやすい鱗片がある．軸の色は淡い褐色である．傘の部分も軸の部分も粘液で覆われ，ぬめりがあるが，なめこほどではない．

◇**成分特性**　成分的にはあまり特徴はない．100 g 当たり，カリウム 260 mg，エネルギーは 23 kcal である．

◇**調理**　なめこと同様にぬめりを味わうには，みそ汁，おろし和えが一般的である．酢の物や天ぷらもよい．

ぬめりすぎたけ　上：原木栽培（岩瀬　剛二），下：市販品（平　宏和）

ぬれせんべい　ぬれ煎餅

英 Nure-senbei

せんべいの一種で，焼き上げた生地が熱いうちに，しょうゆだれをよく染み込ませた状態のしっとりとした食感のせんべいである．昭和 35（1960）年頃，千葉県銚子市の米菓店の二代目が，手焼き

ぬれせんべい（平　宏和）

せんべいを作っているときに，たまたま，たれが生地の中にまでしみ込んでしまい，売り物にはならないので，おまけとして他の商品につけたところ，評判になり，3年後には商品化された．平成7（1995）年，千葉県の銚子電気鉄道が製造・販売に参入して，駅売店などに販売を開始し，平成18（2006）年，自社サイトでの呼びかけをきっかけに話題となり，通信販売も始め，ぬれせんべいの知名度は全国的に拡がった．現在では，千葉県以外でも多数製造されている．

ね

ネーブルオレンジ　⇨オレンジ

ねぎ　葱

分 ヒガンバナ科ネギ属（多年生草本）　学 *Allium fistulosum*　英 Welsh onion　別 ながねぎ（長葱）

多年生草本*であるが，通常種子で繁殖する．中国西部の原産とされているが，野生型は発見されていない．中国では古代から栽培されており，最も古い野菜の一つである．わが国での栽培も古く，10世紀頃から詳細な記述がみられる．

◇品種　耐暑・耐寒性強く，寒さの厳しいシベリア・中国東北から，暑熱の厳しい東南アジアまで栽培が可能である．わが国では，北海道から沖縄まで重要な野菜として各地に独特の品種を分化し，周年的に供給されている．しかし，近年はたまねぎに押されて，やや伸び悩んでいる．次の品種群に大別される．

　　やぐらねぎ群：完全に休眠し，冬には地上部が枯死する．とうは立つが，花ができず，花茎*の上にやぐら状に仔球を生じるので，これから繁殖する．北陸，東北地方の夏ねぎとして，自家用程度に利用される．代表品種にやぐらねぎがある．

　　加賀群：やぐらねぎ群に次ぐ寒地型のねぎで，冬に休眠する．多少分けつ*する．北陸・東北・北海道などの積雪地帯に分布し，関東北部にもみられる．代表品種に下仁田，加賀，岩槻などがある．

　　下仁田ねぎ　群馬県下仁田地方に栽培される加賀群の有名な品種で，ほとんど分けつせず，葉鞘部は短太で，品質がよい．ずんぐりと太い独特の形と軟らかな肉質と風味の良さでよく知られている．

　　千住群：関東の代表的なねぎで，根深ねぎとい

ねぎ坊主（平　宏和）

下仁田ねぎ（平　宏和）

九条ねぎ（細系・根切り）（平　宏和）

われ，土寄せ・軟白して利用する．冬期生育がにぶくなるが，休眠しない．ほとんど分けつ*しないものから，わずかに分けつするものまである．関東のみならず，東北，東海，山陰地方にまで栽培されている．代表品種に千住黒柄，千住合黒，千住合柄などがある．

深谷ねぎ　埼玉県深谷地方に栽培される千住群のねぎの銘柄名であるが，根深ねぎの代名詞のように用いられている．品種は千住合黒系が主体である．

晩ねぎ群：普通の品種より抽だい（薹）*が遅く，分けつ多いが葉鞘部は細い．根深ねぎとして関東で栽培される．代表品種に越谷太がある．

株ねぎ群：一般には抽だい（薹）しないねぎで，ときに抽だいしても不完全花が多く，ほとんど結実しない．株分けにより増殖する．根深ねぎとして関東で栽培される．代表品種に坊主不知がある．

九条群：関西の代表的なねぎで，1,000 年以上の歴史をもっている．休眠がなく，冬期も生育を続ける．千住群と異なり，緑葉部を利用するので葉ねぎといわれる．代表品種に分けつが少なく太い九条太系と，分けつが多い九条細系がある．

なお，ねぎでは一代雑種*（F_1）の利用が遅れていたが，1990 年代後半に入って優れた F_1 が育成され，根深・葉ねぎともに急速に F_1 化し始めた．

作型：根深ねぎと葉ねぎとでは独立して分化している．根深ねぎには秋播き（7〜9 月どり），冬播き（10〜11 月どり），春播き（12〜5 月どり），夏播き（11〜2 月どり）栽培がある．葉ねぎには夏ねぎ（8〜9 月どり），秋ねぎ（10〜11 月どり），冬ねぎ（12〜3 月どり），春ねぎ（4〜5 月どり），初夏ねぎ（6〜7 月どり）栽培がある．

◇成分特性　白色部分の多い根深ねぎと緑葉部分の多い葉ねぎでは明らかに成分組成が異なり，『食品成分表』でも分けて収載している．両者を比べると，葉ねぎはこれらの成分のうち水分と炭水化物を除くすべての成分が多く，特にカロテンについて著しい．葉ねぎとこねぎが緑黄色野菜である．

香気成分：ねぎ類は特有の臭気を示し，にんにくやたまねぎと同様にアリイン*，その加水分解物で強い刺激臭のアリシンおよび多くのスルフィド類を含有する．臭気は生のみじん刻みで強く，煮ると少なくなり，アリインの分解酵素アリイナーゼの加熱失活が明らかである．これら硫化物は化学変化して，一部血栓防止効果があり，脳梗塞や心筋梗塞の予防に有効といわれる．

◇調理　ねぎのにおいは，にらやにんにくと共通であるが，にんにくのような強烈な臭気はなく，生のまま刻んで薬味に好適である．麺類，鍋物のつけ汁など，あっさりした料理によい．※椀種やあしらいに：純白，あるいは浅緑の色と新鮮な香りを生かして，細かく切ったものを吸い物，天盛り，つまなどに用いる．※野菜としてのねぎを味わうには，軟らかいところを茹でて，酢みそ和え（ぬた）にするのがよい．白く太いところは，高温で短時間加熱すると甘味が引き立つ．肉と交互に串にさして焼く，あるいは揚げ物など乾式加熱に向く．すきやきに入れるのは肉の生臭みを消し，同時にねぎを味わうよい方法である．やや細めのものは，短時間で火が通るのでみそ汁の実によい．※香味野菜として：スープ，炒め物，鍋物，ひき肉料理などに肉や魚とともに用いて，においを消し風味を添える．みじん切りにすることが多い．青い部分も用いてよい．

●根深ねぎ

成【葉　軟白】06226（生），06350（ゆで），06351（油いため）　英 Nebuka-negi；(sheaths of Welsh

万能ねぎ（平　宏和）

onion blanched by covering with soil）
葉鞘部の基部に土寄せして軟白栽培＊した，葉鞘部を利用するねぎの総称．千住群などの品種に代表される関東のねぎである．

●葉ねぎ

成 06227（葉 生），06352（葉 油いため） 英 Ha-negi；（green leaf-blade of Welsh onion） 別 青ねぎ

土寄せせずに栽培し，緑葉部を利用するねぎの総称．品種としては軟白しなくとも肉質の軟らかい九条群が作られる．関西の代表的なねぎである．

●博多万能ねぎ

成 06228（こねぎ） 英 Konegi

福岡県朝倉地方で栽培した九条細系のねぎを若採りしたものである．銘柄名で，商標登録されている．『食品成分表』ではこねぎとして収載されている．あさつきやわけぎの代用として，細かく刻んで，薬味として利用される．

●わけねぎ

英 Wake-negi

関東で"わけぎ"として市販されている葉ねぎは，ねぎの品種の一つ"わけねぎ"である．これは関西に多いわけぎとは別のもので，千葉県の東金市で以前から栽培されてきた．現在でも東金市を中心に千葉県北西部，埼玉県南部などで栽培されている．

ネクタリン　⇨もも
根しょうが　⇨しょうが

 ## ねずっぽ　鼠坊

分 硬骨魚類，ネズッポ科ネズッポ属 学 Repomucenus lunatus 英 moon dragonet 標 ぬめりごち 別 あいのどくさり 地 めごち（関東）；のどくさり（淡路）；せきれん（高知）；さじのお（静岡） 旬 3〜5月

全長は20cmくらいになる．体の色は灰褐色で，鱗がなく，ぬるぬるした体液を出す．青森県から九州北部，朝鮮半島の沿岸に分布する．やや沖合の砂泥底に生息する．めごちと呼ばれる魚には，同属のねずみごちのほかにコチ科のめごち（こち＊），いねごち（Cociella crocodila）の地方名（和歌山，兵庫，広島など）などがあるので注意を要する．

◇調理　体表がぬるぬるしているが，食塩をふり，水洗いすると取り除くことができる．あっさりした味であり，新鮮なものは刺身にするが，天ぷら，唐揚げ，フリッターなど，揚げ物に向く．

●ねずみごち

鼠鯒 学 Repomucenus cuvicornis 英 horn dragonet 別 のどくさり 地 のどくさり（高知）；めごち（東京，神奈川）；ぬめりごち（神奈川）；がっちょう（大阪）

ねずっぽと同属で，地方名では両者を区別しない．東京湾で底曳網で漁獲する．天ぷらは美味．

根深ねぎ　⇨ねぎ
根みつば　⇨みつば

ねりきり　練り切り

成 15028 英 Nerikiri；（molded kneaded Gyuhi and An)

白あん(餡)にぎゅうひやみじん粉，やまのいもなどをつなぎとして加えて練り上げたものである．あんにこれらのつなぎを加えるのは，あんに適当な粘性をもたせて細工をしやすくし，かつ長い間軟らかさを保つためである．一般に練り切りは，いろいろな形を彫刻した木型に押しつけて模様をつけたり，細かい細工をし造型的な美しさを出して，種々の色を付けて色彩も豊かな上生菓子に仕上げたものである．古くから祝儀菓子や茶の湯菓子として用いられている．

◇原材料・製法　つなぎには，ぎゅうひ，みじん粉，やまのいもの3種があるが，ぎゅうひつなぎの練り切りが一般的である．ぎゅうひつなぎの製法は白あんに砂糖を加えて，普通のあんより硬めに練り上げる．それにぎゅうひを加えて均一に練り混ぜる．この方法は関東で多く用いられるも

ねずっぽ（ねずみごち）（本村　浩之）

ねりきり（平　宏和）

のである．みじん粉つなぎの練り切りは，白あんの中にぎゅうひの代わりにみじん粉を加えて均一に練り混ぜる．みじん粉つなぎのものは，みじん粉の吸収性が強いので，あんが乾きやすくなるために日持ちの点でぎゅうひのものより劣る．この方法は関西で多く用いられる．やまのいもつなぎの練り切りは，硬めに練り上げた白あんの中にすりつぶしたやまのいもを加えて均一に練り混ぜるものである．これは，やまのいもを蒸して裏ごししたものを白あんに加えて練りあげた，最高級のじょうよ練り切りあんとは区別される．練り切りを応用したものに雪平（せっぺい）がある．

練り切りは普通は白あんにつなぎを加えるものであるが，あずきあんにつなぎを加えて，あずき練り切りとすることもある．

練り羊羹　⇨ようかん
練りわさび　⇨わさび
ねんぎょ　⇨あゆ

の

のこぎりがざみ　⇨かに
のこぎりざめ　⇨さめ

のざわな　野沢菜

成 06229（葉 生）　分 アブラナ科アブラナ属（1〜2年生草本）　学 *Brassica rapa* var. *hakabura*
英 Nozawana

東洋系のかぶの一種で（かぶ*，表1），長野県下高井郡豊郷村野沢（現・野沢温泉村）の原産である．耐寒性強く，葉が長大で葉脈は軟らかく，ほとんど漬物としての利用が多い．家庭では塩漬，市場流通品では塩漬と調味漬がある．三池たかな，広島菜とともに，日本三大漬け菜といわれる．宝暦年間（1751〜1764）に野沢温泉村の健命寺の住職が京都から持ち帰った天王寺かぶの変種といわれる．同地方の特産の漬物であるが，近年は各地に栽培が広まり，野沢菜漬は全国で周年販売されている．長野・山梨地方には，これと同系の稲扱菜（いねこきな），羽広菜（はびろな），木曾菜，長禅寺蕪菜（ちょうぜんじかぶな）などが分布している．

◇調理　ほとんどすべて漬物として利用され，特に標高の高い長野県などで作られたものは，乳酸発酵がほどよく進み，おいしい．一般にはうま味調味料などを加えたしょうゆ漬が冷蔵で流通している．茶漬や，細かく刻んでご飯に混ぜて，おにぎりなどもよい．

●のざわな漬

野沢菜漬　成 06230（塩漬），06231（調味漬）
英 Nozawana-zuke；(salted pickles of Nozawana)
◇原料　野沢菜は聖護院かぶと違い葉部が細長く，特に茎の部分が長い．収穫時には全長が50〜60cmにもなる．根部はあまり肥大せず，

のざわな（平　宏和）

野沢菜漬（調味漬，しょうゆ）（平　宏和）

のしうめ（平　宏和）

せいぜい径が 10 cm ぐらいである．野沢菜漬は，長野地方の名産であるが，全国的にも周年販売されている．
◇**漬け方**　晩秋のころ，茎の軟らかい 50～60 cm に生長したところで収穫し，根を切り落とし 5～6 本をわらで束ねて漬け込む．食塩は早出しのものは 3％程度，遅出しのものは 5％くらいにし，最初，重石は原料と等量にし，4～5 日して漬け汁があがってきたら重石を半量にする．寒い地方では冬期中保存でき，上部から順に取り出して食する．市販のものは，しょうゆに調味して漬け込んだものが多い．三池たかな，広島菜とともに日本三大漬け菜といわれる．

のしいか　伸し烏賊；熨斗烏賊

英 Noshi-ika；(seasoned, pressed and extended Surume)

砂糖，しょうゆ，みりんなどの調味料に漬けたするめを，ローラーでひきのばしたもの．製法は，足，ひれなどを除いたするめをぬるま湯に漬けて皮をはぎ，調味液に漬ける．これをあぶり焼いてからローラーにかける．酒の肴やスナック菓子として用いられる．

のしいか（平　宏和）

のしうめ　延し梅

英 Noshiume

梅の果肉を使ったゼリー状の和菓子で，流し物菓子の一種で，山形や水戸の銘菓として有名である．
◇**由来**　江戸時代，山形藩では紅花の栽培が盛んで，藩の重要な財源になっていた．紅花から紅をとる工程に酸が必要で，これに梅酢が使われたため，梅の栽培と品種改良がすすめられ，梅の実を利用した菓子も副産物として生まれたといわれる．
◇**原材料・製法**　主原料は完熟した梅肉と，寒天，砂糖である．寒天に水を加えて加熱し，溶解して砂糖を加える．これに完熟した梅肉の水煮を加えて，ガラス板に厚さ 5 mm 程度に流す．ゼリー状に固まったものを，さらに温風で乾燥した後，幅 3 cm，長さ約 13 cm ほどの長方形に切って，1 枚ずつ竹の皮にはさんだものである．梅酢のさっぱりした酸味によって，爽やかな風味に仕上がっている．pH* が低いため，保存性に優れている．

のどぐろ　⇨あかむつ

のびる　野蒜

成 06232（りん茎葉 生）　分 ヒガンバナ科ネギ属（多年生草本）　学 *Allium macrostemon*　英 red garlic　旬 春

荒れた畑，畑の縁，原野，道路端のいたるところに生える野草である．アサツキの近縁で，ネギによく似た香りがある．地上部はネギを細くしたよ

のびる（平　宏和）

うに茎となって上部が分かれて細長い青い葉となっている．群生しているが，中心部のものは太く，時には1.5cmぐらいになることもある．一般には0.5〜1cmほどのものが食用として適している．地下部は白い茎の下に丸い鱗茎*があり，分けつ*した小さな鱗茎を数個つけている．花は太めのものにだけつける．葉の中心から散形花序が1本だけ立ち，先端に淡紫紅色の小さな花が多数球形に咲く．また花序*には紫色の小球のむかご（肉芽）を花と混在してつける．やがてこれが地上に落ちて栄養繁殖*を行う．近年，栽培もされている．

◇採取　春のまだとうが立つ前に植物全体を掘り取る．
◇成分特性　鱗茎葉は100g当たりβ-カロテン当量は810μg，ビタミンC 60mgを含む緑黄色野菜である．
◇調理　つき出しとして生でみそをつけて食べるのもよい．非常に辛い．また，茹でて酢みそ和え，お浸し，天ぷら，みそ汁の実などにして食べる．

のり　⇒あまのり

のりの佃煮

成 09033（ひとえぐさ）　英 Nori-no-tsuku-dani；(Hitoegusa simmered in soy sauce and sugar)

市販されるものは，ひとえぐさの佃煮であって，あまのりを原料とすることはほとんどない．これは，ひとえぐさの価格が安いことと，藻体が硬く煮込みに適しており，香りが高いことなどによる．しょうゆ（約10 L）を煮立てた中へ青板あるいは青ばら（約2.3 kg）を投入し，それがほぐれたところで砂糖（約3.8〜4.5 kg）を加えて煮上げる．所要時間は1時間ほどである．岩のりとして市販されている佃煮も，ほとんどがひとえぐさの佃煮である．

のりの佃煮（ひとえぐさの佃煮）（平　宏和）

は

ハーブ

英 herbs

香草の総称．香りを持つ植物の葉，茎，花で，料理の風味付け，薬用，香料などにも使われる．なお，木本植物であってもハーブとして扱われるものも多い．ハーブの定義について全日本スパイス協会による自主基準では，香辛料のうち，「茎，葉，花を利用するものの総称」としている．生で扱うのが本来であるが，保存のため乾燥品もみられる．種類も多い（香辛料*）．オレガノ*，クレソン*，コリアンダー*，サボリー，さんしょう*（山椒）の葉，しそ*（紫蘇），セロリ*，タラゴン*，チャイブ，チャービル*，にら*，バジル*，パセリ*，ペパーミント，マスタードグリーン（からしな*），みょうが*（茗荷），ヨモギ*，レモングラス*，ローズマリー*，わさび*（山葵）の葉などがある．

パーム核油

成 14010　英 palm kernel oil

ヤシ科に属するオイルパーム（アブラヤシ *Elaeis guineensis*）の果実の核（種子）から採油した植物脂．果実の果肉から採油するのがパーム油である．オイルパームは，もともと西アフリカで広く栽培されているが，近年はインドネシア，マレーシアでの栽培が中心となっている．

　製油：採油は主に圧搾法で，溶剤抽出も一部併用される．

◇**成分特性**　『食品成分表』では，100g当たり，脂質（TAG当量）*98.6gよりなる．脂肪酸組成は中鎖脂肪酸（オクタン酸4.1%，デカン酸3.6%），ラウリン酸（48.0%），ミリスチン酸（15.4%）が多いのが特徴である．このような脂肪酸組成はやし油に似ているが，比較するとオレイン酸*がやし油よりも多く，15.3%含まれる（付表6）．100g当たりのビタミンE含量は0.5mgと非常に少なく，ビタミンKはほぼ含んでいない（付表7）．

　理化学特性：日本農林規格*（JAS）では，比重0.900～0.913，屈折率（40℃）1.449～1.452，酸価*0.2以下，けん化価230～254，ヨウ素価*14～22，上昇融点24～30℃としている．

◇**保存・加工**　脂肪酸として，中鎖脂肪酸のオクタン酸（4.1%），デカン酸（3.6%）を含むので，リパーゼによって加水分解*されると変敗臭や石けん臭を生じる．水と混和しやすい中鎖脂肪酸の特性を生かして，コーヒークリーム用として重要である．また，部分硬化させてチョコレート用として多用される．

パーム油

成 14009　英 palm oil

ヤシ科に属するオイルパーム（アブラヤシ *Elaeis*

パーム核油（平　宏和）

上：パーム（アブラヤシ）（日清オイリオグループ），下：パーム油（平　宏和）

guineensis)の果実の果肉部から採油した植物脂．果核中の仁*から採油したものがパーム核油で，ともにやし油の一種である．原産地はアフリカの西部熱帯地方といわれる．果肉部の油分は20〜65％を示す．

産地：マレーシア，タイ，インドネシアなどである．

製油：パーム果実は強力な油脂分解酵素（リパーゼ）を含むので，取り扱いに注意を要する．圧搾により採油．

◇成分特性　『食品成分表』では，100g当たり，脂質（TAG当量）*97.3gからなる．脂肪酸組成は，パルミチン酸44.0％，オレイン酸*39.2％，リノール酸*9.7％である．パルミチン酸を多く含んでいるのが特徴で，『食品成分表』に収載される油脂の中では最も多い（**付表6**）．100g当たりのビタミンE含量は10.5mg（α-トコフェロールが多い）である（**付表7**）．ビタミンKは4μgと少ない．主なステロール*は，β-シトステロールが大部分であり，そのほか，カンペステロール，スチグマステロールなどを含む．

理化学特性：日本農林規格*（JAS）では，比重0.897〜0.905，屈折率（40℃）1.457〜1.460，けん化価190〜209，ヨウ素価*50〜55としている．融点27〜50℃．

◇保存　他の食用油脂と同様，酸化防止のための配慮を必要とする．

◇用途　パーム油はパルミチン酸を主体として飽和脂肪酸*を多く含み酸化安定性に優れている．そのため保存性が望まれる食品のフライオイル等に使用される．また，焼き菓子やスナック食品の艶だしや風味の改良を目的とした用途もある．その他，マーガリン，ショートニング，カカオバター代用脂の原料等に利用されている．

ばい　蛽

成 10304（生），**分** 軟体動物，腹足類（綱），バイ科バイ属，**学** *Babylonia japonica*，**英** ivory shells；Japanese babylons，**別** ばいがい；まばい；うみつぼ

殻表に美しい紫褐色の斑模様を有する．北海道南部から九州の潮間帯より水深20mの砂底に棲む．ばいは死肉を好み，ばい籠漁法で漁獲される．食味はよく，貝殻は貝細工の原料になる．しかし一般に「ばい」といわれる中には，ばいのほか，えぞばい科のえぞばい，えっちゅうばい，つばい（*Buccinum tsubai*），かがばい（*B. bayani*）などの

ばい（黒ばい）

エゾバイ科の日本海側での総称名としても用いられ，ときにはえぞぼらもどき（*Neptunea intersculpta*）なども市場でえっちゅうばいと呼ばれることもあり，一般につぶと総称される．食味は暖海産のばいよりも富山湾の深海産のおおえっちゅうばいが美味で，漁獲量も少なく最高級品とされる．一緒に獲れる中型のかがばいや小型のつばいは，味は一段劣るといわれている．流通形態としては主に殻付きの生貝の状態で売られているが，水煮缶詰などに加工されることもある．なお，市場では「ばいがい」とも呼ばれるが，ばい（蛽）とは貝のことなので二重語になる．

◇調理　新鮮な生きのよいものは香りがあり，シコシコとした歯応えがあり，甘味もあって刺身や酢の物がよい．小粒のものは殻付きのまま塩茹にして殻から身を取り出して食べる．大型のものは，つぼ焼きにするとよい．また，酒との相性がよいので，酒蒸しや，身を出して酒炒りし，木の芽みそなどをかけて食す．※洋風にはエスカルゴ同様の調理法を用いることができ，ブイヨンで茹でるか，ワイン蒸ししてレモンと一緒にオードブルに用いたりする．ばい自体が淡白な味なので，コクのあるソースやスパイス類を取り合わせると味が補われる．

●えぞばい

蝦夷蛽　**分** エゾバイ科エゾバイ属　**学** *Buccinum middendorffi*　**英** Middendorff's whelk

殻表は褐色がかった乳白色で，殻は厚い．北海道，東北の潮間帯付近の岩や小石底に棲み，味はよい．

●えっちゅうばい

越中蛽　**分** エゾバイ科エゾバイ属　**学** *Buccinum striatissimum*　**別** まばい；しろばい

深海性で200〜600mの海底に棲み，主に日本海に分布する．殻高10cmほどになる．美味．

●おおえっちゅうばい

大越中蛽　**成** 10304（ばい）　**分** エゾバイ科エゾバイ属　**学** *Buccinum tenuissimum*　**別** あおばい

えっちゅうばい（白ばい）

日本海の砂泥底，水深600～1,000mの深海に棲む．肉質は軟らかく，ばい類の中で最も美味といわれる．刺身，煮物などがうまいが，漁獲量は少なく，高級料亭などに回され，一般への流通は少ない．

パイ

英 pie

小麦粉の生地に特殊な製法で油脂をたたみ込んで焼き上げたもの．薄い層状の組織と，サクサクとした独特の食感をもつ．中に入れる材料によって料理にも菓子にもなる．

◇**分類** 生地の種類：パイ生地には，油脂を小麦粉生地で包んで，これを何回も折りたたんでつくる折りパイ生地と，油脂を細かく刻んで小麦粉と混ぜ，水を加えて練り上げ，さらにこれを折りたたんでつくる練りパイ生地の2種類がある．一般に折りパイはフランス式，練りパイはアメリカ式といわれる．どちらの生地を使ったものもパイというが，最近はビスケット生地を使った皿状の菓子もパイと呼ばれている．近年，高度な技術を必要とするパイ生地の折りたたみ作業を，一連の機械を使って大量に処理する装置が開発されたため，均一な数十層の生地が短時間に廉価でつくられるようになった．この機械を使った製品は，一般にパフパイ製品と呼ばれ，砂糖やジャムを表面に付けて，パッケージ商品として販売されている．

パイ製品の種類：皿パイはパイ生地をパイ皿に広げて，上に甘煮りんご，クリーム，サワーチェリーなどを詰めて焼き上げたもので，最も一般的なものはアップルパイである．薄く焼き上げた生地にカスタードクリームやバタークリームをサンドしたミルフィーユやナポレオンパイがある．巻き込んだ生地をスライスして焼き上げたものとしては，リーフパイ，サクリスタン，パルミエパイなどがある．薄くのばした生地を切断して，上に砂糖や，チーズ，ジャムなどをのせたものには，チーズパイや各種のパフパイがある．肉や野菜を加工したものを詰めて焼き上げた料理パイにもいろいろなものがある．

◇**原材料** 小麦粉はパイの骨格をつくるもので，ミキシングによって，グルテンを適当に形成させるとパイ層がよく現れる．強力粉を主体にした製品はパイ層がはっきりとし，浮き上がりもよいが，製品の食感は硬くなる．薄力粉の混入量が多いほど生地は軟質になり製品はソフトになるが，パイ層の形成と浮き上がる力に欠けてくる．油脂は製品に風味を与え，パイ層を形成する重要な原料である．バターをはじめ，折り込み用マーガリンや植物性ショートニングが使われる．バターはパイに最も適した油脂であり，製品の食感，風味，色調などにおいて最良のものである．他の油脂はコストや作業性を考慮して取捨選択されるが，パイ製品に適する油脂は，強靭性，伸展性に富んだものがよく，融点は35～45℃ぐらいのものが使われる．そのほかに風味を付けるものとして塩が添加され，製品によっては，牛乳や鶏卵を加えることもある．

◇**製法** パイを製造するときは，用いる水の温度，作業場の室温，使用する器具のすべてを低温（15℃前後）に保つ必要がある．これらが高温であると，生地と油脂の硬軟のバランスが崩れ良品ができないので，十分な注意が必要である．折りパイの場合は小麦粉に少量の練り込み油脂を加えてよく混合し，食塩と水を加え，他の副材料を加えてよく混合する．これを種（たね）生地といい，耳たぶぐらいの硬さで，薄い膜状にのびる状態がよい．種生地で油脂を包み込み，麺棒でのばしながら何回も折りたたむ．このときに1回ずつ冷蔵庫に入れて生地を休ませるのがコツである．生地を5mm程度にのばして整形し，詰め物などを入れて，表面に卵を塗ってオーブンで焼き上げる．オーブンの温度は200℃以上の高温が必要で，下火を強くすることが浮き上がりをよくする条件である．練りパイの場合は最初の種生地をつくるときに，細かく刻んだ油脂を練り込んでつくる点が異なっている．この場合，生地の中に粒状になった油脂が，折りたたむことによって扁平状に広がってきて，不連続状のパイ層が形成されることになる．練りパイの方が折りパイよりパイ層がはっきりせず，やや軟らかい食感になる．

パイ層の形成：パイの膨張は，生地の水分によって生じるもので，熱が生地に加わると，油脂層の油脂が溶けて上下の生地層に浸潤し，油脂層に空

アップルパイ（平　宏和）

間ができる．この空間は，生地層から生じた水蒸気や空気の膨張によって，ますますその間隔を広げられる．同時に，生地層のでん粉が糊化し粘度が増すために，全体の膨張を助けることになる．やがて水分が蒸発して固化が始まり，パイ特有の薄い層状の骨格が形成される．

●アップルパイ

成 15080　英 apple pie

パイ生地を敷き，煮りんごを詰めて，その上をパイ生地で蓋をし，蒸気が抜けるように穴や切れ目を入れ，照り用の溶き卵を塗って焼き上げる．パイ生地を蓋のようにかぶせるかわりに，2～3cm幅のひも状にしたパイ生地を網目のように交差させる方法もある．煮りんごは，皮をむき，芯を取って小さく切り，40％ぐらいの砂糖を加え，シナモン，レモン果汁などで風味付けして煮上げる．

●ミートパイ

成 15081　英 meat pie

肉を調理したものをフィリングとして詰めた料理パイ．フィリングとしては，肉をたまねぎなどと調理したものや，ひき肉と野菜，香辛料を調理したものなどを用いる．パイの生地は，折りパイ生地と練りパイ生地のどちらも用いられるが，形状や食べ方によって使い分けられる．つくり方は，菓子のパイと同じである．パイ生地を敷き，フィリングをのせ，その上にパイ生地をのせたり，パイ生地を折ってフィリングをはさんだりして焼き上げてつくる．

●パイ皮

成 15079　英 pie crust

パイ生地のみを焼き上げたもの．ある製品の成分値は，パン皮およびフィリングの成分値と製品の部分割合を用いて計算できる．

ばいがい　⇨ばい
胚芽米　⇨こめ
ハイブリッドライス　⇨こめ

 はいがい　灰貝

分 軟体動物，二枚貝類（綱），フネガイ科ハイガイ属　学 *Tegillarca granosa*　英 granulated ark；bloody clam　別 ちんみ

殻長8cm．殻表に太い放射肋が17～18本ある．殻を焼いて貝灰をつくる原料とされていたのでこの名がある．有明海などの潮間帯より水深10mまでの泥底に棲む．缶詰加工原料にもなる．インド洋，西太平洋に分布する．貝塚より出土するので古来より食用にされていたことがわかるが，現在では，日本の産出量はごくわずかである．

パイロットフィッシュ　⇨ぶり（ぶりもどき）

 パインアップル

成 07097（生），07100（50％果汁飲料），07101（10％果汁飲料），07102（缶詰），07103（砂糖漬），07177（焼き）　分 パイナップル科アナナス属（多年生草本）　学 *Ananas comosus*　英 pineapple　別 パイナップル；アナナス

熱帯アメリカ（ブラジル）原産．高さ1mくらいで，たけのこ状の茎から，30～60枚の剣状の葉を付ける．果実（集合果*）は100個程度の小果が集合して形成され，単為結果性である．可食部は，花軸*，子房*，花托，苞*の基部で，果重は

ミートパイ（平　宏和）

パインアップル畑（平　宏和）

パインアップル（平　宏和）

1～2 kg である．インディアンにより南米各地に伝播され，コロンブスの第二探検隊（1493年）が西インド諸島のグアドループ（Guadeloupe）島で発見したときにはすでに中米，西インド諸島の各地に分布していたといわれる．名前は，果実が松かさ（pinecone）に，味はりんご（apple）に似ていることによる．

◇品種　品種は100以上あり，クイーン，スパニッシュ，カイエン，アマレロ，ブランコが主である．最も優秀な品種は葉縁に棘のないカイエン種のスムース・カイエンで，この系統が栽培の主流になっている．わが国では，N67-10，ボゴール，ソフトタッチが栽培されている．ボゴールは台湾原産の品種で，手でちぎって食べられる手軽さからスナックパインとも呼ばれる．

産地：コスタリカ，フィリピン，ブラジル，インドネシア，中国での生産量が多い．わが国では沖縄が主産地であり，熟期は6～8月（夏実）と1～3月（冬実）の2回にわたる．

◇成分特性　成分は品種や熟期によりかなり変動する．100g中，水分85.2g，利用可能炭水化物*（質量計）12.2g，食物繊維1.2g．糖度には10.8～17.5%の変異がある．糖類はしょ糖が最も多く6～12g，ぶどう糖は1.0～3.2g，果糖は0.6～2.3g含まれる．そのほかの炭水化物では，ごく少量のでん粉，セルロース*，ペントザン，ペクチン*を含む．遊離アミノ酸*は300mg程度含まれる．その組成ではアスパラギンが最も多く，アラニン，シスチン，グルタミン，セリン，アスパラギン酸，γ-アミノ酪酸などが多い．そのほかアルギニン，グルタミン酸，グリシン，ヒスチジンなど20種のアミノ酸を含んでいる．酸はクエン酸が圧倒的に多く，そのほかリンゴ酸*，シュウ酸*などがある．特有の芳香は，酢酸エチル，酪酸アミル，イソカプロン酸エチルなどのエステル*による．ビタミンではCが35mgである．果実と葉にはたんぱく質分解酵素ブロメライン（bromelain）がある．また，シュウ酸カルシウムも含まれるので，口内が荒れることもある．

◇保存　低温貯蔵による品質保持効果は大きい．5分着色果を10～12℃で貯蔵すると2週間品質劣化は生じない．未熟果の場合は，10℃以下で貯蔵すると低温障害を生じるので注意を要する．輸送の最適温度は8～9℃とされている．

◇加工　加工品には果実飲料，缶詰，乾燥果実などがある．果汁はジュース（ストレートおよび濃縮還元），果汁入り飲料として広く利用される．製造方法は，外皮（shell）を除いて粉砕器にかけ裏ごしを行い，各種の飲料に加工される．缶詰の種類には，輪切り，二つ割り，四つ割りなどがあるが，いずれもシロップ漬缶詰として利用することが多い．加工工程は全工程が自動化されているので，原料の形状や大きさが加工上重要な要因となっている．乾燥果実は砂糖漬として乾燥したものが多い．

◇調理　特異な香りと酸味を持ち，熟したものはそのまま生食が最もよいが，日本では缶詰の利用も多い．※たんぱく質分解酵素ブロメラインを含むので，生のものをゼラチンゼリーに使うとゼラチンが分解されて固まらない．酵素力のない缶詰パインアップルを用いる．生パインアップルは，この酵素の作用により肉軟化剤としての働きが期待でき，しかも果実の中では比較的肉や油の味とよく合うので，豚肉と炒め煮にする料理もある．※実が大きく，皮に凹凸があってむきにくい．切り口を空気にさらしても，ポリフェノール*による褐変が起こらないため，八つ割りにしたものがカットパインとしてスーパーなどで販売されている．

パインアップル缶詰（平　宏和）

バウムクーヘン

独 Baumkuchen

ドイツに古くからある有名な菓子で，元来クリス

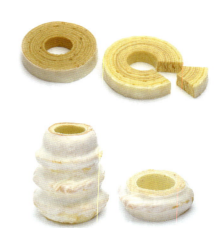

バウムクーヘン（平　宏和）

マス用ケーキとして珍重されていた．バターケーキ生地を鉄棒に巻きつけて回転させながら焼き，これを幾層にも焼き重ねたもので，切り口が樹木の年輪に似ているところからバウムクーヘン（Baum；木，Kuchen；菓子）の名がある．

パウンドケーキ

成 15082（バターケーキ）　英 pound cake
本来は小麦粉，砂糖，鶏卵およびバターを各々1ポンド（約450g）ずつ混合してつくったことからpound cakeといわれ，代表的なバターケーキである．その変形として，ラムレーズンなどのドライフルーツやクルミなどを加えたフルーツケーキ，プラムケーキなどがある．

上：パウンドケーキ，下：パウンドケーキ（バナナ）
（平　宏和）

ばかがい　馬鹿貝

成 10305（生）　分 軟体動物，二枚貝類（綱），バカガイ科バカガイ属　学 *Mactra chinensis*　英 hen clam；surf clam　別 市 あおやぎ（むき身）；みなと貝　旬 冬〜春

殻は薄手で，やや三角形から卵形をしている．ばかがいは3年で殻長10cmとなる．殻表は成長肋がはっきりしている．足は赤から黄橙色．千葉県青柳村（現・市原市）でよく獲れたのであおやぎとも呼ばれ，むき身の市販通称名にもなっている．また，本種の貝柱は，こばしら（小柱）とかあられと呼ばれ，流通している．北海道から九州，中国大陸の潮間帯の砂泥底に棲む．味はよい．すし種にもなる．ほぼ一年中出回っているが，旬は冬から春．バカガイ科の日本産は約30種．

◇成分特性　ばかがいはむき身にされ，貝柱と足部筋肉に分けられて売られている．色の赤いものや黄色のものが混ざっていることがあるが，これは貝の個体差で鮮度とは関係ない．『食品成分表』では100g当たり，水分84.6g，たんぱく質（アミノ酸組成）* 8.5g，脂質（TAG当量）* 0.2g，利用可能炭水化物*（差引き法）5.1g，灰分1.6gで，たんぱく質の含量ははまぐり，あさりなどより高く，あかがいなどより低い．脂質と炭水化物ははまぐりより多いが，あかがいより少ない．脂溶性ビタミン*はやや多い．ステロール類の含量は二枚貝としては高い方である．その他，タウリンや無機質ではマグネシウム*が比較的多い．

◇調理　ばかがいのむき身であるあおやぎは，酢の物やすし種など，生食に向く．※貝柱であるこばしらは広範囲の調理に用いることができる．刺身の前盛り，すし種，かき揚げ，サラダ，うま煮などにする．加熱しすぎると身がしまって硬くなるが，形が小さいので，硬さはあまり苦にならず，サラダのように調味料の浸透を嫌う料理には，むしろ加熱した方がよい．

●ありそがい

有磯貝　分 アリソガイ属
学 *Coelomactra antiquata*　別 あらいそがい（荒磯貝）

殻は薄く大型で，房総，山形県以南の外洋の浅海

しおふき

ミニはくさい　1球1kg前後の小型品種，家庭で食べきれるように開発された（平　宏和）

の砂底に棲む．味はよい．
● しおふき
汐吹　分 バカガイ属　学 *Mactra veneriformis*
英 wedge-shaped surf clam
殻がよくふくらんでいる．成長脈ははっきりしている．千葉以南の内湾の潮間帯の砂泥底に棲む．えらの粘液に砂が多いが，よく処理をすればあさりの佃煮の代用となる．「ひめ貝」と呼ばれる乾物の原料は本種が多い．

はがつお　⇒かつお
麦芽酢　⇒食酢

はくさい　白菜

成 06233（結球葉　生），06234（結球葉　ゆで）
分 アブラナ科アブラナ属（1〜2年生草本）　学 *Brassica rapa* var. *glabra*　英 Chinese cabbage
旬 冬

中国の原産であるが，野生型は発見されていない．近年中国の学者達により，カブ類（*B. r.* var. *rapa*）とタイサイ類（*B. r.* var. *chinensis*）との交雑から生じたものではないかという説が出て，有力となっている．中国では極めて古くから栽培されている．わが国でも不結球型のものが栽培されていたが，現在のような結球はくさいの栽培は明治になってからであり，日清戦争（1894〜1895），日露戦争（1904〜1905）を契機に，1900年代に入ってから普及した．

◇品種　はくさい類には不結球，半結球，結球の3種類がある．一般に結球するものをはくさい，不結球と半結球のものをさんとうさい（*B. r.* var. *pekinensis* 'Dentata'）と呼んでいる．野菜類の中でも，大根，キャベツ，たまねぎなどとともに，作付面積，生産量ともに極めて多い．中国では多彩な品種分化をとげているが，わが国ではそのごく一部が馴化・土着し，現在の品種の基本となっ

た．品種は愛知群（早生），芝罘（チーフー）・松島群（中早〜中生），包頭連（ほうとうれん）・加賀群（中〜中晩生）が戦前から分化しており，戦後に捲心（けんしん）群（極早生）が導入された．また近年，複数の種苗会社から，「サラダ白菜」などの名で出されているものは，葉の表面にも毛茸のない早生系のはくさいで，生のまま食べられる．完全に結球する前に収穫され，外観は山東菜やロメインレタスに近く，冬が旬のはくさいと違い，品種により差はあるが，5〜7月，7〜9月，10〜12月などとなっている．

栽培：現在，実際に栽培されているのは，これらの群内あるいは群間の複雑な交配によって育成された一代雑種*で，球の内部が純白なものが白菜（はくさい）であったが，最近，球の内部の帯黄色の品種（黄芯型）が美味とされブームを呼び，現在の実用品種は黄芯型のみとなっている．はくさいは冷涼性の野菜で，同一地での周年栽培は不可能である．しかし，温床・トンネルの利用，高冷地の開発，および畑に長時間置いておけるので出荷調整ができる在圃性の高い晩生型の育成，などによりほぼ周年供給が可能となった．近年はハウスを利用する型もある．基本的な型は春播き（4〜7月どり），高冷地（7〜9月どり），早出し（10〜11月どり），秋播き（11〜12月どり），遅出し（12〜2月どり），越冬（2〜3月どり）栽培である．半結球はくさいは，秋播き（11〜12月どり）栽培のみであり，不結球はくさいは，果菜の前作，間作，後作にも用いられ，軟弱野菜の一つとして周年栽培される．

◇成分特性　周年供給されているが，季節の違いによる成分の相違はほとんど認められないようである．同じはくさい類のさんとうさいと比べ，水分と炭水化物を除き各成分値は低い．

◇調理　甘みが強く味はよいが，肉厚で組織が硬いので，漬物以外の生食には向かない．炒め物，

煮物，鍋物など，加熱調理の材料として極めて応用範囲が広く，どんな味付けにもよく合う．他の材料との調和もよい．味付けを重視する中国料理では，日本料理における大根以上に日常野菜の中心として用いる．※味が淡白なので，油を用いると風味が引き立つ．鍋物には脂肪の多い豚，鶏，まぐろなどを取り合わせ，和風のはくさいの煮物にも油揚げを入れる．中国料理では，八宝菜をはじめ炒め物にすることが多く，西洋料理ではベーコンを入れたスープ煮，バターとクリームで煮たロール煮などがある．※日本人にとって最も喜ばれるはくさいの食べ方は，漬物である．唐辛子，糠，昆布，ゆずなどを入れた塩漬は，秋から冬にかけての最も日本的な味として，食卓に欠かせない．また，キムチも人気が高い．また，サラダ白菜として改良されたものは，肉質は軟らかく生食にも向く．浅漬けや煮物などにもできる．

●はくさい漬
白菜漬 成 06235（塩漬） 英 salted pickles of Chinese cabbage 別 はくさいの塩漬
◇原料 はくさいはよく結球していて，できれば晩秋の霜に2～3回当たったものが糖の蓄積があって甘く，肉質も軟らかくてよい．
◇漬け方 まず下漬を行う．はくさいを2つ割か4つ割にして（このとき，半日ほど天日に干すと，甘味が増すといわれる），切り口を上にして容器にできるだけ隙間のないように並べ，食塩3%，もし長期間漬け込んでおく場合は4.5～5%量を用意し，全体に均等にいきわたるよう勘案してふりかけ，交互に積み重ねる．押し蓋はできるだけ容器との隙間のない大きさのものを選び，重石は少なくともはくさいの質量の1/3ないし等量必要である．3～4日して漬け汁があがってきたら本漬に移す．容器よりはくさいを取り出し，漬け汁は捨てる．はくさいを再び容器に並べ，風味をよくするため唐辛子の輪切り，ゆずや昆布の細切れを少々ふりかけ交互に重ねる．重ね終わったら押し蓋をして重石を半量にしてのせる．4～5日で漬けあがる．食塩が3%以下なので酸敗しやすいので低温で保存する．

●はくさいのこうじ漬
白菜の麹漬 英 Chinese cabbage pickled with rice koji
◇原料 はくさいは固く結球したものを選び，大きさにより2～4つ割にする．
◇漬け方 3%食塩で下漬する．漬け込むときにはくさいの葉の間を広げるようにして食塩をふりかけて容器に並べる．最後に押し蓋をして，等量ぐらいの重石をのせる．2～3日程度で漬け汁が押し蓋の上まであがれば必ず重石を半減する．漬けムラをなくすにはいったん容器よりはくさいを取り出し，再び並べ替えて2日間ほど漬け込む．本漬は，下漬はくさいを軽くしぼり漬け汁を切る．下漬はくさい10kgに対し，麹2kg，食塩150g，唐辛子2～3本の輪切りを混合したものを交互に重ねて漬け込む．重石は漬け汁があがるまでは8kg程度とし，漬け汁があがれば4kgほどに減らす．漬け込み後，15～20日ぐらいで麹がなじみ食用になる．水洗いしないでそのまま食べるので，漬け込み中はポリエチレンフィルムで密封するなど，管理に十分注意する．
◇保存 非常に酸敗しやすいので低温で貯蔵する．

爆弾あられ

米，麦類，とうもろこしなどを密閉容器内で加熱加圧し，その容器の扉を急速に開放して圧力を下げ，あられ種を膨化（減圧膨張）させ砂糖掛けしたもので，駄菓子の一種である．爆弾あられの名は，開放時の音に由来する．

爆弾あられ（米） 左：精白米，右：七分づき米
（平　宏和）

はくさい漬（平　宏和）

パクチョイ

成 06237（葉 生） 分 アブラナ科アブラナ属（1年生草本） 学 Brassica rapa var. chinensis（タイ

パクチョイ（平　宏和）

サイ）　英 bai cai　別 パイゲンサイ（白梗菜）；白軸パクチョイ；広東パクチョイ；しゃくしな（杓子菜）　旬 秋

中国野菜の一種．華中で広く栽培されている大衆的な野菜で，柄が白い．柄が青いものはチンゲンサイ（青梗菜）という．このパクチョイの中で，日本に馴化したものにたいさいがある．日本在来の漬け菜と交雑してさまざまな品種が生まれている．チンゲンサイよりも軟らかく，その分，日持ちが悪い．

◇調理　濃い緑色の葉と白い茎との対比が美しく，アクも少ない．料理法はチンゲンサイ同様，下茹でして和え物，炒め物などに使われる．

はくれいたけ　⇨あわびたけ
はこふぐ　⇨ふぐ
はじかみ　⇨しょうが，さんしょう
葉しょうが　⇨しょうが

バジル

成 06238（葉 生），17077（粉）　分 シソ科メボウキ属（1年生草本）　学 *Ocimum basilicum*（メボウキ）　英 basil　別 バジリコ　和 めぼうき

インド，アフリカ原産．シソ科の1年生草本だが熱帯では木化して多年生となる．株は立ち性で，分枝し，夏〜秋に花茎*が伸びて，その下から順次花を輪生する．茎葉の色は緑〜紫，花の色も白〜淡紫．最も一般的なのはスイートバジルで，生または乾燥した葉を用いる．そのほか観賞用にもなるブッシュバジルやレモンバジル，シナモンバジルなどがある．品種により風味，香気が異なる．欧州では，「ハーブの王」として広く使われている香草で，特にイタリア料理には欠かせない．わが国へは江戸時代に入り，漢方薬として用いられた．種子を水に浸すとゼリー状に膨張し，それで目に入ったごみをとるのに用いたので，和名をめぼうきという．

◇成分特性　生鮮物は100g当たり，β-カロテン6,300μgを含む緑黄色野菜である．またサポニン*を含むので，殺菌作用や強壮効果もあるという．

香気成分：シソ科特有の爽やかな香りをもち，その主成分はメチルシャビコール，リナロールなどである．生の葉は青じそに似た，ほのかに甘い香りとかすかな苦味をもつ．

◇調理　イタリア料理ではバジリコと呼ばれ，マリネ，サラダ，ピザ，パスタ料理などに広く用いる．香りの主成分のメチルシャビコールの独特の味わいが，地中海・イタリア料理の風味を特徴づけている．乾燥品も同様にスープ，シチュー，ピザ，パスタソースなどに入れ，また，肉・魚料理の香辛料とする．

バジルペースト：ジェノバペースト，ジェノベーゼともいう．本来は生葉を使うものだが，乾燥品でも同様につくられる．バジルに松の実，にんにくを加えてすりつぶし，パルメザンチーズとオリーブ油を加える．冷蔵庫で保存がきくので常備して，茹でたパスタをこのペーストで和えたりする．

はす　⇨れんこん

左：バジルの花，中：バジル，右：バジル（乾）（平　宏和）

ハスカップ

成 07104（生） 分 スイカズラ科スイカズラ属（落葉性低木） 学 *Lonicera caerulea* subsp. *edulis* var. *emphyllocalyx*（クロミノウグイスカグラ） 英 Hasukappu 別 和 くろみのうぐいすかぐら 旬 7月

本州中部高山帯から北海道，サハリン，シベリアに分布している．ハスカップの名はアイヌ語に由来し「枝の上にたくさんなるもの」の意味である．花は各葉腋*から2花ずつ咲くが，下部で互いに子房*が合体し1個の果実となる．そのため，果皮が二重で，1個の果実の内部に2個の袋が入っている．果皮は黒紫色，果汁は赤紫色で，独特の風味と甘酸っぱさがある．果重は1g程度で，北海道では7月上旬～下旬に収穫でき，栽培もされている．

◇成分特性　最も一般的な品種は，ゆうふつである．果色は黒紫色でアイヌ民族は不老長寿の妙薬として珍重した．果色成分はアントシアニン*の一種シアニジン3-グリコシドで，抗酸化性が強い．無機成分はカリウムが最も多く，次いでカルシウム，リンなどの順である．ビタミンとしては，Cは果実全体で44mgで，そのほかにB_1，ナイアシン*，B_6，パントテン酸*，葉酸*などを含む．果汁のpH*は2.8の高酸性を示し，クエン酸1.9g，リンゴ酸*0.8g，酒石酸*0.2gを含む．総酸として2～3gを含み，酸味はかなり強い．

◇保存・加工　保存性は劣り，低温または凍結保存される．小果のため凍結保存が適し，ビタミンCの保持も良好である．加工品としては，酸味が強いので，ジャム，ゼリー，ソース，菓子の副原料，ワインなどに加工される．

ハスカップ（冷凍）（平　宏和）

パスタ

成 01149（生パスタ 生），【マカロニ・スパゲッティ】01063（乾），01064（ゆで），01173（ソテー） 英 pasta

イタリア料理などに使われる麺製品はパスタと呼ばれている．その起源は古く，パスタ類は，14世紀の初めマルコ・ポーロが中国から持ち帰った麺がイタリアの風土とよく合い，これが発展したといわれている．一方，それ以前よりローマ人により食べられていたという説もある．初めは主婦や料理人による手作りであったが，次第に工場規模で生産されるようになった．イタリアのパスタ産業は，蒸気機関や水圧機などの発明により急速な発展をとげ，フランス，ドイツへ，さらに移民とともに米国へ伝えられ，全世界に広まった．わが国へは，明治28（1895）年に東京・新橋のレストランのコックがイタリアより持ち帰ったといわれている．昭和初期に国内生産が始まったが，本格的な生産は昭和29（1954）年にイタリアの全自動製麺機が導入されてからである．

◇分類・種類　パスタ類は約600種以上あるといわれており，わが国では約60種が市販されている．日本農林規格*（JAS）では，マカロニ類を，デュラム小麦のセモリナまたは普通小麦粉に水を加え，これに卵，野菜を加えまたは加えないで練り合わせ，マカロニ類成形機から高圧で押し出した後，切断し，および熟成乾燥したものとしている．食品表示基準*では，製品の形態により，以下の4種に分類している．

①マカロニ：2.5mm以上の太さの管状またはその他の形状に成形したもの（棒状・帯状のものは除く）．

②スパゲッティ：1.2mm以上の太さの棒状または2.5mm未満の太さの管状に成形したもの．

③バーミセリ：1.2mm未満の太さの棒状に成形したもの．

④ヌードル：帯状に成形したもの．

なお，パスタ類は日本農林規格（JAS）製品のほか，原料小麦に普通小麦を使用した製品がみられる．

形状，長さ，大きさ，製法による分類で，長形製品，短形製品，小形製品，特殊製品，生パスタの5種類に大別できる．

（1）長形製品（ロング・グッズ）：一般に25cm前後の棒状・管状・帯状の製品である．棒状の製品は，太さは1mm未満から2.5mm程度であり，細いものからカッペリーニ，バーミセリ，スパゲッティなどと呼ばれる．管状の製品はロングマカロニと呼ばれるもので，太さは2～10mm程度のものがある．帯状の製品はヌードルと呼ばれるもので，きしめんのような形をしている．フェット

パスタ類：①長形製品（平　宏和）
カッペリーニ：円形の切り口をした長形製品の中で最も細いパスタ*3. イタリア語の髪の毛が語源.
スパゲッティーニ：スパゲッティより少し細いパスタ*2.
スパゲッティ：日本で一般的に使われる円形の切り口をしたパスタ*2. イタリア語の紐が語源.
リングイネ：楕円形の切り口をしたパスタ*4. 断面の形から小さな舌がイタリア語の語源.
フェットチーネ：帯状のパスタ*4. イタリア語の切るが語源. 類似のタリアテッレよりやや幅が広い.

*1：マカロニ，*2：スパゲッティ，*3：バーミセリ，*4：ヌードル（食品表示基準の分類①長形製品，②短形製品，③小形製品および④特殊製品に共通）

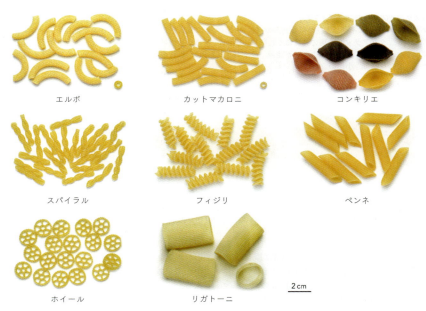

パスタ類：②短形製品（平　宏和）
エルボ：細く曲がった管状のパスタ*1. イタリア語の肘（ひじ）が語源. **カットマカロニ**：日本で一般的に使われる管状のパスタ*1. マカロニは英名で，イタリア語ではマッケローニ. 長形製品にロングマカロニがある. **コンキリエ**：貝殻状で表面に筋が入り小さく巻いたパスタ*1. イタリア語の貝殻が語源. 着色は緑：ほうれんそう，赤：ビート，黒：いかすみ.
スパイラル（ツイスト）：縄状によられた形のパスタ*1. 英名のツイスト（より糸）の名も使われる. **フィジリ**：螺旋形のパスタ*1. イタリア語の紡錘が語源. **ペンネ**：ペン先のように斜めに両端を切った管状のパスタ*1.
ホイール：車輪形のパスタ*1. **リガトーニ**：表面に筋の入った太めで管状のパスタ*1. イタリア語の筋が語源.

パスタ類：③小形製品（平　宏和）
アルファベット：アルファベット文字のパスタ[1]．リゾーニ：米形のパスタ[1]．長粒種のほか，短粒種の形をした製品もある．

パスタ類：④特殊製品（平　宏和）
ファルファリーネ：イタリア語の蝶が語源のパスタ[1]．大きい製品をファルファッレ，小さい製品をファルファリーネという．　タリアテッレ：鳥の巣状にした幅4〜8mm，平めん状のパスタ[4]．棒状の長形製品もある．着色の緑はほうれんそう．イタリア語の切るが語源．　ラザニエ（右上）：板状のパスタ[4]．ラザニエッテ（右下）は小さいラザニエの意味で，小形のラザニエ．

パスタ類：⑤生パスタ（平　宏和）
リングイネ：楕円形の切り口をした棒状のパスタ（長形製品）．フェットチーネ：帯状のパスタ（ヌードル）（長形製品）．ニョッキ：茹でたじゃがいも，かぼちゃなどと小麦粉を捏ねた団子状のパスタ．イタリア語の塊が語源．

チーネ，タリアテッレなどの各種製品がある．

（2）**短形製品（ショート・グッズ）**：わが国では管状で直径2〜5mm，長さ3〜4cmのカットマカロニが一般的な製品である．そのほか，三日月状のエルボ，貝殻状のコンキリエ，車輪状のホイール，環状のリング，ねじり状のスパイラル（ツイスト），らせん状のスパイラリ，ペン先状のペンネなど多くの種類がある．これら製品は，食品表示基準ではマカロニの中に入る．

（3）**小形製品（スモール・グッズ）**：主としてスープの中身に使われるもので，米形のリゾーニ，星形のステラ，文字形のアルファベットなど，多くの種類がある．食品表示基準ではマカロニの中に入る．

（4）**特殊製品（スペシャル・グッズ）**：食品表示基準ではマカロニの中に入る蝶形のファルファリーネ，太い管状のカンネッローニ，ヌードルに入る鳥の巣のように立体的にまとめたタリアッテレ，オーブン料理に使われる板状のラザニエなどがある．

（5）**生パスタ**：製麺後に乾燥をしないパスタ．製品にはデュラムセモリナなどの小麦粉を水で捏

ね，押出機で金型から強い圧力で押出したものとロール式機で切出したものがみられる．乾燥パスタにない小麦本来の風味ともっちりした食感がある．

◇**製法** 小麦粉に水を加えて混捏しながら粒子内の空気を除き，これをシリンダーに押し込み，練りながら高圧（$80\ kg/cm^2$ 以上）でダイス（鋳型）の孔より押し出し，乾燥する．ダイスの孔を取り替えることにより，種々の形のパスタ類ができる．原料小麦粉は，一般に，デュラム小麦からつくられた粗粒のセモリナが用いられる．なお，デュラム小麦粉は，パンコムギ由来の小麦粉に比べ，カロテノイド色素を2倍以上含むため，デュラム小麦粉製品は特有の琥珀色を呈する．

品質規格：日本農林規格（JAS）では，原材料はデュラム小麦のセモリナまたはデュラム小麦の普通小麦粉，卵，野菜（トマト・ほうれんそう）に限られ，組織が強固で，断面がガラス状で光沢を有する，食味は香味が良好で，添加物は使用しないなどと規定している．

鑑別：よく乾燥し，外観として形がよく，独特の琥珀色の半透明状で，折った断面がガラス状の光沢を持ち，異物が混入せず，茹でたとき，形が崩れたりべたついたりせず，香味もよく，粉臭い異臭のないものが好ましい．なお，デュラム小麦粉を用いたものは，製品の透明度と硬さが優れ，口当たりがよく，茹でた後ものびることが少ない．

◇**成分特性** 小麦粉を原料としているので，でん粉が主成分である．JASでは，マカロニ類の規格として，粗たんぱく質11.0%以上，灰分0.9%以下と規定している．なお，乾燥したパスタ100gを茹でると，およそ220gになる．

◇**調理** イタリアに代表される麺製品であり，形や大きさの違いにより名称も異なり，種類も多い．麺自体の一品料理として用いるほか，グラタン，サラダ，肉料理等の付け合わせやスープの浮き身などに広く使われている．※**歯応えを生かす**：イタリアでは"アルデンテ"といって，シコシコと歯応えのある茹で方が好まれるように，少し硬めの方が，パスタ類の醍醐味を楽しむことができる．茹で時間は一様ではなく，形の大小，肉径の厚さにより異なる．製品の表示時間を参考にしながら，指でつまんで茹で加減をみる．目安として製品の質量の約10倍の水に，1〜2%の食塩を加え，沸騰後，直ちに製品を入れ，再び沸騰するまで強火にし，湯がふきこぼれないように沸騰状態を保ちながら，鍋底や製品同士がくっつかないようにときどき撹拌する．また，くっつきを防ぐために，湯の中に少量の植物油を入れるのもよい．茹で上がりは，中心に少し芯が残る程度で茹で汁をきる．なお，茹でることにより，ビタミンB_1は約30％，カリウムは約85％損失する．※**加熱後に油脂をまぶす**：べとつきを避けるため，少量の植物油かバターをまぶす．この間に余熱が製品内部に伝わり，中心まで糊化が進む．また製品を再加熱する調理のときには，これよりも硬めに茹で上げ，長時間放置したり冷たい調理に利用するときには，中心まで糊化させ，流水にさらすなどして余熱をとり植物油をまぶしておく．※**スパゲッティ・ミートソースのように**，茹で上がった麺に各種ソースをかけたり和えて食べる方法．新鮮な魚介類，肉類，卵類，野菜類を適宜に処理し，硬めに茹でた麺とともに，植物油，バター，香辛料で調味する．茹で上がりと和える具をつくるタイミングが大切である．※**グラタンに代表される料理**で，茹で麺に各種の具やソースやチーズをふりかけて天火で焼く方法．※**ステーキや煮込んだ肉料理等の付け合わせとして**，茹でてから植物油やバターで和え，調味して少量を用いる方法．※**型の小さい麺を用いて**，コンソメスープなどの浮き身に用いる方法．※**流水にさらして冷やし**，水をきってドレッシングや刻んだ香味野菜をふりかけ，冷所において下味をなじませ，マヨネーズソースで和える方法．

はすの実　蓮の実

成 05023（未熟 生），05024（成熟 乾），05043（成熟 ゆで）　**分** スイレン科ハス属（多年生草本）　**学** *Nelumbo nucifera*（ハス）　**英** East Indian lotus seeds

はすの原産地はインドあるいは中国といわれ，広く東洋各地の池，沼地に自生，または水田で栽培される．古名のはちすは，種子ができる孔のある肥大した花床*が蜂の巣に似ているためである．

はすの実（成熟・乾）　右下：種子と花床（平　宏和）

堅い種皮に包まれた種子は，1,000年以上も発芽力を保つといわれる．千葉県の古い地層から発見され，大賀博士により開花した「大賀はす」は，2,000年前のものと実証された．泥中で肥大，分枝した根茎*はれんこんとして食用にする．種子は楕円形の堅果*で，長さ1.5cm，径0.5cm前後，中に白い子葉*と緑色の幼芽をもつ．緑色の未熟種子の仁*をそのまま食べるか，あるいは完熟して硬くなったものを茹でた後，その仁を食べる．主に中国からの輸入が多く，中国料理によく用いられ，また，砂糖漬にもされる．

◇成分特性　完熟種子の仁は炭水化物が6割強と多く含まれ，その多くがでん粉である．たんぱく質も多いが，脂質は少ない．無機成分では，カリウムが特に多い．

はぜ　沙魚；鯊

成 10225（まはぜ）　分 硬骨魚類，ハゼ科　英 gobies　旬 冬～初夏

◇種類・分類　地方によってははぜ，ごりまたはかじかという．はぜというときには一般に食用のまはぜを指しているが，必ずしもそうではなくて，他種のはぜをいうこともある．ごりという魚にも多くの種類があり，かじか類のかじかのことを石川県金沢ではまごりというが，それ以外のごりは種々のはぜ類（まはぜを除く）をいうことが多い．東北地方や北海道のかじかは，はぜ類とかじか類をともに指すので，はぜ類だけを指すときには特に猪口（吸盤）を持つかじかの意味で，ちょこかじかという．日本にはハゼ科に属する魚が560種近く知られているが，食用になるものは少ない．

◇成分特性　はぜ類は種類も多く，一概にはいえないが，白身の魚で，成分的には水分含量が高く，脂質含量は低い．形が小さいため処理に不便で，廃棄率が高い．そのため，小型のはぜ類は丸のまま利用される場合も多い．丸ごと全部か肉のみ利用するかによって灰分や無機質の含量は異なるが，肉のみではそれほど高くなく，ビタミン類の含量も白身魚としては平均的である．

◇保存・加工　鮮魚として売られるが，開いて冷凍したものもある．肉色が白く，アシも強いので練り製品に適しているが，量がまとまらず，処理が面倒なのであまり使われていない．大型のものは丸のまま焼干しにして，甘露煮の材料などに使われるが，小型のものは主に佃煮原料とされる．小型はぜ類の焼干しをだし汁の材料として利用している所も多い．名産品的なものに有明海のむつごろう，わらすぼなどいろいろあり，前者は，蒲焼きと同じように調理し，後者はみそ汁の実などとし，また素干しや味付けとする．

◇調理　大きいものは細作りの刺身にしたり，背開きにして頭と中骨をとり，薄衣をつけた天ぷらにする．また，姿のまま，うろこと内臓を除いて唐揚げにしたり，白焼きにして煮びたしや魚田（ぎょでん），甘露煮などにしてもよく，洋風ではフライやエスカベーシュ（魚のフライの酢漬け），中国風ではいぶし煮の燻魚（シュインユー；魚の揚げ煮）などにも適する．このほか小さいものは，佃煮に用いられる．

●うろはぜ

洞沙魚　分 ウロハゼ属　学 *Glossogobius olivaceus* 英 flathead goby　別 地 かめはぜ（高知，浜名湖）；おかめはぜ（浜名湖）；かわぎす，ぐす（富山）；うろぐす（京都）

全長25cm．頭はやや縦扁し，体は円筒形，尾部は側扁する．内湾魚で，南日本の河口に多く生息する．

●しまはぜ

縞沙魚　分 チチブ属　学 *Tridentiger trigonocephalus*　英 trident goby；striped triple tooth goby　標 あかおびしまはぜ　別 地 どんこ（有明海）；どぶくろはぜ（兵庫）

全長10cm．日本各地の内湾や河口域に生息する．バラスト水によってカリフォルニアやオーストラリアにおける移入が確認されている．

●しろうお

素魚　分 シロウオ属　学 *Leucopsarion petersii* 英 ice goby　別 地 いさざ（北陸）；しらうお（全国，混称）；しろうお（近畿，四国）；ひうお（徳島）

全長10cm．体は側扁する．一見，しらうお*に似ているので，混同されることがあるが，別種である．体に鱗も側線もない．沿岸魚で，産卵期には川を上る．"踊り食い"で知られる福岡室見川のしろうおは，本種である．鮮度が落ちると食味が極端に低下するので，できるだけ新鮮なものを選ぶことが大切である．踊り食いは生きたものを鉢に泳がせて二杯酢で食べる．

まはぜ（本村　浩之）

● ちちぶ

知知武　分 チチブ属　学 *Tridentiger obscurus*
英 threadfin goby；Japanese trident goby
別 地 だぼはぜ；だぼ（関東，東海）；いもごり（金沢）；くろごり（八郎潟）；どぼくろ（和歌山）；どんこ，かじか（愛媛，混称）；ごり（和歌山，高知，混称）

全長 12cm．北海道から九州の内湾や河口域に生息する．琉球列島では同属で近縁のながのごりに置き換わる．

● はぜぐち

沙魚口　分 マハゼ属　学 *Acanthogobius hasta*
英 javelin goby　別 地 はしくい；はぜ（佐賀，有明海）；まはぜ（熊本）

全長 50cm．体はまはぜより細長い．国内では有明海と八代海にのみ生息する．まはぜよりやや不味．天ぷら，甘露煮などにする．

● まはぜ

真沙魚　成 10225（生），10226（つくだ煮），10227（甘露煮）　分 マハゼ属　学 *Acanthogobius flavimanus*　英 yellowfin goby　別 地 かじか（宮城）；ぐず（石川）；ごず；ごつ（鳥取）；はぜぐち（有明海）

全長 25cm．体は円筒形で尾部は側扁する．背部と側線に沿って，茶褐色の斑紋が散在する．内湾や河口の砂泥底に生息する．北海道から九州，中国に分布する．

◇成分特性　『食品成分表』では三枚おろしにしたもので，100g 当たり，水分 79.4g，たんぱく質（アミノ酸組成）*16.1g，脂質（TAG 当量）*0.1g，灰分 1.2g となっているが，丸のままの場合は灰分がこれより高くなる．佃煮の灰分が 9.6g と多いのは，そのほかに 5.6g の食塩が含まれるからである．

● むつごろう

鯥五郎　分 ムツゴロウ属　学 *Boleophthalmus pectinirostris*　英 great blue spotted mudskipper
別 地 むつごろ；むつ；ほんむつ；がっちゃむつ；かなむつ（有明海）

全長 20cm．体は側扁する．第1背びれの棘は糸状にのび，胸びれの基部の筋肉がよく発達しており，泥の上を歩く．海水および泥水の干潟の泥の中に棲む．肝臓に脂が多く，少々骨が硬いが，美味である．有明海北部でよく獲れ，山椒焼き，蒲焼きにする．台湾，中国，朝鮮にも分布する．

 パセリ

成 06239（葉 生），17078（乾）　分 セリ科オランダゼリ属（2年生草本）　学 *Petroselinum crispum*　英 parsley　別 オランダぜり，パセリー

地中海沿岸地方の原産で，ヨーロッパでは紀元前から香辛料として利用していた．わが国では18世紀に記録がみられるが，実際に利用され始めたのは明治に入ってからである．

◇品種　根を利用するものと，葉を利用するものがある．葉を利用するものには，葉が縮まず平葉種とも呼ばれヨーロッパでは一般的な滑葉種（かつようしゅ）のイタリアンパセリと，葉が縮みちりめん（縮緬）種と呼ばれる縮葉種（しゅくようしゅ）がある．わが国の栽培はほとんど葉を利用するものに限られ，葉色の濃い縮葉種（パラマウント，モスカールドなど）が好まれる．食用としてより，料理の飾りとしての役割が大きかった．滑葉種の方が味が穏やかで，栽培も容易である．最近，滑葉の品種がパースレという名で利用され始めている．量は少ないが，周年的に供給され，春播き（7〜12月どり），秋播き（12〜5月どり）栽培が行われる．

肥大した根を利用するハンブルクパセリは，主にヨーロッパで用いられる．

産地　長野，千葉，静岡など．

◇成分特性　生鮮野菜の中では水分が比較的少ないこともあるが，各成分とも含量が多く，特に無

パセリ　上：縮葉種，下：滑葉種（イタリアンパセリ）
（平　宏和）

機質とビタミンが豊富である．炭水化物の80%は食物繊維である．無機質はカリウム，カルシウム，リン，鉄*が多く，ビタミンはβ-カロテンが7,400μg/100gと非常に高い．特に無機質では鉄が，ビタミンではカロテンとCが多く，次いでB_1，B_2，Eなども多い．細かく刻んで水さらしすると，カリウム，鉄，B_1，Cが10～20%溶出する．凍結乾燥ののち，粗砕して香辛料に用いられる．その加工処理中にビタミンB_1，Cが10～20%損失し，保存中にもビタミンが徐々に損失する．また，光線によりクロロフィル*が分解して，徐々に褐緑色から黄緑色になる．

香気成分：香気成分として，精油中にミリスチシン，アピオール（別名parsley camphor），β-フェランドレン，ピネン*などを含み，食欲増進に効果的である．

◇**加工**　独特の強い香りと彩りを生かして，乾燥した葉を細かくしたものが，振りかけて使う瓶入りの香辛料として販売されている．

◇**調理**　鮮やかな緑色と形の美しさを利用し，料理に添えられる．※スープ，サラダなどに，細かく刻んでさらしパセリとして用いると，色彩と香り，栄養価値をともに利用できる．肉料理，魚料理には香味野菜としての役割も果たす．※煮るとその本来の特徴を失うが，衣を少しつけて揚げると，色，香りともに保持され，フライなどの付け合わせに最適である．葉をこがさないように，やや低温で揚げる．茎の部分は硬いので，スープの風味付けなどに使うとよい．

はた　羽太

分 硬骨魚類，ハタ科　英 groupers　旬 夏

はたと呼ばれる魚はハタ科のアカハタ属やマハタ属を含む魚の総称で，国内だけでも100種近くいる．はた類はいずれも磯釣りの好対象である．

◇**成分特性**　白身魚であるが，たら類などより肉質がしっかりしていて，冷凍耐性は高い．脂質も4～8%程度で比較的多い．また，脂溶性および水溶性のビタミン類も適度に含有している．すなわち成分的にはすずきやたい類に似ている．味は種類によって著しく違う．

くえ，まはたのように非常に美味なものから，あかはたのようにはた類中最も不味とされるものまである．旬は夏となっているが，長崎のように冬を旬とする地方もある．これは漁期や調理法の違いと関係している．

◇**調理**　白身で肉質は軟らかく，やや脂も多く味

ほうきはた　南日本の沿岸に分布し，関東には主に小笠原諸島産が入荷する．高級魚で味もよい（本村　浩之）

もよいので，高級魚として扱われる．刺身，あらい，鍋物，煮付けなどが美味．照焼きにするが，塩焼きにはしない．中国でははた類を石斑魚（シーバンユー）と呼び，清蒸（蒸し煮），炸（揚げ物），炒（炒め物），焼菜（焼き物）で調理される．

● **きじはた**

雉子羽太　分 アカハタ属　学 *Epinephelus akaara*　英 Hong Kong grouper　別 あずきはた　地 あこ（関西，北九州）；あこお；あずきあこお（和歌山）；あかあら（長崎）

青森県から九州にかけて分布するが，日本海に特に多い．浅い岩礁域に生息する．全長は50cm．体の色は褐色でオレンジ色の斑点がある．東京ではそれほど注目しないが，大阪では晩春から盛夏にかけて，あらいとして大いに賞味し，高価である．

● **くえ**

九繪　分 アカハタ属　学 *Epinephelus bruneus*　英 longtooth grouper　別 地 もろこ；あら（九州）；くえます（三重）

青森県以南の日本各地，朝鮮半島，中国，台湾に分布する．岩礁域に生息している．全長は1mを超え，体の色は灰褐色である．関西ではまはたより美味とする．磯釣りの人気魚で，刺身，あらい，鍋などがおいしい，白身の高級魚である．長崎，佐賀などのあら料理は有名．ことに唐津の秋祭，おくんちには，大あらの姿煮が欠かせない．

くえ（本村　浩之）

やいとはた(本村　浩之)

●まはた

真羽太　分 マハタ属　学 *Hyporthodus septemfasciatus*　英 convict grouper　別 かんなぎ　地 しまあく(和歌山);ます(関西,幼魚);しまあら(長崎);あら(兵庫,長崎);はたじろ(高知)

北海道以南の東アジアに分布する.水深300m以浅の岩礁域に生息する.全長は1mくらいに達する.体の色は褐色で,黒く太い横縞が7本ある.東京では夏を美味とするが,長崎では冬を美味とし,特にあら煮は賞味され,たいより高価に取り扱っている.

●やいとはた

焼痕羽太　分 アカハタ属　学 *Epinephelus malabaricus*　英 Malabar grouper　別 にせひとみはた

普通,体長1m以下のものを多く見かけるが,2mくらいまでになる.体表に散在する小黒点をお灸の痕(やいと)に見立ててこの名がある.黒点のほかやや不規則な茶色の横縞が5本あり,また,白っぽい雲状斑もある.よく似たちゃいろまるはた(*E. coioides*)には,この白いむら雲模様がないので見分けられる.岩場にも,砂泥底にもすみ,河口に入ってくることもある.魚類や甲殻類を食べる.釣りやはえ縄で漁獲される.南日本から熱帯インド,西太平洋に分布.東南アジアの市場では普通にみられる.

まはた(本村　浩之)

バター

英 butter

牛乳から分離したクリームを攪拌によって乳脂肪を結合させて固まりとし,これを練り上げたもの.油中水滴(W/O)型エマルション*を形成している.紀元前2000年に東インドで製造したと伝えられる.旧約聖書に,バター,チーズの記載がある.わが国では寛政年間(1789～1801)あるいはその後につくり始めたといわれる.成分の違い,食塩添加の有無,製造法の違い,クリームの発酵の有無,そのほか,原料の違いなどにより,各種のバターがある.主な生産国には米国,ニュージーランド,ドイツ,フランスがある.乳等省令*では「バター」について,生乳,牛乳または特別牛乳もしくは生水牛乳から得られた脂肪粒を練圧したもの,成分規格を乳脂肪分80.0%以上,水分17.0%以下,大腸菌群陰性としている.

製法:次の順序で製造している.

①クリームの分離:遠心分離器により,クリーム(乳脂肪35～45%)と脱脂乳に分離する.
②殺菌・冷却:クリームの殺菌はバターの風味,均一性および貯蔵性に関与する.
③クリームの発酵あるいはエイジング(熟成):発酵バターは特有の風味,香気をつくり出すためスターターを用い発酵させる.非発酵バターでは,バターの硬さや組織を改良するためのエイジング(3～18℃・8時間以上)を行う.
④チャーニング:機械的に攪拌し乳脂肪球の皮膜の破壊と脂肪を結合させバター粒をつくる.この操作でバターミルクが生成する.
⑤バターミルクの除去・バター粒の水洗.
⑥加塩:加塩バターではクリーム脂肪量の約2.5%の食塩を加える.
⑦練圧(ワーキング):練圧操作によりバターの組織を均一にし,水分と食塩を均一に分散させる.
⑧充塡,包装.

◇**成分特性**　**表1**は『食品成分表』によるバター100g中の値である.植物油と異なり,コレステロールやナトリウム*を多く含む一方で,レチノール*,ビタミンD,ビタミンB_{12}が含まれる.脂肪酸組成は,植物油脂やマーガリンと異なり,少量ながらアラキドン酸を含んでいる.

理化学特性:比重(15℃)0.935～0.944,屈折率(40℃)1.4445～1.4570,けん化価199～201,ヨウ素価*25～47としている.

◇**保存**　冷蔵し,他の食用油脂と同様,酸化防止

表1 バターの成分特性（100g中の値）

	無発酵バター 有塩	無発酵バター 無塩	発酵有塩バター
脂質 (g)	81.0	83.0	80.0
コレステロール (mg)	210	220	230
ナトリウム (mg)	750	11	510
レチノール (µg)	500	780	760
ビタミンD (µg)	0.6	0.7	0.7
ビタミンE (mg)	1.6	1.5	1.4
ビタミンK (µg)	17	24	30
ビタミンB_{12} (µg)	0.1	0.1	0.1
パルミチン酸 (%)	31.80	32.80	31.60
ステアリン酸 (%)	10.80	10.00	10.70
オレイン酸* (%)	22.20	21.80	22.20
リノール酸 (%)	2.40	2.10	2.40
α-リノレン酸 (%)	0.40	0.50	0.40
アラキドン酸 (%)	0.20	0.10	0.20

*オレイン酸は，オレイン酸，シス(cis)-バクセン酸等の計の値．
（文部科学省：日本食品標準成分表2020年版（八訂）脂肪酸成分表編）

加塩バター（平 宏和）

デコレーション用のバタークリームなどによい．
●加塩バター
成 14017（有塩） 英 salted butter 別 有塩バター
食塩を1～2％添加したバター．業務用，家庭用に使用され，わが国で最も一般的である．
●ギー
英 ghee
インド，ネパールなどで利用されているバターオイルの一種．牛乳を加熱殺菌したあと，乳酸発酵により凝固させ，続いてチャーニング（脂肪球を集合）操作後，加熱，濾過により得た脂肪．
●バターオイル
英 butter oil
乳等省令*では「バターオイル」について，バターまたはクリームからほとんどすべての乳脂肪以外の成分を除去したもの，成分規格を乳脂肪分99.3％以上，水分0.5％以下，大腸菌陰性としている．遠心分離法，静置法によりつくる．還元牛乳，アイスクリームなどの原料として利用される．
●発酵バター
成 14019 英 sour cream butter
乳酸菌*を用いクリームを発酵させてつくる．酸味と発酵臭の芳香がある．ヨーロッパなどでは生

のための配慮を必要とする．油脂の自動酸化による劣化のほか，微生物（カビや酵母）によっても品質の劣化を招く．清潔で，かつ温度管理された場所に保存する必要がある．保存は開封前のカートン入りのもので約6カ月，缶入りでは1年間である．なお，缶入りのものも冷蔵保存する．また異臭を吸収する性質をもつことから，カートン入りのものはにおいの強い食品と一緒に冷蔵庫で保存しない．庫内の汚れには注意が必要である．
◇調理 もっぱらパンに塗って食べる．正式な宴会などでは小さい固まりとし氷にのせるか，氷水の中に入れて出す．サンドイッチのパンに塗るときは，あらかじめ少し温めて軟らかくしておき，クリーム状に練る．ほかに熱いいもやとうもろこしにもよく合う．❖他の油脂にない独特の風味を生かして調理することが大切である．低級脂肪酸が多く不安定でこげやすく，香りも変化しやすい．揚げ物のような長い加熱には不向きである．炒め物に用いるときも融かして脂肪と水分を分離させた上澄みの部分をサラダオイルと併用するとよい．スープやグラタンに加えると風味とコクを増す．でき上がりの熱いうちに加える．❖パンやケーキには一般にショートニングオイルが使われるが，バターを使うと手作りの素朴な味が出せる．パウンドケーキ，スポンジケーキ，カップケーキ，

発酵バター（平 宏和）

発酵バター（加塩）（平　宏和）

無塩バター（平　宏和）

産量も多いが，わが国では一部でのみつくられている．一般に利用されるバターは，乳酸菌発酵をさせていない非発酵バターである．
●フレーバーバター
英 flavored butter
フレーバーを付与する目的でバターに果実や香辛料等の副材料を加えたもの．副材料としてにんにく，辛子，レーズン，アーモンド，はちみつ，チョコレート等を用いたものがある．
●粉末バター
英 powdered butter
高脂肪クリームに無脂乳固形分を混合したものを，噴霧乾燥することによりつくる．
●ホイップドバター
英 whipped butter
製造後のバターに空気や窒素を吹き込みホイップしたもの．製菓用．
●ホエーバター
英 whey butter

原料の違いにより分類されたバターの一種で，チーズホエーに残存する脂肪を分離回収し，得られたクリームから製造されたバターである．普通のバターより軟らかく，組成やフレーバーは通常のバターに匹敵するといわれる．保存性は劣る．
●無塩バター
成 14018（食塩不使用）　英 unsalted butter
別 食塩不使用バター
食塩を添加していないバター．保存性は加塩バターより劣る．家庭でも主に製菓用に用いられる．ナトリウム*が加塩バター750mg（食塩相当量*1.9g）に対し，11mg（食塩相当量28mg，『食品成分表』では0gで表示される）である．

 バタースコッチ

成 15111　英 butter scotch
タフィー*の一種である．本来のタフィーは糖蜜やはちみつの味を主体にしていたが，バタースコッチは，バターを加えてあるので，甘さにコクがある．砂糖と水あめを130℃ぐらいまで熱したものにバターを加えて弱火で徐々に145℃まで加熱し，均一に混合，冷却して仕上げる．

バタースコッチ（平　宏和）

フレーバーバター　上：レーズンバター，下：はちみつバター（平　宏和）

 バターボール

英 Bata-boru；(butter flavored candy)

バターボール（平　宏和）

キャンデーの一種．主原料の砂糖，水あめに水を加えて煮つめ，これにバター，少量の食塩・香料などを加えてさらに煮つめて，冷却後，まとめた飴を成型したものである．

バターロール　⇨ロールパン
葉だいこん　⇨だいこん

はたけしめじ　畑占地

成 08015（生），08045（ゆで）　分 担子菌類シメジ科シメジ属（きのこ）　学 *Lyophyllum decastes*　英 Hatakeshimeji　別 にわしめじ　地 うりしめず（山形）；こずみどこ（広島）；はたけせんぼん（青森，長野）

木材腐朽菌の一種で，地中にある古木を腐朽し，5～6月，9～10月頃に地表に株状に柄を伸ばし傘をつける．傘は直径4～10cmで灰褐色，柄は5～8cmで傘と同色である．道端，林，公園などにも生える．木材腐朽菌なので，おがくずを主体とした菌床栽培が行われ，栽培品が出回りはじめている．

◇調理　ほんしめじに似ている．風味を失わないよう手早く洗った後，汁物，鍋物，揚げ物などに用いる．

はたはた　鰰；鱩

成 10228（生），10229（生干し）　分 硬骨魚類，ハタハタ科ハタハタ属　学 *Arctoscopus japonicus*　英 Japanese sandfish　別 地 かたは；しろはた（鳥取）；かみなりうお（東北地方）　旬 11～12月

全長30cm．体は著しく側扁する．口は大きく上方に開く．鱗はなく，なめらかな肌をしている．鰓蓋（さいがい）の後縁に5本の棘がある．水深100～400mの深海に生息するが，初冬の雷のなる頃，産卵のため沿岸の浅海に群をなして集まる．秋田では雷魚（かみなりうお）といって珍重する．味はよく，秋田でははたはた鮨，煮付け，しょっつる（塩汁）*などになる．卵巣はピンポン球ぐらいあって，ぶりこと呼ばれる．北海道から東北地方，山陰に分布する．秋田，山形両県で特に多く獲れたが，近年は激減し，漁場は山陰地方に移っている．しかし，その後の資源保護の施策が成功し，再び東北でも漁獲されるようになった．

◇成分特性　白身の魚で11～12月の産卵期が旬．一見たらに似ているが，成分的には水分がやや少なく，脂質が比較的多い．

◇保存・加工　乾燥品のほか，すしやみそ漬，麹漬などにもする．名産品としては秋田のしょっつるやはたはた鮨がある．

◇調理　淡白な味で，塩焼き，煮付け，天ぷら，

上：はたけしめじ（野生），下：はたけしめじ（栽培）
（岩瀬　剛二）

はたはた　上：卵巣（ぶりこ）によって腹部が大きく膨らんでいる，下：開腹してぶりこを取り出したところ（平　宏和）

フライ，みそ汁，粕汁などに用いる．干物や塩辛にもよい．なれ鮨のにたたた鮨は正月食品として珍重される．ぶりこに手早く湯通しして醬油だれに漬けたり，煮付けなどにして賞味する．

はたんきょう　⇨アーモンド，すもも
ばち　⇨まぐろ（めばち）
はちじょうそう　⇨あしたば

はちのこ　蜂の子

成 11244（はちのこ缶詰）　英 wasp maggot

クロスズメバチやミツバチの幼虫やさなぎのこと．昔から比較的手に入りやすい重要な動物たんぱく資源であり，多くの地域にあって主にクロスズメバチの幼虫，さなぎ，若バチなどが食用に供されていたと思われる．日本では，古くから岐阜，長野，岡山の奥津地方などで食べられており，そのハチの種類もクロスズメバチ（*Vespula flaviceps*），オオスズメバチ（*Vespa mandarinia*），ミツバチ（*Apis* spp.），アシナガバチ（*Polistes* spp.）など，かなり広くにわたっている．種々のハチのうち現在幼虫やさなぎが缶詰にされ市販されているのは，クロスズメバチとミツバチであり，ともに長野県飯田，伊那地方の名産となっている．クロスズメバチはジバチともいわれ，地中につくられた巣を壊して子を取る．ミツバチの子は養蜂の副産物で，採蜜に不要な雄バチのさなぎを出房しないうちに取り出し，砂糖，しょうゆで味付けし，缶詰にする．

◇**成分特性**　たんぱく質のほか糖類，鉄＊，ビタミン A，B_1，B_2 に富む，栄養価の高い食品である．『食品成分表』には缶詰が収載され，加工のため若干糖類やナトリウム＊が増え，その分だけ他の成分の比率が下がる．ビタミン B_1 はそのほか加熱による低下がみられる．

はちのす　⇨うしの副生物（第二胃）

はちみつ　蜂蜜

成 03022　英 honey　別 花蜜

人類最古の甘味料で，ミツバチが貯えた花の蜜が巣の中で熟成されたもの．これに対し，植物の分泌物，またはその分泌物を吸ったアブラムシなどの昆虫の排出液をミツバチが貯えた蜜は甘露はちみつと呼ぶ．

日本の養蜂：日本の養蜂は 7 世紀から朝鮮から伝えられた．洋式の養蜂は明治 6（1873）年以来行われ，岐阜，長野，中国地方，九州などが中心である．最近では中国，アルゼンチン，カナダなどからのはちみつの輸入も多い．

◇**種類・分類**　白色から黄色ないし褐色の粘稠性のある液体，または半固体．ミツバチの巣全部または一部を，貯えられたはちみつごと密封したものは，「ハチの巣はちみつ」と呼ばれる．また巣を圧搾して得たものを「圧搾はちみつ」という．一般のはちみつは抽出はちみつで，遠心分離によって蜜だけを分離したものである．はちみつ類の表示に関する公正競争規約では，はちみつの性状を，淡黄色ないし暗褐色のシロップ状の液で，特有の香味があり，結晶を生じることがあるものとし，組成基準は水分 20% 以下，果糖およびぶどう糖含量 60% 以上などとしている．また，採蜜源の花の名は，当該はちみつのすべてまたは大部分を当該花から採蜜し，その花の特徴を有するものの場合に記載できるとされている．

局方はちみつ：第十八改正日本薬局方では，はちみつを「ヨーロッパミツバチ（*Apis mellifera*）またはトウヨウミツバチ（*A. cerana*）が巣に集めた甘味物を採集したもの」と定めている．比重は 50.0 g を水 100 mL に混和した液で，1.111 以上

はちのこ甘露煮（平　宏和）

はちみつ　左：アカシア（島根県産），右：とち（岩手県産）（平　宏和）

とされる．そのほか，酸，硫酸塩，でん粉およびデキストリン*などについての規定がある．

◇**成分特性**　成分の約80％が糖類で，その7割以上を果糖とぶどう糖が占める．これらの糖の多くは花の蜜中のしょ糖がミツバチの口から分泌される酵素（インベルターゼ*）により転化されたものである．ほかに少量のしょ糖，麦芽糖*，デキストリンなどが含まれる．糖組成は蜜源の種類により異なり，果糖/ぶどう糖は，ナタネ，ウド0.7〜0.9，レンゲ，ミカン，トチノキ，クローバー1〜1.2，ニセアカシア，リンゴ1.4〜1.6を示し，果糖の比率が高いものは，結晶が析出しにくい．たんぱく質は0.2〜0.3％，灰分は平均0.10％程度である．蜜源によって成分はかなり異なる．日本薬局方では灰分0.4％以下と定めている．微量成分としてはビタミンB_1，B_2，パントテン酸*などのB群，Cなどがある．

蜜源と品質：花の種類によって味，色，香りに違いがある．ニセアカシア，シナノキなどの蜜は色が白っぽく，風味も上品である．ナタネ，レンゲ，ミカン，クローバーなどの蜜はやや黄みがかっている．ソバ，クリの蜜は褐色で品質はやや落ちる．わが国で多いのはレンゲ，ナタネ，ニセアカシア，シナノキ，トチなどで，特にレンゲ蜜は淡黄色，香りも淡白で日本人の好みに合う．

◇**保存・加工**　**保存温度**：酵素が働いて泡立つことがあるので，夏は低温におく．水分とぶどう糖の比（D/W）が2.10以上のものは結晶しやすく，この比が1.70以下のものは結晶しにくい．ナタネ蜜は前者で，アカシア蜜は後者である．結晶の細かいものほど舌触りはよい．白く不透明になったものは温めれば溶ける．

用途：家庭での食用のほか，菓子，飲料，化粧品などへの用途がある．漢方薬では，丸薬をつくる際の結合剤として欠かせない．

禁忌：腸内細菌叢未発達の乳児に対し，はちみつが感染源となり，ボツリヌス症が起こる可能性があるので，1歳未満の乳児には与えない．

◇**調理**　主成分が還元糖*であるため，温度によりα，β型の変化が起こり甘味の強さが変わる．そのため，調味料としては不向きである．病人のための温かい飲み物などには砂糖より吸収が優れている．※砂糖のように甘味だけではなく，独特の香りがあるのでホットケーキにかけるシロップなどに適している．紅茶などに入れるのもよい．※ジャムと同様，パンにつけて食べると，はちみつそのものの味をよく味わうことができる．バターを塗った上につけるといっそう風味が引き立つ．※以上のように食卓用調味料としての性格が強いが，砂糖よりアミノカルボニル反応*を起こしやすいため，カステラなどの焼き菓子に使うと味や色沢をよくする．

ハツ　⇒うしの副生物（心臓），ぶたの副生物（心臓），にわとりの副生物（心臓）
はっか　⇒ミント
はっかく　⇒とくびれ
はっかく　⇒スターアニス
発芽玄米　⇒こめ

はつかだいこん　二十日大根

🆔 06240（根 生）　分 アブラナ科ダイコン属（1年生草本）　学 *Raphanus sativus* var. *sativus*　英 radish　別 ラディッシュ；ラレシ

植物学的には日本の大根と同一種であるが，主としてヨーロッパや米国で栽培されている．市場では通常ラディッシュと称することが多く，これが訛ってラレシともいう．根は径1〜3cm，長さ2〜10cmと小さく，極早生で，播種後25日前後で収穫できる．す入りが早く，一般に辛味が強い．

◇**品種**　わが国では赤色・丸形（サクサ，コメットなど）のものが栽培されているが，長形の品種，白色あるいは上半部が赤く下半部が白い品種（紅白）などもある．

産地：愛知，福岡．

◇**成分特性**　成分は大根の根とほぼ同様の含量を示している．赤色種の根は，外皮の部分がアントシアン系の色素でかなり赤色を示す．

◇**保存・加工**　酢漬に使われる．貯蔵は0℃，湿度90〜95％がよく，2〜4カ月は保存できる．

◇**調理**　鮮やかな赤を生かし生食する．形が小さくかわいらしいので，オードブルやサラダの彩りに用いる．バラ，ひな菊，チューリップなどをかたどったむき方がある．味は淡白で，香りもクセ

はつかだいこん（平　宏和）

がない．組織は硬いが歯切れよく，塩味によく合う．色素は酸（酢など）で赤みを増し，サラダのほか酢漬にもよい．

はっか糖

はっか（薄荷）を香料とした金花糖の一種．三角のものを三角はっか糖ともいう．駄菓子の一種．砂糖に水を加え溶解し，水あめを加えて煮つめ，はっか香料を添加してすり混ぜたものを天板に流し入れる．三角はっか糖は三角連続型に押し込んで固まらせる．

はっか糖（平 宏和）

発酵乳　はっこうにゅう

英 fermented milk

◇種類・分類　発酵乳は，ヨーグルトのように乳を乳酸菌*で発酵させた乳製発酵乳と，ケフィアやクミスのように乳酸菌と酵母で発酵させたアルコール発酵乳に分けられる．しかし日本では，後者はほとんど消費されていないことから，発酵乳とヨーグルトは同義語になっている（ヨーグルト*）．

◇歴史　発酵乳はヒトが最初に利用した乳製品である．搾った生の乳を容器に入れておくと，乳酸菌が繁殖し，自然に発酵乳ができることから，乳と発酵乳を区別せず飲用していたと考えられる．次いで発酵乳をつくった容器に次の乳を注ぎ足したり，乳に発酵乳を少量加えることで，同じ風味の発酵乳を安定してつくることができるようになった．発酵乳の健康への効果については，李時珍（明の本草学者）が1579年に著した『本草綱目』の発酵乳に当たる「酪」の項目に，「渇きを止め，腸の調子を改善し，腫れを除き，血をきれいにし，元気をつけ，顔色をよくする」という記述がある．また，メチニコフ（ロシアの動物学者，「免疫に関する貢献」で1908年のノーベル医学・生理学賞を受賞）は，1907年に「ヒトに老化をもたらす腸内の腐敗が，発酵乳に含まれる乳酸*によって抑制されるのではなく，腸内に取り込まれた発酵乳中の乳酸菌が，腸管に住み着いて，腸内の有害細菌による汚染を防止する物質の産生を促すためである」という主張をした．これが契機になってヨーグルト*が世界中に普及し，健康と発酵乳の関係が研究されるようになった．

◇製法　牛乳に市販の乳酸菌スターターを添加し30～35℃の温度で12～24時間静置すれば，家庭でヨーグルトをつくることができる．工場でのヨーグルトの標準的な製造工程は，図1のようになっている．スターターを添加して容器に充填してから培養する後発酵タイプと，タンク培養してから撹拌，冷却して容器に充填する前発酵タイプの2タイプに大別される．

スターター：発酵乳・ヨーグルトのスターターとして使用されている主な微生物を表1に示した．乳の中で普通に生育する乳酸菌のほかに，*Bifidobacterium*属のように本来はヒトの腸管内に生息している細菌も使われている．スターターは専門の供給先から購入することもできるが，日本の乳業メーカーは，自社で選択した菌株を組み合わせた，独自のスターターを使っている．

◇成分特性　発酵乳では，乳に含まれていた乳糖*の20～40％が分解され，100g当たり0.7～1.3gの乳酸を生成しており爽やかな酸味を呈

〈前発酵タイプ〉

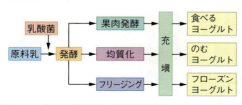

〈後発酵タイプ〉

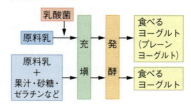

図1　ヨーグルトの製造工程（日本乳業協会）

表1　発酵乳・乳酸菌飲料のスターターに使用される微生物

種　類	属　名	種　名
乳酸菌	Lactococcus	L. lactis, L. cremoris
	Streptococcus	S. salivarius subsp. thermophilus
	Leuconostoc	L. mesenteroides subsp. cremoris
	Lactobacillus	L. acidophilus, L. casei, L. delbureckii subsp. bulgaricus, L. delbureckii subsp. lactis, L. gasseri, L. helveticus
	Bifidobacterium	B. bifidum, B. breve, B. longum, B. infantis
	Lacticaseibacillus	L. casei
酵　母	Saccharomyces	S. kefyr, S. lactis, S. fragilis

（乳酸菌研究集談会編：乳酸菌の科学と技術，学会出版センターより一部改変）

する．乳糖含量が低減されることから，乳糖不耐症の人には摂取も利用しやすい食品である．たんぱく質は，乳酸*の生成によってカゼインが凝固するだけで，遊離アミノ酸*がわずかに増加する程度しか分解されない．また，乳脂肪はほとんど分解されないことから，脂肪含量は原料乳と変わらない．乳酸菌*の種類によって，アセトアルデヒド，ジアセチル，アセトイン，メチルケトンなどのカルボニル化合物や各種有機酸*が生成される．これらは微量であるが，相互に影響しあって発酵乳の香気を形成している．無機質とビタミンの含量はほとんど変わらないが，生成する乳酸の影響でカルシウムの利用率は高められる．発酵乳および乳酸菌に代表される発酵微生物の保健効果，健康機能性に関する研究の蓄積から，それらには腸内細菌の状態を改善し，健康によい結果をもたらすさまざまな効果が認められている．健康によい影響をもたらす微生物はプロバイオティクスと定義され，具体的には腸内細菌叢のバランス改善，便性改善，糞便中の発癌性物質の活性低下，免疫性賦活化，LDLコレステロールの低下などのプロバイオティクス効果が報告されている．プロバイオティクス効果は菌株特異的に得られることが知られており，菌株名や，科学的根拠に裏付けられた保健効果をアピールし，特定保健用食品の表示許可を得たヨーグルトも市販されている．

◇保存　生菌を含む発酵乳では，開封せず10℃以下で保存した場合，賞味期限内は菌数，栄養価，風味など品質に変わりがないとされている．しかし，低温であっても乳酸菌による発酵が完全に停止するわけではなく，徐々に酸度が上昇し，嗜好性が低下する．さらに保存期間が延長すると生菌数が減少し，プロバイオティック効果も低下する．

発酵バター　⇨バター

 はっさく　八朔

成 07105（砂じょう 生）　分 ミカン科ミカン属（常緑性木本）　学 *Citrus* Hassaku Group　英 Hassaku　旬 3～4月

広島県因島市（現・尾道市）において江戸末期の万延年間（1860年）に発見された．旧暦の八朔（8月1日）頃から食用となるところから名付けられたというが，実際には未熟で食べられない．果実は300g内外で，扁球形，両端はほぼ平らで表面はなめらかである．種子は20個内外を含む．11月に完熟するが1月まで収穫し，3，4月まで貯蔵して出荷する．果皮がだいだい色がかった農間紅八朔（のまべにはっさく）という品種もある．和歌山，広島，愛媛などで主に栽培されている．

◇成分特性　100g中，糖類10g，酸1.2～1.6gを含む．果実の酸は，採取して貯蔵するより，同じ期間樹に果実をつけておいた方が少なくなる．糖，有機酸組成などは甘夏かんに類する．果肉の遊離アミノ酸は360mgで，甘夏かんよりやや少ないが，アミノ酸組成は同様でありアスパラギンが最も多く，その他プロリン，アルギニン，アスパラギン酸も比較的多い．ビタミンCは40mgである．

はっさく（平　宏和）

◇保存　最適冷蔵条件は 4～6℃，湿度 90％であるが，常温貯蔵であっても，0.02mm の厚さのポリエチレンで個装すると 3 月末まで保存できる．

◇加工　はっさくは果実の香気に特徴がなく，搾汁すると苦みが出ることから，果汁や缶詰などへの加工適性が低い．そのため生果としての利用がほとんどで，加工に仕向けられることは少ない．

🍎 パッションフルーツ

成 07106（果汁 生）　分 トケイソウ科トケイソウ属（つる性多年生草本）　学 *Passiflora edulis*（クダモノトケイソウ）　英 passion fruit　別 和 くだものとけいそう（果物時計草）　旬 7，8 月

熱帯，亜熱帯に広く分布するが，原産地はブラジルである．現在でも多くの野生種が世界的に存在している．passion fruit は，雌しべの形を十字架のキリストにみたてて，受難（passion）の名が付いたといわれる．英語では別名 granadilla（スペイン語由来で小さい granada；ざくろ）とも呼ばれている．また，雌しべの柱頭が 3 つに分かれ，時計の針に似ているところから和名がある．

◇種類　トケイソウ属には 400 以上の種がある．そのうち，食用とするものにパッションフルーツと呼ばれるクダモノトケイソウがあるが，そのほか，キミノトケイソウ（*Passiflora laurifolia*），オオミトケイソウ（*P. quadrangularis*）など 50～60 種が食用とされ，これらを総称してパッションフルーツと呼ぶ場合もある．つる性であり，果重 25～40 g．果実は通常紫色で，円形または楕円形である．果実内部は，黒色の種子を含む橙黄色で，半透明のゼリー状果肉（種衣；しゅい）が充満しており，この部分が食用となる．

　産地：オーストラリア，ニュージーランド，ブラジル，ハワイ，ケニアなどである．わが国では沖縄，鹿児島（指宿），奄美大島，八丈島で主に栽培されており，収穫期は 7～8 月である．

◇成分特性　100g 中，糖類は約 10g 含まれ，ぶどう糖，果糖，しょ糖を含む．酸は 1.5g 前後で，クエン酸（90％），リンゴ酸*（5％）が主である．香気の主体は，酪酸エチル，カプロン酸エチル，酪酸ヘキシル，カプロン酸ヘキシルなどのエステル*である．果肉にはたんぱく質分解酵素が含まれるので，直接手にふれる時間が長くなると手が荒れる．

◇保存・加工　貯蔵の適温湿度は 6℃，90％で，貯蔵の限界は 4 週間である．果実は生食でき，二つ割りにしてスプーンで食べる．果汁はジュース，ジャム，アイスクリーム，シャーベット，スムージーなどに加工する．

パッションフルーツ（平　宏和）

はったい粉　⇒麦こがし

はつたけ　初茸

分 担子菌類ベニタケ科チチタケ属（きのこ）　学 *Lactarius hatsudake* または *Lactarius lividatus*　英 Hatsutake　別 地 あいずり（岩手，滋賀）；あいたけ；ろくしょうはつ（秋田，宮城）；ほんばつ（愛知）

7～10 月，まれに 11 月上旬頃，主として二針葉のアカマツ林内に生える．傘は直径 5～10 cm で，表面中央部はくぼみ，淡橙褐色で，柄は長さ 2～5 cm で傘とほぼ同色である．きのこに傷をつけると赤い乳液が出はじめ，青く変色する．行楽地の土産物店に並ぶこともあるが，多くの場合，買うよりはきのこ狩りの対象になる．生きたアカマツと菌根共生するので栽培はできない．

◇鑑別　はつたけと同時期に松林に発生するあかはつは，はつたけより橙黄色である．あかもみたけは，きのこに傷をつけても青変せず，また柄に指で押したような環状の模様があるので，区別できる．きちちたけは，はつたけよりくすんだ褐色で，傷をつけると白い乳液が出るが，すぐに黄色になり辛味がある．いずれも食用きのこである．

◇成分特性　炭水化物，カリウム，ビタミン B_1，B_2 が比較的多く，その他ナイアシン*，エルゴステロール*およびうま味成分の 5′-グアニル酸を含み，美味である．栄養価は低い．

◇保存・加工　アカマツ林で多量に得られることがあり，ほかの食用雑きのこと一緒にして塩漬保存することがある．

◇調理　はつたけはうま味がかなり強いが，肉質

上左：はつたけ（福井きのこアドバイザー会），
上右：あかはつ（福井きのこアドバイザー会），
下左：あかもみたけ（岩瀬　剛二），
下右：きちちたけ（岩瀬　剛二）
（いずれも野生）

は硬く，口当たりはあまりよくない．原則として生鮮品を，特別な場合には塩蔵品を使う．吸物の椀種にしたり，炊き込み飯にしたり，だしと持ち味と両方の役割を兼ねるような使い方をする．

発泡酒　はっぽうしゅ

成 16009　英 sparkling alcoholic beverage alike to beer

平成18年度の酒税法改正で酒類の分類として「発泡性酒類」が新設された．この中に「ビール」，「発泡酒」，「その他の発泡性酒類」が入る．

その他の発泡性酒類は，現行の課税制度においては，酒類を区分する「品目」ではないが，酒税法では「ビールおよび発泡酒以外の酒類で発泡性を有するもの（アルコール分10度未満のものに限る）」と定義されている（付表14）．

したがって，低アルコールの発泡性飲料のすべてを含むことになるから，これに該当する酒類は非常に多い（たとえば，チューハイ*など）．第3のビールも「その他の発泡性酒類」に入る．なお，「その他の発泡性酒類」のうち，いわゆる「新ジャンル」は令和5（2023）年10月1日より品目が「その他の発泡性酒類」から「発泡酒」へと変更になる（付表14）．

● 発泡酒

成 16009

酒税法では発泡酒は「麦芽*又は麦を原料の一部とした酒類で発泡性を有するもの（アルコール分20度未満のものに限る）」と定義される．一方ビールはアルコール分20度未満のもので，①「麦芽，ホップ及び水を原料として発酵させたもの」，②「麦芽，ホップ，水及び麦その他の政令で定める物品（副原料）を原料として発酵させたもの（その原料中当該政令で定める物品の重量の合計が麦芽の重量の百分の五十を超えないものに限る）」としている．

言い換えると両者の違いは①麦芽の原料に占める割合（麦芽の使用割合）が2/3（麦芽比率，約67％）を超えるものがビールで，発泡酒にはその制限がない．②ビールでは使用できる副原料は厳しく定められているが（ビールの項参照），発泡酒ではビールに認められていない副原料も使用できる．そのため発泡酒はバラエティーのある商品設計が可能となる．なお，発泡酒は麦芽比率が50％以上（アルコール分20度未満に限る），25％以上（アルコール分10度未満に限る）及び25％未満（アルコール分10度未満に限る）で，それぞれ酒税率が異なるから，現在市場に出ている商品の大部分は税率の低い麦芽比率25％未満のものである（付表14）．

◇歴史　日本における発泡酒の歴史は古く，昭和7（1932）年に余剰米対策としてライスビールが研究された．戦後はさつまいもを原料としたビールが研究され，昭和25（1950）年に「太陽ビール」として市販された．これが市販発泡酒の第1号である．

● 第3のビール

「第3のビール」という名称は「ビール風味のある発泡性アルコール飲料」の俗称で，ビール，発泡酒に続くことからマスメディアによってつくられた．なお，この種の飲料については，麦芽*も

左：発泡酒，中：その他の醸造酒　右：リキュール（平　宏和）

麦も一切使わないで，「えんどうたんぱく」を麦芽の代わりに使用して，ビール風味の新アルコール飲料を開発し，発売したのが最初である．その後，第3のビール市場も大手各社が参入し競い合っている．使用する原料も「えんどうたんぱく」，「大豆たんぱく」，「大豆ペプチド」，「コーン」等を使用した商品が開発されている．

◇製法　第3のビールは前述の「その他の発泡性酒類（アルコール10度未満）」に入るから，税率の低いものが適用できる．そのため製造法は次のように厳しい制限がある．

第3のビールを造るのに必要なホップ又は苦味料を原料の一部とした酒類については，次のものに限る（エキス分が2度以上のものに限る）．

① 糖類，ホップ，水，大豆たんぱく及び酵母エキスを原料として発酵させたもの
② 糖類，ホップ，水，大豆ペプチド，酵母エキス及びカラメル*を原料として発酵させたもの
③ 糖類，ホップ，水，えんどうたんぱく及びカラメルを原料として発酵させたもの
④ 糖類，ホップ，水，えんどうたんぱく，水溶性食物繊維及びカラメルを原料として発酵させたもの
⑤ 糖類，ホップ，水，コーンたんぱく分解物，コーン，酵母エキス，醸造アルコール，食物繊維，香味料，クエン酸カリウム及びカラメルを原料として発酵させたもの
⑥ 発泡酒にスピリッツ（小麦又は大麦を原料の一部としたアルコール含有物を蒸留したものに限る）を加えたもの

なお，第3のビールを品目別にすると，上述の①〜⑤は「その他の醸造酒」に，⑥は「リキュール」になる．

発泡性ぶどう酒　⇨ぶどう酒，シャンパン
はつめ　⇨めばる

パテ

英 pie

肉や魚に，野菜，果実などを混ぜたものを酒や香辛料で調味し，パイ生地で包み，オーブンで焼いたもの．パテは仏語で，パイと同義．パイ生地で包まずさまざまな形のパテ型に入れ，オーブン焼きすることもある．パイ皮を用いないテリーヌとの区別は必ずしも明確ではなく，両者が混同して用いられることもある．デリカテッセンの人気料理で，温・冷どちらでもよい．また，パテは，料理の名としてばかりではなく生地の中の詰め物も指すようになり，これを加熱処理し，パン，クラッカーなどに塗るなど，スプレッドとして使われ，びん詰，缶詰が市販されている．

パテ　上：サーモン，下左：フォアグラ，下右：豚レバー（平　宏和）

ばていら　馬蹄螺

分 軟体動物，腹足類（綱），ニシキウズガイ科バテイラ属　学 Omphalius pfeifferi　英 top shell
別 いそもん　市 しったか　旬 春〜夏

殻は整った円錐型で，殻の高さは5cm．殻の直径は5cm程度．わが国の関東以南の太平洋岸に分布し，岩の間の潮だまりに生息している．春から夏に磯遊びをすると容易に見つけることができ

る．漁獲量は少ない．食味はさざえに似ているが，及ばない．市場名のしったかは，尻高を意味する．主体ばていらであるが，くぼがい（*Chlorostoma argyrostoma lischkei*）やこしだかがんがら（*Omphalius rusticus*），その他の貝も混じっている．これらは地方によっては「つぶ」ともいう．

◇**調理** 磯の香りの高い貝．酒の通しなどに出される．塩茹でにしたものを食べるか，みそ汁の実とする．

● **ぎんたかはま**

銀高浜　分 サラサバテイ属　学 *Tectus pyramis* 英 pyramid top　別 ひろせ（広瀬）貝；しったか
殻高10cm．整った円錐型で，さらさばていより薄手で，色帯はない．房総半島以南の熱帯太平洋のサンゴ礁，岩礁に棲み，さらさばてい同様食用のほか，貝ボタン材料となる．

● **さらさばてい**

更紗馬蹄　分 サラサバテイ属　学 *Tectus niloticus* 英 commercial trochus；button top shell 別 たかせ（高瀬）貝；さらさばていら
殻高13cm，大型重厚で整った円錐型．奄美大島以南の熱帯太平洋のサンゴ礁に棲み，沖縄では種苗生産も試みられている．肉が食用とされるほか，殻が貝ボタン原料として最重要種．

 はと 鳩

成 11238（肉 皮なし 生）　分 ハト科ハト属　学 *Columba livia* var. *domestica*（どばと，いえばと，かいばと）　英 Dove-cot pigeon
食用に飼育されるのは多くは白い羽毛のもので，テキサス，ハッベル，キング，カルノーなどの品種である．街中で一般に見られるドバトは，食用にはされない．

◇**調理** 洋風では，むね肉をソテーしたり，ローストや煮込みにし，香草や洋酒，果物などを上手に取り入れて仕上げる．

はとむぎ 薏苡；鳩麦

成 01138（精白粒）　分 イネ科ジュズダマ属（1年生草本）　学 *Coix lacryma-jobi* var. *ma-yuen* 英 Job's tears；adlay　別 ヨクイ（薏苡）
原産地はインドからミャンマー地域が最も有力であるが，一方，マレー半島，フィリピンまたはその付近の島であるとの説もある．わが国では，ヨクイ，シコクムギとも呼ばれ，享保年間（1716〜1736）に中国より渡来したといわれている．

はとむぎ　上：玄穀，下：精白（平　宏和）

総苞*などを除いた子実はヨクイニン（薏苡仁）と呼ばれ，食用よりむしろ薬用として利用されてきた．ヨーロッパでは，珍奇な植物として中世紀の頃より一部に知られていたにとどまる．英名のJob's tears（ヨブの涙）は，種子の形が旧約聖書，ヨブ記にあるヨブが流した涙のような形であるとして名付けられた．なお，はとむぎは，わが国にも野生するジュズダマ（*Coix lacryma-jobi* var. *lacryma-jobi*）の変種とされているが，ジュズダマは多年生草本*で，子実を包んでいる総苞が硬い．

◇**形態** 種子は，長さ6〜12mm，幅6mm内外で，光沢を帯びた暗褐色のやや硬い総苞に包まれている．内部の子実は長さ6mm，幅3〜4mm程度の先端の尖ったやや扁平な卵形をしており，胚*が大きい．千粒重は100〜110gである．

◇**成分特性** 他の穀物に比べ，たんぱく質，脂質が多い．たんぱく質は，全たんぱく質中プロラミン*とグルテリン*が多く，プロラミンのためリシン*が制限アミノ酸*となる．炭水化物は，その大部分がでん粉であり，その性質はもち性を示すといわれているが，うるち性のものもある（ジュズダマはうるち性）．

◇**用途** はとむぎは，精白して米とともに炊飯するが，粉として小麦粉と混用し，パン，菓子などに利用する．また，一般的な利用法として，はとむぎ茶がある．なお，はとむぎは穀類の中でただ一つ薬用として用いられ，その効果として，鎮痛，利尿，イボ取り，消炎，強壮などがあげられる．

花かつお　⇨かつお節（削り節）

はなっこりー

成 06392（生）　分 アブラナ科アブラナ属（1〜2年生草本）　学 *Brassica rapa* × *B. oleracea*

「はなっこりー」は，山口県農業試験場（現・山口県農業技術総合センター）で中国野菜のサイシンのめしべと西洋由来のブロッコリーのおしべを種間交雑し育成され，1999年に品種登録されたアブラナ科の野菜である．サイシンのように，花と花茎*を食べる野菜は「花菜（はなな）」と総称されるが，それと「ブロッコリー」を合わせ，「はなっこりー」と命名された．山口県の地域特産野菜であり，中山間部では10〜11月，沿岸部付近では11〜4月に収穫される．花序*〔花蕾*（からい）〕と花茎（かけい），苞葉（ほうよう）を食用とする．栄養組成はサノシンやブロッコリーに似るが，特にビタミンCが多い．

はなさきがに　⇨かに
花茶（はなちゃ）　⇨さくらゆ
はな豆　⇨べにばないんげん

バナナ

成 07107(生), 07108(乾)　分 バショウ科バショウ属（多年生草本）　学 *Musa* spp.　英 bananas

バナナの歴史は古く，人類最古の栽培作物の一つとして食用に供された．世界での最初の文献的記載は，紀元前5世紀インドで見られる．原産地はインド，マレー半島付近とされている．アフリカへは5世紀頃，ポリネシアへは10世紀，最後にカナリア諸島や南北アメリカに15〜16世紀に伝わったといわれる．バナナが種子のある野生種から栽培種となったのは，3倍体化して種子なしの品種が育成されたことによる．大型の多年生草本*で，果実はfinger（果指）と呼ばれるが，これが10〜20個並んでhand（果掌）となり，さらに太い果軸に10数段着生しbunch（房）を形成する．

◇品種　栽培品種は多く，100種以上に及ぶ．生食用バナナの主要品種（*Musa* × *paradisiaca*）としては，同質3倍体であるキャベンディシュ（Cavendish）群とグロスミッチェルがある．グロスミッチェル（Gros Michel）は東南アジア，中・南米で広く栽培されていたが，現在，キャベンディシュ群に代わりつつある．キャベンディ

バナナの着果状況（平　宏和）

シュ群の品種では，ドワーフ・キャベンディシュ（三尺バナナ）と，フィリピンで主に輸出用に栽培されているジャイアント・キャベンディシュがある．そのほか，同じ3倍体に赤バナナ（モラド）と台湾の北蕉などがみられる．また，マレーヤマバショウ（*Musa acuminata*）とリュウキュウバショウ（*M. balbisiana*）の交雑種群の品種として，モンキーバナナがある．

産地：バナナの栽培には，高温・多湿地帯が適しており，オーストラリア，イスラエルを除く南北の緯度30°以内で生産される．世界的にも最も重要な果実の一つである．インド3,000万トン，中国1,200万トン，インドネシア700万トンなどの生産が多い．全生産量の半分が生食用に，残りの半分が料理用である．そのほか観賞用や繊維用まである．わが国での利用は，ほとんどが生食用である．繁殖は株分けで行われ，根ぎわに生ずる吸芽（きゅうが）を分けて植え込む．およそ1年で結実するが，結実後その株は枯れる．わが国の主な輸入元は，フィリピン，エクアドル，メキシコである．周年供給され，価格も安価で安定している．

◇成分特性　100g中，完熟果肉の水分は75.4g，利用可能炭水化物*（差引き法）21.1gである．未熟な果実の水分はそれより少なく，追熟中に水分が増加する．炭水化物は，でん粉，しょ糖，ぶどう糖，果糖などであるが，でん粉は，未熟果では20〜25gを占め，熟するにつれて糖化し，1〜2gに減少する．一方，糖分は未熟果では1〜2gであるが，完熟すると15〜20gまで増加し甘味が生ずる．糖分はその66%がしょ糖，20%がぶどう糖，14%が果糖よりなる．炭水化物が多いので，エネルギーは93 kcalと，果実のうちでは高く，消化・吸収もよい．食物繊維は1.1gで，その成分はセルロース*，ヘミセルロース*など

バナナ（フィリピン産）（平　宏和）

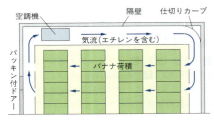

図1　バナナ追熟室の一例（Ashrae Handbook, 1980）

である．酸はごく少量であるが，果肉のpH*は4.5くらいである．酸組成はリンゴ酸*が約50％で最も多く，そのほかクエン酸，シュウ酸*，コハク酸，酒石酸*，シキミ酸，キナ酸などを含む．果肉のたんぱく質（アミノ酸組成）*は0.7g含まれ，アミノ酸組成は，必須アミノ酸*のすべてに加えてアラニン，γ-アミノ酪酸を含み，そのうちグルタミン，アスパラギン，ヒスチジン，セリン，アルギニン，ロイシンが多い．灰分は0.8gで，果実の中では特に多い．ビタミンはあまり多くないが，Cが16mg，β-カロテン当量56μg．他のビタミンも少量ずつ含む．

香気成分：200種以上の成分からなっているが，バナナらしい特有の香気の主体は，酢酸イソアミル，酢酸アミル，酪酸アミル，プロピオン酸アミルなどのエステル*である．

追熟*：果肉の渋味はタンニン*による．追熟が進むと縮合して不溶化し，渋味は少なくなる．また，果皮特有の褐変色素はドーパミン（dopamine）である．輸出用バナナのすべては未熟な青いうちに採取されるので，エチレンガスによる追熟が行われて初めて食用となる．追熟すると，クロロフィル*が分解し果肉が黄化，タンニンは不溶化して渋味が消失し，プロトペクチンの分解による果肉の軟化，でん粉の糖化，香気の発現が促進される．追熟は12～14℃で船輸送された未熟果を室（むろ）と呼ばれる気密性の高い特殊な追熟室（図1）に収容し，エチレン濃度500～1,000ppmとなるまで注入し，14～18℃で30時間ほど保存して行う．

◇保存　バナナの果皮表面には多くの気孔（480個/cm²）があり，水分，呼吸などの生理的調節を行う機能がある．そのため，保存には90％以上の湿度を適当に保つ必要がある．また果実は低温障害を受け黒変しやすいので，保存は10℃以下にしてはならない．貯蔵適温は12～15℃であり，家庭用冷蔵庫では低すぎる（8℃以下）．未熟なものは，果実自体から生ずるエチレンガスを保つように紙袋などに入れ，暖かい所で追熟を続けるとよい．果実の品質は，黄色味の濃い適度な弾力のあるものがよいが，果皮に斑点が特に多いものや変色したものはよくない．

◇加工　加工品としては，乾燥バナナ，バナナチップ，バナナピューレーが主である．乾燥バナナは，乾期に果皮付きである程度乾燥させたのち，剥皮して乾燥を続け，果肉が黄金色となり，表面に糖分が析出した頃包装して仕上げる．乾燥程度は生果の1/3程度とする．そのまま，あるいは粉にして菓子の材料として用いられる．消化もよいのでベビーフードとしても利用されている．ピューレーは果肉を破砕，裏ごしし，果肉分が20％以上となるように水で希釈して製造する．これは清涼飲料などに利用される．また発酵させて，果実酒，ビールなど，アルコールとしての用途もある．

◇調理　他の果実と異なる独特の香りがあり，甘味に比較して酸味が少ない．果実としては珍しくでん粉を含む．軟らかく，なめらかな舌触りをもつ．これらの特徴から，生食に適しているほか，調理材料としても用途が広く，サラダ，クリーム和え，フライ，フリッターなどの材料にする．また，完熟バナナをつぶし入れて焼くバナナケーキも風味がよい．※バナナは低温障害を起こし黒変するため，冷やすときは，食前に約30分ほど冷蔵庫へ入れるとよい．

●ドライバナナ

成 07108（乾）　英 dry banana

乾燥したバナナ製品には干しバナナとバナナチップスがある．干しバナナは完熟した果実を果皮付きのまま果肉に皺がつくまで乾燥してから剥皮し，さらに乾燥したものである．バナナチップスは料理用バナナを原料とし，スライスしたものをココナッツオイル，ひまわり油などで揚げたもので，砂糖，チョコレートをコーティングしたチップス，塩チップスなどがある．

料理用バナナ（平　宏和）

バナナ　上：乾燥バナナ（台湾産），下：バナナチップス（フィリピン産）（平　宏和）

●モンキーバナナ
果指が長さ7cmくらい，径は2.5cmほどの小さな生食用バナナ．*Musa acuminata* と *M. balbisiana* の交雑種．果皮は薄く果肉はなめらかで甘味と芳香があり，味はよい．主産地はフィリピンである．

●料理用バナナ
英 plantain
バナナは，果物として利用される生食用バナナのことをバナナと呼び，加熱調理して食べる料理用バナナを，スペイン語に由来するプランティン（plantain）と呼ぶ．すなわち料理用バナナは，焼いたり揚げたりして利用する品種群を指し，世界で生産されるバナナの約半分は料理用バナナで占められている．

◇成分特性　料理用バナナは，総じて甘味が少なくでん粉質であることが特徴である．また，ヤニ臭や渋みが強いものが多く，生食はできないが，加熱調理と調味することによって食味が著しく向上する．また，果実を乾燥したり，油で揚げたものは，糖果として非常食やデザートとしても利用される．

◇種類　果物用のバナナも未熟なものを加熱調理して食用とすることもあるが，料理には通常，料理用バナナが供される．料理用バナナは果物用のバナナと比べて大型のものから，短型で太いものまでさまざまである．果型は角ばったもの，果表は灰色の花粉をつけるもの，果色は赤褐色から緑色のものまで多くの種類がみられる．

◇調理　利用法は，皮のまま蒸し焼き，皮をむいて焼き物，揚げ物，煮込みなど多様である．果物としてよりも，食糧としての意味合いが強い．

花にら　⇒にら
はなはっか　⇒オレガノ，マジョラム

はなびらたけ

分 担子菌類ハナビラタケ科ハナビラタケ属（きのこ）　学 *Sparassis crispa* または *S. latifolia*　英 cauliflower mushroom

黄白色の縮れた花びら状の薄片が集合して塊状になる．全体としての大きさは10〜30cm程度．新鮮なときはやわらかいが，乾くときくらげのように硬くなる．夏〜秋に針葉樹の根元や切り株に発生し，心材を腐朽させる．日本産のはなびらたけには，元々，*Sparassis crispa* の学名がつけられていたが，近縁種の *S. latifolia* が混在してい

モンキーバナナ（平　宏和）

はなびらたけ（菌床栽培）（林　裕輔）

る可能性が示唆されている.
◇**栽培と利用**　針葉樹のおがくずを主体とした菌床を利用して栽培が行われているが，生産量が安定しないため，また，知名度が低いため，市場での流通量は少ない．生食用としてよりも加工して健康食品あるいはサプリメントとしての利用が主体である．
◇**成分**　$β$-グルカンを含むため，免疫増強活性を持つ．また，ハナビラタケリドと呼ばれるフタリド化合物を含み，活性酸素阻害効果を持つ．
◇**調理**　特別に風味はないが，歯応えを楽しめるので，お浸しや炒め物などに使われる．

はなびらもち　花びら餅；菱餅

英 Hanabira-mochi

宮中の正月行事に使われ，白い丸餅に紅の菱餅，白みそ，ごぼうの砂糖煮を入れ，半円形に二つ折りにした菱葩（ひしはなびら）に由来する．明治時代になり，茶道の初釜の菓子（菱葩とは大きさ，中身は異なる）として出されるようになった．
◇**製法**　薄くのばした円形の生地（求肥または甘味のついた餅）に，細切りにした蜜煮のごぼう，紅あん（紅色に着色した白あん）を入れ，二つ折りにする．紅い菱形餅または楕円形の紅餅と，白あんのみそあんを入れたものもある．

はなびら餅（平　宏和）

はな豆　⇨べにばないんげん
バナメイエビ　⇨えび
はなやさい　⇨カリフラワー

ばにゅう　馬乳

英 horse milk

馬乳は，牛乳に比べたんぱく質と脂肪が少なく，炭水化物（乳糖*）を多く含むことから甘味がやや強い．全たんぱく質におけるカゼインの割合が小さく，乳清たんぱく質，特に$α$-ラクトアルブミンを多く含み，牛乳カゼインの主要な分子種である$α_{S1}$-カゼインが少ないなどの特徴が人乳と共通している．コーカサス地方やモンゴルなど限られた地域で利用され，その多くはアイラグ（モンゴル），クミス（ロシア）と呼ばれる馬乳酒として飲用されている．

バニラ

分 ラン科バニラ属（つる性草本）　学 *Vanilla* spp.
英 vanilla

メキシコ，中央アメリカ原産のつる性草本で，気根で木などに着生し，熱帯雨林の野生のバニラは20 m くらいになることもあるという．バニラビーンズと呼ばれる 15〜30 cm の細長いさや状の果実をつける．その中には，褐色の粘液に包まれた多数の微細な黒い種子が密着して詰まっている．欧州へは16世紀，アステカ帝国（メキシコ）を征服したスペイン人が本国に持ち帰ってからとされている．現在，商業的に栽培されているバニラには，バニラ（*Vanilla planifolia*）とタヒチバニラ（*V. tahitensis*）がある．マダガスカルとインドネシアの生産量が多い．わが国は，マダガスカルなどから輸入している．
◇**成分特性**　バニラビーンズ（乾燥品）に使われる未熟果は，摘み取ったままでは香りはなく，芳醇な甘い香りは，発酵させて初めてでてくる．芳香の主成分は，果実に含まれる配糖体*が発酵により酸化，加水分解*をうけ生じたバニリン*であるが，他の成分も香気に寄与し，バニリンのみではバニラの香気をもたない．
◇**調理**　日本では，発酵させたさやから抽出したエキスをアルコールで割ったものが"バニラエッセンス"と呼ばれ，最も一般的に使われているが，加熱すると香りがとんでしまうのが欠点である．アイスクリームや飲み物，ババロア類などの非加熱の菓子に向いている．焼き菓子にはバニラオイ

バニラビーンズ マダガスカル産（*Vanilla planifolia*）
左：さや，右：種子（平　宏和）

ルの方がよい．また，バニラビーンズをさやごとクリームや砂糖に入れて香り付けをして用いる．

葉にんじん　⇒にんじん
葉にんにく　⇒にんにく
葉ねぎ　⇒ねぎ

パネトーネ

🇮🇹 panettone

イタリアのクリスマス用発酵パン菓子．1900年代に工場生産が始まり，30〜90日の長期保存ができるので，通年みられるようになった．

◇**由来**　名前の由来については，「15世紀後半，ミラノのパン職人のアントニオ（トニーはアントニオの愛称名）が焼いたパン」，「大きなパン」などの諸説がある．

◇**原材料・製法**　イタリアのパネトーネ種（仔牛の小腸から採取され，酵母と乳酸菌*が共生している）とバター，鶏卵，砂糖などを使用したパン生地の中に，レーズン（サルタナ種），オレンジピールなどのドライフルーツを混ぜ，長時間，発酵と生地を休ませることを繰り返したのち，焼き上げる．

パネトーネ（平　宏和）

パパイア

成 07109（完熟 生），07110（未熟 生）　分 パパ

イア科パパイア属（常緑性小高木）　学 *Carica papaya*　英 papayas；papaw；pawpaw　別 パパヤ；ちちうり（乳瓜）；もくか（木瓜）

南米原産で，16世紀初期にスペイン探検隊によってパナマおよび南米の北西部で発見され，その後，急にカリブ海沿岸一帯に伝播した．18世紀に入って東洋にも伝えられた．半木性で雌雄異株性の常緑果樹で，高さ7〜10mに達する．幹には繊維が多く，直径30cmにも生長する．果実は，未熟果は濃緑色，完熟果は濃黄色または紅色を帯びた黄色で，果形には卵形，長楕円形，球形などがある．果重は小さいもので300g，大きいものになると1kgにもなり，果実内部には空洞がある．種子は多く，1,000粒を超すこともある．雄株は葉腋*に多数の雄花をつけるが，雌株には雄花，雌花，完全両性花をつける．

◇**品種**　世界には独特の品種が育成されているが，フロリダのベティ，ハワイのソロのほかレッドパナマなどが有名である．

産地：わが国では鹿児島，沖縄，宮崎で栽培されている．生育の限界は13℃で，これ以上でないと生育は劣る．インドは世界的大産地である．

◇**成分特性**　無機質では特にカリウムが，ビタミンではカロテンとCが多い．

◇**保存・加工**　貯蔵の適温は7℃，湿度は85〜90％で，2〜3週間の貯蔵が可能である．完熟果は生食として利用するほか，ジュース，アイスクリーム，ジャム，砂糖漬などに加工される．また青パパイヤ（未熟果）は，酵素剤（パパイン*）に利用するほか，奈良漬や料理用として食用に供することもできる．沖縄，フィリピン，タイなどでは野菜として利用している．

はばのり　羽葉海苔

分 褐藻類カヤモノリ科ハバノリ属　学 *Petalonia binghamiae*　英 Haba-nori

手触りがザラザラした細長い笹の葉状の海藻で，

パパイヤ　左：青パパイヤ（フィリピン産），中：赤肉系（フィリピン産），右：パパイヤ（ドライ）（平　宏和）

はばのり（乾燥製品）（平　宏和）

色は黄褐色．長さ 10〜15 cm，幅 2〜3 cm である．外海に面した岩上，潮間帯の下部に生育し，冬，春に繁茂する．分布は東北地方南部から南西諸島まで．千葉・神奈川・鳥取・島根などで市販されている．天然物のため高価である．
◇**調理**　酢の物やみそ汁の実として用いる．保存用には，浅草のりのような乾燥した製品にし，雑煮の餅に振りかけて食べる．

ババロア

成 15091　英 Bavarian cream　別 バーバリアンクリーム

冷やして食べるデザート菓子である．ドイツのババリア（バイエルン）地方の領主に召し抱えられていたフランス人の料理人が，ゼラチンを入れて固めるデザート菓子として，現在のババロアの基本型をつくったといわれている．
◇**分類**　基本配合は，牛乳，砂糖，卵黄，ゼラチン，生クリームと香料であり，クリームババロアという．この配合に，ストロベリー，ピーチ，オレンジ，ぶどうなどの果汁や果肉を入れたものがフルーツババロアである．季節によって種々のフルーツが使われる．そのほかコーヒー，チョコレート，各種の洋酒を加えたものも，それぞれの副材料の名称を付けてつくられている．ババロアは単体として食べられるだけでなく，スポンジケーキと組み合わせて洋生菓子として仕立てたり，フルーツソース，生クリーム，果物類を飾って，デザートとして供される．
◇**原材料・製法**　牛乳に配合量の 1/3 の砂糖を加えて火にかけ，表面に皮膜しないよう，また，こがさないようにかきまぜながら沸騰寸前まで加熱し，火からおろす．別に卵黄と砂糖をよく練り合わせておく．この中に，先の加熱牛乳を少量ずつ加える．さらに湯煎して溶かしておいたゼラチンを加える．これを裏ごしして，ボールごと冷水につけて 26℃程度まで冷ます．このとき，スパテラで時々かきまぜ，ボールに接する部分だけが固まらないように注意する．生クリームは七分立て（ホイッパーですくったときにやや垂れ落ちる程度）にしておき，ゼラチンがほぼ固まりそうになったときに加えて全体を均一に混ぜる．次に果汁や果肉，香料，洋酒などを加えて，スパテラを使って混ぜる．ボールの周囲が固まりかけるようになってから，急いで型に流し込む．型に流すのが早すぎると，冷やしている間に生クリームやフルーツが分離することがあるため注意を要する．型に流したババロアは，冷蔵庫で固まらせる．冷却中に凍らないように注意し，できあがったら型抜きをする．

はぶたえもち　羽二重餅

英 Habutae-mochi

もち菓子類のぎゅうひ*の一種．福井の銘菓であるが，石川，富山などでもつくられている．もち米粉を蒸し，砂糖，水あめを加えて練り合わせ，冷却後，厚さ 1 cm，長さ 6 cm ほどの短冊型など一口大に切ったもので，これを生地としあんを包んだものもある．名称の由来は，羽二重（薄手で艶があり肌触りのよい上等の絹布）のように柔らかく，光沢のある餅による．弘化 4（1847）年，越前福井藩御用達の錦梅堂初代店主によりつくられたといわれている．

ババロア（平　宏和）

羽二重餅（平　宏和）

パプリカ

成 17079（粉） 分 テス科トウガラシ属（1年生草本） 学 *Capsicum annuum* Grossum Group 英 paprika 別 甘唐辛子；ハンガリアンペッパー

甘唐辛子（ピーマン*）の一種で，赤くなった果実を乾燥して粉末にしたものである．品種改良により，辛味はほとんどなく，食品を赤く着色することを主目的に利用される．

主産地はスペイン，ハンガリーなど東欧諸国，米国．ハンガリー種とスペイン種が代表品種で，市場ではすべて粉末で取り引きされ，スイートタイプとホットタイプに二分される．スイートタイプは完熟した果皮のみを粉末にしたもので，ホットタイプは，胎座，種子などもいっしょに粉末にするため，辛味成分が含まれ，産地では唐辛子代わりに使われている．スペイン産は色が鮮やかで，わずかに甘い香りがある．一方，ハンガリー産は色はれんが色だが，香りがよい．

◇成分特性 赤い色素はカプサンチンを主成分とするカロテノイド*で，油脂に溶けやすく，加熱にも安定している．栄養成分としてはカロテン，ビタミンB群に富むが，使用量も少ないので，給源としては期待できない．スイートタイプは，辛味成分（カプサイシン*）はほとんど含まない．

◇調理 鮮やかな赤色とほろ苦さ，甘酸っぱい香りを生かして広範匡な料理に用いられる．特にチーズや卵とよく合い，グラタン，オムレツ，ドレッシング類，東欧料理の牛肉の煮込みなどに使われる．加工品では，ケチャップやチリソースに配合される．

パプリカパウダー（平　宏和）

パプリカ　⇨ピーマン（カラーピーマン）
ばふんうに　⇨うに

はまぐり 蛤；文蛤

成 10306（生），10307（水煮），10308（焼き），10309（つくだ煮） 分 軟体動物，二枚貝類（綱），マルスダレガイ科ハマグリ属 学 *Meretrix lusoria* 英 Japanese hard clams；venus clams；common orient clams 旬 冬～春

形は三角形．殻表は平滑で灰色の地に褐色，紫色などの放射彩や斑紋があって変化に富んでいる．殻は対になっている殻以外とは合わないので，「貝合わせ」の遊技にもなる．また，夫婦和合の象徴として，結婚式の祝い膳にも使われるほか，雛祭りにも欠かせない．形や色が栗に似ているところからはまぐりと呼ぶという説と，小石（ぐり）のようにたくさんいたからという説がある．北海道南部から九州の内湾の潮間帯や浅海の砂泥底に棲む．食用貝として古くから日本人の中で一般化しており，味はよく，養殖も行われている．はまぐりは周年あるが，身の量は季節によって違い，3月と10月頃に少なく，5～8月に多くなる．味がよいのは冬から春にかけてである．現在は内湾が都市化されたためわが国での漁獲は愛知県と熊本県などごく一部に限られ市場で見ることは少ない．

◇成分特性 『食品成分表』では100g当たり水分88.8g，たんぱく質（アミノ酸組成）*4.5g，脂質（TAG当量）*0.3g，利用可能炭水化物*（差引き法）3.7g，灰分2.8gとなっており，たんぱく質含量は二枚貝としては低い方で，あさりなどと同じ程度である．炭水化物は極端に少ない方ではないが，含量は低い．ビタミンの含量も，脂溶性ビタミン*はあさりと同程度，水溶性ビタミン*も同程度である．B_1の含量は低い．ビタミンB_1分解酵素（チアミナーゼ）も含まれているが，生食されることはまれであるので，それほど問題とはならない．また，B_{12}の含量もあさりより低い．ステロール類の含量は高い方であるが，コレステロールは巻き貝はもちろんあさりなどより少なく，プロビタミンD*も少ない．

◇加工 佃煮類や煮乾品がある．三重県桑名の時雨（しぐれ）はまぐりは有名である．缶詰としては水煮，味付け，串ざし味付けなどがある．

◇調理 上品な強いうま味をもっているうえに，形も大きいので，貝そのものの持ち味を味わうことができる．調理法は焼きはまぐり，酒蒸しなどが代表的で，いずれも殻のまま加熱する．むき身は和え物にもよい．※吸い物，釜飯，はま鍋などは貝そのものを味わうばかりでなく，一種のだしとして，そのうま味を汁や他の材料に移すことも

焼きはまぐり（平　宏和）

ちょうせんはまぐり（平　宏和）

できる．※加熱を必要とするが，加熱しすぎると筋肉がしまって硬くなるばかりでなく，収縮の結果，うま味の流出もはなはだしい．汁物の場合は水からではなく，熱湯に入れる．殻付きはもちろん生きたものを用いるが，むき身も特に鮮度に注意する必要がある．保存のためにはしぐれ煮や佃煮に加工しておく．※浜から直接とってきた場合に砂を吐かせるのは，あさりと同様である．

●おきあさり

沖浅蜊　分 フキアゲアサリ属　学 Gomphina semicancellata

こたまがいによく似て，ふくらみが弱いが，殻型がより三角形状である．大きさは，はまぐりとあさりの中間くらいで，殻表はややざらつく．房総・能登以西の浅海外洋の砂底に棲む．味はよく，一般に生鮮品で売られるが，地方的にはおきあさりの缶詰加工も行われている．

●こたまがい

小玉貝　分 フキアゲアサリ属　学 Gomphina melanaegis　英 hard clam；black shield clam　別 ひら貝；より貝；いしはまぐり；あさはま　旬 春

殻が厚くて，ふくらみがはまぐりに比べ弱い．殻表は比較的なめらか．北海道南部から九州に分布する．

●しなはまぐり

支那蛤　分 ハマグリ属　学 Meretrix petechialis　英 hard clam

殻ははまぐりに似ているが，殻頂はやや小さく，ふくれ方も少ない．韓国，中国に分布し，内湾の砂泥の干潟に棲み，日本産のはまぐりが激減したので，それを補って輸入され，最近では大都会の市場でみられる「はまぐり」はほとんど本種．

●ちょうせんはまぐり

朝鮮蛤　成 10310（生）　分 ハマグリ属　学 Meretrix lamarckii　英 Asiatic hard clam；common shield-clam　別 ごいしはまぐり；すわぶてはまぐり

はまぐりによく似ているが，大型で身はやや硬く風味に乏しい．朝鮮といっても韓国産というわけではなく，単に「変わった」くらいの意味で名付けられた．殻表の模様がはまぐりほど多彩ではない．はまぐりが内湾性なのに対しこれは外洋性で，房総以南に分布する．養殖も行う．貝殻より碁石の白をつくる．碁石がつくられる大きさになるには10年ほどかかり，殻が海底で化石化したものからつくるという．日本で消費されるはまぐりの80％以上は韓国から輸入されているが，これはちょうせんはまぐりではなく，朝鮮半島の多島海に多産するしなはまぐりである．

はまだい　浜鯛

分 硬骨魚類，フエダイ科ハマダイ属　学 Etelis coruscans　英 deepwater longtail red snapper　別 おなが（尾長）　地 あかちびき（和歌山）；あかまち（沖縄）；おなが（東京，伊豆七島）；ひだい（高知県室戸）；へいじ（高知）

全長1.2mに及ぶ．尾びれは深く二叉し，成長とともに長く伸びる．ヒメダイ属とは背びれ棘条部と軟条部間に深い欠刻をもつことや体色が一様に赤いことから区別できる．南日本，インド・太平洋域に分布する．水深200m以深に生息，一本釣り，はえ縄で漁獲される．

◇調理　南日本や伊豆七島では重要食用魚で身が

はまだい（本村　浩之）

ひきしまり，クセがなく美味．刺身，塩焼きのほか椀種，煮物にも使う．

はまち　⇨ぶり
はまな　⇨つるな

はまふえふき　浜笛吹

成 10230（生）　分 硬骨魚類，フエフキダイ科フエフキダイ属　学 *Lethrinus nebulosus*　英 spangled emperor　別 はまふえふきだい；しもふりふえふき　地 くちび；くちみ（宮崎，高知）；たまめ；たまみ（熊本）；たまん；むちのいお（沖縄）　旬 夏

わが国の中部以南から南西諸島の近海に分布する．岩礁域に生息する．全長は50cmくらいであるが，大きいものは90cmに達する．体の色は灰がかった褐色で，頭部に淡青色の斜帯がある．沖縄では最も親しまれている魚の一つで，養殖も試みられている．国内のフエフキダイ科は4属33種．そのうち食用として重要なものはふえふきだい，いとふえふきなど数種にすぎない．なかにはシガテラ毒を有するものもある．地方名は別な地方で同じ名を使っており，混乱しているので，地方名だけで判断するのは難しい．ふえふきだいの仲間は南方の魚で，インド・太平洋の熱帯域に広く分布する．

◇**成分特性**　たい類などと比較すると脂質の含量が少ない．ビタミン類は，Dなどの脂溶性ビタミン*やイコサペンタエン酸*（IPA），ドコサヘキサエン酸*（DHA）がやや高いほか，あまり期待できないが，反面，コレステロールは47mgと少ない．

◇**調理**　まだいの代用として用いられるほど美味な魚で，刺身，椀種，塩焼き，煮付けなどに用いる．

●いとふえふき

糸笛吹　学 *Lethrinus genivittatus*　英 longspine

はまふえふき（本村　浩之）

emperor　別 地 しくじろ（土佐）；たばみ（和歌山）

全長25cm．南日本，西太平洋，東インド洋に分布．背びれの第2番目の棘条が長く糸状に伸びる．刺身，塩焼きとするが，関西，四国，九州ではこの種はそれほど賞味されない．

●ふえふきだい

笛吹鯛　学 *Lethrinus haematopterus*　英 Chinese emperor　別 たまみ 地 たまみ（大阪）；たばみ（宮崎）；くちみ（高知）；くちび（熊本）

全長50cm．東アジア固有種．東京ではほとんど見られないが，和歌山県以西には多い．味ははまふえふきに優るといわれ，祝儀のときのたいの刺身の代用に使う．口中が紅色を呈するため，くちみやくちびの地方名がでた．

はまぼうふう　浜防風

分 セリ科ハマボウフウ属（多年生草本）　学 *Glehnia littoralis*　英 Hamabofu　別 ぼうふう；やおやぼうふう（八百屋防風）；さんごな（珊瑚菜）

わが国の原産で，北海道から沖縄までの海岸の砂地，また台湾・中国にも自生がみられる．わが国では，すでに江戸時代から自生したものが利用されていた．

◇**野生種**　全国の，海岸の砂浜に生え，根は砂にまっすぐに長く伸びる．茎の部分は砂中に隠れており，葉だけが表面に出ていることが多い．葉は

上：はまぼうふう，下：はまぼうふう（いかりぼうふうにしたもの）（平　宏和）

株から束生して，2回羽状複葉で，小葉は小さな鋸歯のようになっている．束葉の中央より茎が伸び，その先端に散形花序となる小花を球状につけ，これが10個ぐらいついた枝を数本つける．花期は7～8月である．

採取：砂を掘って葉柄ごと採取する．

◇**栽培種**　栽培用としては2年生作物として利用する．3～4月に播種して根株を養成し，これを掘りとって軟白床に伏せ込む．萌芽後15cmぐらいに葉柄が伸びたとき，2～3日，光にあてて着色を促し収穫する．品種・作型の分化は認められない．

産地：埼玉，茨城．

◇**調理**　独特の香気を目的に，刺身のつま，和え物のあしらい，すまし汁の吸い口などに用いる．中国料理にも炒め物の仕上げに青みとして散らしたりする．食用にはほろ苦い味の白い若芽を用い，青いものは主として飾りにする．※茎の根元に十文字の切り目を入れ，水にさらすと切り口が反って，形がよくなる．根元を針で突いて水中に入れてもよい．これは，形が船の錨（いかり）のようなので，いかりぼうふうと呼ぶ．※野生種を大量に採取したときは，茹でて和え物にしたり，天ぷらなどがよい．

ハム

成 11174　英 hams

ハムは英語で，塩漬けした豚のもも肉をいう．古くは塩漬けした豚のもも肉はハムオブベーコンと呼ばれたが，今日ではそれが省略されてハムとして知られ，燻したり，加熱したりしたものも簡単にハムとして表現するようになっている．わが国では塩漬けした豚肉塊をまるめてケーシングに詰め，燻煙し，加熱したものを中心に関連するいくつかの製品群をいうようになった．さまざまな種類のハムがある．

◇**成分特性**　現在のわが国のハムは一般に水分の多い，脂肪の少ない製品である．主なハム類の成分としては，たんぱく質は100g当たり15g前後と，生肉よりやや少ない．他の獣鳥肉や肉加工品に比べて多いのは，リン，ナトリウム*，ビタミンB_1，Cである．ビタミンB_1は原料の主体である豚肉により，ほかは添加物による．日本農林規格*（JAS）が設けられており，水分限界は種類によって多少異なるが，おおむねは60%以上75%以下である．

◇**保存**　本来常温でも3カ月ぐらいはもつものであったが，衛生性を重んじ，低温保存が推進されるうちに保存性のかなり低いものになった．すぐ食べられるように薄切りにし，密封したものにあっては，保存期間は密封状態にあっての期間を意味するもので，開封して1枚，1枚にした場合は保存性はない．

◇**調理**　豚肉のうま味に塩味と燻煙の香りが調和した味である．そのまま食用にしたり，サラダ，サンドイッチの素材などに用いられる．※加熱時も，厚切りにして持ち味を損なわないようにする．炒め物や煮物のうま味材料には生の豚肉かベーコンの方がよい．※普通の豚肉にはない香りと色を生かして，炒め物などに細く切って入れ，あるいはふりかけることがある．卵とよく合い，ハムエッグのほか炒り卵，卵のコロッケなどにも用いる．

●**ショルダーハム**

成 11177　英 shoulder ham；cooked cured shoulder

骨を除いた豚かた肉を発色剤，香辛料などとともに塩せき（漬）し，ケーシングに詰めて燻煙，湯煮したもの．

●**生ハム**

成 11181（促成）　英 uncooked ham

通常のハムは，出荷前に，蒸煮あるいは湯煮により，加熱殺菌をしているが，その加熱をしない製品を生ハムという．食品衛生法*で，非加熱食肉製品に当たる．燻煙の後の熟成期間が短いラックスハムと，長期熟成を行うイタリアのハムであるプロシュートの2種類がある．ともに加熱殺菌をしていないので，美しい色彩と軽やかな風味がある．原料から，細菌汚染を防ぐ努力が必要であり，製造過程でも水分活性*の低下と，温度管理が要求される．スペインから輸入される代表的な生ハムに，イベリコハムがある．

●**ベリーハム**

英 belly ham

bellyは，豚のばら肉のことで，ベーコンの材料にもなる脂肪の多い部分．ベリーハムはこの部分を原料として製造したハムで，整形・塩せき（漬）し，内臓面を内側に巻いてケーシング詰めする．燻煙後スチームないし湯煮する．

●**骨付きハム**

成 11174　英 bone-in ham；regular ham　別 レギュラーハム

塩漬けした豚枝肉のももの部分を燻煙したもの．ハムの原形といえる．イタリアンハム，マンチェスターハム，スタッフォードハムなどがこれに属する．

ショルダーハム　　　　　　ベリーハム

牛ハム（イベリコハム）　　ボンレスハム

骨付きハム　　　　　　　　ロースハム

●ボンレスハム
成 11175　英 boneless ham
骨付きハムの材料から骨を除き，まるめてケーシングに詰め，燻煙し，加熱したもの．日本の今日的ハムの原形といえる．

●ロースハム
成 11176　英 loin ham
もも肉の代わりにロース肉を使ったボンレスハム様の品で，ボンレスハムのように俵状に巻き上げたもの．英国のロインロール，ドイツのロールハムに相当するわが国独自の製品．ハムという言葉の転訛（てんか）の始まり．

 はも　鱧；海鰻

成 10231（生）　分 硬骨魚類，ハモ科ハモ属　学 *Muraenesox cinereus*　英 daggertooth pike conger　別 地 うにはも（福井）；はむ（広島，高知）；はもうなぎ（鹿児島）　旬 夏

全長2.2m．体は円筒状でやや側扁し，尾部は著しく側扁する．背びれ，尾びれ，臀びれが一つに連続している．体色は黒褐色．口が大きくのこぎり状の鋭い歯をもち，かみつく習性をもつ．漁師にも恐れられている．そのため食（は）むが訛ってはもになったといわれるくらいである．食食，夜行性である．水深120m以浅の砂泥底に生息する．南日本，インド・西太平洋に分布する．北日本ではまあなごのことを"はも"と呼ぶので，本種と混同しないよう注意する．同科に，はしなごあなごがある．

◇**成分特性**　白身の魚で，成分的にはうなぎに近似しているが，たんぱく質がやや多く，脂質は少ない．しかし，白身魚の中では脂質含量が高い方で，そのため，かまぼこにした場合アシがやや落ちるが，うま味に富んでいるため，練り製品原料として広く使われている．そのほかの成分では，うなぎよりははるかに少ないが，特にビタミンAは100g当たりレチノール*59μgと豊富に含まれ，Dも含有されている．

◇**加工**　小骨が多いが，骨切りして用いる．関西では特に珍重され，夏祭には欠かせない．はも鮨など，名物はいろいろあるが，加工品といえるようなものは少ない．ただし練り製品の原料としては味がよいので珍重される．またうきぶくろ（鰾）

はも（本村　浩之）

ハヤシルウ（平　宏和）

は乾燥して，膠（にかわ）の原料や食用にする．また皮を使った料理は関西では広く賞味されている．またわが国では干し魚にはしないが，中国には海鰻鯗（ハイマンシアン）と呼ぶ背開きしたはもを竹片を刺してひろげ，そのまま乾燥した有名な加工品がある．

◇調理　背びれを切り取り，ぬめりを庖丁でとって腹開きするか，三枚におろしてから調理する．小骨が身と皮の間に斜めに入り組んでいて，骨抜きでは抜けないため，骨切りして用いる．骨切りは，おろした身を皮目を下にしてまな板におき，はも切りで2〜3mmの間隔で，皮は切り離さずに小骨だけを切る．これを，天ぷら，照焼き，酢の物，ちり鍋，椀種などに用いる．❖はも皮は，肉部をかまぼこに用いた残りをつけ焼きにしたもので，骨を抜いて二杯酢，炊込みご飯などに用いる．このほか，はものすり身をだんごにして揚げ，もみじおろしとしょうゆで食べるはもしんじょ，ごぼうを巻き込んだ八千代巻，はもの押し鮨，はものくずたたきなどがある．大阪の夏祭や，京都の祇園祭には，これらのはも料理が欠かせない．

●はしながあなご

嘴長穴子　分 ハシナガアナゴ属　学 *Oxyconger leptognathus*　英 longbill pike conger　別 地 うちはむ，ふじとおし（高知）

全長60cm．はもの近似種．吻がはもより長く尖っている．三重から長崎の暖海の浅い所に生息する．南シナ海，オーストラリアにも分布．練り製品の原料にされる．

はや　⇨おいかわ，うぐい

 ハヤシルウ

成 17052　英 hash roux ; hash and rice roux
ハヤシライスに用いるための固型のルウで，カレールウに似たタイプのもの．ハヤシはhashの訛ったもので，こま切れ肉を煮込んだ料理ハッシュド・ビーフ（hashed beef）からきている．肉を細かくして，たまねぎとともにトマトソースで煮込んでつくる．

製法：小麦粉にラード，ヘットなどの食用油脂を加えて炒めてルウをつくり，さらにでん粉，トマト調味料（粉末，ペースト），肉汁，たまねぎ，ソース，食塩，糖類，香辛料，うま味調味料などを加えて煮込む．これを成型，冷却して製品とする．

◇成分特性　製品によって違いがあるが，『食品成分表』では100g当たり利用可能炭水化物*（差引き法）46.3g，脂質（TAG当量）*31.9g，たんぱく質 5.8g，食塩 10.7g である．

◇調理　市販のルウを用いたハヤシライスは即席でつくられる料理であるから，肉はにんにくなどと炒めて風味を出しておく．市販品にさらに好みの味を付けるためには，トマトペースト，ウスターソース，チリソースなどで味を補うとよい．ハヤシライスは大正時代にすでに，カレーライスと同様に大衆食堂のメニューとなっていた．

 はやとうり　隼人瓜

成 06241（果実 白色種 生），06242（果実 白色種 塩漬），06353（果実 緑色種 生）　分 ウリ科ハヤトウリ属（つる性多年生草本）　学 *Sechium edule*　英 chayote　別 せんなり（千成）

つる性で，冷涼地では1年生，温暖地では宿根性，熱帯では地下部が肥大してでん粉を蓄積し，多年生となる．実の形は洋なし形，卵形，円錐形，球形などがあり，重さは500g〜1.5kgで，中に大きな種子が1個ある．果実ごと植えつける．熱帯アメリカの原産で，その地方では古くから食用・飼料用として用いられていた．わが国へは1917年に米国から導入され，暖地に半放任の栽培があ

はやとうり　緑・白色種（平　宏和）

はりはり漬（平　宏和）

るほか，各地に家庭菜園用として栽培されている．九州南部，鹿児島などで特に多い．はやとうりの名は，最初に導入された鹿児島県の薩摩隼人に因んで付けられたという．繁殖力旺盛で，非常に多くの実がなることから，千成とも呼ばれる．

◇**品種**　白色種と緑色種があり，前者はやや小果だが，肉質に青臭みが少ない．典型的な短日性植物*で，秋の彼岸以後に着花し，それから降霜までの期間が長いほど多収となる．

◇**成分特性**　一般成分は，100g当たり水分94.0g前後，利用可能炭水化物*（差引き法）4.0g，食物繊維1.2g前後以外は，無機質およびビタミンも同様に非常に低含量である．β-カロテン当量は白色種には含まれないが，緑色種には27μg含まれる．塩漬にすると無機質は60％，ビタミンは40〜50％溶出する．

◇**調理**　主に漬物として用いられる．縦半分に割り，芯をくりぬいて塩をふり，塩漬にしたあと，酒粕，砂糖またはみりんで漬け込む．糠漬にもする．また，薄切りにして生で食べたり，煮物，炒め物に用いてもよい．

バラクータ　⇒みなみくろたち
パラチニット　⇒糖アルコール
はらみ　⇒うしの副生物（横隔膜）

はりはり漬

英 Harihari-zuke

細切り野菜の甘酢漬で，福神漬に似ている．漬け液が福神漬はしょうゆであるのに対して酢であるところが異なる．はりはり漬の名は，パリパリとした歯応えがあることから付けられたといわれる．

◇**原料**　野菜は大根を主体とし，その他きゅうり，れんこん，しその実，赤唐辛子などである．大根は割り干し大根と塩漬大根の両方を用いるのが一般的である．きゅうり，しその実，れんこん（湯通ししたもの）は塩漬にしたものを用いる．

配合例：割り干し大根5kg，塩漬大根10kg，きゅうり15kg，しその実1.5kg，れんこん3kg，赤唐辛子適宜，黒ごま少々．甘酢液の配合は，水40L，氷酢酸300mL，クエン酸150g，リンゴ酸*50g，食酢1L，砂糖6kg，水あめ4kg，サッカリン10g，淡口アミノ酸液500mL，うま味調味料50g，食塩2.5kg，黄色4号5gとする．調合は福神漬の調味液の調合と同様である．

◇**漬け方**　原料の細切り，塩抜き，圧搾は福神漬と同じ要領である．ただし，切り方は福神漬より少し大きめにした方がよい．以上の材料を混合し，漬け液と混合し熟成させる．約1週間で食用にされる．

◇**保存**　非常に変質しやすいので，冷蔵するか防腐剤（ソルビン酸カリウム）などで防止する．

春駒　はるこま

英 Harukoma

棒状に蒸した鹿児島県の郷土菓子．

◇**由来**　文政年間（1818〜1830）に鹿児島城下の武士が創製したといわれ，その形状から「馬んまら」と呼ばれていた．この菓子が貴人に献上されたとき，その名を尋ねられたが，この名称が直

春駒（平　宏和）

接的なので，とっさの気転で「春駒」と答えたのが名の由来とされている．その貴人とは，当時の島津藩主，行幸された大正天皇，明治天皇などの諸説がある．
◇**原材料・製法** さらしあん，うるち米ともち米の粉，砂糖などを混ぜ，水を加えて練ったものを，円柱状に整え，蒸したもので，食感は「ういろう」に似ている．

バルサミコ酢 ⇨食酢

 はるさめ 春雨

英 Harusame；starch noodles 中 粉糸；粉条
でん粉麺の一種．大正時代に緑豆はるさめが朝鮮から中国料理の材料として大阪に入荷し，とうめん（豆麺・唐麺）などと名付けて販売された．昭和12（1937）年になり，さつまいもでん粉とじゃがいもでん粉を原料とした製法が開発され，第二次世界大戦後の昭和27（1952）年に「はるさめ」という商品名で関西を中心に発売された．最近では，中国の緑豆はるさめも，はるさめといわれている．えんどう（*Pisum sativum*）でん粉を原料とした製品や緑豆でん粉とえんどうでん粉を原料とした製品もある．
◇**成分特性** 純粋のでん粉食品である．成分的にはでん粉含量が約87％で，残りがほぼ水分である．微量の脂質，たんぱく質，灰分を含むが，ビタミン類はない．通常，添加物などは使われないので，成分的には用いられた原料でん粉とほとんど同じであると考えてよい．
◇**調理** でん粉を原料につくられ，透明でこんにゃくに似た性質があり，調味料をよく吸収するので汁を味わうのによい．吸い物に入れるほか，鍋料理，すきやきの種によく，日本では中国料理にも，とうめん（豆麺）に代えて湯（たん；スープ），煮込み，炒め煮などに広く使われる．また和え物，特に酢の物に用いると，材料と酢の味が浸透するほか，余分な液を吸収してくれる．※高温で加熱されるとカリカリした歯触りで，油を吸収して風味もよい．揚げ物の衣にまぶして低温で揚げると，衣にカラリとした感じを与える（はるさめ揚）．※でん粉の糊化が進むに従い，水分を吸収してコシが弱くなる．汁物に用いるときは最後に入れ，のびないうちに食べるようにする．

●**普通はるさめ**
成 02040（乾），02062（ゆで） 英 Harusame；(starch noodle made from potato and sweet potato starches) 別 でん粉はるさめ
じゃがいもでん粉とさつまいもでん粉を原料として製造する．国内で生産されるはるさめは，ほとんどが普通はるさめである．さつまいもでん粉には"さらしかんしょでん粉"が用いられる．

製法：冷凍法と，第二次世界大戦後開発された非冷凍法がある．冷凍法は，原料でん粉のごく一部に熱湯を加えて糊化させたものに，残りの原料を加え，温水を加えてよくこねる．これを底に0.9mmくらいの穴を多数あけた容器に入れて熱湯中に押し出して凝固させてから，水槽に入れて冷却させたものを凍らせ（−13〜−15℃，冷凍8〜12時間），これを再び水に戻した後，乾燥して製品とする．非冷凍法は，混合したでん粉乳をステンレスのベルトの上に流し，熱を加えてでん粉を糊化したものを熟成させ，製麺機で麺状に裁断し，乾燥したものである．冷凍法の製品は，乾燥の際，凍結による微細な氷が蒸発し穴ができるので，調理すると煮汁がよくしみる長所があるが，長時間煮ると，崩れる，折れやすいなどの短所がある．一方，非冷凍法の製品は，麺がしまって長時間煮ても崩れにくいなどの長所があるが，煮汁がしみにくい短所がある．

●**緑豆はるさめ**
成 02039（乾），02061（ゆで） 英 Ryokuto-harusame；(starch noodle made from mung bean

普通はるさめ（平　宏和）

緑豆はるさめ（平　宏和）

starch）　別 とうめん（豆麺）；とうそめん（豆素麺）

従来とうめん（豆麺）と呼ばれていたものであり，緑豆の粉を原料としたものと，緑豆から分離したでん粉を原料とした製品がある．中国では緑豆粉を原料とした製品が多い．製法は緑豆粉，緑豆でん粉とも，普通はるさめとほとんど同じと考えてよい．なお，中国では冷凍操作を省略する場合もある．緑豆はるさめは中国から輸入されており，山東省の竜口粉糸が有名である．わが国でも少量ではあるが，生産されている．

はるみ　　⇨タンゴール
パルメザン　⇨チーズ
ばれいしょ　⇨じゃがいも
バレンシアオレンジ　⇨オレンジ

パン

成 01026 英 breads

パンとは，小麦粉またはその他の穀粉を主原料とし，これにイーストまたは他のガス発生剤を加えてふくらませた生地（ドウ dough）を焼き上げた食品のことである．

◇由来　パンの歴史は古く，約1万年前にすでに人類はパン様のものを食べていたことが考古学的に明らかにされている．6,000年前にはエジプトのナイル河畔で小麦が栽培されてパンがつくられており，また3,500年くらい前につくられたパンが墓の中から発見されたりしている．初めは粉を水でこねただけで焼かれていた．これがふくらんだ発酵パンに変わったきっかけには，いろいろな言い伝えがあるが，粉を水で練って放置しておくと天然の付着酵母による自然の発酵が起こって生地が膨張するので，人類が発酵パンの製法を自然に覚えたのは当然のことである．すでに5,000年ほど前にエジプトでは発酵パンがつくられていたとされている．

日本への伝来は天文12（1543）年で，九州の種子島にポルトガル人が漂着し，鉄砲とともにパンを伝えた．そのためポルトガル語の Pão（パン）がそのままの名称で日本に定着した．その後，織田，豊臣時代から約1世紀にわたって長崎の外国人居留地を中心としてパンがつくられたが，寛永16（1639）年に三代将軍徳川家光による鎖国令によってパンは姿を消した．しかし，天保13（1842）年に伊豆韮山の代官，江川太郎左衛門は自邸内にパン窯をつくり，兵糧のパンの試作を行った．その後これを見習って各藩でもパンづくりが試みられた．町でパンが見られるようになったのは安政5（1858）年の日米修好通商条約後であり，フランス人によってフランスパンがつくられた．明治に入ると日本人の考案によるあんパンなども生まれ，パンは次第に普及していった．しかし，第二次世界大戦までのパンは一部の人の嗜好品の範囲を出なかったが，戦後の食糧不足時代に米国から大量の小麦が提供されたことがきっかけとなって，日本の製パン産業は一大食品産業へ

パン類　上：左より，食パン（左：小麦パン，右：ライ麦パン），コッペパン，ロールパン，クロワッサン，中：左より，ベーグル，フランスパン（上：バゲット，下：パリジャン），フランスパン（ブール），イングリッシュマフィン，下：左より，メロンパン，あんパン，蒸しパン，ナン（平　宏和）

と急成長した.

◇**分類** パンの種類は極めて多く,その分類は複雑である.一般的には主原料の違い,副原料の種類と量の違い,膨化源や製法の違い,形や大きさの違いなどによって分類され,またフランスパンなど国名によっても分類される.このほかたんぱく質,ビタミン,無機質などを加えた栄養強化パン,食物繊維を加えたハイファイバー・ブレッドなどのダイエタリー・ブレッドもある.

◇**原料** 主原料は小麦粉,ライ麦粉などである.前者のたんぱく質はグルテンを形成することにより,後者のたんぱく質は酸による変性によってガスの包蔵性を生じ,ふくれたパンの製造が可能となる.ガス発生源としてパン酵母や一部天然の酵母も用いられ,また膨張剤が用いられる場合もある.特殊パンを除いて食塩は必須原料であり,小麦粉,イースト,食塩,水を製パンの基本原料という.フランスパンなどはこの基本原料だけでつくられる.このほかに糖,油脂,ミルク,卵などが用いられる.糖はしょ糖が主体であるが,一部ぶどう糖,異性化液糖なども用いられる.油脂にはショートニング,ラードなどが,ミルクは脱脂粉乳が主体であるが,全乳やホエーが使われることもある.食パンと菓子パンの原料配合比率の一例を示すと**表1**の通りである.また,製パン材料の配合率は一般にはベーカーズパーセントと呼ばれ,小麦粉を100としての比率で示される.菓子パンは,その生地の中にあん,ジャム,各種ペースト類,ナッツ類などを包み込んでつくられる.

◇**製法** パンの製法の主なものとして直捏法(じかごねほう),中種法(なかだねほう),液種法(えきだねほう)などがある.液種法にはバッチ法と連続製パン法がある.そのほか,これらの方法を部分的に変更した方法,強力なミキサーや生地改良剤を用い,発酵時間を短縮して短時間にパンをつくり上げる方法もある.わが国ではほとんどの工場が中種法を採用しており,直捏法は主に一部の小さなパン工場で行われている.家庭で行われる製パンも,一般にこの直捏法である.直捏法と中種法の製造工程は**図1**の通りである.基本的方法は直捏法であるが,この方法では全部の原料を一度にこね,28℃くらいで2～2.5時間(途中でガス抜きを行う)の発酵を行う.中種法は小麦粉の一部(全量の70%くらい)とイースト(全量)だけで生地をこねて,まず4時間くらい発酵を行い,その後残りの小麦粉とその他の原料を加えてもう一度生地を混捏し,完全なパン生地をつくり上げる方法で,作業に融通性が生ずるのが大きな長所となっている.このあと生地を分割,整形し,所定の形に仕上げたり,型に入れてから最終の発酵,すなわち,焙炉(ほいろ)を行う.焙炉の発酵は38℃,湿度85%くらいで行うが,ここでパンの最終目標体積の70～80%まで生地を膨張させる.焙焼は210℃くらいで行うが,焼く時間はパンの大きさや原料配合,温度などによって異なる.

冷凍生地法 最近関心が高まり普及している方法に,冷凍生地製パン法がある.パンの品質に関係して鮮度という言葉が使われるように,パンのおいしさにとって焼きたては重要な要因となってい

表1 食パン,菓子パンの原料配合例
(小麦粉100に対する割合)

原　料	食パン	菓子パン
小麦粉	100	100
イースト	2	3
食塩	2	1
砂糖	5	25
ショートニング	4	4
脱脂粉乳	3	2
イーストフード	0.1	0.2
水(適量)	64	52

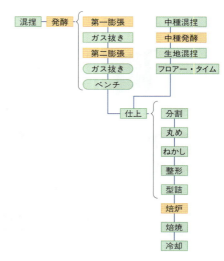

図1 直捏法(左)および中種法(右)における食パンの製造工程

る．この方法は，需要に応じて短時間でパンを焼き上げ，常に焼きたてパンを提供しようとする方法であり，焼きたてを売る小さなオーブンフレッシュベーカリーにとっては，多品目のパンの品揃えに便利である．製造工程は一般に直捏法によっており，工程の途中で生地を冷凍保存することによって工程を一旦中断し，需要に応じて解凍，焼成する．

一般的には分割，整形の終わったところで-20℃以下で凍結，保存し，解凍後に焙炉発酵のみ行って焼き上げる．凍結貯蔵中は酵母に冷凍障害が起こりやすいが，優れた冷凍耐性酵母がわが国で開発され，よい冷凍生地パンができるようになった．焙炉発酵後に凍結する方法や，半焼き後に凍結貯蔵する方法もある．なおこれとは別に製品冷凍もある．

◇品質　パンの品質を支配している要因は原料，製法，鮮度であるが，特に製法と鮮度が重要である．製造工程の中で重要なのは発酵と焙焼であるが，発酵はパン生地の熟成と風味成分生成の目的で行われるもので，温・湿度の適正な条件下で十分行わせることが大切である．発酵・熟成が十分な生地から焼き上げたパンは，ふっくらとよくふくれ，内相の網目の膜が薄く食感も風味もよい．不足すると膨張が悪く，気泡膜も厚く，硬くて食感の悪いパンとなる．焙焼に際しては中心部まで火通りよく焼くことが大切で，中心部を100℃近い温度でできるだけ長時間維持できるように焼くことがうま味の点から大切である．最近は軟かいパンが好まれる傾向にあるが，同じ小麦粉でも，よいミキサーで十分こねると吸水量が多くなり，よくふくらんだ軟らかいパンができる．一般にパンの品質は膨張が十分なとき，全体的によくなる傾向があるため，パンの品質指標として体積（特に比容積）が重要視される．

品質劣化（老化）：パンのうま味を左右している最も重要な要因は鮮度である．焼きたてのパンは軟らかくて十分な芳香とうま味をもっているが，これらは急速に失われ，パンは硬くなっていく．この変化を老化（staling）という．老化による主な変化は，糊化でん粉の老化（retrogradation）とたんぱく質の硬化，水分，芳香成分の移行，蒸散などである．この結果，パリパリしていた皮は皮革状に変わったり，軟らかい内相は硬くなってやがてボロついてくる．芳香はすっかり失われるだけでなく，やがて老化臭と呼ばれる不快なにおいも生ずる．パンの芳香の主要成分は，焙焼時に表皮部に起こる褐変反応に伴って生成されるカルボニル化合物（特にアルデヒド類）であるが，これは当然，表皮部に多くて内相部には少ない．しかし時間の経過につれて，包装の有無にかかわりなく外皮部で減少し内相部で増大するという変化，つまり外側から内側へ向かっての移行が起こる．パンがまだ熱いうちよりも冷めた直後の方がうまいとされる理由の一つは，内相部の小麦粉の煮えたにおいが消失する一方で，表皮部の芳香成分が内相部へ引き込まれるためでもある．内相部のカルボニル化合物もやがて減少するが，これは一部揮散によるほか，酸化されて相当する有機酸*に変化し，不快な老化臭を生ずる原因となる．

鑑別：パンの品質評価法はそれぞれのパンによって少しずつ異なり，目的によって採点項目や配点を適宜変えることもできる．たとえば食パンの場合，標準的には100点満点法で外観5項目と内相5項目について評価が行われる．日本では公的に制定されているパンの品質審査基準として，文部科学省による学校給食用食パンとコッペパンの品質採点基準があった．現在は各都道府県ごとに実施されている．

表示・規格：食品表示基準*では，パン類は，(1)小麦粉またはこれに穀粉類を加えたものを主原料とし，これにイーストを加えたものまたはこれらに水，食塩，ぶどう等の果実，野菜，卵およびその加工品，砂糖類，食用油脂，乳および乳製品等を加えたものを練り合わせ，発酵させたもの（「パン生地」という）を焼いたものであって，水分が10％以上のもの，(2)あん，クリーム，ジャム類，食用油脂等をパン生地で包み込み，もしくは折り込み，またはパン生地の上部に乗せたものを焼いたものであって，焼かれたパン生地の水分が10％以上のもの，(3)(1)にあん，ケーキ類，ジャム類，チョコレート，ナッツ，砂糖類，フラワーペースト*類およびマーガリン類ならびに食用油脂等をクリーム状に加工したものを詰め，もしくは挟み込み，または塗布したもの，をいう．また，有機加工食品の日本農林規格*（JAS）には，添加物（炭酸ナトリウム，炭酸水素ナトリウム*，炭酸カリウム）についての規定がある．

◇成分特性　パンはでん粉質食品であり，たんぱく質含量は食パンで9.0％と少ない．強力小麦粉のアミノ酸スコア*は36で精白米の61と比べてもかなり低く，パンのたんぱく質は質も劣っている．これを補う意味もあり，脱脂乳やホエーが使用され，また大豆粉が用いられることもある．制限アミノ酸リシンを添加する方法も有効である．パンはその製法の特徴上，各種栄養素の添加が容

易で，ビタミン，無機質，たんぱく質などを加えた栄養強化パンや，健康食品として食物繊維を添加したハイファイバー・ブレッド，治療食としての無塩パンなど，いろいろなものがつくられている．

◇**保存** **腐敗と老化**：パンの保存に際しては，腐敗防止以前の問題として前記の老化の問題があるので，パンを保存する場合にはこの双方を念頭におく必要がある．腐敗を防ぐためには低温に置く方がよいが，パンの老化（硬化）は低温ほど促進される．しかし一般のフリーザーの温度（$-20°C$）ではパンは凍結し，老化の進行はほとんど起こらなくなる．したがって，短時間パンを保存したいような場合には高めの温度に放置しておく方がよく，長時間でカビ発生の不安のある場合は，フリーザーに入れて凍結しておく方がよい．冷蔵庫に入れた場合は，トーストまたは電子レンジによる加熱が必要になる．パンの老化は油脂など副原料によってある程度防止されるため，副原料を多く含んだリッチなパンは老化が遅く，基本原料だけでつくられるフランスパンのようなものは老化が速い．このようなパンは焼き上げ後4時間以内ぐらいに食べることが望ましい．老化を遅延させる添加物としては界面活性剤（レシチン*，モノグリセリド，しょ糖脂肪酸エステル*など）の効果が認められており，カビやロープ（バクテリア Bacillus subtilis によって起こる腐敗で，異臭を生じ内相が糸を引く）の防止にはプロピオン酸塩が使用される．

◇**調理** 菓子パンの類はそのまま，フランスパン・ロールパン・黒パン（ライ麦パン）の類は洋食のコースの一つとしてバターを塗っただけで食べる．焼いたり，サンドイッチにして比較的調理の素材となるのは食パンである．コッペパンは両者の中間的な性質をもち，切ってソーセージなどをはさみホットドッグとしても食べられる．※トースト：できたての食パンは軟らかく独特の風味があるが，トーストにより，パン表面の食感の変化とともにパンを軽く焼くと香りが一段と強まるうえ，表面のこげた部分に生成した香りが，パンのうま味をいっそう増加させる．バターを塗るとさらにトースト特有の風味が形成される．※ひき肉料理のつなぎとして：ハンバーグステーキなどをひき肉とたまねぎだけでつくると，加熱後もろく崩れやすくなるが，ほぐしたパンを加えておくと全体がよくまとまり，肉汁を吸いとって外へ流れ出るのを防ぎ，舌触りをなめらかにするとともに増量の役目をする．

パンケーキ

英 pan cake

小麦粉に牛乳，卵，バター，砂糖などを加え，薄く焼いたもの．ホットケーキよりも甘味は控えめである．好みのソースやはちみつなどをかけて食べるところはヨーロッパスタイルのワッフルと似ているが，比較的厚みがあって大型である．米国での食べ方としての特徴は，わが国やヨーロッパと異なり，朝食あるいは昼食に利用される．パンケーキ専門の軽レストランも非常に多く，各店で自慢のソースが工夫されている．食事として利用するときは，パンケーキをメインにしてサラダやスープを添えることが多い．プレーンタイプのほか，メープルフィリング，ジャム，あんなどが入った製品がみられる．

パンケーキ（メープルフィリング入り）（平　宏和）

パン粉

成 01077（生），01078（半生），01079（乾燥）
英 bread crumbs

日本農林規格*（JAS）では，パン粉は，小麦粉またはこれに穀粉類を加えたものを主原料とし，これにイーストを加えたものまたはこれらに食塩，野菜及びその加工品，砂糖類，食用油脂，乳製品等を加えたものを練り合わせ，発酵させたものを焙焼等の加熱をした後，粉砕したものとしている．パン粉には，水分が14％以下になるように乾燥させた乾燥パン粉，乾燥させない生パン粉およびそれ以外のセミドライパン粉がある．フライ，カツレツ，コロッケなどの衣に使用される．

製造法は，まず食パン製造に近い方法でパン粉用のパンがつくられる．糖の添加量は小麦粉に対し1％程度と少なく，発酵時間は第一発酵のみで短いが，発酵終了時には糖が残らないようにする．これは焙焼時の外皮の着色防止と，揚げたときに衣にこげ色が早く着かないようにするためである．焙焼は天井が高く，低めに温度設定されたオーブンで，極力外皮に焼き色が着かないように焼き上げる．パン外皮に褐変を起こさせないためには，

左：生パン粉，右：乾燥パン粉（平　宏和）

電極法と呼ばれ，電極板の間にパン生地を入れ，通電してパンをつくる昭和32年頃開発された方法もある．パンは放冷，老化させてから内相を粉砕し，フレーク状にする．これが生パン粉で，風味が優れているため好んで使われるが，パン粉付け機にかかりにくいため，水分20～30％に調整された半生パン粉もつくられている．また，揚げ色の調整，フライ時間を短縮して製品をソフトにするためにオレンジ，黄色などに着色したカラーパン粉がみられ，主に業務用に利用されている．

パン酵母　⇒こうぼ
ばんじろう　⇒グァバ
番茶　⇒緑茶
蟠桃（ばんとう）　⇒もも

 ## パンナコッタ

伊 panna cotta

パンナは生クリーム，コッタは加熱を意味するイタリア語．生クリームをたっぷり使い，バニラの風味を効かせた，イタリア発祥の乳製品のデザート菓子．イタリア・ピエモンテ州の家庭菓子としてつくられていた．日本では，1990年代前半に流行した．

マンゴーパンナコッタ（平　宏和）

◇**原材料・製法**　生クリーム，牛乳，砂糖に，さやからこそげ取ったバニラビーンズを加え，中火にかける．これに，あらかじめ水にしとらせておいたゼラチンを加えて，煮溶かす．こして粗熱をとり，型に流し入れ，冷蔵庫で冷やし固める．カラメルソースをかけて供する．ゼラチンを用いないで，卵の入った液を湯煎（ゆせん）で固めるものもある．

万能ねぎ　⇒ねぎ

 ## ハンバーガー

英 hamburger

丸形の軟らかいパン（ハンバーガーバンズ）にハンバーグ，レタス，トマトなどをはさんだもの．好みでピクルスなども入れる．食べるときにオーブンで焼いたり，電子レンジで加熱すると味がよい．ファーストフードの代表的食品の一つ．

バンバラ豆　ばんばらまめ

分 マメ科ササゲ属（1年生草本）　学 *Vigna subterranea*　英 bambara groundnut

西アフリカが原産とされ，アフリカではラッカセイ，ササゲに次ぐ重要なマメ類で，ラッカセイと同じように地中で莢（さや）が実る．ブルキナファソ，ニジェール，カメルーンにおける生産量が多い．最近，わが国でも栽培がみられる．

◇**性状・利用**　花は黄色で，地上近くで開花し，自家受精後，花柄*が伸びて子房*が地中に入り，莢が実る．莢内には1～2個（普通は1個）の子実があり，粒形は丸く（直径1～1.5cm），種皮の色は白・赤・茶・黒・斑などがある．

◇**成分特性**　乾物100g当たり，エネルギー323kcal（1,350kJ），水分9.0g，たんぱく質19.5g，脂質5.9g，利用可能炭水化物（CHO-

バンバラ豆　さやと子実（平　宏和）

バンバラ豆

AVLDF）33.6g，食物繊維 28.9g，灰分 3.1g である（FAO/INFOODS：西アフリカ食品成分表）．
◇利用　完熟豆は茹で，煮豆，煎り豆を粉にし，また，未熟豆も料理などに利用される．

はんぺん　半片；半平

成 10385　英 Hanpen；(boiled kamaboko of surimi and yam paste)　別 うきはんぺん

代表的な茹でかまぼこである．さめ肉などを配合した魚肉に，やまのいも，天然ガムなどの起泡剤を加え，多孔質の組織にしたもので，青のりなどの種ものを添加した製品もある．焼き色をつけて生姜じょうゆで食べたり，チーズの挟み焼きなど，和食にも洋食にも用いられる．おでん種には欠かせない．

●黒はんぺん

成 10423　英 Kuro-hanpen

さば，いわしなどの多獲性赤身魚を主原料とした茹でかまぼこ類．静岡県の特産品で，特に焼津周辺で生産され，300 年以上の歴史を持つといわれている．製法は赤身魚の落とし身に食塩，でん粉，調味料などを混ぜ，擂潰後，成形し，熱湯で茹で上げる．厚さ・重さが異なる製品が生産されており，灰色，D 型の形状が特徴で，魚肉本来の風味が残っている．

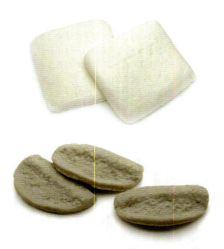

上：はんぺん，下：黒はんぺん（いわしはんぺん）
（平　宏和）

ひ

ピータン　皮蛋

成 12020　英 century egg　中 皮蛋（ピーダン）；彩蛋（ツアイダン）

あひる卵の代表的な加工品で，中国料理の素材として有名．中国料理の前菜としてよく使われ，中国の江蘇省，浙江省地方の特産物になっている．原料としては，あひる卵のほか鶏卵，がちょう卵，うずら卵でもつくられる．石灰，木灰，食塩，茶，粘土などを十分にこねて卵殻の表面に塗り，籾（もみ）殻を卵殻にまぶしてから容器に封入し，数カ月冷暗所に置く．この間に卵黄は分解して，特有の風味を出す．卵白はアルカリのために茶色の透明なゼラチン状に凝固する．このゼラチン状の卵白表面に，細かな松葉形の雪の結晶様の模様が浮き出してくる場合があり，松の花にたとえられ，"松花蛋（ソォンホアダン）"ともいう．卵黄は軟らかく固まり，緑褐色と黄褐色の層になってみえる．国産はほとんどみられず，中国・台湾より輸入されている．

◇成分特性　アルカリ成分を塗り貯蔵をするため塗布成分が卵中に入り，原料卵と比べると栄養成分に変動がみられる．たんぱく質ではリシン*，アルギニン，シスチン，セリンなどのアミノ酸が分解損失し，特にシスチンの減少が著しい．ビタミンでは B_1 がほとんど分解される．一方，無機質ではカルシウム，ナトリウム*などが増加する．

◇調理　食べる頃合いは，約1cmくらい塗った泥を落とし，卵殻をむいてから約10分間おき，アルカリによりたんぱく質が分解して生じた特有の硫化水素，アンモニア臭がなくなってからがよい．

ビーツ

成 06243（根　生），06244（根　ゆで）　分 ヒユ科（アカザ亜科）フダンソウ属（2年生草本）　学 Beta vulgaris var. vulgaris　英 table beet；garden beet　別 テーブルビート；かえんさい（火焔菜）

地中海沿岸地方の原産で，2～3世紀頃から食用とされた．わが国には18世紀に伝わったが，利用され始めたのは明治に入ってからである．ヨーロッパでは野菜として広く普及しているが，わが国での食用ビーツの栽培は少ない．砂糖原料用のビート（シュガービート，砂糖大根，てんさい：根に含まれる糖からビート糖をつくる．さとう*）とは異なる．

◇品種　クロスビー・エジプシャン，レッド・ボールなど，主として赤色の品種が栽培される．輪切りにすると同心輪紋がでて美しい．春播き（5～7月どり），夏播き（8～9月どり），秋播き（10～11月どり）栽培が行われる．

産地：北海道．

◇成分特性　砂糖大根と近縁であり，根は5～6％のしょ糖を含む．大根など根菜類*の糖が2～3％であることに比べ，かなり多量で甘味が強い．皮つきのまま茹でたとき，カリウムが30％，たんぱく質とビタミン類が25～30％溶出し，Cは50％が分解損失する．赤色の主な色素はベタニンで，ビーツから抽出したものがビートレッドと呼ばれ，冷菓，ケーキ用などの食用色素として使われる．

◇調理　サラダとして生でも食べられるが，通常茹でて用いる．たっぷりした湯に約1％の食塩を加え，40分から1時間ほど丸のまま茹でる．表皮を除いたのち，びんまたはつぼに入れ，酢あるいは甘酢に漬けておき，必要なときに取り出して使う．サラダ，前菜，肉や魚料理の付け合わせに用いる．肉と野菜をたっぷり入れて赤く仕上げたボルシチは，ロシア風の代表的なスープで，ビー

ピータン（平　宏和）

ビーツ（平　宏和）

ツは欠かせない．ボルシチの赤は，ビーツの赤い色素ベタニンが溶けたものである．

ピーナッツ　⇨らっかせい
ピーナッツオイル　⇨らっかせい油

ピーナッツバター

成 05037　英 peanut butter

落花生をすりつぶして塩味を付け十分練ってクリーム状のペーストにしたもの．ショートニングを2〜3％加え，しょ糖も同程度加えることもある．なめらかな舌触りのクリームタイプと，くだいた落花生を少量加えてツブツブ感を残したクランチ（crunch）タイプがある

◇調理　パンに塗って食べるほか，調味料として酢やしょうゆ，砂糖，だし汁などと混ぜて，和え物などに利用する．

ピーナッツバター（平　宏和）

ビーフ　⇨うし

ビーフジャーキー

成 11107　英 beef jerky

牛肉を調味，乾燥，燻煙した後，棒状にスライスする．食品衛生法*の規定では乾燥食肉製品に当たり，乾燥，燻煙は，50℃以上または20℃以下で行わなければならない．ジャーキーには，豚，馬，羊，鹿などの肉を原料とした製品がある．

◇成分特性　100g当たり水分24.4g，たんぱく質（アミノ酸組成）*47.5g，脂質（TAG当量）*5.8g，利用可能炭水化物*（差引き法）14.1gを含む．そのほか，鉄*6.4mg，亜鉛8.8mg，ナイアシン*12.0mg，葉酸*12μgを含み，水分含量が低いので栄養価が高い．酸化防止剤としてビタミンCが添加されることもある．

◇調理　酒の肴として用いられることが多い．

上：ビーフジャーキー，下：ラムジャーキー（平　宏和）

ビーフン

成 01115　英 rice noodles

うるち米を用いた麺である．水洗・浸漬した精白米を石臼で水挽き・加圧・脱水し，一部を糊化してつき混ぜ，小さな穴より熱湯中に突き出した麺線を急冷・乾燥させたものである．元来，原料はインド型米であるが，品質上からでん粉（コーンスターチ）などを副原料としているものもある．

ビーフン（平　宏和）

ピーマン

分 ナス科トウガラシ属（1年生草本）　学 Capsicum annuum Grossum Group　英 sweet pepper　別 甘とうがらし

唐辛子類のうち，辛味種を唐辛子*，甘味種を総称してピーマンと呼ぶ．原産地は熱帯アメリカで，熱帯地方では多年生となる．江戸時代には，わが国に辛味種が伝わって，伏見甘のような在来甘味種も栽培されていた．明治時代には米国系の大果・

ピーマン　上：ピーマンとカラーピーマン，下：果実と断面（平　宏和）

厚肉甘味種が導入された．在来種と明らかな違いが見られるので，これらの品種をピーマンと呼んでいたが，その普及は第二次世界大戦後である．なお，日本語のピーマンはフランス語のピマン：piment（唐辛子）に由来するといわれている．大戦後，在来のししとうがらしと米国系や中国系の大果種との交雑育種が行われ，中間的な品種が多くなり，そのため青臭用甘味種のすべてをピーマンと呼ぶようになった．しかし，単にピーマンという場合は，未熟の甘味種である青ピーマンを指すことが多い．

◇**名称・種類**　一般に伏見甘群，在来しし群（大果・小果系），ベル群（大果・中果・小果系）に大別される．各群の品種は，果実の型，大きさ，果肉の厚さ，色などにより，青とう，青ピーマン，カラーピーマン，パプリカなどに分類される．

(1) **青とう（青唐辛子）**
未熟の細長い唐辛子で，甘味種ではししとうがらし*，伏見甘とうがらし，万願寺とうがらしなどがある．なお，『食品成分表』では，ししとうがらしをピーマン類に入れず，別に収載している．

(2) **青ピーマン（ピーマン，緑ピーマン）**
成 06245（果実 生），06246（果実 油いため）
一般にピーマンと呼ばれる中果で緑色の未熟果．中果種の多くは大果種とししとうがらしなどの交雑により育成され，果肉は中肉，特有の風味がある．完熟すると，赤色素（カプサンチン）が増えて赤色，また，黄，オレンジ色などのカラーピーマンになる．

(3) **カラーピーマン**
別 完熟ピーマン
未熟の青ピーマン以外の赤，黄，オレンジ，紫，茶，白，黒色などの完熟型ピーマンをいう．赤色はカプサンチン色素，黄色はカロテノイド色素，紫色はアントシアン色素による．国内のカラーピーマンの流通では，パプリカが最も多い．ピーマンでは，未熟果専用品種（青ピーマン用）が多くは利用される．そのほか，マイナーなものとして，トマピーがある．青ピーマンに比べ，カラーピーマンは甘く，においも弱く，栄養成分ではビタミンC，カロテン含量が高い．

(4) **パプリカ**
成【赤ピーマン 果実】06247（生），06248（油いため），【黄ピーマン 果実】06249（生），06250（油いため），【オレンジピーマン 果実】06393（生），06394（油いため）
肉厚，100g以上になる大型の完熟型甘味種で，赤，黄，オレンジのほか，紫，茶，白，黒などのあるカラーピーマンである．パプリカの育成はハンガリーで多く行われ，わが国には平成5（1993）年にオランダから輸入された．現在では国内産もみられるが，その多くが輸入品で，特に韓国産が過半数以上を占めている．他のカラーピーマンと同様に，味覚や栄養価は青ピーマンとは異なり，ビタミンC，カロテン含量（特に赤ピーマン）が高い．なお，香辛料に，食品を赤くすることを主目的とした粉末状のパプリカ*がある．

◇**作型・産地**　作型は需要の増加に伴って分化がみられたが，最も好温性の野菜であること，長期にわたって生産しないと収益のあがらないことが絡みあって，長期栽培（促成・半促成・早熟栽培が連続した型）が多くなっている．基本的には促成（11～6月どり），半促成（2～6月どり），早熟（6～10月どり），抑制（7～11月どり）栽培に区分できる．産地は，茨城，宮崎，高知，鹿児島などである．

パプリカ（平　宏和）

◇**成分特性** 周年供給されていて，品種，産地，作型が多様化しており，かつ大果から小果まで各種の形状のものが出回っている．それぞれの成分含量の相違が想定されるが，7～8月と2～3月の市場流通品を露地と施設栽培*の代表と考え，それぞれ成分値を平均でみると，水分と灰分は同一である．差を示したのはカロテン含量で，後者が20％ほど高い．ピーマン類について，青ピーマン（一般にピーマンと呼ばれる未熟のもの），赤ピーマン，黄ピーマンの成分組成をみると，青ピーマンは水分と食物繊維が多く，ビタミンCは少ない．カロテンは黄，青，赤の順に多くなっている．トマピーは他の3種に比べ，カロテン，ビタミンCを多く含んでいる．厚生労働省では，栄養指導上，青および赤ピーマンとトマピーを緑黄色野菜としている．

色とビタミンC：ビタミンCは，熟度が進み緑色から濃緑色になると約2倍に増加することが知られており，露地と施設など，栽培法の違いよりも採取時の生長度合の差が大きい．冬のピーマンの方が，緑色が濃くなってから採取しても軟らかいので，一般に冬のピーマンがかえってC含量が高くなることが多い．緑色の濃い方がクロロフィルおよびカロテン含量は高くなるが，より熟度が進むと，唐辛子の赤色色素と同じカプサンチンが増加し赤みを帯びて，カロテン含量も緑色ピーマンの3.5倍になる．また，ビタミンCも約2倍に増える．油炒めでは，水分が減少する以外は調理による成分の損失はほとんどない．

◇**保存** 冷蔵庫（約5℃）で保存性がよく，ビタミンの損失も少ない．最適貯蔵温度と湿度は7～13℃，90～95％で，2～3週間貯蔵ができる．

◇**調理** 野菜の中で比較的ビタミンが豊富なうえ，鮮やかな色と特有な香気をもつ．したがって，本来の素材本位の食べ方のほか，スープの青みなどにもよい．※甘味が強く，生食もできる．組織がやや硬いので，刻んでサラダに用いるとよい．しかし，本来は生食よりも加熱調理に適している．加熱により組織は軟化し，クセも抜けて風味が向上する．ただし加熱しすぎると香りと歯切れのよさを失い，色も悪くなるので，強火で短時間の加熱を行う．※持ち味を味わうには，乾式加熱がよい．直火焼き（網焼き）のほか鉄板焼き，炒め物などにする．熱いうちにしょうゆを少し落として食べると風味がよい．また味と香りのうえからは，肉と組み合わせると特徴がよく生かされる．内部が中空なので，ひき肉の詰め物がよく行われる．そのほか揚げ物，田楽など，和風料理にも油とともに用いられる．※コロッケ，ハンバーグ，ミートソース，炒め物などにみじん切りにして用いる．

トマピー（平　宏和）

●**トマピー**

成 06251（果実 生）

トマピーは商標登録名．品種名はカプチンで，平成14（2002）年に品種登録された．バルカン系ピーマンとハンガリー系ピーマンを混植し，その自然交配種子より育成されたパプリカである．完熟果は五角形・扁平で赤く，トマトのような形をしている．肉厚で苦味・香りは弱く，ほのかな香りがあり，生食にも使われる．

●**伏見甘とうがらし**

別 伏見甘長唐辛子；ひもとう　旬 6～10月

京野菜の一つとされ，江戸時代から伏見周辺で栽培されていたので，この名がある．現在も京阪神地方が主な産地である．太さ1.5cmぐらいで，10cmほどの尖った細長い果形で，伏見辛と伏見甘がある．伏見甘は辛味はほとんどなく，焼き物，天ぷらに向く．葉も佃煮にする．

伏見甘とうがらし（平　宏和）

●**万願寺とうがらし**

別 万願寺甘とう（登録商標名），万願寺　旬 5月上旬～9月下旬

京都府舞鶴市万願寺地域で大正時代（1912～1926年）に，伏見系の唐辛子と米国から導入されたピーマン（カリフォルニア・ワンダー）の自然交雑により生まれたとものと推測されている．

万願寺とうがらし（平　宏和）

葉や果実の形状は伏見とうがらしに似ているが，葉は大きく，果実は肩の部分がくびれているのが特徴で，長さ 15～20cm 程度，肉厚でやわらかく，種が少ない．栽培末期になると完熟した赤万願寺とうがらしが店頭でみられる．焼き物，天ぷら，炒め物などに使われる．

ひいらぎ 鮗；柊

分 硬骨魚類，ヒイラギ科ヒイラギ属　**学** *Nuchequula nuchalis*　**英** spotnape ponyfish　**別**　**地** ぎち；げどお（東京）；えのは（鳥取）；にろぎ（高知）；にいらぎ（和歌山）；ねこなかせ（浜名湖）；ねこごろし（静岡）　**旬** 夏

国内では北海道や琉球列島を除く日本各地，国外では中国，台湾などに分布する．内湾の砂底に生息する．全長は 10～15cm の小型魚．体の色は銀白色で，頂部に黒い斑点がある．食道部に発光細菌が共生しているので，夜間に光を放つ．同科におきひいらぎ，せいたかひいらぎ，いとひきひいらぎがある．

◇調理　かなり味はよい．体表にぬめりがあるが，食塩を振りかけて水洗いすればとれる．身は薄く，骨は硬いが，身離れよく，塩焼き，煮付け，唐揚げなどにする．高知では「にろぎ汁」という鍋物に使われている．また幼魚は干物にし，焼いてつまみにする．

●いとひきひいらぎ

糸引鮗　**分** イトヒキヒイラギ属　**学** *Equulites leuciscus*　**英** whipfin ponyfish　**別**　**地** ゆだやがーら（沖縄，混称）

全長 15cm．背びれ第 2 棘条が糸状に延長する．ひいらぎよりやや大きく，肉付きもよい．体側背部に虫食い状斑紋がある．沖縄，インド・西太平洋に分布．

●おきひいらぎ

沖鮗　**学** *Equulites rivulatus*　**英** offshore ponyfish　**別**　**地** おきにろぎ（高知）；ぎらぎら；ぎら（和歌山）

全長 10cm．ひいらぎよりやや小型で，体高が低い．一般には下等食品であるが，煮干しとして珍味．

●せいたかひいらぎ

背高鮗　**分** セイタカヒイラギ属　**学** *Leiognathus equula*　**英** common ponyfish　**別**　**地** ゆだやがーら（沖縄，混称）

全長 28cm．沖縄，インド・西太平洋の熱帯域に分布．体高が著しく高い．体側上半部に細い横紋がある．

ビール

英 beer

麦芽*（主に大麦）と水，ホップを主原料に酵母でアルコール発酵させた醸造酒．

◇酒税法による定義　わが国の酒税法でビールはアルコール分 20 度未満のもので①麦芽，ホップおよび水を原料として発酵させたもの，②麦芽，ホップ，水および麦その他の政令で定める物品を原料として発酵させたもの（その原料中当該政令で定める物品の質量の合計が麦芽の質量の百分の五十を超えないものに限る）とされている．換言すると麦芽の原料に占める割合（麦芽の使用割合）が 2/3 を超えるもの（麦芽比率，約 67％以上）である．なお，政令で定める物品は，麦，米，とうもろこし，もろこし，馬鈴薯，でん粉，糖類または政令で定める苦味料もしくは着色料である．

◇歴史　ビールの誕生は，人類が遊牧から農耕へ変わり，定住して穀物の栽培を始めた頃に遡る．麦などの穀物は，発芽時に酵素の作用により，貯蔵でん粉を糖に変えて，エネルギーとして利用する．砂糖のなかった古代にはこの麦芽を水あめとして珍重した．この甘い麦を粥状にして放置しておくと，酵母が繁殖し，糖をアルコールに分解する．これがビールの原形であろう．バビロニア文化の発祥地であるメソポタミア地方（現・イラク）で，シュメル人（古代バビロニア人）によって麦芽によるビールがつくられていた記録がある．大ビール国であるドイツにおけるビール醸造の起源も不明であるが，8 世紀頃には主として王侯や寺院によってつくられ，僧院醸造所が各地で起こり，発展を遂げた．ホップが使用されたのもこの頃からで，カール大帝の父，小ピピンによって 768 年につくられた『贈遺書』の中にホップ園の名がある．当時はビールに薬草を加え，さまざまな味

を付けていた．ホップの使用が普及したのは11～15世紀の頃からである．ホップはユーラシア大陸ではごく普通の植物で，入手しやすい．苦味や香りがほどよく，しかも含有するタンニン*によりビールの濁りが除かれるなどの利点もあって，ホップビールはビールの主流になった．18世紀末から19世紀に入ると，酵母などの微生物学の進歩，発酵理論の解析，蒸気機関や冷凍装置などの導入により，ドイツ，英国を中心にビール醸造技術が飛躍的に進展した．さらにパスツールの低温殺菌法の発明はビールの遠距離輸送を可能にした．醸造所は大工業化を遂げ今日に至っている．

日本のビール：日本でビールを初めて試醸したのは，ペリー来航の折，通訳をした蘭学者川本幸民といわれている．本格的な醸造は明治2(1869)年米国人コプラントとウエイガンが横浜天沼の湧水を利用してビール醸造をするために"スプリング・バーレー・ブリュワリー"を設立したのに始まる．また日本人のビール創始者は大阪の渋谷庄三郎で，明治5(1872)年"シブタニビール"をつくった．

◇**製法と種類** ビールの製造工程を**図1**に示す．ビールは麦芽*，ホップを主原料として発酵させ，つくられる．ホップはクワ科に属するつる性雌雄異株の多年生草本*で，ビール醸造には未受精の雌花，いわゆるホップの花を摘みとり，乾燥したものが使われる．なお，この花の花弁の内側に黄粉（ルプリン）が付着していて，この中に樹脂（苦味質）および精油成分が含まれ，これがビールに爽快な苦味と芳香を与える．ビール用麦芽の原料には通常，二条大麦が使われる．大麦は洗浄後，浸漬槽に入れられ，12～14℃で約40～50時間，吸水率42～43％になるまで浸漬される．この間6～7回水替えを行い，空気が供給される．発芽は，床の上に麦を広げて発芽する床上（とこうえ）製麦法や，大きな回転発芽缶，発芽箱に入れ，湿った空気（10～14℃）を送って製麦する方法がある．温度は次第に上昇し，20℃くらいになる．ほぼ8日間経過し，幼芽が麦粒の2/3倍くらいになったところで製麦を止める．このようにしてできたものは緑麦芽（りょくばくが；水分約45％）で，これを水分が10％くらいになるまで50℃以下で加熱し（乾燥工程），次いで水分が2％になるまで80～85℃で加熱乾燥させる（焙燥工程）．以上は淡色ビール用麦芽の製造法であるが，スタウトや黒ビール用麦芽（黒色麦芽）は，ビールに特有の濃色と香気を与えるために高温焙燥が行われる．通常40～50℃で水分20％まで乾燥し，次いで温度を徐々に上げて最後は105℃で処理する．麦汁は麦芽アミラーゼで麦芽自体を消化したもので，その方法としては粉砕麦芽に水を加え（麦芽の質量の5～6倍），60～65℃で物料全体を加熱する方法（インフュージョン infusion法）と物料の一部（半分または1/3）をとって煮沸し，これを残りの物料へ戻す（通常2回または3

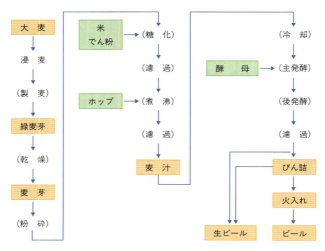

図1　ビール製造工程図

回行う）方法（デコクション decoction 法）がある．日本では主に後者がとられている．このようにしてつくられた麦汁にホップを添加して（麦汁 1 kL 当たり 1.5〜1.8 kg），1〜2 時間煮沸する．次いでホップ粕を分離した後，冷却して凝固物を除き発酵槽に入れ，アルコール発酵を行う．ビールの発酵は使用する酵母の種類により上面発酵と下面発酵に分けられる．前者は上面発酵酵母（*Saccharomyces cerevisiae*）を使った場合で，発酵中酵母は炭酸ガスとともに液面に浮かんできて，厚いクリーム状の層を形成する．発酵温度は比較的高く（15〜20℃），4〜6 日で発酵は完了する．この形式のビールは主に英国ならびに旧英国領諸国でつくられる．一方，日本，ドイツ，オランダ，米国などは下面発酵酵母（*S. uvarum*）が使われる．この酵母は発酵中液面に浮かばず，末期に発酵槽に沈殿する．発酵温度も 5〜10℃で比較的低く，発酵期間も 10 日間くらいである．このようにしてできたビールが若ビールで，これを密閉タンクに移し，0〜2℃で 30〜90 日間放置する．この間，残存酵母により後発酵（こうはっこう）が行われ，酵母の生産する炭酸ガスがビール中に溶解する．このガスを逃さないように，低温室で炭酸ガスで押しながら濾過し，びん詰（樽詰）したものが生ビールである．その後，発酵を行ったビールはラガービールと呼ばれる．ビールの種類は上述の発酵形式の違いのほかに麦芽*の焙燥の程度の違いにより，淡色ビールと濃色ビールに区別される．わが国の市販ビールの大部分は下面発酵の淡色ビールである．そのほか黒ビールやスタウトがある．上述の生ビールを 60℃，20 分間の熱殺菌，または 70℃，20 秒のフラッシュ・パスツリゼーション（flash pasteurization）を行ったものが普通のビールである．

◇成分特性　一般的な淡色ビールの成分は次の通りである．

アルコール：100 g（99.2 mL）中には 92.8 g の水と 3.7 g のアルコール（エチルアルコール）が含まれる．アルコールの濃度を容量％で示すと 4.6％になる．なお黒ビール，スタウトは淡色ビールに比較してアルコール濃度は高く，味は濃厚である．平均的アルコール濃度（容量％）は黒ビールが 5.3％，スタウトが 7.6％である．

たんぱく質：約 0.4％のたんぱく質（窒素化合物）が含まれる．たんぱく質のうち，いわゆる粗たんぱく質は 0.22〜0.34％で，この大部分は親水コロイドとなってビール中に分散しており，ビールの泡立ち，味感，混濁などの性質と関わり合っている．低分子の窒素化合物としては各種アミノ酸，ペプチド*がある．

炭水化物：『食品成分表』によると，ビール（淡色）には 3.1 g/100 g（99.2 mL）の炭水化物が含まれる．『食品成分表』の炭水化物は差引き法によるものなので，この成分値には炭水化物のほかにグリセロール*，苦味質およびポリフェノール*，高沸点有機酸，エステル*などが含まれる．そのうち炭水化物は成分値の 7〜8 割を占め，その中で 60〜75％がデキストリン*である．また二糖類，三糖類，四糖類もそれぞれ 0.1〜0.5 g/100 mL 含まれ，単糖類*は 0.03〜0.17 g/100 mL と比較的少ない．この単糖類はぶどう糖，果糖などはほとんどなく，キシロース，アラビノースなどの五炭糖*である．ビール中の発酵性残糖は麦芽糖*（0.2％），マルトトリオース（0.3％）で，これらの発酵性残糖はビール製造工程管理上重要な指標となる．

有機酸*：量的に少ないが，酒の酸味に重要な影響を与えている．清酒，ぶどう酒よりも含量は少ない．乳酸*，クエン酸，コハク酸などが比較的多い．

ビール　左から，淡色ビール，黒ビール，スタウト（平　宏和）

芳香成分：香りの成分ではイソブタノール，イソアミルアルコール，活性アミルアルコール，フェネチルアルコールなどが多い．なお，ほかの醸造酒と比較してプロパノールが少ない．そのほか量的にグリセロール（0.1〜0.3%）が比較的多く含まれる．エステルでは酢酸エチルが最も多く（10〜20ppm），そのほかカプロン酸エチル，カプリン酸エチル，イソアミルアセテート，酢酸フェニルエチルなどが含まれる．ポリフェノール*はタンニン*など最低91種類あるといわれているが，全部で約0.1%含まれる．これらはビールの混濁，味感，褐変現象に重要な関わりをもつ．なおビールの苦味の本体はイソα酸と総称される一連の化合物で，25〜30ppm含まれる．

ビタミン：ビタミンは他の醸造酒と比較するとB_2，ナイアシン*が多い．これは主に原料である大麦中のビタミン含量に関係する．

◇**保存** ビールを日光にさらすと，日光臭という不快なにおいがつくため，ビールの保存は冷暗所がよい．なお，ビールを0℃以下の低温にさらすと，濁りが生ずることがある．これはビールのたんぱく質とホップの成分が結合して生じるもので，したがってあまり低温で貯蔵するのもよくない．

◇**飲み方** 高温ではビールの清涼感を失うばかりでなく，液中の炭酸ガスの溶解度が下がり，びんを開けたとき，泡が出すぎて飲みにくい．逆に温度が低すぎると泡の出かたや香りが不十分で，これもよくない．10〜13℃が適温である．❈泡はビールの表面を覆って，香りが逃げるのを防ぐ．泡の成分であるコロイドには，苦味成分などが吸着されているので，泡を口に含むと苦い．泡は多すぎても少なくてもよくない．適量の泡になるよう，つぎ方に気をつける．グラスに油がついていると泡が消えるので，清浄なものを用いる．❈水分が多いので，汁気の多いつまみものは不適当である．塩味で油の利いたポテトチップ，バターピーナッツ，ハム，ソーセージ，ベーコン，チーズなどがよく，新鮮なものでは，えだ豆，そら豆の塩茹でなどでもよい．いずれも，量は控えめにする．❈**つぎ方**：グラスに残っているビールの上からつぎたすのは，冷えたビールを，温度の高いしかも香りのぬけたビールで希釈することになるので避けた方がよい．またグラスを斜めにしてつぐのもあまり意味がない．

●**黒ビール**

成 16007　英 black beer

焙燥の強い濃色麦芽（黒色麦芽）を用いて，下面発酵酵母で発酵させたビール．黒褐色で，味の濃い，麦芽*特有の甘い香りがする．

●**スタウト**

成 16008　英 stout

焙燥の強い濃色麦芽を原料の一部に用い，上面発酵酵母で発酵させたビール．色，香り，アルコール度ともに強い．

●**淡色ビール**

成 16006　英 pale beer

乾燥・焙燥の温度を低くした麦芽を用いた，色の淡いビールである．日本の市販ビールの大部分を占める．

●**生ビール**

成 16006（淡色ビール）　英 non-pasteurized beer　別 ドラフトビール

熱処理をしていないビール．製造工程で10日ほど発酵させたビール（若ビールと呼ぶ）を密閉タンクに移し，0〜2℃で30〜90日間放置する．この間，残存酵母の生産する炭酸ガスを逃さないように濾過，びん詰（または樽詰）したもの．

●**濃色ビール**

成 16007（黒ビール）　英 dark beer

乾燥・焙燥の温度を高くして焙燥の程度を強くした麦芽を用いた，色の濃いビール．黒ビールやスタウトも濃色ビールに属する．

●**ラガービール**

成 16006（淡色ビール）　英 lager beer

下面発酵酵母を用いて，貯蔵工程で後発酵を行い成熟させたビールのこと．Lagerはドイツ語で「貯蔵」を意味し，熱処理したか否かではなく，発酵形式の違いである．日本のビールは，ほとんどがラガービールで，生ビール，黒ビールもラガービールの一種である．

ひえ　稗

成 01139（精白粒）　分 イネ科ヒエ属（1年生草本）
学 *Echinochloa esculenta*　英 Japanese barnyard millet

インドでは古くより栽培されており，その種類も多いので，インドを原産とする説もあるが，中国，日本などのひえは，インドと別の野生種から起源したとの説もある．わが国では縄文時代に栽培され，あわと並んでイネ伝来以前の最も古い穀物とみられている．低湿，過湿，低温などに強く，種子の長期貯蔵もできるので，救荒作物として重要であった．わが国では約100品種が知られている．

◇**形態**　種子は，灰・赤・黄褐・暗褐色の光沢の

上：ひえ畑，下：ひえ（精白粒）（平　宏和）

ある稃（ふ）に包まれている．長さ 2.5 mm 前後，千粒重 3 g 前後であり，稃を除いたものは，長さ，幅ともに 1.8 mm 前後，千粒重は 2.5 g 前後である．
◇**成分特性**　成分組成はあわと似ており，たんぱく質は，プロラミン＊とグルテリン＊が全たんぱく質中各 40% 前後を占める．アミノ酸組成はプロラミンのため，必須アミノ酸＊ではリシン＊が少なく，ロイシンが多い．炭水化物は，その大部分がでん粉であり，でん粉はうるち性を示す．ひえの中にはわずかではあるが，二子餅，水乗糯など品種名にもちがつくものがみられるが，いずれもうるちである．
◇**用途**　精白して米と混ぜて炊き，ひえ飯とし，また，脱稃（だっぷ）せずに家禽・家畜の飼料とする．精白の方法としては，古くから玄穀を水浸し，蒸してから乾燥して脱稃しやすくするとともに砕けにくくしてから，臼でつく方法が広く用いられていた．その後，臼の代わりに精米機を使用するようになった．また，玄穀をそのまま臼を用いて精白する方法も伺われてきたが，精白粒の食味はよいが砕粒が多い欠点があった．近年，精白機の改良によって玄穀から良質の製品がつくられるようになり，現在はこの製法による生産が多い．

ひおうぎ　檜扇

分 軟体動物，二枚貝類（綱），イタヤガイ科ヒオウギ属　**学** *Chlamys* (*Mimachlamys*) *nobilis*
英 noble scallop；hicogi-scallop　**別** ひおうぎがい；ばたばた；ちょうたろう

ほたてがいに似た中型の二枚貝．殻に鱗の立った放射肋があり，昔，宮中で使われた檜の扇に似ているのでこの名がある．わが国では関東以南の沿岸に分布し，岩礁地帯に生息する．最近は南西日本で養殖も行われている．殻の色は通常ややくすんだ紅色であるが，個体によって赤，紫，鮮やかな黄色などあり，飾り用として観光土産品としても利用される．
◇**調理**　養殖物がすし種として利用される．ほたてがい同様，主として貝柱を利用する．新鮮なものを塩水で洗い，薄く切って刺身にする．また，炒めたり天ぷらにする．洋風もムニエルやワイン蒸しなど，ほたてがいと同様に用いる．

ピオーネ　⇒ぶどう

ひがい　鰉

分 硬骨魚類，コイ科ヒガイ属　**学** *Sarcocheilichthys variegatus variegatus*　**英** oily gudgeon　**標** かわひがい　**地** さくらばえ（岐阜）；ほやる（岡山）；あかめ（豊橋）；やなぎばえ（兵庫，岡山）

日本固有種で，濃尾平野，琵琶湖，山陽地方，九州北西部などに分布する．全長 13 cm ほど．春に二枚貝の外套腔内に産卵する．背びれに黒色帯があることで，それがない同属のあぶらひがい（*S. biwaensis*）と容易に識別できる．かわひがいとびわひがい（*S. variegatus microoculus*）は亜種の関係で互いによく似るが，かわひがいの方が尾柄部が太い．
◇**調理**　この魚は死ぬと味が急に落ちるので，琵琶湖付近では必ず生きたものを料理する．白身で淡白なうま味のある魚であるが，骨が硬いので丸ごと食べるには適さない．したがって天ぷらには向かない．普通は白焼きにして熱いうちに酢につけて食べる．甘露煮にするのもよい．そのほか，塩焼き，唐揚げ，田楽などにする．また，洋風にワイン蒸しにしてもよい．なお，おろす場合，鋭い棘に注意する．

挽き茶（ひきちゃ）　⇒緑茶（抹茶）
ひきわり納豆　⇒なっとう

ピクリングスパイス

英 pickling spice

ピクルスの調味液に加えて風味を付けるために，各種の香辛料を混合したミックススパイスの一

種．びん詰，袋入りなどとして市販されている．粒状のこしょう，マスタード，クローブ，ナツメグなどを中心として，ベイリーブスの細片，唐辛子の粉末，陳皮などが加えられる．
◇調理　食酢や砂糖，食塩などと一緒に加熱した液に，きゅうりなどの野菜を漬け込むと風味のよいピクルスができる．

ピクルス
英 pickles

野菜や果実を用いた洋風の漬物．乳酸発酵によるピクルスと酢漬のピクルスに分けられ，香辛料も多く使われる．主原料は，野菜では小型きゅうり，カリフラワー，小型トマト，小型たまねぎ，セロリなど，果実ではオリーブ*，りんご，洋なし，プラム，さくらんぼなど多種である．これらは個別または合わせて使われる．わが国では一般には塩漬し，乳酸発酵した小型きゅうりをピクルスということが多い．

● きゅうりのピクルス
成 06069（スイート型），06070（サワー型）英 cucumber pickles

◇原料　香辛料を効かせた酢漬で，きゅうりは小型種の若採りのものがよい．普通のきゅうりでも若採りのものならば使える．

◇漬け方　元来は発酵法によるものだが，最近は酢漬で行われている．下漬としてきゅうりを水洗い，水切りし，容器いっぱいに詰め，きゅうりの半量の5％食塩水（湯冷しがよい）をかけ，押し蓋と重石をのせる．重石はきゅうりの半量ほどである．漬け込み期間は7～10日でよい．本漬は，下漬きゅうりの両端に楊枝で2カ所に穴をあけ，流水で脱塩してからにする．脱塩は若干塩味が残る程度にする．調味液として，下漬きゅうり10 kgに対し食酢5 L，砂糖3 kg，肉桂30 g，ベイリーブス5 g，唐辛子少々を混合し，ステンレスかホウロウ引き容器で5分間ほど沸騰させる．冷却してから下漬きゅうりの上からかけ軽く混合して，きゅうりが浮きあがらない程度の重石をのせてプラスチックフィルムなどで密封して熟成させる．漬け込み後2～3週間で調味液の浸透が均一になり食用とされる．カビが発生するようであれば，漬け液を分離して沸騰させて，熱いうちにそのままきゅうりの上からかけて密封・放冷する．

きゅうりのピクルス（平　宏和）

ひごろもえび　⇒えび

ピザクラスト
成 01076（ピザ生地）　英 pizza crust　別 ピザ生地

生地を円形に薄くのばして，ピザの台とするもの．『食品成分表』では，ピザ生地として，冷凍市販品の成分値が載っている．具とナチュラルチーズをのせて，オーブンで焼き上げる．砂糖添加量はわずかで，油脂も無添加か加えてもわずかなシンプルな配合の生地を，薄くのばして円形にして焼く．ピザの具とソースをうまく食べさせる容器の役割をする．高たんぱく小麦粉（強力粉）を使った薄いタイプのものはソースの染み込みを防ぎ，低たんぱく小麦粉（薄力粉）を使う厚いタイプのものはモチモチした食感が得られる．一般的には強力粉と薄力粉を混ぜて使うことが多い．

ピザクラスト（平　宏和）

ひしおみそ　⇒なめみそ

ひじき　鹿尾菜；羊栖菜

成【ほしひじき ステンレス釜】09050（乾），09051（ゆで），09052（油いため），【ほしひじき 鉄釜】09053（乾），09054（ゆで），09055（油いため）　分 褐藻類ホンダワラ科ヒジキ属　学 *Sargassum fusiformis*　英 Hijiki

海藻で，藻体は黄褐色．円柱状で，樹枝状に分か

ひじき

ひじき（市販品）干しひじき水戻し・加熱処理
（平　宏和）

れ，葉はふくらんだ紡錘状で互生し，中にガスが含まれる．潮間帯下部の岩盤上に群生する．長さは20〜100cm．晩夏から初秋にかけて発芽し，3月から4月にかけて急に伸びる．

産地：北海道南部から九州南部までの太平洋沿岸，朝鮮半島西南岸および済州島に分布する．養殖はしないが，地域によって収穫日を規制するところが多い．

◇成分特性　カルシウムと鉄*の含量が非常に高く（鉄は鉄釜で茹でた場合に高い），カルシウムのリンに対する比率（Ca/P比）も高いので，カルシウム源として期待できる．乾燥物100g中のヨウ素*含量は40〜60mgである．なお，毒性の強い無機態の5価のヒ素の含量が食用海藻の中では特異的に高いことが知られている．しかし，ひじきを食してきた長い歴史の中で中毒例は知られていない．その理由については，まだ解明されていないが，食品としての加工工程や調理のときの水さらし時に相当量のヒ素が溶出するため，あるいは食するときにヒ素単独で摂取する場合と違って，ひじき中の他の成分（多糖類*等）との相互作用により毒性が低下するためという仮説について検証が行われている．国際的に海藻中のヒ素の規制値が議論されているところでもあり，海外においてもひじきが食べられるよう，安全性の科学的な証明が望まれている．

◇加工　3月から4月にかけて採取して加工する．それ以降は，硬くなり食用には不向きになる．渋味が多いので生のまま食べることはない．ステンレス釜ないし鉄釜で蒸煮または煮熟して渋味や色素を除いてから，適当な長さに切り，天日乾燥する．製品は灰黒色である．芽ひじきは干しひじきのうち小枝のみを集めたもの．長ひじきは，茎状の長い部分も入ったものを呼ぶ．生ひじきとして市販されているものは，干しひじきを蒸したものである．

◇調理　組織が軟らかく円柱状で内部に気泡があり，煮汁をよく吸収するので，煮付けの材料に適している．乾燥品をもどすときは，水またはぬるま湯に浸し30分〜1時間で容易に吸水が完了する．これをそのまま，あるいは一度茹でてから用いる．茹でた場合は加熱膨潤後あらためて水洗する．吸水により容積は10倍程度に増加する．❈灰分が極めて多く，これが煮汁に溶出しやすい．煮る前にあらかじめ油で炒め，さらに油揚げなどを加えて煮ると，この溶出と調味料の浸透をある程度調節することができ，風味も向上する．❈味も香りも淡白で粘質性もほとんどないので，豆腐を用いて白和えにすることもよく行われる．煮物には大豆や油揚げなど大豆製品と併用することが多い．

干しひじき（平　宏和）

 ひしの実　菱の実

成 05025（生），05047（とうびし 生），05048（とうびし ゆで）　分 ヒシ科ヒシ属（1年生草本）　学 *Trapa* spp.（ヒシ類）　英 water chestnuts　別 みずぐり（水栗）

ヒシはヨーロッパおよびアジアの温帯地方に広く分布し，中国大陸，台湾，朝鮮半島および日本の

ひしの実　左：トウビシ，右：ヒメビシ（平　宏和）

池や沼に自生している．通常，果実と呼ばれる種子の子葉*の発達した仁*を食用とする．

◇**種類**　世界では5種類以上あるといわれている．わが国では，ヒシ（*Trapa jeholensis*），オニビシ（*T. natans* var. *quadrispinosa*），ヒメビシ（*T. incisa*）と，昭和初期に中国から導入されたトウビシ（*T. natans* var. *bispinosa*）が一般に知られている．ヒシは萼*（がく）の変形した2個の棘を有する．普通はやや熟して殻が硬くなったものを収穫する．

◇**成分特性**　仁（生）の主成分は炭水化物（でん粉）である．これを食用にすることは古くから知られていたが，佐賀平野において，農家の副業としてヒシの栽培が行われている以外は，野生のものを利用する程度である．

◇**保存**　貯蔵する場合は，かなり熟したものを収穫後陰干しし，乾燥後，密閉容器で貯蔵する．

◇**調理**　殻がまだ軟らかいものは，そのまま殻をむいて生でも食べられるが，一般には，茹でるか焼く．栗に似た風味があり，佐賀地方では，ひしあんを用いたおはぎなどさまざまな郷土料理がある．

ひしもち　菱餅

英 Hishi-mochi

白い餅と紅，緑に色付けした餅を菱形に切った重ね餅である．3月3日の桃の節句に菱台にのせ雛壇に供える．紅は花，白は雪，緑は草，また，春，冬，夏（秋は飽きるに通じ除かれる）を表し，菱形は桃の葉を表すともいわれている．

ビスケット・クッキー類

英 biscuits；cookies（米）

小麦粉を主原料とし，油脂，乳製品，砂糖，香料などを混ぜ合わせて，鉄板の上で焼いた菓子である．生地をふくらますためにベーキングパウダー*などの膨張剤を使う．ビスケットとクッキーの違いは，製品の形態ではほとんど差異がないが，菓子としての発生の経緯が異なっている．ビスケットの語源はラテン語のbis（二度）-coctus（焼く）から来たもので，"二度焼きしたパン"の意味である．

◇**由来**　15世紀の頃，船乗りや旅行者，兵士などの食用として，保存性がよく携帯に便利な，二度焼きしたパンがつくられ，これがビスケットの原形といわれている．16世紀の中ごろには，ポルトガルから日本に渡来し，明治の初めには生産，販売されるようになった．クッキーという言葉は，特に米国で使われており，オランダ語のkoekje（小さな菓子）から付けられたといわれている．ヨーロッパから米国に渡ったオランダ人が，自家製の焼き菓子をクッキーと呼び，これが米国中に広がり，わが国へも米国人を通じて，その製法が伝えられた．

◇**種類・分類**　現在，日本では「ビスケット類の表示に関する公正競争規約」が定められており，ビスケットとは，小麦粉，糖類，食用油脂および食塩を原料とし，必要によりでん粉，乳製品，卵製品，膨張剤，食品添加物*等の原材料を配合し，または添加したものを，混合機，整型機およびビスケットオーブンを使用して製造した食品と定義している．また，クッキーとは，ビスケットのうち，"手づくり風"の外観を有し，糖分，脂肪分の合計が，重量百分比で40％以上のもので，嗜好に応じ，卵，乳製品，ナッツ，乾果*，蜂蜜等により製品の特徴づけを行って風味よく焼き上げたものと定義され，上記の条件を満たしたものは，クッキーと表示することができる．ビスケットを製品の形状や食感から分類すると，ハードタイプ，ソフトタイプ，クッキー（ファンシータイプ）に大別することができる．

◇**原材料・特性**　ビスケットの原料は，製品をサックリと砕けやすくする性質をもったもの（鶏卵，

ひし餅（平　宏和）

クッキー(平 宏和)

サンドビスケット(平 宏和)

砂糖,油脂,牛乳,膨張剤)と,製品を硬く,しっかりとした形をつくる性質をもったもの(小麦粉,乳製品,ココア,食塩)に分けられ,これらの配合比率によって品質特性が変わってくる.ビスケットのおいしさは,口に入れたときの砕け方や唾液の吸収率によって左右され,適度の砕けやすさをもち,唾液の吸収率が大きく,口溶けのよいものがおいしく感じられる.小麦粉は菓子用の薄力粉が使われる.砂糖は甘味を付ける本来の目的のほかに,組織を軟らかくして口溶けをよくし,焼き色と光沢を付けるために使われる.油脂は,バター,マーガリン,ショートニング,ラードなどが品質や価格に合わせて選択使用される.油脂の選択をあやまると,油浸みの発生や油の酸敗が経時的に発生するので,十分な注意が必要である.乳製品は,風味をよくするためと,焼き色をよくするために使われる.また,通常,ベーキングパウダー*として,重曹(炭酸水素ナトリウム*)や炭酸アンモニウムを主成分とした混合膨張剤を小麦粉に対して,0.5〜2%使用する.

●クッキー

成 15098(ビスケット ソフト)

英 cookie 別 ファンシータイプビスケット

油脂,鶏卵,砂糖や多くの副材料が使われ,鶏卵を泡立ててから混合したりして,手づくり風につくられている.種々の型に型どって飾りを付けたりしたものが多く,食感の軟らかな,口溶けのよい高級焼き菓子である.

●サブレ

成 15095 英 short bread 別 サンドケーキ

クッキーの一種である.フランスのノルマンディー地方でつくられたとされ,サブレはフランス語で砂の意味で,口に含むと崩れるようなもろさからこの名が付いたといわれる.バターと砂糖をクリーム状にすり混ぜ,塩を加えよく攪拌しながら卵を少しずつ加え,最後に膨張剤を混合した小麦粉を加え,軽く混ぜこねて生地をつくる.生地を冷蔵庫に入れ3〜4時間ねかしてから薄くのし,抜型で抜いて鉄板にとり,180〜190℃のオーブンで焼き上げてつくる.

●サンドビスケット

英 sandwich biscuits, sandwich cookie (米)

ビスケットの加工品.二枚のビスケットの間にクリーム,ジャムなどを挟んだもの.クリームにはホイップタイプとメルトタイプが使われ,バニラのほかチョコレート,ココア粉末,コーヒー粉末,果汁粉末などを加えたクリームがある.ジャムにはアップルジャム,イチゴジャム,あんずジャムなどが使われる.

●ソフトタイプビスケット

成 15098 英 soft type biscuit 別 ソフトビスケット

さっくりとした軟らかい食感のビスケット類で,グルテン形成の少ない薄力小麦粉を用い,砂糖や油脂も比較的多く配合される.そのほかに種々の副材料が加えられるため,風味も濃厚で,一般に

サブレ 左:鳩サブレ,右:アーモンドサブレ
(平 宏和)

ソフトタイプビスケット(平 宏和)

ハードタイプビスケット（平　宏和）

ヨーチビスケット（平　宏和）

表面のつやがなく、小型のものが多い。ガス抜きの針穴も必要ないため、ついていない。

●ハードタイプビスケット

成 15097　英 hard type biscuit　別 ハードビスケット

硬い食感のビスケット類で、一般にグルテン形成の比較的多い小麦粉を使っており、砂糖や油脂の配合は比較的少ない。生地を何回も圧延してグルテンを出して型抜きし、火ぶくれを防ぐため、表面に針穴がつけられているのが特徴である。通常は、原料仕込み、整型、オーブン、包装機まで一連にした自動ラインで大量生産される。

●パイ

成 15096（リーフパイ）　英 puff

日本で一般にパイと呼ばれる焼干菓子は、海外ではパフと呼ばれている。小麦粉生地の間に油脂を入れ、生地と油脂を交互に幾重に折りたたみ、延ばして成型し、多くは表面に砂糖を振りかけ、焼き上げたものである。

●ヨーチビスケット

英 Yochi-biscuit

ビスケットの加工品。「ヨーチ」は幼稚園の幼稚のこと。ハードビスケットの裏にクリーム（ゼラチンを溶かし、砂糖、でん粉、水あめなどを加え着色し混合したもの）を塗り、乾燥させたもの。ビスケットの形には動物、アルファベット、数字などがある。

 ピスタチオ

成 05026（いり 味付け）　分 ウルシ科ピスタキア属（落葉小高木）　学 *Pistacia vera*　英 pistachio

トルコ、シリアおよびイスラエル原産の雌雄異株*の落葉性小高木で、高さ 10 m ほどになる。石果*は長卵形で、大きさは 2〜3 cm、果肉は非常に薄い。核は 1 個、核内の仁*は緑色または黄色で、そのうち、グリーン品種のやや未熟なものは、グリーンピスタチオと呼ばれている。風味が

パイ　上左：リーフパイ（木の葉型をした日本独自のパイ）、上右：ホームパイ（商品名）、中左：平家パイ（商品名）、源氏パイの姉妹品（レーズンパイ）、中右：源氏パイ（商品名）、ハート型のパルミエを参考にしたパイ、下：うなぎパイ（商品名）、うなぎ粉、ガーリックの入ったパイ（平　宏和）

グリーンピスタチオ（乾、イラン産）　上左：種皮つき、上右：種皮を除いた仁、下：ピスタチオナッツ（平　宏和）

あり，味がやや淡白であるため，デザートやアイスクリームなどの製菓材料として用いられる．主産地は米国，イランおよびトルコである．米国およびイランからの輸入量が多い．

◇**成分特性**　炒って床付けした仁の主成分は，脂質（TAG 当量）で 55.9 g である．また，カリウムが 970 mg，β-カロテンが 120 μg と多い．

日高こんぶ　⇨こんぶ（みついしこんぶ）

羊肉（ラムチョップ）（平　宏和）

ひたし豆

英 Hitashi-mame
東北地方の郷土大豆料理．青大豆（別名　青豆；ひたし豆）を一晩水浸漬処理し，豆の 3〜6 倍の水に 1％の塩を加えて 2〜3 時間茹で，冷却後，しょうゆ，みりんを混ぜた調味液に浸漬して，豆に調味料を浸透させたものである．なお，原料大豆には種皮が緑色の青大豆のほか，緑色の地色に黒色の斑紋が入った鞍掛（くらかけ）大豆が使われる．

ひたし豆（平　宏和）

ピタヤ　⇨ドラゴンフルーツ

ひつじ

成【マトン ロース】11199（脂身つき 生），11245（皮下脂肪なし 生），11281（脂身つき 焼き），11200（マトン もも 脂身つき 生）　分 ウシ科ヒツジ属　学 *Ovis aries*　英 sheep；muttons（成羊肉）；lambs（子羊肉）　剖 羊肉；めんよう（緬羊）；マトン（成羊肉）；ラム（子羊肉）
羊は，世界的には牛に次いで最も普及した食肉資源である．家畜化されたのは牛や豚よりも古く，8,000 年以上前とされている．羊の肉はラムもしくはマトンと呼ばれる．ラムは 1 歳未満の子羊の肉を，マトンはそれ以外の肉をいい，肉を軟らかくするために雄羊を去勢（mutilation）したことからこの名があるという．羊は，寿命が 10 数年で，粗食に耐え，寒さに強く，乾燥した空気を好む．性質は極めて温順で群居性が強く，多頭飼育に適している．

◇**品種**　毛用種，肉用種，毛肉兼用種，毛皮用種，乳用種などがある．肉用種ではサウスダウン，ロムニーマーシュ，リンコルン，ボーダーレスター，毛肉兼用種としてはコリデール，コロンビアなどが知られている．

産地：羊肉の生産は牛肉と極めて好対照の生産状態となっている．すなわち，牛肉の生産の多い地域では羊肉の生産が少なく，羊肉の生産の多い地域は牛肉の生産は少ない．これは中東のアラブ諸国が宗教上の理由から豚肉を食べないことに起因する．わが国では一部地域で少量生産されている．したがって消費の大部分はオーストラリアとニュージーランドからの輸入に依存している．

◇**規格**　ニュージーランドの規格では性別および成熟度によりラム，マトン，ホゲットに分類され，それぞれが質量，脂肪付着および肉付でさらに詳細な等級に分類される．

鑑別：肉種の鑑別は種属特異的免疫血清反応によってできるが，同じ反芻（はんすう）動物である牛との間に類別反応を起こしやすいので注意を要する．

◇**成分特性**　『食品成分表』では，めんようとして，マトン，ラムが収載されている．羊肉の一般栄養成分は，筋間に脂肪が入りやすいために，皮下脂肪を除いた場合は牛肉，豚肉に比べ脂肪含量が高く，それに伴って羊肉の各種成分にも若干の差異が生じている．またマトンとラムでは年齢による脂肪沈着の相違に伴う栄養成分量の違いがあるが，その差は極めてわずかである．たんぱく質についてはアミノ酸組成も特に差はない．脂肪は飽和脂肪酸*のそれもステアリン酸のような高級脂肪酸が多く，硬く，ヨウ素価*が低い．

評価：羊肉は牛肉より色が淡いが豚肉よりは濃

く，鮮赤色を示す．脂肪は白色で牛脂よりやや硬い．わが国では羊肉の利用範囲は牛肉に比べはるかに限られており，消費量としても，輸入量の約半分を北海道で消費するなど地域特異性がある．欧米ではラムは，豚肉はもちろんのこと，牛肉より高級品として珍重されている．

◇**保存**　以前は日本で流通しているもののほとんどが凍結であったため，解凍後の再凍結は避けるべきであった．現在では冷蔵品の輸入もあるが，これらについては牛肉などと同様の注意を払って冷蔵保存する．

◇**加工**　羊肉は脱色して，プレスハムやソーセージの原料となる．また，たれに漬け，焼き肉用やジンギスカン鍋用に加工する．

◇**調理**　冷めると脂肪が固まるので，必ず熱いうちに食べる．焼くときに豚の背あぶらを使うと，脂肪に軟らかさが加わり，味も食べやすくなる．あまり脂肪の多い部分は調理に向かない．※羊肉にもいろいろ種類があるが，マトンはラム（子羊）に比べてクセが強いため，鉄板焼きなど，素材を重視する調理用にはラムが用いられる．臭みを抜くには熱湯で洗うか，にんにく，唐辛子などの薬味液に浸す方法がとられる．煮込むとき，赤ワインや清酒などのアルコール飲料を加える方法もあ．※肉の部位による用途は牛肉，豚肉と大差なく，一般に煮込み料理または串焼き（シャシリック；ロシアコーカサス地方の料理），鉄板焼き（ジンギスカン鍋）などに適する．

ひとえぐさ　一重草

成 09032（素干し），09033（つくだ煮）　分 緑藻類ヒトエグサ科ヒトエグサ属　学 *Monostroma nitidum*　英 Hitoegusa　別 ぎんあお（銀青）；べっこう青；あおのり；アーサ

藻体は鮮やかな緑色で，薄い膜質の葉状体．軟らかい葉は，生長するにつれて，しわや裂け目ができる．大きさは20～30cm．冬から初春にかけて外洋に面する潮間帯上部の岩盤上などに着生するが，一方，河川水が混じる内湾にも生育する．

産地：中部および南部太平洋沿岸，九州，南西諸島，朝鮮半島に分布する．伊勢湾，三河湾，瀬戸内海沿岸で天然採苗による増殖が行われている．あおのりと呼ぶ地方もありアオノリ属の総称としての"あおのり"との区別を困難にしている．

◇**成分特性**　たんぱく質含量が比較的高く，各種のビタミン，特にβ-カロテンが豊富である．

◇**加工**　製品には青板（あおいた）と青ばらとがある．青板は，冬から春にかけて採取した原藻を水洗して塩抜きした後，細断して乾のりの場合と同様に，一定の形に抄（す）き上げたもので，1枚当たりの質量は3～4gである．青ばらは天然に採取される原藻を広げて天日乾燥したもので，青板より品質が劣る．これらの製品のほとんどは，いわゆるのりの佃煮の原料とされる．

◇**用途**　のりの佃煮*にするほか，九州，沖縄では，汁の実としても利用する．

ひなあられ　雛霰

成 15055（関東風），15056（関西風）　英 Hina-arare；mixed Arare（roasted rice dough）with glazed adzuki beans and roasted soybeans for Doll's Festival）

3月3日の桃の節句（雛まつり）に，雛人形を飾って祝う際，供物として用いられるあられである．

◇**種類**　通常，蒸したもち米を煎ったものに糖蜜をかけた白丸，丸くふくらまし色どりされたあられの風船，黄大豆，黒大豆に糖蜜をかけた白豆，黒豆の4つからなっている．このほかに関西では，風船にしょうゆで味付けしたものがある．

◇**由来**　雛人形も含めて人形は，元来，遊び道具というよりは，人の代わりに災難や穢れなどを移した"かたしろ（形代）"としての役割をもった

ひとえぐさ　左：養殖風景，乾燥，中：乾燥品（島根県産），右：乾燥品（沖縄産，アーサ）（平　宏和）

ひのな（芦澤　正和）

上：ひなあられ（関東風），下：ひなあられ（関西風）
（平　宏和）

宗教的意味合いの強いものであった．"流し雛"はその典型的なものである．また，平安の頃から子供たちの遊ぶ人形を"ひいな"と呼び，今日のままごと遊びのようなものになっていった．やがて3月3日を中心に，雛をまつる節句の行事と，ひいな遊びが結びつき，江戸時代初期に今日みられるような雛壇型の形式がつくられ，雛まつりの風習が次第に広まっていったといわれている．この雛壇への供物として，草餅，菱餅そして雛あられが用いられ，これらを食べて白酒で祝うようになった．

◇原材料・製法　白丸：前日に水漬けしたもち米を蒸し，選別して粒を揃えて乾燥させた後，煎ってつくった白丸種を，大きめのボールに入れ加熱しながら煮つめた糖蜜をかけ，手早く杓子でかき混ぜる．次第に蜜が乾いてきてバラバラにほぐれたら，軽く手のひらで全体をもみほぐし容器に移し冷却する．糖蜜は砂糖に水を入れ加熱し，115℃まで煮つめる．このとき，蜜の煮つめ加減が弱いと，種が軟らかくなって味がなく，また強すぎると，かき混ぜ途中で乾きが早く平均に混合できないから，注意を要する．

風船：前日に水漬けしたもち米を蒸し，それをつき，必要に応じて着色し，のばして小さく切断したものを煎り，糖蜜がけをする．形が丸いため風船と呼ばれている．

白豆，黒豆：大豆（黄大豆，黒大豆）を4～5時間水に浸したのち水を切り6～7時間陰干しし，半乾き程度になったら煎り機で煎り，糖蜜をかけて仕上げる．

 ひのな　日野菜；緋の菜

成 06252（根・茎葉 生），06253（根・茎葉 甘酢漬）　分 アブラナ科アブラナ属（1年生草本）　学 Brassica rapa var. akana　英 Hinona　別 日野かぶ；あかな（赤菜）；えびな（海老菜）

東洋系のかぶの一種．滋賀県蒲生郡日野の周辺が原産なのでこの名がある．近年，三重県をはじめ，他県でも栽培されている．根の上（地上部）1/3が赤紫色をしているから赤菜，海老菜ともいう．根は球形ではなく，大根のように細長い．

◇加工　太さ2cmほどのものを10月から11月に収穫し，塩漬，酢漬，糠漬，麹漬など，各種の漬物とする．桜漬が滋賀県日野の特産品として有名である．

◇調理　成熟しないうちに収穫し，漬物とする．糠漬は洗って2日ほど陰干ししたものを塩漬したのち，糠床で本漬する．酢をふって漬け込むと美しい桜色となる．ほどよい辛味がある．桜漬はひのなの根を短冊に切り，塩をまぶして半日おき，熱湯を通してから酢，砂糖，梅酢を合わせたものに漬け込む．

 ひまわりの種　向日葵の種

成 05027（フライ 味付け）　分 キク科ヒマワリ

ひまわりの種（フライ 味付け）（平　宏和）

属（1年生草本）　**学** *Helianthus annuus*（ヒマワリ）　**英** sunflower seeds

北米原産．大型で，草丈は約2mとなる．花後，多数の大きな痩果*（そうか）を生じ半球形に突出する．種子は2稜ある倒卵形で，長さ1cm内外である．種皮が黒色の搾油用と，白色の種子が大きく脱穀の容易なスナック菓子用がある．ウクライナ，ロシアの生産量が多い．

◇**成分特性**　種子に占める仁*の割合は約45％である．仁（フライ，味付けしたもの）の主成分は脂質で，たんぱく質も豊富である．たんぱく質は主としてグロブリン*である．種子から採れる油は半乾性油*である．直接食用に供される種子は，中国などから輸入されている大輪系のロシアヒマワリのものである．

◇**用途**　脂質含量が高く，良質な油脂原料になる．サラダ油にも使われる．オイルでローストし，食塩で味付けする．

ひまわり油（高オレイン酸油）（平　宏和）

ひまわり油　向日葵油

成 14011（ハイリノール），14026（ミッドオレイック），14027（ハイオレイック）　**英** sunflower oil

ひまわりの種子から採油した油（半乾性油）．油分は，種子24～25％，脱殻種子42～55％を示す．食用精製ひまわり油，食用ひまわりサラダ油などの種類がある．主生産国はウクライナ，ロシア，アルゼンチン，トルコが占める．

　製油：脱殻なしの抽出は，ウインタリング*を妨害する粘質物を混入させる．一般には種子をロールで破砕し，脱殻をした後，抽出法により採油する．なお，最近になり健康志向から高オレイン酸品種（オレイン酸*約85％，リノール酸*約4％）が開発され，食用油として利用されている．

◇**成分特性**　『食品成分表』によれば，100g当たり，脂質（TAG当量）*98.4～99.9gからなる．脂肪酸組成を**表1**に示す．ハイリノールの脂肪酸組成は，とうもろこし油に似ている．ミッドオレイックのオレイン酸は，なたね油と同じくらいである．ハイオレインのオレイン酸は，サフラワー油のハイオレイックよりも多く，『食品成分表』に収載されている油脂の中で最も多い（**付表6**）．100g当たりのビタミンEは，42.2mgである（α-トコフェロールは『食品成分表』に収載されている油脂類中で最も多い）．ビタミンKは，11µgである（**付表7**）．主なステロール*は，β-シトステロールで，そのほか，Δ⁷-スチグマステロール，カンペステロール，スチグマステロールを含む．

　理化学特性：日本農林規格*（JAS）による精製ひまわり油は，比重（ハイリノール0.915～0.921，ハイオレイック0.909～0.915），屈折率（25℃）（ハイリノール1.471～1.474，ハイオレイック1.465～1.469），酸価*0.2以下，けん化価（ハイリノール188～194，ハイオレイック182～194），ヨウ素価*（ハイリノール120～142，ハイオレイック78～90）としている．ハイオレイックにあっては，脂肪酸に占めるオレイン酸の割合は75％としている．ミッドオレイックにはJASが定められていない．凝固点−16～−18℃．

◇**保存**　他の食用油と同様，酸化防止のための配慮を必要とする．

ひめえぞぼら　⇨つぶ

ひめじ　比売地

分 硬骨魚類，ヒメジ科ヒメジ属　**学** *Upeneus*

表1　ひまわり油の脂肪酸組成（日本食品標準成分表2020年版（八訂）より）　　　　（100g中の値）

	オレイン酸*	リノール酸	α-リノレン酸
ハイリノール	28.5%	60.2%	0.4%
ミッドオレイック	60.5%	29.6%	0.2%
ハイオレイック	83.4%	6.9%	0.2%

*オレイン酸は，オレイン酸，シス（*cis*）-バクセン酸等の計の値．

japonicus 英Japanase goatfish 別 地ひめいち（関西，四国）；ひめ（東京）；あかむつ（鳥羽）；あかいお（福井） 旬冬

日本各地を含む北西太平洋に分布し，浅い海の砂底に生息する．全長20cmくらい．体色は赤で，尾びれに赤い斜めの縞模様があり，下顎に2本の長いひげがあるのが特徴である．天ぷら材料，唐揚や煮付けに適する．塩干しにもする．上等のかまぼこの原料にもなる．

◇調理　ヨーロッパで珍重されている．身は軟らかく脂肪分が少ないので淡白な味である．油脂との相性がよいので，バターを用いるムニエルにしたり，揚げ物にしてもおいしい．

●おきなひめじ

翁比売地 分ウミヒゴイ属 学*Parupeneus spilurus* 英blackspot goatfish 別 地おきべにさし（長崎）；くちぐわーかたかし（沖縄）；めんどり（紀州）

全長40cm．南日本から西太平洋に広く分布する．味はよく，市場での扱いや用途はうみひごいと同様である．

●うみひごい

海緋鯉 分ウミヒゴイ属 学*Parupeneus chrysopleuron* 英yellow-striped goatfish 別 地うみごい；うみひごい（東京，神奈川）；めんどり（大阪，紀州）；ふーるやー（沖縄）

全長55cm．体側に1本の黄色縦帯がある．南日本から西太平洋に広く分布する．おきなひめじと同じくひめじより大きく，市場での扱いも同様である．美味で，みそを塗った照焼きは上等料理である．

ひめます　姫鱒

分硬骨魚類，サケ科サケ属 学*Oncorhynchus nerka* 英kokanee 別 地カバチェッポ（北海道，アイヌ語）

べにざけの陸封型．全長50cm．体色は銀白色で背面は濃青色，体側がわずかに紫色を帯びる．陸封型は阿寒湖とチミケップ湖（網走川）が原産であるが，陸封のものの移殖が極めて盛んで，十和田湖，中禅寺湖，猪苗代湖など，各地の火山湖に移入されている．また田沢湖のみに生息していた近似のくにます（*Oncorhynchus kawamurae*）は酸性水の流入によって絶滅したとされていたが，2010年12月に山梨県の西湖で発見され，話題となった．

ひめます　上：雄，下：雌（本村　浩之）

ひも　⇒にわとりの副生物（腸），ぶたの副生物（小腸）

ひやむぎ　冷麦

成【そうめん・ひやむぎ】01043（乾），01044（ゆで），【手延そうめん・ひやむぎ】01045（乾），01046（ゆで）　英Hiyamugi；(a kind of white salted noodles)

小麦粉を原料とする乾麺の一種で，麺線はうどんより細く，そうめんより太い．室町時代の切り麦（うどん）は季節により冷・温に分け調理したが，夏期には冷麦（ひやむぎ）があった．

◇製法　機械製麺と手作業による手延べ製麺に分けられるが，手延べ麺の生産は少ない．

機械製麺：製法はそうめんと同様である．食品表示基準*では「乾めん類のうち，小麦粉を原料としてつくられたもので，長径が1.3mm以上1.7mm未満に成形したものをいう」としている．

手延べ製麺：製法は手延べそうめんと同様である．食品表示基準ではめん線の長径が1.7mm未満で，丸棒状に成形したものとしている．

◇調理　そうめんより，少し軟らかめに茹でる．

ひやむぎ　上：手延べ製麺，下：機械製麺（平　宏和）

ひやむぎ 断面　左：手延べ製麺，右：機械製麺
（平　宏和）

🍎 ひゅうがなつ　日向夏

成 07112（じょうのう及びアルベド 生），07113（砂じょう 生）　分 ミカン科ミカン属（常緑性低木）　学 *Citrus tamurana*　英 Hyuganatsu　別 市 ニューサマーオレンジ；小夏みかん；田村オレンジ；土佐小夏；スモールサマーオレンジ　旬 3月下旬〜6月

文政年間（1820年）に宮崎市赤江町で発見された．ゆずの系統の混ざったと推察される品種．その後，高知県に明治23（1890）年に導入され，明治40（1907）年頃からニューサマーオレンジの別名で市販されるようになり，有名となった．

◇品種　枝変わり系統として静岡で発見されたオレンジ日向と普通系日向夏の2品種である．果実は200g内外で，20〜30個の種子を含む．果面はなめらかで明るい黄色，ゆずに似た香りをもつ．果肉は，軟らかく多汁である．

産地：現在では主として宮崎，高知，静岡，愛媛の4県で，全国の9割以上が生産されている．

◇成分特性　100g中，糖類が8g内外，酸は0.8g程度，比較的酸味が少なく，甘酸がよく調和している．食べ方はりんごの皮をむく要領で外皮部（フラベド部）のみを薄く剥いで，切断してそのまま食べるのが一般的であるが，その場合ビタミンCは26mg含まれている．果肉のみを食べる場合と栄養価は大きく異なる．果実の独特の爽快な香気はα-ピネン，β-ピネン，ミルセン，α-フェランドレン，α-テルピネン，γ-テルピネン，p-シメン，d-リモネンの混合体である．

◇保存　西南暖地での熟期は4月上旬で，4月下旬まで樹につけたままだと再び果皮が緑色となる回青（かいせい）現象が起きる．したがって，採取適期は3月下旬であり，6月まで出荷される．

ひゆな　莧菜

分 ヒユ科ヒユ属（1年生草本）　学 *Amaranthus tricolor* var. *mangostanus*（ヒユ）　英 edible amaranth　別 ひゆ；バイアム；ジャワほうれんそう　旬 夏

中国野菜の一種．中国ではかなり昔から栽培されている．別名にジャワと名が付いているように，熱帯地域でも栽培が可能である．日本にも江戸時代に到来し，明治の頃までは農家の庭先などで広く栽培されていた．各種の馴化した品種がある．葉色は，緑，赤，紫など多岐にわたっている．日本で野菜としているのは淡緑色のものが利用され，赤，紫色のものは観賞用として栽培される．近年，中国野菜として莧菜（シェンツァイ），バイアムなどが導入された．高温を好み生長が速いので，初夏に播種し，夏に20〜30cmに生長したものを収穫する．草丈20〜30cmになった若株を株ごと収穫することもあり，大きくなった株から新葉を摘み取ることもある．東南アジアでは長く伸びた茎も皮をはぎ，髄部を利用する．

◇成分特性　緑葉種の成分は，100g当たり，水分90.2g，炭水化物5.0g（うち，食物繊維2.2g），たんぱく質2.8g，灰分1.7g，カリウム207mg．カロテンが2,110μg，ビタミンCが47mgと多い緑黄色野菜である（中国食物成分表）．

◇調理　中国では一般に炒め物に用いられる．においも淡白で先端の軟らかい部分が利用される．

ひゅうがなつ（平　宏和）

ひゆな（中国，青海省にて）（王　暁明）

氷菓　ひょうか

英 ice pop, shaved ice and sherbet

アイスクリーム類及び氷菓の表示に関する公正競争規約では，氷菓とは，食品衛生法*の規定に基づく食品，添加物等の規格基準に適合し，糖液もしくはこれに他食品を混和した液体を凍結したもの又は食用氷を粉砕し，これに糖液もしくは他食品を混和し再凍結したもので，凍結状のまま食用に供するものをいう．ただしアイスクリーム類に該当するものを除くとされているので，重量百分率で乳固形分 3.0％以上を含むアイスクリーム類（アイスクリーム，アイスミルクおよびラクトアイス）は含まない．重量百分率で乳固形分が 3.0％未満であれば，乳固形分を含む製品も氷菓と表示できる．食用氷を砕いた「かちわり」は，糖液もしくは他食品を混和していないので，氷菓とはいえない．

●アイスキャンディー

英 ice pop

氷菓のうち，直方体あるいは円柱状等に成形し，持ち手（スティック）を付けたものである．アイスバーともいう．ただし，直方体や円柱状等に成形し，持ち手を付けたアイスクリーム類もアイスバーと呼ぶ．後述するかき氷とシャーベットがカップ等の容器に入れ，スプーン等ですくって食べる氷菓であるのに対して，アイスキャンディーは持ち手を手で持って食べる氷菓である．両端を閉じた円筒形の樹脂製袋に入れた，持ち手がない製品もある（英 freezie）．持ち手は，多くの場合，シラカバ材製の平板で，両端を丸く成形してあり，アイススティック，アイススティック棒，アイスキャンディー棒などと呼ぶ．

●かき氷

英 shaved ice

食用氷を削り，あるいは粉砕し，これに糖液をかけた氷菓あるいは他の食品を載せた氷菓である．フラッペともいう．枕草子などの記述から，平安時代には，削り氷（けずりひ）と呼んでいたことが分かる．飲食店等で提供される場合には，白く見える氷が認められるものを指す場合が多い．冷却した容器に，氷を直接削り入れることが多い．かつては，夏の風物詩であった．プラスチック製容器入りの製品の場合には，外観はほぼ均一である．自製する場合に用いる市販の糖液は，氷蜜（こおりみつ）あるいはかき氷用シロップと呼ばれ，果糖ぶどう糖液糖，砂糖，果汁，抹茶，酸味料，増粘多糖類，着色料，香料，酸味料，調味料，甘味料などを含む．削った氷に小倉あんと抹茶シロップをかけた「宇治金時」は，京都府が選定した次世代に残すべき郷土料理となっている．

●シャーベット

成 13049　英 sherbet

果汁，果肉，糖類，リキュール，香料などでつくる氷菓である．ソルベともいう．乳製品を含むものをシャーベット，含まないものをソルベと呼び分けることもある．いちご，オレンジ，カシス，ぶどう，メロン，ゆず，りんご，レモンなど各種のものがある．主成分が果汁・果肉ではなく，糖類であるものもある．糖類は，砂糖，水あめ，ぶどう糖果糖液糖，果糖ぶどう糖液糖，砂糖混合果糖ぶどう糖液糖等が用いられる．製品の場合には，安定剤（増粘多糖類），酸味料，乳化剤*等を含む．凍結させる際に攪拌して，空気を包含させる．オーバーラン*は 20〜50％が適当であるとされる．盛り付けには，スクープやディッシャーを用いる．なお，『食品成分表』では乳製品を含む氷菓をシャーベットとして収載している．

氷糖　⇒さとう（氷砂糖）

 ## ひよこ豆　雛豆

成 04065（乾），04066（ゆで），04067（フライ味付け）　分 マメ科ヒヨコマメ属（1〜2年生草本）　学 Cicer arietinum　英 chick peas；gar-

氷菓　左：アイスキャンディー，中：かき氷（いちご，コーヒー），右：シャーベット（ブラッドオレンジ，ゆず）
（平　宏和）

上：ひよこ豆，下左：缶詰 ドライパック*，下右：フライビーンズ（平　宏和）

ひらたけ（野生）（岩瀬　剛二）

banzos　別 チックピー；ガルバンゾ；くり豆

原産地はアジア西方とされ，古い時代にインドおよび欧州に広がったものと考えられている．このため，インドでは主要な豆となっており，単に豆といえばこの豆を指す．生産量もインドが最も多い．豆の形はひよこに似ていて，食感は栗に似ている．大型で丸みのある種子をもつ品種群のカブリ（kabuli）と小型で角張った種子をもつ品種群のデシ（desi）に大別できる．カナダ，米国，メキシコなどから輸入している．ガルバンゾ（garbanzo）は，ひよこ豆を指すスペイン語が英語に移入されたものである．

◇調理　煮豆，炒り豆，フライビーンズ，スープなどにしたり，製粉して小麦粉に混ぜてパンにしている．また，コーヒーの代用品としても用いられている．わが国においては，煮豆，あんの原料やおつまみの炒り豆，フライビーンズとして使われることが多い．

ひら　⇒いわし
ひらすずき　⇒すずき

ひらたけ　平茸

成 08026（生），08027（ゆで）　分 担子菌類ヒラタケ科ヒラタケ属（きのこ）　学 *Pleurotus ostreatus*　英 oyster mushrooms　別 かんたけ；わかい

野生品は4〜6月，9〜11月下旬頃発生し，傘は直径5〜15cmの半円形・扇形などで，柄は短く一方に偏っている．ひだは柄に長く垂生する．各地で枯樹・枯幹に重なり合って生える．栽培品も柄の偏った一つの根元から多数の傘の出たものが多いが，ひだが垂生しているほかは，ほんしめじそっくりに育てられた短木栽培のものも出回っているが，市販品のほとんどは，びんを用いた菌床栽培である．当初は単にしめじとか○○しめじの名前が付けられていたが，現在はひらたけの名前が一般化している．

◇成分特性　たんぱく質，炭水化物，リン，カリウムが比較的多く，ビタミンB_1，B_2，ナイアシン*，エルゴステロール*なども含む．

◇保存・加工　一般に生きのこを食用とするが，山村では塩漬保存することがある．

◇調理　野生のひらたけは淡白な味と香りをもち，汁の実，鍋物，天ぷら，きのこ飯などに広く用いられる．しめじとして市販される栽培品はひらたけ本来の味を失っているが，ほんしめじと同様に各種の調理に用いられる．

ひらまさ　平政

成 10233（生）　分 硬骨魚類，アジ科ブリ属　学 *Seriola aureovittata*　英 yellowtail amberjack
別 地 ひらす（九州，大阪）；ひらぶり（三重）　旬 春〜夏

全長1.5m．ぶりとよく似るが，上顎後端の上角が丸く，胸びれが腹びれより短いことで区別される．ぶりは冬が旬だが，ひらまさは春から夏にかけてぶりより美味である．日本各地を含む北西太平洋に分布する．

◇成分特性　ぶりより脂が少なく血合も少ないので刺身，すし種に適する．ぶりより南方産で，超大型に成長する．南方に多い藻類に含まれる微量の毒物シガトキシンが，藻類食の動物→小魚→ひらまさへの食物連鎖によって濃縮される可能性がぶりより高い．こうした場合，まれにシガテラ中

ひらまさ（本村　浩之）

ひらめ（本村　浩之）

毒を起こすことがある．国内では，死亡例はないが，症状が長引くこともあり，注意を要する．
◇調理　刺身に最適である．その他の調理法としては，ぶりと同様に塩焼き，照焼き，煮物などに用いられる．あら煮は，ぶつ切りにしたあらを熱湯に通し，冷水で洗った後，しょうゆ，みりん，酒，砂糖を合わせた煮汁に入れ，照りが出るまで煮詰める．※洋風には，ムニエルやグリエなどに適している．

ひらまめ　⇨レンズ豆

 ひらめ　鮃；平目；比目魚

成 10234（天然 生），10235（養殖 皮つき 生），10410（養殖 皮なし 生）　分 硬骨魚類，ヒラメ科ヒラメ属　学 *Pcralichthys olivaceus*　英 bastard halibut　別 地 おおぐちがれい（関西）；めびた（富山）；ほんがれい（徳島）；おおぐち（瀬戸内海地方）　旬 冬

全長1m．かれいに似るが，左側に両目がある．口が大きく，体は扁平．目のある方は黒褐色で，多数の白点が散在する．沿岸の砂泥底にすみ，昼間は頭だけだして砂泥に潜る．夜，活動する．砂に潜らないときは，体色を海底と同じ色に変えて，保護色にする．日本各地，朝鮮，中国に分布する．同科には，ガンゾウビラメ属のがんぞうびらめ，たまがんぞうびらめなどがある．

◇成分特性　わが国の代表的な白身魚の一つである．非常に美味な魚で，ことに秋から冬にかけてうまい．3月以降は急に味が抜けるため，練り製品原料に向けられることがある．成分的にはかれいの仲間であるが，水分含量が天然もので，100g当たり76.8gとやや高く，脂質（TAG当量）*含量が1.6gとやや低い．ビタミンAの含量が低いが，水溶性ビタミン類は相応に含有している．肉色白く，アジが極めて強いため上等かま

ぼこをつくることができる．ひらめは高級魚であるため，上等かまぼこに使うが，そのほかの加工用には使われない．ただし，小型のひらめの一種であるたまがんぞうひらめは，小型かれいの素干しであるでびらの原料として，特に美味であるとして使われる．

◇調理　白身の魚として刺身，すし種，あらい，酢の物，昆布じめなどに調理される．※うま味も，脂肪も少ないので，塩焼きには向かない．煮付け，唐揚げ，フライ，ムニエル，洋酒蒸し煮など，調味料や油を使って味を補った料理がよい．筋肉は軟らかいが組織が緻密なので，あまり長く加熱すると身がしまって味が落ちる．※上下のひれのつけ根の部分は縁側（えんがわ）と呼ばれ，ひらめの味を代表する部分といわれる．刺身にも煮付けにもよい．※内臓の利用：ひらめの肝臓は，生のままポン酢で食べることができるほか，胃袋，肝臓は煮付けにする．

● がんぞうびらめ

雁雑鮃；雁瘡鮃　分 ガンゾウビラメ属　学 *Pseudorhombus cinnamomeus*　英 cinnamon flounder　別 みさきびらめ　地 がんぞう；がんぞ（関東，東海，関西）；ばこがれい；ばんこ（富山，福井）；すがれい；すがわ（九州）；でびらがれい（広島）

全長40cm．ひらめによく似ているが，体高が高く，目のある側の白点が二重丸になっているのが特徴．沿岸魚で味はかなりうまい．南日本から中国，台湾に分布する．

● たまがんぞうびらめ

玉雁雑鮃　分 ガンゾウビラメ属　学 *Pseudorhombus pentophthalmus*　英 fivespot flounder　別 地 うすばがれい（福井）

全長25cm．体は扁平し，目のある側は緑灰色で，5つの暗色斑がある．味はよく，串刺しにして乾製品（でびら）にもする．北海道から南日本，朝鮮，中国，台湾に分布する．

ピリカ　⇨ほっけ
ひりょうず　⇨がんもどき

ひろしまな　広島菜

成 06254（葉　生），06255（塩漬）　分 アブラナ科アブラナ属（1～2年生草本）　学 *Brassica rapa* var. *nipposinica*（キョウナ）　英 Hiroshimana　別 きょうな（京菜）；ひらぐきな（平茎菜）

はくさいの仲間であるが，野菜としては"漬け菜類"として取り扱われる．400年ほど前（慶長始め）に安芸藩主福島正則の参勤交代の際，お供の安芸観音村（現・広島市西区）の住人が京都本願寺で種子を求め広島へ伝え，京菜とも呼ばれた．現在の品種は京都から導入されたものと異なり，京菜と在来水菜との自然雑種から品種改良されたもので，葉が大きく葉肉が厚い．中肋は菜類中で最も幅が広く，支脈も分岐せず平行に走るのが特徴である．葉肉は硬いが，漬物にすると歯切れがよく，香味もよいので，野沢菜，三池たかなとともに日本三大漬物の一つとされる．立ち性・開帳性の2系統がある．

産地：広島市安佐南区周辺が主な生産地で，近年は県北地帯の庄原市でも栽培されている．

◇成分特性　多汁質で，水分も多いため，成分含量は低い．しかし無水物値*で比較すると，他の緑葉の漬け菜類と変わりがない．広島菜は漬物として利用され，市販の広島菜漬は，家庭での浅漬より食塩が高く5％前後となっている．冷蔵保存されていて流通時に常温に戻されるので，クロロフィル*の緑色がよく保存されているものが多い．ビタミンは，低温の保存でも保存日数により徐々に減少する．

◇調理　軟らかいものを茹でて，お浸しにする以外は，もっぱら漬物の材料に用いられる．早期に食べる当座漬は3～5％の塩で漬け，約1週間で食べる．肉厚で大きいわりに軟らかく，しかも緑色が鮮やかである．長期の保存漬ははくさい漬に準じて行うが，広島菜特有の漬け方もある．

びわ　枇杷

成 07114（生），07115（缶詰）　分 バラ科ビワ属（常緑性小高木）　学 *Eriobotrya japonica*　英 loquats

中国南部および日本原産で，中国は揚子江沿岸，わが国は山口から福井にわたる日本海の島々に野生種が存在する．中国での歴史は古く，6世紀から食用されていた．わが国は原産地の一つであるが，利用され始めたのは平安朝時代といわれる．しかし，あまり重要な果実とはならなかった．そのためびわの和名はなく，枇杷の唐韻をそのまま用いるようになった．幕末から明治になって在来の小果種（丸びわ）のほか，中国の大果種が移入された．

◇品種　茂木，長崎早生，田中，大房などがある．田中，茂木の歴史は古く，茂木は天保・弘化（1830～1848）頃に中国から長崎に入ってきた唐びわを三浦シオが長崎県茂木町（現・長崎市）に持ち帰り，果樹園で育成をしたものである．田中は明治12（1879）年に農学者田中芳男が長崎で食べた大果のびわの種子を持ち帰り育成したものである．

産地：栽培の適地は，最低気温が－3℃以下にならず，年平均気温が16℃以上の暖地である．主産地は千葉，兵庫，香川，愛媛，長崎，大分，鹿児島である．

◇成分特性　廃棄率は意外に低く30％である．品種により成分も異なるが，100g中，糖類は8～11gで，ぶどう糖と果糖がそれぞれ4g，しょ糖は少なく1g内外である．0.5g内外の有機酸*を含む．酸はリンゴ酸*が最も多く全体の50％を占め，クエン酸が次いで多い．β-カロテン当

広島菜漬（平　宏和）

房州びわ　房州びわは産地の市販通称名．千葉県南房総市が主産地（平　宏和）

びわゼリー（平　宏和）

ピンクペッパー（フランス産）（平　宏和）

量が810μgと多く，缶詰にした後もあまり変わらない．しかし缶詰は原料の品質が劣るので実際には470μgと少なくなる．びわはほかの果実に先がけて熟するため，初夏の果実としての価値は高い．
◇**保存**　果実は傷つきやすく，タンニン*成分が多く酸化酵素活性も強いので褐変しやすいが，ていねいに取り扱い，0～3℃の低温で貯蔵すれば，約10日間の保存が可能である．
◇**加工**　加工品には缶詰，ゼリー，ジャムなどがある．缶詰は果実を熱処理してから果皮を剝ぎ，種子と隔壁をカギ状の針金で除いて，0.2％のクエン酸を加えた糖液とともに密封，殺菌して製造される．

びわます　琵琶鱒

分 硬骨魚類，サケ目サケ科サケ属
学 *Oncorhynchus masou* subsp.　**英** lake Biwa trout　**別**　**地** あめのうお（琵琶湖）

全長20～40cm．琵琶湖特産魚．中禅寺湖，芦ノ湖，木崎湖（長野県）などに移殖されている．あまごの降湖型と考えられていたが，今は別亜種とされている．初夏のものは美味で刺身，塩焼きなどに利用される．

ピンクペッパー

分 ウルシ科サンショウモドキ属（常緑高木）　**学** *Schinus molle*（コショウボク）

南米原産のコショウボクの果実．コショウ科のコショウとは関係ないが，コショウに似ており色が赤いので，ピンクペッパーと名づけられた．コショウと異なり辛味はなく，わずかに苦味がある．甘い香りがあり彩りが美しいので，ミックススパイスとしてサラダやオープンサンドイッチのトッピングとして用いられる．

びん詰食品

英 bottled foods

保存のため，加熱・殺菌等によりガラスびんに詰められた食品のこと．ガラスびんには，一般ガラスびん（細口，広口），軽量びん，軽量・化学強化びん，プラスチック強化びんがある．このほか，陶製，セラミック製の容器を用いたものもある．
◇**歴史**　ガラスびんの歴史は古く，今から約5,000年前に生産され，食品容器として使われていた．ガラスびんに食品を詰めて保存させる研究は，18世紀に始まり，1765年にイタリアのアベエ・スパランツアーニによって，びん詰による食品保存技術の開発研究が行われた．1804年フランスのニコラ・アペールが，密封したガラスびんでの食品加熱製造法に成功し，世界各国で多くの

びん詰食品　上：広口びん　左より：いちごジャム，きゅうりピクルス，なめたけ（えのきたけ）・味付きのりの佃煮　下：細口びん　左より：清酒，ウイスキー，西洋なしジュース，魚醬，食酢（平　宏和）

種類のびん詰食品が生産されるようになった。1942年，ガラスびんに対する無菌充填包装機が，米国のAvoset社で開発され，無菌クリームを殺菌されたびんに充填する方式が実用化された。一方，英国の国立乳業研究所では，ガラスびんに153℃の蒸気を1.5秒間ふきつけ殺菌したのち，滅菌牛乳を充填，スクリューキャップでしめるNIRD無菌充填システムを開発した。

◇ガラスびん　牛乳，果実類，野菜類，たれなどのびん詰食品は，広口びんに詰められており，紙栓，金属クロージャで密封される．果実，野菜類などはびん詰の後，85〜95℃，20〜30分間加熱殺菌されている．ビール，清酒，しょうゆなどは，一般の細口びんに充填打栓されており，ミクロフィルターによる除菌と加熱殺菌によって微生物の生育が阻止されている．

　軽量・化学強化びん：液状食品は，軽量・化学強化びんに詰められているものが多くなってきている．ドリンク飲料，調味料や洋酒は，茶色，黒褐色に着色された軽量びんが使われている．びんは使い捨てであるため，ガラスびんの肉厚は薄く，軽量化されている．

びんなが　⇨まぐろ

ふ

 ふ　麩

英 Fu；gluten products

小麦粉から分離したグルテンを主原料にした食品．日本の伝統食品の一つであり，鎌倉時代の終り，遅くとも室町時代の初期に中国より伝えられたといわれている．生麩と焼き麩があり，生麩は京都を中心とした関西地方に発達し，江戸時代になると次第に焼き麩がつくられるようになった．

◇製法　グルテンは小麦粉（強力粉・準強力粉）に7〜8割重量の塩水（濃度1%）を加え，粘りが出るまでよく練る．その生地をもめんや麻の袋に入れ水中でもみほぐし，でん粉を溶出させて得られる．これを主原料とし，種々の副材料を加え，蒸したり，焙焼したりする．

◇成分特性　グルテンが原料として用いられているため，たんぱく質は比較的多く，100g当たり生麩10g前後，焼き麩30g前後となっている．小麦製品のためアミノ酸組成としてはリシン*が不足する．消化性はよいといわれている．

◇調理　淡白な味と特有の歯触り，美しい形などを生かして，煮物，汁物，茶碗蒸しなどに広く用いられる．生麩はねっとりした舌触りを楽しめるよう，薄味でだしのきいた煮物，鍋物などによい．

●油麩（あぶらふ）

成 01177　英 Abura-hu（fried gluten products）
別 仙台麩

宮城県を中心につくられている揚げ麩．別名の仙台麩は商品登録名．グルテンと小麦粉を混練し，棒状にして大豆油や菜種油で揚げたもので，長さ：26cm・直径：5cmくらい，揚げたときの膨張を調整するために縦軸方向に入れた切れ目がある．

◇調理　焼き麩と同様に煮物，みそ汁などの具に

あぶら麩（平　宏和）

用いるが，麩からの油が他の具材に浸み込みコクのある仕上がりになる．なお，料理では，油麩の産地である宮城県登米（とめ）市の「油麩丼」（汁の浸み込んだ油麩を卵でとじ，ご飯にのせたもの）が有名．

●すだれ麩

英 Sudare-fu

金沢のすだれ麩が代表的で，享保年間（1716〜1736）に加賀藩主前田家の料理人が創製したといわれ，生すだれ麩と干しすだれ麩がある．

生すだれ麩はグルテンに米（うるち）粉を加えて練った生地を竹の簾（すだれ）にのばして形をつくったものを包み，これを重ねて茹でたものである．表面に簾の波形が残る．

干しすだれ麩は生すだれ麩を凍結または真空乾燥したものである．すだれ麩を使う加賀の代表的料理に治部煮（じぶに）がある．

干しすだれ麩は，茨城県結城市でもつくられ，江戸時代後期から保存食品として冠婚葬祭に利用されてきた．グルテンに小麦粉を加えて練った生地を竹の簾にのばして塩をまぶし，これを重ねて塩水で煮て，よしずに並べ，乾燥したものである．塩抜きをし，煮物，ごま酢和えなどに用いる．

●竹輪麩（ちくわぶ）

成 01069　英 Chikuwa-fu；(steamed tubular gluten products)

生麩の一種として扱われることもあるが，製法から厳密には麺の1種である．強力小麦粉を練り，竹輪の型に入れて蒸し上げたものである．おでん（関東炊き），鍋物などに使われる．

●生麩（なまふ）

成 01065　英 Nama-fu；(steamed gluten products)

ちくわ麩（平　宏和）

小麦粉より分離したグルテンに基本的原料としてもち米粉を加え混練し，あるものは他の原料を混合して蒸したものである．もち麩，棹（さお）物，細工麩，かやく麩などの種類がある．

もち麩：グルテンにもち米粉を混ぜて練り，木型に入れて蒸し上げたものである．また，もち麩と同様に原料を練り，蒸したあわ（もち種）を混ぜ，木型に入れて蒸し上げたあわ麩，よもぎ入りのよもぎ麩，青のり入りの養老麩などがある．

棹物：色付けした棒状のもち麩を小口から切って用いるもので，小口の模様から梅麩，さくら麩，もみじ麩などがある．

細工麩：もち麩を色付け・細工し，手まり（新春），梅・桜（春），そら豆（初夏），かぼちゃ（夏），かぶ（冬）など，季節感を出したもので，主に懐石料理の八寸に使われる．

かやく麩：包み麩の一種で，中身（具）は魚・鶏肉，ゆり根，ぎんなんなどで，主に煮物用に使われる．

すだれ麩　上：生すだれ（金沢），中：干しすだれ（金沢），下：干しすだれ（茨城 結城）（平　宏和）

生麩　上：もち麩（手前：あわ麩，奥：よもぎ麩），下：棹物（平　宏和）

焼き麩　上左から，観世麩，丁字麩，下左から，小町麩，玉麩，花麩，松茸麩（平　宏和）

焼き麩　上：板麩（庄内麩），中：車麩，下：沖縄車麩（平　宏和）

◇調理　グルテン特有の粘弾性が生麩の生命で，この特性を生かし，煮物，椀種などのほか，揚げ物などにも用いられる．火を通しすぎると，かえって硬くなるので，ふくれたら火を止め，煮汁の中で味を含ませる．京料理に欠かせない材料であったが，真空パック，冷凍技術の発達で各地に普及している．

●焼き麩

成 01066（釜焼きふ），01067（板ふ），01068（車ふ）　英 Yaki-fu；(baked gluten products)

グルテンに強力小麦粉，膨張剤を加えて混練した生地を焼成した麩．焼成の方法として直火焼，蒸し焼，型入れ焼，金型焼がみられる．

①直火焼：ガスの直下で焼くもので，車麩（成 01068）と板麩（成 01067）がある．車麩は生地を棒に巻いて焼き，その上に生地を重ねて焼く工程を2〜3回行ったもので，北陸，新潟地方で多くつくられている．沖縄には江戸時代後期から明治に薩摩から伝えられたといわれる車麩がつくられ，沖縄料理に使われている．板麩は生地を棒に巻いて焼き，これを蒸して棒を抜き取った円筒状のものを圧扁・乾燥したもので，山形，秋田の日本海側でつくられる庄内麩（しょうないふ）が有名である．②蒸し焼：大きな平面の釜に水打ちをし，生地を焼いたもので，大きく膨らみ表面も軟らかい．観世麩，小町麩，たまご麩などがあり，全国各地でつくられている（成 01066）．③型入れ焼：花，松茸などの細長い金型に着色した生地を入れ，釜で焼き，切断したもので，表皮は固く，切断面は目がつまっている．花麩，松茸麩，もみじ麩などがある（成 01066）．④金型焼：四角形，半球形などの金型に生地を1粒ずつ詰め，火にかけて焼いたもので，外側は固く，中はやわらかい．丁字麩が有名で，滋賀，京都地区でつくられている．

◇調理　組織が粗く，汁をよく吸収し，しかも持ち味が淡白なので，日本料理の煮物や汁物に広く用いられる．鍋物にもよく，すきやきに入れると，余分な汁を吸いとることができる．※料理の彩り：味が控えめで地味なため，のりや青のりを混ぜたり，着色料を加えた花麩やうず巻き形にした観世麩が，汁物，茶碗蒸し，うどんなどの具によく用いられる．※吸水と容積の変化：焼き麩を水に浸すと，短時間で吸水し，容積が約5倍に増える．煮物や汁物に用いるときはこの容積増加に注意する．もどしたものは必ず搾って用いる．浸水や加熱時間が長いと，どんどん水分を吸水して容積は増え，味，舌触りともに低下するので，なるべく短時間にとどめたい．

ファットスプレッド　⇨マーガリン
フィッシュハム　⇨魚肉ハム

フィナンシェ

英 financier　仏 financier

小麦粉，アーモンドとバター風味のフランス起源の焼き菓子．

◇由来　名前の由来については，フランス語のフィナンシェ（金融家，財政家などの意）によるといわれている．これは菓子の形が金塊に似ているからとも，また証券取引所近くの菓子職人が考案し，取引所の金融家が手を汚さず，素早く食べられるように工夫がされ，金融街から広まったか

フィナンシェ（平　宏和）

ブーケガルニ　原材料：バジル, オレガノ, セージ, セボリー, タイム, フェンネル, ベイリーブス, ローズマリー（平　宏和）

らともいわれる.
◇**原材料・製法**　小麦粉, アーモンドパウダー, バター, 砂糖, 卵白を使った生地を金の延べ棒（インゴット）に模した長方形の型で焼き上げる. パウンド型, オーバル型などの製品もある.

ブイヨン　　⇨コンソメ
プーアール茶　⇨中国茶
ふうき豆　　⇨ふき豆

ふうきまめ　冨貴豆

英 Fuki-mame
青えんどうを原料とした山形県の郷土生菓子. 明治後期, 山形の床屋の主人が, 客待ちのお茶請けに出した青えんどうの煮豆が評判となって, 菓子屋に転業し売り出された.
青えんどうを蒸して種皮を除き, 砂糖と塩を加えて甘く煮たものである. なお, 惣菜となる種皮を除いたそら豆の煮豆もふき豆（ふうき豆）と呼び, 青えんどう（全粒）の煮豆はうぐいす豆と呼ぶ.

ふうき豆（平　宏和）

ブーケガルニ

英 bouquet garni
フランス語で"香草の束"の意味で, その名の通り, 数種類のハーブを束ねて用いることにより,

香草のブレンドによる相乗効果を引き出し, さらにハーブ・スパイス類の料理への出し入れを簡便にしたものである. 煮込み料理やスープなどに用い, 束ねる香草の種類も料理の素材や地方, 家庭によってさまざまで, 料理人は独自のブレンドで隠し味を楽しんでいる. 最も一般的には, セロリーの葉, パセリ, ベイリーブス, にんじんの葉, ガーリックなどであるが, 入手できるハーブを自由に用いて, ブレンドしてみるのもよい. また, 木綿の袋などに入れて用いるのも便利である. 気軽に使える袋入りや粉末の市販品もでている.
◇**調理**　セロリーの葉やパセリの茎やにんにく, たまねぎなど, 残り物の香りの強い野菜や, タイム, ベイリーブス, フェンネルなど手持ちのハーブ・スパイス類を適宜組み合わせて, 気軽に楽しむことができる. 束ねるのに使った糸は鍋の柄に結んでおくとよい. 素材同士の相性を知っておくとより効果的である（香辛料の**表3**参照）. ベイリーブスやタイムを加えたときは, 長時間入れっぱなしにすると苦味が出るので, 煮物が仕上がったら取り出す.

風船ガム　　⇨チューインガム

風味調味料

成 17027（固形ブイヨン）, 17028（顆粒和風だし）, 17092（顆粒おでん用）, 17093（顆粒中華だし）
英 flavor seasoning
日本農林規格*（JAS）では,「調味料（アミノ酸等及び風味原料〔節類（かつおぶし等）, 煮干魚類, こんぶ, 貝柱, 乾ししいたけ等の粉末または抽出濃縮物等〕に砂糖類, 食塩等（香辛料等を除く）を加え, 乾燥し, 粉末状等にしたものであって, 調理の際風味原料の香り及び味を付与するものと

風味調味料　左：かつお，右：昆布（平　宏和）

している．各種の製品が市販されているが，大部分はかつお節をベースにしたものである．その他のものとしては昆布をベースのものがある．このほかの風味調味料には，顆粒中華だしや洋風のブイヨン・コンソメ類もある．

◇表示　かつお節粉末，かつお抽出濃縮物の含量が10％以上のものは「風味調味料（かつお）」と，こんぶ粉末，こんぶ抽出濃縮物の含量が10％以上のものは「風味調味料（こんぶ）」と表示されている．

◇成分特性　『食品成分表』では，顆粒和風だし（顆粒風味調味料）として100g当たり水分1.6g，たんぱく質（アミノ酸組成）*(26.8)g，脂質（TAG当量）*0.2g，利用可能炭水化物*（差引き法）28.6g，灰分42.8g，ナトリウム*16,000mg（食塩相当量*40.6g）である．

◇調理　標準的な使用量は，料理1人前に1g，汁物では100mLに0.7gほどである．風味調味料はうま味調味料と異なり，味のみでなく香りの付与もできるので，味を付けたいときと香りを付けたいときで添加時期が異なる．味を付けたいときは料理の下ごしらえで，香りを付けたいときは仕上げに加えるのがよい．

ふえがらみ　⇨ぶたの副生物（軟骨）

 ふえだい　笛鯛

分 硬骨魚類，フエダイ科フエダイ属　学 *Lutjanus stellatus*　英 star snapper　別 ほしふえだい　旬 夏

全長55cm．南日本，台湾，中国に分布し，岩礁域やサンゴ礁に生息する．幼魚は潮だまりにくるので釣りで漁獲される．体色は橙から黄色．背びれの中央部の下に白い斑点があるのが特徴である．

◇調理　南日本では，重要な食用魚である．白身で，味にクセがない．新鮮なものは刺身になり，すべての調理法に利用できる．また，すり身にして"しんじょ"をつくり，茹でたり，蒸したり，揚げたりしたものをそのまま食したり，椀種などに用いる．

 フェヌグリーク

分 マメ科トリゴネラ属（1年生草本）　学 *Trigonella foenum-graecum*（コロハ）　英 fenugreek seed　別 ころは（胡盧巴）；フェヌグリーク

ギリシアから西アジア原産．古くから薬用，食用，香辛料として利用されている．草丈40〜70cm，長さ6cmほどの細長いさやをつけ，その中に10〜20個の豆（種子）がある．種子は3〜5mmの四角形でやや扁平，黄褐色を呈し，スパイスとして用いる．

◇成分特性　種子にはカラメル*とメープルシロップ様の甘味と苦味のある香りがあり，軽くあぶってから砕くといっそう強くなる．そのため抽出物がイミテーションメープルシロップの代用品として重要な香料である．主な芳香成分はトリゴネリン，コリンなどで，そのほか微量成分としてセロリー様の香りをもつクマリンが含まれる．乾燥物100g当たりの成分値は，エネルギー323kcal（1,350kJ），水分8.8g，たんぱく質23.0g，脂質6.4g，炭水化物58.4g（食物繊維24.6g），灰分3.4gである（米国食品成分表）．

◇調理　チャツネやカレー粉の原料に用いる．

フェヌグリーク（ホール，インド産）（平　宏和）

ふえふきだい　⇨はまふえふき

 フェンネル

分 セリ科ウイキョウ属（多年生草本）　学 *Foeniculum vulgare*（ウイキョウ）　英 fennel seed　別 フェネル；ういきょう（茴香）

南ヨーロッパ原産．草丈1〜1.5m，葉は糸状に細裂し，鮮緑色．葉柄*は広く茎を包むように互

フェンネル（インド産）（平　宏和）

フォアグラ（平　宏和）

生する．夏に茎頂や葉柄基部より花茎*を抽出し，複散形花序に緑黄色の小花をつける．果実は成熟すると二つに裂け，一個の果実（種子）は麦粒状で稜があり，長さ約8mm，幅3〜4mm，色は帯緑褐色，帯黄褐色，灰白緑色などで，甘くて爽やかな芳香がある．中国では芳香が腐敗した魚の香気を回復するとし茴香（huixiang；ホエイシアン）と名付けられ，和名はこの漢名からういきょうとなった．

◇**用途**　種子は香辛料，茎葉はハーブとして利用される．中国では小茴香（シアオホイシャン）とも呼ばれ，種子が腹痛，健胃，催乳などの漢方薬に使われる．種子を水蒸気蒸留した精油*は，リキュールの香り付け，口腔清涼ドロップの香料，食品以外では歯磨き用香料として利用されている．なお，フェンネルの変種であるフローレンスフェンネルの種子も香辛料として用いられる．

◇**成分特性**　種子は快い香りとわずかな苦味と樟脳のような香味がある．精油が2〜6％含まれ，その主成分はアネトールで50〜60％を占め，次にフェンコンが多い．100g当たりの成分値は，エネルギー345kcal（1,440kJ），水分8.8g，たんぱく質15.8g，脂質14.9g，炭水化物52.3g（食物繊維39.8g），灰分8.2gである（米国食品成分表）．

◇**調理**　葉は魚料理，サラダ，スープ，ピクルスのびん詰めなどに用いられる．種子は魚料理，パン・菓子類，カレー粉，ソースなどに丸のままか粉にして使われる．

 フォアグラ

成 11239（ゆで）　英 foie gras

本来はがちょうの肝臓であるが，かもやあひるの肝臓もある．がちょうやかもに人工的に大量に餌を与えて，肝臓を肥大化させる．foie（フォア）は肝臓，gras（グラ）は肥ったという意味をもつ．フランスのアンザス，ペリゴール地方のものが有名．日本へは，冷凍品か缶詰で輸入される．キャビア，トリュフと並んで世界の三大珍味の一つである．

◇**成分特性**　茹でたもの100g当たり，水分39.7g，たんぱく質（アミノ酸組成）*（7.0）g，脂質（TAG当量）*48.5g，灰分0.6g，レチノール*1,000μg，ビタミンB_1 0.27mg，葉酸*220μg，鉄*2.7mg．やや黄色を帯びた白色にピンクの筋が入り，きめが細かいものが上質．

◇**調理**　下処理として，形を崩さないように血管や，筋を取り除いて用いる．※日本で使われるフォアグラの大半はフランス産で，冷凍品や缶詰で輸入されている．最近は，適当な厚さに切り，急速冷凍したものが入手できる．

ふか　⇒さめ

 ふ菓子

駄菓子の一種．昭和期の駄菓子の代表格ともいわれ，1970年代ころから再ブームとなり，現在でもスーパーの袋菓子として定着している．強力小麦粉，グルテン，膨張剤に水を加え混練し，紐状に伸ばした生地を焼き上げ，一定の長さに折り，黒砂糖とカラメル色素による蜜に浸し，乾燥した

ふ菓子（平　宏和）

もの．蜜浸し（かけ）を 2 回した二度塗りふ菓子と呼ばれるものもある．

ふかひれ　鱶鰭

[成] 10169　[英] dried shark fin　[別] さめひれ

さめの胸びれ，背びれ，尾びれを乾燥したもの．魚翅（ユーチー）と総称する．生干しを青翅（チンチー），その中で特に皮付きの姿のままの乾燥品を排翅（パイチー），皮を除いた煮干しを堆翅（ドエイチー），さらに表皮も軟骨も除いて筋糸だけを残したものを光翅（グアンチー）といい，これをその色で金翅（ジンチー），銀翅（インチー）に分ける．すべて中国料理の高級材料である．長く煮てゼラチン化の進んだものは特有の弾力性をもち，スープや煮込みの材料として最適である．中国ではふかひれの料理の味付けで，料理人の技術がわかるといわれている．

ふき　蕗

[成] 06256（葉柄 生），06257（葉柄 ゆで）　[分] キク科フキ属（多年生草本）　[学] *Petasites japonicus*　[英] Japanese butterbur　[旬] 2〜3 月（ふきのとう），4〜7 月（葉柄）

日本原産．雌雄異株*で，葉と花が別々の茎につく．葉（葉柄*を含む）をふき，花序*（幼花蕾）をふきのとうと呼ぶ．花序は，次第に伸びて雄株は黄白色，雌株は白色の花を散房状につける．種は白い冠毛をつけ，風でとばされる．ふきはその後 1 カ月ほどしてから芽を出し始める．最初，小葉のふきが出そろい，その後太い葉柄を出し，丸い葉を広げる．

◇**野生種**　北から南まで全国的に野生種がみられ，また朝鮮，中国にも自生がある．古くから葉柄のみならず，葉，花序（幼花蕾）を食用としていたが，栽培の記録はなく，野生または半放任のものの利用であろう．栽培され始めたのは 18 世紀に入ってからである．

◇**採取**：ふきは早期の小葉のものは全体を採ってそのまま食べる．葉柄の太くなったものは葉がようやく広がりきった頃に採るのが最も品質がよい．しかし，次つぎに芽出しするので食用期は長く，4 月頃から 7 月くらいまで採取できる．

◇**栽培種**　栽培種はほとんど種子を形成せず，株分けで繁殖する．品種の分化は十分でなく，古来の品種をそのまま用いている．八つ頭（やつがしら）はふきのとう専用で，その発生が多く，八ツ房（やつぶさ）ともいう．愛知早生は，低温伸長性強く，早生で，株も大きく，現在の主力品種である．水ぶきは根元だけ赤く上が緑色で，品質よく，茎数は多いが，小型・晩生である．秋田ぶきはふきの亜種（*P. j.* subsp. *giganteus*）で，葉柄は長さ 2 m，葉の直径が 1.5 m にも達する．寒地型の極晩生で，品質はよくない．葉柄が全体薄い赤色を帯びているものは赤ぶきと呼ばれ，肉質が軟らかくあまり好まれない．

◇**作型**：当初から作型の分化がみられ，ハウス，トンネルも利用される．促成（2〜4 月どり），半促成（3〜4 月どり），早熟（4〜5 月どり），普通（5 月どり），抑制（12〜2 月どり）栽培がある．

◇**産地**：愛知，群馬．

◇**成分特性**　一般に食用とする葉柄部は，水分が野菜の中では多く，栄養素としては特に顕著な成分は認められず，ビタミン含量も少ない．皮をむくとクロロゲン酸同族体のポリフェノール類が多いため，空気にふれるとポリフェノールオキシダーゼにより褐変化が早い．これらのポリフェノール類の渋味と精油成分の香りおよび独特のテクスチャー要素などによって，日本人の嗜好に受け入れられる食味をもっている．しかし，香りも強く，いわゆるアクも強いため十分に茹でだしたのち強い味付けを行うので，成分の損失も多い．

◇**保存**　貯蔵には，古くから乾燥，寒地での水漬がある．最近は低温保存法の発達で冷蔵，冷凍の

アンジェリカ（ふき葉柄砂糖漬）（平　宏和）

ふき（平　宏和）

ふき佃煮（キャラブキ）（平　宏和）

ふきのとう（平　宏和）

方法をとる．また，塩漬にして貯蔵することもある．

◇**加工**　水煮缶詰の作り方は，葉を切り取ったふきを束にして5～6分煮熟し，水で冷却し，皮をむく．次にこれを水のうえに浮きあがらないようにして2～3日さらし，缶の大きさごとに切って太さを整える．選別したふきは，缶に詰めたのち，脱気，殺菌，冷却を行う．なお，緑色に着色する場合は食用色素が加えられる．このほか，佃煮およびふき（葉柄*）の砂糖漬がアンジェリカと呼ばれ，製菓材料として使われる．なお，本来のアンジェリカは，セリ科のアンジェリカ（*Angelica archangelica*）の茎の砂糖漬である．

◇**調理**　素朴で野生的な香りと特有の苦味があり，アクは極めて強い．まずたっぷりの熱湯で茹でてから水で冷やし皮をむく．生のままではむきにくく，アクで手が汚れ，しかも茹でたときの風味の損失が大きい．茹ですぎるとアクは抜けるが青みを失うので，塩を加え蓋をせずに茹でる．◈繊維組織が多く，短時間の加熱では味が浸透しにくいので，茹でたものを十分時間をかけて含め煮にする．このとき，香りを失わないようにするには，短時間煮たあと，冷ました煮汁へつけておくとよい．素朴な風味を味わうには，茹でて皮をむき，削りがつおとしょうゆをかけて食べる．◈採取したふきは茹でて皮をむき，油揚げやかつお節などで味を付けて煮物にするか，細いものや，小さな葉つきのものは"キャラブキ"にする．皮つきのまま3cmほどに切り，茹でておく．これを油，砂糖，化学調味料，しょうゆ，唐辛子などで調味しながら，トロ火で汁がなくなるまで長く煮つめる．なお，キャラブキは，本来は野草のつわぶき*の佃煮であるが，色濃く仕上げたふきの佃煮もキャラブキと呼ぶ．

●**ふきのとう**

蕗の薹　成 06258（花序 生），06259（花序 ゆで）
英 Fukinoto；(inflorescence of Japanese butterbur)

ふきの花序（幼花蕾）．ふきのとうは冬期でも生長し，雪のないところでは2～3月頃に4～5cmの鱗片状の葉に包まれた楕円球の蕾を出す．積雪地方では雪解けと同時に芽を出し，その頃に採取する．

採取：ふきのとうは蕾が葉で包まれているか，ようやく蕾が開き始めたくらいで採る．または，花序が伸びて花が咲いていて茎が30cmほどに伸びたものを採って，ふきと同じようにして食べられる．

◇**成分特性**　葉柄に比べ水分を除き各成分値が高い．

香気成分：ふきのとうの精油中の成分として，1-ノネン，β-エレメン，β-ビザボレン，1-ウキデセン，1-トリデセン，3-アセトキシ-1-ノネン，1,4,7-トリデカトリエン，その他フキノンなどが認められ，これらが香気を形成している．苦味成分としては，バッケノリド類であることが知られている．

◇**調理**　さっと茹でて水にさらして苦味を抜き，これを細かく切って油で炒めながらみそと砂糖で味付けしてふきみそにする．苦味を好む場合は，茹でないで生のままを用いる．天ぷらにもできる．茹でて苦味抜きしたものを酢みそにしてもよい．

 ふき豆　富貴豆

成 04022　英 Fuki-mame；(hulled broad beans cooked with sugar and salt)　別 ふうき豆；ふっき豆

脱皮そら豆の砂糖煮で，しょ糖40%，食塩0.8%前後含む．市販ふき豆には，食用黄色4号および5号が調合されて用いられている．保存料としてソルビン酸カリウムが添加されている．なお，山形の郷土菓子のふうき豆*は，青えんどうを原料とした豆菓子である．

ふき豆（平　宏和）

 ふぐ　河豚；鰒

分 硬骨魚類，イトマキフグ科・ハコフグ科・フグ科　**英** puffers and coffers；globefish and boxfish　**旬** 冬

ふぐ類は沿岸魚で，フグ目フグ科に属する魚の総称であるが，広義にはフグ目のイトマキフグ科，ハコフグ科，フグ科さらにハリセンボン科（Diodontidae）などの多くの種を含む．「ふぐは食いたし命は惜しし」との言葉のように，内臓や皮などに有毒成分テトロドトキシン*を含んでいる．表1にふぐの種類の見分け方と，部位による毒性の程度を示した．これより明らかなように，一般には肉は無毒か弱毒のものが多いが，どくさばふぐなど南方産のふぐには肉が強い毒性を示すものが含まれているので，食用にすべきでない．また，とらふぐやからすふぐの皮はよいが，しょうさいふぐ，あかめふぐ，まふぐの皮は食用にすると危険である．一般に猛毒性のふぐでは，毒性の個体差も少なく，毒の保有頻度も非常に高いが，毒力のやや弱い種類（とらふぐなど）では個体差も大きく，毒の保有頻度もやや低い．また季節による毒力の変化も極めて大きい．したがって有毒とされる部分でも，時に毒性を示さないことがあるが，毒力の個体差は極めて大きいので，通ぶって有毒な部分を食することはやめるべきである．くさふぐ，こもんふぐ，ひがんふぐには肝臓，卵巣，白子に毒性がある．肉も弱い毒性を示すこともあり，あまり食用に向かない．一般に食用とされるしょうさいふぐも，この類に属するので有毒の部分はもちろん，肉も多量に食しないように注意する必要がある．そのほかのまふぐ，とらふぐ，あかめふぐ，しまふぐ，ごまふぐ，きたまくら，かなふぐは，肝臓や卵巣に毒があるが，白子，肉は無毒で食用とされる．まふぐ1匹の肝臓と卵巣に含まれる毒（テトロドトキシン）の量は，ゆうに20人以上の命を奪うといわれている．そのため，ふぐ料理人には免許制がとられている．

フグ毒はシガテラ毒のように毒化の経路がすべて解明されてはいないが，食物連鎖によるという説が有力である．その根拠の一つとして，餌飼料で養殖されたふぐが無毒に近いことがあげられている．

◇**成分特性**　白身の魚で，成分的にはたんぱく質含量が高いが，脂質含量は極めて低い部類に属する．ビタミン類では，脂質をほとんど含まないことから，脂溶性ビタミン類もほとんど含んでいない．肉質は弾力があって硬いので，刺身としても，普通の厚さでは噛み切るのに苦労する．そのため，独特な厚さ1～2mmの薄造りの刺身とする．また表皮は棘などがあるので，外側をけずり取り食用にし，また皮下組織を"とおとおみ"と称して利用する．いずれも脂質含量は低いが，コラーゲン*を含み，煮こごりにできる．

◇**保存・加工**　ふぐは一般的には刺身，ちり鍋に用いられるが，みそ漬，粕漬，糠漬，塩乾品，燻製，味付け焼きふぐ，焼きふぐをのしたもの，そぼろに昆布やごまを加えたふぐ茶漬などの加工品があり，かまぼこにもできる．これらの加工品には無毒のさばふぐが主として使用され，高価なとらふぐは使わない．名産品的なものでは，石川県のふぐの卵巣の糠漬がある．これは無毒なふぐの卵巣ではないが，卵巣中の毒が糠中に移行して致死量以下になるため食用になる．塩辛いので多量を摂ることがないから中毒のおそれは少ないが，絶対安全ではないので量を多く食べすぎないように注意すべきである．

◇**調理**　ふぐを料理し，提供するためには各都道府県の条例で定めたふぐ調理師の資格をもっていることが必要である．※フグ毒は，種類によっても違うが，卵巣，内臓に集中しているので，これを除き徹底的に水洗したものを食用とする．ただし，種類によっては肉や皮に毒をもつものもあるので，調理は専門家に任せるのが原則である．皮は熱湯を通して，コラーゲンをゼラチンに変え，刺身に添える．ひれは直火焼きにして熱い酒に入れ，ひれ酒とする．※脂肪が少なく淡白な持ち味

くさふぐ（本村　浩之）

に特徴があるので，刺身が最もよい．淡白な味を引き立てるため，ポン酢，あさつき，もみじおろしなどを薬味に添える．※最盛期は冬なので，温かい鍋物によい．ちり鍋のように，あまり調味しない鍋物に向く．※皮のコラーゲンが容易にゼラチン化することを利用し，軟らかく煮つめたものを冷やして煮こごりにする．あなご，すっぽんなどと並び，煮こごり料理の代表である．※白干しも行われるが，みりん干しが特有の味をもち，軽くあぶると酒の肴によい．

●いとまきふぐ

糸巻河豚　分　イトマキフグ科イトマキフグ属
学 *Kentrocapros aculeatus*
英 basketfish　別 地 かわふぐ；かんごふぐ（千葉，静岡）；こごめふくと，こんごおふぐ（高知）
全長15cm．沿岸魚で，体の断面は六角形に近い．無毒であるが，小さく，味はあまりうまくない．青森県から九州，朝鮮，台湾，中国に分布する．

●うみすずめ

海雀　分　ハコフグ科コンゴウフグ属　学 *Lactoria diaphana*　英 roundbelly cowfish　別 地 はこふぐ（東京，混称）；こんごうふぐ（高知，混称）；みずかご（相模湾）
全長30cm．体色は黄褐色．四角い頭の上に牛の角のような2本の棘がある．

●くろさばふぐ

黒鯖河豚　分　フグ科ナバフグ属　学 *Lagocephalus cheesemanii*　英 oceanic puffer
北海道以南の西太平洋に分布する．この種は，日本近海産の肉は無毒だが肝臓，卵巣は猛毒．南シナ海産は肉も弱毒のため注意が必要．

●さばふぐ

鯖河豚　分　フグ科サバフグ属　学 *Lagocephalus spadiceus*　英 half-smooth golden pufferfish　別 標 しろさばふぐ　地 かなとう；かなと（北九州）；ぎんふぐ（東京，神奈川）；きんふぐ（福井，熊本）
全長35cm．体は細長く，体色は背部が黒褐色，腹部は銀色．体側に幅広い黄色の縦帯が1本走っている．毒性はない．味はあまりうまくない．北海道以南の西太平洋に分布する．近縁種にくろさばふぐ，どくさばふぐがある．また，新潟県，石川県方面でさばふぐというのは有毒のごまふぐのことであるから注意を要する．

●しまふぐ

縞河豚　分　フグ科トラフグ属　学 *Takifugu xanthopterus*　英 yellowfin pufferfish　別 地 あかめふぐ（北九州）
全長60cm．体側上方に3条の黒色の縦帯縞があ

しまふぐ（本村　浩之）

る．肝臓と卵巣には猛毒がある．味はとらふぐより落ちる．日本各地を含む東アジアに分布する．

●どくさばふぐ

毒鯖河豚　分　フグ科サバフグ属　学 *Legocephalus lunaris*　英 lunatail puffer
肉，皮，内臓，卵巣すべてが強毒なので食べないようにする．尾びれの上下縁先端に白色部をもたないことで，さばふぐ，くろさばふぐと区別される．神奈川県以南のインド・西太平洋に広く分布する．

●とらふぐ

虎河豚　成 10236（養殖 生）　分　フグ科トラフグ属　学 *Takifugu rubripes*　英 Japanase pufferfish　別 地 おおふぐ（香川）；げんかいふぐ（大分）；ほんふぐ（別府）；まふぐ（下関，広島）；もんふぐ（高知）　旬 冬
全長80cm．体はやや細長く，肥満体で，尾柄部は側扁する．体の背部と腹部に小さな棘が散在し，胸びれの後方やや上に，白縁された黒い大きな斑紋が一つあるのが特徴である．沿岸の砂泥底にすみ，冬はかなり深いところに移動する．肝臓や卵巣は猛毒．腸にも毒性があるが，筋肉や皮，白子にはない．味は最高で，ふぐ料理の王様といわれる．冬，特にうまい．北海道から南日本，朝鮮，東シナ海，台湾などに分布する．近年は養殖も盛んである．

◇成分特性　養殖もので，切り身100g当たり，水分78.9g，たんぱく質（アミノ酸組成）*(15.9)g，脂質（TAG当量）*0.2gを含む．

●はこふぐ

箱河豚　分　ハコフグ科ハコフグ属　学 *Ostracion*

とらふぐ（本村　浩之）

表1　ふぐ類の鑑別および毒性表

属名	和名	異名，方言	成魚の大きさ	特徴 背部の色	特徴 棘
トラフグ属	とらふぐ	ほんとら，まふぐ，もんふぐ	中〜大	黒〜青黒	背，腹面にあり
	からす	がとら	中〜大	黒	同上
	しまふぐ	あかめふぐ	中〜大	濃青	同上
	ごまふぐ	さばふぐ，さふぐ	中〜大	青黒	同上
	こもんふぐ	しょうさいふぐ，なしふぐなどと区別しないところがある	中	淡褐	同上
	くさふぐ	あかめふぐ，すなふぐ	小	緑灰	同上
	まふぐ	なめらふぐ，しょうさい，さばふぐ	中〜大	緑黒	なし
	しょうさいふぐ	ごまふぐ	小〜中	茶褐	なし
	なしふぐ	しょうさい，なごやふぐ	中	茶褐	なし
	ひがんふぐ	あかめ	中	茶褐	なし，いぼ状物あり
	あかめふぐ		中	桃黄褐	なし
サバフグ属	どくさばふぐ		中	同上	同上
	かなふぐ	きんふぐ，ぎんふぐ	中〜大	淡褐，金銀光あり	背面のみにあり
ヨリトフグ属	よりとふぐ	かわふぐ，みずふぐ，ででふぐ	中	青または緑	なし

軟条数のDは背びれ，Aはしりびれ，Pは胸びれ．毒力は厚生労働省：自然毒のリスクプロファイル，魚類・フグ毒より．ふぐの名は地方により違いがあり，また毒性は産地・漁期等でも差異があるので，あくまでも目安である．

immaculutum 英 bluespotted boxfish 別 地 うみすずめ（神奈川，混称）；しゅうり（和歌山，三重，混称）；こごうお（和歌山，混称）；かくふぐ（高知）；こんごうふぐ（高知，混称）

全長 45 cm．磯魚で，体全体が四角い感じで，固い鱗に覆われている．鱗は焼くと簡単にとれる．観賞用に使われ，一般には食用にしないが，毒性はなく，沿岸の漁師は，これをあぶって固い鱗を除いて食べ，美味という．北海道から九州，朝鮮，香港に分布する．

●まふぐ

真河豚 成 10237（生）分 フグ科トラフグ属 学 *Takifugu porphyreus* 英 purple puffer 別 なめらふぐ 地 なめらふぐ（山口）；しょうさい（東京）

全長 45 cm．北海道南部以南の日本各地，東シナ

特　徴			毒　力					
斑紋その他	軟条数	背骨数	卵巣	精巣	肝臓	腸	皮	肉
胸びれ後上方に円形の大斑点．しりびれは白い．	D16〜19 A13〜16 P15〜17	21〜22	×	○	×	×	○	○
とらふぐに似る．しりびれが黒い．黒斑少なく全体が黒い．	D17〜18 A14〜15 P16〜17	21	×	○	×	×	○	○
地色は銀白色，3〜4条の青縞が斜めに走る．各ひれは黄色．	D16〜18 A14〜16 P15〜18	21	×	○	×	×	○	○
黒ゴマ様の灰黒色，小斑点が密布．しりびれは黄色，先端近く黒点がある．	D15〜18 A13〜16 P12〜16	21〜23	×	○	×	×	○	○
眼と同大の白い円紋が密布．しりびれは黄色．	D12〜15 A10〜13 P13〜16	20〜22	×	×	×	×	×	○
白い円斑散在，胸びれ後方と背びれ下に黒斑がある．	D12〜14 A10〜12 P12〜16	19〜22	×	○	×	×	○	○
不明瞭な褐色斑あり．胸びれ後方に大黒斑．幼魚はしょうさいふぐに似る．しりびれは黄褐色．	D12〜17 A12〜15 P13〜17	21〜23	×	○	×	○	○	○
茶褐色の網目状斑点．しりびれは白い．	D12〜17 A10〜13 P13〜16	21〜23	×	○	×	○	○	○
しょうさいふぐに似る．胸びれ後方に菊花状斑点あり．しりびれは白い．	D13〜15 A10〜13 P15〜17	21	×	×	×	×	○	×
小円斑散在．皮にいぼ状突起あり．	D11〜14 A9〜12 P14〜17	21〜25	×	×	×	×	○	○
不規則な小黒斑が散在．	D11〜13 A10〜11 P14〜15	21〜22	○	○	○	○	○	○
刺が背びれまで分布．尾びれの先端が白くない．	D14 A11〜13 P14〜16	17	×	×	×	×	×	×
斑紋なく，わずかに濃淡のむらあり．腹は金または銀色．	D12〜13 A12 P16〜17	18	×	○	×	○	○	○
斑紋なく，腹部はだぶつき一定の形をなさない．	D9 A9 P14〜16	18	×	○	×	×	○	○

海に分布．体は卵形．口は小さい．体側は円滑で，小さい棘はない．体色は背面が褐色，腹面は白色，臀びれは黄色を帯びる．胸びれ後方と背びれの起部に大型の黒色斑がある．体側中央を1条の黄色帯が走る．肝臓，卵巣は猛毒．皮，腸は強毒．肉，精巣は無毒．

まふぐ（本村　浩之）

ふくじん漬　福神漬

成 06143（だいこん 福神漬）　英 Fukujin-zuke; (pickled with Japanese radish, eggplant, immature sword pods, East Indian lotus root, ginger, etc. in soy sauce)

◇原料　東京上野池の端の老舗酒悦が明治の初めに売り出したきざみ野菜のしょうゆ漬で，原料には，大根（割り干しまたは塩漬），なす，きゅうり，白うり，しそ（葉・実），なた豆（若ざや），れんこんなどが使われるが，これらはいずれも塩蔵（下漬）したものである．れんこんは生のものを使う場合もあるが，その場合は細い部分の"みち"と称されているところを湯通しして用いる．

原材料の配合：原材料の配合は使用する野菜の種類などによって異なる．その一例を示すと，大根 10 kg，なす 2 kg，きゅうり 2 kg，なた豆（若ざや）500 g，れんこん 500 g，しその実 500 g，生姜 500 g，しょうゆ 7 L，砂糖 1.5 kg，水あめ 1.5 kg，焼酎 500 mL，コハク酸 8 g，うま味調味料 6 g．

調味液の調合：ステンレスのボールにしょうゆを入れ，50℃ぐらいまで温めて，それに他の調味料を加え 80℃に加熱し，冷却する．それに焼酎を加えて調味液ができあがる．

◇漬け方　大根は 4 つ割か 6 つ割にして 2〜3 mm ぐらいに刻む．きゅうりは縦に半切りにし，横に 3〜5 mm に刻む．なすは 4 つ割にし横に 3〜5 mm に刻む．なた豆は横に 2〜3 mm に刻む．れんこんは細いものはそのまま，太いものは皮をむいて半切りにして，横に 2〜3 mm に刻む．以上の材料を十分塩抜きする．しその葉は塩抜きして細切り，しその実はそのまま塩抜きにして用いる．次に水切り圧搾する．圧搾の程度は材料別にし，大根は 1/5 ほどになるまで強く，きゅうりは 1/3 程度，なすは 1/2 程度とする．

調味液に，圧搾した材料をバラバラにして入れよくかきまぜる．5〜7 日で，圧搾された材料が調味液を吸収して復元すれば食用に供される．この漬物は非常に微生物が繁殖しやすいので低温で保存する．

ふくろたけ　袋茸

分 担子菌類ウラベニガサ科フクロタケ属（きのこ）　学 *Volvariella volvacea* var. *volvacea*　英 paddy straw mushroom　別 チャイニーズ・マッシュルーム

中国原産で傘の形が袋状である．日本には分布していない．袋の中には，さらに小さいきのこが入っている．傘の大きさは開くと直径 7〜13 cm になるが，食用とするのは傘が開く前の直径 2〜3 cm 程度の細長い卵状のもので，表面の色は灰色〜灰褐色．比較的高温を好むので，中国，台湾，東南アジアで広く栽培されている．栽培に稲わらの床を使う．わが国では栽培されず，水煮缶詰の輸入が多かったが，乾燥品も輸入されている．

◇成分特性　『食品成分表』には収載されていないが，『四訂食品成分表』には水煮缶詰の収載があり，100 g 当たり，たんぱく質 2.7 g，脂質 0.2 g，灰分 1.2 g．炭水化物は 4.5 g であるが，ほとんどが不溶性食物繊維である．

◇保存・加工　収穫後天日乾燥するほか，水煮缶詰に加工する．

◇調理　中国料理では代表的なきのこで，味にクセがなく，口当たりがよい．日本では生のふくろたけを入手するのは難しく，輸入水煮缶詰を主に，炒め物，煮込み，スープなどに利用する．

ふさすぐり　⇨カランツ
ふじ　⇨りんご
ふじこ　⇨なまこ（きんこ）

ふじまめ　藊豆；扁豆；鵲豆；藤豆

成 06260（若ざや 生）　分 マメ科フジマメ属（1 年生草本）　学 *Lablab purpureus*　英 hyacinth beans　別 せんごくまめ（千石豆）；あじまめ（味豆）　地 いんげん豆（関西）

熱帯アジア原産で，初夏から秋に，藤色ないし白色の花をつける．若いさやを食する．関西ではいんげん豆とも呼ばれる．わが国へは 9 世紀頃入っていたようであるが，現在は関西以南でわずかに栽培されている．ふじまめの名は花が藤の花を逆さにしたような形をしていることに関係する．通常一つのさやに 3〜4 個の扁平・楕円形の豆を含

福神漬（平　宏和）

む．観賞用（花）の品種もある．
◇**調理**　さやいんげん，さやえんどうと同様，緑色を保持するように，加熱は短時間でとどめる．煮物，揚げ物，炒め物，和え物に適し，和・洋・中すべての料理に使われる．

伏見甘とうがらし　⇨ピーマン

ぶた　豚
成 表1を参照　**分** イノシシ科イノシシ属　**学** *Sus scrofa* var. *domesticus*　**英** swine；pork（豚肉）
別 ポーク（豚肉）

豚はもともとヨーロッパからアジアにかけて分布していたいのししが飼い馴らされて家畜化したものである．家畜化された時期は牛とほぼ同時代で，農耕文化の波及とともに次第に定着し，紀元前2500年頃には完全に家畜化されていたことがハンガリーやトロイの遺跡から見出せるという．近代の豚は約150年前に，ヨーロッパで家畜化されたものにアジアで家畜化されたものが交配されてできた．日本での一般的飼育は明治後期以降であり，1965年頃までは飼育品種はヨークシャー種，バークシャー種に限られていた．それが以後国の経済成長とともに，ランドレース，デュロック等，短期間で体形の大きくなる品種が続々と飼われだし，これらを成長がよく，肉質が優れるように交配した交雑種が豚肉生産の主流を占めるようになった．
◇**養豚の歴史**　日本における養豚の歴史は肉食の歴史が浅いことから，一般にごく新しいことのように思われるが，実際には遠く有史以前に遡る．『古語拾遺』には白猪献上のことが記され，仁徳天皇や天智天皇の頃には豚が飼育され，食用に供されていた記録が，『日本書紀』ほかに残っている．中世以降に至っても元禄時代に貝原益軒が『大和本草』に記すなど，表面の肉食禁令をよそに実際は微々たるものながら，その飼育や消費が続けられていたことを示す記録が残っている．ただし，アラブ諸国など回教徒（イスラム教）の国では現在でも豚肉は食べられていない．
◇**品種**　豚は肉たんぱくの供給源としてのみならず，動物性脂肪の供給源としても貴重であり，種類もそれらの利用目的に応じて，生肉用，脂肪用，加工用に3大別される．

生肉用（ポークタイプ・ミートタイプ）：ロース芯が太く，もも肉が張り，肉付きがよく，肉質も脂肪が適度にのり，きめが細かく，味のよい良質の肉を産するもので，バークシャー，ヨークシャー，ブリティッシュサドルバック，スポッテッド，ハンプシャーなどがある．

加工用（ベーコンタイプ）：脂肪の少ない，赤肉の多い，やや肉質には難があるが産肉効率が高く，保存や加工品原料に適した肉を産するもので，ランドレース，大ヨークシャー，タムウォースなどがある．

脂肪用（ラードタイプ）：いうまでもなく，脂肪の生産量の多いもので，発育が早くて，早肥早熟のほか，繁殖力，成育率がよく，性質が強健で，特に暑さに強く，飼いやすいものが要求される．ポーランドチャイナ，チュスターホワイト，デュロックなどがこれに属する．ただ，このうちポーランドチャイナやデュロックは近年の品種改良の結果，最近ではむしろ加工用といえるようになってきている．
◇**飼養**　世界的にはアジアが最も多く，なかでも中国は世界総飼育頭数の半数近くを占める．次いで米国，ブラジル，スペインの順である．アフリカ，オセアニアでも飼育されているが，その数は少ない．日本は第17位で約900万頭である（2020年）．一方，豚肉の生産量は，かつてはヨーロッパが最も多かったが，近年では生産性の向上により飼育頭数に応じ，中国，ヨーロッパ，米国の順となっている．

飼料：米国のコーンベルトのように，とうもろこしによる豚の大肥育地帯，デンマークのように大麦を主体にするところ，中国のように農場残滓廃棄物を中心にしたりするところなどもある．おしなべて養豚が，根菜文化と結びついて発生したように，新大陸から旧大陸へ新たに渡来したいも類が，重要な役割を演じている．すなわち，ドイツのようにじゃがいもが養豚と結びついた例，あるいはわが国のようにさつまいも（主として屑いも，あるいはでん粉粕）が養豚と結びついた例などである．したがってわが国では，さつまいも地帯である関東，東海，南九州が主産地であったが，最近では土地と結びつかなくなって，もっぱら配合飼料の購入に依存したり，あるいは食品製造残渣をエコフィードとして利用する大規模経営も増加している．
◇**流通**　豚肉の輸入は自由化されていて，また，従来の家畜商→卸問屋・仲卸人→小売商という流通組織が崩れはじめて，農協→ミートパッカー→スーパー・小売店という精肉販売ルートでも流通している．
◇**品質特性**　肉は，明るい光沢のある淡紅色で，

表1 ぶたの成分組成（日本食品標準成分表2020年版（八訂）より） （100g当たり）

食品番号・食品名		エネルギー (kcal)	水分 (g)	たんぱく質 (アミノ酸組成) (g)	脂質 (TAG当量) (g)	利用可能炭水化物 (g)	灰分 (g)	ビタミン B₁ (mg)
かた	**大型種肉**							
11115	脂身つき 生	201	65.7	18.5†	14.0	(0.2)*	1.0	0.66
11116	皮下脂肪なし 生	158	69.8	19.7†	8.8	(0.2)*	1.0	0.71
11117	赤肉 生	114	74.0	20.9†	3.3	(0.2)*	1.1	0.75
11118	脂身 生	663	22.0	5.3†	71.3	0*	0.3	0.20
	中型種肉							
11141	脂身つき 生	224	63.6	18.3†	16.8	0*	0.9	0.70
11142	皮下脂肪なし 生	172	68.5	19.7†	10.4	0*	1.0	0.75
11143	赤肉 生	113	74.0	21.4†	3.1	0*	1.1	0.82
11144	脂身 生	698	19.1	4.9†	75.4	0*	0.3	0.19
かたロース	**大型種肉**							
11119	脂身つき 生	237	62.6	(14.7)	18.4	3.4‡	1.0	0.63
11120	皮下脂肪なし 生	212	65.1	(15.2)	15.2	3.5‡	1.0	0.66
11121	赤肉 生	146	71.3	(16.7)	7.1	3.8‡	1.1	0.72
11122	脂身 生	644	23.6	(5.4)	69.1	0*	0.3	0.23
	中型種肉							
11145	脂身つき 生	241	62.0	(15.2)	18.6	3.2‡	1.0	0.70
11146	皮下脂肪なし 生	212	64.8	(15.8)	15.0	3.4‡	1.0	0.74
11147	赤肉 生	140	71.5	(17.4)	6.1	3.9‡	1.1	0.82
11148	脂身 生	663	22.3	(5.4)	71.3	0*	0.4	0.21

かた

かたロース

軟らかく，きめが細かく，適度な硬さの脂肪が付着している．畜種による特異臭はあまり強いものではなく，色は牛肉，羊肉に比し淡色である．脂肪は沈着しやすく，皮下に厚い脂肪層を形成するほか，筋間にもよく蓄積する．近年は筋肉内脂肪を蓄積させることで嗜好性の向上を企図する銘柄もある．脂肪の質は一般に白色で，融点が低く，口腔内で容易に溶ける．これは豚肉が冷食に適し，またハム，ベーコン，ソーセージなどの加工品原料として高く評価される理由でもあるが，同時にそれはまた，脂肪の微妙な硬軟が肉の品質の良否に大きな影響をもつことを示唆している．

特殊品質肉：近年消費嗜好の高まりとともに，栄養成分からいえばまったく同じような品質の豚肉でも，生産・流通に差別化が進められるようになってきた．SPF豚や黒豚はその過程で生まれてきた豚肉である．

異常肉：近年，豚は赤肉歩留まりの向上と産肉の経済性を追求するあまり，色が極めて淡く（pale），軟質で（soft），肉汁が出やすい（exudative）という食用に不適な欠陥をもつ異常肉が生産されるようになった．この肉はそれぞれの頭文字を取ってPSE肉（PSE meat）と呼ばれるが，またウォータリーポーク，ふけ肉，むれ肉などとも呼ばれる．また，色が濃く（dark），硬く（firm），水気の少ない（dry）肉がある．このDFD肉（DFD meat）も異常肉である．

鑑別：豚肉の品質は香り，肉のきめ，脂肪の質

食品番号・食品名		エネルギー (kcal)	水分 (g)	たんぱく質 (アミノ酸組成) (g)	脂質 (TAG当量) (g)	利用可能 炭水化物 (g)	灰分 (g)	ビタミン B₁ (mg)
ロース	大型種肉							
11123	脂身つき 生	248	60.4	17.2	18.5	3.0*	0.9	0.69
11124	脂身つき 焼き	310	49.1	23.2	22.1	4.4*	1.2	0.90
11125	脂身つき ゆで	299	51.0	21.7	23.4	(0.3)*	0.7	0.54
11126	皮下脂肪なし 生	190	65.7	(18.4)	11.3	3.6*	1.0	0.75
11127	赤肉 生	140	70.3	19.7	5.1	3.8*	1.1	0.80
11128	脂身 生	695	18.3	5.3	74.9	0*	0.3	0.22
11276	脂身つき とんかつ	429	31.2	19.0	35.1	8.8*	1.1	0.75
	中型種肉							
11149	脂身つき 生	275	58.0	(15.6)	22.1	3.5*	0.9	0.77
11150	皮下脂肪なし 生	203	64.6	17.8	13.1	3.5*	1.0	0.86
11151	赤肉 生	131	71.2	(19.3)	4.1	4.3*	1.1	0.96
11152	脂身 生	716	17.3	(4.1)	77.7	0*	0.3	0.19
ばら	大型種肉							
11129	脂身つき 生	366	49.4	12.8	34.9	(0.1)*	0.7	0.51
11277	脂身つき 焼き	444	37.1	16.5	41.9	(0.1)*	0.8	0.57
	中型種肉							
11153	脂身つき 生	398	45.8	(11.6)	39.0	0*	0.7	0.45

† たんぱく質, * 質量計, エネルギー計算は単糖当量に基づく, ＊差引き法

ロース

ばら

が評価因子となる．特に脂肪の質の違いは餅豚（もちぶた），水豚（みずぶた），軟脂など，それにより特別な品質の豚肉を表す言葉までつくり出されている．軟脂は，脂肪が外観的には正常豚とあまり変わらないが，低級脂肪酸や不飽和脂肪酸＊を割合多く含み，軟化点が低く，凝固してもあまり固くならない脂肪をいう．このような脂肪の肉はしまりのない肉として低く評価される．

◇**規格** 豚肉についての規格基準はほぼ牛肉と同じように整備され，枝肉取引規格，部分肉取引規格，小売肉品質基準および副生物取引規格の4つが設けられている．それぞれの規格の設定の経緯や時期，目的，形成などはほぼ牛肉の場合と同じである．特に牛肉の場合と大きく違う点は，①枝肉では質量と背脂肪の厚さとの組み合わせで区分され，それを外観と肉質によって判定し，極上，上，中，並，等外の5段階に格付けすること，②肉質の判定で赤肉中の脂肪の存在状態は別途の規格として Pork Marbling Standard（PMS）がオプションとして設けられ，枝肉の格付には反映されないこと，③部分肉では部位の分割が5部位で，等級が2区分であること，④小売肉では部位が7部位であること，などである．

◇**成分特性** 豚は特に脂肪を利用する品種があるくらいで，脂肪の多い肉資源として知られている．しかし近年は飼育期間が短縮され，生後6カ月前後のまだ若いうちに食用に供されるうえ，品種も肉量の多い，脂肪の少ないものに切り替えられ

表1 ぶたの成分組成（つづき） （100g当たり）

食品番号・食品名		エネルギー(kcal)	水分(g)	たんぱく質(アミノ酸組成)(g)	脂質(TAG当量)(g)	利用可能炭水化物(g)	灰分(g)	ビタミンB₁(mg)
もも	**大型種肉**							
11130	脂身つき 生	171	68.1	(16.9)	9.5	4.6*	1.0	0.90
11131	皮下脂肪なし 生	138	71.2	18.0	5.4	4.3*	1.1	0.94
11132	皮下脂肪なし 焼き	186	60.4	26.8	6.7	4.6*	1.5	1.19
11133	皮下脂肪なし ゆで	185	61.8	25.2	7.1	4.9*	0.9	0.82
11134	赤肉 生	119	73.0	(18.0)	3.1	4.8*	1.1	0.96
11135	脂身 生	611	25.5	(6.5)	65.0	0*	0.4	0.34
	中型種肉							
11154	脂身つき 生	211	64.2	(16.1)	14.3	4.4*	1.0	0.90
11155	皮下脂肪なし 生	153	69.6	(17.4)	7.1	4.8*	1.1	0.98
11156	赤肉 生	133	71.5	(17.9)	4.7	4.9*	1.1	1.01
11157	脂身 生	672	20.7	(5.2)	72.3	0*	0.3	0.23
そともも	**大型種肉**							
11136	脂身つき 生	221	63.5	(15.6)	15.9	4.0*	1.0	0.79
11137	皮下脂肪なし 生	175	67.9	(16.6)	10.1	4.4*	1.0	0.85
11138	赤肉 生	133	71.8	(17.5)	5.0	4.7*	1.1	0.90
11139	脂身 生	631	24.9	(6.6)	67.2	0*	0.4	0.27
	中型種肉							
11158	脂身つき 生	252	60.6	(14.9)	19.6	4.0*	0.9	0.70
11159	皮下脂肪なし 生	159	69.2	(17.2)	8.0	4.5*	1.1	0.81
11160	赤肉 生	129	72.0	(17.9)	4.3	4.7*	1.1	0.84
11161	脂身 生	660	22.2	(4.9)	71.1	0*	0.4	0.24

もも

そともも

るようになったため，その栄養成分は牛肉や羊肉とあまり変わらず，特に皮下脂肪のほとんど除かれた肉にあっては，脇腹肉（ばら）を除けば鶏肉や羊肉よりむしろ脂肪が少なく，たんぱく質が多くなる傾向となっている．豚肉で特に多い微量成分はビタミンB_1である．品種，飼養の変化に関係なく，他動物の肉の約10倍を示す．たんぱく質のアミノ酸組成は牛肉や羊肉とほとんど同じであるが，脂肪酸組成はオレイン酸*やパルミチン酸，ステアリン酸，リノール酸*が多い．消化率は95〜96%である．内臓は，特に肝臓がリン，鉄*，ビタミンA，B_2，ナイアシン*に富み，消化もよいので，栄養価値が高い．

◇**保存** 豚肉は牛肉と比較して屠殺後の変化が早い．家庭での保存は冷蔵庫で，スライス肉2〜3日，塊りで1週間が最高限度と考えてよい．

◇**加工** 肉の中で最も加工利用の範囲が広く，また非常に加工品の種類の多いものである．代表的な種類としてハム，ベーコン，ソーセージ，焼き豚などがあげられる．また内臓類も焼きとりの材料として広く利用される．

◇**調理** 一般に肉質が軟らかく牛肉ほど調理に用

食品番号・食品名		エネルギー (kcal)	水分 (g)	たんぱく質 (アミノ酸組成) (g)	脂質 (TAG当量) (g)	利用可能 炭水化物 (g)	灰分 (g)	ビタミン B_1 (mg)
ヒレ	大型種肉							
11140	赤肉 生	118	73.4	18.5	3.3	3.7*	1.2	1.32
11278	赤肉 焼き	202	53.8	33.2	4.9	6.1*	2.0	2.09
11279	赤肉 とんかつ	379	33.3	21.8	24.0	18.5*	1.4	1.09
	中型種肉							
11162	赤肉 生	105	74.2	(18.5)	1.3	4.7*	1.3	1.22
ひき肉								
11163	生	209	64.8	15.9	16.1	(0.1)*	0.9	0.69
11280	焼き	289	51.5	22.3	19.9	(0.1)*	1.3	0.94

† たんぱく質,＊質量計,エネルギー計算は単糖当量に基づく,＊＊差引き法

ヒレ

ひき肉

いる部位に厳密な制限はないが,脂肪の多い部分と少ない部分によって**表2**のように使い分けるとよい.内臓もほとんど利用できる(ぶたの副生物＊).※豚肉は脂肪に特徴があり,脂身を残したまま調理に用いる.脂身は豚肉を単独で食べる場合だけでなく,他の食品とともに豚肉を炒めるときにも用いられる.※肉そのものを味わうほか,炒め物や煮物のように,他の食品に味を移す目的で用いることが多い.伝統的な日本料理には豚肉は少ないが,とんかつや豚汁をはじめ,明治期以後の和洋折衷料理には独自なものがあり,日常食ではむしろ牛肉より一般的な食品材料である.味付け中心で炒め物や煮物の多い中国料理では,あらゆる形式の料理に広く用いられる.※牛肉と違ってE型肝炎ウイルス,寄生虫,食中毒菌のリスクが高いため,必ず中心部まで十分に火を通すようにする.牛肉のステーキは厚く切って焼いてもよいが,豚肉はカツレツ(とんかつ),ソテーなど,乾式加熱の場合は,中心まで十分に加熱可能な厚さにとどめる.※骨はスープストックの素材として利用.麺のスープなどに用いられる.※鹿児島県の郷土料理の「豚骨」は足先や骨付きのばら肉を,軟らかくなるまで長時間煮込んだ料理である.

● SPF豚
英 SPF pig
SPFはspecific pathogen freeの略.豚の成長に有害な特定病原菌に冒されていない豚ということから,飼育中十分に衛生管理された豚肉を表示する意味で用いられる.

● 黒豚
皮や毛の黒い豚で,もともと鹿児島で生産されたバークシャー種の肉が,成長の速いランドレース種などの白毛の豚より味が濃いということから,それらを交配した体毛の黒い豚を流通上差別化するために一般化して用いられるようになった呼称である.白豚と黒豚の違いは,端的にいえば皮毛の色の違いをいっているが,販売上の用語にも利用されている.「黒豚」と表示できるのは,バークシャー純粋種の豚肉だけである.

● トウキョウX
東京都で作出された銘柄豚,特に肉質(脂肪分散)を選択因子においたところに特徴がある.認定されたブタの系統名を「トウキョウX」,豚肉としてのブランド名は「TOKYO X」である.

● 豚トロ
トントロは豚の首筋周りの肉の業界用語である.したがって明瞭な部位の特定はない.脂肪の多い

表2　豚肉の部位と調理法

部位	加熱法	調理法	調理の例
ヒレ／ロース／かたロース	乾式／〃／〃／〃	直火焼き／鉄板焼き／蒸し焼き／揚げ物	バーベキュー／ポークソテー／ローストポーク／ポークカツ（とんかつ），炸裡脊（チャーリーチー；薄切りの揚げ物）
そともも	乾式／〃／〃	直火焼き／炒め物／揚げ物	チャーシュー，焼き肉／豚肉炒め／ポークカツ（とんかつ）
かたもも	乾式／〃／湿式／〃	直火焼き／揚げ物／煮物／煮込み	つけ焼き，串焼き／串かつ／茹で豚，ポークビーンズ／カレー，シチュー
ばら	乾式／〃／湿式／〃	炒め物／揚げ物／煮込み／汁物	肉炒めなど調理一般／唐揚げ，酢豚／シチュー，角煮／豚汁
ひき肉	乾式／〃／〃	鉄板焼き／炒め物／揚げ物	ハンバーグステーキ／ミートソースなど調理一般／肉だんご
かしら／もつ	乾式／湿式	直火焼き／煮込み	焼きとり／もつ煮込み

部分肉で，この名称はまぐろのトロからきている．2000年初頭頃から焼き肉外食産業の発展とともに一般に普及・定着した．ジョウルミートとも呼ばれる．

●銘柄豚

銘柄豚肉とは，差別化等を企図して何らかの銘柄を付した豚肉であり，公的な定義はない．日本全国各地でさまざまな銘柄豚が飼育され，その数は400以上にに及ぶという．

 ぶだい

部鯛；武鯛；舞鯛；不鯛；歩鯛

分 硬骨魚類，ブダイ科ブダイ属　学 *Calotomus japonicus*　英 Japanase parrotfish　別 もはみ
地 いがみ（関西，和歌山，三重）；もはん（熊本）；イラブチャー（沖縄）　旬 秋〜冬

千葉県以南の南日本と台湾に分布する．藻場や岩礁域に生息する．全長50cm．性転換し，大型個体は雄である．

◇**成分特性**　夏のものは磯のにおいが強い．寒くなるとにおいが減る．刺身，煮付けにする．普通，かまぼこには用いない．

◇**調理**　クセのある味のため，香辛料や香草類を利用するとよい．新鮮なものは刺身になるが，酢みそを添え，好みでおろし生姜や辛子などを混ぜて食べる．そのほか，香味野菜を入れて蒸し煮にし，ソースを添えるのもよい．

●**なんようぶだい**

南洋武鯛　分 ハゲブダイ属
学 *Chlorurus microhinos*　英 steephead parrots
別 ゲンナー・イラブチャー（沖縄）

体長80cmに達する．成魚になると額が少し出っ張り角張る．頭部の下部から腹にかけては淡青色．口角から胸びれの基部にかけて青藍色の縦帯が走る．潮通しのよい外洋に面したサンゴ礁を好み，夜間は粘液でつくったまゆのような膜を被って眠

なんようぶだい（本村　浩之）

ることで知られる．静岡県以南のインド・太平洋に分布し，食用とされる．また，近似のあおぶだいは，食物連鎖による猛毒のパリトキシンをもち，食中毒（死亡事故もあり）も多い危険種である．なんようぶだいも内臓の食用は避ける．

ぶたの副生物

英 swine offals

豚の場合，毛を除いてはその全部が食用に供される．日本では，牛と同様，1頭の豚から得られる肉以外の産物のうち，皮以外のものを副生物という．中華・洋風料理の材料として重宝されるものも多く，豚の副生物は食材の宝庫である．臓物（もつ）の煮込みは，その中で代表的なホルモン料理である．豚でも，食用に供される副生物の処理基準は1980年頃から業界で決められており，それによると，全国的に商品化の多いものは頭肉，舌，食道，心臓，肝臓，横隔膜，胃，小腸，大腸，子宮，腎臓である．なお，皮は専門業者の手に渡り，脱毛後精製処理されて，ゼラチンとして製菓原料等広汎な用途に向けうれる．

●胃
成 11168（ゆで）　**英** stomach　**別** ガツ

1頭の豚から約0.5kgのものが得られる．肉厚で，損傷のないものが上質である．茹でて販売されることが多い．茹でたもの100g当たりたんぱく質（アミノ酸組成）*（12.9）g，脂質（TAG当量）*4.1gを含む．

◇**調理**　牛の胃より軟らかく，食べやすい．手間がかかるが，牛の胃と同様，下処理後，香味野菜を使って茹でる．調理法は，しょうゆ・みりん・酒で下煮して，和え物，串焼き，鉄板焼きなどにする．

●肝臓
成 11166（生）　**英** liver　**別** レバー

1頭の豚から約1.5kgのものが得られる．色がよく，欠損部分がないものが上質である．牛のものよりも色が薄く，クセが少ない．100g当たりたんぱく質（アミノ酸組成）*17.3g，脂質（TAG当量）1.9gを含む．鉄*が13.0mg，レチノール*が13,000μgと多い．牛や鶏のレバーと同様，栄養豊富である．鉄は加熱により活性化し，アラキドン酸を酸化して特有の生臭みを生じる．

◇**調理**　血抜きしてから調理する．薄くスライスして，ソテーにしたり，炒め物，煮込みにする．にらとの相性もよい．レバーペーストの原料にもなる．

●子宮
成 11171（生）　**英** uterus　**別** こぶくろ（子袋）

若い雌豚のものが利用される．1頭の豚から0.3kg弱のものが得られる．色がよく，損傷のないものが上質である．100g当たりたんぱく質（アミノ酸組成）*（11.7）g，脂質（TAG当量）0.5gを含む．

◇**調理**　味は淡白で，和え物，網焼き，煮込みにする．

●舌
成 11164（生）　**英** tongue　**別** タン

100g当たりたんぱく質（アミノ酸組成）12.6g，脂質（TAG当量）15.2gを含む．ビタミンB_2が0.43mgと多い．

◇**調理**　舌の表皮は比較的薄いが，調理の際には取り除く．薄くスライスしてバターで焼いたり，煮込み料理とする．いずれにしても長時間加熱して硬さを和らげる工夫が必要である．

●小腸
成 11169（ゆで）　**英** small intestine　**別** ひも

1頭の豚から約1.4kgのものが得られる．色がよく，肉厚で，夾雑物がなく，損傷のないものが上質である．茹でて販売されることが多い．茹でたもの100g当たり，たんぱく質（アミノ酸組成）（11.2）g，脂質（TAG当量）11.1gを含む．

◇**調理**　ソーセージなどの腸詰めの材料として，

胃（ガツ）

肝臓（レバー）

子宮（コブクロ）

豚の副生物（日本畜産副産物協会）

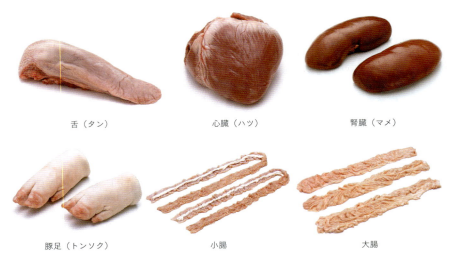

豚の副生物（日本畜産副産物協会）

舌（タン）　心臓（ハツ）　腎臓（マメ）
豚足（トンソク）　小腸　大腸

欠かせない．小腸そのものは，ホルモン焼きに用いることが多いが，中国・韓国・沖縄料理では煮込み料理に用いられ，洋風にはグリル焼きやフライにして食べる．

●心臓

成 11165（生）　英 heart　別 ハツ；こころ

1 頭の豚から約 0.3 kg のものが得られる．肉厚できめの細かいものが上質である．100 g 当たり，たんぱく質（アミノ酸組成）*13.4 g, 脂質（TAG 当量）*5.0 g を含む．鉄*が 3.5 mg, ビタミン B_2 が 0.95 mg と多い．

◇調理　血抜きしてからスライスして焼き肉にする．煮込みもよい．

●腎臓

成 11167（生）　英 kidney　別 まめ

1 頭の豚から約 0.07 kg のものが得られる．100 g 当たりたんぱく質（アミノ酸組成）*11.4 g, 脂質（TAG 当量）3.3 g を含む．鉄が 3.7 mg, レチノール*が 75 µg と多い．

◇調理　内部の尿腺に臭みがあるので，取り除いて調理する．もつ焼きや，炒め物，煮込みにすることもある．

●大腸

成 11170（ゆで）　英 large intestine

1 頭の豚から 1 kg 強のものが得られる．色がよく，肉厚で，夾雑物がなく，損傷のないものが上質である．茹でて販売されることが多い．茹でたもの 100 g 当たりたんぱく質（アミノ酸組成）(9.4) g, 脂質（TAG 当量）12.9 g を含む．そのほか，ビタミン K が 26 µg と多い．直腸の部分は，てっぽうとも呼ばれる．

◇調理　小腸に比べ太く，コリコリとした歯応えがある．調理法は，小腸と同じである．

●豚足

成 11172（ゆで）　英 pig's feet

1 頭の豚から約 1.3 kg のものが得られる．損傷のないものが上質である．茹でたもの 100 g 当たりたんぱく質（アミノ酸組成）20.1 g, 脂質（TAG 当量）16.3 g を含む．たんぱく質はコラーゲン*で，アミノ酸組成からみた栄養価は低い．

◇調理　火であぶって毛を落としてから調理する．よく煮込んで，コラーゲンをゼリー状にして食べる．フライにしたり，酢みそをつけて食べることもある．中国，韓国，沖縄料理などに用いられる．

●軟骨

成 11173（ゆで）　英 cartilage　別 ふえがらみ

豚の気管，食道の一部，それに付随した軟骨の部分を指す．1 頭の豚から約 0.1〜0.2 kg のものが得られる．損傷のないものが上質である．周囲の脂肪を取り除いて売られている．茹でたもの 100 g 当たりたんぱく質（アミノ酸組成）(15.1) g, 脂質（TAG 当量）17.3 g を含む．

◇調理　コリコリとした歯応えがあり，串焼き，あるいは煮物やシチューなどの煮込み料理に適する．

軟骨（ノド軟骨）

横隔膜（ハラミ）

頭肉（カシラニク）

ミミ

ふだんそう　不断草

成 06261（葉 生），06262（葉 ゆで）　**分** ヒユ科フダンソウ属（1～2年生草本）　**学** *Beta vulgaris* var. *cicla*　**英** Swiss chard　**別** とうぢしゃ（唐萵苣）；つねな；あまな；うまいな；スイスチャード

食用ビート，てんさい（砂糖大根）と同一種で，野生種はヨーロッパの海岸から中近東にまでみられる．ビートやてんさいは根を利用するが，本種の根は肥大しない．最も古い野菜の一つで，ヨーロッパでは 3,000 年前頃，中国でも 1,500 年前頃から記録がある．わが国へは 17 世紀に中国より渡来した．

◇**品種**　耐暑・耐乾性が強く，ほうれんそうのつくれないときにその代用とされる．葉が淡緑，葉柄が淡緑扁平，葉面がなめらかな在来の小葉種，明治になり導入され，葉が青緑，葉柄が白色で厚く，葉面がややしわのある大葉の洋種白茎などがある．7～9月を中心に，周年的に利用される．

産地：関西，九州地方での栽培が多い．

◇**成分特性**　成分は比較的濃度が高く緑葉類の特性が認められる．すなわち，灰分が多く，カルシウム，鉄*が比較的多い．特にカリウムは多く含まれる．カロテン含量も高い．アクが強いので十分に茹でてから食べるが，茹でることにより灰分，カリウムは 50％，鉄も 55％，ビタミンCは 60％溶出する．

◇**調理**　茹でてお浸し，ごま和え，汁の実などに，ほうれんそうと同様に用いる．味は大味で，ややアクが強い．特に葉の部分にアクが強く，むしろ柄を食べるようにし，茹でてからよく水にさらす．サラダに用いることもできるが，味は劣る．

プチオニオン　⇒たまねぎ（小たまねぎ）
プチトマト　　⇒トマト（ミニトマト）

ブッシュ・ド・ノエル

仏 bûche de Noël

ブッシュ・ド・ノエルは，クリスマスの夜に暖炉で燃やしつづける薪の意味．マロンクリームや生クリームを間に巻き込んだロールケーキを，薪のように端を切って表面にチョコレートクリームを塗り，木のように筋をつけてつくるクリスマスケーキの一種である．マジパンや砂糖でつくった

ふだんそう（平　宏和）

きのこやリスなどを飾ると，いっそう楽しいケーキになる．

ブッセ

日本の菓子で，フランス語の「一口」という bu-chée から名称を取ったといわれている．軽いスポンジ生地を小型のドラ焼きのように焼き，バタークリーム，ショートニングクリームなどを挟んだ製品である．

ブッセ　上：チョコレート，下：カスタード（平　宏和）

プディング

成 15086（カスタードプリン）　英 pudding
別 プリン

一般にはプリンとも呼ばれ，牛乳，卵，砂糖などを原料として，型に入れて蒸し焼きにしたデザート菓子である．もともと英国で創製されたもので，その後ヨーロッパに広まり，家庭料理として一般に愛好されている．

◇種類・分類　日本の洋菓子店で売られているプディングといえば，カスタードプディング（カスタードプリン）であるが，このほかに，米飯を用いたライスプディング，パンを用いたパンプディング，チョコレートを加えたチョコレートプディング，パンと栗の裏ごしを使ったマロンプディング，クリスマスにつくられる砂糖漬のフルーツや，干しぶどうの入ったプラムプディングなどがある．また，牛乳を多く使用し，砂糖，卵黄をゼラチンなどのゲル化剤で固めたミルクプディングなどもあり，多くの種類がある．最近は，海藻から抽出した糊料，カラギーナン*をゲル化剤として凝固させたプラスチック容器入りのプディングや，缶詰にして殺菌し，常温流通のできるものが広く販売されている．

凝固の原理：プディングの固まる原理は，カス

プディング　上：カスタードプディング，下：ミルクプディング（平　宏和）

タードプディングでは，配合された鶏卵のたんぱく質が加熱中に熱凝固するのを利用する．凝固の程度は，配合される副材料によって異なるが，一般に牛乳や砂糖の量が多くなり，卵の配合割合が少なくなると軟らかくなる．

◇原材料・製法　まず砂糖に水を加えて，直火にかけ，こげ色が着くまで煮つめてカラメルソースをつくり，プリン型の底に入れる．鶏卵に砂糖を加えてよくほぐし，別の器で沸騰寸前まで加熱した牛乳を少量ずつ加え，なめらかな混合液をつくる．これに洋酒や香料を加え，細かいふるいで裏ごしし，用意したプリン型に流し入れる．プリン型は水を入れた角状天板に並べて，オーブンで焼く．オーブンの温度は180℃ぐらいで，下火を弱くして蒸し焼きにする．下火が強いと，天板の湯が沸騰して製品の上に飛ぶおそれがあり，急激に温度が加わることによって，鶏卵のたんぱく質だけが早く凝固しすぎて，すがたち，見た目もわるく，口触りの粗い製品ができるので注意を要する．30〜40分蒸し焼きにしてできあがる．

ぶどう　葡萄

成 07116（皮なし　生），07178（皮つき　生），07122（缶詰），07120（70％果汁飲料），07121（10％果汁飲料）　分 ブドウ科ブドウ属（つる性落葉性低木）　学 Vitis spp.　英 grapes

アジア原産のヨーロッパブドウ（Vitis vinifera

と北アメリカ原産のアメリカブドウ（V. labrusca）に大別される．前者からは地中海沿岸における品質優良な西部系の品種群，中央アジアにおける東部系品種群が育成された．アメリカブドウは，ヨーロッパブドウのように1種ではなく，V. labruscaのほかにも多くの種がある．ヨーロッパブドウは紀元前30世紀から栽培されていたといわれ，歴史は古い．アメリカブドウは北米の野生種が改良されたもので，栽培の歴史は200年ほどにすぎない．

◇**品種**　世界のぶどうの品種は1万種以上に及ぶ．日本では主な品種50〜60種を含む150種以上が栽培されている．そのうち，最も栽培の多い品種は巨峰，デラウェア，ピオーネ，キャンベルアーリー，ナイアガラ，スチューベン，甲州，シャインマスカットなどであるが，巨峰，ピオーネ，シャインマスカット，デラウェアの栽培総面積が多く占め，巨峰とピオーネで栽培面積の5割になる．ワイン用では，日本固有品種に白ワイン用の甲州，赤ワイン用のマスカット・ベリーAなどがある．一方，外来品種では，多くの品種がみられる．また，品質・性状は変化に富み，小粒種から大粒種まで形状もさまざまで，果色も白色から黒色まで変異が多い．主要品種を項末に記す．

種なしぶどう：ぶどうは通常4個の種子を有するが，植物ホルモンのジベレリンで処理すると単為結果*（たんいけっか）し，種なし果実となる．デラウェアに広く応用される処理法は，5月中〜下旬頃の開花14日前と，開花10日後に100ppmのジベレリン水溶液をコップ状の容器で浸漬する方法がとられる．処理果実は約20日ほど熟期が早まって，糖分は多くなる．しかし酸が減少しないので，十分熟させてから収穫する．

産地：ぶどうは世界で最も生産量の多い果実で，2018年には約7,700万トン/年が生産され，その多くがワインに加工されている．南北両半球で生産されているが，品質は北半球の方が優れている．世界におけるぶどうの主産国は，中国，米国，イタリア，スペイン，フランスである．わが国では山梨，長野，山形，岡山などであるが，日本全国にわたり生産されている．

◇**成分特性**　果実の廃棄率は，品種により異なるが，15%である．種子は全質量の10%を占める．種子中には5〜8%のタンニン*と10〜20%の油（グレープシードオイル*）を含む．果皮は8〜15%で，その表皮の外側はクチクラ層で覆われ水や空気を遮断している．糖分はしょ糖の形で葉から果実に移行し，果実に糖が蓄積する．1房当たりの最低葉面積は2,000〜3,000cm^{2}が必要で，これが少なくなると果実の糖分が少なくなる．しょ糖の形で移行してきた糖は，果実内ではその99%がぶどう糖と果糖の形で集積する．果糖とぶどう糖含量の比は0.74〜1.05で，ほぼ等量である．そのほかの糖類としては少量のしょ糖，ラフィノース，スタキオース，麦芽糖*，ガラクトース*を含む．主要な酸は酒石酸*とリンゴ酸*各50%前後で，この両者で全酸の90%を占める．酸含量は品種により差異が大きく，100g中0.30〜1.20gの幅がある．ペクチン質も多く，0.1〜0.4g含まれる．このほかタンニンが多いが，加工品の渋味として重要な成分となる．ビタミンは多くないが，B$_1$，B$_2$，ナイアシン*，Cなどを含む．生果のビタミンC含量は品種によりかなり変化し，普通は2〜3mgであるが，果汁にすると分解される．遊離アミノ酸*としては，グルタミン酸が多く，そのほかアルギニン，ヒスチジン，ロイシン，イソロイシン，バリン，アスパラギン酸，フェニルアラニン，トリプトファンなどを含む．灰分は，0.3gであるが，品種により0.2〜0.6gの変異がある．無機成分はカリウムが130mgと最も多く，全体の50%を占めている．近年，シャインマスカット，ナガノパープルのように皮ごと食べる品種が育成されており，皮つきの方が灰分，ビタミン類，ポリフェノール等が多く含まれる．

色素・香気成分：紫色の果皮の色素はアントシアン系の色素からなり，抗酸化作用があるとされるポリフェノール*も豊富に含んでいる．香気の主成分は，アルコール，エステル*，アルデヒド，ケトン，ラクトン類である．コンコードでは，成熟期に増加するアンスラニル酸メチルエステルの風味に及ぼす影響が大きいとされている．

◇**保存**　完熟果実の貯蔵適温湿度は0〜3℃，95%である．品種による貯蔵限界は大きく異なり，最低1カ月から最高3〜5カ月に及び，デラウェア，キャンベル・アーリーの貯蔵性は低く，マスカット・オブ・アレキサンドリア，シャインマスカットなどの貯蔵性は高い．貯蔵障害としては脱粒が大きな問題となっている．

◇**加工**　加工品としてはぶどう酒（ワイン），ジュース，缶詰，干しぶどうがあげられる．ワインは果実中の糖を酵母により発酵させて製造する．ワインの原料としてはヨーロッパブドウが適する．アメリカブドウではワインに狐臭（foxy flavor）がつくが，米国では好ましい風味とされている．ジュースは果実を圧搾搾汁し，酒石酸の

キャンベルアーリー　　　　　巨峰

甲州　　　　　　　シャインマスカット

ぶどう各種（平　宏和）

結晶（カリウム塩）を除いて製品化する．果汁用原料には，完熟した赤ぶどうが適し，コンコード，ナイヤガラ，キャンベル・アーリー，ブラック・クイーンなどが用いられる．缶詰は，果皮と種子を除いて糖液とともに缶に密閉したものである．

◇**主要品種**　**キャンベル・アーリー**：米国オハイオ州でジョージ・W・キャンベルがアメリカブドウ品種にヨーロッパブドウ系品種を交雑し育成した紫黒色の早生品種．1892 年に発表され，日本には明治 30（1897）年に導入された．皮はやや厚く，甘味と酸味が調和し，独特の香りがある．生食，ジュース，醸造用に利用される．

巨峰（きょほう）：静岡県伊豆市で大井上康が母本「石原早生」・父本「センテニアル」から育成した 4 倍体品種．「巨峰」は昭和 30（1955）年に商標登録された名称で，品種名は昭和 17（1942）年に命名された「石原センテニアル」．大粒種で果皮は紫黒色で果粉が多く，果肉は多汁で甘みが強く，香りがよい．

甲州（こうしゅう）：山梨県で 800 年以上前に発見された品種で，発祥由来には諸説がある．遺伝子解析では，カスピ海付近で生まれたヨーロッパブドウが中国で野生種（$V. davidii$）と種間雑種し，日本に伝わった可能性が高い．果皮は紫紅色，果肉は甘みと適当な酸味があり，生食と醸造用に利用される．

シャインマスカット：農林水産省果樹試験場安芸津支場（現・農研機構果樹茶業研究部門ブドウ・カキ研究領域（安芸津））で母本「安芸津 21 号」・父本「白南」から育成した品種で，平成 18（2006）年に品種登録された．果皮が薄くて肉質が硬く，渋みがないので皮ごと食べられる．

スチューベン：米国ニューヨーク州農事試験場で 1946 年に育成されたアメリカ系交雑種．「スチューベン」はニューヨーク州南西部の郡名．昭和 27（1952）年，農林省果樹試験場（現・農研機構果樹茶業研究部門）に導入された．酸味が少なく，非常に糖度が高く，独特の香りが強い．貯蔵性に優れている．

デラウェア：米国オハイオ州デラウエアの原産で 1850 年代に命名された．アメリカブドウとヨーロッパブドウの自然交雑種．日本には明治 5（1872）年に導入されたといわれている．果粒は小さいが，甘味は強い．ジベレリン処理による種なしぶどうが出荷されている．

ナイアガラ：米国ニューヨーク州ナイアガラで 1868 年育成，1872 年販売されたアメリカ系交雑種．明治 26（1893）年，日本に導入された．果皮は薄く，糖度が高く，独特の香りが強い．生食のほか，ワイン用，果汁用に使われる．

ピオーネ：静岡県の井川秀雄が母本「巨峰」・父本「カノンホール・マスカット（マスカット・

スチューベン

デラウェア

ナイアガラ

ピオーネ

マスカット・オブ・アレキサンドリア

オブ・アレキサンドリアの4倍体）」から育成した4倍体品種で、昭和48（1973）年に品種登録された．「ピオーネ」はイタリア語で開拓者．果粒が大きく、果肉が締まり多汁で甘味が強く、酸味は爽快．

　マスカット・オブ・アレキサンドリア：北アフリカ原産の古い高級品種．名前はエジプトのアレキサンドリア港から輸出されていたこと、マスカットは musk：麝香（じゃこう）に由来する．日本には明治の初めに導入された．果皮が厚く、果肉が締まり、甘味・酸味が調和し、特有の芳香が強い．

● **ぶどうジャム**

成 07123　英 grape jam

　キャンベル・アーリー、コンコード、マスカット・ベリー・A など、酸味の強い品種を用いて収穫後早目に加工すると品質のよいジャムができる．果実はよく洗浄して具粒を分離し、生果の 1/2 量の水を加えて二重釜に入れ、60〜70℃で 10〜15 分間加熱する．ときどき攪拌を行い、表皮が暗灰色となり色素が溶出してきたら加熱を止めて、果肉のみをパルパー・フィニッシャーにかけて種子を除く．色素の溶出を促進するにはクエン酸を生果の 1/1,000 加えるとよい．
　分離した果肉の 1/2 量の砂糖を加えて煮つめる．酸が少ないときはクエン酸を加え、総酸量を 0.7〜0.8%、糖度は 60〜63% に仕上げる．

● **干しぶどう**

成 07117　英 raisins　別 レーズン

　完熟果を原料とし、天日乾燥か人工乾燥してつくる．トムソン・シードレス（サルタナ種 Sultana）などの種子のない、酸の少ない専用品種が適する．干しぶどう専用種を用いたものをレーズン、ワイン用のぶどうを干したものはドライグレープと呼んでいる．なお、ギリシア原産のコリント種という、小粒で種なしのぶどうを原料としたレーズンはカランツと呼ばれ、甘味が強く、ケーキやパンに入れて使われる．わが国の干しぶどうはほとんどが輸入品で、カリフォルニア産が多い．

◇**成分特性**　製品の水分含量は、品種にもよるが、100g 中 13〜15g のものが良品とされる．主成分は利用可能炭水化物*（差引き法）で 75.9g、食物繊維 4.1g を含む．

◇**調理**　そのまま食べるほか、パンに入れたり、クッキーやケーキ類の材料として用いる．ケーキ

干しぶどう（レーズン，右はグリーンレーズン）
（平　宏和）

などに使うときは，さっと熱湯で洗い水気をきってから，ラム酒かブランデーに漬け込んで風味を添える．また，肉料理，サラダ，ピラフなどにも少量加えると，ほのかな甘味と香りが引き立つ．

ぶどう油　⇒グレープシードオイル
ぶどうえび　⇒えび（ひごろもえび）

ぶどう酒　葡萄酒

英 wine　**別** ワイン

ぶどう果汁を発酵させてつくられる醸造酒．醸造法により図1のように分類される．わが国の酒税法では，ぶどう酒は果実酒に含まれる．

◇**歴史**　ぶどう酒のような果実酒は，果実が自然発酵することにより容易にできるから，穀物の酒よりもその歴史は古い．ぶどうを栽培することは，青銅器時代に始まったといわれており，西南アジア，メソポタミア地方に住んでいるセム族が，ぶどうを栽培して，ぶどう酒をつくったという遺跡がある．その後，バビロニアや古代エジプトでぶどう酒は盛んにつくられた．このようにぶどう酒は順調に発展していたが，18世紀の中頃，突然米国から入ってきたブドウ根アブラムシ（フィロキセラ虫　*Phylloxera vastatrix*）が大発生し，ヨーロッパのぶどうのほとんどが収穫できなくなった．これに対してアメリカ系のぶどうの台木にヨーロッパ系のぶどうを接木することにより，虫害に耐性のあるぶどうを育てることが可能なことがわかり，この虫害は防がれた．その後ぶどう酒は2つの世界大戦を経て，現在では多くの国でつくられている．

日本：わが国に初めてぶどう酒が入って来たのは16世紀の中頃，安土桃山時代で，その頃，フランシスコ・ザビエルが山口の領主大内義隆にチンタ赤酒（赤色ぶどう酒）を献上した記録がある．信長や秀吉もチンタ赤酒を珍重した．ぶどう酒醸造が行われたのは明治になってからで，明治3～4年頃山田宥教が甲府の詫間憲久と共同でぶどう酒を醸造した．また明治5（1872）年には東京の宮内福三が甘味ぶどう酒を製造した．戦後はぶどう栽培とぶどう酒醸造の技術も改良され，ぶどう酒生産量も増大し，輸入ぶどう酒の増加とあわせて，ぶどう酒の消費は順調に伸びている．

◇**産地別特色**　60カ国近い国でつくられており，イタリアが1位，スペイン，フランス，米国，中国の順に多い．

フランス：世界的に有名な銘醸地が多い．ボルドー，ブルゴーニュ，シャンパーニュ，コート・デュ・ローヌ，ロワール，アルザスなど，それぞれ特徴のある品質の酒を生産している．なかでもボルドーの赤ぶどう酒はクラレットまたはぶどう酒の女王と呼ばれ，ブルゴーニュのぶどう酒は英名バーガーデーまたはぶどう酒の王様との異名をもって親しまれている．そのほか，ボルドー地方ソーテルヌ地域の甘口白ぶどう酒はソーテルヌ，シャンパーニュ地方の発泡性ぶどう酒はシャンパンとして世界中に知られている．

イタリア：ぶどう酒の生産地は全土に広がって

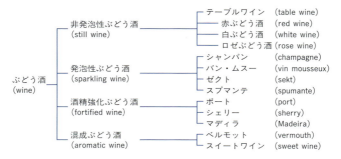

図1　醸造法によるぶどう酒の分類

おり，ぶどうの品種も多い．イタリア西北部ピエモンテ地方ではイタリアぶどう酒の王といわれるバローロの赤を産する．またバルバレスコ村では代表的な発泡性ぶどう酒であるアスチスプマンテがある．そのほかラッティオ地方のエスト！エスト!!エスト!!!，トスカーナ地方のキャンティーなどが知られている．

ドイツ：生産量はフランスやイタリアの2割強と少ないが，優良酒が多い．ぶどう酒の産地はライン河およびその支流のモーゼル河流域で，大半は白ぶどう酒である．ラインワインは茶色の細長いびんに詰められており，酒質は甘口のどっしりしたタイプ．モーゼルワインは緑色のびんに詰められ，酒質は繊細で軽やかである．なお前者は豪奢，後者は優雅さの形容で知られている．

スペイン：世界第2位のぶどう酒生産国で，その中で最も有名なのはシェリー*である．ただ，シェリーは全体の10%にすぎず，あとの大部分は普通のぶどう酒である．北部のリオハは最高級のぶどう酒産地で，特にテンプラニーリョ種からつくられる赤ワインは適度の酸味とほどよい甘味をもち，熟成に適したぶどう酒である．スペインワインは一般にアルコール度数が高く，比較的若いうちに飲まれる．

オーストラリア：生産地はほぼ南部の地域に限られている．この地方は冬は寒く乾燥しており，夏非常に暑く，ヨーロッパ南部の気候によく似ている．したがってヨーロッパ系のぶどうの栽培が可能であり，ヨーロッパの名酒をまねたものが多い．甘口の酒としてはソーテルヌ，ポート，シェリータイプがあり，赤はクラレット，白はラインに似ている．最近は質的にも非常に向上した．

米国：カリフォルニアのぶどう栽培は約200年の歴史をもつ．初めはレーズン用のぶどう品種の栽培であったが，1930年代になってワイン用品種が約半分を占めるようになった．当時は甘口デザートワインが中心であった．1970年代になって，テーブルワイン（食事中に飲まれる天然醸造ぶどう酒で，アルコール度14%以下のもの）の生産量が85%以上になった．主要なワイン生産地はナパ渓谷，ソノマ渓谷で，最高級の赤ワインを生産する．リヴァモア渓谷からは優良な白ワインが産出する．サンタ・クララ地域はカリフォルニア・シャンパンとして知られている．

チリ：ぶどう酒づくりは古く，16世紀にキリスト教のミサ用につくられて以来である．温暖な気候はぶどう栽培に適している．比較的安価なため，近年の日本でのワインブームによる消費の拡大とともに輸入量も増大している．

日本：わが国の風土は湿気が多く，酸性土壌であるため，ワイン用のヨーロッパ系ぶどうの栽培に適していない．日本ワインはこのハンディキャップを負いながら，ヨーロッパ系ぶどう樹の導入，ヨーロッパ系との品種交配による日本の土地に適したぶどう品種の改良，醸造技術の向上などにより，品質的にもハイレベルのものがつくられている．主なぶどう品種は赤ワイン用としてマスカット・ベリー・A，ヨーロッパ系のカベルネソービニョン，メルローなど，白ワイン用として甲州，セミヨン，リースリングである．

◇**成分特性**　ぶどう酒は100g（100.3mL）中に平均すると89gの水と9.2gのエチルアルコールが含まれる．エチルアルコールを容量%に直すと約12%になる．そのほかたんぱく質が0.1〜0.2%，炭水化物が平均1.5〜4.0%含まれる．

炭水化物：炭水化物の主成分は糖類であって，ぶどう糖および果糖が最も多く，そのほかアラビノース，キシロースなどの五炭糖*がわずかに存在する．糖分はぶどう酒の種類，タイプによってかなり幅がある．白ぶどう酒の辛口で0.02〜0.2%，甘口で9%あるものもある．赤ぶどう酒は残糖のあるものは少なく，0.02〜0.2%の含量である．

たんぱく質：全体の10〜40%がアミノ態窒素であり，60〜90%がペプチド態窒素，純たんぱく質態窒素は0〜7%である．アミノ酸組成は，プロリンが著しく多いのが特徴で，そのほかアラニン，グルタミン酸，アルギニンなどが比較的多い．

有機酸*：ぶどう酒は他の醸造酒よりも有機酸は著しく多い．酒石酸*はぶどう酒の最も主要な有機酸で，他の醸造酒には存在しない．ただこの酸は発酵でアルコールが生成されてくると一部酒石（酸性酒石酸カリウム）となって沈殿除去される．発酵貯蔵中最も変動するのはリンゴ酸*で，発酵前の果汁に含まれるリンゴ酸は酵母によってわずかに資化（微生物が消費すること）され減少する．さらに貯蔵中，乳酸菌*によるマロラクチック発酵が生起した場合は，リンゴ酸のほとんど大部分は乳酸に変わる．乳酸はまた酵母によっても生成される．コハク酸も多く含まれる成分で，酵母の発酵により主にリンゴ酸から生成する．そのほか酢酸，α-ケトグルタル酸も他の醸造酒に比較して多い．

アルコール：アルコール類はイソブタノール，イソアミルアルコールが他の酒類よりやや多い

が，最も特徴的なことはグリセロール*と 2,3-ブチングライコールが著しく多いことである．特にグリセロールは多く含まれ，ぶどう酒の不揮発性成分含量の 1/4 を占めることもある．これはぶどう酒製造工程で亜硫酸を使用することによるが，そのほか貴腐果汁を用いた場合，ボトリチス・シネレア（*Botrytis cinerea*）というカビがぶどう果皮上で生育する際，グリセロールを生産することが原因している．したがって貴腐ぶどう酒に特に多い．エステル*は酢酸エチル，カプロン酸エチル，カプリン酸エチルなどが比較的多い．また，長期貯蔵酒ではコハク酸，リンゴ酸のモノエチルエステルが多くなる．

ビタミン：一般に赤ぶどう酒の方が白ぶどう酒よりも多い．またイノシトール*が著しく多いのが特徴である．また B_2，ナイアシン*，パントテン酸*，B_6 なども比較的多く含まれる．

◇保存　高級ぶどう酒を長期間保存するには地下の酒蔵などで温度が 12℃，湿度がおよそ 75％の，暗く，振動の少ない場所がよい．一般家庭では，北側のなるべく涼しい場所を選んで，そこにワイン棚を設け，必ずびんを横にして貯蔵する．これは常にコルクにぶどう酒を接するようにして，コルクの乾燥を防ぐためである．コルクが乾燥して収縮するとその隙間から空気が入り，酸化が急進し，褐変化が起こったり，産膜酵母が生育し液表面に皮膜を形成したりして品質が劣化する．またコルクがボロボロになり，抜栓しにくくなる．

◇飲み方　飲む際のぶどう酒の温度は白ぶどう酒とロゼは冷温（5〜10℃），赤ぶどう酒はやや低めの室温（15〜18℃）がよい．

◇調理　洋酒の中でも最も利用範囲が広く，調理材料の一部といってもよい．食卓酒として料理とともに飲用するだけでなく，味付けや香り付けのための調味料，香辛料の一種として欠かせない．※芳醇な香りと味は，ソースの材料として好適である．魚には淡白な白ぶどう酒が，肉類にはやや濃厚な赤ぶどう酒がよく合い，臭気をとり，香りを引き立て，うま味を増すために役立つ．アルコールや酵母の作用で肉を軟化する作用も期待できる．※甘味ぶどう酒は料理に添えて出す生ぶどう酒（普通のぶどう酒）と異なり，単独に味わうのに適している．アペリティフ（食前酒）や，食後のコーヒーのあとの酒として使われる．

●赤ぶどう酒

成 16011　英 red wine　別 赤ワイン

赤ぶどうまたは黒色系ぶどうをつぶし，果肉，果皮および核（種）を一緒にし，酒母*（果もろみの 1〜3％容量に相当する果汁にぶどう酒酵母を培養したもの）を加えて発酵させる．この際，雑菌の繁殖を抑え，果汁の褐変を防ぎ色素の溶出をよくするために，亜硫酸が 80〜100ppm 添加される．なお酵母を添加する前に，通常は果汁に砂糖かぶどう糖で約 25％の全糖分になるまで補糖される．25℃で 5〜7 日間発酵させたもろみ*は次に液を抜き，圧搾機にかけて搾汁し，搾汁液は元の果汁と一緒に糖分が完全になくなるまで発酵させる．次いでおり引きを行い，上澄ぶどう酒を樫樽に入れ（200〜400L 容量）約 1〜3 年間貯蔵する．この樽貯蔵中に，ある種の乳酸菌*が繁殖してぶどう酒中のリンゴ酸が乳酸*と炭酸ガスに分解される．これはマロラクチック発酵と呼ばれ，赤ぶどう酒では起こってほしい発酵である．樽貯蔵の酒は次に濾過，びん詰されて，約 12℃で長期間貯蔵される．

●貴腐（きふ）ワイン

別 貴腐ぶどう酒

完熟したぶどうに不完全菌の一種である貴腐菌ボトリチス・キネレア（*Botrytis cinerea*）が繁殖すると，果皮のロウ質を溶かし，そのため水分が蒸発してぶどうがしぼんだ状態になる．これは貴腐ぶどうといわれ，糖分やその他のエキスが濃縮されている．したがって，これからつくられた貴腐ぶどう酒は甘口で，しかも香り高く，味は濃厚，なめらかで，黄金色をした最高級の白ぶどう酒である．ドイツのトロッケンベーレンアウスレーゼ，フランスのソーテルヌ，ハンガリーのトカイワインなどはこの貴腐ぶどうからつくられる．日本でも 1975 年以降，山梨，長野，北海道などで生産されている．貴腐ワインの誕生にはいくつかの逸話が残されている．

●白ぶどう酒

成 16010　英 white wine　別 白ワイン

白ぶどうまたは赤色系ぶどうを潰砕後，亜硫酸を

ぶどう酒　左：赤，中：白，右：ロゼ（平　宏和）

加え（50〜100 ppm），圧搾機にかけて果汁だけを取り，補糖したのち，酒母*を加えて20〜25℃で7〜10日間発酵させる．赤ぶどう酒とは果汁のみを発酵させる点が違う．さらに甘口白ぶどう酒の場合は，果もろみの糖分が2〜4％になったところでもろみ*を冷却し，亜硫酸を加え（約100 ppm），発酵を止める．他方，辛口白ぶどう酒の場合は残糖がなくなるまで発酵させる．いずれも主発酵が終わると，おり引き，濾過した後，タンクまたはびんに詰めて貯蔵される．また樽に1年間貯蔵される場合もある．

●発泡性ぶどう酒
英 sparkling wine　別 スパークリングワイン
炭酸ガスを含んだぶどう酒の総称である．つくり方に3つの方法がある．第一は白ぶどう酒に一定量の補糖をし，再び酵母を添加して発酵させる方法で，この再発酵をびん内で行う方法と耐圧タンク内で行う方法とがある．前者のびん内で行う方法はいわゆるシャンパン方式で，フランスのシャンパーニュ地方の特産である（シャンパン*）．第二は乳酸菌*のマロラクチック発酵により生成した炭酸ガスを含ませたものでベルデ酒，第三は炭酸ガスを人為的に吹き込ませたものでカーボネーテッドワインと呼ばれる．

●ビンテージ
英 vintage
ぶどう酒原料のぶどうの収穫年や量を意味する語だが，作柄のよい年や当たり年の優良ぶどう酒（vintage wine）をいう．ぶどうの作柄はその年の天候によるところが大きく，ぶどう酒のよしあしも大きく左右される．そのため，ビンテージチャートという，ぶどう酒のよしあしを示す表もつくられている．作柄のよいぶどうでつくったぶどう酒は，熟成のピークも長く，飲み頃の最盛期も長く続く．

●ボジョレー・ヌーボー
仏 beaujolais nouveau
フランス，ボジョレー地区でつくられる軽い飲み口のフルーティな赤ワインの新酒．毎年，11月の第3木曜日が解禁日として発売される．ボジョレー地区は，ワインの名産地であるブルゴーニュ地方の南端で，古都リヨンに近い．ここでの主品種はガメイというフルーティな風味をもつぶどうで，キャンディー・ブーケの香りとも称されるボジョレー・ヌーボーの風味をつくっている．一般に優れた赤ワインは，長い熟成期間を経て飲まれることを前提につくられるが，ボジョレーでは，短期間で飲みやすいワインをつくる方法を考案し，「新酒を楽しむ」という新しいスタイルを確立した．その歴史はフランスでも1960年以降といわれる．

◇製法　鮮やかなワインレッドのボジョレー・ヌーボーだが，つくり方は白ワインに近い．普通，赤ワインは，ぶどうをつぶし果皮や種も一緒に発酵させるが，ボジョレー・ヌーボーはぶどうをつぶさずにタンクに入れて密閉し，底から自然発酵しタンク内に炭酸ガスが充満するのを待つ．これを炭酸ガス浸漬法（マセラシオン・カルボニック）といい，この工程で色素がよく抽出され，果汁に含まれるリンゴ酸*が分解し，酸味が減少する．その後果汁を搾り，再度発酵させる．製造期間は1カ月半ほどと短く，赤ワイン特有の渋味成分，タンニン*も少ない．

●ロゼぶどう酒
成 16012　英 rose wine　別 ロゼワイン
赤ぶどう酒と同様な仕込みを行い，1〜2日間発酵させ，果皮の色素を一部液中に溶出させたのち，圧搾分離した果汁のみを白ぶどう酒と同様，液発酵を行ってつくる．そのほか白ぶどう酒用原料と赤ぶどう酒用原料を混醸する方法，白ぶどう酒と赤ぶどう酒を混和する方法によってもつくられる．

ぶどうジュース　⇨果実飲料
ぶどう酢　⇨食酢
ぶどう糖　⇨でんぷんとう

ぶどうパン

成 01033　英 raisin bread
レーズン（干しぶどう）入りのパンである．生地配合は食パンと似ているが，砂糖はやや多く加える．レーズンは小麦粉100に対し50前後，またはそれ以上加えるが，レーズンが多くなるとその重みのためパンのふくれは悪くなり，目のつまったパンになる．イーストは多めに使用する．レー

ぶどうパン（平　宏和）

ズンは35％くらいまで吸水させ，パン内相水分とバランスをとって使用する．パンの老化は早い．甘酸っぱいレーズンのうま味を賞味するパンである．

ぶどう豆

成 04031　英 Budo-mame；(soy beans cooked with sugar and salt)

大豆を軟らかく煮含めた甘煮豆のことで，しわがなくふっくらふくれた形がぶどうに似ていることから，このように呼ばれる．関西では，黒豆（黒大豆）でつくられる．

◇調理　水に漬けて十分吸水させた豆を，弱火で軟らかくなるまでゆっくりと煮て，よく冷ましてから水で煮汁を洗い流し，砂糖蜜の中に入れて蜜を含ませる．

ぶどう豆（平　宏和）

ふな　鮒；鯽

成 10238（生），10239（水煮），10240（甘露煮）
分 硬骨魚類，コイ科フナ属　学 Carassius spp.
英 crucian carp　別 まぶな　旬 冬

ふなはコイ科フナ属の淡水魚の総称で，全長15〜50cm．淡水魚．体は細長く，やや側扁する．頭は比較的小さい．口は丸みを帯び，口唇は厚い．こいもコイ科に属するが，こいには口ひげが2対ある．ふなは口ひげがなく，側線は体の中央にほぼ直線に走る．河川，湖沼に生息し，体色や習性は地域により異なる．ふなは冬季は水中の深みに静止し，春になって活動する．雑食性であるが，きんぶな，にごろぶなのように動物を主に食するもの，源五郎ぶなのような植物食のものがある．味は池，沼産のきんぶながいちばん美味といわれるが，人により評価は異なる．金魚はふなから人間がつくりだしたもので，観賞用である．日本各地，アジア，欧州に分布する．北米にも移殖され

ふな甘露煮（平　宏和）

ている．

◇成分特性　川や湖の釣りの対象魚として重要で，正月料理や秋冬期の郷土料理の材料として欠かせない地方もある．成分的には白身魚であるが，淡水魚特有のどろ臭みもあり，海産魚とは違っている．『食品成分表』によると脂質（TAG当量）*は100g当たり2.0gと，こいの8.9gと比べると低いが，ビタミンなどの含量はやや高い．こいと違って天然産の比重が高いので，汚れた水に生息するふなは寄生虫（肝吸虫*）の危険があり，生食は避けた方がよい．また，ふなは死ぬと生臭みが強くなるので，清浄な水に棲む生きているふなを使う．

◇保存・加工　ふなの加工品としては丸のままふなを焼干しにし，またこれを調味液とともに煮詰め甘露煮とする．また3cm前後の小ぶなの内臓を除き，竹串に刺して，焼いてから佃煮としたものが，雀焼きである．名産的なものとして，岐阜高山のふなみそがある．ふなをみそ煮にした保存食品である．琵琶湖名物のふな鮨は子持ちのにごろぶなを塩と飯とで漬け込んだなれ鮨である．

◇調理　肝吸虫を避けるためと，淡水魚特有の臭みを消すために，生食する場合には必ず塩と酢を用いる．ふななます，ふな鮨などがその例である．ふな鮨は，鮮度のよいふなの腹に食塩を詰めて，1〜2カ月塩蔵したものに，麹を加え発酵させたもので，なれ鮨の原点とされる．ふなを酢につけて酸味をもたせ，短期間でつくるはや鮨もある．※3〜4cmの小型のうちから食べられるので，甘露煮（あめ煮），佃煮，昆布巻き，煮込みなど，骨まで軟らかくなるような煮物に適する．味付けも濃厚にしてどろ臭さを消す．※こいと味が似ているので，みそ煮やみそ汁にこいの代わりに用いる．ふな汁は"こいこく"に相当し，昆布だしで仕立てたみそ汁に，焼いたふなを入れてつくる．

ぎんぶな（本村　浩之）

ふなずし（平　宏和）

● きんぶな

金鮒　学 *Carassius buergeri* subsp.　英 golden crucian carp　別 地 まるぶな；きんたろう（関東）；あかぶな（諏訪湖）

体型は丸みを帯びている．体色は赤褐色から黄褐色で，金属光沢を帯びる．東北地方の太平洋側と関東地方の河川や湖沼に生息する．きんぶなの変異は著しく大きく，亜種を一つとしてよいか疑問であるが，成分的にはあまり違いはない．煮びたし，甘露煮など，特に冬がよい．

● ぎんぶな

銀鮒　学 *Carassius* sp.　英 silver crucian carp　別 地 まぶな（関東）；ひわら（琵琶湖）；じぶな（各地）

一般にまぶなと呼ぶ地方が多い．体幅は厚い．体色は緑褐色で銀色の光沢がある．フナ属として最も広く日本各地に分布する．関東地方と西南日本では雄がほとんどおらず，単為発生する．用途はきんぶなと同様であるが，形がよいので，水郷では正月用などの甘露煮にする．

● げんごろうぶな

源五郎鮒　学 *Carassius cuvieri*　英 deepbodied crucian carp　別 地 まぶな（琵琶湖）；へらぶな（関東）；かわちぶな（大阪）

全長40cm．体重2kgを超えるものもある．琵琶湖特産の，体高が高く著しく側扁したひらぶなである．早くから各地に移殖され，関東ではへらぶな，ひらぶなと呼ぶ．堅田の漁夫源五郎が安土城主に献じたことから，この名を得たという．成長が速く肉付きがよいので食用に適す．卵をまぶした刺身は有名である．

● にごろぶな

似五郎鮒；煮頃鮒　学 *Carassius buergeri grandoculis*　英 round crucian carp　別 地 まるぶな；かんぞ（琵琶湖）

全長20～40cm．琵琶湖特産の体高の低いまるぶなで，源五郎に次いで大型になるところからこの名を得たという．このふなの産卵期のものをふな鮨の原料とする．

● ふなずし

成 10449

ふなを食塩と米飯とともに漬け込み，乳酸発酵をしたなれずしの一種で，滋賀県の特産品．ふなは主として琵琶湖固有種にごろぶな，げんごろうぶなのほか，ぎんぶななどの産卵前の雌と雄で（雌が好まれる），重石をして半年～1年間発酵熟成させる．薄く切って食べるが，茶漬け，雑炊などにも使われる．

ぶなしめじ　橅占地

成 08016（生），08017（ゆで），08046（油いため），08055（素揚げ），08056（天ぷら）　分 担子菌類シメジ科シロタモギタケ属（きのこ）　学 *Hypsizygus marmoreus*　英 bunashimeji　別 にれたけ；ぶなわかい

秋にブナ，カエデその他の広葉樹の枯木や倒木に9～10月頃発生する．なめこを栽培しているブナの原木から発生することも多い．傘の直径4～8cm，大きなものは15～16cmで，表面は灰白色でひび割れしたような斑紋が出る．柄の長さは3～8cmで白色．栽培技術が確立し，長野県下などで栽培されたものが全国的にほとんど周年

げんごろうぶな（本村　浩之）

ぶなしめじ（市販品）（平　宏和）

ぶなはりたけ（野生）（岩瀬　剛二）

出回っている．傘はほんしめじより白っぽく赤みがかっており，表面に大理石模様が見られる．栽培品は当初「ほんしめじ」の名前で流通していたが，1991年の林野庁の通達によりぶなしめじに統一された．

◇**成分特性**　リン，カリウム，ビタミンB_1，B_2，ナイアシン*などを比較的多く含む．野生のものは最高の味といわれるが，栽培品もしっかりした歯応えとクセのない味で，若干の苦味を持つが，需要は高い．

◇**保存・加工**　栽培品はもっぱらパック詰として市販されている．山村では自家用として乾燥，びん詰，塩漬などが行われている．

◇**調理**　味，香りともに温和である．豆腐汁，けんちん汁，すまし汁などの実，きのこ飯，焼き飯，丼物，煮物，フライやバター炒め，天ぷら，卵とじや土びん蒸しなど，和・洋どちらにも広く用いられる．乾燥，冷蔵，びん詰として保存するとともに，塩漬や卵の花漬にもする．

 ぶなはりたけ　橅針茸

分 担子菌類エゾハリタケ科ブナハリタケ属（きのこ）　**学** *Mycoleptodonoides aitchisonii*　**英** Bunaharitake　**別** かみはりたけ；かぬか；かのかブナやカエデの枯木や倒木に折り重なって9〜11月上旬頃に群生する．傘は半円形で，大きさは3〜10cmで白色，裏にその名のごとく長さ5mmほどの針が垂れ下がっている．原木を用いて栽培が行われているが，一般に流通するほどではない．柄はない．独特の香りがあり，遠くからでも識別できる．主に東北地方で食用とされている．

◇**調理**　秋のきのこで香りがよく，すきやきに入れたり，和え物，炒め物，揚げ物，きのこ飯など，用途は広い．

 ふのり　布海苔；海蘿

成 09034（素干し）　**分** 紅藻類フノリ科フノリ属
学 *Gloiopeltis* spp.　**英** Fu-nori；gumweed
マフノリ（*Gloiopeltis tenax*），フクロフノリ（*G. furcata*）など，主として昔から布用の糊をとるのに利用されていた海藻の総称である．

産地：まふのり（別名；ほんふのり）は，わが国の中部以南に生息し，特に九州での収穫が多い．ふくろふのり（別名；のげのり）は全国の沿岸に分布する．収穫期は春から初夏にかけてである．長さ10〜20cmで円柱状であるが，まふのりでは直径2mm前後，ふくろふのりでは3mm前後である．円柱の中には粘質物が詰まっている．

◇**成分特性**　乾燥品を水戻ししたもので炭水化物を57.8g/100g含むが，そのほとんどが非消化性の食物繊維である．糊を抽出した場合，まふのりが最も粘性が高い．

◇**保存・加工**　天日乾燥するか，塩蔵する．織物用の糊材として加工されていた．

◇**調理**　塩蔵品と乾燥品があり，塩蔵品は塩抜きをし，乾燥品はもどしてから刺身のつまやサラダ，汁物の実などにする．新潟では，乾燥品をもどしてそばなどのつなぎに用いる．

ふのり（平　宏和）

ふぶきまんじゅう 吹雪饅頭

英 Fubuki-manju

生地であんを薄く包み，蒸し上げたもの．生地は小麦粉，砂糖，やまのいも，膨張剤を捏ね合わせたもの，あんはつぶあんが用いられる．饅頭の表面は中のあんが部分的にみえ，皮が吹雪のようにみえることが，この名の由来である．

ふぶきまんじゅう（平　宏和）

フライドポテト　上：ナチュラルカット（皮付き），下：シューストリングカット（平　宏和）

ふまんじゅう 麩饅頭

英 Fu-manju　別 笹巻き麩

生麩であんを包んだ饅頭．生麩にはもち麩のほか青のりを混ぜた麩（養老麩），よもぎを入れたよもぎ麩が使われる．一般にあんはこしあんであるが，みそあん，栗あんなど入れたものもある．熊笹の葉（干した葉を湯に通したもの）で饅頭を三角に包んだものが多く，笹巻き麩・笹巻き麩饅頭とも呼ばれる．

ふまんじゅう（平　宏和）

富有（ふゆう）　⇨かき（柿）

フライドポテト

成 02020（皮なし　市販冷凍食品を揚げたもの），02065（皮つき　生を揚げたもの），02067（皮なし　生を揚げたもの）　英 chips, French fries（米）
別 フレンチフライ

フライドポテトは和製英語．じゃがいもをカットし，油で揚げたものである．ベルギーが発祥地といわれている．近年では冷凍品を使ったものがファストフード店で販売され，家庭にも普及し，世界各国で食べられている．日本の冷凍フライドポテトの多くは米国から輸入されている（その他はカナダ，ベルギーなど）．製品は，皮をむき，カットしたじゃがいもをブランチング*（湯通し）した後，熱風乾燥，プリフライ（加熱未了状態のフライ）して冷凍したものである．形態はカットにより，シューストリング（直線状の細切りカット．），クリンクル（波状カット），ナチュラルまたはウェッジ（皮付き，くさび状カット），スパイラル（リング状カット）などがある．冷凍品の調理法にはフライのほか，フライパンでの揚げ焼き，トースター調理などがある．

ブラウンソース

英 brown sauce　別 ソース・エスパニョル

茶褐色ソースの基本で，魚，肉，野菜など，幅広く使用できる．バターなどの油脂を溶かし，小麦粉を加え香ばしく褐色になるまで炒め，フォン・ド・ボー（fond de veau；子牛の骨と筋，野菜から取っただし）を加えてのばし，トマトやミルポア（mirepoix；野菜の細片を炒めたもの）などを加えて煮つめる．これをさらに煮つめて風味付けしたものがデミグラスソースである．

ブラウントラウト

分 硬骨魚類，サケ科タイセイヨウサケ属　学

Salmo trutta 英 brown trout
全長70cm, 最大1.5m. ヨーロッパ原産. 北海道, 中禅寺湖, 上高地明神池, 芦ノ湖, 本栖湖, 黒部川などに分布する. 体色は青緑色, 体側に眼径大の暗色斑, 赤色斑が散在する. 原産地では降海型の sea trout（仏語 truite de mer）も知られている. ヨーロッパでますといえばこれを指す. バター焼き, ワイン煮などにする.

フラクトオリゴ糖　⇨オリゴ糖

ブラジルナッツ

成 05028（フライ　味付け）分 サガリバナ科ブラジルナットノキ属（常緑高木）学 *Bertholletia excelsa*（ブラジルナットノキ）英 Brazil nuts；Para nuts 別 パラナッツ；パラグリ
南アマゾン川流域地帯に広く分布する, 高さ約30～40mに達する常緑性の高木である. 野生のものだけでなく, 栽培もされるようになり, アマゾン地方では, 天然林中の果実を採集したものと栽培品を輸出しており, ブラジルの主要輸出産物の一つとなっている. パラ（ベレン）港から輸出されるのでパラナッツとも呼ばれる. ブラジルおよびボリビアの生産量が多い；わが国は, ペルー, ボリビア, ブラジルなどから輸入している.

　形態：果実は蒴果*（さくか）で, 直径13～15cmの球形または洋梨形で, 木質の厚くて堅い外殻があり, 果重は1kgを超える. 内部に20個前後の大型種子を含む. 種子は鋭三角形で, みかんの房のような形をしていて, 長さ4～5cm, 幅3～4cm, 黒褐色である. 内部の硬い白色の仁*は栗やアーモンドに似た風味があり, これを食用とする.

◇成分特性　仁（フライ, 味付けしたもの）の主成分は約7割が脂質で, たんぱく質も含まれる. 無機質も多い方で, マグネシウム*, カルシウム, リンなど, いずれも豊富である. ビタミンとしては B_1 が多く含まれている. 脂質の脂肪酸組成は約4割がリノール酸*, 3割はオレイン酸*, そのほかパルミチン酸, ステアリン酸が主なものである. 仁の味は淡白であり, デザートフルーツとして生または炒って食べ, 製菓材料にも用いる.

プラスチック容器詰食品

英 packaged foods in plastic container
プラスチック容器詰食品には, ボトル詰食品, チューブ詰食品, カップ詰食品とトレー詰食品の4種類がある.

　ボトル詰食品：透明でバリア性の高い硬質のポリエステル（PET・ポリエチレンテレフタレート）ボトルやスクイズ性（しぼりやすさ）とバリア性の高い軟質の共押出し多層ボトルに詰められているものが多い. 硬質のPETボトルは, 茶飲料, 液体調味料, 食用油やコーラ飲料, ミネラルウォーターの容器として使われている.

　軟質の共押出し多層ボトルは, ケチャップ, マヨネーズなどの容器に使われており, 充填食品の脂質や色素の酸化を防ぐために, PP（ポリプロピレン）/EVOH（エチレンビニルアルコール共重合体）/PP構成のバリアタイプになっている.

　チューブ詰食品：プラスチックチューブに詰められた練りわさびや練りからし食品があり, 食品の香気逸散と酸化を防ぐために, バリア性の高い共押出し多層チューブが使われている.

　カップ詰食品：ポリスチロール（PS）, ポリプロピレン（PP）やハイインパクト（耐衝撃性）ポリスチロール（HIPS）の成型カップに詰められた佃煮, 惣菜やアイスクリームなどがある. これら食品のカップは, 真空成型か圧空成型されたものが多く, 透明で衝撃に強いタイプが用いられている.

　トレー詰食品：プラスチック, 紙かアルミ箔のトレーに生鮮食品や加工食品を入れ, プラスチックフィルムで包装された食品である.

　プラスチックトレーには, 塩化ビニル（PVC）, 耐衝撃性ポリスチロール（HIPS）, 発泡ポリスチロールなどがあり, 電子レンジ向け食品には結晶化ポリエチレンテレフタレート（C-PET）トレーが使われている.

ブラジルナッツ　左：フライ　味付け, 右：種子（上）・脱殻種子（下）（平　宏和）

ブラックカランツ　⇨カランツ
ブラックタイガー　⇨えび
ブラッドオレンジ　⇨オレンジ
フランクフルトソーセージ　⇨ソーセージ

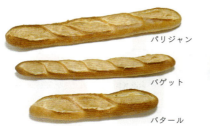

パリジャン / バゲット / バタール / ベーコンエピ / シャンピニオン / ブール

フランスパン
左：パリジャン（仏 parisien：パリ風）　長くて直径が太く，クープ（切込み）は 4，5 本．バゲット（仏 baguette：棒）細長く，クープは 6～9 本．バタール（仏 bâtard：中間）　バゲットと太く大きいドゥ・リーブルの間の長さと太さで，クープは 3 本．右：ベーコンエピ　エピ（仏 épi：麦の穂）は，棒状の生地を左右等間隔にハサミで切り込んで開き，焼き上げたものだが，ベーコンエピは生地の中にベーコンが包み込まれている．シャンピニオン（仏 champignon：キノコ）　丸めた生地に円盤状の生地を押しつけ焼き上げたもので，円盤部はパリッとし，下部の中身はふんわりとした食感がある．ブール（仏 boule：球）　半球形で，表面に数本の浅いクープのクロスが入ったものが多い（平　宏和）

フランスパン

成 01031　英 French bread

パンの一種で，多様な形状をしている．小麦粉は中力粉または中力粉と強力粉の混合粉が使われ，砂糖，油脂等の副原料はいっさい使われない．バゲットに代表されるように，30 cm くらいから長いものでは 1 m くらいまで細長く焼き上げられるものもある．フランスパンは外皮（クラスト）を賞味するパンであり，こうすることによって外皮の比率が大きくなる．比容積は 6～7 と大きい．パリッとしたクラストが大切にされるが，副原料が入っていないため老化が早く，おいしく食べるためには焼き上げ後 4～6 時間以内に食べる．

ブランデー

成 16017　英 brandy

果実酒を蒸留してつくる酒で，通常はぶどう酒を単式蒸留機で蒸留，樫樽に貯蔵し，長年熟成させてつくられる．酒税法では，次のように定められている．
① 果実もしくは果実および水を原料として発酵させたアルコール含有物を蒸留したもの，または果実酒を蒸留したもの．ただし蒸留の際の留出時のアルコール分が 95％未満のもの．
② 上記①の酒類にアルコール，スピリッツ，香味料，色素または水を加えたもの．ただし，①に掲げる酒類のアルコール分の総量がアルコール，スピリッツ，または香味料を加えたときの酒類のアルコール分の総量の 100 分の 10 未満のものを除く．すなわち，①の酒類（ブランデー原酒）とこれらが 10％以上混和されているものに限られる．樫樽に貯蔵し，熟成させる．
世界各国でつくられるが，フランス産のものが高く評価され，特にコニャック，アルマニャックなどが有名である．ぶどうからつくった通常のブランデー以外に，りんごを発酵させりんご酒からつくられるカルバドス，さくらんぼ（チェリー）を発酵・蒸留してつくられたキルシュワッサーなどがある．

◇歴史　ぶどう酒に比して比較的新しい酒である．ヨーロッパで 12～13 世紀頃，医師や錬金術者がぶどう酒の蒸留を行った記録がある．次いで 16～17 世紀に，オランダ人の薬剤師が，たまたまフランス，シャラントのコニャック地方を通りかかった際，当時，ぶどうが採れすぎて困っている農民を救うためにぶどう酒を蒸留して，貯蔵の問題を解決したのが始まりであるともいわれている．ブランデーが日本に初めて渡来したのは，ぶどう酒よりもやや遅れた慶安 4（1651）年で，オランダ人が江戸にもたらしたとされる．

◇原料　ブランデー用ぶどう：ブランデー用に使われるぶどうは香りの特徴の少ないヴィニフェラ種で，しかもぶどう酒に適さない，酸が多く糖分の少ないものがよい．なお，コニャックは原料ぶどうのほとんどが，サン・テミリオン種に限られている．

◇製法　ぶどうは白ぶどう酒の製造と同様に潰砕，圧搾され，濾液のみを発酵する．なおこの際，

補糖や亜硫酸添加は行わない．酵母による発酵後，銅製の単式蒸留機で2回蒸留する．1回目は粗留といって留液のアルコール分は24〜34％である．次いでこれを再び蒸留し，初留と後留をカットして良質部のみを集める．アルコール分は60〜65％である．この留液は樫樽に詰め，長期間貯蔵し，熟成される．

◇**成分特性**　ブランデーは通常アルコール％（容量）で43％，42％，39％のものが多く，これを質量換算すると，ブランデー100g中36.1g，35.2g，32.5gのエチルアルコールがそれぞれ含まれることになる．エチルアルコール以外の揮発性成分，不揮発性成分はウイスキーのそれに類似している．一般に（例外もある）ブランデーはウイスキーに比べエステル*，高級アルコール（特にイソアミルアルコール），フェノール性物質，糖類などの含量が高い．

◇**飲み方**　ブランデーは香りを賞味し，味わって飲む酒である．大型のチューリップ形をしたブランデーグラスに少量（約30mL）注いで，これを両掌で（または片掌で）支えて温め，ゆっくりまわして香りをひきたて，香りをかぎながら飲む．コーヒー，紅茶の中へ入れて飲む場合もある．アルマニャック（フランス，アルマニャック地方のブランデー）などは芳香が特に好まれる．そのほかカクテルベースにも使われる．

◇**調理**　ワインと同様，あらゆる肉，魚の料理に調味料兼香辛料として用いられる．また紅茶の香り付けや，菓子の香料として用いる．ブランデーケーキや洋菓子にかけるブランデーカラメルソースは，その代表である．

●コニャック

英 cognac　仏 cognac

フランス南部，コニャック市を中心としたシャラント地方のみでつくられるブランデーをコニャックと呼ぶ．フランスでは1909年，1959年の政令で定められた細かい規則があり，合格したもののみがコニャックと呼ぶことが許されている．原料ぶどうは大部分がシャラントのサン・テミリオン種で，これから得られる酸味の多いシャラント・ワイン（アルコール濃度約9容量％）を蒸留する．コニャックの貯蔵に使う樽材はリムーザン産の樫材（オーク）で，樽中で長い間熟成される．この間に新酒の粗さが消え，まるくなり，色も琥珀色に変わっていく．最後はブレンド（調合）して風味を調整，製品化する．

◇**製造年表示**　通常，コニャックとして市販されるものに製造年の表示はない．これは異なった製

コニャック（平　宏和）

造年のものがブレンドされているからである．ただし，フランス原産地呼称統制法（AOC）の規定によると，蒸留期間の終わる3月31日までを「コント00」，4月1日〜翌年の3月31日を「コント0」，次の4月1日〜3月31日を「コント1」（樽内熟成期間1年以上2年まで），以降同様に，「コント2」（樽内熟成期間2年以上3年まで），「コント3」，「コント4」，「コント5」，「コント6」（樽内熟成期間6年以上）と定めている．コニャックと呼べるのはコント2以上である．ラベル表示にはこのコントによる貯蔵規定が厳密に適用されている．たとえば，三つ星はコント3以上（製品に使用される最も若い原酒の樽内熟成期間が3年以上），「VSOP」はコント4以上，「ナポレオン」はコント6以上と定められている．なお各メーカーは，これらの若い原酒に別に貯蔵している超長期熟成原酒を適量ブレンドして，各社独自の規格と慣例をもって製品としている．このような熟成期間の非常に長い原酒をつくるためには，「パラディ」と呼ばれる貯蔵庫内に，必要以上のオーク樽の香味が抽出されるのを避けるために，古い樽あるいは「ボンボン」と呼ばれるガラスびんに入れて非常に長期間貯蔵する．このような超長期熟成原酒は貴重な財産であり，高級品質のコニャックをつくるには不可欠な素材である．

そのほか，フランス南西部のアルマニャック地方で生産されるブランデーにもコニャック類似のAOCがあり，この規定条件を満たしたものだけが「アルマニャック」となる．

 ぶり 鰤

成【成魚】10241（生），10242（焼き），【はまち　養殖】10243（皮つき　生），10411（皮なし　生）

分 硬骨魚類，アジ科ブリ属　学 *Seriola quinqueradiata*　英 Japanese amberjack　別 地 あお（東

北地方）；あかんぼう（長崎，鹿児島）；はなじろ（九州）　旬　冬（成魚），夏（幼魚）

全長1m．体は紡錘形で，やや側扁する．体色は青灰色．淡い黄色の縦帯が，吻から側線に沿って尾部まで走る．群をなして回遊する．夏は沿岸に近く南から北へ，晩秋から南に下り外洋に去る．産卵は九州西方海域，東シナ海で行われる．古くから日本人になじみ深い魚の一つで，特に西日本では最も重要な魚ともいえる．

　養殖：近年，はまち養殖が盛んとなり，西日本の各地で行われている．養殖は海で"もじゃこ"を採取して種苗とし，それを育ておおむね2年で"はまち"として，3年魚は"ぶり"として出荷されるが，まだ小型魚なので，天然の大型のぶりに比べて養殖ぶりは脂ののりがうすい．しかし，同体重の天然のものに比べると脂っぽく，味が劣るとされている．なお，卵から孵化させる完全養殖も行われている．

　出世魚*：産卵は5～6月頃で，孵化後"もじゃこ（約9cm）"から3カ月ぐらいで24～25cmになる．この頃の幼魚を"わかなご"と呼び，30cmを超えると"いなだ"，60cm前後のものを"はまち"または"わらさ"と呼び，90cmぐらいの親魚が"ぶり"である．ぶりは脂がよくのり，うまい．北海道から南日本，朝鮮，東シナ海に分布する．

　◇**成分特性**　『食品成分表』では，ぶりの成魚，はまち（養殖）はそれぞれ100g当たり，水分59.6g・61.5g，たんぱく質（アミノ酸組成）*18.6g・17.8g，脂質（TAG当量）*13.1g・13.4gとなっている．ビタミンはAがレチノール*50μg・32μg，Dは8μg・4μgである．

　たんぱく質：たんぱく質の含量は，天然魚，養殖魚の違いや年齢，季節によらず，背肉では21～25%，腹肉では20～24%とほぼ一定しており，水分含量は脂質含量と逆の関係にある．

　脂質：成魚は12～2月のものを"寒ぶり"として賞味するが，春の産卵期のものは"彼岸ぶり"として不味としている．幼魚は逆に夏が美味といわれる．この点，成魚の脂質含量が冬季に高く，幼魚は夏季に高い傾向があることと符合している．一方，養殖魚の脂質含量は，背肉でも腹肉でもどの季節においても，同じぐらいの体重の天然魚に比べて2～3倍になり，特に6.5kgの2～3年魚になると10～2月の多脂期には腹肉の平均脂質含量が20%を超え，養殖魚が脂っぽいといわれる評価を成分面から裏付けている．なおこの時期の同程度の大きさの天然魚の脂質含量は7～10%にすぎない．この差は，養殖魚の餌が，主にいわしなどの脂肪の多い魚であるためといわれている．

　エキス分：味の点で天然魚と養殖魚を比較すると，天然魚の方がエキス成分に由来する味は濃厚で，成分的にもエキス窒素量，ヒスチジン量，トリメチルアミンオキサイド量などにおいて養殖魚が低含量であることが明らかにされている．

ぶりに似た魚にひらまさおよびかんぱちがあり，大型魚が多く，高級魚として夏に美味といわれる．しかし両者とも，20kgに近いような大型魚ではシガテラ毒を有するものがあり，麻痺性の中毒を起こすことがあるので注意を要する．

　ビタミン：脂溶性および水溶性のビタミン類を豊富に含有し，赤身魚の中では含量の比較的高い方である．特に成魚のビタミンD含量は高い．

　◇**保存・加工**　保存は冷凍耐性も高く，生食用としても凍結保存できる．ぶりは昔から関西方面で好まれた魚であるため，日本海のものを京阪へ運ぶための保存法も工夫された．ぶりはたんぱく質の分解によりヒスタミンを生じやすく，また脂肪の酸化や，トリメチルアミンオキサイドの分解による魚臭を生じやすい．しかし塩を多量に加えておくと，これらの変化を遅らせ，魚臭を防ぎながらうま味を増やすことができる．富山，石川の名産の塩ぶり，塩乾品の一種であるわら巻きぶりやぶり鮨などがこの例である．ぶり燻製の油漬缶詰も一種の高級品的保存食の近年の例である．石川の名産の日の出汁も，別名いなだの鶴もどきといわれるように，干しぶりを戻したものを材料としている．ただし，この地方ではこのいなだはぶりの幼魚の意味でなく，成魚の塩乾品のことをいう．

　◇**調理**　脂肪が多く，筋肉組織の中までも入り込んでおり，味が極めて濃厚である．脂肪ののった冬の季節が最盛期で，"寒ぶり"と呼ばれる．寒ぶりや養殖のはまちは，刺身やすし種にも用いられる．※濃厚な味を生かし魚臭を消すため，塩焼きより照焼きに向く．またフライパンにバターを溶かし，みりんじょうゆをかけて焼くステーキ風の加熱法もある．そのほか，西洋料理ではフライ

ぶり（本村　浩之）

や赤ワイン煮込みなどに用いられる．※北陸，関西，九州などで冬季に塩ぶりを貯え，汁の実にしたり，正月の雑煮に入れたりするところが多い．塩漬けしたぶりをかぶに挟み込み，麹で本漬けしたかぶらずし（蕪鮨）は金沢の正月用の郷土料理．

●つむぶり
紡錘鰤；錘鰤　分 ツムブリ属
学 Elagatis bipinnulatus　英 rainbow runner　別
地 うめきち（鹿児島）；おきぶり（和歌山）
全長1.8m．体は紡錘形でやや側扁する．第2背びれと臀びれの後に一対の小離鰭（しょうりき）がある．外洋の表中層で群をなす．全世界の温帯，熱帯の暖海に分布する．

●ぶりもどき
鰤擬　分 ブリモドキ属　学 Naucrates ductor
英 pilotfish　別 パイロットフィッシュ　地 おきのうお；さいごぶり；さいでぶり（高知）；たつみ；のぼりさし（和歌山）
全長70cm．体は紡錘形でほとんど側扁しない．体側に大きな灰褐色の横縞が数条ある．サメなどの大型魚の周りを泳ぐ習性がある．欧米ではパイロットフィッシュ（水先案内魚）と呼ばれている．味はあまりうまくない．全世界の暖海に分布している．

ブリットル

成 15112　英 brittle
タフィーの一種で，バタースコッチに落花生などのナッツ類を混ぜたものである．ナッツ類は，熱いシロップ中で香ばしくローストされる．コクのある甘さとナッツの香ばしさ，独特の食感がある．バタースコッチに似ているが，ナッツ類を添加し，こげる寸前で火からおろし，最後に重曹（炭酸水素ナトリウム*）を加え，泡立ってふくれたところで，色調が均一になるまで混合し，冷却，圧延，成型する．生地に細かい気泡を抱かせ，製品にもろさをもたせている．

ブリットル（平　宏和）

プリン　⇒プディング
ブルーチーズ　⇒チーズ

フルーツケーキ

英 fruit cake
刻んだドライフルーツの砂糖漬けやナッツなどをブランデーやラム酒に漬け込んだものをバターケーキ生地（ケーキ*）に加え，焼き上げたもの．

フルーツケーキ（平　宏和）

ブルーベリー

成 07124（生），07172（乾）　分 ツツジ科スノキ属（半常緑性低木）　学 Vaccinium spp.　英 blueberries
スノキ属植物の落葉性または常緑性の低木または高木性果樹の400種の中から果実の風味が特に優れたものが，米国で選抜された．ブルーベリーは，その総称で，ローブッシュ（Vaccinium angustifolium），ハイブッシュ（V. corymbosum）およびラビットアイ（V. ashei）の3種が主なもので，昭和26（1951）年にわが国に導入された．わが国に自生する同属の植物には，コケモモ，ナツハゼ，シャシャンボなどがあるが，コケモモ以外は食用とはしない．果実は開花後，2～3カ月で成熟し，1.5g前後の大きさとなり，果色は黒紫色となる．果実は軟らかく多汁で，甘味と酸味があり，独特の香りもある．果皮や種子を除かないで食用とする．

◇**成分特性**　果実の糖類は100g中12～13gとかなり高く，糖組成は，果糖，ぶどう糖が主体である．有機酸*は成熟とともに減少し，成熟期には1g前後になる．クエン酸が主な酸で，少量のキナ酸，リンゴ酸*を含む．
ブルーベリーに特に多く含まれる水溶性色素のアントシアンは，人間の目の網膜に存在するロドプシン（視紅素）という紫色色素体の再合成作用を促進し，眼性疲労回復に効果的であるといわれる．

ブルーベリー（ハイブッシュ）　右上：縦断面，右下：横断面（平　宏和）

プレスハム

そのため視覚機能向上用のブルーベリー製剤も市販されている．また，アントシアン類の抗酸化性には，制癌作用の期待ももたれている．
◇保存　低温貯蔵（4℃）すると6週間ほど貯蔵できる．また凍結保存すると1年以上貯蔵できる．加工用としての輸入品は冷凍品がほとんどである．
◇加工　加工品としては，ジュース，プレザーブジャム，ブルーベリーソース，ワイン，果実酒などがある．アイスクリームやシャーベットにも利用される．
◇調理　ジャムや生果を菓子類の飾りとして使うほか，肉や魚料理にマリネとして用いたり，果汁をソースやドレッシングとして，肉料理や野菜サラダに利用する．

プルーン　⇨すもも
フラクトース　⇨かとう

プレスハム

成 11178　英 pressed ham　別 寄せハム

肉の結着力を利用して，各種の畜肉の細切れを集めて，ケーシングに詰めて燻煙して製品としたもの．日本独自の製品で，ハムは本来豚肉のみを原料とするものであるから厳密にはハムではない．日本農林規格*（JAS）では，使用する肉の種類に応じて，特級，上級，標準がある．

●混合プレスハム
英 mixed pressed ham

プレスハムでは原料肉は畜肉（豚，牛，馬，羊，山羊）に限られているが，混合プレスハムは，このほか，鶏，うさぎ，魚類や鯨の肉も使用する．かつてはハムよりも多くつくられたが，現在は，その生産はわずかである．

●チョップドハム
成 11180　英 chopped ham

JASマークを表示しないプレスハム様製品を指す．プレスハムでは，20g以上の肉塊が90％以上で，つなぎは3〜5％以下などのJAS規格が定められているが，チョップドハムにはJAS規格がないため，これより小さい肉塊で，つなぎの割合も多い．現在は生産量は少ない．

チョップドハム

プレッツェル

成 15099　英 pretzel

ヨーロッパで有名な，伝統的な固パンの一種．中世ドイツの僧院では，四旬節に僧侶たちが両腕を胸に組み合わせた形のブラセラスというパンをつくっていた．プレッツェルもこのパンの一種で，同様の形をしており，ドイツ，スイス，オーストリアなどではこの形がパン店やパン組合の看板や商標に使われていることもある．元来は，小麦粉と水と食塩でつくられていたが，次第に材料が豊かになり，スイート・ドウやパフ・ペストリー，デニッシュ・ペストリーの生地でもつくられている．また，スナック菓子タイプとして，生地をエクストルーダー*で加熱，押し出して焼成した製品もある．

プレッツェル　左：パンタイプ，右：スナック菓子タイプ（左：ツイスト，右：スティック）（平　宏和）

プレミックス粉　⇨こむぎこ
ブレンデッドウイスキー　⇨ウイスキー
ブロイラー　⇨にわとり

フローレット

バナナの形をしたキャンデーの一種．バナナのほか，いちごの香料や薄荷など加えた他の果物の形をしたものもある．
◇**製法**　砂糖，水あめ，とうもろこしでん粉（コーンスターチ）にゼラチンあるいは寒天を加え，攪拌して気泡を立て，バナナの香料を加えた生地をバナナの型に流し込み，熱風で乾燥したもの．淡い5色に着色されたものが多い．

フローレット（平　宏和）

フローレンスフェンネル

分 セリ科ウイキョウ属（多年生草本）　学 *Foeniculum vulgare* var. *dulce*（イタリアウイキョウ）
英 Florence fennel　別 甘ういきょう；イタリアういきょう

南ヨーロッパ原産．株は立ち性で，草丈1.0～1.5m．葉が繁茂すると葉柄基部がたまねぎのように肥大する．葉は糸状に細裂し，鮮緑色，有柄．夏に茎頂や葉柄基部から花茎*を抽出し，複散形花序．花は緑黄色，主枝は長楕円形で茶褐色．株全体，種子にも強烈な香気がある．肥大した葉柄基部を軟白し，握りこぶし大になったとき収穫す

フローレンスフェンネル（平　宏和）

る．若採りした小球も利用できる．茎葉・種子は香味用となる．甘味もあるが，香辛用のフェンネルのような辛味はない．香辛用のフェンネル（ウイキョウ）の変種である．香辛用フェンネルは株元が肥大しない．
◇**成分特性**　100g当たり，水分94.2g，たんぱく質1.8g，脂質0.2g，炭水化物1.8g，カリウム440mg，カルシウム24mg，鉄*0.3mg，β-カロテン当量140μg，ビタミンC 5mgとなっている（英国食品成分表）．
◇**調理**　たまねぎ状の葉柄基部は，煮込み料理やサラダなどに用いる．葉の部分は，香草として肉・魚料理のにおい消しにも用いられる．

プロセスチーズ　⇨チーズ

ブロッコリー

成【花序】06263（生），06264（ゆで），06395（電子レンジ調理），06396（焼き），06397（油いため），【芽ばえ】06354（生）　分 アブラナ科アブラナ属（2年生草本）　学 *Brassica oleracea* var. *italica*　英 broccoli；sprouting broccoli　別 めはなやさい（芽花椰菜）；緑はなやさい；イタリアンブロッコリー

ブロッコリーは花蕾*（からい），花茎*を食べるキャベツ類の原型とされ，これが改良されて大きな花蕾をもつカリフラワーが生まれた．ヨーロッパでは2,000年以上の歴史がある．わが国へは明治の初めに導入されたが，普及しなかった．近年になって緑黄色野菜に対する需要が増えるとと

もに，急速に栽培が増加した．また，発芽3日目ほどのもやし状のものと6日目ほどのかいわれ状のものが，ブロッコリースプラウトとして一部地域で市販されている．
◇品種　花蕾の色には白，緑，紫などがあるが，わが国では現在緑色のイタリアンブロッコリーが主に普及している．需要の増加とともに育種が急速に進み，早〜中晩生の一代雑種*が普及している．カリフラワーより栽培が容易で，作型としては，夏播き（9〜3月どり），秋播き（4〜5月どり），春播き（5〜6月どり）栽培などがある．
　　産地：北海道，愛知，埼玉，香川など．
◇成分特性　カロテンなどの含量は栽培種，作型でかなり変動し，緑色が濃厚なものは多くなる．ビタミンCも多く，これらの成分がカリフラワーとは大きく異なる．また，カルシウムや葉酸*も比較的多い．さらにS-メチルメチオニンといった生理機能成分が多い．微量成分として含まれるスルフォラファンが，解毒力や抗酸化力を高めるとして注目され，特にスプラウトに多く含まれている．茹でると，葉菜類*と異なり乾質量が増え，1.1倍になる．また，灰分が40％，無機質成分ではカリウムが45％，他は20〜30％減少する．一方ビタミンは，B_1，B_2が50％，ナイアシン*とCは50％とかなりの減少が認められる．
◇保存　他の野菜と同じように，冷蔵・冷凍貯蔵されるが，最適温度と湿度は0℃，95〜100％で，10〜14日保存できる．
◇調理　茹でてからサラダ，炒め物など，いろいろな調理に用いられる．花蕾と花茎とを一緒に調理することがほとんどであるが，花蕾の部分は軟らかく煮崩れしやすい．旨煮やスープ煮などにするときは花茎だけを用いるか，花蕾の部分は仕上げに加える．※加熱による栄養損失は大きい．特に水溶性のビタミンCは，茹でる際に失われやすい．茹ですぎに注意を要する．※味はそれほど強くなく，和・洋・中の各種の味付けによく調和

する．サラダのほか，ソースをかける料理やピクルス，甘酢，チーズ焼き，クリーム煮など，いろいろな味付けが可能である．

フロランタン

英 florentine

イタリア発祥のアーモンド風味のフランス菓子．
◇由来　フロランタンは「フィレンツェの」という意味で，16世紀，フィレンツェのメディチ家のカトリーヌ・ド・メディシスがフランスのアンリ2世に嫁ぐときにフランスに伝えられたという．
◇原材料・製法　サブレ生地にアーモンドスライスを絡めたキャラメルをのせて焼き上げる．

フロランタン（平　宏和）

ぶんたん　文旦

成 07126（砂じょう 生）　分 ミカン科ミカン属（低木）　学 Citrus maxima（ザボン）　英 pomelo
別 ざぼん；じゃぼん；ぼんたん

インド東部，ミャンマー，タイ，中国南部，台湾に多く原生する．ざぼん，じゃぼんの名はポルトガル語のzamboaから転じたとみられる．また，紅肉種のものについては，うちむらさきと呼んでいる．中国南部，台湾ではぶんたんのことを柚（ヨウ）といっている．ぶんたんは柑橘類中最も巨大な果実を産し，3〜7kgに及ぶものもある．種子は単胚で，自然交雑により多数の品種が生じている．グレープフルーツをはじめ大果の柑橘の多くはぶんたんの血を引くものが多い．河内晩柑（かわちばんかん，熊本，500g）もぶんたんの雑種である．
◇品種　麻豆（まとう）文旦（台湾原産，果重1kg），安政柑（広島，600g），晩王柑（ばんおうかん）（鹿児島，500g），晩白柚（ばんぺいゆ）（マレー半島，2kg），阿久根文旦（鹿児島，1kg），平戸文旦（長崎，1kg），土佐文旦（高知，400g）など品種は非常に多い．12月に採取されるもの

ブロッコリー（平　宏和）

土佐ぶんたん（別名：法元文旦）（平　宏和）

が多いが，酸が多いので2～5月まで貯蔵して減酸し，食味が向上した時点で出荷される．

産地：わが国では高知（土佐文旦）と鹿児島（阿久根文旦）が主産地である．

◇**成分特性**　果皮が厚いので廃棄率は多く50％に及ぶ．主成分は糖類で，100g中約9g，酸1.2gである．糖類の60％はしょ糖で，40％はぶどう糖と果糖である．果肉の苦味はナリンギン*で，30mg含まれている．ビタミンCは果肉で45mg，果皮では多く200mg含まれる．果実の独特の香気は，リモネン*，β-ピネン，ミルセン，エタノールなどによる．

◇**保存**　貯蔵の最適温湿度は5℃，90～95％で，湿度条件に敏感である．したがって，ポリ袋（0.02mm厚さ）に個装して貯蔵する．

◇**加工**　ざぼん漬のほかマーマレードも良質なものができる．

●**ざぼん漬**

成 07127　英 candied peel of pomelo　別 ぶんたん漬

ぶんたんの果皮の砂糖漬．7～8月にかけての摘果果実，成熟果実の果皮の表皮部（フラベド部）を除いた海綿部（アルベド部）を切り取って利用

上：ざぼん漬（ぶんたん果皮砂糖漬），下：ぶんたん漬（阿久根文旦，青切り）（平　宏和）

する．調製果皮を水煮して苦味を除き，砂糖を加えて煮つめ，製品化される．また，完熟前のぶんたんを薄く輪切りにした砂糖漬（ぶんたん漬・青切り）がある．

粉糖（ふんとう）　⇨さとう

 粉乳　ふんにゅう

成 13009　英 milk powder；dried milk

牛乳特有の性状をできるだけ変えないように，牛乳から水分を除いて粉末状にしたものである．大部分の水を除いてあることから，容積が小さく，保存性もよいので，貯蔵や輸送に都合がよくなった．

◇**歴史**　粉乳の利用の歴史は古く，13世紀にすでにダッタン人がつくり，フビライ汗の軍隊の兵士が携帯食糧として用いていたという．工業規模では，1855年に英国での特許がある．一方，米国では粉乳としてマルテッドミルク（malted milk）（麦芽粉乳）が1883年に発明され，これが牛乳乾燥の工業的製造の基礎となっている．わが国における粉乳製造は，1920年にバフロバック乾燥機で商業的に量産されたのが最初である．その後，昭和に入り，調製粉乳が規格化されるに及んで非常に発展をとげ，粉乳は乳製品中重要な地位を占めるようになった．国内メーカーの乳児用調製粉乳は世界的に最も母乳化が進んだ製品の一つである．

◇**種類・分類**　粉乳には，用いる原料によって，①全〔脂〕粉乳，②半脱脂粉乳，③脱脂粉乳，④インスタントミルクパウダー，⑤調製粉乳，⑥加糖粉乳，⑦ホエーパウダー，⑧粉末バターミルク，⑨粉末クリーム，⑩アイスクリームミックスパウダー，⑪マルテッドミルクパウダー，などがある（**付表5**）．

それぞれの粉乳については，食品衛生法*に基づく厚労省令である乳等省令*および公正競争規約による成分規格，食品衛生法などによる規定がある．

特徴：全脂粉乳は，長期間保存すると脂質が変質することがある．このため乳脂肪分を除いて，脱脂粉乳とすることが多い．脱脂粉乳を湯などに溶かす際，ダマ（ママコ）にならず，さっと溶けやすく処理したものがインスタントミルクパウダーである．処理法には，一度粉末化したものに水分を噴霧し，再乾燥する方法がとられる．これは，乾燥後に吸収した水分が再蒸発する際，粉体

に細い孔ができ，水との界面積が広くなって溶けやすくなるためである．また，脱脂粉乳に乳脂，カゼインなどを加えて液状に還元したものが，還元乳，加工乳として市販される．最近の加工技術の向上で，栄養価のうえでも，乳質のうえでも牛乳とほとんど変わらない．

●全粉乳

成 13009　英 whole milk powder　別 全脂粉乳

全乳の濃縮・乾燥粉末．乳等省令*では（**付表5**），成分規格を乳固形分95.0％以上（うち乳脂肪分25.0％以上），水分5.0％以下，細菌数1g当たり50,000以下，大腸菌群陰性としている．加工乳，ミルクチョコレート，アイスクリーム類の原料に利用される．乳脂肪分が多いので，脂肪が酸化されやすく，貯蔵中に酸敗（ランシッド）臭などが発生し，風味が著しく低下する．

●脱脂粉乳

成 13010　英 skimmed milk powder　別 スキムミルク

脱脂乳の濃縮・乾燥粉末．乳等省令では（**付表5**，牛乳），成分規格を乳固形分95.0％以上，水分5.0％以下，細菌数1g当たり50,000以下，大腸菌群陰性としている．保存性がよく，加工乳，各種食品の配合原料として用途が広い．100g当たりの成分としては，たんぱく質（アミノ酸組成）*30.6g，カルシウム1,100mgが多く，それらの給源として期待される．

脱脂粉乳（スキムミルク）（平　宏和）

●バターミルクパウダー

英 buttermilk powder

バター製造の際，バター粒と分けられた白濁液（バターミルク）の乾燥粉末．乳等省令では（定義**付表5**，牛乳*），成分規格を乳固形分95.0％以上，水分5.0％以下，細菌数1g当たり50,000以下，大腸菌群陰性としている．成分組成は脱脂粉乳に類似している．製菓，製パン，アイスクリームの原料に利用される．

粉末清涼飲料

英 powdered soft drinks

かつては，ぶどう糖，有機酸*，クエン酸ナトリウムと粉末香料と色素が加えられたものであったが，最近では，それらの成分にビタミンC，天然果汁の凍結乾燥品を加えた高級品や，重炭酸ナトリウムや酒石酸*を加えた発泡清涼飲料なども商品化されている．

粉末清涼飲料（レモン）（平　宏和）

粉末油脂　ふんまつゆし

英 powdered oil

油脂をたんぱく質や糖類などにより被膜化し，粉末状にしたもの．油脂とはいえ，水に溶ける性質のものもある．また，天ぷら油，マーガリンなどと異なり，温度の影響を受けにくく，一定の形状を保つ性質がある．

　製法：油脂，たんぱく質，糖類，水および乳化剤*などを混合し乳化させた後，主として噴霧乾燥により製造されているが，そのほか，固化粉砕，噴霧冷却，散布混和，マイクロカプセル，凍結乾燥などの方法によっても製造される．

◇**用途**　粉末油脂の特徴を生かし，粉末スープ，即席カレーの素材として，あるいは脂質機能成分（γ-リノレン酸*，イコサペンタエン酸*，ドコサヘキサエン酸*など）を粉末化した食品素材の開発や，オーブンで加熱すると揚げ物になるノンフライ揚げ物用油脂などに使用されている．

へ

 べいか 米菓

成 15057（揚げせんべい），15058（甘辛せんべい），15059（あられ），15060（しょうゆせんべい）
英 rice crackers　別 あられ・せんべい類

米を主原料にした，あられ・せんべい類の総称である．代表的なものとしては，あられ*，塩せんべい*，甘辛せんべい*，揚げせんべい*などがある．一般にもち米を用いたものを"あられ"，うるち米（粉）を用いたものを"せんべい"と呼ぶ．せんべいの製法は，水を加えたうるち米粉を蒸したものを練出し，型抜き後，乾燥した生地を焼き上げ，味付けして仕上げる．

上：せんべい（草加型）　上左から，塩，甘辛，胡麻，下左から，唐辛子，砂糖，抹茶，下：せんべい各種　上左から，海苔，黒胡麻，中：黒豆，上右から：えび，あおさのり，薄焼き（平　宏和）

米（べい）なす　⇒なす

 ベイリーブス

分 クスノキ科ゲッケイジュ属（常緑高木）　学 *Laurus nobilis*（ゲッケイジュ）　英 bay leaves；laurel　別 ローレル；ローリエ；月桂樹

地中海東部から西アジア原産．わが国でも月桂樹の名で庭木などにも植えられる．樹高は最高15 m くらいまで達し，雌雄異株*で初夏に淡黄色の花をつける．スパイスとして利用されるのは，開花後の若葉を乾燥させたもので，ユーカリやマジョラムに似た香りをもつ．利用法は乾燥葉をそのまま使う"ホール"と粉末のパウダータイプの2種類がある．

ベイリーブスは古代ギリシア・ローマ時代から，栄誉のシンボルとして親しまれ，古代オリンピックの勝者を讃えて与えられる月桂冠は有名である．

ベイリーブス　左2枚：表面，右2枚：裏面（平　宏和）

◇**成分特性**　生の葉には苦味があるが，乾燥させると弱まり，代わりに強い芳香がでてくる．この香りの主成分はシネオールで，そのほか，ピネン*，フェランドレン，リナロールやオイゲノールも含まれていて，民間薬として，芳香性健胃剤やリウマチの薬に用いられる．また，生葉を入浴剤としても利用できる．

◇**調理**　最もポピュラーなスパイスとして，広範囲に利用される．カレーやシチューなどの煮込み料理に，ローストビーフやマリネ・ドレッシングにも用いられる．葉の一部を折ると香りが出やすくなる．トマト味との相性もよいので，ピザ，パスタなどにも使われる．ただし長く煮込みすぎると苦味が出るので，カレーやシチュー，スープなどは煮上がったら取り出す．煮込み料理には，ブーケガルニとして使うといっそう効果的である．

米粒麦・白麦　⇒おおむぎ

 ベーグル

成 01148　英 bagel

米国，特にニューヨークで人気の高いパンで，最近日本でも好まれ普及している．トルコに攻められたオーストリアがポーランドの騎馬隊に助けられたお礼に"あぶみ"に似せてつくったのが始ま

ベーグル（平　宏和）

ベーコン（平　宏和）

りといわれ，リング状のモチモチした食感のパンである．

原材料・製法：原料小麦粉はたんぱく質の多い上質の強力粉が使われる．配合は本来シンプルで，硬いパンに仕上げるが，米国中西部やわが国ではソフトのものが好まれ，小麦粉100に対し，4％程度の油脂が加えられる場合が多い．その他の原料の一例を示せば，砂糖5％，食塩1.8％，イースト2％などである．水50％程度を加えてこねた生地は発酵，分割後にリング状に成形し，2倍くらいまで発酵させてから80～90℃の熱水中に2分くらい湯通しするのが特徴で（最近はスチームで蒸す場合が多い），生地中のガスの熱膨張によるパンのふくれはここで起こる．この後の焼成工程では膨張は起こらないが，十分吸水した生地表面は特有のパリッとした外皮（クラスト）とクラストカラーを生ずる．

加えるものによって種類が多く，食べ方もいろいろだが，シンプル配合のものは横半分にスライスし，軽くトーストしてから好みのものを塗ったりはさんだりして食べる．

ベーコン

英 bacons

日本農林規格*（JAS）においては，塩漬した豚肉を燻煙したものを指し，原料とする部位によって「ベーコン」「ロースベーコン」「ショルダーベーコン」などと呼び分けている．海外においては背側の原料肉を用いたバックベーコンが一般的な場合もある．わが国では，ばらを用いたベーコンが一般的であることと異なるため注意が必要である．JASではサイドベーコン，ミドルベーコン，ショルダーベーコン，ロースベーコン，ベーコンの定義が示されている．各種のベーコンに共通していえることは，豚肉を枝または部分肉のまま塩漬し，燻煙したものということである．そのほか

JASとして熟成ベーコン類の規格が示されている．

◇**製法**　塩漬には乾塩法，湿塩法などがあるが，近年は塩水を注射する方法も行われるようになった．燻煙には普通冷燻煙法が用いられる．これはたんぱく質を凝固させず，芯から乾燥させ，保存性を高めるためである．しかし最近の日本では，保存のきく調理材料としてのベーコンをインスタントな調理済み食品としてのハムと混同し，同様な衛生的取り扱いが要求されるため，熱燻法による製品が多くなっている．また，熟成ベーコン類は原料肉を一定期間塩漬することで，肉の色素を固定し，特有の風味を十分に醸成させる．

鑑別：ベーコンはその脂肪を上手に利用するように工夫されてきた製品である．脂肪は表面に燻煙色がムラなくのり，硬くしまっており，肉はほどよいしなやかさを保ち，やや透明感のある赤色を示すものがよい．

◇**成分特性**　ベーコンはばら（わき腹）肉を原料としたものが一般的であり，栄養成分もばら肉と似ている．ただし，ばら肉に比べ水分が若干少なく，脂肪が多い．ナトリウム*，ナイアシン*，ビタミンCがばら肉に比べてかなり多いが，これは添加物によるものである．

◇**保存**　冷暗所に吊しておけば3～6カ月は保存できるのが本来であるが，現在では適切な包装と温度で保存することが必要である．長期保存は凍結するしかない．

◇**調理**　もともと豚肉の保存法として発明されたもので，塩味と燻煙臭が強い．卵，肉，魚，野菜，いもなどとともに加熱すると，特有の風味がそれらの食品に移る．加熱したときに溶出する脂肪で，野菜などを炒めるとよい．

●**サイドベーコン**

英 side bacon

日本農林規格では「豚の半丸枝肉を塩せき（漬）し，及び燻煙したもの」とされている．サイド

ショルダーベーコン（平　宏和）

ロースベーコン（平　宏和）

(side) とは豚の半丸，枝肉のことで，これを原料に発色剤などとともに塩漬し，低温で燻煙したものである．有名なウィルトシャーベーコン（デンマーク）は，この種類である．

●ショルダーベーコン
成 11185　英 shoulder bacon
JAS では「豚の肩肉を整形し，塩せき（漬）し，燻煙したもの」もしくは「サイドベーコンの肩肉を切り取り，整形したもの」と定義されている．豚かた肉（骨付きの場合もある）を発色剤，香辛料などと共に塩漬して，燻煙したもので，粗たんぱく質含量，添加物などにも JAS の基準が設けられている．

●ベーコン
成 11183　英 bacon　別 スラブベーコン
JAS では「豚ばら肉を整形し，塩せき（漬）し，及び燻煙したもの」もしくは「ミドルベーコン又はサイドベーコンのばら肉を切り取り，整形したもの」と定義されている．日本では代表的に知られ，普通にベーコンといえばこれを指すまでになっている．脂身が多く，通常ならば炒め物の材料に使うこの品も，最近ではスライス製品をそのまま食べるものが多くなったため，食品衛生法上はさらに一定の加熱した製品を流通させるよう指導している．

●ミドルベーコン
英 middle bacon
JAS では「豚の胴肉を塩せき（漬）し，燻煙したもの」もしくは「サイドベーコンの同肉を切り取り，整形したもの」と定義されている．小型の豚を原料とし，わき腹肉とロース肉とをそのまま塩漬，燻煙したもの．

●ロースベーコン
成 11184　英 loin bacon
JAS では「豚ロース肉を整形し，塩せき（漬）し，燻煙したもの」もしくは「ミドルベーコン又はサイドベーコンのロース肉を切り取り，整形したもの」とされ，骨を除いた豚ロース肉を塩漬してから燻煙し，肉内温度 65〜68℃に調整して製造する．

ヘーゼルナッツ

成 05029（フライ　味付け）　分 カバノキ科ハシバミ属（落葉低木）　学 *Corylus* spp.（ハシバミ類）
英 hazel nuts

ハシバミ類の果実（堅果*）である．ハシバミ類は低木性の落葉樹で，原産地は温帯アジアからヨーロッパ南部および北米大陸と広い．現在の主産地はトルコ，イタリア，アゼルバイジャンなどである．果樹として古い歴史をもち，世界には 12 種類ほどある．わが国で全国的に分布しているものは，ハシバミ（*Corylus heterophylla* var. *thunbergii*）とツノハシバミ（*C. sieboldiana*）の 2 種類である．奈良時代以前から知られていたが，栽培されるに至らず，野生子実としてわずかに利用されるにすぎない．

◇種類　果実は卵形または長楕円形で，葉状の総苞*に包まれて，短枝の頂部に房状に普通数個着生し，成熟すると自然に落下する．大型のどんぐりを少し丸くした形で，大きさは 1〜2cm くら

ハシバミ（野生種，長野県産）　上：堅果，下：仁（種皮つき）（平　宏和）

ヘーゼルナッツ　左：セイヨウハシバミ（いり 味付け），中：セイヨウハシバミ（フライ 味付け），右：ムラサキセイヨウハシバミ　左から，堅果＋総苞，堅果，仁（種皮つき）（平　宏和）

いである．堅い殻の中に赤褐色の種皮を被った白い仁*があり，これを食用とする．栽培種のハシバミはセイヨウハシバミ（*C. avellana*），ムラサキセイヨウハシバミ（*C. maxima*）と両種の交雑種である．英国ではセイヨウハシバミをコブナッツ（cobnuts），ムラサキセイヨウハシバミをフィルバーツ（filberts）とも呼び，米国では両種をフィルバーツ，自生種のアメリカハシバミ（*C. americana*）とカナダハシバミ（*C. cornuta*）をヘーゼルナッツと呼ぶ場合がある．スペインとトルコのハシバミは，自生のトルコハシバミ（*C. colurna*）からの栽培種である．殻付きのものの輸入はトルコ産が主である．

◇**成分特性**　仁（フライ，味付けしたもの）の主成分は脂質で，たんぱく質も豊富でエネルギーも高い．脂質の脂肪酸組成は，約8割がオレイン酸*，リノール酸*（約1割）が主である．無機質としては，カルシウムも豊富で，鉄*も含まれている．ビタミンは B_2 とEが多い．バターローストして酒のつまみ，また製菓材料に用いる．

nuts

北米大陸に多いクルミと同科の30～50mにもなる落葉性高木の果実（堅果）である．原産地は北米インディアナ州ミシシッピー川流域，およびメキシコ湾南部であると考えられている．

◇**品種**　米国では19世紀後半から栽培されるようになり，代表的な堅果類の一つとなっている．品種改良も行われ，シュライ，カーティス，パブストなどが代表的品種である．果実は品種によって変異が多く，円形，卵円形，楕円形などさまざまである．外果皮*は緑色で，4本の縫合線が縦に入っている．成熟するとこの縫合線に沿って裂開し，内果皮*に包まれた種子が自然に落下する．殻は薄くて破砕しやすい．

◇**成分特性**　内部の仁（フライ，味付けしたもの）は，脂質が7割強と種実類の中でも特に多い．脂肪酸組成はオレイン酸*約50％，リノール酸*約30％である．くるみに似た甘く香ばしい味をもち，脂質に富むことから，生食用および製菓原料としてパウンドケーキなどに用いられる．

ペカン

成 05030（フライ 味付け）　分 クルミ科カリア属（落葉高木）　学 *Carya illinoiensis*　英 pecan

ペカン（フライ 味付け）　枠内：左：堅果，右：仁（平　宏和）

ペコロス　⇒たまねぎ（小たまねぎ）

へしこ　⇒さば

ベシャメルソース　⇒ホワイトソース

へだい　⇒たい

へちま　糸瓜

成 06265（果実 生），06266（果実 ゆで）　分 ウリ科ヘチマ属（つる性1年生草本）　学 *Luffa aegyptiaca*　英 sponge gourd；luffa　別 いとうり；ナーベラ

東南アジア原産のつる性草本で，中国を経て350年ほど前にわが国に渡来したものと思われる．主として熟果を繊維用に利用するが，南九州，沖縄では食用品種の幼果を食する．

食用へちま（平　宏和）

◇**品種**　食用となるのは，青長（あおなが），中長（ちゅうなが），短太（たんぶと）などであり，トカドヘチマ（*Luffa acutangula*）も食用とする．沖縄では普通栽培のほか，早熟，促成栽培*も行われ，ナーベラと呼ばれる食用ヘチマが親しまれている．

◇**成分特性**　食用とする効果は栄養成分含量が少ないが，独特のテクスチャーが好まれる嗜好的な食品である．

◇**調理**　若い実だけを煮物，和え物，汁の実などに用いる．味が淡白なので油を使い，肉とともにみそ，砂糖で炒め煮にする料理もある（鹿児島のへちま料理）．塩漬，糠漬にも用いられる．

べったら漬

成 06141　英 Bettara-zuke；(Japanese radish pickled with rice koji)　別 だいこんのこうじ漬

◇**原料**　大根の麴漬をいう．べったら漬の名は，表面についた米麴がベトベトしているところからついたという．軟らかい歯触りが特徴とされるので，若採りの大根が良質とされる．たくあんに先がけて出回る傾向が強く，秋早く漬け込みが行われることが多い．これには美濃早生大根などが適している．春期には三浦大根なども使用される．

◇**漬け方**　大根を皮むきし，6％食塩で下漬を行う．重石は大根と等量ぐらいが必要である．剝皮してあるので2日ほどで漬け汁があがる．次に大根を全部取り出して，漬け替えをする．これは漬けムラをなくすためであるので，食塩はいっさい加えない．2日ほどで十分で，本漬に移す．

　麴漬床の配合例：米麴1 kg，砂糖2 kg，食塩800 g，みりん500 g，うま味調味料20 g，温水2 L，下漬大根50 kg．

　漬け方の要領は，中漬大根と漬け床材料と交互に重ね，最後に押し蓋をして中漬大根の質量と等量の重石をのせる．漬け汁があがったら重石を半減する．約10日ほどで甘味が大根の芯まで浸透するので食用できるようになる．

◇**保存**　非常に酸敗しやすいので必ず低温で保存する．

ヘット　⇒牛脂
べにざけ　⇒さけ・ます（海産）

べにばないんげん　紅花隠元

成 04068（全粒 乾），04069（全粒 ゆで）　分 マメ科インゲンマメ属（1年生草本）　学 *Phaseolus coccineus*　英 scarlet runner beans　別 はな豆（花豆）；はなささげ

原産地は中米から南米の高原地帯で，日本には江戸時代末期に観賞用として導入された．寒冷地でよく結実する特性があり，主産地は北海道である．流通上，豆はいんげん豆として扱われ，高級菜豆に分類される．茎はつる性で，一般に花色は朱赤色または白色もある．朱赤花は種皮に紫の地に黒色の斑が入った子実ができ，白花からは白色の子実ができる．

◇**品種**　現在栽培されている品種に，種皮が淡紫色の地色に黒色斑紋のある紫花豆，また白花豆に大白花がある．また，茨城県農業総合センターが育成した，種皮が黒色の「常陸大黒（ひたちおおぐろ）」がある．初夏に若さやを収穫して野菜として食する．完熟種子は豆として利用され，大きさは長さ1.8～2.5 cm，幅1.2～1.6 cmで豆類の中で最大である．

◇**成分特性**　いんげん豆と同様に毒性のあるフィトヘマグルチニン（PHA；レクチンの一種で，植

べにばないんげん　上:白花豆，下:紫花豆（平　宏和）

はな豆　煮豆（平　宏和）

ペピーノ（新宿高野）

物性血液凝集物質）が含まれるので，十分加熱して用いる．
◇**調理**　若さやは筋と両端を除き野菜料理として用いる．乾燥豆は主に煮豆にされるが，白花豆は大粒の甘納豆の原料となる．

紅花（べにばな）油　⇨サフラワー油
ペパーミント　⇨ミント

ペパーミント

成 16030　**英** peppermint
草本系のリキュールで，ブランデーやスピリッツにペパーミント（ハッカ；薄荷）を漬けてエッセンスを浸出させるか，ハッカ精油を加える方法でつくられる．ミントの香りをもったリキュールである．100g（89.3mL）中，アルコール21.4g（30.2容量％）と利用可能炭水化物*（差引き法）37.6gを含む．

ペパーミント（平　宏和）

ベビーキャロット　⇨にんじん（ミニキャロット）
ベビーコーン　⇨とうもろこし（ヤングコーン）

ペピーノ

分 ナス科ナス属（多年生草本）　**学** Solanum mu-
ricatum　**英** melon pear；pepino melon
果菜の一種で，果実は卵形，球形，長卵形で，果重は50〜400gくらいと幅がある．色は未熟なものは緑色で，熟すると黄色になる．原産地は南米コロンビア，ペルーおよびチリのアンデス山岳地帯の標高1,200〜2,700m周辺であるといわれている．しかし野生種は見られず，栽培種のみである．1795年英国に，1982年に米国に導入された．日本へは，ニュージーランドから輸入されている．ペピーノはスペイン語できゅうり（pepino）のことで，スペインでは甘いきゅうり（pepino dulce）と呼んでいる．
◇**成分特性**　糖度は6〜7％，果実としては低い部類に入る．100g中，糖類はしょ糖が最も多く2.5g，その他ぶどう糖1.5g，果糖1g内外である．ビタミンCはかなり多く，果肉で60〜70mgに達するものもある．
◇**調理**　生で食べるのが主であるが，未熟なものは，トマトのように料理の素材として利用される．

ベビーリーフ

ベビーリーフは野菜やハーブの若い葉の総称である．近年，日本では数種類の葉物野菜の幼葉を混ぜて袋詰めして販売されている．北イタリアでエンダイブ，マーシュ（コーンサラダ），トレビス，レタス，ダンディライオン，スカロール，ルッコラの種を混ぜて種をまいたことがはじまりとされ，イタリアでは「ミスティカンツァ（混ぜ合わせ）」，フランスでは「ムスクラン（7種混合）」などと呼ばれている．1980年代からアメリカのスーパーマーケットで販売されるようになり，その後，日本でもイタリアンやフレンチの付け合わせとして用いられるようになった．野菜の品目の明確な基準はないが，ルッコラ，マーシュ，ビート，ホウレンソウ，ミズナ，スイスチャード，リーフレタス（サニーレタス），ロメインレタス，ピノグ

ベビーリーフ（平　宏和）

リーン（小松菜），オーク，レッドケール，ホワイトソレル，マスタードリーフなどがよく用いられる．また，これらの種を混合した種袋も販売されている．複数の品目の生長途中の若葉であり，一般的に栄養素のバランスがよく，栄養価が高いとされる．

べら　遍羅；倍良

分 硬骨魚類，ベラ科　学 Labridae（ベラ科）英 wrasses

磯釣りで親しまれている魚で，国内からは約158種が記録されている．ほとんど全国に分布するが，北に行くほど種類も量も少なくなる．かんだいなど一部の種を除き小型で，重要なものはきゅうせんなど数種にすぎない．

◇調理　新鮮なものは姿のまま素焼き，照焼きにしたり，唐揚げ，南蛮漬にする．

● おはぐろべら

御歯黒倍良 分 オハグロベラ属　学 Pterogogus aurigarius 英 malachite wrasse 別 地 ぎざみ（山口），くちろ（八幡浜），ひょこたん（広島）
太平洋側では千葉県以南，日本海側では青森県以南，中国，台湾に分布する．体長17cmくらい．雄は暗緑褐色であるが，雌は赤色に近く著しい体色差を示す．磯のうみとさかなどの海藻の間に単独で潜んでいる．雄の背びれの第1・第2棘のひれ膜は長く伸びる．口は大きく，頭に独特の竜紋があり，えら蓋に小黒点があるのが特徴．磯でよく釣れるが，味はよくない．

● かんだい

寒鯛 分 コブダイ属　学 Semicossyphus reticulatus 英 Asian sleephead wrasse 別 標 こぶだい 地 もぶし（関西）；もむし（和歌山）；かんだい（東京）；こぶ，こべだい（和歌山）旬 夏
全長1m．北海道以南に分布する．雄は成長に伴い前額部がこぶ状になる．夏は美味で刺身とする．冬は著しく不味．

● きゅうせん

求仙 分 キュウセン属　学 Parajulis poecioptera 英 multicolorfin rainbowfish 別 あおべら（雄）；あかべら（雌）地 べら（各地，他種との混称）；ベロ；べり（和歌山，富山，高知）；くさび；くさべ（瀬戸内海沿岸，九州北部）；ぎさみ（大阪，中国地方）；すじへら（和歌の浦，淡路島）旬 6〜8
東アジアの固有種で，国内では北海道から九州に分布する．全長は40cmで，英名にあるように非常に美しい体色をしている．体の色が雄は青色が強いのであおべらと呼び，雌は赤色が強いのであかべらと呼ぶ．旬は6〜8月だが，周年美味で冬になっても不味とはならない．雄の方が雌より美味．上等かまぼこの材料となる．関西では惣菜用に使い，甘露煮として賞味する．

● あかささのはべら

赤笹之葉倍良 分 ササノハベラ属　学 Pseudolabrus eoethinus 英 red naped wrasse 別 地 べら（東海，紀州）；あかべら（相模湾，紀州，混称雌）；くさび（西日本）
全長25cm．東アジアの固有種で，国内では福井県以内の日本海沿岸，千葉県以南の太平洋岸に分布する．同属のほしささのはべらとは，眼の下を通る1暗色縦線が胸びれ基部に達することで区別される．味はきゅうせんより劣るが，美味．煮付けなどによく，かまぼこ材料にはならない．

● てんす

天須 分 テンス属　学 Iniistius dea 英 blackspot

きゅうせん　左：雄，右：雌（本村　浩之）

razorfish 別 地 てす；ていす（関西）；あまだい；えべすだい（和歌山）

全長 30 cm．新潟県・千葉県以南の日本各地，西太平洋の砂泥底に生息する．体高は高いが，著しく側扁する．胸びれ上方の体側に 1 黒色斑を持つ．かまぼこ材料とする．やや美味．

へらぶな　⇒ふな（げんごろうぶな）
ベリーハム　⇒ハム
ベルーガ　⇒ちょうざめ
ベルギーエシャロット　⇒シャロット

ベルモット

成 16031（甘口タイプ），16032（辛口タイプ）
英 vermouth

ぶどう酒に，各種草根木皮のエキス分を抽出して濾過した酒である．草根木皮はニガヨモギ（独語の Wermut に由来する）を主体とし，コズイシ（コエンドロ，コリアンダー），苦レモンの皮，肉桂（シナモン），ウイキョウ（フェンネル），キナ，丁字（クローブ）など 20 種以上使われる．イタリアン型とフレンチ型があり，前者は濃色，甘口，後者は淡色，辛口である．アルコールは 14〜20%（容量）含まれる．なお，イタリアン型といってもイタリア産だけに限らず，フランスその他の国でもつくられている．フレンチ型についても同じである．酒税法では甘味果実酒に分類されている．

ベルモット（左：甘口，右：辛口）（平　宏和）

ぺんぺんぐさ　⇒なずな

ほ

ポアロ　⇒リーキ
ホイップドバター　⇒バター
ホイップ用クリーム　⇒クリーム類
ホウキギ　⇒とんぶり
ほうじ茶　⇒緑茶
豊水　⇒なし

ほうとう

英 Hoto

山梨地方の郷土食．こねた小麦粉の麺帯をやや厚く，幅 1 cm ほどに細長く切ったものを，野菜，肉などを入れて沸騰したみそ仕立ての汁に，そのまま入れ，煮込んだものである．ほうとう用の生麺，半生麺，茹で麺，乾麺，冷凍麺（業務用）などが市販されている．

ほうとう　上：生麺，下：茹で麺（平　宏和）

ほうぼう　魴鮄；竹麦魚

成 10244（生）　分 硬骨魚類，ホウボウ科ホウボウ属　学 *Chelidonichthys spinosus*　英 spiny red gurnard　別 地 ほおほお（富山）；きよみ（青森）；ほこのうお（九州）　旬 12〜4 月

全長 50 cm．体の前部は箱形，尾部は細く側扁する．全身小型の円鱗*で覆われている．体色は赤く武骨な魚である．胸びれの表面は赤いが，裏面は青色の斑紋をつけた緑色で美しい．水深 5〜615 m の砂底に生息する．うきぶくろ（鰾）を振動させて，グーグーと大きな音を出すことが知ら

ほうぼう　上：背面，下：側面（本村　浩之）

れる．高級食用魚で，北海道から南日本，朝鮮，東シナ海，南シナ海に分布する．同科に，かながしら，とげかながしらなどがいる．

◇**成分特性**　白身の魚で，肉色白く，味も淡白でうま味がある．頭が大きく骨が硬いので廃棄率は50％と高い．ほうぼうは同じ仲間のかながしらより美味といわれる．成分的には，白身の魚の中では標準的であるが，ビタミン類の含量は低い．主に料理用である．練り製品原料ともなる．しかし量的にまとまらず，採肉に不便で歩留りの悪い欠点がある．

◇**調理**　淡白で肉離れがよく，上品な味が喜ばれる．椀種や鍋物にする場合は，霜ふりにするか，さっと下茹でしてから用いると生臭みも消え上品に仕上がる．鱗は非常に細かいので，つけたまま調理してもかまわない．※鍋物に用いるときには頭と胸びれを落とし，三枚おろしにしてもよく，また骨付きのままぶつ切りにしても野趣がある．切り身にして煮付ける場合は，ゼラチン質が多いので煮こごりになりやすい．※このほか，塩焼き，酒蒸し，洋風のサフランの入ったスープ，ほうぼうのブイヤベース，中国風の唐揚げにしてあんをかけた糖醋魚（タンツェイユー），野菜の千切りと納豆をかけて蒸した豆豉蒸魚（ドウチーヂェオンユー）などがある．

●**かながしら**
金頭；方頭魚；火魚　分 カナガシラ属　学 *Lepidotrigla microptera*　英 redwing searobin　別 地 しし；ししんぼ（新潟）；かしら；かなんど；がらんど（各地）；きよみ（秋田）　旬 11〜2月
全長40cm．ほうぼうによく似ているが，第1背びれの後半分に深紅の大きな斑紋があり，背中には斑紋がなく，胸びれの両面が赤い．函館から南日本，朝鮮，東シナ海に分布する．
　調理：椀種，鍋物，塩焼き，ブイヤベースなど，ほうぼうに準ずる．

●**とげかながしら**
棘金頭　分 カナガシラ属　学 *Lepidotrigla japonica*　英 longwing searobin　別 地 うぐいがら（高知）；どろほでり（長崎）
全長25cm．かながしらによく似ているが，胸びれが長い．南日本，西太平洋に分布する．

 ## ほうりんす　鳳梨酥

パインアップル，小麦粉，鶏卵などを使った台湾発祥の焼き菓子．中国語で鳳梨はパインアップル，酥は小麦粉，油脂，砂糖などを原料とした菓子のことである．日本ではパインアップルケーキとも呼ばれる．パインアップルジャムとバターでつくったあんをクッキー生地で5cm角ほどの直方体状に包み，焼き上げた菓子で，パインアップルジャムは増量のため，とうがんや大根などを加えることがある．

鳳梨酥（ほうりんす）（平　宏和）

 ## ほうれんそう

菠薐草；法蓮草；鳳蓮草
成【葉 通年平均】06267（生），06268（ゆで），06359（油いため），【葉 夏採り】06355（生），06357（ゆで），【葉 冬採り】06356（生），06358（ゆで），【葉 冷凍】06269（冷凍），06372（ゆで），06373（油いため）　分 ヒユ科ホウレンソウ属（1年生草本）　学 *Spinacia oleracea*　英 spinach
ペルシアの原産で，西方へは8世紀に中近東からヨーロッパへ，東方へはネパール経由で中国に伝来し，7世紀にはすでに栽培の記録がある．わ

上：ほうれんそう，中：ちぢみほうれんそう，下：サラダほうれんそう（平　宏和）

が国への渡来ははるかに遅く，17世紀と推定される．

◇**品種**　種子に角のあるもの（角種子）と，ないもの（丸種子）とがある．冷涼性の作物で，耐暑性は極めて弱い．東洋種と西洋種に大別されるが，東洋種はすべて角種子で，生育が早く，葉肉は薄く，葉肉にアクが少ない．しかし，とうが立つのが早く，春播きができないので，秋〜冬季の栽培に用いられる．西洋種には角種子の品種と，丸種子の品種がある．生育は遅いが，とうが立ちにくいので，春播きして晩春〜初夏に収穫する．葉肉にアクがある．最近は，ほうれんそうも一代雑種*（F_1）が利用され，実際の栽培はほとんど東洋種と西洋種の間の F_1 である．冬期，「ちぢみほうれんそう」が出回るが，品種名ではなく，露地栽培*により寒さに耐えるよう葉に厚み，縮みと甘味が生じたものである．

サラダほうれんそう：ほうれんそうの生葉はシュウ酸*を含み，エグ味があるため生食できない．サラダ用は，生食用にシュウ酸含量を低く，品種改良されたものである．赤軸系と青軸系があり，食味は青軸系が優れるという．

　作型：古くから秋播き（東洋種による，10〜3月どり）と春播き（西洋種による，3〜6月どり）栽培が分化していた．耐暑性が弱いため7〜9月が端境期となっていたが，最近雨除けハウス（天井のみ張る），寒冷紗（網状のものをかけて日よけ，油虫よけにする）利用による夏播き栽培（7〜9月どり）が可能となった．また，F_1 を使って周年栽培されている．

　産地：千葉，埼玉，群馬，宮崎，茨城など．

◇**成分特性**　緑黄色野菜の典型として，100g当たり，β-カロテン 4,200μg，ビタミンC 35mg と比較的多い．またカリウム，カルシウム，鉄*も含まれ，無機質のよい供給源でもある．なお，ビタミンCについては，ほうれんそうが周年栽培されるようになった結果，夏季の成分値が低いことが知られている．『食品成分表』では，通年平均，夏採り，冬採りの3種類が記載されている．嗜好成分としては，糖類（ぶどう糖，しょ糖）と有機酸*（クエン酸，リンゴ酸*）を含む．非栄養成分としてシュウ酸を100g当たり数100mg含み，ポリフェノール類の存在とともにエグ味の原因になっている．シュウ酸は無機質，特にカルシウムと結合して不溶性の塩をつくり，カルシウムの吸収を妨げる．したがって，調理に当っては，茹でることによってシュウ酸を除く．サラダなどで生食するのに適した，シュウ酸含量が少ない品種も開発されている．

◇**保存**　鮮度を保つために冷蔵，冷凍保存する．冷蔵では湿度90〜100%，0℃で10〜14日の保存がきく．葉の緑色は長期保存で退色する．冷凍には，ブランチング*を90℃で30〜60秒した後に凍結させる．

◇**調理**　緑黄色野菜の代表として，和・洋・中国の料理に広く用いられる．組織が軟らかく，加熱しすぎると色があせるので，ほうれんそうの茹で方は茹で物の基本とされる．鮮やかな緑色を保って茹でるには水量を多くし，沸騰してから入れ，少量の塩を加えて強火で数分間茹でる．クロロフィル*の緑色が一瞬さえて茎がややしなやかになったところで，根元は硬めのうちに，直ちに冷水で冷やす．鍋の中で浮きあがって不必要な圧が加わるのを防ぐため，茹でている間は蓋をしない．茹でたものは浸し物，和え物のほか，のりで巻いて磯巻き，鍋物や麺類の青みなどにする．※ビタミンの損失は加熱より溶出によるものが多いの

で，大量調理では，茹であがりの後，水で速やかに冷却し，そのあとの絞り方が過度にならないように注意する．※ほうれんそうのアクの成分，特にシュウ酸はカルシウムと結合しその吸収を妨げる性質があるが，加熱し水でさらしたものは連日大量に摂取しないかぎりまず心配ない．※アクが強いので，生食には不向きであるが，アクの少ない生食用の品種も育成されている．茹でて裏ごしにしたものは繊維組織も除去され，ポタージュ，クリーム和え，ピューレー，コロッケ，グラタンなど，西洋料理に応用範囲が広い．※そのまま炒めても十分軟らかく食べられるが，アクが強いのと高温の加熱をなるべく短時間ですませるため，いったん茹でてから絞り，なるべく短時間でバターで炒めるのがよい．

ぶどうほおずき
（平　宏和）

ホエーパウダー

成 13050（チーズホエーパウダー） 英 whey powder　別 ホエイパウダー

ホエー（乳清）の濃縮・乾燥粉末．原料のホエーは，脱脂乳から酸・乳酸発酵によりカゼインを沈殿させ得られた酸ホエーと，チーズ製造の際にカードを除いて得られたチーズホエーに分けられる．食用の多くはチーズホエーパウダーで，固まるのを防ぐため，微細乳糖結晶化処理がされているものが多い．育児用粉乳，製菓，製パン，アイスクリーム類の原料に利用される．

◇成分特性　『食品成分表』では，チーズホエーパウダーで収載されており，100g当たり水分2.2g，利用可能炭水化物*（質量計）71.2g，たんぱく質（アミノ酸組成）*10.3g，脂質1.2g，カルシウム620mg，ビタミンAはレチノール活性当量として12μgを含む．なお，炭水化物のほとんどは乳糖*である．

ホエーバター　⇒バター
ポーク　⇒ぶた

ほおずき　酸漿

分 ナス科ホオズキ属（1年生または多年生草本）
学 Physalis spp.　英 physalis　別 フィサリス

食用として利用される主なほおずき類としては，ブドウホオズキ（P. peruviana），ショクヨウホオズキ（P. grisea），オオブドウホオズキ（P. philadelphica）などがみられる．これらの原産地はいずれもアメリカ大陸である．果実は液果*で，径1.5〜2cm，黄色またはオレンジ色，多数の小さい種子を含み，花後に発達した10脈の萼（がく）で包まれている．なお，萼*（がく）は食用にはならない．わが国では輸入品もみられる．

◇調理　生食のほか，砂糖漬，ソース，ジャム，パイなどに加工される．

◇保存　容器に入れ乾燥状態にすれば，数カ月間の保存が可能である．

●ぶどうほおずき

学 P. peruviana　英 Cape gooseberry　別 けほおずき，しまほおずき

原産地は南米ペルー〜チリ地域．熱帯では多年生，温帯では1年生草本として生育し，草丈は30cm〜1m，直立性，果実は紙のような薄い萼（がく）で覆われ，甘味，酸味と芳香がある．なお，英名のCape gooseberryは，19世紀初めから南アフリカの喜望峰（Cape of Good Hope）地域の作物として栽培されていたことによる．現在，南米のチリ〜ベネズエラ，英国，オーストラリア，ニュージーランドなどでも栽培されている．

◇成分特性　100g当たり，水分82.9g，たんぱく質1.8g，脂質0.2g，炭水化物11.1g，カリウム320mg，カルシウム10mg，マグネシウム*31mg，リン67mg，鉄*2.0mg，β-カロテン当量1430μg，ビタミンC 49mgとなっている（英国食品成分表）．

ホースラディッシュ

成 06270（根 茎） 分 アブラナ科セイヨウワサビ属（多年生草本） 学 *Armoracia rusticana*（セイヨウワサビ） 英 horseradish
別 わさびだいこん；西洋わさび；レホール

ヨーロッパ南東部の原産で，わさび同様，肉や魚料理の香辛料とし，またソースの原料とした．わが国へは明治初年に導入され，主としてわさびの代用品として用いられている．主に沢などきれいな清水の流れる所で栽培される日本のわさびに対し，本種は畑でつくられる．普通の日本のわさびも畑で栽培し，畑わさびと呼ぶことがあり，混乱しやすい．ホースラディッシュは，根が大根のように肥大し，この肥大した直根＊を利用する．品種分化はみられないが，縮葉で青茎の系統と，葉のちぢみが少なく，茎に赤みを帯びる系統とがある．作型の分化はみられない．

産地：わが国の主産地は北海道である．

◇成分特性 株全体に芳香と辛味があるが，肥大した根部が最も強い．わさびの成分とかなり類似している．辛味の主成分もわさびと同様で，アリルイソチオシアネートであり，根茎＊をすりおろすとからし油配糖体に酵素が作用して辛味と香りが出る．嗜好的香味はわさびに比べかなり劣る．

◇加工 乾燥後粉砕し，粉わさびやチューブ入りわさびとして用いる．一般に刺身などに"わさび"としてついているものは，この着色したホースラディッシュの粉に，水を加えて練ったものである（わさび・粉わさび＊）．

◇調理 若葉は刻んでサラダなどに用いるが，根茎をすりおろしたものをローストビーフやステーキ，魚料理に添えて用いるのが一般的である．

ホースラディッシュ（平 宏和）

ポート

英 port wine

ポルトガルのドウロ河流域でつくられる甘味の強いデザート・ワインで，ポートの名称はオポルト港で貯蔵，船積みされることからきている．発酵半ばのぶどう酒もろみにブランデーを添加し，発酵を止め，樽貯蔵してつくられる．ポートワイン協会の品質検査を通ったものだけが，ポートワインの名で出荷される．アルコール19〜20％（容量），糖10〜15％くらいである．酒税法では甘味果実酒に分類されている．

ボーロ

成 15061（小粒），15062（そばボーロ） 英 Boro；(baked sweet dough) 別 ぼうろ

小麦粉，砂糖，鶏卵などを主原料とした焼き菓子である．ボーロの語源はポルトガル語の bolo（お菓子）からきたもので，16世紀にポルトガル人から南蛮菓子として伝えられたものが原形になっている．その後，製法や配合に工夫が加えられた．代表的なものには佐賀ぼうろ，衛生ボーロなどがある．そのほかに，そば粉を使ったそばボーロ，たまご型に型抜きしたたまごパン（エッグボーロとも呼ぶ）などがある．

ボーロ 上左：佐賀ぼうろ，下左：衛生ボーロ，右：そばボーロ（平 宏和）

ホキ

成 10245（生） 分 硬骨魚類，マクルロヌス科マクルルス属 学 *Macrurus novaezelandiae* 英 hoki；whiptail；blue grenadier

体は細長く，強く側扁する．尾部はひも状．全長は1.2mに達し，体色は青く，全体に強い銀色の光沢を帯びる．ニュージーランド周辺の水深500〜600m付近に多く生息している．ストラップテイル（strap-tail；*Macrourus capensis*）といわれる同属種が南アフリカに，メルルーサデコラ（merluza de cola；*M. magellanicus*）といわれるものがチリ，パタゴニア沖に分布し，これらもホキという名で売られている．

◇成分特性 白身で淡白な味であるが，身崩れし

ホキ

やすい欠点がある．かまぼこにしたときのアシも強く，非常に弾力の強いものが得られる．また筋肉繊維が長いので，そぼろにするにも適している．$-20℃$凍結・貯蔵でもドリップ量が少なく保水力も高いので，冷凍耐性もかなり良好とされている．

◇調理　肉質は白身で淡白である．けんちん蒸しやさつま揚げにされる．三枚におろして，一口ほどのそぎ切りにし，唐揚げにしたのち，酢油汁につけ込むマリネの一種であるエスカベーシュや，フライにしてタルタルソースとともに食べるのもよい．

保健機能食品

英 functional health foods

健康維持・増進に役立つとされる食品のうち，国（消費者庁）が設定した規格基準を満たした食品．特定保健用食品と栄養機能食品と機能性表示食品の3つに分けられる．前2者の違いは，栄養機能食品が規格基準を満たしていれば，認可なしで表示ができる規格基準型なのに対し，特定保健用食品は，消費者庁長官の認可が必要な個別許可型である点である．また，平成27年4月に，新たに機能性表示食品が加えられ，保健機能食品は，3種類になった（図1, 2）．なお，保健機能食品制度（表示の制度：表示の許可申請・審査などを含む）は，平成21年9月1日より，厚生労働省から消費者庁に移管された．

●栄養機能食品

英 functional foods for nutrition uses

特定保健用食品
（疾病リスク低減表示・規格基準型を含む）

条件付き特定保健用食品

図1　特定保健用食品の表示マーク

健康維持・増進などの目的で摂取する食品のうち，国が定めた5種類の無機質（ミネラル：亜鉛，カルシウム，鉄*，銅*，マグネシウム*）と12種類のビタミン（A, D, E, B_1, B_2, B_6, B_{12}, C, ナイアシン*，葉酸*，ビオチン*，パントテン酸*）の基準を満たす食品．さらに，2015年3月の改正（4月1日施行）で，新たにn-3系脂肪酸，ビタミンK，カリウムの3成分が加えられ，これらの成分を含まない食品や，含んでいても規格基準に満たない食品は，栄養機能食品と紛らわしい名称などは使用してはならない．また，鶏卵を除く生鮮食品は，適用対象外であったが，栄養成分機能を高める付加価値をつけた生鮮食品流通の現状から，鶏卵以外の生鮮食品も，栄養機能食品の適用対象となった（2015年4月1日施行）．

●機能性表示食品

英 foods with function claims

平成27年4月に，それまで食品衛生法*，JAS法，健康増進法*の3法で規定されていた食品の表示に関する部分が一元化され，新たに食品表示法*が施行された．これに伴い保健機能食品にも，機能性表示食品が加えられ，3分類になった．機能性表示食品は，科学的根拠に基づいた機能性が，事業者の責任において表示できる食品で，販売前に消費者庁長官への届け出は必要だが，特定保健用食品とは異なり，国（消費者庁）の審査を経て

図2　保健機能食品の分類

許可される個別許可型ではない．
表示できる機能性とは，たとえば「おなかの調子を整える」とか，「脂肪の吸収をおだやかにする」など，特定の保健の目的が期待できるものである．

● **特定保健用食品**

英 foods for specified health uses

健康維持・増進など，生体調節機能の特定の効能を目的に摂取する食品のうち，消費者庁長官の認可を受けた食品（通称トクホ）で，特別用途食品*の一つである．

用途：主な用途と表示内容の例には次のようなものがある．
①お腹の調子を整える食品．
②血圧が高めの方に適する食品．
③コレステロールが高めの方に適する食品．
④血糖値が気になる方に適する食品．
⑤ミネラルの吸収を助ける食品．
⑥食後の血中の中性脂肪*を抑える食品．
⑦虫歯の原因になりにくい食品．
⑧歯の健康維持に役立つ食品．
⑨体脂肪がつきにくい食品．
⑩骨の健康が気になる方に適する食品．

許可・区分：表示許可は消費者庁に申請し，有効性・安全性などの審査を受ける．次の4区分があり，認証マークがつけられる（図1）．
①特定保健用食品：食生活において特定の保健目的で摂取する者に対し，その摂取により該当保健目的が期待できる旨の表示をする食品．
②特定保健用食品（疾病リスク低減表示）：関与成分の疾病リスク低減効果が医学的・栄養学的に確立されている場合，疾病リスク低減表示を認める食品．
③特定保健用食品（規格基準型）：特定保健用食品としての許可実績が十分であるなど科学的根拠が蓄積されている関与成分について規格基準を定め，個別の審査なく事務局の審査で許可する食品．
④条件付き特定保健用食品：審査で要求している有効性の科学的根拠レベルに届かないものの，一定の有効性が確認される食品を，限定的な科学的根拠である旨の表示を条件として許可する食品．

干しあわび　⇨あわび
干しいも　⇨蒸し切干
干し柿　⇨かき
乾ししいたけ　⇨しいたけ
干しぶどう　⇨ぶどう
ボジョレー・ヌーボー　⇨ぶどう酒

 ほたてがい　帆立貝；海扇

成 10311（生），10312（水煮），【貝柱】10313（生），10314（煮干し），10315（水煮缶詰），10414（焼き）　分 軟体動物，二枚貝類（綱），イタヤガイ科ホタテガイ属　学 *Patinopecten* (*Mizuhopecten*) *yessoensis*　英 scallop；common scallop；giant ezo-scallop　別 ほたて；あきた貝

殻長は4年で20cmくらいになる．円形の二枚貝で，扇のような形をしている．左殻は紫褐色でふくらみが少なく，右殻は白色でふくらみがある．幼貝のときは白，赤，紫の斑紋がある．放射肋は24〜26本ある．内側は左右ともに白色で，貝柱は中央にあって大きい．北海道や東北地方の寒い海の波静かな内湾の15〜30mの礫のある砂泥底を好む．一方の殻を帆として水上を泳ぐというのは事実でなく，移動するときは殻を開閉し，水の噴射の反動で動く．

養殖：盛んに行われ，陸奥湾，噴火湾，根室湾，北見海岸が中心となっている．食用として柱や外套膜*（がいとうまく）の部分が喜ばれ，殻は貝細工やかき養殖の付着材となる．

ほたてがい　左から，左殻，右殻，むき身（平　宏和）

ほたて貝柱（平　宏和）

◇**成分特性** 貝柱を主に食用とするが，外套膜もひもと称して食べる．内臓も食用とするが，有毒プランクトンの発生時には中腸腺に麻痺性貝毒が存在する場合がある．その時期には禁漁になり，市場に出回ることはないが，疑わしい場合には内臓はなるべく除いた方が安全である．『食品成分表』では，100g当たり，水分82.3g，たんぱく質（アミノ酸組成）*10.0g，脂質（TAG当量）*0.4g，利用可能炭水化物*（差引き法）5.5g，灰分1.8gとなっており，同じ科のいたやがいとほぼ同様な成分値を示している．すなわち，二枚貝としては比較的たんぱく質，脂質の含量が高い方である．ただし貝柱のみとすると，水分，脂質，灰分の含量が減り，たんぱく質，炭水化物の含量が高くなる．炭水化物もそれほど少なくはないが，ビタミン類は少ない方である．遊離アミノ酸*などの呈味成分も豊富に含まれていて味がよい．総ステロール類の含量は普通の二枚貝の2〜3倍くらい含まれているが，コレステロールは100g当たり33mgで，特に多い方ではない．

◇**保存・加工** 殻付きのまま，むき身あるいは貝柱だけとしたものが氷蔵あるいは冷凍した形で市販されている．この場合，煮熟されたものもある．また，本種を産しない中国向けの輸出品としてつくられてきた貝柱の煮乾品もあり，燻製品もつくられている．缶詰としては貝柱の水煮と味付けが主なもので，特殊なものに，燻製油漬，マヨネーズ漬缶詰などがある．名産品的なものに粕漬やほたて黒乾しがある．黒乾しとは，貝柱だけのものを白乾しというのに対し，内臓，外套膜などを付けたまま乾燥したものをいう．

◇**調理** 非常にうま味の強い，肉質の軟らかな大きい貝柱が1本ある．食用部位は主にこの柱の部分である．生食，加熱ともによく，刺身，酢の物，焼き物，揚げ物，鍋物，スープ，コキール，ムニエル，うま煮など利用範囲が広い．※生のものでも，加熱時に他の材料にうま味を移してくれるが，長く加熱を続けると筋肉繊維がしまって硬くなり，貝柱そのものの風味は低下する．そのため，だしとしては主に乾燥貝柱を利用する．スープ，かゆ，シュウマイの中身などに用いられる．炒め物やサラダなどには乾物ではなく水煮缶詰を用いるのがよい．

ほたるいか　⇨いか
ぼたんえび　⇨えび
ほっかいえび　⇨えび
ほっきがい　⇨うばがい

 ほっけ 𩸽

成 10246（生），10247（塩ほっけ），10248（開き干し 生），10412（開き干し 焼き） 分 硬骨魚類，アイナメ科ホッケ属 学 *Pleurogrammus azonus* 英 Okhotsk atka mackerel 別 地 ほっき（青森）；ほっけ（北海道，東北，佐渡）；ピリカ（北海道，アイヌ語，幼魚）

全長70cm．体は延長し，体高がやや高く，側扁する．体色は灰褐色．側線が5本ある．20cmくらいまでのものを"あおほっけ"または"ろうそくぼっけ"，25cm以上のものを"はるぼっけ"または"たらばぼっけ"という．幼魚は美しく，アイヌ語でピリカと呼び，成魚を根ぼっけとも呼んでいる．水深150mぐらいに生息し，産卵期には20m付近に移動する．東北以北，北海道，黄海，日本海，オホーツク海，アリューシャン列島に分布する．日本での漁場は，主に北海道周辺に限られるので，ほっけは北海道の味ともいわれる．同属にきたのほっけがある．

◇**成分特性** 新しいうちはクセがないが，古くなると特有の臭気が出る．肉質は軟らかく，脂質含量も比較的高い．かまぼこにしたときのアシも弱くない．ほっけ肉の成分的特徴は背肉と腹肉の成分値に差がない点と，血合肉の占める割合が高く，しかもその値が他の魚種とまったく異なる点にある．すなわち背肉，腹肉の一般成分値はすずきなどのような白身魚の値とそれほど違わないのに，血合肉では水分，たんぱく質，灰分の含量がそれぞれ，65〜66%，12%前後，1.6〜1.8%と低く，脂質が20%近くあるなど，極端に違うことである．また全長20cm内外のろうそくぼっけの成分的特徴は，普通肉のたんぱく質含量が高く，脂質含量が低い点にある．血合肉の値は普通のほっけと変わらない．

◇**保存・加工** たらやすけとうだらなどと同じく冷凍耐性はあまりないが，冷凍すり身に加工してすけとうだらに替わる練り製品原料とされる．塩蔵（塩ほっけ）や糠漬あるいは飯鮨とするほか，

ほっけ（本村 浩之）

開き干しや燻製にも加工し，用途の多い魚であるが，鮮度による味の落ちが早く，脂質含量も高くて傷みやすい欠点のため，北海道以外では良好な品質のものは少ない．
◇調理　うま味が乏しいので，新鮮な場合は刺身，照焼きなどにして淡白な味を賞味できるが，普通入手するものは濃厚さを増すために，フライなどに用いる．

● きたのほっけ

北𩸽　[学] *Pleurogrammus monopterygius*　[英] Atka mackerel　[別] しまほっけ；ちしまほっけ

全長55cm，体色は暗黄色ないし淡黄色．体側に暗色の横帯（たてじま）が5〜6条ある．北海道，オホーツク海，ベーリング海に分布．味はほっけに劣るので主に開き干しなどの加工用に用いられる．

ほっこくあかえび　⇨えび（あまえび）

ホットケーキ

[成] 15083　[英] hot cake；griddle cake　[別] パンケーキ

小麦粉，卵，牛乳，砂糖などを混ぜて，フライパンなどで円形に焼いたもの．バターやシロップを添えて食べる．

ホットケーキ（平　宏和）

ホットドッグ

[英] hot dog

細長いロールパンを縦に割り，その間に辛子バターを塗り，ソーセージやレタス，炒めた野菜などをはさんでトーストしたもの．はさむ野菜はザワークラウトなどでもよい．100年以上も前に米国で考案された一種のサンドイッチで，その形が犬（ダックスフント）に似ていることから，ホットドッグの名が付けられたという．

ホットドッグ（平　宏和）

ポップコーン

[成] 01136　[英] popcorn

ポップコーンのもともとの意味は，とうもろこしの品種の爆裂種（ポップ種）のことであり，このポップ種に植物油，色素，香料，食塩などを加え，加熱して爆裂させたものと，爆裂させたのち，植物油，色素，香料，食塩を添加したものがある．家庭用として，これらの材料をアルミパックし，簡単に手作りできるようにしたものもある．

ポップコーン（平　宏和）

ポテトチップス

[成] 15103　[英] chipped potatoes；potato chips（米）

じゃがいもの皮をむき，薄く輪切りにして，油で揚げたものである．新鮮な製品が供給され風味もよく，栄養価もあるわりには安価に入手できるため，幅広い需要があり，スナック食品として昭和50（1975）年以降急速に消費が増加している．原料のじゃがいもを水洗して剥皮し，1〜2mmに薄く輪切りにした後，160〜180℃の油で2分間以内でフライし，軽く味付けしてつくる．冷却後，防湿フィルム袋に入れ，輸送中の破損防止のため空気で袋をふくらませ出荷する．これが真正（real）ポテトチップスである．現在の市販製品にはこのほかに成形（fabricated）ポテトチップスがある．

上：ポテトチップス，下：成形ポテトチップス
（平　宏和）

ポポー（平　宏和）

●**成形ポテトチップス**

成 15104　英 fabricated potato chips

原料は，フレーク状や粉末状の乾燥マッシュポテトを使い，これに他のでん粉や油脂，水を加えて加熱した後，薄いシート状に圧延して所定の形状に切断し，フライしてつくる．生のじゃがいものように収穫による品質のバラツキなどの原料事情に制約されず，年間を通して安定した製品をつくることができる．さらに包装も簡単で，製品を傷めずに長距離輸送ができるため，最近急速に生産量が増加している．

母乳　⇒じんにゅう
骨付きハム　⇒ハム

 ポポー

分 バンレイシ科ポポー属（落葉性高木）　学 *Asimina triloba*　英 pawpaw　別 ポウポウ；ポポ

北米原産の温帯果樹で，10 m くらいに生長する．果実は 90 g 大で形はあけびに似て，長円形，5〜15 cm となる．果実は皮部 14％，種子 14％および果肉部 72％で，果肉は熟すると橙黄色となる．バナナに似た香りをもち，柔軟，粘質，クリーム状で，甘味が強い．米国では観賞用としての栽培が主で，食用は副次的である．英名の papaw はパパイアをも指すので，混同しないように North American papaw と呼ばれる．わが国へは明治 30 年頃導入されたのが最初であるが，現在でも非常に少なく，本州中部以西で庭木として植えられ，10 月に熟する．経済栽培はなされていない．

◇**品種**　米国には多くの品種があるが，アンクルトム，チーリー，ハンなどがその代表である．

◇**成分特性**　果実成分は 100 g 中，水分 74 g，糖類 13.5 g，うちしょ糖が 70％を占め，ぶどう糖および果糖は全体の 26％である．酸は 0.05 g 内外であり少なく，甘味をより強く感じる．灰分は 0.5 g でかなり多い．

◇**加工**　果実は軟弱で貯蔵性が低いので，生食用のほかジャム，果実酒に利用できるくらいである．

ほほじろざめ　⇒さめ

 ほや　海鞘；老海鼠

成 10374（生），10375（塩辛）　分 脊索動物，尾索類（亜門），海鞘綱，マボヤ目マボヤ科・スボヤ科　英 sea squirt；tunicates；ascidian

古来食用とされた海産物の一種で，強い磯臭さをもつため，好嫌の分かれる食品である．ほやの種類は極めて多いが，食用になるのはマボヤ科に属するまぼや（*Halocynthia roretzi*），あかぼや（*H. aurantium*）などとドロボヤ科に属するすぼや（*Chelyosoma siboja*）に限られている．

◇**成分特性**　体腔中に多量の海水を含んでいるが，体の大部分を占めるのが，セルロース＊，ケラチン様たんぱく質，糖たんぱく質よりなる被嚢（ひのう）で，実質質量の約 6.5〜7 割となる．食用となる筋肉および内臓はそれぞれ 2 割および 1 割程度にすぎない．成分的には水分の含量が極めて高い．このほか少量のたんぱく質，微量の脂質および炭水化物，やや多量の灰分を含んでいる．たんぱく質のかなりの部分を占めるエキス分中には呈味成分であるアミノ酸およびグリシンベタインが含まれ，これらの成分がほやの濃厚なうま味

まぼや（平　宏和）

に関与している．また炭水化物はその大部分がグリコーゲン*である．また，ほや特有の香りはn-オクタノール，7-デセン-オール，2,7-デカジエン-1-オールなどの不飽和アルコールによるものである．無機質としては海水由来の多量のナトリウム*のほか，微量成分として血液色素の成分のバナジウムが含まれている．
◇保存・加工　普通生きた状態で流通するが，冷凍もある．加工は東北地方にみられる外皮を除いた筋肉と内臓の塩辛や，同じく女川の焼きほやなどの名産品的なものに限られている．
◇調理　硬い外皮を切開して内臓を除き，内部の肉を食塩水で洗浄して生食するが，香りが強い．※酸味が加わると味が穏やかになるので，きゅうりを添えて酢の物にすることが多い．すし種に用いることもある．※加熱を必要とする場合は，まず白焼きしたものを椀種や煮物にする．ほかに保存食としては塩辛がある．

●まぼや
真海鞘　成10374（生）分マボヤ科マボヤ属学 *Halocynthia roretzi*　英common sea squirt；ascidian
体長15cm．外鞘の色に美しい橙黄色ないし褐色．たくさんの太い乳房状の突起で覆われていることから，「海のパイナップル」とも呼ばれる．上端に太い管状の出水孔と入水孔がある．下端は根のように突起があり，他の物に付着する．いぼ状の

ほや　塩辛（平　宏和）

外皮を剥がして桃色の筋膜に包まれた全体を食用とする．北海道南部・東北地方以南伊勢湾・瀬戸内海まで分布する．東北地方ではカキとともに養殖も行われている．

 ぼら　鯔；鰡
成10249（生）分硬骨魚類，ボラ科ボラ属学 *Mugil cephalus cephalus*　英flathead gray mullet　別まぼら　地まくち（長崎）；くろめ（有明海）；しろめ（石川）　旬秋〜冬
全長80cm．体は細長く，やや側扁する．頭は小さく，前頭部の上は広く扁平である．体色は青灰色，腹部は銀白色である．胸びれ基部上端が青い．眼は脂瞼（しけん）に覆われている．沿岸，河川河口・淡水域に生息する．産卵期は10〜1月で，南方へ回遊して産卵する．全世界の暖海に分布する．同科にふうらいぼら，めなだがある．ぼらは雑食で砂などをよく飲み込むため，胃の幽門部の筋肉がよく発達し，ソロバン玉のようになる．これを"ヘソ"とも呼んで珍味とされている．卵巣を塩漬にし乾燥させたものを"からすみ"といい，珍重される．光沢があり，透明感のあるあめ色のものが良品．薄切りにして高級な酒の肴になる（からすみ*）．

出世魚：ぼらは出世魚*の一つで，めでたい魚といわれるが，祝儀魚にはあまり用いない．10cmぐらいまでを"おぼこ"または"すばしり"，20cmぐらいになると"いな"，成魚を"ぼら"，5年以上の老成魚を"とど"と呼び，「結局は」などの意味で使われる「とどのつまり」の語源になっている．また，「粋でいなせ」などというときのいなせはいなの背の意味で，江戸時代，日本橋の魚河岸の若い衆のちょんまげが，いなの背のようだったことからきているという．
◇成分特性　白身の魚の中では比較的たんぱく質，脂質の含量が高い．とびうおと比べると脂質含量が高く，無機質は同等程度であるが，脂溶性ビタミン*やビタミンB_1がやや高い．かまぼこにもなるが，アシが弱く練り製品原料としてはあまり使われない．

ぼら（本村　浩之）

◇加工　鮮魚として消費され，兵庫や宮崎などですしとするほかは，卵巣（からすみ）以外のものを加工用に使うことはあまりない．しかし欧米では，ギリシア，ローマ時代からぼらを賞味し，フィレー，燻製，塩蔵などにも加工する．
◇調理　淡白な味と歯切れのよさをもっているが，やや臭みがあり，塩焼きや煮付けには向かない．新鮮なものは水で十分さらしてから刺身にし，辛子酢みそや生姜じょうゆなど，薬味を効かせて食べる．みそを加えると臭みが消え，味もよくなるので，もろみみそのつけ焼き，魚田（ぎょでん），粕汁などにもする．※揚げ物は，淡白で大味なぼらに油の風味が補強される．中国料理では揚げてから煮込んだり，たたき，身を丸めて揚げたりする．西洋料理では洋酒煮が行われる．

●ふうらいぼら
風来鯔　分 フウライボラ属　学 *Crenimugil crenilabis*　英 fringelip mullet　別 地 あかばにーぶら（沖縄）
全長40cm．上唇が著しく肥厚している．千葉から南日本，インド・太平洋に広く分布する．

●めなだ
眼奈陀；眼奈太；赤目魚　分 メナダ属　学 *Planiliza haematocheila*　英 so-iuy mullet　別 地 しゅくち；しくち；すくち（西日本）；あかめ（西日本，北陸）；いせごい（浜名湖，伊勢湾）　旬 夏
全長70cm．ぼらによく似るが，頭が小さいこと，胸びれ基部上端に青色域がないことで容易に区別される．卵巣はからすみに加工される．北海道から南日本，朝鮮，南シナ海に分布する．

堀川ごぼう　⇒ごぼう

ボレジ
分 ムラサキ科ルリジサ属（1～2年生草本）　学 *Borago officinalis*（ルリヂシャ）　英 borage　別 ルリジサ
地中海沿岸原産のハーブで，かなり耐寒性があり，日本の雪の深くない地帯なら越冬栽培もできる．ヨーロッパでは中世以降，日本へは明治に入って導入され，庭園植物として用いられたが，日本ではあまり普及していない．草丈30～60cm，分枝性で剛毛が多くざらつく．葉は大きく倒卵形で，花は茎の先端にカタツムリ状花序につく．花被*は5弁で鮮やかな青色で美しい．
◇調理　観賞用とするほか，若い葉は野菜としてサラダやフリッターに用いる．揉むときゅうりのような香気がある．香りのよい蜂蜜が採れるので蜜源ともされる．また，鎮痛，発汗，利尿などの薬効がある．

ボロニアソーセージ　⇒ソーセージ
ポロねぎ　⇒リーキ

ほろほろちょう　珠鶏
成 11240（肉 皮なし 生）　分 キジ科ホロホロチョウ属　学 *Numida galeata*　英 Guinea fowl；Guinea hen
西アフリカのギニア地方の原産で，英名の由来となっている．日本でも一部の地域で人工飼育されている．イタリア，フランス，英国などで多く飼育され，品種改良も盛んに行われている．アフリカ中・南部やマダガスカル島，アラビア半島などには野生のものも生息している．
◇調理　きじの肉に似て淡白で，独特の風味をもつ．洋風には丸のままローストにしたり，部位別にソテーして，付け合わせやソースに変化をつけたり，ワインやトマトなどで煮込む．

ほろほろ鳥

ほろほろちょう卵　珠鶏卵
英 galeeny's egg
卵は鶏卵の約2/3の大きさであるが，卵殻が著しく厚くて固く，衝撃にも強い．卵黄の卵白に対する比率は大きく，ほぼ鶏卵黄に匹敵する．調理法は，鶏卵に準ずる．

ホワイトサポテ
成 07128（生）　分 ミカン科カシミロア属（常緑性中高木）　学 *Casimiroa edulis*　英 white sapote　別 白サポテ；カシミロア
ホワイトサポテが一般的であるが，学名に由来し

ホワイトサポテ（新宿高野）

たカシミロアとも呼ばれる．高さ5～20mの高木で，葉は3～7枚の小葉をもつ羽状複葉*をなし，光沢がある．メキシコのグアテマラ原産で，自生地は標高1,000m前後の高地である．果実は5条の溝をもつ球形あるいは楕円，卵形で，横径6～12cm，直径12cmの大きさである．果色は緑～黄緑色で，薄くて強い果皮がある．果肉はクリームがかった白色，強い甘味がある．あんずに似た風味と甘味をもち，感触はパパイアやバナナのようである．食べ頃は，果肉に触れて軟らかく感じられた頃で，冷蔵庫でよく冷やし，くし形または半分に切り，種を除いて食す．生食が主だが，シャーベットとしてもよい．

産地：メキシコ，フロリダ，カリフォルニアなどが主産地で，日本へはカリフォルニア産のものが輸入されている．

◇**成分特性** 100g中，果肉の水分は79.0gである．利用可能炭水化物*（質量計）(15.8)g，食物繊維3.1gと多い．ビタミンはC18mg，その他のビタミンも多い．シロップ漬け缶詰やピューレーなどにも加工されることもある．

ホワイトソース

成 17109　英 white sauce　別 ベシャメルソース；

白ソース
西洋料理の基本的ソース．溶かしたバターに小麦粉を加え，こがさないように炒めたルウに牛乳を加えてのばし，なめらかになるまで煮て仕上げる．クリームシチューやグラタン，コロッケ，コキールなどに合わせる．ちなみに仏語の béchamel は，このソースをつくった料理人の名前という．

ホワイトチョコレート　⇨チョコレート
ホワイトマルベリー　⇨マルベリー（桑の実）
花茶（ホワチャ）　⇨中国茶
ほんえび　⇨えび（くるまえび，いせえび）
本皮（ほんかわ）　⇨くじら

ぽんかん　椪柑

成 07129（砂じょう 生）　分 ミカン科ミカン属（常緑性木本）　学 *Citrus reticulata*　英 Ponkan
旬 晩秋～冬

インドのスンダラ地方原産の亜熱帯性柑橘で，香気が優れ食味がよい．中国に伝播したのは唐時代といわれ，台湾へは18世紀末に移入され全島に広まった．日本へは明治29（1896）年に中国から鹿児島に輸入された．その後，高知に導入された．

◇**品種**　品種には果実が腰高で大きい高腰系（こうしょうけい）と扁平でやや小さい低腰系（ていしょうけい）の2系統がある．

産地：中国，インド，ネパール，スリランカ，インドネシア，フィリピン，台湾および日本である．わが国では愛媛，鹿児島，高知，熊本，宮崎，和歌山などであるが，生産量はあまり多くはない．台湾よりかなりの量が輸入されている．

◇**成分特性**　果実は170g前後で，果皮歩合は26%程度である．果肉には糖類を100g中8～9g，酸を1.2g含み，酸味は少なく，甘味は強い．糖類の60%はしょ糖で，22%が果糖，18%がぶ

ホワイトソース（平　宏和）

ぽんかん（平　宏和）

左：ほんしめじ（野生），中：しゃかしめじ（野生）（岩瀬　剛二），右：ほんしめじ（市販品）（平　宏和）

どう糖である．全酸のうち77％がクエン酸で，その他リンゴ酸*2％，酢酸，ギ酸，イソクエン酸，コハク酸などを含む．果肉のたんぱく質（アミノ酸組成）*含量は(0.5)gである．ビタミンCは40mg含まれている．果実の特有の香気は，リモネン*，γ-テルピネン，γ-シメン，β-ピネンなどである．

◇**保存**　果実の収穫適期は11月中旬から12月下旬であるが，温度5℃，湿度90％の最適条件で貯蔵すれば2ヵ月間保存できる．

◇**加工**　ほとんどが生果として利用される．加工には，温州みかんの果汁などの香味の改善に混合されることがある．

ほんさば　⇒さば

ほんしめじ　本占地

成 08018（生），08047（ゆで）　**分** 担子菌類シメジ科シメジ属（きのこ）　**学** *Lyophyllum shimeji*　**英** Honshimeji　**別** しめじ；だいこくしめじ；ねずみしめじ；かぶしめじ

いろいろなきのこの俗名として使われる「しめじ」の名前は，このきのこの名前に由来する．地方によっては，だいこくしめじなどとも呼ばれる．ほんしめじは近年，中央卸売市場などにあまり出てこず，もっぱら産地地元で自家用にされるか，または青果店などで売られる．ほんしめじはアカマツやコナラなどの生きた木の根に菌根共生して栄養をとり地面から生える．傘ははじめ半球形だが成熟すると平に開き，色は灰褐色で白いかすり模様がある．柄は3～8cmで白色，下部がとっくり状に膨らむ．肉は白色で緻密．まつたけと同様に栽培は困難であったが，でん粉分解能力の高い株が見つかり，人口栽培品が出回ってきている．ほんしめじの近縁種に，しゃかしめじ（*Lyophyllum fumosum* **別** せんぼんしめじ）および，はたけしめじ（*L. decastes*）がある．しゃかしめじはほんしめじよりも小型で多くのきのこが株状になって発生するが，ほんしめじと同様に菌根菌なので栽培は難しく，発生量が減ってきている．はたけしめじ*は木材腐朽菌で民家の庭や軒下にも生える．

◇**成分特性**　ビタミンB_2，ナイアシン*，エルゴステロール*などを含むほか，多くの種類の遊離アミノ酸*，特にリシン*を多量に含む．

◇**加工**　野生のものはびん詰や塩漬にすることがあるが，近年は加工に回すほどの産量もなく，もっぱら生鮮品が地元で利用されている．

◇**調理**　「香りまつたけ，味しめじ」といわれるように，野生品のほんしめじの味はまつたけ以上といわれる．風味成分を失わないよう，なるべく手早く洗った後，主に汁物，鍋物，天ぷらなどに用いる．だしとしてではなく，しめじそのものを素材として味わう．栽培品は煮物，炒め物，和え物，きのこ飯などにも向くが，加熱しすぎないように注意する．

本醸造酒　⇒清酒
ぽん酢　⇒食酢

 ポンせんべい

米の膨化製品の一種．第二次大戦後にみられるようになり，製造時の音（ポン）が名前の由来．米を鉄製のせんべい型（径約10cm）に薄く入れ，

ポンせんべい（平　宏和）

ふたで密閉し，加熱・加圧する．ふたを開けると，音がして急速に圧力が下がり，水分が瞬間的に蒸発し，米は膨れて結着し，多孔質の煎餅状になる．

ぼんたん　⇒ぶんたん

ホンビノスガイ

分 軟体動物，二枚貝綱，マルスダレガイ科　**学** *Mercenaria mercenaria*　**英** Quahog, Northern hard clam　**別** 白はまぐり・大はまぐり

最大殻長は 13 cm くらいになる．殻ははまぐり型であるが，殻頂は前方に偏り，強く前に傾いている．貝殻は厚く，堅牢，表面ははまぐりのように平滑ではなく，成長線に沿ってほぼ等間隔に輪状肋がある．殻色は灰白色．まれに 3 本の幅広の放射状帯がある．内面は白色であるが後部やちょうつがいのところは紫色に染まっている個体も多い．腹縁の内面は細かく刻まれている．軟体部（肉）は白く，やや硬いがうま味もある．

◇**原産・分布**　原産は北アメリカの東岸，カナダのセントローレンス湾から米国のフロリダまでの潮間帯から水深 10 m に棲む．特にマサチューセッツ州とバージニア州に多いという．本種はクラムチャウダーやその他の海鮮料理材料にされるほか，チェリーストーンともいわれ，生食もされるなど人気が高く，1870 年頃には西岸のカリフォルニア州に人為的に移植され，現在はロングビーチやカナダのブリティッシュコロンビアなどに定着している．また，同じ頃すでにイギリスで発見され，現在はイギリスのみならずフランス，オランダ，ベルギーにも分布している．ヨーロッパにはわが国への移入同様，船舶のバラスト水（船の安定確保のために，二重底になった船底のタンクに注入する水．寄港地で荷物の積みおろし後，補填・排出されるため，外国産生物の幼生などが運ばれ，生態系に影響する）による偶然的な移入と思われている．

中国では 1997～1998 年に米国から種苗を輸入して養殖されはじめ，2003 年には中国からの輸入品が築地市場でみられた．わが国では 1998 年に幕張で，1999 年には京浜運河で幼貝が発見されて以来，東京湾では爆発的増加をみて，スーパーマーケットなどで普通に売られるようになった．本種はあさりなどに比べると底質の適応範囲が広く，還元環境にも耐性が強い．2008 年以降は大阪湾付近でも定着が確認されている．

ほんふぐ　⇒ふぐ（とらふぐ）

ボンボン

英 bonbon

煮つめた糖液を冷やすと結晶化することを利用した，果汁シロップ，ウイスキー，ブランデー，リキュール類などが入った糖衣キャンデー．果汁シロップの入ったものをフルーツボンボン，ウイスキーが入ったものをウイスキーボンボンなどと呼ぶ．ウイスキーボンボンなど，洋酒（リキュールやブランデー，ウイスキー）入りのものには，さらに表面をチョコレートでコーティングした製品もある．

◇**原材料・製法**　砂糖を煮つめた液に果汁シロップ，ウイスキーなどを加え混合した液をリング，ボトル，玉，花などの型押しをしたでん粉の凹型に流し込み，ゆっくり冷却すると外側に砂糖の結晶の殻ができ製品となる．

ホンビノスガイ（平　宏和）

上：ボンボン，下：ボンボン（ウイスキー）（平　宏和）

ほんまぐろ　⇨まぐろ（くろまぐろ）
ほんます　⇨さけ・ます（さくらます）

ほんもろこ　本諸子

成 10251（生）分 硬骨魚類，コイ科モロコ属
学 *Gnathopogon caerulescens* 英 willow shiner；willow gudgeon 別 地 もろこ；やなぎもろこ（琵琶湖周辺）旬 冬

単にもろこといえば本種を指す．全長10〜15cm．体は側扁する．口ひげは短い．側線は中央部を縦走する．体色は淡い黄色で，背部は暗灰色，腹部は淡灰色．産卵期は3〜7月で，冬季が美味．琵琶湖原産で，琵琶湖を中心とする淀川水系に分布する．他の河川にもあゆの稚魚にまじり移植され，諏訪湖，山中湖にも生息するようになった．もろこ類にはほんもろこのほか，同属のたもろこ，スゴモロコ属のすごもろこ，でめもろこなどがあるが，ほんもろこを最も美味とする．

◇**成分特性**　成分的には，脂質（TAG当量）*含量が100g当たり3.2gと同科の中でもふなよりも高い（ふなは2.0g）．加工としては素焼きや佃煮があり，照焼きや魚田などにもするが，琵琶湖特産として，もろこのあめ煮，唐揚げなどが有名である．琵琶湖原産以外のもろこは種類も違い不味であるので，ほとんど食用とされない．

◇**調理**　甘露煮，唐揚げ，なれ鮨，照焼き，佃煮，南蛮漬などにする．もろこの南蛮漬は，もろこを素焼きにして，油で唐揚げにし，調味液（しょうゆ，酒，酢，砂糖，昆布だし，赤唐辛子，かつお節を煮込んだもの）に入れ，数日漬け込む．

● **すごもろこ**
素子諸子　分 スゴモロコ属　学 *Squalidus chankaensis biwae* 英 slenderhead shiner 別 地 すご（混称）；ごんぼうすごじ（琵琶湖）；むぎつく；やなぎばえ（岐阜，混称）

ほんもろこ（本村　浩之）

全長10〜12cm．琵琶湖淀川水系のほか，木曾川，長良川の中流ないし下流域に分布．近年は関東平野でも見られる．体は淡黄褐色で緑褐の線条がある．でめもろことともに，塩焼きでは味が劣るのがはっきりわかるが，佃煮等では一般の人には区別できない．

● **たもろこ**
田諸子　分 モロコ属　学 *Gnathopogon elongatus elongatus* 英 field gudgeon；rounded shiner 別 地 すじもろこ；ほんもろこ（大阪）；かきばや（静岡）；みぞばえ（中国）

全長13cm．本州西部と四国が原産地であるが，近年は東北地方から九州までの日本各地で見られる．体色は背部が淡青褐色で腹部は灰白色である．ほんもろこの代用とされるが，味はかなり落ちる．

● **でめもろこ**
出目諸子　分 スゴモロコ属　学 *Squalidus japonicus japonicus* 別 もろこ 地 すご（琵琶湖，混称）；ひらすご（琵琶湖）；しろもろこ（岐阜）

全長6〜10cm．琵琶湖淀川水系のほか，岐阜県揖斐川水系などの湖，池，川のゆるやかな場所に生息する．体は淡黄褐色で，やや光沢をもつ緑褐の縦条がある．すごもろことともにほんもろこの代用にされる．

ボンレスハム　⇨ハム

マーガリン

成【家庭用】14020（有塩），14033（無塩），【業務用】14029（有塩），14034（無塩），14021（ファットスプレッド） 英 margarine, fat spread

食用油脂に水などを加え乳化させてつくられたバター様の油脂加工品．19世紀末にナポレオン3世がバターの代用品として安価な脂肪の製造法を懸賞募集し，発明されたものである．フランスの油化学者メージュ・ムーリエ Mége Mouriésは，バター様物質の製造に成功し，これが採用され margarine と名付けられた．margarine はギリシア語の margarite（真珠）から来た言葉で，真珠のように美しい脂肪粒を表している．わが国では明治41（1908）年に初めて製造され，人造バターと呼ばれていた．長い間，バターの代用品としての地位に甘んじてきたが，消費者ニーズ（栄養成分への配慮や使い勝手）を取り入れることにより，代用品としての地位を脱却した．分類は，日本農林規格にみられる成分による分類と用途による分類がある．

◇日本農林規格*（JAS）の分類　マーガリン類として，マーガリンとファットスプレッドの2種類に分類されている．

マーガリン：定義を「食用油脂（乳脂肪を含まないものまたは乳脂肪を主原料としないものに限る）に水等を加えて乳化した後，急冷練り合わせをし，または急冷練り合わせをしないでつくられた可塑性のものまたは流動状のものであって，油脂含有率（食用油脂の製品に占める重量の割合をいう）が80％以上のもの」としている．なお，国際食品規格では，主に食用油脂から生成され，塗ることのできる，または液体の油中水型エマルションとしている．

ファットスプレッド：定義を「a）もしくはb）のいずれかのものであって，油脂含有率が80％未満のもの．a）食用油脂に水等を加えて乳化した後，急速練り合わせをし，または練り合わせをしないでつくられた可塑性のものまたは流動性のもの．b）食用油脂に水等を加えて乳化した後，果実および果実の加工品，チョコレート，ナッツ類のペーストなどの風味原料を加えて急速練り合わせをしてつくられた可塑性のものであって，風味原料の原材料および添加物に占める質量の割合が油脂含有率を下回るもの．ただし，チョコレートを加えたものにあっては，カカオ分が2.5％未満であって，かつ，ココアバターが2％未満のものに限る．」としている．

◇用途別分類　**家庭用マーガリン**：テーブルマーガリンとも呼ばれる．一般消費者向けなので，特に風味に重点がおかれ，一部の製品には，バターを混入したものもみられる．

ファットスプレッド：広義にはマーガリンに含まれる．成分はマーガリンと異なる．

学校給食用マーガリン：1食分相当の6〜10gの小型包装で，冷蔵施設が不備の場合を考慮し，融点が家庭用（35℃以下）よりやや高め（38℃以下）になっている．

業務用マーガリン：ベーカリーマーガリンとも呼ばれる．菓子，パンなどに使われ，生産量が多い．種類としては，汎用（多くの用途に使われ，一般に口溶けがよい），パン練り込み用（高級品に使われる），ケーキ用（乳化性，クリーミングに優れる），アイシング用（ケーキ，パンなどの表面にかぶせるので，保形性，口溶けがよく，風味はバターに近い），ロールイン用（パイ，デニッシュペストリーに使われ，可塑性に優れる）などがある．

マーガリン類　上：マーガリン，下：ファットスプレッド（平　宏和）

表1 マーガリン（有塩）とファットスプレッドのビタミン類等（100g中）

	家庭用マーガリン	業務用マーガリン	ファットスプレッド
β-カロテン (μg)	290	290	380
ビタミンD (μg)	11	11	1.1
ビタミンE (mg)	58.9	57.9	43.4
ビタミンK (μg)	53	53	71
コレステロール (mg)	5.2	5.2	4.0

◇**製法** 次の順で行われる．
①原料油脂の溶融
②副原料の調製：食塩水，牛乳，乳製品（クリーム，脱脂乳，発酵乳，粉乳など），着色料，着香料，乳化剤*，保存料，酸化防止剤，ビタミン類などの均一混合
③油脂と副原料の配合
④乳化
⑤エマルション*の冷却：溶融状態の液体エマルションを固体エマルションにする
⑥練圧：過剰水分の除去．柔軟性，展延性が出る
⑦成型および包装

わが国におけるマーガリン原料の油脂の使用実績は，マーガリン工業会の統計資料によれば，硬化油が5％（植物硬化油4％，動物硬化油1％），非硬化油は55％（植物油46％，動物油9％），食用分別油2％（植物油2％，動物油0％），食用エステル交換油37％（植物油37％，動物油0％）で，これら全てを含め植物油脂の占める割合は90％に及ぶ．

◇**成分特性** 主成分は油脂であるが，油脂含量は副原料の調合量により異なる．日本農林規格（JAS）の「マーガリン」では，乳脂肪含有率40％未満とし，水分は17.0％以下，原材料には使用することができるものとして，a）食用油脂，b）乳および乳製品，c）食塩，d）カゼインおよび植物性たんぱく，e）砂糖類，f）香辛料，と規定している．さらに食品添加物*についてはCAC規格に適合するなど，細かな規格が設けられている．「ファットスプレッド」では，乳脂肪含有率が40％未満，かつ，油脂中50％未満，油脂含有率および水分の合計量は85％以上（砂糖類，はちみつまたは風味原料を加えたものにあっては，65％以上）とするとし，原材料には使用することができるものとして，a）食用油脂，b）乳および乳製品，c）砂糖類，d）糖アルコール：還元水あめ，還元麦芽糖水あめおよび粉末還元麦芽糖水あめ，e）はちみつ，f）風味原料，g）調味料：食塩および食酢，h）カゼインおよび植物性たん白，i）ゼラチン，j）でん粉およびデキストリン*と規定し，食品添加物はマーガリンに準じている．**表1**は『食品成分表』によるビタミン類等の100g中の成分値である．β-カロテンとビタミンKは，ファットスプレッドが多く，ビタミンDとビタミンEはマーガリンが多い．ビタミンEはどちらも，γ-トコフェロールが多い（**付表7**）．コレステロールは両者とも，バターよりは少ないが含んでいる．脂肪酸組成については，原料油脂と副原料の乳脂肪に影響される．『食品成分表』では，マーガリンの脂肪酸組成は，有塩タイプのみ収載されている（**表2**）．バターと比べて，マーガリンはオレイン酸*やリノール酸*を多く含む．原料油脂として硬化油が使われるのでトランス酸が含まれる．近年になり，トランス脂肪酸*については，その摂取が心臓疾患などの一因になることが報告され，トランス脂肪酸削減の政策を行っている国もみられる．日本では摂取量が少ないという調査結果により，表示や濃度による基準値の規制は定められていないが，トランス脂肪酸を低減したマーガリン類が市場にみられるようになった．『食品成分表』によれば，100g当たり，家庭用有塩マーガリンで，2003, 2004年度分析では，18:1tが6.27g, 18:2tが0.53g, 18:3tが0.06gに対し，2014年度分析では，18:1tが0.71g, 18:2tが0.23g, 18:3tが0.22gとなっており，

表2 マーガリン（有塩）とファットスプレッドの脂肪酸組成

脂肪酸	家庭用マーガリン	業務用マーガリン	ファットスプレッド
パルミチン酸	15.1%	35.1%	13.3%
ステアリン酸	6.4%	6.0%	7.3%
オレイン酸	50.6%	36.3%	32.1%
リノール酸	15.7%	10.6%	29.9%
α-リノレン酸	1.6%	0.8%	2.8%

特に，18：1tが大きく減っている．
◇**保存**　冷蔵し，酸化防止のための配慮を要する．保存期間は，開封前で6～10カ月，開封後は1～2カ月で使い切ることが望ましい．バターと同様，開封後はにおいの強い食品と一緒に保存すると，そのにおいを吸収することもあるので，注意を要する．
◇**調理**　現在のマーガリンは融点も自由に調節でき，品質もバターに劣らない．パンにつけてそのまま食べるのがよいが，加熱調理に利用する場合は熱いうちに食べる料理に向く．
●**パフペーストリーマーガリン**
英 puff pastry margarine
シュークリームなどのフワッとふくらんだ菓子をはじめ，練りパイ，折りパイなどの製造に用いられる製菓用のマーガリン．融点が高く，これらの菓子の製造に適している．

まあじ　⇒あじ

マーシュ
分 スイカズラ科ノヂシャ属（1年生草本）　学 *Valerianella locusta*（ノヂシャ）　英 cornsalad；lamb's lettuce　別 コーンサラダ；ラムズレタス　和 のぢしゃ
ヨーロッパ原産の1年草または2年草である．ヨーロッパではトウモロコシなどの雑穀畑に自生している野草であるのでコーンサラダと呼ばれている．また，葉の形が羊の耳に似ていることからラムズレタスともいう．葉は長卵形で緑色であり，時に紫色を帯びる．サラダとして食するので，10～15cm程度で収穫され，流通している．耐寒性が高いが耐暑性は劣る．高温期は高冷涼地での雨除け栽培，低温期は一般平坦地でのハウスまたはトンネル栽培で良品生産ができる．
◇**成分特性**　100g当たり，水分92.8g，たんぱく質2g，脂質0.4g，炭水化物3.6g，カルシウム38mg，ビタミンC 38.2mgなどが含まれる（米国食品成分表）．
◇**調理**　淡白な味わいと軟らかな歯触りを生かして，サラダなどに用いる．

まあなご　⇒あなご

マーホア　麻花
中 麻花（máhuā；マーホア）
小麦粉の生地を油で揚げた中国華北の菓子．小麦粉，砂糖，膨張剤を混ぜ，捏ねた生地を棒状に伸ばし，半分にたたんで捻ったものを油で揚げる．揚げたものに砂糖をまぶした製品もある．日本でも長崎や神奈川などで製造されている．

麻花（マーホア）（平　宏和）

マーマレード
成 07046（オレンジ 高糖度）・07047（オレンジ 低糖度）　英 marmalade
かんきつ類の切断果皮と果汁に砂糖を加えて加熱し，ペクチン*，有機酸*，糖の相互作用によりゼリー状になったもの．多少苦味（ナリンギン*）があるのが特徴．
◇**規格**　マーマレードについて，日本農林規格*（JAS）の「ジャム類」の分類では（ジャム*），かんきつ類の果実を原料としたもので，かんきつ類の果皮が認められるものとしている．特等と標準があり，果実など含有率は特等：33％以上，標準：20％以上である．
◇**原料**　かんきつ類には，オレンジ，ゆず，だいだい，きんかん，レモンなどが使われる．
◇**製法**　果皮からアルベド（中果皮*）を除いたフラベド（外果皮*）を幅3～4mmの短冊形に切り，水煮して苦味抜きしたものに，アルベドなどを煮沸し抽出したペクチン液と果汁を混合して果汁と同量程度の砂糖と酸味料を加え，加熱濃縮し

マーシュ（平　宏和）

マーマレード（低糖度）左：オレンジ，中：ゆず，右：甘夏みかん（平　宏和）

てゼリー化させる（付図③）．ペクチン液の代わりにゲル化剤（ペクチン*）を用いることもある．糖度については，健康志向から低い製品がみられる．日本ジャム工業組合では，糖度が65度以上を高糖度，55度以上65度未満を中糖度，40度以上55度未満を低糖度としている．

まいか　⇨いか（するめいか）

まいたけ　舞茸

成 08028（生），08029（ゆで），08030（乾），08051（油いため）分 担子菌類トンビマイタケ科マイタケ属（きのこ）学 *Grifola frondosa* 英 hen of the woods 別 くろふ；まえたけ；くろぶさ

ナラ類，カシ類などのブナ科樹木の根際に寄生して心材を腐らせる白色腐朽菌の一種．北海道から本州では主にブナやミズナラに，九州ではシイ，カシに寄生し，9月中旬〜10月上旬に発生する．きのこの形は太い柄が何回も分岐し，先端にへら状の傘が群生しているもので，他の栽培きのことは大きく異なっている．名前の由来は見つけると舞を舞って喜んだからとか，生えている様子が舞を舞っている手の形に似ているからなどといわれている．自生しているものは，表面色は灰褐色で，大きいものは10 kgに達する．おが屑ととうもろこしの培地での人工栽培が盛んになる前は北関東や東北の人たちが天然のまいたけを食べているだけで，"幻のきのこ"とされていたが，現在では一般の人たちにもなじみあるきのこになっている．人工栽培のものは，天然のものより白色が強い．味や歯触りもよいので，生産量もなめこを抜くほどになっている．

白まいたけ：まいたけに似るがまいたけとは別種のシロマイタケ（*Grifola albicans*）で，色が白または黄白色で肉質はまいたけよりもろく，歯切れも劣る．

◇**成分特性**　100 g当たり，たんぱく質（アミノ酸組成）* 1.2 g，脂質（TAG当量）* 0.3 g，灰分0.6 g．利用可能炭水化物*（差引き法）1.8 g，食物繊維3.5 gである．ビタミンDが4.9 µg含むなど，ナイアシン*，ビタミンB_1などのビタミン類も多く，脂肪酸は，オレイン酸*を多く含む．抽出エキスを利用した健康食品やサプリメントも

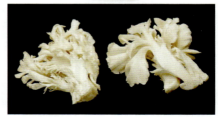

上：まいたけ（市販品），下：白まいたけ（市販品）（平　宏和）

まいたけ（栽培）（岩瀬　剛二）

販売されている．
◇**調理**　マイタケプロテアーゼというタンパク質分解酵素を含むため，生のままでは茶碗蒸しなどは固まらなくなるので，一度加熱してから用いる．一方，細かく刻んだ生のまいたけを肉にまぶしてから調理すると柔らかくすることができる．味も香りも優れ，歯触りもよいので，まつたけ，しめじ，しいたけと並ぶきのこである．ただし，煮汁に黒っぽい色が出るので，注意を要する．石づきを取ったら，大きなものは適当に切り分け，水洗いして用いる．煮物，揚げ物，汁の実や鍋物の具，さっと熱湯を通して和え物などにする．和風，洋風など，あらゆる料理に利用される．乾燥させることで長期保存も可能である．

まいわし　⇨いわし

マオタイ酒　茅台酒

成 16021　英 Maotai giu

中国の代表的蒸留酒，白酒（baijiu）である．中国の貴州省茅台鎮が発祥地なので，この名がある．
◇**製法**　蒸したこうりゃんに，麹子（きょくし）を混ぜ，レンガ状に固めて発酵させる．麹子は，清酒の麹に相当するもので，大麦やあずき，場合によって小麦，黒豆などを粉砕し，レンガ状に成形したものに麹菌やクモノスカビ，酵母を繁殖させたものである．蒸留はせいろ式で，原料を加えながら45日間くらいかける．こうりゃんを原料とした蒸留酒には，山西省産の汾酒（fenjiu）も有名である．
◇**成分特性**　アルコール分53.0％（容量）．酪酸*に似た強い香りが特徴である．

マオタイ酒（台湾産）
（平　宏和）

まがき　⇨かき（牡蠣）
まかじき　⇨かじき

マカダミアナッツ

成 05031（いり 味付け）　分 ヤマモガシ科マカダミア属（常緑小高木）　学 *Macadamia* spp.（マカダミア類）　英 Macadamia nuts　別 クイーンズランドナッツ

ヤマモガシ科の常緑樹で，オーストラリア南部原産，高さ約10mとなる．栽培種にはマカダミア（*Macadamia integrifolia*）とM. tetraphylla（和名不詳）の2種があり，主として前者は米国（ほとんどがハワイ）とオーストラリア，後者はケニア，南アフリカ，コスタリカなどで栽培されている．両者の交雑品種も栽培されている．食用の栽培は19世紀末からで，ハワイにもその頃導入された．果実（石果*）は直径2cmくらいの丸形で，辺合した2枚の外果皮*に包まれていて，内果皮*は非常に堅い．種子は1個のときは球形，2個のときは半球形である．種子中の仁*は淡い黄色で，脂肪分が多いわりに味は淡白である．生食するほか，製菓材料に用いる．また，良質の油が採れ，マイルドバターやサラダ油に使われる．調製品（ロースト）の日本への輸入は，オーストラリア，米国，ベトナムからが多い．
◇**成分特性**　仁（炒って味付けしたもの）の主成分は脂質で，8割近くと非常に多く含まれている．脂肪酸組成はオレイン酸*が多いが，堅果*（ナッツ）類の中でパルミトレイン酸とイコセン酸が多く含まれるのが特徴的である．

マカダミアナッツ　上：殻付き 素焼き，下：いり 味付け（平　宏和）

まがれい　⇨かれい

マカロニ

成 01063（乾），01064（ゆで），01173（ソテー）
英 macaroni

イタリアの乾燥パスタの代表．日本農林規格*（JAS）では，マカロニ類を，デュラム小麦のセモリナまたは普通小麦粉に水を加え，これに卵，野菜を加え，または加えないで練り合わせ，マカロニ類成形機から高圧で押し出した後，切断し，および熟成乾燥したものと定義している．食品表示基準*では，マカロニは，マカロニ類のうち，2.5mm以上の太さの管状またはその他の形状（棒状または帯状のものを除く）に成形したものを指す．このためさまざまな形状のものがある（パスタ*，小麦粉*）．

マカロン

英 macaroon

アーモンドパウダー，砂糖，卵白でつくった生地を焼いたイタリアの伝統菓子．種類が多い．これを原型として日本独自の発展をしたものに「マコロン」と呼ばれる菓子がある．

◇由来　ベネチアで14～15世紀につくられたといわれ，語源は，イタリア・ベネチアの方言マッケローネ：maccherone（繊細な生地）といわれる．
◇原材料・製法　近年，一般にマカロンといえば，パリ風マカロン（マカロン・パリジャン）を指す．アーモンドパウダー，砂糖，卵白，着色料などをまぜた種を丸く絞り焼き上げ，香りづけと同じ系統のバタークリームやジャムを挟んで仕上げる．種に加えるものとして，バニラのほか，チョコレート，ピスタチオ，ローズ，いちごなどがある．さらに和風の抹茶，梅などもあり，種類と色も多彩である．

マカロン　上左：いちご，上右：抹茶，下左：チョコレート，下右：パッションフルーツ（平　宏和）

巻きせんべい

成 15050　英 Maki-senbei；(rolled wheat flour cracker)　別 あるへい巻き

小麦粉せんべい*の一種．小麦粉を主原料とし，それに砂糖，鶏卵，膨張剤からなる瓦せんべい生地を薄焼き型に入れて白焼きにし，あるへい糖を芯として巻いてあるのが特色である．巻きせんべいは"絢（あや）巻き"という菓子から創案されたもので，赤坂一つ木で売り出されて好評を得た．福島，その他全国各地でつくられている．地方によって"絹巻き"と呼ばれるものとも類似する．

巻きせんべい（平　宏和）

まぐろ　鮪

分 硬骨魚類，サバ科マグロ属　学 *Thunnus* spp.
英 tunas

まぐろ類とは，サバ科マグロ属の総称で種類は多い．いずれも体は紡錘形の大型魚で，群をなして遠洋または近海を回遊する．縄文・弥生時代の貝塚から，まぐろ類の骨が出土していて，古くから利用されていたことがうかがえる．特に冷凍・冷蔵の流通経路の確立した今日では，日本人にとって最も重要な魚種の一つといえる．

養殖・蓄養：天然資源に頼るまぐろは，資源保護問題の生じるおそれもあり，その養殖の研究が進められ，近年，完全養殖が，楕円形の網の生簀

くろまぐろ（ほんまぐろ）

表1 まぐろの成分組成（日本食品標準成分表2020年版（八訂）より） （100g当たり）

食品番号・食品名	エネルギー(kcal)	水分(g)	たんぱく質(アミノ酸組成)(g)	脂質(TAG当量)(g)	利用可能炭水化物(g)	灰分(g)
10252 きはだ 生	102	74.0	20.6	0.6	3.4*	1.3
10254 くろまぐろ 天然 脂身 生	308	51.4	16.7	23.5	7.5*	0.9
10253 くろまぐろ 天然 赤身 生	115	70.4	22.3	0.8	4.9*	1.7
10450 くろまぐろ 養殖 赤身 生	153	68.8	20.5	6.7	2.8*	1.3
10255 びんなが 生	111	71.8	21.6	0.6	4.7*	1.3
10257 みなみまぐろ 脂身 生	322	50.3	16.6	25.4	6.6*	1.0
10256 みなみまぐろ 赤身 生	88	77.0	16.9	0.2	4.7*	1.2
10258 めじまぐろ 生	139	68.7	(20.4)	3.8	5.9*	1.2

＊ 差引き法

を用いて実用化された．また，蓄養まぐろといって，産卵後のほんまぐろやみなみまぐろなどを，半年から1年，いけすで飼育して，脂ののった，市場価値の高いものにして出荷する方法も，産地のオーストラリアなどで取られている．日本へはチルドの状態で空輸され，天然物より安価なことから，輸入が増加している．

◇成分特性　まぐろ類全般を通じての成分的特徴は比較的水分含量が低く，たんぱく質含量が高いことと，脂溶性および水溶性ビタミン類を豊富に含有していることである（表1）．特に赤身には，ヒスチジンやセリンなどのアミノ酸が多く，ほんまぐろの脂質，特に眼にはイコサペンタエン酸＊（IPA）やドコサヘキサエン酸＊（DHA）などの高度不飽和脂肪酸＊が多く含まれることから，高血圧，血栓や梗塞などの血管系の病気を防ぎ，認知症の予防効果も期待される．ほんまぐろとみなみまぐろは肉質が似ており，肉色も赤みを帯びている．特に美味とされる"とろ"は，成分的にも脂質含量が30％にも達するものがある．ほんまぐろは寒い地方で獲れるものほど脂がのって美味といわれ，近海ものは晩秋から初春が旬とされ，夏は不味であるが，その頃は脂質含量が低いため，ツナハムなどの原料とされる．一方赤身の方は脂質が少なく，多くても数％程度である．めばちまぐろは肉色はほんまぐろ，みなみまぐろに比べて赤みが少なく，味もやや劣るといわれるが，成分的には近似したものと考えられる．きはだまぐろは肉色は桃色，淡白な味で，夏美味で関西で好まれる．成分的には，他のまぐろ類に比べて脂質の含量が低く，油漬缶詰などにも加工される．

◇加工　まぐろの加工には塩蔵や粕漬，みそ漬などもあるが，現在ではこれらの用途には，しろかわかじきやさわら類が主に使われている．魚肉ハム・ソーセージなどの練り製品原料としてもまぐろはだんだんと使われなくなり，まぐろの加工は，びんながまぐろを主体とした油漬，塩水漬，味付け，野菜煮などの缶詰に限られてきている（缶詰水煮 フレーク ライト 成 10260，水煮 フレーク ホワイト 成 10261，缶詰 味付け フレーク 成 10262）．また最近では，まぐろを調理加工した特殊な缶詰も生産されている．

缶詰：ほんまぐろも缶詰にするが，きはだまぐろやめばちまぐろとともにライトミートツナ（成 10263）の部類に入り，びんながまぐろからつくられるホワイトミートツナ（成 10264）より評価が低い．びんながまぐろは，肉は白く軟らかく生食にはあまり向かないが，加熱すると身がしまって白く，味が鶏肉に似ているため，シーチキンと呼ばれる．缶詰としての評価は高く，まぐろ缶詰の主原料とされている．

血合肉：特にビタミン類に富む．そうだがつおほどではないが，やや悪臭があるので魚肉ハムやソーセージの中にそのまますり込んだり，ペット用の缶詰に製造される．

肉色保持：まぐろ類は冷凍耐性が強く，長期保存できるが，生食用とするものは肉色の保持が大切となる．急速凍結し－35℃以下の低温に保存することで，褐変をかなり防止でき，生食にも十分に使えるようになった．肉色が褐変したものは鮮度がよくても，魚肉ハムやソーセージの原料にしか利用できない．

解凍：解凍方式も重要で，なるべく凍結状態に保って鮮度，肉色を保ち，小さいサイズにしてか

ら低温において解凍し，解凍後なるべく早く消費されるような流通方式がよいとされている．
◇調理　脂肪が少なく筋肉組織が緻密で，長く加熱すると身が硬くなる．このため新鮮なものを生食するのが最もよい．刺身，すし種，山かけ，酢みそ和えなど，さまざまな生食の仕方がある．❋冷凍技術のないころには，多少の鮮度低下は免れなかったため，生食にはしょうゆ液に浸漬した．このしょうゆ漬から，現在でもすし屋ではまぐろの赤身は"づけ"と呼ばれる．❋赤身の魚の中でもまぐろは繊維状たんぱく部が多く，その部分に含まれる筋肉の色素ミオグロビンも多いため，赤みが強い．遠海魚のため筋肉が発達し，エキス分も多く含まれている．味は濃厚で，生食の時以外は，むしろ濃いめの味付けを行う方がよい．血合肉を含む部分は，煮物（角煮），鍋物（ねぎま）などに用いる．角煮では生姜を，ねぎま（ねぎとまぐろの鍋）ではねぎをまぐろとともに用いて生臭みを消す．❋まぐろは種類によって味に差があり，近海もののほんまぐろを最上とする．ほんまぐろの脂肪は"とろ"と呼ばれる腹側の脂身に集中し，なめらかで濃厚な風味をもっている．新鮮なまぐろの入手が難しかった昭和初期までは，とろよりもむしろ赤身が上等とされていた．めばちは，大とろの部分は少ないが，赤身まぐろとして人気がある．❋まぐろの料理は刺身，すし種が一般的であるが，焼く，煮るなど，応用範囲は広い．ヨーロッパでも利用度は高く，衣揚げ，網焼き，ステーキ，煮込みなどの素材として用い，味を引き立てるための香味野菜がいろいろ使用される．❋世界各地で獲れたものが入荷するので，年間を通じて比較的入手しやすい．赤身は脂肪含量が低いため，旬の時期（脂ののった時期）とそうでない時期との味の差が比較的少ないが，脂肪の多いところは季節による脂肪含量の差がはなはだしく，味を大きく支配するので，一般に冬の脂肪ののった時期のものが喜ばれる．

●きはだ

黄肌；鮪　成10252（生）　学 *Thunnus albacares*　英yellowfin tuna　別きはだまぐろ　地いとしび（紀州，高知）；げすなが（静岡）；しび（関西）；ひれなが；きわだ（東京）　旬夏

全長2m．胸びれが大きく，成魚の第2背びれと臀びれは鎌状になって大きい．第2背びれ，臀びれ，離れびれが美しい黄色をしているのが特徴である．肉色は美しい桃色で，よくしまっており，関西ではほんまぐろより重用されている．全世界の温帯，熱帯に分布する．

きはだ（本村　浩之）

●くろまぐろ

黒鮪　成【天然】10253（赤身 生），10254（脂身 生），【養殖 赤身】10450（生），10451（水煮），10452（蒸し），10453（電子レンジ調理），10454（焼き），10455（ソテー），10456（天ぷら）　学 *Thunnus orientalis*　英 Pacific bluefin tuna　別まぐろ；ほんまぐろ　地しび（各地）；よこわ（紀州，土佐，若魚）；めじ（東京，若魚）　旬晩秋～初春

一般には，ほんまぐろと呼ばれる．全長3mに達する．胸びれが小さく，体色は背部は黒色，腹部は灰白色．60cmぐらいまでの幼魚期には体側に淡い黄帯を持つ．味はまぐろ類の中で最もうまいとされる．肉色は暗赤色．すし屋で「づけ」と呼んでいるところは背肉（赤肉），「とろ」は腹肉（脂肉），「なかおち」は骨の間の肉である．「とろ」が最高にうまいとされているが，魚体の10%もとれない．太平洋の温帯，熱帯の暖海に分布している．

●びんなが

鬢長　成10255（生）　学 *Thunnus alalunga*　英 albacore　別びんながまぐろ　地かすしび；かんたろう（三重）；とんぼ（関西）；ひれなが（富山）；びんちょう（関東）

全長1.5m．体形はまぐろよりやや長細い．胸びれが大きくリボン状をしている．群をなして沖合の中層を回遊する．幼魚期には横帯がなく，網目状の縦走帯がある．肉は白色に近く，軟らかくうまくないとされているが，脂ののったものは刺身，

くろまぐろ（本村　浩之）

びんなが（本村　浩之）

めばち（本村　浩之）

すし種にもされる．欧米では鶏肉に似た味がシーチキンとも呼ばれ喜ばれる．日本ではその大部分が油漬缶詰にされ，米国に大量に輸出されている．全世界の暖海に分布する．

●みなみまぐろ

南鮪　成 10256（赤身 生），10257（脂身 生）
学 *Thunnus maccoyii*　英 southern bluefin tuna
別 インドまぐろ

全長2.5m．南半球だけに生息し，オーストラリア沿岸からアフリカ，南米の南岸にわたって広く分布する．ほんまぐろに似て味もよく，市場でも同様に扱われている．

●めじまぐろ

成 10258（生）　英 young tunny　別 地 めじ（神奈川，静岡，東京）；よこ（高知）；よこわ（関西，北九州）

まぐろ類の幼魚をいう．めじはめじかの略で，目のまわりの肉がしかの肉のようにうまいからとも，目が鼻先に近いからともいう．関西，北九州でいうよこわは横じまがあるからで，横じま模様はかつお，まぐろ類の若魚の特徴である．くろまぐろの幼魚をまめじ，ほんめじまたは単にめじといい，きはだの幼魚をきめじと呼んで区別することもある．最も小さいものをこめじという．約2〜8kgまでをめじと称するが，50〜60cm，5kgくらいのものが普通である．よこわは15〜60cmのものだから，関東のこめじの大きさを含

んでいる．初夏から夏にかけて美味．脂質が少ないため，成魚とは，また違った食感である．軽淡な味を身上とするが，軟らかくて充実感が乏しく，刺身にしても，少し時間が経つとすぐ水っぽくなる．新鮮なうちに刺身とすれば美味．刺身，照焼きが普通の調理法だが，洋風のステーキもよい．

●めばち

眼撥；目鉢　成 10425（赤身 生），10426（脂身 生）
学 *Thunnus obesus*　英 bigeye tuna　別 めばちまぐろ　地 ばち（東京他）；めっぱ（紀州）；めふと；めぶと（九州）　旬 5〜9月

全長2m．体高がまぐろ類の中で最も高く，頭と目が大きい．肉は淡桃色でやや軟らかい．味はほんまぐろほどではないが，市場価値はみなみまぐろに次ぐ．日本近海をはじめ全世界の温帯，熱帯に分布する．まぐろ類中，最も漁獲量が多い．

 まくわうり　真桑瓜

成 07130（黄肉種 生），07173（白肉種 生）　分 ウリ科キュウリ属（つる性1年生草本）　学 *Cucumis melo* var. *makuwa*　英 Oriental melon

原産地には定説がないが，植物分類学上同種であるメロンと同じく中央アジアと近東とみられている．中国の栽培の歴史は古く，3世紀に記録があるという．わが国へは朝鮮から伝えられたといわれる．まくわうりの名は，特産地として知られた真桑村（現・岐阜県本巣市）から付けられたといわれる．かつては，日本の夏の果物として代表格であったが，プリンスメロンが育成されてからは，これに押されて生産は減り，ハウスメロンの普及とともに忘れられた．しかし，素朴な味と歯応えを懐かしむ声もあり，一部の市場に顔をみせている．

◇品種　品種群として，成歓（せいかん），銀甜瓜（ぎんまくわ），甘露（かんろ），梨瓜（なしうり），悠紀（ゆうき）メロン，黄金（おうごん）の6群があり，それぞれ多くの品種がある．

油漬け缶詰（フレーク）　左：ライト（きはだまぐろ），右：ホワイト（びんながまぐろ）（平　宏和）

まくわうり（平　宏和）

◇成分特性　果形は丸，楕円，円筒形などがあるが，成分的には大差ない．100g中，β-カロテン当量は180μg含まれ，比較的多い．無機質ではカリウム280mgと多いのが特徴である．またビタミンCが多く，30mgを含み，うんしゅうみかんに匹敵する．
◇加工　初夏の果物として完熟果を生食するほか，未熟果は漬物，あるいは苦味を有するので催吐剤として製薬原料に使われる．

まこがれい　⇨かれい
まごち　⇨こち

まこも　菰；真菰

成06271（茎 生）　分イネ科マコモ属（多年生草本）　学*Zizania latifolia*　英Manchurian wild rice　別まこもたけ；まこもだけ；しなちく

栽培種が水田で栽培され，茎は高さ1〜3mに伸び，先端に雌雄異花（上部が雌花，下部が雄花）の穂をつける．野菜として利用するのは茎の部分である．茎の先端にマコモ黒穂（くろほ）菌（*Ustilago esculenta*）が寄生すると，花茎*の2, 3節が異常肥大する．食用とする未熟の肥大茎は径3〜4cm，長さ約25cmで，ちょうどたけのことアスパラガスの間の味と歯触りがする．成熟する

と，中に黒い胞子が形成され食用にはならない．
　産地：中国揚子江沿岸，台湾で栽培され，輸入されているが，わが国での栽培は極めて少ない．主に茹でて缶詰にしたものが輸入されている．
◇調理　中国料理では惣菜から宴席料理まで広範囲に使われる．生でも食べられるが，湯通しか油通しして熱を加えた方が甘味や香りがでて，歯触りよく仕上がる．先端の緑色部は取り除いて，炒め物，煮込み，あんかけ，スープの材料とする．クセのない淡白な味なので，和・洋の素材としても利用できる．生のものを入手するのが困難な場合は，冷凍品や缶詰を使う．

マコロン

気泡した卵白に落花生の粗挽き，刻み，砂糖，小麦粉などを混合し焼き上げた丸く小さな菓子．14〜15世紀のイタリア・ベネチアの菓子をもとに日本独自の菓子として発展したものともいわれる．伝来の時期や経緯は不明だが，仙台などでは少なくとも昭和初期にはつくられていたという．わが国ではナッツとして落花生が親しまれてきたが，本来はアーモンドが基本的で，ヘーゼルナッツ，カシューナッツ，ココナッツなども使われる（マカロン*）．

マコロン（平　宏和）

まこんぶ　⇨こんぶ
まさば　⇨さば

🐟 マジェランあいなめ

マジェラン鮎並

成10265（生）　分硬骨魚類，スズキ目ノトセニア科マジェランアイナメ属　学*Dissostichus eleginoides*　英southern black cod；Patagonian toothfish；Antarctic cod　別みなみむつ；おおくち　市メロ；ぎんむつ（使用しない）

あいなめの名が付くが，分類上はアイナメ科とは

まこも（平　宏和）

遠縁の魚である．全長2m．パタゴニア・フォークランド海域からスコシア海，ケルゲン諸島にかけての深海に分布する．アルゼンチンでは黒いメルルーサと呼ばれているが，体形はぎんだらによく似ていて，また生態的にぎんだら同様広い垂直分布を示す．また，最近原産国チリでの名称メロを市場名とし，ぎんむつおよびむつは市場名に使用しないことになった．

◇**成分特性**　白身で脂質（TAG当量）*が100g当たり19.6gと多い．ぎんだらに似て，ビタミンAなど脂溶性ビタミン類の含量が高く，レチノール*1,800μgである．また，Dは17μg含まれている．

◇**保存・加工**　冷凍品として輸入され，切り身に加工されて販売されている．

◇**調理**　照焼き，塩焼き，煮物，蒸し物，唐揚げ，フライと応用範囲が広い．また，粕漬・みそ漬にして，白身魚のうま味を味わうことができる．

ましじみ　⇨しじみ

マシュマロ

成 15113　　英 marshmallow

キャンデー類の一種で，元来はアオイ科の大型多年生草本*のビロードアオイ（別 ウスベニタチアオイ，英 marshmallow）の根の粘液を原料にしてつくった菓子に由来する．

軽い特異な風味とフワッとした舌触りが喜ばれ，生地だけのものから，今日ではジャム入り，あん入り，アイスクリームを包んだものと嗜好性あふれる製品が出回っている．

◇**原材料・製法**　フワフワした軽い食感をつくり出すため，砂糖，水あめの糖類のほかにゼラチン，寒天，アルギン酸*といった増粘剤が使われる．また気泡性の高い卵白を使用する方法もある．一般的な製法は，まず水に糖類を加えて加熱溶解し，混合機に入れる．これに水に浸漬したゼラチンを加えて攪拌し，十分に泡立て空気を抱き込ませる．香料，着色料は好みに応じて添加する．最後にでん粉（コーンスターチ）を敷いて型どった型の中へ流し込み，そのまま放置して冷やす．連続式エアーミキサーを利用して均一な品質を大量に生産できる方法も取り入れられている．

マジョラム

分 シソ科ハナハッカ属（多年生草本）　学 *Origanum majorana*　英 marjoram　別 スイートマジョラム　和 まよなら；はなはっか（花薄荷）

地中海東部原産．オレガノ（*Origanum vulgare*）と同属異種で，オレガノをワイルドマジョラムと呼ぶのに対し，スイートマジョラムと呼ばれる．オレガノより小型で草丈は低い．茎の断面は四角形，葉は小さく先の尖った楕円形．緑色だが，微毛があり，灰色にみえる．この葉を食用にする．夏に茎の頂部に白または紫色の小花をつける．オレガノよりマイルドな芳香があり，古代エジプトのミイラづくりにも用いられたとされ，ヨーロッパでは最もポピュラーなハーブである．幸せのシンボルや魔除けなどともされる．

◇**成分特性**　乾燥品の成分組成は，100g当たり，水分7.6g，たんぱく質12.7g，脂質7.0g，炭水化物42.5g，カリウム1,520mg，カルシウム1,990mg，β-カロテン当量4,840μgで，ビタミンCは含まれない（英国食品成分表）．

香気成分：タイムとオレガノをミックスしたような芳香をもつ．香りの主成分はテルピネンで，精油*の約40％を占め，そのほかテルピネオール，シネオールなどを含み，殺菌作用をもつ．また，古代より興奮剤，強壮剤としても用いられたという．

◇**調理**　生鮮品，乾燥品ともに利用する．サラダに加え，肉・魚料理の風味付け，スープ，ソース

マシュマロ（平　宏和）

マジョラム（芦澤　正和）

にも加え，また，肉製品・乳製品の香味付けにも用いる．トマト味との相性もよく，イタリア料理にも欠かせない．マジョラムの香りは加熱により消失しやすいので，仕上げ直前に加える．

ます（淡水産） 鱒

成 10017（あまご 養殖 生），10148（にじます 淡水養殖 皮つき 生） 分 硬骨魚類，サケ目サケ科 学 Salmonidae（サケ科） 英 trouts

陸封型および淡水産のますである．サケ属のあまご，びわます，ひめます，ニジマス属のにじます，ブラウントラウトなどがいる．その他，淡水産ますにはさくらますの陸封型のやまめ，イワナ属のいわな（あめます，ごぎ，おしょろこま，かわますなど）がいる．

◇成分特性　淡水産ます類は，もともと多くは欧米などから輸入されたもので，養殖物が河川に放流されたものに限られている．この点もあり，成分的には海産のものと異なり，脂質含量が低く，ビタミン類の含量もやや低い．このほかナトリウム*の含量が低く，肉色も白いなどの違いがある．これらの淡水産ますは，すしや燻製などに加工されるが，みやげ物的なものである．最近これらの淡水産のます類を海水で飼育したり，アスタキサンチン*などの色素を含む飼料を与えて肉質および肉色を海産のものに近づける試みがなされている．また，わが国には海産または湖産のます類が河川から下らずそこで一生を終える，いわゆる陸封型のます類があり，山地の住民のたんぱく質源として，あるいは釣りの対象魚として利用されてきた．すなわち，同属のさくらます，さつきます，イワナ属のあめますのそれぞれの陸封型であるやまめ，あまご，いわななどで，最近では在来ますという名で養殖も行われている．

◇保存・加工　陸封型および淡水産のますはそのまま調理して料理店，家庭で使用される．したがって，加工といえるものは陸封型のます類のやまめ，あまご，いわななどの養殖ものを利用したみやげ物的な加工品が，昔からの焼干しに代わってつくられるにすぎない．

◇調理　にじます，ひめますなど淡水産のますは，塩焼き，つけ焼き，照焼きなど，主として焼き物の材料に用いる．西洋料理でもフライ，ムニエルなど，持ち味を生かした乾式加熱が行われる．アルミホイルに包んで蒸し焼き形式にするのもよい．※持ち味を生かした嗜好食品として，さくらますを用いた富山の"ます鮨"が有名なほか，みそ漬，粕漬などにすることもある．

マスカット・オブ・アレキサンドリア　⇒ぶどう
マスタード　⇒からし
まだい　⇒たい
まだこ　⇒たこ
まだら　⇒たら

まつかぜ 松風

成 15063　英 Matsukaze；(baked sweet dough)

室町時代に斎藤道三の城のあった岐阜の地・稲葉山で，宝暦3（1753）年に牧野右衛門によって創製されたという説がある．全山松におおわれて，松にそよぶ風の音は道行く人に思わず寂しさを抱かせるが，たまたま牧野右衛門の焼いた菓子が，裏の面だけがほの白く，表の方に比べて淋しいので，「うら寂しい」の意にも通じ，稲葉山の松風が寂しいところから「うら寂しいものは松風」という縁で名付けられた．その後，表面にごまやけし粒を散らせて茶人の興をひいた．また，松風の本場は京都だと主張する人々もある．その根拠は宝暦3年から約50年後の享和3（1803）年に刊行された国学者・田宮仲宣の著書『東牖子』の中に記事があるという．松風の名称の由来には，ほかにも異説がある．

京都の紫野味噌松風，六条松風が有名．紫野味噌松風は白みそを用いているのが特色で，厚みがあり，大徳寺納豆がところどころに入っているものもある．また茨城の松皮せんべいも知られている．これは少しそりのついた優雅な松風系の菓子である．変形品としてはうどんのようにのばして短く切った高知名物"けんぴ"がある．

◇原材料・製法　小麦粉を主原料とし，砂糖，鶏卵，膨張剤を加えて混ぜ，水で溶いてのばし，鉄板に流し込んで形を整えて，上から強火で裏白に焼いたものである．小型でたいへん薄い．小麦粉使用せんべいの特殊型であり，パリパリした食べ口が特色である．このほかに生地を温室にねかせ

味噌松風（京都）（平　宏和）

松風　上：岐阜，下：熊本（平　宏和）

マッシュルーム（缶詰，ホール，水煮）（平　宏和）

て発酵させ，カステラ風に厚く軟らかく焼き上げた松風もある．表面にごまやけし粒を散らし，形態の可憐なこと，風味の高雅なこと，名称がしゃれている点などにより，現在では全国各地でつくられている．みそを加えたものや，青のりをふりかけたものもある．

マッシュルーム

成 08031（生），08032（ゆで），08033（水煮缶詰），08052（油いため）　分 担子菌類ハラタケ科ハラタケ属（きのこ）　学 *Agaricus bisporus*　英 common mushrooms；button mushroom　別 つくりたけ；西洋まつたけ

商品としてはマッシュルームの名称で呼ばれるが，本来の和名はつくりたけ．世界中で広く栽培され，きのこ類中，生産量が最多といわれる．牧場や畑地に自生するはらたけは，このきのことよく似ているが別種とされる．もっぱら栽培されたものが市販され，洋風料理には欠かせない．傘の色にブラウン，クリーム，ホワイトの3系統がある．未成熟時は，傘は半球形で直径は2〜4cm程度，傘の裏のひだは膜で覆われており柄も短いが，成熟すると傘が開いて直径は20cm程度にまでなり，膜が破れてひだが現れる．さらに胞子が成熟するとひだは紫褐色となり，柄も長く伸びる．日本では，小さな未熟なものを収穫するが，欧米では，膜が破れた程度にかなり大きくなったものを収穫する．

◇栽培　堆肥の上に清浄な土・砂を敷きつめた床を，地下室などの陰湿な場所に作って行われる．きのこは清浄な土層と砂層を通りぬけた菌糸から形成され，衛生上の問題はまずない．日本の主な栽培地は東京，埼玉，千葉，京都などである．

◇成分特性　多くの食用きのこのうま味成分である5'-グアニル酸をほとんど含まない．香りは弱いが特有の舌触りが珍重され，スープ・ソース類に加えられる．クリーム色の品種が上物とされる．

◇保存・加工　生鮮品はパックして冷蔵市販されるが，長期間の保存はできない．長期の保存には冷凍も行うが，一般にびん詰・缶詰にする．びん詰・缶詰用にはきのこの切り方に一定のスタイルがあり，また，傘の熟度・色・大きさから1〜3級に分けられる．

◇調理　西洋料理の付け合わせに広く用いる．きれいな丸い形と弾力のある特有の歯触りが特徴である．内部まで十分に味が浸透するスープや煮込み料理に向く．組織がもろく形が崩れやすいので，取り扱いには注意が必要である．炒め物にもよいが，こげつかないように，なるべく手早く炒める．加熱が不十分であると水分が流出し，うま味を失う．

マッシュルーム　上左：ホワイトマッシュルーム，上右：ブラウンマッシュルーム，下左：ジャンボホワイトマッシュルーム，下右：ジャンボブラウンマッシュルーム（平　宏和）

まつたけ　松茸

成 08034（生）　分 担子菌類キシメジ科キシメジ属（きのこ）　学 *Tricholoma matsutake*　英 matsutake　別 地 つがたけ（青森）；えぞまつたけ（北

まつたけ　左：まつたけ（野生），中：アメリカマツタケ（野生），右：まつたけ（市販品）（岩瀬　剛二）

海道）；さまつ（青森，宮城，京都，山口，高知）；まつたけ（京都，和歌山）

傘は直径 8～20 cm だが，まれに巨大なものも見つかる．傘の裏側はひだとなっているが，未熟時は膜に覆われていて見えない．柄は長さ 10～20 cm．表面は淡黄褐色～栗褐色で繊維状の鱗片に覆われ，肉は白色で緻密．日本では，きのこの王者格に扱われ，秋の味覚の代表でもある．日本各地のアカマツ林に生える．アカマツの根と菌根共生を行うので栽培は困難で，まだ成功していない．野生のものに頼るため，年によって価格は著しく変動するが，概して非常に高価である．また，近年は世界的に発生量が減少し，国際自然保護連合によって絶滅危惧種の一種（危急種）にも指定されている．まつたけには，さまざまな近縁種があり，韓国，北朝鮮，中国産は日本のものとほぼ同種である．カナダ，米国産はアメリカマツタケ（*Tricholoma magnivelare*）で，全体が白っぽくて香りが強く，肉質は比較的柔らかい．トルコ，モロッコ，ポルトガルなどの南ヨーロッパ・北アフリカ産はオウシュウマツタケ（*Tricholoma caligatum*）とされるが，他の近縁種が混ざっている可能性もある．さらに，スウェーデンやフィンランド等の北欧でも産出し，日本のものととのほぼ同種とされている．近年では，韓国，北朝鮮，中国などの外国産が輸入されるようになり，国産品に比べ，かなり安価に入手できるようになった．さらに，まつたけはアカマツ林だけでなくツガ林やハイマツ林にも生えることがある．山口県などの暖地では，梅雨時にも発生し，さまつと呼ばれ高値で取引きされる．

◇規格　まつたけは成育段階によって，しいたけの冬菇，香信などと同様に一定の規格あるいは，呼び名が存在する．未熟段階のものは「ころ」，傘が開ききる前のひだが膜で覆われた状態のものは「つぼみ」と呼ばれ，最も高価に取引される．傘が開き，膜が切れてひだが見えているものは「ひらき」と呼ばれて「つぼみ」よりは低価格であ

るが，最も香りが強く，食べる際には最も適している．

◇成分特性　食用きのこの中では水分量が少ない．炭水化物（うち食物繊維が約 60％），カリウム，ビタミン B_2，ナイアシン*を比較的多く含む．糖類はペントザン，トレハロース，マンニトールなどからなっている．遊離アミノ酸*には，グルタミン酸，アラニン，ロイシンなどが多い．うま味には遊離アミノ酸も関与しているが，主体は $5'$-グアニル酸である．

芳香成分：まつたけの食品としての価値は特有の芳香にあり，その主成分は桂皮酸メチルと 1-オクテン-3-オール（マツタケオール）である．また，メチニオルシナートも関与する．

◇保存・加工　生鮮品は，きのこを食害する昆虫（幼虫）が入っていなければ，風通しをよくして乾燥気味にしておくと，かなりの期間保存できる．ザルにウラジロシダを敷いてまつたけをのせるのは青果店の店先でもよく見かけるが，これは見た目によく，鮮度の保持からも合理的である．長期保存のためには酢漬やびん詰，缶詰やレトルトパウチにする．水煮缶詰の製法は，良質な個体を選び，石づきを切り落としてあしの部分の皮をそぎ，これを 1％の食塩水に浸して酸化変色を防止する．次に 2～3 分煮沸し，冷水に 5～6 分浸漬した後，缶に詰める．その上から食塩水を注入して脱気，殺菌，冷却して仕上げる．肉詰めの際，香気を保存するため桂皮酸メチルを加えることがある．

◇調理　きのこの中で特徴のある香りをもつ．まつたけの調理はこの香りを生かすことが重要である．まつたけは，さっと短時間で洗うか，湿った布でそっとこすって汚れをとる．傘の形を崩さないように特に注意する．また，あまり香りの強い食品と組み合わせないことが大切である．まつたけの特性を生かした調理法は，短時間の直火焼きにしたものを，裂いてポン酢やしょうゆをかけて食べることである．※香りを強く出すには乾式加

熱がよいが，香りとともにうま味も強いので，鶏肉，卵，その他の材料とともに，蒸し物，鍋物などの湿式加熱も行う．このとき，香りが揮散するのを防ぐため，ほうろく，土びんなど蓋付きの容器を用いる．焼き物でも，ホイルなどに包んで焼くことが多い．香りと味を生かす方法として，水でぬらした和紙に包み，熱い灰にうめて蒸し焼きにする方法，米飯に炊き込んで香りを米に吸収させる方法，衣をつけて揚げ物にする方法などがある．

松前漬け（平　宏和）

抹茶（まっちゃ）　⇨緑茶

まつの実　松の実

成 05032（生），05033（いり）　分 マツ科マツ属（常緑高木）　学 *Pinus koraiensis*（チョウセンゴヨウ）　英 pine nuts

裸子植物*のマツ属は世界に90種内外が知られ，多くは北半球に分布しているが，熱帯地方の山岳地帯にも多少分布する．食用となるのは，種子の大きいものである．中国，韓国から輸入されているチョウセンゴヨウの種子は，翼がなく，長さ15mm，幅10mm，厚さ7mmほどである．中国では"仙人の霊薬"ともいわれ，古くから利用されている．

◇**成分特性**　種子の仁*（炒ったもの）は，脂質が70％強と多く，ビタミンはB_1が多い方である．脂質の脂肪酸組成は，リノール酸*45.8％，オレイン酸*26.3％，パルミチン酸5.2％，そして特異的にイコサジエン酸を0.7％含んでいる．種子は特有の樹脂臭があり，製菓材料としてだけでなく，佃煮，酒のつまみとしても利用される．

細断したするめと細切りした昆布を，しょうゆを主体にした調味液に漬け込んだしょうゆ漬．するめと昆布のうま味に昆布の粘りが混じりあい，独特の食感をもつ．函館地方の家庭では，古くから，正月料理や冬季の副食としてつくられ，東北地方の一部では，これに切り干しだいこん，芋がらなどの乾燥野菜を加えたものもみられた．市販品が登場するのは第二次世界大戦後で，昭和40年代には細かく砕いたかずのこを加えた製品が開発され，現在では貝類，細切りだいこん，にんじん，しょうが，唐辛子を加えるなど，種々の製品が出回っている．特有の粘りを出すために，かごめこんぶなどが使われ，また，調味液の絡みをよくするため，増粘剤を使用したものもみられる．

まつの実（いり），右下：殻つき（平　宏和）

松葉がに　⇨かに（ずわいがに）

松前漬け　まつまえづけ

成 18023（しょうゆ漬）　英 Matsumae-zuke

まつも　松藻

成 09035（素干し）　分 褐藻類ナガマツモ科マツモ属　学 *Analipus japonicus*　英 Matsumo　別 まつぼ（松穂）

名前の通り体は松や杉の新芽に似ている海藻で，若いものは緑青色，生長するにつれて黒褐色になる．外洋に面する潮間帯中部の岩上や貝殻などに着生する．高さ10〜25cm．

産地：分布は北海道周辺から犬吠埼以北の太平洋沿岸．天然のものを利用し，養殖はしない．

◇**成分特性**　乾燥まつもは，たんぱく質（アミノ

焼きまつも（平　宏和）

酸組成)* が比較的多いほか, β-カロテンが30,000μg と非常に高い. そのほか, α-トコフェロール 13mg, ビタミン K 1,100μg, 葉酸* 720μg が豊富である.
◇加工　12月から4月にかけて採取し, 粗雑な抄き製品あるいは塩蔵品とする.
◇調理　抄き製品をあぶってみそ汁などに入れたり, しょうゆをつけて食べる. 塩蔵品は塩抜きしてから酢の物などにする.

マディラ
英 Madeira wine

モロッコの西 600km に位置するマディラ島（ポルトガル領）特産のぶどう酒. 果汁を約3週間発酵させ, 樽詰めして, 約 50℃のエストファと呼ばれる乾燥炉に 5～6 カ月入れておき, ブランデーを加えて仕上げる酒精強化ワイン. 燻煙臭とほのかな酸味をもつ. 辛口から甘口まである. 酒税法では甘味果実酒に分類されている.

マディラ（平　宏和）

まてがい　馬刀貝；馬蛤貝；蟶貝

分 軟体動物, 二枚貝類（綱）, マテガイ科マテガイ属　学 Solen strictus　英 Japanese razor shell；Japanese jack-knife clam　別 まて；かみそり貝
旬 3～5 月

その形が日本剃刀（かみそり）の刃に似ているので, 英名でも「かみそり貝」と呼ばれる. 殻長 10～20cm, 殻高 1～2cm, 両殻を合わせると細長い円筒形である. あかまてがい（Solen gordonis）, えぞまてがい（S. krusensterni）, おおまてがい（S. grandis）などの近縁種がある. 日本全国に分布しているが, 瀬戸内海のものが最も有名. 遠浅の砂浜の深さ 30cm くらいのところに, 楕円形の穴を掘り殻を縦にして棲む. 採取は, その穴に塩を入れると殻を突き出す習性を利用したり, 鈎針を束ねたものを砂に突き刺して採る, まて突きという方法がある. 収穫期は 3～5 月の春である. なお, あげまき* が, まてがいの名で売られることもある.
◇調理　身は軟らかく淡白である. 大きく厚みのある殻の貝を選ぶ. 1～2 時間塩水に浸し, 砂を吐かせ, 塩茹でしたものを, 酢みそ和えや煮付けにする. そのほか, 中国風の炒め物, 揚げ物などにもよい.

まとうだい　的鯛

分 硬骨魚類, マトウダイ科マトウダイ属　学 Zeus faber　英 John dory　別 地 まとだい（各地）；ばとう（山陰）；まとはげ（三重）；もんつき（熊本）
旬 1～3 月

全長は 40cm. 体の色は銀灰色で, 鱗がない. 体の中央部に大きな黒丸の斑紋がある. これが的のようなので, 名の由来となっている. 北海道から九州, インド・西太平洋, 東大西洋に分布し, 水深 30～400m の大陸棚の砂底に生息する. 主に瀬戸内海で底引網で漁獲される. 美味であり, 上等料理に使い, 練り製品原料には使わない.
◇調理　白身で味のよい魚として扱われており, 新鮮なら刺身や昆布じめ, また焼き物, 煮物など

まてがい

まとうだい（本村　浩之）

に使われる．特に関西では高級魚とされている．フランスでも，姿を生かしての調理や網焼き，蒸し煮にするなどして珍重されている．

マドレーヌ

成 15082（バターケーキ） 英 madeleine

フランスの伝統的な小型の焼き菓子である．スポンジケーキの生地に溶かしたバターを加え，軽く混ぜ合わせてマドレーヌ型（貝殻などの形をしている）に流し込んで焼き上げる．香りづけにレモン（果汁とすりおろした果皮）を加えたり，アーモンドプードル（アーモンドの粉末）を加えるものもある．マドレーヌの由来には諸説あるが，一説には，ポーランド王レクチンスキーの料理人が考案したもので，ルイ15世に嫁いでベルサイユ宮殿にいる王の娘に贈ったところ，非常に気に入って，その料理人の名を付けて広めたといわれている．

マドレーヌ（平　宏和）

マトン　⇨ひつじ

まながつお　鯧；真魚鰹

成 10266（生）　分 硬骨魚類，マナガツオ科マナガツオ属　学 *Pampus punctatissimus*　英 silver pomfret　別 地 ちょおきん；めれな（岡山）；ぎんだい（富山）；あながた（長崎，熊本）；まな（関西）　旬 冬

全長40cm．体は菱形で左右に扁平する．口は小さい．鱗は小さくて剝がれやすい．体色は灰青白色．外洋性の魚で，産卵期（6～7月）には内湾にくる．味はうまく，特に関西では最高級の魚とされている．東アジアの固有種．日本では和歌山，瀬戸内海，東シナ海で多く獲れる．

◇**成分特性**　軟らかい白身の魚で，冬から春にかけて多く，冬が美味．白身の魚の中では比較的水分，脂質が多く，たんぱく質の少ない部類に属する．水分を減らすため，みそ漬とすると美味で，

まながつお（本村　浩之）

大阪や和歌山などの名物になっている．ビタミン類では脂質の多いこともあり，レチノール*が白身の魚のうちでは多い方である．まながつおは一部の地域では非常に賞味される魚であるが，わが国一般ではそれほど好まれない．しかし，インドの南部，中国などではちょうどわが国のたいのように高く評価され，鮮魚のほか，冷凍，塩蔵もあり，スペインでは缶詰にもする．

◇**調理**　味は淡白でクセがなく，鮮度のよいものは刺身とする．一般には，塩焼き，みそ焼き，照焼き，フライ，揚げ煮，みそ漬（西京漬）などに利用する．まながつおの骨は軟らかで，中骨を干して油で揚げると骨せんべいと呼ばれる酒の肴になる．

まなまこ　⇨なまこ
まはぜ　⇨はぜ
まはた　⇨はた

まびきな

英 Mabikina　別 うろぬ（疎抜）きだいこん；おろぬきだいこん；つまみな

栽培の際，間引かれた葉菜類*を呼ぶが，特に大根の若芽を指すことが多い．『食品成分表』では，収載されていないが，『四訂 食品成分表』では大根の間引いたもの（まびき菜）が収載されており，100g当たりカロテン1,700μg，ビタミンC 70mgとなっている．さっと茹で，浸し物や和え物に葉ごと利用する．即席漬もよい．

マフィン

成 01036（イングリッシュマフィン） 英 muffins

甘味の少ない丸形の平たいパンで，英米の家庭で朝食に好んで食べられる．副原料の添加料は少ないが，砂糖，バター，卵などを多く加えたリッチな配合のものもあり，また，とうもろこし粉やチーズ，レーズン，ナッツ類，刻んだハムやベーコンを加えたものもあって種類は多い．膨張剤にベーキングパウダー*が使われるアメリカンマフィンと，イーストが使われるイングリッシュマフィン*がある．

マフィン　上：バナナマフィン，下：アメリカンマフィン（平　宏和）

まふぐ　⇨ふぐ，ふぐ（とらふぐ）
まぼや　⇨ほや
ままかり　⇨いわし（さっぱ）

まめいた　豆板

英 Mame-ita

煎り大豆と溶かした砂糖を混ぜて，丸形，角形などに型どり固めた，お茶請け駄菓子の一種である．白砂糖と黒砂糖を用いる場合があるが，昔は主に黒砂糖を用いていた．黒砂糖使用の場合は白砂糖を30％ほど混合する．現在は白砂糖を使用して，淡白な味としたものが多い．煎り大豆のほか，二つ割りの煎り落花生を固めた岐阜県高山市の豆板がある．また，岩納豆とも呼ばれ，甘納豆仕上げのあずき，いんげん豆を固めたものがある．

◇**原材料・製法**　水に溶かした砂糖と水飴を煮詰め，水に浸漬し煎った大豆，岩納豆では甘納豆仕上げの蜜漬を加えてよく混ぜ，輪型に流し込み，冷却する．

まめいた　上左：煎り大豆（抹茶味），上中：甘納豆（あずき），上右：甘納豆（白いんげん），下：煎り落花生（岐阜県高山市）（平　宏和）

まめいたもち　豆板餅

英 Mameita-mochi　別 豆餅

豆（赤えんどう）の入った板餅．のし餅より軟らかめについた餅（途中で食塩を加える）に蒸した赤えんどうを混ぜ，冷めてから正方形に切り，さらに三角形に二等分にしたもの．

豆板餅（平　宏和）

まめがし　豆菓子

成 15044（おのろけ豆）　英 Mamegashi

豆を主原料とする菓子の総称．多くの種類があり，甘納豆*，豆板*なども含まれる．

◇**分類**　加工の方法によって，煎り豆，豆掛け物，揚げ豆に分類される．これらのうち特に，五色豆，おのろけ豆などの豆掛け物菓子を豆菓子と呼ぶことが多い．

煎り豆：えんどうやそら豆などを用い，豆を水に漬けたり，水を吹きつけて軟らかくしてから，鍋で煎って味付けをしてつくる．塩豆*，はじき豆（そら豆*）などがある．素焼きの煎り豆にそら豆，落花生がある．

豆掛け物：煎り豆を熱いうちに回転鍋に移し，

豆菓子　左：そら豆（煎り豆），中：グリンピース（揚げ豆），右：五色豆（豆掛け物）（平　宏和）

豆みそ　⇨みそ

マヨネーズ

成 17042（全卵型），17043（卵黄型），17118（低カロリータイプ）　英 mayonnaise　別 マヨネーズソース

食用油脂と食酢を卵黄のレシチン*を乳化剤*として混合・乳化し，水中油滴（O/W）型エマルション*を形成した半固体状の調味料．マヨネーズソースを略してマヨネーズというようになった．マヨネーズの名は地中海のミノルカ島の首都マオン（Mahon）に由来し，"マオン風の"という意味の mahonnaise が訛ったといわれるが，諸説があり，はっきりしない．

◇種類・分類　日本農林規格*（JAS）では，半固体状ドレッシングのうち，卵黄または全卵を使用し，かつ，食用植物油脂（香味食用油を除く）および食酢もしくはかんきつ類の果汁，卵黄，卵白，たんぱく加水分解物，食塩，砂糖類，はちみつ，香辛料，調味料（アミノ酸等）および香辛料抽出物以外の原材料を使用していないもので，原材料に占める食用植物油脂の重量の割合が 65％以上のものと規定されている．『食品成分表』では全卵を使ったものを全卵型，卵黄のみを使ったものを卵黄型としている．また，全卵型はアメリカ型，卵黄型はフレンチ型とも呼ばれる．また，脂質を4割ほどに抑えた低カロリータイプのものも販売されている．

砂糖液（掛け物蜜）をかけて軽く攪拌する．それに，みじん粉をまぶしつけてから乾燥させる．この操作を3〜4回繰り返し，最後は，みじん粉の代わりに小麦粉をまぶして乾かし，数回砂糖液をかけてつくる．落花生が多く使われ，のりや色素などを加えるものもある．おのろけ豆*，五色豆*，源氏豆*，大豆を使ったみしま豆*などがある．

揚げ豆：原料豆を水に漬けた後，水切り乾燥して，油で揚げてつくる．『食品成分表』では，油で揚げて，バターと塩をまぶしたバターピーナッツ（落花生*），植物油で揚げ食塩で味付けしたフライビーンズ（そら豆*），グリンピース（えんどう*），ひよこ豆などがある．

歴史：わが国で初めてマヨネーズが市販されたのは大正14（1925）年である．初期のマヨネーズはびん入りで，スプーンですくい出す必要があった．昭和30年代になってポリエチレンの容器が開発され，現在では大部分がこのタイプとなっている．

原料：鶏卵は生または冷凍卵黄が使用される．冷凍する場合には卵黄だけだとたんぱく質の変性が起こるので，一般に食塩または砂糖を一部加え

豆きんとん

成 04010（こし生あん），04011（豆きんとん）
英 Mame-kinton；(sweetened whole beans with bean paste)

白いんげんのきんとん．大福類のいんげん豆を水洗後，約8時間水に浸漬し，3〜4倍量の水を加えて加熱して，一度茹でこぼし，心もち芯が残るくらいに軟らかく煮たものを，2割量の豆を取り出して裏ごしし，砂糖を加えて煮る．残りの豆に砂糖を加えて煮含め，最後に裏ごしした豆を加えて練り上げる．

豆きんとん（平　宏和）

マヨネーズ　上：卵黄型，下：全卵型（平　宏和）

て冷凍される．卵は新鮮であることが望ましい．古くなると乳化力が低下し，風味も劣る．食塩は精製塩が使われる．油は大豆油，なたね油が多く使用される．食酢は一般にりんご酢，麦芽酢，ぶどう酢，粕酢，アルコール酢などの醸造酢が使われる．サフラワー油やえごま油使用，あるいは有精卵使用などと，特別に原料を表示した素材限定マヨネーズも市販されている．

◇**成分特性** 全卵型と卵黄型で異なる．『食品成分表』ではそれぞれ100g当たり脂質（TAG当量）*は72.5g，72.8gとそれほど変わらないが，たんぱく質（アミノ酸組成）*は卵黄型は2.2gで，全卵型の1.3gの約1.7倍含まれる．脂質が多いのでエネルギーは全卵型，卵黄型ともに，668kcalである．コレステロールは，卵黄型140mgで全卵型55mgの約2.5倍含まれる．食塩相当量*は全卵型1.9g，卵黄型2.0gとなっている．

低カロリータイプのものは，『食品成分表』ではマヨネーズタイプ調味料（成17118）として収載され，脂質（TAG当量）*は26.4g，エネルギー262kcalとなっている．

◇**保存・加工**
加工：マヨネーズをベースにしたソース類やスプレッド（パンやクラッカーなどに塗るものの総称）なども各種の製品が出ている．代表的なものはタルタルソースで，小袋に入ったものは使いきりで便利である．また，コーンやたまねぎなどを混ぜて，パンに塗って使うスプレッドにもチーズスプレッド，フルーツバター，ピーナッツバターなど，多種の製品がある．

保存：卵黄が含まれていても，酢の作用で保存性がある．ただし油脂が多いので空気中の酸化を受けて風味が落ちる．できるだけ空気との接触を絶って保存する．チューブ入りのものでは，空気を押し出して蓋をするとよい．7～10℃で保存する．30℃以上の場所や0℃以下の低温では油の分離が起こることがある．また，長期間の振動によっても，油滴が互いにぶつかりあう結果，粒子が大きくなるため分離が起こる．開栓前のものも保管は日の当たらない涼しい場所である．

◇**調理** 代表的なサラダのソースとして，茹でたじゃがいも，にんじん，りんごなどを和える．また，生野菜にそのままかけて使う．ケチャップ（オーロラマヨネーズ），生クリーム（クリームマヨネーズ），みそ，しょうゆ，納豆，たらこ，ヨーグルト，トマトピューレー，おろしわさびなど，他の材料と混ぜて，バラエティに富んだ味を楽しむことができる．❀**サンドイッチスプレッド**：きゅうり，たまねぎ，ピーマンなどのピクルスをみじん切りにし，マヨネーズに加えたもので，パンにつけたり，魚のフライにつけたりする．❀食用油と食酢とが，卵黄たんぱく質と卵黄リン脂質の乳化作用により水中油滴（O/W）型のエマルション*となっている．水の部分が直接に舌に触れるため，脂質含量が高い割には油っこさがなく，さらりとした感触である．酢酸濃度（酸度）は0.5～0.6％で，酸味が爽やかさを与える．市販品は分散している油が約2～4μm程度の微粒子となって分散しているが，手作りでは油の粒子の大きさが不揃いで，かつ数倍の大きさで分散しているため食感も異なり分離しやすい．❀油の粒子の細かいものほど粘弾性は大きくなる．油が細かい粒子となっているため，吸収がよい．植物油が使われているので，血中コレステロールを下げる働きもある．酢の味によって食欲を増進させる効果もある．卵黄型では特にたんぱく質を多く摂取できる．ビタミンA，D，B_1，B_2，パントテン酸*も比較的多く含まれている．❀マヨネーズ自体は酢酸濃度が0.6％程度あるから細菌の作用は受けにくいが，これをサラダなどに使った場合には，野菜の水分で希釈され，部分的には酢酸濃度は1/10以下となってしまう．食酢，食塩の濃度が小さくなれば，卵黄が含まれるため，当然，細菌が生育しやすい環境となる．サラダは食べる直前にマヨネーズを使い，できたものは早く食べることが必要である．❀マヨネーズのついた皿を洗うときには，直接に湯をかけると，O/W型のエマルションが熱によって分離して，油が表面に出てくるため，かえって落ちにくい．水で流すことでO/W型のまま洗うことができる．

手作りのマヨネーズ（表示分量は，できあがりで1カップほどのマヨネーズの材料）：乾いたボールに卵黄1個，食塩小さじ1/2，こしょう少々，マスタード小さじ1，うま味調味料などを入れて混合しておく．次に定量（大さじ1）の1/2の酢を加えて混ぜ，サラダ油を加える．定量（カップ1）の油の1/3ぐらいを加えたら，残りの酢を加え，攪拌しながら残りのサラダ油をたらし入れる．かき混ぜを十分にすれば，硬いマヨネーズができる．鶏卵は冷蔵庫から出した直後は冷え過ぎているから，出して多少時間をおいた方がよい．ボールが大き過ぎるとかき混ぜにくいので，適当な大きさの容器を選ぶ．また，大量調理施設では，食品衛生法*により，マヨネーズは手作りしてはならないとされているので，注意すること．

マラガ

英 Malaga wine

スペイン，アンダルシア地方の地中海沿岸にあるマラガの町の周辺でつくられる甘口ワイン．原料ぶどうは天日に干されて糖度を上げてから発酵させ，発酵途中にぶどう果汁を煮つめたアロープというものを加えて発酵を止める．ブランデーを加える方法もある．アルコール14〜17％（容量），15％以上の糖を含む色の濃い酒である．酒税法では甘味果実酒に分類されている．

まるあじ　⇨あじ
マルチトール　⇨糖アルコール

 ## マルベリー（桑の実）

分 クワ科クワ属（落葉性高木）　学 *Morus* spp.（クワ属）　英 mulberry　別 桑の実；くわいちご

クワ科クワ属の果実の総称．クワ属は北半球の温帯から亜熱帯にかけて約12種が分布し，日本では6種が自生または栽培されている．

雄花と雌花があり雌雄同株または異株，小花が集まった花穂をつけ，果実は集合果*で，肉質多汁の桑果*（付図③）である．

世界で果実として利用されている主なものとして，ブラックマルベリー，ホワイトマルベリー，レッドマルベリーがあげられる．

◇加工　果実は生食のほか，パイ，アイスクリーム，シャーベットなどに利用されるが，乾燥果実，ジャム，ゼリー，砂糖漬，果実酒などに加工される．また，搾汁または水抽出された色素（赤〜青色）が食品添加物*（名称：マルベリー色素）として利用されている．

●ブラックマルベリー

学 *Morus nigra*（クロミグワ）　英 black mulberry；common mulberry　別 和 くろみぐわ

欧米では一般的なマルベリー．原産はコーカサス地方といわれ，紀元前にギリシア，ローマに伝わり，果実用として栽培されていた．果実は紫赤色で風味がよい．

◇成分特性　100g当たり，エネルギー43kcal（180kJ），水分87.7g，たんぱく質1.4g，脂質0.4g，炭水化物9.8g（うち，食物繊維1.7g），灰分0.7g，ビタミンC 36.4mgである（米国食品成分表）．

●ホワイトマルベリー

学 *Morus alba*（マグワ）　英 white mulberry　別

ホワイトマルベリー（乾）（平　宏和）

和 まぐわ；とうぐわ；からぐわ

原産は中国北部・朝鮮半島で，東洋では古くより蚕の飼料（葉）として使われ，欧米では並木や果実用に栽培される．日本で本種をクワと呼んでいたが，野生のやまぐわと区別するためまぐわ，とうぐわ，からぐわなどとも呼ばれる．果実は白色，桃色，または紫色で，中国では桑椹（そうじん）と呼び，乾燥品が漢方薬に用いられる．

●レッドマルベリー

学 *Morus rubra*（アカミグワ）　英 red mulberry；American mulberry　別 和 あかみぐわ

原産は北アメリカで，耐寒性に富む．果実は楕円形で通常は赤色である．

 ## マルメロ

成 07131（生）　分 バラ科マルメロ属（落葉性中高木）　学 *Cydonia oblonga*　英 quinces　別 地 かりん（諏訪地方など）　旬 10月

中近東原産で，ギリシア，ローマ時代から栽培されている非常に古い果実である．現在も南欧を中心に栽培されている．わが国でも江戸時代末にすでに導入され，りんごの栽培される地方（長野県諏訪地方，青森県）で古くから栽培されている．わが国では，10月に収穫される．和名はポルトガル語の marmelo が語源となっている．古くか

マルメロ　果面に綿毛（めんもう）がみられる（平　宏和）

ら栽培しているこの地方では，マルメロのことをかりんと呼ぶ．かりんの類縁種ではあるが，これらは別のものである．
果実は直径10cmほどの西洋梨の形をしており，断面も石細胞*がある梨に似ている．果皮の色は黄色で，毛で覆われている．この毛はかりんにはない．

◇**成分特性**　100g中，炭水化物15.1g（うち，食物繊維5.1g），果糖（5.5）g，ぶどう糖（3.5）g，ビタミンC 18mgが含まれる．

◇**加工**　石細胞が硬いので，生食はされない．シロップ漬，ジャムやゼリーなどのフルーツ菓子に加工される．また，リキュールもつくられる．かりんと同様にエキスを咳止めに利用する．

◇**調理**　かりんと同様，果肉が硬く，香りのよい果物である．皮をむいて薄切りにしたものを砂糖漬，シロップ煮，果実酒，ジャムやゼリーに使う．

マロングラッセ

成 15117　英 marron glacé

煮熟して渋皮をむいた栗を砂糖液に漬け込んだ後，表面を乾燥させ糖を析出させた糖菓の一つである．マロングラッセはフランス語で"栗の砂糖がけ"という意味である．その歴史は古く，紀元前に遡る．栗は古代から携帯食品として利用されており，さらに蜜などに漬け保存性をもつように加工したのが起源とされている．

◇**原材料**　原料は栗と砂糖が主である．これに風味付けのためにバニラ，ラム酒などを使用する．栗はイタリア（セリーノ），フランス（アルデシュ）産のものがよいとされている．国産の栗を使用することは少ない．原料の栗は秋に収穫したものを冷凍，蜜漬けなどして保存し，必要に応じて使う．

◇**製法**　鬼皮をむいた栗を籠（かご）におさめ約1～2時間煮る．この間，湯を取り替え3～4回渋抜きを行う．煮終わったら手早く渋皮をむく．別に糖度36%の糖液をつくり，そこに籠におさめた栗を一定時間漬け込む．次にこれを糖度38%の糖液に移す．さらに一定時間浸漬ののち，さらに濃度の高い糖液に移していく．このように徐々に糖度を上げながら，糖度60%になるまで繰り返す．糖度60%になったら，そのまま10日間ほど漬けておく．最後に蜜を切ってから表面につや出し糖液をかけて，乾燥させて仕上げる．製造日数は合計約40日を要する．製造の過程で栗の崩れや，形・色の悪いものを選別するため，歩留りは60～80%といわれている．崩れたな

マロングラッセ（平　宏和）

どは製菓原料に用いたり，袋に入れマロングラッセブロークンとして販売したりする．

◇**保存**　品質保持上，直射日光を避け，通気性のある冷暗所で一定の温度を保って保管することが大切である．賞味期間は一般的に製造後，春秋期で2カ月，夏期は1カ月ぐらいまでである．これより長時間経過すると製品の乾燥，糖液のしみ出しなどが起こり，品質・風味が低下する．

マングローブがに　⇒かに（のこぎりがざみ）

マンゴー

成 07132（生），07179（ドライマンゴー）　分 ウルシ科マンゴー属（常緑性高木）　学 *Mangifera indica*　英 mangoes　旬 4～8月（北半球），9～12月（南半球）

インドが原産地で，紀元前2000年から聖なる果物として利用されていたといわれる．熱帯および亜熱帯では最も多い果実で，温帯地方におけるりんごに匹敵する．

性状：樹高は10～30mで，樹皮は暗灰色である．果形は長扁卵形，扁球形，腎臓形などがある．果皮の色は品種により緑色，黄色，帯紅色，帯紫色など多い．果長5～30cm，果径2.5～10cmで，果重は最高1kg，普通は250gほどである．種子は豆のさや状で大きく，表面が繊維状

マンゴー（平　宏和）

ドライマンゴー（平　宏和）

の種皮に覆われ，内部に胚乳がある．

◇**品種**　品種は非常に多いが，わが国に輸入されるものはりんごを細長くした形のリンゴマンゴーと，楕円形を平らにしたようなカラバオマンゴーが多い．前者は甘味が強く酸味が少ない．後者は甘酸調和し，果肉は黄肉桃に似ている．

産地：世界最大の産地はインドであるが，中国，中南米，アフリカ，インドネシア，オーストラリアなどでも多く生産されている．熟期は北半球では4～8月，南半球では9～12月である．わが国では，沖縄，宮崎，鹿児島で生産されている．

◇**成分特性**　100g中，甘味成分は全糖として8～16g含む．糖組成はしょ糖が最も多く，そのほか果糖，ぶどう糖を含み，でん粉も含む．酸は通常0.2～0.7g含まれる．主要な有機酸*はクエン酸で，そのほかにリンゴ酸*，コハク酸，シュウ酸*なども認められる．ビタミンCは，果菜として使われる未熟果90mg程度含まれるが，成熟果では20mgである．β-カロテンも多く610μg含まれる．果皮は全重の20～25％を占めている．果皮は果肉の1.5倍量のビタミンCを含む．B_1，B_2も多く，品種によっては，B_1 0.04～0.06mg，B_2 0.05～0.06mg を含んでいるものもある．なお，マンゴーはウルシ科の果実なので，ウルシオール様物質を含み，かぶれることもあり，注意を要する．

◇**保存**　低温下で貯蔵すると追熟が抑えられて保存効果が大きい．しかし低温の限界は7～8℃で，これ以下にすると低温障害を生じる．完熟果実の貯蔵限界は7～8℃，20～25日である．

◇**加工**　加工品としては，飲料，ジャム，ゼリー，マンゴープリン，ソース，ピクルス，ピューレー，乾燥果実（ドライマンゴー）などがある．

マンゴープリン

英 mango pudding

マンゴーの完熟果肉をつぶして，ペースト状にしたものに（半量はつぶさずに小さな角切りにして入れるものもある），生クリーム，無糖練乳（エバミルク），牛乳，砂糖，ゼラチンなどを混ぜて，冷やし固めたもの．1980年代ころに香港のレストランの中華デザートとして評判を呼び，台湾，中国，シンガポール，日本などに広まったといわれる．完熟マンゴーが安価で入手しやすいところでは，家庭でも一般的なデザートとしてつくられている．わが国でも杏仁豆腐とならぶ，中華デザートの定番となっている．プリンという名ではあるが，蒸すなどの工程はなく，マンゴーと乳製品の風味を生かしたフルーツゼリーの一種である．工場で大量生産されるものは，果肉の代わりにマンゴーピューレーやジュースを用い，カラギーナン*などの増粘多糖類を使っているものも多い．

🍎 マンゴスチン

成 07133　（生）　分 フクギ科フクギ属（常緑性高木）　学 *Garcinia mangostana*　英 mangosteen

原産地はマレー群島である．果実は丸くて両端がやや扁平，直径は6cmくらいである．また果皮はなめらかで茶褐色をしており，1cmくらいの厚さで非常に堅い．内部に白色の5～8個の果肉片があり，1～2片に種子を含む．肉質は緻密で香りもよく，甘味は強く，酸味は適度である．食味は非常によく，熱帯の果実の女王ともいわれる．

産地：アジアでは，インドネシア，マレーシア，タイ，フィリピン，ミャンマー，インド，スリランカなどである．野生のものも利用されている．わが国には主に冷凍品が輸入されている．

◇**成分特性**　可食部は約30％で少ない．100g中，果肉は水分と糖類が主成分で，0.5gの酸が含まれる．ビタミンは少ない．

マンゴスチン（平　宏和）

まんじゅう　饅頭

成 15029　英 Manju；(baked or steamed dough

stuffed with filling）
小麦粉，米粉，砂糖などで生地をつくり，中にあん（餡）を入れて，蒸したり焼いたりしたものである．
◇**由来** 饅頭は中国から伝来したものであり，中国で初めは蛮頭（ばんとう）といっていたものが，饅頭となったといわれる（中華饅頭*）．日本に饅頭が伝わったのには2説あり，鎌倉時代後期に，臨済宗東福寺派の祖となった聖一国師が宋から帰朝した際，博多の栗波吉右衛門に酒饅頭の製法を伝えたとされる．一方，南北朝時代に京都建仁寺の住職竜山禅師が留学から帰国するときに連れてきた宋の林浄因が日本に帰化して姓を塩瀬と改め，奈良で饅頭をつくり始めた．これが塩瀬饅頭の始まりであるといわれる．室町時代末期の茶道興隆時には，京都で茶道の点心として珍重されるようになり，江戸時代には江戸に移って幕府の茶事にも用いられたという説がある．中国における饅頭は肉入りのものであったが，日本のものは豆を使った塩あんであった．砂糖あんに変わったのは室町時代末期に砂糖が伝来してからのことで，一般に普及したのは江戸時代になってからである．
◇**原材料・製法** 単に"まんじゅう"といえば，蒸し饅頭のことであり，これには小麦粉を主原料とするものと，上新粉を主原料とするものがある．小麦粉を主原料とする場合は，酒種を用いるものと，膨張剤（イスパタ*，重曹など）を用いて膨張させるものとがある．上新粉を主原料とする場合はやまのいもあるいは大和いもを用いる．膨張剤（化学的合成品）を使って膨張させた饅頭のことを薬（やく）饅頭ともいうが，饅頭発祥の地である中国では，やまのいものことを山薬（さんやく）と呼んで漢方薬に用いたことから，やまのいもで膨張させたじょうよ（薯蕷）饅頭のことを薬饅頭というとする説もある．『食品成分表』では，蒸しまんじゅうとして収載されている．また，焼きまんじゅうの中にも饅頭と名の付くものがある．これは原料に鶏卵を用いることが，蒸しまんじゅうと異なるところである．
◇**種類** 材料にちなむものなど多くの種類があり，次のようなものがみられる．揚げ饅頭*，田舎饅頭*，温泉饅頭*，カステラ饅頭*，かるかん饅頭*，くず饅頭*，栗饅頭*，酒饅頭*，そば饅頭*，チョコレート饅頭*，唐饅頭*，利休饅頭*，麩饅頭*，吹雪饅頭*，味噌饅頭*，もみじ饅頭*，よもぎ饅頭*．

マンニトール ⇒糖アルコール

 ## まんねんたけ 万年茸

分 担子菌類マンネンタケ科マンネンタケ属（きのこ）**学** *Ganoderma lucidum* **英** reishi **別** 霊芝（れいし）

傘も柄も茶褐色で傘表面は光沢がある．木質で発生当初は比較的軟らかいが，成熟すると硬くなる．木材腐朽性のきのこで埋もれ木などから発生するため地上に見られることが多い．
◇**成分と利用** β-グルカンなどの多糖類*，テルペノイドを含み，抗腫瘍作用などが報告されているが，ヒトでの臨床効果の検証は不十分である．伝統的な漢方には処方はないが，昔から中国で珍重され，日本でも民間薬として利用されている．また，飾り物としての利用も知られている．

まんねんたけ（野生）（岩瀬　剛二）

 ## まんぼう 翻車魚；翻車魚

分 硬骨魚類，マンボウ科マンボウ属 **学** *Mola mola* **英** ocean sunfish **別** **地** うきき（東北）；くいざめ（北陸）；まんぶ（壱岐）

全長3〜4mに達する巨大な魚で，体形は左右に側扁し，普通の魚の後半分がなくなっているような形をしている．抱卵数が多く，3億粒程度生むと言われている．世界中の温帯から熱帯地域の海域に生息する．他の漁獲のときに混じってとる程

じょうよ饅頭（平　宏和）

度で，これを目的としては漁をしない．あまり市場には出回らないが，最近は少し取り扱うようになった．肉は白く，いかに似て軟らかい．
◇調理 皮を剥がして用いる．皮は厚く，肉量は少ない．白身で，やや水分が多いので，身が軟らかく感じられる．刺身の湯引きづくりにするのが美味である．また茹でて酢みそ和えやサラダにするのもよい．

まんぼう（本村 浩之）

み

ミートパイ ⇨パイ
身欠きにしん ⇨にしん
みかん ⇨うんしゅうみかん

 みき

英 Miki

米を主原料とした鹿児島県奄美地方，沖縄県の伝統的飲料．原型は祭り事に使われる神酒（みき）に由来するといわれる．神酒は女性が米やあわを口で噛み，吐き出したものを貯め，唾液のβ-アミラーゼによりでん粉を糖化させ，放置，発酵させた口噛み酒である．現在のみきは，唾液に代わりさつまいもβ-アミラーゼにより米のでん粉を糖化し（沖縄では麦芽*を使用するものもある），発酵させたもので，アルコール分は低い．多くの地域の家庭でつくられていたが，市販品の消費が多くなっている．製法は白米粉のかゆに砂糖を加え，すり下ろしたさつまいもを混ぜて攪拌し，そのまま放置，発酵させる（夏季は1日，冬期は2〜3日）．その間，乳酸菌に*より乳酸*が生成し，アルコール発酵させる前のほのかな甘味と適当な酸味のあるとろりとしたみきになる．

みき（平 宏和）

 みしま豆 三島豆

成 15064　英 Mishima-mame；(sugar-coated roasted soybeans)

砂糖がけした純白の豆と青のりのついた緑色の豆がまじったもので，岐阜県高山市の名物．原料は高山特産の薄青大豆が使われる．明治初期に三島治兵衛が創製したといわれ，この名がある．

みしま豆(平　宏和)

みず　⇒うわばみそう
水あめ　⇒でんぷんとう
水いも　⇒さといも

みずかけな　水掛け菜

成 06272（葉 生），06273（塩漬）　分 アブラナ科アブラナ属（1〜2年生草本）　学 *Brassica* spp.　英 Mizukakena；saltgreen　別 とうな（薹菜）　旬 12〜2月

漬け菜の一種．水田の裏作として，冬季に水田の雪をとかすために湧水を引き入れて，その中で栽培するためにこの名がある．地ぎわから刈り取って青菜として利用するかりな（刈菜）と，伸び始めたとうを摘み取って利用するとうな（薹菜）がある．みずかけなとして，新潟県の大崎菜と，これを明治になり導入した静岡県東部で栽培されているものなどが知られている．

◇成分特性　β-カロテンとビタミンCが多い緑黄色野菜である．
◇加工　かりなは青野菜として利用する．とうなは塩で漬けて漬物に加工する．
◇調理　積雪地帯の冬季に栽培され，春先の葉菜類*として漬物，浸し物，和え物などに使用する．

●大崎菜
新潟県南魚沼郡大和町大崎（現・南魚沼市）で栽培されたのでこの名がある．在来種のとうなとみぶなの自然交雑種といわれ，寛文年間（1670年頃）から栽培された水掛け菜の一種である．14℃の湧水や井戸水をかけて雪をとかし，高うね（畝）に種を播き，早出しをしていたが，最近ではビニルで被覆した早出し栽培が多い．浸し物，漬物などに用いる．

みずだこ　⇒たこ

みずな　水菜

成 06072（葉生），06073（葉ゆで），06074（塩漬）　分 アブラナ科アブラナ属（1年生草本）　学 *Brassica rapa* var. *nipposinica*　英 Mizuna　別 柊菜；千本菜；千筋菜；京菜

みずなは葉が羽状細裂して，葉柄*は細長である．葉先は尖り，ヒイラギの葉に似ている．分けつ性が強く，1株に600以上の葉が出ることもある．代表的な京野菜であり，京都ではその変種で切れ込みのない壬生菜（みぶな）と区別せず京菜と呼ぶ場合がある．みずなには，茎や葉が紫色をした赤みずなと紫みずながある．赤みずなは一般のみずなと形は大体同じであるが葉は緑色，茎は紫色であり，紫みずなは一般のみずなより茎・葉が太く，茎は緑色，葉は紫色をしている．京都に古くからある漬け菜で，畝（うね）に水を引いて作ったことから水菜と呼ばれた．大きく栽培したものは，晩秋から初春にかけて漬物用，煮食用（水炊き，すきやき）に用いる．特に大阪ではハリハリ鍋に不可欠な食材として利用されている．また，大きく育たない品種，若どりしたもの，水耕栽培*ものはサラダとして用いる．

みずかけな(平　宏和)

みずな　上：みずな，下：赤みずな(平　宏和)

◇**成分特性** 糖類はぶどう糖が最も多く，そのほかしょ糖，果糖およびマンニトールを少量ずつ含有する．有機酸*を約300mg含むが，そのうち230mgがリンゴ酸*である．無機質ではカリウム，カルシウムを含む．β-カロテン含量は比較的多く，ビタミンCも含む．茹でによる変化は，重量では元の83％に減少し，たんぱく質の25％，灰分の30％，カリウムの36％，ビタミンCの71％が失われるとのデータもある．

◇**調理** 軟らかくみずみずしい食感を味わうには，一夜程度の浅漬が最もよい．塩で軽くもみ，軽く湯を通して漬ける．爽やかな歯触りが特徴なので，漬けすぎないようにする．※たい，かきなどの鍋物に青みとして用いるのもよく，これらの食品にない歯切れのよさを補うことができる．

水羊羹 ⇨ ようかん

みそ 味噌

英 Miso；(fermented salty soybeans with or without cereals)

日本農林規格*（JAS）では，大豆もしくは大豆および米，麦等の穀類を蒸煮したものに，米，麦等の穀類を蒸煮してこうじ菌を培養したものを加えたものまたは大豆を蒸煮してこうじ菌を培養したものもしくはこれに米，麦等の穀類を蒸煮したものを加えたものに食塩を混合し，これを発酵させ，及び熟成させたもの，ならびにこれに砂糖類，風味原料等を加えたものであって，半固体状のものと定義している．原形は，しょうゆと同様に，8世紀に中国大陸から朝鮮半島を経由して日本へ伝来したといわれる．元来のみそは副食物的ななめみそで，調味料として使われるようになったのは，時代を下った中世（室町以降）になるといわれる．日本に渡ってから日本独特の製造技術が加味され，多種多様なみそが各地でつくられるようになった．

◇**分類** 現在製造されているみそは普通みそとなめみそに大きく分類される．普通みそは**表1**のように，原料により米みそ，麦みそ，豆みそ，味により甘みそ，甘口みそ，辛口みそ，色により赤みそ，白みそなどに分けられる．また，粒の違いで粒みそ，こしみそなどに分けられる．さらに産地によって仙台みそ，信州みそ，八丁みそなどと呼ばれる．

◇**製法** 主な製造工程を**図1**に示す．米みそを例にすると，精白・洗浄した米を一夜浸漬して翌朝水切りを行い，蒸気で30～45分蒸してでん粉を十分に糊化させ，蒸し米を広げて30℃以下に放冷してから種麹を混合して堆積し，品温30～35℃で40時間前後かけて米麹をつくる．米

表1 みその分類

原料による分類	味や色による分類		麹歩合（％）範囲（一般例）	食塩分（％）範囲（一般例）	産　地	主な銘柄・名称
米みそ	甘みそ	白	15～30(20)	5～7(5.5)	近畿各府県と岡山，広島，山口，香川	西京白みそ 讃岐みそ
		赤	12～20(15)	5～7(5.5)	東京	江戸甘みそ
	甘口みそ	淡色	8～15(12)	7～12(7.0)	静岡，九州地方	相白みそ
		赤	10～15(14)	11～13(12.0)	徳島，その他	御膳みそ
	辛口みそ	淡色	5～10(6)	11～13(12.0)	関東甲信越，北陸その他全国的に分布	信州みそ
		赤	5～10(6)	11～13(12.5)	関東甲信越，東北，北海道，その他ほぼ全国各地	仙台みそ 越後みそ 津軽みそ 秋田みそ
麦みそ	甘口みそ		15～25(17)	9～11(10.5)	九州，四国，中国地方	
	辛口みそ		8～15(10)	11～13(12.0)	埼玉，栃木などの関東地方，九州	
豆みそ	辛口みそ		(全量)	10～12(11.0)	中京地方（愛知，三重，岐阜）	八丁みそ たまりみそ

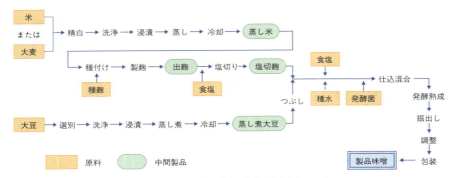

図1 みその製造工程（好井久雄，野白喜久雄ほか編：醸造の事典．朝倉書店，1991）

麹と食塩と水分調節のための水を混合し，蒸し煮大豆と混合し，発酵タンクに仕込み，表層にポリエチレンなどのシートをかけて重石をのせ，品温を20～30℃にして熟成させる．熟成期間は米・麦の配合比が大きいものほど短くなる．

◇**成分特性 主成分**：たんぱく質，脂質，炭水化物であるが，これらの含有率はみその種類によって異なる．米麹，麦麹を多く用いたものは炭水化物が多く，豆麹を用いたものはたんぱく質が多い．

たんぱく質 たんぱく質（アミノ酸組成）*は100g当たり，米みそ（甘みそ），麦みそなどは8.7g，豆みそは14.8g，米みそ（辛みそ）はこの両者の中間である．これらのたんぱく質の一部は酵素によってアミノ酸に分解され，さらに進んで有機塩基類，アンモニア，有機酸*，フェノール類などに変化し，みそ特有の香り，味を形成する．全窒素の30～40％が非たんぱく態となり，熟成の進んだものほどその量は多い．蒸し煮と熟成によってリシン*とシスチンが減少するため栄養価は低下する．しかし大豆の組織は微生物によって軟化されるので消化率はよくなる．各アミノ酸の遊離比率は20～50％で，プロリン，メチオニン，アルギニンの大半は遊離し，アラニン，バリン，ロイシン，リジン，フェニルアラニン，チロシン，トレオニン*などがこれに次ぐ．みその中に白点が存在することがあるが，これは主にチロシンとロイシンである．

脂質 脂質は大豆に由来するため，この多寡に左右され，100g当たり米みそ（甘みそ）3.0g，麦みそ4.3g，豆みそ10.5gで，米みそ（辛みそ）はこの中間である．熟成時に麹の作用によって脂肪が分解して遊離脂肪酸となるため，大豆の脂質と比べて遊離脂肪酸や揮発酸が多く，熟成期間の長い豆みそには多くなる．

炭水化物 たんぱく質，脂質と同様に大豆と米，麦との比率の大小によって異なり，100g中みそ（甘みそ）37.9g（うち，食物繊維5.6g），麦みそ30.0g（うち，食物繊維6.3g），豆みそ14.5g（うち，食物繊維6.5g），米みそ（辛みそ）はこの中間である．このほかでん粉，デキストリン*，麦芽糖*，ぶどう糖などがあり，さらに微量のガラクトース*，アラビノース，グリセロール*なども存在する．なおこれらの炭水化物の酸発酵やたんぱく質，脂質などの分解でできた酸などによって，みそのpH*は5.5前後である．

その他の成分：有機酸としては乳酸*，酢酸，ぎ酸がある．みその香気成分の主なものは酢酸，酪酸*などの揮発酸やアルコール，エステル*，アセトンなどである．無機質の大部分は食塩であり，食塩は100g当たり，米みそ（甘みそ）6.1g，麦みそ10.7g，豆みそ10.9g，米みそ（赤色辛みそ）13.0gを含んでいる．このほか原料に由来する無機質がある．みその食塩含量については，特殊な酵母の使用やグルコン酸塩の添加などにより食塩含量10％以下の減塩みそや低塩みその開発も進められている．

特殊成分：大豆サポニンはそのままみそ中に残存している．製造中に大豆たんぱく質またはその分解物中のアミノ酸と還元糖*の反応（メイラード反応*）によってアミノカルボニル化合物が生成し，さらにこれがメラノイジン*となって褐色を呈する．これを防ぐため煮汁を捨てたりする．微生物は1gにつき10万～100万存在して，多いものは耐塩性の酵母と細菌である．後者には耐熱性のものがあり，普通の加熱では完全に殺菌できないといわれる．

各種みそ（みそ健康づくり委員会）

鑑別：みその品位は色沢，組成，硬さ，香気，風味などによって決められるが，とりわけ香気と風味は重視される．食塩の多寡も風味に影響を与える．硬さについては，適度の粘性を有し，ザラザラしたり，ベタベタしていないことが必要である．みそを少量口に含んで味わい，よく塩なれしてまろやかに感じるものがよく，豆みそを除いて苦味を感じるものは品質的に劣る．香気は原料大豆や麹そのもののにおいがするものは熟成不十分で，よいものではない．いずれにしても特有の芳香を有するものがよい．

◇**保存**　保存性は米・麦の配合比が高く，食塩濃度の薄いものほど短くなる．この原因は保存中の酵母のアルコール発酵，酪酸菌による嫌気発酵が主体である．ガス発酵しやすいみそは加熱殺菌機にかけて 85℃で 10 分程度加熱処理し，直ちに密封包装を行う．さらに必要に応じて防腐剤の添加が行われる．

防腐剤：現在，みそに添加することが許可されている防腐剤はソルビン酸およびそのカリウム塩で，厚生労働省の定めた使用基準量はみそ 1 kg 当たりソルビン酸として 1 g 以下である．最近ではソルビン酸に代わって，アルコール添加による方法が実用化されている．この方法は，みその熟

成期間を長くして十分に発酵をすすめたみそに対し，アルコールを2％程度混合して袋詰にする方法で，みそ自体では多少のアルコール臭を感じさせるが，みそ汁にした場合はほとんどわからない．
◇調理　塩味料としては塩で間に合うので，むしろうま味料として用いられると考えてよい．特有の香気とコロイドによる吸着性が強く，肉や魚の臭気を消すための重要な材料である．※みそは連用しても飽きないのが特徴で，かつての東北地方では朝夕みそ汁を飲むところが多かった．またみそには緩衝作用があり，pH*が変動しにくいので，どんな材料を用いても比較的味が安定しており，動植物性食品一般と組み合わせて広く用いられる．※みそを他の調味料と一緒にすると，吸着力や粘性が高いので，調味料の浸透を妨げる．しかもみそ自体は浸透しにくいので，煮物などでは混合して用いるよりもあとから別に単独で加える方がよい．※材料の表面にからませる調味料としては最適で，みそをつけて焼く食品は多い．食酢はみその味とよく合い，酢みそ和えのような和え物では，材料への酢の浸透が抑えられることはかえって望ましい．このため酢とみそを主体とした各種の合わせみそがある．※みそはうま味とともに香気が生命なので，長時間の加熱を避け，汁物や煮物では必ず最後に加えるようにする．※鯛みそ，ゆずみそ，鉄火みそ，ごまみそなどは，調味料としてみそそのものを主材料として用い，なめみそとしてその味を味わう料理である．

●米みそ
成 17044（甘みそ），17045（淡色辛みそ），17046（赤色辛みそ），17120（だし入りみそ），17145（だし入りみそ 減塩）　英 rice-koji miso
みそをつくる麹原料として米を使ったものである．米みそは米と大豆と塩の配合割合で，甘みそ，甘口みそ，辛口みそに分けられ，さらに色調により白，淡色，赤みそに分類される．また産地の名称をとって，仙台みそ，信州みそなど，地方銘柄による分類もある（表1）．甘みそは米麹を多く使い，糖分が高く食塩濃度が5〜7％と低いので，保存期間も夏期1週間，冬期1カ月ぐらいである．関西の白みそ，東京の江戸甘みそが代表的銘柄である．米みそ（辛口みそ）はみその中で生産量が最も多く，調和のとれたうま味が特徴である．信州みそは山吹色の淡色辛口，仙台みそ，越後みそ，佐渡みそ，津軽みそなどは長熟型の赤色辛口みその代表的な銘柄である．

●即席みそ
成 17049（粉末タイプ），17050（ペーストタイプ）　英 convenience miso
熱湯を注ぐだけでみそ汁になる即席みそ汁などのインスタント食品に用いられるみそ．大きく分けて粉末みそとペースト状みそとがある．食生活の簡便さとファストフード化につれて，多様な製品ができている．

粉末みそ（powdered miso）：一般の製法で製造した普通のみそを乾燥して粉末にしたもの．普通のみそに水を加えて液状にしたのち，ドラム乾燥法，噴霧乾燥法で乾燥する．普通みそを乾燥用トレイに薄く広げ，凍結乾燥機で乾燥ののち，粉末化したものもある．

ペースト状みそ（pasted miso）：普通のみそに調味料と水を加えて，ペースト状にしたものを，縦型の自動充填包装機でアルミ箔をバリア材としたラミネートフィルムに充填密封したもの．このペースト状みそに乾燥豆腐，乾燥ねぎなどが添付されて即席みそ汁として市販されている．

●豆みそ
成 17048　英 soybean-koji miso
大豆と塩を原料としたみそ．蒸した大豆をみそ玉とし，全量を麹にして，食塩水とともに仕込み発酵させたもの．うま味も色も濃い．みその原形といわれ，米みそよりも古い歴史を有するが，主として愛知，岐阜および三重でつくられ，八丁，三洲，三河，名古屋およびたま（溜）りみそなどと

即席みそ　上：粉末 乾燥わかめ・ねぎ，下：ペースト 乾燥とうふ・ねぎ（平　宏和）

呼ばれている．このうち，八丁みそは現在，愛知県岡崎市でつくられている豆みその名称で，商標的な固有名詞とみなされている．なお，みそ汁の一つである赤だしは，本来は豆みそ仕立てのものであるが，赤みそで作った汁を赤だしという場合もある．

●麦みそ
成 17047　英 barley-koji miso
みそをつくる麹の主原料に，精白した大麦を使ったもの．九州，四国地方が主産地で，色は淡色または赤で，甘口みそに分類される．また，埼玉や栃木では，辛口みそのものがつくられている．いずれにしても麦からくる独特の風味と濃厚なうま味が特徴である．

みそ漬　味噌漬

成 06142（だいこん）　英 Miso-zuke；(vegetables pickled with miso)
本来，家庭で貯蔵しておく大量のみその中に野菜を埋め込んでおいて，みその熟成後，食用期に取り出して食べるものである．しかし，最近ではしょうゆ漬などと同じように，みそ味を付与した漬け液を調合し，その中に下漬した野菜を漬け込むようにしている．
◇原料　大根，きゅうり，なす，しろうり，やまごぼう，にんじん，しその実，生姜，山菜などが用いられる．いずれも下漬してから使用する．
◇漬け方　中漬：下漬野菜 20 kg に対し，みそ味漬け液の配合割合は，みそ 5 kg，アミノ酸液 3 L，食塩 1 kg，クエン酸 5 g，色素（カラメル＊）適宜，水 10 L とする．これを混合し，それに下漬野菜を漬け込んで約 10 日間ぐらい浸透させる．
　本漬：みそ 5 kg，食塩 500 g，サッカリン 1 g，色素適宜，水あめ 500 g，アミノ酸液 5 L，水 5 L の混合液を漬け液として，これに中漬した野菜を漬け込んで熟成させる．約 1 カ月で味が浸透して製品となる．このまま数カ月間貯蔵できる．

みそ半月せんべい

英 Misohangetsu-senbei
みそを使った半月形の小麦粉せんべい．砂糖，鶏卵，みそ，少量の膨張剤と水を混合したものに小麦粉を加えた生地を丸い金型（直径 7.5～9 cm）に流し込み，表面に焼き色を付けるため表型を多く焼き，焼き上がったせんべいは，軟らかいうちに二つ折りにし，溝板でそりをつける．

みそ半月せんべい（平　宏和）

みたらしだんご

成 15019（くし団子 みたらし）　英 Mitarashi-dango　別 しょうゆだんご
米粉でつくっただんごに，しょうゆのたれをつけたもので，しょうゆの串だんごの元祖ともいえる．京都の下鴨神社の神饌（しんせん）菓子で，"厄よけ"であったものが，そのままみやげものになった．みたらしの名は下鴨神社の糺（ただす）の杜に湧き出る御手洗の池に因んで付けられたともいわれる．現在では，全国各地でつくられ，しょうゆあんをからめたものもある．
◇製法　上新粉をよく練って丸くして，5 個ずつ竹串に刺してから，炭火で焼き，焼きながら"たまりしょうゆ"をつける．たまりのよくしみこんだ熱いうちにだんごを食べるところに特徴がある．

みたらしだんご（平　宏和）

みついしこんぶ　⇨こんぶ

みそ漬（平　宏和）

みつば 三葉

分 セリ科ミツバ属（多年生草本） 学 *Cryptotaenia canadensis* subsp. *japonica* 英 Mitsuba；Japanese hornwort 旬 4〜5月（野生種）

わが国の原産で，北海道から沖縄まで広く分布している．古くから野生のものを採取して食用としており，現在でも山菜の一つとして珍重される．17世紀には栽培法の記録があり，18世紀の享保年間には軟化栽培が始まっていた．

◇野生種　自生地は日当たりのよいところより沢や木陰の道端などに多く，腐植質の多い保水力のあるところに大きな群落をつくっている．植物全体に毛はなく，折れば強い香りがあり，高さは30〜60cmになる．根は肉質で，細根をたくさん生ずる．葉柄*は長くて，葉は3つに分かれている．名前もそこから由来する．葉の形は菱形で，鋸歯になっている．裏はつやがある．夏にとうが立ち，枝分かれして小さい複散形花序をつけ，少数の白い花をつける．

採取：4〜5月頃，まだとうが立っていない若い茎葉を摘む．根も食用になるが，資源保護のため採取しないようにしたい．

◇栽培　野生型は草姿，茎葉の着色に変異がみられるが，栽培型はすべて立ち性で，茎葉にアントシアンによる着色をみない．品種は単純で，関東型（軟化みつば用）と関西型（青みつば用）の2型しかなく，その中の系統分化は十分でない．関東では根株を養成して軟白みつばとする．軟白法は，みぞ軟化，穴ぐら軟化，土寄せ軟白，木わく軟白などがあり，周年生産される．関西では幼植物をそのまま青みつば用として利用する．青みつばは超密植栽培し葉柄が細いので糸みつばという．青みつばは現在水耕栽培*が普及し，その生産の主体となっている．本来軟白みつばは関東，青みつばは関西のものであったが，水耕の普及により青みつばは全国的になった．

◇成分特性　みぞまたは穴ぐら軟白栽培*の切りみつばと，土寄せ軟白栽培の根みつばとでは成分組成が異なる．根みつばの方が高含量の成分が多く，無機質ではカルシウム，鉄*，カロテン，ビタミンCなどがすべて高くなっている．切りみつばの成分含量は，その軟白の程度によりかなり変動し，緑葉部位が少なければ少なくなる．茹でにより根みつばでは約20％の質量が減少し，灰分が45％，カリウム，ビタミンCが55％溶出する．カロテンは溶出しない．

香気成分：みつばは他のセリ科の植物と同様に

上：糸みつば，中：切りみつば，下：根みつば
（平　宏和）

独特の香気成分を含有する．みつばの精油*の成分はモノテルペン類で，その構成成分としてβ-ミルセンが58％，β-ピネンが35％，次いでリモネン*である．他の成分としてセスキテルペン類のβ-セリネン，α-セリネン，クバレン，β-エレメン，β-エレモフィレンなどがあり，これらが香気を形成している．

◇調理　上品な香りは日本料理の吸い口や，刺身，酢の物のあしらいに最適である．切りみつばは組織が軟弱なため，生食または汁に散らしてすぐ食べるか，天ぷらのようにごく短時間ですむ加熱調理に用いる．香りが強いので魚や鶏肉などの鍋物にもよく合うが，入れたらすぐ食べるようにする．天ぷらは，衣をつけやすいように2〜3本を束ねて結ぶ．※茹で物には根みつばを：根みつばは香りが優れているかわりに，アクが強く組織も硬い．熱湯で短時間茹でて，浸し物，酢の物などにする．※野生種：量が多く採れたときは，茹でてお浸しや和え物などがよい．香りもよい．

●糸みつば

成 06278（葉 生），06279（葉 ゆで）　英 Ito-mitsuba；(young leaves of Mitsuba)　別 青みつば

種子を密に播き，根株を育成しないで，幼植物をそのまま利用する．超密植栽培のため，葉柄が細いので糸みつばと呼ばれる．関西中心の利用で

あったが，大規模な水耕栽培*の普及により，全国的になった．

●切りみつば

成 06274（葉生），06275（葉ゆで） 英 Kiri-mitsuba；(Mitsuba without roots)

軟白みつばで，みぞ軟白，穴ぐら軟白したもの．種子を播いて養成した根株を掘り取り，これをみぞや穴ぐらのような遮光した所に伏せ込み，生育した葉柄部を切り取って出荷する．主に関東で利用される．

●根みつば

成 06276（葉生），06277（葉ゆで） 英 Ne-mitsuba；(Mitsuba with roots) 旬 4月

土寄せ軟白栽培*したものを，根付きのまま出荷するみつば．関東での利用が多い．

 みなづき 水無月

英 Minazuki

京都の民俗的行事と暑気払いを兼ねて食べられるういろう風三角形菓子．

◇由来 水無月は旧暦6月の別名．京都では6月30日に夏越の祓（なごしのはらえ）が神社で行われるが，その日，過ぎた半年の穢れを祓い，来る半年の無病息災を願って水無月を食する習わしがある．

◇原材料・製法 小麦粉に葛粉・白玉粉・砂糖と水を混合した生地を蒸し，その上面に蜜漬け小豆を散らして残りの生地を流し，蒸し上げる．これを三角二等分に包丁を入れて仕上げる．

みなづき（水無月）（平　宏和）

 みなみくろたち

成 10232（生） 分 硬骨魚類，クロタチカマス科ミナミクロタチ属 学 Thyrsites atun 英 barracouta；snoek 別 おおしびかます 市 おきさわら；バラクータ

口は大きく，上顎前部の中央に3〜5本の強大な

みなみくろたち（バラクータ）

犬歯状歯がある．体背部は青黒色で，側部および腹部は銀灰色．第1背びれの鰭膜（きまく）は黒色．全長80cm，大型のものは2mに達する．かますの類である熱帯域のバラクータとは別種である．おきさわらとも呼ばれるが，さわらではない．南半球の温帯域に分布する．日本には冷凍品として輸入される．

◇成分特性 白身の魚で，たんぱく含量が高く廃棄率も少ない．また冷凍中の安定性も高いうえ，うま味のある魚である．しかし，かまぼこにすると非常にアシが弱く，練り製品の原料には適さない．肉にクセがないので，切り身として，照焼きや粕漬に加工され，仕出しの弁当などによく使われる．

◇調理 身が非常に軟らかく，水分が多いため，生ではやや扱いにくい．皮側に長い小骨があるが，加熱すれば骨が抜きやすくなる．また，すり身にして用いるのもよい．黄身焼き，照焼き，つくねにして煮付けに用いたり，スープ煮，グラタンなどにしてもよい．

みなみまぐろ　⇒まぐろ
ミニキャロット　⇒にんじん
ミニトマト　⇒トマト

 みねふじつぼ 峰藤壺

分 節足動物，甲殻類（綱）蔓脚目フジツボ科
学 Balanus rostratus 英 barnacle

殻は大きく堅牢，白色．直径3〜4cm，高さ5cm．頂部は傾く．側面は比較的平滑で，殻口*をふさぐ楯板という三角形の殻板は反り，瓦状に深い溝がある．相模湾以北，日本海が主分布域であるが，瀬戸内海などにもみられる．東北沿岸のものは特に大型で，小規模な養殖も行われる．

◇調理 焼くか茹でるなどして，殻から引き出して食べる．

みの　⇒うしの副生物（第一胃）

みねふじつぼ

 みぶな 壬生菜

成 06360（葉 生）　分 アブラナ科アブラナ属（1〜2年生草本）　学 *Brassica rapa* var. *laciniifolia* subvar. *oblanceolata*　英 Mibuna　別 丸葉水菜

みぶなは寛政年間（1800年頃）に京都の壬生付近で、みずなの中から発見され、栽培され始めたので、この名称となった。歴史的には、水菜の自然交雑でできたとされているが、最近の遺伝子解析より水菜とカブの交雑でできた可能性が高いと報告されている。みずなと同じく分けつ性が強く、多くの葉をもつが、葉先にはギザギザの切れ込みがない。特有の辛味と風味があり、主に漬物に用いられ、京漬物の千枚漬の添え物としてなくてはならないものになっている。

みぶな（平 宏和）

 みやまいらくさ

深山刺草；深山蕁麻

分 イラクサ科ムカゴイラクサ属（多年生草本）　学 *Laportea cuspidata*　英 Miyamairakusa　別 あいこ　旬 春

やや深山で、しかも谷底に近い森林のうす暗いところに、2〜3本の株をつくりながら群生する。北海道から九州まで分布する。茎・葉とも青く、表面にギ酸を含む棘があるので、素手でつかむとおそろしく痛い。葉は互生で長い葉柄＊がありほぼ円形であるが、鋸歯のようになっている。雌雄同株で、8〜9月頃、雄花は下の方の葉腋＊からでて白色、雌花は上の方にでて緑色の花をつける。果実は有柄で、円錐形の下に緑色の袋が2個ついている。

◇採取　食用部は春の若芽に限られ、少し遅れると組織が硬くて食べられなくなる。採取するときは棘から守るため手袋をつけることを忘れない。

◇調理　クセがないのでどんな料理にもむく。サクサクした歯触りと、少しぬるぬるした食感である。みそ汁の実や、茹でてお浸し、マヨネーズ和え、ごま和え、くるみ和えなどとして利用する。

 みょうが 茗荷

成 06280（花穂 生）　分 ショウガ科ショウガ属（多年生草本）　学 *Zingiber mioga*　英 Myoga

北海道から沖縄まで、いたるところに自生がみられ、数少ないわが国原産の野菜の一つである。10世紀にはすでに記録がみられる。花蕾＊（花みょうが、みょうがの子）と、軟白した若い茎（みょうがたけ）を利用する。中国にも古くから記録があるが、食用とはされていない。野菜としての栽培は、わが国のみである。

◇品種　葉、茎、花とも独特の香気があり、古くは家庭の菜園や庭の片隅に自家用として植えられていた。品種分化は十分でなく、花蕾の発生時期により夏みょうが、秋みょうがに区分され、また草姿、草の大きさなどによって早生、中生、晩生に3大別する。早生は主として花蕾用、晩生はみょうがたけ用である。みょうがたけは軟白法により、促成軟白（12〜5月どり）、露地軟白（5〜6月どり）、抑制軟白（6〜7月どり）がある。花蕾は、早晩系統の使いわけにより、6〜11月に収穫する。

　産地：みょうがたけは、宮城、山形、福島、茨城、花蕾（花みょうが、みょうがの子）は、高知での生産が多い。

◇成分特性　花蕾は、無機質、ビタミンともに少ない。独特の香味と辛味があり、生食するとそれらは口中に残留するが、水煮により弱くなる。

◇調理　香りと淡い辛味が特徴で、細く切って麺類や鍋物のつけ汁などの薬味にする。刺身のつまにも好適である。アクが強く、生食の際は必ず切ってから水浸によりアク抜きをする。※細く切って吸い口や汁の実にする。サラダに薄切りを少し加えると、独特の風味が楽しめる。甘酢漬を焼き魚の付け合わせにするのもよい。みょうがの香りを味わうには、生の薄切りをしょうゆで食べるほか、

みょうが（平　宏和）

左：本みりん2本（左：千葉県産，右：愛知県産），右：本直し2本（岐阜県産）（平　宏和）

揚げ物がよく，天ぷらの材料として用いる．

●**みょうがたけ**

成 06281（茎葉 生）　英 Myoga-take；(blanching-cultured young stems and leaves of Myoga)
一般にみょうがとして食するのは花蕾（花みょうが，みょうがの子）であるが，冬季は花をつけないので，若い茎もみょうがたけとして利用する．形がたけのこに似ているのでこの名がある．茎を軟らかくするために，根株を軟白床に伏せ込んだり，土寄せして軟白栽培*を行う．出荷直前に2回光を当てて，うっすらと紅色をつける．酢の物として，焼き物や天ぷらの付け合わせにしたり，浸し物にする．

みょうがたけ（平　宏和）

 みりん　味醂

成 16025（本みりん），16026（本直し）
英 Mirin；(sweetened Shochu by rice koji)
焼酎またはアルコールに米麹と蒸したもち米を混和して数カ月間保って米の糖化を行ったのち，圧搾してつくられる甘い酒である．これは本みりんと呼ばれ，主な生産地は千葉県，京都府，愛知県などである．なお，愛知地方には，長期間糖化熟成した濃い色の三河みりんと呼ばれる本みりんがみられる．本みりんは主に調理用に使われる．一方，飲料酒として飲みやすくするため，本みりんに焼酎またはアルコールを加えて甘味を減らし，アルコール濃度を高くした本直しがある．直しあるいは柳蔭（やなぎかげ）とも呼ばれ，冷やして飲まれる．本直しは改正酒税法により，みりんから除かれ，リキュールに分類された．

◇**成分特性**　みりんは高糖濃度，高アルコール濃度の酒で，本みりんは平均アルコール 9.5g（14.0容量%），100g（85.5mL）中炭水化物 43.3g であり，本直しは平均アルコール 17.3g（22.4容量%），100g（97.0mL）中，炭水化物 14.4g である．なお，炭水化物の大部分はぶどう糖で，約1割がオリゴ糖，デキストリン*である．全窒素は 100mL 中 0.03〜0.08g，アミノ酸は 0.013〜0.035g 含まれる．

◇**調理**　砂糖より高級な甘味料として，日本料理の味付けに用いられる．そばつゆ，つけ焼き，蒲焼きなどのたれなど，汁の味を重視する料理には必ずみりんを用いる．一方，発酵による複雑なうま味が料理にコクを与えて，味をよくする．すなわち，みりんはうま味調味料としても重要である．※みりんのアルコールは，たんぱく質の凝固を促進する傾向がある．したがって煮崩れしやすいものや，身を引きしめたい料理には初めから用いるが，あまり身がしまっては困る動物性食品では，最初から加えることを避ける．※みりんは濃厚な糖液で粘度が高い．またたんぱく質食品とともに加熱すると，アミノカルボニル反応*などにより適度なこげ色と芳香を生じ，料理につやと照りを与える．このような目的にみりんを使うときは，一度煮立ててアルコールをある程度揮発させるとよい．この操作を"煮切り"という．※アルコール濃度の高い"本直し"が飲用される．正月の屠蘇酒をはじめ，行事のための酒として珍重される．

 みりん風調味料　味醂風調味料

成 17054　英 Mirinfu-chomiryo
でん粉を酵素糖化して得られたぶどう糖液に，蒸し米をもろみ発酵させた醸造液を加えたみりんに

みりん風調味料（平　宏和）

みるくい（みるがい）

似た風味をもつ調味料．アルコール発酵はさせていない．また，アルコール分は1%以下で，みりんが酒税法の対象とされる酒類であるのに対し，みりん風調味料は酒税法の対象とならないので安価である．アルコール分の多いみりんのように材料のうま味を引き出す働きはないが，甘味を付けたり照りをつける効果があり，みりんの代わりに利用される．使用に当たって，みりんのように煮切る（アルコール分をとばすために煮たてること）必要はない．

みる貝　⇨みるくい
ミルク　⇨牛乳

みるくい　海松喰；水松喰

成10317（みるがい　水管　生）　分軟体動物，二枚貝類（綱），バカガイ科ミルクイ属　学Tresus keenae　英Keen's gaper；mirugai clam；otter-shell　別みる貝　旬冬～早春

殻長8cm．水管上に緑藻類のミル（海松）が付着していて，水管を引込めるとき，あたかもそれを食べるようにみえるところから"みる食い"と呼ばれるのにちがいない（実際はミルでなく別の海藻）．殻はよくふくらみ，厚い．二枚貝がぴたりと合わず，隙間があり，隙間から常に大きく黒っぽい殻皮に覆われた水管が出ている．北海道から九州の内湾の泥底に棲む．ほたてがいは貝柱，とりがいは足を食べるが，みるくいは水管を食べる．水管は黒褐色の硬い表皮を剝ぐと淡紅色で，美味である．科は異なるが，おおのがいやなみがいも同様なやり方で水管の表皮を除いたものを食用とする．

◇成分特性　『食品成分表』では，みるがいで収載され，100g当たり，水分78.9g，たんぱく質（アミノ酸組成）*（13.3）g，脂質（TAG当量）*0.1g，灰分2.1gとなっていて，同科のうばがい（ほっきがい）と比べると，たんぱく質の含量が高く，脂質，炭水化物の含量が低い．

◇調理　水管のでている口から刃物を差し込んで殻をこじあける．殻に沿って庖丁を入れ，貝柱を切り離して身を取り出し，黒っぽい色をした"わた"を除き，水管の部分に塩をつけてもみながら皮をむく．水で洗い，縦に庖丁を入れて広げ，中の砂をきれいに洗ってから使う．これを刺身，酢の物，汁だね，すし種として生食する．ひも，貝柱，足の部分は味が劣るので，つきだしやちらし寿司用に利用する．

ミルフィーユ

仏mille-feuille　別ミルフイユ

フランスのパイ菓子の一種．ミルフィーユは，日本での呼称で，フランス語ではミルフイユ（ミルフェイユ）という．ミルは千，フイユは葉のことで，ミルフイユは千枚の葉を意味し，17世紀末前後に考案されたといわれている．

伝統的には，3枚の薄く焼いたパイ生地にカスタードクリームを挟み，粉糖やフォンダンをかけたものであるが，現在では，各種の形状の製品がみられる．いちご，バナナ，オレンジなどの果物をのせることもある．

ミルフィーユ（平　宏和）

みんくくじら　⇨くじら

ミント

分 シソ科ハッカ属（多年生または1年生草本）
学 *Mentha* spp.　英 mints　別 はっか（薄荷）

香気の異なるハッカ属の多様な変異を含む．アジア系とヨーロッパ系があるが，ハーブとして食用にするのは主としてヨーロッパ系で，主に葉を利用する．株は立ち性で，茎は丸いか，四角形．葉は先の尖った楕円形．種類により大小があり，葉色は濃緑〜淡緑，なかには縁の白いものもある．葉腋*か茎の先端に白〜紫の小花を密につける．一般に地下を横走する地下茎*で繁殖する．ペパーミント，スペアミント，にほんはっかのほか，香気の異なるカーリーミント，アップルミント，パイナップルミント，ジンジャーミント，ノースミントなど，多数の同属・異種・変種などがある．

◇**成分特性**　香りの主成分は，ミントの種類によって異なり，ペパーミントやにほんはっかではメントールが主成分で，透き通る爽やかな香りがある．ただし，にほんはっかはメントール含量は高いが，香りが劣るので，スパイスとしての評価はペパーミントの方が上である．緑はっか（スペアミント）の香りの主成分はカルボンで，ペパーミントに比して青臭く感じる．しかし，欧米での人気は高い．

◇**調理**　生の葉を肉・魚料理，ソースの香り付けとし，また精油*を抽出して酒・菓子・歯磨き・化粧品の香料とする．特にミントは砂糖の甘味との調和がよく，ドロップやキャンデー，チョコレート，ゼリー，アイスクリームなどに用いられる．紅茶に入れてミントティーもよい．

● **アップルミント**
学 *Mentha suaveolens*（マルバハッカ）　英 apple mint　別 まるばはっか

ヨーロッパ西部から南部に分布する．葉は無柄か短柄，卵状長楕円形〜円形で，両面は有毛，特に裏面は分枝毛がある．葉は甘いりんごのような爽やかな香りがある

アップルミント（平　宏和）

スペアミント（平　宏和）

● **スペアミント**
学 *Mentha spicata*（ミドリハッカ）　英 spearmint　別 オランダはっか；みどりはっか

中央ヨーロッパの自生種間の交雑後代から成立．ペパーミントより葉が大きく，色が濃く，葉柄*がほとんどない．欧米では最もポピュラーなミントである．主産地は米国，中国，ヨーロッパなど．

◇**成分特性**　生鮮物の成分組成は100g当たり，水分86.4g，たんぱく質3.8g，脂質0.7g，カリウム260mg，カルシウム210mg，β-カロテン当量740μg，ビタミンC 31mgが含まれている（英国食品成分表）．

香気成分：芳香の主成分はカルボンで，そのほかリモネン*，フェナンドレンなどを含む．やや青臭く感じられる芳香の主成分はカルボンである．

● **にほんはっか**
学 *Mentha canadensis* var. *piperascens*　英 Japanese mint　別 はっか；めぐさ；クールミント

アジア東部が原産．香りが日本人好みのミントで，その芳香はメントール．他のミント類に比べ含量も多い．水蒸気蒸留により得られた油からメントール（はっか油）が精製される．メントールは鎮痛，殺菌，防腐，矯臭などさまざまな薬効があり，広く医薬品や菓子に使われている．主産地は，インド，北米で，わが国でも栽培されている．

● **ペパーミント**
学 *Mentha* ×*piperita*（コショウハッカ）　英 peppermint　別 せいようはっか

地中海沿岸原産で，ミント類の主体をなすもの．緑はっか（*Mentha spicata*）とウォーターミント（*M. aquatica*）の交雑後代から成立したと推定されている．穏やかで調和のとれた芳香をもち，人気の高いミントである．芳香の主成分はメントールで，透明な清涼感がある．そのほか，メントン，シネオール，メンチルアセテートなどが含まれる．主産地は米国，英国，フランスなどで，わが国でも栽培されている．

む

ムール貝　⇨いがい（むらさきがい）

むかご　零余子

成 06282（肉芽 生）　分 ヤマノイモ科ヤマノイモ属（つる性多年草）　学 *Dioscorea* spp.　英 Mukago；(aerial bulbils of yams)

じねんじょ（*Dioscorea japonica*），ながいも（*D. polystachya*）の主茎の葉腋*に生ずる珠芽*である．7月上旬頃から肥大し，褐色～緑褐色，直径1～2cmのやや長めの球形となる．秋に蔓が枯れると落下するので，収穫し食用とする．むかごは，翌春に発芽をし，2年後にはいもとして収穫できる．やまのいものうち，むかごの着生の多いものはながいもで，いちょういも，やまといもには着生がほとんどみられない．成分はいもと似ている．
◇調理　むかごは炊き込んでむかご飯，串刺しにしてつけ焼き，蒸したものを汁の実などに利用する．

むかご（平　宏和）

むかでのり　百足海苔

成 09036（塩蔵 塩抜き）　分 紅藻類ムカデノリ科ムカデノリ属　学 *Grateloupia filicina*　英 Mukade-nori

羽状の枝を出す幅2～3cm，長さ20～25cmの扁平な海藻．以前は限られた地方で食される程度であったが，近年とさかのりと同様に刺身のつまや，海藻サラダに用いられるようになった．栽培も試みられている．
◇成分特性　ナイアシン*の含量は『食品成分表』に記載されている海藻中では100g当たり16.0mgと最も多い．

◇加工　とさかのりと同様な処理が行われる．そのまま塩漬にした赤い色の製品と，アルカリ処理した緑色の製品がある．乾燥品も市販されている．とさかのりの代替品としても知られている．
◇調理　鮮やかな紅色で，歯応えがあり，海藻サラダ，刺身のつま，みそ汁の実などに用いられる．

麦こがし

成 01010　英 roasted barley flour　別 こがし；はったい粉；麦炒り粉；こうせん（香煎）

大麦（玄穀）を焙煎し，粉にしたものである．原料大麦は，主として関東では皮麦，関西では裸麦が用いられているが，これは両大麦の主産地の違いによるものとみられる．砂糖を混ぜ，そのまま食べたり，湯で練って食べたりするが，麦らくがん（落雁）の原料としても用いられる．

麦こがし　左：関東，右：関西（平　宏和）

麦焼酎　⇨焼酎

麦茶

成 16055（浸出液）　英 Mugi-cha；roasted barley tea

大麦を炒って浸出させる日本独特の夏の飲み物である．戦国時代からあったといわれるが，徳川時代に庶民のものとして広まった．
◇成分特性　カフェイン*が含まれていないの

麦茶　左：皮麦，右：裸麦（平　宏和）

で，子どもにも飲みやすい．

◇**製法・淹れ方** 原料の皮麦（六条大麦・二条大麦）や裸麦を直火，熱風，または熱媒体により200～280℃で焙煎したものである．普通はやかんに水と麦茶を入れ，煮沸させてから濾し，冷やして飲む．また，ティーバッグ詰めの麦茶が市販されているが，色を出やすくするため深煎りした焙煎麦（丸麦）またはこれを粗粉砕し包装したものである．水出しといって，煮沸しないで水にティーバッグを入れ，数時間放置して浸出するものもあるが，香りは劣る．

麦みそ　　⇨みそ
麦らくがん　⇨らくがん

 無菌包装食品

英 aseptic packaged foods

無菌包装食品には，無菌充填包装食品と無菌化包装食品の2つがある．無菌充填包装における無菌（aseptic）とは，「商業的無菌を意味する」と定義されている．商業的無菌とは，食中毒菌や病原菌が存在せず，常温流通下において腐敗や経済的損失をもたらすような微生物が存在しないことを意味する．無菌化包装食品では，商業的無菌まで至らないが，保存期間を延長させるための処理が行われる．

◇**歴史** 紙容器に対する無菌充填包装システムの応用は比較的新しく，1951年にスイスで牛乳をロングライフ化する研究が始められ，1961年にスウェーデンのテトラパック社で工業化され，1965年頃から世界中で注目されるようになり，ヨーロッパを中心に急速に発展してきた．また，プラスチックシートを殺菌して，成型，充填シールする thermoforming machine の開発研究が進められ，Bosch TFA 240 や Prime pak システムが確立した．プラスチック容器を使用し，ケチャップなどを充填する無菌充填包装システムも確立し，工業化されている．なお，共押し出しフィルムを使用した bag in box による無菌充填包装機も開発され，この方式によって，牛乳やトマトペーストが無菌充填包装されている．また，ガラスびんに対する無菌充填包装は，1942年に米国の Avoset 社で開発され，無菌クリームを殺菌されたびんに充填する方式が実用化された．

緑茶，麦茶，ミルク入り紅茶などの茶飲料は，PET（ペット）ボトルに無菌充填されているものが多い．これら茶飲料は，緑茶，ウーロン茶のようにタンニン含量が高く，砂糖，異性化糖の糖質*が含まれないものは，準無菌充填システムが，砂糖を含むミルク入り紅茶などは完全な無菌充填包装システムが採用されている．

茶飲料（砂糖を含む）の無菌充填包装システムでは，PETボトルの内外面の殺菌に過酢化水素と過酢酸の混合液，ガス状過酢化水素が使われている．ミルク入り紅茶では，高温短時間殺菌装置（UHT殺菌*）で130℃以上，2～6秒間殺菌されたのち，殺菌，乾燥されたPETボトルに無菌充填包装される．

◇**分類** 無菌包装は次の4つに大別される．
①液体食品の無菌充填包装
②業務用を中心とした高粘性食品の無菌充填包装
③固液混合食品の無菌包装
④固形食品の無菌化包装

それらには，食品殺菌装置と無菌包装機，バイオクリーンルームの3つが無菌包装システムとして組み込まれている．

◇**保存性** 無菌化包装された食肉加工品の保存性は良好であり，次のような結果が得られている．スライスされ無菌化包装されたボロニアソーセージを，3～5℃の冷蔵庫に保存させたところ，36日までは一般生菌，大腸菌群，ブドウ球菌は検出されず，そのうえ，pH*，酸度，揮発性塩基窒素も変化がみられなかった．しかし，同じ製品を20℃に保存したところ，7日後には大腸菌，ブドウ球菌は検出されなかったが，一般生菌数が1g当たり 2.1×10 個検出された．これらの結果より，保存温度が無菌化包装食肉加工品の保存性に影響を与えることがわかった．

●**無菌化包装食品**

英 semi aseptic foods

微生物レベルが商業的無菌まで至らないが，冷蔵などで保存期間を延長させるため無菌化処理を行う食品．無菌米飯，スライスハム，スライスチーズなどがある．

　包装材料・方法：食品の無菌化包装材料は，細菌が付着していないことのほかに，酸素や窒素ガスの透過しにくい，ガスバリア性のあるものでなければならない．それら包装材料は，紫外線殺菌，加熱殺菌や過酸化水素とγ線殺菌，電子線殺菌されている．スライスハムなどの無菌化包装は，スライスハム用のケーシング詰ハムの表面を洗浄殺菌したのち，バイオクリーンルームに入れケーシングを剥いだのち，ハムを一定の厚さでスライスしてから無菌化包装する．無菌化包装された製品は，－2～0℃の低温で流通・販売される．

● 無菌充塡包装食品

英 aseptic fill packaged foods

ロングライフミルクやコーヒー用ミルクのように充塡する食品を高温短時間殺菌してから，過酸化水素などで殺菌した包装容器の中へ無菌充塡包装するものである．

無菌充塡包装システム：食品を高温短時間殺菌するUHT滅菌装置と無菌充塡包装機とでシステムが組み込まれている．一般に，ロングライフミルクなどは，130〜150℃の温度で2〜6秒間超高温殺菌されている．滅菌装置については，直接加熱法と間接加熱法とがある．直接加熱法では，原料牛乳にスチームが直接噴射され，真空室で過剰の水分が取り除かれて無菌冷却機で冷却される．間接加熱方式では，プレートの間隙の交互に加熱媒体と食品を通して熱交換するプレート式と，缶胴内の蒸気あるいは熱水とチューブ内の食品の熱交換を行い加熱するチューブラー式とがある．牛乳の無菌充塡包装機としては，テトラパックとピュアパックの両機種が代表的であり，いずれも過酸化水素やエチレンオキサイドガスで殺菌された包装容器の中に牛乳を充塡する．ロングライフミルクのほか，次の種類の製品がある．

コーヒー用クリーム：コーヒー用クリームの一部に無菌充塡包装されたものがある．これらはポーションパックと呼ばれ，スーパーなどで売られている．この種の製品は，過酸化水素で殺菌され，乾燥，成型された容器に無菌ミルクが詰められ，シールののち，ポーションカットされたものである．

果汁飲料：果汁の缶詰，びん詰や紙容器詰が出回っている．それら各種包装形態の中でも，紙容器詰が，天然果汁の風味がよい点と運搬しやすく安価な点，容器が焼却できる点などで伸びている．

酒類：清酒は，びんや缶に詰められたものが多いが，最近では，バリア性のよい紙容器に詰められたものが見受けられる．これは，酒の微生物を殺菌したり，フィルターで除菌したのち，無菌化された紙容器に無菌充塡包装されたものである．

蒸し切干

成 02009　英 Mushikiriboshi；(sliced and dried sweet potatoes after steaming)　別 乾燥いも；干しいも；きりぼし

さつまいもの加工食品で，昔から間食用としてつくられている．主として茨城，群馬，静岡などで生産されている．原料品種の皮色は黄白色，肉質

蒸し切干（平　宏和）

は粘質で蒸煮したときにでん粉が糖化しやすいものがよく，タマユタカが多く使われていたが，最近ではヘルシーレッド，ベニマサリ，紅はるかなど，さらに甘味度が高く蜜いもとも呼ばれる安納芋なども使われる．原料いもは12月末か翌年1月頃まで仮貯蔵しておき，でん粉が一部糖化したものを使用する．原料をよく洗浄して蒸籠（せいろ）で90分間蒸した後，皮をむき，切断機で一定の厚さに切り，天日乾燥する．4〜5日たつと，べっこう色でまだ多少軟らかみがある状態になる．これをムシロに積み重ねて冷暗所に5〜10日間放置すると，表面全体に白い粉がふいて製品となる．白い粉は大部分が麦芽糖*で，蒸し切干しの甘味はこの麦芽糖によるものである．製品は甘味が強く肉質があめ色で，表面が白い粉で覆われたものが優良品である．最近では天日乾燥の代わりに人工乾燥法が多くなり，表面の白い粉も生じさせず，ねっとりとした食感の製品も多い．

蒸しパン

英 Mushi-pan；(steamed bread)

蒸籠（せいろ）で生地を蒸しあげたパン．一般には小麦粉に砂糖，卵と膨脹剤，さらに黒砂糖，干しぶどうなどを加えた生地を使った菓子パンである．中国の饅頭（マントウ）では発酵生地も使われる．

蒸しパン（黒糖）（平　宏和）

蒸しまんじゅう　⇨まんじゅう

蒸し羊羹　⇨ようかん
無洗米　⇨こめ

むつ　鯥

成 10268（生），10269（水煮）　分 硬骨魚類，ムツ科ムツ属　学 *Scombrops boops*　英 Japanese bluefish；bigeyed jumper　別 地 ろくのうお（仙台）；からす（富山）；めばり（長崎）　旬 冬

全長60cm．体は長く，わずかに側扁する．体色は紫色に近い淡黄褐色．歯が強く，口の内側は青黒色である．幼魚は浅場で群れるが，成魚は水深200〜700mの岩場に生息する．産卵期は10〜3月．卵巣も高級料理に使われる．北海道から南日本に分布する．ぎんむつの名で市販されていた切り身は，別種のマジェランあいなめ*である．

◇**成分特性**　脂質の含量の高い白身魚で，切り身100g当たり脂質（TAG当量）*11.6g含んでいる．そのほかの成分は白身魚として標準的なものであるが，ビタミンはどちらかというと少ない．若魚は成魚に比べ脂が少ないので，これを好む人もいる．

◇**加工**　肉に脂質が多く，ややアシが落ちるが，かまぼこ原料になる．しかし肉のしまりはやや悪く，肉色も劣る．

◇**調理**　脂肪が多く，肉質は軟らかい．かまぼこ原料として用いられる．また，煮付けや照焼きに調理される．

●**むつこ**

鯥子　英 bluefish roe

むつの卵をいう．まだらの卵巣に似ており，むしろ魚肉自体より珍重される．含め煮や，煮付けにする．精巣（しらこ）も同様に煮付けやちり鍋にする．

むつ（本村　浩之）

むつごろう　⇨はぜ
むらさきいも　⇨さつまいも
むらさきうに　⇨うに
むろあじ　⇨あじ

め

めあじ　⇨あじ
メークイン　⇨じゃがいも
メース　⇨ナツメグ

メープルシロップ

成 03023　英 maple syrup

カエデ科のサトウカエデ（*Acer saccharum*）の樹液から採った糖液．サトウカエデは，カナダのケベック州から北米一帯に分布する落葉高木で，カナダの国旗にはこの木の葉が形どられている．樹液には2〜5%の糖分が含まれる．春先に幹を傷つけて集めた樹液に酸化カルシウムを加えて酸を中和したのち，濃縮して60〜65%程度の糖液とする．はちみつ様の香りがあり，ホットケーキやワッフルにかけて風味付けなどに用いられる．なお，シロップをさらに濃縮し，しょ糖を結晶させた製品にメープルシュガーがある．

メープルシロップ
（平　宏和）

めかぶ

成 09047（めかぶわかめ 生）　英 fruit-bearing leaves of Wakame；sporophyll of Wakame

海藻の球状根の俗称であるが，普通はわかめ茎基部の両縁にできる深いひだをもった成実葉（胞子葉*）をいう．茎から切り離して，塩蔵あるいは乾燥製品とする．わかめの他の部位に比べフコイダンなどの粘質物に富み，乾燥品は水にもどし，細かく刻むか，おろしがねでおろし，酢，しょうゆ，だし汁などで調味して，めかぶとろろにする．刻んで湯通しした冷凍品等も流通量が増えている．

めかぶ（塩蔵）（平　宏和）

めキャベツ　芽キャベツ

成 06283（結球葉 生），06284（結球葉 ゆで）
分 アブラナ科アブラナ属（1年生草本）　学 *Brassica oleracea* var. *gemmifera*　英 Brussels sprouts　別 子持ちかんらん（甘藍）；子持ちキャベツ；姫かんらん

キャベツと同種であるが，キャベツは地ぎわで葉が結球するのに対して，芽キャベツは，1～1.5mに伸びた太い茎の葉腋*に出た芽が結球したものである．ヨーロッパ原産で，キャベツ類では野菜としての歴史は最も新しく，17世紀に入って初めて記録に出てくる．英名の通り，ベルギーのブリュッセル地方で品種改良され，ヨーロッパに普及したのは19世紀に入ってからとされている．わが国へは明治初年に導入されたが，あまり普及しなかった．現在需要が少しずつ増加しているが，まだ生産量は少ない．

◇品種　キャベツより冷涼性であり，耐暑性は弱い．草丈により，高性，中間・矮（わい）性型に区分される．わが国の品種は，中間型と矮性型の交雑後代から分系され，さらに近年これらを基本とする一代雑種*が育成されている．結球性のないプチベールという品種も少量栽培されている．

　作型：作型としては，春播き（7～1月どり）と夏播き（10～3月どり）栽培がある．1株から40～90球とれる．

　産地：静岡，岩手，神奈川など．

◇成分特性　キャベツに比べ一般成分の含量が高く，特にβ-カロテンはキャベツの14倍，ビタミンCは4倍も多い．茹でにより質量は変わらないが，カリウムが20%，ビタミンC30%の溶出を示す．しかし野菜類の茹でによる成分の溶出としては少ない方であり，結球葉をそのまま茹でたための特徴が示されている．

◇保存　0℃，湿度90～95%で3～4週間保存できる．

◇調理　小さい球形で緑色もきれいなので，西洋料理の付け合わせによく用いられる．ほろ苦い風味があり，これ自体を多食するものではないが，取り合わせには最適で，香味野菜としての用途が広い．※組織が硬く小粒ながら芯もあるので，必ず茹でてからほかの調理に用いる．緑色保持のため，ほかの野菜と同様に食塩を加えて8～10分茹でる．葉が固く巻いており，内部への熱伝導がよくないため，つけ根から十文字に庖丁目を入れる．※キャベツと同様に油の味とよく合い，サラダや油炒めにすると風味がよい．衣をつけてフライやフリッターにしても喜ばれる．ほかに肉との煮込み，クリーム煮，あるいは軟らかく煮て裏ごししたものをスープに用いたりする．

めごち　⇒こち，ねずっぽ（ねずみごち）
目刺し　⇒いわし

めじな　眼仁奈

成 10270（生）　分 硬骨魚類，メジナ科メジナ属　学 *Girella punctata*　英 largescale blackfish　別 地 ぶれ（大阪）；くろだい（下関，大分，熊本）；ぐれ（和歌山，高知）　旬 夏

全長は50cm．体色は暗褐色から紫黒色で，くろだいに似ている．東アジアの固有種で，国内では北海道から九州，東シナ海に分布し，沿岸の岩礁域に生息する．磯釣りの対象魚の一つである．同属にくろめじながある．

めキャベツ（平　宏和）

めじな（本村　浩之）

◇成分特性　同じ白身魚のくろだいに比べると水分が多く，身が軟らかい．ビタミン類も，たい類よりやや多い．
◇調理　海藻，小えび，かになどを餌にするので磯臭さが強い．夏美味で，大きい方がうまい．煮たものが冷えると，硬くなる．白身魚であるが，身が軟らかいので，活魚を用いて背の方を刺身にするとよい．煮物，焼き物，揚げ物にもできる．洋風にムニエル，唐揚げ，蒸し煮にし，香草類を使ったソースを添えるとよい．

●**くろめじな**
黒眼仁奈　学 *Girella leonina*　英 smallscale blackfish　別 地 ぐれ（和歌山）；くろこ（新潟）；おなが（関西）
全長70cmくらいとめじなよりも大きい．めじなとともに磯釣りの好対象となっている．

芽しょうが　⇒しょうが
めじろざめ　⇒さめ

めだい　目鯛

分 硬骨魚類，イボダイ科メダイ属　学 *Hyperoglyphe japonica*　英 Pacific barrelfish　別 地 だるま（四国）；せいじゅうろう（三重）　旬 冬
全長90cmに達する．体は側扁し，眼が大きい．口は大きく顔付きは，いぼだい と似たところがあるが，体形はまったく異なる．幼若魚のうちは黒褐色で体側に黄色がかった波状の縞模様があるが，50cm以上の成魚になると消え，体全体がうっすら赤みを帯びる．日本全国に分布しているが，特に房総半島〜伊豆七島の深場が主産地で，立てはえ縄や釣りなどで漁獲される．
◇調理　冬が旬で，白身のおいしい魚で，刺身，照り焼き，煮付けなどにされる．

めだい（本村　浩之）

めぬけ　目抜

分 硬骨魚類，メバル科メバル属　学 *Sebastes* spp.　英 rockfishes；redfishes

めぬけ類は，北日本や寒帯にいるメバル属のものをいう（めばる*）．体色の赤い魚が多いので，市場では「赤物」と呼ばれる．めぬけの名は，深海から網で引き上げられる際の水圧の急激な変化で，目が飛びだすことからついた．めぬけ類の代表魚にあこうだい*がある．ここではアラスカめぬけ，おおさが，ばらめぬけ，さんごめぬけについてふれる．
◇成分特性　あこうだいに準ずる．代表的な白身魚で，水分が多く，しかも貯蔵脂肪が比較的多い．
◇調理　肉質は白身でクセがないので，煮魚，蒸し物，鍋物，焼き物に利用され，添え物，ソースなど工夫すると，いろいろな味で楽しむことができる．特に切り身や半身を粕やみそに2〜3日漬け込み，焼き魚にすると，粕やみその風味が加わってよい．

●**アラスカめぬけ**
阿拉斯加目抜　成 10030（生）　学 *Sebastes alutus*　英 Pacific ocean perch　別 市 あかうお
全長50cm．体は長卵形で側扁する．眼は大きく，眼の下縁に棘がない．吻端*は尖り，口は大きい．体は暗赤色．水深100〜800mの深海底にすみ，宮城沖以北，オホーツク海，ベーリング海，北太平洋に分布する．冷凍品として輸入され，あかうおという商品名で販売されている．

アラスカめぬけ（北海道大学総合博物館）

●**おおさが**
大逆；大佐賀　成 10076（生）　学 *Sebastes iracundus*　英 angry rockfish　別 こうじんめぬけ　地 きんきん（釧路）；こうじんめぬけ（塩釜）；さが（秋田）　旬 秋〜冬
全長70cm．めぬけ類では最も大きい．体は長卵形で側扁する．頭の棘は弱い．体とひれは鮮紅色で，体側上部に大きい黒色斑があるものが多い．銚子以北，千島列島，天皇海山に分布する深海魚．釧路ではきんきんと呼ばれるが，胆振や日高のきんきんは，きちじのことである．はえ縄，底曳網で漁獲され，刺身，煮魚，焼き魚として賞味される高級魚．北海道では正月にまだいの代わりに本

種を使うこともある．

◇**成分特性** 『食品成分表』では100g当たり，水分74.7g，たんぱく質(アミノ酸組成)*13.5g，脂質(TAG当量)*6.6g，灰分0.9gとなっており，あこうだいやアラスカめぬけに類するが，脂質が多く，脂溶性ビタミン類も多い．

●**さんごめぬけ**
珊瑚目張 学 *Sebastes flammeus* 英 fiery rockfish；coral rockfish 別 標 さんこうめぬけ 地 さんごめぬけ（仙台）；さんこうめぬけ（北海道，宮城）；ひかりさが（岩手）；むろらんさが（釧路） 旬 冬
全長60cmくらい．体は側扁し，やや細長い．体は紅色．北海道から茨城県の水深200〜1,000mに生息する．

●**ばらめぬけ**
薔薇目張 学 *Sebastes baramenuke* 英 brickred rockfish；rose-rockfish 別 地 がばさが（岩手）；ばて；がめさが（北海道） 旬 冬
体は側扁し，全長55cmになる．体色は赤，背部がやや黒い．北日本から千島列島にかけて分布する．

芽ねぎ　⇨スプラウト
めばち　⇨まぐろ

めばる　目張；眼張

成 10271（生） 分 硬骨魚類，メバル科メバル属 学 *Sebastes inermis* 標 あかめばる 別 地 めまる（和歌山）；もばちめ；はつめ（富山）；てんこ（新潟）；わいな（広島）；ほしかる（対馬） 旬 晩春〜夏
全長25cm．体は長卵形で側扁する．目が大きい．近年，めばる類は3種に分類され，それぞれ，あかめばる，くろめばる（*Sebastes ventricosus*），しろめばる（*S. cheni*）と命名された．これら3種は体色で区別されるが，例外も多く，注意が必要である．3種とも東アジアの固有種．そのほか，同属にはつめ，うすめばる，たけのこめばるなどがある．

◇**成分特性** あこうだいやめぬけ類と同じく，代表的な白身魚で，成分的にもこれらとそれほど変わらない．めばる類は夏美味である．中でもたけのこめばるが最も美味とされる．大きさは17〜18cmくらいのものがよく，大きすぎるもの，小さすぎるものは脂が少ない．

◇**調理** あっさりとした白身の魚で，新鮮なものは刺身にもできるが，砂糖，みりん，しょうゆを用いた濃厚な味の煮付けが好まれる．めばるを取り出した煮汁で，たけのこ，うど，ふき，しいたけなどを煮ると野菜やきのこ類に魚のうま味が含まれ，一石二鳥である．※焼き物，蒸し物，半日〜1日干しの干物，唐揚げにも用いられる．※洋風に仕上げるには，煮込み料理として用いたり，ワイン蒸しにしてクリーム系のソースを添えるのもよい．中国風には，唐揚げにして甘酢あんかけにしたり，姿蒸しにして，生姜，ねぎの薬味を飾り，ごま油の風味を付けたたれをかけて食べる．

●**うすめばる**
薄目張 学 *Sebastes thompsoni* 英 goldeye rockfish 別 つずのめばちめ 地 あおやなぎ，やなぎ（富山）；あかすい（宮城）；せいかい（新潟）
全長40cmぐらいになる．体は側扁する．目は大きい．体は赤く，上部に不規則形の5条の黒色横帯がある．太平洋側では東北以北，日本海側では対馬海峡から朝鮮，北海道，および屋久島と台湾に分布する．

●**たけのこめばる**
筍目張 学 *Sebastes oblongus* 英 oblong rockfish 別 地 はたけのこ（東京）；めはち（富山）；べっこおすい（宮城）；めばる（三崎）
全長40cmになる．体は側扁し，体色は黒褐色で下方は灰褐色．沿岸の岩礁間にすみ，北海道から長崎，高知，朝鮮半島に分布する．たけのこより美味であるとか，たけのこの現れる時期に美味

あかめばる（本村　浩之）

くろめばる（本村　浩之）

うすめばる（本村　浩之）

メルルーサ

だともいわれている．
● **はつめ**
撥眼　学 *Sebastes owstoni*　英 Owston's rockfish
別 地 うおず（富山）；てり；もんしゃく（東北）；はちめ（北陸）
全長 30 cm．体は側扁し，目が大きく，ぱっちりしているところからはつめと名付けられた．頭には全体に小さな鱗がある．体は赤く，体側に複数の淡灰色の横帯がある．山陰以北の日本海岸，朝鮮東海岸から沿海州などに分布し，富山湾で多く獲れる．

めひかり　⇒えそ

 めふん

成 10142　英 Mefun；(salted and fermented kidney)　別 鮭背腸漬
しろざけの腎臓，すなわち腹腔内の背骨の下に沿って存在する黒褐色の部分（背腸；せわた）を塩とともに漬け込んで熟成した塩辛である．多量の鉄（『食品成分表』では100g当たり6.8mg）を含む．

 メルルーサ

成 10272（生）　分 硬骨魚類，メルルーサ科メルルーサ属　学 *Merluccius merluccius*（ヨーロッパヘイク）　英 European hake　別 ヘイク
北大西洋の沿岸の30〜1,000mの海底近くに生息する．たらの仲間で，形はすけとうだらに似ている．メルルーサはスペイン語で，英語ではヘイクと呼ばれ，アルゼンチン沿岸にすむアルゼンチンヘイク（*Merluccius hubbsi*），南アフリカ沿岸の浅い所にすむケープヘイク（*M. capensis*），チリ，ニュージーランドに棲むニュージーランドヘイク（*M. australis*），南アフリカ沿岸の深い所にすむディープウォーターヘイク（*M. paradoxus*），北東太平洋に分布するブラックヘイク（*M. productus*）などが世界各水域に分布しており，サハラ沖，南アフリカ沖，ニュージーランド沖，パタゴニア沖，北太平洋などでかなりの量が漁獲されている．産卵期は3月から8月までで，北方の産卵場では遅れる傾向がある．成長は早く，3年で45cm，9年で73cmに達する．
◇**成分特性**　成分的には，たらやすけとうだらに近似している．身おろしするときの肉質の状態は軟らかく身崩れしやすい．また風味とうま味に欠けて，肉の保水力の少ない点もたら類に似ており，冷凍耐性もそれほどよくないが，近年は冷凍技術の開発で利用が多くなっている．
◇**加工**　冷凍フィレーが普通であるが，燻製，塩蔵などのほか，そぼろにすることもできる．また，冷凍すり身の原料としても，漁獲量が減少したすけとうだらの代わりに重要になっている．
◇**調理**　メルルーサは冷凍品で，これを小売段階で解凍したものは，鮮度低下が極めて速い．購入後なるべく早く調理する必要がある．※味はたらよりも大味で，しかも解凍時の成分流出は免れないので，組織もパサパサした感じになりやすい．このため，油を使ってなめらかさと風味を補うとよい．揚げ物，煮物に適する．

 メレンゲ

英 meringue　別 ムラング
卵白に砂糖を加え固く泡立てたもので，洋菓子製造工程やその飾りに使われるが，菓子のメレンゲは，これを成型し，弱火のオーブンで焼いた小菓子である．好みに応じナッツ類，ココア，香料などを混ぜることもある．なお，富山の銘菓に和風メレンゲともいえる月世界（つきせかい）がある．

メロ　⇒マジェランあいなめ
メロゴールド　⇒オロブランコ

上：メレンゲ，下：月世界（和風メレンゲ菓子）
（平　宏和）

上：アンデス（緑肉種），下：クインシー（赤肉種）
（平　宏和）

メロン

分 ウリ科キュウリ属（つる性1年生草本）　学
Cucumis melo　英 melon

メロンの野生種はエジプト北部およびインドに存在し，果実は小さく現在の栽培種とは大きく異なる．栽培の歴史は古く，古代エジプトにみられたといわれる．現在でも世界中でその地に適したものが栽培されている．メロン，まくわうり，しろうりはすべて *Cucumis melo* に属する仲間である．相互に交雑するので品種改良も盛んに行われ，栽培が容易で品質のよい品種が多く育成されてきた．原産地は諸説あるが，一般的に第一次原産地は北アフリカのニジェール河沿岸地帯とされている．第一次原産地から東に移動したものは，中央アジアで品種分化が進んで第二次原産地となり，再びヨーロッパ方面に伝播して改良されたものが温室メロンとなった．一方中国に伝播したものはまくわうりを形成したとされている．米国にはヨーロッパから16世紀に伝わり，19世紀後半には経済栽培がされた．洋種タイプのハウスメロンがわが国にも明治初年に米国から導入されたが，多湿の気候に適さず普及しなかった．一方，ヨーロッパ系品種が明治27（1894）年に導入されたが，これも生産は伸びなかった．その後大正14（1925）年に英国系温室メロンが入り，現在の網メロンの源となった．

◇**分類**　網メロン（ネットメロン），カンタロープ，冬メロン（ウィンターメロン），雑種メロン，しろうり，まくわうりに分けられるが，しろうりとまくわうりは普通のメロンからは除外される．温室メロン，ハウスメロンおよび露地メロンの分類は極めて難しい状況にあり，露地で栽培するハウスメロンとか，地床（じどこ）栽培（一定量の土壌を用いた根域制限栽培とする温室メロンではなく，普通の地植えしたものを指す）のアールスを温室メロンと認めないなど，現状に合わない問題点はある．

◇**成分特性**　温室メロン，ハウスメロンおよび露地メロンでは，糖度に違いがみられるが，成分的には類似している．可食部の主成分は糖類である．糖組成はしょ糖，果糖，ぶどう糖で，しょ糖が最も多い．果糖とぶどう糖はしろうりもメロンもほぼ同じであるが，メロンではしょ糖が多いために甘味が強くなる．0.3gのペクチン*を含み，水溶性ペクチンに変化することによって果肉が軟化して食べ頃となる．灰分は0.7g含まれている．カロテンは白肉種に比べ赤肉種が多く，約25倍含まれる．カロテノイド*はその多くがβ-カロテンで占める．ビタミンCは果肉で18〜25mgであるが，品種によって異なる．有機酸*はクエン酸，リンゴ酸*が主なものであるが，含量は少ない．

追熟＊：メロンはクライマクテリック型果実で，収穫後呼吸量が増加するとともにエチレン＊をより多く発生して果実が食用となるように熟する．また外部からエチレンガスを与えると追熟が促進される．追熟の適温は25℃前後である．

ドライメロン（カンタロープ）（平　宏和）

◇**保存**　低温貯蔵の条件は0〜2℃,湿度85%で,30日程度の貯蔵が可能であるが,品質面からは,採取後,直ちに追熟する方がよい.
◇**加工**　ほとんどが生果として食べられているが,ジュースや冷凍品に加工することもできる.冷凍品は果皮と種子部を除き,適度に切断し,砂糖をまぶしてポリ袋などに密封し,−20℃に凍結する.半解凍した状態で食べると食味がよい.また,果肉を乾燥加工したドライメロンが市販されている.

●**温室メロン**
成 07134（　生　）　英 melon, greenhouse culture；muskmelon
わが国では1960年代から育成され,外果皮*に網目がある品種と網目のない品種群がある.果肉も緑色,淡い黄色,白色などさまざまで,大別すると次のようになる.
　網メロン型：日本で1960年代から育成された系統で,外果皮に網目があり,果肉は緑色で軟らかい.アムス,アンデスが主流品種である.
　網メロン・赤肉型：北海道夕張地方特産の夕張メロン（登録商標名）が代表である.赤色はカロテノイド色素である.緑色の果肉のものよりも追熟が速いので,賞味期間が短い.類似品種にクインシーがある.
　無網メロン型：外果皮に網目が出ない系統で,ホームランスター,キンショウが主な品種である.果肉は淡い黄色から白色で,味は淡白で,歯切れがよい.網メロンよりも出荷時期が早い（4〜6月）.
このうち,網メロンは英国で温室用として育成された品種群で,マスクメロンと呼ばれている.これは品種名ではなく,香りがマスク musk（麝香；じゃこう）に似ているのでこの名がある.果実の硬化・肥大により,果皮には網目状の亀裂にコルク層が形成され,美しいネット（網目）となる.このネットが緻密でバランスがよいほど,高級品とされ,入念な管理の下,1株1果のみの収穫で

栽培される.静岡,愛知,茨城,高知が栽培の中心である.

●**露地メロン**
成 07135（緑肉種 生）, 07174（赤肉種 生）英 melon, open culture；hybrid melon
日本古来のまくわうりとヨーロッパメロンとの雑種で,プリンスメロンが代表である.これは,なつめうりとヨーロピアン・カンタロープの一代雑種*で,1962年に日本で育成された.食味がよく高級感があるわりには安価で,また,4〜6月の果物の端境期に集荷できることから長い間生産されてきたが,半円状のトンネルを設置する必要があり,現在では,ハウスメロンに押されて生産は激減した.赤肉の色素はβ-カロテンによるものである.このため,『食品成分表』においては,露地メロンは果肉食の違いにより,緑肉種と赤肉種に分けて掲載されている.具体的にはビタミンA以外の成分は,流通量の多いアムス（緑肉種）,アンデス（緑肉種）,クインシー（赤肉種）の分析値により決定されているが,ビタミンAの各項目は緑肉種と赤肉種に分けた分析値に基づき掲載されている.

メロンパン

成 15132　英 Meron-pan
メロンパンには,ドーム型と紡錘型をした製品がある.ドーム型のメロンパンは関東地方,紡錘型のメロンパンは関西地方で多くみられる.ドーム型のメロンパンのルーツと名前の由来については諸説があり,明らかになっていない.菓子パン生

メロンパン　上：ドーム型,下：紡錘型（平　宏和）

地（スイートドウ）の表面をビスケット生地で薄く覆い，グラニュー糖をまぶし，斜め格子の筋をつけ，上火を弱く，ほとんど下火だけで焼き上げる．メロンパンには，ビスケット生地にメロンエッセンス（オイル）またはレモンエッセンス，バニラエッセンスなど入れる場合もある．また，チョコチップなどを混ぜ込んだもの，メロン果実を練り込んだもの，パンの中央にクリームなどが入ったものなど多様の製品がみられる．紡錘形のメロンパンは，サンライズと呼ばれることがある．ラグビーボールを縦に切った形のパンで，菓子パン生地を，洋食で米飯盛り付けに使用されるライス型：メロン型をヒントにした型で成形，焼き上げ，中に白あんが入っている．メロンパンの名は，その成形型に由来するともいわれている．

めんじつ油　綿実油

成 14012　英 cottonseed oil

アオイ科に属するワタ（*Gossypium* spp.）の栽培種の種子（油分 16〜25％）から採油した油．中国，インド，ブラジル，パキスタン，米国が主要生産国である．

　製油：普通は除毛，剥皮，粉砕，乾燥の後に抽出を行う．しかし，圧搾による場合は，除毛，剥皮，粉砕，乾燥，蒸煮の次に圧搾を行う．

◇**成分特性**　『食品成分表』では，100g当たり，脂質（TAG当量）*96.6gからなる．脂肪酸組成はパルミチン酸19.2％，オレイン酸*18.2％，リノール酸*57.9％である（付表6）．カポック油に比べてオレイン酸が少なく，リノール酸が多い．100g当たりのビタミンEは55.7mgで，α-とγ-トコフェロールが多い（付表7）．ビタミンKは29μgである．主要ステロール*は，ほとんどがβ-シトステロールで，そのほか若干のカンペステロールなどを含む．また，ゴシポール*という雄性不妊作用等の人体に有害な作用を有する黄色色素を含むが，アルカリ精製により除去される．

めんじつ油（平　宏和）

　理化学特性：日本農林規格*（JAS）による精製綿実油は，比重 0.916〜0.922，屈折率（25℃）1.469〜1.472，酸価*0.2以下，けん化価 190〜197，ヨウ素価*102〜120 としている．凝固点 4〜−6℃，引火点 306℃，燃焼点 340℃．

◇**保存**　他の食用油脂と同様，酸化防止のための配慮を必要とする．

めんつゆ　麺液；麺汁

成 17029（ストレート），17030（三倍濃縮），17141（二倍濃縮）　英 Mentsuyu；(seasoned soy sauce for white salted noodles)

風味調味料をベースに，しょうゆ，砂糖，みりんなどを配合したもの．そのまま麺のつけ汁として使用できるもの（ストレートタイプ）から，2倍，3倍あるいは4倍の濃さに調製されていて，水で薄めて使用するもの（濃縮タイプ）などがある．

◇**調理**　麺のつゆとして利用できるだけでなく，和風料理の調味に使用できる．肉じゃがやすきやきに使用するときは，砂糖やみりんを加えて甘味を補給する．たれ類の呼称で，すきやき用にあらかじめ砂糖が加えられている製品もある．

めんつゆ（平　宏和）

めんま

成 06152（塩蔵 塩抜き）　英 menma；(boiled, fermented and salted bamboo shoots)　別 しなちく

ワタの実　左下：綿毛に覆われた種子（平　宏和）

めんま（平　宏和）

めんよう　⇨ひつじ

 めん類 麺類

英 noodles

主として華南，台湾産のマチク（麻竹 *Dendrocalamus latiforus*）のたけのこを乾したもの．中国料理に広く利用されている．製法はマチクを細切りにして茹で，乳酸発酵させてから天日乾燥する．わが国では輸入乾燥品を，塩蔵または味付けメンマなどとしたものが出回っている．

穀粉を水とこね，線状に細長く成形し，加熱して調理を行ったものである．主原料として小麦粉を用いたうどん，ひやむぎ，そうめん，中華麺，パスタ類，そば粉を用いたそば（そば切り），大麦粉を用いた大麦麺，米粉を用いたビーフン，緑豆でん粉やいもでん粉を用いたはるさめなどがある．わが国へは小麦粉を用いた麺が奈良時代に中国より伝来し，室町時代には現在と同様な方法でつくられるようになった．麺類の歴史は古く，ヨーロッパではパスタ類となって発達し，世界に広まった．

表1　麺の種類と分類

製法の分類			麺の種類		主原料	副原料
類別	機械使用有無	製品	断面形態	種別名称		
線切形式	使用せず	生・茹	角	手打ひらめん 手打うどん 手打中華麺 手打そば	小麦粉 / そば粉・小麦粉	食塩 〃 かん水 —
	使用	生	角・丸	生うどん・半生うどん・茹でうどん・蒸しうどん 生中華麺・半生中華麺・茹で中華麺・蒸し中華麺 即席中華麺 生そば・半生そば・茹でそば・蒸しそば	小麦粉 / そば粉・小麦粉	食塩 かん水 かん水・食用油・調味料 —
		乾生	角			
		乾	角 角・丸 角 角・丸 角 角 角	ひらめん うどん ひやむぎ そうめん 中華麺 干しそば 大麦麺	小麦粉 / そば粉・小麦粉 大麦粉・小麦粉	食塩 かん水・食塩 食塩 食塩
撚延形式	使用せず	燥	丸	手延そうめん・ひやむぎ	小麦粉	食塩・食用油
圧出形式	使用		丸・角	マカロニ スパゲッティ バーミセリー ヌードル	デュラムセモリナ デュラム小麦粉 小麦粉	— — 鶏卵
		糊化乾燥	丸・角	でん粉麺 ビーフン 海藻麺	でん粉 米粉 穀粉	— — 海藻

（日本麦類研究会：小麦粉―その原料と加工品―より作成）

表2　麺の種類と小麦粉の使用比率

麺の名称 \ 小麦粉系統区分	使用比率（％）			
	強力粉	準強力粉	中力粉	薄力粉
手打ひらめん			100	
手打うどん			100	
手打中華麺			50～100	50～100
手打そば		25～30	25～30	残りそば粉 50～40
茹でうどん・生うどん		0～30	100～40	
生中華麺	100			0～30
蒸し中華麺		0～50	0～50	
即席中華麺		100		
生そば	25～35		25～35	残りそば粉 50～30
乾麺・ひらめん	0～10	0～30	100～40	0～20
うどん		0～30	100～70	
ひやむぎ		0～30	100～70	
そうめん	0～30	0～40	100～0	0～30
中華麺		30～70	70～30	
そば	70～50			残りそば粉 30～50
手延そうめん・ひやむぎ			100	

（日本麦類研究会：小麦粉－その原料と加工品－　より作成）

◇**分類**　種類と分類を**表1**に，小麦粉の使用比率を**表2**に示した．麺類を製法から分類すると，線切形式，撚延形式，圧出形式に大別される．線切形式は，麺帯を作製し，これから麺線を切り出すもので，現在大部分の麺がこの方法でつくられている．撚延形式は，麺生地をひも状に撚（よ）って引き延ばす方法であり，手延べそうめんがこの方法によっている．圧出形式は，麺生地に圧力をかけて孔型より圧出させる方法で，パスタ*，ビーフン*などがこの方法でつくられる．

◇**成分特性**　栄養成分は，原料粉の成分，即席麺類の油揚げ麺については，さらにその含油量と考えてよい．しかしながら，中華麺のように梘水（かんすい）が使用されるときには，そのアルカリ性のためリシン*，ビタミンB_1，B_2が損失し，B_1は場合によっては原料中の半分以上が破壊される．また，加工および調理において，茹でる場合には水溶性ビタミン*，無機質，特にカリウム，原料に添加された食塩が溶出される．その溶出率は茹で方にもよるが，水溶性ビタミンでは，B_1・ナイアシン*50％，$B_2$30％，カリウム・食塩60％程度である．

◇**保存**　特に生麺類では，微生物による腐敗，でん粉の老化のほか食味の劣化が起きるので，冷蔵庫に保存し，早めに食する．また乾麺類，即席麺類でも，日の当たらない場所や温度・湿度の低い場所に保存する．特に油の酸化などで変質しやすい即席麺類は賞味期限以内のものを購入し，早めに利用する．

◇**調理**　麺の食味を支配する最大の要因は，その物性（テクスチャー）にある．そこで麺類は茹ですぎることを嫌い，加熱後はのびないうちに食べるようにする．煮込みうどんや鍋焼きうどんのように，時間をかけて加熱するものには，太くてコシの強い麺を使う．※麺類は持ち味が単純で，汁のよしあしも味の決め手となる．うどんは風味がそばほど強くないので，味付けや具が重視される．そうめん・ひやむぎは，だしの風味を生かした比較的単純な汁をつけて食べるが，うどん，中華麺，スパゲッティなどはさまざまな変わり汁や油を用いたスープ，ソースの味とよく合う．※茹で方がポイント：麺を湯に入れると吸水がすすみ，茹で上げた後も表面から内部へ水が浸透してのびてくる．そこでなるべく短時間で加熱を終り，冷水で手早く洗い，冷やすと同時に表面の粘りを取り去る．加熱を短時間ですませるためには，なるべくたっぷりの湯を用意し，表層部の糊化と中心部への熱の移動とを均衡させるため，1～2度さし水をして温度を調節する．

も

もえび　⇨えび
藻塩（もしお）⇨食塩

もずく　海蘊；水雲；藻付

成 09038（塩蔵 塩抜き）　分 褐藻類モズク科モズク属　学 *Nemacystis decipiens*　英 Mozuku；nemacystis　別 もずく；もぞこ；そくず

藻体は緑黄色，径1mm以下の細い糸状の海藻で，複雑に枝分かれし，粘質で軟らかく，ちぎれやすい．穏やかな内湾の低潮線付近のほんだわら類やつるもなどに着生する．高さ30cmくらいで，冬から初夏にかけて生長する．分布は中部から南部の太平洋沿岸，瀬戸内海，九州，日本海沿岸，南西諸島である．

◇成分特性　食物繊維を含むほかは，栄養面からの特性は見当たらない．粘質物に富み，歯触りなどの食感が特徴である．

◇加工　2月から3月にかけて若いものを採取し，塩蔵あるいは酢漬とする．酢の物として用いることが多い．

◇調理　春から初夏への爽やかな磯の香りを味わうもので，生食に好適である．粘質物が多くぬめりがあるのが特徴で，さっと洗って三杯酢や甘酢で食べるのが一般的である．塩蔵品は水で塩出ししたのち同様に用いる．汚れたものは色と組織の安定化のために焼きミョウバンを加えて洗うとよい．❋やまのいもを加え，しょうゆを落として食べるのは酒肴によい．また吸い物の椀種やもずく雑炊などの加熱調理もある．

上：切り餅，下：丸餅（平　宏和）

もち　餅

成 01117　英 Mochi；(glutinous rice cake)

もち米を洗米し，水に漬けたのち，蒸し，杵でついて餅とする．のし餅，切り餅（角餅），丸餅，鏡餅*，なまこ餅*，ひし餅*などがあり，さらに切り餅を凍らせたのち乾燥した氷餅*もある．などがある．古来から稲作信仰と結びつき，正月などハレの日の行事食・縁起物の食品として欠かせないものであった．しかし，包装食品としての餅の普及とともに，ハレの日の食品としての側面は薄れている．脱気包装した後，加熱殺菌した包装餅（包装板餅・殺菌切り餅）は保存性がよく，年間を通じて供給されている．なお，正月の行事食である雑煮の餅には丸餅と切り餅が使われている．元来は丸餅であったが，江戸時代になり，のし餅から容易で大量につくれる切り餅が江戸より各地に広まり，現在では日本の東側は切り餅，西側は丸餅の地域になっている．その境界は岐阜県関ケ原あたりで，境界線上にある岐阜，石川，福井，三重，和歌山の諸県などでは両方の餅が使われている．一方，西側でも高知，鹿児島県には江戸の影響で切り餅を使うところもある．

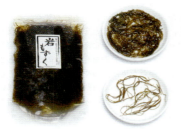

もずく（岩もずく，生）（平　宏和）

のし餅（平　宏和）

もち大麦　⇨おおむぎ
もちくさ　⇨よもぎ

もつご 持子

分 硬骨魚類，コイ科モツゴ属　学 *Pseudorasbora parva*　英 topmouth minnow　別　地 いしもろこ；ちょうちんもろこ（琵琶湖）；くちぼそ；はや（東京）；やき（関西）；だごばえ（筑後川）　旬 冬

朝鮮半島からベトナムにかけての大陸東部や日本，台湾の小川や湖沼に分布する淡水魚．全長は6〜9cmくらい．体色は背側が青褐色，腹側が銀白色である．鱗に半月状の黒い斑点模様があるのが特徴．

◇調理　全長が10cm以下の小魚なので，姿のまま素焼き，南蛮漬，甘露煮にする．市場には鮮魚のほか，白焼きも出回る．

もなか 最中

成 15036（こしあん入り），15167（つぶしあん入り）　英 Monaka；(glutinous rice wafer cups stuffed with An)

もち米の粉を水でこねて蒸し，薄くのばしたものを短冊に切り，それを焼いたもので皮をつくり，その2枚の皮の中にあんを入れたものである．

◇由来　本来のもなかは現在のようにあんをサンドしたものでなく，せんべいに類した干菓子であった．名前の由来は，『後撰和歌集』の中にある「水の面（も）に照るつきなみを数うれば　今宵ぞ秋のもなかなりけり」にあるといわれている．昔，宮中の月見の宴の際に出された丸い白餅が，池の面に浮かぶ中秋の名月をおもわせたので，「菓名は」と問う公卿の一人に別の公卿が，「もなかの月」と即答したと伝えられている．

江戸時代の文化年間（1805年頃）になって，せんべいで有名であった吉原の竹村伊勢大掾が"竹村の最中月"として売り出したと『江戸名物誌初篇』にみられる．せんべい状の丸い平形のもの2枚の間にあんをサンドしたもので，当初のもなかは横からあんが見えるものであった．もなかが全国的に広められたのは，明治・大正時代に入ってからで，もなかの型づくりの技術が進歩し，現在のように縁と縁とが深く合わさるような形に改良された．本来の形は名前の通り満月を思わせる丸形であったが，現在は多種多様の形状のものがある．

◇原材料・製法　皮には，こがし種，白種，赤種，抹茶種などがあり，現在，皮種はもなか皮製造業者が専業でつくっている．

皮種：もち米を蒸して臼でつき，軟らかいもち

もなか　上：白あん（大福豆），下：つぶあん（大納言）
（平 宏和）

種をかたくり粉を手粉に使い，ローラーにかけて約2mmの厚さにのばす．薄くのばした生地を幅5cmほどに切り，さらに2cmくらいに切って短冊形の原形をつくる．この大きさは皮種の大きさによって異なる．赤種，抹茶種は餅のときに着色しておく．短冊形の原形とした皮種をもなかの焼き皮専用の合わせ焼き型（熱したもの）にはさんで焼くと，もちでん粉の膨化力によって焼き型いっぱいに広がり，軽く浮いた焼き皮ができ上がる．焼き色が付かないように焼くと白種ができる．こがし種は皮種を焼くとき，高温で焼いて表面をこがした皮種のことで，香ばしい香りを強調したものである．

あん：もなかあんには，あずきこしあん，あずきつぶしあん，小倉あん，白あん，抹茶あんなどのほか，ゆずや落花生で風味付けしたあんもある．もなかあんは普通のあんよりも砂糖量が多く，粘性とつやがあるのが特徴である．あんの詰め方は，手作業で行う場合は皮種を手のひらにのせ，へらであんをすくいとり，皮種のくぼみに入れる．あんの量は皮種2枚を合わせた空間の容積に合わせた量を盛る．あんを盛り付けたら，2枚目の皮種をかぶせ2枚をぴったりと合わせる．

形態，色彩が美しいことを条件に，あんと皮の量がマッチし，なめらかなあんとともに，口溶けのよい皮でもち米の芳香を有するものがよいとされている．優れた皮は，つやがあり焼き色もそろっていて，きめが細かく，割ると種が適度に浮いており，口に入れるとスーッと溶けて焼いた餅の香ばしさが感じられる．

◇保存　皮種の保管は，よく乾燥した場所に保存しておくことが大切であり，湿気を帯びた皮は風味も低下して，商品価値を失うものとなる．

もみじがさ　紅葉傘

分 キク科ヤボニカリア属（多年生草本）　**学** *Japonicalia delphiniifolia*　**英** Momijigasa　**別** しどげ；しどき；きのした；もみじそう　**旬** 4〜7月

分布は沖縄を除くわが国全土に及ぶ．大きな集落をつくっていることが多い．東北地方で，特に好まれる．モミジの葉に似ていて，食用期の若芽は傘のようになっている．やや高山の谷川のほとりや谷に面した林内の湿潤地に自生する．茎は直立し50〜80cmになり，上部に白い縮れ毛があり，中空で，外面はつやがある．色は根元近くは暗褐色，上部は緑褐色をしている．夏から秋にかけて上部で枝分かれして，白色の細長い頭花を円錐花序*につける．

◇**採取**　春の若芽の頃が最もよいが，若葉や蕾，花も食べられる．普通4月頃から採取できる．高山帯の残雪が多いところでは7月頃まで採取できる．この山菜特有の香りときど味が忘れがたい．岩手などで一部栽培もされるようになってきた．猛毒のトリカブトに葉が似ていることから注意が必要である．

◇**調理**　さっと茹でてお浸し，ごま和え，くるみ和え，汁の実，生のまま天ぷらなどにして食べる．あまり熱を加えないのがうまく食べるコツである．

もみじがさ（平　宏和）

もみじまんじゅう　もみじ饅頭

英 Momiji-manju

紅葉の景勝地である広島・厳島（宮島）土産としてつくられた，紅葉をかたどったカステラ生地の焼き菓子．小麦粉，砂糖，鶏卵，膨張剤を混合した生地をもみじ葉の焼き型に流し込み，あんを入れ両面を焼き上げる．一般にあんはこしあんが用いられるが，つぶあん，クリームあん，黄味あんなどの製品もある．

もみじまんじゅう（平　宏和）

木綿（もめん）豆腐　⇒とうふ

もも　桃

成 07136（白肉種 生），07184（黄肉種 生），【缶詰】07138（白肉種 果肉），07139（液汁），07175（黄肉種 果肉），07137（30％果汁飲料 ネクター）
分 バラ科モモ属（落葉性小高木）　**学** *Prunus persica*　**英** peaches

原産地は中国，華北の高原地帯であるといわれる．わが国でも岡山，長野，埼玉に野生種に近い小果種が散在する．桃の栽培の歴史は古く，『古事記』や『日本書紀』に記載がある．平安末期から鎌倉時代にかけては日常の食事に供され，菓子の一種として珍重された．江戸末期から明治初期にかけては，各地に産地が出現し，多くの品種が栽培されるようになった．しかし当時の桃は25〜75gの小果種で，欧米あるいは中国から導入された品種をもとに作られた現在の品種とは遺伝的に大きく異なる．果実は植物学的には石果*（核果）類である（付図③）．

◇**品種**　モモには果肉色の違いで白肉種，黄肉種，また肉質の違いで溶質，不溶質，硬肉に大別される．一般的なモモは溶質と呼ばれるタイプで，収穫後に果肉が急激に軟らかくなり，多汁である．一方，不溶質は缶桃（かんとう）とも呼ばれ，収穫後の軟化が緩やかでゴム質である．硬肉は収穫後もほとんど軟化せず，かりかり，サクサクとした食感である．また核と果肉の分離の難易により，離核と粘核の区別がある．熟期の早晩性により早生種（開花後80〜95日で熟する），中生種（100〜120日），晩生種（130〜150日）の3群に区別できる．桃と同種の品種群にネクタリンと蟠桃（ばんとう）がある．

　産地：山梨，福島，長野，和歌山，山形，岡山，新潟，香川の各県で全生産量の90％以上を占め，中でも山梨，福島，長野，山形，和歌山の生産量が多い．

◇**栽培**　袋掛けと無袋栽培：無袋栽培は糖分，ビ

タミンCも増加するが，病虫害の被害を受けやすい．また光によりアントシアン色素の発現が増し，生食にはよいが，缶詰にすると色素が缶内部の金属とキレート化合物となり青紫色に変色し，缶詰用には不向きとなることがある．

◇**成分特性** 白肉種で，水分は100g中88.7gと多い．果実の食味を支配する成分は，糖，酸，渋味，香り，肉質である．糖類は，しょ糖が6～7％，果糖およびぶどう糖がそれぞれ1％，ソルビトールが0.3％含まれる．**図1**に示すように，幼果のときには還元糖*（果糖，ぶどう糖）が比較的多く，成熟期に入ると非還元糖（しょ糖）が急激に増加する．したがって甘味を支配する糖はしょ糖である．酸は0.2～0.5％含まれ，主な酸はリンゴ酸*とクエン酸で，そのほか少量のシュウ酸*，フマル酸，コハク酸を含む．果実が熟すると酸は減少するが，その場合リンゴ酸が消耗され，クエン酸は残存する．100g中，ビタミンではCが8mg含まれるが，品種間差あるいは産地間差は少ない．β-カロテン当量は白肉種では少ないが，黄肉種とネクタリンでは比較的多く，ネクタリンでは240μg含まれる．遊離アミノ酸*が約300mg含まれ，アミノ酸組成は必須アミノ酸*のすべてのほかグルタミン酸，グルタミン，アスパラギン酸，アスパラギンなど8種類のアミノ酸を含む．特にアスパラギン酸（80％以上）が多いのが特徴である．渋味成分は，カテキン*，クロロゲン酸*，ロイコアントシアンなどのポリフェノール化合物（タンニン*）を，一般には50mgくらい含有する．桃の鮮明な紅色はアントシアン系色素のクリサンテミン（シアニジン3-グルコシド）である．香気は，アルコール（n-ヘキサール），エステル*（酢酸エチル），アルデヒド（ベンズアルデヒド）およびラクトン類（γ-デカラクトン）の20種以上からなっている．

褐変防止：果肉の褐変は，ポリフェノール化合物とその酸化酵素ポリフェノールオキシダーゼの作用により起こるが，これは薄い食塩水やアスコルビン酸*（ビタミンC）水溶液（30mg/100g）に浸漬すると防止できる．

◇**保存** 完熟すると果実の劣化が早いので，やや硬いうちに収穫し，輸送中や店頭で軟化して食べ頃となる．追熟*の適温は23℃である．未熟果を0～1℃の低温下に保存すると，まったく追熟しないばかりか，低温障害を起こし，食用にならなくなる．5℃以上であればゆっくり追熟するが，適温での追熟果実より品質は劣る．完熟した白肉桃の貯蔵の限界は，0℃で2週間である．

◇**加工** 缶詰には白肉種（大久保，清水白桃など）と黄肉種が用いられる．剝皮は，黄肉種の場合アルカリ剝皮（2％カセイソーダ水溶液沸騰40秒），白肉種の場合，蒸気剝皮，湯むき（蒸気または沸騰水に1～3分）を行う．果皮を除いてから半割，核を除き，糖液（25～40％しょ糖）とともに缶に詰め，密封，殺菌する．ネクターは，果皮と核を除いた果肉を破砕しピューレーをつくり，ピューレー分が40％となるように水で希釈し，糖，酸（クエン酸，リンゴ酸），香料，ビタミンCを加えて乳化，殺菌，密封する．果汁は，果肉を凍結後解凍してから圧搾搾汁を行い，果汁分を抽出する．殺菌，密封して製品化する．乾燥桃はアルカリ剝皮した後，硫黄燻蒸を行い，70℃以下で熱風乾燥を行う．

◇**主要品種**

あかつき：農林省果樹試験場（現・農研機構果樹茶業研究部門）で昭和27（1952）年，母本「白桃」・父本「白鳳」から育成され，昭和54（1979）年に品種登録された品種．肉質は締まって緻密，多汁で甘味が強く，ほどよい酸味がある．

浅間白桃（あさまはくとう）：山梨県一宮町（現・笛吹市）の須田喜作が譲り受けた「高陽白桃」の変異株を育成し，昭和49（1974）年に品種登録された大果種．果肉は緻密で軟らかく多汁で，甘味が強い．

黄金桃（おうごんとう）：長野市川中島の池田正元が川中島白桃の偶発実生から育成された黄肉種．果皮・果肉ともに鮮やかな黄色，多汁で甘味が強く，ほどよい酸味がある．

川中島白桃（かわなかじまはくとう）：長野市川中島の池田正元が偶発実生から育成され，昭和52（1977）年に命名発表された品種．多汁で甘味が強い．

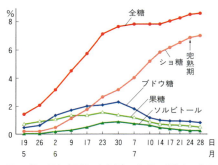

図1 桃の果実（品種：大久保）の生長，成熟中の糖分の蓄積（垣内典夫ほか：果樹試報A8, 1980）

もも各種（平　宏和）

白鳳（はくほう）：神奈川県農業試験場（現 神奈川県農業技術センター）で母本「白桃」・父本「橘早生」から育成し，昭和8（1933）年に命名発表された．果肉は緻密で多汁，甘味が強く，桃の代表的な品種．

日川白鳳（ひかわはくほう）：山梨県の田草川利幸が「白鳳」の枝変わりとして発見され，昭和56（1981）年に品種登録された品種．多汁でほどよい甘味があり，酸味は少ない．

●ネクタリン

成 07140（生）　学 *Prunus persica* var. *nectarina*（ズバイモモ）　英 nectarines　別 ゆとう（油桃）；あぶらもも（油桃）；ずばい桃

桃と同種の品種群の総称．果皮に毛茸（もうじ）をつける遺伝子をもたず，毛がない．そのほかの形質は桃とまったく同一である．したがって，桃として扱われるが，市場ではネクタリンの呼称で販売される．果面は光沢がある濃赤色，果肉は黄色または白色．市場にでているものは，ほとんどが黄色種で，肉質は多汁で軟らかい．酸味と甘味のバランスもよい．品種は少なく，秀峰（しゅうほう），ファンタジア，フレーバートップなどが主なものである．

●蟠桃（ばんとう）

学 *Prunus persica* var. *compressa*　英 flat peach
中 蟠桃　別 ピントウ；ハントウ；坐禅桃

蟠桃　上：果底，左下：果頂，右下：切断面（平　宏和）

桃と同種の品種群の総称。中国原産で，日本には明治元（1868）年に中国から1品種が導入された。果形は球形の桃を上から押し潰したような扁円で，果肉は白・黄・紅色があり，柔軟・多汁で，甘味が強く，芳香がある。日本で栽培されている品種に「大紅蟠桃（だいこうばんとう）」，「フェルジャル」がある。

もゝやま　桃山

英 Momoyama

白生あん（餡）に砂糖，卵黄，みじん粉などを練り混ぜ，型どりして焼き上げた和菓子の一種。
◇由来　一説によれば，当初，茶人に好まれていたことから，桃山の名は，京都の伏見堀内村桃山の陶匠，2代目・仁阿弥道八の焼き物にあった桃山の印に因んだといわれる。
◇原材料・製法　白生あんに砂糖，卵黄を加えてこげつかないように練り上げる。この黄身あんにみじん粉，水あめなどを混合して桃山あんとし，木型または焼き印で型をとり，鉄板に並べて焼き上げる（200〜230℃）。焼き上げたら表面にみりんを刷毛で塗りつやを出して仕上げる。白あんを黄身あんで包んで焼き上げたものもある。よい桃山は卵黄の風味が生かされてしっとりとした口溶けをもった上品な和焼き菓子である。

もゝやま（平　宏和）

もやし　萌

英 bean sprouts

本来，各種穀類と豆類の種子を発芽させたものの総称である。一般的に野菜で取り扱うもやしは，大豆，緑豆，ブラックマッペなどの豆類を原料としたものに限られ，通常はこれらを"もやし"と称し，主に若い胚軸を食用とする。このほかに野菜（大根，ブロッコリーなど）の種子を発芽させたものを"スプラウト"と称している。

栽培：豆を十分水洗し，温水につけ，暗所で十分に吸水させる。清浄な川砂を下部に排出口がついたパッドに敷きつめ，その上に吸水した豆をほぼ一重にのせ，上をわらのような通気性のある保温材で覆ったのち，暗所で27〜30℃を保持しつつ日に数回温水を散水し，発芽させる。大豆は約2昼夜，ほかはおよそ1昼夜で発芽する。大豆は10〜15cm，緑豆およびブラックマッペは5cmぐらい伸長したときを食用とする。出荷前に水洗いし，種皮をふり落とす。

産地：最近は全国の主要都市周辺で，温・湿度，光を自動制御できる工業的生産が起こり，周年供給されている。

◇成分特性　成分含量は，原料豆の種類によって相違する。水分も差がある。これはもやし中の若芽と豆の比率の相違による。若芽の部分は水分が多く，豆の部分は比較的少ないことによる。大豆は，緑豆およびブラックマッペに比べもやしのたんぱく質，脂質，灰分，各無機質成分の含量が多く，炭水化物，ビタミンCが少ない。ビタミンCは元来豆にはごく微量しか含まれないが，発芽により生成蓄積される。茹でによる成分の変化は，カリウムおよびビタミンCでは70〜80％も溶出する。これらのことから，栄養素の損失の面からみると油炒め調理の方がよい。

◇調理　もやしは伸長期にある豆の芽であるから，組織が粗く，調味料の吸収や水分の流出が起こりやすい。短時間の炒め物では，重量に対してかさ（体積）が大きく，料理の増量に使われる。長く煮ていると収縮して，形がなくなる。なるべく短時間で茹で，浸し物，和え物，酢の物などにする。成分の移行が起こらないうち，なるべく早く食べる。ほかに汁の実にするのもよい。※中国料理の炒め物では，少量の肉と炒めると，そのうま味をよく吸収する。中国料理では炒め物に頻繁にもやしを用いる。短時間の炒め物は，もやしの表面が油で囲まれて水分などの成分の溶出が比較的少ない。しかし加熱が長びくと，汁が流出し歯触りのよさを失う。この流出を防ぎ短時間の加熱で調味効果をあげるため，でん粉を用いてあんかけ風にすることも多い。※韓国料理では，焼き肉の付け合わせのナムルなどの具には，大豆もやしが使われる。

●アルファルファもやし

成 06286（生）　分 マメ科ウマゴヤシ属（多年生草本）　学 *Medicago sativa*（ムラサキウマゴヤシ）　英 alfalfa sprouts　別 糸もやし

アルファルファは牧草のムラサキウマゴヤシで，ヨーロッパや米国ではこの若い茎葉を栄養野菜として食べていた。これをもやしとしても利用し始めたもの。日本でも関心が高まり，普及した。も

上左：アルファルファもやし，上右：ブラックマッペもやし，下左：大豆もやし，下右：緑豆もやし（平 宏和）

やしの中で最も細い．

●大豆もやし

成 06287（生），06288（ゆで） 分 マメ科ダイズ属（1年生草本） 学 *Glycine max* 英 soybean sprouts

大豆を発芽させ，もやしとして利用するもの．大豆はもともと粒が大きいので，もやしにしても大きい．他の豆によるもやしよりたんぱく質が多く，アミノ酸によるうま味がある．

●ブラックマッペもやし

成 06289（生），06290（ゆで），06398（油いため） 分 マメ科ササゲ属（1年生草本） 学 *Vigna mungo*（ケツルアズキ） 英 black gram sprouts
ブラックマッペ（black matpe）は urd または black gram とも呼ばれる．ケツルアズキを発芽させ，もやしとしたもの．豆は小さく，3〜4mm，黒色，時に緑色．大豆や緑豆より輸入原料豆が安価で，入手しやすく，栽培も容易なので，現在のもやしの主体となっている．

●緑豆もやし

成 06291（生），06292（ゆで） 分 マメ科ササゲ属（1年生草本） 学 *Vigna radiata*（リョクトウ）
英 mung bean sprouts；green gram sprouts
緑豆を発芽させ，もやしとして用いるもの．豆は4〜6mm．完熟すると鮮緑色,時に黒褐色か黄色．緑豆もやしが本来のもやしであるが，現在は安価なブラックマッペもやしが主体となっている．

もりぐち漬 守口漬

成 06140 英 Moriguchi-zuke；(slender root cultivar of Japanese radish pickled with Sake lees)
愛知県丹羽郡扶桑町と岐阜市近辺で栽培される細長い守口大根の粕漬で，名古屋の特産である．12〜1月に収穫した大根を水洗い後，塩漬して保存しておき，適宜取り出して，奈良漬と同じ方法で，下漬，中漬，仕上げ漬を経て製品とする．粕床の配合や調理方法なども奈良漬とまったく同じである．

もりぐち漬（守口漬）（平 宏和）

モルトウイスキー ⇨ウイスキー
もろこ ⇨ほんもろこ

もろこし　蜀黍

成 01140（玄穀），01141（精白粒）　分 イネ科モロコシ属（1年生草本）　学 *Sorghum bicolor*　英 sorghum　別 とうきび；きび；たかきび；こうりゃん；マイロ；ソルガム

原産は熱帯アフリカのエチオピア地域と考えられている．紀元前3世紀頃にはエジプトで栽培されていた．中央アジア・インドへも紀元前に伝わり，中国での栽培は4世紀初め，わが国へは室町時代に中国より伝えられたといわれている．アフリカ，中国，インドの一部地方では，現在でも重要な穀類である．

◇分類　用途により，子実用もろこし，糖用もろこし，ほうき（箒）用もろこしに分けられる．子実用もろこしは種子を利用する．中国，朝鮮，日本などで栽培されているものは，子実用のうち高粱（こうりゃん）の系統で，わが国へ飼料として輸入されているマイロ（millo）も子実用の系統である．糖用もろこしは，茎にしょ糖を5〜10%含んでおり，搾汁がシロップ原料として利用される．最近わが国では，糖用もろこしがスイートソルガムと呼ばれ，葉・茎を青刈し，飼料に利用されている．ほうき用もろこしは，種子を除いた穂が，ほうき，ブラシの製造に利用される．

◇形態　脱稃した種子は，楕円形または扁円形で，白・黄・褐・赤色などがある．大きさは種々あるが，長さ3.5〜4.5mm，幅3〜4mm，厚さ2〜2.5mm前後であり，千粒重は25g前後となっている．粒の各部の割合は，胚乳82%，胚*10%，糠層8%程度で，胚の占める割合が大きい．

◇成分特性　栄養成分については，あわと似ている．たんぱく質は，全たんぱく質中プロラミン*とグルテリン*が多く，プロラミンのためリシン*が制限アミノ酸*となる．もろこしにはうるち種ともち種があり，うるち種のアミロース*含量は22〜24%である．特殊な成分としてタンニン*が含まれており，含量が高い場合には高度の精白が必要である．

◇用途　精白して米と混炊する．また製粉をして餅，団子などに利用され，これらをきび餅，きび団子*と呼ぶ地方がある．わが国のもろこしの種子はほとんどが赤褐色なので，もろこし製品はあずき色であり，きび製品は黄色なので，色により両者の区別は容易である．中国では酒の原料として利用され，蒸溜酒である白酒（バイジョウ）に高粱酒（ガオリアンジォウ）がある．そのうち，長年貯蔵したものは茅台（マオタイ）酒として有名である．わが国では，もろこしは飼料用としての利用が大きく，大部分が輸入に頼っている．

モロヘイヤ

成 06293（茎葉 生），06294（茎葉 ゆで）　分 アオイ科ツナソ属（1年生草本）　学 *Corchorus olitorius*（タイワンツナソ）　英 tossa jute　別 しまつなそ；台湾つなそ；とろろな

古くから，中近東，アフリカで食用とされている．今でもエジプト料理には欠かせない．モロヘイヤはエジプト語で「王家の野菜（mulūkhiyya）」という意味である．わが国へは1970〜80年代にエジプトから導入された．茎は直立性で約1.5m，葉は単葉で先の尖る楕円形．葉を若い枝とともに摘採，利用する．水湿・養分があれば，夏季にもよく繁茂する．茎を利用する繊維作物でもある．

◇成分特性　食用とする葉は濃い緑色で，長さ5〜10cmの楕円形，刻むと特有の粘り気がある．ビタミン，無機質，食物繊維に富んでいる．特に

もろこし　上：鴨首穂型品種（軒下乾燥），下左：玄穀，下右：精白（平　宏和）

モロヘイヤ（平　宏和）

β-カロテンは，100g当たり10,000μgと多く，ビタミンCも65mg含む．そのために，いわゆる健康食品としても利用される．茹でると質量は1.5倍に増加するが，カリウムは40％，ビタミンCは75％が失われる．

◇**加工** いわゆる健康食品として利用するときは，粉末として各種料理に添加する．

◇**調理** 若い茎・葉を取ってスープの実や炒め物などに利用する．味や香りにクセがないので生のままでも用いたり，さっと塩茹でしてお浸しにする．葉を刻むと独特の粘りが出るので，よくかきまぜ"とろろ"のようにして食べることもできる．

もろみ酢（清涼飲料用）

英 Moromi sourdrink

泡盛の製造工程で，蒸留したあとに残ったもろみ（酒粕）を黒麹菌と酵母で発酵させてつくった飲料．ただし，このもろみは酒税法（第2条45項）で規定されているもろみ＊とは違うものである．

◇**歴史** 沖縄では泡盛の酒粕をカシジェーと呼んで，和え物（カシジェーエーイ）の和え衣として利用していた．カシジェーは豚の餌ともされ，これで飼育した豚肉が美味であることに着目して，カシジェーのさらに有効な活用を図って，1970年代に開発されたものがもろみ酢である．酢の呼称があるが，本来の食酢ではなく，清涼飲料水として市販されている．

◇**成分特性** 発酵の過程で生じるクエン酸が主な呈味成分で，爽快な酸味がある．その他，グルタミン酸，アスパラギン酸，アルギニン，アラニン，グリシンなど多くのアミノ酸や，マグネシウム＊，カリウムなどのミネラルを含む．クエン酸は約1％で，そのまま，または適量の水でうすめて飲用する．市販品には砂糖や果糖のほか，ウコン，アセロラ，シークヮーサー，パパイア，海洋深層水などを加えたものがある．サプリメントとしてカプセルタイプのものも市販されている．

モンキーバナナ　⇨バナナ
もんごういか　　⇨いか
もんはなしゃこ　⇨しゃこ

モンブラン

仏 Mont-Blanc aux marrons；gâteau Mont-Blanc　伊 Monte Bianco

アルプスの最高峰で，「白い山」を意味するモンブランをイメージしたケーキで，いろいろな形で，世界中どこででもつくられている一般的な銘菓である．上部にマロンクリームを細く絞って飾り，その上に生クリームを絞ったり，粉砂糖をふりかけて，雪をかぶった山のようにデザインしているものが多い．日本では，東京・自由が丘の菓子店の店主が，1933年に旅したフランス・シャモニーでこの菓子を知り，甘露煮の栗を用いてつくったのが最初といわれる．フランスでは当初，マロンクリームに型崩れしたマロングラッセを用いていたため，クリームは茶色味を帯びた色となっている．現在でも日本のモンブランは渋皮をきれいに剝いた鮮やかな黄色のクリームと，渋皮の風味を生かした茶色がかったマロンクリームの二通りがある．

モンブラン（平　宏和）

や

ヤーコン

成 02054（塊根 生），02055（塊根 水煮） 分 キク科スマランサス属（多年生草本） 学 *Smallanthus sonchifolius* 英 yacon 別 アンデス・ポテト

原産地は南米アンデス山地で，現地では食用いもとして家庭菜園で栽培され，市場には多くみられない．日本にはニュージーランド経由で1985年に導入された．

◇形態　草姿はきくいもに似ており，草丈1〜1.5m，葉はきくいもより大きい心臓形で，花は黄色でヒマワリより小さい．春に植付けると，秋に地下に100〜500gのいも（塊根*）を数個着生する．いもの形はダリアやさつまいもに似ており，梨のような歯応えと味覚がある．

◇成分特性　塊根は100g当たり，水分86.3g，たんぱく質（アミノ酸組成）* 0.6g，炭水化物12.4g，食物繊維1.1gである．果糖，ぶどう糖，しょ糖，フラクトオリゴ糖，イヌリン*を含み，でん粉は含まない．

◇調理　サラダ，酢の物などの生食，また，炒め物，揚げ物，煮物などに用いられる．調理の際は，切ってすぐに水にさらしてアクをとる．

ヤーコン（平　宏和）

やがら　矢柄；箙魚

分 硬骨魚類，ヤガラ科ヤガラ属 学 *Fistularia petimba* 英 red cornetfish 別 標 あかやがら 地 やがら（高知，紀州）；やから（高知）；たいほう（山陰）；ふえふき（鹿児島） 旬 初夏

全長2m．日本各地，インド・太平洋，大西洋に分布する．沖合にすみ，底曳網や釣りで漁獲される．吻（ふん）が極めて長く，管状をなし，断面は六角形．尾びれ中央の後端から糸状部が長く伸びる．体は赤褐色で，味がよいので高級魚として扱われ椀種，刺身，魚すき等で食べられる．

● あおやがら

学 *Fistularia commersonii*

体が青味がかったオリーブ色で，尾柄部に小棘があり，ざらついた手ざわり．味はあかやがらに劣るといわれるが不味ではない．

やぎ　山羊

成 11204（赤肉 生） 分 ウシ科ヤギ属 学 *Capra hircus*q 英 goat

日本在来種はシバヤギであるが，食用とするのは，スイス原産のザーネンと交配した改良種である．九州・沖縄地方で飼育されている．

◇調理　沖縄料理の食材としてよく利用される．焼き肉とするほか，鍋料理にもされる．においを消すために香味野菜を加えるとよいとされる．

やぎ（赤肉）

やきごめ　焼き米

英 Yakigome

炒り米の一種．奈良時代の文書に記載がみられ，江戸時代には庄野宿（東海道），浦和宿（中山道）では街道名物になっており，旅の携行食，保存食にも利用された．早刈りした稲穂を水に2〜3日

あかやがら（本村　浩之）

焼き米（広島県三次市三和町）（平　宏和）

浸し，籾のまま平釜で炒り，ついて籾殻を除いた扁平の米である．このほか，苗代に播いた籾の残りを炒った焼き米もあったが，新米の香りはなく，食味は劣る．もち種はうるち種より風味がよい．熱い湯やお茶をそそぎ軟らかくし食する．特産品として市販されている．

焼き豆腐　⇨とうふ

焼きとり缶詰

成 11237　英 roast meat, canned with seasonings

鶏肉のほか，家禽肉，臓器および可食部分等を焙焼して，しょうゆ，砂糖，食塩，香辛料などとともに缶に充填して，加熱殺菌したものである．そのまま食べるだけでなく，鶏飯や親子丼など，鶏肉が比較的簡単に使える食材として，利用の幅も広い．

焼きとり缶詰（平　宏和）

やぎにゅう　山羊乳

成 13052　英 goat milk

やぎは飼いやすい反芻動物であるが，牛に比べて搾乳量が少なく，温帯を原産とするザーネン種のような乳用ヤギは季節繁殖を営むため，山羊乳の出荷は季節的な制約もある．そのため，国内の飼育頭数は限られ，主要な家畜とはなり得ていない．しかし，自家消費量としては1日約2L以上搾乳することができ，狭い土地や傾斜地にも適応できることから，農山村部の乳牛を飼養し得ない地域や観光牧場などで飼育されている．また，食性の幅が広く，雑草の除草やアニマルセラピー用途として飼育される場合もある．

　種類：乳用やぎとして品種改良されたものに，ブリティッシュザーネン種，ブリティッシュトッケンブルグ種がある．やぎ乳は牛乳と同じように，カゼイン型乳汁として知られ，カゼイン75に対し乳清たんぱく質（アルブミン＋グロブリン）25となっている．ザーネン種は乳量1日平均2 kg，年間900 kgで，泌乳期は1年間に及び，乳脂肪率は3.0～4.5%である．トッケンブルグ種は，乳量1日平均2.4 kg，乳期は平均約300日で，年間680 kg前後とザーネン種より劣り，脂肪率も低い．

◇**成分特性**　成分組成は人乳の項の**表1**を参照．牛乳よりカゼインが少なく，アルブミン*，グロブリン*が多いという点では，人乳に近い．また脂肪球も細かく，消化吸収されやすい．牛乳より脂肪とたんぱく質がやや少なく，カロテンやビタミンB_{12}はほとんど含まれない．鉄*が少ない点は牛乳と変わらず，乳児に母乳代わりに与えると，貧血を招くことがある．なおやぎ乳を飲むときは，殺菌のため必ず一度煮たてる．

◇**加工**　ヨーロッパでは小規模ではあるが，ヴァランセなど，やぎ乳を原料にした特色のあるチーズが作られている〔チーズ（シェーブル）*〕．

焼きのり　⇨あまのり
焼き麩　⇨ふ

焼き豚

成 11195　英 roast pork　別 チャーシュー

調味液に漬け込んだ豚の塊肉をかまどや天火で焼いた，直火焼き中国料理．中国語の叉焼は，肉を鉄串に刺して焼くことを意味し，鉤つきの鉄串に刺した豚の塊肉を，かまどにつるして焼いたり天火で蒸し焼きにして作る．惣菜としての人気も高く，市販品も多い．

◇**製法**　豚のももや肩ロースなどの塊肉に塩・こしょう〔または五香粉（ウーシャンフェン）や花椒（ホワジャオ）〕をして，紅糟（ホンザオ；酒粕を紅麹で発酵させた中華調味料）を塗り一晩お

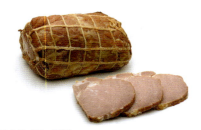

焼き豚（平　宏和）

き，180℃の天火で40〜50分，肉汁が澄むまで焼く．仕上げにはちみつ等を塗り，さらに両面焼いて照りをつける．

◇**調理**　薄切りにして酒の肴や前菜，チャーハンの具などにするほか，ラーメンの具としても用いられる．

薬味酒　やくみしゅ

成 16027　英 medicinal liqueur　別 薬酒

漢方薬を酒に浸して生薬のエキスを酒中に浸出させ，それに砂糖などを加えて甘味付けをした酒．生薬として日本では30種ぐらいが使われ，大部分に滋養強壮，強精の効果があるといわれる．その中には地黄（じおう），五味子（ごみし），枸杞子（くこし），人参（にんじん），鹿茸（ろくじょう），反鼻（はんび）などのほか，補血効果があるといわれる当帰（とうき），利尿効果のある茯苓（ぶくりょう），行血効果のある益母草（やくもそう），川芎（せんきゅう），袪寒薬として作用する丁字（ちょうじ），茴香（ういきょう），腎機能障害に効くといわれる白朮（びゃくじゅつ）などがある．

酒税法の分類ではリキュールまたは甘味果実酒となり，リキュールであれば薬味酒または薬用酒，甘味果実酒であれば薬剤甘味果実酒または薬用甘味果実酒と表示される．なお，薬用酒は「医薬品，医療機器等の品質，有効性及び安全性の確保等に関する法律」（薬機法）の適用を受ける第2類医薬品として登録されているが，薬味酒は登録されていない．

◇**成分特性**　いろいろな薬味酒があるが，平均100 g（91.5 mL）中アルコール10.6 g（14.6容量％）と利用可能炭水化物*（差引き法）26.8 gが含まれる．

やこうがい　⇨さざえ

野菜ジュース

英 vegetable juice

野菜ジュースは原料に野菜を使用し，すりつぶす等して製造したエキスと定義される．飲みやすくするために繊維等が分離されている可能性はあるが，基本的には薄められていない100％ジュースを指す．ただし，味の調整または酸化防止の目的で，レモン果汁等が加えられている可能性がある．一般家庭やジューススタンドでも，ミキサーを用いて製造される．日本では缶入り飲料，パック入り飲料，ペットボトル入り飲料として，多くの種類が販売されている．歴史的には，トマトのみからなるトマトジュースが1923年にアメリカで製造販売された．その後，1948年にアメリカのキャンベル・スープ・カンパニー社が，トマトをベースとし，ビート，セロリ，ニンジン，レタス，パセリ，クレソン，ホウレンソウを加えた「V8野菜ジュース」を製造販売し，日本でも輸入販売された．一方，日本でも1957年に明治製菓から「明治野菜ジュースV7」が製造販売されたが，本格的に広まったのは1992年の伊藤園の「充実野菜」シリーズや1995年のカゴメの「野菜生活」シリーズが販売されてからである．日本では，野菜ジュースとしての明確な基準はないが，1979年10月に制定された日本農林規格*（JAS）の「トマト加工品」の中に「トマトジュース」と「トマトミックスジュース」が，1996年3月のJASに「にんじんジュース及びにんじんミックスジュース」が定められている．したがって，JAS規格では，トマトジュース，トマトミックスジュース，にんじんジュース，にんじんミックスジュースという名称が用いられている．近年は，野菜と果汁を混ぜたものも流通しており，果汁50％以上かつ野菜汁と果汁のみのものを果実・野菜ミックスジュースとしている．

左，中：薬味酒，右：薬用酒（平　宏和）

にんじんジュース（平　宏和）

野菜ジュース　左：通常タイプ，右：濃縮タイプ（平　宏和）

● にんじんジュース

成 06217（缶詰）

家庭でもジューサーを用いてニンジンをジュースにできるが，ニンジンの果肉は硬く，果肉と果汁の分離が困難で，効率が悪い．ニンジンジュースは主に濃縮還元したものが販売されている．また，にんじんベースの野菜ジュースのベースにもなっている．『食品成分表』では缶入りのにんじん100％ジュースの成分値を収載している．

◇成分特性　生のニンジンと同様に β-カロテン，ビタミンB群や葉酸*，カルシウム，銅*，マグネシウム*，カリウム，リン，鉄*等のミネラルが多い．

● 野菜ミックスジュース

成 06399（通常タイプ），06400（濃縮タイプ）

五訂食品成分表から収載されている「ミックスジュース　食塩添加（成 06186）」と「ミックスジュース　食塩無添加（成 06341）」はトマトをベースに数品目の野菜を加えたものであるが，昨今では，加える野菜の種類が増え，製品によっては30品目に及ぶ．また，「健康日本21」で目標値として定められた1日350g以上の野菜を1製品で摂取できるようにした濃縮タイプの製品も販売されている．この状況を受け，『食品成分表』では新たなタイプの野菜ミックスジュースを上記2食品とは別に収載された．「野菜ミックスジュース　通常タイプ」は，トマト搾汁（さくじゅう）を主原料とし，他の野菜搾汁を加えた混合野菜搾汁である．品名が「トマトミックスジュース」である市販品を試料とし，成分値は分析値に基づいている．一方，「野菜ミックスジュース　濃縮タイプ」は，製品200mLに，健康日本21（第二次）の目標値である成人1日当たりの野菜摂取量の目標値（350g以上）相当量を用いている混合野菜搾汁である．品名が「野菜ミックス濃縮ジュース」

または「野菜混合飲料」である市販品を試料とし，成分値は分析値に基づいている．

◇成分特性　β-カロテンや各種ビタミン類，ミネラル類が多い．通常タイプより濃縮タイプの方が多い．

 やし油　椰子油

成 14013　英 coconut oil　別 ココナッツオイル

ヤシ科に属するココヤシ（*Cocos nucifera*）の実（ココナッツ）から得たコプラ（copra；核中の胚乳層を乾燥したもの）から採油した植物脂．食用精製やし油が主な種類である．主生産国はフィリピン，インドネシア，インド，メキシコである．

製油：圧搾により採油．

◇成分特性　『食品成分表』では，100g当たり，脂質（TAG当量）* 97.7gで，脂肪酸組成は，オクタン酸8.3％，デカン酸6.1％，ラウリン酸46.8％，ミリスチン酸17.3％，パルミチン酸9.3％，オレイン酸* 7.1％である（付表6）．これはパーム核油と似ているが，中鎖脂肪酸（オクタン酸，デカン酸）をより多く含んでいることが特徴である．ビタミンEは100g当たり，0.5mgと少ない（付表7）．ビタミンKをほぼ含まない．

やし油（平　宏和）

脂肪酸組成およびこれらビタミン含有量の特徴は，パーム核油と似ている．主なステロール＊としてβ-シトステロール，Δ^5-アベナステロール，スチグマステロールを含む．

理化学特性：日本農林規格＊（JAS）では，比重0.909～0.917，屈折率（25℃），上昇融点20～28℃，酸価＊0.2以下，1.448～1.450，けん化価248～264，ヨウ素価＊7～11としている．20～25℃では，固体～半練り状である．

◇**保存**　不飽和脂肪酸＊が少なく，自動酸化による酸化の影響は少ないが，他の食用油脂と同様，酸化防止のための配慮は必要である．

やつがしら　⇨さといも

　やつはし　八つ橋

成 15065　英 Yatsuhashi；baked cinnamon-seasoned sweet rice dough in Japanese harp shape)

京都名物といえば誰でも思い浮かべる代表的なみやげ品で，聖護院八つ橋，井筒八つ橋が有名である．同系の品として愛知県知立（ちりゅう）の八つ橋の里，同じく熱田につくばね，岡崎に五萬石，きさらぎなどがある．また焼かずに白く仕上げた生（なま）八つ橋もある．

◇**由来**　貞享2（1685）年，「六段」の作曲者として知られる筑紫流琴曲の名人で，箏曲の礎を築いた八橋検校が黒谷の常光院に葬られたとき，その法要の折につくられた菓子であった．形も八橋検校を偲んで琴の形になっている．

◇**原材料・製法**　主原料の米粉と白玉粉を湯でこねた生地を蒸した後，砂糖，はちみつ，桂皮末（肉桂粉；カシア）などを加えて練り，大豆粉，桂皮末をまぶして，琴の形に模して焼き上げた変形のせんべいである．焼き方が変わっていて，重い拍子木型の木で十分に押えながらこげないように水分をとり去る．焼けたら熱いうちに筒型の間に入

生八つ橋（あん入り）（平　宏和）

れてそりをつける．桂皮の味が強く，香気高い茶菓子せんべいの一種であり，固くて割れ目に光沢があるのが特徴である．白玉粉を用いたところに独創性があった．

●**生八つ橋**

成 15004（こしあん・つぶしあん混合），15157（こしあん入り），15158（つぶしあん入り）　英 Nama-yatsuhashi

桂皮末の代わりに液状桂皮を用い，練って蒸し，薄くのばして短冊状に切ったもので，焼いていない．保存性はないが，軟らかい食感と濃厚な味が特徴である．京都銘菓の一つとして有名である．また，生八つ橋の生地にあん（餡）をのせ，三角に折ったあん入り生八つ橋もある．

　やつめうなぎ　八目鰻

成 10273（生），10274（干しやつめ）　分 無顎類（綱），ヤツメウナギ科カワヤツメ属　学 Lethenteron camtschaticum　英 Japanese lamprey　別 標 かわやつめ　地 ななつめ（山陰）；うなぎ；やずめ（北陸）；めつせん（静岡）；こそ（長崎）

全長70 cm．うなぎによく似ているが，胸びれ，腹びれはなく，目の後に7つの鰓孔が一列縦帯に並んでいるので八目鰻という．うなぎというが正確には魚類でなく，より原始的な無顎類（円口類）の生物である．海にすむが，夏に河川に上り産卵する個体と，秋に河川に上り翌春産卵する個体とがある．河川の上流で孵化したものは数年間河川で，アンモシーテス（ammocoetes）という幼期を経たあと成魚となって海に下る．漁獲は産卵のため河川に上るときである．日本海沿岸と，太平洋岸は千葉県以北の河川に分布する．同属にすなやつめがある．

◇**成分特性**　たんぱく質，脂質含量が高く，特に，ビタミンA（レチノール＊）を極めて多量に含ん

八つ橋（平　宏和）

かわやつめ（本村　浩之）

でいるので，古来より夜盲症やスタミナ回復に効果があるといわれている．ビタミンDはそれほど多くないが，プロビタミンD*を相当量含んでいる．また生殖巣のレチノール*の含量も高く，特に一般魚類ではほとんどレチノールを含有しない精巣も，レチノールを含んでいる点が特徴的である．また季節的にはレチノールは秋より春の方が高く，肉では春は秋の約2倍程度の含量を示す．このほか，やつめは水溶性ビタミン*であるB_1，B_2，B_{12}なども皮に特に濃厚に含んでおり，表皮の粘質物でも，かなりのレチノール，ビタミンB_2を含んでいる．『食品成分表』では，100g当たり，水分61.5g，たんぱく質（アミノ酸組成）*15.8g，脂質（TAG当量）*18.8g，灰分0.7g，ビタミンはレチノール8,200µg，Dは3µg，Eは3.8mgとしている．

◇**保存・加工**　生のまま食塩などを使わず通風のよい場所で陰干しとして保存される．この干しやつめにおいても，一般の魚類と異なり，脂溶性および水溶性ビタミンが安定に保存され，100g当たりビタミンはレチノール1,900µg，D 12µg，B_1 0.33mg，B_2 1.69mg，ナイアシン* 7.0mg程度が含有されている．

◇**調理**　脂肪が多いため，多くは乾燥し薬用として市場にでているが，生を調理する場合にはうなぎに準ずる．開いて蒲焼きにしたり，みそ漬や粕漬にする．※洋風料理もうなぎに準ずるが，やつめうなぎの血をソースとし，野菜，香辛料，ワインとともに，皮と骨を除いて筒切りにした身を煮込んだボルドー風のやつめうなぎなどがある．

●**すなやつめ**

砂八目　学 *Lethenteron* sp.　英 Far Eastern brook lamprey　別 地 やつめ（近畿，四国）；ぎな（長野）；すなぐり（北陸）；めくら（関東，新潟，九州）

全長17cm．やつめうなぎによく似ているが，海には下らず，川に生息する．背部は暗褐色で腹部は黄色を帯びる．味はあまりうまくない．古くは幼児の駆虫薬とした．日本全土，サハリン，千島，アジアに分布するが，複数種が混ざっていると考えられる．

やなぎまつたけ　柳松茸

成 08036（生）　分 担子菌類モエギタケ科キクロキベ属の（きのこ）　学 *Cyclocybe cylindracea* または *Agrocybe cylindranea*　英 black poplar mushroom　別 地 かえでもたし（東北）

名前にまつたけとついているが，マツタケとはまったく異なり，木材腐朽菌の一種．ヤナギやカエデの木の根元や枯木に5〜7月頃または秋に発生する．傘は円山形で直径5〜15cm，表面は黄土褐色〜灰褐色で周辺部は薄い．柄がひょろ長く白く，長さ3〜8cmで，主にこの柄を食用とする．未熟なうちは傘の裏側は膜状の組織で覆われているが，成熟すると膜が破れて，ひだが露出し，膜状の組織は柄の上部につば*となって残る．ひだは最初は白いが，成熟すると茶褐色に変わる．以前はオキナタケ科に分類されていたが，モエギタケ科に移された．菌床栽培でつくられたものが流通している．

◇**成分特性**　100g当たり，カリウム360mg，亜鉛0.6mg，食物繊維3.0gを含む．エネルギーは20kcalである．

◇**調理**　味はよく，汁物や鍋物，炒め物，焼き物，天ぷらなどの料理に用いる．

やなぎまつたけ（福井きのこアドバイザー会）

やぶ豆 やぶまめ

成 04108（乾），06401（生）　分 マメ科ヤブマメ属　学 *Amphicarpaea edgeworthii*　英 hogpeanut

1年生草本でアジアに分布する．豆果*は地上と

地中にできる．地中果は，アイヌ民族が伝統的に食用としてきた．地上果は食用とはしない．

やまくじら ⇨いのしし
山くらげ ⇨レタス（茎ちしゃ）

やまごぼう　山牛蒡

成 06295（みそ漬）　分 キク科アザミ属（多年生草本）　学 *Cirsium dipsacolepis*（モリアザミ）　英 Yamagobo　別 ごぼうあざみ；もりあざみ（森薊）；もりごぼう；きくごぼう

野生のものは多年生であるが，栽培種は1年生として取り扱う．本州の中南部に自生するゴボウアザミ（モリアザミ）を栽培化したものである．栽培の歴史は浅く，明治以後と考えられる．栽培したもののほか，野生のものを採取して利用する．一般に漬物の商品名である，"やまごぼう"と呼ばれているが，ヤマゴボウ科のヤマゴボウは，本種とは別の植物である．春播きして，太さ1～2cmに肥大した直根*を加工用にする．

◇品種　品種分化といえるほどのものはみられないが，最近，愛知，岐阜，長野などでとうの立つのが遅い系統の選抜が行われ，晩抽（ばんちゅう）系が育成され始めている．

作型：作型の分化はみられない．生育期間を100～130日とみて，降霜期から逆算して播種期を決める．最低気温が15℃以上になってから播かないと，とうが立つおそれがある．気温が下がってからでないと独特の風味が出ないので，2～3回霜にあってから収穫する．

◇加工　収穫した根をよく水洗し，1～2日水に浸す．その後5～6％食塩水で1日アク抜きしてから，よく水をきって漬け込む．主としてみそ漬にするが，麹漬，しょうゆ漬にもする．

やまどりたけ　山採茸

分 担子菌類イグチ科ヤマドリタケ属の（きのこ）　学 *Boletus edulis*　英 porcini　伊 porcini　別 ポルチーニ

ヨーロッパでは，トリュフ，あんずたけとともに，特に珍重されるきのこである．フランスではセップ（cepe），ドイツではシュタインピルツ（Steinpilz）と呼ばれ，一般の人にもよく知られている．日本では，ほとんど見られず，わずかに青森県と北海道で報告例があるだけで，むしろイタリア語由来のポルチーニの方が知られているくらいである．傘の直径は6～16cmで表面は栗褐色～茶褐色で光沢がある．傘の裏側は他のイグチ類と同様にひだではなく管孔となっている．柄は長さ8～12cmで白～茶褐色，根元から途中まで網目状の模様に覆われている．夏～秋にトウヒなどの針葉樹林に発生する．多くの近縁種があり，ヨーロッパでは他の近縁種とともに食されている．日本には，やはり近縁のヤマドリタケモドキ（*Boletus reticulatus*）があり，広葉樹林でみられる．傘表面はビロード状で，柄の網目模様が全体にある点でヤマドリタケと区別できる．

◇調理　肉質は硬くしっかりとしており，歯応えがよい．乾燥させると芳香があり，うま味も増すため，ヨーロッパでは個人で乾燥させたり，また市場でも乾燥品が手に入る．パスタソース，ソテー，マリネなどに合う．ヤマドリタケモドキは肉質が比較的やわらかいため，食味の点では劣る．

ヤマドリタケモドキ（福井きのこアドバイザー会）

上：やまごぼう（長野産，下3本は水洗い済），下：やまごぼうしょうゆ漬（平　宏和）

やまのいも 山芋；薯蕷；藷蕷

分 ヤマノイモ科ヤマノイモ属つる性（多年生草本）　学 *Dioscorea* spp　英 yams　別 やまいも

ヤマノイモ科ヤマノイモ属の植物のうち，栽培作物として発達したものの総称である．この種に属する植物は全世界で約600種とされ，大部分が熱帯および亜熱帯地方に分布している．中南米が最も多く，次いでアジアの熱帯地方とアフリカに多い．わが国ではもっぱら副食および製菓原料などに利用されているが，熱帯地方の一部では，現在でも重要な主食の一つである．葉のわきにつく"むかご*"と呼ばれる珠芽*も，茹でたり，むかごご飯などにして食される．

◇**分類**　わが国で利用されるやまのいも類を大別すると，じねんじょ（自然薯），だいじょ（大薯）の3種類となる．やまのいも類の名称は，分野ごとにさまざまで，栽培種（*Dioscorea polystachya*）について，植物分類では「ナガイモ」，園芸関係では「やまいも」，『食品成分表』では「ながいも」と呼び，野生種（*D. japonica*）について，植物分類では「ヤマノイモ」，『食品成分表』では「じねんじょ」と呼んでいる．

◇**成分特性**　やまのいも類の主成分はでん粉と粘質物である．粘質物はグロブリン様のたんぱく質にマンナン*が弱く結合したものである．このヌルヌルした「とろみ」が転訛して「とろろ」になったといわれる．一般にながいも群はでん粉，粘質物が少なく，とろろとしての利用価値は低い．これに比べていちょういも群，やまといも群は粘質物が多く，とろろとしての利用価値が高い．

特殊成分：やまのいも類は生食されることが多い．その理由の一つとして，一般にでん粉を分解するアミラーゼ*の活性が強いことがあげられているが，その活性はさつまいもに比べても著しく弱いことが報告されている．やまのいもをすりおろすとごく短時間でうす黒く変色する．これはいもに含まれるポリフェノール*が強力なポリフェノラーゼによって酸化されるためである．やまのいもの粘質物は糖たんぱくで，粘性は糖たんぱくの立体構造による物性とされている．この特有の粘質物のため，やまのいもは昔から漢方で「山薬（さんやく）」といわれ，滋養強壮に用いられてきた．

◇**保存**　11〜12月に霜が降り，茎葉が枯死してから収穫される．ながいも群では翌春4月頃まで随時収穫される場合がある．ながいもは耐寒性が強いこともあり，8〜9月まで長期貯蔵され随時出荷される．以前は貯蔵むろなどで貯蔵したが，低温貯蔵技術が発達し，温度5〜8℃，湿度80〜90％の低温貯蔵庫を設けて出荷調整を行い，成功している．

◇**加工**　やまのいも類は古くからとろろ汁として食用に供されているが，薬用として滋養強壮薬にも用いられた．関西で発達したやまといもは京都，兵庫で古くから栽培され，製菓原料として加工用に利用されたものが多く，おそらく京都における和菓子の発達と密接な関係を持つものと考えられる．製菓以外の加工用としては，はんぺんでは起泡とつなぎを目的とし，がんもどき，そばなどではつなぎを目的として広く利用されている．

◇**調理**　やまのいも類の多くは，生食として利用される．ただし中国料理の抜絲（バーシ；あめ煮）は大きく切ったものを揚げて用いる．また日本料理でもおろしたものを白身魚にのせて蒸す加熱法がある．※消化しやすいように，生食では多くの場合，摩砕して用いる（山かけ，月見いもなど）．とろろ汁は摩砕したやまのいもをだし汁でのばしたもので，飯にかけて食べると飯の消化を助ける．摩砕せずに生食するときにも，薄切りか千切りにする（三杯酢）．※アクと褐変：摩砕後は空気との接触が多く，放置するとたちまち褐変が起こる．冬季のアクの少ないやまのいもを選び，すりおろしたら直ちに食用に供する．食酢液に浸すと褐変が防止できる※和菓子では，かるかんをはじめ，まんじゅうの皮や練り切りに米粉のつなぎとして用いたり，はんぺんにふっくらとした粘りと弾力を与えるのに用いる．そばのつなぎにも用いる．

●**じねんじょ**

自然薯　成 02026（塊根 生）　学 *Dioscorea japonica*　英 Japanese yam　別 やまいも；じねんじょ

じねんじょ（平　宏和）

だいじょ（平　宏和）

う（自然生）
古くから各地に自生し，食用や薬用に利用されてきた．生長は遅く，50〜60cmになるのに3〜4年かかる．すりおろしたものは粘りが強く，味も濃い．栽培も少量されている．

● **だいじょ**
大薯 成 02027（塊根 生） 学 *Dioscorea alata* 英 white yam 別 ためいも；だいしょ

インドネシアの原産で，わが国では奄美大島で古くから栽培されている．南九州や沖縄など暖地の栽培に限られているが，世界で食用とされるヤムいもの中では最も重要な作物である．第二次世界大戦中に台湾から福岡県下に導入され，土着したものが各地で増殖されつつある．いもは通常円柱形であるが，球形，扁平など多様で，1個2〜3kgと大きく，5〜10kgのものもある．粘度が高く品質的には優れているが，低温に弱く冬季貯蔵には15〜16℃を保持する必要がある．

● **ながいも**
学 *Dioscorea polystachya* 英 Chinese yam 別 とろろいも；やまいも

中国の原産で，わが国へは中国から渡来し，飛鳥から室町時代に栽培が始められたものと推定されている．やまのいも類の中では最も品種の分化がみられ，いもの形態により，ながいも，いちょういも，やまといもの3群に分けられる．それぞれ主要な栽培地域が異なり，いもの形は固定的なものではなく変異性をもっている．

ながいも群（成 02023　塊根 生）：全国的に栽培されるが，生育が早いので，関東以東，東北，長野などの寒冷地に多い．水分が多く粘りが少ない．

いちょういも群（成 02022　塊根 生）：短根で形状の変異幅が大きく，栄養変異を起こしやすい．関東，東海地方の畑作地帯に分布し，埼玉では古くから栽培が多い．扇形ないしばち形で，品質，特に粘質度に優れている．その形から手いも，関東地方ではやまといもとも呼ばれる．

やまといも群（成 02025　塊根 生）：形が団塊状か球形で，つくねいもとも呼ばれ，西南暖地，特に兵庫，京都，奈良，三重に多い．兵庫県丹波地方の特産は丹波いもと呼ばれる．三重県多気町産のものは伊勢いもと呼ばれ，色はやや淡く，不整形の塊状である．いずれも土質を選び栽培は難しく，収量は少ないが品質は最も優れ，水分が少なく粘度が非常に高いのが特徴である．高級料理や製菓原料としての需要が多い．

やまぶしたけ　山伏茸

分 担子菌類サンゴハリタケ科サンゴハリタケ属（きのこ）　学 *Hericium erinaceus* 英 lion's mane 別 ししがしら；うさぎたけ；はりせんぼん；じょうごたけ

木材腐朽菌の一種で，白色腐朽を起こす．傘や柄はなく，直径5〜25cm程度の球状で，側面と下面より長さ1〜5cmの尖った針状の突起を無数に垂らす．初めは白く，次第に黄色味を帯びる．肉質は軟らかくスポンジ状である．球状の塊が山伏が胸にかけるふさに似ているので，この名が付いた．9〜10月に，ブナ，ミズナラ，カシなどの広葉樹の倒木や枯幹に発生する．高い梢に発生することもある．中国では古くから薬用としても用いられている．

◇栽培　広口びんで，ブナなどのおが屑により菌床栽培される．また，原木栽培も可能である．菌床栽培では，栄養材にはコーンブランなどのとう

左：ながいも，中：いちょういも，右：やまといも（平　宏和）

やまぶしたけ（福井きのこアドバイザー会）

やまぶどう（ジュース）
（平　宏和）

もろこし糠がよい．最適生長温度は25℃前後である．
◇**成分特性**　乾燥したものは生薬として利用され，α-グルカン，β-グルカンなどの多糖類*が含まれている．また，D-スレイトール，D-アラビニトール，パルミチン酸などの抗酸化物質を含み，血液中の脂質量の調整や血糖値の低減に効果があるとされる．
◇**調理**　苦味をもつものもあるが，歯切れがよく美味である．天ぷらにしたり，さっと湯通しして三杯酢や酢みそ，辛子じょうゆで和え，淡白な味と香りを楽しむ．吸い物や炒め物にもよく，すきやきなどにも用いられる．

やまぶどう　山葡萄

分 ブドウ科ブドウ属（つる性落葉性低木）　**学** *Vitis coignetiae*　**英** crimson glory vine　**別** **古** えびかずら

サハリン，南千島，日本では北海道から九州まで山中に自生する雌雄異株*の植物．葉のつけねに出る巻きひげで他のものに巻きついて成長する．初夏に黄褐色の花が咲き，秋に小型ぶどうのような果実が実る．紫黒色に熟した果実は，酸味が強い．野生種から系統選抜し，栽培種としたものや交配種がつくられ，岩手，山形，山梨，岡山などで，やまぶどう酒などの加工用に経済栽培されている．写真は月山山麓の庄内地方・鶴岡市朝日地区などで栽培されているもの．野生のヤマブドウの穂木から系統選抜し，30年以上かけて栽培種としたもの．なかには糖度18以上のものもあるという．
◇**加工**　そのままでも食べられるが，ジュース，ジャム，シロップ漬などに利用され，やまぶどう酒も市販されている．

やまぶどう（庄内たがわ農業協同組合，月山ワイン山ぶどう研究所）

やまべ　⇒おいかわ，やまめ

やまめ　山女

成 10275（養殖 生）　**分** 硬骨魚類，サケ科サケ属　**学** *Oncorhynchus masou masou*　**英** masu trout；yamame　**別** **地** やまべ（東北，北海道）　**旬** 5～6月

さくらます*の河川型（陸封型）．全長30cm以下．体色は背面は濃青色で体側は銀白色に橙色を帯び，中央に数個のパーマーク*がある．朱点はまったく存在しない（あまごとの区別点）．河川上流に生息するが，いわなより下流にすみ，両者が共存する例外的な場では，より水面に近いところにすむ．酒匂川以北の太平洋岸，日本海側全域および九州北部に分布する．近年は放流のため，あま

やまめ（本村　浩之）

ごの分布域と入り混じっている．いわなとともに，渓流釣りの人気魚で，養殖されている．

◇**成分特性**　あまごに近似する．『食品成分表』の養殖魚では100g当たり水分75.6g，たんぱく質（アミノ酸組成）*（15.1）g，脂質（TAG当量）*3.7gとなっており，降海型のさくらますと比べると肉色も白く，水分が多く，脂質が少なく，たんぱく質もやや少ない．料理材料だが，土産品として甘露煮，焼干しなどに加工される．

◇**調理**　山奥の川に生息する魚で，味は川魚の中で最もおいしいといわれ，5～6月が最盛期で，特に初夏がよい．新鮮なものほど体にぬめりが多く，身に張りがあり透明感がある．※日本料理では，塩焼き，天ぷら，魚田，あめ炊きなどに活用され，魚田のみそも，木の芽，ふきのとう，しそなどを加え，違った香りで賞味することができる．※洋風では，魚そのものの味や香りを楽しむために，塩・こしょうで調味しただけで，ムニエルにしたり，フライにする．またワイン煮にもよく用いられる．※中国風には，さっと油で揚げ，あんかけにしたり，しょうゆ，砂糖などで煮込み，からめるとよい．

◇**成分特性**　糖類は100g中6～7gで，果糖とぶどう糖が主体の品種（亀蔵；かめぞう）としょ糖が主体の品種（広東）がある．ビタミン類は，Cは少ない．酸は0.5～1.6％で主にクエン酸である．赤色のアントシアニン*を含む．

◇**保存・加工**　収穫後の品質劣化が特に早く，2～4日しか日持ちしない．そのため，低温貯蔵するか冷凍して保存する．加工品としては，シロップ漬，果実酒などに利用される．

◇**調理**　生食もするが，多少渋味がある．ケーキやアイスクリームに飾ったりするほか，砂糖煮，ジャムにするのもよい．またシロップ漬，果実酒などにした果実を，飲み物やデザートの飾りに用いる．

やりいか　⇒いか
やりひげ　⇒そこだら
ヤングコーン　⇒とうもろこし

やまもも　山桃；楊梅

成 07141（生）　分 ヤマモモ科ヤマモモ属（常緑性高木）　学 *Morella rubra*　英 Chinese bayberries

雌雄異株*の常緑樹である．日本と中国南部が原産とされ，日本では西南暖地，特に徳島，高知の海岸地帯に多く分布している．高地や徳島の一部で果樹栽培もされるが，庭園樹や公園樹，街路樹として植栽されることが多い．果実は直径8～30mmの球形で，中心に核がある．その周辺に果瘤（かりゅう）と呼ばれる果肉がつき，果色は黒紫色から紅色，淡桃色あるいは白色まで変異がある．収穫の最盛期は6月から7月で，収穫期間は短い．

やまももの着果状況

ゆ

有塩バター　⇨バター（加塩バター）

ゆうがお　夕顔

分 ウリ科ユウガオ属（つる性1年生草本）　**学** *Lagenaria siceraria* var. *hispida*　**英** bottle gourd；white flowered gourd

インド，アフリカ原産で，中国では2,000年前から栽培されており，わが国でも10世紀頃観賞用兼容器用として栽培されていた．ヒョウタンと同種である．花は花冠*が5裂した大きな白い花で，その名の通り夕方に咲き，朝方にはしぼむ．食用としての栽培は16～17世紀頃からと推定されている．果実からかんぴょう（干瓢）*を製造する．

◇**品種**　在来種は自然交雑のため種々のタイプが混ざって雑駁（ざっぱく）で，果形・果色の変異の幅が広い．しもつけしろ，しもつけあおは，動力皮むきに適するよう，丸形に固定したものである．加工用であるため，作型の分化はみられない．栃木の特産品である．地域によっては若い果実も食用にする．

◇**加工**　加工品はかんぴょうで，生果での利用は限られた地域のみである．

ゆうがお　上：ゆうがおの花，下：食用長品種
（平　宏和）

◇**調理**　ゆうがおの若い果実は，煮付けや汁の実として用い，熟したものは干してかんぴょうにする．※5～6月の未熟なものを食べる場合には，塩をふり，表皮を軽くこすって落とす．汁の実として用いるときには，5～10mm幅に切り，塩をふり，茹でて水にさらして種子を除き，煮出し汁で煮含ませる．※煮物にするときは，2cmほどの厚さに切ったのち，角切り，短冊切り，ひもかわなどに切り，茹でてから煮物の汁を含ませる．※印籠（いんろう）にするときには，小さいものは両端を切って芯や種子を抜きとって茹で，えびや魚のすり身，ひき肉などを詰めて煮る．大きいものは，2～3cmの輪切りにし，芯を除き，同様に詰め物をして蒸してから煮含める．※ゆうがおはあんかけ料理にも用いる．10cmほどの角切りにし，芯と種を除いてゆっくり薄味で煮含めたのち，鶏そぼろあんなどをかけて仕上げる．

有機食品・特別栽培農産物

英 organic foods・specially-cultivated agricultural products

農産物の安全性・健康指向などで有機食品への消費者の関心が高まるなか，農林水産省では1992年に「有機農産物及び特別栽培農産物に係る表示ガイドライン」を設けたが，強制力がなかったので，名称の表示に混乱がみられていた．そこで2000年に「有機農産物」と「有機農産物加工食品」に区分された日本農林規格*（JAS）が制定され，現在は令和3（2021）年に制定された有機藻類を加え，次の5つの区分になっている．

◇**区分・生産原則・生産方法**　有機食品は日本農林規格（JAS）では「有機農産物」，「有機畜産物」，「有機加工食品」に区分され，次のような生産原則が示されている．

　①**有機農産物**：農業の自然循環機能の維持増進を図るため，化学的に合成された肥料や農薬の使用を避けて生産する．

　②**有機畜産物**：環境への負担をできる限り低減して生産された飼料を与え，動物用医薬品の使用を避け，動物の生理学的や行動学的要求に配慮したアニマルウェルフェアに基づいて飼育した家畜や家禽から生産する．

　③**有機加工食品**：原材料である有機農産物や有機畜産物の特性を製造や加工過程において保持し，機械等による物理的および発酵等の生物機能を利用した加工方法を用い，化学的に合成された食品添加物*や薬剤の使用を避けて生産する．

図1 有機JASマーク

④**有機飼料**：上記①〜③の有する特性を製造や加工の過程で保持し，物理的または生物の機能を利用した加工方法を用い，化学的に合成された飼料添加物および薬剤の使用を避けることを基本として生産された飼料を指す．

⑤**有機藻類**：養殖場において，使用禁止資材（天然物質を除く資材．漁具のように使用後に取り除くものは含まない）の使用を避けることを基本とし，環境への負荷をできる限り低減した管理方法によって生産する．採取場（自生している藻類を採取する場所）での採取は，生態系の維持に支障が生じない方法で採取する．

生産方法については，基準の要点を**表1**に示した．

◇**検査認証**　生産農家や製造業者は有機食品の認定を登録認定機関に申請し，審査による認定を受ける．認定された食品は，有機 JAS マーク（**図1**）を貼付し，市場に供給することができる．

◇**表示**　認定された食品は，次のような名称の表示がなされる．「有機農産物」，「有機栽培農産物」，「有機○○」，「オーガニック○○」など表示することを規定している．有機 JAS マークを付されたもの以外は，「有機」，「オーガニック」やこれに紛らわしい表示は認められない．

◇**輸入有機食品**　国または外国の登録認定機関において認定を受けた外国製造業者などが生産・製造した輸入有機食品および国の登録認定機関において認定を受けた輸入業者が輸入した有機農産物，有機農産物加工品に限り，有機 JAS マークを貼付し市場に供給することができる．

●**特別栽培農産物**

英 specially-cultivated agricultural products

農林水産省が定めた「特別栽培農産物に係る表示

表1　有機食品の生産方法の基準（要点）

有機農産物	・堆肥等による土作りを行い，播種・植付け前2年以上及び栽培中に（多年生作物の場合は収穫前3年以上），原則として化学的肥料及び農薬は使用しないこと ・組換えDNA技術を用いた種苗は使用しないこと
有機畜産物	・飼料は主に有機飼料を与えること ・野外への放牧などストレスを与えずに飼育すること ・抗生物質等を病気の予防目的で使用しないこと ・組換えDNA技術を使用しないこと
有機加工食品	・化学的に合成された添加物や薬剤の使用は極力避けること ・原材料は，水と食塩を除いて，95％以上が有機農産物，有機畜産物又は有機加工食品であること ・薬剤により汚染されないよう管理された工場で製造を行うこと ・組換えDNA技術を使用しないこと
有機飼料	・原材料は，水，食塩，飼料添加物，石灰石等を除いて，95％以上が有機農産物，有機畜産物又は有機加工食品であること ・薬剤により汚染されないよう管理を行うこと ・組換えDNA技術を使用しないこと
有機藻類	・養殖場は，使用禁止資材による汚染を防止するために必要な措置を講じており，規格に適合しない養殖場および採取場と明確に分離されていなければならない． ・生育期間が6か月未満の藻類にあっては収穫前6か月以上の間，生育期間が6か月以上の藻類にあっては収穫前，当該藻類の生育期間以上の間，規格に準じた管理がされていなければならない ・採取場は，使用禁止資材による汚染のおそれがない水域であり，規格に適合しない養殖場・採取場と明確に分離されてされていなければならない ・組換えDNA技術を使用しないこと

（日本農林規格より作成）

表2 特別栽培農産物の表示例

農林水産省新ガイドラインによる表示
特別栽培農産物
節減対象農薬：栽培期間中不使用
化学肥料（窒素成分）：栽培期間中5割減
栽培責任者　○○○○
所　在　地　○○県○○町△△△
連　絡　先　TEL□□-□□-□□
確認責任者　○○○○
所　在　地　○○県○○町◇◇◇
連　絡　先　TEL□□-□□-▽▽

農林水産省新ガイドラインによる表示
特別栽培農産物
節減対象農薬：当地比7割減
化学肥料（窒素成分）：当地比7割減
栽培責任者　○○○○
所　在　地　○○県○○町△△△
連　絡　先　TEL□□-□□-□□
確認責任者　○○○○
所　在　地　○○県○○町△△△
連　絡　先　TEL□□-□□-□□

節減対象農薬の使用状況		
使用資材名	用　途	使用回数
○○○○○	殺　菌	1回
□□□□□	殺　虫	2回
△△△△△	除　草	1回

（注）使用資材名は原則として商品名ではなく，主成分を示す一般的名称とする．

ガイドライン」によれば，特別栽培農産物とは，農薬と肥料の使用について，その農産物が生産される地域の慣行レベル（各地域で慣行的に行われている節減対象農薬と化学肥料の使用状況）に比べ，①節減対象農薬の使用回数が50％以下，②化学肥料の窒素成分量が50％以下で栽培された農産物とされている．ガイドラインは1992年に制定され，その後，平成19（2007）年4月に改正されている．このガイドラインは法的強制力がないので，地方自治体や農協などによって，農林水産省のガイドラインと同一基準にしているもの，そのガイドラインに追加または一部変更など独自の基準を設けたものなどがみられる．

◇**対象農産物**　不特定多数の消費者に販売されている未加工の野菜・果実および乾燥調製した穀類・豆類・茶などに適用される．

◇**生産原則**　農業の自然環境機能の維持増進を図るため，化学合成された農薬および肥料の使用を低減することを基本にし，土壌の性質に由来する農地の生産力を発揮させ，農業生産に由来する環境への負担をできる限り低減した栽培方法を採用して生産する．

◇**表示**　一括表示する項目は，①特別栽培農産物の名称，②このガイドラインに準拠している旨，③栽培責任者の氏名または名称，住所および連絡先，④確認責任者の氏名または名称，住所および連絡先，⑤特別栽培米は精米確認者の氏名または名称，住所および連絡先，⑥輸入品は輸入業者の氏名または名称，住所および連絡先である．表示例を**表2**に示した．

◇**表示禁止事項**　表示をする場合，「天然栽培」，「自然栽培」など特別栽培農産物の表示と紛らわしい用語，「無農薬栽培農産物」，「無化学肥料栽培農産物」，「減農薬栽培農産物」，「減化学肥料栽培農産物」などが表示禁止である．なお，節減対象農薬を使用しなかった場合は「節減対象農薬：栽培期間中不使用」の表示になる．

ゆかり　　⇨しそ
ゆし豆腐　⇨とうふ

ゆず　柚子；柚

成 07142（果皮 生），07143（果汁 生）　**分** ミカン科ミカン属（常緑性小高木）　**学** *Citrus junos*　**英** Yuzu　**旬** 冬

中国揚子江上流の原産といわれ，その分布域は広い．わが国への渡来時期は不明であるが，奈良朝か飛鳥時代と考えられている．寒さや病気に強いために，北は東北地方まで全国的に分布し，多く変種が生じている．無核ゆず，はなゆ（花柚）などの変種があるが，香気等の点で品質は劣る．ゆずの結実には15年以上要する．結果促進のために接ぎ木しても，結実には4～5年はかかる．果実は100～130gの短球形で，果頂部はやや平らで花柱痕部がくぼみ，果面には凹凸がある．完

上：ゆずの花，下：ゆず（平　宏和）

ゆずこしょう（平　宏和）

熟すると黄色になり凹凸が激しくなって，いわゆるゆず肌となる．特有の香気があり，種子は20個ほどである．11月中・下旬から着色する．調理用としては花から未熟果まで利用する．
◇**成分特性**　果実の主な成分は，酸とビタミンCである．酸味の主体はクエン酸であるが，その他コハク酸，リンゴ酸*などを含む．100g中，果汁のビタミンCは40mgであるが，果皮には160mg含まれている．なお，果汁の糖類は2gで，甘味はない．主要な香気成分はリモネン*で，そのほかα-テルピネン，ミルセン，リナロール，α-ピネンなどが含まれている．
◇**調理**　強い酸味と独特の芳香を有するため，広く日本料理用の食酢として利用される．そのほか，菓子類，マーマレードなど，利用範囲は極めて広い．また，果汁は鍋物，酢の物に利用し，果皮はすりおろして薬味にしたり，吸い口や天盛りに用いる．

ゆずこしょう

成 17115　英 Yuzu pepper paste

ゆず（柚子）の果皮と青唐辛子を刻んでペースト状として，食塩を加えて熟成させた調味料で，大分県の特産品．びん入りの製品が多いが，大手メーカーのチューブ入りのものも発売されて全国的に普及している．九州地方では唐辛子を「こしょう」と呼ぶことがあったので，ゆずこしょうの呼称が生まれた．緑色のものが多いが，赤唐辛子を使った赤色のものもある．鍋物，冷やっこ，刺身，そうめんなどに，ゆずの風味をつけるのに使われる．

茹であずき缶詰　⇨あずき
湯通し塩蔵わかめ　⇨わかめ

ゆば　湯葉；湯婆；湯波；油波；油皮

成 04059（生），04060（干し 乾），04091（干し 湯戻し）　英 Yuba；(film formed on the surface of heating soymilk)

木綿豆腐程度の濃度の豆乳を格子状の木枠をはめた浅鍋で80℃程度に加熱して，表面に皮膜となって凝固したものを竹串か棒ですくったもの．ひと鍋から20枚ほどのゆばができる．こうしてできたものが生ゆばで，自然乾燥させたものが干しゆばである．そのほか，半乾燥状態のときにさまざまな形に成形した巻きゆば，結びゆば，樋（とい）ゆば，絞りゆばなどがある．ゆばの名の由来には諸説あるが，「豆腐をつくるとき，上に浮かぶ皮」を略して「とうふのうば」といい，さらに略して「うば」，転じて「ゆば」になったという説

生ゆば　上：生ゆば，下：干しゆば（平　宏和）

が有力である．
◇**成分特性** ゆばは，反膜ができる際に豆乳のたんぱく質が脂質，炭水化物などを取り込んだもので，初めに生成されるものほどたんぱく質と脂質含量が高く，後に生成されるものほど炭水化物含量が高くなり品質は低下する．豆乳中の炭水化物，カリウム，マグネシウム*などの多くはゆばに取り込まれず，豆乳残液中に残る．
◇**保存** 干しゆばは数ヵ月間の保存ができるが，保存の温・湿度には留意する．高温下では脂肪が酸化し，味が落ちる．生ゆばは冷蔵でも2〜3日である．
◇**調理** 淡白な持ち味で精進料理の必需品である．干しゆばはぬるま湯でもどして用い，加熱は必ず弱火で行う．※平ゆば，巻きゆば，絞りゆばなどの種々のゆばを，椀種，含め煮，鍋料理，巻き物（揚げ物，煮物，蒸し物）など，各種の料理に使い分ける．※具を包んだり巻いたりして加熱をするのが最も普通の食べ方で，中国のゆば（豆腐皮 doufupi；ドウフーピー）にも同様な料理がある．

丸ゆべし（輪島産）（平　宏和）

ゆべし　柚餅子

成 15037　**英** Yubeshi；(steamed sweet rice dough seasoned with soy sauce)

もち米またはうるち米の粉に砂糖，みそ，しょうゆを加え，ゆず汁を混ぜて蒸し上げたものである．地方によっては，ぎゅうひや羊羹にゆずの香りを付けたものをゆべしというところもある．種類も多く，代表的なものに丸ゆべしと棹物ゆべしがある．
◇**由来** ゆべしの起源は非常に古く，丸ゆべしには，平安時代末期に壇ノ浦に敗れた平大納言時忠が能登の国に伝えたという説がある．元来は保存食ないし携帯食としてのものだったらしく，現在でも酒肴・珍味的なものが和歌山，松山，奈良，長野などで製造されている．棹物ゆべしは，文政12（1829）年の冬，豪雪にあった京都の雲水（諸国を巡り歩く僧）が，本間屋の栖右衛門に助けられたお礼に教えたもので，もち米をふかし，和三盆，蜜，ゆず皮と一緒につき上げて笹ぐるみとする"ゆべし"であったという．安政5（1858）年には大老井伊直弼から徳川14代将軍家茂にも献上されたという．
◇**原材料・製法** 和菓子としてのゆべしに入れるゆずの加工方法は2通りある．ゆずの果肉をそのまま入れる方法と，皮だけをすってしぼったものを入れる方法である．また，もち米を原料とするものとうるち米を原料とするものとの違いもある．地方によっては中に落花生やごま，くるみなども入れる．

棹物ゆべし：鍋に砂糖を入れ，水を加えて火にかけ砂糖を溶かす．その中へしょうゆとみじん粉を加え，混ぜ合わせる．この種を，せいろうに木枠を置きぬれぶきんを敷いた中へ流し入れ，強い蒸気にかける．蒸し上がったら，完全に冷ましてから適当な大きさに切断して仕上げる．

丸ゆべし：代表的な輪島の丸ゆべしは，ゆずの中身をくり抜いて，その外皮の中に果肉，もち米の粉，砂糖，白みそ，唐辛子，しょうゆなどを混ぜて練り合わせたものを詰めたのち，輪切りにしたゆずの頭部をかぶせて何回も蒸し返してつくるものである．これは，ゆずのほろ苦い味がうまく生かされて，硬くなっても蒸し直せば，つくったときと同じようなものになる．

ゆべしの品質としては，歯切れのよさと，ゆずの香りの高いものが良品とされる．

くるみゆべし（平　宏和）

ゆりね　百合根

成 06296（りん茎 生），06297（りん茎 ゆで）
分 ユリ科ユリ属（多年生草本）　**学** *Lilium* spp.
英 lily bulb

ゆりね　左：鱗茎，右：鱗片（平　宏和）

オニユリ（*Lilium lancifolium*），コオニユリ（*L. leichtlinii* f. *pseudotigrinum*），ヤマユリ（*L. auratum*）など，ゆりの中でも球根（鱗茎*）の苦味のないもの，少ないものの球根をゆりねと呼んで利用する．主体はコオニユリである．いずれも日本原産であるが，栽培されるのは主として前の2種である．野生のものの採取，利用は古くから行われていたが，栽培は17世紀に入ってからである．需要が少なく，また球根は貯蔵性に富むため，作型の分化はみられない．大半は北海道産である．関西での消費が多い．

◇**成分特性**　炭水化物が多い．炭水化物はでん粉18～20g，非還元糖4～5g，および粘質物グルコマンナンからなる．

◇**調理**　でん粉が多く組織状態もいもに似ているが，風味は異なり，ほろ苦い上品な味と香りを特徴とする．ただアクが強いため，鱗方を一度茹でてから次の処理を行う．含め煮にするほか，茶碗蒸しの種にも好適である．❖組織がもろく，加熱条件が激しいと材料が崩れやすい．ミョウバンを加えると細胞膜ペクチンの不溶化による煮崩れ防止効果がある．含め煮にするものは，煮崩れさせないためである．❖傷ついたゆり根は，ポリフェノール*の酸化による褐変が起こるばかりでなく，煮崩れもしやすい．崩れたものは裏ごしにかけて，きんとんや茶きんしぼりにするとよい．

よ

ようかん　羊羹

英 Yokan；(adzuki-bean paste jelly；An pudding)

あん（餡）と砂糖に寒天を加えて練り固めるか，小麦粉やくず粉を加えて蒸した棹物（さおもの）菓子である．その主なものに練り羊羹，水羊羹，蒸し羊羹がある．

◇**由来**　羊羹の前身は，平安時代に中国から伝えられた料理の羹（あつもの）である．羊羹という字は，羊の肉の羹からきている．中国では羹の材料に鳥獣魚介類を使うが，当時の日本では仏教の影響で動物性の肉の使用が禁止されていたので，小麦粉，あずき，くず粉など，植物性の材料を使用した．いずれも蒸した羹を汁の中に浮かせ熱いうちに賞味した．菓子の形をとるようになったのは，鎌倉，室町時代以降，茶道の発達に伴って，茶の点心として使われたことによる．室町時代にできたのは蒸し羊羹であり，天正17（1589）年になって，あずきあんの練り羊羹が京都伏見の駿河屋・岡本善右衛門によって創製された．その後，これが改良され，寛政2（1790）年に今日のようなあずきあんと砂糖を用いた練り羊羹の製法が確立した．また文化年間（1810年頃）になると江戸でもつくられるようになった．この時代の練り羊羹には，大きく分けて，口あたりの軟らかさを特徴とする京都風のものと，硬めで歯応えのある江戸風の2種類があった．また京都風のものは形が大きく，竹皮に包んでいたのに対し，江戸風のものは形も小さく箱入れであった．その後さらに工夫改良されて，全国各地で独特な練り羊羹がつくられるようになった．

●**練りようかん（羊羹）**

成 15038　英 Neri-yokan；(agar-mixed An pud-

練り羊羹（平　宏和）

ようかん各種（平　宏和）

ding）
あずき生あんに砂糖を加え，寒天とともに火にかけ，よく練って固めたものである．製法は，まず寒天を水に漬けてよく膨潤させてから水きりし，あらためて水を加えて加熱しながら溶かす．そこへ砂糖を入れ，沸騰したら，一度濾過したあと生あんとともに加熱し，練りながら糖度70％くらいに煮つめる．これを型に流して固めて製品とする．型に流すことから"流し物類*"にも分類される．本来は，型に流して固めたものを庖丁で切って包装するが，今では1本ずつ筒に充填して固める．練り羊羹は原料のあずきの品質，寒天や砂糖の質あるいは量で，風味，歯応えも違ってくる．また全国各地でその特産品を練り込んだ，栗羊羹，柿羊羹などもある．練り羊羹の主な種類は，次の通りである．

栗羊羹：あわを原料とした羊羹．白あん，砂糖，寒天を煮つめ，あわ上南粉を混合し，淡く黄色に着色した製品と，鶏卵，砂糖，水あめ，寒天，あわ上南粉を材料とした製品がみられる．

大島羊羹：あずきの練り羊羹に，黒砂糖を加えたものである．

小倉羊羹：あずきの練り羊羹の中に，あずきの蜜煮を混ぜたものである．

柿羊羹：干し柿を原料とした羊羹で，大垣・横手・広島などの名産．干し柿ジャム，砂糖，寒天を材料とし，煮つめて，半割の孟宗竹に流し込んだ製品，あん，干し柿，砂糖，寒天を原料とし，練り上げ，アルミ箔筒に流し込んだ製品などがある．

栗羊羹：あずきの練り羊羹の中に，栗の蜜漬を点在させたもので，栗の風味と羊羹が調和したものである．また栗の果肉のペーストを砂糖とともに練り，寒天で固めた純栗羊羹と呼ばれているものもある．

白羊羹：あずきあん（餡）の代わりに白あん（手亡あん）でつくったもので，紅色に着色すると紅羊羹となり，関西地方に多い．

このほかに，ゆずの果皮や果汁を加えたゆず羊羹などがある．

◇**保存**　練り羊羹は糖分が高い（糖度65～75％）うえに，十分加熱しながら練ったものを高温で筒に充填し密封冷却するので，半生菓子でも日持ちがよい．しかし，長期間保存すると，砂糖が結晶したり，蜜がしみでる現象が起こることもある．

●**水ようかん（羊羹）**

成 15039　英 Mizu-yokan；(agar-mixed An jelly)
練り羊羹と同じようにしてつくるが，その名の通り水分の含量の多いのが特徴である．一般には型に流して固めたものを切って，桜の青葉で包む．つめたく冷やして食べる夏向きの冷菓である．

◇**保存**　本来は舟型に流して固めたものを庖丁で切り，桜の青葉で包む．"朝生菓子"と呼ばれる生菓子であり，その日につくってその日に食べるものである．したがって，練り羊羹のように日持ちがしない．しかし，これを缶詰や塩ビカップ製品にして風味の保存をはかったものが多くみられるようになった．

●**蒸しようかん（羊羹）**

成 15040　英 Mushi-yokan；(wheat flour-mixed

An pudding）

あずき生あんに砂糖，小麦粉，くず粉などを加えて蒸したものである．製法はあずき生あんに砂糖を加え加熱して練りあんとする．これに小麦粉，くず粉，水などを加え型に流し込み，蒸して製品とする．一般には練りあんにしてからつくるが，あずき生あんから直接つくる方法もある．栗を形のままのせた栗蒸し羊羹，あずきの蜜煮を加えた小倉蒸し羊羹，地方銘菓の丁稚羊羹，また，さつまいもが原料の芋羊羹などがある．

芋羊羹：蒸したさつまいもを裏ごしし，砂糖と食塩を加え，ミキサーで混ぜ合せて木箱に詰め，冷却後，適当な大きさに切って製品とする．素朴で庶民的な羊羹．

丁稚（でっち）羊羹：蒸し羊羹の一種で，原料はあんと小麦粉が主体だが，くず粉を原料としたものもあり，京都・滋賀・明石などで同名の羊羹がみられる．竹の皮で包んだものもある．名前の由来は，古く，丁稚奉公人が食べたり，土産にした羊羹という説が一般的であるが，あんと小麦粉をでっちる（捏ね合わす）ことからきたとの説もある．

◇保存 練り羊羹に比べると，水羊羹と同様に水分が多く，糖分が少ない．そのため保存がきかないので，真空包装し，さらに加熱殺菌を行って保存性をもたせたものもある．

ようさい ⇨くうしんさい

ようし 羊脂

英 mutton tallow

羊枝肉の脂肪組織を加熱溶出させて精製した動物脂．国際食品規格によると，羊の脂肪組織（トリミングおよびカッティングファットを除く），付着した筋肉及び骨を溶かすことで生成される油脂を羊脂とするとしている．羊脂はほとんど白色である．強い特臭をもつ．

◇成分特性 脂肪酸組成は，パルミチン酸26.7％，パルミトレイン酸1.1％，ステアリン酸26.7％，オレイン酸*36.1％，リノール酸*4.9％である．牛脂と比べて，ステアリン酸が多く，オレイン酸が少ない．

理化学特性：比重（15℃）0.931〜0.960，屈折率（40℃）1.4550〜1.4588，けん化価199．ヨウ素価*48．融点44〜55℃．

洋なし ⇨なし（西洋なし）

ヨーグルト

英 yogurt；yoghourt

ヨーグルトは乳を乳酸菌*で発酵させた乳製品で，原料をタンクで発酵させてから，容器に充填する「前発酵タイプ」と，原料を容器に充填した後に発酵させる「後発酵タイプ」の2つのタイプに分けられる（発酵乳*の図1参照）．後述するプレーンヨーグルト，ハードヨーグルトは後発酵，ドリンクヨーグルトやフローズンヨーグルトは前発酵で製造されている．プレーンヨーグルトは，『食品成分表』では，脂肪含量の違いによって，全脂無糖，低脂肪無糖，無脂肪無糖に区別されている．寒天やゼラチンで固めたものはハードヨーグルトと称されており，甘味料，果汁，香料などを加えたものが一般的である．そのほかフルーツやジャムを加えデザート感覚で楽しむソフトヨーグルトに類するもの，攪拌して液状にしたドリンクヨーグルト，アイスクリームのように凍らせたフローズンヨーグルトなどがある．これらの成分組成を表1に示す．ヨーグルトの製造には伝統的に，*Streptococcus salivarius* subsp. *thermophilus* と *Lactobacillus delbrueckii* subsp. *bulgaricus*

表1 ヨーグルトの成分組成（日本食品標準成分表2020年版（八訂）より） （100g当たり）

種類	エネルギー (kcal)	水分 (g)	たんぱく質 (アミノ酸組成) (g)	脂質 (TAG当量) (g)	利用可能炭水化物 (g)	灰分 (g)	カルシウム (mg)
全脂無糖	56	87.7	3.3	2.8	3.8*	0.8	120
低脂肪無糖	40	89.2	3.4	0.9	3.9*	0.8	130
無脂肪無糖	37	89.1	3.8	0.2	4.1*	0.8	140
脱脂加糖	65	82.6	4.0	0.2	11.2*	1.0	120
ドリンクタイプ・加糖	64	83.8	2.6	0.5	11.5‡	0.6	110

＊質量計，エネルギー計算は単糖当量に基づく，‡差引き法

ヨーグルト　左から全脂無糖，無脂肪無糖，脱脂加糖，ドリンクタイプ（加糖）（平　宏和）

の混合スターターが使用されてきた．両者は共生関係にあって単独で用いるより乳酸発酵の進行が早くなり，風味もすぐれている．国際規格では，この2菌種を使用した発酵乳をヨーグルトと定義しているが，日本では乳等省令*にヨーグルトの定義がないので，他の菌種を使用した発酵乳もヨーグルトとして取り扱われている．

日本では，最初ハードヨーグルトが工業的に生産されたが，現在はプレーンヨーグルトが主流になっている．

●全脂無糖

成 13025

牛乳から製造したプレーンヨーグルトである．成分無調整の牛乳を原料とした脂肪含量3.5％以上のものと，脂肪含量3.0％以上に調整したものがある．

●ドリンクタイプ

成 13027（ドリンクタイプ，加糖）

ドリンクタイプは，前発酵の工程で製造される典型的なヨーグルトで，発酵により凝固したカードを機械的に均一な液状としたものであり，通常は加糖されている．

●脱脂加糖

成 13026

市販されているヨーグルトの多くがこの分類となる．脱脂乳を原料として製造され，砂糖や果糖などの糖類が添加されている．また，ゼラチンや寒天などの保形剤が添加されたものや，フルーツやフレーバーを加えることで差別化を狙ったものもある．脂肪が低減されていることから，ビタミンAなど脂溶性ビタミン*の含量が全脂のものより少ない．

●低脂肪無糖

成 13053

全脂無糖に対して，ダイエット食品として市場に導入された脂肪含量1.0％程度のプレーンヨーグルトである．現在市場は，全脂無糖と無脂肪無糖に二極化してしまっていて，商品としてはあまり流通していない．

●無脂肪無糖

成 13054

牛乳から遠心分離で脂肪を除去した脱脂乳から製造したプレーンヨーグルトである．無脂肪とか脂肪ゼロと表示されているが，これは脂肪含量0.5％未満ということであって，実際には0.3％程度の脂肪が含まれている．遠心分離で牛乳の脂肪を完全に除去することはできない．脂肪がほとんどなくても，スターターによって生成される酸味と香気によって，ヨーグルトとしてのおいしさは保たれている．脂肪の摂取をひかえて，牛乳のたんぱく質と無機質を摂取したい人には，好適な食品である．

米酢（よねず）　⇒食酢

よぶすまそう　夜衾草

分 キク科コウモリソウ属（多年生草本）　学 *Parasenecio robustus*　英 Yobusumaso　別 ほんな；ぼうな　旬 春

モミジガサと同属で，分布は本州中部以北の山地など．東北地方の山菜の代表格である．"ヨブスマ"はコウモリやムササビを意味する方言で，三角の葉の形がムササビなどの飛ぶ姿に似ていることからきている．丘陵，森林，高原に群生する．多少湿潤なところを好み，北海道では平地にも生えている．茎は直立して，成草は2mにもなる．葉は互生し，フキの葉に似ているが，形は三角形である．葉柄*は広い翼をつけて茎を取り巻いている．先端に大きな円錐花序*をつけ，花は，白色で横向きに咲く．頭花は筒状花だけで，総苞*が紫色を帯びる．花期は8〜9月である．

◇採取　春の若芽を採る．群生しているので，一カ所で大量に採れるが，資源保護のため，全部採ることは避ける．

◇調理　茹でてお浸し，和え物，生のまま天ぷらなどがよく合う．芳香があり，また茎の部分は歯

よぶすまそう（平　宏和）

触りがよい．大量に採れたときは20%くらいの食塩で漬けておき，後日塩抜きし同様にして食べる．香りはそのまま残っている．

よめな　嫁菜

成 06300（葉 生）　分 キク科シオン属（多年生草本）　学 Aster yomena　英 Yomena　別 おはぎ；うはぎ；はぎ菜　旬 3～4月

本州から九州に分布し，道路端，土手などにごく普通に生えている．野ギクの一種で，地下茎*で繁殖し非常に旺盛である．肥沃なところでは成草は1mにもなる．秋には枝分かれして，多数の薄い紫色の花をつける．春の芽生えは，はじめ赤紫をしているが，少し生育すると緑色に変わる．葉は互生で長楕円形，大きな鋸歯になっている．

◇採取　春の若芽で，根ぎわが赤紫色の頃（3～4月頃）が採取適期である．類似のものにユウガギク（Kalimeris pinnatifida）があり，食用になる．秋の蕾と花も食用になる．

◇成分特性　100g当たりβ-カロテンが6,700μg，ビタミンCが42mg含まれる．カロテンが非常に多い緑黄色野菜である．

◇調理　秋の蕾と花は天ぷらに用いられる．茹でてお浸し，和え物，汁の実などもよい．細かく刻んで，熱いご飯に混ぜ込んでもよい．

よめな（平　宏和）

よもぎ　蓬；艾

成 06301（葉 生），06302（葉 ゆで）　分 キク科ヨモギ属（多年生草本）　学 Artemisia indica var. maximowiczii　英 mugwort　別 もちくさ；よもぎ菜　旬 早春～8月

日本全土に分布する．空地や土手，山すそなど，どこにでも生える．地下茎*が浅く四方に伸びて，先端から芽を出して繁殖する．大型で，成草は1m以上になる．若い葉は全面に白い細い綿毛をつけて白い粉をまぶしたような感じがする．茎が立ってくると葉の表面は緑色になり，裏面だけに白さが残る．茎の先端の円錐花序*に多数の

よもぎ（平　宏和）

淡褐色の頭花をつける．一般には大きな群落をつくる．『万葉集』にも詠まれるなど，古くから邪気を払う薬草として知られ，今でも5月5日の端午の節句にはショウブとともに軒下にさしたり，風呂に入れたり，また，ヨモギ酒，草餅，さらにお灸のモグサの材料として日本人に最もなじみ深い野草である．ヨモギ属は日本に約30種あり，オオヨモギ（Artemisia montana），オトコヨモギ（A. japonica）なども，ヨモギ同様に食用とされる．

◇採取　早春の若芽を摘むか，のび盛りのものの芯を摘めば8月頃まで採取できる．

◇成分特性　100g当たり，利用可能炭水化物*（差引き法）は1.9g，食物繊維7.8gで，β-カロテンは5,300μg，ビタミンCは35mgを含む緑黄色野菜である．

◇調理　草餅が最も知られた食べ方である．さっと茹でてすり鉢ですりつぶして，これを餅をつくときに一緒に入れてつき込む．また，天ぷらも独特の香りがあるが，若い葉を，少々の食塩と重曹を入れて茹でて水さらしをして，アクの抜けたところで油炒めもよい．

よもぎまんじゅう　蓬饅頭

英 Yomogi-manju

小麦粉，砂糖，揉みくずした乾燥よもぎ，膨張剤をこね合わせた生地であんを包み，蒸し上げたものである．

よもぎまんじゅう（平　宏和）

よもぎもち　⇒くさもち

ら

ラード　⇨豚脂

ラー油　辣油

成 17006　英 cayenne pepper oil

ごま油に赤唐辛子を加えて加熱し，唐辛子の辛味成分を溶出させた辛い油．作り方は，ごま油に唐辛子を刻み入れ，ごく弱火で熱して辛味をごま油に移すものと，粉末の唐辛子に，180～200℃に熱したごま油を入れて放置し，上澄液をとる方法などがある．日本人の味覚にはごま油だけではしつこく感じることがあるので，他の植物油を配合してつくる場合もある．

◇調理　ギョウザをはじめ酢の物，炒め物，和え物，麺類など，さまざまな中国料理に広く使える．

ラー油（平　宏和）

らいぎょ　⇨たいわんどじょう（カムルチー）

ライスペーパー

成 01169　英 rice paper

米粉を薄いシート状に加工したベトナム料理やタイ料理の食材．米粉（インド型・うるち種）に適量の水と食塩を加え，どろっとした乳液を，沸騰した鍋の上に張った布に丸く平らに延ばし蒸し上げた，薄いクレープ状のものを乾燥させたものである．原料には米粉のほか，食感，透明感をよくするため，タピオカ（キャッサバでん粉）を加えた製品が多くみられる．

大きさは，径約15～30cmなど，大小のものがあり，製品にみられる格子状の溝は，乾燥の際に乗せたすだれの跡の模様である．一般には火を通さず，生春巻，揚げ春巻などに利用されるが，濡れた布にあてるか霧吹きなどをし，少し湿らして使う．

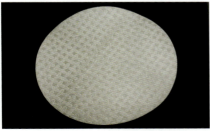
ライスペーパー（ベトナム産）（平　宏和）

ライチー

成 07144　（生）　分 ムクロジ科レイシ属（常緑性高木）　学 Litchi chinensis（レイシ）　英 lychees；litchi　別 れいし

中国原産で，歴史上極めて古くから栽培されている．楊貴妃（719～756）が好んだことで有名．亜熱帯地域で生育する高木，果実は直径3cmほどの球形．褐色の堅い果皮で覆われている．果肉は白い半透明のゼリー状で，中に黒い種がある．果実をつけるには15～20℃以下の低温が必要であり，高地など，栽培適地は限られる．玄宗皇帝が楊貴妃のために，嶺南から長安まで8日もかかって騎馬で運ばせたのもこの理由による．現在は，本場中国のほか，南アフリカ，米国（フロリダ，ハワイなど）でも栽培されている．現在，日本で食べられているのは台湾から冷凍で輸入されるものが主である．

◇成分特性　100g中，水分82.1g，利用可能炭水化物*（質量計）(14.9)g，食物繊維0.9g，糖組

ライチー：紅・褐　2品種（平　宏和）

成は果糖，ぶどう糖が各50％，ビタミンC 36 mgが含まれる．葉酸*は100 μgと多く含まれる．
◇保存・加工　冷凍保存が可能である．缶詰，乾燥品もある．
◇調理　中国人が好む果物で，生食することが多い．果皮を手で除き，白色の果肉を食べる．香りが高く，甘さと酸味がある．

ライム（平　宏和）

 らい豆 萊豆

成 04070（全粒 乾），04093（全粒 ゆで）　分 マメ科インゲンマメ属（1年生草本）　学 *Phaseolus lunatus*　英 lima beans；butter beans　別 ライマビーン；バタービーン；葵（あおい）豆；月（つき）豆

熱帯アメリカ原産で，花の色は淡緑色，すみれ色，黄白色，紅紫色である．さやに2～4個の子実が実る．子実は扁平または丸型で大きく，径1～3 cm，種皮の色は白・黄・褐・黒などである．種子の大きさにより，大粒の品種群（lima）と小粒の品種群（sieva）に分けられる．百粒重は45～200 g．完熟豆は調理に使われるほか，日本では種皮の白いものが白あんの増量材として用いられている．味，香りがよい．
◇成分特性　有害成分として青酸配糖体のリナマリン（ファセオルナチン*）とロトーストラリンが含まれる．
◇調理　若いさやは，野菜として付け合わせやサラダに用いる．完熟豆は煮豆や，塩茹でしてスープにするほか，あんに加工する．いずれも青酸配糖体の除毒に配慮し，十分に水に浸して吸水させて加熱するとともに，煮汁は何度か捨ててから煮上げる方がよい．

らい豆（平　宏和）

 ライム

成 07145（果汁 生）　分 ミカン科ミカン属（常緑性低木）　学 *Citrus aurantifolia*　英 limes

インド北東部からミャンマー，マレーに原産地をもつ．温帯のレモンに相応する亜熱帯，熱帯の高さ2 mほどの香酸柑橘である．アラビア人により地中海に伝えられ，さらにスペイン人やポルトガル人が米国に伝え，西インド諸島，メキシコにまで広まった．
◇品種　酸味の強い酸果ライムと甘味のある甘果ライムに大別できる．甘果系は生食されるが，一般的ではなく，栽培品種の多くは酸果系である．メキシカンライム（酸果），タヒチライム（酸果），スイートライム（甘果）などがあり，種子は多い．果実は30～150 g，球形で果皮は薄いが，剝皮は困難である．
◇成分特性　果汁の主成分は酸で，6％含まれ，クエン酸が全酸の90％前後を占め，そのほかリンゴ酸*が含まれる．果汁のpH*は2程度で，100 g中，糖類は少なく，1 g内外である．ビタミンCは33 mg含む．
◇調理　酸味用として広く利用されるほか，ライムオイル，ジュース，清涼飲料，さらにはアボカドの香り付けにも適する．またほかの果汁やパイなどに混合すると風味がよくなるので，しばしば利用される．

 ライむぎ ライ麦

成 01142（全粒粉），01143（ライ麦粉）　分 イネ科ライムギ属（1年生または越年生草本）　学 *Secale cereale*　英 rye

原産地は西南アジアといわれている．はじめは麦畑の雑草であったが，寒冷地でも生育するので，小麦・大麦の栽培不安定地域で独立した作物になった，いわゆる二次的作物である．わが国では，明治時代にヨーロッパより導入され，北海道をはじめ全国で少量栽培された．現在，ほとんどが青刈り飼料用として栽培されている．

上：ライ麦畑，下：ライ麦（玄穀）（平 宏和）

ライ麦食パン　上左：食パン（全粒粉），上右：食パン（粗挽き全粒粉），下左：食パン（小麦パン生地に水浸漬したライ麦玄穀粒を混ぜ焼き上げたもの）．下右：ラインザーメンブロート（ドイツのライ麦パン）（平 宏和）

◇形態　種子は小麦に似ているが，表面にしわがある．粒の色は淡黄・淡緑・淡褐・黒・赤褐色などで，わが国の代表品種であるペトクーザは青色である．小麦に比較して硬く，ガラス質から半ガラス質のものが多く，粒の長さ 8 mm，幅 3 mm 前後で，千粒重 35 g，容積重 670 g/L 前後である．

◇成分特性　小麦に似ており，全たんぱく質中，プロラミン*およびグルテリン*が各 30～50％ 含まれるが，小麦とは異なり，グルテンを形成しない．

◇用途　製粉して，製パン（ライ麦パン）用に利用される．ライ麦粉には，全粒粉と小麦粉と同様にふすま（麩）を除いたもの（歩留り：65～70％）とがある．グルテンを形成しないライ麦粉は，酸性になるとたんぱく質の膨化力がよくなるので，発酵に時間をかけて乳酸菌*により生地に乳酸*を生成させ，製パンする．また，ライ麦は，酒（ウオッカ）などの原料として用いられている．

ライ麦パン

成 01032　英 rye bread　別 黒パン

ライ麦粉を主原料としたパン．ライ麦粉のたんぱく質は主にプロラミン*とグルテリン*であるが，小麦粉のようなグルテンは形成しない．そこでサワー種を使用し，乳酸菌*のつくる乳酸によって生地に粘りを持たせてパンをつくる．そのためライ麦パン（黒パン）には，独特の酸味と風味がある．ライ麦パンが酸っぱいのはこのためであるが，膨れの悪いずっしりとした硬いパンになる．一般的には製パン性を改良するため，50～70％の小麦粉が混合使用される．ふるいを通さないライ麦全粒粉100％を使い，色が黒く組織が密で酸っぱいパンをプンパーニッケル（Pumpernickel）という．

らうすこんぶ　⇨こんぶ（えながおにこんぶ）
老酒（ラオチュウ）　⇨紹興酒
ラガービール　⇨ビール

ライ麦粉　左：粗挽き（四ツ割），中：全粒粉，右：ライ麦粉（歩留まり：70％）（平 宏和）

らくがん　落雁

成 15066　英 Rakugan；(molded sugar-mixed grain or bean flour)

もち米の煎り種と砂糖を原料とした干菓子類の打ち物菓子の一種である．原料となる穀類の風味がよく出ており，砂糖が全体の60％程度を占め，硬くて，長期間の保存に耐える．京都を中心に発達したものであるが，木型で型抜きするため木型次第でさまざまな形ができること，また，扱いも手ごろなことなどから，地方独特の銘菓が数多くある．代表的なものとしては，金沢の長生殿，新潟県長岡市の越乃雪，富山県東礪波郡井波町（現・南砺市）の御所らくがんなどがある．米以外に穀類，豆類なども原料に用いられ，あずきらくがん，いもらくがん，えんどうらくがん，きな粉らくがん，栗らくがん，そら豆らくがん，麦らくがんなどの銘菓が地方にみられる．

◇由来　足利時代の頃からつくられている菓子で，"らくがん"という名は，唐菓子の"軟落甘（なんらくがん）"から訛ったものである．"落雁"の字を当てたのは，近江八景，"堅田落雁（かただのらくがん）"と，中国の"平沙の落雁"の景色の類似から，軟落甘という菓子の名前として"落雁"の字を用いたといわれている．また，白色の地に黒ごまの点在する様が，落ちていく雁を連想させたために"落雁"としたという説もある．

◇原材料・製法　煎り種に同質量から倍重量の砂糖を混ぜ，少量のねき水（しとりをつける水あめ，砂糖などを溶かしたシロップ），場合によっては少量の塩を加えてよくもみ混ぜ，ふるいを通してから木型に詰め，型抜き後，軽く表面に蒸気をかけてから40〜50℃の焙炉（ほいろ）で乾燥する．ものによっては，焙炉の代わりに表面を天火で焼くものもある．煎り種として寒梅粉，みじん粉，上南粉など，砂糖には上白糖，和三盆糖が使われる．なお，米以外の穀類，豆類などのらくがん用

らくがん　上左：あずきらくがん（秋田諸越・秋田），上右：いもらくがん（初雁城・川越），中左：えんどうらくがん（小鳩豆楽・鎌倉），下左：麦らくがん（左：館林），下右：きな粉らくがん（豆落雁・敦賀）
（平　宏和）

の粉は軽く煎ったのち粉にしたものである．

●あずきらくがん

成 15068（もろこしらくがん）　英 Adzuki-ra-kugan

あずきの炒り粉と砂糖を原料としたらくがん．代表的なものとして，秋田諸越（もろこし）がある．江戸時代の中期，宝永2（1705）年に秋田久保田城主が臣下の功をねぎらうため，煎り米に砂糖を加えた菓子をつくり，「諸々の菓子に越して風味よろしく」という意味で"もろこし"と命名したといわれる．型抜き後，表面を天火で焼いたものである．

●いもらくがん

英 Imo-rakugan

さつまいもを薄く切って焼いた粉ときな粉，砂糖を原料としたらくがん．埼玉県川越市に太田道灌が築いた川越城の雅名を用い，明治末期創製の表面をきつね色にこがした初雁城がある．

●えんどうらくがん

英 Endo-rakugan

赤えんどうの炒り粉と砂糖を原料としたらくがん．代表的なものとして，長野県小布施町に栗蜜と練り上げた小布施落雁がある．鎌倉には明治時代に創製された，立体的な鳩の形をし，そら豆の炒り粉と和三盆糖を使用した小鳩豆楽があったが，現在，材料はえんどうに代わっている．

らくがん（平　宏和）

栗らくがん（平　宏和）

●きな粉らくがん
英 Kinako-rakugan
きな粉と砂糖を原料としたらくがん．代表的なものとして，福井県敦賀市の豆落雁がある．江戸時代末期に浅草の菓子職人より製法を習得してつくられた．お多福の面の形をしている．

●栗らくがん
英 Kuri-rakugan
栗とえんどうの炒り粉と砂糖を原料としたらくがん．代表的なものに長野県小布施の栗らくがんがある．この地方に自生する栗を原料に文化年間（1804〜1818）に創製されたといわれる．

●麦らくがん
成 15067　英 Mugi-rakugan
大麦の香煎（こうせん；むぎこがし）と砂糖を原料としたらくがん．代表的なものとして，群馬県館林市にある文政元（1818）年創製の六角形の麦落雁と，岐阜県高山市にも銘菓がみられる．

ラクチトール　⇨糖アルコール
ラクチュロース　⇨オリゴ糖
ラクトアイス　⇨アイスクリーム

 ラスク

英 rusk
0.5〜1cmほどの厚さに切ったパンを，中が乾燥するまでオーブンで焼き上げたものである．材料のパンは食パン，フランスパンのほかメロンパンなどもあり，表面の味付けとして，砂糖味のほか，ガーリック味，塩味などの製品もある．

シュガーラスク フランスパン（平　宏和）

 ラズベリー

成 07146（生）　分 バラ科キイチゴ属（落葉性低木）　学 *Rubus* spp.　英 raspberries

キイチゴ類は世界各地に自生しており，そのうち，ラズベリーは集合果*が花托から離れて採れるものを指し，レッドラズベリー（*Rubus idaeus* subsp. *idaeus* ヨーロッパキイチゴ）とブラックラズベリー（*R. occidentalis* クロミキイチゴ 広義）などがある．1〜3mの低木で，近縁のものにブラックベリー（*R. allegheniensis* クロミキイチゴ），デューベリー（*R. procumbens*）がある．栽培品種は明治以降に米国やカナダから導入されたものである．わが国では，北海道，長野などでわずかに栽培されている．

◇**成分特性**　果色は，レッドラズベリーは淡赤色〜濃赤色，ブラックベリーは黒色で，7月から8月にかけて収穫でき，成熟期は酸味と香気が適度になった時点である．レッドラズベリーの実は，100g中，水分88.2gで，糖類8g前後である．無機質は比較的少なく，ビタミンは，C 22mg，葉酸*38μg，パントテン酸*0.43mgが比較的多い．

◇**調理**　果実は甘味があり，熟すると花托から離脱するので，そのままケーキやアイスクリーム，

上：ラズベリー（メキシコ産），下：ブラックベリー（平　宏和）

シャーベットなどの飾りにしやすい．裏ごしして
ソースにしたり，ジャム，パイやチョコレートの
中身などとして製菓に広く利用される．シロップ
漬，果実酒なども作ることができる．

らっかせい　落花生

成【大粒種】05034（乾），05035（いり）【小粒種】
05044（乾），05045（いり），05036（バターピー
ナッツ）　分　マメ科ラッカセイ属（1年生草本）
学　*Arachis hypogaea*　英　peanuts；ground nuts
別　南京豆（なんきんまめ）；ピーナッツ

落花生は南米グランチャコ地域の原産で，その後
南北アメリカに分布し，旧大陸へは16世紀以後
広まった．日本へは宝永3〜4（1706〜1707）
年頃に中国からもたらされたが，栽培には至らな
かった．全国的に広く栽培されるようになったの
は，明治7（1874）年に内務省によって米国から
各種のものを導入し，各地に配布，試作させてか
らである．落花生の育種の組織的事業は昭和21
（1946）年に三重県農業試験場において開始され，
昭和30（1955）年に千葉県農業試験場（現・千
葉県農林総合研究センター）に移管されて以来，
現在に至っている．

◇品種　受粉後，子房*の基部（子房柄）が伸びて
地中に入り，そこに殻（莢；さや）入りの実を結
ぶ（図1）．落花生の名は，ここからきている．
その分枝の草型によって立性種（bunch type）と
匍性種（runner type）に分類される．植物学的に
スパニッシュタイプ，バレンシアタイプ，バージ
ニアタイプの3群に分けられる．わが国の落花
生は，子実が大粒であるバージニアタイプ，およ
びこれと小粒のスパニッシュタイプとの交雑種で
大粒のものが大部分である．主要品種の千葉半立
（ちばはんだち）は前者，ナカテユタカは後者で
ある．他に茹で豆専用の品種などがある．

産地：わが国の主産地は千葉で，収穫量は全国
の約80％を占める，次いで茨城の約10％である．

◇成分特性　落花生（大粒種 乾燥品）は100g当

図1　らっかせい

たり，脂質（TAG当量）*46.4g，たんぱく質（ア
ミノ酸組成）*24.0gと，ともに豊富である．利
用可能炭水化物*（質量計）は10.0gと，大豆を除
く豆類中では最も少ない．たんぱく質は少量のア
ルブミン*のほかはグロブリン*で，アラキンと
コンアラキンの2種類があり，全体の約65％以
上を占めている．脂質の脂肪酸組成はオレイン
酸*41〜49％，リノール酸*30〜35％，パルミ
チン酸9〜11％が主なものである．また，アラ
キジン酸を約2％含み，植物油としては多い方で
ある．ビタミンはB_1が多い．収穫後の渋皮には
2〜5mgのB_1が含まれ，これが乾燥中に子葉部
に移行するため含量が多くなるといわれる．また，
ナイアシン*，B_6，葉酸*，パントテン酸*も多い．

◇用途　一般には殻のまま，または殻をとって
炒って食用に供する．バターピーナッツはやし油
で揚げた後，食塩とマーガリンで味付けする．ま
たすりつぶし，ピーナッツバター*とする．落花
生油には独特の香気があり，サラダ油などに利用
される．

◇調理　ナッツ類の中では安価な材料として，和・
洋・中国菓子のいずれにも盛んに用いられる．甘

らっかせい　左：塩茹で，中：煎り，右：バター（平　宏和）

らっかせい（乾）　左：大粒種，右：小粒種（平　宏和）

い菓子ばかりでなく，塩あるいは味付けしないものが好まれる．香ばしい風味をもち，洋酒のつまみなどにもよい．❖くるみ，ごまと同様，摩砕して調味したものを和え物にしたり，豆腐に混ぜて用いる．また若採りした未熟果は，茹でたり，煮豆などにする．沖縄には落花生を使った，じーまーみ豆腐*がある．

●落花生（未熟豆）

成 06303（生），06304（ゆで）　英 immature peanuts

茹で豆用のやや未熟の落花生．完熟豆用品種が使われるが，茹で豆用品種として郷の香（さとのか），一般的な品種の約2倍の大きさのおおまさりがみられる．利用法としては，塩茹でが一般的で，茹で方は，莢ごと食塩水（3％）で30〜40分，中火で茹でる．冷凍塩茹で落花生が市販されている．

らっかせい油　落花生油

成 14014　英 peanut oil　別 ピーナッツオイル

落花生の種子から採油した油．種子には油分が約50％と多く含まれるため，油脂原料に適している．世界で栽培される落花生の60％が採油用である．落花生には大粒種と小粒種があるが，採油用には小粒種が利用される．日本では落花生油の生産はほとんど行われていない．主生産国は，中国，インド，ナイジェリアである．

製油：原料の油分が高いので，圧搾法でも採油されるが，溶剤抽出との組み合わせや水抽出法，超臨界ガス抽出法なども開発されている．その理由は，落花生はカビ毒のアフラトキシンで汚染されているおそれがあり，その混入を防ぐためである．汚染されていても，精製過程のアルカリ処理でほぼ完全に分解除去される．

◇**成分特性**　『食品成分表』では，脂肪酸組成は，オレイン酸* 45.5％とリノール酸* 31.2％が多いのが特徴で（付表6），これらの組成は米ぬか油と似ている．そのほか，パルミチン酸11.7％，ステアリン酸3.3％，ベヘン酸3.4％，アラキジン酸1.5％，リグノセリン酸（24：0）1.7％などである．100g当たり，ビタミンEは12.2mgである（付表7）．ビタミンKは4μgである．また，抗酸化作用をもつポリフェノール*（レスベラトロール）も含まれ，高血圧や動脈硬化の予防効果も期待されている．主なステロール*としてβ-シトステロール，カンペステロール，スチグマステロール，Δ^5-アベナステロールを含む．

理化学特性：日本農林規格*（JAS）による精製落花生油は，比重0.910〜0.916，屈折率（25℃）1.468〜1.471，酸価0.2以下，けん化価188〜196，ヨウ素価*86〜103としている．アラキジン酸，ベヘン酸等の長鎖飽和脂肪酸の含量が他の油脂と比べ高いので，凝固点が0〜3℃と高い．

◇**保存・加工**　凝固点が高いので，サラダ油，ドレッシング油など生食には向かない．また，ウインタリング*による凝固点の低下は難しく，マヨネーズなどにも加工されにくい．

◇**調理**　落花生独特の香りと味を有し，天ぷら油などに用いられる．

らっきょう　薤；辣韭

成 06305（りん茎　生）　分 ヒガンバナ科ネギ属

らっかせい油（平　宏和）

らっきょう（平　宏和）

（多年性草本）　学 *Allium chinense*　英 scallion
別 おおにら；さとにら

中国の原産で，華中・華東には野生がみられる．中国では2,500年前にすでに栽培の記録がある．わが国でも，すでに9世紀に記載がみられ，古くは薬用にされていた．17世紀には栽培・利用法が記載されている．

◇品種　鱗茎*によって繁殖する．夏に休眠して地上部が枯れ，秋に葉を生じ，秋と春に分けつ*して，鱗茎が増える．全体として品種数は少なく，在来の八つ房，ラクダ，中国から導入された玉らっきょう，および近年花らっきょう用として育成された九頭竜（くずりゅう）がある．八つ房の栽培は少なく，主としてラクダが栽培されている．なお，近年軟白栽培*した若どりのものが，エシャレットの名で，生食用香辛野菜として市販されている．本来のシャロット（仏名：エシャロット）も輸入されたため，混同に注意．

栽培：作型の分化はみられず，1年栽培（一般用）と2年栽培（花らっきょう用）とがある．玉らっきょう，九頭竜は球が小さくて，1年栽培で花らっきょう用となる．

産地：福井，鹿児島，鳥取，宮崎，徳島などである．

◇成分特性　生らっきょうの水分は100g当たり，65〜85gとかなり変動したものが流通し，泥つきのものから簡単に洗ったものもあり，廃棄部位の量もかなり変動する．らっきょうの食物繊維はたまねぎの13倍も含まれ，また水溶性食物繊維が90％を占めており，その主成分はフラクタンである．甘酢漬では下漬塩蔵時にフラクタンが乳酸菌*に利用されるので，製品の食物繊維は原料の15％程度になる．臭気はにんにくやねぎなどと同様にアルキルジスルフィド類を主体とする．塩漬後，塩だしをして加工漬物に用いるが，カリウム80〜90％，他の無機成分も40〜50％溶出し，ビタミンCはほとんどなくなる．

◇加工　らっきょうの甘酢漬など．

島らっきょう（平　宏和）

●エシャレット

成 06307（りん茎 生）　英 young scallion　別 エシャロット；エシャ；エシャらっきょう

らっきょうの一部の品種を専用に軟白栽培し，若どりして葉つきのまま収穫・出荷するものに付けられた名称である．鱗茎と軟白茎を主に生食する．静岡が特産であったが，近年は茨城，千葉などでも栽培されている．その後，フランス料理などに使われる本来の小たまねぎに似たエシャロット（分球性のたまねぎ）が輸入され，消費者側でも混乱があった．本来のものはシャロット*とかベルギー・エシャロットと呼ばれる．

◇調理　主として和風料理の付け合わせや酒のつまみなどに用いる．みそ，塩，マヨネーズなどとともに生食し，さっぱりした辛味と香りを味わう．

●島らっきょう

沖縄県の島嶼部（伊江島など）や糸満市などで栽培されているらっきょうの呼称．植物学的には普通のらっきょうと変わりがあるわけではないが，本土のものより早掘りされるため小振りで，香りも強いといわれる．

利用法は浅漬，天ぷら，キムチ漬，チャンプルーなどである．

●らっきょうの甘酢漬

辣韭の甘酢漬　成 06306　英 sweetened pickles of scallion

◇原料　らっきょうは十分成熟した，下部が丸味

エシャレット（若採りらっきょう）（平　宏和）

らっきょう甘酢漬　調味液を沸騰させて，らっきょうにかけると，ペクチナーゼが失活して，カリカリした歯触りに仕上がる（平　宏和）

の強いものがよい．根と先端を切って，外皮をむいて整形する．

◇漬け方　らっきょう10 kgに対して水5 Lに500 gの食塩を溶かして沸騰させる．甕（かめ）にらっきょうを入れ，沸騰した食塩水を上からかけてやる．放冷して約1週間下漬する．食塩が十分浸透したら本漬に移す．本漬は，食酢5 Lに砂糖1 kgと食塩100 gを溶かし，ステンレスかホウロウ引きの容器で沸騰させ，下漬と同様に，熱いうちに上からかけて放冷し，そのまま密封して1～2週間漬け込んでおく．再びらっきょうと漬け液を分け，漬け液が足りなかったら食酢を補充して沸騰させ，らっきょうの上からかけて放冷，密封して漬け込む．この処理を2～3回繰り返してできあがる．熱い漬け液をかけることによって，肉質が軟らかくなるように考えられるが，逆に，肉質が張りがでて歯触りがよくなる．本漬の漬け液に赤唐辛子などを少し入れると辛味も付き，彩りもよくなる．この漬物は室温でも非常に保存性がよく，2～3年は俟つ．

ラディッシュ　⇒はつかだいこん
ラ・フランス　⇒なし（西洋なし）
ラム（子羊肉）　⇒ひつじ

ラム

成 16020　英 rum

甘蔗（かんしょ；サトウキビ）汁を濃縮して砂糖の結晶を分離した残液，すなわち精製廃糖蜜を原料とし，これを発酵，蒸留，熟成させてつくる蒸留酒である．また直接甘蔗汁からつくられることも多い．17世紀の初め，西インド諸島東端のバルバドス島へ移民した英国人達によってつくられたのが始まりといわれ，当時キル・デヴィル（悪魔殺し）と呼ばれた．その後，ジャマイカ島で急速にしょ糖工業が発達して，ジャマイカラムの名は広く知られるようになった．酒税法では，スピリッツに分類される．

◇種類　ラムは産地や製造法によってヘビー，ミディアム，ライトの3つのタイプに分けられ，ヘビーはジャマイカラムが代表で，色が濃く，香味が強い．ミディアムはヘビーよりも色が淡く，香りも低い．南アメリカのギアナ地方に産する．ライトラムはキューバ，プエルトリコ地方に産するラムで，色が最も淡く香味はまろやかである．日本のラムもライトラムのタイプであるが，中には製菓用などにヘビータイプのラムもある．

◇飲み方　一般にストレートで飲まれる．非常に強い独特な香りと味がある．熱帯地方では酒といえばラムというほどよく飲まれている．また水兵達が海上で好んで飲用する．海賊とラムはつきものであった．ラムはそのほか，ソーダ水，水や氷で割って飲む．

◇調理　料理ではラムを，鶏やほろほろ鳥の煮込み料理のフランベに利用する．また，果物の煮込みや菓子用香味料として用いられる．ババオロム，サバランなどのケーキが有名である．プラムプディングの材料や，フルーツケーキ，パウンドケーキ，プラムケーキなどの乾燥果実は数時間～数日間，砂糖を加えたラム酒に漬け込んでから用いる．

ラング・ド・シャ

仏 langue de chat

小麦粉，バター，卵白などでつくった生地を丸金口で薄く絞って焼いたものである．名前は，猫の

ラング・ド・シャ　上：シガール，中：ラングミルク，下：ショコラミルク（下）（平　宏和）

ラム（平　宏和）

舌を意味し，薄くて細長く，表面がザラついた楕円形のクッキー．日本では，四角いもの，ラング・ド・シャを巻いたシガール（cigare；葉巻き；シガールは商品名）などがある．

ランチョンミート

英 luncheon meat

食肉製品の一つで，食品表示基準*においては「畜産物缶詰又は畜産物瓶詰のうち，食肉を塩漬し，ひき肉したものに，家畜，家兎又は家きんの臓器及び可食部分を塩漬し又は塩漬しないで，ひき肉し，又はすりつぶしたものを加え又は加えないで，結着材料，食用油脂，調味料，香辛料等を加え，練り合わせたものを詰めたものを言う」と定義されている．わが国で多く流通しているものは缶詰であり，缶に充填してから加熱処置される．沖縄県では食品として普段から用いられる．わが国では輸入品が多く流通しているが，国産品も流通・販売されている．細切り肉製品の一つであるため，ケーシングに充填していない，燻煙していないなどの相違点もあるが，ソーセージの一種と考えることもある．

ランチョンミート（平　宏和）

ランブータン

分 ムクロジ科ランブータン属（常緑性中高木）
学 *Nephelium lappaceum* **英** rambutan

果実はライチーに似た形をしている．果皮は紅色で軟らかい棘のある"いが栗"のようである．ランブータンはマレー語のrambut（髪）が語源で，「髪のある果実」を意味する．マレー半島の原産で，タイ，マレーシアのほか，インド，フィリピン，ハワイでも栽培されている．高さ10〜15mに達する中高木で，果実は直径5cm内外，長さ5〜6cmの球形あるいは楕円形である．果皮は堅いが，手で容易にむける．中には白色半透明の果肉があり，同じムクロジ科のライチーに似て美味である．日本へは，タイから冷凍品が輸入され

ランブータン　下：種子（平　宏和）

る．
◇**成分特性**　100g中，果実は水分80.4g，糖類は，しょ糖10.3g，ぶどう糖2.9g，果糖3.1gを含む．ビタミンCは78mg程度含まれるが，カロテンは含まれない（英国食品成分表）．種子には脂肪分が多く，35％程度含まれており，石けんの原料となる．新梢は染料として用いられる．
◇**調理**　生で食べるのが主であるが，ジャムや砂糖漬にすることもある．また，種子は油が多く，炒って食べることもできる．

り

リーキ

成 06308（りん茎葉 生），06309（りん茎葉 ゆで）
分 ヒガンバナ科ネギ属（多年生草本）　**学** *Allium ampeloprasum*　**英** leeks　**別** にらねぎ；ようねぎ；ポアロ；ポロねぎ

いわゆる西洋野菜の一種．ねぎよりも軸（葉鞘*）が太く，葉は扁平である．根深ねぎのように，白く長い軸の部分を食用とする．栽培の歴史は古く，古代エジプトに遡るといわれる．ヨーロッパ，特にフランスでは冬の主要野菜として，日本のねぎのように一般的に使われている．わが国での栽培は少なく，ヨーロッパから輸入している．調理業界ではポアロと呼ぶ．花も美しく，アリウムの名で観賞用として栽培されている．

◇**成分特性**　『食品成分表』では，緑色部を除いた鱗茎葉が収載されている．β-カロテンは100g当たり45μgだが，緑色部を入れた鱗茎葉のカロテンは610μg（四訂食品成分表）であり，そのため厚生労働省は栄養指導上リーキを緑黄色野菜としているものと思われる．

◇**調理**　フランス料理では広く用いられる．日本では高級野菜として扱われている．日本のねぎより太く，主に白い部分を食用にし，グラタン，スープ，煮込み，茹でてからサラダなどにする．緑の葉は，だし汁を取るときの香味野菜として使われる．

リーキ（平　宏和）

リーフパイ　⇨ビスケット・クッキー類（パイ）
リーフレタス　⇨レタス
リオナソーセージ　⇨ソーセージ

りきゅうまんじゅう

利休饅頭；利久饅頭
英 Rikyu-manju　**別** 大島饅頭

上白糖の代わりに黒砂糖を使用した蒸し饅頭である．奄美大島が黒糖の産地として有名なことから，地方によっては，大島饅頭ともいっている．利休饅頭の名の由来は，地方や菓子店によりさまざまであるが，いずれも千利休に因んだ茶菓子としてつくられたとされる．

りきゅうまんじゅう（平　宏和）

リキュール

英 liqueurs

種々の醸造酒や蒸留酒または純アルコール液に糖液，香料，色素を加えたり，果実，種皮，草根木皮などを加えて製造した酒で，特有の芳香があり，アルコールが強く，甘い．しかしわが国の酒税法では「酒類と糖類その他の物品を原料とした酒類でエキス分が2度以上のもの」となっている．リキュールは，酒税法の酒類の4分類（発泡性酒類，醸造酒類，蒸留酒類，混成酒類）のうち，混成酒類に相当する（**付表14**）．なお，令和5（2023）年10月1日からは，現在のリキュールの一部が発泡酒類への品目が変更となる．リキュールは製造法別に，酒類やアルコール溶液に果実，香味材料を直接漬ける浸出法，この浸出液を蒸留し香味成分をアルコールとともに留液中に移行させる蒸留法，ならびに天然または合成の香味エッセンスを加えて調製するエッセンス法の3種がある．

◇**分類**　原料別に，柑橘類の果皮の風味を生かした果皮系（キュラソー*，レモンリキュール），果実やいちごなどの果汁を用いた果実系（梅酒*，チェリーブランデー，アプリコットブランデー，ストロベリーリキュール，スロージン），各種の芳香植物の根，茎，葉，蕾を原料とした草本系（アブサン，アニス，ベネジクチン，シャルトリューズ，ビターズ，キュンメル，ペパーミント*，玉

露リキュール，薬味酒*)，カカオの実，コーヒーの実などを原料とする種子系（カカオリキュール，コーヒーリキュール），花蕾*を用いる花蕾系（バイオレット，ローズリキュール），乳化製品を使った乳化系（エッグブランデー），米，米麹などを原料とする穀類系（白酒*）に分かれる．

りしりこんぶ　⇒こんぶ

りゅうがん　龍眼

成 07147（乾）　分 ムクロジ科リュウガン属（常緑性小高木）　学 *Dimocarpus longan*　英 longans
　原産地はインドで，樹高は10m以上に達する．果実は，直径2〜3cm，球形で黄褐色．果肉は白色，多汁で，味はライチーに似ている．種子は1個で暗褐色，光沢があり，無胚乳ででん粉質に富む．果肉の中にみえるこの種子が，龍の目玉のようであるところから名がきているという．
◇**品種**　中国のものに石峽龍眼（果重6g），黒核石峽龍眼（8g），鳥円龍眼（6g），蛇皮龍眼（12g），台湾には福眼（9g），水肉眼（6g），鈕龍眼（4g）などがある．品質性状は異なり，生果用と乾果用がある．
　産地：中国南部をはじめ，台湾，インド（ベンガル地方），ミャンマー，マレー半島などが主産地である．わが国のものは輸入品で，冷凍品や乾果*が多い．
◇**成分特性**　果肉だけを乾燥したものは龍眼肉（りゅうがんにく）といわれ，果実を丸ごと乾燥した龍眼乾とともに，強壮剤として用いられる．龍眼肉100g中の水分は19.4g，利用可能炭水化物*（差引き法）72.1g，食物繊維2.8gを含む．

料理酒

成 17138　英 sake for cooking；cooking sake
　料理用に作られた酒．調味料として料理に加えられる酒には，清酒（日本酒），ワイン，紹興酒などがあり，広義にはこれらを料理酒ともいうが，狭義には，食塩を加える不可飲処置を施した清酒（日本酒）を指す．飲料に適さないようにする不可飲処置により，酒税法上の酒類に分類されないため，酒税が課せられない．また，酒類販売許可を受けていない一般の食料品店やスーパーマーケットなどでも販売できる．清酒と異なる点は，食塩を2％ほど含む（不可飲処置），原料米の精白度が低い（精白歩合が高い），また製品によっては水あめ等の甘味料を添加したものや，アルコール度が酒類の清酒に比べて低いものもある．
◇**調理**　煮物や炒め物，和え物など広く使われ，酒のもつコハク酸などのエキス分やアルコールで風味を増し，また，アルコールや酵母は肉や魚介のたんぱく質に作用し，ときに組織を軟化させたり，逆に凝固させて引き締めたりする．肉や魚介の臭気消しの役割も大きい．酒類の清酒も料理用としても使え，特に塩分摂取を控えたいときには適している．

上：りゅうがん（枝を束ねてある），下：干しりゅうがん（中国産）（平　宏和）

料理酒（平　宏和）

緑黄色野菜

英 green and yellow vegetables
　厚生労働省により，原則として可食部100g当たりβ-カロテン当量が600μg以上と定義されている野菜の総称であり，にんじん，かぼちゃ，ほうれんそうなどが代表的な緑黄色野菜である．緑黄色野菜という名称から，色で規定されていると

表1 緑黄色野菜[1]とβ-カロテン当量(日本食品標準成分表2020年版(八訂)より)

野菜名	μg/100g	野菜名	μg/100g	野菜名	μg/100g
あさつき 葉 生	750	(だいこん類)		こねぎ 葉 生	2,200
あしたば 茎葉 生	5,300	かいわれだいこん 芽ばえ 生	1,900	野沢菜 葉 生	1,200
アスパラガス 若茎 生	380	葉だいこん 葉 生	2,300	のびる りん茎葉 生	810
うるい 葉 生	1,900	だいこん 葉 生	3,900	パクチョイ 葉 生	1,800
エンダイブ 葉 生	1,700	(たいさい類)		バジル 葉 生	6,300
(えんどう類)		つまみな 葉 生	1,900	パセリ 葉 生	7,400
トウミョウ 茎葉 生	4,100	たいさい 葉 生	1,500	はなっこりー 生	1,200
さやえんどう 若ざや 生	560	たかな 葉 生	2,300	(ピーマン類)	
おおさかしろな 葉 生	1,300	たらのめ 若芽 生	570	青ピーマン 果実 生	400
おかひじき 茎葉 生	3,300	ちぢみゆきな 葉 生	4,300	赤ピーマン 果実 生	1,100
オクラ 果実 生	670	チンゲンサイ 葉 生	2,000	オレンジピーマン 果実 生	630
かぶ 葉 生	2,800	つくし 胞子茎 生	1,100	トマピー 果実 生	1,900
(かぼちゃ類)		つるな 茎葉 生	2,700	ひのな 根・葉茎 生	1,200
日本かぼちゃ 果実 生	730	つるむらさき 茎葉 生	3,000	ひろしまな 葉 生	1,900
西洋かぼちゃ 果実 生	4,000	唐辛子 葉・果実 生	5,200	ふだんそう 葉 生	3,700
からしな 葉 生	2,800	(たまねぎ類)		ブロッコリー 花序 生	900
ぎょうじゃにんにく 葉 生	2,000	葉たまねぎ りん茎及び葉 生	1,500	ほうれんそう 葉 通年平均 生	4,200
みぶな 葉 生	1,800	(トマト類)		みずかけな 葉 生	2,300
キンサイ 茎葉 生	1,800	トマト 果実 生	540	みずな 葉 生	1,300
くうしんさい(ようさい) 茎葉 生	4,300	ミニトマト 果実 生	960	(みつば類)	
クレソン 茎葉 生	2,700	とんぶり ゆで	800	切りみつば 葉 生	730
ケール 葉 生	2,900	ながさきはくさい 葉 生	1,900	根みつば 葉 生	1,700
こごみ 若芽 生	1,200	なずな 葉 生	5,200	糸みつば 葉 生	3,200
こまつな 葉 生	3,100	(なばな類)		めキャベツ 結球葉 生	710
コリアンダー 葉 生	1,700	和種なばな 花らい・茎 生	2,200	めたで 芽ばえ 生	4,900
さやいんげん 若ざや 生	590	洋種なばな 茎葉 生	2,600	モロヘイヤ 茎葉 生	10,000
さんとうさい 葉 生	1,200	(にら類)		よめな 葉 生	6,700
サンチュ 葉 生	3,800	にら 葉 生	3,500	よもぎ 葉 生	5,300
ししとうがらし 果実 生	530	花にら 花茎・花らい	1,100	(レタス類)	
しそ 葉 生	11,000	(にんじん類)		レタス 水耕栽培 生	710
しそ 実	2,600	葉にんじん 葉 生	1,700	サラダ菜 葉 生	2,200
じゅうろくささげ 若ざや 生	1,200	にんじん 根 皮つき 生	8,600	リーフレタス 葉 生	2,300
しゅんぎく 葉 生	4,500	きんとき 根 皮つき 生	5,000	サニーレタス 葉 生	2,000
すいぜんじな 葉 生	4,300	ミニキャロット 根 生	6,000	ルッコラ 葉 生	3,600
すぐきな 葉 生	2,000	茎にんにく 花茎 生	710	わけぎ 葉 生	2,700
せり 茎葉 生	1,900	(ねぎ類)			
タアサイ 葉 生	2,200	葉ねぎ 葉 生	1,500		

1) 厚生労働省:「日本食品標準成分表2020年版(八訂)」の取扱いについて(令和3年8月4日)

誤解される場合があるが,あくまでもβ-カロテン当量が基準である.厚生労働省健康局の「『日本食品標準成分表2020年版(八訂)』の取扱いについて」(令和3年8月4日)の栄養指導等における留意点として,トマト,ピーマンなど一部の野菜に関しては,β-カロテン当量が600μg未満であっても,摂取量および摂取頻度等を考慮して緑黄色野菜として設定されている(**表1**).なお,緑黄色野菜以外の野菜は淡色野菜と呼ばれる.

緑茶 りょくちゃ

英 green tea 別 日本茶

茶葉を蒸気または火熱で熱して茶葉中に存在する

酵素(ポリフェノールオキシダーゼ)を失活させて酸化を防ぎ，固有の緑色を保たせた不発酵茶である．なお，緑茶は殺青(さっせい)(釜炒り茶*)の際，蒸気を使用する蒸し製と，釜で炒る釜炒り製に分けられる(ちゃ類*，図1)．日本の緑茶の大半は蒸し製で，釜炒り茶は九州地方の一部で製造されている．中国(大陸)の緑茶はほとんど釜炒り茶である．緑茶には，この製法による分類のほか，茶葉を摘みとる時期や茶の芽の伸長期に覆いをかけるかどうかなどの栽培法の違い，使用する部位の差などにより，さまざまな種類がある．茶の飲み方からは，濃い茶，お薄など(抹茶)と，煎茶に代表される一般の緑茶に分けられる．

茶畑(平 宏和)

歴史：今日の一般的な煎茶は，江戸中期の元文3(1738)年に製茶家永谷宗円により蒸し製煎茶が考案されて普及した．さらに明治30(1897)年には埼玉県川越の高林謙三により粗揉機がつくられ，それまでの手揉みから機械揉みへの道が拓かれ，庶民の茶として急速に広まった．

◇産地　わが国の経済的茶栽培の北限は茨城から南は鹿児島までである．表1に示したように各地で特色のある緑茶が生産されている．

◇製法　緑茶のうちで最も生産量の多い(80％)煎茶の製造工程は次の通りである．生茶葉(水分78％)を低圧の蒸気で30～180秒蒸す(蒸熱；この時間で普通蒸し，深蒸し，特蒸しなどに分けられる)．これにより酵素が失活し，緑色の保持と香味形成が行われ，茶葉成分の溶解性も増す．次に粗揉機内で100℃前後の熱風を送り，水分60％程度にまで乾燥する(粗揉)．この際，茶温は30～40℃で，原形質の凝固分離が進み，葉が巻かれ彎曲する．さらに茶葉は揉捻機で圧迫とひねりが加えられ(揉捻)，中揉機内で60℃前後の熱風下で加圧，乾燥される(中揉)．水分は26％程度になる．次に茶葉は精揉機で加圧，揉捻される(精揉)．この工程で製茶の形状が整い，つやが出る．最後に70℃以下の温度で乾燥させ，水分を5％以下にする(乾燥)．以上の操作でできたものが荒茶で，これを選別，火入れ(3～4％の水分)，配合，整形して製品とする(仕上げ茶)．以上は機械揉みの工程であるが，一部には手揉み

表1　緑茶の主な産地と銘柄

産地	銘柄	特色
茨城県	茨城茶	栽培の北限産地の久慈茶，平坦地の猿島茶などがある
埼玉県	狭山茶	製造工程の最後につける「火入れ香」が強い
静岡県	静岡茶	日本の半分近くを生産している．牧之原台地は日本一の集団茶園．ほかに香り高い森茶・天竜茶・本山茶，手摘みの多い川根茶，深蒸しの掛川茶・菊川茶，朝比奈(岡部)玉露などの銘柄茶がそろっている
岐阜県	美濃茶	山間部で作られる揖斐茶，白川茶は高い香気をもつ
愛知県	西尾茶	碾茶(抹茶)の7割を生産している
三重県	伊勢茶	生産量は第3位．北勢の平坦地，南勢の山間部が産地
滋賀県	近江茶	宇治に隣接する地域が主な産地．朝宮茶，政所茶など
京都府	宇治茶	玉露，碾茶(抹茶)など高級茶が作られている
奈良県	大和茶	奈良市東部の丘陵地帯が主な産地
福岡県	八女茶	高級煎茶と玉露の産地．玉露の生産は日本一
佐賀県	嬉野茶	蒸すかわりに釜で炒る中国式の釜炒り茶(玉緑茶)で有名．現在は蒸し製玉緑茶に移行している
熊本県	くまもと茶	釜炒り茶で有名．玉緑茶生産第1位．釜炒り製玉緑茶から蒸し製玉緑茶に移行している
宮崎県	宮崎茶	都城市周辺の都城茶，日向地方など山間部の日向茶，五ヶ瀬茶が有名
鹿児島県	知覧茶	生産量は第2位．全国にさきがけて新茶ができる

(青葉　高，芦澤正和ほか編：食材図典，小学館，1995)

法も行われている．

◇**成分特性** 緑茶は製造工程において生葉の蒸熱により酵素が失活するので，酵素作用による成分の変化はほとんどなく，生葉の成分の大部分が緑茶に含まれる．

たんぱく質：製茶中に葉のたんぱく質はタンニンと結合し，加熱により凝固するので，ほとんどが浸出されず茶殻に残存する．遊離アミノ酸*はテアニン*（グルタミン酸のエチルアミド），グルタミン酸，アスパラギン酸，アルギニン，セリン，トレオニン*などが多く含まれるが，特に茶の特有成分でうま味や甘味の要素でもあるテアニン含量が多く（100g 当たり，玉露 2,650 mg，煎茶 1,280 mg，番茶 440 mg），総アミノ酸の 50～60％を占めている．テアニン含量は玉露のように覆下栽培を行うと増加し，生葉の摘採時期によっても異なり一番茶が最も多い．

無機質：カリウム，カルシウム，マグネシウム*，リンなどが多く含まれるが，カリウムが最も多く浸出液中に抽出される．

ビタミン：ビタミンCは煎茶に多く，玉露の約 2.4 倍含まれるが，浸出液では玉露の方が茶葉の量に対する浸出湯量の少ないことも影響し，煎茶は玉露の約 1/3 を示している．浸出液への抽出は，水溶性ビタミン*では1回目の浸出で B_1 の 65～75％，B_2 の 70～80％，C の 80～85％が抽出される．脂溶性ビタミン*はほとんど抽出されない．緑茶葉に多く含まれるβ-カロテン当量（100 g 当たり，玉露 21,000 μg，抹茶 29,000 μg，煎茶 13,000 μg）も，玉露，煎茶ともに浸出液には含まれていない．

タンニン*：渋味や苦味を示すタンニンのカテキン類は 10～20％含まれ，そのうちエピガロカテキン-3-ガレートが全カテキンの 50～60％を占める．ほかにニピカテキン，エピガロカテキン，エピカテキン-3-ガレートが含まれる．カテキン*はガレートに比べ渋味は温和で，湯で浸出した場合，速やかに抽出される．カテキン類は春葉より夏葉に多い．

カフェイン*：苦味の成分でもあるが，100 g 当たりに 2～3 g 含まれ，浸出液に抽出される．なお，浸出液において玉露の含量が高いのは，茶葉に対する浸出湯量が少ないことによる．

色素：茶葉には水不溶性のクロロフィル*が含まれるが，浸出液の色素としては，フラボノール色素，フラボノイド配糖体のアピインなどがあげられる．

香気成分：緑茶には多くの香気成分が見出されているが，浸出液ではピリジン，インドール，マルトール，クマリン，ジヒドロアクチニジオライド，メチルサリチレート，ベンジルアルコール，リナロールオキサイド類，4-ビフェノールなどの含有比率が高い．新茶を特徴づける成分は，*cis*-3-ヘキセノール，*cis*-3-ヘキセニルヘキサノエート，*cis*-3-ヘキセニル *trans*-2-ヘキセノエート，ジメチルスルフィド，インドールなどである．釜煎り茶とほうじ茶の焙焼香は，ピラノン類，ピラジン類，ピロール類，フラン類などである．

◇**保存** 不発酵茶の緑茶は，茶の中でも最も鮮度を重視する．高温や湿気による経時変化も大きく，上等な茶でも保存状態が悪ければ著しく品質が低下する．近年は包装技術の進歩で，防湿効果の高いアルミ，ポリエチレンなどのラミネートパック入りのものが多いので，未開封のものはそのまま冷蔵庫で保存する．開封したものは移り香に気をつける．長期保存には冷凍する．

◇**淹れ方** 茶は水のよしあしがすべてを決めるといわれる．水質が色，香り，味の溶出に影響するためである．一般に硬水より軟水がよく，水道水は汲みたての水を少し煮沸させて，消毒剤のカルキ臭やトリハロメタンなどの臭気を除いてから用いる．ただし長時間沸騰させすぎて酸素が抜けてしまった湯もよくないので，95℃くらいまで沸かす．質のよい上等の茶ほど，水質にも厳しい．※**温度と時間**：上等な茶ほど浸出は低温，長時間にする．下級の茶は，渋味の溶出が多くなるので，時間をかけることができないため，高温短時間で浸出する．標準的な茶量，湯量，湯温，浸出時間は**表2**の通りである．※**二煎，三煎は温度を上げる**：カフェイン，タンニン，そのほかの成分の溶出は，1回目が最大で，以下2回，3回と減少する．そこで二煎，三煎目はやや温度を上げて時間を長くすると，ある程度第一煎目と変わらない茶を淹れることができる．※**用途による使い分け**：茶そのものを味わうのが目的の場合は上等なものが，日常の食事には比較的味の淡白な番茶，ほうじ茶が向く．玉露や煎茶を味わう前に，甘い菓子を口にすると，茶の香りや味を鮮冴に感じることができる．また脂肪の多い食物を続けて食べるようなときは，熱い番茶を十分に用意し，料理の間に飲みながら食べると，舌の表面の脂肪が取り除かれて，次の味をよく味わうことができる．にぎり鮨に大型の湯呑みで熱い茶を出すのは，そのためである．

表2　茶の標準的淹れ方

茶　種	人数（人）	茶量（g）	湯温（℃）	湯量（mL）	浸出時間（分）
玉露（上）	3	10	50	60	2.5
玉露（並）	3	10	60	60	2
煎茶（上）	3	6	70	180	2
煎茶（並）	5	10	90	450	1
番　茶	5	15	100	650	0.5
ほうじ茶	5	15	100	650	0.5

（農林水産省畑作振興課監修：茶・ダイジェスト，（公社）日本茶業中央会，1995）

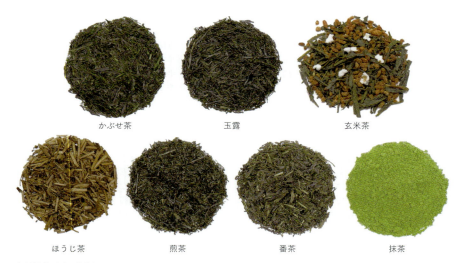

各種緑茶（平　宏和）

● かぶせ茶

英 Kabuse-cha

玉露と煎茶の中間の性質をもつ茶で，覆いを簡単（遮光率50％程度）にしたものである．近年生産量は増加しているが，これは生産・流通の段階でみられる茶種で，市販品では，上級は玉露，中・下級は煎茶になる．

● 釜炒り茶

成 16038（浸出液）　英 Kamairi-cha；(panfired tea)　別 釜炒り製玉緑茶

400℃程度に加熱した釜に生葉を投入し，10～15分間攪拌しながら酵素を失活させる方法でつくられる茶．この際，投入時は蒸気を容器内にとどめ（殺青），後半は開放する．この操作で茶葉は部分的に100℃以上の高温になると同時に，特有の加熱香気が生成される．次いで揉捻後，二重円筒の回転式乾燥機で75％くらいまで乾燥され（水乾），最後に同型の回転乾燥機内で茶葉に重圧を加え，締まりを与えながら乾燥する（締炒り；しめいり）．この工程で茶葉は独特の勾玉（まがたま）状に整形される．中国緑茶は全部この形式でつくられ，日本でも九州の一部で製造される釜炒り玉緑茶（嬉野茶，青柳茶；宮崎・熊本の山間部）がある．ただし現在は蒸し製玉緑茶（玉緑茶*）に移行している生産者も多い．

● 玉露（ぎょくろ）

成 16033（茶），16034（浸出液）　英 Gyokuro；highest grade tea；(green tea of the highest quality made from tender young leaves)

一番茶期の茶芽の伸長期に，よしず，化学繊維資材などで覆いをして日かげで育て（被覆栽培・覆下栽培ともいう），ていねいに摘み取った茶葉を使用してつくる最も良質な不発酵茶である．天保6（1835）年に江戸の茶商山本嘉兵衛が指導して

つくらせたといわれている．

●玄米茶

成 16041（浸出液）　英 Genmai-cha；(mixture of tea and roasted rice)

炒った米と葉茶の混合茶．昭和の初期に京都市内の茶商が鏡餅を割った細片を炒って葉に混ぜてみたのが始まりといわれ，その後，大阪の茶商が餅片の代わりに炒った干飯（ほしいい）を使い売り出したのが現在の玄米茶である．煎茶または番茶50％に，蒸煮・乾燥し焙煎したうるち精白米（搗精度約80％）40〜45％と，炒ってポップしたもち玄米5〜10％を混合している．浸出液は焙煎した米と茶の味と香りが調和し，温和で軽い感じの飲料である．

●煎茶（せんちゃ）

成 16036（茶），16037（浸出液）　英 Sencha；(common grade tea)

被覆しないで栽培した茶の新芽を原料とした蒸し製の緑茶．玉露，かぶせ茶，抹茶，番茶以外の茶で，日本の緑茶の8割を占める．新茶として賞味される一番茶から四番茶，秋冬番茶までに区分される．

●玉緑茶（たまりょくちゃ）

英 Tamaryoku-cha　別 ぐり茶

勾玉（まがたま）状に仕上げた緑茶．製法により蒸し製と釜炒り製（釜炒り茶*）に分けられる．蒸し製玉緑茶は揉捻まで煎茶とまったく同じ方法で行い，次に再乾機と呼ばれる熱風吹き込みの回転乾燥機を用いて釜炒り茶と同じ勾玉状の形に仕上げたものである．九州の嬉野茶，青柳茶などは以前は釜炒り製であったが，蒸し製玉緑茶に移行している．

●碾茶（てんちゃ）

英 Ten-cha

抹茶の原料となる茶．玉露同様，被覆栽培した茶葉を原料にし，蒸して，揉捻を行わず，そのまま乾燥後，茶葉を切断し，葉柄*，葉脈などを除いた美しい濃緑色の砕葉片乾燥品．

●番茶

成 16039（浸出液）　英 Ban-cha；(coarse grade tea)

硬化した芽を原料とするか，煎茶の製造工程で粗大な部分を集めたものである．香りを楽しむためには，熱湯で淹れた一煎目を飲むのがよい．古くは晩（おそ）く採った葉でつくる茶（晩茶）をいったが，現在では下級煎茶を指す．

●ほうじ茶

成 16040（浸出液）　英 Hoji-cha；(roasted tea)

下級煎茶または番茶を焙煎したものである．外観は褐色で特有の香ばしい香り（焙焼香）がある．飲み方は熱湯で短時間溶出し，熱いうちに飲む．

●抹茶（まっちゃ）

成 16035（茶）　英 Maccha；(finely ground tea)　別 挽き茶（ひきちゃ）

碾茶（てんちゃ）を石臼で挽いて微粉にしたもの．濃緑色の濃い茶と，鮮やかな青緑色の薄茶がある．味は薄茶の方が苦味，渋味が強い．抹茶を茶筅（ちゃせん）で泡立てて飲むのは，この苦味，渋味を和らげる効果もある．このほか，美しい色合いと風味を生かして，アイスクリームや羊羹，ケーキなどの製菓素材としても用いられる．

りょくとう　緑豆

成 04071（全粒 乾），04072（全粒 ゆで）　分 マメ科ササゲ属（1年生草本）　学 Vigna radiata　英 mung bean；green gram　別 やえなり；あおあずき

東洋の原産で，その起源は古く，3,000年以上前からとされている．分類学的には，アズキ，ツルアズキ，ケツルアズキなどとともにアズキ亜属に属する．日本ではほとんど栽培されず，ほぼ全量を中国，タイ，ミャンマーから輸入している．子実の形態はあずきとよく似ているが，種皮の色は緑色のものが多く，そのほかに黄色，黒褐色をしたものもある．

◇成分特性　あずきに似て炭水化物，次いでたんぱく質が主成分である．炭水化物は主体のでん粉のほかにキシロース，アラビノース，ガラクトース*，ウロン酸などからなるヘミセルロース*を約3％含んでいる．ペントサン，ガラクタンとともにこれらは粘性を呈するので，この性質を利用してコシの強いはるさめをつくるのに緑豆でん粉が用いられる．

◇用途　緑豆はるさめ*やもやしの加工原料とし

りょくとう（平　宏和）

て使用される．もやし原料としては，ミャンマー，タイから輸入するブラックマッペ（ケツルアズキ *Vigna mungo*）と比べると風味が優れているといわれる．インドや東南アジアでは，煮豆やもやしだけでなく，ひき割りのダールや発酵食品としても利用されている．

緑豆はるさめ　⇨はるさめ
緑豆もやし　　⇨もやし

リング

分 硬骨魚類，タラ科クロジマナガダラ属　学 *Molva molva*　英 ling ; common ling　別 和 くろじまながだら

体は細長く，背びれは2つあり，体は茶褐色をしている．深海性たら類で，北極海からアイスランド，スカンジナビア半島を経てビスケー湾に分布する．生息水深は100～400 m であるが，未成魚は15～20 m の浅海にもみられる．産卵期は春である．成長は遅く，4年で73～83 cm の体長になり，最大のものは2 m を超える．近縁種にブルーリング，地中海産リングなどがある．キングクリップもリングと呼ばれることがあるが，別種である．

◇**成分特性**　タラ科の魚なので，成分や特性はすけとうだらやメルルーサに似ている．すなわち白身で，水分が多く，たんぱく質，脂質が少ない．ヨーロッパでは皮付きまたは皮を除いたフィレーとして利用され，開いて塩乾品にもする．ほかに燻製品もある．

◇**調理**　肉質は脂肪が少ない白身で，味は淡白であり，あまだいやひげだらなどに似ている．味にクセもなく美味である．塩や酢（レモン汁）でしめると，肉がしまり味も爽やかなうま味となり，すし，酢の物，サラダにも適する．ちり蒸し，フライなどのほか，香味野菜を使ってこってりと煮る七味煮などにしてもおいしい．

●**地中海産リング**
学 *Molva macrophthalma*　英 Mediterranean ling　別 和 あおびれだら

全長1 m 程度．地中海からビスケー湾を経て英国北西岸，北東アフリカに分布．体は細長い円筒形．体色は灰褐色．

●**ブルーリング**
学 *Molva dypterygia*　英 blue ling ; trade ling　別 和 きたあおびれだら

全長1.1 m 程度．アイスランド，スカンジナビア半島から英国中部沿岸に分布．体は細長い円筒形．体色は灰褐色，腹面は白い．

りんご　林檎

成 07148（皮なし 生），07176（皮つき 生），07180（皮つき 焼き），07151（50%果汁飲料），07152（30%果汁飲料），07153（缶詰）　分 バラ科リンゴ属（落葉性高木）　学 *Malus domestica*（セイヨウリンゴ）　英 apples　旬 7月中旬～11月中旬

有史以前から食用に供されていたといわれる．原産地はコーカサス，小アジア地方であるが，西は欧州，東はインド北部を経て中国に入ったと考えられている．一方，中国には現在わが国で地林檎または和林檎と呼ばれる近縁の小果のりんご（林檎 *Malus asiatica*）が原生し，これが鎌倉時代（1192～1333年）以前にわが国に渡来したと推定されている．現在の大果のりんご（苹果）がわが国に入ったのは文久年間（1861～1864）で，本格化したのは，明治5（1872）年に開拓使が米国から75品種を入れ，東京青山の官有園に栽培，増殖してからである．さらに明治8年に当時の内務省勧業寮が苗木を現在の主な産地に配布したのが，わが国のりんご産業の始まりである．

◇**品種**　現在の主要品種とそれらの熟期は図1の通りであるが，世界には2,000種以上存在する．図に示す品種のうち祝（American Summer Pearmain），紅玉（Jonathan），スターキング（Starking Delicious），ゴールデンデリシャス（Golden Delicious），国光（Ralls Janet），および旭（McIntosh）などは米国からの導入種にそのまま和名を付けたものである．現在では，品質と貯蔵性のよいふじ（国光×デリシャス）の生産が特に多く，次いで，つがる，王林など多くなっている．主な品種を項末に記す．

産地：冬季の最低平均気温が－10～10℃，年平均温度6～14℃の地帯が適地である．中国，米国，トルコ，ポーランド，インド，イタリア，フランス，ドイツ，日本，イラン，チリ，ブラジ

リング

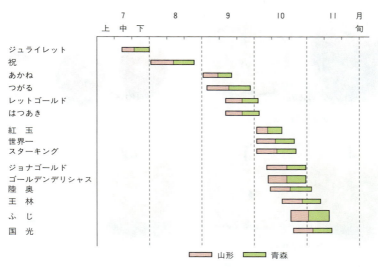

図1 りんご主要品種の熟期（中島天香園：果樹苗木カタログ1992，より改変）

ル，ロシアが主産地である．わが国では青森，長野，岩手，山形，福島，秋田，群馬および北海道である．

◇**成分特性** 果実の外観は品種により大きな差異があるが，成分値に大差はない．主成分は糖類で，100g中，約12～13g含まれ，果糖（約50％），そのほかぶどう糖，しょ糖，ソルビトールなどである．未熟果はでん粉を含んでいる．酸は品種により0.2～0.8gの差があり，紅玉は多い．酸組成は主としてリンゴ酸*（75～95％）とクエン酸の2種からなっている．果肉の灰分は0.2gであるが，主成分はカリウムで120mg含まれている．遊離アミノ酸含量は少なく，桃の1/5程度であり，60mg含まれるにすぎない．ビタミンCは果物としては少ない．ほとんどの品種で5mg以下である．りんごの香気の主成分はイソアミルアルコール，ギ酸アミル，酢酸イソアミル，酪酸メチルなどのエステル*である．またりんご果皮の紅色素はアントシアン色素で，日光に当たると着色がよくなる．

蜜入り：完熟果の果心部周辺が油浸状となることを蜜入りといっている．これは一種の生理障害で，蜜入り部分には糖アルコールであるソルビトールが異常に蓄積することによる．この蜜入りは完熟果を採取した後1カ月くらいで消失するので，品質の支障とはならず，かえって食味が向上し消費者に好まれることが多い．

◇**栽培 無袋栽培と品質**：元来袋かけは病害虫防除のために行われてきたが，労力を多く必要とし，食味も無袋の方がよいことが多いので，無袋化が進められている．無袋果実の糖度は有袋果実より1度ほど高くなる．

◇**保存** 開花から熟するまでの日数により早晩生の区分があり，早生は100～120日，中生は130～150日，晩生種は150日以上のものである．早生種は貯蔵性が劣るのが通例で，長期貯蔵にはふじが適している．長期貯蔵には低温貯蔵とCA貯蔵*を行う．低温貯蔵の適温は1℃で，湿度は85～90％が最適である．CA貯蔵は低温下でCO_2 2％，O_2 2～3％で行われる．また小玉の果実は大玉の果実より貯蔵力が高い．

◇**加工** りんごの加工品は非常に多く，果汁，缶詰，ジャムのほかゼリー，アップルソース，乾果*，りんご酒，りんご酢，ケチャップ，アップルバター，乳果汁などにも利用される．加工品のうち最も重要なものは，果汁である．りんご果汁には，清澄果汁と混濁果汁があるが，成分的に大差ない．清澄果汁は，搾汁した果汁中の濁りに関係するペクチン*を酵素で分解し除き，透明な果汁に仕上げたものである．また果肉には褐変物質であるフェノール成分が多いので，果汁の搾汁に当たっては抗酸化作用の大きいビタミンCを添加して，果

各種りんご(平　宏和)

汁の変色を防止する.

◇**調理**　味, 香りとも生食に向く. 一部の品種を除き, 果実の中では保存がきくので, 冬のデザートや間食に最適である. 味にクセがなく, 病人にも子供にも安全で無難な万人向きの食品としてすすめられる. 生食が最もよいが, 繊維組織がやや多く, 新鮮なものは組織も硬くしまっているので, 病人には摩砕するか, 搾ってジュースにするのがよい. この場合, ポリフェノール*の酸化による激しい褐変が起こるので, 食べる直前に作ることが大切である. 食塩やビタミンCを加えておくと, この褐変をかなり防止できる. ※皮は繊維組織とペクチン質が多く, 硬いのでむいた方がよいが, 外側の方が香りも甘味も強いので, なるべく薄くむくのがよい. 芯に近い部分は酸味が強く, 渋味を持つこともある. 皮の紅色を食卓で生かすためには, 食卓に出すとき, 皮の一部を切り残して出す. また切り口の褐変を防ぐため, 切ったあと約1%の食塩水をくぐらせておく. ※調理上の用途としては, 野菜とともにサラダによく用いられるが, 加熱調理にも向く. 蒸し焼きにすると組織は軟化し, 半透明, あめ色のなめらかな舌触りのものになる. 砂糖を加えて甘味を補強し, 焼きりんご, アップルパイ, ケーキなどにする. 焼きりんごは, りんごの芯を底を残して抜き, バター, 砂糖, シナモンを練り合わせて穴に詰め, オーブンに入れて約180℃で30〜50分蒸し焼きにする. 品種は紅玉がよい. ※焼き物としては, 鍋焼きりんご, 蒸し物としてはカップ蒸し, 煮物としてはコンポートなどがあり, いずれもデザートに適している. 鍋焼き, カップ蒸しは, 焼きりんごと同様, 詰物をして鍋で焼くか, あるいはバターを塗ったカップに入れて, 水, 塩, 砂糖, でん粉, 白ワインなどからなるソースをかけて蒸す. コンポートはりんごを約40〜50%の砂糖液中で軟らかく煮たものである. また, さつまいもとりんごの重ね煮も手軽に作れ, バターの風味で調和のよい一品になる. 好みでレーズンを少し加えるのもよい.

◇**主要品種**

秋映(あきばえ):長野県中野市の小田切健男が母本「千秋」・父本「つがる」の実生から育成し, 平成5(1993)年に品種登録された中生品種. 果皮は濃厚な赤色で, 甘酸味も適当で食味がよい.

アルプス乙女:長野県松本市の波多腰邦男が昭和39(1964)年に偶発実生より育成した中生品種. 母本「ふじ」・父本「紅玉」とされていたが,

干しりんご(平　宏和)

金星（きんせい）　　　　　　紅玉（こうぎょく）

昂林（こうりん）　　　　　　サンつがる

サンふじ　　　　　　　　シナノゴールド

　その後の遺伝子解析から父本はヒメリンゴ（*Malus prunifolia*）の可能性が高い．果実は小形で25～50g，果肉はやや硬めで甘味が高く食味もよい．生食，加工用（屋台のりんご飴など）のほか観賞用に使われる．
　王林（おうりん）：福島県伊達郡桑折町の大槻只之助が母本「ゴールデン・デリシャス」・父本「印度」の実生から選抜し，昭和27（1952）年に命名された．黄色系の晩生品種で，果皮に果点があり外観はややよくないが，甘味は強めで芳香がある．
　きおう：岩手県園芸試験場（現・岩手県農業研究センター）で育成し，平成6（1994）年に品種登録された早生種．登録では母本「王林」・父本「はつあき」とされたが，その後の遺伝子解析から父本は「千秋」の可能性が高い．甘味が強く，酸味がやや低め．
　金星（きんせい）：青森県弘前市の佐藤肇が育成し，昭和47（1972）年に品種登録された晩生種．母本「ゴールデン・デリシャス」・父本「国光」の実生から育成されたといわれてきたが，その後の遺伝子解析から父本は「デリシャス」系の可能性が高い．果汁が多く，甘味が強い．
　紅玉（こうぎょく）：米国・ニューヨーク州農園原産の古い品種「Joathan」で，明治4（1871）年に日本に導入された中生種．主要品種の中では酸味が強いが，加工原料に適している．
　昂林（こうりん）：福島県の民間農場で発見された中生品種．母本は「ふじ」，父本は不明とされていたが，その後の遺伝子解析からは「ふじ」の枝変りより育成された可能性が高い．果皮は縦に濃い紅色の縞状に着色し，甘酸味がよい．
　サンつがる：無袋栽培された「つがる」．
　サンふじ：無袋栽培された「ふじ」．
　シナノゴールド：長野県果樹試験場で母本「ゴールデン・デリシャス」・父本「千秋」の実生から選抜され，平成11（1999）年に品種登録された黄色の中生種．甘酸味がよい．
　シナノスイート：長野県果樹試験場で母本「ふじ」・父本「つがる」の実生から選抜され，平成8

各種りんご(平 宏和)

(1996)年に品種登録された中生種．甘味が強く香りもよい．

秋陽(しゅうよう)：山形県園芸試験場で母本「陽光」・父本「千秋」の実生から選抜され，平成20(2008)年に品種登録された中生種．甘味，酸味ともに強く，食味がよい．

ジョナゴールド(Jonagold)：米国ニューヨーク州立農業試験場で昭和18(1943)年に母本「ゴールデン・デリシャス」・父本「紅玉(Joathan)」から育成された中生種．昭和45(1970)年に日本に導入され，甘酸味がよく，加工にも適する．

スターキング(Starking)：米国・ニューヨーク州の果樹園で「デリシャス」の着色系枝変りとして発見され，昭和5(1930)年に品種登録された中生種．香りがよく，甘味がある．

千秋(せんしゅう)：秋田県果樹試験場で母本「東光」・父本「ふじ」の実生から選抜され，昭和55(1980)年に品種登録された中生種．多汁で甘味と酸味が調和し，食味がよい．

つがる：青森県りんご試験場(現・地方独立行政法人青森県産業技術センターりんご研究所)で母本「ゴールデン・デリシャス」・父本「紅玉」の実生から選抜された早生種．昭和50(1975)年に品種登録され，甘味が強い．

トキ：青森県五所川原市の土岐傳四郎が育成し，平成16(2004)年に品種登録された中生種．品種名の由来は育成者の名前による．母本「王林」・父本「紅月」といわれてきたが，その後の遺伝子解析から父本は「ふじ」の可能性が高い．果皮は黄色で赤味がさし，果汁が多く，甘味と酸味が調和し，香りもよい．

ふじ：農林省園芸試験場東北支場〔現 農研機構果樹茶業研究部門リンゴ研究領域(盛岡)〕で母本「国光」・父本「デリシャス」の実生から選抜され，昭和37(1962)年に品種登録された晩生種．品種名は育成地の藤崎町(青森県)の頭文字に由来するが，富士山の意味も含まれている．甘味が強く，果汁が多い．

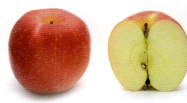

陸奥（むつ）

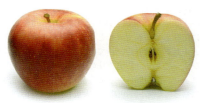

陽光（ようこう）

陸奥（むつ）：青森県りんご試験場（現・地方独立行政法人青森県産業技術センターりんご研究所）で母本「ゴールデン・デリシャス」・父本「印度」の実生から選抜され，昭和 24（1949）年に品種登録された中晩生種．無袋栽培は黄色，有袋栽培は紅色（収穫前に袋をはずし，日光に当てて紅く色づける）で，芳香があり，やや酸味がある．

陽光（ようこう）：群馬県園芸試験場北部試験地（現・群馬県農業技術研究センター中山間地園芸研究センター）で「ゴールデン・デリシャス」の自然交雑の実生から選抜され，昭和 56（1981）年に品種登録された中生種．甘味と酸味が調和し食味がよい．

りんご酢　⇒食酢

る

ルッコラ

成 06319（葉 生）　分 アブラナ科キバナスズシロ属（1年生草本）　学 *Eruca vesicaria* subsp. *sativa*（キバナスズシロ）　英 rocket salad　別 ロケットサラダ；ルコラ；エルカ　和 きばなすずしろ

野菜として流通する際はルコラ，エルカともいわれ，最近，ルッコラの名で軟弱野菜としての消費も増えている．地中海沿岸原産で，アブラナ属と最も近縁の1年生草本．欧州では，種子から油をとるため，古くから栽培されていた．株は半開張性，草丈 70cm 程度．葉は鋸歯縁，長楕円形，緑色，軟毛を散生する．生葉をもむとごまのような香気がある．花は黄または白，花弁は細長，完全に十字に開く．耐乾・耐寒性は高いが，高温・多湿には弱いので，雨除け栽培がよい．条播または散播して，混んだところを間引き，葉長 20〜25cm になった頃，株元から刈り取って収穫する．

◇成分特性　100g 当たり，β-カロテン 3,600μg，ビタミン C 66mg を含む緑黄色野菜である．

◇調理　鮮やかな緑の葉はごまの風味とピリッとした辛味を生かして，サラダやソテー，付け合わせなどに用いられる．ただし，辛味も強く，多少の苦味もあるので，あまり多量には使わない．

ルッコラ（ロケットサラダ）（平　宏和）

ルバーブ

成 06310（葉柄 生），06311（葉柄 ゆで）　分 タデ科ダイオウ属（多年生草本）　学 *Rheum rhabarbatum*（カラダイオウ）　英 rhubarb；pie plant　別 食用大黄

シベリア南部原産で，いわゆる西洋野菜の一種．漢方薬の大黄（だいおう）の近縁である．茎がなく，根から大きなハート型の葉が群生する．この

ルバーブ（平　宏和）

葉はシュウ酸*が多く含まれるので食用としない．食用とするのは50〜60cmに達する赤色をしたふきに似た葉柄*で，盛り土をして軟化栽培を行う．英国を中心としたヨーロッパでの栽培が多い．わずかな酸味と硫黄化合物による独特の香気がある．

◇**成分特性**　ルバーブは欧米諸国で元々よく利用されているが，近年，日本でも，その酸味やアントシアニン*の赤さ，栄養成分の多さにより，ヘルシーな野菜として利用されつつある．栄養成分としては，ビタミンCなどのビタミン群，カリウム，葉酸*，食物繊維が多い．特にカリウムの含有量は400mg/100gであり，きゅうりやナスの2倍程度含まれる．なお，食用とするのは葉柄のみであり，葉には高濃度のシュウ酸やシュウ酸塩，アントラキノンなどの有毒成分を含んでいるので，注意が必要である．

◇**調理**　皮を除き水に浸して十分にアク抜きをし，生のままサラダにしたり，和風の酢の物，刺身のつまにもなる．酸味が強いので，砂糖を加えて，美しい赤色を生かしたジャムやゼリー，菓子などに用いる．

れ

れいし　⇒ライチー

 冷凍食品

成 **表1**を参照　英 frozen foods

冷凍食品とは，①前処理を施し，②急速凍結を行い，③適切な包装を施し，④品温を−18℃以下に保持して流通することを条件とした食品であるとされる．世界的にみても，冷凍食品は着実に伸びてきており，製造方法の進歩と包装方法の改善により，長期間保存しても品質の劣化しない食品になっている．わが国でも大量に生産されており，家庭用や業務用として使われている．いまや冷凍食品は便利さと品質の安定性のうえから，また，電子レンジの普及に伴って，より簡便に利用できる食品として欠かせなくなってきている．

◇**歴史**　1861年にオーストラリアのシドニーでヨーロッパ向けの冷凍食肉を生産したのが初めとされている．その後，米国のクラーレンス・バーズアイによって本格的な冷凍食品が開発研究され，その技術がゼネラルフーズ社に持ち込まれ，同社によって多くの冷凍食品が生産・販売された．わが国では，1920年に冷凍食品工場が建設され，冷凍魚を中心に冷凍食品が製造された．1945年までの冷凍食品は冷凍魚，冷凍果実，冷凍野菜など素材が中心であったが，1964年の東京オリンピック開催とその選手村での利用を契機に，調理冷凍食品等も加わることにより種類も増えて急速に拡大していった．現在では3,000種以上が流通し，2021年の1人当たり年間消費量は23kgを超えている．

◇**分類**　冷凍食品は**表2**のように分類される．個々の冷凍食品がどの分類に属するかは一概に定めることは難しい面もあり，そのため食品表示基準*によって製造方法（凍結前加熱の有無）や使用方法（喫食時の加熱の必要性の有無）を表示することを義務付けている．日本食品標準成分表は，2020年版（八訂）の改訂時に，近年の冷凍食品・レトルト食品等の需要増も反映するかたちで，18食品群の名称を「調理加工食品類」から「調理済み流通食品類」に改称し，30項目の食品を追加した．**表1**に掲載した食品群18の食品は，いずれも「凍結前未加熱冷凍食品」に相当するが，「凍結前加熱済冷凍食品」のレシピも考慮したポ

表1　冷凍食品の成分組成（日本食品標準成分表2020年版（八訂）より）　　　　　　　　　（100g当たり）

食品番号・食品名	エネルギー (kcal)	水分 (g)	たんぱく質 (アミノ酸組成) (g)	脂質 (TAG当量) (g)	利用可能炭水化物 (g)	食物繊維総量 (g)	灰分 (g)
さといも							
02012　冷凍	69	80.9	1.8	0.1§	13.9*	2.0	0.7
フライドポテト							
02020　皮なし	229	52.9	(2.3)	(10.3)	30.2*	3.1	1.2
えだまめ							
06017　冷凍	143	67.1	(11.1)	7.2	4.9*	7.3	1.7
グリンピース							
06025　冷凍	80	75.7	4.5	0.5	10.5*	9.3	0.8
06374　冷凍ゆで	82	74.6	4.8	0.5	10.7*	10.3	0.7
06375　冷凍油いため	114	70.1	4.8	4.0	10.9*	9.3	0.8
西洋かぼちゃ							
06050　果実冷凍	75	78.1	(1.3)	(0.2)	(14.6)*	4.2	0.9
スイートコーン 未熟種子							
06177　穂軸つき冷凍	96	75.6	(3.1)	1.4	16.3*	2.8	0.7
06178　冷凍	91	75.5	2.4	1.1	15.5*	4.8	0.6
06378　冷凍ゆで	92	76.5	2.4	1.2	14.6*	6.2	0.6
06379　冷凍油いため	125	71.8	2.4	5.0	15.2*	4.7	0.6
にんじん							
06216　根冷凍	30	90.2	0.7	0.1	4.5*	4.1	0.6
06380　根冷凍ゆで	24	91.7	0.6	0.1	3.3*	3.5	0.4
06381　根冷凍油いため	65	85.2	0.7	3.8	4.9*	4.2	0.6
ほうれんそう							
06269　葉冷凍	22	92.2	2.4	0.3	0.6*	3.3	1.0
06372　葉冷凍ゆで	26	90.6	2.8	0.4	0.2*	4.8	0.8
06373　葉冷凍油いため	67	84.6	3.0	4.1	2.1*	4.1	1.4
ミックスベジタブル							
06382　冷凍	67	80.5	3.0†	0.7§	9.2‡	5.9	0.6
06383　冷凍ゆで	65	80.9	3.1†	0.8§	8.1‡	6.5	0.5
06384　冷凍油いため	108	75.5	3.3†	4.9§	9.8‡	5.9	0.6
アサイー							
07181　冷凍無糖	62	87.7	0.9†	5.3§	0.2*	4.7	0.4
すぐり類							
07182　カシス冷凍	62	79.4	1.1	1.1	6.4‡	6.4	0.7
洋風料理							
18006　クリームコロッケ冷凍	159	67.0	4.7†	6.3§	20.9‡	–	1.1
18007　ポテトコロッケ冷凍	157	63.5	3.9	3.5	27.4‡	–	1.7
18008　いかフライ冷凍	146	64.5	10.6†	2.0§	21.4‡	–	1.5
18009　えびフライ冷凍	139	66.3	10.2†	1.9§	20.3‡	–	1.3
18010　白身フライ冷凍	148	64.5	11.6†	2.7§	19.3‡	–	1.9
18016　メンチカツ冷凍	196	58.3	9.9†	7.2§	23.0‡	–	1.6

†たんぱく質，§脂質，‡質量計，エネルギー計算は単糖当量に基づく，*差引き法

テトコロッケ（反18018），白身フライ（成18021）の成分値も収載されている．なお，惣菜に相当する食品の成分値は代表的な製品等を用いて算出されたものであり，素材配合比率が不明な際の栄養価の推計に用いることはできるが，正確な栄養価を求める必要がある場合には，素材の配合から求めるのがよい．

◇**食品の凍結**　食品の凍結方法は，緩慢凍結と急速凍結の2つに大別される．食品を凍結するとき，0〜−5℃で氷の結晶を大きく成長させる温度領域があり，これは「最大氷結晶生成帯」と呼ばれており，食品の品質低下が起きやすい温度帯である．冷凍食品では，この最大氷結晶生成帯をいかにすばやく通過するかが凍結・解凍の両過程を含め，品質に関わってくる．

◇**貯蔵中の変化**　魚や畜肉類の冷凍食品を長期に

表2 冷凍食品の分類

種別			対象・食品の例
農産冷凍食品			野菜類，果実類
水産冷凍食品			魚介類，海生哺乳類（クジラ），海藻
畜産冷凍食品			肉類
調理冷凍食品	無加熱摂取冷凍食品[1]		冷凍ケーキ，冷凍枝豆，自然解凍調理食品[2]
	加熱後摂取冷凍食品	凍結前未加熱冷凍食品	ぎょうざ，衣をつけたフライ類
		凍結前加熱済冷凍食品[3]	コロッケ，フライドポテト，えびフライ
その他冷凍食品			パン類，菓子類など

1）無加熱摂取冷凍食品は「凍結前加熱の有無」の表示は必要ない．2）弁当での利用が可能である旨の表示があるもの．きんぴら，和え物など．3）冷凍食品の中心部の温度が少なくとも70℃以上に達する熱処理．
（冷凍食品認定制度における品質管理の手引き及び基準（令和3年版）より作成）

冷凍食品　上段：農産冷凍食品（左：かぼちゃ，中：ほうれんそう，右：ミックスベジタブル，中段：水産冷凍食品（左：えび，中：かき，右：シーフードミックス），下段：調理冷凍食品　左から：焼きおにぎり，ぎょうざ，ハンバーグ，コロッケ（平　宏和）

保存した場合，その表面から氷が昇華し乾燥がはじまる．このような乾燥現象を「冷凍やけ」と呼ぶ．特に畜肉等では表面が淡色化を起こし，さらに灰色がかった黄色に変わり，組織はスポンジ状になる．鶏肉やエビのように表面の凹凸が多く，包材が密着させにくいものは特に冷凍やけを起こしやすい．
◇解凍　冷凍食品で最も栄養成分の損失が起こりやすい場面は，解凍時のドリップ*である．魚肉や食肉の切り身では，多くの場合10％もの解凍ドリップが発生し，たんぱく質や脂質といった主要な栄養成分だけでなく，ビタミン，ミネラルも流出してしまう．解凍ドリップによる栄養成分の流出を防ぐポイントは，解凍や調理法にある．それぞれの冷凍食品にあった解凍方法を上手に使うことが必要である．

◇**製造技術の動向**　近年では，特に冷凍米飯類，冷凍めん，油ちょう（油で揚げること）済フライ食品などの消費が伸びている．解凍技術については，調理冷凍食品では凍結状態のまま急速加熱し解凍と同時に調理もしてしまうという方向で技術開発が進んでいる．たとえば，冷凍ゆでめんは，いわゆる「釜揚げ状態」の食感のよさを急速凍結によって保持し，喫食時は熱湯約1分で解凍することにより，その食感のよさを再現できる．また，冷凍炒飯などの米飯類は，急速凍結と電子レンジによる調理解凍により，簡便性とおいしさを実現可能とした．このように，従来の蒸し，フライ，焼きを主体とする解凍方法から，「電子レンジ」，あるいは凍ったまま沸騰水中で加熱供食できる「ボイル・イン・バッグ製品」が調理，解凍の簡便性から伸長している．

冷凍すり身

成 10200（すけとうだら すり身）　英 frozen Surimi ;（minced and washed fish meat）
水晒しして精製した魚肉に砂糖，ソルビトールのような変性防止剤と宣合リン酸塩のようなpH調整剤を加えて混合し，成形，凍結したブロック状の練り製品の中間原料である．たら類の肉は肉色の白い特徴があるが，うま味に乏しくアシが弱いので，保存が難しくまぜ物として下等の練り製品の原料に使われるにすぎなかった．長期保存が可能の冷凍すり身が開発された結果，現在では一転して，すけとうだらのすり身は，最も重要な練り製品原料となり，全国的に広く使われている．重合リン酸を加えずに糖類と食塩を加えた加塩すり身と，糖類と重合リン酸を加え食塩を加えない無塩すり身の2種類がある．加塩すり身は解凍時間が短いかわりに品質保持期間が短い．

れいめん　冷麺

成 01150（生）　英 Korean noodles　別 中華そば
元来は朝鮮北部の麺類で，そば粉を原料としていた．現在はそば粉のほか，小麦粉あるいは両者の混合粉とでん粉（主にじゃがいもでん粉）が原料で，これに食塩等を加え，加水量を36〜40％とし，湯ごねした生地を押出したもの，または，ロール圧延で麺線とし茹でたものである．
生めん類の表示に関する公正競争規約では，原料はでん粉15％以上，小麦粉85％以下の割合で混合したもの，または，これにそば粉等の穀粉類を

冷麺（生）（平　宏和）

混ぜ，でん粉15％以上含有するものとし，これらを製麺工程において加熱加工したものを成形したもの，または成形した後，加工したものとしている．
◇**成分特性**　原料にでん粉が15％以上使用されるので，うどん，そば等の麺類に比べ，炭水化物を除く各成分はいずれも低含量を示す．
◇**調理**　生麺は茹でた後，冷水ですすぎ，キムチ，きゅうり，果物，下味を付けた肉，卵等をのせ，冷たいスープをかける．麺には，原料のでん粉からくる独特の歯切れ，弾力，なめらかさがある．

レーズン　⇨ぶどう（干しぶどう）

レーズンサンド

英 Reizun-sando
ラム酒やブランデーなどの洋酒に漬け込んだレーズンをバタークリーム，ショートニングクリームなどと練り合わせ，クッキー2枚で挟んだもの．

レーズンサンド（平　宏和）

レギュラーコーヒー　⇨コーヒー

レタス

分 キク科アキノノゲシ属（1〜2年生草本）　学 *Lactuca sativa*（チシャ）　英 lettuces ; garden

lettuces　別 ちしゃ（萵苣）

野生型は，ヨーロッパの温帯全域からアフリカの一部，中近東，インド北部まで分布している．栽培の歴史も極めて古く，ヨーロッパでは2,500年前，中国では1,500年前に栽培の記録があり，わが国でも1,000年前にはちさ（ちしゃ）の名で記録がある．レタス（玉ちしゃ）の導入は幕末である．なお，ちしゃの名は，切り口から乳白色の汁が出るので，乳草（ちちくさ）が"ちさ"に転訛したという説と，縮葉（ちは）が，ちさ（ちしゃ）になったという説などがある．また，レタス（lettuce）の語源も，ラテン語の乳汁（lactuca）からきている．

◇**種類**　不結球種のリーフレタス（葉ちしゃ・葉レタス），茎ちしゃ（茎レタス・ステムレタス），半結球種のコスレタス（立ちちしゃ・立ちレタス），サラダ菜，結球種のレタス（玉ちしゃ・玉レタス）のように5大別される．なお，わが国で古くより食用とされてきたかきちしゃは，茎ちしゃの一種である．

作型：近年著しい作型の分化をみた．平坦地春播き（5〜6月どり），高冷地夏播き（7〜10月どり），平坦地夏秋播き（10〜12月どり），暖地秋冬播き（12〜4月どり）栽培により，周年的に供給されるようになった．なお越冬栽培では，トンネルのほかハウスも利用されている．

◇**成分特性**　レタス類は種類が多く，各レタスにより成分に差がみられる．レタスとコスレタスは他のレタス類に比べ，無機質，β-カロテン，ビタミンCなどの含量が少なく，両レタスを除いたレタス類は緑黄色野菜である．遊離アミノ酸*はアスパラギン，グルタミン，グルタミン酸，アスパラギン酸，アラニンなどが多い．糖類はぶどう糖，果糖，しょ糖を含む．少量ではあるが有機酸*が存在し，リンゴ酸*，シュウ酸*，クエン酸が主成分である．レタスの苦味成分はラクツコピクリンである．またフェノール成分のコーヒー酸，クロロゲン酸*，イソクロロゲン酸を含み，褐変の原因となる．

◇**保存**　冷蔵する場合は，温度0℃，湿度98〜100％が最適条件で，2〜3週間貯蔵できる．貯蔵するときは，厚さ0.03mmのポリエチレンに包装すると減量が少なく，品質を良好に保存できる．

◇**調理**　葉の組織が軟らかく，しかも歯切れがよい．特有の香りを生かすためにも，加熱を避けて生食するのがよい．サラダのほかサンドイッチにはさんだり，中国料理では炒め物を包んだりする．日本料理では木の芽入りの酢みそで和えることもある．※サラダ菜は緑色を生かして，皿やかごに敷き，その上に料理を盛るのに使われる（レタスベッド）．サラダのときも，まずサラダ菜を敷いた上に他の野菜をのせる．レタスは，はがしたときの形がカップに似ているので，この中にサラダをはじめ，料理を盛ることがある（レタスカップ）．必ず冷たい料理をのせること．大葉のまま用いるので，水に浸してもさしつかえない．使用直前まで冷水に浸しておくと，パリッとして歯切れがよい．※西洋料理では煮込み，中国料理ではスープや炒め物にも用いる．丸のまま茹でて，ベーコンやセロリーとともにスープを加え，オーブンでゆっくり蒸し煮にしたブレゼもある．

●**茎ちしゃ**

英 stem lettuce　別 セルタス；アスパラガスレタス；ステムレタス

かきちしゃの仲間で，葉ではなく，肥大した茎を利用する．その形から，アスパラガスレタスとも呼ばれる．茎の直径4〜5cm，長さ30cm．中国

レタス：クリスプヘッド型（平　宏和）

上：茎ちしゃ，下：やまくらげ（平　宏和）

コスレタス（平　宏和）

サラダ菜（平　宏和）

料理では欠かせない野菜で，炒め物，煮物，生食で利用される．茎を縦く裂き乾燥したものは，山くらげと呼ばれ，水戻しをして，炒め物，和え物，煮物などに使われる．

●コスレタス

成 06316（葉生）　英 cos lettuce；romaine lettuce　別 立ちちしゃ；ローメインレタス

ヨーロッパで主に栽培されている．日本名で立ちしゃ，英語名でローメインレタス（romaine lettuce）とも呼ばれる．半結球で，長円形をしている．葉を生食するが，やや硬く歯切れがよいので，炒め物やお浸しにも向く．ホワイトコス，ジャイアントコス，パリスコスなどの品種がある．最近，わずかに栽培され始めた．

●サニーレタス

成 06315（葉生）　英 red-tip leaf lettuce　別 赤ちりめんちしゃ

葉色が赤紫色のリーフレタス．1970年頃，豊橋南部農協がサニーレタスの商品名で出荷したのが始まりである．赤紫色はアントシアンによる．

●サラダ菜

成 06313（葉生）　英 butterhead lettuce（米）；cabbage lettuce（英）

レタス類のバターヘッド型．葉面に油滑感があるのでこの名があり，葉が薄く，葉の波うちと結球が緩い．ヨーロッパではこの品種の結球したものが利用される．わが国のサラダ菜は江戸末期に導入され，その後都市近郊で栽培されていた．結球する前の葉数15～20枚のものが出荷される．品種はワイヤヘッド，江戸川系黒種ワイヤヘッド，ホワイトボストンなどがある．

●サンチュ

成 06362（葉生）　英 cutting lettuce　標 かきちしゃ　別 カッティングレタス

日本古来のちしゃである．生育に従い展開する葉を掻き取って利用するので，この名がある．茎ちしゃの一種とする説もあり，茎も皮をむき茹でて利用される．韓国料理の普及により，焼き肉を包んで食べることから，サンチュ（朝鮮語由来），包み菜などの名で利用されるようになった．

●リーフレタス

成 06314（葉生）　英 leaf lettuce　別 葉ちしゃ；ちりめんちしゃ

結球しないで，株ごと刈って，葉を利用する．葉の形，色，葉面の滑縮などの変異が大きく，品種は多様である．英名のリーフレタス（またはバンチングレタス）は，本来は葉ちしゃ全般の総称だが，日本の市場では，緑色の葉ちしゃをリーフレタス（別名ちりめんちしゃ，プリーツレタス），赤紫色の葉ちしゃをサニーレタス（別名赤ちりめんちしゃ）と呼ぶ．そのほかサマーグリーン，グランドラピット，オークリーフなどの品種がある．

サニーレタス（平　宏和）

サンチュ（かきちしゃ）（平　宏和）

●レタス

成 06312（土耕栽培 結球葉 生），06361（水耕栽培 結球葉 生）　英 crisphead lettuce；iceberg lettuce　別 玉ちしゃ

レタス類のクリスプヘッド型．歯触りがパリパリとしているので，その英語（crisp）をとってこの名がある．結球するので玉ちしゃとも呼ばれる．レタスは江戸末期に導入されたが，あまり普及しなかった．第二次世界大戦後，食の洋風化に伴い主要野菜の一つとなった．現在，栽培されている品種は，米国で育成されたものがほとんどで，品種数は非常に多い．

レッドオニオン　⇨たまねぎ（赤たまねぎ）
レッドカランツ　⇨カランツ
レッドキャベツ　⇨キャベツ

レトルト食品

英 retort foods　別 容器包装詰加圧加熱殺菌食品

法律的に定義されていないが，厚生労働省は"容器包装詰加圧加熱殺菌食品"と呼んでいる．一般に食品関係者は，レトルト食品とは，レトルトパウチ食品以外でも，気密性容器に詰められシールまたはパックされ，細菌胞子の死滅する温度，すなわち，120℃，4分以上高温高圧で殺菌した食品すべてを指すと定義している．両端をアルミワイヤーで結紮（けっさつ）したハム・ソーセージも含む．

◇歴史　レトルトパウチ食品の研究は，1940年に世界で初めてなされた．1956年にはイリノイ大学でポリエステルフィルムなどのレトルト用フィルムの試験を行っている．また，1958年より米国陸軍の研究所で，軍事用のレトルトパウチ食品を試験的に製造し，テストを続けていた．1977年にFDA（米国厚生省食品医薬局），USDA（米国農務省）で一部のレトルトパウチにのみ許可がおり，1979年にKRAFT社などの多くの食品会社でレトルトパウチ食品が生産，販売されるようになった．世界で初めてレトルトパウチ食品を生産，販売した国はスウェーデンといわれているが，商品化は，わが国が世界で一番先行している．

わが国の歴史：1968年，レトルトパウチに詰められたカレーがわが国で初めて商品化された．1975年，レトルトパウチ食品の日本農林規格*（JAS）の品質表示基準が制定された．昭和52（1977）年2月18日，厚生省告示第17号にて，容器包装詰加圧加熱殺菌食品の定義と製造基準が定まった．1980年，業務用レトルト食品が市販されるようになった．1997年，厚生省はハサップ（HACCP*）方式を取り入れた総合衛生管理製造過程の承認制度を容器包装詰加圧加熱殺菌食品（レトルト食品）にも適用した．JASの品質表示基準は2015年の食品表示法*の施行に伴い，食品表示基準*に移行している．

◇種類　レトルト食品は包装形態の上から，レトルトパウチ食品，レトルト容器食品，レトルトパック食品の3グループに分けることができる．

殺菌装置：レトルト食品をつくるための殺菌装置は，バッチ式と連続式とに大きく分けられる．バッチ式は加熱媒体から熱水式と水蒸気式とに分けられる．また，熱水式の中でも，熱効率をよくするため回転式にしているものもあるが，フィルムの破袋，製品の曲がりを防ぐため静置式にしているものもある．最近は，食品包装材にさびを付着させないように，ステンレス製のレトルト殺菌装置が多くの食品会社で採用されている．この熱水式レトルト殺菌装置は，昇温時間の短縮，均一な加熱，急速な冷却や圧力調節など，優れた特徴をもっている．

◇製法　一例としてレトルトカレーの基本的な製造方法をみると，カレールウと具をパウチに別々に入れ，脱気密封したのち，115～120℃，30～40分レトルト殺菌を行い，冷却・乾燥後箱詰を行う．

●レトルトパウチ食品

英 retort foods packaged in pouch

レトルト食品のうち製品の包装形態が，四方がシールされたパウチ状のもの．透明パウチとアルミ箔パウチの2種類がある．このレトルトパウチ食品は製品の種類や生産量も多く，レトルト食品の主流を占めている．製品の種類としては，次のものがあげられる．

①調理済み食品：カレー類，ハッシュドビーフ，

レトルトパウチ食品　左：カレー，中：パスタソース，右：野菜煮物（平　宏和）

レトルトパック食品（ソーセージ）上：畜肉，下：魚肉（平　宏和）

シチュー（クリーム，コーン，トマト），スープ（コーン，ポタージュ，チキン，野菜），ミートソース，麻婆豆腐，おでん．
②食肉加工品：ハンバーグ，ミートボール，ホルモン焼き，レバーペースト，コンビーフ，焼き豚，スライスハム，ソーセージ．
③水産加工品：えびクリーム煮，うなぎ蒲焼き，さんま蒲焼き，さばみそ煮，ツナの油漬，かまぼこ．
④米飯でん粉食品：赤飯，五目飯，牛飯，チキンライス，とり釜飯，白飯，のし餅，スパゲッティ，おかゆ．
⑤その他食品：ぜんざい，茹であずき，いなりずしの素，デザート食品．

●**レトルトパック食品**
英 retort foods packaged in casing
レトルト食品のうち，一方の端をアルミワイヤーで結紮（けっさつ）した包装材料の中に食品を詰めた後，他の端を同じアルミワイヤーで結紮して，レトルト殺菌した食品をいう．たとえば，魚肉ハム・ソーセージ，かまぼこ，畜肉ハム・ソーセージであるが，業務用カレー，ミートソースなども含まれる．

●**レトルト容器食品**
英 retort foods packaged in container

レトルト容器食品（米飯類）　左：赤飯，中：米飯，右：ドライカレー（平　宏和）

レトルト食品のうち，食品をトレイ状の容器に詰め蓋をシールしたのち，レトルト殺菌したもの．透明トレイに入ったものとアルミ箔トレイに入ったものがある．この種の食品類には，容器を必要とする食品や液体になった食品などが含まれる．食品の種類としては，高級シチュー，カレーなどの調理済み食品，味付けハンバーグなどの食肉加工品，水産加工品，液状食品，米飯類，卵豆腐，プリンなどがあげられる．

レバー　⇒うしの副生物（肝臓），にわとりの副生物（肝臓），ぶたの副生物（肝臓）
レバーソーセージ　⇒ソーセージ

　レバーペースト

成 11196（ぶた）　英 liver paste
牛や豚の肝臓を加工した加工品で，肝臓の重量が50％以上のもの．
◇**製法**　新鮮な肝臓をチョッパーで細かく挽いた後，擂潰（らいかい）機でよくすりつぶす．これをサイレントカッターを用いて，同じようにチョッパーで細かく挽いた豚肉や豚脂肪，調味料・香辛料と練り合わせる．練り上げたものはケーシングに詰め，加熱する．加熱後好みに応じて燻煙し，燻臭をつける．
◇**成分特性**　豚のレバーペーストでは脂質（TAG当量）*が多く，100g当たり 33.1g 含み，エネルギーも 370 kcal と高い．鉄* 7.7mg も生肉や普通のソーセージに比べ多いが，特に多いのはレチノール*で 4,300μg ある．B_2 も多く，肉加工品の中では最も栄養価の高いものといえる．
◇**保存**　保存性は低いが，冷蔵庫で1週間はもつ．缶詰製品もつくられている．

レバーペースト（豚）びん詰（平　宏和）

　レモン　檸檬

成 07155（全果 生），07156（果汁 生）　分 ミカ

ン科ミカン属（常緑性低木）　学 *Citrus limon*　英 lemons

インドヒマラヤ地方の原産．耐寒性が弱いので，温帯南部から熱帯にかけて栽培されている．ヨーロッパへは10世紀に伝わり，地中海のシシリー島，コルシカ島，スペインのゼノアなどに広がった．レモンの苗がわが国に輸入されたのは明治8 (1875) 年で，大正の初期には和歌山および広島で栽培され，多くの温暖地に広まった．

果実の形状は品種により種々の形があるが，主要な経済品種は楕円形である．果皮色も，通常の黄色から橙色，橙黄色，淡黄色，淡緑色，緑色まであるが，黄色が最も多い．また果皮の厚さも品種や産地により異なる．

◇**品種**　世界の主要品種は，ポルトガル原産のリスボン，ヨーロッパ原産のビラフランカ，米国のユーレカなどである．

　産地：世界的な主産地はインド，メキシコ，中国，米国，南米，スペイン，トルコ，イラン，イタリアなど．わが国では広島，愛媛，和歌山などである．カリフォルニアやチリから輸入されている．

◇**成分特性**　果汁率は30～40％である．100g中，果汁の可溶性固形物は7～11g，主成分は有機酸*で5～6g含まれ，クエン酸が全酸の大部分で，そのほかリンゴ酸*が含まれる．果汁のpH*は2.1～2.5である．糖分は少なく，2gである．ビタミンCは果汁で50mg含まれる．果肉のカロテノイド*にはクリプトキサンチン*が多い．果汁中の遊離アミノ酸*は180mg含まれ，アスパラギン，アスパラギン酸，セリン，プロリンが主である．果皮には3％の精油*を含む．レモン臭の主成分はシトラール（ネラールとゲラニアールの混合物）である．

◇**保存・加工**　レモンの貯蔵適温湿度は6℃，85％で，2カ月の貯蔵に耐える．完熟果から果汁を搾り，清涼飲料として利用する．マヨネーズへの混用あるいは他の果汁と混合するなど，用途は広く，米国などでは果汁や果皮油の香気を利用することが多い．

◇**調理**　香りの調味料として：酸味が強くしかも芳香があり，料理に添えて香りと酸味を楽しむ卓上酸味料的な使い方をする．肉，魚など広く西洋料理一般に添えて生臭みを消し，爽やかな風味をそえる．また，最近では塩レモンやレモンソルトと呼ばれる乱切りレモンを塩漬けしたものが，手軽につくれて，保存性もあり，幅広い使い方のできる香り調味料としても利用される．※菓子などには，クリームにレモンの汁を落としパイに詰める（レモンパイ），マドレーヌづくりに果汁と果皮をすり卸したものを加える，カクテルにレモンの皮をおさえて汁を落とす，泡立て卵白に少量の汁を加えて香りを付けるなど，香りを生かした用途が多い．※汁を加工した各種の飲料では，レモン果汁を冷水または炭酸水で割り甘味を加えたレモネード，レモンパルプの入った果汁を炭酸水で割ったレモンスカッシュ，薄切りレモンを紅茶に浮かせ香りと味をひきだしたレモンティーなどが代表的である．※飾りとして，飾り切りしたものをグラスの縁にかけたり，皿にのせたりして料理を美しくする．

レモングラス

分 イネ科オガルカヤ属（多年生草本）　学 *Cymbopogon citratus*　英 lemongrass

インド原産．株は半立ち性で，葉はイネやススキのように細長く，硬質で群生する．名前の通り葉にレモンに似た芳香があり，いく分青臭い香りを

上：レモン，下：マイヤーレモン（平　宏和）

レモングラス（平　宏和）

もつハーブである．同属異種の *Cymbopogon flexuosus*（東インド型）も栽培されている．

◇**成分特性**　香りの主成分はレモンと同じシトラールで，精油*の60〜70％を占めている．そのほか，ミルセンが12〜20％含まれる．

◇**調理**　生の葉も乾燥した葉も，同様に，魚，鶏肉料理，カレー，スープの香り付けに用いる．タイの"トム・ヤム・クン"などの魚介スープの風味付けにも欠かせない．

レモンバーム

分 シソ科コウスイハッカ属（多年生草本）　**学** *Melissa officinalis*（コウスイハッカ）　**英** lemon balm　**別** セイヨウヤマハッカ；コウスイハッカ；メリッサ

ヨーロッパ南部原産のハーブ．草姿はハッカ（*Mentha* spp.）を思わせ，日本のヤマハッカによく似るが，葉が丸みを帯びている．冬に地上部は枯れるが，地下部が残っており，それからまた萌芽する．繁殖は容易で，挿し木，冬に根株を株分けしてもよく，また，多数の種子ができるのでその実生も利用できる．

◇**調理**　全株に芳香があり，サラダやスープの香り付けにする．精油*は香水の原料になり，発汗・鎮痛などの家庭薬にもされる．

レモンバーム（平　宏和）

れんこだい　⇨たい（きだい）

れんこん　蓮根

成 06317（根茎 生），06318（根茎 ゆで），06371（甘酢れんこん）　**分** ハス科ハス属（多年生草本）　**学** *Nelumbo nucifera*（ハス）　**英** East Indian lotus root　**別** はす（蓮）

ハスの地下茎先端部（根茎*）．ハスは中国原産説が有力であり，揚子江沿岸はその中心となっている．わが国では8世紀初に記録があり，10世紀

れんこん（平　宏和）

には食用としたという記載もある．地下茎*によって繁殖し，地下茎先端部が肥大するが，これが食用部分である．しかし，初めは観賞用が主体で，食用主体の品種が導入されたのは16世紀以後である．なお，はすの実*も食用とされる．

◇**品種**　明治以後に導入された中国種群（支那，備中など）と，それ以前からわが国にあった食用在来種群（朝鮮，上総，角蓮（つのばす），天王など），花食兼用在来種群（愛知，戸倉，小節（こぶし），地蓮など）の3大群に区別される．備中が近畿以西に多く，支那および食用在来種が近畿以東に分布している．

栽培：通常は8月から翌年の5月にかけて順次掘り取るが，ハウス・トンネルの二重被覆による半促成（6〜7月どり），トンネル被覆による早熟（7〜8月どり）栽培も行われている．

産地：茨城，徳島，佐賀，愛知．

◇**成分特性**　炭水化物が多く，その主体はでん粉である．無機質は根茎類の特性として含量が少なく，ビタミンもカロテンはほとんど含まず，B_1とB_2，ナイアシン*の含量も少ないが，Cは比較的多い．1cmの厚さの輪切りとして水煮したとき，各成分の溶出率は，たんぱく質が20％，灰分が50％，カリウムが50％，B_1が45％，Cが65％を示す．しかし，糖類は数％であり，水溶性の糖が微量であることを示している．ポリフェノール含量がかなり高く，組織がこわれると直ちにポリフェノール酸化酵素の作用で空気中の酸素により褐変するので，切ったら直ちに水漬し，水さらしを行い，すばやく加熱することが必要である．比較的保存性がよい．

粘質物質：特徴的な成分として，粘質多糖を含む．これはガラクトース*を構成糖とするヘテロ多糖で，切り口が糸を引くのはこのためである．栄養的には食物繊維として働く．

◇**加工**　水煮缶詰は，れんこんの皮をむき輪切りにして，直ちに酢酸0.1％の熱湯で4〜5分煮た

辛子れんこん（平　宏和）

のち，20分ぐらい冷水で洗い，一般には漂白剤の少量を加えた酢酸1％液とともに缶詰にして殺菌，保存する．黒変や紫変の防止方法が検討されている．九州熊本の特産品に"辛子れんこん"があるが，茹でたれんこんの通気孔に凄みそに和唐辛子粉を混ぜた辛みそを充填し，小麦粉，そら豆粉と，色付け用にきな粉，くちなしなどでつくった衣をつけ，揚げたものである．

◇調理　れんこんの穴は，切ったときの表面積を広げ，調味料の浸透や熱の移動を助ける．組織はしっかりしているが，けっして硬くはない．そこで煮方ひとつで歯切れよくすることも，軟らかに煮あげることもできる．＊ムチン様の粘質物を含み，切り口から糸を引く性質がある．このため長く煮ると全体が歯切れよさを失い，軟らかくなる．逆に酸を加えるとムチンは粘性を失い，歯切れがよくなる．＊ポリフェノール＊の酸化による褐変で切り口がすぐ黒ずんでくる．切ったらすぐ水に浸して，アク抜きと褐変防止を行うのは他の野菜と同様である．またタンニン＊の渋味も水漬によりある程度避けられる．煮る際は鉄鍋を避ける．＊茹でるときは，れんこんの約2割の酢を加えて短時間茹でると，ポリフェノール系物質の酸化による褐変を防ぎ，フラボノイド＊を脱色し，白くきれいに茹であがるうえ，前記の通り組織が強固になり歯切れもよい．このため酢ばす（酢れんこん）をつくるには，酢水で歯触りよくシャキッと茹で，酢，砂糖，塩を合わせた甘酢につける．＊遊離アミノ酸＊が多くうま味が強い．また野菜類としてはでん粉も多いので，乾式加熱にも湿式加熱にも適する．精進揚げ，煮しめなどのほか穴を利用し詰め物にもする．熊本特産の辛子れんこんも，穴に辛子みそを詰めたものである．また，すりおろして手作りの飛竜頭（ひりょうず）などにもする．

レンズ豆　れんずまめ

成 04073（全粒 乾），04094（全粒 ゆで）　**分** マメ科ヒラマメ属（1年生草本）　**学** Lens culinaris　**英** lentils　**別** ひらまめ

近東地域および地中海地域の半乾燥丘陵地帯が起源地とされ，4,000年以前より栽培が行われていた．現在，世界の亜熱帯・暖温帯，さらに熱帯高地に栽培が広がっている．子実は凸レンズのような形をしているので，この名が付いたと思われがちだが，レンズ豆（ラテン名 lens）の形がレンズの語源となっている．子実の粒大から大粒種と小粒種に分けられる．大粒種は扁平で径6〜9mm，子葉＊が黄色のものが多く，地中海，アフリカ，小アジアで栽培され，小粒種は凸レンズ状で径3〜6mm，子葉は紅色で，主に南西〜西アジアで栽培されている．カナダ，インド，豪州などでの生産が多い．わが国は，米国，カナダ，豪州などから輸入している．

◇**成分特性**　完熟豆の成分組成は，だいずおよびらっかせいを除く，他の豆類の完熟豆と，ほぼ同等である．

◇**調理**　煮豆にしたり，スープにする．種皮を除いて2つ割りにしたものは，ダールと呼ばれ，インド料理で主食的に食される．エジプト料理のアッツはトマト，たまねぎなどとともに煮込んだレンズ豆を裏ごしたスープである．トマトの酸味との相性もよい．

レンズ豆（平　宏和）

練乳　れんにゅう

英 evaporated and condensed milk

牛乳をそのまま，あるいは約16％の砂糖を加えて濃縮したもの．無糖練乳，無糖脱脂練乳，加糖練乳，加糖脱脂練乳の4種があり，乳等省令＊により成分規格が定められている．原料乳に比べ，無糖練乳では1/2〜1/2.5まで，加糖練乳では1/2〜1/3まで濃縮してある．これによって，保

存，輸送，二次加工品への使用が容易になった．単にコンデンスミルクと称することもある．これは加糖全脂練乳のことを意味する．これに対し加糖脱脂練乳も生産されているが，量的には少ない．減圧状態での牛乳濃縮を最初に開発したのは，1860年，米国・ニューヨーク州のボーデン工場である．

●加糖脱脂練乳

英 sweetened condensed skim milk

原料に牛乳ではなく脱脂乳を用いて，砂糖を加えて濃縮したもの．乳固形分25.0％以上，水分29.0％以下，糖分（乳糖*を含む）58.0％以下で，脂肪はほとんど含まない．保存・鑑別とも加糖練乳に準じる．

●加糖練乳

成 13013　英 condensed whole milk, sweetened　別 コンデンスミルク

牛乳に約16％の砂糖を加え，1/3ほどに濃縮したもの．乳等省令*（定義は付表5を参照）では，成分規格は，乳固形分28.0％以上（うち，乳脂肪8.0％以上），水分27.0％以下，糖分（乳糖を含む）は58.0％以下となっている．

保存：高濃度のしょ糖（40～45％）のため防腐性がある．また，製造工程の中の荒煮（通常80～83℃で5～10分間で行われる保持殺菌のこと）により，開缶したあとでも品質保存力が高く，夏でも1～2週間の保存に耐える．ただし，室温かそれ以上の温度で長期間貯蔵すると濃厚化が起こる．また貯蔵中にアミノカルボニル反応*が起きて褐変現象を起こすが，低純度の砂糖を用いたものに起こりやすい．こうした現象を防ぐには，なるべく低温（10℃以下）で貯蔵する．

鑑別：色は帯黄白色で，表面に縞模様や色ムラのないもの，また，上からたらしてみて，細く糸を引くものが良品である．引いた糸が切れ切れになって落ちるものは結晶が粗いので不良品である．舌触りがなめらかで風味がよく，湯に溶かして沈殿物がないものがよい．質の悪い砂糖を使うと付着した酵母のアルコール発酵により炭酸ガスを生成するので，保存中に容器が膨張しているものはよくない．

●無糖練乳

成 13012　英 evaporated whole milk　別 エバミルク

牛乳を砂糖を加えずに，そのまま濃縮したもの．乳等省令（定義は付表5を参照）による成分規格は，乳固形分25.0％以上（うち乳脂肪分7.5％以上）で，牛乳を1/2～1/2.5に濃縮加熱，殺菌してあるので衛生的に安全である．また高温加熱によってたんぱく質もソフトカード化し，均質化処理で脂肪も微細に分散しているので消化されやすい．

保存：120℃15分間の加熱処理で殺菌された缶詰であるが，開缶したら牛乳と同じように保存性がない．開缶しなければ，室温では変質の心配はないが，製造後1年以内に消費するようにする．ただ保存中に脂肪分離，凝固，ガス発酵，沈殿，褐色化などすることがあるが，これは製造工程の欠陥か，原料乳の性質によることが多い．開缶後は清潔な陶器またはガラス容器に移し替え，10℃以下で保存し，2日以内で消費するとよい．

用途：欧米ではビタミンDなどを添加して育児用に使われている．

練乳　上：無糖練乳（エバミルク），下：加糖練乳（コンデンスミルク）（平　宏和）

レンブ

分 フトモモ科フトモモ属（常緑性小高木）　学 *Syzygium samarangense*（オオフトモモ）　英 wax apple　別 オオフトモモ（大蒲桃）；ジャワフトモモ

レンブは，マレー半島のマラヤやベンガル湾のアンダマン諸島原産の果樹で，種類・系統は非常に多く，熱帯アジア，熱帯アメリカ，ハワイなどの熱帯各地に広く分布している．

英名にwaxがつくのは果実の表面が蝋状を呈するためである．樹高は10m以上に達する中高木

レンブ（平　宏和）

で，果実は数個が房状に着生する．樹形がよく，庭園での観賞用として栽培されることが多い．果実は食用として利用される．近縁のものに，フトモモ，ムラサキフトモモ，マライフトモモ，ミズフトモモ（ミズレンブ）などがある．

◇**品種**　レンブには多くの品種・系統があるが，果実品質の優れたものは，一部の系統を除けば，ほとんどみられない．果実は，果頂部が圧縮された西洋梨型で，果長は3～5cm，果皮は緑色，乳白色，桃紅色まで多様である．

◇**成分特性**　果肉は白色，海綿状で淡白ではあるが，酸味と香気がある．果実は，総じて美味ではなく，果汁の少ない，ぼけたりんごのようである．果実内部には空洞があって7mmほどの褐色の数個の種子がある．

◇**利用**　レンブ果実は，主として生食として利用されるが，そのままよりも塩水や砂糖水につけてから食することが多く，特に糖果としての利用が多い．また，ソースやシチューの材料とすることもある．

ろ

ローストビーフ

成 11104　**英** roast beef

本来牛肉の代表的家庭料理である．料理ではロース肉またはヒレ肉を用いるが，市販製品ではもも肉，かた肉などを用いている．

◇**製法**　市販製品は肉塊の表面に塩，こしょうをすり込むか，調味料を加えた塩水を注射し，再生繊維を筒状にしたファイブラスケーシングに詰める．あらかじめ150℃に加熱したオーブン中にこれを入れ，中心部が60～75℃になるまで加熱する．最終温度がどのくらいになるまで焼くかは，目的とする製品のタイプによる．焼き上げるまでに要する時間は，仕掛品の量，初温，最終目標温度などによって異なるが，おおむね4～4.5時間である．加熱温度を高く（約200℃）すれば時間は短縮されるが，製品は収縮する．

◇**成分特性**　成分は牛肉とあまり変わらない．ただ加熱によって若干脱水されるので，たんぱく質や脂肪が多くなる．また調味料が加えられるため，糖類，灰分，ナトリウム*などが増える．『食品成分表』では，100g当たり，たんぱく質（アミノ酸組成）* 18.9g，脂質（TAG当量）* 10.7g，利用可能炭水化物*（差引き法）4.1g，灰分 1.7g，食塩相当量* 0.8gが含まれる．惣菜品であり，保存性はほとんど期待できない．

ローストビーフ

ローズマリー

分 シソ科アキギリ属（常緑性低木）　**学** *Salvia rosmarinus*（マンネンロウ）　**英** rosemary　**別** マンネンロウ

ヨーロッパの地中海沿岸原産といわれ，セージ，タイムなどとともに香辛野菜の代表の一つであ

ローズマリー（平　宏和）

ロールパン（バターロール）（平　宏和）

る．ヨーロッパでは古くから用いられていたが，日本には文政年間（1818〜1830）に渡来した．多年生の小低木で，寒暑に強く，栽培しやすい．草丈60〜120cm，立性のものと這性のものとがある．葉は革質で細長く，3cmほど，内側に巻き込み，裏面に綿毛を密生し，灰色に見える．他のシソ科植物と同様に花は小さく，唇状である．
◇調理　香辛野菜として肉・野菜料理に用い，スープ，シチュー，バーベキューやソースの香り付けに使われる．

ふわっと焼いたアメリカンロールが主となるが，卵や砂糖の量を増やしたスイートロールや，フランスパン生地を用いたものもある．

ロケットサラダ　⇨ルッコラ

ローリエ　⇨ベイリーブス

ロシアケーキ

成 15100　英 dry cake

現在，わが国でロシアケーキと呼ばれているものは，ドライケーキとか，ガトセックといわれるヨーロッパ風の干菓子を指している．ロシアの菓子という意味ではなく，当初ロシア人からこの種の菓子と技術を多く受けついだところからきている．マカロンの香ばしい風味が特徴で，使用されるナッツの種類によって製品の価値が変わってくる．高級品にはアーモンド，マカダミアナッツ，ヘーゼルナッツなどを使用するが，一般的にはココナッツ，落花生のマカロンが多い．干菓子のため日持ちがよく，また表面の飾り付けによってバラエティーに富んだ製品ができる．ロシアのお菓子には，薄く焼いたスポンジケーキにあんずジャムとラム酒で風味付けしたものをはさんで2枚重ねにし，表面をアイシング（砂糖を主体にした

ロールケーキ

英 roll cake

シート状に焼いたスポンジ生地にジャム，クリームなどをぬり，巻き込んだ切り口が渦巻状のケーキ．和菓子にはスポンジケーキ（カステラ）に餡をぬって巻いた四国・松山の銘菓のタルト（タルト・和菓子*）がみられる．

ロールケーキ（平　宏和）

ロールパン

成 01034　英 soft rolls　別 バターロール

ショートニング，バター，脱脂粉乳，鶏卵，少量の砂糖などを加えたリッチな生地を，ロール状に丸めて焼いたパン．わが国では，皮が薄く内相が

ピーナツホワイト

パンプキンフラワー

チョコレート

ブルーベリーサン

パールチーズ

エディーマカロン

ロシアケーキ（平　宏和）

かけもの)したものや，カプルシカといわれる香辛料をきかせたケーキ生地の上にチョコレートかけやアイシングをしたものがある．
◇**原材料・製法** ビスケット生地の上にマカロン生地を絞り，焼き上げた後，ゼリージャム，チョコレート，フォンダン(すり蜜)，ナッツ，ドライフルーツ類を飾り付けたもの．ビスケット台の生地は，薄力粉，油脂，鶏卵，砂糖，膨張剤，香料を軽く練り合わせ，生地を安定させ，一定の厚さにのばし，抜き型で抜く．マカロン生地はナッツ粉末，砂糖，卵白，香料を絞り袋で絞れる硬さに加熱して練り合わせたもので，ビスケット生地の上に絞り，約180℃のオーブンで焼き上げる．焼成後シロップなどでつや出しし，ゼリージャム，フルーツ，ナッツなどで表面の飾り付けを行う．

ろっぽうやき　六方焼；六宝焼

英 Roppoyaki

あずきあんを小麦粉生地で包み，六面体を焼いた菓子．福井，石川など北陸，近畿，また大分などの銘菓である．
◇**原材料・製法** 小麦粉，砂糖，鶏卵に膨張剤を加えた生地であんを包み，平鍋で表裏，さらに四方の側面を焼いて仕上げる．

ロブスター　⇨えび(アメリカンロブスター)

ロングライフ麺

英 long life noodles

茹で麺を包装後加熱して，常温で長期間保存させることができる即席麺の一種で，LLうどん，LL中華麺，LLそばなどがある．LL中華麺は，茹で上げた麺を水洗・冷却したのち，乳酸*やクエン酸，酢酸を加え，pH*を3.98～5.08にした液に漬けてからNy(ナイロン)25μm/CPP(未延伸ポリプロピレン)40μmのパウチに詰め，パウチ内の空気を脱気密封の後，95℃以上で5分間，密封麺を回転させながら殺菌，冷却，乾燥させる．

ろっぽうやき(平　宏和)

ロングライフ麺　冷麺(平　宏和)

わ

ワイルドライス

分 イネ科マコモ属（1年生草本）　**学** *Zizania palustris*　**英** wild rice；Indian rice　**別** アメリカまこも

◇**種類・分類**　まこも（*Zizania latifolia*）と同属の作物で，イネと近縁種であるがイネの野生種ではない．米国・カナダの五大湖を中心とする湿地・沼地に自生し，子実は古くより先住民の採取食糧として重要であった．その風味が移民にも好まれ，利用されてきた．栽培は子実が成熟すると穂より脱粒しやすいので困難であったが，品種と栽培技術の改良により栽培が可能となった．

加工調整：収穫後の子実は，色と香りをよくし，稃（ふ）を取りやすくするため，水をかけ4～7日発酵させたのち，焙煎・乾燥させ，稃を除き製品とする．精白米と混合された市販品もある．

◇**成分特性**　穀粒は緑褐色で背面に浅い溝があり，長さ1～2cm，幅1.5mmで，製品の色は発酵・焙煎により黒褐色である．製品の成分は100g当たり，乾（*Zizania* spp.）の成分値は，100g当たり，エネルギー357kcal（1,490kJ），水分7.8g，たんぱく質14.7g，脂質1.1g，炭水化物74.9g（うち，食物繊維6.2g），灰分1.5gである（米国食品成分表）．アミノ酸組成は米と似ており，穀類の中では栄養価が高い．

◇**調理**　米と同様の調理に利用され，鳥肉の詰め物・添え物，キャセロール料理，スープ，サラダの添え物など，西洋料理の副材料に使われる．

ワイルドライス（平　宏和）

ワイン　⇒ぶどう酒
ワインビネガー　⇒食酢（ぶどう酢）

わかさぎ　鰙；公魚

成 10276（生），10277（つくだ煮），10278（あめ煮）　**分** 硬骨魚類，サケ目キュウリウオ科ワカサギ属　**学** *Hypomesus nipponensis*　**英** Japanese smelt　**別**【**地**】あまさぎ（山陰，福岡）；しろいお（信濃川）　**旬** 1～3月

わかさぎ（本村　浩之）

全長15cm．体はすんなりと細長く，やや側扁する．体色はあめ色で，背部に黄色の縦帯がある．あゆやさけと同じく遡河性魚で沿岸に生息する．1～3月頃，川を上り産卵し，川を下って成魚となる．1年魚である．陸封性が強く，現在湖沼で釣られるものは，霞ヶ浦から諏訪湖，山中湖などの各湖沼に移殖され繁殖し，淡水化したものである．サハリン，千島，北日本，朝鮮からアジアに分布する．南日本のものは移殖されたものである．同属のいしかりわかさぎ，キュウリウオ属のきゅうりうおやシシャモ属のししゃも*も近似の種類である．

◇**成分特性**　さけ・ますに近い小型の遡河性魚であるが，淡水魚化している．鮮度が落ちやすく，腹の皮が薄くて切れやすいので，なるべく新鮮なうちに丸のまま使うのがよいとされている．成分としては，ししゃもより，たんぱく質，脂質の含量が低い．1～3月頃が産卵期で，この頃，美味である．

◇**保存・加工**　普通，串に刺して焼干しにしたものを保存する．加工法としては佃煮やあめ煮がある．諏訪湖の名物の利久煮はわかさぎをたれで煮つめ，白ごまをふりかけたものである．

◇**調理**　鮮度が低下しやすいので，生の新鮮なものは天ぷら，フライなどの揚げ物にすると，香りを生かして味わうことができる．※普通はまず焼干しにし，それを唐揚げなどに用いる．※骨まで軟らかく食べるため，二杯酢，マリネ，南蛮漬，甘酢煮など酢につける料理が多い．

●**いしかりわかさぎ**

石狩鰙　**学** *Hypomesus olidus*　**英** pond smelt

わかさぎ 佃煮（平　宏和）

別 わかさぎ（混称）

全長 18 cm．北海道の河川に連続する池沼または河跡湖に分布する．国外ではカナダ西部からアラスカ，シベリア東部，サハリン，沿海州，朝鮮半島東部の淡水域に分布する．体色は背面が黄褐色，腹面は銀白色，体側に銀色の帯が走る．わかさぎ同様に美味．

わかめ　若布；和布；稚海藻

成 09039（原藻 生），09040（乾燥わかめ 素干し）09041（乾燥わかめ 素干し 水戻し）　**分** 褐藻類アイヌワカメ科ワカメ属　**学** *Undaria pinnatifida*　**英** Wakame　**別** にぎめ；めのは；めぎ

海藻で，藻体は緑褐色，中央に太い中肋（ちゅうろく）があり，葉状部の縁辺は羽状に切れ込む．茎状部の基部近くに，耳のような形で胞子を入れている成実葉（せいじつよう；めかぶのこと）がある．茎状部の下の部分は枝分かれして岩などに付着する．葉状部の切れ込みの状態，茎状部の長さ，成実葉の位置などの形態は産地によって相違がある．低潮線から漸深帯の岩上に生育し，高さは 1 ～ 2 m．産地によって異なるが，2 ～ 7 月に繁茂する．分布は北海道の日本海沿岸，本州全域，瀬戸内海，九州西部沿岸で，一部の暖海域を除いて広い．

◇**養殖**　生産の大部分は養殖による．各地で生産されるが，生産量の 70 %近くを三陸沿岸の岩手，宮城の両県で占める．養殖法は，人工採苗により胞子付けをした種（たね）糸をロープに巻きつけ，海水面下 2 ～ 3 m に張り出して生育させる．

◇**成分特性**　乾燥わかめにおいて，栄養効果の期待できる成分としては，食物繊維のほか無機質と各種のビタミンがあげられる．中でも β-カロテン 7,700 μg，ビタミン B_1 0.39 mg，B_2 0.83 mg，ナイアシン*11 mg，C 27 mg が豊富である．また，ヨウ素*10,000 μg，カルシウム 780 mg の含量も高く，リンとの含量比（Ca/P 比）も優れている．わかめは，こんぶなどに比べてうま味は劣るが，手軽に使えることと，その香り，色彩，歯触りなどが好まれる．

◇**保存・加工**　冬から春にかけて採取し，塩蔵わかめ，灰干しわかめ，カットわかめ，板わかめ，めかぶ*，くきわかめ*など，さまざまな製品に加工する．加工形態は，干しわかめと塩蔵わかめに大別される．干しわかめは産地によって製品形態が多様である．最近は，塩蔵わかめの生産が伸びて干しわかめを凌いでいる．また，乾燥わかめと塩蔵わかめには JAS 規格が定められていたが，平成 14（2002）年に廃止された．JAS の品質表示基準は食品表示基準*に移行した．

◇**調理**　消毒をかねて熱湯で短時間洗うと，引きしまって歯切れよく色もさえる．普通は干しわかめを用いるので，まず水でもどしてから調理を行う．吸水完了まで 20 分前後を要するが，汁の実などのように加熱処理があとに続くときは，吸水完了までつけておく必要はない．※青々とした色となめらかな感触が特徴である．そのため浸漬しすぎないよう，また煮すぎないように注意する．加熱が長いとアルギン酸*が溶け出し，組織の破壊も大きく味を落とす．生で酢の物，和え物に用いるほか，みそ汁の実，煮物の材料などによい．※野菜のように調味料を加えると水分が放出されるものと異なり，わかめは合わせ酢を吸収するため，しらす干しなどの組み合わせでは酢と同量のだし汁を用いて薄めた合わせ酢を用いる．きゅうりのような野菜と組み合わせるときはその必要はない．※わかめのうま味はこんぶほど強くないが，品のよい香りがある．これを味わうには干したものをそのままさっと火にあぶって食べるとよい．

●**板わかめ**

成 09042　**英** Ita-wakame；(Wakame, made into sheets and dried)

干しわかめの加工形態の一種．日本海沿岸の島根

板わかめ（平　宏和）

から新潟にかけて生産される．島根県出雲地方特産のものは古来"めのは"と呼ばれ，区別されている．出雲地方では3月下旬～5月中旬にわかめを採取し，淡水で洗って水切りしたものをカヤまたはアワの簀（す）の上に1枚ずつ広げてすき間のないように並べて乾燥する．製品は縦60cm，横20～30cmほどの大きさにして包装する．板わかめは，一般のわかめ加工品とは異なり，あぶってそのまま食べたり，もんで飯にかけるなどして用いる．

●塩蔵わかめ

英 salted Wakame

採取した原藻の茎，めかぶを除いて食塩をまぶし，網袋などに入れて積み重ね，軽く重石をし，低温で一夜脱水した後，中肋や枯れた葉先などを除いてから，さらにこれに食塩をまぶして出荷する．JASに水分60％以下，食塩含有率40％以下などの規定があったが，平成14（2002）年に廃止された．

●カットわかめ

成 09044（乾），09058（水煮 沸騰水で短時間加熱），09059（水煮の汁） 英 cut and dried Wakame

昭和40年代の終り頃に開発された製品で，湯通し塩蔵わかめを食塩水で洗浄後，機械乾燥し，適当な大きさに切って袋に密閉して販売している．熱湯を注ぐだけで軟らかくなり食べられるので，インスタントみそ汁の具やわかめスープに利用される．業務用・家庭用の使用も増え流通量が多い．

●灰干しわかめ

成 09043（水戻し） 英 Haiboshi-wakame 別 鳴門糸わかめ

干しわかめの加工形態の一種．原藻に草木灰をまぶして天日乾燥し，貯蔵する．出荷時に淡水で灰を洗い落とし，縄などにかけて細く糸状に干し上げる．古く江戸時代から徳島県鳴門沿岸で生産されていた．製品は鮮緑色で，長期の保存に耐える．独特の風味と歯触りをもつ．

平成12（2000）年に施行されたダイオキシン*対

カットわかめ（平 宏和）

湯通し塩蔵わかめ（市販通称名：生わかめ）上：塩抜き，下：湯通し塩蔵（平 宏和）

策法により，使用する灰の生産が困難になったため，生産量はわずかとなった．その後，灰の代わりに活性炭を用いた製法も行われ，徳島県では，鳴門わかめの認証制度を設けている．

●湯通し塩蔵わかめ

成 09045（塩抜き 生），09057（塩抜き ゆで）英 blanched and salted Wakame 別 市 生わかめ

採取した原藻は茎とめかぶを除いたのち，85～100℃の海水あるいは4～5％の食塩水で30秒～2分間湯通しする．これを冷却，水きりしてから，20～40％の食塩を加えて15時間塩蔵する．塩蔵したわかめは，軽く重石をかけて脱水してから中肋と枯葉を除き，これに5％の食塩を加えて製品とする．製品は出荷までの期間中−5～−20℃で保管する．JASの規定は塩蔵わかめと同様に廃止されたが，食品表示基準*が定められている．この製品は，湯通しすることによって鮮やかな緑色が発現し，いわゆる生わかめ型として好まれることから，わかめ加工品中で生産量が最も大きい．『食品成分表』でも，備考欄に別名として「生わかめ」の記載がある．近年は中国からの輸入が多くなり，価格が低迷している．

和牛 ⇨うし

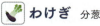 わけぎ 分葱

成 06320（葉 生），06321（葉 ゆで）分 ヒガンバナ科ネギ属（多年生草本）学 Allium × wakegi

英 Wakegi；turfed stone leeks

ねぎの変種と考えられたり，分球性のたまねぎの一種とされたりしていたが，近年，生理・生態的特性，染色体の核型分析の結果などから，ねぎと分球性たまねぎとの雑種であることが明らかにされた．関東ではあさつき，わけねぎなど葉ねぎの一部をわけぎと呼んでいるが，ここでいうわけぎとは別のものである．

わが国へは中国から1,500年ほど前に渡来したもので，最も古い野菜の一つである．花を生じず，鱗茎*で増殖する．品種分化しておらず，早生系と晩生系が区別できる．関西に需要が多く，早出し（9～11月どり），早春出し（12～2月どり），遅出し（2～4月どり）栽培が行われる．

産地：埼玉，千葉，東京，静岡など．

◇成分特性　形態的にねぎに似ており，緑色部が多く，成分含量は葉ねぎに近いが，β-カロテンは葉ねぎの約1.8倍多く含まれる．

◇調理　ねぎより小型で，甘味をもち，香りもねぎより穏やかである．細いので素材として用いるより，切ったり，刻んだりして，吸い口，薬味，つま，鍋物のあしらいなどにすることが多い．わけぎそのものを味わうには，手早く茹でて"ぬた"にするのがよい．あさりのむき身との酢みそ和えは，具の生臭みが消される．

わさび田（長野県安曇野市）（平　宏和）

間を通じて13℃ぐらいの水温のところで良品を産する．栄養繁殖*により増殖していたので品種分化は十分でなく，産地により伊豆系，信州系，島根系などがある．最近，分系および交雑育種が始められている．

栽培：作型の分化はないが，栽培様式により渓流式，地沢（じざわ）式，畳石（たたみいし）式，平地式栽培があり，また生育をすすめるためビニルなども利用され始めている．また，これら水わさびの栽培のほか，わさび漬用の茎葉採取を主体とする畑わさび栽培も一部で行われている．

産地：長野，静岡，島根など．

◇成分特性　野菜の中では水分が比較的少なく，炭水化物が多い．でん粉をかなり含む．

辛味成分：辛味は，すりつぶしたとき，加水分解酵素ミロシナーゼ*の作用でからし油配糖体シニグリン*が加水分解*され生成するアリルイソチオシアネートなどによるものである．これらの成分は他のアブラナ科の野菜，たとえばからし，ホースラディッシュ（わさび大根），大根などの辛味成分としても含まれている．唐辛子の辛味の主成分であるカプサイシン*と異なり揮発性で，かつ分解が早いため，辛味が消失しやすい．

◇加工　風味を保持する独特の加工品に粕漬のわさび漬が知られる．香辛料としてのわさびには，いわゆる本わさび（沢わさび）と呼ばれるものと，粉わさび，練りわさびなど，簡便に使えるものと

わけぎ（平　宏和）

わけねぎ　⇒ねぎ

わさび　山葵

成 06322（根茎 生）　分 アブラナ科ワサビ属（多年生草本）　学 *Eutrema japonicum*　英 wasabi；Japanese horseradish

わが国の原産の半陰性の多年生草本*．北海道から九州までの渓流に自生している．魚の生食によく適合し，古くから利用されている．すでに10世紀に記録があるが，野生のものの採取で，栽培は16世紀頃に始まったと推定される．

◇品種　水温5～18℃の範囲で生育するが，年

わさび（平　宏和）

がある．粉わさびは，ホースラディッシュ*を原料とする．

◇**調理** 辛味成分が揮発性で，放置や加熱により辛味を失うため，薬味として用いられる．刺身，すし，麺類，茶漬，かまぼこなどの香辛料として用いる．※わさびの細胞が破壊されたとき酵素が働き辛味成分が生成するため，すりおろすことで初めて辛味が出る．繊維組織が多く緻密なので，なるべく目の細かいおろし金で時間をかけてすりおろす方が，酵素作用が進んで辛味の生成がよい．すりおろした後まな板に広げ，庖丁でたたくといっそう効果がある．※長時間放置すると辛味が揮発して味も香りも低下し，浅い緑色もあせてくる．使用直前にすりおろす．※すりおろす他には，茎やひげ根もともに酒粕に漬けたわさび漬は，酒肴によく，熱い米飯ともよく合う．※おろしわさびをかつおぶしと混ぜてしょうゆをかける．あるいは細かく刻んで和え物や吸い口にするなど，薬味と素材としての用途と，両方の目的を兼ねた食べ方もある．

●**粉わさび**

成 17080（からし粉入り） 英 horseradish powder

ホースラディッシュ（わさびだいこん，おかわさび，西洋わさび）の根を乾燥して粉末としたもの．ホースラディッシュは明治初期，北海道開拓とともに移入され，当初は薬用とされていた．本来のわさびとは別種であるが，その香りがわさびに似ているので，これの乾燥品が粉わさびとして水溶きしてわさび同様に使われる．風味はわさびの根をおろしたものには及ばないが，手軽に利用できるので，家庭に備える香辛料として普及してきた．

表示：粉わさびの表示に関する公正競争規約があり，使用した原材料を食品表示基準*第3条第1項の表の原材料名の項の規定に従い表示するとしている；すなわち，「西洋わさび」と示すことが定められている．

製法：ホースラディッシュの根をスライスして，65℃以下で乾燥する．辛味をはじめ風味成分は熱に弱いので，乾燥は一貫して低温で行う．普通は3割くらいのからし粉を混ぜる．『食品成分表』では，これを"からし粉入り"として記載している．でん粉を加えることもある．ホースラディッシュは白色なので，市販品には着色料が加えられており，溶くと薄緑色になる．

◇**保存** 粉わさびの缶入りのものは湿らないように完全に密封して保存する．チューブ入りのものは開封後，冷蔵庫で保管する．

◇**成分特性** 粉わさびの主成分は炭水化物で60〜70％を占める．わさびとホースラディッシュの辛味成分はアリルイソチオシアネートで，配糖体*のシニグリンが，酵素ミロシナーゼ*の加水分解作用をうけて生成したものである．酵素作用によるため，微温湯を加えて練ってからしばらく置いた方が辛味が強くでる．

●**練りわさび**

成 17081 英 wasabi paste

粉わさびを水で練ったもの．チューブ入りのもの，小袋入りのものがある．一部製品には，本わさびをおろしたものが加えられている．

◇**成分特性** 練りわさびには風味を保持するために，シクロデキストリン（環状デキストリン）を添加し，色を補強するために紅麹，くちなし，うこんなどの着色料が添加される．『食品成分表』によれば，練りわさび（わさびおよびホースラディッシュ混合製品）は100g当たり水分39.8g，主成分は炭水化物で，利用可能炭水化物*（差引き法）は41.2gとなっている．

●**花わさび**

英 Hana-wasabi；stem and flower of Japanese horseradish

香辛料のわさび（根茎*）と同様に，葉や花茎*にもわさび特有の辛味がある．花わさびは，花が咲く前の蕾状の花茎を利用する．爽やかな香りと歯応えを楽しむ．

粉わさび（平　宏和）

練りわさび（平　宏和）

花わさび（平　宏和）

わさび菜（平　宏和）

わさび漬　山葵漬

成 06323　英 Wasabi-zuke；(wasabi rhizome and petiole pickled with sake lees)

◇原料　わさびの太い根を取った残りの横根や葉柄*などを原料とした粕漬で，わさびの副産物利用ということにもなる．そのほか，わさび漬用の茎葉採取を主体とする畑わさび栽培も一部で行われている．

◇漬け方　わさびの横根や葉柄を5mm程度に切り，さっと水洗いをし，水切りして粕床と練り合わせて製品とする．

　粕床の配合例：酒粕10 kg，水あめ500 g，ぶどう糖500 g，食塩300 g，うま味調味料30 g，焼酎(35度)200 mL，細切りわさび10 kg．

◇保存　わさび漬は酸敗しやすいので，夏期には食塩を2%程度濃くするとともに，密封して低温で貯蔵する．

わさび漬（平　宏和）

わさび菜

分 アブラナ科アブラナ属（1年生草本）　学 *Brassica juncea*（カラシナ）　英 Wasabi-na　別地 あいさいな（愛彩菜）（滋賀）　旬 11～3月

九州在来のからし菜の変異種から育成された品種．草丈は20cm前後，葉は黄緑色，ちりめん状で縁にはギザギザがあり，全体に軟らかく，からし菜特有の辛味がある．通年市場に出回っているが，秋から春に多い．サラダ，お浸し，浅漬けなどに使われる．

和三盆糖（わさんぼんとう）　⇒さとう
和種はっか　⇒ミント
わたりがに　⇒かに（たいわんがざみ，がざみ）

綿菓子

英 cotton candy；candy floss　別 綿飴；電気飴

綿のような砂糖菓子．西日本では綿菓子，東日本では綿飴と呼ばれる．別名：電気飴の名の由来は定かでない．大正時代（1912～26年）に広まった子供向けの菓子で，縁日，祭，夜店などの屋台で売られている．

◇製法　原料の白ざら糖を冷えて固まらないように加熱しながら，遠心分離機（回転釜）の細孔から繊維状に振りだし，外気に触れて固化した白い綿状のものを割箸などに絡め，綿状まとめる．白のほか，色のついた綿菓子がある．白ざら糖は高純度なものが使われ，転化糖*が含まれ純度が低いと，製品は吸湿して溶け，綿状にならない．着色した綿菓子用には，白ざら糖に色・香味付けしたイチゴ・メロン・レモン・グレープ・オレンジ・

綿菓子（平　宏和）

ペパーミントなどの色ザラメが市販されている。原料砂糖：1 kg で約 50 本の綿菓子が製造できる。

ワッフル

成 15084（カスタードクリーム），15085（ジャム入り）　英 waffle

伝統的なヨーロッパスタイルのワッフルは，小麦粉，砂糖，鶏卵，バター，牛乳などの原料で軟らかい生地をつくり，加熱した 2 枚の鉄板の間にはさんで焼き上げた，薄いせんべい状の菓子である．フランスでは，ゴーフルと呼ばれ，ウエハースと起源を同じくしている．ワッフルとウエハースの最も大きな違いは種のつくり方にあり，ウエハースが種に混合する膨張剤の力を利用して，焼成時に気泡を抱かせるのに対して，ワッフルでは別立て法によって卵白の気泡力を最大限に生かし製品の浮きを出している．したがってワッフルの種はウエハースのそれよりやや硬く半流動状である．また製品ではウエハースは非常に軽く，ワッフルはやや重くなる．米国ではワッフルがパンケーキとして発達し，やや厚みのある生地をソフトに焼きあげて，温かいうちにはちみつやジャムあるいは各種のフルーツソースをつけて食べることが多い．

日本のワッフル：わが国で一般にワッフルと呼ばれるものは，軟らかいスポンジ生地を長円形に焼き，これを二つ折りにして中にジャムやクリームを入れた洋生菓子の一つである．ワッフルがこのような形で生まれたのは明治時代のことで，凮月堂がジャムを使って初めて創作し，その後，新宿中村屋がカスタードクリームを用いたものを製作し，それらが日本のワッフルとして定着した．しかし近年日本でも，ベルギーワッフルなどと呼ばれ，伝統的なヨーロッパスタイルのワッフルが特に若者を中心に人気を博している．これは，はさんで両面を焼いてあるため，比較的硬いサクサ

ベルギーワッフル（平　宏和）

クした食感で，味もジャムやクリームをはさんだものに比べて薄い．クレープと同様に店頭で焼きながらの実演販売もされている．

◇**原材料・製法**　わが国で一般的なワッフルはケーキの別立て法に準ずる方法でつくる．すなわち，砂糖と卵黄を混合攪拌し小麦粉を加えたものと，卵白に砂糖を入れて泡立てたものを混ぜ合わせる．この種を，油を塗って加熱したワッフル鋳型に流し込み焼き上げる．冷却後，別につくっておいた各種のクリームやジャムをのせて折り合わせる．ワッフルの焼き型にはいろいろな模様が彫りこんであり，これが一つの特徴でもある．

●ゴーフル

仏 gaufre

日本では，薄い小麦粉煎餅 2 枚でクリームを挟んだものをゴーフルという．その発祥には，関東の凮月堂説と関西の凮月堂説があり，いずれも昭和初期に発売されている．

◇**原材料・製法**　模様入り型の煎餅焼き機で，小麦粉，牛乳，砂糖，鶏卵，膨張剤などを捏ねた種をさっくりと焼いた煎餅（径：15 cm・厚さ：1 mm 程度）2 枚で，薄く延ばしたクリームを挟んだ製品である．

ゴーフル（平　宏和）

ワッフル　左：いちごジャム，右：カスタードクリーム（平　宏和）

わらび　蕨

成 06324（生），06325（ゆで），06326（干しわらび 乾）　分 コバノイシカグマ科ワラビ属（多年生シダ）　学 *Pteridium aquilinum* subsp. *japonicum*

英 bracken　旬 4〜6月(無積雪地方)、5月末〜7月(積雪地方)

シダの仲間で、全国各地の野山に自生する最もなじみのある山菜である．非常に繁殖力が旺盛で、条件がそろえば足の踏み場もないほど密生する．根茎*からでん粉(わらび粉)をとる．根茎は、表面が黒色、中は白色で肉質．径が8〜10mmで5〜6mにも達し、ところどころより芽を出す．芽出しのときは、葉柄*の頂に茶色の幼葉が巻いて拳(こぶし)のような姿をしていて、さわらび(早蕨)と呼ばれる．やがて葉が開いて羽毛状となる．葉の裏側の縁に茶色の胞子が連続してつき、風で飛び散り、胞子によっても繁殖する．

◇採取　こぶし状に芽を出したときに摘み取る．日当たりのよいところでは、比較的草丈が低いときに採る．木陰や藪の中では太くて長いものが採れる．わらびは一度に芽を出すのではなく、4〜7月頃まで芽を出し続けるので採取可能な期間が長い．質・量ともによいのは春のいっせいに芽出しする時期である．葉柄が緑色の方が好まれるので、緑色でアクの少ない系統が栽培されている．塩漬にしたものが輸入されている．

◇成分特性　特殊成分としてビタミンB_1分解酵素(チアミナーゼ)や発癌物質(サイカシン)が含まれている．アク抜きは念入りに行うのが肝要である．また、多量に長期間食べ続けるのも控えた方がよい．ただし、アク抜きによりサイカシンは約1/3に減少するといわれ、通常の摂取量では発癌性はまったく問題ない．

◇保存　生のまま天日で乾燥するか、塩漬にする．塩漬の場合は食塩20%にして、容器に密着するような押し蓋をして重石をわらびの2倍くらいのせ、ポリエチレンフィルムなどで蓋をする．冷涼なところに保存すれば翌年までもつ．食べるときに水で塩抜きし、さっと茹でて用いる．塩蔵中にアクが抜けて苦味はなくなっているので、木灰や重曹などでアク抜きする必要はない．

◇調理　生のわらびはアク抜きをする．わらびの2倍量の水を沸騰させ、わらびを入れて火を止める．次に木灰を2〜3%相当ふりかけて軽くかきまぜる．木灰のないときは0.5%の重曹をふりかける．落し蓋をして一夜放置すると翌朝にはアクが抜け苦味はなくなる．お浸しにするには、これをさらにさっと茹でて食べる．また、これを3cmほどに切ってまな板の上でたたいてみそで味付けしたわらびたたきもうまい．そのほかにみそ汁、煮物などがある．

わらび粉　⇒でんぷん

 ## わらびもち　蕨餅

英 Warabi-mochi

わらび粉(わらびでん粉)でつくった餅に、きな粉をまぶしたものである．

◇由来　くず餅と同じく奈良時代末期の頃からあった．室町時代に書かれた宗牧の『東国紀行』には、わらび粉だけを使っていたことが記されているが、江戸の初期、元和2(1616)年に林道春が書いた『丙辰紀行』の中では、わらび粉とくず粉を混ぜて使うようになり、くず餅をわらび餅といって売っていたことも記されており、いつの間にかくず粉も使用されるようになった．

◇原材料・製法　水で溶いたわらび粉を加熱し、砂糖を徐々に加えながら練り上げる．これを型に流して冷やし固めて、適当な大きさに切って、きな粉をまぶして仕上げる．わらび粉はくず粉と比較してコシが弱く、練り上がりがくずのように透明にはならないで、練り上がるに従って薄い茶色を帯びてくるのが特徴である．

わらびの根から取れる"本わらび粉"は収穫が少なく高価なため、さつまいもから取った"かんしょでん粉"が代用されており、これにもち粉を加えて練った種であずきあんを包んだものをわらび餅と呼ぶところもある．

わらび(平　宏和)

わらび餅(平　宏和)

用語解説

亜鉛
英 zinc

元素記号 Zn．金属元素の一つで，必須微量元素に分類される．成人体内に約 2g 含まれ，存在割合は，筋肉（60％），骨（20〜30％），皮膚・毛髪（8％），肝臓（4〜6％）などで，濃度が高い臓器は，肝臓，腎臓，膵臓，前立腺および眼球である．核酸，タンパク質の合成に関与する酵素など，多くの酵素，亜鉛フィンガードメインの構成成分としても重要である．欠乏すると皮膚障害，味覚障害，成長遅延などを起こす．『食品成分表』では，100g 当たり貝類のかきに 14.5mg と特異的に多く含まれ，かぼちゃの種子（いり 味付け）に 7.7mg，パルメザンチーズに 7.3mg，ぶたのレバーに 6.9mg などに多い．

青ざかな
英 blue-skin fish

食用魚のうち，「背が青い魚」と呼ばれるいわし類，さば類，さんまなどの総称．背中の青や黒色は，海面表層を遊泳する魚種の保護色という．それらの脂質にはイコサペンタエン酸（IPA；EPA）やドコサヘキサエン酸（DHA）などの不飽和脂肪酸の含量が多い．

アグリコン
英 aglycone

配糖体において，糖類と結合している非糖部分の総称．

足（あし）
英 foot **仏** pied

軟体動物において頭部，外套膜に包まれた内臓部とともに軟体部を構成する筋肉質の運動器官．収縮性に富み，二枚貝では足は斧の刃のような形，腹足類（巻き貝）では体の腹側にあり，その下面は扁平で広い足うらになっている．

アスコルビン酸
英 ascorbic acid

L-体はビタミン C で，水溶性ビタミンの一つ．熱，酸素，アルカリに対して不安定．強い還元性を示す．アセロラ，グアバ，いちご，柿，柑橘類などの果実類，ブロッコリー，パセリ，ピーマンなどの緑黄色野菜，緑茶，じゃがいも，さつまいもなどに多く含まれている．酸化されたデヒドロアスコルビン酸もビタミン C として同等の生理活性を持つ．

アスコルビン酸酸化酵素
英 ascorbate oxidase **別** アスコルビン酸オキシダーゼ；アスコルビナーゼ

ビタミン C（L-アスコルビン酸）をデヒドロアスコルビン酸に酸化する反応を触媒する酵素で，銅を含む．キャベツ，きゅうり，にんじんなどに含まれている．切ったりして空気に触れると作用し，ビタミン C の減少に大きな影響を与える．至適 pH 5.5〜5.9 で，熱に弱い．

アスタキサンチン
英 astaxanthin

β-カロテンの環状構造部が酸化されて，ヒドロキシ基とケトン基を持った化合物．キサントフィル類の一種．えび，さけ，ますなどの赤色色素．

アニサキス
学 *Anisakis* spp.

アニサキス症の原因となる *Anisakis* 属の線虫類．世界で 3 種類が知られており，*A. simplex* が最も多い．くじら類，いるか類などを終宿主とし，体調 10〜20cm で胃内に寄生する．糞便とともに出た虫卵は海中で幼虫となり，第一中間宿主のおきあみなどから第二中間宿主のすけとうだら，まだら，にしん，さば，さけ，するめいかなどに寄生する．ヒトがこれらの魚類を摂取すると，幼虫が胃壁，小腸壁に穿入し，吐き気，嘔吐，腹痛などを起こすことがある（アニサキス症）．

アビジン
英 avidin

卵白中に含まれる，ビタミンのビオチンと特異的に結合する糖たんぱく質．分子量 68,000 で，1 分子当たり 4 分子のビオチンと結合する．

油焼け
英 rancidity

水産加工品が，貯蔵中あるいは加工中に脂質が酸化して赤褐色になる現象．苦味や渋味を呈したり，ビタミンやアミノ酸が破壊され，栄養価が低下するだけでなく，有害物質が生じることもある．

アミノカルボニル反応
英 amino-carbonyl reaction

アミノ酸などのアミノ基が，還元糖などのカルボニル基と反応することで始まる食品の加工，貯蔵，調理の過程で起こる成分間反応の代表的なもの．非酵素的褐変の原因となり，香りの生成や物性の変化など，食品の品質形成に重要な役割を果たす．還元糖によるアミノカルボニル反応を，特にメイラード反応と呼び，反応の最終生成物の褐色物質をメラノイジンと呼ぶ．

アミノ酸
英 amino acid

同一分子内にアミノ基(-NH$_2$)とカルボキシル基(-COOH)を持つ有機化合物．たんぱく質を加水分解して得られるアミノ酸はカルボキシル基とアミノ基が，カルボキシル基に隣接する同一の炭素原子（α-炭素）に結合しているα-アミノ酸である．たんぱく質を構成しているアミノ酸は約20種類あり，グリシンを除き不斉炭素原子を持ち光学活性があるが，すべてがL型である．R·CH(NH$_2$)COOHの一般式で表され，Rの性質により脂肪族アミノ酸，ヒドロキシアミノ酸，含硫アミノ酸，酸性アミノ酸，塩基性アミノ酸，芳香族アミノ酸，イミノ酸に大別される．また，動物の栄養上からは，摂取を必要とする不可欠アミノ酸（必須アミノ酸）と可欠アミノ酸（非必須アミノ酸）に分けられる．

アミノ酸スコア
英 amino acid score **別** プロテインスコア

ヒトにとって栄養的に理想的なアミノ酸パターンを想定し，これと比較した，食品たんぱく質の第1制限アミノ酸の割合．食品のたんぱく質の栄養価を評価する指標として用いられる．理想的なアミノ酸パターンとして，FAO/WHO (1973)，FAO/WHO/UNU (1985)，WHO/FAO/UNU (2007)が報告されてきたが，最新版はFAO (2013)の消化性必須アミノ酸スコア(Digestible indispensable amino acid score; DIAAS)がある．

アミノ酸組成によるたんぱく質
英 protein calculated as the sum of amino acid residues

『食品成分表』における成分項目群「たんぱく質」の成分項目の一つ．たんぱく質は，アミノ酸の脱水縮合物であることから，たんぱく質を構成するアミノ酸の分析値を元に，アミノ酸残基の和として求める．アミノ酸の分析値は，通常の加水分解条件下では，本来含まれる値よりも小さな値になるため，実験的に求めたアミノ酸の種類によって異なる補正係数を乗じてから計算する．成分項目群「たんぱく質」の他の成分項目である（従来の）たんぱく質は，たんぱく質以外の窒素も測定していること，過大と考えられる窒素-たんぱく質換算係数を乗じていることなどから，過大な値であるといわれているのに対し，アミノ酸組成によるたんぱく質は，より本来の値に近いたんぱく質量を示すと考えられている．エネルギー計算に優先して用いられ，その換算係数は4 kcal/g (17 kJ/g)である．

アミラーゼ
英 amylase

でん粉を加水分解する酵素の総称．α-アミラーゼ，β-アミラーゼ，グルコアミラーゼなどに分類される．α-アミラーゼは動物，植物，微生物に分布し，でん粉のα-1,4結合を不特定の部位で加水分解する．でん粉の糖化，オリゴ糖，消化剤などの製造に利用される．β-アミラーゼは植物，微生物に分布し，でん粉の非還元末端より加水分解し，β-麦芽糖を生成する．麦芽水あめなどの製造に利用される．グルコアミラーゼは微生物に分布し，でん粉のα-1,4結合，α-1,6結合を加水分解し，最終産物としてぶどう糖を生成する．でん粉の糖化，ぶどう糖の製造に利用される．

アミロース
英 amylose

ぶどう糖が，α-1,4結合で数千から数万個鎖状に結合した高分子量多糖類．系統名は，(1→4)-α-D-glucopyranan という．少数のα-1,6結合を含む．アミロペクチンとともにうるち（粳）型のでん粉を構成する．通常，うるち型のでん粉では20～25%を占める．溶液中では，部分的にヘリックスやランダムコイルとして存在し，冷時にヨウ素を加えると複合体を形成して青色を示す．日本では，米はアミロース含量の高いものほど，飯としての食味が劣るとされる．

アミロペクチン
英 amylopectin

ぶどう糖がα-1,4結合で25～30個結合してできた短いアミロースが，α-1,6結合した分岐構造を持つ高分子量多糖類．うるち（粳）型でん粉の主成分で，75～80%を占める．米，あわ，きび，もろこし，とうもろこし，小麦などには，でん粉がアミロペクチンのみからなるもち（糯）種がある．

アリイン
英 alliin

化学名 S-アリル-L-システインスルホキシド. にんにく中に含まれ, アリイナーゼによる分解で, にんにくの特異臭であるアリシンが生成する.

アリルからし油
🇬🇧 allyl mustard oil

黒からし, 和からしの種子を原料としたからしを水蒸気蒸留して得られた揮発性油. 主成分はからしの辛味成分であるアリルイソチオシアネート.

アルカロイド
🇬🇧 alkaloid

植物に含まれる含窒素塩基性有機化合物で, ヒトや動物に少量で顕著な生理活性を示す. 動物性起源のものを含めることもある.

アルブミン
🇬🇧 albumin

水, 希酸, 希アルカリに可溶性のたんぱく質. 加熱により凝固しやすい. 代表的なアルブミンとして, 植物性食品では大豆のレグメリン, 動物性食品では卵白のオボアルブミン, 牛乳のラクトアルブミンなどがある.

アルギン酸
🇬🇧 alginic acid

ポリウロン酸で, D-マンヌロン酸とL-グルロン酸を含み, β-1,4 結合が主体である. 重合度は, 80程度. 褐藻類に特有の多糖類で, 細胞壁にカルシウム, マグネシウム塩として存在する. ナトリウム塩は, アルギンと呼ばれ, 食品添加物として, 乳化・安定剤, 増粘剤等に用いられる.

アルコール
🇬🇧 alcohol

炭化水素の水素原子をヒドロキシル基(-OH)で置換した化合物 一般式: ROH. 食品ではエタノール(エチルアルコール; 化学式 C_2H_5OH)を指す場合が多い. アルコール飲料の成分で, 『食品成分表』ではエネルギーを 7 kcal/g (29 kJ/g) としている.

アルファ化食品
🇬🇧 pregelatinized food

穀類のでん粉の糊化が完了したものを急速に加熱脱水・乾燥した食品. でん粉を糊化(アルファ化)されたままの状態に保つことができ, 古来の煎り米, あられなどのほか, 即席麺や携帯用のアルファ化米などがその例である. なお, でん粉科学の分野では, かつて, 糊化をアルファ化(α化)と呼んでいたが, 現在は「アルファ化」の用語は用いない.

α-リノレン酸
🇬🇧 α-linolenic acid

化学名全 cis-9,12,15-オクタデカトリエン酸, 分子内に二重結合を3個持つ不飽和脂肪酸, 植物の葉緑体に分布し, えごま油, あまに油の主要構成脂肪酸で, なたね油, 大豆油にも含まれる. 必須脂肪酸である.

泡立て器
🇬🇧 beater 別 ホイッパー

材料の混合, 撹拌(かくはん), 泡立てに用いる用具. 特に卵の泡立てを主目的とする. スポンジケーキ, マシュマロ, カステラ, マヨネーズなどをつくる際, 卵を泡立てるのに用いる. 茶せん型, ターナー型, らせん型などがあり, ステンレス製のものが多い. 電動式のハンドミキサーは, 2本のビーターをモーターで回転させる.

アンセリン
🇬🇧 anserine

化学名 N-β-アラニル-1-メチル-L-ヒスチジン. ジペプチド(ペプチド*)で, 動物の筋肉中に多量に存在する. 食肉では, 牛肉, 豚肉よりも鶏肉に多く含まれる.

アントシアニジン
🇬🇧 anthocyanidine

フラボノイドの一つ. クロマン骨格の1位の酸素がオキソニウムイオンである化合物の総称. アントシアニンのアグリコンで, 化学構造により, シアニジン, ペラルゴニジン, デルフィニジン, ペオニジン, マルビジン, ペチュニジン等がある.

アントシアニン
🇬🇧 anthocyanin

なす, ぶどうの果皮などの紫, いちご, しそなどの赤色を呈するフラボノイド系の水溶性天然色素. アントシアニジンの3位あるいは3,5位などにグルコース等が結合した配糖体である.

維管束
🇬🇧 vascular bundle

植物組織の一つで, 木部と篩部からなり, 水と養分の通路であるとともに植物体を強固に保つ組織. シダ植物と種子植物にみられる.

イコサペンタエン酸
🇬🇧 icosapentaenoic acid (IPA); eicosapen-

taenoic acid（EPA）
別 エイコサペンタエン酸
化学名全 cis-5,8,11,14,17-イコサペンタエン酸．炭素数 20，二重結合数 5 の n-3 系多価不飽和脂肪酸．n-3 とは，末端メチル基炭素の位置を基準の 1 として，3 番目の炭素（と 4 番目の炭素間）に最初の二重結合があることを示すもので，従来用いられていた ω（オメガ）3 と同じ意味である．抗血栓，抗動脈硬化の作用がある．魚油をはじめ，海産動植物脂質に多く含まれている．

イスパタ
イーストパウダーを略した呼び名．主に重曹（炭酸水素ナトリウム*）と塩化アンモニウムからなる膨張剤．ベーキングパウダーよりガスによる膨張力が大きい．

イソフラボン
英 isoflavone
フェノール基がクロマン骨格の 3 位に結合しているフラボンの位置異性体の総称．植物に配糖体として存在することが多く，大豆のイソフラボン配糖体（ゲニスチン，ダイジンなど）がよく知られている．

いちご状果
英 etaerio
花床が肥大して多肉化し，表面に多数の痩果をつける集合果（**付図③**）．

いちじく状果
英 syconium
壺状の多肉化した花床の内面に小果が密生した複合果（**付図③**）．

一代雑種
英 first filial generation　**別** F_1
品種や系統の間の交配によってできる第 1 代目の子孫群．F_1 の記号で表す．雑種強勢（両親より環境適応性，大きさ，収量などが優れていること）を示すので，家畜，野菜栽培などに利用されている．

1 年生草本
英 annual herb
同一年内に種子から発芽し，秋までに開花結実し，冬までに完全に根まで枯れ，種子を残す植物．

一般成分
英 proximate components
食品中に一般的に含まれる基本成分．通常，水分，たんぱく質，脂質，炭水化物および灰分があげられる．これらの成分分析を一般分析（proximate analysis）という．

イヌリン
英 inulin
フラクタンの一種．果糖が β-2,1 結合した多糖類．系統名は，$(2 \rightarrow 1)$-β-D-fructofurananという．キク科作物のきくいも，チコリ，ごぼう等に多量に含まれる．水溶性食物繊維に分類される．

イノシトール
英 inositol
環状多価アルコールであるサイクリトール類の一種．シクロヘキサン六価アルコールの総称．それぞれの炭素原子に結合した 6 個の水酸基の位置により，9 種類の異性体が存在する．動植物に最も多く存在するのは，myo-イノシトール（$meso$-イノシトールともいう）である．動物，微生物の成長因子としてビタミン様作用物質に分類される．myo-イノシトールの六リン酸エステルはフィチン酸で，そのカルシウム（Ca）-マグネシウム（Mg）塩であるフィチンとともに穀類に多量に含まれている．

イノシン酸
英 inosinic acid
プリン誘導体のヒポキサンチンとリボースが結合したヌクレオシドであるイノシンにリン酸が結合したヌクレオチド．二ナトリウム塩であるイノシン酸ナトリウムが調味料として利用され，グルタミン酸ナトリウムとはうま味の相乗効果を示す．

疣足（いぼあし）
英 parapadium
ナマコ類は体の腹側に吸盤を備えた管足*があり，移動に使用するが，背側では管足が疣状の突起に変化している．これを疣足という．

イミノ酸
英 imino acid
第二級アミン（-NH-）を持つアミノ酸．プロリン，ヒドロキシプロリンが含まれる．

インベルターゼ
英 invertase
しょ糖を果糖とぶどう糖に加水分解する反応を触媒する酵素．名前は，しょ糖溶液の旋光度を反応により右旋性から左旋性に転化させる（invert）ことから付けられた．インベルターゼには，酵母中に含まれるもののようにエーテル結合を果糖側で分解するものと，麹，カビや動物の小腸中のインベルターゼのように，ぶどう糖側で分解するものとの二種類がある．

う

ウインタリング
英 wintering　**別** 脱ロウ

油脂を低温下に放置し，析出した結晶部分の濾過除去工程を意味する．液状の植物油脂をサラダ油として使用した初期の冬季低温時，脂質結晶が生じ白濁や分離が観察され，また，使用時に容器の口をふさいだり，ベトつく現象が見られた．これを避ける目的で意図的に低温下におき，結晶を促し生成した結晶の除去が行われるようになった．また，水素添加により固体脂が過剰となった際などに，過剰固体脂を除去する目的でウインタリングが行われることもある．

羽状複葉
英 pinnate compound leaf

小葉（複葉をつくっている個々の葉）が葉軸の両側に対をして羽状に並んだ葉．頂小葉がない場合は偶数羽状複葉（例；うど，そら豆），ある場合は奇数羽状複葉（例；コリアンダー，山椒）という（**付図①**）．

打ち物類

干菓子の一種．らくがんに代表される．穀類の煎り種に砂糖を加え，これを各種の木型に詰めて整型しそのまま固めてから型抜きするか，型抜き後，表面にかるく蒸気を当ててから乾燥させ仕上げたものを打ち物という．香ばしい味が特徴である．古くから，慶事，仏事の引出物として広く用いられている．穀類として，もち米，うるち米，大麦などのほか，豆類の大豆，あずき，えんどうなども使用される．

腕（うで）
英 arm

貝類の足に相当する運動器官であるが，頭足類（イカ，タコの類）の足は4〜5対に分かれていて，捕食，生殖等の機能を果すので腕と呼ぶ（**付図⑨**）．

うり状果
英 pepo

子房室が一つで，側膜胎座（子房の側壁にある胎座）に多くの種子があり，外果皮とそれを囲む花床が硬く，中果皮，内果皮が多肉化した偽果．うり，メロンなど（**付図②**）．

え

穎（えい）
英 glume　**別** 稃（ふ）

イネ科植物にみられるような小花を包む苞（ほう）の総称．小花の外側にあるものを外花穎（lemma；外穎，護穎とも呼ばれる），内側にあるものを内花穎（palea；内穎とも呼ばれる）という（**付図②**）．

穎果（えいか）
英 caryopsis　**別** 穀果

乾果で閉果の一種．痩果に似ているが，薄い果皮と種皮が密着し種子のようにみえる穎を持つ果実．米など（**付図②**）．

HLB
英 hydrophilic-lypophilic balance（HLB）

界面活性剤の持つ親水性と疎水性の比率を数値化したもの．数値の大きいものは親水性が大きく，小さいものは疎水性が大きい．界面活性剤の乳化，洗浄，起泡などの特性に関連する．

栄養改善法
英 Nutrition Improvement Law

昭和27（1952）年に厚生省（当時）により制定され，健康増進法の施行に伴い平成14（2002）年に廃止された．平成7（1995）年には同法の大幅改正に伴い，販売する加工食品等の栄養成分，エネルギーに関して任意で表示する場合の基準として「栄養表示基準」が制定された．エネルギー，たんぱく質，脂質，炭水化物，ナトリウムの含有量をこの順序で記載することや，一定の栄養成分等について強調表示を行う場合，その含有量が基準を満たすこと等が定められた．同基準は，健康増進法の施行後も存続し，平成27（2015）年4月消費者庁による「食品表示法」の施行とともに，一部が改定されて「食品表示基準」として引き継がれた．

栄養繁殖
英 vegetative propagation

植物の栄養器官が分離発育して，新しい1個体となる生殖．自然にはいも類に，人為的には挿木・接木などにみられる．

栄養葉
英 trophophyll　**別** 裸葉

シダ類の葉のうち，胞子嚢のできない葉．胞子嚢のできる葉を胞子葉という．ゼンマイなどにみられる．

液果
英 sap fruit　**別** 漿果（しょうか）

多肉果の一種．中果皮，内果皮が多肉化し，軟らかくなる果実．トマト，ぶどうなど（**付図②**）．

エクストルーダー
英 extruder　**別** 自動押し出し装置

食品の押出し加工用の機器で，食品材料を混合，

加熱およびせん断，成型および膨化乾燥させることができる．多くの種類があり，食品工業には不可欠な装置で，スナックフーズ，マカロニ，スパゲッティ，連続製パン法，板ガム等，幅広く活用されている．この機械の中を原材料が通過する間に，①加熱による固体原料の溶融（液化）と②冷却による成型（固化）が行われ，この場合は組織状（ひき肉を乾燥した状態の組織）たんぱく質を作製することができる．また，多孔質状の製品をつくることができ，大豆製品では大豆臭が弱くなるなどの利点がある．

エステル
英 ester

酸とアルコール（あるいはフェノール）から水分子が脱離（脱水縮合）して生成する化合物の総称．食品の場合，酸は主としてカルボン酸で，そのエステルは R･COO･R′ の構造を持つ．植物の精油中に存在し，油脂やロウとしても存在する．食品の香気成分として重要である．

枝がわり
英 bud mutation

植物体の一部が母体から突然変異を起こしたもの．梨の二十世紀，みかんの早生温州（うんしゅうみかん*）などは，枝がわりを接木して殖やしたものである．

エチレン
英 ethylene

最も簡単なオレフィン系炭化水素（C_2H_4）で，無色，甘味のある気体．植物成長調節物質（植物ホルモン）の一種で，特に果実の成熟，葉菜類の黄色化など，植物組織の熟成・老化を促進する作用がある．

越年生草本
英 winter annual herb

1年生草本であるが，秋に種子から発芽し，冬には葉の状態で過ごし，春に開花結実し，夏までに完全に根まで枯れ，種子を残す植物．2年生草本と呼ぶ場合もある．

エマルション
英 emulsion　**別** エマルジョン

相互に溶け合わない2種類の液体の一方が微粒子となって，他方に散在している状態．微粒子となる方を分散相，他方を連続相と呼ぶ．水-油のエマルションでは，水中油滴（O/W）型と油中水滴（W/O）型がある．エマルションを安定化させるには，乳化剤を用いる．

エラスチン
英 elastin

血管壁，腱，靱帯などの結合組織に含まれるたんぱく質．緩衝液などの水溶液に対する溶解度が著しく低い硬たんぱく質の一つ．構成アミノ酸として，グリシン，アラニン，バリン，プロリンが多い．酸，塩基，たんぱく質分解酵素に対して抵抗性が大きい．

エルカ酸
英 erucic acid　**別** エルシン酸

化学名 *cis*-13-ドコセン酸．炭素数22の直鎖一価不飽和脂肪酸で，13位に二重結合がある．在来種のなたね油に約40％，からし油に約20％含まれる．多量に摂取すると心臓障害を起こすが，原料なたねの品種改良が行われ，現在の市販なたね油は低エルカ酸油である．

エルゴステロール
英 ergosterol

プロビタミンD*

塩基性アミノ酸
英 basic amino acid

塩基性側鎖を持つアミノ酸．中性溶液でプラス電荷を持つ．アルギニン，リシン，ヒスチジンが含まれる．なお，ヒスチジンは複素環式アミノ酸として分類することがある．

円錐花序
英 panicle　**別** 複総状花序

総状花序の軸がさらに1回〜数回分かれ，最後の軸に花をつける花序．

円鱗（えんりん）
英 cycloid scale

魚類の鱗のうち，骨質で薄く，縁が円をなし，棘を持たないなめらかなもの．多くの硬骨魚，たとえばサケ科やコイ科などにある（櫛鱗*；しつりん）．

追星（おいぼし）
英 pearl organ

繁殖期の雄魚の鰓蓋（えらぶた），ひれ（鰭），ときには体表一面に現れる角質化した白色の疣状小突起．主にコイ科のキンギョ，タナゴ，オイカワやサケ科のアユなどにみられる．

横状紋
英 cross bands　**別** 横縞（よこじま）；横帯

体の長軸に対して直角の方向の縞模様．

O157

腸管出血性大腸菌*

オーバーラン
英 overrun

アイスクリームに含まれる空気の量のこと．アイスクリームの生地の凍結時の激しい攪拌により空気の泡ができ，膨張されてアイスクリームとなる．膨張は原料中の乳化剤が脂肪球の乳化分散を促進し，安定剤の水和作用で，激しい攪拌によって生じた網目構造が支えられることにより生じる．このために空気が断熱層になり，氷より溶けにくく，食べた時に舌への冷凍刺激を和らげる効果を出している．オーバーランが高いと軽い味になり，低いと重い味になる．普通アイスクリームで60～100％，ソフトクリーム30～80％，シャーベット20～60％である．次式で求められる．

オーバーラン(％)＝(一定容量のクリーム材料の質量－同容量のホイッピングクリームの質量)÷(同容量のホイッピングクリームの質量)×100

おか物類
半生菓子のうち，形づくってそのまま製品になるものをいう．鹿の子，すはまなどがあり，そのほか，もなか類などもおか物類に入る．

押し物類
干菓子のうち，穀粉類や砂糖のほかに練りあんや特徴づけの副材料を用い，木枠などに型崩れしない程度に押しつけ整型して仕上げるものをいう．代表的なものに，しおがま，おこし，五家宝などがある．

尾びれ（鰭）
英 caudal fin

魚類の尾端にあり，脊柱の後端部で支持される無対鰭．系統的に，原始的な原正尾（ヤツメウナギなど）から異尾（サメ類など）を経て，正尾（硬骨魚類）へと進化した．無脊椎動物でも体後部に生じる推進器官を尾びれと呼ぶことがあるが，魚類のものとは相同ではない．

オボムコイド
英 ovomucoid

卵白たんぱく質の一つ．アミノ酸残基は186個で，分子量28,000の比較的小さな糖たんぱく質．卵白アレルギーの主要原因物質．

オリゴ糖類
英 oligosaccharides **別** 少糖類

単糖類が3～10個結合した糖類．三糖類（単糖類が3個結合したもの）にラフィノースなどがある．なお，食品でオリゴ糖という場合，オリゴ糖類が主成分で生理特性を持つ甘味料を指すことがある．

オリザノール
英 oryzanol

不飽和トリテルペンアルコール類のフェルラ酸エステルの総称．米を精白する際の副生物の糠から抽出される米糠油，米胚芽油から分離されたので，イネの学名（*Oryza sativa*）よりこの名前が付けられた．

オレイン酸
英 oleic acid

オレイン酸（18:1 n-9）は，オクタデセン酸の一種で，脂質に多く含まれる一価不飽和脂肪酸である．五訂増補脂肪酸成分表編では，オレイン酸とその二重結合の位置が異なる構造異性体および *cis-trans* 異性体も含めて，成分項目「オレイン酸（18:1）」として収載していた．日本食品標準成分表2015年版（七訂）脂肪酸成分表編では，この成分値を，オクタデセン酸の合計値を意味する成分項目「18:1計」として収載した．そして，オレイン酸（18:1 n-9）と *cis*-バクセン酸（18:1 n-7）を分析した食品については，それらの成分値を収載し，その合計値も「18:1計」として収載した．『食品成分表』脂肪酸成分表編においても，この措置を踏襲しているため，「18:1計」の収載値は，オレイン酸とその構造異性体および *cis-trans* 異性体も含めた合計値とオレイン酸と *cis*-バクセン酸の合計値とが混在している．「18:1計」に含まれる脂肪酸は，オレイン酸と *cis*-バクセン酸の収載値がある場合はオレイン酸と *cis*-バクセン酸であり，オレイン酸と *cis*-バクセン酸の収載値がない場合はオレイン酸とその構造異性体および *cis-trans* 異性体である．

オレオオイル
英 oleo oil

牛脂を25～30℃で約3～4日保持した後，圧力をかけ絞ると液状脂が出てくる．これがオレオオイル（融点約30℃，ヨウ素価44～48）と呼ばれるもので，バターの性状に類似し，マーガリンの原料として使用される．残部の固状脂はオレオステアリン（融点約54℃，ヨウ素価25）と呼ばれ，硬さが要求されるパイ等洋菓子用の業務用マーガリン原料として用いられる．

オレンジミート
英 orange meat

冷凍がつおを原料とした缶詰の肉が黄褐色を呈し，カラメル臭を発する現象で，生鮮肉中に含有されるグリコーゲンの中間分解生成物とアミノ酸との反応で着色するものと考えられてお

り，凍結前に十分予冷することで防止できる．

科
🈓 family
生物分類上の1ランク（階級）．目（もく）の下位，属の上位のランク（学名*）．

外果皮
🈓 exocarp
果皮の3層の中の外層（付図②，うり状果）．

塊茎
🈓 tuber
地下茎の一種．地下茎の先端にでん粉などの養分を多量に貯え，肥大したもの．多くの芽を持っているものもある．じゃがいも，くわいなど（付図④）．

塊根
🈓 tuberous root
でん粉などの養分を多量に貯え，肥大した塊状の根．さつまいも，やまのいもなど（付図④）．

外套膜（がいとうまく）
🈓 mantle
軟体動物の内臓塊を背側から覆う筋肉質の膜．貝殻を分泌する．内臓嚢との間にできる腔所を外套腔といい，ここに排泄孔が開口し，また鰓（えら）がある（付図⑨，二枚貝）．

灰分（かいぶん）
灰分（はいぶん）*

花冠
🈓 corolla
1花の中にある花弁全体を合わせたもの．

がく（萼）
🈓 calyx
被子植物の花被の一番外側にあって花弁を囲む部分（付図①，花）．

殻口（かくこう）
🈓 aperture
巻き貝の殻の開口部．

核酸
🈓 nucleic acid
複素環塩基（プリン塩基，ピリミジン塩基），五炭糖，リン酸が規則的に結合した有機化合物．モノヌクレオチドを基本単位とし，長い鎖状にリン酸ジエステル結合で重合する．糖がリボースであるリボ核酸（RNA）とデオキシリボースであるデオキシリボ核酸（DNA）に大別され，前者は遺伝情報の発現過程で重要な役割を持ち，後者は生物の遺伝物質である．食品では基本単位の 5′-イノシン酸，5′-グアニル酸が核酸系調味料として利用されている．

学名
🈓 scientific name
学術上の命名規約に基づいた生物の科学上の名前．ラテン語で表記する．学名は分類群のランク（階級）を示す界，門，綱，目，科，属，種（しゅ）などに付けられる．分類群の中で最も基本となる種の学名は，二命名法と呼ばれる属名と種名（種小名）の2つをこの順に，イタリック体で，半角空けて，列記し（属名の頭文字は大文字，残りは小文字；種名は全て小文字．例／イネ：*Oryza sativa*），これに命名者名を付記したものである．生物分類学以外の分野では，命名者名を省略して用いられることが多い．

花茎
🈓 scape
葉をつけないで頂端に花だけつける茎．

掛け物類
干菓子のうち，おこし類，煎り豆，ゼリー，栗などをセンターとして，砂糖や粉類を掛け，そのままあるいはツヤ出し加工などして仕上げたもの．

果菜類
🈓 fruit vegetables
未熟果，熟果を利用する野菜．さやえんどう，十六ささげ，なす，きゅうり，トマトなど（付図⑤）．

花菜類
🈓 flower vegetables
花序，花茎，花蕾，花弁を利用する野菜．カリフラワー，ブロッコリー，食用菊，アーティチョークなど（付図⑤）．

過酸化物価
🈓 peroxide value
油脂の酸化に伴って生じる過酸化物の量を示す値で，試料1 kgによってヨウ化カリウムから遊離するヨウ素のミリ当量数で表す．代表的な劣化指標である．標準的方法はヨウ素滴定法で，遊離したヨウ素をチオ硫酸ナトリウム標準液で滴定する．

花軸
🈓 floral axis
花序の中心になる部分．これから花柄が出る．

花序
🈓 inflorescence
茎につく花の配列状態．穂状花序，肉穂花序，総状花序，散形花序，複散形花序，頭状花序，

円錐花序などがある（**付図①**）．

花床
- 英 receptacle　別 花托

花柄の先端に花の部分であるがく，花冠，雌ずい，雄ずいなどをつけ，少し肥大したところ（**付図①**）．

加水分解
- 英 hydrolysis

化合物に水が介入して分解し，片方に H，他方に OH を加える反応．たとえば，たんぱく質はアミノ酸に，油脂の主成分であるトリアシルグリセロールは脂肪酸とグリセロールに，しょ糖はぶどう糖と果糖になる．

額角（がっかく）
- 英 rostrum

甲殻綱十脚目の，頭胸甲の前端から，前方に向かって突出する1個の角状突起．外縁に鋭い鋸歯を備える場合が多い．一般にエビ類では側扁していて，カニでは背腹に平たい（**付図⑧**，えび，かに）．

カテキン
- 英 catechin

フラボノイドの一つ．3-ヒドロキシフラバノール類の総称．茶に多く，乾物当たり10%以上になる．緑茶の主要なカテキンは，(-)-エピカテキン，(-)-エピガロカテキン，(-)-エピカテキン-3-ガレート，(-)-エピガロカテキン-3-ガレートの4種類で，(-)-エピガロカテキン-3-ガレートは，緑茶の全カテキンの半分を占める．カテキン類には，抗菌性，抗変異原性，抗癌性，抗アレルギー性，抗う蝕性，脱臭性など，多くの機能が認められている．

果肉
- 英 sarcocarp

果実の肉質部（**付図②，③**）．

花被
- 英 perianth

がくと花冠の総称．

果皮
- 英 pericarp

果実の皮．子房壁が発達したもので，普通，外果皮，中果皮，内果皮の3層からなっている（**付図②，③**）．

カフェイン
- 英 caffeine

プリン塩基骨格を持つ植物アルカロイドの一つ．茶葉，コーヒー，ガラナ，コーラの実などに多く含まれる．覚醒作用，利尿作用がある．

カプサイシン
- 英 capsaicin

化学名 N-(4-ヒドロキシ-3-メトキシベンジル)-8-メチル-6-ノネンアミド．唐辛子の主要辛味成分．バニリルアミンに有機酸がアミド結合しているバニリルアミドを一般にカプサイシン類と呼び，唐辛子には約20種類が見出されている．

花柄
- 英 peduncle

花のつく柄．

果柄
- 英 peduncle　別 果梗（かこう）

果実をつけている柄（**付図②，③**）．

花蕾
- 英 flower bud

花のつぼみ（蕾）．

カラギーナン
- 英 carrageenan

紅藻のスギノリ科：アイリッシュモス，スギノリ，イバラノリ科：カギイバラノリなどから水抽出・精製して得られる天然高分子量多糖類：ガラクタンの一種．幅広い温域で安定したゲルをつくり，天然の増粘剤・ゲル化剤・糊料として，食品だけでなく医薬品や化粧品にも用いられる．

ガラクトース
- 英 galactose

単糖類（六炭糖）の一種．系統名は，*galacto-hexose* という．遊離で存在することは少ない．ぶどう糖と結合した乳糖，植物種子に含まれる，ラフィノース，スタキオースなどのラフィノース系列のオリゴ糖類，寒天など海藻類に含まれる多糖類の一種であるガラクタンの構成糖である．

カラメル
- 英 caramel

しょ糖やぶどう糖を160～180℃で加熱重合して得られる高分子の褐色色素．食品添加物として液状，粉末などがあり，着色のほか着香にも使われる．

カリウム
- 英 potassium　独 kalium

元素記号 K．金属元素の一つで，生体の必須元素．成人体内に約200g含まれ，エネルギー代謝，細胞膜輸送，細胞内外の電位差の維持などに関与し，特に電位差の維持は神経経路の信号伝達，筋収縮，ホルモン内分泌，平滑筋・心筋

機能の調節に重要である．

カルシウム
英 calcium

元素記号 Ca．アルカリ土類に属する軽金属元素の一つで，生体の必須元素．成人体内に約 1 kg 含まれ，約 99% はリン酸塩，炭酸塩として，骨，歯の成分となっている．残りは体液，細胞内に存在し，神経・筋肉機能の調節などに関与している．

カルボキシメチルセルロース
英 carboxymethylcellulose（CMC）

セルロースのヒドロキシル基にカルボキシメチル基をエーテル結合させたもの．食品添加物の増粘剤，ゲル化剤，糊料として使用される．CMC は一般にナトリウム塩が用いられ，カルボキシメチルセルロースナトリウム，または繊維素グリコール酸ナトリウムと称される．

カルボニル価
英 carbonyl value

油脂の酸化によって生成する過酸化物の分解で生じるカルボニル化合物の量を示す値で，フライ油の劣化指標として利用される．2,4-ジニトロフェニルヒドラジンと反応させてできるヒドラゾンの 440 nm における吸光度を測定し，試料油脂 1 g 当たりの吸光度で表す．

カロテノイド
英 carotenoid　**別** カロチノイド

動植物界に広く存在し，長い鎖状の共役二重結合系からなるポリエン構造を持つ，黄，橙，赤色を呈する色素群の総称．多くは C_{40} の構造をもち，酸素を含まない炭化水素と，酸素を含むアルコール，ケトン，カルボン酸，エステルなどがある．いずれも窒素は含まない．炭化水素類に，カロテン，リコペンなどがある．アルコール類は，キサントフィルと総称され，クリプトキサンチン，ゼアキサンチン等がある．

カロテン
英 carotene　**別** カロチン

カロテノイド色素の一つ．$C_{40}H_{56}$ の構造を持つ．にんじんの根，唐辛子の果皮，かぼちゃ，ほうれんそうなどの緑黄色野菜，および卵黄，バターのような黄色の動物性食品に含まれる．α-, β-, γ- の 3 異性体がある．存在量は β 体が最も多いが，α 体も含まれる．β 体のビタミン A 効力は α-, γ- の 2 倍，レチノールの 1/6 である．『食品成分表』のカロテンの値は β-カロテン当量（μg）で示され，1/2 α-カロテン（μg）＋ β-カロテン（μg）＋ 1/2 β-クリプトキサンチン（μg）の算出式より求めている．抗酸化作用をもち，抗発癌作用，免疫賦活作用が知られている．厚生労働省では，100 g 当たり，β-カロテンを 600 μg 以上含む野菜を緑黄色野菜*としている．なお，トマト・ピーマンなどは，可食部 100 g 中のカロテン含有量が実際には 600 μg 未満であるものの，食べる回数や量が多いため，緑黄色野菜に分類されている．

乾果
英 1. dry fruit；2. dried fruit

1. 植物学では，熟すると水分を失って乾燥する果実（付図②）．2. 加工果実では，乾燥した果実（ドライフルーツ）．

含気包装
英 involved air packaging

生鮮食品や加工食品は，トレイに入れ，プラスチックフィルムなどでラッピングしたり，小袋に入れて包装することが多い．この場合，容器内部に酸素等の清浄気体を注入して包装し，外部のほこりや微生物の二次汚染を防ぐとともに，気体がクッションの役割をして食品の破損を防ぐ．この包装技法を含気包装と呼ぶ．

肝吸虫
学 *Clonorchis sinensis*
英 oriental liver fluke　**別** 肝臓ジストマ

ヒトなど哺乳類を終宿主とする寄生虫（吸虫）．日本，台湾，中国，韓国などに広く分布する．第一中間宿主はマメタニシ，第二中間宿主はコイ科の淡水魚．通常，人への感染は第二宿主の生食により感染し，胆管に寄生して肝吸虫症を起こす．

還元糖
英 reducing sugar

還元性を示す糖．これらの糖は還元基としてアルデヒド基またはケト基を持つ．ぶどう糖，果糖のような単糖類はすべて還元性を持つ．二糖類の麦芽糖，乳糖などやマルトトリオースなど三糖類以上でも分子の末端に還元基を持つ還元糖がある．なお，しょ糖のような還元性のないものを非還元糖と呼ぶ．

乾性油
英 drying oil

油脂を薄く塗布して空気中に放置した時の性状により乾性，不乾性，半乾性を区別する．乾性油は，不飽和度の指標であるヨウ素価が 130 以上の乾燥性の高い植物油．塗料，油ワニス，印刷インキなどの工業製品の原料にも用いられるリノレン酸の多いあまに油やえごま油，主に

食用に用いられるリノール酸の多いサフラワー油やひまわり油がこれに属する．

管足（かんそく）
英 tube-foot

棘皮動物（ウニ，ナマコの類）の水管系から体表にあらわれ，伸縮する細管．移動，摂食，呼吸，感覚などの機能がある．

干潮線（かんちょうせん）
英 low water line　別 干潮汀線（かんちょうていせん）

海潮の最も降下した時の陸地と海面との交わる線．

眼柄（がんぺい）
英 eye-stalk

無脊椎動物の頭部側面と複眼または単眼とを連結する棒状の部位．眼柄によって眼を頭部に対して自由に動かすことが可能．

γ-リノレン酸
英 γ-linolenic acid

化学名全 *cis*-6, 9, 12-オクタデカトリエン酸．分子内に二重結合を3個持つ不飽和脂肪酸．月見草種子油，さくらそう種子油に多く含まれる．必須脂肪酸である．血漿コレステロール低下作用，アトピー性皮膚炎の予防などの栄養生理作用が注目され，サプリメントとしても販売されている．

含硫アミノ酸
英 sulfur containing amino acid

硫黄を含んだアミノ酸．システイン，シスチン，メチオニンが含まれる．

きいちご状果
英 aggregate fruit composed of a number of small drupes

わずかに肥大した花床に多くの小石果をつける集合果（**付図③**，集合果）．

偽果
英 false fruit

果実が形成される際，子房およびそれ以外の花床などの器官が発達した果実．りんご，なしなど．

キサントフィル
英 xanthophyll

ヒドロキシル基（-OH）を持つカロテノイドの総称．

キチン
英 chitin

N-アセチルグルコサミンが β-1, 4 結合した多糖．甲殻類の殻，きのこ，酵母，カビなどの細胞壁などに広く分布している．食物繊維（不溶性）の成分でもある．キチンを脱アセチル処理したものがキトサンである．サプリメントや化粧品に利用されるほか，手術用の糸などにも用いられる．

キモシン
英 chymosin　別 レンニン

従来レンニンと称された牛の第4胃から得られる凝乳酵素で，酵素剤としてはレンネットと呼ばれ，チーズ製造時の凝固剤として使われる．レンネットはキモシン（レンニン）が主で，少量のペプシンなどを含んでおり，精製してキモシンが得られる．近年は微生物の *Mucor pusillus* 生成の代替品もある．

キュアリング
英 curing

食品関係では，次の2つの処理について用いられている．1．さつまいもの種いもや生食用のいもの貯蔵性を高めるために行う処理．温度33〜34℃，湿度90%以上の高温多湿に4〜6日間おくことにより，いもの表面の傷を受けた細胞層がコルク化し，病原菌の侵入を防ぎ低温に対する抵抗力を増大させ，貯蔵性を高める効果がある．2．ハム，ソーセージなどの製法の際に，肉塊を硝酸塩などとともに低温で塩蔵する処理．

球茎
英 corm

地下茎の一種．地中に養分を貯え，直立した球状あるいは卵状の茎．上端に1個または数個の芽を持っている．さといも，こんにゃくなど．

救荒作物
英 emergency crop

凶作の時にも生育して収穫できる作物．生育期間が短く，冷涼な気候でも収穫できる穀類（そば，あわ，ひえ），乾燥と気温の変動に強いいも類（さつまいも，じゃがいも）などの作物がある．

胸脚（きょうきゃく）
英 thoracic leg　別 胸肢（きょうし）

甲殻類（エビ，カニ類）の頭胸部を構成する体節に所属する付属肢のうち，胸部に属する8対のうち後ろの5対をいう．一般に歩脚ともいう（**付図⑧**）．ちなみに前の3対は顎脚（がっきゃく）という．

菌傘（きんさん）
英 pileus

担子菌，いわゆるきのこが子実体を形成した時の上部に位置し，傘のような形状を示す部分．裏側にはひだがあり，中央部で柄につながっている．傘の表面の色や形状，肉質が種類によって異なり，種の同定の目安となる．

菌柄（きんへい）
英 stem　**別** 軸

担子菌，いわゆるきのこが子実体を形成した時の幹に当たる部分．長さや太さ，肉質が種類によって異なる．種の同定に利用される．

クエン酸
英 citric acid

ヒドロキシトリカルボン酸の一つ．果実に含まれる有機酸の代表的なもの．レモン，ライム，だいだい，みかんなどの柑橘類の果実中に遊離状態で存在する．

クチクラ
英 cuticle　**別** 角皮

生物体の体皮（植物では表皮細胞からなる組織，動物では上皮細胞）の外表面に分泌される角質の層の総称．植物ではクチクラは植物体の表面を覆ってこれを保護し，水の浸透と蒸散を防止する．また，動物の上皮細胞上に分泌される，一般に比較的硬質の膜様構造として，甲殻類ではよく発達し，硬い外骨格をつくるほか，体内の一部にも存在する．外クチクラはその厚さの大部分を占め，平行に並ぶキチン分子のすきまをたんぱく質が埋め，さらに炭酸カルシウムが沈着して硬い甲皮となる．

グリーンミート
英 green meat

緑ないし緑灰色に変色した肉をいう．冷凍めかじきなどで切断面が緑色を帯び異臭を伴う現象がみられ，不良品とする．原因は鮮度低下に伴い，細菌が発生する硫化水素とヘモグロビンの反応によると考えられている．

グリコーゲン
英 glycogen

動物の肝臓，少量ではあるが筋肉などに存在するぶどう糖を構成糖とし，α-1,4結合およびα-1,6結合を含む貯蔵多糖類．

グリセロール
英 glycerol　**別** グリセリン

三価のアルコールで，甘味のある無色透明，無臭の粘稠性の液体．油脂（中性脂質）は1分子のグリセロールと3分子の脂肪酸のエステルである．

グルコース
英 glucose

ぶどう糖*

クリプトキサンチン
英 cryptoxanthin

ヒドロキシル基（-OH）を1個持つキサントフィル（モノオールカロテノイド）．β-クリプトキサンチンは，α-カロテンと同程度のビタミンA効力を持つ．多くの果実，野菜，特に柑橘類，唐辛子に多く含まれる．「ウンシュウミカン中のβ-クリプトキサンチンの定量－高速液体クロマトグラフ法」が，試験方法のJAS 0003として規格化されている．

グルタミン酸
英 glutamic acid

カルボキシル基（-COOH）を2つ持つ酸性アミノ酸の一つ．L型は，ほとんどの食品のたんぱく質の加水分解物中に最も多く含まれるアミノ酸である．カルボキシル基の一方にナトリウムが結合したグルタミン酸ナトリウムは，昆布のうま味成分で，調味料として利用されている．

グルテリン
英 glutelin

希酸，希アルカリに可溶性のたんぱく質．穀類の主要たんぱく質の一つで，米ではオリゼニン，小麦ではグルテニン，大麦ではホルデニンと呼ぶ．

グレーズ
英 glaze

冷凍した魚介類の表面を氷の薄層で覆うこと．表面の乾燥や酸化を防ぐ方法として有効であるが，氷の昇華により消失するので長期の冷凍では時々かけ直しを必要とする．

グロブリン
英 globulin

塩類溶液に可溶性のたんぱく質．代表的なグロブリンとして，植物性食品では大豆のグリシニン，動物性食品では卵白のオボグロブリン，牛乳のβ-ラクトグロブリン，筋肉のミオシンがある．

黒膜（くろまく）

腹腔の内面を覆っている黒い膜．学術用語では，腹膜（peritoneum），腹腔の内壁および腹腔の中の内臓各器官を覆う膜．

クロム
英 chromium

元素記号 Cr．金属元素の一つで，必須微量元素に分類される．成人（70 kg）の体内に約 2 mg 含まれている．糖代謝，コレステロール代謝，結合組織代謝，たんぱく質代謝に関与していて，長期間にわたる完全静脈栄養（中心静脈栄養）による欠乏症として，耐糖能低下，体重減少，末梢神経障害等が起こることが知られている．『食品成分表』では，100 g 当たり藻類のあおさ（素干し）に 160 μg，あおのり（素干し）に 39 μg，ほしひじきに 26 μg，香辛料類のバジル（粉）に 47 μg，パセリ（乾）に 38 μg と多く含まれている．

クロロゲン酸
英 chlorogenic acid

コーヒー酸（カフェ酸ともいう）とキナ酸のエステル化合物．多くの果実，野菜に含まれるポリフェノールの一つ．コーヒーの生豆には 7～8％含まれる．ポリフェノールオキシダーゼによる酸化や鉄イオンとの反応により，食品加工中の褐変や変色の原因となる．

クロロフィル
英 chlorophyll **別** 葉緑素

光合成を行う生物中に存在する緑色色素．ポルフィリン環と呼ばれる 4 個のピロール環をメチレン基でつないだ大環状骨格をもち，中央にマグネシウムを配位している．

茎菜類（けいさいるい）
英 stem vegetables

地下部の茎（根茎，塊茎，鱗茎，球茎），地上部の茎を利用する野菜．じゃがいも，たまねぎ，はす，さといも，アスパラガスなど（付図④）．

形成層
英 cambium

茎および根の肥大生長をきたす分裂組織．維管束の木部と篩部の間にあり，外側に篩部，内側に木部を形成する．

K 値
英 K value

生鮮魚類の初期鮮度の表示指数．死後魚肉中のアデノシン三リン酸（ATP）の分解生成物の総量に対する，イノシンとヒポキサンチンの合計量をパーセントで示す方法である．K 値が大きいほど鮮度が低い．一般に K 値は即殺魚：10％以下，刺身：20％以下，すし種：40％程度である．「魚類の鮮度（K 値）試験方法－高速液体クロマトグラフ法」が試験方法の JAS 0023 として規格化されている．

ケミカルスコア
英 chemical score **別** アミノ酸スコア

ヒトにとって栄養的に理想的なアミノ酸パターンと比較した，食品のたんぱく質の第 1 制限アミノ酸の割合で，そのたんぱく質の栄養価を評価する指標．化学分析値で算定する栄養価をケミカルスコアと総称するが，基準とするアミノ酸パターンによって，プロテインスコア，卵価，人乳価，アミノ酸スコアなどと呼ばれる．

堅果
英 nut **別** 殻果（かくか）

乾果で閉果の一種．果皮が木質で堅く，中に 1 個の種子があり，熟しても裂けない果実（閉果）．栗など（付図②）．

健康増進法
英 Helth Promotion Law

厚生労働省が制定した法律（平成 14（2002）年 8 月・法律第 103 号，平成 15（2003）年 5 月施行）．従来より国は，国民の健康づくりや疾病予防の推進のため，「健康日本 21」（21 世紀における国民健康づくり運動；2000 年に厚生省より策定）や栄養改善法を中核として，高齢化や生活習慣病の増大への対応を進めてきたが，健康増進法はそれらの医療制度改革の一環として制定された．本法の施行に伴い栄養改善法は廃止された．また 2013 年に，「健康日本 21（第二次）」が，次の 10 年間（2013～2022）の国レベルでの健康づくりの目標として策定されている．

甲（こう）
英 cuttle bone

コウイカ類の外套腔には楕円形，菱形あるいは槍形をした，鎧状のキチン分子の間をコラーゲンが埋め，さらに炭酸カルシウムを沈着した甲がある．スルメイカ類やヤリイカ類にはこの甲の石灰質を失ってキチン質の薄く透明な軟甲（gladius：俗に骨などともいう）がある．

甲殻（こうかく）
英 carapace **別** 甲皮

甲殻類（エビ，カニなど）の頭胸部から尾部を覆う全 14 節の背甲が癒合して 1 枚の厚い殻状となったもの．頭胸甲という．

高真空缶詰
英 vacuum pack
食品に液汁を加えないか，少量だけ加え，高い真空下で缶を密封した後，加熱殺菌した缶詰．高真空パックともいう．ドライパック*の一種．缶内を高真空にするため，液汁や固形内部の水分の沸騰点が低下し，急速に発生した水蒸気により加熱殺菌が効率よく行われ，品質のよい缶詰が製造できる．豆類缶詰（大豆・えんどうなど），スイートコーン缶詰，焼魚・焼肉缶詰などが市販されている．

酵素
英 enzyme
生体によりつくられる化学反応の触媒．たんぱく質で構成されるので，熱や特定の化学物質で不活性化する．反応の形式により，①酸化還元酵素，②転移酵素，③加水分解酵素，④脱離酵素，⑤異性化酵素，⑥合成酵素に大別される．

高度不飽和脂肪酸
英 highly unsaturated fatty acid
不飽和脂肪酸*

口腕（こうわん）
英 oral arm
鉢虫類の口から長く延びて形成される腕状の構造．ビゼンクラゲ科の属する根口クラゲ類では8葉に分かれている．

糊化（こか）
英 gelatinization **別** α化（科学用語としては用いない）
でん粉粒を水の中で加熱していくと，ある温度までは粒の形，大きさなどがまったく変化しないが，ある温度を境にして粒は急激に吸水，膨潤を開始する．この現象を糊化と呼ぶ．一般にこの温度を糊化温度と呼んでいる．糊化温度の測定は，自動昇温型粘度計（アミログラフ，その他）などで行う．

国連食糧農業機関
英 Food and Agriculture Organization of the United Nations（FAO）
国際連合の専門機関の一つ．世界の食糧の生産・流通の改善，栄養と生活の向上，農村住民の生活条件の改善，人類の飢餓からの解放を目的とし，1945年に設立された．本部はローマ（イタリア）．

ゴシポール
英 gossypol
綿実中に少量含まれる2個のナフタレン環がつながり，6個のヒドロキシル基（-OH）を持つ油溶性の黄色色素．有毒であるが，綿実油の製造過程で除かれる．

五炭糖
英 pentose **別** ペントース
炭素原子5個を持つ単糖類．キシロース，アラビノース，リボースなどがあり，自然界では遊離の状態で存在することは少ない．キシロース，アラビノースは主に植物の多糖類の構成糖，リボースは核酸の構成成分として存在する．

糊粉層
英 aleurone layer
穀粒の胚乳にみられる外側の細胞層．糊粉粒（たんぱく粒），脂肪粒と発芽の際に胚乳の成分を可溶化する各種酵素などが貯えられている．

コラーゲン
英 collagen
動物の結合組織を構成する主要なたんぱく質．大部分のコラーゲンは水に不溶性であるが，水，希酸，希アルカリと加熱すると，可溶性のゼラチンに変化する．

コレステロール
英 cholesterol
水に溶けず，油脂や有機溶媒に溶けるステロールの一種で，主として動物性食品に多く含まれ，植物性食品では海藻の一部にも含まれている．生体では細胞膜の構成成分として，また，胆汁，性腺ホルモンなどとして，生体内で重要な働きをもっている．一方では，動脈硬化の原因として，循環器疾患の危険因子とみなされている．

根茎
英 rhizome
地下茎の一種．地下をほぼ水平に走っている地下茎が肥大したもの．地上茎のように節があり，葉の痕跡がある．はす，わさびなど（**付図④**）．

根菜類
英 root vegetables
根（塊根，直根）に貯えた養分を利用する野菜．さつまいも，大根，にんじんなど（**付図④**）．

コンポジット缶
英 composite can
胴部を，紙，アルミ箔，プラスチックなどと組み合わせた複合材料で，底部と蓋部はブリキ板，アルミ板，プラスチック，紙などの単体，もしくは複合した材料で接合した密封容器である．主にスナック菓子，粉末チーズや冷凍濃縮ジュースなどの容器に使われている．

棹物菓子
菓子分類の製法に関係なく，その形状が棹状の長いものを棹物菓子という．流し物では練り羊羹，押し物類では村雨棹物（みそあんを芯に大徳寺納豆を散らしたもの）などがある．小口から切って供する．

蒴果（さくか）
英 capsule
乾果で裂開果の一種．2個以上の心皮が合わさってできており，成熟・乾燥すると各室に開裂する果実．けし，ごまなど（**付図②**）．

酢酸
英 acetic acid
ギ酸につぐ最も簡単な有機酸．化学式 CH_3-COOH．特有の刺激臭のある液体で，食酢の主成分．酸味料として使用される．『食品成分表』ではエネルギーを 3.5 kcal/g（14.6 kJ/g）としている．

サポニン
英 saponin
植物界に存在する多環式化合物をアグリコンとする配糖体の総称．アグリコンはサポゲニンと呼ばれ，その構造の違いにより，トリテルペノイドサポニンとステロイドサポニンに分けられる．一般に，発泡性，溶血作用をもつ．

サルモネラ
学 Salmonella spp.
腸内細菌科（Enterobacteriaceae）の属名．サルモネラ属には，食中毒（悪心，嘔吐，下痢，腹痛，発熱など）の原因となる菌が含まれる．日本で主に検出される菌として，Salmonella typhimurium（ネズミチフス菌），S. thompso, S. enteritidis（ゲルトネル菌）などがある．なお，同属にはチフス疾患の原因となるチフス菌（S. typhi），パラチフス菌（S. paratyphi）なども含まれる．

酸価
英 acid value
油脂 1 g 中に含まれる遊離脂肪酸を中和するのに必要な水酸化カリウムの mg 数．油脂の品質指標，フライ油の劣化指標として重要である．

散形花序
英 umbel
同じ長さの花柄をもった花が花軸の先端から多数放射線状に出た花序．

酸性アミノ酸
英 acidic amino acid
酸性側鎖をもつアミノ酸．中性溶液でマイナス電荷をもつ．アスパラギン酸，グルタミン酸が含まれる．そのアミド型アミノ酸としてアスパラギン，グルタミンがある．

3倍体植物
英 triploid plant
一般に体細胞の染色体は 2 組であるが，3 組をもつ植物．正常な種子がほとんどつくられない．果実類では，生食用のバナナの主要品種が 3 倍体である．2 倍体と 4 倍体とを交配して育成された，種子なしすいかが有名である．

CA貯蔵
英 controlled atmosphere storage（CA storage）
青果物の呼吸量は，低温度のほかに，特に低酸素濃度，高二酸化炭素濃度の条件下で抑制され，鮮度保持効果があることが知られている．低温（0～5℃）下で人為的に調整したガス組成の貯蔵庫を用いて青果物を貯蔵する．青果物の種類により，最適なガス組成条件は異なるが，一般的には酸素 5%，二酸化炭素 5% が安全な条件とされている．

自家受粉
英 self pollination
被子植物で，同一個体内での受粉をいう．自殖ともいう．開放花では，常に他家受粉の可能性があるので，自家受粉により品種・系統を維持しようとする場合には，当該個体以外の花粉による受粉を防ぐために，対象とする個体の開花前のつぼみに袋かけをして，自殖させる．

シガテラ毒
英 ciguatera
主に南方海域で漁獲されるフエダイ類，ハタ類，アジ類，カマス類などのうち，特定の場所のものに含まれる温度感覚の異常（ドライアイス・センセーション）を特徴とする麻痺性の中枢神経毒．原因物質は，渦鞭毛藻が産生する脂溶性のシガトキシン，ガンビエルトキシン，水溶性のマイトトキシン，軟サンゴから見出されたパリトキシンなどである．

脂質
英 lipid
生体を構成する物質の中で，水に溶けにくく，エーテルやクロロホルムなどの有機溶媒に溶けやすい物質の総称．単純脂質，複合脂質および誘導脂質に分けられる．『食品成分表』では，エネルギーの計算に，2020 年版から，「脂肪

酸のトリアシルグリセロール当量で表した脂質」を採用することとし，食品ごとに設定されている条件で，有機溶媒に抽出された脂質の脂肪酸組成を測定し，トリアシルグリセロール当量に換算している．また，有機溶媒で抽出された脂質の質量を，（従来の）脂質として併記している．エネルギー換算係数は『食品成分表』では，9 kcal/g（37 kJ/g），食品表示基準では，9 kcal/g を用いている．

脂質（TAG 当量）

本書での「脂肪酸のトリアシルグリセロール当量で表した脂質」の略称表記．解説は脂肪酸のトリアシルグリセロール当量で表した脂質*を参照のこと．

子実体（しじつたい）

英 fruit body

菌類の一種の担子菌が成長してつくる大型の生殖器官の名称．きのこは，一般にこの子実体を指す．菌傘，柄，つぼからなる．

糸状体（しじょうたい）

英 conchocelis

藻類の成長体の形状の一種．細胞が単列に結合し，糸状となっている．枝分かれをしない無分枝糸状体と枝分かれをする分枝糸状体のものがある．

自殖

英 autogamy

自家受粉といわれる，一つの個体の花粉が同じ個体の雌ずいに受粉することでの繁殖．両性花をもつ自家受粉は，同じ花の雄ずいと雌ずいの間で行われる同花受粉，同じ花序の異なる花の間で行われる隣花受粉，同じ株の異なる花の間で行われる同株他花受粉に分けられる．たとえばトマトは同一花内の受粉で結果し，後代にも障害を生じない．

雌ずい（蕊）

英 pistil　別 雌しべ

両性花では，一般に，花の中央にある雌性の生殖器官．被子植物では一般に頂上の花粉がつく柱頭，中間の花柱，子房に区分される（付図①，花）．

耳石（じせき）

英 otolith　別 平衡石；聴石

魚類の内耳の小嚢にある炭酸カルシウムの小塊．感覚毛への触刺激により平衡感覚をつくりだす．耳石には年輪が現れるため，魚の年齢を査定するのに使われる．頭足類にも似た器官があるが，一般に平衡石（statolith）と呼ぶ．エビ，カニでは囊が外部に開放されており，砂粒を取り込んでこの役にあてている．これを耳砂（statocone）という．

施設栽培

英 culture under structure

温室栽培やハウス（ビニル）栽培のように被覆材で覆われた構造物を利用して行われる栽培．広義には土を使わない礫耕，砂耕，水耕による養液栽培も含まれる．

質量と重量

英 mass and weight

kg, g, mg, μg は，質量の単位である．重量は，質量と重力加速度との積であり，重力加速度の値は，地上ではほぼ一定で約 $9.8 m/s^2$ に等しいので, 質量 1 kg の物体の重量は，約 9.8 ニュートン（N）である．多くの場合，重量を表すのに N の代りに重量キログラム（キログラム重ともいい，記号 kgf または kgw）を使うが，計量法では，1999 年 10 月 1 日以降は，取引・証明に用いることを禁じている．地球上の場所によって重力加速度は異なるが，標準分銅を内蔵している化学はかりでは，補正されて質量が測定される．『食品成分表』も，2015 年版（七訂）までは，重量の用語を用いていたが，2020 年版（八訂）から質量の用語を用いている．ただし，重量法（JIS K0211 の重量分析と同義）と重量変化（率）の用語は，そのまま使用している．

櫛鱗（しつりん）

英 ctenoid scale

円鱗と同質のものであるが，形が円形でなく，その外表面に多数の小棘を有しているもの．たとえばカレイ類など．

シニグリン

英 sinigrin

黒がらし，和がらしの種子，わさびやホースラディッシュの根茎などに含まれる配糖体で，細胞が破砕されると共存するミロシナーゼにより加水分解されて，揮発性の辛味成分であるアリルイソチオシアネートを生じる．

ジビエ

仏 gibier

野生の鳥獣肉で，狩猟により捕獲されたもの．ジビエは，元来フランス料理用語であったが，近年ではフランス料理に限らず，野生の鳥獣肉を利用した料理全般に用いられる．主なものは，マガモ，ウズラ，キジ，ヤマドリ，野ウサギ，シカ，イノシシ，クマなど．わが国では，明治

以降に肉食が広まる以前にも，マタギなどの猟師による野生鳥獣の利用は，限られた地域で細々ではあるが続けられてきた．近年，ハンターの高齢化や森林等，野生動物の生息地域の開発など諸事情により，イノシシやシカなどによる農作物への被害も大きく，生息密度のコントロールは不可欠となっている．ジビエの利用は，この点からも一挙両得である．ただし，家畜と違い，解体・精肉などのルート整備や基準が不十分な現状では，衛生面でのリスクが懸念される．これらの状況から平成 26（2014）年 7 月，「狩猟または有害捕獲された野生鳥獣の食用等への利活用促進」および「適正な捕獲・解体処理・加工調理の啓蒙，流通網の整備」などを目的に（特定非営利活動法人）日本ジビエ振興協議会が設立された．なお，これら野生鳥獣の生食は，寄生虫（住肉胞子虫など），ウイルス性感染症などの面からも危険であり，避ける．

師部（しぶ）
英 phloem

植物の維管束のうち，同化物質の通路となる師管を有する部分．植物体を強固に保つ組織でもある．

子房
英 ovary

雌ずいの一部で，下部の膨らんだ部分．1〜数個の部屋（子房室）からなり，中に 1〜多数の胚珠を含む（付図①，花）．

脂肪酸
英 fatty acid

末端にカルボキシル基（-COOH）をもった炭化水素鎖からなる有機酸．最も簡単なものはギ酸，次が酢酸．炭化水素鎖が飽和しているものを飽和脂肪酸，二重結合（不飽和結合）をもつものを不飽和脂肪酸という．天然には，炭素数 4 以上の脂肪酸がグリセロールのエステルとして油脂を構成している．

脂肪酸のトリアシルグリセロール当量で表した脂質
英 fat expressed as triacylglycerol equivalent of fatty acids

『食品成分表』で，成分項目群「脂質」の成分項目の一つ．脂肪酸の分析値に基づいて，そのトリアシルグリセロール当量の総和を求める．すなわち，全ての脂肪酸はトリアシルグリセロールに由来するものと仮定して，脂質量を計算したもの．重量法に基づく脂質の分析法が示す値の根拠が十分ではないことから，脂肪酸の含量を根拠に計算した脂質量を示す．エネルギー計算に優先して用いられ，その換算係数は 9 kcal/g（37 kJ/g）である．

脂肪族アミノ酸
英 aliphatic amino acid

脂肪族側鎖をもつアミノ酸．グリシン，アラニン，バリン，ロイシン，イソロイシンが含まれる．

種（しゅ）
英 species

生物分類上の基本階級．属の下位の階級（学名*）．

雌雄異株
英 dioecism

雌花（1 花に雌ずいしかつかない花）のみの株と雄花（1 花に雄ずいしかつかない花）のみの株が生ずること．

集合果
英 multiple fruit　**別** 多花果（たかか）；複果

2 個以上の花が密集し，それらの子房が発達し，外観上，果実の集合体が 1 個のようにみえる多肉果．いちご，きいちご，はすなど（付図③）．

シュウ酸
英 oxalic acid

分子内に 2 個のカルボキシル基をもつ最も簡単なジカルボン酸．化学式 $(COOH)_2$．野菜類（ほうれんそう，ルバーブなど），チョコレートなどに含まれる．

周皮
英 periderm

コルク形成層の細胞分裂によってその外側にできたコルク層，内側にできたコルク皮とコルク形成層の 3 組織の組織層．

重量変化率
英 food yield

調理前の試料の質量に対する，その試料の調理後の質量の比．試料から失われる成分の量と試料に加わる成分の量が影響する．『食品成分表』では，調理後の試料の質量を調理前の試料の質量を除した値に 100 を乗じて，百分率で表す．

珠芽
英 bulbil　**別** 肉芽；むかご；胎芽

葉腋に養分を貯えて肥大し，肉質塊状になった芽．葉は退化している．やまのいも，おにゆりなどの葉の付け根につくことが多い．たやすく離れ，新しい個体を生む．

酒石酸
英 tartaric acid

ジヒドロキシコハク酸とも呼ばれるカルボキシル基を2個持つ有機酸。化学式 $(CHOH\text{-}COOH)_2$。酸味がある，無色透明，無臭の結晶。天然には遊離またはカルシウム塩，カリウム塩として存在し，果実，特にぶどうに含まれる。酸味料として利用される。

出世魚
成長すると呼び名の変わる魚。江戸時代，武士，学者などは，成人になると，幼名とは別に公式の実名を命名し，これを祝った。そのため，出世魚は子供の成長や人の栄進を祝福するための料理に使われる。魚種として，ぶり，すずき，ぼらなどがよく知られる。

種皮
英 seed coat

種子の周辺部の皮膜。普通，皮膜の厚い外種皮と薄い内種皮からなるが，この区別が認めがたいことがある（付図②，巣果）。

酒母（しゅぼ）
英 seed mash

発酵工業および醸造において使用する有用微生物を純粋かつ多量に育成したもの。清酒醸造では，醪（もろみ）発酵におけるアルコール生成を行う優良酵母菌を育成したもので，酛（もと）とも呼ばれる。育成法によって，最初に乳酸菌を増殖させて乳酸を生成させ雑菌の増殖を抑制する生酛（きもと）系酒母と，最初から乳酸を添加する速醸系酒母がある。

楯鱗（じゅんりん）
英 placoid scale

サメ・エイ類にみられる鱗で，発生的に歯と同一の構造をもつ。サメ類では体表のほとんど全体に密生して，いわゆるさめ肌を形成する。

子葉
英 cotyledon

種子の胚にある幼い葉。被子植物の双子葉植物は2枚，単子葉植物は1枚，裸子植物では2枚～多数である。マメ科植物では，でん粉，たんぱく質，脂質などの貯蔵器官ともなる。

硝酸イオン
英 nitrate ion

植物体に存在していて，野菜類，特に葉菜類には多く含まれている。亜硝酸イオンに比べて，毒性は低いが，微生物の働きで容易に還元されて亜硝酸イオンになる。『食品成分表』では，野菜中の硝酸イオンを測定し，全窒素から硝酸イオン由来の窒素を差し引いてから，窒素－たんぱく質換算係数を乗じて求めたたんぱく質量を併記している。

脂溶性ビタミン
英 fat soluble vitamin

油脂および有機溶媒に溶け，水に溶けないビタミンの総称。『食品成分表』には，ビタミンA（レチノールおよびカロテン），D（カルシフェロール），E（トコフェロール），およびK（フィロキノン，メナキノン類）が収載されている。

条斑（じょうはん）
英 band

魚類などの体表にあるすじ状のまだら模様をいう。

消費期限
英 use by〔date〕

食品衛生法やJAS法で規定されていたが，平成27（2015）年4月の食品表示法の施行とともに，同法に移行した。製造日を含め概ね5日以内に期限表示する食品に適用される。開封前の状態で，定められた方法により保存した場合において，腐敗，変敗その他の品質の劣化に伴い安全性を欠くこととなるおそれがないと認められる，製造者が定めた期限を示す年月日。消費期限の表示される食品には，弁当，調理パン，惣菜，生菓子類，生麺類などがある。一方，比較的品質が劣化しにくい食品には「賞味期限」が表示される。

賞味期限
英 bestbefore〔date〕

未開封の包装食品を表示された保存方法（表示のないものは常温保存）で保存し，味や風味等の品質が保たれる（おいしく食べられる）と製造業者が保証する期間（期限）。主に長期保存できる加工食品に適用され，製造日を含め概ね5日以内に消費すべき食品には，消費期限が用いられる。法的には食品衛生法やJAS法で規定されていたが，食品表示法の施行（平成27（2015）年4月）に伴い，同法に移行された。賞味期限は基本的には年月日で表示されるが，長期保存できるもの（3カ月以上）には，年月での表示も可能である。また，砂糖，塩，アイスクリーム類，チューインガムなど，特に長期間保存可能なものには賞味期限は省略できる。

食塩相当量
英 salt equivalents

『食品成分表』で使われている用語で，ナトリウム量から算出した塩化ナトリウム量。『食品

成分表』では，ナトリウム量 g に 2.54 を乗じて算出し，0.1 g 以上の値を表示している．加工食品のナトリウムには，食塩のほか，グルタミン酸ナトリウム，アスコルビン酸ナトリウム，リン酸ナトリウム，炭酸水素ナトリウムなどに由来するものが含まれる場合がある．

食事摂取基準
🇬🇧 Dietary Reference Intakes

健康な生活を維持・増進するためにどのような栄養素をどのくらい摂取すべきかを，エネルギーと 35 種類の主要栄養素で，性・年齢階級別に示したガイドライン．「日本人の食事摂取基準」として，健康増進法 30 条の 2 に基づいて厚生労働省が策定する．以前は「日本人の栄養所要量」と呼ばれていたもので，5 年に 1 度改定される．1994 年の第六次改定から「食事摂取基準」という言葉が併記され，その概念を踏襲して 2004 年からは「日本人の食事摂取基準」として公表された．現在，最新版は「日本人の食事摂取基準（2020 年版）」で，2020 年 4 月から 2025 年 3 月まで運用される．策定項目は，エネルギーと 35 種の栄養素で，たんぱく質，脂質，飽和脂肪酸，n-6 系脂肪酸，n-3 系脂肪酸，炭水化物，糖類，食物繊維，ビタミン（4 種の脂溶性と 9 種の水溶性），ミネラル（ナトリウム，カリウム，カルシウム，マグネシウム，リン，鉄，亜鉛，銅，マンガン，ヨウ素，セレン，クロム，モリブデンの計 13 種），コレステロールとなっている．また，2015 年版では，エネルギー摂取の過不足を防ぐための指標として，初めて体格指数（BMI；body mass index）が使われた．栄養素の指標としては，推定平均必要量，推奨量，目安量，耐容上限量，目標量の 5 つの指標が策定された．なお，エネルギーや栄養素の望ましい摂取量は，個人によって異なるため，食事摂取基準は望ましい摂取量の範囲のガイドラインとして示されている．さらに対象についても，健康な個人または集団を基本として，高血圧・脂質異常・高血糖・腎機能低下に関して保健指導レベルにあるものまでを含む，とした．これは 2015 年版の策定の目的に，生活習慣病の発症予防とともに重症化予防が加えられたことによるものである．

触手（しょくしゅ）
🇬🇧 tentacle

動物体の前端や口の周辺などに存在し，自由に伸縮あるいは屈曲するひげ状物で，触覚，味覚などの受容器を備える．たとえば，ナマコ類の管足が変化した周口触手，巻き貝の上足触手（epipodial tentacle）など．

食品衛生法
🇬🇧 Food Sanitation Law

昭和 22（1947）年 12 月 24 日，法律第 233 号として，「飲食に起因する衛生上の危害の発生を防止し，公衆衛生の向上及び増進に寄与すること」を目的に制定された法律．食品，添加物，器具，容器包装，表示，広告等について規制している．詳細は，政令である食品衛生法施行令，省令である食品衛生法施行規則，厚生労働省告示により定められている．常に改正されているので，注意が必要である．なお，食品表示に関する規定は，消費者庁による平成 27（2015）年 4 月の食品表示法施行に伴い，同法に移行した．

食品成分表
🇬🇧 food composition tables

食品の化学成分組成，エネルギー，廃棄率などの値を収載したもので，現在，日本では『日本食品標準成分表 2020 年版（八訂）』（文部科学省科学技術・学術審議会資源調査分科会報告，2020 年）（以下，本表）が令和 2（2020）年 12 月に公表され，使われている．同版では収載の食品数が 2,478 食品に増加し，同時に別冊として『アミノ酸成分表編』，『脂肪酸成分表編』および『炭水化物成分表編』も公表された．食品群は 1. 穀類，2. いも及びでん粉類，3. 砂糖及び甘味類，4. 豆類，5. 種実類，6. 野菜類，7. 果実類，8. きのこ類，9. 藻類，10. 魚介類，11. 肉類，12. 卵類，13. 乳類，14. 油脂類，15. 菓子類，16. し好飲料類，17. 調味料及び香辛料類，18. 調理済み流通食品類の 18 食品群に区分されている．エネルギーと各成分項目は，可食部 100 g 当たりで示され，1 食品につき 1 標準成分値が収載されている．収載項目は，本表には，廃棄率およびエネルギー，成分として水分，たんぱく質（アミノ酸組成によるたんぱく質および（従来の）たんぱく質，脂質（脂肪酸のトリアシルグリセロール当量で表した脂質），コレステロールおよび（従来の）脂質，炭水化物（利用可能炭水化物として，単糖当量，質量計および差引き法による利用可能炭水化物，食物繊維総量，糖アルコールおよび（従来の）炭水化物），有機酸，灰分，無機質（ナトリウム，カリウム，カルシウム，マグネシウム，リン，鉄，亜鉛，銅，マンガン，ヨウ素，セレン，クロムおよびモリブデン），

ビタミン（A, D, E, K, B_1, B_2, ナイアシン, B_6, B_{12}, 葉酸, パントテン酸, ビオチンおよびC), アルコールおよび食塩相当量が掲載されている．『アミノ酸成分表編』には，アミノ酸組成が，『脂肪酸成分表編』には，飽和，一価不飽和および多価不飽和の脂肪酸組成が，『炭水化物成分表編』には，利用可能炭水化物，糖アルコール，食物繊維（プロスキー変法およびAOAC 2011.25 法）および有機酸の組成が収載されている．FAO/INFOODS（国連食糧農業機関／食品データ・システムの国際ネットワーク International Network of Food Data Systems）の指針があり，諸外国でも，食品の成分値をまとめた表／データベースが作製されている．国により，エネルギーの計算方法，成分項目の定義などが異なることがある．

食品添加物
英 food additive
食品衛生法では，添加物とは，「食品の製造の過程において，又は食品の加工若しくは保存の目的で，食品に添加，混和，浸潤その他の方法によって使用するもの」としている．原則として，食品には，食品衛生法第 12 条に基づいて，厚生労働大臣の指定を受けた添加物（指定添加物）のみが使用できる．指定添加物以外で，添加物として使用できるのは，既存添加物，天然香料，一般飲食物添加物のみである．指定添加物は天然，合成などの製造法に関係なく安全性と有効性が確認されたもので，用途別名としては甘味料，着色料，保存料，増粘安定剤，酸化防止剤，発色剤，漂白剤，防カビ剤などがあげられる．既存添加物は，化学合成品以外の添加物のうち，わが国において広く使用され，長い食経験があるものは，指定を受けることなく使用・販売が認められており，既存添加物名簿に収載されているもの，天然香料は動植物から得られ着香を目的とした添加物，一般飲食物添加物は一般に食品として飲食に供されているもので添加物として使用されるものである．

食品表示基準
英 Food Labeling Standards
食品表示法第 4 条の規定に基づき，平成 27（2015）年内閣府令第 10 号として施行された．栄養成分表示の対象成分は，義務表示（食品表示基準第 3 条および第 32 条）として，熱量，たんぱく質，脂質，炭水化物，ナトリウム（食塩相当量に換算したもの），推奨表示（同第 6 条）として，飽和脂肪酸，食物繊維，任意表示（同第 7 条）として，n-3 系脂肪酸，n-6 系脂肪酸，コレステロール，糖質，糖類（単糖類または二糖類であって，糖アルコールでないものに限る），ナイアシン，パントテン酸，ビオチン，ビタミンA，ビタミンB_1，ビタミンB_2，ビタミンB_6，ビタミンB_{12}，ビタミンC，ビタミンD，ビタミンE，ビタミンK，葉酸，亜鉛，カリウム，カルシウム，クロム，セレン，鉄，銅，マグネシウム，マンガン，モリブデン，ヨウ素，リンとなっている．食品表示基準の別表第 9 に栄養成分および熱量の表示の単位，測定および算出の方法，許容差の範囲並びに 0 と表示することができる量が示されている．許容差の範囲は，たんぱく質などでは，±50%，亜鉛などでは，+50%，−20%，ナイアシンなどでは，+80%，−20%となっている．また，0 と表示することができる量として，たんぱく質，脂質，炭水化物，糖質，糖類で 0.5 g，熱量で 5 kcal，飽和脂肪酸で 0.1 g，コレステロール，ナトリウムで 5 mg となっている．また，令和 4（2022）年 3 月 30 日付け内閣府令第 21 号で別表第 9 第 3 欄の測定および算出の方法の一部が改正されている．さらに，食品表示基準の施行に伴い，「食品表示基準について」（平成 27（2015）年 3 月 30 日付け消食表第 139 号）が通知されている．「食品表示基準について」の適用範囲は，(1) 食品表示法における「販売」，(2) 栄養成分表示，(3) 加工食品の原料原産地表示，(4) 試験検査の業務管理の実施，(5) その他で，令和 4（2022）年 3 月 30 日付け消食表第 128 号の改正で，栄養成分表示では，文部科学省の日本食品標準成分表 2020 年版（八訂）の公表に伴う「別添 栄養成分等の分析方法等」の追加と修正が行われた．加工食品の原料原産地表示では，輸入品を除く全ての一般用加工食品を対象とした原料原産地の表示の義務付けが，平成 29（2017）年 9 月 1 日に施行され，経過措置が令和 4（2022）年 3 月 31 日までとられていたが，4 月 1 日より完全実施された．同日以降に販売される業務用生鮮食品及び業務用加工食品にも適用される．

食品表示法
英 Food Labeling Law
食品を摂取する際の安全性及び一般消費者の自主的かつ合理的な食品選択の機会を確保するため，食品衛生法・JAS 法・健康増進法の食品表示に関する規定を統合し，包括的で一元的な制度にした法令で，平成 27（2015）年 4 月 1

食物繊維
🈭 dietary fiber

『食品成分表』では，コーデックス食品委員会の定義を採用している．すなわち，食物繊維は，10個以上の単糖からなる炭水化物重合体で，ヒトの小腸に内在する酵素により加水分解されないものなどを指す．さらに，重合度3〜9の難消化性オリゴ糖類を食物繊維に含めるか否かの扱いは，各国の当局の判断に任されていて，『食品成分表』，「食品表示基準」では，食物繊維に含めている．その成分としては，ラフィノースなどの低分子量水溶性オリゴ糖類，ペクチン，マンナン，アルギン酸などの高分子量水溶性多糖類，セルロース，ヘミセルロース，キシラン，キチンなどの高分子量不溶性多糖類があり，リグニン，さらに難消化性でん粉（湿熱処理により消化酵素に作用されにくい構造になったでん粉；レジスタントスターチ）も含まれる．『食品成分表』では，「炭水化物成分表編」に，プロスキー変法による水溶性食物繊維，不溶性食物繊維および総量とAOAC 2011.25法による低分子量水溶性食物繊維，高分子量水溶性食物繊維，不溶性食物繊維（難消化性でん粉を含む），難消化性でん粉および総量を収載している．プロスキー変法では，低分子量水溶性食物繊維は測定できない．なお，藻類はプロスキー変法では水溶性と不溶性に分離して分析することが困難なため，総量のみが示されている．プロスキー（変）法による収載値とAOAC 2011.25法による収載値がある場合は，後者が優先される．エネルギー換算係数は2 kcal/g（8 kJ/g）である．

触角（しょっかく）
🈭 antenna

節足動物の対をなす頭部付属肢で，触覚および嗅覚器官の役をなすもの．甲殻類（エビ類など）では第1触角と第2触角との2対があり，前者を小触角，後者を大触角と呼ぶことがある（付図⑧）．

しょ糖
🈭 sucrose 別 スクロース；サッカロース

砂糖の主成分で，実用上では砂糖と同じである．グルコースとフルクトースが結合した非還元性の二糖類．

しょ糖脂肪酸エステル
🈭 sucrose fatty acid ester 別 シュガーエステル

しょ糖にパルミチン酸，ステアリン酸などの脂肪酸を結合させたもので，食品添加物の乳化剤として指定されている．一般には白色の粉末で，製菓，製パン，冷菓，麺などに使われる．乳化作用のほか，起泡性，でん粉の老化防止などの働きがある．

仁（じん）
🈭 kernel

種子から種皮を除いた部分．胚および胚乳の総称（無胚乳種子では胚のみ）．

真果
🈭 true fruit

果実が形成される際，子房のみが発達した果実．梅，もも，柿，ぶどうなど．

真空包装
🈭 vacuum packaging

食品包装の分野で真空包装とは，包装容器内部を完全に真空にするものでなく，通常5〜10Torr（標準大気圧の760分の1が1Torr）程度になっている．したがって，実用的には，「食品をプラスチック容器を主体とした包装容器に入れ，容器内圧力をその食品の水蒸気圧，あるいはそれに近い減圧下の条件の下に密封する包装である」と定義されている．レトルト食品や一般の食品の包装にこの技法が使われている．

心皮
🈭 carpel

花の各構成要素は葉の変形と考えられるが，雌ずいを構成する特殊に分化した葉．

水耕栽培
🈭 solution culture

植物の生育に必要な無機質を調合した培養液を入れた栽培槽に植物を植え，培養液に根を直接に張らせて生育させる．土，砂，礫などを用いない栽培．

水中油滴型エマルション
🈭 oil-in-water type emulsion 別 O/W型エマルション

連続している水相中に，油滴が分散している乳化状態．水相と油相を乳化する時に，親水性乳化剤を用いると得られる．生クリーム，マヨネーズなどがこれに当たる．

水分
🈭 water content

物質に存在する自由水と結合水．食品の自由水は構成成分の影響をほとんど受けず，組織内の移動が自由な水で，微生物の生育，酵素反応な

どにも利用される．結合水は食品の構成成分に影響され強い相互作用があり，組織内の移動がほとんどなく，0℃以下でも凍結しない．

水分活性
🇬🇧 water activity

ある温度において食品を密閉した容器中に置いた時の環境空間の相対湿度を100で除した値，Awで表す．無水物では0，純水では1であり，通常の食品では，0 < Aw < 1となる．微生物の生育や酵素活性，脂質酸化などと高い相関があるので，食品の保存性や衛生管理の指標として広く用いられている．

水溶性ビタミン
🇬🇧 water soluble vitamin

水に溶けるビタミンの総称．『食品成分表』には，ビタミンB_1（チアミン），ビタミンB_2（リボフラビン），ナイアシン，ビタミンB_6（体内で同じような作用をもつ，ピリドキシン，ピリドキサール，ピリドキサミン等の総称），ビタミンB_{12}（体内で同じような作用をもつ，シアノコバラミン，メチルコバラミン，アデノシルコバラミン，ヒドロキソコバラミン等の総称），葉酸，パントテン酸，ビオチンおよびビタミンC（アスコルビン酸）が収載されている．

ステロール
🇬🇧 sterol

ステロイド核の3位に水酸基(-OH)をもつステロイドアルコールの総称．動植物の不けん化物の大部分を占め，遊離型，脂肪酸エステル型，配糖体型，配糖体脂肪酸エステル型として存在する．代表的なものとして，動物のコレステロールがあり，菌類ではエルゴステロール（プロビタミンD^*）があげられる．甲殻類などの海産無脊椎動物には多種類のステロールが含まれる．

ストレッカー分解
🇬🇧 Strecker degradation

アミノカルボニル反応により褐変が起こる過程で，60℃以上の加熱によって，アミノ酸より炭素数の少ないカルボニル化合物が生成し，香りを発生する．

スパテラ
🇬🇧 spatura　別 スパテル

へらのこと．ナイフ状の薄いへらを意味する英語のspaturaが語源で，スパテルともいう．ボールの中に入れた流動状の生地やアイシングあるいは煮詰鍋中の材料を攪拌混合したり，裏ごしする時に使う．木製が多く，先端が四角いものと丸いものがある．金属製のものは，パレットナイフとも呼ばれる．

坐り
🇬🇧 Suwari ; setting

すり身（塩ずり身，肉糊）を比較的低温（10〜60℃）においた時，粘稠性を失って弾性に富んだゲル状となる現象．

制限アミノ酸
🇬🇧 limiting amino acid

食品のたんぱく質を構成する必須アミノ酸の中で，含量がヒトの発育や窒素平衡を保つために要求される量に足りず，そのたんぱく質の栄養効果を制限するアミノ酸．最も不足しているものを第一制限アミノ酸，次を第二制限アミノ酸と呼ぶ．具体的には，栄養的に理想的なアミノ酸パターンであるアミノ酸評点パターン（1973年FAO/WHOパターン，1985年FAO/WHO/UNUパターン）と比較して，含量がアミノ酸評点パターンの数値未満の必須アミノ酸をいう．

成分識別子
🇬🇧 food component identifier

『食品成分表』において，収載している成分項目を一意的に識別するための英大文字，数字などからなる記号．『食品成分表』ではFAO/INFOODS（国連食糧農業機関／食品データ・システムの国際ネットワーク International Network of Food Data Systems）が定めた成分識別子がある場合には，それを用いている．

成分変化率
🇬🇧 retention factor

一般に，調理に伴う成分変化率は，調理後の食品の可食部100g当たりの成分値を調理前の食品の可食部100g当たりの成分値で除した値に重量変化率を乗じて求める．成分変化率と調理前の食品の可食部100g当たりの成分値および重量変化率とから，調理後の食品の可食部100g当たりの成分値が計算できる．

精油
🇬🇧 essential oil

植物の果実，葉，茎，根などから採取される芳香をもつ揮発性の油．採取は原料素材により，圧搾法，抽出法，水蒸気蒸留法が使われる．香気物質は植物の種類により異なるが，テルペン類，芳香族アルデヒド，ケトン，フェノール，アルコール類，エステル類などである．食品で

は着香に使われる．

世界保健機関
英 World Health Organization（WHO）
国際連合の専門機関の一つ．保健・衛生向上のための国際協力を目的とし，1948年に設立された．本部はジュネーブ（スイス）．日本は1951年に加盟した．

石果（せきか）
英 drupe **別** 核果（かくか）
多肉果の一種．外果皮は薄く，中果皮が多肉化し，内果皮が硬化したものの核の中に種子を含む果実．桃，くるみなど（**付図③**）．

石細胞（せきさいぼう）
英 stone cell
リグニン，ペントザンからなる厚壁細胞の一種．ほぼ正多角形で，細胞壁が木化し厚くなった細胞．梨やかりん，マルメロなどの果肉に含まれる．

背鰭（せびれ）
英 dorsal fin
魚類の背正中線に沿って1～3基生じる無対鰭で，頭部に近い方より第1背鰭，第2背鰭のようにいう．鰭（ひれ）はそれを支えるために鰭条（きじょう）がある．その硬いものを棘条（spine），軟らかいものを軟条（fin ray）といい，その数は分類上重要な特徴となる（**付図⑧**）．

セルロース
英 cellulose
植物細胞壁を構成する主要な物質で，D−グルコースがβ-1,4結合で鎖状につながった多糖類．自然界に最も多い有機化合物である．食物繊維の中では，不溶性食物繊維に区分される．

セレン
英 selenium
元素記号 Se．半金属元素の一つで，必須微量元素に分類される．成人（70 kg）の体内に約12 mg 含まれている．グルタチオンペルオキシダーゼ，ヨードチロニン脱ヨウ素酵素の構成要素で，土壌中のセレン濃度が極めて低い地域ではセレン欠乏が主因と考えられる症状が見られ，克山病（心筋障害）やカシン・ベック病が知られている．『食品成分表』では，100 g 当たり，魚介類のかつお節に 320 μg，裸節に 240 μg，あんこうのきもに 200 μg，たらこに 130 μg，香辛料のからし（粉）に 290 μg などに多く含まれている．

ぜんご
英 scute **別** ぜいご
スズキ目アジ科魚類にみられる側線上の棘のある大きな鱗の俗称．

セントラルキッチンシステム
英 central kitchen system
フランチャイズ方式によるチェーン店化が進んだ外食産業などにおいて，各店で使う食材や調味料などを調理加工設備の整った食品工場で集中的に生産・加工するシステム．

桑果
英 sorosis
1個の花軸の上に着生した多くの花にできた果実が密生した複合果．くわ，パインアップルなど（**付図③**）．

痩果（そうか）
英 achene
乾果で閉果の一種．乾くと薄い皮質または木質の果皮は1種子を包み，種子のようにみえる小さい果実．そばなど（**付図②**）．

総状花序
英 raceme
長い花軸に花柄のある多数の花がつく花序（**付図①**，花）．

相対湿度
英 relative humidity（RH）
空気中に含まれる水蒸気の量を，水蒸気圧と飽和水蒸気圧の比で表したもの．％で示す．

総苞
英 involucre
花序全体の基部を包む苞（ほう）の一種．

草本
英 herb
木部があまり発達せず，軟らかい茎の植物で，単に草ともいう．1年生草本，2年生草本，多年生草本に分かれる．

属
英 genus
生物分類上の1ランク（階級）．科の下位，種（しゅ）の上位の階級（学名*）．

促成栽培
英 forcing culture
普通より収穫期を早くする栽培法．早だしの程度により，促成栽培，半促成栽培，早熟栽培に分けることがある．

た

ダイオキシン
英 dioxin

ポリ塩化ジベンゾ-パラ-ジオキシン（PCDD）は，2分子の酸素で架橋された2つのベンゼン環に8個まで塩素が入ることが可能で多数の異性体がある．そのうち，2,3,7,8-テトラクロロジベンゾ-パラ-ジオキシン（2,3,7,8-TCDD）は，最も毒性が強く，ダイオキシンと呼ばれる．また，ダイオキシン類対策特別措置法（平成11（1999）年7月16日公布）では，PCDDとポリ塩化ジベンゾフラン（PCDF）にコプラナーPCB（ポリ塩化ビフェニール）を含めてダイオキシン類と定義している．コプラナーPCBは，PCBの中で2つのベンゼン環が同一平面上にある扁平な構造をもつものを指すが，同一平面上にない構造であってもダイオキシンと似た毒性をもつものも含めている．ダイオキシン類の量は，2,3,7,8-TCDDの毒性を1とした毒性等価係数（TEF）を用いて換算され，毒性等量（TEQ）として表される．ダイオキシン類は発癌性，催奇性が知られ，内分泌攪乱作用も報告されている．日本では，ダイオキシン類の耐用1日摂取量（TDI：一生涯摂取しても有害な影響が現れないと判断される1日体重1 kg当たりの摂取量）を4 pg（ピコグラム：1兆分の1グラム）TEQに設定している．

醍醐（だいご）
醍醐（だいご）は，酥（牛または羊の乳から製したもの）を精製した濃厚な甘味液で，現在のチーズに似る．最高の味で，ものごとの真髄を醍醐味という．語源はサンスクリット語である．大乗経典によると，牛乳を精製するに従って，乳（クシーラ）→酪（ダディ）→生酥（ナヴァ・ニータ）→熟酥（ブリタ）→醍醐（パヤハ・サルピス）と変化し，この五味の中で，醍醐味は最高の味に位置する．乳酸菌飲料のカルピスは，このサルピスに由来するともいわれる．

他家受粉
英 cross pollination

開花受粉の際，異なる花，個体または品種の間で受粉すること．受粉の媒介者として，人間や，自然環境では昆虫，鳥などの生物，風，水，重力などの非生物がある．品種改良の方法の一つである交雑育種は，異なる品種・系統の間の他家受粉（交配という）から始まる．

托葉
英 stipule

葉柄の基部にある葉の付属体（付図①，葉）．

他殖
英 allogamy

他家受粉といわれる，異なる個体または品種の間で受粉することでの繁殖．たとえば大根は，同一株内での受粉（自殖）では結果がわるく，これを続けると後代に障害を生じる．

多糖類
英 polysaccharides

単糖類がおよそ10個以上結合したもので，自然界では結合数が数百〜数千のものが多い．食品では，でん粉，グリコーゲンなどはエネルギー源となり，植物組織の骨格となるセルロース，ヘミセルロース，ペクチンなどは食物繊維の成分でもある．

多肉果
英 succulent fruit

熟しても果皮が乾燥せず，肉質で水分の多い果実．液果，うり状果，なし状果，みかん状果，石果など（付図②，③）．

多年生草本
英 perennial herb　**別** 宿根草

毎年，秋末になると植物体の地上部が枯れるが，根や地下茎が生存し，春に茎・葉を出す草本類．

単為結果
英 parthenocarpy

受精が行われずに子房が発達し，種子のない果実ができる現象．

単果
英 monothalmic fruit　**別** 単花果

1個の花にある1個の子房が発達した果実（付図②）．

炭酸水素ナトリウム
英 sodium hydrogencarbonate　**別** 重曹；重炭酸ナトリウム；重炭酸ソーダ；酸性炭酸ナトリウム

水に可溶の白色粉末で，水溶液は弱アルカリ性を示す．化学式 $NaHCO_2$．50℃に加熱すると分解して二酸化炭素を発生し，炭酸ナトリウムになる．膨張剤，炭酸水，発泡粉末ジュースなどに使われる．蒸しパン，ホットケーキなどに重曹単独で用いる時は，小麦粉の3〜4%を加える．そのほか煮豆，ぜんまいやわらびのアク抜きなどに用いられるが，組織が軟らかくなる反面，使いすぎると苦味が出るので注意が必要である．組織の軟らかい青菜などは，軟らかく

なりすぎるので使用しないほうが無難である．また重曹とその加熱分解物の炭酸ナトリウムの水溶液はアルカリ性なので，ビタミンB_1を分解する．

短日性植物
[英] short-day plant

日長時間が短くなる時期に花芽をつくる植物．この時間より日長が長い場合は，開花が遅れたり，開花しない．

単純脂質
[英] simple lipid

脂肪酸と各種アルコールのエステル．アルコールがグリセロールの場合，結合している脂肪酸の数で，モノアシルグリセロール，ジアシルグリセロール，トリアシルグリセロールと呼ぶ．自然界には，トリアシルグリセロールが広く多量に存在する．長鎖アルコールの場合，ろう（蠟）と呼ばれ，ろうエステル，真性ワックスともいう．

炭水化物
[英] carbohydrate

名前の由来は，一般式の$C_m(H_2O)_n$によるもので，その成分元素として炭素のほかに水素と酸素が水H_2Oと同じ割合で含まれることによる．含水炭素という古い名称もある．実際には炭素の水和物ではないので，一般式は$C_mH_{2n}O_n$．単糖類，それが脱水縮合した二糖類，オリゴ糖類や多糖類に分類できる（糖質*）．たんぱく質，脂質とともに，動物の三大栄養素の一つ．『食品成分表』では，エネルギーの計算に，利用可能炭水化物，糖アルコールおよび食物繊維由来のエネルギーの和を用いている．エネルギー換算係数は，利用可能炭水化物（単糖当量）を用いる場合は，3.75 kcal/g（16 kJ/g）で，差引き法による利用可能炭水化物を用いる場合は，食品表示基準と同じ，4 kcal/g（17 kJ/g）である．糖アルコールのエネルギー換算係数は，ソルビトール2.6 kcal/g（10.8 kJ/g），マンニトール1.6 kcal/g（6.7 kJ/g），マルチトール2.1 kcal/g（8.8 kJ/g），還元水あめ3.0 kcal/g（12.6 kJ/g），その他の糖アルコールは2.4 kcal/g（10 kJ/g）である．食物繊維のエネルギー換算係数は2 kcal/g（8 kJ/g）である．『食品成分表』には，これまで収載していた成分項目「炭水化物」も併記している．

単糖当量
[英] monosaccharide equivalent

二糖類から多糖類までの糖類の量を単糖類（六炭糖）の量として表したもの．この考え方を用いることにより，炭水化物のエネルギー換算係数を単純化できる．二糖類から多糖類までに適用する単糖当量への換算係数は次の通りである．二糖類1.05，三糖類1.07，四糖類1.08，五糖類－七糖類1.09，八糖類－多糖類1.10．

単糖類
[英] monosaccharides

炭水化物の基本単位で，加水分解でこれ以上分解できない糖類．ぶどう糖などのアルドースと果糖などのケトースに大別できる．また，含まれる炭素原子数により三炭糖（トリオース），四炭糖（テトロース），五炭糖（ペントース），六炭糖（ヘキソース）などに分類される．

タンニン
[英] tannin

加水分解によって，主として没食子酸（トリヒドロキシ安息香酸）などの多価フェノール酸を生じる．フェノール性水酸基を多数持つ化合物の総称．獣皮をなめす性質をもつ．水溶性のものは強い収斂味や渋味を示す．カテキン類を基本単位とした二量体以上の化合物はプロアントシアニジンと呼ばれ，少量体は水溶性で，強い抗酸化性を示す．

たんぱく質
[英] protein

生体の重要な構成成分であり，また，酵素，ホルモンなどの生理活性物質である．動物の三大栄養素の一つ．約20種類のアミノ酸により構成され，アミノ酸のアミノ基と別のアミノ酸のカルボキシ基の間で脱水縮合したポリペプチド鎖からなる．『食品成分表』では，エネルギー計算に，アミノ酸組成によるたんぱく質を優先して用いる．エネルギー換算係数は，4 kcal/g（17 kJ/g）が用いられる．また，従来の全窒素を定量し，茶類およびコーヒーはカフェイン，ココア類およびチョコレート類はカフェインおよびテオブロミン，野菜類は硝酸イオン，それぞれ由来の窒素を差し引いてから，各食品に定めた窒素たんぱく質換算係数（一般には，6.25）を乗じたたんぱく質含量を併記している．この場合のエネルギー換算係数も4 kcal/g（17 kJ/g）が用いられる．

たんぱく質（アミノ酸組成）

本書での「アミノ酸組成によるたんぱく質」の略称表記．解説はアミノ酸組成によるたんぱく質*を参照のこと．

ち

チーズスターター
英 cheese starter
チーズ製造時に原料乳に添加する乳酸菌のこと．これを加えると乳糖を発酵して乳酸が生成し酸性になり，キモシンの凝乳作用を助け，カゼインが等電点に達し，凝固する．このほか汚染菌の生育抑制，香味賦与などの働きがある（チーズ*）．

地下茎
英 subterranean stem
地下にある茎の総称．形態上，根茎，球茎，塊茎，鱗茎などに区別される．一般に葉は退化して鱗（りん）片状を示す．

畜養
産卵後のほんまぐろやみなみまぐろなど，漁獲した魚介類を半年から1年など，短期間いけすで飼育して，脂の乗った，市場価値の高いものにして出荷する方法．

中果皮
英 mesocarp
果皮の3層の中の中層．

抽根
英 emerged root
根部が地上に出ること．

中性脂質
英 neutral lipid
脂質のうち，単純脂質の中で油脂ともいわれるもので，グリセロール1分子に3分子の脂肪酸がエステル結合したトリアシルグリセロールを主成分とする．

抽だい（薹）
英 flower stalk development
植物がとう（薹）を出すこと．

腸炎ビブリオ
学 Vibrio parahaemolyticus
腸炎ビブリオ食中毒の原因となる短桿菌．海水，海泥，プランクトン中に広く分布し，夏期の検出率が高く，海水の塩分濃度に近い3%が至適発育食塩濃度である．中毒の原因食品として魚介類とその加工品があげられる．中毒症状として，潜伏期が平均12時間で，嘔吐，下痢，腹痛，発熱，頭痛を起こす．

腸管出血性大腸菌
英 enterohemorrhagic Escherichia coli
ベロ毒素産生性大腸菌ともいわれる病原大腸菌（下痢原性因子をもった大腸菌）の一種．1982年に米国でO157：H7が新しい型の病原大腸菌として分離され，典型的臨床像が出血性大腸炎であることから腸管出血性大腸菌と呼ばれるようになった．症状は大量の鮮血をともなう下痢と激しい腹痛であり，吐き気，嘔吐を起こす場合もある．

調理
英 cooking
食品に，切る，焼く，煮るなど，種々の操作を加えて食物として適するようにする一連の過程をいう．不可食部や有害成分，不味成分などを含む動・植物を食べやすくするために，切り，加熱し，調味して，より美味な食品へと変える．

直根
英 tap root
種子の胚の幼根から直接発達した根．大根，かぶ，にんじんなど．

つ

追熟
英 ripening
果実の収穫後の成熟を指す．アボカド，バナナ，西洋なし，マンゴー，メロン等の果実は，収穫して貯蔵すると，酸素吸収量と二酸化炭素排出量が著しく増大（クライマクテリックライズと呼ぶ）し，その後減少する呼吸のピークがみられ，これによって成熟して食用となる状態になる．上記の果実では，追熟に伴い果実からエチレン（C_2H_4）が多く発生して，成熟ホルモンとして作用する．また，エチレン処理によって，未熟バナナ果実を追熟させることも行われている．

つば（鍔）
英 annulus　別 マント
担子菌，いわゆるきのこの傘の下部に位置し，柄を覆うように囲んでいる部分（付図⑥）．

つぼ（壺）
英 volva　別 石づき
担子菌，いわゆるきのこが子実体を形成した時，地面あるいは樹木などに接する部分（付図⑥）．

て

テアニン
英 theanine
グルタミン酸のγ-エチルアミド．茶に特異的な化合物で，うま味成分である．品質指標になっていて，一番茶や良質の茶葉に多く含まれる．

テアフラビン
英 theaflavin
化学式 $C_{29}H_{24}O_{12}$. 紅茶の橙紅色色素で，七員環のベンゾトロポロン環をもつ．

ティン・フリー・スチール
英 tin free steel
従来のブリキ缶と異なり，鋼板の上に金属クロム層と酸化クロム被膜・油膜の構成になっている．この金属缶は，スズを使わないので，価格的にブリキ缶に比べて安く，調理缶詰や各種飲料缶詰用に使われている．

テオブロミン
英 theobromine
化学名 3,7-ジメチルキサンチン．ココアの種子中に 1.5～3％ 含まれるプリン塩基骨格をもつアルカロイド．苦味があり，利尿，筋弛緩作用がある．食品としてはココア，チョコレートに含まれているので，『食品成分表』では，これらの食品中のテオブロミンを測定し，全窒素からテオブロミン由来の窒素を差し引いてから，(従来の)たんぱく質量を計算している．

デキストリン
英 dextrin **別** 糊精
でん粉を熱，酸，酵素などで加水分解してできる中間分解物の総称．でん粉中のグルコシル残基の α-1,4 結合，α-1,4 と α-1,6 結合からなる重合度 10 以上の分解物の混合物で，分解の程度により各種のデキストリンを生成する．食品では，増粘剤，つや出し剤などに利用される．

鉄
英 iron
元素記号 Fe．金属元素の一つで，必須微量元素に分類される．成人体内に約 4g 含まれ，主に赤血球のヘモグロビンの構成成分として存在するが，その他の鉄は酸化酵素の構成要素としても重要である．欠乏すると，貧血，乳児の生育遅延などを起こす．

テトロドトキシン
英 tetrodotoxin（TTX）
ふぐ類をはじめ，カリフォルニアイモリ，スベスベマンジュウガニ，ヒョウモンダコ，ボウシュウボラなどに見出される毒素．TTX の起源は TTX 産生細菌で，食物連鎖により水産生物に蓄積されると考えられている．ふぐ類では，種類，部位により毒性は異なる．一般には肉は無毒かこれに近いもののみ食用になるが，肝臓や卵巣などは猛毒なので，これを食用にすると死亡する恐れがある．しかし，フグ毒が有毒臓器から，汁や肉に移行することはなく，鮮度が落ちたり，長期間冷凍しても，臓器から肉に移行して中毒することは卵巣が破れて卵粒が混じった時などを除けばまず起こらない．

テルペン
英 terpene **別** テルペノイド
$(C_5H_8)_n$ の組成式をもつ炭化水素化合物およびその誘導体の総称（C_5H_8；イソプレン）．$n=2$ はモノテルペン，$n=3$ はセスキテルペン，$n=4$ はジテルペンと呼ばれる．広く植物に存在する．

転化糖
英 invert sugar
しょ糖を希酸または転化酵素（インベルターゼ）で加水分解してぶどう糖と果糖にした混合物．液状・吸湿性で，甘味が強い．上白糖の製造過程でしょ糖粒子の固結を防ぐために散布する転化糖液をビスコという．

でん粉価
英 starch value
いも類，穀類などの原材料中に含まれるでん粉量を％で表した値．試料の酸による加水分解で生成したぶどう糖を定量し，0.9 を乗じて，でん粉量に換算して求める．よく精製されたでん粉では不純物はほとんどなく，水分を差し引いたものが，ほぼでん粉価と考えてよい．

と

とう（薹）
英 flower stalk
花茎や花軸のこと．

銅
英 copper
元素記号 Cu．金属元素の一つで，必須微量元素に分類される．成人体内に 70～100mg 含まれ，筋肉，骨，肝臓に多く存在する．多くの酵素，特に酸化還元酵素の活性化因子としてヘモグロビンをつくる際に鉄の吸収をよくし，腸管からの鉄の吸収を助けるなど，重要である．

豆果（とうか）
英 legume **別** 莢果（きょうか）
乾果で裂開果の一種．1 個の心皮からなり，成熟・乾燥すると心皮の合わせ目と反対側から 2 片に裂ける果実．大豆，えんどうなど（**付図②**）．

糖脂質
英 glycolipid
複合脂質の一つ．親水性の糖部分と疎水性の脂

質部分をもつ化合物の総称．脂質部分の種類により，スフィンゴ糖脂質，グリセロ糖脂質などに分けられる．細胞壁や細胞膜の構成成分として重要である．

糖質
英 non-fibrous carbohydrate

糖質と炭水化物は，ほぼ同義とされていたり，炭水化物から食物繊維を引いたものとされていたり，定義は微妙に差異がある．『四訂食品成分表』までは，炭水化物を糖質と繊維（粗繊維）に分けて収載していた．この糖質は，炭水化物の値から繊維の値を差し引いた値で，構成する成分は，単糖類，二糖類，オリゴ糖類，多糖類などで，ヒトの消化酵素で消化されない難消化性のもの（食物繊維の一部）も含まれていた．『五訂日本食品成分表』からは，食物繊維を収載したことから，糖質と繊維の成分項目は廃止し，炭水化物のみを収載している．「食品成分表 2015 年版（七訂）」では，従来の（差引き法による）炭水化物値と併記して，一部食品については，利用可能炭水化物（単糖当量）が収載された．また，「食品表示法に基づく栄養成分表示のためのガイドライン」では，糖質または食物繊維のいずれかを表示しようとする場合，炭水化物の内訳として糖質および食物繊維の量の両方を表示することが必要である．

頭状花序
英 caput

花序の軸が短縮してやや円盤状の上に花柄のない多数の花が密生し，全体として一つの花のようにみえる花序（付図①，花）．

等電点
英 isoelectric point

水溶液中のアミノ酸，たんぱく質など（両性電解質）は，溶液の pH に依存して解離し，正または負に荷電するが，荷電がゼロになる pH を，この物質の等電点という．等電点では，アミノ酸は溶解度が最小となり，たんぱく質は一般に凝集して沈殿する．

ドーパ
英 DOPA

3,4-dihydroxyphenyl alanine の略称．植物では，マメ科に遊離型で存在する．天然のものは L 型．動物のメラニン含有細胞では，チロシンからのメラニン生成の前駆体．また，脳，交感神経，副腎髄質のカテコールアミン含有ニューロンでは，チロシンからドーパミン，ノルアドレナリン，アドレナリン生成の前駆体である．

パーキンソン病の治療薬として使用されている．

特別用途食品
英 Foods for Special Dietary Uses

健康増進法に基づいて，乳児の発育や，妊産婦，授乳婦，えん下困難者，病者などの健康の保持・回復などに適するという特別の用途について表示を行うもので，特別用途食品として食品を販売するには，その表示について消費者庁長官の許可を受けなければならない．表示の許可に当たっては，規格または要件への適合性について，国の審査を受ける必要がある．病者用食品（許可基準型および個別評価型），妊産婦・授乳婦用粉乳，乳児用調製乳（乳児用調製粉乳および乳児用調製液状乳），えん下困難者用食品（えん下困難者用食品およびとろみ調整用食品）および特定保健用食品がある．

棘（とげ）
英 spine

体表に突出した骨質，毛状などの先端が尖った隆起．

ドコサヘキサエン酸（DHA）
英 docosahexaenoic acid（DHA）

化学名 cis-4, 7, 10, 13, 16, 19-ドコサヘキサエン酸．炭素数 22，二重結合数 6 の n-3 系多価不飽和脂肪酸．魚油などの海産動物油脂に多い．大脳や網膜の機能に重要な役割を果たしている．

トコトリエノール
英 tocotrienol

構造的にはトコフェロールの 3′，7′，11′の位置が二重結合で，ビタミン E の効力をもつが，トコフェロールに比べ生物活性が低い．

ドライパック
英 dry pack

食品に液汁を加えないか，少量だけ加えて製造された缶詰．液汁を加えない製品には乾燥果実缶詰・ナッツ缶詰などがみられる．この製造法では，缶内に空気が多く存在するので，加熱殺菌の熱伝達を遅らせ，品質の低下を起こす．そのため，缶内の空気を除去し，高真空として製造されたドライパック（高真空缶詰*）が市販されている．

トランス脂肪酸
英 trans fatty acid

二重結合の炭素－炭素結合の異なる側に水素が配置された不飽和脂肪酸．天然油脂の不飽和脂肪酸の多くは，二重結合の炭素－炭素結合の同

じ側に水素が配置されたシス酸であるが，化学的加工工程の水素添加の触媒の働きで，トランス化が起き，トランス酸が増加する．また，反芻動物では飼料中のシス酸が反芻胃に生息する細菌によってトランス化されるので，その体脂肪，乳脂肪には微量のトランス酸が含まれる．

```
    H  H            H
    |  |            |
   -C=C-          -C=C-
                       |
                       H
    シス型          トランス型
```

トリグリセリド
英 triglyceride
トリアシルグリセロールの旧称．グリセロールに3分子の脂肪酸がエステル結合したもの（中性脂質*）．

ドリップ
英 drip
一般には，凍結肉を解凍する時，肉の外へ滲出する離汁をいう．肉を凍結する時にできる氷結晶が筋細胞の構造を破壊すると，解凍時には氷結晶からの水は肉組織に吸収されなくなるため，ドリップとして組織外へ滲出する．ドリップの量は，凍結，解凍の条件や肉質によって変わる（冷凍食品*）．

トリプシンインヒビター
英 trypsin inhibitor
主として腸内でたんぱく質の消化酵素として働くトリプシンを阻害する物質．分子量によって，たんぱく性とペプチド性に分けられる．動物，植物，微生物起源のものがあり，食品では豆類中に含まれ，加熱調理は，これを変性させて失活させる意味もある．

トリメチルアミン
英 trimethylamine
(CH_3)$_3$Nの化学構造をもつ第3級アミン化合物．特有の悪臭をもつ気体で，動植物の腐敗時にトリメチルアミンオキシドやベタインなどの含窒素化合物の分解によって生成する．魚肉の変質の指標となっている．

トレーサビリティ
英 trace ability
直訳すれば，追跡可能にすること，すなわち食品安全行政のために最終商品から原材料まで遡及可能にするとともに，生産，加工，流通，販売を含む「農場から食卓まで」のフードチェーンにおける諸情報を積極的に消費者に提供しようとする目的で，2003年頃から導入が盛んになった農業・食糧施策．万一の事故（食中毒等）の際に食品の履歴を迅速にたどれるシステムでもある．また，「測定の不確かさに寄与し，文書化された切れ目のない個々の校正の連鎖を通して，測定結果を表記された計量参照に関連付けることができる測定結果の性質」と定義される「計量トレーサビリティ（metrological traceability）」がある．

トレオニン
英 threonine **別** スレオニン
ヒドロキシアミノ酸に分類され，たんぱく質を構成する必須アミノ酸の一種．

トンネル栽培
英 forcing culture in plastic tunnel
ビニルフィルムなどで被覆したトンネルを用いて野菜などの生育温度を上げ，露地栽培より早い出荷を目的とした栽培．

な

ナイアシン
英 niacin
水溶性ビタミンのうち，B群ビタミンの一つで，ビタミンB_3とも呼ばれる．体内で同じ作用をもつニコチン酸，ニコチン酸アミドの総称．酸化還元酵素の補酵素として重要である．欠乏症として，さまざまな皮膚症状，下痢などの胃腸障害，精神神経障害を起こすペラグラがある．人体ではトリプトファンから生合成され，トリプトファンからの転換率は，質量比で1/60である．

内果皮
英 endocarp
果皮の3層の中で最も内側の層．

流し物類
生菓子，半生菓子のうち，混合，加熱などの調製を終えた生地を型に流して固めるもの．生菓子では水羊羹および錦玉糖（羹）がこれに入る．いずれも寒天に砂糖を加え，さらにあんを加えたりして練り上げたものである．

なし状果
英 pome **別** 仁果（じんか）
子房を包んだ花床が肥大して多肉化した偽果．りんご，なしなど（，多肉果）．

ナトリウム
英 sodium
元素記号Na．金属元素の一つで，生体の必須元素．成人体内に約100g含まれ，その約1/3は骨に存在する．細胞外液の酸塩基平衡，浸透

圧，体液量の維持，神経伝達機能などと，生命の維持に関与している．

ナリンギン
英 naringin

柑橘類に多く含まれるフラボノイド系配糖体の苦味成分．無味のナリンゲニンにグルコースとラムノースが結合している．

軟白栽培
英 blanching culture **別** 軟化栽培

野菜の栽培の全期間または途中で，光と風を遮断して食用部分を退色させ，組織を軟らかくする栽培．

にがり（苦汁）
英 Nigari；bittern

海水を濃縮して食塩を採取した残りの溶液．主成分は塩化マグネシウムで，約15％．他に，塩化ナトリウム，硫酸マグネシウム，塩化カリウムを含む．豆腐の凝固剤であるが，一般には塩化マグネシウムがその通称名のにがりと呼ばれて用いられている．

肉穂花序
英 spadix

太く肉質になった軸の周囲に花柄のない多くの小花が密生した花序（付図①，花）．

二糖類
英 disaccharides

2個の単糖類が脱水縮合した構造をもつ糖類．麦芽糖や乳糖など還元性があるものと，しょ糖やトレハロースなど還元性がないものとがある．

2年生草本
英 biennial herb

種子から発芽し，開花結実して枯れるまで13カ月以上を要する植物．越年生草本より生育期間が長い．2年生草本と越年生草本を合わせて，越年生草本と呼んだり2年生草本と呼んだりする．

日本農林規格（JAS 規格）
英 Japanese Agricultural Standards；JAS

平成29年6月23日に公布された「農林物資の規格化等に関する法律及び独立行政法人農林水産消費安全技術センター法の一部を改正する法律」により，「農林物資の規格化等に関する法律」（昭和25年5月11日）が改正され，平成30年4月1日に施行された．この改正により，法律の題名が「日本農林規格等に関する法律」に改称されている．

主な改正内容は，

・JAS 規格の対象を，従来の農林水産物・食品の品質のほか，生産方法（プロセス），取扱方法（サービス等），試験方法などにも拡大

・産地・事業者の強みのアピールにつながる JAS 規格が制定・活用されるよう，JAS 規格案を提案しやすい手続の整備

・JAS 規格の対象の拡大に伴い，現行の認証の枠組みの拡充とともに，国際基準に適合する試験機関を農林水産大臣が登録する登録試験業者制度の創設．また，この場合，広告，試験証明書等に JAS マークの表示ができるなど，新たな JAS 規格に対応した JAS マーク表示の枠組みの整備

・産地・事業者の創意工夫を生かした JAS 規格の活用が図られるよう，(1) JAS 制度の普及，(2) 規格に関する普及・啓発，専門人材の育成・確保および国際機関・国際的枠組みへの参画等を国および（独）農林水産消費安全技術センター（FAMIC）の努力義務として明確化

などである．

JAS マークは，食品・農林水産品やこれらの取扱い等の方法が日本農林規格（JAS）を満たすことを証するものとして，食品・農林水産品や事業者の広告などに表示されるが，平成30年度施行された改正 JAS 法で，特色のある規格を制定できる対象が拡大したことを踏まえ，有機 JAS を除く，これまであった特定 JAS，生産情報公表 JAS，定温管理流通 JAS の3種類のマークを統合して，新たな JAS マーク「特色 JAS マーク」が制定され，令和4（2022）年3月31日までに順次移行された．

乳化剤
英 emulsifying agent

均質に溶け合わない水と油のような液体を安定したエマルションにするために添加する物質．天然物では卵黄，大豆のレシチン，ゼラチンなど，化学合成品にはしょ糖脂肪酸エステル，グリセリン脂肪酸エステルなどがある．

乳酸
英 lactic acid

α-ヒドロキシプロピオン酸（$CH_3CH(OH)$-$COOH$）．乳酸菌により糖類から産生されるので，漬物，発酵乳製品などに含まれる．動物ではグリコーゲンが代謝され，筋肉・組織中に存在する．

乳酸菌
【英】lactic acid bacteria

糖類を分解して乳酸を産生する細菌の総称．分類上では乳酸菌科（Lactobacillaceae）に属し，主な属として *Streptococcus* 属，*Leuconostoc* 属，*Pediococcus* 属，*Lactobacillus* 属などがある．これらは通性嫌気性菌または微嫌気性菌で，栄養素として糖のほかに各種のアミノ酸，ビタミンなどを必要とする．

乳糖
【英】lactose　【別】ラクトース

ガラクトースとぶどう糖よりなる二糖類．系統名は，β-D-galactopyranosyl-$(1 \rightarrow 4)$-D-glucose である．動物の乳汁に，遊離または乳糖部をもったオリゴ糖類の型で含まれる．

乳等省令
食品衛生法に基づく厚生省令で，「乳及び乳製品の成分規格等に関する省令」（昭和 26（1951）年 12 月 27 日，厚生省令第 52 号）の略称．乳及び乳製品並びにこれらを主要原料とする食品について，食品衛生法に規定する疾病，成分規格及び製造等の方法の基準，総合衛生管理製造過程の製造又は加工の方法及びその衛生管理の方法の基準，承認の申請手続，器具若しくは容器包装又はこれらの原材料の規格及び製造方法の基準，表示を行うべき食品及び表示の要領を定めている．なお，消費者庁による食品表示法の施行（平成 27（2015）年 4 月）に伴い，表示に関する規定は同法に移行した．

稔性
【英】fertility

種子ができること．反対に種子ができないことを不稔性という．主に植物についていう．

パーマーク
【英】parr mark

パー（parr）とは，淡水中におけるサケ・マス類の稚魚や若魚の呼び名の一つで，このパーの体側にある黒い斑紋をパーマークという．パーは，体高が高く，皮膚は厚く，海水適応能力をもたない．成長して降海する直前には海水適応能力をもつようになり，パーマークも消え，体色も銀色に変わり，2 年子のスモルト（smolt）となる．ただし，陸封型（河川型）のものは，パーマークを有するまま一生を終える（やめ*）．

胚
【英】embryo　【別】胚芽

植物では受精によりできた幼植物で，種子の本体．胚軸（胚の子葉の下の中軸），子葉，幼芽（胚軸の先端にある芽．生長して茎になる），幼根（胚軸の下端にあり，生長して主根になる）よりなる．

バイオプレザベイション
【英】bio preservation

天然の動植物の中には抗菌作用をもつものがある．たとえば納豆菌（*Bacillus natto*）のように，それ自体は微生物（細菌）であるが，永年納豆とともにヒトによって食べられ，何らの害作用もヒトに与えていない．香辛料もその一つである．こうした天然物を使って食品を保存することをバイオプレザベイションという．

バイ籠漁法
魚肉などの餌を入れた籠を海底に沈め，餌につられて入った貝のバイを獲る漁法．

焙乾
かつおやさばなどの節類を製造する際，薪材を燃やす熱で乾燥すること．場合によっては，燻乾に似て煙でいぶす．

配偶子（はいぐうし）
【英】gamete

生物の生殖作用において，合体や接合にかかわる個々の生殖細胞の総称．藻類の世代交代にあたっては，配偶体上に生じる配偶子嚢から産される．雄性配偶子と雌性配偶子がある．両者が接合して新しい世代の胞子体をつくる．

胚珠
【英】ovule

被子植物では子房の中にある小さな粒で，受精後は生長して種子となる．裸子植物では直接心皮面上にある（**付図①**，花）．

配糖体
【英】glycoside

糖と非糖成分（アグリコン）がグリコシド結合した化合物の総称．色素成分であるアントシアニン，青梅やびわの種子に含まれる有毒成分のアミグダリン，じゃがいもの発芽部のソラニン，甘味料のステビオシド，グリチルリチンなどがある．

胚乳
【英】albumen；endosperm

種子が発芽をする際，生長に必要な養分を貯蔵し，供給する組織．マメ科植物種子では，胚乳

ではなく，子葉が養分を貯蔵する．

灰分（はいぶん）
英 ash content

食品を高温で完全に燃焼させて，有機物と水分を除いた残分．『食品成分表』では，食品を550℃で，残存炭素がなくなり，恒量となるまで灰化（はいか）したものと定義している．灰は食品中の無機質組成によって，炭酸塩，リン酸塩などとして存在する場合があり，無機質総量とは一致しない．このため，灰分は必ずしも食品中の無機質総量を正確に表すものではなくて，一つの指標と考えるべきものである．一般成分の分析では（差引き法による）炭水化物の算出に必要な成分項目である．

ハウス栽培
英 culture in plastic greenhouse

普通の作業姿勢で栽培管理のできる棟の高さをもち，ガラス以外のビニルフィルムなどの有機質材料を被覆材とした園芸施設で行う，早だし，病害予防，雨よけなどを目的とした栽培．

麦芽（ばくが）
英 malt **別** モルト

大麦を発芽させたもの．アミラーゼを多く含み，幼根の長さが粒長の3/4～4/5の短麦芽と1.5～2倍の長麦芽がある．短麦芽はビール製造に，長麦芽はウイスキー，麦芽水飴の製造に使われる．

麦芽糖
英 maltose **別** マルトース

ぶどう糖2分子がα-1,4結合した二糖類．系統名は，α-D-glucopyranosyl-(1→4)-D-glucoseという．発芽種子，特に麦芽に多く含まれる．

HACCP（ハサップ）
英 HACCP

hazard analysis critical control point（危害分析重要管理点）の略．食品の衛生管理方法の一つ．最終製品の検査によってではなく，工程管理によって製品の安全性を確保することを目指す点に特徴がある．食品の原材料の受け入れから出荷に至るまでの各段階で発生するおそれのある危害（生物的，化学的あるいは物理的）要因を科学的に分析し，それが除去（あるいは安全なレベルまで低減）できる工程を，常時管理し記録する方法で，①HACCPチームの編成，②食品の説明・記述，③製品の使用方法の確認，④製造工程一覧図の作成，⑤製造工程一覧図の現場確認，⑥危害要因の分析，⑦重要管理点（CCP）の決定，⑧管理基準の設定，⑨CCPのモニタリング方法の設定，⑩是正措置の設定，⑪検証方法の設定，および⑫記録と保存方法の設定の12手順，7原則（後半の7つ）からなる．なお，HACCPの一部を取り入れた日本における制度として，厚生労働省の「総合衛生管理製造過程」があったが，令和2（2010）年6月1日をもって廃止された．

はす状果
英 nuts embeded in enlarged receptacle like lotus

ろうと状に肥大した花床の上面の多くの孔に入った堅果（付図③）．

バニリン
英 vanillin **別** ワニリン

化学名4-ヒドロキシ-3-メトキシベンズアルデヒド．つる性のラン科植物バニラの果実（細長いさやと種子全体）をバニラビーンと呼び，これを収穫後，発酵させると生じてくるバニラ特有の芳香の主成分．

パパイン
英 papain

パパイアの未熟な果実の表皮を傷付けると乳液がでるが，この中に含まれるたんぱく質分解酵素である．乳液を取り，凝固，乾燥させ製剤としたものは，消化剤，皮革の柔皮剤，冷凍卵の発泡剤，ビールの清澄剤，肉の軟化剤として利用される．特にビールの濁りの本体であるたんぱく質（ポリペプチド）とタンニンの重合体のたんぱく部分を分解し，清澄化する作用は，ペプシン，フィシン，ブロメライン，細菌プロテアーゼのいずれよりも強く，工業的価値は高い．

バリア性包装材料
英 barrier packaging material

食品の鮮度と品質を維持するために，バリア性包装材料（包材）が使われ，各種の微生物制御法がとられている．このバリア性には，防湿性（moisture barrier），ガスバリア性（gas barrier），保香性（aroma barrier），溶剤バリア性（solvent barrier）などがあり，包材には，EVOH（エチレン・酢酸ビニル共重合体），PVDC（ポリ塩化ビニリデン）などがあり，水分の透過を防ぐものや酸素や炭酸ガスなどの気体の透過を防ぐもの，フレーバーの逸散を防ぐものなどがある．

半乾性油
英 semidrying oil

不飽和度の指標であるヨウ素価が100～130

の植物油．大豆油，なたね油，とうもろこし油，米ぬか（糠）油，綿実油など，食用植物油の大部分がこれに属する．薄く塗ると，空気中で酸化重合して，いくぶん固化乾燥する．

パントテン酸
英 pantothenic acid

水溶性ビタミンのうち，B群ビタミンの一つで，ビタミンB_5とも呼ばれる．補酵素のコエンザイムAの構成成分として，脂質，糖，アミノ酸の代謝に関与している．欠乏症として成長阻害，皮膚炎，副腎障害，末梢神経障害などがある．

pH（ピーエイチ）

水素イオン指数．水素イオンの濃度を示す物理量で，物質の酸性・アルカリ性の度合いを示すための指標である．pHの値が小さいほど水素イオンの濃度が高い．pHは0～14の目盛りを付け，3.0未満を酸性，3.0以上・6.0未満を弱酸性，6.0以上・8.0以下を中性（純水は7.0），8.0以上・11.0以下を弱アルカリ性，11.0を超えるものをアルカリ性と表示することがある．多くの食品のpHは，酸性～中性を示す．

PL法
英 Product Liability Law

この法律は製造物責任法と呼ばれ，平成7（1995）年7月1日から施行された．従来の民法では過失と被害の因果関係を立証する必要があったが，PL法では，製造物の欠陥と被害の因果関係を立証すればよいことに変わった．食品業界でも，包装容器による手指の切り傷，食品中の異物による口部の切り傷，食中毒菌による中毒症状などの製造者責任の事故が発生している．

ビオチン
英 biotin

水溶性ビタミンのうち，B群ビタミンの一つで，ビタミンB_7とも呼ばれる．カルボキシラーゼの炭素固定反応や炭素転移反応に関与している．長期間にわたり生卵白を多量に摂取した場合に欠乏症がみられ，脱毛や発疹等の皮膚障害，舌炎，結膜炎，食欲不振，筋緊張低下が起こる．

被子植物
英 angiosperm

種子植物の1分類群．多くの花は花被があり，心皮は単一または癒着して子房をつくり，胚珠はその中に包まれ，保護されている．双子葉植物と単子葉植物の2群に分けられる．

尾扇（びせん）
英 tail fan

エビ類の最後部の体節（腹部第6節，尾節（びせつ telson））と，その両側に位置する板状に拡張した2対の尾肢からなる部分．扇状の遊泳器官となっている（付図⑧，えび，かに）．

ビタミンA
英 vitamin A

脂溶性ビタミンの一つで，レチノールとその類縁化合物の総称．上皮，器官，臓器の分化に関与するので，欠乏により胎児の発生異常が生じ，また，視機能にも関与し，欠乏により暗順応反応性が低下する．α-，β-カロテン，β-クリプトキサンチンはプロビタミンAと呼ばれ，生体内でビタミンAに変換される．『食品成分表』には，ビタミンAとして，これら3成分とβ-カロテン当量，レチノール，レチノール活性当量が収載されている．

ビタミンB_1
英 vitamin B_1；thiamin **別** チアミン

水溶性ビタミンの一つで，各種酵素の補酵素として，糖質および分岐鎖アミノ酸の代謝に不可欠である．欠乏症として脚気，ウエルニッケ・コルサコフ症候群がある．

ビタミンB_2
英 vitamin B_2；riboflavin **別** リボフラビン

水溶性ビタミンの一つで，フラビン酵素の補酵素としてほとんどの栄養素の代謝に関与している．欠乏症として口角炎，角膜炎，脂漏性皮膚炎などがある．橙色粉末で，水溶液は強い緑黄色蛍光を呈し，着色料としても利用される．

ビタミンB_6
英 vitamin B_6

水溶性ビタミンの一つで，ピリドキシン，ピリドキサール，ピリドキサミンなど，体内で同じ作用をもつ化合物の総称である．トランスアミナーゼ，デカルボキシラーゼなどの補酵素としてアミノ酸のアミノ基転移に関与している．欠乏症として皮膚炎，神経末端炎などがある．

ビタミンB_{12}
英 vitamin B_{12}

水溶性ビタミンの一つで，シアノコバラミン，メチルコバラミン，アデノシルコバラミン，ヒドロキソコバラミンなど，体内で同じ作用をもつ化合物の総称である．自然界では一部の細菌，放線菌にしか産生されない微生物由来のコバル

トを含む赤色のビタミンで，アミノ酸，核酸，脂肪酸などの代謝に関与する酵素の補酵素として重要である．欠乏症として悪性貧血がある．

ビタミンC
英 vitamin C
アスコルビン酸*

ビタミンD
英 vitamin D
脂溶性ビタミンの一つで，抗くる病作用がある．天然に存在し生物活性の高いものとして，植物性食品に含まれるビタミンD_2（エルゴカルシフェロール）と動物性食品に含まれるビタミンD_3（コレカルシフェロール）がある．両者はヒトに対しほぼ同様の生物活性を示す．ビタミンDは腸管からのカルシウムの吸収促進，骨の再構築の調節などの機能があり，欠乏症に乳幼児・小児のくる病，成人の骨軟化症などがある．なお，プロビタミンD_2（エルゴステロール），プロビタミンD_3（7-デヒドロコレステロール）は，紫外線照射によりそれぞれビタミンD_2とD_3に変換される（プロビタミンD*）．

ビタミンE
英 vitamin E
脂溶性ビタミンの一つで，脂質の過酸化阻止，細胞壁と生体膜の機能維持に関与しており，欠乏症として神経機能低下，筋無力症，不妊，未熟児の溶血性貧血などがある．食品に含まれるビタミンEは，主としてα-，β-，γ-およびδ-トコフェロールで，各トコフェロールの生物学的E効力はそれぞれ異なる．『食品成分表』には，各トコフェロールの成分値が，ビタミンEとして収載されている．

ビタミンK
英 vitamin K
脂溶性ビタミンの一つで，抗出血作用がある．天然に存在するものとして，ビタミンK_1（フィロキノン）とビタミンK_2（メナキノン）に大別される．一般にビタミンKという場合はフィロキノンとメナキノン-4を指し，両者はほぼ同様の生物活性を示す．血液凝固促進，骨の形成などに関与し，欠乏症に出血傾向がある．ビタミンK_2は腸内細菌によって必要量がつくられているといわれている．

必須アミノ酸
英 essential amino acid
不可欠アミノ酸の別称．動物において，発育や窒素平衡を保つために，外部からの摂取を必要とするアミノ酸．ヒトでは，バリン，イソロイシン，ロイシン，トレオニン，リシン，メチオニン，フェニルアラニン，トリプトファンおよびヒスチジンの合わせて9種類（いずれもL型）となっている．

必須脂肪酸
英 essential fatty acid
動物の体内では合成されず，食物から摂取しなければならない脂肪酸．一般には，リノール酸，γ-リノレン酸，アラキドン酸およびα-リノレン酸を指す．

必須微量元素
英 essential trace element
ヒトが栄養素として微量を必須とする元素．人体内における鉄の存在量（体重1g当たり1μgあるいは成人生体内5g）以下の存在量を示す元素とされているが，その数値に理論的根拠をもつものではない．鉄，亜鉛，銅，マンガン，ヨウ素，セレン，クロム，モリブデン，コバルト（ビタミンB_{12}の構成成分として）があげられる．

ヒドロキシアミノ酸
英 hydroxy amino acid
ヒドロキシル基(-OH)をもつアミノ酸．セリン，トレオニンが含まれる．

ピネン
英 pinene
化学式$C_{10}H_{16}$．二環式モノテルペンの一つ．針葉樹から得られるテレピン油の主成分．α体，β体があるが，通常α体が多い．

品種
英 cultivar
栽培される同一の種（または変種）において，形態的・生態的な実用形質に関して，他の個体群（集団）と明らかに区別がつき，一方，同一群内では区別しがたい個体群が形成される場合，これらの個体群を品種と呼ぶ．品種は，植物分類学上の単位ではなく，農業生産上の概念で，継代栽培をしても形質の分離が認められない固定品種とほぼ対応するが，次世代で形質の分離が認められる一代雑種もF_1品種と呼ぶことがある．種苗業界の一部では固定品種を単種と呼んでいる．類似した栽培条件下では，品種はほぼ遺伝的に安定した平衡状態にあるが，同一品種といっても他殖性作物はかなり遺伝的に異なった個体の集まりであり，自殖性作物も多くの純系の集まりであることが多い．

ファセオルナチン
英 phaseolunatin

リナマリン（linamarin）．らい豆に含まれるアセトンシアンヒドリンとぶどう糖からなる青酸配糖体で，加水分解によりシアン化水素を生成する．

フィコシアニン
英 phycocyanine

藍藻，紅藻類等に含まれる青色の色素たんぱく質．4個のピロール環をもつ色素のフィコシアノビリンがたんぱく質と結合したもの．

フーゼル油
英 fusel oil

アルコール発酵の際に，エチルアルコールと一緒に微量に生成される炭素数3〜5のアルコール類およびそのエステルを主成分とする混合物の総称．イソアミルアルコール，イソブチルアルコールが主な成分である．酒の香気成分として重要．二日酔いの原因物質といわれている．

フェニルケトン尿症
英 phenylketonuria

フェニルアラニンをチロシンに変換するための酵素が先天的に欠けているため，体内にフェニルアラニンおよびその誘導体のフェニルピルビン酸などが蓄積し，これらを大量に尿中に排泄する遺伝性疾患．高度知能障害，メラニン色素欠乏のため赤毛，皮膚白色などを起こす．

不乾性油
英 nondrying oil

不飽和度の指標であるヨウ素価が100以下の乾燥性のほとんどない植物油．オレイン酸の多いオリーブ油や，主に下剤などの医薬品，化粧品，界面活性剤などの非食用に用いられるリシノール酸の多いひまし油などがこれに属する．

輻管（ふくかん）
英 radial water canal **別** 輻水管；放射水管

ナマコ類の食道を環状に囲む環状水管から体軸にそって走行する5本の放射状水管．輻管は体壁の筋肉の中を走り，体表に管足を出す．輻管とは歩帯（ambulacral zone）を形成する水管という意味．

複合果
英 aggregate fruit

単果ではあるが，1個の花に多数の分離した雌ずいがあるので，痩果，石果をつけた果実が集合して集合果のようにみえる果実．いちじく，くわ，パインアップルなど（**付図③**）．

複散形花序
英 compound umbel

散形花序が2回重なった花序（**付図①**）．

匐枝（ふくし）
英 stolon

節間が長く蔓のようになって地上を匐う細い茎．

不けん（鹸）化物
英 unsaponifiable matter

油脂をアルカリで加水分解（けん化という）したのち，水には溶けないでジエチルエーテルなどの有機溶媒で抽出される物質の総称．炭化水素，高級アルコール，ステロール，トコフェロール，カロテンなどが含まれる．けん化によって油脂の主成分であるアシルグリセロールは，脂肪酸塩とグリセロールとなって水溶性になる．

蓋肉（ふたにく）
英 opercular muscle

巻き貝の足の後部背面に殻口を閉ざす蓋（通称ヘタ）がある．これに付着した筋肉をいう．一般に巻き貝の肉は内臓に接する部分が軟らかく，足の肉は極めて硬い．蓋に近い部分は中間的な硬さである．

ぶどう糖
英 glucose **別** グルコース

六炭糖の一種．系統名は，*gluco*-hexose という．果実，植物組織，少量ではあるが，動物の血液などの体液に含まれる．オリゴ糖類，多糖類の構成糖である．

不飽和脂肪酸
英 unsaturated fatty acid

分子内に二重結合（あるいは三重結合）をもつ脂肪酸の総称．二重結合数1個の一価不飽和脂肪酸と2個以上の多価不飽和脂肪酸に大別される．食品中に含まれる主な一価不飽和脂肪酸としては，オレイン酸（炭素数18），多価不飽和脂肪酸としては，リノール酸（炭素数18，二重結合数2），リノレン酸（炭素数18，二重結合数3）がある．多価不飽和脂肪酸のうち，海産動物に多く含まれる二重結合数4以上のものは高度不飽和脂肪酸とも呼ばれ，アラキドン酸（炭素数20，二重結合数4），イコサペンタエン酸（炭素数20，二重結合数5），ドコサヘキサエン酸（炭素数22，二重結合数6）などがある．

フラバノール
英 flavanol

フラボノイドの一つ．クロマン骨格の3位にヒドロキシ基が入った化合物の総称．カテキンがこれに当たる．

フラバノン
英 flavanone

フラボノイドの一つ．クロマン骨格にカルボニル基が入った化合物の総称．柑橘類の果実に含まれる苦味物質のナリンギンやネオヘスペリジンは，それぞれフラバノンであるナリンゲニン，ヘスペレチンの配糖体である．

フラボノイド
英 flavonoid

2個のベンゼン環を3個の炭素原子で結びつけたジフェニルプロパノイド（C_6-C_3-C_6）構造をもつ化合物の総称．C_3部分が酸素を介して閉環したクロマン骨格（フラバンの構造式で四角で囲んだ部分）をもつ三環性のものがよく知られている．植物界に広く存在し，食品の色素，苦味，甘味成分になるほか，抗酸化性等の生理活性作用をもつ．フラバン，フラバノン，フラボン，フラバノール，フラバノノール，フラボノール，アントシアニジン，イソフラボン，オーロン，カルコン等がある．天然には，フラボノイドをアグリコンとする配糖体として存在することが多い．

フラボノール
英 flavonol

フラボノイドの一つ．フラボンの3位にヒドロキシ基をもつ化合物の総称．フラボノールの一つであるケルセチンは，強い抗酸化作用があり，りんごなどの果物やたまねぎに多く含まれている．

フラボン
英 flavone

フラボノイドの一つ．クロマン骨格に二重結合とカルボニル基が入った化合物の総称．柑橘類の一部に特有なフラボノイドに，フラボンが高度にメトキシ化されたノビレチン，タンゲレチン，シネンセチンなどがあり，抗ヒスタミン作用，抗アレルギー作用，抗癌作用が報告されている．

フラワーペースト

小麦粉（flour）に油脂や卵などを加えてのり状（paste）にしたもの．ココアやピーナッツなどで風味付けしたものもある．本来のカスタードクリームに比べ，鶏卵や油脂の含量が少なく日持ちがするので，クリームパンやチョココロネ，大判焼きなどに用いられる．

ブランチング
英 blanching **別** 湯漬

野菜，果実などの酵素を失活させることを主目的に行われる，熱湯，蒸気，マイクロ波などによる短時間加熱処理．

プロビタミンA
英 provitamin A

生体内でビタミンAに変換する前駆体を意味する．緑黄色野菜，藻類，貝類などに含まれるカロテノイドのα-，β-カロテンや，キサントフィルのクリプトキサンチンが相当する．

プロビタミンD
英 provitamin D

紫外線照射によってビタミンDに変化する物質である．動物性食品に含まれる7-デヒドロコレステロールと植物性食品に含まれるβ-エルゴステロールがある．

プロラミン
英 prolamin

70〜80%アルコール，希酸，希アルカリに可溶性のたんぱく質．米を除いた穀類の主要たんぱく質の一つで，小麦ではグリアジン，大麦ではホルデイン，とうもろこしではゼイン（ツェイン）と呼ぶ．プロラミンのアミノ酸組成は，リシン，アルギニン，ヒスチジンなどの塩基性アミノ酸が少ない．

分けつ
英 tiller **別** 分げつ；株張り

イネ，ムギ類などでは，根に近い茎の関節から枝分かれすること．野菜などでは株が分かれること．

ブンゲ（Bunge）の法則

動物の子供の成長スピードと乳汁の成分との関連についての法則．ブンゲ（Gustav von Bunge, 1844-1920）は，ドイツで活動したスイスの生理学者で，「動物の乳汁には子獣の栄養に必要な無機物が，かなり精確な分量で血漿から入る」ことを示した．

吻端（ふんたん）
英 snout end

魚類の眼より前方の部分である吻の端．その他の動物でも口の開口をもつ突出物をいう．

閉果
英 indehiscent fruit

乾果の一種．成熟・乾燥しても裂開しない果実．イネ，そば，栗などの果実など（付図②）．

ベーキングパウダー
英 baking powder（BP）
ふくらし粉，膨剤，膨張剤ともいわれるが，和菓子ではイスパタと呼ばれることもある．重曹（炭酸水素ナトリウム）を主体とするパン・菓子の膨化剤．重曹のほか，焼きミョウバン，リン酸二水素カリウム，酒石酸水素カリウム，リン酸一カルシウム，でん粉などが加わる．ケーキ，蒸しパン，まんじゅうなどの原料となる小麦粉と一緒にふるいにかけ，よく混合して用いる．加熱により二酸化炭素が発生し，生地を膨化させる．

ペクチン
英 pectin
ポリガラクツロン酸で，種々の割合でカルボキシル基のメチルエステルを含有している多糖類．果実，野菜，穀類の細胞壁構成成分で，食物繊維の一つ．ペクチン酸と，その一部がメチルエステル化されているペクチニン酸からなる．

臍（へそ）
英 hilum
豆では目とも呼ばれ，種子ができる時，胚珠の柄が胎座についていた部分（**付図②**，巣果）．

ベタイン
英 betaine
分子中に第4級アンモニウム基とカルボキシル基をもつ化合物の総称．一般には，グリシンベタインを指す．貝やいか，たこのうま味成分．

ペプチド
英 peptide
アミノ酸がペプチド結合により重合したもの．アミノ酸の結合数によりジペプチド（2個），トリペプチド（3個）などと呼び，10〜50個程度結合したものをポリペプチドという．

ペプチド結合
英 peptide bond
あるアミノ酸のα-カルボキシル基（-COOH）と他のアミノ酸のα-アミノ基（-NH$_2$）との間に脱水縮合によって形成されたアミド結合（-CONH-）．

ヘミセルロース
英 hemicellulose
植物細胞壁を構成する成分で，セルロースとペクチン以外の多糖類．多くはガラクトース，マンノース，キシロース，アラビノースなどを含むヘテロ多糖類であるが，構成する単糖が1種類のホモ多糖類もある．食物繊維の中では，不溶性食物繊維に区分される．

苞（ほう）
英 bract　**別** 苞葉
苞とも書く．花序の基部にある葉の変形したもの．

胞果
英 utricle
乾果の一種．果皮が薄い膜質の袋状で，中に1個の小形種子があり，果皮と種皮が離れている果実．不規則に裂ける．アカザ，ヒユなど．

芳香族アミノ酸
英 aromatic amino acid
芳香環を側鎖にもつアミノ酸．フェニルアラニン，チロシン，トリプトファンが含まれる．なお，トリプトファンは複素環式アミノ酸として分類することがある．

胞子体（ほうしたい）
英 sporophyte
藻類の無性世代における形態．雌雄の配偶子が接合して分裂を重ねたもの．やがて動きまわる胞子である迷走子を産し，有性世代に移行する．紅藻では特に果胞子（caprospore）と呼ばれる．

胞子嚢
英 sporangium
胞子を入れている袋．コウジカビなどの子嚢菌類では子嚢，まつたけなどの担子菌類では担子器と呼ばれる．シダ類では葉の裏面または辺縁につく．

胞子葉
英 sporophyll
胞子嚢をつける葉．シダ類のゼンマイなどでは，このほか胞子嚢をつけない栄養葉がある．

飽和脂肪酸
英 saturated fatty acid
不飽和結合をもたない脂肪酸の総称．食品中には，動物性，植物性とも，パルミチン酸（炭素数16），ステアリン酸（炭素数18）が多い．工業的には，不飽和脂肪酸に水素添加することで製造する．飽和脂肪酸を主体とする油脂は，融点が高いので固体である．多量に摂取すると血清コレステロールが上昇する．

ポーションパック
英 portion pack
米国の軍隊で開発された食品の包装形態である．コーヒー用クリーム，ジャムやマヨネーズなどが1人分・1回分ずつ個包装されたもので

ある．一般的には，30〜50g以下，一口食品といえる5〜10g以下などの小容量製品である．これらポーションパックの包装食品には，プラスチックカップ，小袋とプラスチックボトルに詰められたものの3種類がある．

ボテーター

英 votator

粘度の高い原料の急冷，混和を速やかに行う装置．マーガリンの製造において，急冷，混和工程はマーガリンの組織，稠度，風味，つや，外観等に大きな影響を与える．急冷，混和を衛生的に，また効率的に進めるための各種の方法が検討され，現在，連続密閉式が普及している．連続密閉式のものとしてボテーター式（米国製），コンビネーター式（ドイツ製），パーフェクター式（デンマーク製）があり，わが国ではボテーター式が広く利用されている．ボテーター式はAユニット（冷却促進），Bユニット（固化混和促進），レスティングチューブ（固化促進）からなる，マーガリンのほか，ショートニング，ラード，菓子用クリームをはじめ，トマトペーストなどにも用いられる．

ホモゲンチジン酸

英 homogentisic acid

2,5-ジヒドロキシフェニル酢酸．チロシンの中間代謝産物である．たけのこのえぐ味の主成分はアミノ酸のチロシンが酸化したホモゲンチジン酸によるといわれており，米糠や米のとぎ汁で茹でると除去できる．またホモゲンチジン酸分解酵素を欠損したアルカプトン尿症の患者の尿中にホモゲンチジン酸が排出される．

ポリフェノール

英 polyphenol

ベンゼン環にヒドロキシ基が2個以上結合したフェノール性化合物の総称．アントシアン，カテキンなどのフラボノイド，カテキンが重合したタンニン，コーヒー酸などのフェノール酸などが含まれ，植物界に広く分布している．植物にとっての生体防御物質で，抗酸化性をもつ．抗癌作用，生活習慣病予防効果が報告されている．

マイコトキシン

英 mycotoxin

カビの代謝生産物で，ヒトあるいは動物に対し，何らかの疾病や異常な生理作用を誘発する物質の総称．アフラトキシン，オクラトキシン，パツリン，デオキシニバレノール，ゼアラレノン，フモニシンなどがある．

マグネシウム

英 magnesium

元素記号Mg．金属元素の一つで，生体の必須元素．成人体内に約30g含まれ，その60〜65％は骨に，そのほか筋肉，脳，神経にも存在する．骨の弾性維持，細胞のカリウム濃度調節などに関与している．

マンガン

英 manganese

元素記号Mn．金属元素の一つで，必須微量元素に分類される．成人体内に10〜20mg含まれ，肝臓，膵臓，毛髪などに多く存在する．多くの酵素の活性化因子として重要であり，骨の生成を促進する．『食品成分表』では，100g当たり，香辛料類のクローブ（粉）に93mg，シナモン（粉）に41mg，ショウガ（粉）に28mg，緑茶類の茶葉に55〜71mgや紅茶の茶葉に21mgなどと多く含まれている．

マンナン

英 mannan

D-マンノースで構成される多糖類の総称．一般にはガラクトースを含むガラクトマンナンやぶどう糖を含むグルコマンナンが多い．

マンノース

英 mannose

六炭糖の一種．系統名は，*manno*-hexose という．植物細胞壁の多糖類のマンナンの構成糖であり，遊離状態ではビートに含まれる．こんにゃくのグルコマンナンはマンノースとぶどう糖から構成される多糖類である．

みかん状果

英 hespidium 別 柑果

外果皮（フラベド）はカロテン，油胞を含むやや強靭な細胞，中果皮（アルベド）は白色パルプ状，内果皮は袋状のじょうのうで10数個に分かれ，その内壁に毛状体（砂じょう）が突出して果汁を貯えた果実（うんしゅうみかん*，付図③）．

ミロシナーゼ

英 myrosinase 別 チオグルコシダーゼ

アブラナ科の種子，植物体に含まれるからし油配糖体からイソチオシアネート化合物を生成する反応を触媒する酵素．

無機質
【英】mineral 【別】ミネラル
食品中の有機物と水分を除いた残りの成分をいう．そのうち，人体の構成や機能に必要な元素を必須元素と呼び，それらにはナトリウム，カリウム，カルシウム，マグネシウムおよびリンの多量元素と，鉄，亜鉛，銅，マンガン，ヨウ素，セレン，クロムおよびモリブデンの微量元素が含まれる．

無水物値
【英】value on dry basis 【別】乾物値；乾物換算値
乾物（無水物）質量当たりの成分含量．無水物値は次の式で求める：

$$\text{成分値}(g/100g\ \text{無水物}) = \frac{\text{成分値}(g/100g\ \text{生鮮物})}{[(100 - \text{水分量}(\text{質量分率})]}$$

水分は個体差，貯蔵条件等で変動するので，成分量を比較するときに，無水物値を用いることが広く行われている．

無胚乳種子
【英】exalbuminous seed
胚乳のない種子．発芽養分は子葉に貯えられている．大豆，栗，くるみなど．

メイラード反応
【英】Maillard reaction
アミノカルボニル反応＊

メラノイジン
【英】melanoidin
アミノ化合物と還元糖によるアミノカルボニル反応（特にメイラード反応と呼ばれる）で生成する褐色の重合物．みそ，しょうゆ，パン，クッキーなどに含まれる．調理，加工，貯蔵などによりメラノイジンが生成されると，しばしば食品は茶褐色に着色する．

木部（もくぶ）
【英】xylem
植物の維管束のうち，導管，仮導管，木部柔組織，木部繊維などが結束している部分．主として水液の上昇路．

木本
【英】arbor
木部が発達した，堅い多年生の茎をもつ植物で，単に木ともいう．

戻り
【英】Modori；gel softening
坐りの過程で形成されたゲル構造が崩壊して脆弱化する現象．戻りは50〜60℃で最も進行しやすいが，戻りやすさは原料魚によって大きく異なる．

モリブデン
【英】molybdenum
元素記号 Mo．金属元素の一つで，必須微量元素に分類される．成人（70 kg）の体内に約10 mg 含まれている．酸化還元酵素の補助因子として働き，長期間にわたる完全静脈栄養による欠乏症として頻脈，多呼吸，夜盲症等が起こることが知られている．『食品成分表』では，100 g 当たり，大豆（乾）に800 μg，りょくとう（乾）に410 μg，ささげ（乾）に380 μgなどと豆類に多く含まれている．

もろみ
【英】mask
しょうゆ，清酒などの醸造において，発酵のため原材料を混合し仕込んだもの．しょうゆでは諸味，清酒では醪と書く．

UHT 殺菌
【英】ultra high temperature sterilization（UHT sterilization）【別】超高温殺菌
低酸飲料を 120〜150℃で1〜5秒以内で殺菌する方法．低温保持（LTLT）殺菌法（62〜65℃，30分），高温短時間（HTST）殺菌法（73〜75℃，15秒）に比べて殺菌効率が高く，保存性の高い製品を得ることができる．LL 牛乳等の低酸性飲料に広く利用されている．

有機酸
【英】organic acid
カルボキシル基（-COOH）を分子内にもち，酸性を示す化合物の総称．カルボキシル基の数によって，一塩基酸，二塩基酸，三塩基酸と呼ばれる．一塩基酸としては，酢酸，乳酸があり，二塩基酸のリンゴ酸，フマル酸，酒石酸，三塩基酸のクエン酸は果汁に多い．

雄ずい（蕊）
【英】stamen 【別】雄しべ
花の中にある雄性の生殖器官．細長い糸状の花

糸と，その先にあり花粉を入れるやく（葯）からなっている（付図①，花）．

油中水滴型エマルション
英 water-in-oil type emulsion **別** W/O型エマルション
連続している油相中に水滴が分散している乳化状態．水相と油相を乳化する時に，親油性乳化剤を用いると得られる．マーガリン，バターなどがこれに当たる．

遊離アミノ酸
英 free amino acid
生体を構成するアミノ酸のうち，単体で存在するアミノ酸．生体内のアミノ酸のほとんどがたんぱく質の構成成分であり，遊離アミノ酸は0.6％程度といわれる．食品に含まれる遊離アミノ酸は，呈味に大きく影響を与える成分となっている．

葉腋
英 leaf axil
茎とこれから出る葉の分かれめ．

葉菜類
英 leaf vegetables
葉，葉柄を利用する野菜．キャベツ，ほうれんそう，セロリなど．

葉酸
英 folate
水溶性ビタミンのうち，B群ビタミンの一つで，ビタミンB_9とも呼ばれる．一炭素基（$-CH_3$，$-CHO$など）の転移に補酵素として，たんぱく質の代謝，核酸の合成に関与している．欠乏症として貧血，舌炎，うつ病などの精神神経症などがある．

葉軸（ようじく）
英 rachis
羽状複葉において，葉柄に続き，小葉（複葉の個々の葉）を着生する部分．

葉鞘
英 leaf sheath
葉の基部が茎を抱いて鞘状になった部分．

ヨウ素
英 iodine
元素記号 I．ハロゲン族に属する元素の一つで，必須微量元素に分類される．成人体内に約15〜20 mg含まれ，甲状腺ホルモンの構成成分である．欠乏すると，甲状腺腫，甲状腺機能低下を起こす．『食品成分表』では，100 g当たり，藻類のこんぶ類（素干し）に200〜210 mgと非常に多く含まれ，ほしひじき（乾）に45 mg，カットわかめ（乾）に10 mgなどと海藻類に多く含まれている．

ヨウ素価
英 iodine value
油脂の不飽和度を示す値で，油脂100 gに吸収されるヨウ素のg数で表す．油脂中の不飽和脂肪酸の二重結合にヨウ素が付加することを利用して測定する．硬化油の硬化の程度を知ることができる．油脂の酸化，重合により値が低下する（乾性油＊，半乾性油＊，不乾性油＊）．

ヨウ素・でん粉反応
英 iodine-starch reaction
うるちでん粉をヨウ素で染色すると青色を呈する．この反応は，でん粉の検出に用いられる鋭敏な反応である．この反応に関係するのはアミロースで，アミロースのらせん構造の中にヨウ素が包接した複合体を形成し呈色するといわれる．アミロペクチンは赤褐色に染色される．

葉柄
英 petiole
葉身（葉の平たい部分）と茎あるいは枝とを連結させる柄の部分（付図①，葉）．

抑制栽培
英 late raising culture
普通より収穫期を遅くする栽培法．

酪酸
英 butyric acid
$CH_3CH_2CH_2COOH$の化学式をもつ低級脂肪酸．特有の汗臭があり，バターには遊離またはエステルとして含まれる．

裸子植物
英 gymnosperm
種子植物の1分類群．心皮は子房を形成せず，胚珠は裸出しているので，種子もむきだしになっている．カヤ，マツ，イチョウ，ソテツなど．

螺層（らそう）
英 spiral layer
巻き貝の軸に巻く螺旋（らせん）の管．幼期にできた胎殻（初生殻）と成殻（後生殻）に分けられる．

ラミナラン
英 laminaran
海藻，特に褐藻類の貯蔵多糖類．グルコースが

β-1,3結合したβ-グルカン．食事として摂った場合は，食物繊維として働く．

リグナン
英 lignan

C_6-C_3のフェニルプロパン構造の化合物が，β-β位で結合した二量体の化合物で，植物に見いだされる．ごまに含まれるセサミン，セサモリン，生絞り精製ごま油に含まれるセサミノール等が知られている．

リグニン
英 lignin

セルロースなどとともに細胞壁に存在するヒドロキシフェニルプロパンを基本単位とする重合化合物．多糖類ではないが，『食品成分表』では不溶性食物繊維に区分される．木材では，20〜30%を占める．

リコペン
英 lycopene **別** リコピン

環状構造をもたないカロテノイドの一種．トマト，すいかの果実などの赤色色素．プロビタミンA作用は持たないが，抗酸化性を持ち，癌抑制作用が知られている．「生鮮トマト中のリコペンの定量－高速液体クロマトグラフ法」が，試験方法のJAS0008として規格化されている．

離漿（りしょう）
英 syneresis **別** 離水（りすい）；シネレシス

コロイドの分散質が凝集して網目構造をつくり，分散媒を網目溝造中に保持して流動性を失ったものをゲルというが，そのゲルが網目構造中に保持していた分散媒の一部を脱離する現象で，網目構造の収縮などによって引き起こされる．寒天，カラギーナン，ゼラチンなど，ゲルをつくる分散質の種類によって，離漿の程度は異なるが，濃度が高いほど，離漿は抑えられる．

リシン
英 lysine

塩基性アミノ酸に分類され，たんぱく質を構成する必須アミノ酸の一つ．α-位とε-位にアミノ酸基（-NH₂）を有する．ε-アミノ酸基は食品の加熱加工，貯蔵過程で還元糖とアミノカルボニル反応を起こし，リシンは栄養上利用不能となる．なお，遊離のε-アミノ酸基を持ち利用可能なリシンを有効性リシン（available lysine）と呼ぶ．また，たんぱく質をアルカリ性で加熱処理することで，主にシスチンなどよりデヒドロアラニン残基が生成し，リシンのε-アミノ酸基と反応しリシノアラニンとなり，リシンは栄養上利用不能となる．リシノアラニンは腎細胞の肥大を起こすといわれている．なお，ヒマ（トウゴマ）種子の有毒たんぱく質もリシン（ricin）と呼ぶが，全く異なる化合物である．英語を日本語表記（字訳）する際に，LとRを区別していないことの弊害の例である．

リノール酸
英 linoleic acid

必須脂肪酸の一つ．炭素数18で二重結合を2つ持つ不飽和脂肪酸．大豆油，ひまわり油などに豊富に含まれていて，かつて血清コレステロール上昇抑制効果を有するといわれ，積極的に摂取するよう勧められた．しかし，その後の研究では，リノール酸の血清コレステロール上昇抑制作用は一過性のもので，摂り過ぎはアラキドン酸由来のエイコサノイドの過剰生成を引き起こし，このため血栓が生じやすく，心筋梗塞，心不全を誘発することが報告されている．さらに，リノール酸摂取量を少なくしてオレイン酸やα-リノレン酸を多く摂取すると，心臓疾患の予防効果に有効であることが見いだされているため，新しい栄養指導は，この方向で行われている．

リモネン
英 limonene

モノテルペン系炭化水素．主に柑橘類の果皮に含まれる精油成分の一つ．レモン様の香気を有するので，香料の原料として利用される．

リモノイド
英 limonoid

柑橘果実に含まれるテルペン系成分で，主要なものにリモニン，ノミリン，オーバクノンがあり，前二者には苦味がある．成熟果実には，リモノイド配糖体が多く含まれている．ともに，抗癌活性が報告されている．

利用可能炭水化物
英 available carbohydrates

『食品成分表』において，ヒトの消化系において，単糖類にまで加水分解され，エネルギーとして利用される炭水化物を指す．でん粉，デキストリン，マルトデキストリン，ぶどう糖，果糖，ガラクトース，しょ糖，麦芽糖，乳糖，トレハロース，イソマルトース，マルトトリオースなどを指す．合計量は，質量の合計で表した「利用可能炭水化物（質量計）」と単糖当量の合

計で表した「利用可能炭水化物（単糖当量）」として収載している．「差引き法による利用可能炭水化物」は，エネルギーの計算方法における評価コードがNG（不適合）の場合や利用可能炭水化物（質量計）の収載値がない場合に，エネルギー計算や栄養計算に利用する成分項目で，100 gから，水分，アミノ酸組成によるたんぱく質（この収載値がない場合には，たんぱく質），脂肪酸のトリアシルグリセロール当量として表した脂質（この収載値がない場合には，脂質），食物繊維総量，有機酸，灰分，アルコール，硝酸イオン，ポリフェノール（タンニンを含む），カフェイン，テオブロミン，加熱により発生する二酸化炭素等の合計（g）を差し引いて算出する．エネルギー換算係数は，利用可能炭水化物（単糖当量）は 3.75 kcal/g（16 kJ/g），差引き法による利用可能炭水化物は 4 kcal/g（17 kJ/g）である．

両性花
英 hermaphrodite flower
花被の有無にかかわらず，1花の中に雌ずい・雄ずいのある花．

稜鱗（りょうりん）
英 scutes
鋭い突起を持った鱗．「ぜんご」もその一種．

リン
英 phosphorus
元素記号 P．窒素族元素の一つで，生体の必須元素．成人体内に約 0.5 kg含まれ，約 80 %はリン酸カルシウム，リン酸マグネシウムとして骨，歯の成分となっている．残りは体液，細胞内に存在する．リン脂質の構成成分として重要であり，また，アデノシン三リン酸（ATP），クレアチンリン酸などの高エネルギー化合物の構成成分として生体のエネルギー代謝にも関与している．

鱗（りん）茎
英 scaly bulb
地下茎の一種．養分を貯えて多肉質になった葉が，短縮して扁平になった茎の回りに密着したもの．たまねぎ，ゆり根など（付図④）．

リンゴ酸
英 malic acid
カルボキシル基（-COOH）を2個持つ爽やかな酸味のある有機酸．りんご，プラムなどに多く含まれる．

リン脂質
英 phospholipid
複合脂質の一つ．生体膜を構成する主要な脂質で，グリセロールを含むグリセロリン脂質と長鎖塩基を含むスフィンゴリン脂質に分けられる．グリセロリン脂質の代表的なものにレシチン（ホスファチジルコリン）がある．

輪肋（りんろく）
英 commarginal rib
貝の成長に伴い，殻の上に残る成長線に沿って隆起しているものを成長脈，太く発達しているものを成長肋という．二枚貝ではそれが同心円状になるので輪肋という．

ルチン
英 rutin
フラボノール配糖体の一つ．ケルセチンにラムノシルグルコースが結合した黄色物質．マメ科植物，そば，柑橘類などに含まれる．毛細血管の抵抗力を高める生理作用を持つ．

ルテイン
英 lutein
キサントフィルの一つ．α-カロテンの二つの環状構造にそれぞれヒドロキシル基が入ったカロテノイドアルコール．多くの緑葉植物，藻類に含まれ，黄色を呈する．

レシチン
英 lecithin
グリセロリン脂質の代表的なもの．動植物，酵母，カビに広く分布し，生体膜の重要な構成成分である．

レチノール
英 retinol
ビタミンA効力を持つ代表的な化合物．野菜，果実にはほとんど含まれておらず，動物性食品（特に肝臓）に多く含まれる．『食品成分表』では，レチノールとその異性体・脂肪酸エステル（レチニルエステル）を分けずに定量して，全トランスレチノール相当量をレチノールとして収載している．

レチノール活性当量
英 retinol activity equivalents
ビタミンA効力の表示法．「日本人の食事摂取基準（2015年版）」では，それまでレチノール当量と表記されていたものの定義を変更し，レチノール活性当量とした．それに伴い『食品成

分表』でも成分項目としてレチノール活性当量を収載した．

裂開果（れっかいか）
英 dehiscent fruit

乾果の一種．大豆，えんどう，ごまなど，成熟・乾燥すると裂開する果実．

レプトケファルス
英 leptocephalus

孵化した仔魚が成長し，長細く平たい透明な柳葉状になった稚魚のことで，レプトセファルスともいう．5 cm 以下から 1 m を超すものもある．ウナギ目のアナゴ，ハモ，ウナギなどがよく知られている．

漏斗（ろうと）
英 funnel

頭足類（イカ，タコ）の外套腔内の水，生殖物質および墨汁を噴出する漏斗状の構造（**付図⑨**，いか）．足が膜状に延長して管状になったものであるが，原始的なオウムガイでは完全な管状となっていない．

六炭糖
英 hexose **別** ヘキソース

炭素原子 6 個を持つ単糖類．自然界に最も多い単糖類で，遊離の状態で存在するほか，二糖類，オリゴ糖類，多糖類および配糖体の構成成分になっている．ぶどう糖，果糖，ガラクトース，マンノースなどがある．

露地栽培
英 open culture

自然条件の圃場で，従来行われてきた栽培．

ロゼット
英 rosette

根生葉（根もとから出ている葉）が放射状に地面に平たく広がった株（**付図①**，葉）．

付　表

付表1　野菜の食用部位による分類

分　類	野　菜　名
〈根菜類〉 根を利用する	塊　根：さつまいも，やまのいも 直　根：だいこん，にんじん，ごぼう，ビート 胚　軸：だいこん，かぶ
〈茎菜類〉 地下部・地上部の茎 を利用する	根　茎：しょうが，はす，ホースラディッシュ，わさび 塊　茎：じゃがいも，きくいも，くわい 球　茎：さといも，くわい 鱗　茎：たまねぎ，にんにく，らっきょう，ゆりね 　茎：アスパラガス，コールラビ，うど，たけのこ
〈葉菜類〉 葉・葉柄を利用する	葉　：はくさい，からしな，キャベツ，きょうな，こまつな，ほうれんそう， 　　　　レタス，チコリー，パセリ，あさつき，ねぎ，リーキ，わけぎ 葉　柄：セロリー，ふき，ルバーブ，ずいき，つわぶき
〈花菜類〉 花序・花弁などを利 用する	花　序：カリフラワー，ブロッコリー，ふきのとう 花　茎：茎にんにく　　　　花茎・花蕾：花にら 花　蕾：アーティチョーク　　花　弁：食用ぎく
〈果菜類〉 未熟果・熟果を利用 する	未熟果：えんどう，さやいんげん，そら豆，えだ豆，きゅうり，ズッキーニ，に 　　　　がうり，はやとうり，オクラ，なす，スイートコーン 熟　果：かぼちゃ，とうがん，トマト，唐辛子

付表2　山菜の自生地による分類

自 生 地	主 な 山 菜
やや深山	うわばみそう，こごみ，おおばぎぼし，ぜんまい，みやまいらくさ，もみじがさ，よぶすまそう
山裾や原野	あさつき，あざみ，あけび，かたくり，しおで，たらのき，つりがねにんじん，ふき，やまうど，わらび
土手・畑地・空地	あかざ，すべりひゆ，たんぽぽ，つくし，なずな，のびる，よもぎ
川辺・湿潤地	クレソン（オランダがらし），せり，みつば
海　岸	あしたば，つわぶき，はまぼうふう

付表3　果実の特徴的香気成分

果　　実	主 な 香 気 成 分
温州みかん（皮）	α-ピネン，ミルセン，リモネン，シトロネラール，ターピネオール
桃	γ-デカラクトン，ベンズアルデヒド，n-ヘキサナール
りんご	イソアミルアルコール，ギ酸アミル，酢酸イソアミル，酪酸メチル
梨	ギ酸イソアミル，酢酸イソアミル
西洋梨	デカジエン酸エステル
パインアップル	酢酸エチル，酪酸アミル，イソカプロン酸エチル
バナナ	3-メチルブチル酢酸，ペンタノールアセテート，酢酸イソアミル
ぶどう	バレリアン酸アミル，酢酸プロピル
グレープフルーツ	ヌートカートン，シトロネラール，ターピネオール
いちご	酢酸，n-酪酸，n-カプロン酸などのエステル
すいか	β-ハイドロプロピオンアルデヒド，アセトン

付表4　魚介類の系統分類学上の位置付けと食品名

界	門	綱 / 亜綱	目 / 亜目	科	食品名
動物	刺胞動物	ハチクラゲ綱	根口クラゲ目	ビゼンクラゲ科	くらげ
	軟体動物	腹足綱			巻貝 ┐
		二枚貝綱			二枚貝 ┘ 貝類
		頭足綱			
		鞘形亜綱	コウイカ目 ┐		
			ツツイカ目 ┘		いか
			八腕形目		たこ
	節足動物	甲殻綱	アミ目		あみ
		軟甲亜綱	オキアミ目		おきあみ
			十脚目		
			長尾亜目 ┐		
			遊泳型 ├		えび
			歩行型 ┘		
			短尾亜目		
			異尾亜目		かに ┐
			口脚目		たらばがに ┘ かに
			ホンウニ目	シャコ科	しゃこ
	棘皮動物	ウニ綱			うに
		ナマコ綱			
		樹手亜綱	キンコ目		
			マナマコ目		なまこ
		楯手亜綱			
	原索動物	尾索綱	ホヤ目		
		海鞘亜綱	ヤツメウナギ目	マボヤ科	ほや（まぼや）
	脊椎動物	無顎綱		ヤツメウナギ科	やつめうなぎ ┐
		軟骨魚綱	ネコザメ目・カグラザメ目・ ┐		さめ
		板鰓亜綱	ネズミザメ目・ツノザメ目 ┘		
			エイ目		えい ├ 魚
		硬骨魚綱			
		条鰭亜綱	チョウザメ目		
		軟質下綱			ちょうざめ
		真骨下綱	無尾目		一般魚類 ┘
		両生綱	有尾目		かえる
			カメ目		さんしょううお*
		爬虫綱		ウミガメ科	あおうみがめ* ┐
			海牛目	スッポン科	すっぽん ├ かめ
		哺乳綱	クジラ目	ジュゴン科	じゅごん* ┘
			ヒゲクジラ亜目	ナガスクジラ科	ながすくじら*
					ミンクくじら
			ハクジラ亜目	マッコウクジラ科	まっこうくじら* ├ くじら
				イルカ科	いるか*

＊印は本事典には記述していない．

付表5　乳等省令における乳・乳製品の定義

区分	種類	定義
乳	生乳	搾取したままの牛の乳
	牛乳	直接飲用に供する目的またはこれを原料とした食品の製造もしくは加工の用に供する目的で販売する牛の乳
	特別牛乳	牛乳であって特別牛乳として販売するもの
	生やぎ乳	搾取したままのやぎ乳
	殺菌やぎ乳	直接飲用に供する目的で販売するやぎ乳
	生めん羊乳	搾取したままのめん羊乳
	成分調整牛乳	生乳から乳脂肪分その他の成分の一部を除去したもの
	低脂肪牛乳	成分調整牛乳であって，乳脂肪分を除去したもののうち，無脂肪牛乳以外のもの
	無脂肪牛乳	成分調整牛乳であって，ほとんどすべての乳脂肪分を除去したもの
	加工乳	生乳，牛乳，特別牛乳またはこれらを原料として製造した食品を加工したもの（成分調整牛乳，低脂肪牛乳，無脂肪牛乳，発酵乳及び乳酸菌飲料を除く）
乳製品	クリーム	生乳，牛乳，特別牛乳から乳脂肪分以外の成分を除去したもの
	バター	生乳，牛乳，特別牛乳から得られた脂肪粒を練圧したもの
	バターオイル	バター，クリームからほとんどすべての乳脂肪以外の成分を除去したもの
	チーズ　ナチュラルチーズ	一　乳，バターミルク，クリームまたはこれらを混合したもののほとんどすべて，または一部のたんぱく質を酵素その他の凝固剤により凝固させた凝乳から乳清の一部を除去したもの，またはこれらを熟成したもの．二は略
	チーズ　プロセスチーズ	ナチュラルチーズを粉砕，加熱溶融，乳化したもの
	濃縮ホエイ	乳を乳酸菌で発酵させ，または乳に酵素もしくは酸を加えてできた乳清を濃縮し固形状にしたもの
	アイスクリーム類　アイスクリーム	アイスクリームとして販売するもの／乳またはこれらを原料として製造した食品を加工し，または主要原料としたものを凍結させたもので，乳固形分3.0%以上含有するもの（発酵乳を除く）
	アイスクリーム類　アイスミルク	アイスミルクとして販売するもの
	アイスクリーム類　ラクトアイス	ラクトアイスとして販売するもの
	濃縮乳	生乳，牛乳，特別牛乳を濃縮したもの
	脱脂濃縮乳	生乳，牛乳，特別牛乳から乳脂肪分を除去したものを濃縮したもの
	無糖練乳	濃縮乳であって直接飲用に供する目的で販売するもの
	無糖脱脂練乳	脱脂濃縮乳であって直接飲用に供する目的で販売するもの
	加糖練乳	生乳，牛乳，特別牛乳にしょ糖を加えて濃縮したもの
	加糖脱脂練乳	生乳，牛乳，特別牛乳から乳脂肪分を除去し，しょ糖を加えて濃縮したもの
	全粉乳	生乳，牛乳，特別牛乳からほとんどすべての水分を除去し，粉末状にしたもの
	脱脂粉乳	生乳，牛乳，特別牛乳の乳脂肪分を除去したものからほとんどすべての水分を除去し，粉末状にしたもの
	クリームパウダー	生乳，牛乳，特別牛乳の乳脂肪分以外の成分を除去したものから，ほとんどすべての水分を除去し，粉末状にしたもの
	ホエイパウダー	乳を乳酸菌で発酵または酵素，酸を加えてできた乳清からほとんどすべての水分を除去し，粉末状にしたもの
	たんぱく質濃縮ホエイパウダー	乳を乳酸菌で発酵させ，または乳に酵素もしくは酸を加えてできた乳清の乳糖を除去したものからほとんどすべての水分を除去し，粉末状にしたもの
	バターミルクパウダー	バターミルクからほとんどすべての水分を除去し，粉末状にしたもの
	加糖粉乳	生乳，牛乳，特別牛乳にしょ糖を加えほとんどすべての水分を除去し，粉末状にしたもの，または全粉乳にしょ糖を加えたもの
	調製粉乳	生乳，牛乳，特別牛乳，またはこれらを原料として製造した食品を加工し，または主要原料とし，乳幼児に必要な栄養素を加え粉末状にしたもの
	調整液状乳	生乳，牛乳，特別牛乳，またはこれらを原料として製造した食品を加工し，または主要原料とし，乳幼児に必要な栄養素を加え液状にしたもの
	発酵乳	乳またはこれと同等以上の無脂乳固形分を含む乳等を乳酸菌または酵母で発酵させ，糊状，液状にしたもの，またはこれらを凍結したもの
	乳酸菌飲料	乳等を乳酸菌，酵母で発酵させたものを加工しまたは主要原料とした飲料（発酵乳を除く）．無脂乳固形分3.0%以上のもの
	乳飲料	生乳，牛乳，特別牛乳，またはこれらを原料として製造した食品を主要原料とした飲料（乳，他の乳製品を除く）

（乳等省令より作表，一部抜粋）

付表6　食用油脂の主要脂肪酸組成（日本食品標準成分表2020年版（八訂）より）

	食品番号	食品名	12:0 ラウリン酸	14:0 ミリスチン酸	16:0 パルミチン酸	18:0 ステアリン酸	18:1 オレイン酸*	18:2 n-6 リノール酸	18:3 n-3 α-リノレン酸
植物油脂類	14023	あまに油	0	Tr	4.8	3.3	16.5	15.2	59.5
	14024	えごま油	0	0	5.9	2.0	17.6	12.9	61.3
	14001	オリーブ油	0	0	10.4	3.1	77.3†	7.0	0.6
	14002	ごま油	0	0	9.4	5.8	39.8†	43.6	0.3
	14003	米ぬか油	0	0.3	16.9	1.9	42.6†	35.0	1.3
		サフラワー油							
	14004	ハイオレイック	0	0.1	4.7	2.0	77.1†	14.2	0.2
	14025	ハイリノール	0	0.1	6.8	2.4	13.5†	75.7	0.2
	14005	大豆油	0	0.1	10.6	4.3	23.5†	53.5	6.6
	14006	調合油	Tr	0.1	7.5	3.2	43.2†	36.7	7.3
	14007	とうもろこし油	0	0	11.3	2.0	29.8†	54.9	0.8
	14008	なたね油	0.1	0.1	4.3	2.0	62.7†	19.9	8.1
	14009	パーム油	0.5	1.1	44.0	4.4	39.2†	9.7	0.2
	14010	パーム核油	48.0	15.4	8.2	2.4	15.3†	2.6	0
		ひまわり油							
	14011	ハイリノール	0	Tr	6.0	4.3	28.5†	60.2	0.4
	14026	ミッドオレイック	0	0.1	4.3	3.6	60.5†	29.6	0.2
	14027	ハイオレイック	0	0	3.6	3.9	83.4†	6.9	0.2
	14028	ぶどう油	0	0.1	7.1	4.1	19.1	68.4	0.5
	14012	めんじつ油	0	0.6	19.2	2.4	18.2†	57.9	0.4
	14013	やし油	46.8	17.3	9.3	2.9	7.1†	1.7	0
	14014	落花生油	0	Tr	11.7	3.3	45.5†	31.2	0.2
動物油脂類	14015	牛脂	0.1	2.5	26.1	15.7	45.5†	3.7	0.2
	14016	ラード	0.2	1.7	25.1	14.4	43.2†	9.6	0.5
	14032	たらのあぶら	Tr	3.8	11.8	2.3	19.6	0.8	0.5
バター類		無発酵バター							
	14017	有塩	3.6	11.7	31.8	10.8	22.2†	2.4	0.4
	14018	食塩不使用	3.6	11.7	32.8	10.0	21.8†	2.1	0.5
		発酵バター							
	14019	有塩	3.5	11.6	31.6	10.7	22.2†	2.4	0.4
マーガリン類		マーガリン							
	14020	家庭用 有塩	4.8	2.3	15.1	6.4	51.6	15.7	1.6
	14029	業務用 有塩	4.7	2.7	35.1	6.0	37.2	10.6	0.8
	14021	ファットスプレッド	7.9	2.8	13.3	7.3	33.3	29.9	2.8
その他		ショートニング							
	14022	家庭用	3.7	2.1	32.8	8.8	37.6	11.3	1.1
	14030	業務用 製菓	7.2	3.3	36.2	6.7	34.4	8.5	0.3
	14031	業務用 フライ	0.3	0.9	36.5	5.7	40.8	13.4	0.8

* オレイン酸とシス（cis）-バクセン酸の合計値
† オレイン酸とシス（cis）-バクセン酸をはじめとする他の異性体の合計値

付表7　食用油脂のビタミンEとビタミンK含量（日本食品標準成分表2020年版（八訂）より）（100g当たり）

分類	食品番号	食品名	α-トコフェロール (mg)	β-トコフェロール (mg)	γ-トコフェロール (mg)	δ-トコフェロール (mg)	ビタミンK (μg)
植物油脂類	14023	あまに油	0.5	0	39.0	0.6	11
	14024	えごま油	2.4	0.6	59.0	4.6	5
	14001	オリーブ油	7.4	0.2	1.2	0.1	42
	14002	ごま油	0.4	Tr	44.0	0.7	5
	14003	米ぬか油	26.0	1.5	3.4	0.4	36
		サフラワー油	27.0	0.6	2.3	0.3	10
	14004	ハイオレイック	27.0	0.6	2.3	0.3	10
	14025	ハイリノール	27.0	0.6	2.3	0.3	10
	14005	大豆油	10.0	2.0	81.0	21.0	210
	14006	調合油	13.0	1.2	56.0	11.0	170
	14007	とうもろこし油	17.0	0.3	70.0	3.4	5
	14008	なたね油	15.0	0.3	32.0	1.0	120
	14009	パーム油	8.6	0.4	1.3	0.2	4
	14010	パーム核油	0.4	Tr	0.1	Tr	Tr
		ひまわり油					
	14011	ハイリノール	39.0	0.8	2.0	0.4	11
	14026	ミッドオレイック	39.0	0.8	2.0	0.4	11
	14027	ハイオレイック	39.0	0.8	2.0	0.4	11
	14028	ぶどう油	28.0	0.7	5.8	1.2	190
	14012	めんじつ油	28.0	0.3	27.0	0.4	29
	14013	やし油	0.3	0	0.2	Tr	Tr
	14014	落花生油	6.0	0.3	5.4	0.5	4
動物油脂類	14015	牛脂	0.6	Tr	0.1	0.6	26
	14016	ラード	0.3	Tr	0.1	Tr	7
	14032	たらのあぶら	14.0	0	0.1	0	5
バター類		無発酵バター					
	14017	有塩	1.5	0	0.1	0	17
	14018	食塩不使用	1.4	0	0.1	0	24
		発酵バター					
	14019	有塩	1.3	0	0.1	0	30
マーガリン類		マーガリン					
	14020	家庭用 有塩	15.0	0.7	37.0	6.2	53
	14033	家庭用 無塩	15.0	0.7	37.0	6.2	53
	14029	業務用 有塩	15.0	0.7	36.0	6.2	53
	14034	業務用 無塩	15.0	0.7	36.0	6.2	53
	14021	ファットスプレッド	16.0	0.7	21.0	5.7	71
その他		ショートニング					
	14022	家庭用	9.5	0.1	12.0	5.0	6
	14030	業務用 製菓	9.5	0.1	12.0	5.0	6
	14031	業務用 フライ	9.5	0.1	12.0	5.0	6

付表8　植物油のヨウ素価による分類

分類（ヨウ素価）	種　類
乾性油　（130以上）	大豆油，サフラワー油
半乾性油（100～130）	綿実油，ごま油，とうもろこし油，ひまわり油
不乾性油（100以下）	オリーブ油，つばき油，なたね油，からし油，落花生油

付表9　特徴的な脂肪酸組成による油脂の分類

分　類	油　脂
1．ラウリン酸系油脂 　　（ラウリン酸$C_{12:0}$が多い）	やし油，パーム核油
2．オレイン酸・リノール酸系油脂 　　（オレイン酸$C_{18:1}$とリノール酸$C_{18:2}$が多い）	とうもろこし油，ひまわり油，サフラワー油，米糠油，綿実油，落花生油，ごま油，オリーブ油
3．エルカ酸系油脂 　　（エルカ酸$C_{22:1}$が多い）	なたね油*，からし油
4．リノレン酸系油脂 　　（リノレン酸$C_{18:3}$が多い）	大豆油，えごま油
5．高度不飽和脂肪酸系油脂 　　（炭素数が多く，二重結合数も多い）	魚油，鯨油

＊品種改良されたカナダ産のなたね油のエルカ酸量は少ない．

付表10　行事と菓子

行　事	使われる菓子	行　事	使われる菓子
出生・卒業	紅白饅頭	ひな祭	ひし餅，雛あられ
誕生日	バースデーケーキ	彼　岸	おはぎ（ぼたもち），彼岸だんご
結　婚	引き菓子		
	ウエディングケーキ	端午節句	ちまき，柏餅
法　事	志のぶ饅頭	重陽節句	月餅（中国），月見だんご
正　月	口取り羊羹，きんとん，ガレット（フランス）	万聖節 （前夜はハロウィン）	キャンデー（米国）
節　分	福豆	七五三	千歳飴
聖バレンタインデー	チョコレート	感謝祭	パンプキンパイ（米国）
復活祭（イースター）	チョコレート（欧州）	クリスマス	クリスマスケーキ
	クラッフェン（ドイツ）		ブッシュ・ド・ノエル（フランス）

付表11　菓子の分類

大分類	中分類	小分類	品名
和菓子	生菓子	餅物類	安倍川餅，うぐいす餅，おはぎ，かしわ餅，鹿の子，ぎゅうひ，切り山椒，草餅，くず餅，桜餅，大福餅，だんご，つばき餅，ゆべし，わらび餅
		蒸し物類	ういろう，かるかん，きみしぐれ，くず桜，ちまき，くず饅頭，そば饅頭，利久饅頭，酒饅頭，薄皮饅頭，蒸し羊羹
		焼き物類	今川焼，どら焼，きんつば，唐饅頭
		流し物類	淡雪羹，錦玉糖，水羊羹
		練り物類	練り切り
	半生菓子	焼き物類	カステラ，栗饅頭，タルト，茶通，桃山
		流し物類	のし梅，練り羊羹
		おか物類	もなか
	干菓子	焼き物類	瓦煎餅，南部煎餅，巻き煎餅，塩煎餅，品川巻，松風，八つ橋
		揚げ物類	揚げ煎餅，揚げおかき
		打ち物類	落雁，麦落雁，秋田諸越
		押し物類	おこし，五家宝，しおがま
		掛け物類	いしごろも，かりんとう，源平豆，雛あられ
		飴物類	あるへい糖，カルメラ，こんぺい糖，ひき飴
	容器包装詰菓子		缶・プラスチック容器詰の水羊羹・ゆで小豆
洋菓子	生菓子	菓子パン類	ドーナッツ，あんパン，クリームパン，ジャムパン
		ケーキ類	ショートケーキ，シュークリーム，ワッフル，エクレア
		デザート菓子類	ババロア，プリン，ゼリー
	半生菓子	ケーキ類	パウンドケーキ，バウムクーヘン
		パイ類	アップルパイ，パルミエパイ
	干菓子	ビスケット類	ビスケット，クッキー，ボーロ，ロシアケーキ
		ウエハース	ウエハース
		クラッカー類	ソーダクラッカー，オイルスプレークラッカー
		チョコレート類	板チョコ，被覆チョコ，棒チョコ，フィンガーチョコ
		キャンデー類	キャラメル，ゼリービンズ，ヌガー，チャイナマーブル，ドロップ，マシュマロ
		チューインガム	板ガム，風船ガム，糖衣ガム
		果実菓子類	マロングラッセ
		スナック菓子類	ポテトチップ，コーンチップ
	容器包装詰菓子		缶・プラスチック容器詰のゼリー，プリン
	中華菓子		月餅，中華饅頭（あん，肉）

付表12　主な製菓材料の概要と用途

	名　称	概　要	主な用途
和菓子	上新粉	うるち精白米を水洗・水きり・乾燥し，適度に吸水した状態で粉砕し，乾燥したもの．	だんご，餅菓子
	軽羹（かるかん）粉	うるち精白米を水洗・水きり後，そのまま粗く挽いた生新粉．	かるかん，かるかん饅頭
	白玉粉	もち精白米を水洗・浸漬・水きり後，石臼で水挽きし，乳液を圧搾，乾燥したもの．	だんご，ぎゅうひ，大福餅
	道明寺粉	もち精白米を水洗・浸漬し，蒸したものを乾燥し，適当な粒子に粉砕したもの．	みぞれ羹，桜餅，椿餅
	上南（じょうなん）粉	道明寺粉を煎ったもの．	打ち菓子，押し菓子
	寒梅（かんばい）粉・みじん粉	もち精白米を水洗・浸漬し，蒸して餅とした後，直ちに焼いて粉砕し粒度を揃えたもの．ホットロールで焼いたものを寒梅粉，焼きみじん粉，せんべい焼き機で焼いたものを手焼きみじん粉，せんべいみじん粉と呼ぶ．	打ち菓子，押し菓子，豆菓子
洋菓子	アーモンドプードル	粉末アーモンド．皮付きのアーモンド，または薄皮をむいたものを粉末状にしたもの．	クレームダマンド，クッキー，ケーキ
	マジパン	砂糖とアーモンドを挽きつぶしてつくったペースト状のもの．	高級菓子の細工物（果物，動物等）
	フォンダン	すり蜜ともいい，アイシング（菓子等にかける砂糖衣のこと）の一種．砂糖を107℃程度まで煮つめてから，40℃程度まで冷やし，すりこぎかミキサーでよくかき混ぜ，全体が白くなったもの．	エクレア，プチフールセック
	ウォーターアイシング	砂糖と水で煮立て，火から下ろして冷ましてから粉糖で硬さを調整する．卵白を加えることもある．フォンダンの代用としても使用．	ケーキ，スイートロール

付表13　洋菓子の分類

分類	概　要	主な菓子
パティスリー pâtisseries	練り粉菓子，粉台菓子．小麦粉，卵，乳製品，砂糖，油脂類を主原料とし，天火で焼くことが多い．	ケーキ，タルト，クッキー，パイ，シュークリーム，プチフールなど．
アントルメ entremets	生菓子，甘味などと訳され，冷たいものと温かいものがある．果物，乳製品，卵などが主原料で，食後に供される．	ババロア，ムース，スフレ，プディング，フリッター，クレープなど．
グラス glaces	氷菓，冷たい甘味．乳製品，果汁，リキュール，甘味料などが主原料で，凍結させてつくる．	アイスクリーム，シャーベットなど．
コンフィズリー confiseries	砂糖菓子．砂糖を主原料にしたもので，その特性を利用した菓子．チョコレート，ナッツ，果実などが加えられる．	キャンデー，ヌガー，タフィー，マシュマロ，メレンゲ，チョコレートなど．

付表14　酒税率一覧表

■ 現行（令和2（2020）年10月1日～令和5（2023）年9月30日）の酒税率一覧表

酒類の区分		アルコール分等	1 kL 当たり税率	
発泡性酒類	基本税率		200,000円	
	ビール		200,000円	
	発泡酒	麦芽比率50％以上またはアルコール分10度以上		200,000円
		麦芽比率25％以上（アルコール分10度未満）		167,125円
		麦芽比率25％未満（アルコール分10度未満）		134,250円
	その他の発泡性酒類	いわゆる「新ジャンル」（アルコール分10度未満で発泡性を有するもの）*		108,000円
		ホップおよび一定の苦味料を原料としない酒類（アルコール分10度未満で発泡性を有するもの）		80,000円
醸造酒類	基本税率		120,000円	
	清　酒		110,000円	
	果実酒		90,000円	
	その他の醸造酒		120,000円	
蒸留酒類	基本税率	21度以上	200,000円に20度を超える1度ごとに10,000円加算	
		21度未満	200,000円	
	連続式蒸留焼酎／単式蒸留焼酎／原料用アルコール	21度以上	200,000円に20度を超える1度ごとに10,000円加算	
		21度未満	200,000円	
	ウイスキー／ブランデー／スピリッツ	37度以上	370,000円に37度を超える1度ごとに10,000円加算	
		37度未満	370,000円	
混成酒類	基本税率	21度以上	200,000円に20度を超える1度ごとの10,000円加算	
		21度未満	200,000円	
	合成清酒		100,000円	
	みりん		20,000円	
	甘味果実酒／リキュール	13度以上	120,000円に12度を超える1度ごとに10,000円加算	
		13度未満	120,000円	
	粉末酒		390,000円	
	雑　酒	みりん類似	20,000円	
		21度以上	200,000円に20度を超える1度ごとに10,000円加算	
		21度未満	200,000円	

（酒のしおり：国税庁酒税課，令和4年3月）

*　いわゆる「新ジャンル」とは，糖類，ホップ，水および一定の物品を原料として発酵させたものでエキス分が2度以上のもの，または麦芽およびホップを原料の一部として発酵させた発泡酒（麦芽比率50％未満のもの）に，大麦または小麦を原料の一部として発酵させたアルコール含有物を蒸留したスピリッツを加えたもので，エキス分が2度以上のもの．
　「一定の物品」とは，次のものをいう．
　　イ　たんぱく質物分解物（大豆を原料とするもの）および酵母エキスまたはこれらとカラメル
　　ロ　たんぱく質物分解物（えんどうを原料とするもの）およびカラメルまたはこれらと食物繊維
　　ハ　とうもろこし，たんぱく質物分解物（とうもろこしを原料とするもの），酵母エキス，アルコール，食物繊維，香味料，クエン酸三カリウムおよびカラメル

《低アルコール分の蒸留酒類等に係わる酒税の税率の特例》
　発泡性のない酒類でアルコール分が13度未満のもの（リキュールについては12度未満のもの）については，上記の税率にかかわらず，次の税率を適用．
　①アルコール分が9度未満のもの　　　　　　　　80,000円
　②アルコール分が9度以上13度未満のもの　　　80,000円に8度を超える1度ごとに10,000円を加算

■ 酒税率の改正　　　　　　　　　　　　　　　　　　　　　　　　　　　　　　　　（1kL当たりの税率）

酒類及び品目	経過措置期間 令和2(2020)年10月1日から	経過措置期間 令和5(2023)年10月1日から	改正後 令和8(2026)年10月1日から
発泡性酒類	200,000円	181,000円	155,000円
発泡酒（アルコール分）[1]	（10度未満）	（10度未満）	（－）
（麦芽比率25％以上50％未満）	167,125円	155,000円	－
（麦芽比率25％未満）	134,250円	134,250円	－
（いわゆる「新ジャンル」）[2]		134,250円	－
その他の発泡性酒類（アルコール分）	（10度未満）	（10度未満）	（11度未満）
（いわゆる「新ジャンル」）[2]	108,000円		
ホップおよび一定の苦味料を原料としない酒類	80,000円	80,000円	80,000円
醸造酒類	120,000円	100,000円	100,000円
清酒	110,000円	－	
果実酒	90,000円	－	
混成酒類（アルコール分20度）	200,000円	200,000円	200,000円
［アルコール分1度あたりの加算額］	［10,000円］	［10,000円］	［10,000円］

（酒税法等の改正のあらまし：国税庁，平成29年4月をもとに作成）

[1] ビールおよび麦芽比率50％以上の発泡酒の税率は，発泡性酒類の基本税率が適用される．
[2] その他の発泡性酒類のうち，いわゆる「新ジャンル」は令和5(2023)年10月1日以降は発泡酒に品目が変更される．その他，改正後の税率欄を「－」としている部分は，発泡性酒類または醸造酒類の基本税率が適用される．

《低アルコール分の蒸留酒類等に係る酒税の税率の特例（租税特別措置法）》
発泡性を有しない低アルコール分の蒸留酒類等に係る酒税の税率の特例についても改正され，令和8(2026)年10月1日から以下の通り変更される．

品　目	改正前（令和8(2026)年9月30日まで） アルコール分	改正前 税率	改正後（令和8(2026)年10月1日以降） アルコール分	改正後 税率
単式蒸留焼酎，連続式蒸留焼酎，ウイスキー，ブランデー，スピリッツ	9度未満	80,000円	11度未満	100,000円
	9度以上13度未満	1度当たりの加算額 10,000円	11度以上13度未満	1度当たりの加算額 10,000円
リキュール	9度未満	80,000円	11度未満	100,000円
	9度以上12度未満	1度当たりの加算額 10,000円	11度以上12度未満	1度当たりの加算額 10,000円

《酒類の品目が変更となる酒類》
令和5(2023)年10月1日より，発泡酒の範囲に「ホップまたは一定の苦味料を原料の一部とした酒類」および「香味，色沢その他の性状がビールに類似するもので苦味価および色度の値が一定以上のもの」で発泡性を有するものが加わる．

改正前	改正後	範　囲
その他の醸造酒 スピリッツ リキュール 雑酒	発泡酒	アルコール分が20度未満で発泡性を有しているもののうち，次のいずれかに該当するもの ・ホップまたは一定の苦味料を原料の一部としたもの ・香味，色沢，その他の性状がビールに類似するものとして一定のもの[1]

[1] ビールに類似しているかは，苦味価および色度の値が一定以上であるかどうかにより判断される．

食品群別索引

 1 穀類

あくまき	12	コッペパン	295	そば	451
アマランサス	34	こむぎ	301	ダッタンそば	452
アルファ化米	39	こむぎこ	302	そば（めん類）	452
あわ	40	小麦たんぱく	306	そばがき	453
あわ餅	41	小麦はいが	306	そば粉	453
いなほ	62	プレミックス粉	306	そば米	454
イングリッシュマフィン	70	こめ	307	そばもち	455
うどん	94	強化米	314	たこ焼き	482
えんばく	126	米麹	314	チャパティ	512
オートミール	128	米糠	314	中華ちまき	515
おおむぎ	129	着色米	314	中華麺	517
押麦	130	胚芽米	315	テフ	541
二条大麦	130	ハイブリッドライス	315	どうみょうじこ	561
米粒麦・白麦	130	発芽玄米	315	とうもろこし	562
丸麦	130	無洗米	315	スイートコーン	563
もち大麦	130	こめこ	316	ヤングコーン	565
六条大麦	131	玄米粉	316	なまこもち	598
大麦麺	131	米粉パン	316	ナン	602
沖縄そば	133	雑穀	337	パスタ	634
鏡餅	148	サンドイッチ	363	はとむぎ	652
かゆ	183	しこくびえ	372	パン	667
乾パン	201	ジャイアントコーン	380	パンケーキ	670
乾めん	204	上新粉	393	パン粉	670
キヌア	211	食パン	408	ハンバーガー	671
きび	212	植物性たんぱく	408	ビーフン	674
きりたんぽ	230	白玉粉	410	ひえ	680
クロワッサン	260	スパゲッティ	427	ピザクラスト	682
玄米フレーク	272	赤飯	437	ひしもち	684
こおりもち	287	そうめん	444	ひやむぎ	691
コーングリッツ	287	白石温麺	444	ふ	698
コーンフレーク	288	大門素麺	444	油麸	698
コーンミール	288	五色そうめん	445	すだれ麸	699
五穀	290	即席麺	449	竹輪麸	699

生麩	699	マフィン	782	ライむぎ	846
焼き麩	700	まめいたもち	782	ライ麦パン	847
ぶどうパン	727	みき	789	れいめん	871
フランスパン	733	麦こがし	802	ロールパン	881
ベーグル	742	めん類	813	ロングライフ麺	882
ほうとう	749	もち	815	ワイルドライス	883
ホットドッグ	757	もろこし	822		
ポップコーン	757	やきごめ	824		
マカロニ	770	ライスペーパー	845		

 2 いも及びでん粉類

アメリカほどいも	37	さといも	340	サゴでん粉	547
石焼きいも	56	京いも	341	さつまいもでん粉	547
きくいも	207	セレベス	341	じゃがいもでん粉	547
くずきり	244	水いも	342	とうもろこしでん粉	547
ごま豆腐	300	やつがしら	342	わらび粉	548
こんにゃく	318	じゃがいも	380	でん粉めん	551
赤こんにゃく	319	乾燥マッシュポテト	382	はるさめ	666
板こんにゃく	320	男爵薯	382	普通はるさめ	666
凍りこんにゃく	320	農林1号	382	緑豆はるさめ	667
こんにゃく麺	320	メークイン	383	フライドポテト	731
刺身こんにゃく	320	でん粉	544	蒸し切干	804
しらたき	321	大うばゆりでん粉	545	ヤーコン	824
玉こんにゃく	321	化工でん粉	545	やまのいも	831
突きこんにゃく	321	かたくり粉	546	じねんじょ	831
さつまいも	338	キャッサバでん粉	546	だいじょ	832
いも粉	340	くずでん粉	546	ながいも	832
さつまいもチップス	340	小麦でん粉	547		
大学いも	340	米でん粉	547		

3　砂糖及び甘味類

アスパルテーム	23	顆粒状糖	345	スクラロース	421
アセスルファムカリウム	23	グラニュー糖	345	ステビア抽出物	425
オリゴ糖	142	車糖	345	タウマチン	472
イソマルトオリゴ糖	142	黒砂糖	346	でんぷんとう	548
カップリングシュガー	143	耕地白糖	346	異性化糖	549
ガラクトオリゴ糖	143	コーヒーシュガー	346	粉あめ	549
キシロオリゴ糖	143	氷砂糖	347	ぶどう糖	550
大豆オリゴ糖	143	ざらめ糖	347	水あめ	550
乳果オリゴ糖	143	粗糖	347	還元水あめ	551
フラクトオリゴ糖	143	てんさい含蜜糖	347	糖アルコール	552
ラクチュロース	143	糖蜜	347	エリスリトール	552
かとう	165	粉糖	348	キシリトール	552
甘草抽出物	198	和三盆糖	348	ソルビトール	552
甘味料	202	シロップ	412	パラチニット	552
黒蜜	260	ガムシロップ	413	マルチトール	552
サッカリン	337	グレナデンシロップ	413	マンニトール	552
さとう	342	ケーキシロップ	413	ラクチトール	553
液糖	344	シュガーシロップ	413	はちみつ	645
角砂糖	345	フルーツシロップ	413	メープルシロップ	805

4　豆　類

揚げ豆	14	鬼打ち豆	137	蒸し大豆	466
あずき	21	がんもどき	204	大豆たんぱく	467
赤飯用あずき水煮缶詰	22	きなこ	210	大豆はいが	468
茹であずき缶詰	22	こおりどうふ	286	大豆ミート食品類	468
油揚げ	26	ささげ	336	つるあずき	536
あん	44	塩豆	371	テンペ	551
いんげん豆	70	しょうゆ豆	399	とうにゅう	557
うぐいす豆	77	そら豆（完熟豆）	455	調製豆乳	557
うずら豆（煮豆）	91	そら豆菓子	455	豆乳飲料	557
えんどう	125	だいず	464	とうふ	558
おから	132	打ち豆	466	沖縄豆腐	559
おたふく豆	137	大豆水煮缶詰	466	絹ごし豆腐	559

充塡豆腐	559	五斗納豆	593	ぶどう豆	728
ソフト豆腐	560	寺納豆	593	べにばないんげん	746
豆腐羮	560	ひきわり納豆	593	豆きんとん	783
豆腐竹輪	560	生揚げ	597	やぶ豆	829
豆腐のみそ漬	560	なめみそ	601	ゆば	838
豆腐よう	560	きんざんじみそ	601	らい豆	846
木綿豆腐	560	鯛みそ	601	りょくとう	861
焼き豆腐	560	ひしおみそ	601	レンズ豆	878
ゆし豆腐	560	バンバラ豆	671		
六条豆腐	561	ひたし豆	687		
なっとう	592	ひよこ豆	693		
糸引き納豆	592	ふき豆	705		

5 種実類

アーモンド	1	くり	250	ピーナッツバター	674
アーモンドミルク	2	くりかんろに	254	ひしの実	683
あさの実	16	くるみ	256	ピスタチオ	686
甘ぐり	28	けしの実	269	ひまわりの種	689
あまに	31	ごま	298	ブラジルナッツ	732
えごま	112	しいの実	368	ヘーゼルナッツ	744
カシューナッツ	158	じーまーみ豆腐	368	ペカン	745
かちぐり	162	すいかの種	418	マカダミアナッツ	769
かぼちゃの種	176	チアシード	500	まつの実	779
かやの実	183	とちの実	570	らっかせい	850
ぎんなん	234	はすの実	637	落花生（未熟豆）	851

6 野菜類

アーティチョーク	1	アスパラガス	22	うど	92
アイスプラント	6	グリーンアスパラガス	23	うるい	106
あかざ	9	ホワイトアスパラガス	23	うわばみそう	107
あかざかずら	10	アロエ	40	えだまめ	114
あさつき	15	いたどり	57	エディブルフラワー	116
あざみ	16	いんろう漬	72	エンダイブ	124
あしたば	20	うこぎ	78	おおさかしろな	128

おかひじき	132	ごぼう	297	そら豆（未熟豆）	456
オクラ	134	堀川ごぼう	298	タアサイ	457
オレガノ	144	こまつな	300	だいこん	459
かいわれだいこん	147	コリアンダー	317	辛みだいこん	463
かたくり	161	ザーサイ	327	切り干しだいこん	463
かぶ	170	さやいんげん	357	葉だいこん	463
赤かぶ	172	さやえんどう	357	茹で干しだいこん	463
聖護院かぶ	172	スナップえんどう	358	たいさい	463
かぼちゃ	173	サルシフィ	359	せっぱくたいさい	464
西洋かぼちゃ	174	ザワークラウト	361	タイム	470
そうめんかぼちゃ	174	さんかい漬	362	たかな	475
日本かぼちゃ	175	さんとうさい	364	たかな漬	475
ペポかぼちゃ	175	しおで	370	多肉たかな	476
ミニかぼちゃ	175	しかくまめ	372	たくあん漬	476
カモミール	182	ししとうがらし	372	いぶりがっこ	477
からしな類	184	しそ	375	早漬たくあん	477
からしな	185	しば漬	379	本漬たくあん	477
セリフォン	185	シャロット	385	たけのこ	478
カリフラワー	188	じゅうろくささげ	387	しほうちく	479
かんぴょう	201	しゅんぎく	387	ねまがりたけ	479
きく	206	じゅんさい	388	たで	484
菊のり	206	しょうが	389	たまねぎ	487
キムチ	214	新しょうが	390	赤たまねぎ	489
キャベツ	215	根しょうが	390	小たまねぎ	489
グリーンボール	216	葉しょうが	391	白たまねぎ	489
レッドキャベツ	216	芽しょうが	391	葉たまねぎ	489
きゅうり	224	しろうり	411	たらのめ	493
きゅうりのからし漬	226	雷干し	412	たんぽぽ	499
きゅうりのしお漬	226	ずいき	418	チコリー	509
きゅうりのしょうゆ漬	227	すいぜんじな	419	ちぢみゆきな	510
ぎょうじゃにんにく	227	すぐきな	420	チャービル	511
キンサイ	232	すぐき漬	420	ちょろぎ	528
くうしんさい	238	ズッキーニ	425	チンゲンサイ	531
グリンピース	255	スプラウト	428	つくし	532
クレソン	258	すべりひゆ	428	つけな類	533
くわい	260	せり	438	つぼ漬	535
ケール	268	セルリアック	440	つまみな	535
コールラビ	287	セロリ	441	つりがねにんじん	536
こごみ	291	ぜんまい	441	つるな	536
こしあぶら	292	せんまい漬	442	つるにんじん	537

つるむらさき	537	ねぎ	619	ホースラディッシュ	753		
つわぶき	537	根深ねぎ	620	ボレジ	760		
ディル	539	葉ねぎ	621	マーシュ	767		
とうがらし	553	博多万能ねぎ	621	まこも	774		
一味唐辛子	554	わけねぎ	621	マジョラム	775		
七味唐辛子	554	のざわな	622	まびきな	781		
葉とうがらし	554	のざわな漬	622	みずかけな	790		
とうがん	555	のびる	623	大崎菜	790		
トウミョウ	561	はくさい	631	みずな	790		
トマト	571	はくさい漬	632	みそ漬	795		
ミニトマト	573	はくさいのこうじ漬	632	みつば	796		
フルーツトマト	573	パクチョイ	632	糸みつば	796		
トレビス	580	バジル	633	切りみつば	797		
とんぶり	582	パセリ	639	根みつば	797		
ながさきはくさい	583	はつかだいこん	646	みぶな	798		
なぎなたこうじゅ	583	はなっこりー	653	みやまいらくさ	798		
なす	587	はまぼうふう	661	みょうが	798		
青なす	588	はやとうり	664	みょうがたけ	799		
イタリアなす	588	はりはり漬	665	ミント	801		
賀茂なす	588	ビーツ	673	アップルミント	801		
白なす	588	ピーマン	674	スペアミント	801		
米なす	589	トマピー	676	にほんはっか	801		
なすのからし漬	589	伏見甘とうがらし	676	ペパーミント	801		
なすのこうじ漬	589	万願寺とうがらし	676	むかご	802		
なすのしお漬	590	ピクルス	682	めキャベツ	806		
なずな	590	きゅうりのピクルス	682	めんま	812		
なたまめ	591	ひのな	689	もみじがさ	817		
なばな	596	ひゆな	692	もやし	820		
なら漬	602	ひろしまな	696	アルファルファもやし	820		
にがうり	604	ふき	704	大豆もやし	821		
にら	607	ふきのとう	705	ブラックマッペもやし	821		
黄にら	608	ふくじん漬	710	緑豆もやし	821		
花にら	608	ふじまめ	710	もりぐち漬	821		
にんじん	613	ふだんそう	719	モロヘイヤ	822		
葉にんじん	615	フローレンスフェンネル	738	野菜ジュース	826		
ミニキャロット	615	ブロッコリー	738	にんじんジュース	827		
にんにく	616	へちま	745	野菜ミックスジュース	827		
茎にんにく	616	べったら漬	746	やまごぼう	830		
葉にんにく	617	ベビーリーフ	747	ゆうがお	835		
ぬかみそ漬	617	ほうれんそう	750	ゆりね	839		

よぶすまそう	843	レタス	871	ローズマリー	880
よめな	844	茎ちしゃ	872	わけぎ	885
よもぎ	844	コスレタス	873	わさび	886
らっきょう	851	サニーレタス	873	粉わさび	887
エシャレット	852	サラダ菜	873	練りわさび	887
島らっきょう	852	サンチュ	873	花わさび	887
らっきょうの甘酢漬	852	リーフレタス	873	わさび漬	888
リーキ	855	レタス	874	わさび菜	888
緑黄色野菜	856	レモングラス	876	わらび	889
ルッコラ	867	レモンバーム	877		
ルバーブ	867	れんこん	877		

 7　果　実　類

あけび	13	オロブランコ	146	グーズベリー	238
アサイー	15	かき	148	くこ	239
アセロラ	24	干しがき	151	くねんぼ	247
アテモヤ	24	かき	151	ぐみ	248
アボカド	27	いたばがき	152	クランベリー	250
あんず	46	いわがき	152	グレープフルーツ	257
いちご	57	おはぐろがき	153	こけもも	289
いちじく	59	かきつばた	153	ココナッツ	290
いよかん	65	けがき	153	ココナッツパウダー	291
いわなし	70	こけごろも	153	ココナッツミルク	291
うめ	102	すみのえがき	153	さくらんぼ	329
うめづけ	104	まがき	153	アメリカンチェリー	331
うめびしお	104	かぼす	172	ざくろ	331
うめぼし	104	カランツ	187	さるなし	360
調味漬	105	ブラックカランツ	187	さんぼうかん	364
うんしゅうみかん	107	レッドカランツ	187	シークヮーサー	366
青切りみかん	109	かりん	188	ししゆず	375
ハウス栽培みかん	109	かわちばんかん	196	ジャム	383
オリーブ	140	かんぺい	201	しらぬひ	411
グリーンオリーブ	141	キウイフルーツ	205	すいか	417
スタッフドオリーブ	141	きはだ	212	小玉すいか	418
ライプオリーブ	141	キワノ	230	種無しすいか	418
オレンジ	144	きんかん	231	入善ジャンボ西瓜	418
オレンジジュース	145	グァバ	237	スターフルーツ	424

すだち	424	ハスカップ	634	マルベリー（桑の実）	785
すもも	430	はっさく	648	ブラックマルベリー	785
プルーン	431	パッションフルーツ	649	ホワイトマルベリー	785
だいだい	469	バナナ	653	レッドマルベリー	785
タマリロ	490	ドライバナナ	654	マルメロ	785
たんかん	495	モンキーバナナ	655	マンゴー	786
タンゴール	495	料理用バナナ	655	マンゴスチン	787
きよみ	495	パパイア	657	メロン	810
せとか	496	ひゅうがなつ	692	温室メロン	811
はるみ	496	びわ	696	露地メロン	811
タンゼロ	498	ぶどう	720	もも	817
セミノール	499	ぶどうジャム	723	ネクタリン	819
ミネオラ	499	干しぶどう	723	蟠桃	819
チェリモヤ	508	ブルーベリー	736	やまぶどう	833
ドラゴンフルーツ	576	ぶんたん	739	やまもも	834
ドリアン	577	ざぼん漬	740	ゆず	837
なし	583	ペピーノ	747	ライチー	845
西洋なし	585	ほおずき	752	ライム	846
中国なし	586	ぶどうほおずき	752	ラズベリー	849
なつみかん	594	ポポー	758	ランブータン	854
甘夏かん	594	ホワイトサポテ	760	りゅうがん	856
なつめ	595	ぽんかん	761	りんご	862
なつめやし	596	マーマレード	767	レモン	875
パインアップル	628	まくわうり	773	レンブ	879

 8　きのこ類

あみがさたけ	35	くりたけ	254	なめこ	600
あわびたけ	43	くろあわびたけ	259	ならたけ	601
あんずたけ	47	こうたけ	276	ぬめりすぎたけ	618
うすひらたけ	90	しいたけ	367	はたけしめじ	644
うらべにほていしめじ	106	乾ししいたけ	368	はつたけ	649
えのきたけ	117	霜降りひらたけ	380	はなびらたけ	655
エリンギ	124	しょうろ	399	ひらたけ	694
きくらげ	207	たまごたけ	486	ふくろたけ	710
しろきくらげ	208	たもぎたけ	490	ぶなしめじ	729
きぬがさたけ	211	トリュフ（黒）	578	ぶなはりたけ	730
きのこのからし漬	212	トリュフ（白）	578	ほんしめじ	762

まいたけ	768	まんねんたけ	788	やまぶしたけ	832
マッシュルーム	777	やなぎまつたけ	829		
まつたけ	777	やまどりたけ	830		

 ## 9 藻類

あおさ	7	くきわかめ	239	赤とさか	569
あおのり	8	くびれずた	247	とろろ昆布	581
あかもく	11	削り昆布	269	のりの佃煮	624
あまのり	32	白板昆布	270	はばのり	657
味付けのり	33	こんぶ	322	ひじき	682
焼きのり	34	えながおにこんぶ	324	ひとえぐさ	688
あらめ	39	がごめこんぶ	324	ふのり	730
いわのり	70	ながこんぶ	324	まつも	779
えごのり	111	ほそめこんぶ	325	むかでのり	802
おきうと	133	まこんぶ	325	めかぶ	805
おきなわもずく	134	みついしこんぶ	325	もずく	815
おごのり	136	りしりこんぶ	325	わかめ	884
おぼろ昆布	140	塩昆布	370	板わかめ	884
かわのり	197	すいぜんじのり	419	塩蔵わかめ	885
かんてん	199	酢こんぶ	421	カットわかめ	885
化学寒天	200	てんぐさ	542	灰干しわかめ	885
工業寒天	200	ところてん	568	湯通し塩蔵わかめ	885
天然寒天	200	とさかのり	568		
刻み昆布	209	青とさか	568		

 ## 10 魚介類

あいご	3	あかむつ	11	ひめあさり	18
あいなめ	6	あけがい	12	あじ	18
うさぎあいなめ	7	さつまあかがい	12	いとひきあじ	18
くじめ	7	あげまき	13	おあかむろ	18
すじあいなめ	7	あこうだい	14	くさやもろ	19
あおだい	8	あさひだい	16	ちちゅうかいまあじ	19
あかがい	9	あさり	17	にしまあじ	19
あかにし	10	いよすだれ	18	開き干し	19

まあじ	19	やりいか	51	うなぎ	95
まるあじ	20	いかあられ	51	うに	96
むろあじ	20	いがい	52	あかうに	97
めあじ	20	えぞいがい	52	えぞばふんうに	97
厚焼き	24	ダンツァイ	52	越前うに	97
あなご	25	みどりいがい	52	貝焼きうに	97
ごてんあなご	25	むらさきいがい	52	きたむらさきうに	97
まあなご	25	もえぎいがい	52	こしだかうに	98
あまご	28	いかなご	52	粒うに	98
あまだい	29	イクラ	53	練りうに	98
あかあまだい	29	いさき	53	ばふんうに	98
きあまだい	29	こしょうだい	54	むらさきうに	98
しろあまだい	30	ことひき	54	らっぱうに	98
あみ	34	ころだい	54	うばがい	98
にほんいさざあみ	35	しまいさき	54	北の長姥貝	99
あめます	36	いしがきだい	55	うまづらはぎ	100
あゆ	37	いしだい	55	うすばはぎ	100
こあゆ	38	いたやがい	57	せんうまづらはぎ	100
あらまき	38	つきひがい	57	うみたなご	101
あわび	41	いとよりだい	60	おきたなご	102
あわびもどき	42	そこいとより	62	うめいろ	103
えぞあわび	42	いぼだい	63	梅焼き	106
くろあわび	42	いりこ	65	うるか	106
にがい	42	いわし	66	えい	109
のしあわび	42	うるめいわし	67	あかえい	110
干しあわび	43	かたくちいわし	67	いとまきえい	110
まだかあわび	43	缶詰	67	がんぎえい	110
めがいあわび	43	さっぱ	67	こもんさかたざめ	110
あんこう	45	塩いわし	68	さかたざめ	110
きあんこう	46	ひら	68	つばくろえい	110
アンチョビ	47	まいわし	68	とんがりさかたざめ	111
いか	48	丸干し	69	のこぎりえい	111
あおりいか	49	みりん干し	69	ひらたえい	111
あかいか	50	目刺し	69	やっこえい	111
けんさきいか	50	いわな	69	エスカルゴ	113
こういか	50	いわなの骨酒	70	えそ	113
じんどういか	50	うぐい	76	あおめえそ	113
するめいか	50	えぞうぐい	77	あかえそ	114
ほたるいか	51	まるた	77	とかげえそ	114
もんごういか	51	うつぼ	92	めひかり	114

わにえそ	114	
えぞいしかげがい	114	
えつ	115	
まえつ	116	
えび	117	
あかえび	118	
あきあみ	119	
あまえび	119	
アメリカみなみいせえび	119	
アメリカンロブスター	119	
いせえび	119	
いばらもえび	119	
かのこいせえび	119	
くまえび	120	
くるまえび	120	
さがみあかざえび	120	
さくらえび	120	
さるえび	121	
しばえび	121	
しらえび	121	
たいしょうえび	121	
てながえび	121	
とやまえび	121	
とらえび	122	
にしきえび	122	
バナメイエビ	122	
ひげながえび	122	
ひごろもえび	122	
ブラックタイガー	122	
ぼたんえび	123	
ほっかいえび	123	
みなみいせえび	123	
もえび	123	
もろとげあかえび	123	
ヨーロッパ産ロブスター	123	
よしえび	123	
えらぶうみへび	124	
おいかわ	127	
かわむつ	127	
オイルサーディン	127	
おおくちいしなぎ	128	
おきあみ	133	
なんきょくおきあみ	133	
おこぜ	136	
おしょろこま	137	
おひょう	139	
かいわり	147	
かさご	153	
あやめかさご	154	
いずかさご	154	
さつまかさご	154	
ふさかさご	154	
みのかさご	154	
かじか	154	
あいかじか	155	
かまきり	155	
つまぐろかじか	155	
とげかじか	155	
やまのかみ	155	
かじき	155	
くろかじき	156	
しろかじき	156	
ばしょうかじき	156	
まかじき	156	
めかじき	156	
ガストロ	160	
かずのこ	160	
子持ち昆布	161	
かつお	162	
すま	163	
そうだ節	164	
はがつお	164	
ひらそうだ	164	
まるそうだ	164	
かつお節	164	
削り節	165	
かに	166	
あさひがに	167	
がざみ	167	
けがに	167	
さわがに	167	
ずわいがに	167	
たいわんがざみ	168	
たかあしがに	168	
たらばがに	168	
のこぎりがざみ	168	
はなさきがに	169	
もくずがに	169	
かに子漬	169	
かます	176	
あかかます	177	
おおやまとかます	177	
おにかます	177	
もとかます	177	
やまとかます	177	
かまつか	177	
かまぼこ	177	
揚げかまぼこ	177	
板付き蒸しかまぼこ	178	
かに風味かまぼこ	178	
削りかまぼこ	178	
昆布巻きかまぼこ	179	
細工かまぼこ	179	
すまきかまぼこ	179	
特殊包装かまぼこ	180	
風味かまぼこ	180	
蒸しかまぼこ	180	
蒸し焼きかまぼこ	181	
焼抜きかまぼこ	181	
茹でかまぼこ	181	
かめのて	181	
からしめんたいこ	186	
からすみ	186	
かれい	191	
あかがれい	192	
あさばがれい	192	
あぶらがれい	193	
いしがれい	193	
こがねがれい	193	
子持ちかれい	193	

しゅむしゅがれい	193	なんようきんめ	236	さざえ	335
すながれい	193	はしきんめ	236	ちょうせんさざえ	336
そうはち	193	ひうちだい	236	まるさざえ	336
でびら	193	くさかりつぼだい	239	やこうがい	336
なめたがれい	193	くさや	240	さつまあげ	337
ぬまがれい	193	ぐち	245	さば	349
ひれぐろ	194	しろぐち	246	ごまさば	350
ほしがれい	194	きぐち	246	さばぶし	350
まがれい	194	くろぐち	246	しめさば	350
まこがれい	194	にべ	246	大西洋さば	350
まつかわ	195	ふうせい	246	へしこ	351
むしがれい	195	くらげ	248	サバヒー	351
めいたがれい	195	えちぜんくらげ	249	さめ	353
やなぎむしがれい	195	びぜんくらげ	249	あいざめ	354
かわはぎ	197	けつぎょ	270	あおざめ	354
かわます	197	こうらいけつぎょ	270	あぶらつのざめ	354
がん漬	199	こい	272	うばざめ	354
かんぱち	200	ごぎ	289	おながざめ	354
ぎぎ	206	こち	294	かすざめ	354
きさご	208	おにごち	294	ころざめ	354
いぼきさご	208	めごち	294	しろざめ	354
だんべいきさご	209	このこ	295	しろしゅもくざめ	355
きす	209	このしろ	295	じんべえざめ	355
あおぎす	210	どろくい	295	つまりつのざめ	355
あめぎす	210	このわた	296	どたぶか	355
きちじ	210	こまい	299	なぬかざめ	355
きびなご	213	さきいか	328	ねこざめ	355
キャビア	214	さくらだい	328	ねずみざめ	355
魚肉ソーセージ	229	かすみさくらだい	328	のこぎりざめ	355
特殊魚肉ソーセージ	229	すみつきはなだい	328	ひらがしら	356
魚肉ハム	229	さけ・ます（海産）	331	ほしざめ	356
キングクリップ	232	からふとます	333	ほほじろざめ	356
ぎんだら	233	ぎんざけ	333	めじろざめ	356
きんときだい	234	さくらます	333	よごれ	356
ちかめきんとき	234	さけ	334	よしきりざめ	356
ぎんぽ	235	さつきます	334	さより	358
きんめだい	235	たいせいようさけ	334	さらがい	358
いっとうだい	236	べにざけ	334	さるぼう	360
えびすだい	236	ますのすけ	334	くいちがいさるぼう	360
オレンジラフィ	236	さけとば	335	くまさるぼう	361

さわら	361	むらそい	443	たたみいわし	482		
うしさわら	361	そうぎょ	443	たちうお	482		
かますさわら	361	そこだら	449	おしろいだち	483		
よこしまさわら	362	いばらひげ	450	だつ	484		
さんま	364	おにひげ	450	田作り	484		
しいら	369	さがみそこだら	450	だてまき	485		
えびすしいら	369	そこだら	450	たにし	485		
しじみ	373	そろいひげ	450	おおたにし	485		
せたしじみ	373	とうじん	450	ながたにし	486		
ましじみ	374	ひもだら	450	ひめたにし	486		
やまとしじみ	374	むぐらひげ	450	まるたにし	486		
ししゃも	374	むねだら	451	たまがしら	486		
からふとししゃも	375	やりひげ	451	たら	490		
きゅうりうお	375	そぼろ	455	塩だら	491		
したびらめ	376	たい	457	すけとうだら	491		
あかしたびらめ	377	インドだい	458	たいせいようだら	491		
くろうしのした	377	きだい	458	まだら	491		
ささうしのした	377	きちぬ	458	みなみだら	492		
つのうしのした	377	くろだい	458	たらこ	492		
しまあじ	379	ごうしゅうまだい	459	ちか	508		
しゃこ	383	たいわんだい	459	ちくわ	508		
もんはなしゃこ	383	ちだい	459	ちごだら	509		
ジャンボたにし	386	ひれこだい	459	ちょうざめ	521		
しらうお	409	へだい	459	ちょうざめ	522		
しらこ	410	まだい	459	ベルーガ	522		
しらす干し	410	たいらぎ	471	ほしちょうざめ	522		
生しらす	410	はぼうきがい	472	ヨーロッパちょうざめ	522		
シルバー	411	たいわんどじょう	472	つぶ	534		
すきみだら	420	カムルチー	472	えぞぼら	535		
すじ	421	たかさご	472	ひめえぞぼら	535		
すじこ	422	たかべ	476	つみれ	535		
すずき	422	たこ	480	ティラピア	538		
あかめ	423	味付けだこ	480	でんぶ	543		
あら	423	いいだこ	480	とくびれ	566		
ひらすずき	423	かいとうげ	481	とこぶし	568		
スモークサーモン	429	酢だこ	481	ふくとこぶし	568		
するめ	431	たこ珍	481	どじょう	569		
そい	443	干しだこ	481	あじめどじょう	569		
ごまそい	443	まだこ	481	あゆもどき	569		
しまそい	443	みずだこ	481	ふくどじょう	569		

トップシェル	570	うろはぜ	638	ひらめ	695
とびうお	571	しまはぜ	638	がんぞうびらめ	695
あかとび	571	しろうお	638	たまがんぞうびらめ	695
あやとびうお	571	ちちぶ	639	びわます	697
はまとびうお	571	はぜぐち	639	ふえだい	702
ほそとびうお	571	まはぜ	639	ふかひれ	704
とらぎす	576	むつごろう	639	ふぐ	706
くらかけとらぎす	576	はた	640	いとまきふぐ	707
とりがい	577	きじはた	640	くろさばふぐ	707
なまこ	597	くえ	640	さばふぐ	707
きんこ	598	まはた	641	しまふぐ	707
まなまこ	598	やいとはた	641	どくさばふぐ	707
なまず	598	はたはた	644	とらふぐ	707
アメリカなまず	599	ばていら	651	はこふぐ	707
いわとこなまず	599	ぎんたかはま	652	まふぐ	708
びわこおおなまず	599	さらさばてい	652	ぶだい	716
なまり節	599	はまぐり	659	なんようぶだい	716
なみがい	599	おきあさり	660	ふな	728
なると	602	こたまがい	660	きんぶな	728
なんばやき	603	しなはまぐり	660	ぎんぶな	729
にぎす	604	ちょうせんはまぐり	660	げんごろうぶな	729
にじます	605	はまだい	660	にごろぶな	729
にしん	605	はまふえふき	661	ふなずし	729
塩にしん	606	いとふえふき	661	ブラウントラウト	731
たいせいようにしん	606	ふえふきだい	661	ぶり	734
にしんの燻製	606	はも	663	つむぶり	736
身欠きにしん	606	はしながあなご	664	ぶりもどき	736
煮干し	606	はんぺん	672	べら	748
ねずっぽ	621	黒はんぺん	672	おはぐろべら	748
ねずみごち	621	ひいらぎ	677	かんだい	748
のしいか	623	いとひきひいらぎ	677	きゅうせん	748
ばい	626	おきひいらぎ	677	あかささのはべら	748
えぞばい	626	せいたかひいらぎ	677	てんす	748
えっちゅうばい	626	ひおうぎ	681	ほうぼう	749
おおえっちゅうばい	626	ひがい	681	かながしら	750
はいがい	628	ひめじ	690	とげかながしら	750
ばかがい	630	おきなひめじ	691	ホキ	753
ありそがい	630	うみひごい	691	ほたてがい	755
しおふき	631	ひめます	691	ほっけ	756
はぜ	638	ひらまさ	694	きたのほっけ	757

ほや	758	ます（淡水産）	776	めばる	808
まぼや	759	まてがい	780	うすめばる	808
ぼら	759	まとうだい	780	たけのこめばる	808
ふうらいぼら	760	まながつお	781	はつめ	809
めなだ	760	まんぼう	788	めふん	809
ホンビノスガイ	763	みなみくろたち	797	メルルーサ	809
ほんもろこ	764	みねふじつぼ	797	もつご	816
すごもろこ	764	みるくい	800	やがら	824
たもろこ	764	むつ	805	あおやがら	824
でめもろこ	764	むつこ	805	やつめうなぎ	828
まぐろ	770	めじな	806	すなやつめ	829
きはだ	772	くろめじな	807	やまめ	833
くろまぐろ	772	めだい	807	リング	862
びんなが	772	めぬけ	807	地中海産リング	862
みなみまぐろ	773	アラスカめぬけ	807	ブルーリング	862
めじまぐろ	773	おおさが	807	冷凍すり身	871
めばち	773	さんごめぬけ	808	わかさぎ	883
マジェランあいなめ	774	ばらめぬけ	808	いしかりわかさぎ	883

11　肉　類

あいがも	2	子宮	89	きじ	209
あひる	25	舌	89	牛大和煮缶詰	224
いなご	62	小腸	89	くじら	241
いのしし	63	心臓	89	赤肉	242
いのぶた	63	腎臓	89	うね	243
うさぎ	79	第一胃	89	尾肉	243
うし	79	第三胃	90	尾羽	243
チルドビーフ	85	大腸	90	黒皮	243
乳用肥育牛肉	85	第二胃	90	さらし鯨	243
銘柄牛	85	第四胃	90	本皮	243
冷凍牛肉	86	直腸	90	みんくくじら	243
和牛	86	うずら	91	昆虫食品	318
うしの副生物	87	うま	99	コンビーフ	321
尾	88	かえる	148	しか	371
横隔膜	88	がちょう	162	しちめんちょう	377
肝臓	88	かも	182	すずめ	423
腱	88	こがも	182	すっぽん	425

スモークタン	429	腸	613	舌	717
スモークレバー	429	軟骨	613	小腸	717
ゼラチン	437	はちのこ	645	心臓	718
ソーセージ	446	パテ	651	腎臓	718
ウインナーソーセージ	447	はと	652	大腸	718
サラミソーセージ	447	ハム	662	豚足	718
セミドライソーセージ	447	ショルダーハム	662	軟骨	718
ドメスティックソーセージ	447	生ハム	662	プレスハム	737
ドライソーセージ	447	ベリーハム	662	混合プレスハム	737
生ソーセージ	447	骨付きハム	662	チョップドハム	737
フランクフルトソーセージ	448	ボンレスハム	663	ベーコン	743
ボロニアソーセージ	448	ロースハム	663	サイドベーコン	743
リオナソーセージ	448	ビーフジャーキー	674	ショルダーベーコン	744
レバーソーセージ	448	ひつじ	687	ベーコン	744
だちょう	483	フォアグラ	703	ミドルベーコン	744
つくね	533	ぶた	711	ロースベーコン	744
テリーヌ	542	SPF豚	715	ほろほろちょう	760
にわとり	608	黒豚	715	やぎ	824
地鶏	612	トウキョウX	715	焼きとり缶詰	825
ブロイラー	612	豚トロ	715	焼き豚	825
にわとりの副生物	612	銘柄豚	716	ランチョンミート	854
皮	612	ぶたの副生物	717	レバーペースト	875
肝臓	612	胃	717	ローストビーフ	880
筋胃	613	肝臓	717		
心臓	613	子宮	717		

12　卵　類

あひる卵	26	加糖卵	266	にしき卵	605
うこっけい卵	78	乾燥卵	266	ピータン	673
うずら卵	91	特殊卵	266	ほろほろちょう卵	760
がちょう卵	162	だし巻き卵	482		
けいらん	261	だちょう卵	484		
液卵	266	卵豆腐	487		

13 乳類

アイスクリーム	3
アイスミルク	5
カスタードアイスクリーム	5
ソフトクリーム	5
ナッツアイスクリーム	5
フルーツアイスクリーム	5
プレーンアイスクリーム	6
ラクトアイス	6
リップルアイスクリーム	6
アイスクリームミックスパウダー	6
カゼイン	161
牛乳	218
加工乳	222
[種類別]牛乳	222
生乳	222
成分調整牛乳	222
低脂肪乳	223
特別牛乳	223
乳飲料	223
無脂肪乳	223
ロングライフミルク	223
クリーム類	252
クレーム・ドゥーブル	252
クロテッドクリーム	253
合成クリーム	253
コーヒーホワイトナー	253
サワークリーム	253
脂肪置換クリーム	253
粉末クリーム	253
ホイップ用クリーム	253
人乳	414
初乳	415
チーズ	500
ウォッシュチーズ	503
エダム	503
エメンタール	503
カッテージ	504
カマンベール	504
クリームチーズ	504
ゴーダ	504
シェーブル	504
チーズスプレッド	505
チェダー	505
パルメザン	506
ブルー	506
プロセスチーズ	506
マスカルポーネ	507
モッツァレラ	507
ミモレット	507
リコッタ	507
調製粉乳	522
乳児用調製粉乳	523
調整液状乳	523
乳酸菌飲料	607
乳製品乳酸菌飲料	607
殺菌乳製品	607
非乳製品	607
発酵乳	647
ばにゅう	656
粉乳	740
全粉乳	741
脱脂粉乳	741
バターミルクパウダー	741
ホエーパウダー	752
やぎにゅう	825
ヨーグルト	842
全脂無糖	843
ドリンクタイプ	843
脱脂加糖	843
低脂肪無糖	843
無脂肪無糖	843
練乳	878
加糖脱脂練乳	879
加糖練乳	879
無糖練乳	879

 ## 14 油脂類

あまに油	31
えごま油	112
オリーブ油	142
カポック油	176
牛脂	217
グレープシードオイル	257
けいし	261
ごま油	299
こめぬか油	316
サフラワー油	351
サラダ油	359
ショートニング	400
だいず油	467
中鎖脂肪酸油	519
ちょうごう油	521
つばき油	534
とうもろこし油	565
とんし	581

なたね油	591	フレーバーバター	643	パフペーストリー	
パーム核油	625	粉末バター	643	マーガリン	767
パーム油	625	ホイップドバター	643	めんじつ油	812
バター	641	ホエーバター	643	やし油	827
加塩バター	642	無塩バター	643	ようし	842
ギー	642	ひまわり油	690	らっかせい油	851
バターオイル	642	粉末油脂	741		
発酵バター	642	マーガリン	765		

 15　菓　子　類

揚げせんべい	13	エンゼルケーキ	124	ぎゅうひ	223
あげまんじゅう	14	おこし	135	ぎゅうひあめ	224
あべかわもち	26	あわおこし	135	きりざんしょ	229
あまがし	27	岩おこし	135	金花糖	231
甘辛せんべい	28	米おこし	136	きんぎょくとう	231
あましょく	29	落花生つくね	136	きんつば	233
あまなっとう	30	おのろけ豆	138	角きんつば	234
いもなっとう	30	おはぎ	138	衣がけきんつば	234
ぬれ甘納豆	30	おやき	140	さつまいも角きんつば	234
あめ	36	かしパン	157	包みきんつば	234
あゆやき	38	かしわもち	158	くさもち	240
あられ	39	カステラ	159	くしだんご	240
あるへいとう	40	カステラまんじゅう	160	くじらもち	244
あわゆきかん	44	カップケーキ	165	くずまんじゅう	244
杏仁豆腐	47	カヌレ	169	くずもち	245
あんパン	48	かのこ	169	くずでん粉製品	
いしごろも	55	かりんとう	189	（関西風）	245
磯部せんべい	56	かるかん	189	小麦でん粉製品	
いなかまんじゅう	62	かるかんまんじゅう	190	（関東風）	245
いまがわやき	64	カルメラ	191	クラッカー	249
いもかりんとう	64	カルルスせんべい	191	オイルスプレークラッカー	250
いもせんべい	65	カレーパン	196	グラハムクラッカー	250
ういろう	75	瓦せんべい	197	ソーダクラッカー	250
ウエハース	76	かわり玉	198	クリームパン	251
うぐいすもち	77	きびだんご	213	くりきんとん	254
衛生ボーロ	111	きみしぐれ	213	くりきんとん（和菓子）	254
エクレア	111	キャラメル	217	くりせんべい	254

くりまんじゅう	255	膨化スナック	427	ういろうちまき	511		
クレープ	257	野菜・果実スナック	427	笹ちまき	511		
けいらんそうめん	267	すはま	427	道喜ちまき	511		
ケーキ	267	スポンジケーキ	429	道明寺ちまき	511		
けしもち	269	ずんだ餅	431	ようかんちまき	511		
げっぺい	270	清浄歓喜団	436	ちゃつう	512		
けんけら	271	せっぺい	437	チューインガム	515		
源氏豆	272	ゼリー	439	板ガム	515		
ごかぼう	288	こんにゃくゼリー	439	糖衣ガム	515		
ごしきまめ	292	ゼリーキャンデー	439	風船ガム	515		
ごへいもち	296	寒天ゼリーキャンデー	440	中華風クッキー	516		
こむぎこせんべい	306	ゼリービーンズ	440	中華まんじゅう	516		
こんぺいとう	325	そばボーロ	454	ちょうふ	523		
佐賀ぼうろ	327	そばまんじゅう	454	チョココロネ	523		
さかまんじゅう	327	鯛せんべい	469	チョコレート	524		
さくらもち	328	だいふくもち	469	板チョコレート	525		
笹だんご	336	豆大福餅	470	掛け物チョコレート	526		
さとうづけ	348	よもぎ大福餅	470	型抜きチョコレート	526		
さなづら	348	たいやき	471	シェルチョコレート	526		
サバラン	351	だがし	473	スイートチョコレート	527		
さらしあめ	359	あんず菓子	473	チョコレートスナック	527		
しおがま	369	梅ジャム	473	生チョコレート	527		
しそパン	376	型打ちラムネ	473	被覆チョコレート	527		
シナモンロール	378	きなこ棒	473	ホワイトチョコレート	527		
シフォンケーキ	379	黒パン	473	ボンボン・ショコラ	527		
シベリア	379	黒棒	473	ミルクチョコレート	528		
ジャムパン	385	コーンスナック	473	チョコレートケーキ	528		
シュークリーム	386	ココアシガレット	474	チョコレートまんじゅう	528		
シュトーレン	387	ごま板	474	ちんすこう	531		
錠菓	391	スティックゼリー	474	月見だんご	532		
しょうがせんべい	391	べっこう飴	474	つばきもち	534		
しょうゆせんべい	399	麦チョコ	474	ティラミス	538		
ショートケーキ	400	ラーメンスナック	474	デコレーションケーキ	540		
汁粉	411	タフィー	486	デニッシュペストリー	541		
すあま	416	たまごパン	487	でんぷんせんべい	548		
スイートポテト	416	タルト・洋菓子	494	とうまんじゅう	561		
スコーン	421	タルト・和菓子	494	ドーナッツ	566		
スナック菓子	426	だんご	495	あんドーナッツ	566		
えびせん	426	チーズケーキ	507	イーストドーナッツ	566		
コーンパフ	426	ちまき	510	ケーキドーナッツ	566		

どらやき	576	かき氷	693	みたらしだんご	795
ドロップ	581	シャーベット	693	みなづき	797
ナタデココ	590	フィナンシェ	700	ミルフィーユ	800
南部せんべい	603	ふうきまめ	701	蒸しパン	804
かやきせんべい	603	ふ菓子	703	メレンゲ	809
人形焼き	613	ブッシュ・ド・ノエル	719	メロンパン	811
ヌガー	617	ブッセ	720	もなか	816
ぬれせんべい	618	プディング	720	もみじまんじゅう	817
ねりきり	621	ふぶきまんじゅう	731	ももやま	820
のしうめ	623	ふまんじゅう	731	モンブラン	823
パイ	627	ブリットル	736	やつはし	828
アップルパイ	628	フルーツケーキ	736	生八つ橋	828
ミートパイ	628	プレッツェル	737	ゆべし	839
パイ皮	628	フローレット	738	ようかん	840
バウムクーヘン	629	フロランタン	739	練りようかん	840
パウンドケーキ	630	べいか	742	水ようかん	841
爆弾あられ	632	ほうりんす	750	蒸しようかん	841
バタースコッチ	643	ボーロ	753	よもぎまんじゅう	844
バターボール	643	ホットケーキ	757	らくがん	848
はっか糖	647	ポテトチップス	757	あずきらくがん	848
はなびらもち	656	成形ポテトチップス	758	いもらくがん	848
パネトーネ	657	ポンせんべい	762	えんどうらくがん	848
ババロア	658	ボンボン	763	きな粉らくがん	849
はぶたえもち	658	マーホア	767	栗らくがん	849
春駒	665	マカロン	770	麦らくがん	849
パンナコッタ	671	巻きせんべい	770	ラスク	849
ビスケット・クッキー類	684	マコロン	774	ラング・ド・シャ	853
クッキー	685	マシュマロ	775	りきゅうまんじゅう	855
サブレ	685	まつかぜ	776	レーズンサンド	871
サンドビスケット	685	マドレーヌ	781	ロールケーキ	881
ソフトタイプビスケット	685	まめいた	782	ロシアケーキ	881
ハードタイプビスケット	686	まめがし	782	ろっぽうやき	882
パイ	686	マロングラッセ	786	綿菓子	888
ヨーチビスケット	686	マンゴープリン	787	ワッフル	889
ひなあられ	688	まんじゅう	787	ゴーフル	889
氷菓	693	みしま豆	789	わらびもち	890
アイスキャンディー	693	みそ半月せんべい	795		

16 し好飲料類

青汁	8	ココア	289	生酒	436
赤酒	10	こぶ茶	296	生貯蔵酒	436
アクアビット	12	混成酒	317	普通酒	436
あまざけ	28	さくらゆ	329	本醸造酒	436
ウイスキー	73	雑酒	337	その他の醸造酒	451
グレインウイスキー	74	シェリー	369	濁酒	478
ブレンデッドウイスキー	74	シャンパン	385	炭酸飲料類	496
モルトウイスキー	74	ドン・ペリニヨン	386	コーラ飲料	497
ウオッカ	76	紹興酒	391	炭酸水	497
梅酒	103	老酒	392	透明炭酸飲料	497
果実飲料	156	醸造酒	393	ビール風味炭酸飲料	497
果実酒	157	焼酎	393	フルーツ・フレーバー系	
ガラナ飲料	186	泡盛	394	炭酸飲料	498
カルバドス	191	いも焼酎	395	粉末清涼飲料	498
甘味果実酒	202	粕取り焼酎	395	ラムネ	498
キュラソー	227	黒糖焼酎	395	ちゃ類	512
キルシュワッサー	230	米焼酎	395	中国茶	517
合成清酒	274	じゃがいも焼酎	395	ウーロン茶	518
紅茶	276	白糠焼酎	395	包種茶	519
アールグレイ	279	そば焼酎	395	プーアール茶	519
フレーバードティー	280	麦焼酎	395	花茶	519
コーヒー	281	蒸留酒	399	チューハイ	520
アイスコーヒー	284	白酒	412	発泡酒	650
アイリッシュコーヒー	284	ジン	413	発泡酒	650
アメリカンコーヒー	284	スイートワイン	416	第3のビール	650
インスタントコーヒー	284	スピリッツ	427	ビール	677
ウインナコーヒー	284	スポーツ飲料	428	黒ビール	680
カフェ・エスプレッソ	284	清酒	432	スタウト	680
カフェ・オ・レ	284	生一本	435	淡色ビール	680
カフェ・カプチーノ	284	貴醸酒	435	生ビール	680
カフェ・モカ	284	吟醸酒	436	濃色ビール	680
カフェ・ロワイヤル	285	原酒	436	ラガービール	680
コーヒー飲料	285	地酒	436	ぶどう酒	724
トルココーヒー	285	純米吟醸酒	436	赤ぶどう酒	726
ブラックコーヒー	285	純米酒	436	貴腐ワイン	726
レギュラーコーヒー	285	樽酒	436	白ぶどう酒	726

発泡性ぶどう酒	727	マオタイ酒	769	かぶせ茶	860
ビンテージ	727	マディラ	780	釜炒り茶	860
ボジョレー・ヌーボー	727	マラガ	785	玉露	860
ロゼぶどう酒	727	みりん	799	玄米茶	861
ブランデー	733	麦茶	802	煎茶	861
コニャック	734	もろみ酢（清涼飲料用）	823	玉緑茶	861
粉末清涼飲料	741	薬味酒	826	碾茶	861
ペパーミント	747	ラム	853	番茶	861
ベルモット	749	リキュール	855	ほうじ茶	861
ポート	753	緑茶	857	抹茶	861

17　調味料及び香辛料類

いしる	56	くちなし	246	こいくちしょうゆ	397
いりざけ	65	クミン	248	さいしこみしょうゆ	398
ウーシャンフェン	75	グレービーソース	257	しろしょうゆ	398
うこん	78	クローブ	259	だししょうゆ	398
うま味調味料	100	ケーパー	268	たまりしょうゆ	398
イノシン酸二ナトリウム	101	こうじ	273	土佐しょうゆ	398
グアニル酸二ナトリウム	101	塩麹	273	丸大豆しょうゆ	399
グルタミン酸ナトリウム	101	しょうゆ麹	274	食塩	401
XO醬	116	香辛料	274	低ナトリウム塩	404
オイスターソース	127	こうぼ	280	藻塩	404
オールスパイス	131	アルコール酵母	280	焼き塩	404
オーロラソース	132	酵母エキス	280	食酢	404
オニオンパウダー	138	パン酵母	280	果実酢	406
ガーリックパウダー	147	こしょう	293	粕酢	406
からし	183	コチュジャン	294	黒酢	407
粒入りマスタード	184	コンソメ	317	穀物酢	407
ガラムマサラ	186	酒粕	334	酒精酢	407
カラメルソース	187	サフラン	352	麦芽酢	407
カルダモン	190	さんしょう	362	バルサミコ酢	407
カレー粉	195	花椒	363	ぶどう酢	408
カレールウ	196	シナモン	378	ぽん酢	408
乾燥スープ	198	しょうゆ	395	米酢	408
キャラウェイ	216	うすくちしょうゆ	397	りんご酢	408
ぎょしょう	228	生揚げしょうゆ	397	しょっつる	409
ナンプラー	228	減塩しょうゆ	397	スイートチリソース	416

スターアニス	423	トマトパウダー	575	ハヤシルウ	664
スパイス	427	トマトピューレー	575	ピクリングスパイス	681
セージ	437	トマトペースト	575	ピンクペッパー	697
セロリシード	441	トマトミックスジュース	575	ブーケガルニ	701
ソース	445	ドライトマト	575	風味調味料	701
ウスターソース類	445	ホールトマト	575	フェヌグリーク	702
タラゴン	492	ドレッシング	579	フェンネル	702
タルタルソース	493	イタリアンドレッシング	579	ブラウンソース	731
たれ類	494	ごまドレッシング	579	ベイリーブス	742
チリソース	529	サウザンアイランド		ホワイトソース	761
チリパウダー	529	ドレッシング	580	マヨネーズ	783
チリペッパーソース	529	ドレッシング・ビネガー	580	みそ	791
デミグラスソース	542	ドレッシング・		米みそ	794
テンメンジャン	551	ミックスタイプ	580	即席みそ	794
とうち	557	フレンチドレッシング	580	豆みそ	794
トウバンジャン	558	和風ドレッシング	580	麦みそ	795
トマト加工品	574	ナツメグ	595	みりん風調味料	799
トマトケチャップ	574	メース	595	めんつゆ	812
トマトジュース	574	ハーブ	625	ゆずこしょう	838
トマトスープ	574	バニラ	656	ラー油	845
トマトソース	574	パプリカ	659	料理酒	856

 18　加工食品・その他の食品類

遺伝子組換え食品	60	電子線照射食品	392	特定保健用食品	755
インスタント食品	72	真空調理食品	414	松前漬け	779
宇宙食	92	超高圧処理食品	521	無菌包装食品	803
紙容器詰食品	181	調理済み流通食品	523	無菌化包装食品	803
缶詰食品	199	チルド食品	530	無菌充填包装食品	804
健康食品	271	電磁調理器用食品	543	有機食品・特別栽培農産物	835
健康補助食品	271	電子レンジ対応食品	543	特別栽培農産物	836
コピー食品	296	凍結乾燥食品	555	冷凍食品	868
CA 包装食品	366	特別用途食品	567	レトルト食品	874
MA 包装食品	366	びん詰食品	697	レトルトパウチ食品	874
ガス置換包装食品	366	プラスチック容器詰食品	732	レトルトパック食品	875
脱酸素剤封入包装食品	366	保健機能食品	754	レトルト容器食品	875
照射食品	392	栄養機能食品	754		
γ線照射食品	392	機能性表示食品	754		

新版 日本食品大事典 第二版　　ISBN 978-4-263-70827-9
2017年 3月10日　第1版第1刷発行
2019年 3月25日　第1版第3刷発行
2022年10月10日　第2版第1刷発行

編　集　　平　　　宏　和
　　　　　田　島　　　眞
　　　　　安　井　明　美
　　　　　安　井　　　健

発行者　　白　石　泰　夫

発行所　　医歯薬出版株式会社
〒113-8612　東京都文京区本駒込1-7-10
TEL.(03)5395-7626(編集)・7616(販売)
FAX.(03)5395-7624(編集)・8563(販売)
https://www.ishiyaku.co.jp/
郵便振替番号　00190-5-13816

乱丁，落丁の際はお取り替えいたします　　　　　　印刷/製本・アイワード

© Ishiyaku Publishers, Inc., 2017, 2022. Printed in Japan

本書の複製権・翻訳権・翻案権・上映権・譲渡権・貸与権・公衆送信権(送信可能化権を含む)・口述権は，医歯薬出版(株)が保有します．
本書を無断で複製する行為(コピー，スキャン，デジタルデータ化など)は，「私的使用のための複製」などの著作権法上の限られた例外を除き禁じられています．また私的使用に該当する場合であっても，請負業者等の第三者に依頼し上記の行為を行うことは違法となります．

この書籍は，令和4年8月9日に著作権法第67条の2第1項の規定に基づく申請を行い，同項の適用を受けて作成されたものです．

[JCOPY]＜出版者著作権管理機構 委託出版物＞
本書をコピーやスキャン等により複製される場合は，そのつど事前に出版者著作権管理機構(電話03-5244-5088, FAX 03-5244-5089, e-mail：info@jcopy.or.jp)の許諾を得てください．